中华人民共和国成立50周年庆典上的群众游行队伍

当代青年的榜样秦文贵（左一）

为民爱民的好医生吴登云

群众信得过的建房人范玉恕

人民的忠诚卫士方红霄

新时期英雄战士李向群

312 国道甘肃省定西段文明样板路

在“保护生态环境，倡导文明新风”活动中，江泽民题字的长江源环保纪念碑落成

北京至上海的K21/22次列车以“中华第一车”的全新形象为广大乘客服务

南京市交警向群众宣传“畅通工程”

第九届全国冬运会期间，长春市志愿者自发地到体育场馆外清扫积雪

赣州文化广场的群众文艺演出

有困难找济南交警

建设银行参加“科技下乡”活动，向湖北罗田县政府捐赠电脑

交警爱民

中华人民共和国成立50周年成就展“光辉的历程”在北京展览馆展出

上海市浦东开发区

深圳特区

# 第二批全国文明风景旅游区示范点

云南昆明石林

福建武夷山

辽宁鞍山千山

江苏扬州瘦西湖

河北秦皇岛山海关

广东深圳湾华侨城旅游度假区

贵州黄果树

陕西华山

北京八达岭长城

湖北武汉东湖

# 中国精神文明建设年鉴

## （2000）

中国精神文明建设年鉴编辑委员会　编

学习出版社

**中国精神文明建设年鉴(2000)**
ZHONGGUO JINGSHEN WENMING JIANSHE NIANJIAN
中国精神文明建设年鉴编辑委员会 编

学习出版社出版发行
地址:北京市西长安街 5 号
电话:010-63020922　63020926
邮政编码:100806

彩色印刷:宏达恒智印刷有限公司
正文印刷:新世纪印刷厂
装订:紫恒印装有限公司
新华书店经销
2001 年 3 月出版

ISSN 1009—9891
CN 11—4620/D
定价:280.00 元(含光盘)
海外定价:860.00 元

# 《中国精神文明建设年鉴》编辑委员会

李国平　民航总局政治部副主任
李任芷　国家旅游局质量与管理司司长
孟国强　国家内贸局行业司副司长
游有源　中国气象局直属机关党委副书记
张安乐　国家电力公司政工办副主任、机关党委副书记
孙志新　供销合作总社合作指导部部长
陈胜利　国家计生委宣教司司长
刘士国　国家工商局人事教育司副司长
赵东鸣　首都文明办主任
沈志建　天津市文明办副主任
白　石　河北省文明办副主任
韩树勋　山西省文明办主任
张英伟　内蒙古自治区党委宣传部副部长、文明办副主任
张仁地　辽宁省文明办副主任
马　竞　吉林省文明办副主任
陈永芳　黑龙江省文明办副主任
许德明　上海市委宣传部副部长、文明办主任
谭　跃　江苏省委宣传部副部长、文明办主任
张仕英　浙江省文明办主任
谢　新　安徽省文明办副主任
朱　清　福建省文明办主任
张　剑　江西省文明办专职副主任
李凤梧　山东省委宣传部副部长、文明办主任
马正跃　河南省文明办副主任
毕志伦　湖北省委宣传部副部长
邓吉雄　湖南省文明办主任
顾作义　广东省文明办常务副主任
李　涛　广西壮族自治区党委宣传部副部长、文明办主任
朱寒松　海南省文明办主任
翁杰明　重庆市文明办主任
刘朝清　四川省文明办常务副主任
李从彬　贵州省文明办副主任
陶国相　云南省文明办专职副主任
刘盛福　西藏自治区党委宣传部副部长、文明办主任
白智民　陕西省委宣传部副部长、文明办主任
周文武　甘肃省文明办主任
王致义　青海省文明办专职副主任
张怡安　宁夏回族自治区文明办副主任
李向军　新疆维吾尔自治区文明办主任
王运华　新疆生产建设兵团政治部宣传部副部长、文明办主任

# 《中国精神文明建设年鉴》编辑部

# 出版说明

《中国精神文明建设年鉴》（下称《文明年鉴》）是系统汇集我国精神文明建设重要文献和进展情况等信息的资料性工具书。

《文明年鉴》的编辑宗旨是，宣传毛泽东、邓小平、江泽民精神文明建设理论，党和国家关于精神文明建设的方针政策，全面反映精神文明建设进展情况，总结推广精神文明建设经验，提供精神文明建设信息，积累精神文明建设成果，为精神文明建设工作服务。

编撰《文明年鉴》是精神文明建设的一项基础工程。为做好《文明年鉴》的编辑出版工作，中央文明办组织全国文明办系统专门成立了《文明年鉴》编辑委员会，编委会由中央文明办、部分部委和系统文明办、各省（区、市）文明办等单位的负责同志组成。编委会下设编辑部，由上述单位和学习出版社参加编辑工作的人员以及特邀专家组成。

《文明年鉴》的编撰工作从2000年开始启动。首先编撰2000年卷，收集1999年精神文明建设信息资料。《文明年鉴》计划从1997年中央精神文明建设指导委员会正式成立开始编撰，1998—1999年卷将收集党的十四届六中全会作出《中共中央关于加强社会主义精神文明建设若干重要问题的决议》后至1998年底精神文明建设信息资料。今后，将每年编辑出版一卷。

《文明年鉴》的内容侧重于思想道德建设，特别是群众性精神文明创建活动。2000年卷设9个专栏：文献·讲话；法规·文件；概况综述；创建活动；先进典型；经验交流；理论成果；大事记；附录（组织机构、获奖名单、统计数据、资料索引）。各个专栏的内容顺序按照行政序列、专题逻辑、时间先后编排。这9个专栏的内容综合起来，基本上涵盖了全国精神文明建设的各个方面，比较系统地反映了1999年我国精神文明建设的实际进展情况。

《文明年鉴》的稿件由中央文明办、各部门、各系统、各省（区、市）文明办和《文明年鉴》编辑部撰写或选编。其中理论成果专栏的理论文章由编辑部邀请理论工作者进行文字压缩和内容摘编，图书简介由相关出版社责任编辑或原书作者撰写；附录部分的统计资料由编辑部根据《中国统计年鉴》选编。为保证《文明年鉴》内容的准确性，编辑部先后4次召开特约编辑审稿会议，请特约编辑对与本单位本地区相关内容进行审核。编辑部根据中央文明办领导的审稿意见，对《文明年鉴》的内容作了调整和修改。

《文明年鉴》的编辑出版工作，得到了中央文明委、中央文明办领导同志的关心和指导，得到了各部委、各系统、各省（区、市）文明委和文明办的大力支持，也得到了新闻出版署的热情帮助，在此一并表示诚挚的感谢！

《文明年鉴》的编辑工作，涉及全国各部门、各系统、各地区精神文明建设的方方面面，内容浩繁，工作量很大，《文明年鉴》2000年卷的编辑出版又是第一次。由于时间、水平和经验所限，在组织工作、内容选择、体例编排、文字处理等方面尚有不尽完善之处，敬请读者指正，以便我们改进工作，使《文明年鉴》越办越好。

中国精神文明建设年鉴编辑部

2000年12月

# 总目

COMPREHENSIVE TABLE OF CONTENTS

# 目　录

## 文献·讲话

# 法规·文件

# 概况综述

各地精神文明建设概述

# 创建活动

# 先进典型

## 先进个人

## 经验交流

# 理 论 成 果

## 理论文章摘要

## 图书简介

# 大事记

# 附　录

## 组织机构

**表彰与获奖者名单**

## 统计资料



## 资料索引

# 文献·讲话

# LITERATURE AND SPEECHES

# 江泽民在会见国家科技奖励获奖代表时发表讲话

（1999年1月8日）

人类正在经历一场全球性的科技革命。以信息技术和生命工程为主要标志的科技进步日新月异，经济和社会发展主要依靠知识创新和知识的创造性应用的趋势，越来越明显。科技进步日益成为推动人类文明进步的一个重要力量。在即将到来的21世纪，这一趋势将会表现得更加突出。孙中山先生说过："世界潮流，浩浩荡荡。顺之者昌，逆之者亡。"我们如果不紧紧跟上科技进步的时代潮流，必然会陷入极为被动的境地。因此，我们必须把握潮流，乘势而上，努力提高我国的科学技术水平。

科学技术是第一生产力。我们要毫不动摇地坚持贯彻邓小平同志的这一重要思想，加紧实施科教兴国战略和可持续发展战略，把加速科技进步放在经济社会发展的关键地位。人类社会不断发展，科技进步永无止境。现在西方发达国家包括一些发展中国家，都制定了面向新世纪的科技发展规划，并在加紧实施。我们必须奋起直追，迎头赶上，结合我国的实际和条件，加快形成自主的科技创新体系，集中力量解决经济社会发展的重大和关键技术，促进科技成果向现实生产力转化。中华民族是富有创新精神的民族。希望广大科技工作者团结一致，不断创造无愧于时代的业绩，为中华民族的全面振兴作出新的贡献。

国家科技奖励，是党和政府对科技人员进行的创造性劳动的肯定，也是一个很高的荣誉。实现我们宏伟的发展目标，关键是人才。各个方面都形成人才辈出、群星璀璨的局面，我们的事业就大有希望。要进一步做好国家科技奖励的工作，努力在全社会形成一整套激励高素质科技人才脱颖而出、促进科技工作与经济社会发展的要求紧密结合的有效机制。长江后浪推前浪。培养科技人才的工作，特别是培养青年科技人才的工作一定要抓得很紧很紧，这是关系中华民族未来命运的大战略。

（1999年1月9日《人民日报》）

# 江泽民：进一步端正学风，努力把全党的学习提高到一个新的水平

（1999年1月11日）

加强学习，树立一个好的学风很重要。这里，我提五点要求。

一是要坚持以研究中国的实际问题为中心。学习不应该是经院式的，而要有的放矢，学以致用。毛泽东同志曾经要求全党确立以研究中国革命的实际问题为中心，以马克思列宁主义基本原

理为指导的方针，废除静止地孤立地研究马克思列宁主义的方法。这是我们搞好学习必须始终坚持的指导思想。我们要以我国改革开放和现代化建设的实际问题、以我们正在做的事情为中心，着眼于马克思主义理论的运用，着眼于实际问题的理论思考，着眼于新的实践和新的发展。我们要坚持解放思想、实事求是的思想路线，系统、周密地研究中国改革和建设的实际问题，决不能满足于一知半解，不断研究新情况，解决新问题，勇敢地开拓理论和实践的新境界。

我提出若干问题，希望大家结合自己的学习和工作进行思考。比如，如何使国有企业加快建立现代企业制度，更好地发挥它们在社会主义市场经济中的主导作用；在扩大对外开放的条件下，如何确保我国金融稳健运营；在世界经济全球化趋势进一步加强的情况下，如何处理好既要积极参与国际经济合作与竞争，又要善于维护国家的独立、安全和利益的关系；如何适应以信息科学为标志的现代科学技术的发展，加快我国高新技术产业的发展和科技创新体系的形成；如何进一步采取有效的措施，解决好农民增产又增收和开拓农村市场的问题；如何正确处理把依靠国内市场作为发展经济的根本立脚点和积极利用国外市场与资源的关系；如何加快中西部地区的发展步伐，实现区域经济的协调发展；如何全面认识和正确处理新时期的人民内部矛盾，促进社会政治稳定。这些都是对我们实现跨世纪发展目标有直接影响的课题，希望全党同志开动脑筋，在实践中不断寻找解决它们的正确答案，以利推动我国改革开放和现代化建设更好地向前发展。

二是要坚持理论联系实际。在新的历史时期，坚持理论和实践的统一，就是要紧密结合改革和建设的实际，通过理论学习提高自己，更好地进行实践，再在实践中进一步丰富和发展理论。我们不仅要向书本学习，而且要向实践学习。我们党领导人民进行革命、建设和改革的历史，是一部蕴涵和体现马克思列宁主义、毛泽东思想和邓小平理论的活生生的教科书。我们刚刚总结了改革开放20年的丰富经验，目的就是要运用这些宝贵的经验来教育全党同志，使大家更加坚定、自觉地坚持党的基本理论、基本路线和基本纲领。在长期的实践中，我们有过教训，也付出过惨痛的代价。这也要牢牢记取。一个政党，一个民族如果不善于从自己发展的正反经验中学习，就没有希望。

改革开放和社会主义现代化建设是一个大课堂，人民群众是这个课堂上最高明的老师。向实践学习，首先就要向广大人民群众学习，甘当他们的小学生。要善于总结和提高人民群众创造的新鲜经验，不断改进我们的工作。领导干部特别是年轻干部，应该勇于在实践中接受锻炼，经受考验，增长才干。不经受各种艰难困苦和尖锐复杂斗争的锻炼和考验，一个干部是很难成熟起来的。要与群众同甘共苦，群策群力克服困难，把党的路线、方针、政策落实下去。一个干部在政治上、工作上是否合格，不仅要看学习得怎样，而且要看能不能在实践中创造性地贯彻落实中央的路线、方针、政策，能不能在困难的环境中团结和带领群众坚韧不拔地打开工作的局面。

三是要坚持在改造客观世界的同时努力改造我们的主观世界。改造客观世界和改造主观世界，始终是我们共产党人的两项重要任务。这两项任务是统一的。在改造客观世界的进程中，我们的主观世界可以得到磨炼和提高。我们的主观世界不断得到改造，就可以推动我们更好地改造客观世界。改造主观世界，关键是要牢固地树立正确的世界观、人生观和价值观，牢固地树立为党和人民的事业不懈奋斗的信念。在对外开放和发展社会主义市场经济的条件下，一些干部经不住权力、金钱、美色等的考验，跌入违法犯罪的腐败泥潭，一个重要的原因就是放松了对自己主观世界的改造。勤于学习，善于学习，不仅有利于把我们的思想认识和行动建立在科学的基础之上，而且有利于陶冶革命情操，提高精神境界。

我们所以强调要不断改造主观世界，就是要使全党始终保持一种坚韧不拔、奋发有为的良好精神状态。庸俗的人生哲学，对群众的疾苦置若罔闻、麻木不仁的态度，都是同我们党的性质和宗旨格格不入的，必须坚决反对和杜绝。我们做工作，必须有对党和人民高度负责的精神。不负责任，得过且过，敷衍了事，是要出大事的。最近，云南昆禄公路“豆腐渣工程”的暴露、辽宁沈四高速公路青洋河大桥的塌陷、重庆綦江县人行桥因粗制滥造而垮塌等事件，看了以后令人震惊。中央决定扩大投入，加强基础设施建设，以扩大内需，带动国民经济增长。这是一个重大决策，各项工程一定要加强监管，确保工程质量，不然后患无穷。

全党同志首先是各级领导干部，都要始终保持开拓进取的旺盛斗志和高度负责的工作态度，都要坚持说老实话、办老实事、做老实人，都要始终诚心诚意为人民谋利益。“富贵不能淫，贫贱不能移，威武不能屈”，“业精于勤，荒于嬉；行成于思，毁于随”，“先天下之忧而忧，后天下之乐而乐”，“天下兴亡，匹夫有责”等等，都是古人留下的很有价值的思想。古人尚懂得“修身齐家治国平天下”、“吾日三省吾身”的道理，我们共产党人更应自觉地加强对自己主观世界的改造。

四是要坚持学习一般知识与学习专门知识的统一。改革开放和现代化建设是一项宏伟而复杂的系统工程，各方面的工作必须相互协调、相互配合，顾此失彼、畸重畸轻，就不会取得最终的成功。塑造一个人头像，眼睛、鼻子、嘴巴、耳朵和眉毛都要成比例。如果不成比例，各个部位雕琢得再好也没有用。哪怕一个部位没有安排好，也会破坏整体的平衡和美感。我打这个比方的意思是，我们做工作，必须做到统筹兼顾。古人说，“不谋全局者不足谋一域”，说的就是这个道理。一个干部在一个地区或部门担任领导职务，特别是党政一把手，没有多方面的基本知识，就不能很好地观察和把握工作的全局。讲政治，很重要的一条，就是要讲全局、懂全局、谋全局。这对于各级党政一把手来说极为重要。没有全局，就没有方向。因此，大家应该不断扩大自己的知识面，增强全局观念和工作上的全面性系统性，减少和避免片面性。

另一方面，各级领导干部也要努力成为本职工作的行家里手。现在，无论领导什么工作，没有一定的专业知识是不能胜任的。管金融的不懂金融，管水利的不懂水利，管工业的不懂工业，怎么能管好呢？这个道理是很明白的。干部“四化”标准中，有一条就是专业化。在加强革命化、年轻化和知识化的同时，努力加强干部的专业化素质和能力，是今后干部队伍建设要继续着力抓好的一项工作。

五是要坚持在研究中国特点的基础上借鉴外国的有益知识和经验。深入研究中国的特点，切实解决中国的问题，这是我们学习的基本立足点。离开了这一点，我们的学习就没有意义。同时，我们也必须积极学习和借鉴世界各国人民创造的一切优秀文明成果，包括吸收和借鉴西方发达国家创造的符合社会化大生产规律的经营和管理方法。我们党历来重视学习外国的先进知识。马克思列宁主义，就是我们从外国学来的。我们学来了以后，又把它同我国的具体实际相结合，找到了适合国情的革命和建设的正确道路。我们要研究中国的政治、经济、文化和军事，也要研究外国的政治、经济、文化和军事。发展现代科学技术，管理市场经济，操作现代金融，在一些具体方面我们需要向西方发达国家学习和借鉴。它们毕竟搞的时间比较长，积累了一些有用的知识和经验。当然，学习外国，必须坚持为我所用的方针，进行认真的鉴别。对什么东西可以学，什么东西不能学，要做到心里有数。对可以学的东西，也要结合自己的实际消化吸收，不能囫囵吞枣，生搬硬套。切不能邯郸学步，失其故步。

实现跨世纪发展的宏伟目标，从长远看，关键在一大批年轻干部的健康成长。年轻干部要尽快成长起来，没有任何捷径可走，只有勤奋学习，深入实际，努力吸收各种知识营养，在艰苦的锻炼中成长起来。不仅党的高级干部要加强学习，各级干部和全党同志都要加强学习。还要通过我们以身作则的实际行动，努力把勤奋好学的风气推广到全社会去。我们未来的领导干部和建设人才，要从现在的青少年一代中产生。因此，通过全党的学习，带动广大青少年刻苦学习，是关系到我们党和国家的事业兴旺发达和后继有人的一件大事。全党都要做这项工作，高级干部更要带头做。全社会的学习风气大大加强了，中华民族就大有希望。

我今天讲的话，归结到一点，就是希望大家学习、学习、再学习，实践、实践、再实践。

（这是江泽民同志在省部级主要领导干部金融研究班结束时讲话的一部分。载于《十五大以来重要文献选编》〈上〉人民出版社 2000 年版第 714－720 页）

# 江泽民在中纪委三次全会上发表讲话

（1999年1月15日）

江泽民强调，面对新时期的新任务，面对新形势下的各种前所未遇的严峻考验和巨大挑战，我们必须充分发挥党的严密的组织性和铁的纪律这个优势。全党纪律严明，朝气蓬勃，我们就能无往而不胜。

江泽民说，经过20年改革开放和现代化建设，我们取得了巨大的成就，积累了丰富的经验。进一步推进改革和建设，实现跨世纪发展的宏伟目标，我们有着许多优势。具有严密的组织性和铁的纪律，就是我们党历来取得胜利的一个重要优势。而这个优势，又是实现全党的统一意志、统一行动，使其他各方面优势得到充分发挥的一个重要保证。

江泽民指出，十一届三中全会以来，我们党总结历史上特别是“文化大革命”的经验教训，结合改革开放和现代化建设的实际，为加强纪律采取了一系列重要措施，党的纪律建设在新形势下得到改进和加强。在遵守党的纪律方面，绝大多数党组织和党员是做得好的和比较好的。但也应看到，在新的环境和条件下，党的纪律观念在一部分党员、干部包括有些领导干部中淡漠了，纪律松弛的现象在一些党组织中相当突出，从而影响党的思想统一、组织巩固和战斗力的提高。

江泽民指出，对于党内存在的各种违反纪律和纪律松弛的问题，各级党委和纪检监察机关必须充分认识其危害性，认真分析产生的原因，提出治理和防范措施，切实加以纠正。

江泽民强调，从严治党，严肃党纪，最根本的就是全党各级组织和全体党员、干部，都要做到严格按党章办事，按党内生活准则和党的各项规章办事。这个总要求，应落实到加强党的纪律建设的各个方面。

江泽民着重从四个方面提出了当前加强纪律的基本要求。第一，必须严肃党的政治纪律。讲政治纪律，首要的一条，就是要坚持党的基本理论和基本路线不动摇，在政治上同党中央保持一致，保证中央的政令畅通。党的各级组织和党员干部，必须坚决维护中央的权威。每个党员都要加强组织观念，顾全党和国家的大局，维护安定团结的政治局面。共产党员在政治上要光明磊落，讲真话，办实事，言行一致，表里如一。

第二，必须严肃党的组织纪律。所有的党组织和党员都必须自觉遵守党的组织原则，做到党章规定的“四个服从”。各级党委务必认真执行党委会的工作规则，做到集体领导、民主集中、个别酝酿、会议决定。不论什么人，不管其职位高低，都不允许搞独断专行，或者拒绝组织的调遣和监督，把自己凌驾于组织之上。要坚决反对拉帮结派，搞团团伙伙。决定干部人事任免，必须全面贯彻“革命化、年轻化、知识化、专业化”方针和德才兼备原则，坚持任人唯贤，严格按照民主集中制行事，严格执行有关制度和规定。

第三，必须严肃经济工作纪律。随着改革的深化和社会主义市场经济的发展，加强经济工作纪律、特别是财政金融工作纪律越来越重要。从中央到地方，各级、各部门、各单位都要抓紧健全财政金融方面的规章制度和纪律规范，所有从事财政金融工作的党员、干部都必须严格按照规章制度办事，各级党政领导机关和领导干部都要严格遵守财政金融工作制度。

第四，必须严肃党的群众工作纪律。党的各级组织和党员、干部，都要努力加强同人民群众的联系，反对形形色色的官僚主义，严格执行群众工作纪律。任何党员和干部，都不允许与民争利，以权谋私，侵犯人民群众的权益。要妥善处理新形势下的人民内部矛盾，防止矛盾激化而损害党群、干群关系，影响社会稳定。对于群众中出现的对党的一些政策措施暂时不理解或提出某些不合理要求的问题，要做深入细致的思想政治工作，耐心引导和帮助，力戒简单生硬。对于那些称王称霸、欺压群众的党员和干部，必须严肃处理。

江泽民最后说，党风廉政建设和反腐败斗争，这些年我们抓得是紧的，也取得了比较明显的阶段性成果。但是，消极腐败现象还没有得到全面遏制，有的还在滋长蔓延。反腐败斗争的形势依然严峻，任务仍很艰巨，不能有丝毫松懈。各级党委要坚持“党要管党”、“从严治党”的方针，坚决维护党的纪律的严肃性，认真实行党风廉政建设责任制，坚决查处各种违反党的纪律的案件。纪检监察机关要在党委领导下，充分发挥职能作用。各级党委和政府要积极为纪检监察机关开展工作创造条件，帮助他们解决实际困难。有党中央和各级党委的领导，有人民群众的支持，各级纪检监察机关要大胆工作，知难而进，为党和人民作出新的成绩。

（1999年1月16日《人民日报》）

# 江泽民与出席全国宣传部长会议同志座谈并讲话

（1999年1月21日）

中共中央总书记江泽民1月21日在与出席全国宣传部长会议的同志座谈时强调，今年是我们党和国家历史上具有特殊意义的一年。大事喜事多，难点热点也多，改革发展稳定任务很重。宣传思想战线的同志要增强政治意识、大局意识、责任意识，兢兢业业地工作，努力为改革开放和现代化建设提供良好的舆论环境和有力的思想保证。

江泽民在讲话中向宣传思想战线的同志们表示亲切的问候。他说，过去的一年，宣传思想战线在宣传贯彻党的十五大精神，宣传抗洪抢险的伟大斗争，宣传改革开放20年的巨大成就和历史经验等方面做了大量工作，取得了明显成效。党的宣传思想工作队伍是一支党和人民可以信赖的有战斗力的队伍。

江泽民指出，十四大以来，党的宣传思想工作在实践中形成了许多重要的方针原则和新的经验。我在这些年关于宣传思想工作的历次讲话中已作过阐述。实践证明，这些方针原则和经验都是正确的，希望大家要很好地坚持下去。

江泽民强调，今年宣传思想工作要继续唱响主旋律，打好主动仗。要高举邓小平理论伟大旗帜，进一步兴起学习邓小平理论新高潮。胸中要有大局，牢牢把握正确的舆论导向。对错误的东西要头脑清醒，心中有数，沉着处理。不能把错误的东西炒热，更不能让错误的东西干扰党和国家工作的大局。在事关政治方向、政治原则问题上，必须旗帜鲜明，分清是非，不能听之任之。要特别注意维护社会政治稳定。严格遵守党的政治纪律和宣传纪律，切实做到令行禁止。该管的要管住，重要的宣传阵地和传播手段，一定要把好关口，丝毫不能出问题。要大力加强精神文明建设，认真做好思想教育工作。在发展社会主义市场经济的新的历史条件下，对精神产品要特别注意坚持社会效益第一，力求社会效益和经济效益相统一。要讲学习、讲政治、讲正气。党的新闻工作者，都要坚持党性原则，宣传报道要实事求是，要维护大局、维护团结、维护稳定。绝不要猎奇，不要追求所谓的“轰动效应”。

江泽民最后希望广大宣传思想工作者继续宣传贯彻好党的十五大精神，团结一心，扎扎实实，努力做好今年的工作。

（1999年1月22日《人民日报》）

# 江泽民在欢迎我国驻南斯拉夫联盟共和国工作人员大会上的讲话

（1999年5月13日）

首先，我代表党中央、国务院和全国各族人民，向邵云环、许杏虎、朱颖三位革命烈士，表示沉痛的哀悼！他们是为和平、为正义、为祖国捐躯的，我们永远怀念他们。我们还要向光荣负伤的同志表示亲切的问候！向仍然在战火中履行神圣使命的驻南使馆工作人员和坚守岗位的新闻工作者，表示崇高的敬意！

以美国为首的北约悍然对我驻南使馆进行导弹袭击的暴行发生后，我国政府当即发表了严正声明，提出了最强烈的抗议。以美国为首的北约必须对这一事件承担全部责任，必须对中国政府提出的要求作出全面交代。否则，中国人民决不答应！中国政府正密切关注事态的发展，并继续保留采取进一步措施的权利。

几天来，全国各族人民和海外广大同胞对以美国为首的北约暴行义愤填膺，用各种形式表达了强烈的抗议和严厉的谴责。这些正义活动，充分显示了中华民族的伟大爱国主义精神和巨大凝聚力，充分体现了中国人民维护世界和平、反对霸权主义的坚强意志。伟大的中华人民共和国是不可欺的！

世界上许多国家的政府、政党、社会团体和一切爱好和平的人民，也纷纷对北约的暴行进行谴责，声援中国人民的正义斗争。我代表中国政府向他们表示诚挚的谢意！

中国政府坚决反对以美国为首的北约绕开联合国安理会，对南联盟发动军事攻击。这场战争给南联盟人民造成了巨大的灾难，严重威胁到欧洲稳定和世界和平。这场战争必须结束了。在北约继续狂轰滥炸的情况下，不可能在联合国讨论任何政治解决方案。这是我国政府和人民的原则立场。

冷战结束后，世界向多极化的方向发展，但天下仍很不太平。美国倚仗其经济、科技和军事实力，继续推行霸权主义和强权政治，肆意干涉别国内政。它的所作所为已引起了越来越多的国家和人民的警觉。人类正处在维护世界和平、促进共同发展的关键时刻。世界潮流，浩浩荡荡，顺之则昌，逆之则亡。一切爱好和平、维护正义的国家和人民，应该团结起来，为反对霸权主义和强权政治，推动建立公正合理的国际新秩序而共同奋斗！

中国人民将始终不渝地坚持邓小平理论和党的基本路线，按照党的十五大提出的跨世纪发展的战略目标，把建设有中国特色社会主义的伟大事业全面推向21世纪。

我们要继续坚定不移地坚持以经济建设为中心。全党和全国各族人民，要把对北约野蛮行径的巨大义愤和伟大爱国热情化作强大的动力，同心同德，艰苦奋斗，不断增强我国的经济实力、国防实力和民族凝聚力。这是社会主义中国永远立于不败之地的根本保证。

我们要继续坚定不移地推进改革开放。这是强国之路。我们要坚持独立自主、自力更生，又要进一步扩大开放，继续在平等互利的基础上开展对外经济技术交流与合作，把发扬中华民族的优良传统同积极学习世界上一切优秀文明成果结合起来，不断推进我国的现代化建设。

我们要继续坚定不移地保持社会稳定。这是我们完成各项改革和建设任务的基本保证。对于国内外敌对势力伺机搞乱中国，破坏我们社会主义现代化的图谋，必须时刻保持警惕。全党同志和全国各族人民，都要努力维护安定团结的社会政治局面。

我们要继续坚定不移地贯彻执行独立自主的和平外交政策。在和平共处五项原则的基础上继续发展同世界各国的友好合作。对于一切国际事务，坚持从中国人民和世界人民的根本利益出发，根据事情本身的是非曲直来决定自己的立场和政策。坚决维护国家的主权和安全，坚决主持公正，伸张正义，不信邪，不怕压，为促进人类和平与发展的崇高事业而努力。

中国人民是具有光荣的爱国主义传统、热爱和平的伟大人民。在中国共产党的领导下，全国各族人民坚强团结，不懈奋斗，建设富强民主文明的社会主义现代化国家的伟大目标，就一定能够达到！

(1999年5月14日《人民日报》)

# 江泽民在全国教育工作会议上发表讲话

(1999年6月15日)

中共中央总书记、国家主席江泽民在全国教育工作会议上发表重要讲话。他强调，国运兴衰，系于教育；教育振兴，全民有责。我们必须全面贯彻党的教育方针，坚持教育为社会主义为人民服务，坚持教育与社会实践相结合，以提高国民素质为根本宗旨，以培养学生的创新精神和实践能力为重点，努力造就“有理想、有道德、有文化、有纪律”的，德育、智育、体育、美育等全面发展的社会主义事业建设者和接班人。

江泽民在讲话中指出，新中国的教育事业经过50年来特别是改革开放20年的改革和发展，为社会主义建设培养了大批熟练劳动者和各类专门人才，并积累了丰富的教育工作经验。几代教育工作者艰辛探索，无私奉献，为祖国富强和民族振兴付出了大量心血，作出了历史性的贡献。我代表党中央、国务院，向全国教育工作者和所有热情支持教育事业的广大干部、群众和各界人士，表示衷心的感谢和问候。

江泽民在分析国际国内形势后指出，在当今世界上，综合国力的竞争，越来越表现为经济实力、国防实力和民族凝聚力的竞争。无论就其中哪一个方面实力的增强来说，教育都具有基础性的地位。改革开放20年来，我国经济建设和科技进步都取得了巨大的成就。但是，也要清醒地看到，我国经济增长方式还没有根本转变，沉重的人口负担还没有转化为人力资源的优势。我们的劳动力素质和科技创新能力不高，已经成为制约我国经济发展和国际竞争能力增强的一个主要因素。中央全面分析国际国内发展的大势，认为必须坚定不移地实施科教兴国的战略，大力提高全民族的思想道德和科学文化素质，提高知识创新和技术创新能力，密切教育与经济、科技的结合，加快实现经济增长方式和经济体制的根本转变。这是全面推进我国现代化事业的必然选择，也是中华民族自立于世界民族之林的根本保证。

江泽民说，教育是知识创新、传播和应用的主要基地，也是培育创新精神和创新人才的摇篮。无论在培养高素质的劳动者和专业人才方面，还是在提高创新能力和提供知识、技术创新成果以及增强民族凝聚力方面，教育都具有独特的重要意义。我们的各级各类教育机构，我们的全体教育工作者，对增强包括民族凝聚力在内的综合国力，承担着庄严的职责。

江泽民指出，面对当前国际国内新的形势，我们的教育思想、教育体制和结构、教育内容和方法，同社会主义现代化建设发展的需要不相适应的矛盾，已经和正在日益显露出来。各级党委和政府，整个教育战线的同志们，对教育工作中存在的问题和不足，都应保持清醒的认识。思想政治教育，在各级各类学校都要摆在重要地位，任何时候都不能放松和削弱。思想政治素质是最重要的素质。不断增强学生和群众的爱国主义、集体主义、社会主义思想，是素质教育的灵魂。

江泽民说，普及九年义务教育，满足基本学习需要和提高劳动者的整体素质，要作为教育工作的首要目标，努力提高绝大多数人的教育水准。对于不能进入高等教育行列进行学习的城乡学生和其他群众，应通过大办各级各类职业技术学校，广泛吸收他们学习和掌握一门或几门生产技术与管理、服务方面的技能。要根据需要和可能，采取多种形式积极发展高等教育，特别是社区性的高等职业教育，扩大现有普通高校和成人高校的招生规模，尽可能满足人民群众接受高等教育的要求。也可以动员社会的力量办一点民办高校，作为现有高校的补充。各级政府要为受教育者提供尽可能公平的教育机会，尤其要重视解决欠发达地区和人群的教育问题，增加对贫困地区和贫穷家庭的教育资助。特别是要高度重视发展农村教育事业，确保农村教育的投入，并不断加大投入的力度。

江泽民说，面对世界科技飞速发展的挑战，我们必须把增强民族创新能力提到关系中华民族兴衰存亡的高度来认识。教育在培育民族创新精神和培养创造性人才方面，肩负着特殊的使命。必须转变那种妨碍学生创新精神和创新能力发展的教育观念、教育模式，特别是由教师单向灌输知识，以考试分数作为衡量教育成果的惟一标准，以及过于划一呆板的教育教学制度。要下功夫造就一批真正能站在世界科学技术前沿的学术带头人和尖子人才，以带动和促进民族科技水平与创新能力的提高。这不仅是教育界的责任，也是全党全社会的战略性任务。在出人才的问题上，要鼓励和支持冒尖，鼓励和支持当领头雁，鼓励和支持一马当先，这不是提倡搞个人突出、个人英雄主义，而是合乎人才成长规律的必然要求。

江泽民说，事实已经充分说明，“象牙塔”式的教育，不能适应当今时代的需要。教育同经济、科技、社会实践越来越紧密的结合，正在成为推动科技进步和经济、社会发展的重要力量。在我国社会主义初级阶段，教育作为经济、政治、文化建设的基础工程，不仅要为现代化建设提供人才和智力储备，而且要直接参与各方面的建设事业，为推动各项建设事业作出贡献。

江泽民说，终身学习是当今社会发展的必然趋势。要逐步建立和完善有利于终身学习的教育制度。学校要进一步向社会开放，发挥学历教育、非学历教育、继续教育、职业技术培训教育等多种功能。基础教育、职业教育、成人教育和高等教育要加强相互间的衔接与沟通，为学习者提供多种多次受教育的机会。要以远程教育网络为依托，形成覆盖全国城乡的开放教育系统，为各类社会成员提供多层次、多样化的教育服务。

江泽民要求，全党同志和全国各族人民都要从实现祖国富强和民族振兴的高度，继续关心和支持我国教育的发展。他说，各级党委和政府，要将教育纳入战略发展重点和现代化建设的整体布局之中，切实把教育作为先导性、全局性、基础性的工作，摆到优先发展的战略重点地位。各级党政领导干部，都要抓好教育工作，坚持在制定经济与社会发展规划时保证教育优先的适度超前发展，坚持在安排各级财政预算时实现教育经费的三个增长，提高教育支出在财政支出中的比例，为教育优先发展提供物质保证。要经常关心和帮助解决教育工作中遇到的困难问题，建立和健全目标管理责任制，层层明确目标和责任。要建立领导干部联系学校的制度以及检查和奖惩制度。要继承中华民族的优良传统，在全社会大力弘扬尊师重教的良好风尚。要为教师多办实事，切实保障教师合法权益，努力改善教师的待遇。要大力加强教师队伍的建设，不断优化队伍结构和提高队伍素质。

江泽民指出，人才培养和青少年的成长，不仅需要各级各类学校的努力，而且需要良好的社会环境。加强社会综合治理和文化建设，坚决抵制各种封建迷信、腐朽思想文化对青少年的毒害；加强社区建设，积极创造有利于青少年健康成长的家庭、邻里和学校的环境。文化艺术部门和大众传播媒介，必须以内容健康向上、具有艺术魅力的精神产品教育青少年。总之，全党和全社会要共同努力营造文明健康的学习环境。

（1999年6月16日《人民日报》）

# 江泽民：在纪念中国共产党成立78周年座谈会上的讲话

（1999年6月28日）

今天，我们在这里就全国正在开展的“三讲”教育进行座谈，以纪念中国共产党成立78周年，这是很有意义的。刚才几位同志的发言，讲得都很好。

我们党走过了78年的奋斗历程，团结和带领全国各族人民取得了革命、建设、改革的伟大成就，赢得了全国各族人民的衷心拥护。我们党所以能够发展成为今天这样一个拥有6000多万党员的坚强的马克思主义的执政党，所以能够战胜一切艰难险阻、不断开创新的事业境界，很重要的一条历史经验，就是我们始终坚持在马克思主义的指导下，结合我国的具体实际和不同历史时期的形势，围绕党的中心工作，在带领群众进行伟大实践的过程中，坚持不懈地加强党的思想建设、政治建设、组织建设和作风建设。毛泽东同志把党的建设确定为我们党克敌制胜、发展壮大的主要法宝之一。70多年来，我们党坚持贯彻这条重要的历史经验，保持党的工人阶级先锋队性质，党的战斗力不断增强，领导水平不断提高。

在和平建设时期，如何加强党的建设，是我们党执政后始终面临的一个重大课题。革命战争年代，战火的洗礼和恶劣的环境，是每一个共产党人经常面对的严峻考验。能不能为党和人民的事业赴汤蹈火，抛头颅、洒鲜血，是对广大党员和领导干部党性的最好检验。我们党为赢得民族独立和人民解放，作出了最大的牺牲，经受住了这个考验。和平建设时期，党的中心工作是进行经济建设，环境改变了，生活条件也逐渐改善，生死考验也有，但毕竟不像战争年代那样经常发生。在这样新的历史条件下，党的建设的内容、形式和特点，必然同战争年代有很大不同。新中国成立以后，我们党为此进行了不懈的努力和新的探索，也积累了不少新的经验。虽然发生过一些失误甚至严重的曲折，但总的来说，我们逐渐形成了和平建设时期加强党的建设的一系列行之有效的措施和办法。这些，都要继续发扬光大。十一届三中全会以后，邓小平同志率领我们党认真总结正反两方面的历史经验，为探索在改革开放和现代化建设的新时期加强党的建设的路子，取得了重大成果。这个过程还没有结束，还需要全党继续探索和实践。

中央决定在全国县级以上党政领导班子和领导干部中，集中一段时间，以整风的精神深入开展“三讲”教育，解决好党性党风方面存在的突出问题，是我们党为加强自身建设而进行的一个新的创造性的探索。这是在新的历史条件下保持党的先进性和纯洁性，提高领导水平、执政水平，增强拒腐防变、抵御风险能力的需要；是从思想上、政治上、组织上、作风上全面推进党的建设，提高干部队伍素质的需要；是我们党团结带领人民按照十五大的战略部署，全面推进建设有中国特色社会主义伟大事业的需要。切实搞好“三讲”教育，其意义和影响将是重大而深远的。

这次“三讲”教育，是当前党的建设的重中之重。按照中央的要求，各地、各部门的“三讲”教育正在分期分批地展开。总的看，前一段，绝大多数地方和单位指导思想明确，工作认真扎实，进行得比较健康和顺利，收到了比较明显的成效，也积累了一些好的经验。许多同志反映，党的领导干部集中一段时间，联系实际学习马列主义、毛泽东思想特别是邓小平理论，把改造客观世界同改造主观世界结合起来，认真总结工作实践和党性锻炼中的经验教训，这是多年来少有的；省部级领导干部带头，认真查摆自己在党性党风方面存在的突出问题，从世界观、人生观、价值观的高度进行剖析，这也是多年来少有的；充分发扬民主，坚持走群众路线，广泛听取各方面意见，严肃认真地开展批评与自我批评，这同样是多年来少有的。

现在，“三讲”教育发展的形势是好的。各级党委首先是主要领导干部，要进一步坚定信心，再接再厉，认真贯彻中央的部署，始终以高度的责任感、严肃的态度和饱满的热情，把“三讲”教育继续引向深入。

讲学习、讲政治、讲正气，三者是紧密相连和相互统一的，核心是讲政治。一个政党，就是围绕自己的政治纲领、按照自己的政治路线，为实现自己的政治目标而组织起来的政治集团。不讲政治，离开了自己的政治纲领、政治路线和政治目标，也就不成其为一个政党了。我们党是马克思主义的政党，必须坚持讲马克思主义的政治，讲建设有中国特色社会主义的政治，讲实现、维护和发展人民群众利益的政治。全党同志特别是领导干部，必须坚定正确的政治立场、政治方向和政治观点，严守政治纪律，增强政治敏锐性和政治鉴别力，保证全党在思想上、政治上、组织上的高度统一。只有这样，我们才能在前进道路上始终保持清醒的头脑、科学的认识、坚定的信念，才能经受住各种困难和风险的考验，完成改革和建设的各项任务。

讲政治是具体的，而不是抽象的。领导干部讲政治，最重要的就是要通过自己的实践，把讲政治的要求落实到推动建设有中国特色社会主义的经济、政治、文化等各个方面，体现在自己的日常工作和学习上，贯彻到党内生活里去。这里我强调以下几点。

第一，要坚定正确的理想和信念。我们共产党人的根本政治信仰是社会主义和共产主义，世界观是马克思主义的辩证唯物主义和历史唯物主义，这是任何时候都丝毫不能动摇的。一个党员特别是领导干部，如果在思想上动摇了这些根本的东西，也就动摇了共产党人的根本政治立场，就必然会偏离正确的政治方向。中央要求“三讲”教育把坚定理想信念作为必须解决的第一个问题，是有针对性的。在这方面，一些同志身上确实存在着不可忽视的问题。例如，有的同志对社会主义经过长期发展最终必然战胜资本主义，对建设有中国特色社会主义的前途，认识上产生了这样那样的动摇；有的革命意志衰退，思想空虚，沉湎于花天酒地，或到封建迷信和其他消极行为中去寻求精神寄托；有的私欲膨胀，在拜金主义面前随波逐流，以至利用职权攫取国家资产，为自己留所谓的后路。种种情况说明，我们必须不断加强对党员、干部的理想教育和信念教育，加强辩证唯物主义和历史唯物主义教育，推动全党同志真正把理想信念牢固地建立在马克思主义的科学基础上。要适应国际国内新的形势，适应社会经济、政治、文化生活的新变化，积极寻找新的办法和措施，创造新的经验，保证党在建设有中国特色社会主义的伟大而艰巨的实践中，真正加强思想政治工作、组织工作、宣传工作、群众工作，使马克思主义始终牢固地占领思想政治阵地，使各种唯心论、非马克思主义和反马克思主义的东西没有可乘之机。思想政治工作的实践说明，我们的阵地如果无产阶级思想不去占领，非无产阶级思想就必然会去占领。我们必须充分注意和记取这种历史的经验教训。

第二，要善于从政治上正确认识和判断形势。我们党领导的社会主义现代化事业，是一项十分艰巨、不断发展的事业，又是在复杂多变的国际环境中进行的。如果不善于从政治的高度、从全局和战略的高度来认识我国经济社会发展的状况，认识当今国际局势变化对我国产生的影响，审时度势，正确决策，就难以把握正确的前进方向，也难以贯彻落实党的基本理论、基本路线和基本纲领。正确分析和认识形势，才能把握好现代化建设的大好局面同前进中出现的暂时困难和问题的关系，认清事物的本质与现象、主流与支流，坚定推进工作的信心；才能把握好改革、发展、稳定的关系，统筹兼顾地处理好各方面的工作，促进经济和社会全面发展；才能把握好国际形势总体趋向缓和同美国等西方国家搞霸权主义、强权政治的关系，努力为我国现代化建设创造一个良好的国际环境，更好地维护我国的安全和利益。最近一段时间，中央在处理以美国为首的北约武装干涉南联盟事务、袭击我驻南使馆的问题时，就始终注意从国际国内的大势来加以审视和考虑，制定和执行了正确的方针与对策。总之，无论看待国际形势还是国内形势，都要坚持马克思主义的辩证观点。形势好的时候，要看到存在的问题，及时求得解决，不盲目乐观；遇到困难和挫折的时候，要看到光明，坚定胜利的信心，知难而进，不悲观失望；面临挑战的时候，要冷静思考，沉着应对，妥善处理，不头脑发热。

第三，要在路线方针政策上始终保持政治上的清醒和坚定。政治是经济的集中表现，是为经济服务的。列宁指出："一个阶级如果不从政治上正确地看问题，就不能维持它的统治，因而也就不能完成它的生产任务。"我们搞社会主义现代化建设，中心任务是发展经济，必须牢牢抓住，绝对不能动摇。经济发展需要有坚强的政治保证和充分的政治条件，否则经济建设也搞不好。经济工作和其他各项业务工作中都有政治。党的十五大提出要积极探索能够进一步解放生产力的公有制实现形式，允许搞股份制和股份合作制，国外有些人就以为中国要搞私有化了。而我们有的同志也产生了类似的错误认识，结果在一些地方的工作中出现了某些偏差。经过新中国成立以来50年的发展，我们的国有资产已达8万多亿，这是属于全国人民的财产，是我国社会主义制度的重要经济基础。如果头脑不清醒，随意地加以处理，比如不加区分、不加限制地把国有资产大量量化到个人，并最终集中到了少数人手中，那样我们的国有资产就有被掏空的危险，我们的社会主义制度就会失去经济基础。那时，中国将会是一个什么样的局面？我们靠什么来坚持社会主义制度，靠什么来巩固人民的政权，靠什么来保证实现全体人民的共同富裕？所以，正确地认识和坚持以公有制为主体、多种所有制经济共同发展的基本经济制度，正确认识和处理公有制经济同非公有制经济的关系，既是一个重大经济问题，也是关系党和国家前途命运的重大政治问题。我讲这么一个问题，是要说明，领导干部特别是高级干部，必须善于从政治上观察和处理问题，绝不能单纯地就经济论经济，就业务谈业务。那样，不仅工作不可能做好，而且会给党和人民的事业带来损失。希望各级领导干部自觉从政治的高度来认识和把握自己从事的工作，保证我们的各项工作更好地沿着正确的方向发展。

第四，要自觉坚持党的民主集中制原则。民主集中制是我们党和国家的根本组织制度与领导制度，也是最重要的组织纪律和政治纪律。一些领导班子不和谐、不团结，原因是多方面的，但带共性的一条就是民主集中制执行得不好。有的主要领导干部喜欢个人说了算，把集体讨论当形式。有的领导干部全局意识差，对集体决定合意的执行，不合意的就不执行。这种现象，妨碍领导集体形成整体合力，也会带来政治上的不良影响。我一直讲，领导班子要坚持集体领导，民主集中，个别酝酿，会议决定。主要领导既要有魄力，善于在发扬民主的基础上果断拍板决策，又要尊重别人的意见，善于集思广益，实行正确的集中。每个领导成员都要按照集体的决定和分工切实履行自己的职责，同时又要关心全局，积极参与集体决策。重大问题的决策、重要人事任免，都必须坚持民主集中制，坚持集体讨论，会议决定，严格按照规则和程序办事。领导成员之间，要互相信任，互相支持，互相补充，互相谅解；遇到意见分歧，要坦诚相见，及时沟通，不要当面不说，背后乱说，不要斤斤计较个人的恩怨得失。这样就可以避免或减少影响团结的问题发生，即使有了矛盾也容易解决。解决党内矛盾，要坚持运用批评与自我批评的武器，这是我们党的一个优良传统和优良作风，也是在新的历史条件下增强党的团结，健全党内生活，帮助同志进步所必需的。对错误的东西听之任之，不进行必要的思想斗争，讲私情而不讲党性，讲关系而不讲原则，回避矛盾，一团和气，是非不分，危害极大。对违背党的路线方针政策的重大原则问题，对违反党的宗旨和纪律的错误行为，要敢于批评，敢于斗争。领导干部要广纳善言，闻过则喜，这对自己的进步和提高大有好处，对提高党的凝聚力、战斗力也大有好处。

第五，要全心全意为人民谋利益。我们共产党人全部工作的出发点和归宿，都是为人民谋利益。这是我们的立党之本、执政之本。政治问题主要是对人民群众的态度问题，同人民群众的关系问题。人民群众是历史的创造者，是真正的英雄。这些话，都是毛泽东同志早就说过的，我曾多次加以引用和强调。领导干部要同群众保持密切的联系，真正同群众打成一片，想群众之所想，急群众之所急，以群众赞成不赞成、高兴不高兴作为自己的行为准则。否则，就有被群众抛弃的危险。对群众提出和反映的问题，必须满腔热情地加以处理，切实帮助群众解决生产和生活中的实际困难，绝不能漠然置之，更不能粗暴地对待群众，激化矛盾。全心全意为人民谋利益，不能挂在嘴上，不能搞“虚功”，而是要实实在在地为群众办事，要从群众最关心、最迫切需要解决的实际问题入手开展工作，把我们党的根本宗旨切实落实到各项工作中，落实到广大人民群众身上。

总之，党员、干部特别是领导干部，不论在哪个领域、哪条战线工作，都要讲政治。中央提出，高级干部首先要努力成为忠诚于马克思主义、坚持走有中国特色社会主义道路、会治党治国的政治家。提高干部队伍素质，关键是要提高马克思主义政治素质。没有这个政治的灵魂，就会迷失方向，就不可能成为一个清醒的和合格的党的领导干部，不可能成为一个清醒的和合格的有中国特色社会主义事业的建设者和领导者。高级干部，一定要按照中央的要求，努力加强学习和实践，努力使自己成为党所要求的善于治党治国的政治家。其他领导干部也要用这样的要求来锻炼和提高自己。我们党有了一大批在新的历史时期、在改革开放和发展社会主义市场经济的社会环境中、在复杂的国际斗争形势下会治党治国的政治家，由这样的政治家来办经济、办文化、办军事、办外交、办现代化建设的各项工作，建设有中国特色社会主义的伟大事业就一定能够不断地从胜利走向新的胜利。

讲政治，必须坚持讲学习。领导干部的马克思主义理论基础扎实了，各方面知识丰富了，才能全面地认识和把握各种复杂的矛盾和问题，敏锐地识别各种错误的观点和思潮，科学地制定各项政策措施，也才能在各种复杂的局势中坚持正确的政治方向。一句话，只有讲学习，才能更好地讲政治。学习，首先是学习理论。理论建设是党的建设的根本，理论素质是领导干部思想政治素质的灵魂。加强马克思主义理论学习，仍然是摆在全党面前的一项紧迫而重大的任务，必须持之以恒地加以推进。同时，还应该广泛学习经济、政治、法律、科技、历史、文化等方面的知识，学习国际政治和国际经济方面的知识。优秀的文学艺术作品，对提高人的思想境界和品德修养很有好处，也应该熟悉和了解。人类创造的知识是浩瀚的，全部都学也不可能，应该结合自己的知识状况和工作实际，合理地制定学习计划，逐步积累和深入。人不是生而知之的，知识、才干和经验都要在工作实践和刻苦学习中获得。学习，不仅要从书本上学，而且要在实践中学；不仅要在总结成功的经验中获得提高，而且要在汲取失败的教训中获得进步。这是我们党的实事求是的思想路线所要求的，也是理论联系实际的马克思主义学风所要求的。

讲政治，必然要体现在讲正气上。讲正气，就是要坚持和发扬共产党人的政治本色与革命气节。中央一直强调全党同志特别是领导干部，一定要树立和保持共产党人的高尚情操与革命气节。这历来是我们党团结奋斗、夺取胜利的强大精神力量。一个革命政党，必须有一股浩然正气，这样全党才能具有强大的精神支柱，才能充满生机和活力。这些年来，一些领导干部在金钱、权力、女色面前，经不起考验，蜕化变质，跌入了腐败的泥坑。一个重要原因，就是这些人放松了世界观的改造，丧失了共产党人的革命气节。我们中华民族历来崇尚名节。孟子说的“富贵不能淫，贫贱不能移，威武不能屈”，以及其他许多格言名句，都表达了我们民族对坚贞气节的追求。我们共产党人，应该继承和发扬中华民族的优秀文化传统，应该在马克思主义的思想基础上，培养和弘扬高尚的人格品质。保持革命气节，就要做到无论在何种情况下，都忠诚于党和人民的事业，不改变革命的初衷，不丧失必胜的信心；不怕鬼，不信邪，坚持真理，维护党的原则，旗帜鲜明地同各种错误思想、不良倾向和邪恶势力作斗争；坚持廉洁奉公，艰苦奋斗，在拜金主义、享乐主义、个人主义和“酒绿灯红”的侵蚀影响面前，一尘不染，正气凛然。在全党同志特别是领导干部中大力加强革命气节教育，是新形势下一项重要的思想政治建设。大家都要在改革开放和现代化建设的实践中，自觉进行党性锻炼，自觉加强思想政治修养，在解决世界观、人生观、价值观问题上下功夫，在实践中不断坚定自己的信仰、志向，锤炼自己的意志、品质，真正养成共产党人的高风亮节。

改革开放以来，党所处的国内外环境、肩负的历史任务以及党员、干部队伍的构成情况，已经和正在发生很大的变化。社会经济成分和组织形式的多样化，社会成员对物质利益和其他要求也呈现出种种差异，这些都不可避免地会反映到党内、反映到领导干部队伍中来。这是党的建设面临的过去没有遇到过的新情况、新问题。这次“三讲”教育，就是我们党为加强领导班子建设，提高干部队伍素质，解决新形势下党性党风方面存在的突出问题采取的一项重大举措。

现在，第一批省部级单位领导班子和领导干部的“三讲”教育即将告一段落，巩固和扩大教育成果、落实整改措施的工作还不少；各省区市所属地市厅局和各部委司处级干部的“三讲”教育，也正在或即将展开。第二批省部级单位领导班子和领导干部的“三讲”教育很快就要开始。各地、各部门党委（党组）要加强领导，主要负责同志要切实履行第一责任人的责任，一级抓一级，一级带一级，都要坚持高标准、严要求，不能松劲，不能降低要求和标准，不能走过场。中央巡视组要继续发挥好指导和帮助的作用。要在总结和发扬第一批“三讲”教育单位取得的经验的基础上，把以后各级、各批的“三讲”教育搞得更好。“三讲”教育的时间毕竟是有限的，而讲学习、讲政治、讲正气则是长期的任务，应该成为全党同志尤其是领导干部经常的自觉行动。

同志们，我们正处在世纪之交的重要历史关头，肩负着跨世纪发展的伟大而艰巨的任务。我们一定要通过这次“三讲”教育，进一步提高全党的理论水平和政治水平，提高领导干部正确把握形势、驾驭复杂局面的能力，进一步增强党的凝聚力和战斗力，更好地带领全国各族人民把建设有中国特色社会主义事业全面推向前进。

（1999年7月1日《人民日报》）

# 江泽民在全国技术创新大会上发表讲话

（1999年8月23日）

江泽民在全国技术创新大会上发表重要讲话，强调全党同志和全国各族人民都要牢记，全面实施科教兴国战略，大力推动科技进步，加强科技创新，是事关祖国富强和民族振兴的大事。努力在科技进步与创新上取得突破性的进展，赋予全面推进建设有中国特色社会主义事业以更大的动力，是全国广大科技工作者和各条战线上的同志的一个伟大战略性任务。我们要切实担负起这个历史责任，在党和政府的领导下，团结一致地向新科技革命进军，向社会主义现代化建设的广度和深度进军。

江泽民在讲话中指出，我们党历来十分重视发挥科学技术在革命和建设中的重要作用。改革开放以来，邓小平同志提出了“科学技术是第一生产力”的著名论断，并明确提出四个现代化的关键是科学技术的现代化。1995年，党中央、国务院提出，要实施科教兴国战略，加速全社会的科技进步，把经济建设转移到依靠科技进步和提高劳动者素质的轨道上来。党的十五大进一步提出，科技进步是经济发展的决定性因素，要把加速科技进步放在经济和社会发展的关键地位，实现我国技术发展的跨越。这些都是事关我国经济和社会发展的重要战略思想和重大决策。改革开放20年来，我们坚持依靠科技进步推动经济和社会发展，取得了很大的成绩。广大科技工作者，为增强我国的经济实力和国防实力，提高我国的国际竞争力，作出了重要贡献。我们要继续坚定不移地贯彻“科学技术是第一生产力”的重要思想，全面实施科教兴国战略。

江泽民指出，20世纪，是知识不断创新、科技突飞猛进、世界深刻变化的世纪。现在，知识和科技的更新速度日益加快，科技成果商品化、产业化的周期大大缩短。可以预料，21世纪科技创新将进一步成为经济和社会发展的主导力量，科技与经济和社会发展的结合将更加紧密。新的科学发现和技术发明，特别是高科技的不断创新及其产业化，将对全球化的竞争和综合国力的提高、对世界的发展和人类文明的进步，产生更加巨大而深刻的影响。社会产业结构、生产工具、劳动者素质等生产力要素和人们的生产方式、生活方式、思想观念，都将发生新的革命性变化。对此，我们应有充分的估计和认识。我们需要比以往任何时候更加注意加速科技进步，加强科技创新。当今世界各国综合国力竞争的核心，是知识创新、技术创新和高新技术产业化。我们要在未来激烈的国际竞争和复杂的国际斗争中取得主动，要维护我们的国家主权和安全，必须大力发展我国的科技事业，大力增强我国的科技实力，从而不断增加我国的经济实力和国防实力。

江泽民说，从现在起到下世纪的前十年，是我国的社会主义现代化建设实现第二步战略目标，并向第三步战略目标迈进的关键时期。在这个时期，我们必须全面确立比较完善的社会主义市场经济体制，必须更好地保持国民经济持续快速健康发展。这些都离不开科学技术的大发展。无论是解决产业结构不合理、技术水平落后、劳动生产率低、经济增长质量不高等问题，还是推进农村经济发展、创造国有企业的新优势、提高人民的生活水平，无论是发展高新技术产业、形成国民经济新的增长点，还是提高全民族的科学文化素质、推进社会全面进步，我们都面临着许多艰巨的任务。要完成这些艰巨任务，都需要加速科技进步与创新。同时，在全球市场竞争日趋激烈的情况下，要增强我国经济抗御各种风险冲击的能力，也要依靠科技进步与创新来提高增长的质量与效益。总之，离开科技进步与创新，我们就难以保持经济社会的持续稳定发展，就难以实现跨世纪的现代化建设目标。

江泽民指出，全面实施科教兴国战略，加速全社会的科技进步，关键是要加强和不断推进知识创新、技术创新。对这个问题，不仅各级领导干部要有很强的政治意识，而且要使全社会都树立这样的意识。我们必须把以科技创新为先导促进生产力发展的质的飞跃，摆在经济建设的首要地位。这要成为一个重要的战略指导思想。

江泽民说，科技创新包括很多方面，其中重要的一个方面是技术创新。进一步加强技术创新，发展高科技，实现产业化，这是一项系统工程，需要把握的问题很多。加强技术创新，不仅对我们搞好国有企业具有重大意义，而且对我们提高整个国民经济的质量和效益，提高全社会的劳动生产率，提高我国的国际竞争力也具有决定性的意义。加强技术创新，最根本的是要在全社会真正形成推动技术创新工作的有效机制。在这个过程中，要着重把握好以下几个方面。第一，充分发挥社会主义制度的政治优势，走出一条具有中国特色的技术创新路子；第二，坚持面向经济建设，加速科技成果向现实生产力转化；第三，增强自主创新能力，实现技术发展的跨越；第四，加强全社会的大力协同，尽快建立和完善技术创新和科技成果向现实生产力转化的配套体系；第五，积极推进国家知识创新体系建设，为技术创新和科技成果向现实生产力转化提供有效的保障与激励机制；第六，努力建设一支宏大的富有创新能力的高素质人才队伍。

江泽民指出，我国实行社会主义制度，可以集中力量办大事。五六十年代，在物质技术基础薄弱、经济困难、帝国主义封锁的艰难条件下，我们依靠发挥社会主义制度的优势，依靠广大科技人员的艰苦创业，在较短时间内，取得了以“两弹一星”和大庆油田的勘探和开发等为代表的辉煌科技成就，为捍卫我们国家主权和安全，促进国民经济发展，奠定我国的大国地位，做出了不可磨灭的贡献。在发展社会主义市场经济的新条件下，我们应该继续坚持并充分运用社会主义制度能够集中力量办大事这个政治优势。我们要选准一些对推动经济和社会发展、维护国家安全、提高生产力和综合国力有重大带动作用的领域，集中力量，大力协同，重点攻关，力求突破。特别要加强基础性、关键性的高新技术领域的创新，加速高技术产业尤其是具有战略意义的新兴产业的发展，同时不断提升传统产业。要把社会主义制度的优势同市场经济的优势结合起来，充分发挥市场在配置资源方面的基础性作用，通过竞争实现资金、人才、技术和经营管理等要素的最佳组合，最大限度地调动全社会一切有利于促进技术创新的积极力量。我国12亿多人口拥有的创造活力和巨大市场潜力，不仅对技术创新提出了广泛的要求，而且也为技术创新提供了强大的动力和广阔的舞台。

江泽民强调，加强和改善党的领导，是实施科教兴国战略的政治保证。各级党委和政府要从战略的高度，充分认识推进科技创新的重要性和紧迫性，把加强技术创新，发展高科技，实现产业化摆上重要议事日程。目前，我们正在研究制定“十五”计划和中长期发展规划。从指导思想、战略重点到政策措施，都要把依靠科技进步与创新作为促进经济和社会发展的关键因素来充分考虑。各级党委和政府在作出重大决策时，需要对科技、经济和社会多方面情况进行准确把握，做好科学论证。各级政府部门要学会用社会主义市场经济的办法推动科技进步、技术创新。各级领导干部要自觉站在新科技革命的前列，认真学习现代科学技术知识。及时掌握新科技革命及世界经济、社会发展的态势，不断提高知识水平和自身素质，努力成为新形势下领导经济和科技工作的内行。科学精神的精髓是求实创新。我们不但要加强科技创新，而且要加强体制创新、政策创新、观念创新。必须一切从实际出发，正确把握客观事物的本质和规律，打破思想禁锢，打破习惯势力和传统偏见的束缚，勇于探索，勇于开拓。

江泽民指出，我们要坚持用科学思想、科学精神武装全党同志和全国人民，努力提高全社会的科学文化水平。事实告诉我们，在科学技术高度发达的今天，科学与迷信、知识与愚昧的斗争并未停止。我们的科技普及工作、思想政治工作、精神文明建设，必须锲而不舍、持之以恒地抓下去。必须坚持用辩证唯物主义和历史唯物主义教育广大党员、干部和人民群众。要高举科学的旗帜，坚决反对迷信，反对反科学、伪科学的活动。要把科技知识、科学思想、科学精神、科学方法的宣传和普及工作，作为精神文明建设的重要内容不断加强起来。

江泽民最后说，中华民族历来是勤劳智慧、富有创新精神的民族。创新精神，是我们民族几千年来生生不息、发展壮大的重要动力。我们要继续发扬这个光荣的传统，瞄准世界科技发展的先进水平，结合我国现代化建设的实际，奋起直追，锐意创新，把我国的科技事业和现代化建设不断推向前进。

(1999年8月24日《人民日报》)

# 江泽民：在庆祝中华人民共和国成立50周年大会上的讲话

（1999年10月1日）

全国同胞们，

同志们，朋友们：

今天，我们在宏伟的天安门广场，隆重庆祝中华人民共和国成立50周年。这是全国各族人民的盛大节日，也是检阅我们成就和力量的庄严典礼。

我代表党中央、全国人大、国务院、全国政协和中央军委，向一切为祖国的独立、统一、民主、富强建立了功勋的革命先辈和烈士们，表示深切的怀念！向全国各族人民和海内外爱国同胞，致以热烈的节日祝贺！向关心和支持中国发展的外国友人和世界人民，表示诚挚的感谢！

50年前的今天，毛泽东主席在这里向世界宣告了新中国的诞生。中国人民从此站起来了，中华民族的发展进入了一个崭新的时代。

15年前的今天，邓小平同志在这里向世界宣告了中国人民正沿着改革开放的道路阔步前进，中国社会主义建设的航船将乘风破浪地驶向现代化的光辉彼岸。

经过50年特别是改革开放20年来艰苦卓绝的奋斗，昔日积贫积弱的中国发生了翻天覆地的历史巨变。勤劳、勇敢、智慧的中国人民在党的领导下，在古老的华夏大地上创造了举世惊叹的人间奇迹。

实践已经充分证明，只有社会主义才能救中国，只有社会主义才能发展中国。实践也充分证明，建设有中国特色社会主义，是实现中国经济繁荣和社会全面进步的康庄大道。

人类又来到一个新的世纪之交和新的千年之交的重要时刻。这是人们回顾过去征程与业绩、展望未来发展与前景的美好时刻。

从上世纪中叶到本世纪中叶，中国人民经过100年的浴血斗争，终于实现了民族独立和人民解放，根本改变了自己的命运。从本世纪中叶到下世纪中叶，中国人民经过100年的艰苦创业，将基本实现社会主义现代化。中华民族将以更加强劲的英姿屹立于世界民族之林。

我们伟大的祖国已经走过了5000年的历程。在5000年的历史长河中，中华民族以自己的聪明才智和卓越创造，为世界文明作出了不可磨灭的贡献。在新的千年中，中华民族必将以自己新的灿烂成就，为世界文明作出更大的贡献。

我们将继续坚持党的基本理论、基本路线、基本纲领，依靠全国各族人民的力量，在新的世纪里不断谱写建设有中国特色社会主义的新篇章。

我们将继续坚持“和平统一、一国两制”的方针，在实现香港和澳门顺利回归以后，最终完成台湾与祖国大陆的统一。实现祖国的完全统一和维护祖国的安全，是中华民族伟大复兴的根本基础，也是全体中国人民不可动摇的坚强意志。

我们将继续坚持独立自主的和平外交政策，在和平共处五项原则的基础上发展同所有国家的友好合作关系。中国人民始终同广大发展中国家和世界各国人民站在一起，为反对霸权主义和推进世界多极化，推动建立公正合理的国际政治经济新秩序，促进世界和平与发展的崇高事业而不懈努力。

奋斗就会有艰辛，艰辛孕育新的发展。这是一个普遍规律。中国的未来是无限光明的。让我们高举马克思列宁主义、毛泽东思想、邓小平理论的伟大旗帜，朝着辉煌的目标奋勇前进！一个富强民主文明的社会主义现代化中国必将出现在世界的东方。

伟大的中华人民共和国万岁！

伟大的中国共产党万岁！

伟大的中国人民万岁！

（1999年10月2日《人民日报》）

# 江泽民：《中国农民基本常识读本》序言

（1999年10月18日）

这套《中国农民基本常识读本》，对提高广大农民和农村基层干部的科学文化和社会知识水平，很有益处。

我国有12亿多人口，9亿在农村。农业、农村和农民问题，是关系我国改革开放和社会主义现代化建设全局的重大问题。我国农村改革和发展正处在关键时期，要围绕全面提高农村的经济水平，提高农民的收入水平，加快农村广阔市场的开拓，加快农村社会的全面进步，继续展开农村的各项改革和发展工作。

要实现党的十五届三中全会提出的我国农业和农村跨世纪发展的宏伟目标，必须大力实施科教兴农的战略。最重要的是通过加强农村的教育和科技推广服务工作，努力提高广大农民的思想道德素质和科学文化素质，努力提高广大农村经济社会发展的科技含量。

农村改革和发展的新形势，对加强农民和农村基层干部的教育培训提出了新的要求。要继续根据农村特点搞好义务教育和职业教育，搞好农村成人教育，并把这种教育培训摆到各级领导工作的重要位置，切实抓出成效来。这对我国农业和农村未来的发展是十分重要的。

提高广大农民的科学文化素质，是一项长期的任务，应该从基础抓起，从普及基本知识入手。只要扎实工作，不懈努力，就一定能够取得明显的效果。要紧密结合农村改革开放和现代化建设的实际，通过多种形式，组织广大农民和农村基层干部学习先进实用的种植、养殖和农产品加工等实用技术，商品生产、市场营销、经营管理以及卫生保健、计划生育、环境保护和法律等方面的基本知识，使他们牢固树立崇尚科学、破除迷信的思想观念，增加识别各种违反科学的歪理邪说的能力。知识就是智慧和力量。各种科学文化知识在农民群众中的广泛传播，必将更好地促进农村物质文明和社会主义精神文明协调发展。

（1999年12月29日《人民日报》）

# 江泽民：致全国科普工作会议的信

（1999年12月9日）

全国科普工作会议：

科技部、中宣部、中国科协联合召开全国科普工作会议，很有必要。多年来，广大科技、教育、文化、宣传工作者，为我国科普事业的发展作出了重要贡献。我代表党中央、国务院，向你们表示诚挚的慰问！

科学技术是第一生产力，是经济和社会发展的决定性因素。未来世界各国的综合国力竞争，将越来越首先表现为科技实力的竞争。我们要在下个世纪实现社会主义现代化和中华民族的伟大复兴，必须大力提高全民族的科学文化素质。科学技术被亿万人民群众所掌握，就能更好地成为利用和开发自然、推动社会文明进步的巨大力量。

用唯物史观和科学思想武装全党，在广大群众中普及科学知识，要坚持不懈地抓下去。科学知识、科学思想、科学方法和科学精神，可以引导人们奋发图强、积极向上，促进人们牢固地形成正确的世界观、人生观和价值观，促进人们实事求是地创造性地进行社会实践活动。要把科普工作作为实施“科教兴国”战略的重要任务和社会主义精神文明建设的重要内容，切实加强起来，在全社会大力弘扬科学精神、宣传科学思想、传播科学方法，使中华民族的科学文化水平不断提高。

广大干部特别是领导干部要带头学习科学知识，自觉用科学思想武装自己，树立科学精神，掌握科学方法，做领导经济、科技和其他各项工作的内行，同时要切实抓好科普工作。广大科技工作者要奋勇攀登科学高峰，努力推进科技创新和科技成果转化，积极参与和推动全社会的科普工作。希望你们再接再厉，继续发扬爱国主义精神、求实创新精神、拼搏奉献精神和团结协作精神，为我国科普事业作出新的更大的贡献！

江泽民

1999年12月9日

（1999年12月16日《人民日报》）

# 江泽民在中央宣传思想工作领导小组第20次会议纪要上作重要批示

（1999年12月31日）

1999年12月31日，中共中央总书记江泽民在中央宣传思想工作领导小组第20次会议纪要上作了重要批示，强调指出，宣传思想工作和精神文明建设，事关建设有中国特色社会主义事业的大局。越是深化改革、扩大开放，越是发展社会主义市场经济，越要重视和加强这方面的工作。这一点，要在全党特别是领导干部中经常讲、反复讲。

江泽民总书记在《批示》中指出，几年来，宣传思想战线坚持贯彻党的路线方针政策，努力以科学的理论武装人，以正确的舆论引导人，以高尚的精神塑造人，以优秀的作品鼓舞人，为改革开放和现代化建设提供了有力的思想舆论保证。今年，在庆祝新中国成立50周年和澳门回归祖国这两大庆典活动中，在三场大的政治斗争中，你们按照中央的部署，唱响主旋律，打好主动仗，作出了新的成绩。大家工作很努力、很辛苦，中央是满意的。

《批示》指出，全党同志务必始终坚持“两手抓，两手都要硬”的方针，在做好经济工作的同时，切实加强宣传思想工作和精神文明建设。加强和改进新形势下党的思想政治工作，是全党的一件大事，也是宣传思想工作的重中之重。要深入进行邓小平理论和党的基本路线教育，深入进行马克思主义的唯物论、无神论教育和科学精神教育，树立正确的理想信念，树立正确的世界观、人生观、价值观，在全党形成讲学习、讲政治、讲正气的良好氛围，在全社会形成反对迷信愚昧、抵制各种歪理邪说的健康气氛。希望宣传思想战线的同志们，牢牢把握正确舆论导向，适应形势发展的要求，深入研究人们思想活动的新情况新特点，探索新形势下做好思想政治工作的规律和办法，把工作做得更好。

江泽民总书记在《批示》中向宣传思想战线全体同志表示亲切问候，祝大家新年愉快。

（据新华社2000年1月4日电）

# 李鹏：把一个美好的家园留给子孙后代

在和平与发展成为两大主题的当今世界上，各国政治家对许多重大国际问题有着不同的见解，但在必须保护资源和环境、保护人类家园方面却能达成高度的共识。这是因为，资源和环境是人类赖以生存、繁衍和发展的基本条件，而资源短缺、环境污染和生态恶化，已经成为摆在当今世界各国面前的一个重大问题。在世纪之交的历史时刻，当代人回首既往，教训很多，在开辟未来的进程中，必须深思熟虑，努力把一个美好的家园留给子孙后代。

我们党和国家历来重视环境保护工作。1973年召开的第一次全国环境保护会议将环保工作提到国家的议事日程；1979年颁布的《环境保护法》使其步入法制轨道；到1983年召开的第二次全国环境保护会议，已经正式把环境保护确定为我国的一项基本国策。1994年，我国政府制定的《中国21世纪议程》，明确提出了跨世纪人口、经济、社会、环境和资源协调发展的奋斗目的。1996年，我国政府对实施可持续发展战略进行了具体部署。值改革开放20年之际，我国资源和环保的法律、法规初成体系，资源和环境保护工作取得了明显成效。

实施可持续发展战略，就是要在满足当代人发展需要的同时，为后代留下一个可以永续利用的资源环境。这样的抉择，既是历史教训使然，更是日益突出的资源和环境形势使然。据历史记载，古代“丝绸之路”穿过的我国许多地区，当时经济已相当发达，但由于长期战争，过度开发和气候变异等原因，一些著名城池逐渐衰落废弃，人口被迫迁移。到新中国成立前夕，这里的一些地方生态环境严重恶化，成为经济贫困的落后地区。可见，我国资源和环境保护的历史欠账沉重；加之人口激增带来的巨大压力，粗放型的发展方式尚未从根本上得到扭转，资源和环境问题已经成为制约我国经济发展和社会全面进步的重要因素。发生在今年夏天的长江全流域洪水，再次敲响了生态环境保护的警钟。因此，全党全国人民必须充分认识到，在转变经济增长方式的同时，实施可持续发展战略，是经济发展规律和自然环境规律的内在要求，更是大力推进我国社会主义现代化进程的现实要求。

做好环境保护工作，是实施可持续发展战略的关键环节之一。各级领导干部要充分认识到，环境保护关系到国家长远利益和人民群众的切身利益，关系到整个中华民族的生存与发展。合理开发资源，加强生态和环境保护，是经济可持续发展和社会全面进步的基础。在任何地方，在任何时候，都不能以牺牲环境为代价去换取经济增长，都不能用当前的发展去损害未来的发展，更不能用局部的发展去损害全局的发展。为此，各级领导干部要通过对各项环保制度的贯彻，把改善本地区环境质量的重任担在肩上，落到实处。要坚持经济建设、城乡建设与环境建设同步规划、同步实施、同步发展的方针，坚持环境与发展综合决策。

要做好环境保护工作，就必须加强环保法制建设，为实施可持续发展战略提供法律保障。今后，在继续加强环境保护立法的工作中，一定要从全局利益出发，切实贯彻可持续发展战略，用法律手段协调人口、经济、资源和环境的发展。各级政府和有关部门要切实履行职责，依法行政，加大环境行政执法力度，坚决扭转有法不依、执法不严、违法不究的现象。各级人大及其常委会要加强执法监督，定期听取和审议各级政府有关环保工作的实施情况的报告，抓好环保法律实施情况的检查和监督。

环境保护关系到千百万群众的切身利益，保护环境是每个公民义不容辞的责任。必须看到，在过去我国一些地方发生的许多环境污染事件中，有的是由于群众环境意识薄弱造成的，有的是由于领导决策时对环保要求考虑不周造成的。因此，就我国实施可持续发展战略和长远的环境保护目标而言，加强环境保护知识的宣传教育，逐步增强全体社会成员特别是各级领导干部的可持续发展意识和环境保护意识，使环境保护这一基本国策家喻户晓，就成为一项很重要、很有意义的工作。我相信，全国人大环境与资源保护委员会组织编写的《环境保护知识读本》，能在这方面起到积极作用。

（这是李鹏同志为《环境保护知识读本》写的序言，《求是》1999年第3期发表时，作者作了个别文字改动）

# 朱镕基在国务院廉政工作会议上发表讲话

（1999年1月26日）

朱镕基说，各级政府要认真学习和贯彻落实江泽民总书记关于加强党风廉政建设和反腐败斗争的多次重要讲话精神，按照中央的统一部署和要求，以高度的政治责任感，从严治政，反腐倡廉，标本兼治，综合治理，把廉政建设提高到一个新水平，绝不辜负人民群众的期望和历史的重托。

朱镕基指出，本届政府从组成之日起，就把廉政建设和反腐败工作放到十分重要的地位，一年来做了大量工作，特别是国务院机构改革进展顺利，精简了机构和人员，认真落实中央关于加强党风廉政建设和反腐败斗争的总体部署，从体制、制度上采取了一系列措施，加强了廉政建设和反腐败工作，在社会上产生了较好的反响。同时要清醒地看到，政府机关廉政建设还存在不少问题。有些地方和部门落实领导干部廉洁自律的规定还不够好，奢侈浪费现象还比较严重；以权谋私、贪污贿赂，有法不依、执法不公，甚至贪赃枉法的问题还比较突出；一些地方乱收费、乱罚款、乱摊派现象屡禁不止；一部分政府工作人员弄虚作假，虚报浮夸，欺上瞒下；有些基层干部作风粗暴，甚至横行霸道，欺压群众。这些问题说明，政府机关廉政建设和反腐败斗争的任务还很艰巨。

朱镕基强调，今年是我国历史发展过程中具有重要意义的一年，我们将隆重庆祝新中国成立50周年，我国将恢复对澳门行使主权，我们面临的改革、发展和稳定任务十分繁重。新的形势和任务对政府廉政工作提出了新的要求，必须以更高的自觉性，坚持不懈、扎扎实实、更有成效地搞好廉政建设和反腐败斗争。

在讲到今年政府机关廉政建设和反腐败工作的重点时，朱镕基强调要抓好以下几个方面。

第一，要巩固国务院机构改革成果，做好地方政府机构改革工作。朱镕基指出，关键是切实抓好转变政府职能、转变工作方式、转变工作作风，提高工作效率。继续认真落实国务院第一次全体会议上提出的“五项要求”和“约法三章”。要按照中央确定的方针，积极稳妥地推进地方政府机构改革。地方各级政府也要制定行为规范，公之于众，接受监督。

第二，要切实加强领导干部廉洁自律工作，狠刹奢侈浪费之风。朱镕基强调，对于中央关于党员领导干部廉洁从政的准则和有关要求，任何人都不允许讲特殊，高级干部更要以身作则，严格自律，并管好配偶、子女和身边工作人员。各级政府机关都要从讲政治的高度，发扬艰苦奋斗，勤俭办一切事业的精神，严禁一切奢侈浪费行为。

第三，要从严执法执纪，认真查办大案要案。朱镕基指出，要重点查办政府领导机关、行政执法机关、经济管理部门和县处级以上领导干部违纪违法案件。查办金融、财税、建筑、司法领域及干部人事工作中的案件；查办领导干部玩忽职守造成重大损失和虚报浮夸、弄虚作假的案件。他要求，查办案件必须要坚持原则，敢于碰硬。不论涉及到谁，都要一查到底，依法论处，严厉惩治腐败分子。

第四，要进一步开展专项治理，坚决纠正部门和行业不正之风。朱镕基强调，要坚持“谁主管，谁负责”的原则。行政执法部门、垄断经营行业和公共服务行业中的一些人员不廉、不公的问题，人民群众很不满意，要采取切实有效的措施抓紧解决，以取信于民。要坚决刹住乱收费、乱集资、乱罚款、乱摊派的歪风。抓紧研究费改税方案，尽快从根本上解决农民和企业负担过重的问题。坚决纠正医药购销中的各种不正之风。

第五，要深化改革，标本兼治，从源头上预防和治理腐败。朱镕基指出，要巩固军队、武警部队和政法机关一律不再从事经商活动，中央党政机关与所办经济实体和管理的直属企业脱钩的工作成果。地方政府机关也要与所办经济实体和管理的直属企业脱钩。政法机关和工商管理部门要全面实行行政性收费和罚没收入“收支两条线”管理。切实整顿和规范建筑业市场，建立公开、公正、平等竞争的工程发包承包制度。要强化法治，坚持依法行政，完善监督和制约机制，把廉政建设纳入规范化、法制化轨道。

朱镕基要求，各级政府和各部门必须把思想和行动统一到中央的部署和要求上来，坚持两手抓、两手都要硬的方针，切实把加强廉政建设和反腐败工作放到重要位置。中央国家机关在廉政建设上更要高标准、严要求，起到表率作用。政府机关和公务员都要做到清正廉洁，勤于公务，坚持原则，刚直不阿，公道正派，求真务实，深入实际，体察民情，认真实践全心全意为人民服务的根本宗旨。

朱镕基强调，要认真落实廉政建设责任制。各级政府和领导干部要认真贯彻执行中央关于实行党风廉政建设责任制的规定。政府及其各部门的主要负责人是廉政建设的第一责任人，必须认真履行职责，抓好本地区、本单位的廉政建设。领导班子的其他成员也必须在各自的职权范围内负起应有的责任。要把一个地区、一个部门的廉政状况，纳入领导干部的目标管理，严格考核。

朱镕基要求，要把加强廉政建设和开展“三讲”教育结合起来。按照中央的部署，今年要在县处级以上领导班子和领导干部中，用整风的精神深入开展以“讲学习、讲政治、讲正气”为主要内容的党性党风教育。这是在新形势下全面提高干部素质、加强廉政建设的一个重要措施。各级政府、各部门要按照中央确定的“三讲”教育的基本要求和指导原则，密切联系实际，认真抓好落实，有针对性地解决一些突出问题。

（1999年1月27日《人民日报》）

# 朱镕基在全国教育工作会议闭幕会上发表讲话

（1999年6月18日）

中共中央政治局常委、国务院总理朱镕基在全国教育工作会议闭幕会上发表重要讲话。他指出，当前经济形势为我国教育发展创造了前所未有的良好条件，提供了多年难得的历史机遇。他强调，要坚持以邓小平理论和党的十五大精神为指导，进一步解放思想，加快教育改革和发展，认真贯彻党的教育方针，全面推进素质教育，实施科教兴国战略，大力培养适应21世纪现代化事业需要的高素质的劳动者和专门人才。

朱镕基指出，这次全国教育工作会议，从社会主义现代化建设全局和战略的高度，对我国面向新世纪的教育改革和发展作出了重要部署，具有深远的意义。各级党委和政府要认真学习和贯彻江泽民总书记在会议开幕时的重要讲话精神，贯彻和落实《中共中央、国务院关于深化教育改革全面推进素质教育的决定》，以这次会议为动力，抓住机遇，锐意进取，努力开创我国教育改革和发展的新局面。

朱镕基说，我国教育必须有一个较大的发展。从根本上说，要加速实现国家现代化，显著增强综合国力和国际竞争力，迎接新世纪的机遇和挑战，就必须落实科教兴国战略，真正把教育放在优先发展的战略地位。从当前看，加快教育发展更具有极大的重要性和紧迫性。目前我国劳动者受教育水平普遍较低，而城乡居民对教育的需求日益旺盛。加快发展教育，既可以减缓升学压力，为素质教育创造良好环境，满足广大学生和家长对教育的需求，提高国民素质和社会文明程度，又可以扩大教育消费，拉动内需，促进经济持续增长，还可以减缓目前的就业压力。他说，加快教育发展是有条件的。现在城乡居民教育消费意愿十分强烈，居民家庭储蓄中有相当的比例准备用于教育，现有教育资源还有很大潜力，社会力量也有办学的积极性。要在切实保证义务教育健康发展的同时，调整现有教育体系结构，扩大高中阶段教育和高等教育的规模，大力发展各级各类职业技术教育，拓宽人才成长的道路。

朱镕基强调，加快教育发展主要靠改革。关键是要进一步解放思想。一方面，要通过加快教育体制和结构改革，挖掘现有教育资源潜力，增强学校的活力与效率，充分发挥公办学校的主渠道作用。另一方面，积极鼓励和支持社会力量以多种形式办学，形成以政府办学为主体、公办学校和民办学校共同发展的格局。凡符合国家有关法律法规的办学形式，都可以大胆试验。在发展民办教育方面可以迈出更大的步伐。鼓励社会力量以各种方式举办高中阶段和高等职业教育，有条件的也可以举办民办普通高等学校。他说，发展民间办学，吸引社会各方面力量共同办教育，才能实现大国办大教育。我国是穷国办大教育，不走多种形式办学的路子，别无选择。

朱镕基指出，要调整和放宽政策，支持教育加快改革和发展。例如，新建扩建学校，可以无偿提供用地，免收校舍配套费用；修建学生公寓，减轻学校宿舍负担；为广大学生特别是困难家庭子女提供贷学金，为优秀学生提供奖学金等。他说，在加快教育改革和发展的同时，要注意防止一哄而起。要尽力而为，也要量力而行。要坚持正确的办学方向，确保办学质量。切实加强对各类学校的引导、监督和管理，抓紧建立健全教育评估、督导、检查体系和制度。

朱镕基强调，实施科教兴国战略，加快教育发展，必须采取有效措施，切实加大教育投入，随着经济的发展，逐年增加教育经费。同时，要大力提高办学效益，提高教育经费使用效率。要进一步合理调整学校布局，优化教育资源配置。学校之间要互通有无，资源共享，学校教育设施应向社会开放。要扩大走读生比例。加快学校内部管理体制改革，逐步把后勤从学校剥离出来，实行后勤服务社会化。切实加强教育经费管理，杜绝一切铺张浪费现象。

朱镕基指出，加快教育改革和发展，需要进一步加强教师队伍建设。教师对学生的一生都有至关重要的影响。教师是人类灵魂的工程师，应当“学为人师，行为世范”。要着力提高教师的思想政治素质，不断丰富教师的科学文化知识，提高业务水平。建立优化教师队伍的有效机制。要严格执行教师资格制度，不合格的人不能进入教师队伍。同时，实行竞争上岗制度，分流富余人员，调整不能履行岗位职责的教师。要采取多种形式，加强教师培训工作，把培训考核与评职晋级、淘汰不合格教师结合起来。继续采取有效措施改善教师的工作和生活条件，对高水平的、有突出贡献的教师要“优劳优酬”，给予特别荣誉和奖励。要建立健全鼓励优秀青年教师增长才干和脱颖而出的机制，充分发挥广大教师教书育人的积极性和创造性。

（1999 年 6 月 21 日《人民日报》）

# 李瑞环在黑龙江考察时发表讲话

（1999年7月2日至7日）

中共中央政治局常委、全国政协主席李瑞环7月2日至7日在黑龙江考察工作时强调指出，要在全社会大力提倡“扶危济困、乐善好施”的风尚，这对于在新的历史条件下进一步弘扬中华民族的传统美德、加强社会主义精神文明建设，对于更好地坚持党的允许和鼓励一部分人一部分地区先富起来、最终实现共同富裕的政策，具有十分重要的意义。

李瑞环说，改革开放以来，人民群众的生活有了很大改善，党的富民政策深入人心，但也必须看到，由于种种原因，一部分群众生活水平提高慢，特别是目前有少数群众的生活遇到暂时困难。确保群众生活，是社会主义的本质要求，是共产党人的应尽职责。各级领导干部要严肃认真地对待这个问题，万万不可有丝毫的大意和疏忽。

他指出，民以食为天，世界上没有什么问题比吃饭更重要。我们许多事情可以讲百分之几，而吃饭问题只能讲百分之百。就我们国家目前的经济实力来讲，要做到这一条是不成问题的。党和政府已经制定了有关扶贫解困的政策，关键是工作要做细。要使每个生活困难的群众都在领导干部的视野之内，都在保障服务的工作网络之中，切实做到他们的呼声有人听，他们的困难有人管。特别是对那些为国家建设和发展出过力、流过汗的老职工、老劳模、老同志，必须给予更多的关心和照顾。只要各级领导干部这样去做了，我们的事业就会进一步得到广大群众的支持，我们的社会就能继续保持稳定和谐的局面。

李瑞环说，要在全社会大力提倡“扶危济困、乐善好施”。他指出，党和政府允许和鼓励一部分人先富起来，因为这是最终实现共同富裕的捷径。先富起来的人除了不断发展经济、继续致富外，还应当报效祖国、服务社会、奉献人民，应当帮助未富的人、贫困的人。他说，“扶危济困、乐善好施”是中华民族的传统美德，是文明社会的重要标志，也是市场经济条件下利用道德力量调节利益关系的有效形式。对于扶贫济困、乐善好施的义举，我们要通过表彰典型、总结经验、健全网络等方式，使之在全社会蔚然成风。

（1999年7月8日《人民日报》）

# 胡锦涛在全国“三讲”教育工作会议上发表讲话

（1999年3月19日）

中共中央政治局常委、书记处书记胡锦涛在全国“三讲”教育工作会议上发表重要讲话。他指出，“三讲”教育试点取得的成效说明：中央关于以整风精神在领导班子、领导干部中深入开展“三讲”教育的决策，是完全正确、十分必要的，得到了党内外广大干部群众的拥护；中央提出的关于开展“三讲”教育的指导原则、基本要求和方法步骤，是符合实际的。各级党委要进一步把思想统一到中央精神上来，坚定信心，增强责任感，切实加强领导，有计划有步骤地做好下一步“三讲”教育工作，确保高质量地完成任务。

胡锦涛说，在全国县级以上党政领导班子和领导干部中，集中一段时间开展以“讲学习、讲政治、讲正气”为主要内容的党性党风教育，是贯彻落实党的十五大精神，推动全党深入学习邓小平理论，加强领导班子建设、提高领导干部素质的一项重要举措。以江泽民同志为核心的党中央对这件事非常重视。在党中央的领导下，中央有关部门同山东省委、广西壮族自治区党委、内蒙古自治区党委，国土资源部、教育部、广电总局党组以及共青团中央书记处一起，认真进行“三讲”试点。三个多月来，试点进展比较顺利，总的看基本上达到了中央的要求。其成效主要表现在：领导干部受到了一次深刻的马克思主义理论教育，贯彻党的基本理论、基本路线的自觉性和坚定性有了新的增强；查找和剖析了领导班子、领导干部党性党风方面存在的突出问题，进一步明确了努力方向；在恢复和发扬批评与自我批评的优良传统方面有了明显进步，健全与活跃了党内生活，增强了领导班子的团结；领导干部受到一次生动的群众路线和群众观点的再教育，保持廉洁、接受群众监督的意识增强；振奋了精神，改进了作风，推动了工作，产生了积极的反响。

在谈到试点单位取得的主要经验时，胡锦涛指出，这些单位结合本地区本部门实际认真贯彻中央的指导思想、工作原则和方针政策，在实践中积累了一些好的经验。他强调，各地各部门要认真学习、借鉴和运用好这些经验。坚持用中央精神统一领导层的思想，以对党对人民对历史负责的态度，从事关党和国家前途命运的高度，来认识和对待这次“三讲”教育；始终立足于教育和提高干部，把学习理论、武装头脑同整顿思想、改进作风结合起来，从政治上认识问题、鉴别原则是非，从世界观、人生观、价值观上剖析自己；紧密联系工作实际和思想实际，下决心、花工夫找准、抓住和解决领导班子、领导干部党性党风方面存在的突出问题，切忌“空对空”；充分发扬民主，坚持走群众路线，诚心诚意地听取群众的意见和批评，自觉接受群众的监督和帮助；拿起批评与自我批评的武器，开展积极健康的思想斗争，不断提高领导班子解决自身问题的能力；围绕改革、发展、稳定的大局，坚持边整边改，使“三讲”教育与推进当前工作结合起来，相互促进。

胡锦涛指出，下一步“三讲”教育总的部署，要根据中央的要求，继续按照自上而下、分级分批的原则有计划地进行，必须加强领导，精心组织，精心指导，确保工作质量，防止走过场。胡锦涛要求各级党委：第一，要把“三讲”教育作为一件大事，纳入重要日程，统筹安排。在深入调查研究的基础上，制定出具体实在、针对性和可操作性强的“三讲”教育工作方案。第二，要抓紧组织好工作班子。省区市和地市党委要成立“三讲”教育领导小组和精干高效的办事机构，尽快投入工作。第三，要严格工作标准，时间和进度服从质量。前一阶段工作未达到标准的，不转入下一阶段。尚未集中开展“三讲”教育的地方和部门，领导干部在学习、工作和党内生活中，现在就要自觉体现“三讲”要求，克服和纠正“三不讲”的现象。第四，要认真掌握政策，坚持“团结—批评—团结”这个解决党内矛盾的公式。第五，要搞好舆论引导，及时发现好的典型，总结推广成功经验，营造“三讲”教育健康发展的良好氛围。第六，要切实加强工作进程中的督促检查，发现问题，及时解决。主要领导同志要自始至终认真履行第一责任人的职责，推动每个阶段的安排部署落到实处。

（1999年3月20日《人民日报》）

# 胡锦涛在中央、国家机关领导干部“三讲”教育报告会上发表讲话

（1999年4月16日）

4月16日，中共中央组织部、中共中央宣传部、中央直属机关工委、中央国家机关工委、中央金融工委联合召开“三讲”教育报告会。中共中央政治局常委、中央书记处书记胡锦涛在报告会上强调指出，一定要把整风精神贯穿到“三讲”教育的全过程，这是确保高质量地做好工作的关键所在。

胡锦涛说，中央决定在县级以上党政领导班子、领导干部中深入开展“三讲”教育，是在认真总结新时期党的建设的基本经验，全面分析我国跨世纪发展面临的新形势新任务和领导班子、领导干部的现状后作出的一项重大决策。这是我们党为迎接新世纪、完成新的历史任务所作的重要思想准备和组织准备；是从实际出发加强领导班子建设、提高领导干部队伍思想政治素质的重要任务；是推动全党兴起学习邓小平理论新高潮，从根本上加强全党的思想政治教育的重要举措；也是对在改革开放和发展社会主义市场经济条件下，如何有效解决党内尤其是领导干部中党性党风方面存在问题的一次创造性探索。各级领导班子和领导干部要把思想进一步统一到中央精神上来，从事关党和国家前途命运的高度来认识和对待这件大事，积极投身“三讲”，认真抓好“三讲”。

胡锦涛指出，为了使这次“三讲”教育收到预期效果，必须严格按照中央的要求，以整风精神扎扎实实地开展教育。贯彻整风精神，就是要紧密联系近几年来的工作实际和思想作风实际，有的放矢地学习理论，用马克思主义武装头脑，提高辨别重大是非的能力；就是要发扬党内民主，相信和依靠群众，搞好自我反思，把这些年在领导工作中和个人成长方面的经验教训总结起来，用于指导今后；就是要认真开展批评和自我批评，坚持真理、修正错误，努力掌握马克思主义的世界观和方法论。一句话，就是要坚持党性原则，增强党性锻炼，解决党性党风方面存在的问题，使党的干部在思想上、政治上和作风上得到新的进步和提高。

胡锦涛说，切实抓好思想发动和理论学习，是搞好“三讲”教育的前提和基础，是确保“三讲”教育取得成效、不走过场的首要一环，必须以严肃认真的态度，足够的精力和时间，下功夫抓好。搞好思想发动和理论学习阶段工作的主要标志，就是把按规定必须学习的文件精神领会好，真正以严肃认真、积极负责的态度投身“三讲”教育；把规定的必读篇目认真通读，重点精读，经过学习和思考，在思想上确有所得；领导班子和成员对自身存在的主要问题初步进行了查找，认识上确有提高；通过深入细致的工作把本单位群众发动起来了，大家积极帮助领导层开展“三讲”。一个单位如果没有达到这些要求，不能转入下一步。

胡锦涛强调，在“三讲”教育中，领导班子、领导干部必须找准、抓住党性党风方面存在的突出问题，认真加以解决。中央文件明确指出要着重解决四个方面的问题，针对性很强，具有普遍的指导意义，哪一个方面都不能忽视，哪一个方面都不能“空对空”，抽象地议论了事。在查找问题过程中，必须坚持马克思主义的世界观和方法论，全面地、历史地、辩证地思考和分析问题。要从贯彻党的理论、方针、政策的实践中找认识上和工作上的差距；要从领导班子和个人的思想、

作风状况中找存在的不足；要从本地区、本部门发生的重大事件或典型案件中找教训；要从分管的领域或下属单位存在的突出问题中查领导上应负的责任。查找问题力求符合实际，既不夸大，又不缩小。在找准问题的基础上，要着重从主观世界和党性方面找原因，既剖析思想方法上的主观主义和形而上学，又剖析思想意识上的根源，避免就事论事。

胡锦涛说，推进建设有中国特色社会主义伟大事业，离不开人民群众的智慧和力量；推进党的建设新的伟大工程，造就高素质的干部队伍，同样离不开人民群众的智慧和力量。领导班子、领导干部一开始就要树立起坚定地依靠和相信群众搞“三讲”教育的思想，以鲜明的态度欢迎群众的帮助，诚心诚意听取群众的意见和评议，自觉接受群众的监督，并且把发扬民主、走群众路线贯穿到每一个阶段的工作中去。发动群众、听取意见的面要适当大一点，发扬民主、听取意见的方式要尽可能多一点、灵活一点。无论采取什么形式，都要有利于让方方面面的干部和群众把心里话讲出来，把真实情况反映上来。各级领导同志首先是主要领导同志要在“三讲”中带头实践马克思主义群众观点和党的群众路线，认真发扬民主作风。

胡锦涛强调，搞好这次“三讲”教育，一定要把批评和自我批评切实开展起来。我们共产党人的高明之处，不在于没有缺点和错误，而在于能及时认识、勇于承认并坚决改正缺点和错误。由于领导班子和领导干部的情况不同，存在的问题不同，解决的形式可以多种多样，但务必搞好批评和自我批评，做到讲真理不讲面子，讲原则不讲关系，讲党性不讲私情。既要高标准、严要求地进行自我批评，又要开展认真负责的相互批评，从团结的愿望出发，达到增强团结的目的。

胡锦涛指出，在“三讲”教育过程中，要坚持边整边改，及时解决已经发现的问题，特别是群众最关心、反映最强烈的问题。能改的要马上改，让干部、群众实实在在地感受到领导干部思想和作风上的变化和进步。尤其要通过学习和整改，推动贯彻落实中央关于搞好当前改革、发展、稳定的各项决策，把各项工作做得更好。

胡锦涛最后说，中央、国家机关是党中央、国务院的工作部门，肩负着重要的职责和任务，又是领导干部比较集中的地方。中央、国家机关的党组织和领导干部要自觉把本部门的工作放到全党全国工作的大局中来认识，深刻领会这次“三讲”教育的重要意义，按照中央的要求和部署，把本部门的“三讲”教育搞好，确保高质量地完成任务。

（1999年4月17日《人民日报》）

# 胡锦涛在五四运动80周年纪念大会上的讲话（节选）

（1999年5月4日）

今年是中华人民共和国成立50周年。中华民族全面振兴的灿烂前景鼓舞我们奋发前进。在新世纪的第一个10年，我们将实现国民生产总值比2000年翻一番，使人民的小康生活更加宽裕，形成比较完善的社会主义市场经济体制；再努力十年，到我们党成立100周年时，将使国民经济更加发展，各项制度更加完善；到21世纪中叶，中华人民共和国成立100周年时，将基本实现现代化，建成富强民主文明的社会主义国家，中国人民将达到现代化基础上的共同富裕。

实现这个宏伟目标，要靠党和人民的团结奋斗，要靠全国青年继往开来、奋发进取。五四运动点燃的革命火炬，已经传到当代青年的手中。现在20多岁的青年，将亲身经历实现中华民族全面振兴的伟大进程。生活在这样一个大有作为的历史时期，是十分幸运的。五四以来几代青年梦寐以求的实现中国现代化的理想，将通过你们的继续奋斗得以实现，这更是十分光荣和自豪的。广大青年要增强历史使命感，高举邓小平理论伟大旗帜，发扬伟大的五四精神，为实现我国的社会主义现代化不断建功立业。

当代青年要肩负起时代赋予的崇高责任，一定要认清形势，勇于面对任何艰难险阻，经受住各种考验。当今世界正在发生深刻的变化。世界多极化和经济全球化趋势进一步发展，科学技术突飞猛进，知识经济开始出现，综合国力竞争日趋激烈。和平与发展是当今世界的两大课题，而且一个也没有解决。冷战思维依然存在，霸权主义和强权政治还有新的发展，天下并不太平。西方大国对社会主义国家和发展中国家推行“西化”、“分化”的战略企图没有也不可能改变。我国的发展既面临难得的历史机遇，也受到严峻的挑战。建设有中国特色社会主义是一项全新的事业，我们对它的发展规律在不少方面还知之不多、知之不深，需要继续探索。我们还需要经历一个相当长的时期才能完成工业化和实现经济的社会化、市场化、现代化。在前进的道路上，还会遇到许多复杂的情况和困难，不可能一帆风顺。广大青年要学会用全面的观点、辩证的观点、发展的观点看待形势。只看到光明的一面，看不到困难或轻视困难，盲目乐观，是不对的和有害的。害怕困难，动摇信心，无所作为，也是不对的和有害的。

五四运动80年来，中国共产党领导全国各族人民，是在战胜各种困难和风险中走过来并不断取得胜利的。今天，我们有邓小平理论和党的基本路线的正确指引，有以江泽民同志为核心的党中央的坚强领导，有改革开放进一步积累起来的物质技术基础，有广大干部和人民群众的共同奋斗，无论遇到什么困难和风险，无论这些困难和风险是可以预料的还是难以预料的、是来自国内的还是来自国外的，都动摇不了我们实现社会主义现代化的雄心壮志。广大青年应当牢固树立这样的信心和决心。在顺利的时候，不骄傲自满，始终谦虚谨慎；在挫折和困难面前，不悲观失望，始终坚韧不拔；在风云变幻之际，不随波逐流，始终坚持正确的前进方向。

当代青年要肩负起时代赋予的崇高责任，一定要响应江泽民同志的号召，坚持学习科学文化与加强思想修养的统一，坚持学习书本知识与投身社会实践的统一，坚持实现自身价值与服务祖国人民的统一，坚持树立远大理想与进行艰苦奋斗的统一，努力把自己锻炼成为党和人民所需要的、符合时代要求的社会主义建设者和接班人。

第一，要坚定理想，服务人民。正确的理想，是推动社会进步的重要动力，也是人们知难而进、走向成功的重要精神支柱。古往今来，凡有作为的人，无不具有坚定的理想和信念，而且大多立志于年轻之时，追求于一生之中。当代青年一定要立志献身于改革开放和现代化建设的伟大事业，一定要始终高举邓小平理论伟大旗帜不动摇，坚持党的基本路线不动摇，坚持走建设有中国特色社会主义的道路不动摇。只有牢固树立了这样的崇高理想和坚定信念，才能自觉地把自己的人生追求同祖国和民族的前途命运联系起来，在服务祖国、服务人民的实践中充分发挥自己的聪明才智。要自觉地把爱党、爱祖国、爱社会主义与爱集体、爱岗位、爱本职工作结合起来，在工作中努力创造一流成绩，扎扎实实地为人民谋利益。要积极参与群众性精神文明创建活动，带头弘扬团结友爱、诚实守信、助人为乐、见义勇为的道德风尚，努力倡导健康文明的生活方式，做有益于人民、有益于社会的人。

第二，要深入群众，投身实践。一切有志的青年，都要自觉地深入人民群众之中，与工农相结合、与实践相结合。人民群众改造自然和社会的伟大实践，是青年成长的丰厚沃土和宽广课堂。要站在人民的立场上，增强同人民群众的感情，自觉到祖国和人民最需要的地方去，到改革和建设的第一线去，到艰苦的和困难多的地方去，了解国情，经受锻炼，增长才干，开拓事业。要通过向人民学习、向实践学习，深刻体验我们现在的奋斗同革命先驱奋斗的历史联系，切身感受改革开放和现代化建设的时代脉搏，保持青年人朝气蓬勃的鲜明特点，认真克服自己的弱点和不足，在建设有中国特色社会主义的实践中更好地成长和成熟起来。

第三，要勤奋学习，勇于创造。青年时期是学习的黄金时期，尤其要勤奋学习。不学习就要落伍，就会被时代所淘汰。大家务必珍惜宝贵的年华，刻苦学习马克思主义基本理论，特别要用历史唯物主义和辩证唯物主义武装自己，努力掌握马克思主义关于历史发展和社会进步的科学观点，增强在实际生活中识别和抵御各种唯心主义错误思潮和观点的能力，在改造社会的伟大实践中不断丰富和充实自己的精神世界。要做崇尚科学，破除迷信的模范。要结合各自的工作实际，学习经济、科技、法律、历史和其他方面的知识，努力用人类创造的优秀文明成果武装自己。当今世界综合国力的竞争，归根到底是人才的竞争，是创新能力的竞争。创新是一个民族进步的灵魂。广大青年要努力培养创新精神，提高创新能力，投身创新实践，为实施科教兴国战略，发挥更大的作用。

第四，要脚踏实地，艰苦奋斗。建设有中国特色社会主义的伟大事业是异常艰巨的，需要全国人民和青年付出长期艰苦的努力。巩固和发展社会主义制度，更需要几代、十几代甚至几十代人坚持不懈地奋斗。创业难，守业更难，守业加创业，尤其艰难。当代青年一定要深刻认识我国的基本国情，继承和发扬艰苦奋斗的优良传统，任何时候都不懈怠创业精神，都不涣散奋斗意志，积极创造无愧于前辈、无愧于后人的业绩。

青年是祖国和民族的未来与希望。各级党委和政府，要从社会主义事业长远发展的战略高度，热情关怀青年，正确引导青年，严格要求青年，努力把青年一代培养成为有理想、有道德、有文化、有纪律的社会主义新人。这是我们的事业兴旺发达的重要保证。共青团是党领导的先进青年的群众组织，要发挥好作为党的助手和后备军的作用，为党的事业教育、团结和带领好青年；发挥好作为国家政权的重要社会支柱的作用，积极协助政府管理好青年事务；发挥好作为党和政府联系青年群众的桥梁与纽带的作用，依法代表和维护青年的利益，反映青年的意愿和呼声。社会各方面都要热情关心青年一代的成长和发展。

在20世纪，中国青年为祖国和人民赢得了巨大的光荣。我们相信，在新的世纪里，中国青年也一定不会辜负党和人民的厚望，一定会继续勇往直前，谱写青年运动的新篇章，为祖国和人民赢得新的更大的光荣。让我们高举邓小平理论伟大旗帜，紧密团结在以江泽民同志为核心的党中央周围，为建设有中国特色社会主义而努力奋斗！

（1999年5月5日《人民日报》）

# 胡锦涛在纪念方志敏同志诞辰100周年座谈会上的讲话（节选）

（1999年8月20日）

方志敏同志是伟大的无产阶级革命家、军事家、杰出的农民运动领袖，土地革命战争时期赣东北和闽浙赣革命根据地的创建人。方志敏同志的一生，是为民族的解放、人民的幸福，为共产主义事业英勇奋斗的一生。

方志敏同志的一生是短暂的。但是，他的光辉业绩和崇高品德，将永垂青史，他对革命事业的耿耿忠心，党和人民永远也不会忘记。党中央对方志敏同志给予了高度评价。1937年1月，党中央机关报《斗争》出刊“纪念民族英雄方志敏专号”。1964年，毛泽东同志亲自为方志敏烈士题写了墓碑。1984年，邓小平同志为《方志敏文集》题写了书名。方志敏同志是我们党的骄傲，人民的骄傲。在他身上体现的崇高品格和浩然正气，是我们党的宝贵精神财富，必将激励一代又一代人，为党和人民的事业不懈奋斗。

我们纪念和学习方志敏同志，就要像他那样，树立坚定正确的理想和信念，不论在什么样的情况下，都始终不渝、毫不动摇。方志敏同志对祖国、对人民无比热爱，对帝国主义和封建主义无比痛恨，具有强烈的民族自尊心和自信心。早年，他就积极参加了五四运动等反帝爱国斗争。后来，他开始接触马克思主义的理论，逐步树立了共产主义的信仰，由一个爱国主义者，成长为一个共产主义者。他加入中国共产党后说：从此，“我的一切，直至我的生命都交给党去了！”1927年大革命失败后，大批共产党员和革命群众惨遭屠杀，腥风血雨笼罩全国。在这危难关头，方志敏同志与其他同志一起，根据党的决定，毅然走上了领导武装起义，实行土地革命和建立农村革命根据地的道路。他曾说，我是一个马克思主义的笃诚信仰者，大革命虽遭失败，但我毫无悲观失望的情绪，这次的失败，只能是暂时的。在日本帝国主义步步入侵，民族危亡之际，方志敏奉命率部北上抗日，尽管征程艰险，但丝毫没有动摇他的坚强战斗意志。当面对敌人屠刀的时候，他大义凛然地写道：“敌人只能砍下我们的头颅，决不能动摇我们的信仰！因为我们信仰的主义，乃是宇宙的真理！为着共产主义牺牲，为着苏维埃流血，那是我们十分情愿的啊！”他在狱中所写的《可爱的中国》等不朽名篇，充分表达了对祖国、对人民的深厚情感，成为爱国主义的千古绝唱。今天，我们正在面向新世纪全面推进建设有中国特色社会主义的伟大事业。广大党员、干部，都要进一步坚定正确的理想和信念，站稳党和人民的立场，积极投身改革开放和现代化建设的伟大实践，为国家富强和民族振兴，不断作出新的贡献。

我们纪念和学习方志敏同志，就要像他那样，坚持理论联系实际，一切从实际情况出发，不断开创事业发展的新局面。土地革命战争初期，以毛泽东同志为代表的中国共产党人，对中国革命的道路进行了艰难的探索，逐步找到了建立农村革命根据地，以农村包围城市，最后夺取城市的道路。方志敏同志及其领导的赣东北红军和根据地，对此也作出了重要贡献。赣东北地区环境较为封闭，没有外援。他们从当地实际和革命斗争的需要出发，创造性地开展工作，实行有根据地的、有计划地建设政权的、深入土地革命的、扩大人民武装的路线，波浪式地发展政权，使红军和根据地不断扩大。在根据地各项工作中，方志敏同志坚持从实际出发，维护大局。在红军建设中，他既重视培养和任用本地干部，也重视培养和任用外来干部；在反“围剿”的斗争中，他不避风险，勇挑重担，积极支援和配合其他革命根据地的斗争；在主力红军扩军工作中，他服从大局，同意调走本地部队，重新组建和发展新的部队；在与党内“左”倾冒险主义错误作斗争的过程中，他维护团结，保护干部，体现了一个共产党员出以公心、光明磊落的崇高品格。方志敏同志求真务实的工作作风，为我们树立了光辉的典范。我们在推进建设有中国特色的社会主义伟大事业的进程中，在加强党的建设新的伟大工程中，一定要坚持党的实事求是的思想路线，不断研究新情况，解决新问题，开创改革、发展、稳定的新局面。

我们纪念和学习方志敏同志，就要像他那样，始终保持旺盛的革命斗志，为了党和人民的利益，不屈不挠，英勇奋斗。方志敏同志战斗的岁月，正是革命斗争形势最困难、最艰苦的年代。正是在这种残酷的斗争中，才更加显示出方志敏等共产党人坚强的革命意志。赣东北武装斗争开展之初，红军只有20多支枪。国民党反动派以数十倍于我的兵力“进剿”、“驻剿”和“围剿”，根据地不断缩小。当时，针对有人提出的埋枪分散，放弃根据地到白区去打游击的错误主张，方志敏同志及时召开党的干部会议，作出了在根据地坚持斗争的决定。1935年初，方志敏同志被捕入狱，当时，中国革命的整个形势也处于危难之中。但是，方志敏同志毫不悲观，他在《在狱中致全体同志书》中写道：“我们虽囚狱中，但我们的脑中，仍是不断地思念着同志们的奋斗精神，总祈祷着你们的胜利和成功！我直到现在，革命热诚仍和从前一样。”这种不屈不挠、顽强奋斗的品质，体现了中国共产党人压倒一切敌人、压倒一切困难，坚持革命乐观主义、排除万难去争取胜利的精神。正是依靠这种精神和品质，我们党、军队和人民才战胜千难万险，取得中国革命的胜利。今天，我们正面对错综复杂的国际形势，国内的改革已经进入攻坚阶段，发展处于关键时期。全党同志首先是各级领导干部，必须保持坚韧不拔、奋发有为的精神状态，把握机遇，迎接挑战，克服困难，开拓前进。

我们纪念和学习方志敏同志，就要像他那样，一身正气，清正廉洁，始终保持共产党人的政治本色和革命气节。方志敏同志斗争英勇，功勋卓著，深受群众爱戴。他虽为党的重要领导干部，但与普通工作人员一样，过着极为清贫的生活。当他被捕遭到敌人搜查时，敌人十分惊讶，像他这样重要的领导人，身上除了一支钢笔和一块旧表外，竟然什么值钱的东西也没有。方志敏同志在狱中写道："为着阶级和民族的解放，为着党的事业的成功，我毫不希罕那华丽的大厦，却宁愿居住在卑陋潮湿的茅棚；不希罕美味的西餐大菜，宁愿吞嚼刺口的苞粟和菜根；不希罕舒服柔软的钢丝床，宁愿睡在猪栏狗窠似的住所……。我能舍弃一切，但是不能舍弃党，舍弃阶级，舍弃革命事业。"他的高尚情操和优良品质，感动了千千万万的人。当时许多党外人士和群众正是通过方志敏等共产党人的革命气节和人格魅力，进一步加深了对我们党的根本性质与宗旨的认识。今天，虽然我们党所处的环境和条件发生了很大变化，但共产党人的高尚情操和革命气节决不能丢掉。全党同志，特别是党的各级领导干部，一定要响应中央的号召，真正做到讲学习、讲政治、讲正气，树立正确的世界观、人生观、价值观，自重、自省、自警、自励，增强抵御各种腐朽思想侵蚀的能力。只有这样，我们党才能始终保持同人民群众的血肉联系，才能充满生机和活力，团结带领全国各族人民不断从胜利走向新的胜利。

同志们，建设有中国特色社会主义的伟大事业，需要几代、十几代甚至几十代人坚持不懈地奋斗。在新的时代条件下，继承和发扬我们党的优良传统，大力弘扬革命前辈的崇高精神，这是实现中华民族的伟大复兴，把我国建设成为富强、民主、文明的社会主义现代化国家的强大精神力量和重要思想保证。让我们更紧密地团结在以江泽民同志为核心的党中央周围，高举邓小平理论的伟大旗帜，同心同德，不屈不挠，艰苦奋斗，把建设有中国特色社会主义的伟大事业，胜利推向21世纪。

（1999年8月21日《人民日报》）

# 胡锦涛：重视学习　善于学习

## ——为《学习时报》创办而作

（1999年9月17日）

这些年来，江泽民同志就加强全党同志特别是各级领导干部的学习，多次发表重要讲话，号召大家一定要重视学习、善于学习。今年1月，在省部级主要领导干部金融研究班结束时，江泽民同志就学习问题作了系统的深刻的论述，要求全党大兴学习之风，全面加强和改进学习。今年6月，在纪念中国共产党成立78周年座谈会上，江泽民同志在讲话中又深刻阐述了讲政治与讲学习的关系，指出：讲政治，必须讲学习。只有讲学习，才能更好地讲政治。学习，首先是学习理论。加强马克思主义理论学习，仍然是摆在全党面前的一项紧迫而重大的任务，必须持之以恒地加以推进。在这样的时候，中央党校创办一张专门讲学习的报纸，是一件很有意义的事情，一定要努力办好。

我们党的历史上，无论是搞革命还是搞建设，都既有不少成功的经验，也有遭受挫折的教训。这些经验和教训当中，极重要的一条就是：全党同志首先是担负领导责任的同志，是否重视学习、善于学习，对党的兴衰和事业的成败关系极大。在党处于重大历史转折时期，加强学习的任务尤其显得重要。大家记得，在抗日战争开始后的1938年，毛泽东同志在扩大的六届六中全会上曾号召“来一个全党的学习竞赛”。他强调：“在担负主要领导责任的观点上说，如果我们党有一百个至二百个系统地而不是零碎地、实际地而不是空洞地学会了马克思列宁主义的同志，就会大大地提高我们党的战斗力量，并加速我们战胜日本帝国主义的工作。”毛泽东同志这个号召，由六届六中全会开始贯彻实施，经过延安整风，认真“改造我们的学习”，学习竞赛活动迅速广泛深入地开展起来。可以说，如果没有这样一次全党范围的密切联系实际、总结历史经验的理论学习，没有通过这次学习实现全党思想上、政治上的高度一致，就不会有抗日战争和解放战争的胜利，就不会有新中国的建立。1949年新中国建立前夕，毛泽东同志又高瞻远瞩地提出：“严重的经济建设任务摆在我们面前。我们熟习的东西有些快要闲起来了，我们不熟习的东西正在强迫我们去做。”他号召全党同志重新学习，向一切内行的人们学习，恭恭敬敬地学，老老实实地学。那一次学习，也取得了很好的效果。进城以后，我们很快实现了社会稳定，恢复了国民经济，在中国建立起社会主义的基本制度，并且取得了社会主义建设的巨大成就。这些，都是党的历史上重视学习、善于学习的极其宝贵的成功经验。

从党的十一届三中全会起，我们国家开始了新的伟大的历史性转折，这就是走出“文化大革命”造成的困境，进入在改革开放中实现社会主义现代化的历史新时期。1978年12月，邓小平同志郑重提出：“全党同志一定要善于学习，善于重新学习。”他说，党的干部根本的是要学习马列主义、毛泽东思想，要努力把马克思主义的普遍原则同我国实现四个现代化的具体实践结合起来。同时，还要抓紧学经济，学科学技术，学管理。要从实践中学，从书本上学，从自己和人家的经验教训中学。在1985年党的全国代表会议上，邓小平同志进一步强调，在干部新老交替过程中，为了提高大家运用马克思主义理论探索解决新问题的本领，为了防止一些同志特别是一些新上来的中青年同志在日益复杂的斗争中迷失方向，必须在繁忙的工作中抓紧学习，熟悉马克思主义基本理论，以加强工作中的原则性、系统性、预见性和创造性。在新的历史条件下，我们党加强广大干部和党员的学习，为重新确立党的解放思想、实事求是的思想路线，团结全党顺利实现工作重心的转移，胜利开辟建设有中国特色社会主义的新道路，奠定了极其重要的思想政治基础；对保证我们党领导全国各族人民经受住各种困难和风险的严峻考验，坚持基本路线不动摇，取得改革开放和现代化建设举世瞩目的伟大成就，起到了非常重要的作用。

我们党正处在世纪之交的重要历史时刻，肩负着实现中国跨世纪发展目标的艰巨任务，重视学习、善于学习更成为必须认真对待的一项紧迫任务。当今世界正在发生深刻的变化，国际局势呈现出许多复杂情况。和平与发展仍然是当今时代的主题，但霸权主义和强权政治有新的发展。科学技术日新月异，综合国力竞争日趋激烈。我们既有难得的历史机遇，又受到严峻的挑战。我国的改革已进入攻坚阶段，发展处于关键时期。现在，整个形势是好的。但是，建设有中国特色社会主义毕竟是一项全新的事业，我们对其中的不少规律还知之不多、知之不深，前进中遇到的新问题新矛盾不少。新的形势和任务，要求我们党一定要始终保持思想上政治上的清醒和坚定，广大党员和干部特别是领导干部一定要更加自觉地重视学习、善于学习，各级党组织一定要把搞好学习作为推进整个事业、增强我们抵御各种风险能力的一件大事，作为在思想上政治上组织上进一步巩固和加强我们党的一件大事，认真抓住，切实抓好。只有结合新的实践全面加强和改进全党的学习，我们党才能永葆生机与活力，始终站在时代的前列，充分发挥领导核心作用。否则，我们就会落后于时代，难以完成肩负的历史任务，就有失去执政资格，失去人民信任和拥护的危险。

全党同志都应当从政治、从全局、从战略的高度来看待新时期的学习问题。任何疏忽、懈怠，都会犯极大的错误。

当前，以“讲学习、讲政治、讲正气”为主要内容的党性党风教育，正在县级以上党政领导班子和领导干部中分期分批地展开。这是我们党为迎接新世纪、完成新的历史任务所作的重要思想政治准备和组织准备；是加强领导班子建设，提高干部队伍素质，解决新形势下党性党风方面存在的突出问题的一项重大举措；是在新的历史条件下全面加强党的自身建设的一个新的创造性探索。把这件大事抓好，取得预期的效果，对于我们党的自身建设和社会主义现代化建设，必将产生十分重大而又深远的影响。

讲学习、讲政治、讲正气，三者是紧密相连和相互统一的，核心是讲政治。我们党是围绕自己的政治纲领、按照自己的政治路线、为实现自己的政治目标而组织起来的马克思主义政党，必须坚持讲马克思主义的政治，讲建设有中国特色社会主义的政治，讲实现、维护和发展人民群众利益的政治。讲这样的政治，离不开学习，尤其是马克思主义理论的学习。党员、干部的学习搞好了，思想政治水平和精神境界才能得到提高，讲政治才能真正讲好，共产党人的浩然正气也才能进一步弘扬起来。

我们是为建设有中国特色社会主义而学习的。要学习得很好、很有效，坚持发扬理论联系实际的马克思主义学风十分重要。这就必须按照江泽民同志在十五大报告中提出的，以我国改革开放和现代化建设的实际问题、以我们正在做的事情为中心，着眼于马克思主义理论的运用，着眼于对实际问题的理论思考，着眼于新的实践和新的发展。对于党的高中级干部来说，在学习和运用两个方面都应当有更高的要求。首先要比较系统地学习马列主义、毛泽东思想特别是邓小平理论，并同学习和了解我们党领导人民进行革命、建设、改革的历史经验和新鲜经验结合起来，提高思想政治素质，提高运用理论解决实际问题的能力。还要广泛学习其他方面的知识，了解当代世界经济、当代世界科技、当代世界法制、当代世界军事、当代世界思潮等有关世界发展和现代化建设的新知识。要紧密结合形势的发展，以科学理论为指导，深入研究我国改革和建设的现实问题，研究重大的国际问题，养成勤于思考的好习惯。与此同时，要在运用理论武器改造客观世界的实践中，努力改造主观世界。这次在县级以上领导班子和领导干部中以整风精神开展“讲学习、讲政治、讲正气”的教育，大家深入学习理论，紧密联系本地区、本单位贯彻党的路线方针政策的实践，联系领导班子和个人的思想作风状况，联系本地区、本单位反映的突出问题，认真总结经验教训，进行理论思考和党性剖析，从世界观、人生观、价值观上解决问题，收到了明显的效果。这是一次理论联系实际的有效学习和教育，是马克思主义学风在新形势下的大发扬。全党都要高度重视这个经验，用好这个经验。

正在全国深入开展的揭批李洪志及其编造的“法轮大法”的斗争，是一场严肃的思想和政治斗争。在以江泽民同志为核心的党中央的果断决策和正确领导下，全党上下一起行动，广大群众坚决支持，社会各界积极参与，我们党对“法轮功”组织的斗争已经取得了决定性的胜利。通过开展这场斗争，维护了社会的稳定，维护了我们党和全国人民团结奋斗的根本思想基础，维护了广大群众的根本利益。当前，这场斗争正在进一步向纵深发展。我们必须充分认识这场斗争的长期性、复杂性和艰巨性，再接再厉，乘势而进，务求全胜。我们对“法轮功”问题进行反思，确实有深刻的教训值得记取。为什么一些共产党员包括少数领导干部也受到歪理邪说的蒙蔽，参与其中，甚至为其推波助澜，这固然是由于这些同志自身放松了学习，放松了理论武装，放松了世界观的改造，理想信念发生了动摇，丧失了政治上的鉴别力和思想上的免疫力。但同时，也暴露出我们一些党组织治党不严，软弱涣散，对党员、干部的教育管理存在着不少问题和薄弱环节，有的还相当突出。这更使我们看到从严治党的重要性，也进一步表明了深入开展以“讲学习、讲政治、讲正气”为主要内容的党性党风教育的必要性和紧迫性。我们一定要举一反三，“亡羊补牢”，切实加强党的思想政治工作、组织工作、宣传工作和群众工作，切实加强社会主义精神文明建设。当前，要把深入开展“三讲”教育同处理和解决“法轮功”问题结合起来，切实提高各级领导干部的政治鉴别力和政治敏锐性，增强党组织的凝聚力和战斗力。要针对“法轮功”问题，在全党深入开展一次学习教育活动。通过学习，划清唯物论和唯心论、无神论和有神论、科学和迷信的界限，树立科学世界观，进一步提高贯彻党的基本理论、基本路线、基本纲领的自觉性，更好地维护改革发展稳定的大局。

《学习时报》面世后，要坚定不移地实践自己的办报宗旨，坚持解放思想、实事求是的思想路线，坚持“政治家办报”、凭党性办报的要求，坚持发扬马克思主义的学风和文风，在学术问题上贯彻“百花齐放、百家争鸣”的方针，在办报工作中努力求真、求实、求新，逐步形成自己的风格和特色。

办好《学习时报》，要靠中央党校和编辑部人员的努力奋斗，也希望得到广大干部、读者的支持和帮助。我预祝这张报纸取得成功，真正成为广大干部和知识分子喜爱的一个学习园地，起到推动学习、引导学习的作用。

(1999年9月17日《学习时报》创刊号)

# 胡锦涛：在国家社会科学基金项目优秀成果颁奖大会上的讲话

(1999年9月23日)

在新中国成立50周年纪念日即将来临之际，中共中央宣传部、全国哲学社会科学规划领导小组召开大会，表彰和奖励国家社会科学基金项目的优秀成果，这是很有意义的。党和国家对发展哲学社会科学事业非常重视，并寄予殷切期望。我代表党中央和国务院，向获奖的专家学者表示热烈的祝贺！向全国哲学社会科学工作者致以亲切的问候！

我国是一个历史悠久、具有丰富文化底蕴的国家。我国的哲学思想和灿烂文化对中华民族和世界文明的发展作出过重大贡献。新中国成立后，在中国共产党的领导下，全国的哲学社会科学事业走上了以马克思主义为指导的发展道路，在社会主义建设中发挥了十分重要的作用。

党的十一届三中全会以来，我国哲学社会科学进入了新的发展时期，出现了新的繁荣局面。广大哲学社会科学工作者，坚持以马克思列宁主义、毛泽东思想和邓小平理论为指导，坚持为建设有中国特色社会主义事业服务、为党和政府决策服务的方向，努力研究改革开放和社会主义现代化建设提出的理论和实践问题，在社会主义初级阶段理论、社会主义改革开放理论、社会主义市场经济理论、社会主义民主法制建设理论和社会主义精神文明建设理论等的确立和发展，在新时期党的基本路线和各项重大方针政策的形成和宣传等方面，都作出了重要的贡献。

在这20年中，哲学社会科学各学科的建设也取得了显著成绩。基础研究、应用研究、对策研究都有新的重大进展，产生了一批具有时代特点、颇有影响的优秀成果，涌现出了一批功底扎实、富有创新精神的学科带头人，壮大了哲学社会科学工作者队伍。哲学社会科学的新发展，伴随着改革开放和现代化建设阔步前进的历程。这20年，是我国哲学社会科学研究工作充满生机和活力的20年，也是取得丰硕成果的20年。

我们正处在世纪之交，中国和世界的发展都进入了一个重要时期。面对国际国内形势的发展变化，需要我们从时代特点和当代中国的实际出发，深入探讨、准确把握和正确回答我国及世界发展所面临的重大问题。因而也就需要我们进一步拓展哲学社会科学的视野和领域，形成新思想、新观点、新方法、新学科，把哲学社会科学的研究推上新的水平和新的境界，使面向21世纪的中国哲学社会科学事业有一个大发展。这样才能为我国的改革开放和社会主义现代化建设，为中华民族的全面振兴和人类进步事业作出更大的贡献。这是中国哲学社会科学工作者的崇高历史使命。

为了完成这一使命，必须认真总结我国哲学社会科学发展的历史，继续探索哲学社会科学的发展规律。经过长期的实践，我们党已经形成了关于繁荣哲学社会科学的正确方针和政策，也积累了许多经验，这是继续推进我国哲学社会科学事业的重要保证。

坚持马克思列宁主义、毛泽东思想、邓小平理论的指导地位，是发展我国哲学社会科学的根本，决定着我国哲学社会科学的性质和方向。马克思主义的基本原理特别是它的世界观和方法论，是我们认识世界和改造世界的强大思想武器。哲学社会科学的一切学科和领域，都必须坚持以马克思主义为指导，决不能搞指导思想上的多元化。惟有如此，才能保证哲学社会科学发展的正确方向。毛泽东思想是马克思列宁主义基本原理与中国革命和建设的具体实践相结合的产物。邓小平理论是毛泽东思想在新的历史条件下的继承和发展，是把马克思主义同当代中国实践和时代特征结合起来的科学理论，是当代中国的马克思主义，是马克思主义在中国发展的新阶段。实践证明，坚持毛泽东思想和邓小平理论对我国哲学社会科学的指导地位，我国的哲学社会科学事业才能具有中国特色，才能更好地为我们的改革开放和社会主义现代化建设服务。

当然，坚持以马克思主义为指导，决不是教条式地搬用，或者脱离实际地从马克思主义一般原理去作抽象推论，或者用它的个别结论去代替具体的科学研究，而是要深刻领会它的精神实质，善于运用它的立场、观点、方法去指导具体的社会科学研究及其学科建设。广大哲学社会科学工作者一定要认真学习马克思列宁主义、毛泽东思想和邓小平理论，用以武装自己的头脑，牢固确立正确的世界观、人生观和价值观，真正掌握和运用好辩证唯物主义与历史唯物主义。

在改革开放和现代化建设的发展进程中，必然会提出许多重大的理论和实践问题，研究和解决这些问题，应该成为我国哲学社会科学的主攻方向。努力为建设有中国特色社会主义事业、为党和政府的决策提供智力支持和理论服务，科学地总结中国人民历史创造活动的经验并把它们上升为理论，应该成为全国广大哲学社会科学工作者的一个最基本的任务。当前，我国改革开放进入攻坚阶段，发展处于关键时期。由于经济成分和经济利益的多样化，社会生活方式的多样化，社会组织的多样化，社会岗位和就业形式的多样化，新情况新问题大量涌现，迫切地需要我们去研究。同时，还要通过深入研究和广泛宣传，帮助人们划清在一些重大原则问题上的理论和政治是非界限，提高思想政治水平。在国际上，经济全球化趋势日益明显，综合国力的竞争日趋激烈，科技进步日新月异，知识经济初见端倪，霸权主义和强权政治仍然存在，西方敌对势力对我国实施“西化”、“分化”的政治战略没有也不会改变。这种国际经济政治形势，对我国的发展会带来一些什么样的影响，我们应该如何把握复杂多变的国际环境，抓住机遇，加快发展，使我国在国际竞争和国际斗争中立于不败之地，并在国际事务中发挥更大的作用，也都需要我们以新的研究、新的成果作出回答。所有这些，都对哲学社会科学提出了新的课题和新的要求。

哲学社会科学发展的最深厚的源泉和最强大的动力是人民群众的社会实践。哲学社会科学只有在正确回答国内外重大理论问题和现实问题中发挥了应有的作用，才能体现自身的重要价值和理论力量。衡量我国哲学社会科学研究工作成效大小的一个重要标志，是看它在何种程度上提供了符合我国社会主义初级阶段实际、有利于推动社会主义现代化建设、促进决策民主化科学化、维护广大人民群众根本利益的成果。广大哲学社会科学工作者在研究工作中必须坚持理论联系实际的马克思主义学风，以我国改革开放和现代化建设的实际问题、以我们正在做的事情为中心，着眼于马克思主义理论的运用，着眼于对实际问题的理论思考，着眼于新的实践和新的发展。广大哲学社会科学工作者一定要深入改革和建设的第一线，从亿万人民群众的伟大创造中汲取营养，认真总结实践中的新经验和新创造，积极探索有中国特色社会主义经济、政治、文化的发展规律，并从经济、政治、科技、教育、文化、民族、军事、外交、统一战线、党的建设等各个方面，进一步加强理论与实际紧密结合的研究，创造性地运用和发展哲学社会科学各个学科和领域的理论与知识。同时，要重视基础研究，加强重点学科和新兴、边缘、交叉学科的建设，全面地发展哲学社会科学。

"百花齐放，百家争鸣"，是发展繁荣我国哲学社会科学事业的正确方针。哲学社会科学的发展需要有一个民主、团结和相互探讨的良好氛围。在坚持四项基本原则的前提下，要充分发扬学术民主，鼓励自由讨论，鼓励不同学派、不同学术观点的相互切磋和争鸣，提倡同志式的、充分说理的批评和反批评。这是探索真理、发展科学的必要条件。只有学术空气活跃起来，形成百家争鸣的局面，才有利于新思想、新观点、新学科的产生和发展，才有利于形成和保持哲学社会科学的繁荣局面。在贯彻"双百"方针的过程中，要注意区分学术问题与政治问题的界限，不要把一般的学术问题当成政治问题，也不要把政治问题当作一般的学术问题。学术问题的研究和讨论没有禁区，政治理论包括党的方针政策的宣传要有纪律。

解放思想，实事求是，大胆探索，勇于创新，是发展哲学社会科学的内在要求和必由之路。江泽民同志指出："创新是一个民族的灵魂"，"科学精神的精髓是求实创新"。马克思主义和整个哲学社会科学的发展史说明，理论上的每一个重大发展，无不是突破创新的结果。而这种突破创新，应是大胆探索与实事求是的统一。只有紧密结合新的时代特征，在实践中继续丰富和创造性地发展马克思主义理论，才能更好地坚持马克思主义的指导地位。只有在实践的基础上努力开创哲学社会科学发展的新境界，才能推动这一事业不断走向繁荣。广大哲学社会科学工作者一定要坚持解放思想、实事求是的思想路线，打破思想禁锢，防止教条主义，提倡大胆探索，鼓励锐意创新。探索与创新是同继承与借鉴不可分割的。我们要密切联系中国和世界的发展提出的重大问题，吸收借鉴中华民族的优秀文化成果和人类所创造的一切文明成果。坚持贯彻古为今用、洋为中用的方针，反对食古不化和食洋不化。要尊重和支持广大哲学社会科学工作者在研究中进行的艰苦的创造性劳动。

积极探索和建立符合社会科学发展规律、与社会主义市场经济体制相协调的科研及其管理体制，是发展社会科学事业的重要条件。这种新体制，应有利于哲学社会科学工作者的积极性、创造性的充分发挥和优秀成果、优秀人才的脱颖而出；有利于研究方法、研究手段的改进和多学科的协同攻关及新研究领域的开辟；有利于基础研究、应用研究、对策研究的相互协调和共同推进；有利于社会科学研究成果的转化推广和社科研究资金的筹集。要大力深化改革，切实解决科研机构重复设置，条块分割，"大而全、小而全"，人浮于事，低水平重复研究等问题。要加强对哲学社会科学事业的宏观引导、规划和管理，采取有效措施搞好国家社科研究重大项目和中长期科研规划。通过上述努力，使我们的哲学社会科学事业形成良好的发展机制。

邓小平同志指出："科学技术是第一生产力。"科学包括自然科学和社会科学。二者犹如车之两轮，鸟之两翼，同等重要。只有密切配合，相互结合，科学才能全面发展和进步。发展社会科学，是我国科教兴国战略的重要组成部分。

江泽民总书记指出："积极发展哲学社会科学，这对于坚持马克思主义在我国意识形态领域的指导地位，对于探索有中国特色社会主义的发展规律，增强我们认识世界、改造世界的能力，有着重要意义。"哲学社会科学的发展水平和繁荣程度，是一个民族的综合素质和文化力量的重要体现和标志。积极发展哲学社会科学是全党和全社会的重要任务。各级党委和政府要充分认识发展哲学社会科学的重大意义，加强对哲学社会科学事业的领导，加大对哲学社会科学研究的投入，加强哲学社会科学队伍的建设，关心哲学社会科学工作者的工作和生活。希望社会各界都来支持我国的哲学社会科学事业的发展。

同志们，在建设有中国特色社会主义的伟大时代，广大哲学社会科学工作者是大有可为的。希望同志们进一步增强政治意识、大局意识、服务意识、创新意识，以高度的责任感和使命感，敬业奉献，严谨治学，团结协作，开拓进取，多出成果，多出人才。让我们在以江泽民同志为核心的党中央领导下，高举邓小平理论伟大旗帜，坚持党的基本路线，认真贯彻十五大精神，为哲学社会科学的发展和繁荣，为把建设有中国特色社会主义事业全面推向21世纪而努力奋斗！

（1999年9月28日《人民日报》）

# 胡锦涛在《李大钊文集》出版暨纪念李大钊诞辰110周年座谈会上的讲话（节选）

（1999年10月29日）

不久前，我们刚刚欢庆过中华人民共和国成立50周年。回顾神州大地发生的翻天覆地的历史性变化，我们更加怀念李大钊等为祖国的独立、统一、民主、富强建立了不朽功勋的革命先烈们。同志们都记得，在李大钊同志诞辰100周年纪念大会上，江泽民同志曾经对李大钊同志的卓越贡献、渊博知识和高尚情操，作过系统的阐述，给予了高度的评价。他深刻地指出："李大钊顺应时代的需要，率先在中国大地上高举起马克思列宁主义的旗帜，为中国昭示了新的社会主义的发展方向。作为中国共产党早期的卓越领导人，他在中国革命的许多条战线上进行过英勇的斗争，作出了重大的贡献。他在中国共产主义运动中，在中国人民的民族解放和社会解放事业中，占有崇高的历史地位。"这次新编出版的五卷本《李大钊文集》，比较全面地收集了李大钊同志的著作，以丰富的文献展现了李大钊同志光辉一生的伟大实践和思想贡献。他的思想理论遗产，是我们党和全国各族人民宝贵的精神财富，对于加强党的建设和社会主义精神文明建设，对于推进我国改革开放和社会主义现代化事业，完成跨世纪发展的历史任务，都具有重要的现实意义。

我们纪念李大钊同志，学习和研究他的著作，必须像他那样弘扬爱国主义精神，为中华民族的振兴不懈奋斗。李大钊同志是一个伟大的爱国主义者。他在早期著作中抒发了目睹帝国主义的侵略而萌发的爱国忧国之情。他同当时中国许多先进分子一样，年轻时就离家出国，寻找救国救民的真理。1915年，当他获悉日本向袁世凯政府提出要全部控制中国的"二十一条"时，即奋起呐喊，呼吁国民起来自救。在他牺牲前写下的《狱中自述》中，明确地写道："钊自束发受书，即矢志努力于民族解放之事业，实践其所信，励行其所知，为功为罪，所不暇计。"在这种爱国主义精神的驱动下，他从民主主义走向共产主义，为中华民族走上独立和解放之路贡献了自己的一生。今天，我们正在为把我国建设成为富强、民主、文明的社会主义现代化国家，实现中华民族的伟大复兴而努力奋斗。我们一定要以李大钊同志为榜样，以满腔的爱国热情，开拓前进，完成肩负的历史重任。

我们纪念李大钊同志，学习和研究他的著作，必须像他那样始终不渝地坚持马克思主义的科学信念。李大钊同志是马克思主义在中国的最早传播者。1917年俄国十月革命的消息传到中国后，他先后发表了《法俄革命之比较观》、《庶民的胜利》、《布尔什维主义的胜利》、《新纪元》等文章和演讲，对这场新型的革命加以讴歌。他充满激情地宣告："试看将来的环球，必是赤旗的世界！"1919年五四爱国运动爆发后，他不仅亲身投入了这场伟大斗争，而且写下了《我的马克思主义观》这样系统地介绍马克思主义理论的文章，帮助北京《晨报》副刊开辟了《马克思研究》专栏。他在接受了马克思主义的科学世界观以后，再也没有动摇过，坚信共产主义在世界和中国，必然取得最后的胜利。

今天，我们正在把建设有中国特色社会主义的伟大事业全面推向新的世纪。广大党员、干部一定要认真学习马列主义、毛泽东思想和邓小平理论，牢固树立马克思主义的世界观、人生观和价值观，坚定正确的理想信念，在敌对势力“西化”、“分化”的图谋面前不丧失立场，在各种封建迷信和歪理邪说面前不迷失方向，始终保持政治上的清醒和坚定。

我们纪念李大钊同志，学习和研究他的著作，必须像他那样坚持把马克思主义应用于中国实际的探索精神。李大钊同志是一个无畏的播火者，又是一个勇敢的探索者。他认为，马克思主义是革命的科学，而不是抽象的学理和不变的教条；研究马克思主义必须研究它“怎样应用于中国今日的政治经济情形”，并在这个过程中把这门科学推向前进。在中国共产党成立后，他进一步以探索的精神把马克思主义应用于中国革命的具体实践之中。从《李大钊文集》中可以看到，他在实践中提出的中国的民主革命必须由无产阶级领导、必须依靠农民、必须建立民主的联合战线、必须通过武装斗争达到革命目标等思想，对于党的新民主主义革命理论的形成作出了最早的宝贵贡献。他根据自己对马克思主义和中国国情的理解，强调社会主义制度将是共性与特性结合的一种新制度，中国将来的社会主义也会有自己的特性。这些思考尽管是初步的，但其中体现出的从实际出发的开拓精神是十分可贵的。今天，我国的改革正处在攻坚阶段，发展已进入关键时期，尤其需要我们弘扬这种精神，研究新情况、解决新问题，创造性地开展各项工作，把改革开放和现代化建设事业不断推向前进。

我们纪念李大钊同志，学习和研究他的著作，必须像他那样保持无产阶级先进分子的革命气节和高尚情操。李大钊同志牺牲时只有38岁，但是他真正做到了自己所说的，“勇往奋进以赴之”，“瘅精瘁力以成之”，“断头流血以从之”。同李大钊同志接触过的人，都赞誉他具有高尚的道德情操。他既坚持真理，坚持原则，又待人宽厚，团结同志。他生活俭朴，节衣缩食，省下钱来充作党的活动经费，或用来帮助同志，接济贫苦青年。他把党和人民的利益看得高于一切，宁愿舍生赴死，也不出卖党的机密。他为共产主义事业在中国的胜利献出了自己的生命，表现了一个共产党人的崇高气节和浩然正气。今天，虽然我们党所处的环境和条件已经发生了很大变化，但我们仍要大力弘扬革命先辈的崇高精神。全党同志，特别是党的各级领导干部，一定要按照讲学习、讲政治、讲正气的要求，加强思想政治修养，自觉抵御各种腐朽思想的侵蚀，真正养成共产党人的高风亮节。

（1999年10月30日《人民日报》）

# 尉健行：加大力度 标本兼治 推动反腐败斗争深入开展（节选）

（1999年3月1日）

**二、1999年党风廉政建设和反腐败的任务**

1999年是我们党和国家历史发展进程中具有特殊意义的一年，我们将隆重庆祝建国50周年；将恢复对澳门行使主权；将围绕“九五”计划的宏伟目标，推动两个文明建设的新发展。在新的一年中，认真执行中央关于“统一思想、坚定信心，抓住机遇、知难而进，团结一致、艰苦奋斗”的方针，扎扎实实做好党风廉政建设和反腐败工作，至关重要。1999年党风廉政建设和反腐败工作的总体要求是：坚持以邓小平理论为指导，深入贯彻落实党的十五大和十五届三中全会的精神，按照江泽民同志关于反腐败斗争多次重要讲话的要求，标本兼治，综合治理，在严厉惩治腐败分子、坚决遏制腐败现象的同时，加大从源头上预防和治理腐败的力度，坚定不移地推进党风廉政建设和反腐败斗争，为把建设有中国特色社会主义事业全面推向21世纪创造良好的社会政治环境。

按照党中央的要求，1999年的反腐败工作，继续坚持“三项工作”的格局，提高思想认识，加大工作力度。

（一）领导干部廉洁自律工作。

要继续贯彻执行《廉政准则》，发扬艰苦奋斗、勤俭办事的优良作风，认真落实制止奢侈浪费行为的八条规定，着重抓好以下三项工作：1. 严禁党政机关到庐山等12个风景名胜区开会，不准组织与会人员到会议所在市、县的行政区域以外的其他风景名胜区旅游。地方各级党政机关的会议一律在本行政区域内召开，不得到其他地区召开。2. 严格控制改建、扩建、新建或购买、装修办公楼和新建宾馆，进一步厘定办公用房建设标准。对执行中央关于“从1997年起三年内原则上不准新建或购买办公楼”、“现有办公楼从1997年起三年内不准进行装修”等规定的情况进行一次检查。3. 严格管理公费出国（境）的工作，坚决制止用公款出国（境）旅游。要重点清理和规范中央各部委及其所属单位组团出国（境）活动。党政机关及其所属单位组团出国（境），一律不准向下属单位和其他单位摊派费用。

要严格执行省（部）级以上领导干部的配偶、子女及其配偶，不准在该领导干部管辖的地区及管辖的业务范围个人经商办企业和在外商独资企业任职，不准在上述地区和业务范围的中外合资企业中接受外方委派或者推荐出任董事长、副董事长、董事及总经理、副总经理、顾问等高级职位的规定。

要巩固清理通信工具、控制会议和庆典活动、制止用公款吃喝玩乐等项工作的成果。继续执行领导干部重大事项报告制度、礼品登记制度和收入申报制度。

领导干部廉洁自律专题民主生活会，要严格执行中央纪委、中央组织部《关于提高县以上党和国家机关党员领导干部民主生活会质量的意见》的规定。要结合以“讲学习、讲政治、讲正气”为主要内容的党性党风教育，把执行《廉政准则》和制止奢侈浪费八条规定的情况，配偶、子女从业情况，以及廉洁从政其他方面的问题，作为对照检查的重要内容，认真开展批评和自我批评，以整风的精神解决领导干部在党性党风党纪和廉政方面存在的突出问题。各级党委要根据实际情况，采取有力措施，切实提高领导干部廉洁自律专题民主生活会的质量。纪委和组织部门要加强对专题民主生活会的指导和监督检查。

国有企业、集体企业及公有产权占主导地位的企业和事业单位的党员领导干部，也要对照《廉政准则》和制止奢侈浪费八条规定，进行自查自纠。特别要检查以下问题：是否违反规定多占住房或用公款装修、购买住房；是否利用职权为配偶、子女及亲属经商办企业提供便利和优惠条件；是否让所在企业与自己的配偶、子女及亲属所办企业进行经济交往，以及在改制过程中利用权力低价评估资产、买卖企业，导致国有和集体资产的流失等。

…… ……

（三）纠正部门和行业不正之风工作。

进一步做好减轻农民负担的工作。按照党的十五届三中全会的精神，坚决落实农民“合理负担坚持定项限额，保持相对稳定，一定三年不变”的要求，农民承担的提留统筹费绝对额，不仅要严格控制在上年农民人均纯收入的5%以内，而且不得超出1997年的预算额。要监督检查农民负担预决算、监督卡和专项审计三项制度的落实情况，切实纠正借收购农副产品之机代扣代缴各种搭车收费。对由于加重农民负担而引发恶性事件的责任人，必须严肃处理。

继续做好减轻企业负担的工作。要按照有关规定，普遍推行收费许可证和企业交费登记卡制度，加强对已取消收费项目落实情况的监督检查。要认真解决企业反映强烈的突出问题，严禁借改制之机向企业乱收费；严禁行政事业单位凭借权力和垄断地位强制收费、变相收费；严禁将政府行政管理职能变为有偿服务或者通过中介机构强制服务；严禁对企业进行法律法规规定以外的检查，依法进行的检查也要加以规范。对擅自出台向企业收费项目、强制企业参加培训或评比等的责任人，必须坚决处理。

继续纠正医药购销中的不正之风。要进一步整顿药品的生产经营秩序，加强药品市场的监督检查，从严查处制售假冒伪劣药品和药品购销中给予、收受回扣的违法行为；严格规范药品价格的折扣行为，严禁以变相折扣形式推销药品；积极实行医药分开核算、分别管理的制度，严禁医疗单位及其医务人员从药品销售方谋取私利。

要巩固和扩大治理公路“三乱”、中小学校乱收费等成果，继续坚持纠建并举的方针和“谁主管、谁负责”的原则，把纠风工作纳入部门和行业管理，常抓不懈。各地区、各部门还要从实际出发，重点解决一两个群众反映强烈的问题。要强化部门和行业内部制约和外部监督的机制，继续推行民主评议行业作风的制度。要加强行业作风建设和职业道德建设，继续搞好社会服务承诺制的推行工作，积极推进创建文明行业活动。

在抓好以上反腐败三项工作的进程中，还要做好以下几项从源头上预防和治理腐败的工作：

1. 要采取有力措施，巩固军队、武警部队、政法机关和中央党政机关不再从事经商活动工作的成果。地方各级党政机关都要与所办经营性企业彻底脱钩，重点抓好省一级和副省级市、省会城市市一级的党政机关与所办经济实体和管理的直属企业脱钩的工作。

2. 执行“收支两条线”规定，进一步加强预算外资金的管理和监督工作。各级公安、检察、法院和工商行政管理部门必须全面实行行政性收费和罚没收入“收支两条线”管理。中央一级、省一级的其他执收执罚部门，以及副省级市、省会城市市一级的其他执收执罚部门，都要实行“收支两条线”管理。要对上列执收执罚部门的预算外资金银行账户进行一次彻底清理，以解决账户过多过滥、预算外收入应缴不缴、私设“小金库”等逃避财政监督、违反财经纪律的问题。

各级政府及其财政部门要认真执行中共中央办公厅、国务院办公厅转发的《财政部关于政法机关不再从事经商活动和实行收支两条线管理后财政经费保障的若干意见》，对政法机关履行职能所必需的经费给予保障。

3. 建立健全有形建筑市场，加强对工程招标投标的管理，建立公开、公正、平等竞争的工程发包承包制度。1999 年，地（市）级以上城市都要建立有形建筑市场（经批准可以不建立的除外），并实行规范化管理。凡政府投资和国有企业事业单位投资，以及政府、国有企业事业单位控股投资的工程，除涉及国家保密、紧急抢险救灾等特殊工程外，都必须进行公开招标。对违反规定干预和插手工程发包承包的单位和个人，不论有无谋取私利，都要根据情节轻重作出处理。

4. 推行领导干部任期经济责任审计制度和会计委派制度。要认真执行《县级以下党政领导干部任期经济责任审计暂行规定》和《国有企业领导人员任期经济责任审计暂行规定》，并把审计结果作为领导干部任职的一项重要依据。要在国有中、小型企业和集体企业试行和建立会计委派制度。各级政府要加强对会计委派制度试点工作的指导和管理。

5. 继续推行村务公开、厂务公开和政务公开。要按照村民委员会组织法的规定，推行村务公开，并使之规范化、制度化。国有企业、集体企业及公有产权占主导地位的企业，要建立和实行厂务公开制度，凡涉及职工群众切身利益的事项，凡涉及企业的资本运营和改革方案等重大决策，必须向职工群众或职代会公开。坚持企业职代会对企业领导班子成员每年进行一次民主评议、民主测评的制度。要在城乡基层政权机关推行政务公开制度，凡属直接涉及群众切身利益的事项，除属于国家规定保密的之外，都要向群众公开，接受群众的监督。

**三、完成 1999 年党风廉政建设和反腐败任务需要强调的几个问题**

第一，深入开展“讲学习、讲政治、讲正气”的教育。要按照中央部署，在各级领导干部，重点在县级以上党政领导班子、领导干部中，以整风的精神开展“三讲”为主要内容的党性党风教育，认真解决存在的突出问题。通过教育，推动县级以上领导班子和领导干部深入学习邓小平理论，坚定建设有中国特色社会主义的信念，提高政治敏锐性、政治鉴别力，增强纪律观念，同党中央保持一致；全面贯彻民主集中制，纠正和防止违反民主集中制的错误思想和行为，加强党的团结，自觉接受监督；密切联系群众，正确行使权力，克服官僚主义，反对腐败现象；大力弘扬求真务实、言行一致的优良作风，纠正和防止各种不良习气。做到思想上有明显提高，政治上有明显进步，作风上有明显转变，纪律上有明显增强。

第二，认真实行党风廉政建设责任制。各级党委、政府及其职能部门的领导班子和领导干部，必须以高度的政治责任感，坚决执行中共中央、国务院《关于实行党风廉政建设责任制的规定》，对党风廉政建设和反腐败工作切实负起领导责任。要强化监督检查，严格执行责任追究的规定，保证责任制的贯彻落实。各级党委要负责领导、组织对下一级党政领导班子和领导干部执行党风廉政建设责任制情况的考核工作。各级纪检监察机关要协助党委、政府，加强对党风廉政建设责任制执行情况的监督检查。对违反党风廉政建设责任制的行为，必须依照规定追究责任，对有关责任人给予纪律处分或者组织处理。

第三，加强对权力运行的监督和制约。各级党委要贯彻从严治党的精神，加强对高中级领导干部和各级党政机关主要负责人的监督。要重点加强党内监督，尤其是强化领导集体内部的监督和纪委的监督。各级党委要严格执行民主集中制，认真履行党章关于党内监督的规定和党中央批准的关于加强党内监督的五项制度。中央纪委和省（区、市）纪委要加强巡视工作，强化对领导班子和领导干部的监督。各级纪检监察机关要进一步发挥党的纪检和行政监察两项职能，在切实履行党的纪律检查职能的同时，尤其要采取措施加强行政监察的职能作用，紧紧围绕政府的中心工作开展廉政监察和效能监察，并及时向同级政府和上级纪检监察机关报告情况，保证政令畅通。各级政府要加强对行政监察工作的领导，充分发挥监察机关的职能作用。要把党内监督、法律监督、群众监督以及舆论监督结合起来，使各种形式的监督形成合力。

第四，积极探索通过改革从源头上预防和治理腐败的途径。各地区、各部门特别是中央国家机关和行业主管部门都要结合自身特点，提出从源头上预防、治理腐败的措施和对策，努力从制度上防治腐败现象。要研究经济体制转变过程中，在体制、法制、政策方面存在哪些容易滋生腐败现象的漏洞和薄弱环节，从实际出发加以改革。制定反腐败措施，要注意与经济体制改革相配套，与发展社会主义市场经济相适应。加强党风廉政建设，要同部门、单位的行政管理、业务管理、财务管理结合起来，针对容易出现腐败现象的薄弱环节，完善制度，强化权力制约，减少以权谋私的可能性。

第五，搞好纪检监察机构改革，加强纪检监察干部队伍建设。在机构改革中，中央纪委、监察部要按照中央的要求，进一步完善派驻机构的设置和领导体制，加大对派驻机构领导班子和干部管理的力度，加强对省级纪检监察机构改革工作的指导。要进一步完善纪检监察机关的管理体制，加强上级纪检监察机关对下级纪检监察机关的领导，对内设机构要进行适当调整，明确职责，优化结构，规范工作程序，做到精简机构与提高工作效能相统一。反腐败斗争的实践证明，纪检监察干部队伍是一支有战斗力的、党和人民信赖的队伍。但也要看到，纪检监察干部处于反腐败斗争最前沿，往往是不法分子拉拢腐蚀的对象，近年来已经有极少数意志薄弱者经不起考验，犯了严重错误，个别人甚至走上违法犯罪的道路。对这种腐蚀与反腐蚀的严峻形势，我们要有清醒的认识，高度重视纪检监察干部队伍建设。各级纪检监察机关要加强培训工作，组织干部深入学习邓小平理论，结合工作需要学习经济、法律等知识。纪检监察机关的领导干部要带头加强学习，提高素养，严格执行民主集中制，大兴调查研究之风，增强大局观念和群众观念，进一步提高决策能力和领导水平。要努力建设一支政治坚强、公正廉洁、纪律严明、业务精通、作风优良的队伍。各级党委、政府和纪检监察机关，要从政治上、工作上和生活上关心、爱护纪检干部，帮助他们解决实际困难。

（《求是》1999 年第 5 期）

# 李岚清在全国高校党建工作会议上发表讲话

（1999年6月18日）

李岚清在会议开幕式上讲话强调，我们要从面向21世纪的战略高度，进一步认识加强高校党建和思想政治工作的重要性与紧迫性，坚持用邓小平理论武装广大师生员工，认真搞好“三讲”教育，大力加强高校领导班子建设，推动高等教育的改革发展和全面素质教育的实施。

李岚清在讲话中说，近年来，各地区、各部门和高校党组织坚持不懈地抓高校党的建设和思想政治工作，坚持用马克思主义、毛泽东思想特别是邓小平理论武装广大党员和师生，加强领导班子和基层组织建设，加强和改善党的领导，为推进高等教育的改革与发展，为维护高校和社会的稳定做出了显著成绩。在今年抗议以美国为首的北约用导弹悍然袭击我驻南联盟大使馆的活动中，高校广大师生表现出强烈的爱国主义热情、高度的政治觉悟和法制观念。这充分反映了加强高校党建和思想政治工作是极其重要的，也是富有成效的。同时，我们也要看到新的形势和任务对高校党建和思想政治工作提出的新要求，我们必须从实现跨世纪宏伟目标，实施科教兴国的战略高度，从提高大学生的全面素质，使他们成为德、智、体、美全面发展的社会主义事业的建设者和接班人的战略高度，从战胜国内外敌对势力对我们实施“西化”、“分化”图谋的战略高度，充分认识加强高校党建和思想政治工作的重要性与紧迫性。

李岚清指出，党的十五大以来，中央多次强调要加强理论学习，兴起学习邓小平理论的新高潮，特别强调要抓好用邓小平理论教育广大青年学生的工作。各地各高校都认真贯彻，切实落实，邓小平理论“进教材、进课堂、进学生头脑”工作有了较大进展。下一步，要在认真总结经验的基础上，进一步加强和完善马克思主义理论和思想品德课的建设，把邓小平理论学习提高到一个新水平。高校的广大党员、教师、特别是领导干部要带头学好邓小平理论，并自觉用这一理论武装头脑，指导工作。还要注意把学习邓小平理论同学习马克思主义、毛泽东思想的基本原理很好结合起来。要提倡启发式、研讨式的生动活泼的教学方法，要特别注意防止学习中的教条主义和形式主义倾向，讲究学习的实效。

李岚清说，当前我国政治经济形势是好的，高校师生思想政治状况、精神面貌呈现积极向上的态势，为做好高校师生的思想政治工作奠定了良好的基础。同时也要看到，随着我国改革进入攻坚阶段，一些深层次社会矛盾进一步显现，侵蚀到我们肌体中的消极腐败现象尚有待进一步清除，再加上国内外敌对势力的干扰破坏，有些困难可能还会加重。高校内部也存在一些不利于师生思想健康发展的问题和因素。因此，必须研究新形势带来的新情况、新问题，更加重视做好师生的思想政治工作。要围绕师生普遍关心的问题，有针对性地加强形势与政策教育。各级领导要在一定时期，向他们作形势报告，帮助他们对全面形势有所了解，珍惜和维护来之不易的成果和稳定的大局。今年我们将迎来建国50周年、澳门回归祖国等重大事件。要抓住这一有利时机，组织开展多种多样、丰富多彩的纪念和庆祝活动，对师生进行现实生动的爱国主义、集体主义、社会主义和邓小平理论与党的基本路线教育。

李岚清说，要把解决思想问题同为师生办实事结合起来，这也是提高思想政治工作实效的重要途径。要针对师生学习、工作和生活方面存在的突出问题，认真研究并予以切实解决。1995年以来，集中抓了教师的住房问题，对稳定教师队伍、调动高校教职工的积极性发挥了重要作用。

一些破旧危漏的学生宿舍也应当抓紧维修，应结合后勤社会化，逐步改善学生宿舍的条件，把食堂办好等等。他说，要进一步加强政工干部队伍建设，加强共青团、学生会、研究生会的工作。这是做好思想政治工作的重要组织保证。高校党务和思想政治工作干部同教师一样是“人类灵魂工程师”，担负着重要职责。要关心这支队伍的建设，对他们在政治上、业务上要坚持高标准，工作上严要求，生活上要多关心。要注意从优秀的大学生、研究生和青年教师中选拔一批政治和业务上都优秀的同志，充实党务和政工干部队伍，不断补充新生力量。同时要通过脱产和在职培训、进修等途径，提高党务和思想政治工作干部的思想政治素质和工作能力。

李岚清指出，当前，加强党的建设最重要的一项任务就是深入开展“三讲”教育。大家要把思想进一步统一到中央精神上来，从事关党和国家前途命运的高度来认识和对待这件大事，要作为党建工作的重中之重来抓好这件大事。在“三讲”教育中，要紧密联系近年来的工作实际和思想作风实际，有的放矢地学习理论，用马克思主义武装头脑，提高辨别重大是非的能力；要发扬党内民主，相信和依靠群众，搞好自我反思，总结经验教训；要认真开展批评和自我批评，坚持真理、修正错误，努力掌握马克思主义的世界观和方法论。总之，要通过“三讲”教育进一步坚持党性原则，增强党性锻炼，解决党性党风方面存在的问题，使党的干部在思想上、政治上和作风上有新的进步和提高。

李岚清强调，加强高校党的建设，必须加强和改善党对高校工作的领导，加强高校党组织自身建设，使高校党组织成为团结和带动广大师生员工同心同德，为实现科教兴国战略而努力奋斗的坚强核心。加强高校党的建设，关键是加强高校领导班子建设。要以江泽民同志提出的“高校的党委书记、校长，应该努力使自己成为社会主义的政治家、教育家”为目标，提高领导干部的思想政治素质和业务水平；要大力培养和选拔优秀年轻干部，尤其要重视培养和选拔党政“一把手”；要进一步优化高校领导班子结构，增强领导班子的整体功能和活力；要进一步完善党委领导下的校长负责制，坚持民主集中制，紧紧依靠广大师生员工，共同努力，办好社会主义大学。

（1999年6月20日《人民日报》）

# 李岚清在老年文化工作会议上发表讲话

（1999年6月23日）

6月23日，中共中央政治局常委、国务院副总理李岚清在中南海主持会议，研究加强老年文化工作。他强调，随着我国人口老龄化的进程加快，如何丰富老年人的健康的精神文化生活也迫切需要摆上有关部门的重要工作日程。文化、民政、教育等部门以及各级党委、政府，都要充分认识老年文化工作的重要性，切实做好这方面工作，丰富老年人的精神文化生活。

李岚清指出，党中央、国务院历来十分重视和关心老年工作，各部门各地方在保护老年人合法权益，实施老有所养、老有所学、老有所乐、老有所为等方面做了大量工作。目前，我国60岁以上老年人口已达1.2亿，他们是我国社会的重要组成部分。针对我国老年人口中70岁以下的相对低龄群体占大多数的特点，因此，在做好老年人的物质生活保障等方面工作的同时，加强和丰富老年人精神文化生活具有特殊重要意义，是关系到社会的稳定、发展与进步的重大问题。他说，老年人渴望健康多彩的文化生活，有着强烈的精神文化需求，各有关部门尤其是各级文化行政部门及广大文化工作者，要把做好老年文化工作，作为文化工作的一项长期而重要的任务，切实抓紧抓好，把弘扬中华民族尊老敬老的传统美德落到实处。

李岚清说，开展老年文化活动，要有文化行政部门的宏观指导和推动，各有关部门的大力协同，更要立足社区，面向基层，还要有全社会的关心和参与。各级文化馆、站和体育场所以及老年活动中心等单位，要积极组织开展各种形式的文化体育活动，并尽可能对老年人开放并给予优惠照顾；要充分发挥老年人文化活动团体的作用，在抓好城市社区老年文化工作的同时，积极创造条件开展适合农村老年人的各类文娱活动；充分发挥现有文化体育设施的作用，大中城市要根据需要，鼓励社会力量举办老年大学、老年书画院、老年健身和文艺设施、老年公寓、老年活动中心、敬老院等老年公益事业，对此各级党委和政府要给予支持。

李岚清强调，各级党政有关部门还要依法保障老年人的物质生活和医疗保健，要加强对老党员、老干部、老职工组织、政治生活的领导，加强思想政治工作。文化、教育部门要重视让老年人老有所学，但是应以教授老年人文化知识为主，如学习书画、演唱、舞蹈、保健等知识，总之是以他们的身心健康为目的；新闻出版、广播电视要加强对老年人生活和活动的宣传，文艺工作者要多创作一些描写老年人的作品，生动地反映他们丰富多彩的生活。中央电视台的“夕阳红”栏目很受群众特别是老年观众的欢迎，要进一步办好。

（1999年6月25日《人民日报》）

# 李岚清在全国科普工作会议上发表讲话

（1999年12月15日）

李岚清在全国科普工作会议闭幕式讲话中指出，江泽民总书记对开好这次会议和搞好科普工作十分关心，发来了《致全国科普工作会议的信》，从战略高度阐述了科普工作的重要意义，为科普工作指明了方向，明确了目标，提出了任务和要求。大家通过认真学习领会江泽民总书记的指示精神，进一步提高了认识，增强了信心。

李岚清就深入学习贯彻江泽民总书记的重要指示精神，加强新形势下的科普工作讲了意见。他强调，首先，要切实增强搞好科普工作的政治责任感。我国现代自然科学的基础还比较薄弱，相当一些群众缺乏对现代科学重要性的充分认识，科学思维、科学信念、科学精神有待建立。部分国民科技文化素质偏低，给反对科学、伪科学思潮的泛滥，给一些搞迷信和邪教活动的人，提供了可乘之机，也给不健康、不文明的生活方式提供了温床。近年来，一些地方愚昧迷信活动愈演愈盛；甚至有些领导干部也参与其中。今年以来，我们与“法轮功”邪教的斗争，也是科学思想、科学精神与邪教、愚昧迷信之间的斗争。“法轮功”的泛滥，有多种社会原因，但不少人缺乏科学知识、科学思想和科学精神是一个重要原因。要教育群众树立正确的世界观，提高人民的思想道德和科学文化素质，就必须在全社会广泛、深入地开展科普活动。这是我们的重要政治责任。其次，要切实增强搞好科普工作的时代紧迫感。新科技革命正渗透到现代社会每一个角落，带来了社会发展的巨大变革。我们要赶上世界发展先进水平，就必须抓住机遇，认真实施科教兴国战略，把经济建设转移到依靠科技创新和提高劳动者素质轨道上来。只有通过大力开展科普活动，使广大群众理解和掌握科学技术知识，才能使科学精神在我们的民族中深深扎根，科学思想在全社会广泛传播，才能使科教兴国战略更加全面地展开。第三，要切实增强科普工作的历史使命感。展望21世纪，科学发展正孕育着重大突破，技术创新将给世界各国带来巨大的发展机遇，也带来严峻的挑战。中华民族要实现民族振兴和国家繁荣富强，就必须紧紧跟上现代科学技术的发展潮流。我们不仅需要培养一批杰出的科学家、工程师，更需要将最新的科技成果和知识向公众传播，让广大人民群众的生产、生活与现代科学技术的发展紧紧相连，加速提高全民科学文化素质和科学思维能力。

李岚清强调，要突出重点，扎扎实实地推进科普工作。他说，近几年来，我国科普工作取得了很大成绩，但是全国范围内科学普及的力度还不够大，科普手段仍比较落后；不少科技机构和科技人员轻视科普的现象依然存在；对科学思想、科学精神的传播重视还很不够；在广大农村特别是边远地区科普工作还极为薄弱。对这些问题要认真研究解决，重点抓好以下几个方面的工作：一是在努力加强科技知识普及的同时，切实加强科学思想和科学精神的传播，铲除“法轮功”等邪教和愚昧迷信滋生的社会土壤；二是结合先进适用技术的推广，提高广大农民的科技素质；三是把科普作为素质教育的重要内容，着力培养广大青少年的科技素质和创新能力；四是各级领导干部要带头学习科技知识，自觉提高科技素质和领导能力；五是加强对广大职工的科技知识培训，科技人员也要有基本的哲学和相关知识的修养。

李岚清指出，要加强领导，动员全社会力量，努力开创科普工作的新局面。第一，各级党委和政府要高度重视科普工作，加大对科普工作的投入和必要科普设施的建设，要以政府为主导，调动和组织全社会力量参与，要加强领导和协调，抓好部署和落实。第二，广大科技工作者要积极投身科普事业，勇于同一切愚昧迷信和各种伪科学、反科学活动作斗争。从事科技工作的专家、学者特别是老科学家，要积极走向社会，带头宣讲科技知识。科技工作者不得参与、支持任何形式的反科学、伪科学和迷信活动。第三，开动各种舆论工具，加大科普宣传力度，动员和组织大众传媒广泛宣传科学技术知识。第四，加强科普作品的出版和发行工作，提高出版质量。第五，加强科普场馆设施的建设和管理，提高其利用率和社会效益。第六，研究制定对科普工作的扶持政策。

（1999 年 12 月 16 日《人民日报》）

# 丁关根：伟大的起点　历史的使命

（1999 年 1 月 18 日）

在党的十一届三中全会召开 20 周年之际，中央隆重举行了纪念大会，江泽民总书记作了非常重要的讲话。总书记的讲话，高度评价了十一届三中全会的伟大意义，充分阐述了改革开放和社会主义现代化建设的巨大成就，深刻总结了建设有中国特色社会主义的基本经验，再次强调了当代中国共产党人的历史使命。讲话高屋建瓴，统揽全局，总结过去，面向未来，令人鼓舞，催人奋进，反映了全国各族人民的共同愿望，表达了中华民族实现伟大复兴的坚定信念。对于我们高举邓小平理论伟大旗帜，坚持十一届三中全会以来的路线不动摇，对于我们全面深入贯彻党的十五大精神，开创改革和建设的新局面，以新的姿态跨入 21 世纪，具有重大的指导意义。我们要认真学习，认真贯彻。

## 一

学习江泽民总书记的重要讲话，我们深深体会到，20 年前召开的党的十一届三中全会，实现了建国以来党和国家历史的伟大转折，对我国的社会主义建设具有极为重要的意义，产生了极为深远的影响。

十一届三中全会，是我国社会主义事业发展新时期的伟大起点。大家都记得，粉碎“四人帮”的胜利，从危难中挽救了党和国家，但“文化大革命”造成的混乱还很严重，刚刚开始的拨乱反正遇到“两个凡是”的障碍，党的工作出现了徘徊的局面。在百废待兴，百业待举，中国面临向何处去的重大历史关头，邓小平同志等老一辈无产阶级革命家，以马克思主义的科学态度和非凡的政治胆略，领导和支持了实践是检验真理惟一标准的大讨论。党的十一届三中全会和这次全会形成的以邓小平同志为核心的第二代中央领导集体，承担起艰巨的历史使命，冲破禁锢，扭转困境，打开局面，推动我国社会主义事业进入了新的历史时期。我们党重新确立了解放思想、实事求是的思想路线，毅然抛弃“以阶级斗争为纲”的错误方针，实现了工作中心的战略转移，作出了改革开放的伟大决策。党在根本否定“文化大革命”，平反冤假错案的同时，旗帜鲜明地提出坚持四项基本原则，坚决维护了毛泽东同志和毛泽东思想的历史地位。党在完成思想路线、政治路线和组织路线拨乱反正的基础上，制定了符合中国国情和时代要求的发展战略，带领人民集中力量进行社会主义现代化建设。十一届三中全会开创的新时期，是全党思想大解放、民族精神大解放、社会生产力大解放的新时期，是我们伟大祖国走向繁荣，走向富强，走向复兴的新时期。

十一届三中全会，是实行改革开放，走有中国特色社会主义道路的伟大起点。中华人民共和国的诞生和社会主义制度的建立，开始了我国历史的新纪元。但是，多年来我们对“什么是社会主义、怎样建设社会主义”没有完全搞清楚，没有找到适合我国社会主义初级阶段实际的经济体制和经济政策，社会生产力发展缓慢，人民生活得不到理想的改善，社会主义的优越性没有充分发挥出来。这种情况，迫使我们在十一届三中全会上决定实行改革开放，开始了我们党领导的第二次革命。改革经历了从农村改革到城市改革，从经济体制改革到各方面体制的改革，从对内搞活到对外开放的波澜壮阔的历史进程。在这场伟大的革命中，我们解放思想，实事求是，尊重群众的首创精神，坚持“三个有利于”的标准，坚持以人民拥护不拥护、赞成不赞成、高兴不高兴、答应不答应为出发点，既克服了那些超越阶段的错误观念和政策，又抵制了抛弃社会主义基本制度的错误主张，制定和坚持“一个中心、两个基本点”的基本路线，坚持发展是硬道理，找到了一条能够极大地解放和发展生产力的建设社会主义的新道路。20年来，党领导人民在这条道路上积极探索，锐意创新，艰苦奋斗，勇往直前，闯过一个又一个难关，取得一个又一个胜利。特别是近10年来，在邓小平理论和党的基本路线指引下，以江泽民同志为核心的党中央带领全党和全国人民，成功地经受住了80年代末90年代初一场国内国际政治风险的重大考验，成功地经受住了1997年以来亚洲金融危机冲击的一场经济风险的重大考验，成功地经受住了1998年特大洪水肆虐的一场自然灾害风险的重大考验。纵观世界风云，景色这边更好。实践证明，我们走上了一条通过改革开放实现社会主义现代化的光明大道。

十一届三中全会，是实现马克思主义同中国实际相结合的第二次历史性飞跃，以邓小平理论指导全党工作的伟大起点。伟大的实践产生伟大的理论，伟大的理论指导伟大的实践。邓小平理论是马克思列宁主义基本原理同当代中国实践和时代特征相结合的产物，是毛泽东思想在新的历史条件下的继承和发展，是马克思主义在中国发展的新阶段，是当代中国的马克思主义，是中国共产党集体智慧的结晶。这一理论，是我们党在新时期思想理论建设的最大成果。20年来，面对世界出现的大变动，面对中国发生的大变革，我们能够在探索中认识规律，在困难中坚定信心，在挑战中抓住机遇，在前进中创造奇迹，靠的就是全党坚定、自觉地学习和实践邓小平理论，把这一理论作为我们各项工作的根本指针，作为我们民族振兴和发展的强大精神支柱。12亿中国人民从切身的经历中深深认识到，只有这一理论才能解决当代中国社会主义的前途和命运问题，才能指引我们把一个不发达的社会主义国家建设成为富强、民主、文明的社会主义现代化国家。在敬爱的邓小平同志逝世以后，以江泽民同志为核心的党中央反复强调要坚定不移地高举邓小平理论伟大旗帜，党的十五大郑重地把邓小平理论作为党的指导思想写入党章，坚持用这一理论指导我们整个事业和各项工作。这体现了全党全军和全国各族人民的意愿，反映了时代的要求，是我们从历史和现实中得出的不可动摇的结论。

20年来，我们党在领导改革开放和现代化建设中积累了丰富经验，归结到一点，就是把马克思主义的基本原理同中国的具体实际相结合，走自己的路，建设有中国特色的社会主义。正是坚持做到了这一点，才使我们在建国以后取得重大成就的基础上，又取得举世瞩目的巨大成就。我们国家的物质基础不断丰厚，综合国力不断增强，民主法制不断完善，精神文明不断发展，国际地位不断提高。我们深切地感受到，十一届三中全会带来的历史大转折和事业大发展，在神州大地展开了一幅波澜壮阔的宏伟画卷，谱写了一曲奋发图强的壮丽史诗，创造了震古烁今的人间奇迹。中国的社会主义生机勃勃，社会主义的中国欣欣向荣。

## 二

这次理论研讨会，是纪念十一届三中全会20周年的一项重要活动，是理论界的一次盛会。会议畅谈了20年来改革开放和现代化建设的辉煌成就，总结了学习运用邓小平理论指导实践取得的重要经验，交流了研究建设有中国特色社会主义事业的理论成果，进一步明确了理论工作者肩负的历史责任。会议解放思想，实事求是，民主团结，生动活泼，是对十一届三中全会以来党的基本理论、基本路线的一次深入学习，是对新时期理论工作的一次很好检阅，是面向新世纪加强党的理论建设和繁荣社会科学事业的一次有力动员。

20年来，改革建设不断推进，理论工作不断深入，两者紧密联系，相互促进，成为我们党的事业发展的一个显著特点。我们的理论工作者把自己的命运同党和人民的命运紧紧联系在一起，自觉围绕改革和建设的伟大实践，追求真理，潜心钻研，勇于创新，乐于奉献，在建设有中国特色社会主义事业中发挥了重要作用。从真理标准问题的讨论到社会主义初级阶段理论的提出，从农村改革的探索到社会主义市场经济改革方向的确立，从物质文明建设的推进到精神文明建设的加强，从国家的民主法制建设、军队建设、外交建设到新时期党的建设，都凝聚着广大理论工作者的心血和智慧。这20年是广大理论工作者最富创造、最有建树的时期，是建国以来理论工作最具活力、最为繁荣的时期。特别是十四大以来，党中央结合新的形势，着眼新的实践，提出了用邓小平理论武装全党的战略任务，出现了学习、研究、宣传邓小平理论的新气象。理论学习，坚持以学习邓小平理论为中心内容，并同学习马列著作和毛泽东著作结合起来，同了解党的历史实践和总结党的历史经验结合起来，着力提高广大党员特别是领导干部的思想政治素质和解决实际问题的能力。理论研究，坚持把改革开放和现代化建设的重大理论和实践问题作为主攻方向，着力研究新情况，总结新经验。理论宣传，坚持正确导向，采取多种形式，正面引导，释疑解惑，着力把党的理论和路线转化为人民群众的自觉行动，为改革、发展、稳定创造良好氛围。理论学习、研究和宣传工作围绕中心，服务大局，密切配合，不断深化，使科学理论发挥了巨大威力。

20年来，我们党深刻总结历史实践，积极探索新形势下理论工作的特点和规律，在加强和改进党对理论工作的领导上积累了成功的经验。我们深深体会到，做好理论工作，必须高举邓小平理论伟大旗帜，以马克思列宁主义、毛泽东思想、邓小平理论为指导。在当代中国，马克思列宁主义、毛泽东思想、邓小平理论，是一脉相承的统一的科学体系。坚持邓小平理论，就是真正坚持马克思列宁主义、毛泽东思想；高举邓小平理论的旗帜，就是真正高举马克思列宁主义、毛泽东思想的旗帜。要高举邓小平理论伟大旗帜不动摇，坚持把邓小平理论作为我们观察世界、发展自己的强大思想武器，在实践中不断地学习和运用这一理论，丰富和创造性地发展这一理论。工作中，坚持党的“一个中心、两个基本点”的基本路线，为人民服务，为社会主义服务，为全党全国工作大局服务；坚持解放思想，实事求是，理论联系实际，以实践为检验真理的惟一标准；坚持百花齐放、百家争鸣，发扬学术民主，鼓励探索创新；坚持立足当代又继承发扬民族优秀文化传统，立足本国又充分吸收世界文化优秀成果；坚持团结稳定鼓劲，重在建设，不搞无谓争论；坚持尊重知识、尊重人才，团结一切可以团结的力量，充分发挥广大理论工作者的积极性、创造性。这些经验是20年来理论工作实践的总结，也是今后必须长期坚持的重要方针原则。

## 三

过去的20年，是开拓的20年，胜利的20年。从现在起到下世纪中叶的50年，是实现社会主义现代化宏伟蓝图的50年，是实现中华民族伟大复兴的50年。这对我们全党和全国人民来说，既是一个充满希望的美好前景，又是一个需要付出艰辛努力的奋斗历程。回顾过去，我们充满自豪；面向未来，更感责任重大。我们要清醒地看到实现现代化的历史任务对党、国家和民族前途命运的重大意义，清醒地看到世界多极化、经济全球化和科学技术迅猛发展对当代中国的深刻影响，清醒地看到在前进道路上还会有可以预料和难以预料的各种困难风险，紧跟时代步伐，倾听实践呼唤，更好地肩负起党和人民赋予的历史责任。

我们一定要紧紧围绕十五大的主题，高举邓小平理论伟大旗帜，把建设有中国特色社会主义事业全面推向21世纪。要认真贯彻江泽民总书记在学习邓小平理论工作会议上的讲话精神，认真贯彻中央《关于在全党深入学习邓小平理论的通知》，进一步兴起学习邓小平理论的新高潮。力求对邓小平理论的科学认识有新提高，运用邓小平理论解决实际问题的能力有新提高，改造主观世界的自觉性有新提高。要把学习邓小平理论同学习、贯彻十五大精神紧密结合起来，在全面正确领会和掌握邓小平理论的科学体系、精神实质上下功夫，在全面正确领会和掌握党的十五大精神上下功夫，把思想和行动进一步统一到十五大精神上来，把智慧和力量进一步凝聚到实现十五大确定的各项任务上来。

我们一定要坚定不移地同以江泽民同志为核心的党中央保持一致，自觉维护中央权威。这是把建设有中国特色社会主义事业继续推向前进的重要保证。要进一步增强政治意识、大局意识、责任意识，心系大局，维护大局，服务大局。要通过卓有成效的理论研究和宣传，做好以科学理论武装人的工作，帮助人们提高认识，坚定信念，增强学习中央方针政策的自觉性，增强贯彻中央重大决策的自觉性。

我们一定要始终以经济建设为中心，坚持党的基本路线不动摇。“一个中心、两个基本点”，体现了社会主义的本质，反映了中国社会主义发展的根本规律。要坚持一个中心，而不是两个中心；坚持两个基本点，而不是一个基本点；始终把一个中心和两个基本点统一于建设有中国特色社会主义的伟大实践。要在基本路线指导下，正确认识和处理改革、发展、稳定的关系，坚持两手抓两手都要硬，在社会稳定中推进改革和发展，在改革和发展中维护社会政治稳定。

我们一定要坚持解放思想、实事求是，弘扬理论联系实际的马克思主义学风。始终坚持“一个中心，三个着眼于”，大力倡导认真学习、民主讨论、积极探索、求真务实的风气。密切联系马克思主义的历史发展，密切联系我国社会主义初级阶段的基本国情，密切联系改革开放的生动实践，密切联系当代世界的深刻变化，以宽广的眼界和科学的态度，认真总结人民群众创造的新鲜经验，积极借鉴世界各国发展的一切文明成果，深入探索有中国特色社会主义经济、政治、文化发展的规律，为我国物质文明和精神文明建设提供有力的理论支持和思想保证。

我们一定要加强马克思主义理论队伍的建设，多出成果，多出人才。要讲学习，讲政治，讲正气，坚持辩证唯物主义和历史唯物主义的立场、观点、方法，努力使自己成为政治坚定、思想敏锐、学识渊博、深入实际、联系群众的理论工作者。要在邓小平理论伟大旗帜下，进一步巩固发展理论界团结融洽、密切协作、民主平等、生动活泼的良好局面，继续创造有利于人才脱颖而出和健康成长的良好环境，激励广大理论工作者更好地施展才华，建功立业。

1999年即将到来。在新的一年里，我们将迎接新中国成立50周年，迎接澳门回归祖国，迎接新世纪。站在百年之交、千年之替的历史时刻，我们深深感到，我们党现在所从事的事业，是十一届三中全会以来20年、新中国成立50年、中国共产党建立70多年来革命和建设事业的继续，也是一百多年来中国人民争取民族独立、人民解放和实现国家富强、人民富裕这一事业的继续。我们肩负着承前启后、继往开来的伟大使命，前景光辉灿烂，责任重如泰山。我们要进一步增强历史责任感和时代紧迫感，勇于思考，勇于探索，勇于创新，在人民的实践创造中进行理论的创造，在社会的历史进步中推动理论的进步。

江泽民总书记在纪念党的十一届三中全会20周年大会的重要讲话中强调指出："20年来我们取得了伟大胜利，但同我们的远大目标相比，没有任何理由自满。应该清醒地看到，我们的经济文化还不发达，综合国力和竞争能力还不强。党和国家的工作中也还存在缺点和不足，人民群众还有不少不满意的地方。在今后的前进道路上，还会遇到这样那样的困难和风险。全党同志一定要更加兢兢业业地工作，永远不辜负人民的期望。"让我们紧密团结在以江泽民同志为核心的党中央周围，高举邓小平理论伟大旗帜，为我们民族的伟大复兴，为我们国家的繁荣富强，贡献自己的全部智慧和力量。

（1999年1月18日《人民日报》）

# 丁关根在全国宣传部长会议上发表讲话

（1999年1月23日）

全国宣传部长会议1月20日至23日在京召开。中共中央政治局委员、书记处书记、中宣部部长丁关根在会议结束时讲话。他强调要认真学习贯彻江泽民总书记与出席会议的同志座谈时发表的重要讲话，高举旗帜，保持一致，重在建设，守土有责，一定要把今年的宣传思想工作做好。要紧紧围绕纪念改革开放20周年、五四运动80周年、新中国成立50周年，迎接澳门回归、迎接新的世纪，唱响祖国颂、社会主义颂、改革开放颂，促进改革发展，维护社会稳定。

丁关根在讲话中说，遵照江泽民总书记重要讲话精神，我们一定要唱响主旋律，打好主动仗。要高举邓小平理论伟大旗帜，深入宣传党的十五大精神，宣传党的基本路线、基本方针，宣传中央关于改革和建设的重大决策、工作部署。要以科学的理论武装人，以正确的舆论引导人，以高尚的精神塑造人，以优秀的作品鼓舞人。要弘扬社会正气，弘扬新时期创业精神，弘扬伟大的抗洪精神，倡导正确的世界观、人生观、价值观。要有紧迫感和责任感，保持旺盛的工作热情和进取精神，见微知著，审时度势，把问题想在前面，把工作做得细一些、深一些、实一些。

一定要胸中有大局。要坚定自觉地同以江泽民同志为核心的党中央保持高度一致，进一步增强政治意识、大局意识、责任意识。要围绕中心，服务大局，站在大局高度思考问题，按照大局要求部署工作，时时刻刻心系大局，事事处处服务大局。要帮忙，不要添乱。

一定要心里想着人民。要牢固树立群众观点，贯彻群众路线，倾听群众呼声，反映群众意愿，诚心诚意为人民谋利益。在群众的火热生活中汲取营养、总结经验，在不断满足群众精神文化需求中改进工作、促进繁荣。无论是进行宣传教育还是创建精神文明，都要贴近群众实际，得民心顺民意，办实事办好事，反对形式主义。

一定要把握正确导向。要坚持党性原则，坚持实事求是，坚持团结稳定鼓劲、正面宣传为主。对有利于国家富强、社会进步、民族团结、人民幸福的思想和精神，要大力弘扬、大力提倡。要加强典型宣传、热点引导和舆论监督，多做正面引导、耐心说服的工作，多做解疑释惑、提高认识的工作，多做统一思想、凝聚力量的工作，给人以鼓舞，给人以启迪，给人以教育。对事关政治方向、重大原则的问题，要旗帜鲜明，分清是非，不能听之任之。要坚持各就各位，守土有责，该管的要管住，谁主管谁负责。要严格宣传纪律，不能把错误的东西炒热，不能给错误的东西提供传播阵地。要坚持把社会效益放在首位，力求社会效益和经济效益相统一，不能牺牲社会效益去追求经济效益。

一定要团结一切可以团结的力量，调动一切积极因素。宣传思想战线人才济济，专家荟萃，关键是要形成合力，发挥整体优势，做到各尽其职，又相互配合，各展所长，又相映成辉。要坚持“二为”方向，贯彻“双百”方针，尊重知识，尊重人才。要关心人、理解人、信任人，虚怀若谷，坦诚相见。要加强沟通，多开展同志式的交流，多听取各方面的意见，创造和谐融洽的环境，把大家的聪明才智凝聚到唱响主旋律上来，凝聚到促进事业繁荣发展上来。

一定要讲学习、讲政治、讲正气，有一个良好的精神状态。要大兴学习之风，提高理论素养，丰富知识积累，联系实际，学以致用，在改造客观世界的同时改造主观世界。要增强政治鉴别力和政治敏锐性，大事面前不糊涂，关键时刻不动摇，始终保持政治上的清醒和坚定。要以党和人民的利益为重，谦虚谨慎，淡泊名利，敬业奉献，为人民服务，为社会主义服务，为全党全国工作大局服务。

丁关根最后说，在新的一年，面对新的起点，面对新的任务，我们要更加紧密地团结在以江泽民同志为核心的党中央周围，高举邓小平理论伟大旗帜，认真贯彻十五大精神，统一思想、坚定信心，抓住机遇、知难而进，团结一致、艰苦奋斗，在推进建设有中国特色社会主义伟大事业中，不断开拓宣传思想工作新的局面。

（1999年1月25日《人民日报》）

# 丁关根在中国文联中国作协全委会上发表讲话

（1999年3月18日）

丁关根在会议讲话中强调，文艺界要紧紧围绕庆祝建国50周年，推出更多优秀作品，热情歌颂新中国半个世纪以来的光辉历程，生动反映亿万群众投身改革建设的伟大实践，全面展示中华民族奔向新世纪的精神风貌，唱响祖国颂、社会主义颂、改革开放颂，营造欢乐喜庆、昂扬向上、团结奋进的良好氛围，兴起文化建设新高潮。

丁关根说，过去的一年，文艺界认真贯彻党的方针政策，坚持正确文艺方向，深入抗洪抢险一线，弘扬伟大抗洪精神，讴歌改革开放成就，积极开展文化下乡，活跃群众文化生活。文学创作健康发展，荧屏银幕丰富多彩，舞台艺术佳作不断，儿童作品质量提高，文艺工作保持了积极向上的良好态势。

丁关根指出，1999年是党和国家发展历史上具有特殊意义的一年。文艺工作任务重、要求高，重任在肩，大有可为，党和人民寄予厚望。要坚持为人民服务、为社会主义服务，坚持百花齐放、百家争鸣，弘扬主旋律，提倡多样化。要尊重文艺规律、尊重作家艺术家的创造性劳动，充分发扬艺术民主，热情鼓励不同内容、形式的探索和创造，积极支持不同风格、流派的形成和发展。对于艺术问题，不能靠行政命令，要多理解，多沟通，相互切磋，平等讨论。要学会用符合文艺规律的办法领导文艺，把作家艺术家的积极性引导好保护好发挥好，为文艺创作提供广阔的空间和舞台。一个有追求有成就的文艺家总是有着高尚的心灵，蕴含着强烈的社会责任感。我们的艺术家要始终不渝地面向群众，多创作反映群众真情实感、所思所想的作品。要坚持社会效益和经济效益的统一，坚持艺术创作和社会责任的统一，生动活泼，寓教于乐，歌颂真善美，鞭挞假恶丑，把最好的精神食粮奉献给人民。

丁关根指出，文艺创作是一种艰苦的创造性劳动，需要坚韧不拔，精益求精。尤其是迎接建国50周年的重点作品，更要注重质量，把精品意识贯穿到创作的全过程，倾注心血，反复磨砺，千方百计拿出自己满意、群众喜欢、经得起历史检验的优秀作品，努力实现思想性艺术性观赏性的高度统一。要加强学习，深入生活，从博大精深的传统文化中，从健康有益的外国文化中，从人民群众的火热生活中，汲取营养，丰富自己。打牢思想和文化根底，厚积薄发，开掘思想内涵，升华作品主题，提高创作水平。要开展积极健康的文艺评论，用观点正确，有见解、有说服力、有感染力的评论文章，营造良好风气，推动创作繁荣。

丁关根指出，回顾几千年中国文艺发展的历史，中华民族涌现了一代又一代光彩夺目、蜚声中外的文学艺术大师。他们用自己的智慧和才华，创作了一部又一部永垂青史的不朽名著，谱写了我国传统文化光辉灿烂的篇章。我们一定要继承中华民族优秀文化传统，古为今用，推陈出新，汲取精华，发扬光大。当今时代，党领导亿万人民从事的改革和建设事业，是一部威武雄壮的历史活剧；当代文坛，一批有才华、有作为、有潜力的作家艺术家，正在续写着中国文艺的辉煌。文艺工作者一定要眼界开阔，胸襟宽广，同心同德，坦诚相见，以一种献身艺术、永不满足的精神，脚踏实地，不断进取，努力成为德艺双馨的优秀人才。

丁关根指出，文联、作协作为党领导的由各民族文艺家组成的人民团体，要认真贯彻中央精神，做好联络、协调、服务工作，多为作家艺术家办实事、办好事，尊重人、理解人、关心人，把文艺界的积极性调动起来，力量凝聚起来，优势发挥出来，努力形成团结融洽、生动活泼的良好局面。

丁关根最后强调，建国50年特别是改革开放20年，汹涌澎湃的建设洪流，波澜壮阔的改革实践，丰富多彩的社会生活，为文艺创作提供了丰厚土壤，为精品涌现创造了历史机遇。一切有抱负有作为的作家艺术家一定会敏锐感受时代的呼唤，以饱满的创作激情，以崇高的责任意识，让自己的艺术才华在这样一个伟大的历史进程中得到充分展现。我们要在以江泽民同志为核心的党中央领导下，高举邓小平理论伟大旗帜，认真贯彻十五大精神，团结一心，奋发努力，创作出更多无愧于伟大时代伟大人民的精品力作，向建国50周年献礼！

（1999年3月19日《人民日报》）

# 丁关根在中宣部中国记协召开的“学习邵云环、许杏虎、朱颖烈士英雄事迹大会”上的讲话

（1999年5月16日）

今天我们满怀无比崇敬的心情，向为和平、为正义、为祖国捐躯的革命烈士、“人民的好记者”邵云环、许杏虎、朱颖同志表示沉痛哀悼，向他们的亲属表示亲切慰问，向仍在南联盟战火中履行神圣职责的同志们致以崇高敬意！

3月24日，以美国为首的北约悍然对南斯拉夫联盟共和国进行狂轰滥炸。我们的新闻工作者冒着炮火，奔赴战场，实地采访，反映真相，用一篇篇真实感人、富有良知、充满激愤的报道揭露了北约的野蛮暴行，展现了南斯拉夫人民英勇的斗争精神，忠实地履行了新闻战士的神圣职责，为反对霸权、捍卫和平、主持正义做出了重要贡献。5月8日清晨，在以美国为首的北约对我驻南联盟使馆进行导弹袭击中，新华社记者邵云环，

光明日报记者许杏虎、朱颖不幸以身殉职，壮烈牺牲。他们用自己的坚强和勇敢展示了我国新闻工作者的优秀品质，用自己的鲜血和生命谱写了中国新闻史上的壮丽篇章。他们是正义的战士，是祖国母亲的优秀儿女。他们的名字将永远镌刻在中华人民共和国的史册上，他们的光辉形象将永远铭记在我们心中，他们的崇高品质将永远激励我们不断前进！

党和政府对邵云环、许杏虎、朱颖三位烈士给予高度评价，共和国以极其隆重的仪式向为国殉难的烈士志哀。这既是对死难烈士的深切告慰，也是对我们新闻战线的巨大激励。我们要很好地向三位烈士学习。学习他们忠于党、忠于祖国、忠于人民的高尚精神，学习他们尽职尽责、忘我工作、无私奉献的优秀品德，学习他们不畏强暴、不怕牺牲、一往无前的英雄气概。我们要继承烈士遗志，化悲愤为力量，以更加昂扬的斗志，更加奋发的精神，献身党的新闻事业，更好地为人民服务，为社会主义服务，为全党全国工作大局服务。

江泽民总书记在欢迎我国驻南斯拉夫联盟共和国工作人员大会上的重要讲话，说出了全国12亿人民的心声。讲话严厉谴责了以美国为首的北约袭击我驻南联盟使馆的野蛮暴行，坚定表明了我国政府的严正立场，深刻阐述了必须坚持的重大方针原则，明确提出了全党全国人民面临的任务。讲话高屋建瓴，总揽全局，对于统一思想，凝聚力量，促进改革发展，维护社会稳定，具有极其重要的意义。

学习贯彻江泽民总书记讲话，我们一定要始终不渝地坚持邓小平理论和党的基本路线，认真贯彻十五大精神，坚定不移地坚持以经济建设为中心，坚定不移地推进改革开放，坚定不移地保持社会稳定，坚定不移地贯彻执行独立自主的和平外交政策，把建设有中国特色社会主义的伟大事业全面推向21世纪。

学习贯彻江泽民总书记讲话，我们一定要进一步增强政治意识、大局意识、责任意识。要增强政治敏锐性和政治鉴别力，在复杂的情况面前，保持政治上的清醒和坚定。坚决同以江泽民同志为核心的党中央保持一致，一切以大局为重，一切从大局出发，一切服从党中央领导，一切听从党中央指挥。

学习贯彻江泽民总书记讲话，我们一定要十分珍惜来之不易的大好形势。把强烈抗议美国为首的北约野蛮暴行的愤慨激情、悼念烈士的悲愤心情和反对霸权、维护民族尊严的满腔爱国热情，化为团结一心、奋发图强、坚韧不拔的毅力和决心，刻苦学习，勤奋工作，忠于职守，勇于创新，不断增强我国的经济实力、国防实力，不断增强我国的民族凝聚力，努力把自己的事情办好，努力把我们的祖国建设好。

学习贯彻江泽民总书记讲话，我们一定要坚持团结稳定鼓劲、正面宣传为主，唱响主旋律，打好主动仗，牢牢把握正确舆论导向。要坚定信念，增强信心，鼓舞士气，振奋精神，唱响祖国颂、社会主义颂、改革开放颂，弘扬爱国主义精神和伟大抗洪精神，着力营造团结奋进、昂扬向上的良好氛围，迎接建国50周年，迎接澳门回归祖国，迎接新的世纪。

同志们，党的新闻工作是崇高的事业，新闻工作者肩负着神圣的职责。让我们更加紧密地团结在以江泽民同志为核心的党中央周围，高举邓小平理论伟大旗帜，同心同德，艰苦奋斗，把自己的一切奉献给我们伟大的祖国、伟大的人民、伟大的事业！

邵云环、许杏虎、朱颖三位烈士永远活在全国人民心中！永远铭记在全国新闻工作者心中！

（1999年5月21日《人民日报》）

# 丁关根在中央文明委第五次全体会议上的讲话（要点）

（1999年6月30日）

丁关根在讲话中指出，近些年来，在以江泽民同志为核心的党中央领导下，精神文明建设工作在前进。用邓小平理论武装全党教育人民的工作取得新进展，爱国主义、集体主义、社会主义教育取得新成效，群众性精神文明创建活动迈出新步伐。特别是在去年抗洪抢险斗争中，广大军民万众一心，顽强拼搏，取得了伟大的胜利，谱写了一曲壮丽凯歌。在今年强烈抗议以美国为首的北约悍然袭击我驻南使馆野蛮暴行的斗争中，全国各族人民爱国主义热情空前高涨，唱响了抵御外侮、维护尊严、强我中华的主旋律，对党和政府的信任感、加快发展的紧迫感、做好工作的责任感大大增强。这是爱国主义、集体主义和社会主义精神的大展示，民族力量的大凝聚，社会主义精神文明的大发扬。总的来说，这些年精神文明建设工作积极健康向上，对深化改革、促进发展、维护稳定发挥了重要作用。他强调，面对复杂的国际环境和繁重的改革发展稳定任务，我们一定要增强政治意识、大局意识、责任意识，紧紧围绕中央总的工作部署，切实加大精神文明建设工作力度，唱响主旋律，打好主动仗，把强烈的爱国之心和报国之志进一步凝聚到实现十五大确定的各项任务上来，把建设有中国特色社会主义的伟大事业全面推向21世纪。

丁关根指出，增强经济实力、国防实力和民族凝聚力，把综合国力搞上去，是维护国家安全、捍卫民族尊严、造福人民群众的根本保障。历史和现实一再证明，发展才是硬道理。精神文明建设的各项工作都要坚持以经济建设为中心，不松劲，不动摇，不偏离。要胸怀大局，一切着眼大局，一切在大局下行动。无论是开展群众性创建活动，还是组织各种庆祝纪念活动，都要同完成改革发展任务相结合，同维护社会稳定相结合。要有针对性地加强和改进思想政治工作，切实维护社会稳定和人民团结。

丁关根强调，精神文明建设各项工作都要把着力点始终放在与群众密切相关、为群众所欢迎的事情上，把好事办实、实事办好，使群众在参与中受到教育，在创建中得到利益。创建文明城市、文明村镇、文明行业和讲文明树新风活动，都要以解决群众反映强烈的问题为重点，坚持从基层抓起，从具体事情抓起。当前特别要结合深入开展“送温暖、献爱心”、文化卫生科技“三下乡”、百城万店无假货等活动，把党的温暖送到群众的心坎上。只要牢固树立群众观点，坚持从群众中来，到群众中去，精神文明建设就能够得到群众的广泛参与和大力支持，永葆生机，结出硕果。

丁关根要求，对中央文明委在全国表彰一批创建文明城市、文明村镇、文明行业工作先进单位的活动，各地各部门要高度重视，精心组织，坚持标准，务求实效。要正确处理创建与表彰的关系，使推荐表彰的过程成为解决实际问题的过程，成为为群众多办好事实事的过程，成为提高创建水平的过程。要力戒形式主义，杜绝弄虚作假。通过推荐表彰，促进精神文明建设再创新成绩，再上新台阶。

丁关根强调，精神文明建设贯穿在经济和社会生活的各个方面，全党全社会要高度重视，加强领导，形成合力。各地各部门各人民团体要通过深入扎实地搞好“三讲”教育，进一步提高坚持两手抓、两手都要硬的自觉性和坚定性，始终按照小平同志的要求，狠狠地抓，一天不放松地抓，从具体事件抓起。要高举邓小平理论伟大旗帜，坚持同以江泽民同志为核心的党中央保持一致，以坚韧不拔、奋发进取和对党对人民高度负责的精神做好工作，唱响祖国颂、改革开放颂、社会主义颂，以团结奋进、欢乐喜庆、昂扬向上的良好氛围，迎接新中国成立50周年，迎接澳门回归祖国，迎接新世纪。

（1999年7月1日《人民日报》）

# 丁关根在全国精神文明创建工作先进单位表彰会上的讲话

（1999年9月16日）

在全国各族人民喜迎新中国成立50周年的欢庆日子里，中央文明委召开会议，隆重表彰在全国精神文明创建工作中做出突出成绩的先进单位。这对于充分展示精神文明建设的丰硕成果，全面贯彻党的基本路线，推动经济社会协调发展，具有重要的意义。请允许我代表中央文明委向受表彰的单位，表示热烈的祝贺；向所有辛勤从事精神文明建设的同志们，表示诚挚的问候。

群众性精神文明创建活动是广大人民群众移风易俗、改造社会的伟大创造，是把两个文明建设有机结合落实到基层的重要载体，是人民群众在党的领导下为自己创造美好生活的有效途径，对促进改革发展、维护社会稳定具有重要作用。现在，我国改革进入攻坚阶段，发展处于关键时期。我们要进一步增强政治意识、大局意识、责任意识，坚持以经济建设为中心，深入开展群众性精神文明创建活动，更好地为人民服务，为社会主义服务，为全党全国工作大局服务。

我们一定要坚持不懈地加强理想信念教育。历史和现实一再证明，思想领域的阵地马克思主义不去占领，非马克思主义和反马克思主义的东西就必然会去占领。必须切实加强马列主义、毛泽东思想特别是邓小平理论教育，加强党的基本路线、基本纲领和基本国情教育，加强爱国主义、集体主义、社会主义和艰苦创业精神的教育，加强国际国内形势和党的方针政策教育。通过扎实有效的教育，在全社会牢固树立建设有中国特色社会主义的共同理想和信念，牢固树立正确的世界观、人生观、价值观，把全党的思想和行动进一步统一到十五大的精神上来，把全国各族人民的智慧和力量进一步凝聚到实现十五大确定的各项任务上来。

我们一定要坚持不懈地开展马克思主义唯物论和无神论教育。从坚定共产党人根本信仰的高度，从巩固全国人民团结奋斗的根本思想基础的高度，深刻认识开展这一教育的重要性和紧迫性。要认真学习江泽民总书记的重要讲话精神，划清唯物论与唯心论、无神论与有神论、科学与迷信、文明与愚昧的界限。要把科技知识、科学思想、科学精神、科学方法的宣传和普及，作为精神文明建设的重要内容，积极倡导科学、文明、健康的生活方式，不断提高群众的科学文化素质，努力形成学科学、爱科学、讲科学、用科学的良好社会风气。

我们一定要坚持不懈地进行社会主义道德教育。坚持以为人民服务为核心，以集体主义为原则，深入进行社会公德、职业道德、家庭美德的教育，全面提高社会主义道德素养。大力提倡以贡献全部力量建设和保卫社会主义祖国为最大光荣，以损害国家利益、民族尊严、人民利益为最大耻辱。坚决反对拜金主义、享乐主义和个人主义。要把教育和法制、自律和他律有机结合起来，引导人们规范和养成良好的行为习惯，约束和制止不文明行为，在全社会形成团结互助、平等友爱、共同前进的人际关系，形成扶正祛邪、扬善惩恶的社会风尚。

我们一定要坚持不懈地面向群众，依靠群众，服务群众。在创建文明城市、文明村镇、文明行业和讲文明树新风活动中，要增强群众观点，把着眼点始终放在与群众利益密切相关、为群众所欢迎的事情上，每年办几件作用大、影响大的实事。坚持实事求是，从实际出发，多做得人心、暖人心的事情，把好事办实，实事办好，坚决反对形式主义。

我们一定要坚持不懈地抓好基层工作。深入持久地开展文明家庭、文明单位、文明机关和军民共建、警民共建等基层精神文明创建活动。切实加强社区精神文明创建工作，认真抓好村镇文化、企业文化、校园文化建设，广泛开展丰富多彩、健康有益的群众性文体活动，陶冶情操，寓教于乐。要把创建任务落实到基层，狠狠地抓，一天不放松地抓，从具体事件抓起，务求取得实实在在的成效。

同志们，让我们更加紧密地团结在以江泽民同志为核心的党中央周围，高举邓小平理论伟大旗帜，深入贯彻党的十五大精神，更好地完成党和人民交给我们的任务，为全面推进改革开放和现代化建设事业贡献全部力量。

（1999 年 9 月 20 日《光明日报》）

# 丁关根考察北京创建文明城市情况时发表讲话

（1999 年 10 月 6 日）

10 月 6 日下午，中共中央政治局委员、书记处书记、中央精神文明建设指导委员会主任丁关根考察了北京市创建文明城市的情况。丁关根对北京市精神文明建设取得的成绩和城市面貌发生的显著变化给予充分肯定，希望北京市以此作为新的起点，继续努力，扎实工作，在巩固、延伸、提高上下工夫，推动首都精神文明建设不断取得新成绩。

丁关根指出，近几年来特别是今年以来，北京创建文明城市工作，以迎接新中国成立 50 周年大庆为契机，取得了显著成效。今天看到首都面貌焕然一新，变得更美丽，更繁荣，显示出现代化国际大都市的气派，令人振奋，使人鼓舞。

丁关根说，首都国庆 50 周年的盛大庆典活动取得了圆满成功，唱响了祖国颂、社会主义颂、改革开放颂，充分显示了国威、军威，振奋了党心、军心、民心，受到了国内外的高度评价和赞扬。首都庆祝活动的成功，与北京市卓有成效的工作是分不开的。领导亲自抓，各级组织把庆祝活动作为政治任务，提供了有力的思想保证和多方面条件。在庆祝活动中广大群众热情参与，涌现出了许多感人事迹。新闻单位要大力宣传，高扬主旋律，进一步激发爱国主义、集体主义和社会主义精神。

丁关根指出，北京市的精神文明建设之所以取得显著成绩，一是市委、市政府自觉坚持两手抓，两手都要硬的方针，在抓好物质文明建设的同时，确实把精神文明建设摆到了首都工作的重要位置，做出了很大努力。二是紧紧抓住迎接国庆 50 周年这一历史契机，加大创建文明城市工作力度，推动各方面任务的落实。三是真抓实干，为人民群众办实事、办好事，得到了老百姓的称赞和拥护。他强调，北京的成功经验说明，精神文明建设抓与不抓大不一样，认真抓与一般抓大不一样。事在人为，只要认真抓，就会有办法；只要下决心，就能见成效。

丁关根对北京市今后的精神文明建设提出了三点要求：一是巩固，就是要在巩固已经取得的成果上下工夫。二是延伸，就是要在推动首都文明城市建设向广度和深度发展方面下工夫。三是提高，就是要在全面提高北京市民素质和城市文明程度上下工夫。要广泛吸引群众参与创建活动，使人们在参与中受到教育，得到提高。

丁关根最后希望北京市委、市政府在以江泽民同志为核心的党中央领导下，坚持以邓小平理论和党的基本路线为指导，深入扎实持久地开展创建文明城市活动，使首都的环境更加优美，人们的精神更加振奋，城市文明程度更加提高，以崭新的风貌跨入新世纪。

（1999年10月8日《人民日报》）

# 李铁映在全国精神文明创建工作先进单位表彰会上的讲话

（1999年9月16日）

在迎接新中国成立50周年的喜庆日子里，中央精神文明建设指导委员会表彰一批在全国精神文明创建工作中做出突出成绩的先进单位。这是对改革开放以来群众性精神文明创建工作的一次集中检阅，是对精神文明建设成果的一次充分展示，也是对精神文明创建活动的一次再动员、再部署。党的十四届六中全会《决议》明确提出，要深入持久地开展创建文明城市、文明村镇、文明行业等群众性精神文明创建活动。几年来，各地各部门认真贯彻落实六中全会精神，把精神文明创建工作列入重要议事日程，紧密结合党的中心任务和业务工作，动员和组织广大群众积极参与，精神文明创建工作呈现出健康发展的良好态势。这对提高公民素质、城乡文明程度和群众生活质量，对促进改革、发展、稳定发挥了积极作用。我们相信，通过这次表彰，一定能够有力地促进各地各部门进一步兴起精神文明创建活动的新热潮，为改革开放和现代化建设创造良好的社会环境。

这次受表彰的1000多个单位，有老典型，也有新典型。希望大家珍惜荣誉，谦虚谨慎，戒骄戒躁，自觉接受群众的监督和实践的考验，更加努力地工作，不断做出新成绩，在两个文明建设中充分发挥示范带头作用。各地各部门要继续对先进单位给予关心和支持，帮助他们做好巩固和提高工作。对先进单位要加强督促检查，实行动态管理，发现问题，及时解决，不搞终身制。对工作严重滑坡的，要限期进行整改，达不到标准的，要取消先进称号。

各地各部门要进一步增强坚持两手抓、两手都要硬的自觉性，按照十四届六中全会确定的方针、原则、目标和任务，不变主题，一抓到底。切实做到两个文明建设一起部署，一起落实，一起检查，把精神文明创建活动深入、扎实、持久地开展下去。要进一步做好先进经验的宣传和推广工作，把典型示范和普遍提高结合起来，使更多的城市、村镇、行业、单位进入先进行列，不断提高精神文明建设的整体水平。要进一步在为群众办实事、办好事上下功夫，认真解决群众普遍关心的热点难点问题，不断密切党和政府同人民群众的关系。当前，特别要注意把精神文明创建活动同加强基层思想政治工作、健全社会主义法制、提高公民科学文化素质、丰富群众文化体育生活紧密结合起来，在完善社会管理、规范社会行为、净化社会环境、端正社会风气等方面取得新的成效。

我们一定要更加紧密地团结在以江泽民同志为核心的党中央周围，高举邓小平理论伟大旗帜，坚定不移地贯彻党的基本路线、基本方针和基本纲领，站在服务改革发展稳定大局的政治高度，站在把建设有中国特色社会主义的伟大事业全面推向21世纪的战略高度，以更大的决心，更有力的措施，更扎实的工作，努力开创精神文明建设工作的新局面。

（新华社1999年9月16日电）

# 吴官正：切实加强思想政治工作（节选）

当前加强思想政治工作，就是要以邓小平理论和江总书记重要讲话为指导，适应经济社会多样化所带来的新情况、新问题、新变化，加强爱国主义、集体主义、社会主义教育，在全社会进一步树立建设有中国特色社会主义的共同理想和坚定信念，创造积极向上、团结奋进的社会环境，为促进社会主义现代化建设，实现跨世纪的奋斗目标，巩固扩大社会主义阵地，提供强有力的政治保证和精神动力。

**一、领导干部一定要增强政治观念，善于从政治上观察处理问题**

讲政治最根本的是坚持正确的政治方向和政治立场，坚定不移地同以江泽民同志为核心的党中央保持高度一致，在任何情况下，都坚决听从党中央的指挥，维护中央的权威，做到令行禁止，表里如一。这是对党的领导干部的基本要求，也是我们党的政治纪律。作为党的领导骨干，至关重要的是保持头脑清醒，提高政治敏锐性和政治鉴别力。

在社会主义现代化建设的历史进程中，讲政治是非常现实和具体的。我们要善于把讲政治落实到实际行动上，贯彻到各项具体工作中去，就要注意把握好五条：一是善于正确处理政治和经济、政治和业务的关系。江总书记指出："领导干部讲政治，绝不影响经济的发展，更没有任何意思要去以政治代替经济，恰恰相反，而是为了创造更加充分的政治条件和提供更强有力的政治保证，确保全国人民一心一意地把经济建设更快更好地搞上去。"我们搞社会主义现代化建设，决不能把经济与政治对立起来，绝不能就业务抓业务，而要自觉地把政治同经济、政治同各项业务紧密地结合起来。二是善于把握和驾驭全局。作为党的领导干部，不论是在全局性岗位上工作，还是负责一个方面的工作，都要注意从全局上观察思考问题。作出一项决策，采取一项措施，要考虑可能给群众带来的实际问题，给全局造成的影响，准备好相应的对策和办法。三是遵守党的原则和纪律。每一个党员都必须无条件地遵守党的章程和党的纪律，这是党的事业发展的重要保证。放松了党的纪律，不仅会导致组织涣散，还会导致政治腐败。要加强对广大党员干部的管理，加强党性和纪律教育，加强监督检查，坚决反对政治上、组织上、思想上的自由主义，维护党的纪律的严肃性和组织的统一性。四是善于见微知著，防微杜渐。要善于透过现象看本质，运用辩证唯物主义和历史唯物主义这个"显微镜"和"望远镜"来观察问题，及时识破各种错误倾向。五是始终注意抓社会稳定。各级领导干部对各种影响社会稳定的因素要保持高度警觉，妥善处理各种矛盾和问题，遇事冷静、果断，及时处置各种突发事件，把矛盾解决在基层。

**二、增强思想政治工作的实效性**

第一，加强理想信念教育。"法轮功"非法组织的发展蔓延，反映了一些党员干部群众在对社会主义的信念、对马克思主义的信仰、对社会主义前途的信心、对党的领导的信任上出了问题。要采取多种形式，理直气壮地向党员干部和广大群众宣传马列主义、毛泽东思想特别是邓小平理论和江泽民同志重要讲话，宣传马克思主义唯物论、无神论和科学知识，引导人们树立正确的世界观、人生观和价值观。

第二，思想政治工作要经常化、制度化。人

们思想观念的形成有一个潜移默化的过程。做思想政治工作，要日积月累、常抓不懈。要建立健全学习制度，各级党委中心组的学习要率先搞好。首先要认真学习邓小平理论和江总书记重要讲话，提高思想政治素质。还要学习一些历史、哲学、社会学、法律以及宗教等方面的知识，学习党和国家有关政策，掌握思想武器。同时，加强对青少年的教育，使他们更加热爱祖国，热爱共产党，热爱社会主义。集中开展社会主义思想教育活动，是加强思想政治工作的好形式，应形成制度，坚持下去。

第三，针对不同的社会群体，采取不同的思想政治工作方式。经济社会的多样化使人们的思想也有了很大差异。要对症下药，把先进性与群众性结合起来，对不同的社会群体，提出不同的要求，采取不同的思想政治工作方式方法，努力形成广大社会成员普遍接受、共同遵守的理想信念和行为规范，把思想政治工作落到实处。

第四，大力弘扬主旋律。要唱响主旋律，强化马列主义、毛泽东思想特别是邓小平理论的主导地位。把握正确的舆论导向，坚持正面宣传为主和团结、稳定、鼓劲的方针，大力宣传党的路线方针政策，宣传改革开放和现代化建设的辉煌成就，宣传广大人民群众的伟大实践和先进事迹。要正确发挥舆论的监督作用。注意客观全面，积极引导，注重社会效果，不要人为地去“炒热点”，追求所谓“轰动效应”。

第五，加强社会管理。经济社会的多样化向我们提出了加强社会管理的新课题。要认真汲取“法轮功”问题的教训，加强对社会群体的管理，堵塞漏洞。当前要着重抓好三件事：一是强化社区管理。二是各部门、各单位要认真负起责任。只要是你这个单位的人，不论是否在职，不论人到哪里，都有教育管理的职责。三是抓好社团组织管理，依法普遍进行一次整顿。

**三、密切党群干群关系**

要扎扎实实为群众办实事。当前，群众有许多困难需要我们去解决。在城镇，职工的下岗问题，看病问题和子女的入学与就业问题；在农村，农民的致富问题、减轻负担问题和村务公开问题等。对这些问题，我们要怀着对人民群众浓厚的感情，千方百计想办法去解决。尤其要广开就业门路，妥善安置下岗职工。我省城镇每年需安排就业人员约100万人，下个世纪前10年，新增劳动力还会逐年增加。对于就业这样一个战略性的问题，要放在优先位置，着力加以解决。

要认真倾听群众呼声。对群众的反映，要高度重视，认真对待。在重大问题决策之前，注意听取群众的意见，特别是直接涉及群众利益的事情，更要征求群众的意见。领导干部要坚持定期接待群众来访，认真批阅群众来信，及时处理重大信访问题的制度。对群众提出的问题，凡符合政策、能够解决的，要及时给予解决，不等不拖；不符合政策或限于条件无法解决的，也要说明原因和情况，征得群众的理解与支持。

要切实加强自身建设。“讲学习、讲政治、讲正气”是一项长期的任务。已告一段落的地方和单位，要巩固扩大“三讲”教育的成果，努力做到常讲常新。正在开展“三讲”教育的地方和单位，要高度重视，认真扎实进行，不走过场，务求实效。要进一步转变干部作风，注意工作方法，坚持实事求是。要加强廉政建设，严肃查处大案要案，清除腐败分子，纯洁干部队伍。对干部要严格要求，有缺点及时指出来，防止小缺点铸成大错误。对犯了错误的同志，要尽力挽救，帮助他们认识错误、改正错误，不能“一棍子打死”。在他们认识和改正错误之后，妥善安排他们的工作。

**四、维护和促进社会公正**

各级党委、政府一定要把维护社会公正作为自己的重要职责，这也是一项实际有效的思想政治工作。要坚持秉公办事，严格按照党的政策和国家规定处理问题，不能凭关系亲疏和个人感情办事情。领导干部要带头主持公道，弘扬正气，不与民争利，不以权压人，不以势欺人，不随心所欲，不以权谋私。要通过改革，努力创造社会成员平等发展、公平竞争的环境，特别是要加快干部人事制度和企事业单位用人制度改革，鼓励引导人们凭德才、凭工作、凭贡献获得社会承认，实现自身价值。要进一步扩大社会主义民主，加强基层民主政治建设。对农村村委会直选暴露出来的问题，要从积极的方面做工作，加强民主法制教育，引导农民群众正确行使民主权利。要牢固树立全心全意依靠工人阶级办企业的观念，推行厂务公开，让职工充分享有知情权、参与权和监督权。

**五、加强思想政治工作重在落实**

在处理和解决“法轮功”问题中，各级党组织和领导干部，表现出了强烈的政治责任心，扎实细致的工作作风，坚持原则，把握政策，注意方法，工作很有成效。要把这些好的精神，好的做法，坚持下去，进一步加强对思想政治工作的领导，把各项措施落到实处。

建立健全并落实思想政治工作机制。各级党委要加强统一领导，建立健全思想政治工作的领导机制和工作机制，督促各方面各司其职，相互配合，形成思想政治工作的强大合力。市地委和县市区委要经常及时研究思想政治领域的工作，有针对性地采取措施，掌握工作的主动权。经济部门和行政管理部门要把思想政治工作贯穿到业务工作中去，既要管日常工作，也要抓思想动向，多从思想政治工作角度思考问题。工会、共青团、妇联等组织要切实发挥职能作用，主动联系群众，做好群众的思想工作。加强思想政治工作，需要有一支强有力的工作队伍。各级党组织要高度重视思想政治工作队伍建设，关心、支持他们安心工作。广大政工干部要努力提高思想文化素质和业务工作能力，更好地适应新形势、新任务的要求。要加大对思想政治工作的投入，落实文化经济政策，加强文化阵地和基础设施建设。

重视和加强基层基础工作。要继续下大力气加强农村基层组织建设，保证思想政治工作任务的完成。要配强配好支部书记，提高他们的素质，特别要增强他们的政策观念、组织观念、纪律观念和群众观念。群团工作要面向基层，面向群众，适应新的形势，改进工作方法和活动方式，更好地发挥作用。

（《发展论坛》1999 年第 10 期）

# 罗干在中央综治委首次全会上发表讲话

（1999 年 1 月 18 日）

今年的社会治安综合治理工作要深入贯彻“打防结合，预防为主”的方针，把“严打”作为首要环节，把治理人民群众关心的“乱”点作为当务之急，加强治安防范和管理。春节期间尤其要狠狠打击各种直接危害人民群众切身利益的违法犯罪活动，确保人民群众过一个安全祥和的节日。

罗干说，今年是我们党和国家历史上具有特殊意义的一年，维护社会稳定尤为重要。我们必须进一步增强做好工作的使命感和责任心，坚决落实中央的各项要求，确保社会政治稳定，为改革、发展和人民群众安居乐业创造一个良好的治安环境。罗干强调，各级党政领导要切实承担起维护稳定的政治责任，确保社会政治稳定。各级综治委要密切注视社会动向，定期排查不安定因素，积极组织、协调、督促有关部门正确处理人民内部矛盾，共同做好维护社会稳定的工作，当好党委、政府的参谋和助手。要充分发挥综治委各成员单位的作用，努力拓宽解决问题、消除不安定因素的渠道。维护社会稳定，关键在加强领导，落实责任制。要认真落实维护稳定的党政领导责任制、部门责任制和单位责任制，严格落实责任追究制度。

罗干指出，今年的社会治安综合治理工作要把严打整治作为重点，把治理人民群众关心的“乱”点作为当务之急。治乱首先是坚持“严打”的方针，各地都要通过认真排查，有针对性地开展集中打击或专项斗争。对各种刑事犯罪、经济犯罪和危害国家安全的犯罪，都要依法严厉打击，决不能手软。要继续重点打击严重暴力犯罪、带黑社会性质的团伙犯罪、毒品犯罪等犯罪活动。严厉打击走私、骗汇逃汇、金融诈骗、侵害国有资产以及贪污、贿赂等严重经济犯罪活动。要依法查禁取缔邪教及利用宗教进行的非法活动。对称霸一方的农村恶势力，要依法严惩。对治安混乱、群众缺乏安全感的村镇，要进行重点治理。对于全国政法工作会议部署的追捕逃犯的工作，不仅政法部门要认真组织实施，全社会都要给予大力支持和配合，共同编织起天罗地网，让犯罪分子无处藏身。

罗干强调，春节期间是违法犯罪活动的高发期，尤其要组织好严打整治行动，狠狠打击直接危害人民群众切身利益的盗窃、抢夺、抢劫、杀人等违法犯罪活动，严惩车匪路霸，确保旅客的生命财产安全。要全力维护好春节期间的社会治安秩序，搞好春节各项活动的安全保卫工作，确保人民群众过一个安全祥和的新春佳节。

罗干说，当前青少年犯罪仍是影响社会治安的一个突出问题。防范和减少青少年犯罪，重要的是加强教育和管理，其中，教育是关键的一环。

（1999年1月19日《人民日报》）

# 罗干在全国禁毒工作会议上发表讲话

（1999年8月11日）

8月11日，中共中央政治局委员、国务委员、中央政法委书记罗干在全国禁毒工作会议上强调，各级党委、政府和有关职能部门要从讲政治的高度出发，采取更加有力的措施，坚决有效遏制毒品蔓延，最终彻底禁绝毒品，维护社会的长期稳定。

罗干指出，近年来，全国禁毒工作取得了很大成绩，创造了如内蒙古包头、浙江乐清等一些具有中国特色的禁毒工作新经验。我国在禁毒斗争中取得的巨大成就和经验，赢得了国际社会的广泛赞誉。尽管我国的禁毒工作取得了显著成绩，但毒品问题发展蔓延的局面还没有得到根本扭转，禁毒斗争仍然形势严峻。从某种意义上讲，毒品问题已经成为影响国家富强、民族振兴和社会稳定的一大祸患。

罗干说，面对严峻的毒品形势，以江泽民同志为核心的党中央、国务院始终高度重视禁毒工作，先后采取了一系列有力措施，领导全国人民卓有成效地开展禁毒斗争，有力地推动了全国禁毒斗争的深入开展。他要求各级党委、政府认真学习、深刻领会江泽民总书记等中央领导同志关于禁毒工作的一系列重要指示，进一步提高对毒品严重危害性和禁毒斗争重大意义的认识，切实增强做好禁毒工作的政治责任感和紧迫感。

罗干指出，当前我国改革开放正处于攻坚阶段，发展处于关键时期，要确保改革开放和社会主义现代化建设的顺利进行，必须有一个稳定的社会环境，而如果不能有效遏制毒品问题的发展蔓延，最终彻底禁绝毒品，就难以保持社会的长期稳定。彻底禁绝毒品是国家利益之所在、民族命运之所系，各级党委、政府和有关职能部门一定要以对党、对国家、对民族、对历史高度负责的精神，从讲政治的高度出发，以更大的决心，采取更加有力的措施，为彻底禁绝毒品而努力奋斗。

罗干说，我国是中国共产党领导下的人民民主专政的社会主义国家，这为我们最大限度地发动群众，打一场广泛、深入、持久的禁毒人民战争提供了有力的政治保障；大打禁毒人民战争，是一条具有中国特色的行之有效的禁毒工作的成功经验，我们要适应新形势的要求，充分发挥社会主义国家的制度优势和政治优势，努力形成在各级党委、政府的统一领导下，以公安等禁毒执法机关为主力军，各职能部门齐抓共管，社会各界积极参与，对毒品问题实行综合治理的禁毒人民战争格局。

为此，罗干强调，各地要广泛发动群众参与禁毒斗争；要以青少年和“高危人群”为重点，采取多种综合措施，深入治安拘留所、劳教所、收容所和戒毒所以及街道、农村和企事业单位，搞好毒品预防教育；进一步扩大禁毒宣传教育覆盖面，把有毒必肃、贩毒必惩、种毒必铲、吸毒必戒的宣传深入到每一个城镇乡村，做到家喻户晓，人人皆知；通过成立青年禁毒会、妇女禁毒会等形式多样的群众性禁毒组织，组织群众广泛参与禁毒斗争。

罗干还要求全国禁毒执法机关认真履行职责，充分发挥主力军作用，始终保持对毒品犯罪的高压态势，对毒品问题严重地区进行重点整治；切实抓好禁吸戒毒工作，建立社会帮教机制，依靠社会力量对戒毒出所人员进行跟踪帮教，巩固戒毒成果，努力降低复吸率；各职能部门要密切配合、通力协作，依靠全社会的力量，运用法律、行政、经济、文化等多种手段实行综合治理。

罗干最后强调，各级党政领导和禁毒领导机构，要切实加强对禁毒工作的领导，做到思想认识、组织领导、工作措施、保障措施“四到位”，振奋精神，扎实工作，不断扩大“无毒社区”的覆盖面，以禁毒工作的优异成绩，迎接国庆50周年和新世纪的到来。

（1999年8月12日《人民日报》）

# 黄菊在接见上海市精神文明建设先进代表时发表讲话

（1999年5月28日）

黄菊同志在上海市1999年精神文明建设工作会议之前，接见精神文明建设先进集体和个人代表时发表讲话，号召全市人民更加紧密地团结在以江泽民同志为核心的党中央周围，高举邓小平理论伟大旗帜，在继续推进经济建设和改革开放的同时，进一步加大社会主义精神文明建设的力度，坚持用科学的理想和信念凝聚广大党员和干部，用优秀的思想文化提高广大市民素质，以两个文明建设的新成果迎接新世纪。

黄菊在讲话中说，在党中央、国务院的正确领导下，上海的改革开放和现代化建设取得了新的成就，社会主义精神文明建设也取得了新的进展，形成了党政加强领导、各方齐抓共管、群众积极参与的可喜局面，市民素质和城市文明程度有了新的提高，涌现出一大批精神文明建设的先进集体和个人，为上海两个文明建设作出了积极贡献。

黄菊说，当前，我们要认真学习江泽民同志在欢迎我驻南工作人员大会上的重要讲话，认清形势，统一认识，同心同德，艰苦奋斗，不断增强我国的经济实力、国防实力和民族凝聚力。要进一步发展上海的经济建设、改革开放和精神文明建设的大好形势，为完成市委七届三次全会和市十一届人大二次会议确定的今年各项任务而不懈努力。

黄菊强调，我们一定要坚持“两手抓，两手都要硬”的方针，保持和发展上海两个文明建设同步推进、协调发展的良好势头，维护好上海安定团结的社会政治局面。各级党政组织要进一步加强对精神文明建设的领导，为交出两份答卷提供思想、组织和作风保证。

（1999年5月29日《文汇报》）

# 温家宝在安徽农村考察时发表讲话

（1999年8月9日至12日）

国务院副总理温家宝在安徽农村考察时强调，当前，我国农村的改革和发展正处在一个关键时期，农村工作要紧密围绕实现增加农民收入和保持农村稳定两大任务，坚持两手抓，两手都要硬的方针，在集中力量发展农村经济的同时，高度重视和切实抓好农村社会主义精神文明建设和民主法制建设，保持农村社会稳定，建设社会主义新农村。

他特别强调，加强社会主义精神文明建设，是党的农村的一项长期的重要任务，要贯穿于社会主义现代化建设的整个过程。农村精神文明建设的根本任务和总体要求是，适应农业现代化和建设社会主义新农村的需要，全面提高农民的思想道德素质和科学文化素质，培养有理想、有道德、有文化、有纪律的新型农民。为农村经济社会发展提供强大的精神动力、智力支持和思想保证。当前，重点要做好六项工作：

一要加强邓小平理论和党的基本路线教育。通过农村改革和发展的现实成就和面临的伟大任务，运用群众的切身体会和经验，进行生动的党在农村的基本政策教育，增强广大群众贯彻执行党的农村政策的自觉性，坚定建设有中国特色社会主义，实现四化的信念。

二要加强爱国主义、集体主义和社会主义思想教育。鼓励农民发扬国家利益、集体利益、个人利益相结合的社会主义集体主义精神，发扬顾全大局、互相友爱和扶贫济困的精神，自觉履行对国家和社会的义务。

三要积极开展移风易俗教育。提倡科学，破除封建迷信；提倡文明，克服愚昧落后；提倡节俭，反对铺张浪费。通过切实有力的工作，改革婚嫁丧葬中的陋习，克服腐朽思想道德的影响，改善农村社会风气。

四要加强民主法制教育。在农民中大力普及法律知识、提高法制观念，使人们懂得公民的基本权利和义务，懂得与自己生产和生活直接有关的法律和纪律，养成守法遵纪的良好习惯，提高农民维护社会稳定的自觉性。要健全农村各项法规制度，发挥乡规民约的作用，实行依法治村。加强农村社会治安的综合治理，严禁“黄、赌、毒”，坚决取缔邪教，依法打击各种刑事犯罪活动，保持农村社会稳定。

五要进行科学文化教育。改善办学条件，普及义务教育，通过发展农村基础教育，加强农民职业道德教育，开展适用技术培训，扫除文盲，丰富农民群众文化生活，提高农民的科学文化水平。加强农村文化设施建设，扩大广播、电视覆盖面，组织好文化、科技、卫生“三下乡”，鼓励和支持农民开展健康有益的业余文化体育活动。

六要进行艰苦奋斗的优良传统教育。当前，要特别倡导新时期艰苦创业精神，把艰苦奋斗、勤俭持家作为一种时代精神，在农村和农民中进行广泛的宣传、教育，使其成为新的精神动力。

温家宝强调，农村精神文明建设，要紧紧围绕发展经济、建设小康的目标，同农村经济工作、基层民主政治建设和社会治安综合治理相结合，以创建“文明户”、“文明村镇”为主要形式，依靠群众，立足基层，狠抓落实。在农村社会主义精神文明建设中，农民是主体，要坚持从农民、农村的实际出发，采取生动活泼、通俗易懂、农民喜闻乐见的形式。要根据不同地区农村经济社会发展状况、农民的文化层次和觉悟程度，区别情况，有针对性地开展工作。要有与当地经济和社会发展规划相适应的精神文明建设规划，有明确的目标和实现目标的措施，统筹安排，扎实工作，不做表面文章，不搞形式主义，务求实效。

温家宝要求，党的农村基层组织要自觉担负起领导农村精神文明建设的任务，制定社会主义精神文明建设规划，保证社会主义物质文明建设和精神文明建设协调发展，促进农村经济和社会的全面进步。要加强思想政治工作，了解群众的思想状况，帮助解决群众的实际困难，及时疏导和化解人民内部矛盾，最大限度地把广大农民团结在党的周围，把农民的积极性、主动性和创建性发挥出来，创造社会主义农村的美好未来。

（1999年8月14日《人民日报》）

# 曾庆红在学习孔繁森座谈会上发表讲话（摘要）

（1999年5月24日）

曾庆红在座谈会上强调，继续开展学习孔繁森活动与深入开展“三讲”教育是一致的，目的都是为了不断加强领导班子建设，提高领导干部素质。要把学习孔繁森等先进人物的事迹作为“三讲”教育的重要内容，进一步推动“三讲”教育的深入开展。

四年前的春天，江泽民同志高度赞扬孔繁森是“全党的楷模”，并题词号召全党“向孔繁森同志学习”。四年来，各级党委按照江泽民同志和党中央的要求，把开展向孔繁森同志学习的活动作为加强党的思想政治建设的一项重要内容，精心组织，周密安排，利用多种形式，生动形象地宣传孔繁森同志的模范事迹，大力弘扬孔繁森精神，推动学习活动深入持久、扎实有效地进行，在全党乃至全社会产生了巨大反响，收到了很好的效果。座谈会上，国土资源部部长周永康等六位同志，从不同侧面介绍了结合“三讲”教育开展学习孔繁森活动取得的成绩和经验。中央“三讲”教育联系会议负责人张全景在会上介绍了各地学习孔繁森的情况和“三讲”教育进展情况。

曾庆红在听取座谈会发言后指出，当前，继续深入开展学习孔繁森活动，有利于进一步增强公仆意识，有利于解决好县级以上党政领导班子和领导干部在党性党风方面存在的突出问题，有利于更好地培养和建设一支高素质的干部队伍，为我们党迎接新世纪、完成新的历史任务提供重要的思想准备和组织准备。

曾庆红提出了三点要求：一要学习孔繁森自觉用科学理论武装头脑的精神，进一步坚定建设有中国特色社会主义的信念。要把学习理论、武装思想贯穿于整个“三讲”教育的全过程，努力使自己的思想水平和知识水平适应形势的变化和时代发展的需要。二要学习孔繁森对党的事业无限忠诚和对人民高度负责的坚强党性，进一步增强政治意识、大局意识、责任意识。要始终保持清醒头脑，自觉在思想上、政治上同以江泽民同志为核心的党中央保持高度一致；要自觉把各项工作放在国际国内大背景和全党工作大局中去认识、去思考、去部署；要有强烈的事业心和责任感，知难而上，开拓进取，带领群众扎扎实实地把各项工作推向前进。三要学习孔繁森清正廉洁、克己奉公的高尚品德，永远保持共产党人的浩然正气。在“三讲”教育中，通过讲正气以端正党风。

（1999年5月25日《人民日报》）

## 中 共 中 央

# 关于共产党员不准修炼“法轮大法”的通知

各省、自治区、直辖市党委，各大军区党委，中央各部委，国家机关各部委党组（党委），军委各总部、各军兵种党委，各人民团体党组：

近年来，“法轮功”组织在一些地方发展和蔓延。李洪志编造的“法轮大法”，宣扬一套歪理邪说，严重侵蚀人们的思想。“法轮功”组织策划、煽动、蒙骗一些“法轮功”练习者到党政机关和新闻单位非法聚集，严重扰乱社会公共秩序，破坏改革发展稳定的局面。特别是一些党员也参与其中，损害了党的形象，造成了恶劣的社会影响。为保持党的先进性和纯洁性，增强党组织的凝聚力和战斗力，现就共产党员不准修炼“法轮大法（法轮功）”有关问题通知如下：

**一、充分认识“法轮功”组织的政治本质和严重危害，明确要求共产党员不准修炼“法轮大法”**

马克思主义的辩证唯物主义和历史唯物主义，是无产阶级的世界观和方法论，是无产阶级及其政党认识世界、改造世界的强大思想武器。建立在这一世界观基础上的马克思主义科学理论，是推进建设有中国特色社会主义的根本指针，是我们共产党人的精神支柱。李洪志所编造的“法轮大法”，宣扬唯心主义、有神论，否定一切科学真理，是同现代科学和现代文明根本对立的，是同马克思主义的基本理论和基本原则根本对立的，是同党领导人民群众进行的建设有中国特色社会主义的伟大事业根本对立的。作为共产党员，必须自觉遵守《中国共产党章程》，坚定地信仰马克思主义，而不能信奉“法轮大法”。共产党员修炼“法轮大法”，完全背离了党的性质和宗旨，是党的纪律所不允许的。对这一涉及共产党人的根本信仰、涉及全国人民团结奋斗的思想基础、涉及党和国家前途命运的重大问题，每一个共产党员都要立场坚定，旗帜鲜明，深刻认识“法轮功”组织的政治本质和严重危害，把思想统一到中央精神上来。

**二、针对“法轮功”问题在党内集中开展一次学习教育活动**

中央决定，从现在起，要针对“法轮功”问题，在全体党员中集中开展一次学习教育活动。这次学习教育活动，要以江泽民同志的重要讲话和中央关于“法轮功”问题的指示精神为指导，使广大党员普遍受到一次马克思主义唯物论和无神论的教育，增强政治敏锐性和政治鉴别力，牢固树立正确的世界观、人生观、价值观，坚定共产主义理想信念；使修炼“法轮大法”的党员脱离“法轮功”组织，从思想上与其划清界限，自觉回到党的正确立场上来；使基层党组织经受锻炼和考验，提高在新形势下处理矛盾、解决问题的能力，加强和改进党员的教育管理，增强党组织的凝聚力和战斗力。

这次学习教育活动分为学习提高、教育转化和组织处理三个阶段，全党要统一进行。在学习提高阶段，首先要学好《中国共产党章程》、江泽民同志重要讲话和中央有关精神，以及《共产党员为什么不准修炼“法轮大法”》等材料。学习要采取多种形式，联系实际，注重实效。学习时间要相对集中。教育转化阶段要开展谈心活动，开好专题组织生活会，做深入细致的思想政治工作。要根据不同对象，采取不同方法，把学习教育落实到所有基层党组织和全体党员，不留死角。要把这次学习教育活动与正在开展的“三讲”教育结合进行。

**三、严格掌握政策界限，做好修炼“法轮大**

法”党员的转化工作

这次学习教育活动，要立足于教育，立足于转化，惩前毖后，治病救人。要相信修炼“法轮大法”的党员绝大多数是听党的话的，是能够知错就改的。要通过深入细致的思想政治工作，使绝大多数参与修炼“法轮大法”的党员提高觉悟，转变态度，同“法轮功”组织在思想上划清界限，在组织上脱离关系，回到党的正确立场上来。要自觉做到：不修炼“法轮大法”，不参加“法轮功”组织的活动；不担任“法轮功”组织的任何职务；不传播“法轮功”组织的材料；不为“法轮功”组织的活动提供场所、经费资助和其他方便；主动揭露、批判李洪志及其“法轮大法”；积极配合党组织和有关部门认真做好周围群众的工作。

学习教育活动中，要严格掌握政策界限，一般参与修炼“法轮大法”的党员，能主动脱离“法轮功”组织，并从思想上与其划清界限的，不作为问题提出。参与“法轮功”的组织、宣传活动的一般骨干，能主动脱离“法轮功”组织，从思想上与其划清界限，并揭露“法轮功”问题的，不予追究。错误严重的重要骨干，视情节给予党纪处分；有悔过或立功表现的，视情况可不予追究或从轻处理。经反复教育仍坚持不改的，应劝其退党，劝而不退的，予以除名。对极少数有政治意图、存心作乱的幕后人物和策划者、组织者，要坚决清除出党。

对那些一时思想不通，但已不参加“法轮功”组织的一切活动的党员，允许有一个认识转变过程，党组织要耐心做好思想教育工作。

组织处理工作一般放在学习教育活动的后期进行。

**四、各级党组织要加强领导，切实承担起政治责任**

揭批李洪志及其“法轮大法”，是一场严肃的政治斗争。各级党组织要充分认识这场斗争的复杂性和艰巨性，严格按照中央的统一部署和要求，紧密结合本地区、本部门的情况，抓紧进行。党委主要负责同志要承担起政治责任，投入足够的精力，抓好这项工作。对重点地区和部门，尤其要加强领导，充实力量。

党的各级纪律检查委员会和组织、宣传、统战等部门以及工会、共青团、妇联等群众团体，要在党委的统一领导下，密切配合，积极工作。既要旗帜鲜明，态度坚决，又要注意方法，防止草率从事，激化矛盾。对揭批李洪志及其“法轮大法”后可能出现的情况和问题要有足够的估计，认真做好处置预案。要密切掌握动态，做到重要情况早发现、早报告、早控制、早解决，确保社会政治稳定。

中共中央

1999年7月19日

（1999年7月23日《人民日报》）

# 中共中央
# 关于加强和改进思想政治工作的若干意见

中共中央发出的《关于加强和改进思想政治工作的若干意见》指出，高度重视思想政治工作，是我们党的优良传统和政治优势。在改革开放和发展社会主义市场经济的进程中，紧密结合新的历史条件，充分发挥党的这一政治优势，具有重要的现实意义和长远意义。

《意见》指出，党的十三届四中全会特别是十四大以来，我们党采取一系列重要措施，加强和改进思想政治工作。坚持用邓小平理论武装全党、教育干部和人民；坚持正确舆论导向，深入进行爱国主义、集体主义、社会主义和艰苦创业精神的教育；广泛开展群众性精神文明创建活动，集中宣传一大批体现时代精神的先进典型，努力丰富人们的精神文化生活；密切党同群众的联系，调动各族人民在社会主义现代化建设中的积极性。思想政治工作取得明显成效，在促进改革、发展、稳定方面发挥了重要作用。

《意见》强调，我国正处在改革的攻坚阶段和发展的关键时期，社会情况发生了复杂而深刻的变化，经济成分和经济利益多样化、社会生活方式多样化、社会组织形式多样化、就业岗位和就业方式多样化日趋明显，给思想政治工作带来大量新情况、新问题。全党同志必须保持清醒头脑，提高政治警觉，从巩固党的执政地位、完成党的历史任务的高度，抓紧研究解决加强和改进思想政治工作的问题。

《意见》指出，思想政治工作要坚持正确的方针原则：一是必须坚持以马克思列宁主义、毛泽东思想和邓小平理论为指导，坚持党的基本路线和基本方针。要以科学的理论武装人，以正确的舆论引导人，以高尚的精神塑造人，以优秀的作品鼓舞人，培育有理想、有道德、有文化、有纪律的公民。要把理想信念教育作为核心内容，引导广大党员、干部和群众树立建设有中国特色社会主义的共同理想，树立正确的世界观、人生观、价值观，为建设富强、民主、文明的社会主义现代化国家而团结奋斗；二是必须坚持以经济建设为中心，为全党全国工作大局服务。经济建设是我们党和国家的中心任务，改革、发展、稳定是我们党和国家的工作大局。思想政治工作必须紧紧围绕经济建设这个中心，紧密结合各项业务工作进行，为改革开放和社会主义现代化建设提供强有力的精神动力和思想保证；三是必须坚持从实际出发，增强针对性和实效性。要立足于团结一切可以团结的力量，调动一切积极因素，化消极因素为积极因素，把干部群众的积极性引导好、保护好、发挥好。要坚持从社会主义初级阶段的实际出发，从广大干部群众的思想实际出发，把先进性要求同广泛性要求结合起来，区分层次，有的放矢，注重实际效果；四是必须坚持教育与管理相结合。要抓紧建立健全有关的法律法规和制度，依法加强对社会生活各个方面的管理，把我们倡导的思想道德原则融于科学有效的社会管理之中，使自律与他律、内在约束与外在约束有机地结合起来；五是必须坚持解决思想问题同解决实际问题相结合。要认真贯彻落实党的各项政策，多做得人心、暖人心、稳人心的工作，把好事办实、实事办好，把党和政府的温暖送到群众心坎上；六是必须坚持在党的领导下，依靠全社会共同来做。要在党委统一领导下，充分调动社会各方面的积极性，形成职责明确、齐抓共管、覆盖全社会的工作机制。

《意见》强调，要着重从以下几个方面深入扎实地进行思想政治教育：一要把用邓小平理论武装全党、教育干部和人民作为思想政治工作的首要任务，广泛进行党的基本路线和基本纲领教育，进行爱国主义、集体主义、社会主义和艰苦创业精神的教育。要密切联系改革、建设中的理论和实践问题，增强工作的针对性和实际效果，使广大干部群众更加自觉地贯彻执行党的基本理论和基本路线；二要加强马克思主义唯物论和无神论教育，大力提倡科学精神，坚持不懈地普及科技知识，普及那些与群众日常生活密切相关的自然科学、医疗卫生、科学健身和生老病死等方面的知识；三要加强形势政策、民主法制和维护社会稳定的教育，使干部群众充分认识到，进行现代化建设必须有一个团结稳定的社会环境，自觉维护安定团结的大好局面；四要加强以为人民服务为核心、以集体主义为原则的社会主义道德建设，引导广大群众遵守道德规范，提高道德素质，在社会做个好公民，在单位做个好职工，在家庭做个好成员。积极提倡以国家利益为重、以人民利益为重，广泛宣传为人民为社会多做好事的精神。

《意见》指出，我们党在长期的革命和建设实践中，积累了丰富的思想政治工作经验，这是我们的宝贵精神财富，要紧密结合新形势加以继承和发扬。同时必须看到，在改革开放和发展社会主义市场经济条件下，思想政治工作的环境、任务、内容、渠道和对象都发生了很大变化。要坚持解放思想、实事求是，深入基层，深入群众，调查了解新情况、新问题，认真研究新形势下思想政治工作的特点和规律，积极开辟新途径，探索新办法，创造新经验。要充分发挥新闻媒体在思想政治工作中的重要作用，增强宣传教育的吸引力、感染力和说服力，大力弘扬社会正气。要把群众性精神文明创建活动作为思想政治工作的重要载体。以“讲文明树新风”为主要内容的精神文明创建活动，是对群众进行思想教育、提高全社会文明程度的有效途径，是加强党的群众工作的新方式。各种创建活动要把着眼点放在提高群众的思想道德和科学文化素质上，使群众在参与中受到教育、得到提高。要重视发挥文化的社会教育功能，大力发展社区文化、村镇文化、企业文化、校园文化，广泛开展丰富多彩、健康有益的群众性文化体育活动。文化馆、图书馆、博物馆、科技馆、体育馆和各类群众活动中心，要面向社会，服务群众，充分发挥在思想政治教育中的作用。要注重运用先进典型影响和带动群众，在全社会形成崇尚先进，学习先进，争当先进的良好风气。

《意见》强调，要把思想政治工作任务落实到基层。企业、农村、学校、科研院所、街道和其他基层单位，都要根据自己的实际，解决好把思想政治工作任务落到实处的问题。企业思想政治工作要结合深化改革、建立现代企业制度、提高经济效益来进行。要加强企业文化建设，培育社会主义企业精神，引导广大职工更好地发挥主人翁作用。农村思想政治工作要结合奔小康、建设社会主义新农村来进行。要从农村实际出发，着重开展党的基本路线和农村政策教育、社会主义的集体主义精神教育、移风易俗教育、民主法制教育、科学文化教育。要加强农村文化设施建设，扩大广播、电视覆盖面，组织好文化、科技、卫生“三下乡”活动。学校的思想政治工作要围绕培养社会主义事业建设者和接班人的根本任务来进行。各级各类学校都要认真贯彻党的教育方针，坚持社会主义办学方向。要充实和改进思想品德课和政治理论课的教学内容，把学校教育与社会实践结合起来，全面推进素质教育。要重视和加强社区的思想政治工作，围绕提高市民素质和城市文明程度，认真研究、积极探索社区思想政治工作的途径和办法。要把思想政治工作与社区建设、社区管理结合起来，贯穿到创建文明家庭、文明楼院、文明小区的各个环节，形成团结互助、平等友爱的新型人际关系。要认真做好老年人特别是退（离）休人员的思想教育工作。要十分注意做好下岗职工和进城务工人员的思想政治工作，满腔热情地关心下岗职工的思想和生活，为他们排忧解难。对进城务工人员，城市有关部门和用工单位要及时了解他们的思想状况，切实承担起对他们的管理和教育责任。要抓好社团的引导和管理，完善管理制度，规范社团行为。

《意见》要求，要切实加强党对思想政治工作的领导。各级党委（党组）必须提高认识，把这项工作摆上重要议事日程，经常研究，加强检查。各级党政领导干部务必增强政治意识、大局意识、责任意识，带头做好思想政治工作。对思想政治工作者要注意关心和培养，帮助他们提高思想政治素质和业务能力，对做出突出成绩的要给予表彰和奖励。认真贯彻从严治党的方针，增强党的凝聚力和战斗力。党员特别是领导干部要讲学习、讲政治、讲正气，坚定社会主义、共产主义理想信念，坚持全心全意为人民服务，严格遵守党的纪律，自觉接受党和群众的监督，要求群众做到的自己首先做到，要求群众不做的自己坚决不做，以实际行动为群众做出表率。要把加强党的基层组织建设作为一项紧迫任务来抓。针对各类经济组织和社会组织日益增多、大批劳动力在产业间转移和地区间流动的新情况，建立健全党的基层组织，加强对党员的教育和管理。党的基层组织要加强自身建设，充分发挥战斗堡垒作用，做好深入细致的思想政治工作，团结和带领群众坚决同各种歪风邪气作斗争，保证党的路线方针政策的贯彻落实。

（1999年11月9日《人民日报》）

## 中共中央　国务院

# 关于对我国驻南使馆工作人员和驻南新闻工作者表彰决定

(1999年5月13日)

3月24日以来，以美国为首的北约对南斯拉夫联盟共和国进行狂轰滥炸，造成无辜平民大量伤亡，财产严重损失。5月8日，又悍然使用导弹袭击了我国驻南斯拉夫联盟共和国大使馆，造成我人员伤亡，馆舍严重毁坏。中国政府发表了严正声明，我国各族各界群众纷纷举行抗议活动，声讨以美国为首的北约的暴行。

在以美国为首的北约对南联盟轰炸的50多个日日夜夜里，我驻南大使馆全体工作人员在使馆的坚强领导下，忠实执行中央的外交方针和政策，不顾个人安危，坚守工作岗位，认真履行职责，积极开展工作，不辱使命，不负重托，圆满地完成了任务。我驻南新闻工作者，不怕困难，不怕牺牲，及时、客观、公正地报道了科索沃危机的最新动态和事实真相。邵云环、许杏虎、朱颖同志在以美国为首的北约对我国驻南大使馆的轰炸中不幸以身殉职，20多位同志受伤，许多同志受伤后仍坚持工作。他们以自己的实际行动，展现了新时期外交、新闻工作者良好的精神风貌。党中央、国务院决定，对我驻南斯拉夫联盟共和国大使馆工作人员和驻南新闻工作者给予表彰。

党中央、国务院号召全国人民学习他们热爱祖国、尽职尽责、英勇无畏、无私奉献的优秀品质和高尚情操，更加紧密地团结在以江泽民同志为核心的党中央周围，高举邓小平理论伟大旗帜，立足本职，努力工作，艰苦奋斗，不断进取，维护国家社会稳定的大局，搞好改革开放和现代化建设，为把建设有中国特色社会主义伟大事业全面推向21世纪而努力奋斗。

(1999年5月14日《人民日报》)

## 中共中央　国务院

# 关于深化教育改革全面推进素质教育的决定

(1999年6月13日)

当今世界，科学技术突飞猛进，知识经济已见端倪，国力竞争日趋激烈。教育在综合国力的形成中处于基础地位，国力的强弱越来越取决于劳动者的素质，取决于各类人才的质量和数量，这对于培养和造就我国21世纪的一代新人提出了更加迫切的要求。我国正处在建立社会主义市场经济体制和实现现代化建设战略目标的关键时期。新中国成立50年来特别是改革开放以来，教育事业的改革与发展取得了令人瞩目的巨大成就。但面对新的形势，由于主观和客观等方面的原因，我们的教育观念、教育体制、教育结构、人才培养模式、教育内容和教学方法相对滞后，影响了青少年的全面发展，不能适应提高国民素质的需要。全党、全社会必须从我国社会主义事业兴旺发达和中华民族伟大复兴的大局出发，以邓小平理论为指导，全面贯彻落实党的十五大精神，深化教育改革，全面推进素质教育，构建一个充满生机的有中国特色社会主义教育体系，为实施科教兴国战略奠定坚实的人才和知识基础。

**一、全面推进素质教育，培养适应21世纪现代化建设需要的社会主义新人**

1. 实施素质教育，就是全面贯彻党的教育方针，以提高国民素质为根本宗旨，以培养学生的创新精神和实践能力为重点，造就“有理想、有道德、有文化、有纪律”的、德智体美等全面发展的社会主义事业建设者和接班人。

全面推进素质教育，要面向现代化、面向世界、面向未来，使受教育者坚持学习科学文化与加强思想修养的统一，坚持学习书本知识与投身社会实践的统一，坚持实现自身价值与服务祖国人民的统一，坚持树立远大理想与进行艰苦奋斗的统一。

全面推进素质教育，要坚持面向全体学生，为学生的全面发展创造相应的条件，依法保障适龄儿童和青少年学习的基本权利，尊重学生身心发展特点和教育规律，使学生生动活泼、积极主动地得到发展。

2. 实施素质教育应当贯穿于幼儿教育、中小学教育、职业教育、成人教育、高等教育等各级各类教育，应当贯穿于学校教育、家庭教育和社会教育等各个方面。在不同阶段和不同方面应当有不同的内容和重点，相互配合，全面推进。在不同地区还应体现地区特点，尤其是少数民族地区的特点。

实施素质教育，必须把德育、智育、体育、美育等有机地统一在教育活动的各个环节中。学校教育不仅要抓好智育，更要重视德育，还要加强体育、美育、劳动技术教育和社会实践，使诸方面教育相互渗透、协调发展，促进学生的全面发展和健康成长。

3. 各级各类学校必须更加重视德育工作，以马克思列宁主义、毛泽东思想和邓小平理论为指导，按照德育总体目标和学生成长规律，确定不同学龄阶段的德育内容和要求，在培养学生的思想品德和行为规范方面，要形成一定的目标递进层次。要加强辩证唯物主义和历史唯物主义教育，使学生树立科学的世界观和人生观。要有针对性地开展爱国主义、集体主义和社会主义教育，中华民族优秀文化传统和革命传统教育，理想、伦理道德以及文明习惯养成教育，中国近现代史、基本国情、国内外形势教育和民主法制教育。把发扬中华民族优良传统同积极学习世界上一切优秀文明成果结合起来。高等学校要进一步加强邓小平理论“进教材、进课堂、进学生头脑”工作。职业学校要加强职业道德教育。

进一步改进德育工作的方式方法，寓德育于各学科教学之中，加强学校德育与学生生活和社会实践的联系，讲究实际效果，克服形式主义倾向。针对新形势下青少年成长的特点，加强学生的心理健康教育，培养学生坚韧不拔的意志、艰苦奋斗的精神，增强青少年适应社会生活的能力。加强民族团结教育，规范国防教育，提高学生的国家安全意识，继续搞好军训工作并使之制度化。加强校园的精神文明建设，严禁一切封建迷信和其他有害于学生身心健康的活动及物品传入校园。加强共青团、少先队和学生会工作，在培养和提高学生素质方面发挥更大的作用。社会各方面要为青少年提供优秀的精神文化产品和德育活动基地，形成学校、家庭和社会共同参与德育工作的新格局。

4. 智育工作要转变教育观念，改革人才培养模式，积极实行启发式和讨论式教学，激发学生独立思考和创新的意识，切实提高教学质量。要让学生感受、理解知识产生和发展的过程，培养学生的科学精神和创新思维习惯，重视培养学生收集处理信息的能力、获取新知识的能力、分析和解决问题的能力、语言文字表达能力以及团结协作和社会活动的能力。

高等教育要重视培养大学生的创新能力、实践能力和创业精神，普遍提高大学生的人文素养和科学素质。职业教育和成人教育要使学生在掌握必需的文化知识的同时，具有熟练的职业技能和适应职业变化的能力。减轻中小学生课业负担已成为推行素质教育中刻不容缓的问题，要切实认真加以解决。各级政府都要建立健全减轻学生课业负担的监督检查机制。要重视婴幼儿的身体发育和智力开发，普及婴幼儿早期教育的科学知识和方法。

5. 健康体魄是青少年为祖国和人民服务的基本前提，是中华民族旺盛生命力的体现。学校教育要树立健康第一的指导思想，切实加强体育工作，使学生掌握基本的运动技能，养成坚持锻炼身体的良好习惯。确保学生体育课程和课外体育活动时间，不准挤占体育活动时间和场所。举办多种多样的群体性体育活动，培养学生的竞争意识、合作精神和坚强毅力。地方各级人民政府要统筹规划，为学校开展体育活动提供必要条件。培养学生的良好卫生习惯，了解科学营养知识。根据农村的实际条件和需要，有针对性地加强农村学校的体育和卫生工作。

6. 美育不仅能陶冶情操、提高素养，而且有助于开发智力，对于促进学生全面发展具有不可替代的作用。要尽快改变学校美育工作薄弱的状况，将美育融入学校教育全过程。中小学要加强音乐、美术课堂教学，高等学校应要求学生选修一定学时的包括艺术在内的人文学科课程。开展丰富多彩的课外文化艺术活动，增强学生的美感体验，培养学生欣赏美和创造美的能力。地方各级人民政府和各有关部门要为学校美育工作创造条件，继续完善文化经济政策，各类文化场所（博物馆、科技馆、文化馆、纪念馆等）要向学生免费或优惠开放，鼓励文化艺术团体到学校演出高雅健康的节目。农村中小学也要充分利用当地文化资源，因地制宜地开展美育活动。

7. 教育与生产劳动相结合是培养全面发展人才的重要途径。各级各类学校要从实际出发，加强和改进对学生的生产劳动和实践教育，使其接触自然、了解社会，培养热爱劳动的习惯和艰苦奋斗的精神。建立青少年参与社区服务和社区建设的制度。中小学要鼓励学生积极参加形式多样的课外实践活动，培养动手能力；职业学校要实行产教结合，鼓励学生在实践中掌握职业技能；高等学校要加强社会实践，组织学生参加科学研究、技术开发和推广活动以及社会服务活动。利用假期组织志愿者到城乡支工、支农、支医和支教。社会各方面要为学校开展生产劳动、科技活动和其他社会实践活动提供必要的条件，同时要加强学生校外劳动和社会实践基地的建设。

**二、深化教育改革，为实施素质教育创造条件**

8. 基本普及九年义务教育和基本扫除青壮年文盲（简称“两基”），是全面推进素质教育的基础。地方各级人民政府要继续将“两基”作为教育工作的“重中之重”，确保2000年“两基”目标的实现和达标后的巩固与提高。各地要从实际出发，改造薄弱学校，提高义务教育阶段的整体办学水平。2000年后要继续实施“国家贫困地区义务教育工程”，加大对贫困地区和少数民族地区的扶持力度，继续加强发达地区对少数民族贫困地区的教育对口支援工作，切实解决农村初中辍学率偏高的问题，同时大力提高义务教育阶段残疾儿童少年的入学率。

9. 调整现有教育体系结构，扩大高中阶段教育和高等教育的规模，拓宽人才成长的道路，减缓升学压力。通过多种形式积极发展高等教育，到2010年，我国同龄人口的高等教育入学率要从现在的百分之九提高到百分之十五左右。要在确保“两基”的前提下，积极发展包括普通教育和职业教育在内的高中阶段教育，为初中毕业生提供多种形式的学习机会。在城市和经济发达地区要有步骤地普及高中阶段教育。

高等职业教育是高等教育的重要组成部分。要大力发展高等职业教育，培养一大批具有必要的理论知识和较强实践能力，生产、建设、管理、服务第一线和农村急需的专门人才。现有的职业大学、独立设置的成人高校和部分高等专科学校要通过改革、改组和改制，逐步调整为职业技术学院（或职业学院）。支持本科高等学校举办或与企业合作举办职业技术学院（或职业学院）。省、自治区、直辖市人民政府在对当地教育资源的统筹下，可以举办综合性、社区性的职业技术学院（或职业学院）。

10. 构建与社会主义市场经济体制和教育内在

规律相适应、不同类型教育相互沟通相互衔接的教育体制，为学校毕业生提供继续学习深造的机会。职业技术学院（或职业学院）可采取多种方式招收普通高中毕业生和中等职业学校毕业生。职业技术学院（或职业学院）毕业生经过一定选拔程序可以进入本科高等学校继续学习。

高等学校和中等职业学校要创造条件实行弹性的学习制度，放宽招生和入学的年龄限制，允许分阶段完成学业。大力发展现代远程教育、职业资格证书教育和其他继续教育。完善自学考试制度，形成社会化、开放式的教育网络，为适应多层次、多形式的教育需求开辟更为广阔的途径，逐渐完善终身学习体系。

11. 进一步简政放权，加大省级人民政府发展和管理本地区教育的权力以及统筹力度，促进教育与当地经济社会发展紧密结合。今后3年，继续按照“共建、调整、合作、合并”的方式，基本完成高等教育管理体制和布局结构的调整，形成中央和省级人民政府两级管理、以省级人民政府管理为主的新体制，合理配置教育资源，提高教育质量和办学效益。经国务院授权，把发展高等职业教育和大部分高等专科教育的权力以及责任交给省级人民政府，省级人民政府依法管理职业技术学院（或职业学院）和高等专科学校。高等职业教育（包括高等专科学校）的招生计划改由省级人民政府制定，其招生考试事宜由省级人民政府自行确定。

继续完善基础教育主要由地方负责、分级管理的体制。根据各地实际，加大县级人民政府对教育经费、教师管理和校长任免等方面的统筹权。地方各级人民政府要加强对职业教育和成人教育的统筹。学历教育由教育行政部门负责管理。在高中及其以上教育的办学水平评估、人力资源预测和毕业生就业指导等方面，进一步发挥非政府的行业协会组织和社会中介机构的作用。

按照《中华人民共和国高等教育法》的规定，切实落实和扩大高等学校的办学自主权，增强学校适应当地经济社会发展的活力。加强对高等学校的监督和办学质量检查，逐步形成对学校办学行为和教育质量的社会监督机制以及评价体系，完善高等学校自我约束、自我管理机制。进一步扩大高等学校招生、专业设置等自主权，高等学校可以到外地合作办学。深化学校内部管理体制改革，进一步精简机构，减员增效。改革分配和奖励制度，实行多劳多得、优劳优酬。加大学校后勤改革力度，逐步剥离学校后勤系统，推动后勤工作社会化，鼓励社会力量为学校提供后勤服务，发展教育产业。

12. 进一步解放思想、转变观念，积极鼓励和支持社会力量以多种形式办学，满足人民群众日益增长的教育需求，形成以政府办学为主体、公办学校和民办学校共同发展的格局。凡符合国家有关法律法规的办学形式，均可大胆试验。在发展民办教育方面迈出更大的步伐。鼓励社会力量以各种方式举办高中阶段和高等职业教育。经国家教育行政主管部门批准，可以举办民办普通高等学校。在保证适龄儿童、少年均能就近进入公办小学和初中的前提下，可允许设立少数民办小学和初中，在这个范围内提供择校机会，但不搞“一校两制”。积极发展以社区为依托的、公办与民办相结合的幼儿教育。要因地制宜地制定优惠政策（如土地优惠使用、免征配套费等），支持社会力量办学。

各级人民政府要加强对民办教育的管理、引导和监督，国家要加快民办教育的立法，促进民办教育的健康发展。各级各类民办学校都要依法办学，不断提高办学水平。

13. 加快改革招生考试和评价制度，改变“一次考试定终身”的状况。改革高考制度是推进中小学全面实施素质教育的重要措施，按照有助于高等学校选拔人才、中小学实施素质教育和扩大高等学校办学自主权的原则，积极推进高考制度改革。进行每年举办两次高等学校招生考试的试点。高考科目设置和内容的改革应进一步突出对能力和综合素质的考查。鼓励有条件的省级人民政府进行多种形式的高考制度改革试验，扩大学校的招生自主权和考生的选择机会。逐步建立具有多种选择的、更加科学和公正的高等学校招生选拔制度。

在普及九年义务教育的地区，实行小学毕业生免试就近升学的办法。鼓励各地中小学自行组织毕业考试，采取多种形式改革高中阶段学校的招生办法，改革高中会考制度。建立符合素质教育要求的对学校、教师和学生的评价机制。地方各级人民政府不得下达升学指标，不得以升学率作为评价学校工作的标准。鼓励社会各界、家长和学生以适当方式参与对学校工作的评价。

14. 调整和改革课程体系、结构、内容，建立新的基础教育课程体系，试行国家课程、地方课程和学校课程。改变课程过分强调学科体系、脱离时代和社会发展以及学生实际的状况。抓紧建立更新教学内容的机制，加强课程的综合性和实践性，重视实验课教学，培养学生实际操作能力。要增强农村特别是贫困地区义务教育的课程、教材与当地经济社会发展的适应性。促进教材的多样化，进一步完善国家对基础教育教材的评审制度。积极推进教学改革，提高课堂教学的质量，国家和地方要奖励并推广符合素质教育要求的优秀教学成果。

职业教育要增强专业的适用性，开发和编写体现新知识、新技术、新工艺和新方法的具有职业教育特色的课程及教材。高等教育要加快课程改革和教学改革，继续调整专业结构和设置，使学生尽早地参与科技研究开发和创新活动，鼓励跨学科选修课程，培养基础扎实、知识面宽、具有创新能力的高素质专门人才。

15. 大力提高教育技术手段的现代化水平和教育信息化程度。国家支持建设以中国教育科研网和卫星视频系统为基础的现代远程教育网络，加强经济实用型终端平台系统和校园网络或局域网络的建设，充分利用现有资源和各种音像手段，继续搞好多样化的电化教育和计算机辅助教学。在高中阶段的学校和有条件的初中、小学普及计算机操作和信息技术教育，使教育科研网络进入全部高等学校和骨干中等职业学校，逐步进入中小学。采取有效措施，大力开发优秀的教育教学软件。运用现代远程教育网络为社会成员提供终身学习的机会，为农村和边远地区提供适合当地需要的教育。

16. 努力改变教育与经济、科技相脱节的状况，促进教育和经济、科技的密切结合。高等教育实施素质教育，要加强产学研结合，大力推进高等学校和产业界以及科研院所的合作，鼓励有条件的高等学校建立科技企业，企业在高等学校建立研究机构，高等学校在企业建立实习基地。采用多种形式，使高等学校科研机构进入企业，提高高等学校科技成果的转化率，加快实用科技成果向企业的转移，增强企业的技术创新能力，培育新的经济增长点。要创建若干所具有世界先进水平的一流大学和一批一流学科，在高等学校建设一批既出人才、又出成果的基础研究和应用研究基地，为国家创新体系建设和现代化建设作出贡献。继续推进城市教育综合改革。职业教育和成人教育要通过多种方式，为加快提高劳动者素质，为转岗、分流、下岗职工再就业提供教育和培训。

进一步推进农科教结合，全面推进农村教育综合改革，促进农村普通教育、成人教育和职业教育的统筹协调发展，使农村教育切实转变到主要为农村经济和社会发展服务上来。要把文化知识教育和扫除青壮年文盲与实用生产技术培训结合起来，与农民脱贫致富结合起来。要采取灵活多样的教育培训形式，抓紧培养一大批农村急需的实用技术推广人才、乡镇企业管理人才和医疗卫生人才。

**三、优化结构，建设全面推进素质教育的高质量的教师队伍**

17. 建设高质量的教师队伍，是全面推进素质教育的基本保证。教师要热爱党，热爱社会主义祖国，忠诚于人民的教育事业；要树立正确的教育观、质量观和人才观，增强实施素质教育的自觉性；要不断提高思想政治素质和业务素质，教书育人，为人师表，敬业爱生；要有宽广厚实的业务知识和终身学习的自觉性，掌握必要的现代教育技术手段；要遵循教育规律，积极参与教学科研，在工作中勇于探索创新；要与学生平等相处，尊重学生人格，因材施教，保护学生的合法权益。

18. 把提高教师实施素质教育的能力和水平作为师资培养、培训的重点。加强和改革师范教育，大力提高师资培养质量。调整师范学校的层次和布局，鼓励综合性高等学校和非师范类高等学校参与培养、培训中小学教师的工作，探索在有条件的综合性高等学校中试办师范学院。2010 年前后，具备条件的地区力争使小学和初中阶段教育的专任教师的学历分别提升到专科和本科层次，经济发达地区高中阶段教育的专任教师和校长中获硕士学位者应达到一定比例。提高高等学校教师中具有博士学位教师的比例。

开展以培训全体教师为目标、骨干教师为重点的继续教育，使中小学教师的整体素质明显提高。中小学专任教师以及师范学校在校生都要接受计算机基础知识和技能培训。注意吸收企业优秀工程技术和管理人员到职业学校任教，加快建设兼有教师资格和其他专业技术职务的“双师型”教师队伍。地方各级人民政府要多渠道筹资设立骨干教师专项资金，在大中小学培养一批高水平的学科带头人和有较大影响的教书育人专家，造就一支符合时代要求、能发挥示范作用的骨干教师队伍。

19. 建立优化教师队伍的有效机制，提高教师队伍的整体素质。全面实施教师资格制度，开展面向社会认定教师资格工作，拓宽教师来源渠道，引入竞争机制，完善教师职务聘任制，提高教育质量和办学效益。中小学根据学校编制聘用教师，可面向社会公开招聘，经县以上教育行政部门审批；高等学校依法自主聘任教师，吸引优秀人才从教。继续关心和改善教师的工作条件和生活待遇。

加强编制管理，精简富余人员，富余人员原则上在教育系统内部进行培训和安排。各地要认真做好各级各类学校转岗教师的管理服务工作，进一步建立和完善人才流动的社会化服务体系，搞好人才供求信息的收集和发布工作，开展转岗前职业培训，协调和促进教师的合理流动。地方各级人民政府的人事、劳动和社会保障、财政部门要提供必要的政策指导和经费支持。

20. 合理配置教师资源。各地要制定政策，鼓励大中城市骨干教师到基础薄弱学校任教或兼职，中小城市（镇）学校教师以各种方式到农村缺编学校任教，加强农村与薄弱学校教师队伍建设。城镇中小学教师原则上要有一年以上在薄弱学校或农村学校任教经历，才可聘为高级教师职务。采取优惠政策，吸引和鼓励教师到经济不发达地区、边远地区和少数民族地区任教。经济发达地区和城市也要采取多种形式，帮助少数民族地区和农村提高教师队伍水平。

21. 努力造就能够带领广大教师和教育工作者积极实施素质教育的学校领导以及管理干部队伍。学校校长在推进素质教育中具有特殊作用，要率先转变教育观念，把领导教职工创造性地实施素质教育作为重要职责。要继续巩固和完善中小学校长岗位培训和持证上岗制度，试行校长职级制，逐步完善校长选拔和任用制度，鼓励优秀校长到薄弱学校任职。对于富余的学校管理人员要转岗分流。

**四、加强领导，全党、全社会共同努力开创素质教育的新局面**

22. 全面推进素质教育，必须切实加强党和政府的领导。邓小平同志指出：“我们要千方百计，在别的方面忍耐一些，甚至于牺牲一点速度，把教育问题解决好。”各级党委和人民政府要切实落实教育优先发展的战略地位。全面推进素质教育是党和政府的重要职责，各级领导干部要转变观念，充分认识素质教育的重要性和紧迫性，把思想统一到中央的决定上来，认真贯彻落实。建立自上而下的素质教育评估检查体系，逐级考核省、市、县、乡各级党委和政府及其主要领导干部抓素质教育工作的情况。各级党委和政府及其有关部门要通力协作，为实施素质教育创造良好的政策环境，注意研究新情况和新问题，鼓励大胆实践，尊重群众的首创精神。重视和加强教育科学研究，提高政府决策和管理的科学性。

23. 全面推进素质教育，根本上要靠法治、靠制度保障。各级人民政府和各部门要切实做到依法行政，保证教育方针的全面贯彻执行。各级党政领导和广大教育工作者要深入进行教育法律法规的学习、宣传活动，提高法律意识，严格履行保护少年儿童和学生身心健康发展的法律职责，坚决制止侵犯学生合法权益的行为，抵制妨碍学生健康成长的各种社会不良影响。各地要依法保障教师的合法权益，不得拖欠教师工资。要整治校园内部和周边环境，维护学校正常秩序。

继续完善国家教育立法，加大教育执法力度，加强教育法制机构和队伍建设，完善教育行政执法监督机制。制定有关素质教育的制度和法规，逐步实现素质教育制度化、法制化。

进一步健全教育督导机构，完善教育督导制度，在继续进行“两基”督导检查的同时，把保障实施素质教育作为教育督导工作的重要任务。

24. 努力采取有效措施，切实加大教育投入，逐步实现国家财政性教育经费支出占国民生产总值百分之四的目标。各级人民政府必须按照《中华人民共和国教育法》的规定，确保教育经费有较大增长。中央决定，自1998年起至2002年的5年中，提高中央本级财政支出中教育经费所占的比例，每年提高1个百分点。各省、自治区、直辖市人民政府也要根据本地实际，增加本级财政中教育经费的支出。要进一步依法加强城乡教育费附加的征收和管理，农村教育费附加实行乡征、县管、乡用，确保完全用于教育。

进一步完善教育经费拨款办法，充分发挥教育拨款在宏观调控中的作用，不断提高教育经费的使用效益。政府的教育拨款主要用于保证普及义务教育和承担普通高等教育的大部分经费。地方各级人民政府要确保义务教育的资金投入并做到专款专用。在非义务教育阶段，要适当增加学费在培养成本中的比例，逐步建立符合社会主义市场经济体制以及政府公共财政体制的财政教育拨款政策和成本分担机制。加强教育经费的管理，严格禁止乱收费。认真组织实施教育储蓄、教育保险和助学贷款制度，完善奖学金制度。积极运用财政、金融和税收政策，继续鼓励社会、个人和企业投资办学和捐（集）资助学，不断完善多渠道筹措教育经费的体制。

25. 社会用人制度对于实施素质教育有着重要的导向作用，改革用人制度是全面推进素质教育的当务之急。要依法抓紧制定国家职业（技能）标准，明确对各类劳动者的岗位要求，积极推行劳动预备制度，坚持实行“先培训、后上岗”的就业制度，继续改革大中专毕业生就业制度，使学生树立正确的择业观。地方政府教育部门要与人事、劳动和社会保障部门共同协调，在全社会实行学业证书、职业资格证书并重的制度。转变传统的人才观念，形成使用人才重素质、重实际能力的良好风气。

26. 全面推进素质教育，是我国教育事业的一场深刻变革，是一项事关全局、影响深远和涉及社会各方面的系统工程。要进一步加强学校党的工作，充分发挥党员在实施素质教育中的模范带头作用。要通过新闻媒体的正确舆论导向，深入动员社会各界关心、支持和投身素质教育。学校、家庭和社会要互相沟通、积极配合，共同开创素质教育工作的新局面。

要继续认真落实国务院批转的《面向二十一世纪教育振兴行动计划》。全面推进素质教育，是党中央和国务院为加快实施科教兴国战略作出的又一重大决策，各级党委和人民政府要结合本地实际情况，创造性地把素质教育落到实处，在以江泽民同志为核心的党中央的领导下，高举邓小平理论伟大旗帜，为实现社会主义现代化建设宏伟目标和中华民族伟大复兴作出更大的贡献。

军队系统学校如何落实本文件精神，由中央军委作出决定。

（1999年6月17日《人民日报》）

中共中央办公厅　国务院办公厅

# 就进一步做好“法轮功”练习者教育转化和解脱工作发出通知

通知说，中央决定公开揭露批判李洪志及其“法轮大法（法轮功）”，取缔“法轮大法研究会”及其操纵的“法轮功”非法组织，广大人民群众坚决拥护，积极投入揭露、批判和控诉李洪志及其“法轮功”组织的斗争。绝大多数曾经练习“法轮功”的党员、团员、干部和群众明确表示脱离“法轮功”组织，不再参加“法轮功”组织的任何活动。许多“法轮功”组织的站点负责人和一些骨干陆续悔悟，表示脱离“法轮功”组织，并揭露李洪志及其“法轮功”组织内幕。做好绝大多数“法轮功”练习者的教育转化和解脱工作，是衡量这场斗争成效、取得这场斗争胜利的一个重要标志。

通知指出，要正确认识和对待绝大多数“法轮功”练习者。李洪志及其“法轮功”组织利用人们练功健身、延年益寿的愿望和对生老病死的关切心理，编造一套歪理邪说，蒙骗、愚弄群众。应该看到，绝大多数“法轮功”练习者参加练功是出于健身强体的愿望，他们对李洪志等极少数人的政治目的和险恶用心并不了解，从这个意义上说，其本身也是受害者。因此，对他们要进行诚恳、耐心、深入、细致的思想教育工作，晓之以理，动之以情，帮助他们认清李洪志及其“法轮功”组织的严重危害，认清这是一场严肃的政治斗争，使他们真正认识到处理和解决“法轮功”问题，是符合国家利益、符合包括他们自己在内的全体人民的切身利益的。要相信他们在接受教育帮助和了解真相后，会提高认识，自觉维护大局，拥护党和政府的决定，会主动脱离“法轮功”组织，不再参加其一切活动。要注意把一般的“法轮功”练习者与李洪志等极少数违法活动的策划者、组织者区别开来，注意把为了健身强体而练习“法轮功”的人与李洪志等极个别有政治意图、存心作乱的幕后人物区别开来。工作中，既要态度坚决，立场坚定，又要慎重稳妥，切忌简单草率。

通知强调，教育转化和解脱工作中要严格掌握政策界限。绝大多数“法轮功”练习者参与“法轮功”组织的活动属于人民内部矛盾，教育转化和解脱工作中，必须严格掌握政策界限，坚定地团结、教育、解脱绝大多数，孤立、打击李洪志等极少数。对于只是为了健身强体而练习“法轮功”的人，只要他们对“法轮功”问题有了正确认识，并不再参加“法轮功”组织的活动，其所在单位或基层组织要及时宣布不作为问题提出，不得歧视他们，也不要搞人人过关。对于修炼过“法轮大法”，参加过“法轮功”组织策划的非法聚集活动和其他群体性事件，以及在“法轮功”组织中起一般骨干作用的人，只要从思想上同“法轮功”划清界限，组织上与“法轮功”脱离关系，已说清自己参与非法活动的情况，并揭露“法轮功”问题，不再参加“法轮功”组织的活动，由所在单位或基层组织采取适当形式，宣布予以解脱。对于错误严重的“法轮功”组织的骨干，在思想上已与李洪志及其“法轮大法”划清界限，对参与的非法活动进行了认真的交待，主动认识和检讨自己的错误，主动提出脱离“法轮功”组织，积极揭露“法轮功”组织内幕，确实已不再参与“法轮功”组织一切活动，可视情节从轻处理，有立功表现的，也可免予处理。对于极少数在幕后组织策划、蓄意破坏社会稳定、构成犯罪的骨干分子，必须依法惩处。

通知说，要注意方式方法，努力巩固教育转化成果。各级党政群组织要以高度的政治责任感，以对群众的满腔热情，精心组织和动员广大党员、干部做好“法轮功”练习者的教育转化和解脱工作。对于一般“法轮功”练习者，要允许有一个思想转化的过程，所在单位的党政群组织要进行耐心的说服教育工作。同时，要尽可能关心他们的实际困难，帮助他们解决实际问题。要大力普及科学文化知识，创造丰富多彩的文化生活条件，引导他们参加健康向上的文体活动。通过这些活动，使他们充分感受到党和政府的关怀和温暖，心情舒畅地投入正常的工作、学习和生活。对受李洪志“法轮大法”毒害比较深的练习者，要采取“一包一、几包一”的办法，耐心细致地帮助教育。对“法轮功”练习者比较多的街道、居委会和乡、村，所在地区的市、县党委要派出工作组协助工作。工作中，要时刻注意把握政策、原则，及时给予正确的指导。通过教育转化工作，使绝大多数“法轮功”练习者进一步认清李洪志及其“法轮功”组织的政治本质、险恶用心和社会危害，为取得这场斗争的彻底胜利打下坚实基础。

（1999年8月25日《人民日报》）

## 中共中央办公厅　国务院办公厅

# 印发《中华人民共和国成立50周年口号》

1. 热烈庆祝中华人民共和国成立50周年!

2. 热烈欢呼我国改革开放和社会主义现代化建设的伟大胜利!

3. 为把我国建设成为富强、民主、文明的社会主义现代化国家而奋斗!

4. 高举邓小平理论伟大旗帜，把建设有中国特色社会主义事业全面推向21世纪!

5. 高举邓小平理论伟大旗帜，坚持用邓小平理论武装全党教育人民!

6. 以经济建设为中心，坚持四项基本原则，坚持改革开放!

7. 抓住机遇，深化改革，扩大开放，促进发展，保持稳定!

8. 解放思想，实事求是，坚定不移地推进改革开放!

9. 社会主义社会的根本任务是发展生产力!

10. 维护和保持安定团结的社会政治局面!

11. 深化经济体制改革，建立和完善适应生产力发展要求的经济制度和经济体制!

12. 建立社会主义市场经济体制，积极推进经济体制和经济增长方式的根本转变!

13. 坚持公有制为主体、多种所有制经济共同发展的基本经济制度和按劳分配为主体、多种分配方式并存的分配制度!

14. 推进政治体制改革，发展社会主义民主，健全社会主义法制!

15. 依法治国，建设社会主义法治国家!

16. 坚持和完善人民代表大会制度!

17. 坚持和完善中国共产党领导的多党合作和政治协商制度!

18. 坚持和完善民族区域自治制度，巩固和发展平等、团结、互助的社会主义民族关系，实现各民族的共同繁荣!

19. 全心全意依靠工人阶级!

20. 自力更生，艰苦奋斗，勤俭建国，勤俭办一切事业!

21. 尊重知识，尊重人才，实施科教兴国战略!

22. 实行计划生育，保护资源和环境，实施可持续发展战略!

23. 加强农业基础地位，全面发展农村经济!

24. 坚定信心，勇于探索，大胆实践，开创国有企业改革和发展新局面!

25. 加强社会主义精神文明建设!

26. 以科学的理论武装人，以正确的舆论引导人，以高尚的精神塑造人，以优秀的作品鼓舞人!

27. 坚持为人民服务、为社会主义服务的方向和百花齐放、百家争鸣的方针，繁荣社会主义学术和文艺!

28. 发展卫生体育事业，提高国民身体素质!

29. 巩固和发展新时期的爱国统一战线!

30. 坚持“和平统一、一国两制”的方针，完成祖国统一大业!

31. 坚持对外开放的基本国策，努力提高对外开放水平!

32. 坚持独立自主的和平外交政策，为促进和平与发展的崇高事业、开创人类更加美好的未来而努力!

33. 讲学习、讲政治、讲正气!

34. 加强党风廉政建设，全心全意为人民服务!

35. 坚持、加强和改善党的领导，推进党的建设新的伟大工程!

36. 政治合格，军事过硬，作风优良，纪律严明，保障有力！

37. 积极推进军队建设和改革，把人民解放军的革命化、现代化、正规化建设提高到一个新水平！

38. 统一思想、坚定信心，抓住机遇、知难而进，团结一致、艰苦奋斗！

39. 万众一心、众志成城，不怕困难、顽强拼搏，坚韧不拔、敢于胜利！

40. 紧密团结在以江泽民同志为核心的党中央周围，同心同德，艰苦奋斗，以新的成就迎接新的世纪！

41. 向全国各族工人、农民、知识分子和干部致敬！

42. 向人民解放军和武装警察部队指战员、公安干警致敬！

43. 向各民主党派、各人民团体、各界爱国人士致敬！

44. 向香港特别行政区同胞和澳门同胞、台湾同胞、海外侨胞致敬！

45. 向一切关心和支持中国现代化建设的外国朋友和世界各国人民致敬！

46. 伟大的中华人民共和国万岁！

47. 伟大的中国共产党万岁！

48. 伟大的马克思列宁主义、毛泽东思想、邓小平理论万岁！

49. 全国各族人民大团结万岁！

50. 全世界人民大团结万岁！

（1999年9月15日《人民日报》）

## 国务院办公厅

# 转发《人事部、监察部关于对国家公务员修炼“法轮大法”等问题的若干处理意见》

国务院办公厅近日发出通知，转发《人事部、监察部关于对国家公务员修炼“法轮大法”等问题的若干处理意见》，要求各省、自治区、直辖市人民政府，国务院各部委、各直属机构，认真贯彻执行。

《人事部、监察部关于对国家公务员修炼“法轮大法”等问题的若干处理意见》要求，要严格掌握政策界限，通过教育帮助和行政处理，使其中的绝大多数人回到正确立场上来。对国家公务员修炼“法轮大法”等问题的处理，要坚持从严治政和“惩前毖后，治病救人”的原则，把一般“法轮功”练习者同参与“法轮功”活动的骨干区别开来；把一般骨干同极少数有政治意图、存心作乱的幕后人物、策划者、组织者区别开来；把在“法轮功”问题上犯有错误，但确有悔过或立功表现的，同执迷不悟、拒不改正的区别开来；把党中央作出共产党员不准修炼“法轮大法”决定，民政部作出关于取缔“法轮大法”研究会及其操纵的“法轮功”组织的决定，公安部通告和人事部发出国家公务员不准修炼“法轮大法”的通知之前犯错误的，同在这之后再犯错误的区别开来。通过教育帮助，使绝大多数修炼过“法轮大法”的国家公务员得到解脱。对那些一时思想不通，但已不参加“法轮功”活动的国家公务员，允许他们有一个思想转变的过程。

《处理意见》规定，属下列情况之一者，可不作为问题提出或不予以追究。一是只是为了健身强体而练习“法轮功”的国家公务员，只要对“法轮功”问题有了正确认识，并不再参加“法轮功”活动的，经所在单位研究后，由单位负责人宣布不作为问题提出；二是修炼过“法轮大法”，参加过“法轮功”非法聚集活动或其他有关群体性事件，以及在“法轮功”组织中起一般骨干作用的国家公务员，只要是从思想上同“法轮功”划清界线，组织上与“法轮功”脱离关系，已向单位说清楚，并揭露“法轮功”的问题、不再参加“法轮功”活动的，予以解脱。

《处理意见》还明确规定，属下列情况之一者，应依据《国家公务员暂行条例》及有关规定作出严肃处理。一是对于参加过“法轮功”非法聚集活动或其他有关群体性事件，以及在“法轮功”组织中起一般骨干作用的国家公务员，在党中央作出共产党员不准修炼“法轮大法”决定，以及有关部门作出有关决定、发出有关通告和通知之后，经反复教育仍坚持不改的，视情节轻重，分别给予警告、记过、记大过处分；二是对于造成恶劣影响的“法轮功”非法聚集活动或其他有关群体性事件的重要骨干中的国家公务员，经反复教育仍坚持不改的，视情节轻重，分别给予降级、撤职或者开除处分；三是对于有政治意图，策划、组织“法轮功”非法聚集活动，严重扰乱社会秩序、影响社会稳定的国家公务员，给予开除处分。

《处理意见》强调，行政处理要慎重稳妥，宽严适度，严格按照《国家公务员暂行条例》及有关规定的程序进行。对修炼“法轮大法”的国家公务员进行行政处理时，不能单纯看其在“法轮功”组织中担任过何种职务，而主要应当看其在“法轮功”组织中起到的实际作用及认错改过的态度。除极少数有政治意图、存心作乱的幕后人物、策划者、组织者必须从严处理外，一般不给予开除的处分。对认错态度好、有立功表现的，可以从轻或者减轻处分，情节较轻的，也可以免于处分；对认错态度不好、坚持错误、影响恶劣的，要从重或者加重处分。对不适合现岗位工作的，可进行必要的调整。对在7月22日后，经过多次教育仍坚持不改，违反公安部通告，继续从事煽动、串联、策划、操纵、组织及参与非法聚集等活动的，要加重处理。经多次教育，仍到北京非法聚集的，也应加重处理。

国务院办公厅《通知》指出，对国有企业中的“法轮功”练习者的行政处理可参照《处理意见》执行。

（1999年10月16日《人民日报》）

## 中共中央宣传部

# 关于开展向邵云环许杏虎朱颖三位烈士和我驻南新闻工作者学习活动的通知

中共中央宣传部5月26日发出的《通知》指出，在宣传思想工作部门深入开展向邵云环、许杏虎、朱颖三位烈士和我驻南新闻工作者学习的活动，对于我们加强宣传思想工作队伍建设，做好当前各项工作，具有重要意义。

《通知》说，3月24日以来，在以美国为首的北约对南斯拉夫联盟共和国进行狂轰滥炸的险恶条件下，我驻南新闻工作者不怕困难，不怕牺牲，及时、客观、公正地报道了科索沃危机的最新动态和事实真相，为反对霸权、捍卫和平、主持正义作出了积极贡献。新华社记者邵云环和光明日报记者许杏虎、朱颖同志，在以美国为首的北约对我驻南大使馆进行导弹袭击中，不幸以身殉职，为和平、为正义、为祖国壮烈捐躯。三位革命烈士和我驻南新闻工作者以自己的实际行动，展现了新时期新闻工作者的良好精神风貌，为我们树立了学习的榜样。

《通知》指出，要认真学习贯彻江泽民总书记重要讲话精神和《中共中央、国务院关于对我国驻南斯拉夫联盟共和国大使馆工作人员和驻南新闻工作者给予表彰的决定》。江泽民总书记在欢迎我国驻南斯拉夫联盟共和国工作人员大会上的重要讲话和中共中央、国务院的决定，对邵云环、许杏虎、朱颖三位革命烈士和我驻南新闻工作者给予了高度评价，表明了我国政府对以美国为首的北约暴行的原则立场和严正态度，深刻阐述了我们必须坚持的重大方针原则，明确提出了全党全国人民面临的任务。要认真学习领会江泽民总书记重要讲话精神和中共中央、国务院的决定，进一步增强政治意识、大局意识和责任意识，用中央精神统一思想，推动学习，指导工作。

《通知》要求，要深入学习三位革命烈士和我驻南新闻工作者的英雄事迹和高尚精神。学习他们忠于党、忠于祖国、忠于人民的革命品格，学习他们尽职尽责、忘我工作、无私奉献的敬业精神，学习他们不畏强暴、不怕牺牲、一往无前的英雄气概。要大力弘扬爱国主义精神，团结一心，埋头苦干，发奋图强，努力做好新形势下的宣传思想工作，为增强我国的经济实力、国防实力和民族凝聚力，为实现党的十五大确定的跨世纪发展的宏伟目标，提供有力的思想保证、精神动力和舆论支持。

《通知》指出，要深刻揭露批判以美国为首的北约所宣扬的“民主”、“人权”、“人道”和“新闻自由”的虚伪性和反动本质。在学习活动中，要以三位烈士和我驻南新闻工作者的英雄事迹和北约杀害我新闻工作者的血的事实，揭露批判以美国为首的北约打着“民主”、“人权”、“人道”和“新闻自由”的幌子，大搞霸权主义和强权政治的野蛮行径，深入进行党性原则、马克思主义新闻观和党的宣传思想工作优良传统的教育，引导广大宣传思想工作者进一步确立正确的世界观、人生观和价值观。

《通知》要求，要紧密联系实际，做好本职工作。学习邵云环、许杏虎、朱颖三位烈士和我驻南新闻工作者的活动，要与“三讲”教育紧密结合，与加强队伍建设、做好当前工作紧密结合。要把对以美国为首的北约暴行的愤慨激情、对革命烈士的悼念之情和强烈的爱国热情，化为做好本职工作的强大动力。要坚持团结稳定鼓劲、正面宣传为主的方针，唱响主旋律，打好主动仗，以科学的理论武装人，以正确的舆论引导人，以高尚的精神塑造人，以优秀的作品鼓舞人，促进改革发展，维护社会稳定，为把建设有中国特色社会主义伟大事业全面推向21世纪作出新贡献。

（1999年5月27日《人民日报》）

# 刘云山：更好地为改革发展稳定大局服务

（1999年4月）

1999年是我们走向21世纪的重要一年，也是中国人民实现跨世纪宏伟目标进程中具有特殊意义的一年。在这一年里，我们将迎来新中国成立50周年，这是中国人民胜利的节日。我们将迎来澳门回归祖国，这是中华民族的又一盛事。在这一年里，我们将继续推进改革开放，保持国民经济持续快速健康发展。同时，国际经济和政治中的不确定因素明显增加，我国经济和社会发展的一些矛盾和问题还需要下很大功夫去解决。总的看，在这一年里，大事喜事多，难点热点也多，精神文明建设工作既面临着难得的机遇，也面临着严峻的挑战。

为什么说面临着难得的机遇？我们至少可以从四个方面来认识。首先，改革发展稳定对精神文明建设工作的迫切需要，是我们面临的最大机遇。实现经济发展目标，完成改革攻坚任务，保持社会稳定，办好几件大事喜事，都需要通过精神文明建设去统一思想、凝聚力量、振奋精神、创造氛围，这正是我们发挥优势，施展才华的好机会。其次，大事喜事集中，为精神文明建设提供了难得的载体。我们可以充分利用纪念活动的契机，把群众动员起来，把爱国主义、集体主义、社会主义教育大张旗鼓搞起来，把精神文明创建活动扎扎实实开展起来。三是我们国家经济社会发展的好形势，为我们做好精神文明建设工作提供了有利条件。在一些国家经济大幅度下降的情况下，我国经济仍将保持较快的发展速度，充分显示了建设有中国特色社会主义事业的强大生机。这一基本事实，增强了精神文明建设工作的说服力和感染力。国家采取积极的财政政策和一系列扩大内需的措施，将使精神文明建设的物质基础大为改善。四是20年来的精神文明建设为我们继续前进打下了很好基础。全党全社会对精神文明建设的重视程度大大提高，精神文明建设指导思想明确，思路清晰，队伍健全，工作机制初步形成，积累了在社会主义市场经济条件下做好精神文明建设工作的丰富经验，只要我们再加把劲，就一定能把一个良好的工作基础带入21世纪。我们也要看到，机遇历来是和挑战并存的。这种挑战，一是任务繁重。能不能把大事办出大的影响，喜事办出喜庆气氛，对我们是一个考验。二是矛盾较多。在前进道路上存在许多矛盾和隐忧，可能会影响人们的思想稳定，加大了我们做好工作的难度。三是干扰不少。国内外敌对势力会利用种种机会，进行干扰破坏，我们必须保持清醒的头脑。

我们一定要认真贯彻中央关于今年工作的总的方针，统一思想、坚定信心，抓住机遇、知难而进，团结一致、艰苦奋斗，通过扎实有效的工作，把机遇转化成良好的工作局面，转化成精神文明建设的实际成果；把挑战变成做好工作的压力，变成前进的动力，积极推进精神文明建设，为改革发展稳定创造良好的社会环境，提供强大的精神动力和思想保证。

做好今年工作，要一如既往地高举邓小平理论伟大旗帜，坚持党的基本路线、基本方针和基本纲领，全面深入贯彻党的十五大精神，进一步落实十四届六中全会确定的各项任务，紧密围绕中央总的工作部署，切实加大工作力度，努力促进两个文明建设协调发展，更好地为人民服务，为社会主义服务，为全党全国工作大局服务。在工作中，我们要紧紧围绕党的十五大确定的主题，进一步弘扬伟大抗洪精神，深入开展爱国主义、集体主义、社会主义教育，唱响祖国颂、社会主义颂、改革开放颂。思想道德教育要鼓士气、聚人心，群众性精神文明创建活动要上水平、出成果，先进典型宣传要讲质量、求深度，文艺工作要出精品、促繁荣，重点办好几件作用大、影响大、群众满意的实事，在有特殊意义的一年做出特殊的贡献，以优异成绩，迎接建国50周年，迎接澳门回归祖国，迎接新的世纪。

今年工作头绪繁多，任务很重，一定要突出重点，抓住关键。在这里，我强调几项重点工作。

第一，大力加强思想道德教育，在统一思想、振奋精神、凝聚力量上下功夫。

社会主义思想道德集中体现着精神文明建设的性质和方向，要努力提高全民族的素质，把思想道德教育贯穿到精神文明建设的各项工作中去。

一是要进一步做好用邓小平理论武装全党、教育人民的工作。引导人们牢固树立精神支柱，深入进行党的基本理论、基本路线和基本纲领教育，把广大干部群众的思想和行动进一步统一到十五大精神上来，把全国人民的智慧和力量进一步凝聚到实现十五大确定的各项任务上来。

二是要大力加强形势政策教育和思想政治工作，动员和鼓舞广大干部群众以良好的精神状态，为实现今年改革发展的目标努力奋斗。紧紧围绕全党全国工作大局和改革攻坚重大举措，针对干部群众普遍关心的热点问题，开展多种形式的形势教育活动，做好深入细致的思想政治工作，释疑解惑、统一认识、理顺情绪、化解矛盾，引导人们更加坚定地走建设有中国特色社会主义道路，坚持党的基本路线一百年不动摇。充分利用纪念五四运动80周年、新中国成立50周年、澳门回归祖国的有利时机，通过组织形势报告、读书演讲、参观考察、回忆对比、知识竞赛、举办展览，以及各种形式的群众性文艺活动，引导人们了解中国近现代史，充分认识50年社会主义建设成就特别是改革开放20年的成就，明确当前的形势任务，使人们受到生动、实际的爱国主义、集体主义、社会主义教育，更加深刻地认识到只有社会主义能够救中国，只有改革开放能够发展中国。

三是要继续以抗洪抢险取得胜利的生动事实和英模人物的先进事迹为最好教材，进一步弘扬伟大抗洪精神。去年，按照江泽民总书记的指示，广泛开展了弘扬抗洪精神的活动，效果很好。抗洪精神不仅激励我们战胜了自然灾害，而且能够鼓舞我们克服前进道路上的种种困难，战胜种种风险。我们要十分珍惜这笔宝贵的精神财富，把弘扬抗洪精神的活动深入持久地开展下去。弘扬抗洪精神最主要的就是要推动改革开放和经济建设，要继续开展“立足本职岗位、弘扬抗洪精神”的主题教育活动，引导广大群众把弘扬抗洪精神落实到企业增效益、农村奔小康、机关讲效率、学校育人才、行业树新风上。要以抗洪精神为动力，进一步振奋民族精神，完成好改革发展稳定的各项任务。

四是要切实加强社会主义道德教育，促进良好社会风尚的形成。在改革不断深入、人民内部矛盾大量增加的情况下，要注意发挥道德建设对于调节人际关系、化解社会矛盾、维护经济社会秩序的作用，积极推进社会公德、职业道德、家庭美德建设。我们组织力量起草了《公民道德建设实施纲要》，准备在今年适当时候下发。这是今年的一项重要工作，各地要重视并认真抓好《纲要》的学习、宣传和实施，抓好各种形式的道德实践活动。

第二，深入扎实持久开展“讲文明树新风”活动，为办好大事、喜事创造良好氛围。

今年“讲文明树新风”活动的着力点，就是为迎接建国50周年、迎接澳门回归祖国创造优美的环境、良好的秩序、文明的风尚、喜庆的氛围。各地要围绕办好大事喜事，针对群众反映的热点难点问题，及早安排，设计活动，专项整治，打好战役。

一是要花大力气巩固活动成果，紧紧抓住文明言行、环境卫生、交通秩序、服务质量四个方面的突出问题不放，抓反复，反复抓。要使已有成果得到巩固，硬件设施要配套，管理工作要加强，监督渠道要畅通，法制建设要跟上。

二是适应形势需要，充实活动内容。有些地方提出开展“讲文明、树新风、迎国庆”、“讲文明、树新风、庆回归”等活动，都很好。各地还可以按照总体部署设计具有地方特色的活动。中央文明办将和有关部门联合开展“保护生态环境，绿化美化家园”活动，搞好植树造林，重点治理交通干线的垃圾和“白色污染”，改善大中城市的环境质量。要继续开展以“讲文明、送温暖、献爱心”为主题的各种活动，为灾区群众、下岗职工和其他有特殊困难人群排忧解难。

三是拓宽活动范围，推动“讲文明树新风”向农村和小城镇延伸。提高广大农村的文明程度，对于加快我国的现代化进程十分重要。要按照文登会议的要求，把讲文明树新风活动在农村逐步开展起来。要努力改善农村生活环境，大力倡导移风易俗，着重抓好破除封建迷信，反对陈规陋习、普及科技知识、丰富文化生活。小城镇特别是县城，对广大农村有着直接的示范作用。要借鉴城市“讲文明树新风”活动的经验，提高小城镇建设和管理水平。

四是把“讲文明树新风”活动与正在开展的其他精神文明建设活动结合起来。各地要对“百城万店无假货”、文化科技卫生“三下乡”，以及各种群众性文化活动作出统筹安排，形成以“讲文明树新风”活动和其他各种活动相互配合，相映成辉的良好局面。

第三，大力开展群众性精神文明创建活动，促进城乡文明程度的提高。

创建文明城市、文明村镇、文明行业等群众性精神文明创建活动，是精神文明建设的基本载体，是我们的经常性工作。看我们的工作做得怎么样，三大创建活动是个重要标志。要加大力度，提高水平，使三大创建活动取得新的进展。

一是开展创建活动要紧紧围绕城乡经济发展和各行各业的业务工作进行，为改革发展稳定提供有力保证。这是精神文明创建活动沿着正确方向深入发展的关键所在。创建文明城市、文明村镇、文明行业本身都包含了两个文明的要求，我们设计活动、安排项目一定要从当地经济和社会发展的需要出发，从各行各业业务工作的需要出发，决不能脱离中心工作和业务工作另搞一套。创建文明城市，要同加强城市规划建设管理、树立城市形象、改善投资环境、提高市民生活质量结合起来；创建文明村镇，要同广大农民求发展、奔小康、建设社会主义新农村结合起来；创建文明行业要同提高效益、改进服务结合起来。这样，创建活动才能持久，取得实效。

二是开展创建活动要从实际出发，从群众的迫切需要出发。我国还处在社会主义初级阶段，精神文明建设的起点比较低，搞创建活动既要积极推进，又不能操之过急。物质文明建设目标定得过高，就容易出现浮夸；精神文明建设目标定得过高，就容易出现形式主义。我们的国家这么大，发展很不平衡，创建活动的目标、内容、标准、步骤都不能一个模式，不能照搬照抄。一定要在坚持中央方针政策的前提下，从各自的省情、市情、县情出发，积极进取，因地制宜，量力而行。开展各项工作，都要充分考虑群众的意愿，努力造福于民，多办实事，不能扰民，不能加重群众的负担，特别是农民的负担。这样，才能真正把群众吸引到创建活动中来，在参与中受到教育，得到提高。

三是开展创建活动要抓好基层，打牢基础。从基础抓起，就是从最贴近群众的基层单位抓起。创建文明城市要从创建文明小区、文明社区抓起，着力解决影响群众生活质量和社会形象的具体问题，逐步提高城市文明程度。各地对创建文明小区、文明社区活动要有一个整体规划，每年建成多少，用几年时间使绝大多数小区建成文明小区，要有具体的数量概念，有阶段性的工作目标。小区的基础打牢了，一步一步前进，最终才能建成文明城市。创建文明村镇，要坚持从创建文明户抓起，着力解决群众勤劳致富、文明生活方面的问题。继续广泛开展“十星级文明农户”、“新风户”、“创三户”等各种形式的创建文明农户活动。发展小城镇，是农村现代化的一个大战略。要结合小城镇建设，抓好创建文明城镇活动，逐步引进城市管理机制，提高小城镇精神文明建设水平，带动广大农村。创建文明行业活动，要从创建文明窗口抓起，从基层单位抓起，从规范化服务抓起，着力解决服务质量、行业风气方面的问题。今年要继续推广行业规范化服务活动。只有基层窗口单位都搞好了，整个行业才可能文明起来。

四是开展创建活动要抓好示范带动，表彰推动。典型引路是我们党的传统工作方法。这种方法对于精神文明建设工作尤为重要。我国有600多个城市，4万多个乡镇，90多万个行政村，一大批行业，不计其数的基层单位。想齐头并进地抓，把所有的城市、农村、行业、单位都同时搞好，是不可能的。在全面推进工作的同时，集中力量抓好一批示范点，取得经验后，再向面上推广，这样由点到线，由线到面，逐步推开，我们的工作就能扎扎实实地向前推进。近几年，我们先后在全国推出了100个创建文明城市活动示范点，200个创建文明村镇活动示范点，500个创建文明行业活动示范点，各地也都推出了自己的示范点。我们宣传推广了张家港、林州、济南交警等一批创建文明城市、文明村镇、文明行业的先进经验，起了很好的示范带动作用。为了更好地发挥先进典型的示范带动作用，中央文明委决定，在庆祝建国50周年之际，在全国表彰50个创建文明城市先进市、500个创建文明行业先进窗口、500个精神文明建设先进村镇、500个精神文明建设先进单位。这次表彰，是一次精神文明建设成果的大检阅。这样大规模的全国性表彰，还是第一次，要高度重视，认真组织，精心设计，稳步实施。

（作者系中央宣传部常务副部长、中央文明办主任，原文载《思想政治工作研究》1999年第4期）

# 刘云山：精神文明建设必须从具体事情抓起

（1999年6月29日）

邓小平同志指出：“抓精神文明建设，抓党风、社会风气好转，必须狠狠地抓，一天不放松地抓，从具体事件抓起。”这是邓小平同志关于精神文明建设的一个重要思想，是精神文明建设必须遵循的一条重要原则。深刻领会、认真贯彻邓小平同志提出的这一思想和原则，对于加强精神文明建设具有十分重要的意义。

**从具体事情抓起，反映了精神文明建设自身发展的内在规律和客观要求**

进入新时期以来，精神文明建设的一个显著特点，就是坚持从具体事情抓起，组织了一系列有声有色的活动，办了不少群众普遍叫好的实事，实施了具有导向作用的示范性工程，推动精神文明建设各项工作逐步深入。大家反映，这些年的精神文明建设工作更实了，效果更好了，出现了积极、健康、向上的发展态势。实践证明，从具体事情抓起，有利于两个文明建设任务的有机结合，有利于调动广大干部群众参与精神文明建设的积极性，有利于把精神文明建设的任务落到实处。

从具体事情抓起，体现了精神文明重在建设的方针。重在建设，就是把“建设”作为工作的出发点和落脚点。从具体事情抓起，是重在建设方针的具体体现。坚持从具体事情抓起，就是要实实在在地搞建设，一件事情一件事情地去做，一个项目一个项目地去完成，一个问题一个问题地去解决，一个层面一个层面地去拓展。只要我们立足建设，坚持从具体事情抓起，一步步地去积累、去创造，精神文明建设就能由低到高逐步发展，不断推向新高度，跃上新水平。

从具体事情抓起，符合人的思想道德形成的规律。人的高尚思想道德，是从社会实践中来的，是在实践、认识、再实践、再认识的循环往复过程中形成的。社会实践本身是具体的，生动的，鲜活的。离开了丰富多彩的社会实践，人的高尚思想道德就成了无源之水、无本之木。因此，进行精神文明建设，培育有理想、有道德、有文化、有纪律的社会主义公民，要靠教育，更要靠社会实践。从具体事情抓起，有目的地引导和组织人们投身社会实践，就能够使人们在改造客观世界的同时改造自己的主观世界，认识得到提高，思想得到升华，形成反映时代要求、体现社会进步方向的正确的世界观、人生观和价值观。

从具体事情抓起，是精神文明建设由虚变实的重要途径。精神文明建设不像物质文明建设那样直观、形象，弄不好就容易空泛。如果只是笼统地抓，一般化地抓，从原则到原则，从口号到口号，就难以收到好的效果。解决这一问题，最好的办法就是从具体事情抓起，把精神文明建设的各项任务具体化，把思想、道德、观念等无形的东西融入搞活动、办实事等有形的载体之中，化无形为有形，化虚为实，虚功实做，使精神文明建设看得见、摸得着、感受得到，取得实实在在的效果。

**从具体事情抓起，要办好作用大、影响大的实事**

精神文明建设是一个系统工程，涉及到方方面面，要抓的事情很多，必须按照江泽民同志在中央精神文明建设指导委员会第一次全体会议上的重要讲话要求，每年办几件作用大、影响大的实事，以此推动整个精神文明建设工作的开展。

抓那些与经济建设密切相关的事情。经济建设是全党工作的中心，精神文明建设必须服从和服务于这个中心。这是精神文明建设的一个重要原则。精神文明建设从具体事情抓起，首先要抓好那些与经济建设密切相关的具体事情。根据经济建设的需要设计项目、开展活动，把各项活动与经济建设有机地结合起来，融入经济建设的各个环节中去。要以是否促进经济建设的发展，作为检验活动效果的标准。精神文明建设只有在推动我国发展中充分发挥作用，才能保持旺盛的生命力。像在全国范围产生广泛影响的文化科技卫生“三下乡”活动，紧扣农民致富奔小康的主题，通过提高广大农民的科技文化素质，为促进农村的发展服务，受到了农民的普遍欢迎。

抓那些与党和政府一个时期的重点工作密切相关的事情。从具体事情抓起，要有全局意识，为改革发展稳定的大局服务。当重大改革措施出台的时候，当重大工作部署实施的时候，精神文明建设一定要积极配合，认真做好有关政策措施的宣传解释工作，及时组织活动，振奋精神，凝聚人心，保证重点工作的顺利完成。最近，以美国为首的北约悍然用导弹袭击我驻南使馆后，由亲历炮火的我驻南使馆工作人员和死难烈士家属、同事组成报告团，在首都和一些地方巡回报告，宣传我使馆工作人员和新闻工作者的英雄事迹和崇高精神，对激发全国人民的爱国热情，引导广大群众自觉维护稳定，促进改革发展，起了很好的作用。

抓那些与广大群众切身利益密切相关的事情。群众路线是我们党的根本工作路线。从具体事情抓起，必须把着力点放在与群众利益密切相关、受群众欢迎的事情上。要充分尊重群众意愿，办哪些事情，不办哪些事情，先办哪些事情，后办哪些事情，都要听取群众的意见。两年来，在全国开展的“讲文明树新风”活动，着力解决群众迫切希望解决的服务质量、文明言行、环境卫生、交通秩序等具体问题，广泛吸引群众的参与，极大地调动了广大群众参与精神文明建设的积极性。只有群众拥护的活动，才能有旺盛的生命力。要加强群众监督，制定的项目是不是完成了，确定的目标是不是达到了，都要由群众来评判。

**从具体事情抓起，把精神文明建设任务落到实处**

近年来，从具体事情抓起，作为精神文明建设的重要原则，已越来越为更多的人所接受，并在实际工作中得到很好贯彻。总结各地的成功经验，坚持从具体事情抓起，必须围绕根本目标，立足当前实际，着眼整个过程，努力把精神文明建设的各项任务落到实处。

注重教育，着力提高人们的思想道德素质。精神文明建设的根本目的是提高人们的思想道德素质，培育“四有”新人。抓具体事情，不仅要帮助群众解决具体困难，使他们得到实际利益，而且要与思想道德教育结合起来，注重公民素质的提高。现在，许多地方在创建文明城市、文明村镇、文明行业过程中，既注重改善基础设施、整治环境卫生、优化治安秩序、提高服务质量，又注重提高人们的思想道德素质，收到了很好的成效。如果只抓具体事情，忽视思想道德教育，这些具体事情就不容易办好，即使一时办成了，其成效也得不到巩固。从具体事情抓起，不论要解决什么实际问题，采取哪种活动形式，都要与培育“四有”公民的目标相一致，有比较鲜明、符合时代要求的教育主题，有思想道德方面的内在含量，把思想道德教育贯穿于抓具体事情的全过程。要围绕提高公民整体素质的目的来设计活动，把群众吸引到活动中来，让人们在活动中受到教育启迪，转变思想观念，增长知识才干，一步一步地提高自身的文明素质。

从实际出发，务求实效。坚持从具体事情抓起，就是为群众办好事、办实事。好事一定要办实，实事一定要办好。抓具体事情，必须坚持从实际出发，充分考虑本地区、本部门、本单位的承受能力，符合大多数群众的接受心理。如果照搬照抄其他地区的做法，不调查研究，不顾实际地去办那些不合民意的所谓好事、实事，不但收不到预期的效果，反而会得不偿失、劳民伤财。因此，对需要解决的实际问题，应当按照党委和政府的工作部署，根据本地区、部门、行业和单位的具体情况，作出科学合理的安排。每抓一件具体事情，也要注意选择恰当的时机，确定合适的规模，使之与大的社会氛围相适应，同群众关注的热点相吻合。在具体事情的操作实施过程中，要提出具体的目标要求，制定切实的保障措施，进行严格的督促检查，营造良好的舆论氛围，既保持一定声势、一定热度，又不搞大轰大嗡，避免大而化之。实践证明，精神文明建设从具体事情抓起，应当有丰富多彩的活动形式，但形式搞过了头，为形式而搞形式，提出一些不切实际的指标要求，就容易产生形式主义，这是应当坚决反对的。

狠狠地抓，一天不放松地抓。抓具体事情，并不容易。许多事情往往越具体，与人们的利益关系就越直接，各方面的制约因素也就越多。特别是在当前经济发展水平和社会文明程度不高的情况下，有些具体事情做起来，确实有相当的难度，没有一定的工作力度，没有一定的工作韧劲，就难以见到效果。这就要求我们下大决心，花大力气，用真功夫。确定要抓的具体事情，只要是符合人民群众的根本利益，有利于改革发展稳定的大局，不管有多大的困难，都要大胆地去做，保持一股狠劲、一股拼劲，敢于知难而上，善于迎难而进。同时，在精神文明建设实践过程中，有些具体事情，只要下了决心，抓起来见效明显，但稍一放松就会回潮，出现反复，不进则退。高尚精神的塑造，科学观念的形成，优良风尚的树立，更需要长期积累，潜移默化，不可能一夜之间解决。这就要求我们在实际工作中，既要克服畏难情绪，又要防止急于求成；既不能畏缩不前，也不能抓抓停停。对认准了的事情，就要一以贯之，不变主题，在充实新内容的基础上，抓巩固提高，抓延伸辐射，一天不放松地抓，直到抓出成效。只要有决心，有信心，就会有办法；只要持之以恒，久久为功，就会见成效。

（1999年6月29日《人民日报》）

# 刘云山：两个文明都搞好才是有中国特色社会主义

（1999年9月30日）

新中国成立50年来，我们党团结和带领全国各族人民在建设和改革的伟大实践中，成功地走出了一条建设有中国特色社会主义的道路，不仅物质文明建设有了一个大发展，而且精神文明建设也有了一个大发展。站在世纪之交的门槛上，回顾精神文明建设走过的光辉历程，对统一思想、增强信心，深入贯彻党的十五大精神，全面推进建设有中国特色社会主义伟大事业，具有十分重要的意义。

新中国成立以来的50年，是中国共产党领导人民把一个半殖民地半封建的旧中国建设成为充满生机和活力的具有中国特色的社会主义国家的50年。以毛泽东为核心的第一代中央领导集体，根据马克思主义的基本原理，结合中国的实际，创造性地完成了社会主义改造，对开辟适合中国特点的社会主义建设道路作了有益探索。从50年代后期起，党对社会主义道路的探索出现了在曲折中前进的复杂情况，后来又发生了“文化大革命”那样一场严重的灾难。

党的十一届三中全会作出了把党和国家的工作重点转移到社会主义现代化建设上来的战略决策，实现了拨乱反正的伟大转折，标志着社会主义建设进入了新的历史时期。新时期一开始，以邓小平为核心的第二代中央领导集体就强调两个文明一起抓的战略方针，在党的历次重要会议上作出一系列重大决定，对坚持两手抓、推进两个文明建设协调发展提出了明确要求。但是，两个文明一起抓的方针，在执行过程中也出现过不一贯的情况。邓小平视察南方的重要谈话和党的十四大开辟了改革开放和社会主义现代化建设的新阶段。邓小平再次强调，两个文明都搞好，才是有中国特色的社会主义。

十四大以来，以江泽民为核心的第三代中央领导集体，以邓小平建设有中国特色社会主义理论和党的基本路线为指导，始终不渝地坚持两手抓、两手都要硬，全面推进建设有中国特色社会主义的经济、政治、文化。经过全党全国各族人民的不懈努力，我国在物质文明建设取得举世瞩目的辉煌成就的同时，社会主义精神文明建设也取得了长足进展和明显成效。用科学理论武装全党、教育人民的工作深入发展，中华民族的精神支柱更加牢固。以爱国主义、集体主义、社会主义为基本内容的思想道德教育深入发展，中国人民的精神面貌发生深刻变化。群众性精神文明创建活动深入发展，全国城乡的文明程度明显提高。文艺产品的创作和生产深入发展，人民群众的精神生活日趋丰富多彩。总的看，两个文明建设协调发展的良好局面正在形成，建设有中国特色社会主义事业呈现出兴旺发达的勃勃生机。

回首新中国特别是改革开放以来社会主义精神文明建设的光辉历程，留给我们许多深刻的启示，其中极其重要的是：只有两个文明都搞好，才是有中国特色的社会主义；只有坚持两手抓、两手都要硬，才能建设有中国特色的社会主义。

什么是社会主义、怎样建设社会主义，是新中国成立50年来党中央三代领导集体探索的核心问题。从《共产党宣言》发表以来的一百几十年间，俄国革命、中国革命和其他一些国家革命的胜利，证明无产阶级领导人民夺取政权是能够成功的。至于如何建设社会主义，我们也取得了许多宝贵经验，但是总的来说还需要很好地探索。邓小平理论是对这一核心问题进行艰辛探索的结晶。它第一次比较系统地初步回答了在中国这样的经济文化比较落后的国家如何建设社会主义、如何巩固和发展社会主义的一系列基本问题，用新的思想、观点继承和发展了马克思主义。邓小平从“什么是社会主义、怎样建设社会主义”这个关系社会主义前途命运的大问题的历史高度，深刻指出：“我们要建设的社会主义国家，不但要有高度的物质文明，而且要有高度的精神文明……没有这种精神文明，没有共产主义思想，没有共产主义道德，怎么能建设社会主义?”新中国50年来的实践也证明，只有高度的物质文明，没有高度的精神文明，不是有中国特色的社会主义；只抓物质文明，不抓精神文明，建不成有中国特色的社会主义。要使社会主义真正在中国兴旺和活跃起来，就必须在坚持不懈地在把物质文明建设搞得更好的同时，切实把精神文明建设提到更加突出的地位，实现两个文明建设的共同进步。

在跨世纪的征程上，我们一定要高举邓小平理论伟大旗帜，更加紧密地团结在以江泽民为核心的党中央周围，进一步增强贯彻执行党的基本路线的自觉性，真正做到两手抓、两手都要硬，把两个文明都搞好，为推进建设有中国特色社会主义伟大事业作出新的更大的贡献。

(1999年9月30日《人民日报》)

# 刘云山：新中国精神文明建设的历史启示

（1999 年 10 月 1 日）

新中国成立50年来，中国共产党领导人民进行波澜壮阔的社会主义革命和建设，把一个昔日贫穷落后、半殖民地半封建的旧中国变成了经济发展、政治稳定、民族团结、社会进步、国际地位日益提高，充满生机和活力的社会主义国家。在我国现代化建设的伟大历史进程中，中华民族的精神面貌发生了深刻变化，人民群众的思想道德和科学文化素质不断增强，社会文明程度显著提高，精神文明建设发挥了重要的精神动力、智力支持和思想保证作用。特别是十一届三中全会以后，我们党从根本上反思什么是社会主义和怎样建设社会主义，明确提出要在建设高度物质文明的同时，建设高度精神文明的战略任务，精神文明建设进入了新的时期。十三届四中全会后，以江泽民同志为核心的党中央坚持“两手抓，两手都要硬”的方针，采取一系列重大措施，不断加大工作力度，精神文明建设呈现出积极健康向上的态势。50 年来，精神文明建设在探索中不断发展，积累了丰富的经验。这些经验，对于进一步加强精神文明建设具有重要的启示。

**一、坚持“两手抓，两手都要硬”，推进社会全面进步**

在社会主义现代化建设过程中，把精神文明建设摆在什么位置，始终是我们党面临的重大课题。社会主义社会是全面发展的社会，只有两个文明建设都搞好，才符合社会主义的本质要求。社会主义精神文明是社会主义社会的重要特征，是现代化建设的重要目标和重要保证。邓小平同志在总结历史经验教训的基础上，明确提出了“两手抓，两手都要硬”的战略方针，为我们深刻认识社会主义社会发展规律，认识社会主义精神文明建设的战略地位和重要作用，处理好两个文明建设的关系，指明了正确方向。

从实践看，坚持“两手抓，两手都要硬”必须一以贯之，在任何时候、任何情况下都不能有丝毫的动摇和懈怠。过去曾经出现过极端夸大意识形态作用的问题，也出现过对两手抓、两手硬执行不一贯的情况。这两方面的深刻教训都要永远记取。在社会主义现代化建设中，不能只抓物质文明，不抓精神文明；也不能先抓物质文明，后抓精神文明；更不能以牺牲精神文明为代价换取经济的一时发展。尤其是在当前，改革发展处在关键时期，国际形势出现许多新变化，各种矛盾错综复杂，更需要从讲政治的高度充分认识加强精神文明建设的重大意义。要始终把精神文明建设摆上各级党委和政府的重要议事日程，无论制定发展规划，还是评价工作效果，都要把两个文明建设同时加以考虑。要把是不是坚持“两手抓，两手都要硬”，作为衡量一个党委、一个领导干部领导水平和工作政绩的重要标准。坚决防止和克服“一手比较硬、一手比较软”的问题，确保建设民主、富强、文明的社会主义现代化国家伟大目标的顺利实现。

**二、坚持以马列主义、毛泽东思想和邓小平理论为指导，培养造就“四有”新人**

根据建国以来特别是改革开放以来的历史经验，精神文明建设必须以马克思列宁主义、毛泽东思想和邓小平理论为指导，坚持党的基本路线和基本方针，以科学的理论武装人，以正确的舆论引导人，以高尚的精神塑造人，以优秀的作品鼓舞人，努力培养造就有理想、有道德、有文化、有纪律的社会主义公民。这是社会主义精神文明建设的根本任务。要始终不渝地用邓小平理论武装全党、教育干部和人民，在全社会形成共同理想和精神支柱，坚定人们对马克思主义、毛泽东思想、邓小平理论的信仰，对共产主义的信念，对共产党的领导的信任，对建设有中国特色社会主义的信心。深入持久地开展以为人民服务为核心、集体主义为原则的社会主义道德教育，加强民主法制教育和纪律教育，引导人们树立正确的世界观、人生观、价值观，大力弘扬爱国主义、集体主义、社会主义和艰苦创业精神。要着力提高人民的科学文化素质，大力普及科技知识，引导人们树立科学精神，掌握科学方法，消除愚昧，反对封建迷信。要切实加强青少年思想道德建设，努力培养德智体等方面全面发展的社会主义建设者和接班人。

**三、坚持服务中心、服务大局、服务人民，为社会主义现代化建设提供精神动力和思想保证**

经济建设是全党全国工作的中心，精神文明建设必须自觉服从服务于这个中心。只有围绕经济建设开展工作，才能坚持正确的工作方向，才能保证社会主义现代化事业的顺利进行。无论遇到什么复杂情况，坚持以经济基础建设为中心的思想都不能动摇。要把精神文明建设与经济建设有机结合起来，把精神文明建设贯穿到经济工作各个环节，根据经济建设的内在规律开展工作，保证经济建设任务的完成。

改革、发展、稳定是全党全国工作大局。精神文明建设必须从大局出发，在大局下行动，找准位置，认清职责，发挥优势。服务大局，关键是在思想政治上与党中央保持高度一致，坚决维护中央权威，紧紧围绕党和国家一个时期的重点任务开展工作，保证党的路线、方针、政策的贯彻执行。改革和发展为稳定提供坚实的物质基础，稳定是改革和发展的重要前提条件。精神文明建设要满腔热情地支持改革，一心一意地促进发展，旗帜鲜明地维护稳定。

人民群众需要精神文明建设，精神文明建设更需要人民群众。精神文明建设必须坚决贯彻党的群众路线，体现全心全意为人民服务的宗旨，立足群众，依靠群众，服务群众，不断满足人民群众日益增长的精神文化需要。只有这样，才能得到人民群众的衷心拥护。精神文明建设工作的着眼点，要放在与群众密切相关、为群众所欢迎的事情上，尊重群众意愿，以人民满意不满意为标准，把解决思想问题与解决实际问题结合起来，既讲道理，又办实事，多做得人心、暖人心、稳人心的工作，把实事办好，好事办实。

**四、坚持从社会主义初级阶段的实际出发，把先进性要求与广泛性要求结合起来**

精神文明建设必须从我国处于社会主义初级阶段这个实际出发。在社会主义初级阶段，我国经济和教育科学文化还比较落后，社会文明程度的提高有一个从低到高、逐步发展的过程。我们必须充分认识精神文明建设的长期性、复杂性和艰巨性，既要树立信心，积极进取，又要实事求是，循序渐进；既要有统一部署，统一要求，又要因地制宜，区分层次，绝不能超越阶段，急于求成。如果目标定得太高，要求过急，就必然脱离实际，脱离群众，甚至会适得其反，影响精神文明建设的成效。要把先进性要求和广泛性要求结合起来，号召广大党员特别是领导干部带头身体力行共产主义思想和共产主义道德，引导广大群众从最基本的思想道德规范做起。既要克服降格以求，又要防止要求过高。要鼓励支持一切有利于解放和发展社会主义社会生产力的思想道德，一切有利于国家统一、民族团结、社会进步的思想道德，一切有利于追求真善美、抵制假恶丑、弘扬正气的思想道德，一切有利于履行公民权利与义务、用诚实劳动争取美好生活的思想道德。团结一切可以团结的力量，调动一切积极因素，动员广大干部群众为实现共同理想而努力奋斗。

**五、坚持重在建设，加强正面引导**

精神文明重在建设，是我们党深刻总结经验教训提出的一个重要指导方针。它反映了现代化建设的客观要求，体现了精神文明建设发展的内在规律。毫不动摇地坚持这一方针，对于提高全社会文明程度，建设高度的精神文明至关重要。

重在建设，就是要把“建设”作为工作的出发点和落脚点。要坚持正面引导，把工作的着力点集中到团结人民、充分发挥广大群众的社会主义积极性上和创造精神上来，集中到满足人民的文化和精神需要上来，集中到加强思想道德建设和教育科学文化建设上来，归根到底，集中到促进社会生产力发展上来。对干部群众的思想认识问题，要采取讨论的方法、说理的方法、批评与自我批评的方法，立足于教育和疏导，多做解疑释惑、提高认识、统一思想、凝聚人心的工作，决不能简单粗暴，更不能搞“大批判”的那一套作法。对思想领域中出现的问题，要具体情况具体分析，是什么问题就解决什么问题，不搞无谓争论。不搞争论，决不是不分是非。要坚持讲政治，增强政治敏锐性和政治鉴别力，对重大原则问题，必须立场坚定，提倡什么、允许什么、限制什么、反对什么，必须旗帜鲜明，坚决同唯心主义、资产阶级自由化等各种错误思想和封建迷信、伪科学等社会丑恶现象进行斗争，绝不允许其自由泛滥。

建设本身是具体的。坚持重在建设，就必须从具体事情抓起，通过做好一件一件具体的事情，一步一步去积累，一点一滴去创造，推动精神文明建设由低到高不断发展。要持之以恒，务求实效，对认准的事情，受群众欢迎的事情，必须狠狠地抓，一天不放松地抓，主题不变，一抓到底，久久为功，抓出成效，坚决防止和克服形式主义。

**六、坚持营造良好的社会文化环境和舆论氛围，大力弘扬社会正气**

社会文化环境和舆论氛围，对人的思想观念、道德情操有着潜移默化的重要影响。实践证明，一本好书，一首好歌曲，一部好影视剧，能够产生强烈的社会反响，激励人们奋发向上。雷锋、焦裕禄、王进喜、孔繁森等体现时代精神的先进模范人物，影响和教育了一代人甚至几代人。通过营造良好的社会文化环境和舆论氛围，提高人的思想道德和科学文化素质，可以收到事半功倍的效果。

营造积极健康向上的社会文化环境和社会氛围，最重要的是坚持用马克思主义占领思想阵地。要牢牢把握正确的舆论导向，坚持不懈地宣传党的基本理论、基本路线和基本纲领，宣传爱国主义、集体主义、社会主义和艰苦创业精神，努力巩固和发展社会主义意识形态和思想阵地，决不给错误思潮和社会丑恶现象提供舆论阵地。要大力弘扬社会正气，积极宣传广大人民群众创造新生活的伟大实践，宣传各行各业涌现出来的先进典型，唱响祖国颂、社会主义颂、改革开放颂，充分展示全国各族人民同心同德、奋发进取的精神风貌。要重视发挥文化的社会教育功能，坚持为人民服务、为社会主义服务的方向和百花齐放、百家争鸣的方针，积极推进优秀文化产品的生产，把最好的精神食粮奉献给人民；大力发展社区文化、村镇文化、企业文化、校园文化，广泛开展形式多样、健康有益的群众性文化体育活动，丰富人们的业余生活。同时，要坚持“一手抓繁荣，一手抓管理”，深入持久地开展“扫黄打非”斗争，净化文化市场。

**七、坚持开展群众性创建活动，把精神文明建设的任务落实到基层**

群众性精神文明建设活动是人民群众移风易俗、改造社会的伟大创造，是党的群众路线在精神文明建设中的生动体现，也是思想道德教育的重要载体。新中国成立后，党领导人民广泛开展“扫盲”、“爱国卫生运动”等各种形式的移风易俗活动，对于荡涤旧社会的污泥浊水，破除陈规陋习，开创一代文明新风，起了十分重要的作用。改革开放以来，以“五讲”、“四美”、“三热爱”活动为标志，群众性精神文明创建活动进入了一个新的阶段。十四届六中全会以后，以“讲文明树新风”为主要内容的创建文明城市、文明村镇和文明行业活动蓬勃开展，有力地促进了广大干部群众自身素质和社会文明程度的提高。群众性精神文明创建活动，成为最有活力、最受广大群众欢迎的好形式。

深入开展群众性精神文明建设活动，要进一步加大思想道德教育的力度，把思想教育贯穿于创建活动的始终。要进一步使创建活动贴近实际、贴近群众，吸引群众广泛参与，让群众在参与中受到教育，得到提高。要进一步抓好基层，打好基础，把工作重点放在创建文明小区、文明社区，创建文明农户、文明村镇，创建文明窗口、文明单位活动上，一个问题一个问题地解决，一个层面一个层面地拓展。要进一步加强示范引导，注意发现、总结和推广精神文明建设先进经验，以点带面，逐步推进。

**八、坚持解放思想、实事求是，走改革创新之路**

新中国的50年，是我国经济、社会、文化发生深刻变革的50年。精神文明建设适应这个变化，不断开拓创新，积累了宝贵经验。当前，随着改革开放的深入发展，经济成分和经济利益多样化、社会生活方式多样化、社会组织形式多样化、就业岗位和就业形式多样化日益明显，精神文明建设的环境、任务和对象都发生了新的变化。

如何在以经济建设为中心的前提下，使物质文明建设和精神文明建设相互促进、协调发展，防止和克服一手硬一手软；如何在深化改革、建立社会主义市场经济体制的条件下，形成有利于社会主义现代化建设的共同理想、价值观念和道德规范，防止和遏制腐朽思想和丑恶现象的滋长蔓延；如何在扩大对外开放、迎接世界新科技革命的情况下，吸收外国优秀文明成果，弘扬祖国传统文化精华，防止和消除文化垃圾的传播，抵御敌对势力对我“西化”、“分化”的图谋，这是在社会主义现代化进程中必须认真解决的历史性课题。我们必须适应新形势的要求，解放思想，实事求是，研究新情况，探索新规律，解决新问题，坚持走改革创新之路，使精神文明建设始终保持旺盛的生机和活力。

精神文明建设的改革创新，必须在继承和发扬过去好传统的基础上，努力创造新的形式，探索新的方法，不断增强精神文明建设的针对性和有效性。必须开辟新的领域，重视社区的精神文明建设，注意做好退离休人员、下岗职工和流动人口的思想教育工作，加强社团、“三资”企业、个体私营经济等社会、经济组织中的精神文明建设。必须总结新的经验，尊重群众的首创精神，及时发现推广人民群众在实践中创造的成功做法。必须运用新的手段，积极吸取现代科技发展的成果，在信息掌握、情况处理、知识传播、思想教育等方面，注意发挥大众传媒和计算机互联网络的作用，善于运用社会学、教育学、心理学、管理学等多学科的知识和手段，增强精神文明建设的科学性。必须形成新的机制，建立健全精神文明建设的领导制度，明确有关机构、人员的目标和责任，保证各项任务落到实处。要抓紧制定、完善相关的法律法规，把党和国家倡导的思想道德原则融入科学有序的社会管理之中。要动员全社会的力量，调动各方面的积极性，齐抓共管，形成合力，努力开创社会主义精神文明建设的新局面。

（1999年10月1日《光明日报》）

# 刘奇葆：领导干部讲政治的坐标和基础

（1999年11月11日）

江泽民同志《在纪念中国共产党成立七十八年座谈会上的讲话》（以下简称《讲话》），是一重要的党建工作文献。《讲话》把马克思主义的建理论同当前党建工作实际相结合，对党内存的问题进行了深刻剖析，对每个共产党员尤其领导干部提出了明确的政治要求。

《讲话》强调，讲政治是具体的，而不是抽象。领导干部讲政治，要坚定正确的理想和信念，善于从政治上正确认识和判断形势，要在路线针政策上始终保持政治上的清醒和坚定，要自坚持党的民主集中制原则，要全心全意为人民利益。这五条精辟地概括了讲政治的主要内涵，一条都很重要，值得我们认真地对照和思考。坚定正确的理想和信念、全心全意为人民谋利益这两条尤为重要，是领导干部讲政治的坐标和基础。

**坚定正确的理想和信念是讲政治的坐标**

江泽民同志在《领导干部一定要讲政治》一文中说，讲政治包括政治方向、政治立场、政治观点、政治纪律、政治鉴别力、政治敏锐性。共产党人的理想和信念问题，是最重要的政治方向、政治立场、政治观点问题，同时也是政治纪律、政治鉴别力、政治敏锐性的重要标准。

对于共产党员和领导干部来说，理想和信念是根本性的政治，是前进的坐标。我们的理想是以客观事物发展的现状及其趋势为根据的。建立各尽所能、按需分配，使每个人都能自由全面发展的共产主义社会制度是我们共产党人的远大理想。而自力更生，艰苦奋斗，把我国建设成为富强、民主、文明的社会主义现代化国家，是社会主义初级阶段我国各族人民的共同理想。今天，我国人民正在以社会主义初级阶段为起点，努力实现新的目标，从而逐步实现我们的远大理想。我们的理想是科学的，我们的信念是建立在坚定的科学理想基础之上的。如果动摇了理想和信念，就会动摇我们党的根本，就会全盘皆变。尤其是高级领导干部，其理想和信念决定着党和国家的发展方向，影响着共产主义运动的命运，淡化不得，动摇不得，走偏不得。苏联解体和东欧剧变，就是前车之鉴。

历史经验告诉我们，一个执政党及其广大成员，在通常情况下理想和信念一般不会发生什么问题，关键是在新的情况面前，在大是大非、大风大浪面前，能否有正确的立场和态度，同时能否始终如一，沐雨栉风，初衷不改。

我们国家正处在改革开放新时期，新情况、新问题层出不穷。如何适应是一个尖锐的课题，领导干部都须直面现实，不容回避。《讲话》指出，在新形势面前，有的同志对社会主义的前途在认识上产生了这样那样的动摇；有的革命意志衰退，思想空虚，沉湎于花天酒地，或到封建迷信和其他消极行为中去寻找精神寄托；有的私欲膨胀，在拜金主义面前随波逐流，以至于利用职权攫取国家资产、为自己留所谓的后路。因此，要加强对党员和干部的理想信念教育，就要做到两个适应，即适应国际国内的新形势，适应社会经济、政治、文化生活的新变化，使各种唯心论、非马克思主义和反马克思主义的东西没有可乘之机。

相对于老同志来说，年轻干部坚定理想信念更具迫切性和重要性。因为年轻干部缺少老同志那种长期艰苦革命斗争的磨练，历练少，可塑性大。而且，年轻干部能否树立正确的理想和信念，关系到老一代革命者理想和信念的传承，关系到党和国家的未来。

在这个问题上，年轻干部首先要学习和热爱我们党的光荣传统，把老一代革命者的理想信念作为接力棒握在手中，迈出坚定步伐，在新的征途上朝着既定目标前进。其次是要锤炼政治原则性，懂得不坚持原则就会走偏方向，失去原则就会失去领导资格和领导权。

邓小平同志曾经指出："我们这些人的脑子里是有共产主义理想和信念的。要特别教育我们的下一代下两代，一定要树立共产主义的远大理想。""中青年干部接班，最重要的是接老同志坚持革命斗争方向的英勇精神的班。"邓小平同志的教导，对年轻干部来说语重心长。

**全心全意为人民谋利益是讲政治的基础**

江泽民同志在《讲话》中指出："政治问题主要是对人民群众的态度问题，同人民群众的关系问题。""三讲"教育的核心是讲政治，说到底也可以说是要解决同人民群众的关系问题，也就是要进一步确立我们党全心全意为人民服务的宗旨。毫无疑问，如果不讲全心全意为人民服务，不讲全心全意为人民谋利益，我们党就会失去广泛的社会基础和政治基础。

做到全心全意为人民谋利益，对领导干部来讲，首先要有一个正确的人生观，也就是你追求什么？是想为人民做点事，还是追求权力、金钱、地位？

我曾经读到一位德高望重的革命老同志谈人生的短文，文章结尾处的几句话使我深受震撼。他说，人生百味，且追求不息，最深切的感受是儿时常听到但没有听懂的一句话：风吹鸭蛋壳，财去人欢乐。还有一位老同志曾经说，上一代人管下一代人怎么管，留下财富是一种管法，留下精神是一种管法。看来能让下一代超越上一代的，最重要的是优秀的精神传统。对个人来讲，留下过多的财富并不是一件好事。俗话说：家也大，业也大，后来子孙祸也大。家大业大胆也大，天样大事都不怕，不丧身家不肯罢！从这两位革命老同志的言谈中，我们看见了一种质朴而高远的追求，这既是他们对漫长革命道路体验的总结，也是他们对漫长人生道路体验的升华。在这里，共产党人的人生境界同作为一个普通人的人生境界得到了统一。

想为人民服务，愿为人民服务，这是思想前提。有了这样的认识是不是就能做到和做好为人民服务？当然不是。还需要一些必备条件：一是对人民群众要有了解；二是对人民群众要有感情三是同人民群众要在经济基础上保持紧密联系。这三条中缺少哪一条都很难做到全心全意为人民服务、全心全意为人民谋利益。

经验告诉我们，领导干部联系群众一般有三个不同的范围：广泛联系工农商学兵群众，是大群众观点；联系本单位的干部职工，是中群众观点；联系身边比较熟悉的人，是小群众观点。领导干部联系群众，不但要联系身边的群众，联系本机关、本部门的群众，更要深入联系社会基本群众。机关的群众是相对于领导干部而言的，他们是国家公务人员，是领导干部为人民服务的好帮手。领导干部身边比较熟悉的人，能帮助领导了解一些真实情况，但因范围限制，如果领导干部不能兼听，得到的某些信息会有一定局限性。而社会基本群众，他们分布在各行各业，分布在社会的最基层，是我们制定政策、落实为人民服务宗旨的根本出发点和最终落脚点。我们讲联系群众，首先应该树立大群众观点，联系社会基本群众。党政领导干部，既要关心本单位的群众，解决好他们的各种问题；更要团结、调动本机关、本系统的群众，发挥他们的聪明才智，为社会大众着想，为社会大众谋利益。只有广泛联系社会基本群众，才能了解群众的愿望和要求，才能制定出符合群众根本利益的政策，也才能执行好代表群众根本利益的政策。

我们党代表人民执掌政权，党的一切工作都是为了保护和实现人民群众的利益，群众是我们的力量源泉，群众路线是我们党立于不败之地的法宝。领导干部应通过自己的言行努力实践党的群众观点，不能高高在上，要经常深入基层调查研究，直接接触群众，与群众同甘苦，保持艰苦奋斗的政治本色，不断地从人民群众的实践中吸收养分，从而得到充实和提高，更好地完成党和人民交给的任务。我们共产党人讲政治，千万不要忘记这一点。

（作者系国务院副秘书长、中央文明办副主任，原文载1999年11月1日《人民日报》）

# 胡振民：前所未有的历史性进步

## ——改革开放20年精神文明建设的回顾与思考

（1999年1月21日）

改革开放20年来，我国成功地走出了一条建设有中国特色社会主义的光明大道，物质文明建设取得举世瞩目的辉煌成就，精神文明建设也取得前所未有的历史性进步。

**精神文明建设的强大思想武器**

在改革开放和社会主义现代化建设进程中，必须坚持“两手抓，两手都要硬”，一以贯之地加强精神文明建设，这是邓小平在成功探索社会主义建设道路中得出的重要结论，是中国共产党人在邓小平理论指导下推进建设有中国特色社会主义事业的一大创造。邓小平精神文明建设思想，是我国精神文明建设全部历史经验的科学总结，是指引我们胜利推进精神文明建设的强大思想武器。

20年前，党的十一届三中全会作出把全党的工作重点转移到经济建设上来的战略决策。在这重大的历史转折关头，为了引导全党和全国人民解放思想，实事求是，团结一致向前看，为了全面、深入地拨乱反正，解决十年“文革”遗留的问题，为了克服各种错误思想的干扰，维护安定团结的政治局面，为了推动现代化建设，实现社会全面进步，邓小平明确提出，我们要在建设高度物质文明的同时，建设高度的社会主义精神文明。由此拉开了新时期精神文明建设的序幕。

进入80年代，我国改革从农村到城市，从经济领域到其他领域全面展开，对外开放进一步扩大。这给精神文明建设注入了强大活力，同时也提出了新的要求。为了形成有利于改革开放和社会主义现代化建设的舆论力量、价值观念、文化条件和社会环境，全面开创社会主义现代化建设新局面，邓小平强调，搞现代化一定要坚持以经济建设为中心，但要有两手，只有一手是不行的，不加强精神文明建设，物质文明建设也要受破坏、走弯路，甚至整个社会还会变质。强调要教育人民成为“四有”人民，教育干部成为“四有”干部，特别要教育好青年、教育好后代。强调要加强思想道德建设，对社会上的消极现象，主要通过教育和法律两个手段逐步克服并最终消除，不搞任何运动和“大批判”。强调必须大力加强党对精神文明建设的领导，狠狠地抓，一天不放松地抓，从具体事件抓起，关键是加强党风建设和领导干部以身作则。邓小平的这些论述深刻回答了在改革开放和现代化建设进程中，“为什么要建设精神文明”和“怎样建设精神文明”的一系列基本问题，为加强新时期精神文明建设指明了前进方向。

在邓小平理论指引下，我们党进一步明确了建设精神文明既是社会主义的重要特征，也是现代化建设的重要目标和重要保证。党的十二大鲜明地提出两个文明建设一起抓是建设社会主义的一个战略方针。党的十二届六中全会专门就精神文明建设的指导方针作出决议，把精神文明建设纳入社会主义现代化建设的总体布局。党的十三大把富强、民主、文明作为建设有中国特色社会主义的奋斗目标，写进了党在社会主义初级阶段的基本路线。

80年代末90年代初，国内国际发生政治风波，使建设有中国特色社会主义事业经受了一场严峻考验。在这个关键时刻，邓小平要求全党冷静地总结过去，思考未来。他鲜明地指出，党的十一届三中全会制定的路线、方针、政策没有错，党的基本路线没有错，10年最大的失误是教育，主要是思想政治教育削弱了。他告诫全党必须认真解决一手比较硬、一手比较软的问题。1992年，邓小平视察南方发表重要谈话，再次强调要坚持“两手抓，两手都要硬”，两个文明建设都搞好才是有中国特色的社会主义。

以邓小平南方谈话和党的十四大为标志，我国改革开放和现代化建设事业进入了一个新的阶段。以江泽民同志为核心的党的第三代中央领导集体，坚持、丰富和发展邓小平精神文明建设思想，深刻指出，必须把精神文明建设提到更加突出的地位；任何情况下，都不能以牺牲精神文明为代价换取经济的一时发展；物质力量是基础，精神力量也是综合国力的重要组成部分；用邓小平理论教育干部和群众，是精神文明建设最重要的任务；精神文明建设工作的着眼点，一定要放在与群众利益密切相关、为群众所欢迎的事情上；精神文明要重在建设，重在加强管理。

从十四大到十五大，我们党采取了一系列重大举措，从多方面加强精神文明建设。其中最重要的，一是十四届六中全会专门作出《关于加强社会主义精神文明建设若干重要问题的决议》，对跨世纪的精神文明建设作出全面部署；二是十五大把加强精神文明建设的基本目标和基本政策写进了党在社会主义初级阶段的基本纲领。这充分体现了以江泽民同志为核心的党中央坚持两手抓、两手硬的坚强决心，大大增强了全党特别是各级领导干部坚持两手抓的自觉性，大大推动了两个文明建设的协调发展。

**精神文明建设取得的历史性进步**

在邓小平理论和党的基本路线指引下，经过20年的不懈努力，我国精神文明建设取得了丰硕成果，精神文化领域发生了历史性的巨大变化，为改革、发展、稳定提供了有力的精神动力、智力支持和思想保证，创造了良好的社会环境。

以科学理论武装人的工作不断向广度和深度发展，邓小平理论已经成为党的指导思想和各族人民的强大精神支柱。新时期精神文明建设的过程，首先是在全党确立邓小平理论指导地位的过程，是推动全党、全国人民自觉地运用邓小平理论指导实践的过程，是在实践发展中不断丰富这一伟大理论的过程。邓小平理论成为党的指导思想和全国人民的强大精神支柱，这是新时期精神文明建设的最大成果。

以重新确立解放思想、实事求是的思想路线

为发端，中华民族的精神状态发生了历史性深刻变化。20年来，随着真理标准问题大讨论和拨乱反正，经过改革开放伟大实践的洗礼和思想道德教育的不断加强，思想解放运动席卷了大江南北、长城内外。亿万人民敢想敢干敢闯，开拓进取、自主自立、平等竞争、讲求效率、重视科学和民主法制等现代意识大为增强。一大批体现优良传统、又具有时代特征的英雄模范人物，在民族精神的重新振起中发挥了巨大的示范作用。在1998年艰苦卓绝的抗洪抢险斗争中表现出的万众一心、众志成城，不怕困难、顽强拼搏，坚韧不拔、敢于胜利的伟大抗洪精神，是爱国主义、集体主义和社会主义精神的大发扬，是社会主义精神文明的大发扬。

形式多样的群众性精神文明创建活动蓬勃发展，我国广大城乡的文明程度明显提高。改革开放以来，我国社会秩序由乱到治，在尊重人的全面发展的新起点上，加快依法管理、优化管理的步伐，确立了一系列与新的经济生活、社会生活相适应的新的道德规范和社会行为准则，逐步形成了既安定团结又生动活泼的社会局面。

20年来，我国的人际关系在继承优良传统的基础上，又注入了发展社会主义市场经济条件下孕育起来的友善合作、公平竞争、信守承诺的崭新内涵。以创建文明城市、文明村镇、文明行业为主要内容的群众性创建活动广泛开展，正在深刻影响和带动着社会风气的好转。

20年来，城乡公民在改造客观世界的同时，也不断塑造着自己。追求真善美、抵制假恶丑，履行公民权利义务，用诚实劳动争取美好生活的思想道德，已经成为社会的主流。爱岗敬业、热心公益、爱护公物、保护环境、崇尚知识、崇尚科学，已经成为当今的时尚。

20年来，群众生活环境的改善得到党和政府的高度重视。农村小城镇建设迅猛发展，展开了农村向城市化迈进的壮丽图景。城市现代化进程大大加快，人们生活环境不断净化、绿化、美化，社会服务不断完善。城乡的文明程度提高到一个前所未有的水平。

新闻出版、广播电视、文化艺术事业空前繁荣，人民群众的精神文化生活大大丰富。20年来，党的为人民服务、为社会主义服务，百花齐放、百家争鸣，弘扬主旋律、提倡多样化等一系列文化工作的方针政策真正得到落实，文化园地迎来了复兴繁荣的春天，宣传文化事业进入全面发展的兴盛时期。健康向上、璀璨多姿的精神文化生活，为全面提高民族的文明素质提供了丰厚的文化营养。

“两手抓，两手都要硬”的战略方针日益深入人心，全党全社会重视精神文明建设的良好局面正在形成。改革开放之初，以邓小平为代表的中国共产党人，作出加强精神文明建设的英明决策。现在，全党全国人民对精神文明建设重要性的认识更加统一，各级领导干部坚持两个文明建设一起抓的自觉性大大增强，广大人民群众投身精神文明建设的积极性空前高涨。一个有利于精神文明建设的良好社会氛围正在形成。

**进一步开创精神文明建设新局面**

经过40多年特别是近20年的发展，我国生产力有了很大提高，各项事业有了很大进步，马克思主义在我国意识形态领域居于主导地位。然而总的来说，我国还处在社会主义初级阶段，生产力不发达的状况还没有根本改变，社会主义制度还不完善，社会主义市场经济体制还不成熟，社会主义民主法制还不够健全，科技文化教育水平还比较低，封建主义、资本主义腐朽思想和小生产习惯势力在社会上还有影响。精神文明建设任重而道远。

我们正处在世纪之交、继往开来的重要历史时期，精神文明建设既面临着极好机遇，也面临着严峻挑战。不断推进精神文明建设，必须长期坚持并不断丰富和完善20年来积累的基本经验。这主要是：

始终坚持以邓小平理论为指导，认真贯彻“两手抓，两手都要硬”的战略方针。越是集中力量发展经济，越是加快改革开放步伐，越要加强精神文明建设，加强党对精神文明建设的领导。

始终坚持以经济建设为中心，为全党全国工作大局服务。任何时候都要自觉地同党中央保持一致，立足于从全局观察问题，开展工作，把全党全国人民的思想和行动统一到中央的决策上来，把各方面的力量和智慧凝聚到建设有中国特色社会主义的伟大事业上来。

始终坚持从社会主义初级阶段基本国情出发，

解放思想，实事求是，不断研究新情况，解决新问题，创造性地开展工作。想问题，办事情，作决策，都必须符合社会经济发展水平；舆论宣传、思想工作、道德教育，都必须坚持把先进性要求同广泛性要求结合起来，适应群众的接受能力。

始终坚持重在建设，正确处理思想文化领域的矛盾和问题。要着眼于团结、稳定、鼓劲，加强正面引导，不搞“大批判”，不搞无谓争论。无论处理什么问题，都不能干扰经济建设这个中心，不能损害安定团结这个大局。

始终坚持党的群众路线，一切为了群众，一切依靠群众。多为群众办好事、办实事，使群众从发展精神文明中得到实实在在的好处。精心设计群众喜闻乐见的活动载体，广泛吸引群众自觉参与。始终以人民拥护不拥护、赞成不赞成、高兴不高兴作为一切活动的出发点和落脚点。

始终坚持常抓不懈，务求实效。要立足于把精神文明建设的各项任务落实到基层，狠狠地抓，一天不放松地抓，从具体事件抓起，持之以恒，注重实效，决不能搞形式主义。

从现在起到下个世纪中叶，我国的社会主义现代化建设要实现新的腾飞，我们的祖国要基本建成富强、民主、文明的社会主义现代化国家，中华民族要以更加昂扬向上、意气风发的精神面貌屹立于世界民族之林，古老的东方文明大国要焕发更加璀璨的光彩。回顾过去，20年的光辉历程令人鼓舞；展望未来，社会主义祖国的美好前景催人奋进。我们要进一步开创精神文明建设的新局面，为全面实现建设有中国特色社会主义的宏伟目标作出新贡献。

（作者系中央文明办专职副主任，
原文载1999年1月21日《人民日报》）

# 法规·文件

# AWS AND DOCUMENTS

# 中华人民共和国预防未成年人犯罪法

（1999年6月28日第九届全国人民代表大会常务委员会第十次会议通过）

**第一章　总则**

**第一条**　为了保障未成年人身心健康，培养未成年人良好品行，有效地预防未成年人犯罪，制定本法。

**第二条**　预防未成年人犯罪，立足于教育和保护，从小抓起，对未成年人的不良行为及时进行预防和矫治。

**第三条**　预防未成年人犯罪，在各级人民政府组织领导下，实行综合治理。

政府有关部门、司法机关、人民团体、有关社会团体、学校、家庭、城市居民委员会、农村村民委员会等各方面共同参与，各负其责，做好预防未成年人犯罪工作，为未成年人身心健康发展创造良好的社会环境。

**第四条**　各级人民政府在预防未成年人犯罪方面的职责是：

（一）制定预防未成年人犯罪工作的规划；

（二）组织、协调公安、教育、文化、新闻出版、广播电影电视、工商、民政、司法行政等政府有关部门和其他社会组织进行预防未成年人犯罪工作；

（三）对本法实施的情况和工作规划的执行情况进行检查；

（四）总结、推广预防未成年人犯罪工作的经验，树立、表彰先进典型。

**第五条**　预防未成年人犯罪，应当结合未成年人不同年龄的生理、心理特点，加强青春期教育、心理矫治和预防犯罪对策的研究。

**第二章　预防未成年人犯罪的教育**

**第六条**　对未成年人应当加强理想、道德、法制和爱国主义、集体主义、社会主义教育。对于达到义务教育年龄的未成年人，在进行上述教育的同时，应当进行预防犯罪的教育。

预防未成年人犯罪的教育的目的，是增强未成年人的法制观念，使未成年人懂得违法和犯罪行为对个人、家庭、社会造成的危害，违法和犯罪行为应当承担的法律责任，树立遵纪守法和防范违法犯罪的意识。

**第七条**　教育行政部门、学校应当将预防犯罪的教育作为法制教育的内容纳入学校教育教学计划，结合常见多发的未成年人犯罪，对不同年龄的未成年人进行有针对性的预防犯罪教育。

**第八条**　司法行政部门、教育行政部门、共产主义青年团、少年先锋队应当结合实际，组织、举办展览会、报告会、演讲会等多种形式的预防未成年人犯罪的法制宣传活动。

学校应当结合实际举办以预防未成年人犯罪的教育为主要内容的活动。教育行政部门应当将预防未成年人犯罪教育的工作效果作为考核学校工作的一项重要内容。

**第九条**　学校应当聘任从事法制教育的专职或者兼职教师。学校根据条件可以聘请校外法律辅导员。

**第十条**　未成年人的父母或者其他监护人对未成年人的法制教育负有直接责任。学校在对学生进行预防犯罪教育时，应当将教育计划告知未成年人的父母或者其他监护人，未成年人的父母或者其他监护人应当结合学校的计划，针对具体情况进行教育。

**第十一条**　少年宫、青少年活动中心等校外活动场所应当把预防未成年人犯罪的教育作为一项重要的工作内容，开展多种形式的宣传教育活动。

**第十二条**　对于已满16周岁不满18周岁准

备就业的未成年人，职业教育培训机构、用人单位应当将法律知识和预防犯罪教育纳入职业培训的内容。

**第十三条** 城市居民委员会、农村村民委员会应当积极开展有针对性的预防未成年人犯罪的法制宣传活动。

**第三章 对未成年人不良行为的预防**

**第十四条** 未成年人的父母或者其他监护人和学校应当教育未成年人不得有下列不良行为：

（一）旷课、夜不归宿；

（二）携带管制刀具；

（三）打架斗殴、辱骂他人；

（四）强行向他人索要财物；

（五）偷窃、故意毁坏财物；

（六）参与赌博或者变相赌博；

（七）观看、收听色情、淫秽的音像制品、读物等；

（八）进入法律、法规规定未成年人不适宜进入的营业性歌舞厅等场所；

（九）其他严重违背社会公德的不良行为。

**第十五条** 未成年人的父母或者其他监护人和学校应当教育未成年人不得吸烟、酗酒。任何经营场所不得向未成年人出售烟酒。

**第十六条** 中小学生旷课的，学校应当及时与其父母或者其他监护人取得联系。

未成年人擅自外出夜不归宿的，其父母或者其他监护人、其所在的寄宿制学校应当及时查找，或者向公安机关请求帮助。收留夜不归宿的未成年人的，应当征得其父母或者其他监护人的同意，或者在 24 小时内及时通知其父母或者其他监护人、所在学校或者及时向公安机关报告。

**第十七条** 未成年人的父母或者其他监护人和学校发现未成年人组织或者参加实施不良行为的团伙的，应当及时予以制止。发现该团伙有违法犯罪行为的，应当向公安机关报告。

**第十八条** 未成年人的父母或者其他监护人和学校发现有人教唆、胁迫、引诱未成年人违法犯罪的，应当向公安机关报告。公安机关接到报告后，应当及时依法查处，对未成年人人身安全受到威胁的，应当及时采取有效措施，保护其人身安全。

**第十九条** 未成年人的父母或者其他监护人，不得让不满 16 周岁的未成年人脱离监护单独居住。

**第二十条** 未成年人的父母或者其他监护人对未成年人不得放任不管，不得迫使其离家出走，放弃监护职责。

未成年人离家出走的，其父母或者其他监护人应当及时查找，或者向公安机关请求帮助。

**第二十一条** 未成年人的父母离异的，离异双方对子女都有教育的义务，任何一方都不得因离异而不履行教育子女的义务。

**第二十二条** 继父母、养父母对受其抚养教育的未成年继子女、养子女，应当履行本法规定的父母对未成年子女在预防犯罪方面的职责。

**第二十三条** 学校对有不良行为的未成年人应当加强教育、管理，不得歧视。

**第二十四条** 教育行政部门、学校应当举办各种形式的讲座、座谈、培训等活动，针对未成年人不同时期的生理、心理特点，介绍良好有效的教育方法，指导教师、未成年人的父母和其他监护人有效地防止、矫治未成年人的不良行为。

**第二十五条** 对于教唆、胁迫、引诱未成年人实施不良行为或者品行不良，影响恶劣，不适宜在学校工作的教职员工，教育行政部门、学校应当予以解聘或者辞退；构成犯罪的，依法追究刑事责任。

**第二十六条** 禁止在中小学校附近开办营业性歌舞厅、营业性电子游戏场所以及其他未成年人不适宜进入的场所。禁止开办上述场所的具体范围由省、自治区、直辖市人民政府规定。

对本法施行前已在中小学校附近开办上述场所的，应当限期迁移或者停业。

**第二十七条** 公安机关应当加强中小学校周围环境的治安管理，及时制止、处理中小学校周围发生的违法犯罪行为。城市居民委员会、农村村民委员会应当协助公安机关做好维护中小学校周围治安的工作。

**第二十八条** 公安派出所、城市居民委员会、农村村民委员会应当掌握本辖区内暂住人口中未成年人的就学、就业情况。对于暂住人口中未成年人实施不良行为的，应当督促其父母或者其他监护人进行有效的教育、制止。

**第二十九条** 任何人不得教唆、胁迫、引诱未成年人实施本法规定的不良行为，或者为未成年人实施不良行为提供条件。

**第三十条** 以未成年人为对象的出版物，不得含有诱发未成年人违法犯罪的内容，不得含有渲染暴力、色情、赌博、恐怖活动等危害未成年人身心健康的内容。

**第三十一条** 任何单位和个人不得向未成年人出售、出租含有诱发未成年人违法犯罪以及渲染暴力、色情、赌博、恐怖活动等危害未成年人身心健康内容的读物、音像制品或者电子出版物。

任何单位和个人不得利用通讯、计算机网络等方式提供前款规定的危害未成年人身心健康的内容及其信息。

**第三十二条** 广播、电影、电视、戏剧节目，不得有渲染暴力、色情、赌博、恐怖活动等危害未成年人身心健康的内容。

广播电影电视行政部门、文化行政部门必须加强对广播、电影、电视、戏剧节目以及各类演播场所的管理。

**第三十三条** 营业性歌舞厅以及其他未成年人不适宜进入的场所，应当设置明显的未成年人禁止进入标志，不得允许未成年人进入。

营业性电子游戏场所在国家法定节假日外，不得允许未成年人进入，并应当设置明显的未成年人禁止进入标志。

对于难以判明是否已成年的，上述场所的工作人员可以要求其出示身份证件。

**第四章 对未成年人严重不良行为的矫治**

**第三十四条** 本法所称“严重不良行为”，是指下列严重危害社会，尚不够刑事处罚的违法行为：

（一）纠集他人结伙滋事，扰乱治安；

（二）携带管制刀具，屡教不改；

（三）多次拦截殴打他人或者强行索要他人财物；

（四）传播淫秽的读物或者音像制品等；

（五）进行淫乱或者色情、卖淫活动；

（六）多次偷窃；

（七）参与赌博，屡教不改；

（八）吸食、注射毒品；

（九）其他严重危害社会的行为。

**第三十五条** 对未成年人实施本法规定的严重不良行为的，应当及时予以制止。

对有本法规定严重不良行为的未成年人，其父母或者其他监护人和学校应当相互配合，采取措施严加管教，也可以送工读学校进行矫治和接受教育。

对未成年人送工读学校进行矫治和接受教育，应当由其父母或者其他监护人，或者原所在学校提出申请，经教育行政部门批准。

**第三十六条** 工读学校对就读的未成年人应当严格管理和教育。工读学校除按照义务教育法的要求，在课程设置上与普通学校相同外，应当加强法制教育的内容，针对未成年人严重不良行为产生的原因以及有严重不良行为的未成年人的心理特点，开展矫治工作。

家庭、学校应当关心、爱护在工读学校就读的未成年人，尊重他们的人格尊严，不得体罚、虐待和歧视。工读学校毕业的未成年人在升学、就业等方面，同普通学校毕业的学生享有同等的权利，任何单位和个人不得歧视。

**第三十七条** 未成年人有本法规定严重不良行为，构成违反治安管理行为的，由公安机关依法予以治安处罚。因不满14周岁或者情节特别轻微免予处罚的，可以予以训诫。

**第三十八条** 未成年人因不满16周岁不予刑事处罚的，责令他的父母或者其他监护人严加管教；在必要的时候，也可以由政府依法收容教养。

**第三十九条** 未成年人在被收容教养期间，执行机关应当保证其继续接受文化知识、法律知识或者职业技术教育；对没有完成义务教育的未成年人，执行机关应当保证其继续接受义务教育。

解除收容教养、劳动教养的未成年人，在复学、升学、就业等方面与其他未成年人享有同等权利，任何单位和个人不得歧视。

**第五章 未成年人对犯罪的自我防范**

**第四十条** 未成年人应当遵守法律、法规及社会公共道德规范，树立自尊、自律、自强意识，增强辨别是非和自我保护的能力，自觉抵制各种不良行为及违法犯罪行为的引诱和侵害。

**第四十一条** 被父母或者其他监护人遗弃、虐待的未成年人，有权向公安机关、民政部门、共产主义青年团、妇女联合会、未成年人保护组织或者学校、城市居民委员会、农村村民委员会请求保护。被请求的上述部门和组织都应当接受，根据情况需要采取救助措施的，应当先采取救助措施。

**第四十二条** 未成年人发现任何人对自己或者对其他未成年人实施本法第三章规定不得实施的行为或者犯罪行为，可以通过所在学校、其父母或者其他监护人向公安机关或者政府有关主管部门报告，也可以自己向上述机关报告。受理报告的机关应当及时依法查处。

**第四十三条** 对同犯罪行为作斗争以及举报犯罪行为的未成年人，司法机关、学校、社会应当加强保护，保障其不受打击报复。

**第六章 对未成年人重新犯罪的预防**

**第四十四条** 对犯罪的未成年人追究刑事责任，实行教育、感化、挽救方针，坚持教育为主、惩罚为辅的原则。

司法机关办理未成年人犯罪案件，应当保障未成年人行使其诉讼权利，保障未成年人得到法律帮助，并根据未成年人的生理、心理特点和犯罪的情况，有针对性地进行法制教育。

对于被采取刑事强制措施的未成年学生，在人民法院的判决生效以前，不得取消其学籍。

**第四十五条** 人民法院审判未成年人犯罪的刑事案件，应当由熟悉未成年人身心特点的审判员或者审判员和人民陪审员依法组成少年法庭进行。

对于已满14周岁不满16周岁未成年人犯罪的案件，一律不公开审理。已满16周岁不满18周岁未成年人犯罪的案件，一般也不公开审理。

对未成年人犯罪案件，新闻报道、影视节目、公开出版物不得披露该未成年人的姓名、住所、照片及可能推断出该未成年人的资料。

**第四十六条** 对被拘留、逮捕和执行刑罚的未成年人与成年人应当分别关押、分别管理、分别教育。未成年犯在被执行刑罚期间，执行机关应当加强对未成年犯的法制教育，对未成年犯进行职业技术教育。对没有完成义务教育的未成年犯，执行机关应当保证其继续接受义务教育。

**第四十七条** 未成年人的父母或者其他监护人和学校、城市居民委员会、农村村民委员会，对因不满16周岁而不予刑事处罚、免予刑事处罚的未成年人，或者被判处非监禁刑罚、被判处刑罚宣告缓刑、被假释的未成年人，应当采取有效的帮教措施，协助司法机关做好对未成年人的教育、挽救工作。

城市居民委员会、农村村民委员会可以聘请思想品德优秀，作风正派，热心未成年人教育工作的离退休人员或者其他人员协助做好对前款规定的未成年人的教育、挽救工作。

**第四十八条** 依法免予刑事处罚、判处非监禁刑罚、判处刑罚宣告缓刑、假释或者刑罚执行完毕的未成年人，在复学、升学、就业等方面与其他未成年人享有同等权利，任何单位和个人不得歧视。

**第七章 法律责任**

**第四十九条** 未成年人的父母或者其他监护人不履行监护职责，放任未成年人有本法规定的不良行为或者严重不良行为的，由公安机关对未成年人的父母或者其他监护人予以训诫，责令其严加管教。

**第五十条** 未成年人的父母或者其他监护人违反本法第十九条的规定，让不满16周岁的未成年人脱离监护单独居住的，由公安机关对未成年人的父母或者其他监护人予以训诫，责令其立即改正。

**第五十一条** 公安机关的工作人员违反本法第十八条的规定，接到报告后，不及时查处或者采取有效措施，严重不负责任的，予以行政处分；造成严重后果，构成犯罪的，依法追究刑事责任。

**第五十二条** 违反本法第三十条的规定，出版含有诱发未成年人违法犯罪以及渲染暴力、色情、赌博、恐怖活动等危害未成年人身心健康内容的出版物的，由出版行政部门没收出版物和违法所得，并处违法所得3倍以上10倍以下罚款；情节严重的，没收出版物和违法所得，并责令停业整顿或者吊销许可证。对直接负责的主管人员和其他直接责任人员处以罚款。

制作、复制宣扬淫秽内容的未成年人出版物，或者向未成年人出售、出租、传播宣扬淫秽内容的出版物的，依法予以治安处罚；构成犯罪的，依法追究刑事责任。

**第五十三条** 违反本法第三十一条的规定，向未成年人出售、出租含有诱发未成年人违法犯罪以及渲染暴力、色情、赌博、恐怖活动等危害未成年人身心健康内容的读物、音像制品、电子出版物的，或者利用通讯、计算机网络等方式提供上述危害未成年人身心健康内容及其信息的，没收读物、音像制品、电子出版物和违法所得，由政府有关主管部门处以罚款。

单位有前款行为的，没收读物、音像制品、电子出版物和违法所得，处以罚款，并对直接负责的主管人员和其他直接责任人员处以罚款。

**第五十四条** 影剧院、录像厅等各类演播场所，放映或者演出渲染暴力、色情、赌博、恐怖活动等危害未成年人身心健康的节目的，由政府有关主管部门没收违法播放的音像制品和违法所得，处以罚款，并对直接负责的主管人员和其他直接责任人员处以罚款；情节严重的，责令停业整顿或者由工商行政部门吊销营业执照。

**第五十五条** 营业性歌舞厅以及其他未成年人不适宜进入的场所、营业性电子游戏场所，违反本法第三十三条的规定，不设置明显的未成年人禁止进入标志，或者允许未成年人进入的，由文化行政部门责令改正、给予警告、责令停业整顿、没收违法所得，处以罚款，并对直接负责的主管人员和其他直接责任人员处以罚款；情节严重的，由工商行政部门吊销营业执照。

**第五十六条** 教唆、胁迫、引诱未成年人实施本法规定的不良行为、严重不良行为，或者为未成年人实施不良行为、严重不良行为提供条件，构成违反治安管理行为的，由公安机关依法予以治安处罚；构成犯罪的，依法追究刑事责任。

**第八章 附则**

**第五十七条** 本法自1999年11月1日起施行。

（1999年6月29日《人民日报》）

## 全国人民代表大会常务委员会

# 关于取缔邪教组织、防范和惩治邪教活动的决定

（1999年10月30日第九届全国人民代表大会常务委员会第十二次会议通过）

为了维护社会稳定，保护人民利益，保障改革开放和社会主义现代化建设的顺利进行，必须取缔邪教组织、防范和惩治邪教活动。根据宪法和有关法律，特作如下决定：

一、坚决依法取缔邪教组织，严厉惩治邪教组织的各种犯罪活动。邪教组织冒用宗教、气功或者其他名义，采用各种手段扰乱社会秩序，危害人民群众生命财产安全和经济发展，必须依法取缔，坚决惩治。人民法院、人民检察院和公安、国家安全、司法行政机关要各司其职，共同做好这项工作。对组织和利用邪教组织破坏国家法律、行政法规实施，聚众闹事，扰乱社会秩序，以迷信邪说蒙骗他人，致人死亡，或者奸淫妇女、诈骗财物等犯罪活动，依法予以严惩。

二、坚持教育与惩罚相结合，团结、教育绝大多数被蒙骗的群众，依法严惩极少数犯罪分子。在依法处理邪教组织的工作中，要把不明真相参与邪教活动的人同组织和利用邪教组织进行非法活动、蓄意破坏社会稳定的犯罪分子区别开来。对受蒙骗的群众不予追究。对构成犯罪的组织者、策划者、

指挥者和骨干分子，坚决依法追究刑事责任；对于自首或者有立功表现的，可以依法从轻、减轻或者免除处罚。

三、在全体公民中深入持久地开展宪法和法律的宣传教育，普及科学文化知识。依法取缔邪教组织，惩治邪教活动，有利于保护正常的宗教活动和公民的宗教信仰自由。要使广大人民群众充分认识邪教组织严重危害人类、危害社会的实质，自觉反对和抵制邪教组织的影响，进一步增强法制观念，遵守国家法律。

四、防范和惩治邪教活动，要动员和组织全社会的力量，进行综合治理。各级人民政府和司法机关应当认真落实责任制，把严防邪教组织的滋生和蔓延，防范和惩治邪教活动作为一项重要任务长期坚持下去，维护社会稳定。

（1999 年 10 月 31 日《人民日报》）

# 中国共产党农村基层组织工作条例（节选）

**第五章 精神文明建设**

**第十二条** 党的农村基层组织应当制定社会主义精神文明建设规划，保证社会主义物质文明建设和精神文明建设协调发展，促进农村经济和社会的全面进步。

**第十三条** 对群众进行爱国主义、集体主义和社会主义教育，党的基本路线和方针政策教育，思想道德和民主法制教育，引导农民正确处理国家、集体、个人三者之间的利益关系，培养有理想、有道德、有文化、有纪律的新型农民。

**第十四条** 搞好村镇规划，改善村镇面貌，创造文明卫生的生活环境；加强农村文化设施建设，开展健康有益的文体活动；改善办学条件，普及义务教育；开展创建文明村镇、文明户活动，破除封建迷信，移风易俗，树立社会主义新风尚。

**第十五条** 加强思想政治工作。宣传好人好事，弘扬正气。了解群众的思想状况，帮助解决群众的实际困难，及时疏导和化解人民内部矛盾，保持农村社会稳定。

**第六章 干部队伍和领导班子建设**

**第十六条** 不断提高农村基层干部队伍的素质。农村基层干部要认真学习马克思列宁主义、毛泽东思想特别是邓小平理论，坚决贯彻党的基本路线和党在农村的方针政策，坚持全心全意为人民服务的根本宗旨，增强带领群众发展经济、搞好两个文明建设的本领。

**第十七条** 加强农村基层干部队伍的思想作风建设。坚持实事求是，不准虚假浮夸；坚持依法办事，不准违法乱纪；坚持艰苦奋斗，不准奢侈浪费；坚持说服教育，不准强迫命令；坚持廉洁奉公，不准以权谋私。

**第十八条** 党的农村基层组织的领导班子，应当由认真贯彻执行党的路线方针政策，清正廉洁，公道正派，群众拥护，能够带领群众完成各项任务的党员组成。乡镇党委书记还应具有一定的理论和政策水平，较强的组织协调能力，熟悉党务工作和农村工作。村党支部书记还应具备一定的政策水平，善于做群众工作。

应当重视培养选拔优秀年轻干部，改善领导班子的结构。

**第十九条** 领导班子应当贯彻党的思想路线。反映情况，安排工作，决定问题，必须实事求是，一切从实际出发，说实话、办实事、求实效。

**第二十条** 领导班子应当贯彻党的群众路线。决定重大事情要同群众商量，布置工作任务要向群众讲清道理；经常听取群众意见，不断改进工作；关心群众生活，维护群众的合法权益，切实减轻群众负担。

**第二十一条** 领导班子应当贯彻党的民主集中制。坚持集体领导和个人分工负责相结合的制度。凡属重要问题，必须经过集体讨论决定，不允许个人或者少数人说了算。书记要敢于负责，有民主作风，善于发挥每个委员的作用。委员要积极参与和维护集体领导，主动做好分工负责的工作。

**第二十二条** 乡镇党委和村党支部委员会每半年召开一次以开展批评与自我批评为主要内容的组织生活会，接受党员和群众的监督。

**第七章 党员队伍建设**

**第二十三条** 农村党员应当在社会主义物质文明和精神文明建设中发挥先锋模范作用，带头执行党和国家的各项政策，带领群众共同致富。

**第二十四条** 党的农村基层组织应当组织党员学习马克思列宁主义、毛泽东思想特别是邓小平理论，学习党的基本知识和科学文化知识、社会主义市场经济知识、法律法规知识。

党员教育应当坚持理论联系实际，适合农村特点，贴近党员思想，采取多种形式。发挥乡镇党校、党员活动室和党员电化教育的作用。

乡镇党委每年应当对党员分期分批进行集中培训一次。

**第二十五条** 严格党的组织生活。村党支部每月应当开展一次党员活动，包括学习党的文件，上党课，召开组织生活会等。

**第二十六条** 坚持和完善民主评议党员制度。对优秀党员，要进行表彰；对不合格党员，要依照有关规定，分别采取教育帮助、限期改正、劝其退党、党内除名等方式进行严肃处置。

**第二十七条** 尊重和保障党员的各项权利，教育和监督党员履行义务。要使党员对党内事务有更多的了解和参与。要组织开展党员联系户等活动，给党员分配适当的社会工作和群众工作，为党员发挥作用创造条件。

**第二十八条** 加强和改进对外出党员的教育和管理。对外来党员，有关党组织应当及时将他们编入党的支部和小组，组织他们参加党的活动。

**第二十九条** 严格执行党的纪律。经常向党员进行遵纪守法教育。党员违犯党的纪律，应当及时严肃查处。处分党员必须按照党章和有关规定进行。对受到党的纪律处分的，要加强教育，帮助他们改正错误。

**第三十条** 按照坚持标准、保证质量、改善结构、慎重发展的方针和有关规定，做好发展党员工作。注意吸收优秀青年、妇女入党。

村级党组织发展党员必须经过乡镇党委审批。

（1999年3月30日《人民日报》）

# 娱乐场所管理条例

（1999年3月17日国务院第15次常务会议通过）

**第一章 总则**

**第一条** 为了加强对娱乐场所的管理，丰富人民群众文明、健康的娱乐生活，促进社会主义精神文明建设，制定本条例。

**第二条** 本条例所称娱乐场所，是指向公众开放的、消费者自娱自乐的营业性歌舞、游艺等场所。

**第三条** 娱乐场所经营单位应当坚持为人民服务、为社会主义服务的方向，开展文明、健康的娱乐活动。

**第四条** 国家倡导弘扬民族优秀文化，禁止在娱乐场所从事含有下列内容的活动：

（一）反对宪法确定的基本原则的；

（二）危害国家的统一、主权或者领土完整的；

（三）危害国家安全、利益或者社会稳定的；

（四）煽动民族分裂、侵害少数民族风俗习惯、破坏民族团结的；

（五）宣扬淫秽、色情、迷信或者渲染暴力，有害消费者身心健康的；

（六）违背社会公德或者诽谤、侮辱他人的。

**第五条** 县级以上人民政府文化行政主管部

门、公安机关在各自的职责范围内，依照本条例的规定，分别对娱乐场所的经营活动和消防、治安管理工作，加强指导和监督。

**第六条** 各级人民政府文化行政主管部门、公安机关及其工作人员不得举办娱乐场所，并不得参与或者变相参与娱乐场所的经营活动。

**第七条** 文化行政主管部门、公安机关的工作人员在娱乐场所依法执行公务时，应当出示执法证件，文明礼貌，依法办事。

文化行政主管部门、公安机关依照本条例对娱乐场所实施监督检查，不得收取任何费用；文化行政主管部门对娱乐场所实施监督检查所需经费，可以通过依法调整娱乐业营业税税率，由地方财政解决，具体办法由省、自治区、直辖市人民政府规定。

**第二章 娱乐场所经营单位的设立**

**第八条** 设立娱乐场所经营单位，应当具备下列条件：

（一）有单位名称、住所、组织机构和章程；

（二）有确定的经营范围和娱乐项目；

（三）有与其提供的娱乐项目相适应的场地和器材设备；

（四）娱乐场所的安全、消防设施和卫生条件符合国家规定的标准。

**第九条** 娱乐场所不得在可能干扰学校、医院、机关正常学习、工作秩序的地点设立。

娱乐场所的边界噪声必须符合国家规定的标准。

**第十条** 下列人员不得担任娱乐场所经营单位的法定代表人和主管人员，并不得参与娱乐场所的经营管理活动：

（一）因犯有强奸罪，强制猥亵、侮辱妇女罪，组织、强迫、引诱、容留、介绍卖淫罪，赌博罪，制作、贩卖、传播淫秽物品罪，或者走私、贩卖、运输、制造毒品罪，曾被判处有期徒刑以上刑罚的；

（二）因犯罪曾被剥夺政治权利的。

**第十一条** 国家禁止设立外商独资经营的娱乐场所。

**第十二条** 设立娱乐场所经营单位，应当经其所在地县级以上地方人民政府文化行政主管部门、公安机关和卫生行政部门在各自的职责范围内依照本条例的规定进行审核；经审核合格的，方可向工商行政管理部门申请注册登记，领取营业执照。

**第十三条** 娱乐场所经营单位变更名称、住所、法定代表人或者主管人员、经营范围、娱乐项目或者其他重要事项的，应当经原审核部门审核，并依法向工商行政管理部门申请办理变更登记。

**第三章 娱乐场所的经营活动**

**第十四条** 任何单位未经文化行政主管部门、公安机关、卫生行政部门依照本条例审核合格，并领取营业执照，不得从事娱乐场所经营活动。

娱乐场所经营单位不得涂改、转借、出租营业执照，不得将娱乐场所转包他人经营。

**第十五条** 娱乐场所提供的各种娱乐项目、服务项目等的收费，必须明码标价。

县级以上地方人民政府价格管理部门对不适当的价格和高额收费，应当依照国家有关规定采取限价措施。

**第十六条** 歌舞娱乐场所组织的表演活动或者播放的曲目以及演播的屏幕画面，不得含有本条例第四条禁止的内容。

游艺娱乐场所通过电子屏幕显示声光、影像的游戏机内设计和装置的游戏项目，不得含有本条例第四条禁止的内容。

娱乐场所使用的音像制品和电子出版物，必须是经依法批准的出版单位出版的或者经依法批准进口的。

**第十七条** 游艺娱乐场所不得设置使用具有退币、退钢珠、退奖券等赌博功能的电子游戏机机型、机种、电路板。

**第十八条** 娱乐场所增加或者变更游戏机机型、机种、电路板的，应当报原审核的文化行政主管部门审核。

**第十九条** 娱乐场所不得提供利用电子计算机从事的娱乐活动。

**第二十条** 歌舞娱乐场所聘请文艺表演团体或者个人从事营业性演出的，应当符合国家有关营业性演出管理规定。

**第二十一条** 歌舞娱乐场所不得接纳未成年人。

游艺娱乐场所中设置的电子游戏机，除国家

法定节假日外，不得向未成年人提供。

**第二十二条** 娱乐场所的从业人员在营业时间内，应当统一着装并佩带工作标志。

**第四章 娱乐场所的治安管理**

**第二十三条** 娱乐场所经营单位应当建立、健全各项安全制度，按照国家有关规定配备保安人员。

保安人员须经县级以上地方人民政府公安机关培训；经培训并取得资格证书的，方可上岗。

**第二十四条** 娱乐场所的从业人员应当持有居民身份证；其中，外地务工人员还应当持有暂住证和务工证明。外国人及其他境外人员在娱乐场所就业的，应当按照国家有关规定，取得外国人就业许可证书。

娱乐场所经营单位不得雇佣没有前款所列证件或者证件不齐全的人员就业。

**第二十五条** 严禁娱乐场所经营单位及其人员组织、强迫、引诱、容留、介绍他人卖淫，开设赌场、赌局，引诱、教唆、欺骗、强迫他人吸食、注射毒品，进行封建迷信活动，贩卖、传播淫秽书刊、影片、录像带、录音带、图片及其他淫秽物品，提供以营利为目的的陪侍，或者为进入娱乐场所的人员从事上述活动提供方便和条件。

严禁进入娱乐场所的人员在娱乐场所卖淫、嫖娼、赌博、吸毒，贩卖、传播淫秽书刊、影片、录像带、录音带、图片及其他淫秽物品，从事淫秽、色情或者违背社会公德的活动和封建迷信活动，或者从事以营利为目的的陪侍。

娱乐场所经营单位发现进入娱乐场所的人员有前款所列行为的，必须予以制止，并立即向当地公安机关报告。

**第二十六条** 任何人不得在娱乐场所内打架斗殴、酗酒、滋事，不得调戏、侮辱妇女，不得进行扰乱娱乐场所正常经营秩序的活动。

**第二十七条** 任何人不得非法携带枪支、弹药、管制刀具和爆炸性、易燃性、放射性、毒害性、腐蚀性物品进入娱乐场所。

**第二十八条** 歌舞娱乐场所设置的包厢、包间应当安装展现室内整体环境的透明门窗，并不得有内锁装置。

**第二十九条** 娱乐场所经营单位应当加强防火措施，保证消防设施的正常使用。

**第三十条** 歌舞娱乐场所容纳的消费者不得超过核定人数。

**第五章 罚则**

**第三十一条** 违反本条例规定，擅自设立娱乐场所经营单位的，由工商行政管理部门予以取缔，没收违法所得和从事违法经营所使用的器材设备等，违法所得4000元以上的，并处违法所得2倍以上5倍以下的罚款；没有违法所得或者违法所得不足4000元的，并处4000元以上2万元以下的罚款。

**第三十二条** 娱乐场所经营单位擅自涂改、转借、出租营业执照的，由工商行政管理部门依照有关法律、法规的规定处罚。

**第三十三条** 娱乐场所经营单位变更娱乐项目，增加或者变更游戏机机型、机种、电路板，未报文化行政主管部门审核的，由文化行政主管部门责令限期补办审核手续；逾期不办理审核手续的，责令停业整顿，没收违法所得，并处2000元以上1万元以下的罚款。

**第三十四条** 娱乐场所经营单位有下列情形之一的，由文化行政主管部门责令改正，给予警告，责令停业整顿，没收违法所得，违法所得2500元以上的，并处违法所得2倍以上4倍以下的罚款；没有违法所得或者违法所得不足2500元的，并处2500元以上1万元以下的罚款；情节严重的，由工商行政管理部门吊销营业执照：

（一）将娱乐场所转包他人经营的；

（二）歌舞娱乐场所接纳未成年人的，游艺娱乐场所中设置的电子游戏机在国家法定节假日外向未成年人提供的；

（三）使用未经依法批准的音像出版单位出版的或者未经依法批准进口的音像制品或者电子出版物的；

（四）提供利用电子计算机从事的娱乐活动的；

（五）提供具有赌博功能的游戏机机型、机种、电路板的。

**第三十五条** 娱乐场所有下列情形之一的，由文化行政主管部门责令停业整顿，没收违法所得和从事违法经营所使用的器材设备等，并处4000元以上4万元以下的罚款；情节严重的，由工商行政管理部门吊销营业执照；构成犯罪的，依法追究刑事责任：

（一）组织的表演活动或者播放的曲目以及演播的屏幕画面含有本条例第四条禁止的内容的；

（二）游戏机内设计、装置的游戏项目中含有本条例第四条禁止的内容的。

**第三十六条** 除本条例第三十五条规定的情形外，在娱乐场所内从事本条例第四条所禁止的活动的，由公安机关依照有关法律、法规的规定处理；构成犯罪的，依法追究刑事责任。

**第三十七条** 娱乐场所经营单位有下列情形之一的，由公安机关责令改正，给予警告，责令停业整顿，并处1000元以上1万元以下的罚款；情节严重的，由工商行政管理部门吊销营业执照：

（一）雇佣的从业人员没有本条例第二十四条规定的证件或者证件不齐全的；

（二）未按照国家有关规定配备保安人员或者安排未取得资格证书的保安人员上岗的；

（三）设置的包厢、包间不符合本条例第二十八条规定的；

（四）歌舞娱乐场所容纳的消费者超过核定人数的。

**第三十八条** 娱乐场所经营单位违反消防安全规定的，由公安机关依照有关法律、法规的规定处罚。

**第三十九条** 娱乐场所经营单位的人员有下列情形之一，构成犯罪的，依法追究刑事责任；尚不构成犯罪的，依照治安管理处罚条例的有关规定给予处罚：

（一）利用本单位的条件，组织、强迫、引诱、容留、介绍他人卖淫的；

（二）在公安机关查处卖淫、嫖娼活动时，隐瞒情况或者为违法犯罪分子通风报信的；

（三）利用本单位的条件，开设赌场、赌局的；

（四）利用本单位的条件，引诱、教唆、欺骗、强迫他人吸食、注射毒品的。

**第四十条** 娱乐场所经营单位对发生在本单位的卖淫、嫖娼活动放任不管，不采取措施制止的，由公安机关责令停业整顿，并处1万元以上10万元以下的罚款；情节严重的，由工商行政管理部门吊销营业执照；对直接负责的主管人员和其他直接责任人员，按照规定给予纪律处分，并由公安机关处1000元以下的罚款。

**第四十一条** 娱乐场所经营单位有下列情形之一的，由公安机关责令改正，给予警告，责令停业整顿，并处4000元以上2万元以下的罚款；情节严重的，由工商行政管理部门吊销营业执照：

（一）进行封建迷信活动的；

（二）提供以营利为目的的陪侍的；

（三）为进入娱乐场所的人员从事本条第（一）、（二）项所列行为提供方便和条件的。

**第四十二条** 有下列情形之一的，依照治安管理处罚条例的有关规定给予处罚；构成犯罪的，依法追究刑事责任：

（一）非法携带枪支、弹药、管制刀具或者爆炸性、易燃性、放射性、毒害性、腐蚀性物品进入娱乐场所的；

（二）在娱乐场所内从事卖淫、嫖娼、赌博、吸毒或者封建迷信活动的，贩卖、传播淫秽物品的，或者从事淫秽、色情活动的；

（三）在娱乐场所内打架斗殴、酗酒、滋事，调戏、侮辱妇女或者进行扰乱娱乐场所正常经营秩序活动的。

**第四十三条** 文化行政主管部门、公安机关的工作人员举办娱乐场所的，参与或者变相参与娱乐场所经营活动的，依法给予撤职或者开除的行政处分。

文化行政主管部门、公安机关有前款所列行为的，对直接负责的主管人员和其他直接责任人员依照前款规定处罚。

**第四十四条** 文化行政主管部门、公安机关和其他有关行政主管部门的工作人员滥用职权、玩忽职守、徇私舞弊、参与或者包庇违法行为，构成犯罪的，依法追究刑事责任；尚不构成犯罪的，依法给予行政处分。

**第六章 附则**

**第四十五条** 本条例施行前已经批准设立的娱乐场所经营单位，应当自本条例施行之日起6个月内，依照本条例第十二条的规定，重新办理审核手续。

**第四十六条** 非娱乐场所经营单位兼营娱乐项目，参照本条例执行。

**第四十七条** 本条例自1999年7月1日起施行。

（1999年4月3日《人民日报》）

# 导游人员管理条例

（1999年5月14日中华人民共和国国务院令第263号发布）

**第一条** 为了规范导游活动，保障旅游者和导游人员的合法权益，促进旅游业的健康发展，制定本条例。

**第二条** 本条例所称导游人员，是指依照本条例的规定取得导游证，接受旅行社委派，为旅游者提供向导、讲解及相关旅游服务的人员。

**第三条** 国家实行全国统一的导游人员资格考试制度。

具有高级中学、中等专业学校或者以上学历，身体健康，具有适应导游需要的基本知识和语言表达能力的中华人民共和国公民，可以参加导游人员资格考试；经考试合格的，由国务院旅游行政部门或者国务院旅游行政部门委托省、自治区、直辖市人民政府旅游行政部门颁发导游人员资格证书。

**第四条** 在中华人民共和国境内从事导游活动，必须取得导游证。

取得导游人员资格证书的，经与旅行社订立劳动合同或者在导游服务公司登记，方可持所订立的劳动合同或者登记证明材料，向省、自治区、直辖市人民政府旅游行政部门申请领取导游证。

具有特定语种语言能力的人员，虽未取得导游人员资格证书，旅行社需要聘请临时从事导游活动的，由旅行社向省、自治区、直辖市人民政府旅游行政部门申请领取临时导游证。

导游证和临时导游证的样式规格，由国务院旅游行政部门规定。

**第五条** 有下列情形之一的，不得颁发导游证：

（一）无民事行为能力或者限制民事行为能力的；

（二）患有传染性疾病的；

（三）受过刑事处罚的，过失犯罪的除外；

（四）被吊销导游证的。

**第六条** 省、自治区、直辖市人民政府旅游行政部门应当自收到申请领取导游证之日起15日内，颁发导游证；发现有本条例第五条规定情形，不予颁发导游证的，应当书面通知申请人。

**第七条** 导游人员应当不断提高自身业务素质和职业技能。

国家对导游人员实行等级考核制度。导游人员等级考核标准和考核办法，由国务院旅游行政部门制定。

**第八条** 导游人员进行导游活动时，应当佩戴导游证。

导游证的有效期限为3年。导游证持有人需要在有效期满后继续从事导游活动的，应当在有效期限届满3个月前，向省、自治区、直辖市人民政府旅游行政部门申请办理换发导游证手续。

临时导游证的有效期限最长不超过3个月，并不得展期。

**第九条** 导游人员进行导游活动，必须经旅行社委派。

导游人员不得私自承揽或者以其他任何方式直接承揽导游业务，进行导游活动。

**第十条** 导游人员进行导游活动时，其人格尊严应当受到尊重，其人身安全不受侵犯。

导游人员有权拒绝旅游者提出的侮辱其人格尊严或者违反其职业道德的不合理要求。

**第十一条** 导游人员进行导游活动时，应当自觉维护国家利益和民族尊严，不得有损害国家利益和民族尊严的言行。

**第十二条** 导游人员进行导游活动时，应当遵守职业道德，着装整洁，礼貌待人，尊重旅游者的宗教信仰、民族风俗和生活习惯。

导游人员进行导游活动时，应当向旅游者讲

解旅游地点的人文和自然情况，介绍风土人情和习俗；但是，不得迎合个别旅游者的低级趣味，在讲解、介绍中掺杂庸俗下流的内容。

**第十三条** 导游人员应当严格按照旅行社确定的接待计划，安排旅游者的旅行、游览活动，不得擅自增加、减少旅游项目或者中止导游活动。

导游人员在引导旅游者旅行、游览过程中，遇有可能危及旅游者人身安全的紧急情形时，经征得多数旅游者的同意，可以调整或者变更接待计划，但是应当立即报告旅行社。

**第十四条** 导游人员在引导旅游者旅行、游览过程中，应当就可能发生危及旅游者人身、财物安全的情况，向旅游者作出真实说明和明确警示，并按照旅行社的要求采取防止危害发生的措施。

**第十五条** 导游人员进行导游活动，不得向旅游者兜售物品或者购买旅游者的物品，不得以明示或者暗示的方式向旅游者索要小费。

**第十六条** 导游人员进行导游活动，不得欺骗、胁迫旅游者消费或者与经营者串通欺骗、胁迫旅游者消费。

**第十七条** 旅游者对导游人员违反本条例规定的行为，有权向旅游行政部门投诉。

**第十八条** 无导游证进行导游活动的，由旅游行政部门责令改正并予以公告，处1000元以上3万元以下的罚款；有违法所得的，并处没收违法所得。

**第十九条** 导游人员未经旅行社委派，私自承揽或者以其他任何方式直接承揽导游业务，进行导游活动的，由旅游行政部门责令改正，处1000元以上3万元以下的罚款；有违法所得的，并处没收违法所得；情节严重的，由省、自治区、直辖市人民政府旅游行政部门吊销导游证并予以公告。

**第二十条** 导游人员进行导游活动时，有损害国家利益和民族尊严的言行的，由旅游行政部门责令改正；情节严重的，由省、自治区、直辖市人民政府旅游行政部门吊销导游证并予以公告；对该导游人员所在的旅行社给予警告直至责令停业整顿。

**第二十一条** 导游人员进行导游活动时未佩戴导游证的，由旅游行政部门责令改正；拒不改正的，处500元以下的罚款。

**第二十二条** 导游人员有下列情形之一的，由旅游行政部门责令改正，暂扣导游证3至6个月；情节严重的，由省、自治区、直辖市人民政府旅游行政部门吊销导游证并予以公告：

（一）擅自增加或者减少旅游项目的；

（二）擅自变更接待计划的；

（三）擅自中止导游活动的。

**第二十三条** 导游人员进行导游活动，向旅游者兜售物品或者购买旅游者的物品的，或者以明示或者暗示的方式向旅游者索要小费的，由旅游行政部门责令改正，处1000元以上3万元以下的罚款；有违法所得的，并处没收违法所得；情节严重的，由省、自治区、直辖市人民政府旅游行政部门吊销导游证并予以公告；对委派该导游人员的旅行社给予警告直至责令停业整顿。

**第二十四条** 导游人员进行导游活动，欺骗、胁迫旅游者消费或者与经营者串通欺骗、胁迫旅游者消费的，由旅游行政部门责令改正，处1000元以上3万元以下的罚款；有违法所得的，并处没收违法所得；情节严重的，由省、自治区、直辖市人民政府旅游行政部门吊销导游证并予以公告；对委派该导游人员的旅行社给予警告直至责令停业整顿；构成犯罪的，依法追究刑事责任。

**第二十五条** 旅游行政部门工作人员玩忽职守、滥用职权、徇私舞弊，构成犯罪的，依法追究刑事责任；尚不构成犯罪的，依法给予行政处分。

**第二十六条** 景点景区的导游人员管理办法，由省、自治区、直辖市人民政府参照本条例制定。

**第二十七条** 本条例自1999年10月1日起施行。1987年11月14日国务院批准、1987年12月1日国家旅游局发布的《导游人员管理暂行规定》同时废止。

（1999年5月23日《人民日报》）

## 中央精神文明建设指导委员会

# 关于表彰全国创建文明城市（区）、文明村镇、文明行业工作先进单位的通知

（文明委［1999］5号）

各省、自治区、直辖市党委，中央各部委，国家机关各部委党组（党委），各人民团体党组：

党的十四届六中全会高度评价了全国各地广泛开展的群众性精神文明创建活动，要求深入开展创建文明城市、文明村镇、文明行业活动。各地各有关部门认真贯彻六中全会精神，积极开展创建活动，涌现出一批在精神文明创建活动中成绩突出的地区和单位，对促进城乡文明程度和公民文明素质的提高，促进改革发展稳定起了积极的推动作用。

为迎接新中国成立50周年，充分展示精神文明建设的成果，进一步推动精神文明建设深入发展，中央文明委决定在庆祝新中国成立50周年之际，表彰一批全国创建文明城市工作先进城市（区），一批全国创建文明村镇工作先进县（市）、镇、村，一批全国创建文明行业、文明单位工作先进单位。

现将《全国创建文明城市工作先进城市（区）推荐表彰办法》、《全国创建文明村镇工作先进县（市）、镇、村推荐表彰办法》、《全国创建文明行业、文明单位工作先进单位推荐表彰办法》发给你们。请各地和有关部门高度重视，紧密结合各自的实际情况，严格按照要求做好组织工作，真正把那些工作基础扎实、在两个文明建设工作中做出突出成绩、在当地具有示范作用的先进城市（区）、先进县（市）、镇、村和先进单位推荐上来。要牢牢把握全党和全国工作的大局，注重工作实效，防止形式主义，使推荐表彰过程，成为解决实际问题的过程，成为群众多办好事实事的过程，成为提高创建水平的过程，为促进改革发展、维护社会稳定创造良好的社会环境。

1999年7月9日

附件一

# 全国创建文明城市工作先进城市（区）推荐表彰办法

**一、推荐范围**

凡在创建文明城市工作中做出突出成绩、在本省（区、市）创建文明城市工作中走在前列、能够发挥示范作用的直辖市所辖区，副省级城市、省会城市、自治区首府（或所辖区），其他地级市，县级市，均可作为全国创建文明城市工作先

进城市（区）的推荐对象。

**二、推荐条件**

1. 领导有力，制度健全。党委、政府坚持两手抓、两手都要硬的方针，把创建文明城市工作纳入城市发展总体规划和党委、政府的重要议事日程，常抓不懈。精神文明建设机构健全，制度完善，队伍稳定，经费落实。

2. 经济发展，生活改善。坚决贯彻执行党的路线、方针、政策，经济持续快速健康发展，人民生活水平稳步提高。县级市的推荐对象还须城镇化水平较高，在本省（区）具有典型示范作用。

3. 服务优质，风气良好。切实加强思想道德建设，广泛开展各种形式的精神文明创建活动。党政机关廉洁勤政，积极为群众排忧解难办实事，自觉接受群众监督。窗口行业和执法部门树立良好的职业道德，自觉抵制和纠正各种行业不正之风。社会主义道德风尚得到发扬。重视做好“双拥”工作，军政军民关系密切。

4. 环境优美，设施完备。城市规划建设科学合理，市容市貌整洁优美，主要道路交通顺畅，绿化工作先进。城市环境综合整治工作效果明显，主要考核指标达到全国或全省（区、市）先进水平。社会公用设施基本完备，服务网点设置合理。

5. 秩序优良，社会安定。认真落实社会治安综合治理和各项措施，社会稳定，治安秩序良好，群众有安全感。有效遏制封建迷信活动，坚决打击“黄赌毒”等社会丑恶现象，措施有力，制度健全。

6. 科教进步、文化繁荣。积极实施科教兴国战略，教科文卫事业投入逐年增加，义务教育达到国家规定水平，科普工作扎实开展，卫生服务网络健全，计划生育工作好。广泛开展群众性文化体育活动，群众文化体育设施发挥作用好。文化市场管理有力，繁荣健康。

**三、报批程序**

1. 自检申报。各类城市（区），在按照推荐条件进行自检的基础上逐级申报。地级和地级以上城市（区）报党委、政府同意后，以市（区）文明委名义向省（区、市）文明委提出书面申请。县级市的申报需报上一级党委、政府同意后，由文明委向省（区）文明委提出书面申请。

2. 考察推荐。省（区、市）文明委依照推荐条件对申报城市（区）进行考察，确定推荐名单，报经党委、政府同意，以省（区、市）文明委名义，于8月10日前书面报中央文明办。

3. 中央文明办征求中央和国务院有关部门对各地推荐的城市（区）的意见，并采取适当方式征询有关方面和人民群众的意见，提出表彰名单，报中央文明委审议。

4. 中央文明委审议批准后，对全国创建文明城市工作先进城市（区）进行正式表彰。

**四、制定实施细则**

各省、自治区、直辖市文明委可根据本办法，结合本地情况制定实施细则。

附件二

# 全国创建文明村镇工作先进县（市）镇、村推荐表彰办法

**一、推荐范围**

全国创建文明村镇工作先进县（市）、镇、村的推荐对象，应是自觉坚持两手抓、两手硬的方针，坚持开展创建文明村镇活动，两个文明建设工作在本省（区、市）农村居于前列的县（市）、建制镇和行政村。

**二、推荐条件**

1. 领导班子坚强有力。党委、支部的各项组织制度、工作制度、学习制度健全，能发挥领导核心作用。坚决执行党和国家的路线、方针、政

策，坚持两手抓、两手都要硬的方针，重视精神文明建设。领导干部能发挥模范带头作用，以身作则，廉洁奉公，勤政为民，依法行政，在群众中威信高。

2. 农村经济不断壮大。积极适应社会主义市场经济的发展，不断深化改革，调整产业结构，加大科技投入，确保农业和农村经济快速、稳定增长，农民收入明显增加，主要经济指标居本省（区、市）领先水平。

3. 社会道德风尚良好。切实加强思想道德教育，广泛开展创建文明村镇活动和各种形式的创建文明农户等活动，宣传教育阵地稳固。计划生育工作达到先进水平。大力倡导移风易俗，有效遏制了封建迷信活动，社会风气健康向上，干部群众精神状态良好。

4. 环境面貌整洁优美。绿化、美化、净化效果明显。环境综合整治工作措施有力，生态环境逐步走向良性循环。注意节约用地。先进县（市）的推荐对象还应有科学合理的县域规划和村镇规划。

5. 科教文化稳步发展。坚持开展科普活动，积极推广致富实用科技。尊师重教，积极发展义务教育。重视卫生保健，人民健康水平得到提高。积极倡导文明、健康的生活方式，广泛开展丰富多彩、健康有益的群众性文体活动。县（市）镇有功能较为齐全的文化设施。

6. 社会治安状况良好。民主法制教育经常化，社会治安综合治理措施落实，治安防范网络健全，治安形势平稳，群众有安全感，坚决打击“黄赌毒”等社会丑恶现象。

**三、报批程序**

1. 各省、自治区、直辖市文明委提出被推荐单位名单，报经同级党委、政府同意后，以省（区、市）文明委名义，于8月10日前书面报中央文明办。

2. 省（区、市）文明委在提出推荐报告的同时，要向被推荐单位干部群众通报推荐情况、推荐条件，接受群众对被推荐单位的评议和监督。

3. 中央文明办征求中央和国务院有关部门对各地推荐的县（市）、镇、村的意见，并采取适当方式征询有关方面和群众的意见，提出表彰名单，报中央文明委审议。

4. 中央文明委审议批准后，对全国创建文明村镇工作先进县（市）镇、村进行正式表彰。

**四、制定实施细则**

各省、自治区、直辖市文明委可根据本办法结合本地情况制定实施细则。

附件三

# 全国创建文明行业、文明单位工作先进单位推荐表彰办法

**一、推荐范围**

创建文明行业工作先进单位的推荐对象应是自觉坚持两手抓、两手硬的方针，坚持开展创建文明行业活动，服务质量、行风建设和精神文明建设工作在全国同行业中居于前列的基层服务窗口单位。

创建文明单位工作先进单位的推荐对象，应是自觉坚持两手抓、两手硬的方针，坚持开展创建文明单位活动，精神文明建设工作在本省、自治区、直辖市居于前列，并连续获得和保持省级文明单位称号的单位。范围包括党政机关、人民团体机关；实行独立核算，建有共产党基层组织或工会基层组织的各种所有制形式的企业、事业单位。

**二、推荐条件**

1. 领导班子坚强有力。坚决执行党的路线、方针、政策，坚持两手抓、两手都要硬的方针，重视精神文明建设，创建活动摆上领导议事日程，计划周全、目标明确、措施具体、责任落实。勤政廉政，以身作则，作风民主，在群众中威信高。

2. 业务工作实绩显著。积极适应社会主义市场经济的发展，改革进取，科学决策，依法经营，严格管理工作效率高，服务质量好，社会效益和经济效益稳步提高，主要业务工作指标达到本行业、本省（区、市）同类型单位先进水平。

3. 思想道德风尚良好。切实加强思想道德建设，不断提高干部群众的思想道德和科学文化素质。坚持开展精神文明创建活动，切实加强职业道德建设，行业风气和干部群众精神状态良好，形成了爱岗敬业、诚实守信、办事公道、服务群众、奉献社会的良好风尚。广泛开展群众性文体活动。计划生育工作好。

4. 管理规章制度健全。有具体明确、便于操作、易于考核的工作规范，监督保障措施完善。纪律严格，奖罚分明。社会信誉高，群众反映好。

5. 环境优美环保达标。环境清洁，绿化美化，环保制度健全、措施落实，环境污染控制等指标达本省（区、市）先进水平。工作条件逐步改善，服务设施逐步配套，各项工作秩序井然。

6. 遵纪守法秩序安定。社会治安综合治理措施落实，治安防范网络健全，民主法制教育经常化、制度化。单位内部治安状况良好，工作纪律严明，安全生产落实。无重大案件、重大事故，员工中无严重违法违纪案件。

**三、报批程序**

1. 创建文明行业工作先进单位的推荐工作，分别由中央和国家主管部门或省（区、市）文明委负责。由中央和国家主管部门负责推荐的，要征求所在省（区、市）文明委的意见。由省（区、市）负责推荐的，要征求中央和国家主管部门意见。精神文明建设工作先进单位的推荐工作，由省（区、市）文明委负责。推荐名单分别以主管部门和各省、自治区、直辖市文明委（领导小组）名义，于8月10日前书面报中央文明办。

2. 各有关行业的主管部门和省（区、市）文明委在提出推荐报告的同时，要向被推荐单位干部群众通报推荐情况、推荐条件，接受群众对被推荐单位的评议和监督。

3. 中央文明办采取适当方式征询有关方面和群众的意见。提出表彰名单，报中央文明委审议。

4. 中央文明委审议批准后，对全国创建文明行业、文明单位工作先进单位进行正式表彰。

**四、制定实施细则**

各有关行业的主管部门和各省（区、市）文明委可根据本办法，结合各自实际情况制定实施细则。

中央宣传部　国家内贸局　国家工商局
国家质量技术监督局

# 关于1999年深入开展“百城万店无假货”活动的通知

（中宣发［1999］3号）

各省、自治区、直辖市党委宣传部，商委（财办）、商业（贸易）厅（局、集团总公司），工商行政管理局，质量技术监督局：

“百城万店无假货”活动开展三年多来，在各地党委和有关部门的高度重视、商业企业的积极努力下，取得了比较明显的成效，受到了广大消费者的欢迎。特别是1998年15条示范街、100家“五联服务一体化”示范店公布以后，活动逐渐由点到线、由线到面地向纵深发展，在社会上产生了越来越大的影响。1999年，要按照“巩固已有成果、克服薄弱环节、努力扩大影响、继续稳步前进”的思路，在维护市场秩序、保护消费者合法权益、开拓城乡市场方面多下功夫，使“以真诚赢得信誉，用信誉保证效益”的口号更加深入人心，形成良好的职业道德风尚，带动和促进社会风气的进一步好转。现就有关事项通知如下：

一、“百城万店无假货”活动是群众性精神文明建设中涌现出来的新事物，是精神文明建设从具体事情抓起的有益探索，是宣传思想工作为经济建设服务的好形式。各地要充分认识开展活动对打击假冒伪劣行为，加强精神文明建设的重要意义，把它作为创建文明城市、文明行业的有力措施，纳入“讲文明树新风”活动之中，认真抓紧抓好。要学习推广南京市湖南路和北京百货大楼等示范街、店的先进经验，把活动扎扎实实地引向深入。

二、在1998年推出15条示范街的基础上，1999年“3·15国际消费者权益日”前夕，从山西、内蒙、吉林、浙江、安徽、江西、湖北、广西、海南、重庆、贵州、宁夏、甘肃、青海、新疆等15个省（区、市），各推出一条有代表性的商业街，作为第二批“百城万店无假货”活动示范街向社会公布。请上述省（区、市）按照示范街的标准条件，认真做好准备工作。

三、下半年，选择5个管理规范、条件比较好的专业批发市场进行试点，适当时候作为“百城万店无假货”活动示范点推出。

四、各地要不断总结经验，根据实际需要和可能，稳步扩大“百城万店无假货”活动的覆盖面。如条件成熟，可推出自己的示范街、示范店和示范市场。

五、“百城万店无假货”活动示范店要加强职业道德教育、强化内部管理，在实践中不断完善“五联服务一体化”的具体措施，认真执行国家商品供应政策和物价政策。坚持卖真品、标真价，为民、便民、利民积极推行无障碍退货、先试后购、送货上门、跟踪回访等服务方式。采用开办消费者学校、提供咨询服务等好做法，为消费者提供更多的便利。

各地可从实际出发，以示范店为骨干，组织商业、供销企业送货下乡，向农民提供货真价实质优的日用消费品和农用物资，并向农民介绍识假、防假、打假知识，促进“百城万店无假货”活动向农村延伸。

六、年底，将组织有关部门对全国“百城万店无假货”活动示范街、示范店进行一次复查。示范街按照公布的六条标准，示范店按照“五联服务一体化”的五条标准，检查是否做到了标识醒目、措施具体、效果良好、群众认可。对合格的示范街、示范店，予以重新确认和通报表扬；对不合格的示范街、示范店，要限期整改，有名无实或问题严重的，取消其称号。

七、各级宣传、商业（贸易）、工商行政管理、质量技术监督、消协、个协等部门和组织，要各司其职，相互配合，及时沟通情况，加强工作指导。中央主要新闻单位将继续开展“百城万店无假货”活动纵深行系列采访，报道各地开展活动的经验和做法，反映社会各界的呼声和要求。对少数危害严重、影响较大的制售假冒伪劣商品行为，要进行曝光。“3·15”前后，关于“百城万店无假货”活动的新闻报道要形成声势。

1999年1月19日

## 中央宣传部　国家计划生育委员会

# 关于广泛开展婚育新风进万家活动的通知

（国计生委［1999］28号）

各省、自治区、直辖市党委宣传部、计生委，计划单列市、新疆生产建设兵团党委宣传部、计生委，中直机关、中央国家机关党工委宣传部、计生委，解放军总政治部、武警总部政治部宣传部、计划生育领导小组办公室：

为深入贯彻落实党的十五大精神，深化计划生育宣传教育工作，中央宣传部、国家计生委决定，今后三年在全国城乡广泛开展婚育新风进万家活动，宣传科学、文明、进步的婚育观念，建设社会主义生育文化，增强广大群众实行计划生育的自觉性，为完成本世纪末和下个世纪中叶的人口控制目标营造良好的社会环境。

**一、活动主题**

在全国特别是广大农村，大力宣传晚婚晚育、少生优生、生男生女一样好、女儿也是传后人、男女平等和计划生育丈夫有责等新型婚育观念，普及计划生育和生殖保健知识；在城市和经济比较发达的农村地区，还要加强优育优教、增强自我生殖保健能力、提高家庭生活质量和讲求健康的生活方式的宣传，满足人们多层次的需求。

**二、指导思想**

以马克思主义人口理论、邓小平人口思想和江泽民同志关于计划生育工作指示精神为指导，认真学习贯彻党的十五大精神和中央关于计划生育工作的方针政策，大力倡导科学、文明、进步的婚育观念，大力普及计划生育和生殖保健科普知识，依托社区，面向家庭，把计划生育宣传教育融入、渗透到群众性社会主义精神文明建设各项活动中，促进人的全面发展和社会的文明进步。

**三、活动内容**

1. 组织好经常性宣传教育活动。在全社会形成新的婚育观念是一项长期任务，也是计划生育能否搞好的关键，必须坚持“三为主”的方针，把宣传教育工作摆上重要位置。各地要把婚育新风进万家活动作为龙头，围绕活动主题，制定周密计划，抓住本地计划生育工作中存在的突出问题。有针对性地开展宣传教育工作，持之以恒，常抓不懈，抓出实效。

2. 组织好集中性宣传教育活动。要充分利用建国50周年、1999年10月12日“世界60亿人口日”、迎接新世纪活动等重大事件和计划生育宣传月、纪念日等有利时机，动员社会各方面力量，开展多种形式的宣传教育活动，形成计划生育宣传热潮，推动婚育新风进万家活动深入开展。

3. 营造良好的社会氛围。在城乡基层主要街道和人群集中的公共场所，设立固定的计划生育宣传广告和标语口号，内容应准确、文明、温馨，体现计划生育为民造福和促进社会文明进步的精神实质；对不符合国家政策、口气生硬、有损计划生育形象的标语口号，要予以清除。

4. 制作一批计划生育宣传品。各地要制作一批符合城乡广大育龄群众需求的计划生育、生殖健康科普知识宣传品，并采取有力措施进入家庭。争取在三年内，为城乡每个育龄群众家庭送一份“五期教育”的宣传折页；为每个村民小组、居民小组配备一个计划生育宣传袋和一套计划生育宣传品；为每个村、居委会配备一套计划生育、生殖健康科普知识录音带、录像带或VCD光盘；为每个乡村、街道的人口学校建立一个计划生育图书角。

5. 创作一批计划生育文艺作品。优秀的文艺作品在影响、引导人们树立新的婚育观念方面发挥着重要的作用。各地要积极组织文艺工作者参与计划生育宣传工作，动员他们深入基层、深入群众，创作一批时代感强、教育性强、为群众喜闻乐见的文艺作品，寓教于乐。要广泛开展群众性计划生育文艺宣传活动，培养出一批群众文艺骨干，自编自演，用身边事教育身边人。

6. 发挥好新闻媒介的作用。要办好人口与计划生育广播、电视栏目和报刊专栏。按照《中国计划生育工作纲要（1995—2000年）》的要求，做好计划生育广播电视栏目的开办工作。在三年内，各级广播电台、电视台都应有固定的计划生育宣传栏目。目前已经开办的栏目，应进一步提高质量，扩大社会影响。报刊专栏要开展好各种形式的宣传报道工作。各级计划生育专业报刊，更应发挥优势，做好工作。

7. 开展面对面宣传教育。面对面地做群众的思想工作，帮助他们解决实际问题，针对性强，容易收到好的效果。在搞好社会面上宣传教育的同时，要经常组织科技、卫生、文化、计划生育工作人员深入城乡社区、深入群众家庭，根据育龄群众的不同需求，开展面对面的宣传教育和咨询工作，增强工作的针对性和有效性。要在计划生育宣传服务场所设立咨询室、悄悄话室，为群众解疑释惑。

**四、总体安排**

婚育新风进万家活动分三年进行，1999年是试点启动阶段，2000年是全面展开阶段，2001年是总结表彰阶段。

1999年的主要任务是：认真贯彻1998年全国婚育新风进万家活动座谈会精神，做好活动的试点启动工作，围绕建国50周年、世界60亿人口日等重大事件，大造计划生育宣传声势，形成活动的第一个高潮。进行全国婚育新风宣传画评选，推出一批优秀宣传画；组织以婚育新风为主题的全国计划生育文艺汇演，进一步推动计划生育文艺宣传；组织各地广泛开展演讲比赛、绘画书法、戏剧影视、有奖征文、知识竞赛、摄影比赛、文艺汇演、集市文艺宣传等多种形式的宣传活动；召开婚育新风进万家活动研讨会。

2000年的主要任务是：总结推广试点取得的成功经验和做法，全面开展婚育新风进万家活动，进一步加大宣传教育力度，形成活动的第二个高潮。组织人口学专家、计划生育工作者和社会有关人士召开婚育新风进万家活动报告会；对各地活动开展情况进行调查与中期评估工作，推动活动深入开展。

2001年的主要任务是：总结全国婚育新风进万家活动的进展和成效，提出下一阶段的工作目标。中宣部、国家计生委将联合对活动先进单位和个人进行表彰，并组织专题巡回报告团，宣传活动中涌现出的先进经验和先进典型。各地也要认真总结经验，表彰宣传先进，把活动推向高潮。

**五、工作要求**

1. 提高对开展婚育新风进万家活动重要性和必要性的认识，做好活动的组织领导工作。开展婚育新风进万家活动既是进一步加强计划生育宣传教育工作、促进人们婚育观念的转变、巩固低生育水平的需要，也是更好地完成跨世纪人口目标和实现人口与经济社会的协调发展和可持续发展的需要。各级党委宣传部门和计划生育部门要高度重视，制定计划，定期研究活动的开展情况和下一步的工作目标，及时解决出现的问题。要把开展婚育新风进万家活动列入计划生育管理目标，实行管理目标责任制；开展活动不积极、宣传教育工作没起色的单位不能评为计划生育先进单位。

2. 突出活动特点，在“新”字上做文章，在“进”字上下功夫。活动中，要大力倡导新的婚育观念，增加科技、文化含量，着眼于新世纪，建设社会主义生育文化。要采取多种方式，使活动丰富多彩，为群众喜闻乐见，增强宣传效果。要依托社区、面向家庭，把宣传工作落实到每个家庭、每个育龄群众。要把广大农村特别是经济欠发达的贫困地区作为重点，加大工作力度，往那里多送宣传品、多送服务。要扎扎实实，务求实效，防止做表面文章、摆花架子。

3. 把婚育新风进万家活动渗透、融合到社区发展和各种群众性精神文明创建活动之中，吸引群众广泛参与。在城市，同创建文明小区、文明街道、文明单位等活动结合起来，同发展社区经济、完善社区服务结合起来，同职业培训、下岗职工再就业工程结合起来；在农村，同创建文明村镇、文明户等活动结合起来，同发展农村经济、扶贫开发结合起来，同建立健全医疗、养老等各项社会保障制度结合起来。要着眼于为群众多办实事，让群众看到实实在在的好处，吸引群众广泛参与，在参与中受到教育、得到提高，增强宣传教育的效果。

4. 加强计划生育宣传教育网络建设。社会各有关部门要进一步加强对计划生育宣传的支持和配合，不断完善计划生育社会宣传部门定期联系和协调会制度，形成灵活、有效的宣传工作网络，开创计划生育宣传全社会参与、齐抓共管的新局面。

1999年3月26日

# 中央宣传部 人事部 中央文明办
# 关于继续深入开展做人民满意的公务员活动的通知

（人发［1999］32号）

各省、自治区、直辖市党委宣传部、文明办、人事（人事劳动）厅（局），国务院各部委、各直属机构人事（干部）部门：

近年来，各地、各部门广泛开展的做人民满意的公务员活动，促进了公务员队伍建设，密切了党和政府同人民群众的联系，发挥了公务员在两个文明建设中的表率作用，受到人民群众的欢迎。中宣部、人事部、中央文明办决定，在前几年工作的基础上，继续把这项活动深入开展下去。做好1999年工作总的要求是，以邓小平理论为指导，深入贯彻党的十五大和九届全国人大二次会议、全国政协九届二次会议精神，紧紧围绕建设廉洁、勤政、务实、高效政府的目标，大力推进政务公开，切实加强群众监督，突出为人民群众办实事，更好地为改革发展稳定的大局服务，用让人民满意的实际行动，迎接新中国成立50周年。

**一、抓好为群众办实事活动，解决一批关系群众切身利益的实际问题**

开展为群众办实事活动，要紧紧围绕各级党委和政府的中心工作，重点解决人民群众迫切要求解决的问题。

在农村，重点解决减轻农民负担问题。要在全面落实党在农村的基本政策，促进经济发展，增加农民收入，保障农民民主权利的同时，一个乡一个乡、一个村一个村地解决农民负担问题，并针对一些部门存在的坑农、卡农、害农现象，提出解决办法和防范措施，真正把中央和各级政府关于减轻农民负担的政策措施落到实处。

在城镇，着重帮助下岗职工再就业。要做好耐心细致的思想工作，引导人们树立新的择业观念。采取有力措施，做好下岗人员的培训工作，增强他们的就业本领。广开就业门路，多方为下岗职工创造就业机会。有关职能部门要切实负起责任，把工作做细做实。各级政府机关、每个公务员都要尽可能地为下岗人员提供帮助，为促进国有企业改革的顺利进行作出贡献。

在灾区，重点抓好环境卫生整治。各级政府机关和广大公务员要在帮助灾区群众恢复生产、重建家园的过程中，把保证人民群众的身体健康作为一件大事来抓，深入灾区广泛宣传卫生防疫知识，增强人们的卫生防疫意识，同灾区广大群众一起打一场除害灭疫的人民战争，落实中央关于大灾之后无大疫的要求。

行政执法部门要着重解决公正执法和热情服务问题。在人、财、物审批和各种证、照、牌核发等方面为群众提供方便，做到及时办理，不拖不压，坚决杜绝各种形式的官僚主义和吃、拿、卡、要行为。积极做好信访和民间纠纷的调解工作，化解矛盾，消除隐患，维护社会稳定。

领导干部和领导机关要带头办实事。每个领导机关都要确定1999年办实事的目标任务，每个领导干部都要明确年内要办哪些实事，着力解决好本地区、本部门、本行业中群众最不满意、最为关心的问题。

**二、大力推行政务公开，自觉接受群众监督**

实行政务公开，增加工作透明度，是使政府工作让人民满意的有效方式。1999年要在这方面狠下功夫，力争取得大的进展。

要及时总结推广各地、各部门在实行政务公开方面的好做法，运用成功经验推动面上工作。近年来，不少地方和部门实行的“公示制”，把部门的职责、权限、办事程序和工作纪律公诸于众，这对改进机关作风，接受群众监督，防止不正之风，起了很好的作用，应当大力推广。

各级政府机关和有关部门要从本地区、本单位的实际出发，建立完善政务公开的各项具体制度，并抓好落实。要利用广播、电视、报纸等新闻媒体把政务公开的具体内容和方式方法向社会公布。还可采取公开栏、网络发布、文件公告等做法，沟通政府与人民群众的联系。

**三、宣传表彰先进典型，树立人民政府的良好形象**

开展做人民满意的公务员活动，是对各级政府机关的普遍要求，要把广大公务员动员起来，使他们积极参与进来，形成人人争做“人民满意的公务员”的局面，在此基础上，认真抓好先进典型的宣传和表彰。

中央和地方各级政府机关以及街道办事处都要有自己的典型，形成一个让人民满意的公务员先进群体。先进典型要有广泛的群众基础，典型的产生要听取群众意见，经过群众评议，使群众认可，群众满意。

各地、各部门要广泛开展向先进典型学习的活动，用榜样的力量激励广大公务员尽职尽责，廉洁勤政，为群众多办好事实事。中宣部、人事部、中央文明办将于1999年八月份集中推出一批“人民满意的公务员”先进典型。

**四、切实加强组织领导，保证工作落到实处**

开展做人民满意的公务员活动，是引导广大公务员认真实践全心全意为人民服务的宗旨，建设高素质的国家公务员队伍的有效措施，是推动改革和经济发展，促进文明机关建设，树立良好社会风尚的重要举措。各地、各部门要充分认识开展这项活动的意义，摆上议事日程，认真进行研究，作出安排部署。

党委宣传部门、政府人事部门和各级文明办要在认真总结前几年工作经验的基础上，制定出本地区、本部门便于操作、切实可行的工作方案，一步步地抓好实施。要明确分工，各负其责，加强协调，相互配合，形成合力，保证活动效果。

各级新闻单位要认真做好做人民满意的公务员活动的宣传报道，制定计划，加大力度，及时报道活动情况、成功经验、先进典型和群众的呼声反映，为推动活动的顺利进行创造良好的舆论氛围。

开展做人民满意的公务员活动要同“三讲”教育相结合，用让人民满意的实际行动体现“三讲”的要求。要抓好学习活动，组织广大公务员着重学习《毛泽东邓小平江泽民论为人民服务》，增强为人民服务的思想观念。开展做人民满意的公务员活动要讲求实际效果，任务要具体，措施要实在，工作要扎实，切忌形式主义和花架子。通过实实在在的活动，使人民群众得到好处，公务员的素质得到提高。

1999年3月29日

## 中央宣传部　教育部　共青团中央　全国学联

# 关于大力开展中国大中专学生志愿者暑期文化科技卫生“三下乡”活动的通知

（中青联发［1999］41号）

各省、自治区、直辖市党委宣传部、党委教育工作部门，教委、教育厅，团委，学联，广东省高教厅：

近年来，各地大中专学生利用暑期开展的文化科技卫生“三下乡”活动，取得了显著的成效，产生了良好的反响，受到了广大青年学生和农民群众的普遍欢迎。为深入贯彻党的十五大和十五届三中全会精神，促进学生综合素质的提高，推动农村两个文明建设，中宣部、教育部、共青团中央、全国学联决定，1999年暑期继续大力开展大中专学生志愿者“三下乡”活动。现将有关事项通知如下。

**一、活动主题**

1999年暑期“三下乡”活动的主题是：弘扬五四爱国精神，勇担强国富民重任。

1999年是建国50周年、五四运动80周年，前不久，广大青年学生和全国人民一道愤怒声讨以美国为首的北约轰炸我国驻南联盟使馆的暴行，表现了强烈的爱国主义精神。要抓住这一有利时机，通过深入开展“三下乡”活动，使青年学生切身感受建国50年来特别是改革开放以来我国社会主义现代化建设的巨大成就，加深对邓小平理论的理解，进一步弘扬爱国主义精神，牢固树立强国富民、振兴中华的理想。要把青年学生的爱国热情引导到为我国广大农村地区的经济建设和社会发展做贡献上，引导到用所学知识报效祖国、服务社会、回报人民上，引导到在丰富生动的社会实践中经受锻炼、增长才干、提高素质上，以成才报国的实际行动进一步展示当代青年学生强烈的历史责任感和积极向上的良好精神风貌。

**二、活动内容**

暑期的“三下乡”活动主要集中在7月上旬至8月中旬。今年重点活动项目是：

1. 百乡千村科技扶贫。选择100个乡的1000个欠发达村，以农林、水利等院校学生为主，根据当地农村经济发展的实际需要，通过开办培训班、现场指导等方式，传授和推广科技知识，帮助农民解决生产中遇到的问题，推动当地尽快脱贫致富。

2. 千支服务队灾区援助。组织1000支志愿服务队，深入去年遭受洪涝灾害的地区，为灾区群众提供文化、科技、卫生援助，帮助灾区更好地恢复和发展生产，提高卫生和健康水平。

3. 千家乡镇企业促进行动。以理工、财经院校学生为主，充分发挥博士生、硕士生的作用，结合乡镇企业实际需要，开展市场营销、产品开发、技术创新、规范管理、职工培训等方面的服务工作，为1000家乡镇企业的发展提供帮助。

4. 大学生文艺队千场演出。组织一批大学生业余文艺演出队，深入农村巡回演出1000场。可以与当地农民艺术团体相互配合，精心编排农民群众喜闻乐见的节目，丰富和活跃农村文化生活。

5. 万户农民健康普查。组织大学生医疗服务队，为1万户农民进行简单的健康普查和常见病治疗，开展卫生常识咨询，普及医疗卫生知识，为农村送医、送药、送器械。在一些地方病高发区普及预防知识。

6. 千支服务队支教扫盲。以师范院校学生为主，组织1000支志愿服务队，为农村地区中小学服务，举办中小学师资培训班。同时，开展扫盲活动，帮助更多的青壮年文盲提高文化水平。

7. 法律宣传进万家。组织政法院校学生，以宪法、刑法、民法、婚姻法、森林法、土地法、义务教育法等法律为重点内容，走村串户向农民宣传和普及法律知识，增强农民的法律意识和法制观念，推动农村的民主法制建设。

8. "保护母亲河"行动。组织大中专学生特别是农林水利等专业的学生，以调查团、宣讲团、夏令营等形式，积极参与"保护母亲河"行动，进行生态环境调查，宣传保护母亲河，并提供力所能及的技术服务。黄河、长江流域主要城市要认真组织好"母亲河，我与你同行"绿色传递活动。充分发挥大中专学生在倡导绿色文明和实施可持续发展战略中的作用，利用暑期掀起"保护母亲河"活动的高潮。

为更好地推动农村社会主义精神文明建设，中宣部等部门还将委托专门机构，以首批公布的全国文明村镇创建活动100个示范村为对象，组织和培训部分大学生作为调查员，深入了解示范村农民综合素质等方面的情况，开展文明村镇创建活动调查。

各地各校还可以围绕活动主题，结合本地实际，设计开展多种形式的"三下乡"活动。

**三、活动要求**

1999年暑期开展大中专学生志愿者"三下乡"活动，是对青年学生进行爱国主义教育、引导青年学生健康成长的一项重要举措，是推动农村两个文明建设的一项重要工作，是纪念五四运动80周年、迎接建国50周年的一项重要内容。各地要高度重视，切实加强领导，下大力气抓好这项工作。

一要突出活动重点。各地各校要把灾区和贫困地区作为活动的重点地区，在当地受灾地区和贫困地区中确定一些活动重点区，集中本地高校力量，开展文化科技卫生综合服务。要按照全国统一部署抓好重点活动，优先保证重点活动项目的实施。各地各校也要安排好自己的重点活动。

二要务必讲求实效。各地各校开展"三下乡"活动，一定要从实际出发，保证活动既轰轰烈烈，又扎扎实实。要立足学校，立足基层，结合专业特点，并充分考虑服务地区的现实需求，增强活动的针对性。要按照项目的形式运作，把各项服务活动具体化。鼓励学校和地方建立长期稳定的联系，使暑期"三下乡"发展成"常下乡"，真正帮助地方解决一些实际问题。要适当扩大参加"三下乡"活动的学生规模，适当增加活动时间，以增强活动的影响力。1999年暑期要通过集中组队、回乡度假分散活动等多种形式，力争动员60万名大中专学生参加"三下乡"活动。

三要切实提供保障。大中专学生志愿者"三下乡"是社会实践活动的深化和发展，在学生中具有广泛的影响，各有关部门要多创造条件，为活动的开展提供更有力的保障。各普通高等学校、高等职业学校和中等职业学校应当在把社会实践活动纳入教育计划的基础上，进一步建立和完善学生参加"三下乡"等社会实践活动成果的考核制度，调动他们参加"三下乡"活动的积极性，有关部门和各学校要在保证现有社会实践经费的基础上，适当增加"三下乡"社会实践活动专项经费投入。要进一步建立和完善教师指导学生参加社会实践活动的制度，学校组织的"三下乡"活动都应配备指导教师，以提高活动的质量和水平。

四要加强新闻宣传。各地要从多方面加大新闻宣传工作的力度，使更多的学生从中受到教育。各新闻单位要充分重视"三下乡"活动的宣传。摆上日程，列入计划，进行较大力度的报道。要组织精干力量深入基层一线，及时、高质量地报道各项重点活动的开展情况和青年学生、农民群众的反映。中央电台、光明日报、中国青年报、中国教育报、农民日报等中央新闻单位要开展"从农村变化看共和国五十年"主题征文活动，并开辟专题专栏，系列刊发学生的优秀征文。各地新闻单位也要组织好本地区的新闻宣传，运用多种体裁，为大中专学生"三下乡"活动创造有利的舆论氛围。

活动结束后将评选表彰先进单位和优秀志愿服务队。各地各校有关活动情况，请及时报团中央学校部。

1999年5月27日

# 中央宣传部　中央文明办　科技部　农业部　文化部　卫生部　国家计生委　国家广电总局　新闻出版署　共青团中央　中国科协

# 关于进一步做好文化科技卫生“三下乡”工作的通知

（中宣发［1999］15号）

各省、自治区、直辖市党委宣传部、文明办，科委，农业、文化、卫生厅（局），计生委，广播电视厅（局），新闻出版局，共青团委员会，科学技术协会：

为满足农民日益增长的物质和文化生活需要，密切党同人民群众的联系，进一步促进农村的改革、发展和稳定，中宣部、中央文明办、科技部、农业部、文化部、卫生部、国家计生委、国家广播电影电视总局、新闻出版署、共青团中央、中国科协决定，认真贯彻党的十五大、十五届三中全会精神，落实《中共中央关于加强和改进思想政治工作的若干意见》，在以往工作的基础上，继续广泛深入地开展文化科技卫生“三下乡”活动。现就有关要求通知如下：

**一、从促进社会主义新农村建设的高度，认真抓好文化科技卫生“三下乡”**

1996年底以来，各级党组织和政府有关部门牢固树立服务农业、服务农村、服务农民的思想，着眼提高农民思想文化素质和社会文明程度，把“三下乡”摆上重要日程，积极采取措施，动员各方力量，深入农村基层，为农民提供文化、科技、卫生方面的服务，办了大量实事好事，取得多方面的显著成效，受到农村干部群众和社会各界广泛好评。实践证明，开展“三下乡”是新形势下推动农村两个文明建设的有效途径，是加强农业和农村工作的实际举措，是服务全党全国工作大局的重要任务。

各地各有关部门要从增强农民致富能力、推动农村经济发展的高度，从密切干群关系、保持农村稳定的高度，从巩固党的执政地位、完成党的历史任务的高度，认识“三下乡”，抓好“三下乡”。要按照《中共中央关于加强和改进思想政治工作的若干意见》的要求，紧紧围绕经济建设中心：坚持两手抓、两手都要硬，推动农村精神文明建设和思想政治工作，把“三下乡”提高到一个新水平。文化下乡要重视发挥文化的社会教育功能，加大群众文化工作力度，引导群众文化消费，用健康有益和丰富多彩的精神生活占领农村思想文化阵地；科技下乡要重视宣传马克思主义唯物论和无神论，加大科学思想、科学精神、科学知识、科学方法的普及力度，帮助和引导人们划清唯物论与唯心论、无神论与有神论的界限，增强农民识别和抵制唯心主义、封建迷信及各种伪科学的能力，提高农民科技致富本领，努力在农村形成爱科学、学科学、用科学的风尚；卫生下乡要重视普及与群众日常生活密切相关的医疗卫生、科学健身和自然科学知识，加大巡回医疗和卫生宣传力度，加强农村基层卫生所（室）建设，积极发展合作医疗事业，提高农民自我保健和科学养生能力。

**二、精心组织一批集中示范活动**

今冬明春，要继续组织各类电影队下乡巡回放映，开展科普之冬、科普之春活动，推进西北五省（区）科普工程，开通“科技110”服务热线，抓好大中专学生志愿者“三下乡”等活动。同时，要推出一批效果好、影响大、带动作用强的示范活动，用集中活动打开局面，促进工作，在2000年元旦、春节期间掀起“三下乡”的新高潮。

1. 组织各级专业文艺团体在“两节”期间到农村进行慰问演出。同时，广泛组织开展各种群众性文化体育活动。文化馆、图书馆、博物馆、体育馆和各类群众活动中心，要面向社会，服务群众，充分发挥在文化教育和文化活动中的重要作用，努力营造健康的社会文化环境。

2. 加快“百县乡镇宣传文化工程”建设，改变贫困地区农村文化设施落后状况，促进人民群众文化生活条件的改善。加强已建成文化站的管理和指导，充分发挥它们在活跃农村文化生活上的带动作用。

3. 举行百万册图书送千县活动。着重向贫困地区赠送一批农业科技适用图书、挂图，帮助农民群众增强科技意识，提高科技致富能力。向百县赠送一批农业科技录像带，并组织好播放和收看工作。

4. 开展“1999·科技下乡”活动。选择大别山等革命老区、贫困地区，举办科技大集、专家巡回门诊和巡回课堂，重点推广适合这些地区发展的种植、养殖、加工等科技项目。

5. 推进“星火电视下千县”活动。利用这一现代科技传播网络，推广实用科技知识、介绍最新科技信息、宣传科技致富典型，加快普及农业适用技术。

6. 组织“树文明新风科普万里行”活动。组织科普宣传队深入乡村、山寨，大力宣传科学精神、科学思想、科学方法，普及现代科学知识，提倡移风易俗，揭露封建迷信；举办农牧业实用技术培训班，传播科学种田、养畜新技术，推广节水、良种包衣、坡改梯等农业实用技术。

7. 全面展开“婚育新风进万家”活动，组织人口学专家、生殖健康技术服务专家、计划生育工作者、社会有关人士与先进典型举办“婚育新风进万家”报告会活动，为农民制作发放一批计划生育、生殖健康科普宣传品，为农村已婚育龄夫妇提供基本生殖健康技术服务，积极传播科学、文明、进步的婚育观念和科学知识。

8. 组织医疗队下乡巡诊，送医送药，送卫生知识，推广新的医疗技术，培养当地医疗人才，继续开展好农村防盲治盲工作。

9. 组织开展“九亿农民健康教育行动”，制作一批宣传卫生科学知识的音像制品，在各级电台、电视台免费播放，帮助农民了解卫生常识，改变不良生活习惯，提高健康水平。

10. 办好农村青年文化节，以推广科技、倡树新风、传播文明为主题，以乡村两级为重点，实施好万乡青年科技大集、乡村青年大擂台、青年文明一条街等项目。

**三、继续推进“三下乡”常下乡**

开展“三下乡”，是农村两个文明建设的一项长期任务，既要抓好集中示范活动，更要抓好经常化工作，不断满足农村和农民的需要，做到“三下乡”常下乡。

要适应社会主义市场经济体制的需要，研究制定有利于“三下乡”常下乡的政策，建立健全相关机制，提倡和鼓励社会各方面力量为农村办实事好事，引导和鼓励文化科技卫生工作者到农村去。要按照国务院关于《进一步完善文化经济政策的若干规定》精神，用好宣传文化事业专项资金，把图书报刊、广播电视、电影戏剧、科技资料、卫生服务源源不断地送到农村、农民中去。

要努力办好农村16毫米拷贝影片交易活动，尽可能地为农民提供更多的电影节目，丰富和开拓农村电影市场。县级电影放映公司应把重点放在农村基层，扩大农村的放映点和建成更多的农村电影放映队。“送科技电影下乡”活动要经常化，充分调动社会各方面的积极性，欢迎和鼓励更多的优秀企业参与，采取“影企联姻”等形式，在宣传企业形象、开拓农村市场的同时，把科教电影送到农村去。继续办好中央人民广播电台和中央电视台科普节目。

要加强农村集镇图书门市部建设和管理，丰富农村图书供应品种，方便农民购书。通过举办书评、讲座，以及开展读书心得交流等活动，引导农民读书、用书。有条件的应建立乡镇村图书馆（室），充分发挥历年来所赠图书的作用。

要把“三下乡”与群众性精神文明创建活动紧密结合，深入开展“讲精神文明、比科学致富、创建科普文明乡镇村”活动，充分发挥“十星级文明户”、科普示范户、示范村、示范基地和其他阵地设施的作用，着重抓好农村骨干人才的培养和训练，增强农民吸纳、消化“三下乡”成果的能力。要制定必要措施，提高农村基层文化、科技、卫生人员的素质和积极性，通过他们搞好经常化服务，在农村建起一支不走的“三下乡”队伍。

要加大为贫困地区、灾区、少数民族地区和贫困农户服务的力度，把“三下乡”同扶贫攻坚结合起来，把锦上添花同雪中送炭结合起来，进一步突出“三下乡”的重点，集中使用力量，帮助那些最需要帮助的人，鼓励和支持有关部门、企事业单位与贫困地区、灾区和贫困农户结对子，对口支援，长期帮扶。已经开展的“少数民族科普示范工程”要抓紧抓好。

**四、切实加强对“三下乡”工作的领导**

各地各部门要把“三下乡”切实摆上农村工作和精神文明建设的重要日程，尽快对“三下乡”作出具体部署。要认真总结前几年的经验，结合各自特点，抓住突出矛盾和问题，制定切实可行的具体方案，保证把工作任务落到实处。要坚持解放思想、实事求是、深入基层，认真研究“三下乡”工作的特点和规律，积极开辟新途径，探索新办法，创造新经验，坚决反对和防止形式主义。要精心筹划，把方案搞得更细一些，准备更充分一些，动员力量更大一些，进一步增强“三下乡”的针对性、实效性。

要大力弘扬全心全意为人民服务的人生观、价值观，在适当时候，采取适当方式对“三下乡”活动中涌现出来的先进集体和先进个人予以表彰和奖励，并宣传报道他们的先进事迹和优秀品质。

各级新闻单位要把宣传“三下乡”作为自己服务农业、服务农村、服务农民的实际行动，作出必要安排，切实加大新闻宣传力度。要调动精兵强将，深入农村一线，及时报道活动情况，真实反映农民呼声，大力做好典型宣传，营造良好舆论氛围，推动“三下乡”不断深入发展。

1999年11月18日

中央文明办　教育部　建设部　铁道部
交通部　水利部　环保总局　国家林业局
全国绿委办　共青团中央　全国妇联

# 关于开展“保护生态环境，倡导文明新风”活动的通知

（文明办［1999］1号）

各省、自治区、直辖市文明办，教委（教育厅、局），建委（建设厅），交通厅（局），水利厅（局），环保厅（局），林业厅（局），绿委办，团委，妇联，各铁路局：

近年来，在全国城乡蓬勃开展的讲文明树新风活动，着力解决文明言行、服务质量、环境卫

生、交通秩序等方面存在的突出问题，取得了明显成效，受到广大人民群众的拥护和欢迎。根据中央精神文明建设指导委员会1999年工作安排，1999年的讲文明树新风活动要在继续解决四个方面存在的突出问题，巩固已有成果的同时，把保护生态环境，绿化美化家园，作为活动的重要内容。中央文明办、教育部、建设部、铁道部、交通部、水利部、环保总局、国家林业局、全国绿委办、共青团中央、全国妇联，决定在全国开展“保护生态环境，倡导文明新风”的活动。现将具体安排通知如下，请结合本地区、本部门的实际贯彻执行。

**一、总体要求**

以党的十五大和十四届六中全会精神为指导，认真落实江泽民总书记关于精神文明建设每年要办几件作用大、影响大的实事的指示精神，动员吸引广大群众积极参与保护环境，防治污染，绿化祖国，美化家园的实践活动，增强人们的环境意识、生态意识、可持续发展意识，提高人民群众的生活质量，推动讲文明树新风活动向纵深发展，为迎接建国50周年创造良好的环境。

**二、活动内容**

以“保护生态环境，倡导文明新风”为主题，着重围绕搞好植树绿化、清理白色垃圾、改善空气质量、治理水源污染四个方面的主要任务，开展群众性宣传教育活动，组织集中性整治战役。

**三、实施步骤**

3月中旬，11个主办单位联合召开“保护生态环境，倡导文明新风”活动全国电话会议进行部署。活动分两个阶段推进，形成两个高潮。

第一阶段，3月初至6月底，重点围绕搞好植树绿化，清理白色垃圾组织开展活动。要充分利用春季植树造林的最佳季节，组织广大群众，参加植树种草，爱绿护绿的义务劳动。着重搞好城市及城市周边地区的绿化和绿地养护，同时，要注意搞好公路、铁路、江河沿线的植树绿化。要结合开展春季爱国卫生运动，加大治理环境卫生的力度，重点清理城市公共场所、旅游景点、内河水域和铁路沿线的白色垃圾。要教育群众，不乱弃垃圾，少用、不用一次性塑料包装用品，自觉抵制有损环境的产品和服务，大力提倡绿色消费。3、4月份要形成活动高潮。

第二阶段，7月初至国庆节前后，要在第一阶段活动的基础上，继续加大力度，巩固成果，在加强管理，完善机制上下功夫，为迎接新中国成立50周年创造整洁优美的环境。大中城市要切实按照国家有关法律和规定，着力改善空气质量，重点治理机动车污染、建筑工地尘土污染、工业烟尘排放、街头烧烤等影响城市空气质量的突出问题。沿江、沿河、沿湖地区要加大环保执法力度，坚决依法惩处乱排乱放废水、向水中倾倒垃圾等污染水源的违法行为。要加强保护水资源的宣传，教育轮船乘客和沿岸群众不向水中丢弃垃圾，主动举报污染水源的违法行为，积极参与清理江河湖岸垃圾和水面漂浮物的公益活动。9月份要形成活动高潮。

有关部门将围绕“保护生态环境，倡导文明新风”，组织以下活动。

1. 以动员群众参与植树造林、养护林木绿地为主要内容的“种植纪念树”、“营造纪念林”活动、“认种认养绿地”活动，“三八绿色工程”和“青少年绿色营地”活动；

2. 以搞好公路、铁路、江河沿线绿化为主要内容的“绿色通道工程建设活动”；

3. 以保护长江、黄河等大江大河流域生态环境为主要内容的“保护母亲河行动”；以保护近海生态环境为主要内容，以渤海为重点的“碧海行动计划”；

4. 以绿化阳台、美在农家，清理废弃农用地膜，提倡使用环保型家庭清洁剂，倡导家庭垃圾分类，提倡少用一次性塑料制品等为主要内容的“妇女·家园·环境”主题活动；

5. 以治理环境污染为主要内容的“使世界清洁起来”主题活动。1999年将把推进废电池回收作为活动重点；

6. 以改变建筑施工现场脏乱差状况，控制和减少施工伤亡，保证施工质量为主要内容的“创建文明工地”活动；

7. 以防治白色污染为主要内容的“铁路沿线、长江两岸、太湖周边环境执法检查”、“6·5世界环境日”、“迈向新世纪绿色生活行动”；

8. 以提高全社会水患和水环境、水资源保护意识为主要内容的“3·22世界水日”、“中国水周”和5月份的“全国节约用水宣传周”活动；

9. 以淘汰车用含铅汽油、整治机动车污染、清理街头烧烤以及禁止在城市和机场周边焚烧秸秆为主要内容，在大中城市开展治理大气污染活动；

10. 以提高风景名胜区、旅游景点文明程度为主要内容的创建文明风景旅游区活动。

各地要紧密结合实际，将这些活动纳入到“保护生态环境，倡导文明新风”之中，统筹安排，抓好落实。

**四、工作要求**

1. 重在提高素质。开展保护生态环境的系列活动，既是改善生态环境提高人民群众生活质量的过程，也是提高公民文明素质的过程。要把环境保护这一基本国策的宣传教育贯穿于活动的始终。通过开展活动，引导人们正确认识和处理人与人、人与社会、人与自然以及局部利益和全局利益、眼前利益和长远利益的关系，使全社会的环境意识、生态意识、可持续发展意识有明显增强。

2. 充分依靠群众。要围绕群众反映强烈、迫切要求解决的问题，精心设计载体，集中组织战役，广泛吸引群众参与，为群众多办好事和实事。要坚持从实际出发，因地制宜，把有关部门组织的全国性活动和本地的活动结合起来，充实活动内容，务求取得实效。

3. 坚持齐抓共管。充分发挥各有关职能部门的作用，调动社会各界的积极性，齐抓共管，形成合力。各地环保、建设、交通、铁道、水利、林业、绿化等部门，要根据各自主管的业务范围，从本地实际出发，针对存在的突出问题，提出改进工作的要求和具体措施。要加强管理，逐步建立和完善各项法规和制度，巩固活动成果。教育部门和共青团、妇联等群众团体，要发挥各自的优势，运用多种形式对青少年和广大群众进行生态环境教育，组织动员他们积极参加各项保护活动。各地文明办要做好组织协调工作。

4. 加强舆论宣传。各级宣传部门要组织好宣传教育活动，新闻单位要及时报道活动的情况。要广泛宣传国家有关法律、法规，介绍保护生态环境方面的先进经验和先进典型事迹。要发挥舆论监督的作用，对造成环境污染和生态破坏的现象进行批评曝光。

1999年3月5日

中央文明办　建设部　国家旅游局

# 关于确定第二批全国文明风景旅游区示范点的通知

各省、自治区、直辖市精神文明建设委员会办公室、建委（建设厅）、旅游局：

党的十四届六中全会以来，风景旅游区的精神文明建设工作受到各级党委、政府和有关主管部门的高度重视，普遍组织开展了多种形式的创建文明风景旅游区活动，有力推动了旅游环境的改善和服务质量、管理水平的提高，涌现出一批两个文明建设成绩突出的风景旅游区。1998年，中央精神文明建设指导委员会办公室、建设部、国家旅游局确定并公布了首批全国文明风景旅游区示范点，产生了很好的社会反响。为了进一步发挥先进典型的示范带动作用，继续推动创建文明风景旅游区活动的深入开展，在各地推荐的基础上，中央精神文明建设指导委员会办公室、建设部、国家旅游局确定以下10个景区为第二批全国文明风景旅游区示范点：

云南昆明石林风景名胜区、福建武夷山风景名胜区、辽宁鞍山千山风景名胜区、江苏扬州蜀岗—瘦西湖风景名胜区、河北秦皇岛山海关景区、广东深圳湾华侨城旅游度假区、贵州黄果树风景名胜区、陕西华山风景名胜区、湖北武汉东湖风景名胜区、北京八达岭长城景区。

希望被确定为示范点的单位谦虚谨慎，戒骄戒躁，发扬成绩，再接再厉，自觉接受人民群众的监督，切实发挥好示范带头作用，不断做出新的更大的成绩。各地文明办和建设、旅游主管部门，要加强对示范点工作的督促检查，发现问题要限期整改，及时解决；对工作严重滑坡，不能起示范作用的，要取消示范点称号。各地要积极认真地推广示范点的先进经验，在各类风景旅游区中，广泛深入地开展以倡导文明建设、文明经营、文明服务、文明管理为主要内容的精神文明创建活动，推动风景旅游区两个文明建设的协调发展，以崭新的风貌迎接澳门回归，迎接新的世纪。

1999年10月20日

## 中央文明办　国家工商局

# 关于进一步做好公益广告工作有关问题的通知

各省、自治区、直辖市及计划单列市文明办、工商行政管理局：

改革开放以来，我国的公益广告事业有了较快的发展，在宣传党的方针政策、引导社会舆论、传播精神文明方面，发挥了积极作用。1996年和1997年，国家工商行政管理局先后组织开展了“中华好风尚”和“自强创辉煌”主题公益广告月活动；1998年，中央精神文明建设指导委员会办公室和国家工商行政管理局，以贯彻党的十五大精神，服务中央工作大局为中心，共同组织开展了题材广泛的公益广告宣传活动，扩大和增强了公益广告的社会影响和宣传效果。在三年的公益广告活动中，全国报纸、广播、电视、杂志、户外等广告媒介共发布公益广告5万余件；有344件优秀公益广告作品获得全国奖，285家单位和235名个人被评为全国公益广告活动先进单位、先进个人或受到表彰，产生了很好的社会影响。同时，也要看到，我国公益广告活动开展时间比较短，尚未形成可以持续、稳定发展的运行机制，规模、效益水平与精神文明建设的要求相比，都还存在一定差距。各地文明办、工商行政管理局要认真总结经验，加强组织引导，把公益广告宣传活动作为精神文明建设的一项长期工作，深入开展下去。现就有关问题通知如下：

一、公益广告活动要紧密配合党和政府的中心工作，配合中央对精神文明建设提出的目标和要求。各地文明办和工商行政管理局要进一步加强配合，做好公益广告活动的组织协调和监督管理工作。各地文明办要紧紧围绕中央的重大决策，围绕当地党委政府的中心工作，围绕精神文明建设的重点任务，对公益广告的宣传内容、宣传重点提出年度和季度的指导性意见，各地工商行政管理局要继续做好公益广告活动的组织工作，同时依法加强对公益广告发布情况的监督管理。

两部门要密切合作，认真做好公益广告内容的政治思想导向的引导工作，坚决防止不良政治思想倾向对公益广告产生影响和危害。

二、要重视对已经制作和发布的公益广告的宣传工作，各地可以选择适合当前公益广告宣传要求的作品，有计划地组织安排展播、展登。对适合社会广泛宣传的平面公益广告作品，可以制成招贴广告，扩大宣传效果。要通过各种形式的宣传活动，有效利用已有公益广告作品，解决有些地方公益广告作品闲置的问题。

三、各地要按照中央宣传部、国家工商行政管理局、原广播电影电视部、新闻出版署《关于做好公益广告宣传的通知》（工商广字［1997］第211号）的规定，定期检查媒介单位按照规定比例刊播公益广告的情况，对未按规定执行的，要及时督促改正，同时，要按照该通知有关规定，严格区分公益广告和商业广告的界限，防止公益广告成为变相的商业广告。

四、各地在组织开展公益广告活动中，可以就建立我国公益广告良性循环运行机制的问题，开展调研和探索。要注意掌握好有关政策界限，公益广告活动不能以盈利为目的，公益广告活动收益必须用于发展公益广告事业，不得挪作他用。

五、从1999年起，将每年度举行的全国优秀公益广告作品评选活动，改为每两年举行一次，使参加送评的作品相对集中，同时把更多的精力用于组织公益广告宣传活动，提高评选工作和获奖作品的水平。有关评选活动的具体安排，届时另行通知。

各地可以结合当地实际情况，按年度或每两年度安排本地区的公益广告作品评选工作。

1999年10月22日

## 科学技术部　教育部　中国科学院
## 中国工程院　中国科协

# 关于科技工作者行为准则的若干意见

（国科发政字［1999］524号）

广大科技工作者是先进生产力的开拓者，是科技知识和现代文明的传播者，是社会主义现代化建设的骨干力量。科技工作者的言行在社会上具有较大的影响，应当在社会主义物质文明和精神文明建设中起到模范和表率作用。因此，在建立和完善社会主义市场经济体制的新形势下，提高科技工作者的政治素质、业务能力和道德修养，规范科技工作者行为，是新时期科技工作的一项重要内容，是保障我国科学技术事业的健康发展、深入实施科教兴国战略、加强社会主义四个现代化建设的一项重要任务。

为此，特提出规范科技工作者行为准则的若干意见如下。

**第一条**　科技工作者应当模范遵守我国宪法和法律，拥护中国共产党的领导和党的基本路线，发扬爱国主义精神，增强政治责任感和实现中华民族伟大复兴的历史使命感，自觉把自己从事的科技工作与社会主义祖国的前途和命运联系起来。无论何时何地均不得有任何危害国家安全和社会稳定、损害国家荣誉和利益的行为。

科技工作者要以推动社会主义四个现代化事业为己任，努力发挥科技第一生产力的作用，不断创新，勇于攀登科学技术高峰，加速科技成果转化。科技工作者要以向广大人民群众普及科学技术知识为自身义务，积极弘扬科学精神、传播科学思想和科学方法，提高全民族科学文化素质。

科技工作者要坚持辩证唯物主义和历史唯物主义，牢固树立正确的世界观、人生观和价值观。要高举科学的伟大旗帜，坚持真理，自觉维护科学尊严，并以科学技术知识为武器，勇于同一切愚昧、迷信活动和各种伪科学活动做斗争。科技工作者要正确对待各种自然现象，不得参与、支持任何形式的伪科学和愚昧、迷信活动。

**第二条** 科技工作者要在遵守社会公德方面率先垂范，严于律己，大力弘扬团结协作的集体主义精神，自觉维护科技界良好的社会形象，努力以自己所掌握的知识和技术服务于人民群众，回馈社会对科技工作者的尊重。在科研工作及其他科技活动中，要相互尊重，主动搞好协作配合，注意避免不利于团结协作的现象发生。对不同学术观点，应进行平等的争论，不得武断压制，更不得进行人身攻击。要发扬尊老扶新的良好风尚，尊重老科技工作者，关心他们的工作和生活；广大老科技工作者也要注意培养和关心青年科技人才，放手让他们担当重任。

**第三条** 科技工作者要以实事求是的态度、严格的要求、严谨的方法对待科研工作。科学技术研究是有风险的探索性活动，应当允许失败，要发扬大胆探索、积极开拓、勇于创新的精神，认真总结经验教训，正确对待失败，不断攀登科技高峰。要倡导学术上的百花齐放、百家争鸣，鼓励和支持新发现以及新理论、新学说的创立。在科学技术研究活动中，不得为得出某种主观期望的结论而捏造、篡改、拼凑研究结果或者实验数据，也不得投机取巧、断章取义，片面给出与客观事实不符的研究结论。对于一些缺乏科学依据、未经严格科学验证的现象和观点，应当在学术界内部进行严谨的论证、研讨，不得不负责地在公共场合或者通过大众媒体进行传播。广大科技工作者要以高度的社会责任感，自觉把人民的生命和财产安危放在心上，坚决抵制惟利是图等各种不良行为。对那些可能造成重大社会影响，但对其真实性、科学性尚有较大争议的研究项目，尤其是对那些可能对社会造成负面影响而又没有经过专门研究机构和规范化实验程序检验的研究项目，应当严格按照有关规定进行论证和实验。

**第四条** 科技工作者在科研开发项目（或课题，下同）申报或者接受委托时，必须对项目进行认真的调查研究和充分的可行性论证。在科研立项的有关材料中，应当对该项目国内外的研究现状、研究人员的科研水平和能力、完成项目的学术价值，预期经济效益或者项目目标、所需科研经费及有关技术指标等作出客观、真实的反映。禁止故意夸大项目的学术价值和经济效益，禁止通过弄虚作假等不正当手段骗取项目。

**第五条** 科技工作者和有关科技管理机构在科研立项、科技成果的评审、鉴定、验收和奖励等活动中，应当本着对社会负责的科学态度，遵循客观、公正、准确的原则，如实反映其水平。相关的评价结论要在充分的国内外对比数据或者检索证明材料基础上，对评价对象的科学、技术和经济内涵进行全面分析，不得滥用“国内先进”、“国内首创”、“国际先进”、“国际领先”、“填补空白”等抽象的用语。对未经规定程序进行验证或者鉴定的研究成果，不得随意冠以“重大科学发现”、“重大技术发明”或者“重大科技成果”等夸大性用语进行宣传、推广。对用不正当手段拔高或者贬低他人成果水平以及不认真负责、不实事求是、在评价活动及其结论中弄虚作假等行为，应当坚决制止。要按照对科技成果的创造性贡献大小，合理确定成果完成单位和完成人，未参加研究或者仅从事辅助性、服务性工作的单位和人员，不得以任何方式挤入排名顺序，侵占他人应得的权益。

**第六条** 科技工作者要做保守国家秘密、保护知识产权的模范。在对内、对外的科技合作与交流及其他各种社会、经济活动中，要切实保守国家秘密和单位的技术秘密。要采取有效措施保护和管理自己的知识产权，尊重他人的知识产权。在科研论著中引用他人的成果，必须注明引证出处；未参加研究或者论著写作的人员，不得在论著中署名或者牟取其他不正当利益。严禁抄袭他人著作、论文或者剽窃他人科研成果的行为。在所承担的国家和单位科研课题或者科技项目完成后，不得故意隐瞒关键技术或者资料，故意妨碍后续研究与开发。职务技术成果的完成人应当保证单位能够充分、有效地使用该成果，禁止将研究成果非法据为己有。

科技工作者在技术开发、转让、咨询、服务等技术交易活动中，应当遵循诚实守信互利的原则，尊重社会主义市场经济规则，如实反映项目的技术状况及相关内容，不得故意夸大技术价值，隐瞒技术风险。要严格履行技术合同的有关约定，保证科技成果转化的质量和应用的效益。

**第七条** 科技管理工作者要树立全心全意为科技人员服务、为人民服务的思想，转变工作作风，提高政策水平和业务素质，加强决策的民主化、科学化，贯彻民主集中制，严格依法秉公办事。在有关科技计划和项目的审批、经费划拨、物资分配、成果鉴定、成果奖励、人事调配等方面不得以权谋私。要提高工作效率，不得推诿扯皮。各级科技管理部门的工作人员要加强科学道德修养，弘扬科学精神，保持严格、严密、严谨的科学作风，在工作中不得弄虚作假，不得隐瞒或者歪曲事实真相，不得违反科学规律。不得批准成立任何形式的与伪科学和迷信活动相关的所谓“科研机构”，不得组织相关的所谓“成果鉴定”或者提供变相的支持和便利，不得为愚昧、迷信活动及伪科学活动提供场所、经费及其他便利。任何科学仪器设备，不得用于支持此类活动，也不得为其进行所谓的“科学鉴定”、“评奖颁奖”和“科学调查”等。

**第八条** 科技工作者要模范遵守所在单位制订的科技工作者行为规范或者守则，加强自身的道德修养，对在科研工作和各项社会活动中的行为进行自律。科技管理机构要把科技工作者职业道德作为年度或者聘期考核的重要内容之一，有关考核结果应记入个人技术档案，作为其申报项目、职务、职称聘任、晋升、评比先进和实施奖惩的依据。

**第九条** 科技工作者要自觉接受舆论的监督。对严重违背科技工作者职业道德、影响极其恶劣的行为，在准确把握事实真相的基础上，要充分运用报刊、广播、电视等新闻媒体对其进行严厉鞭笞。新闻媒体在进行舆论监督时，不得对他人恶意诬告、中伤诽谤，不得侵犯当事人和他人的合法权益。

**第十条** 对违背科技工作者行为准则的不良行为，可以向各级科技行政管理部门和其他科技管理机构进行投诉。一经查实，各级科技管理部门和相关单位可视具体情况，给予批评教育、责令改正或者赔礼道歉、撤销项目、追回科研经费、行政处分、取消相应资格（包括但不限于一定期限内的科研项目申请资格、评审或者鉴定专家资格、申报科技奖励资格等）和职务、职称及其他称号等相应的处理。触犯法律的，依法追究有关当事人的法律责任。

对科技活动中各种不良行为的调查处理，各级科技行政管理部门和有关科技管理机构要严格掌握政策界限，既要坚持原则、严肃认真，又要科学公正、实事求是；以教育帮助为主、处罚为辅。在有关当事人认识错误、端正态度、悔过改正的前提下，可以从轻处理。切忌武断片面、偏听偏信、感情用事、盲目草率，挫伤科技工作者的积极性。在有关的调查和处理活动中，要广泛听取广大科技人员的意见，以求所作出的结论经得起科学和历史的检验。对经查证核实，没有不良行为、受到不正当指控的单位和个人，要采取适当措施予以澄清、正名，使有关调查处理工作真正起到扶正压邪的作用。

1999年11月18日

# 国家税务总局
# 关于在全国税务系统广泛开展社会主义爱国主义崇尚科学教育活动的通知

（国税发［1999］159号）

各省、自治区、直辖市和计划单列市国家税务局、地方税务局，扬州培训中心、长春税务学院：

1999年下半年，党和国家将举行一系列重大庆典活动，隆重庆祝建国50周年、迎接澳门回归祖国。全国税务系统百万干部职工要以努力超额完成税收收入任务的出色成就，向新中国成立50周年献礼，同时庆祝新中国税务建立50周年。各级税务机关要抓住下半年重大庆典和纪念活动比较集中的有利时机，采取各种形式，广泛开展社会主义、爱国主义、崇尚科学的教育活动，激励广大干部职工为实现党和国家确定的改革和发展目标努力奋斗，把建设有中国特色社会主义事业全面推向新世纪。为此，特作如下通知：

**一、广泛深入地进行社会主义教育**

各级税务机关要结合当前正在进行的“讲学习、讲政治、讲正气”教育，紧密联系新的形势和任务，联系税制改革以来的重大理论和实践问题，认真组织学习邓小平建设有中国特色社会主义的理论，学习江泽民同志关于社会主义现代化建设的一系列讲话，深刻认识什么是社会主义、怎样建设社会主义这一根本性问题。组织召开学习经验交流会，理论研讨会，回顾社会主义税收理论与实践的发展历程，深入探讨有中国特色社会主义税务工作的发展规律。

采取多种形式，大力宣传新时期社会主义建设的伟人实践和成功经验，广泛进行改革开放和现代化建设的形势和任务教育。各地要组织参观建国50年成就展览，举办形势报告会，了解近代以来中华民族经受过的忧患屈辱和新中国50年来走过的辉煌历程，以大量具体生动的事例，宣传社会主义建设的巨大成就和鼓舞人心的奋斗目标，充分展示社会主义的无比优越性。

积极开展“爱祖国、爱税收、爱岗位，树立税务新形象”的“三爱一树立”活动，深入进行社会主义、共产主义理想、信念和道德教育。国庆节前，各级税务机关要进行一次以社会主义税务职业道德为主题的宣传教育活动，大力宣传和提倡以依法治税、精通业务、忠于职守、爱岗敬业、廉洁奉公、文明征收为主要特征的社会主义税务职业道德规范，并以此为契机，把税务系统职业道德建设推向新高潮。

**二、扎实有效地推进爱国主义教育**

广泛开展中国历史特别是近代史、现代史和中共党史教育，使广大税务干部职工了解中华民族五千年灿烂文明，特别是了解中国共产党领导全国人民为建立新中国而英勇奋斗的崇高精神和光辉业绩。组织参观爱国主义教育基地、革命博物馆。国庆节前夕，要召开纪念会、报告会或举行其他纪念活动；国庆节当天，要举行升国旗、唱国歌仪式。

要进行民族精神、民族文化、民族道德风尚和革命传统教育，宣传中国历史上民族英雄、杰出人物的历史创造活动，宣传无数仁人志士和共产党人的伟大斗争实践。少数民族地区的税务机关，要进行民族政策、宗教政策教育，可与当地少数民族共同组织建国50周年纪念活动。要大力开展民族团结、统一祖国的宣传教育，以有力的事实批驳“两国论”，揭露李登辉分裂祖国的图谋。

1999年是新中国税务建立50周年，要以各种形式大力宣传新中国建立50年来税收事业的飞跃发展以及税收为国家经济建设做出的巨大贡献；大力宣传改革开放以来税务系统贯彻依法治税、从严治队的方针，在税制改革、实现电算化、推广金税工程、办税规范化等方面取得的丰硕成果；大力宣传税务系统精神文明建设的成就，总结推广青年文明号、文明服务示范单位、最佳办税服务厅、先进集体和模范个人的优秀事迹。税务系统各类报刊、出版社，要突出反映新中国税务建立50年来的发展历程和重大变革，加大对税制、征管、人事等改革的宣传力度，集中报道一批税务系统的先进典型和优秀代表，形成宣传声势，配合纪念活动的开展。总局将在国庆前夕隆重召开表彰会，表彰税务系统的文明单位和先进个人。

**三、积极开展崇尚科学的教育**

要针对“法轮功”问题，在税务系统广大党员、干部当中普遍进行一次辩证唯物主义和历史唯物主义教育，用科学思想、科学精神武装广大党员、干部，深入揭批唯心主义在现代社会中的种种表现，从而更加牢固地树立正确的世界观、人生观、价值观，增强政治敏锐性和政治鉴别力，坚定社会主义、共产主义信念。

要坚决落实中央关于做好绝大多数“法轮功”练习者教育转化和解脱工作的精神。在广大税务干部职工中组织开展学科学、用科学活动，宣传新中国成立50年来科学技术取得的迅猛发展，以及它对改革开放和现代化建设的巨大推动作用，在税务干部职工中形成崇尚科学，反对迷信；崇尚文明，反对愚昧的良好氛围。帮助极少数“法轮功”练习者提高科学素质，彻底认清“法轮功”的反动本质，自觉做好思想转化和解脱工作，增强抵御伪科学和形形色色现代迷信的能力。

围绕建国50周年、澳门回归祖国而开展的社会主义、爱国主义、崇尚科学教育活动，要在各级党组织的领导下进行，有关部门要从实际出发，因地制宜组织各种内容丰富、形式多样的教育活动。要通过教育活动，激励广大税务干部树立社会主义、共产主义的远大理想和信念，自觉地把爱国之情转化为报国之行，为圆满完成税收任务、促进国家经济发展和现代化建设，为使全国税务系统以崭新的精神面貌跨入新世纪，做出更大贡献。

1999年8月26日

# 国家广播电影电视总局文明单位管理办法

（1999年6月修订）

创建文明单位，是精神文明建设的重要内容。为了推动创建文明单位活动广泛深入地开展，加强对全总局文明单位的管理，充分发挥文明单位的示范、带动作用，特制定本办法：

**一、总则**

（一）文明单位分为首都、中直和广电总局三个等级。分别由同级党委、政府和文明委批准命名。

（二）我总局内的机关、团体、企事业单位以及宿舍区，均属创建文明单位范围。通过自建或各类共建活动，争创文明单位。

（三）创建文明单位必须以邓小平建设有中国特色社会主义理论和党的基本路线为指导，以经济建设为中心，以培育“四有”新人为目标，坚持“重在建设，贵在坚持，注重实效”的原则，通过开展创建活动，提高干部职工的思想道德素质和科学文化素质，倡导社会主义新风尚，改善工作、生产和生活条件，维护社会稳定，促进广播电影电视事业全面发展。

（四）各级党委，应把创建文明单位，作为本系统、本单位“两个文明”建设的基本任务之一，加强领导、广泛发动群众和组织群众参与创建活动，并纳入目标管理责任制，制定有效措施，保证创建工作落到实处。

（五）创建文明单位活动，在总局党组领导下，由总局精神文明建设委员会组织实施，党、政、工、团要互相支持，密切配合，做好工作。机关报要加强宣传报道。

**二、评选条件**

（一）组织领导好。各级领导坚持一把手抓两手“两手抓、两手都要硬”，把创建文明单位纳入精神文明建设总体规划，实行目标管理责任制，分管领导和专（兼）职干部，工作落实，党政工团和有关方面守土有责，齐抓共管，领导班子要加强自身建设，团结协作，勇于改革，勤奋务实，廉洁自律，作风民主，群众信任。创建活动常年不断，措施有力，制度健全，任务落实，群众参与，实效明显。

（二）思想建设好。以邓小平建设有中国特色的社会主义理论和党的基本路线为指导，认真学习贯彻党的“十四大精神”和六中全会决议；坚持四项基本原则，贯彻“重在建设”的方针，以培育“四有”职工队伍为目标，广泛深入地开展爱国主义、集体主义、社会主义和社会公德、职业道德、家庭美德以及发扬艰苦创业精神为基本内容的教育活动，成效显著；讲学习、讲政治、讲正气，干部、群众的思想道德素质、民主法制观念和社会主义思想觉悟不断提高。

（三）改革开放好。全面贯彻党的基本路线，坚定不移地走社会主义道路，认真执行“抓住机遇、深化改革、扩大开放、促进发展、保持稳定”的方针，正确处理改革、发展和稳定的关系，坚持改革、开放、搞活、开拓、进取，使本单位两个文明建设成效显著。

（四）服务质量、职业道德好。领导干部和办事人员树立全心全意为人民服务的思想，为群众办实事、办好事，提高工作效率；“窗口”服务行业制订并遵守职业道德规范和服务工作规范，纠正和抵制行业不正之风，提高服务质量，取得显著成效。

（五）工作、生产好。坚持以经济建设为中心，努力搞好社会主义现代化建设。按照党和国家的有关方针、政策和建设社会主义市场经济体制的要求，完成工作、生产任务突出，安全、文明，经济效益高，社会效果好，事业发展快。总的工作、生产水平居本系统同类单位前列，职工生活明显改善和提高。

（六）社会主义新风好。深入开展“讲文明树新风”活动，自觉抵制拜金主义、个人主义和腐朽生活方式的侵蚀；人际关系祥和，单位风气好；是非分明，反腐倡廉，纠正和抵制不正之风；治安秩序好，重大刑事案件、其他案件和违纪现象逐步减少；认真落实计划生育目标责任制，做到计划生育宣传教育经常化；清洁卫生工作经常化、制度化，绿化、美化环境成绩显著；积极参加社会治安综合治理、各类共建和社会公益活动。

（七）文化活动好。积极倡导文明、健康、科学的生活方式。经常开展群众性的读书、科技、演讲和丰富多彩、健康有益的文娱和全民健身体育活动。有规划、有措施、有实效，成绩突出。

按以上条件考核，衡量不同等级的文明单位时应有所不同，对高一级的文明单位应当严一些。评选首都、中直的文明单位，应按以上条件严格考核验收。

**三、命名办法**

（一）按创建文明单位的规划，通过开展自建或各类共建活动达到评选条件，以申报、推荐、考核、评议、批准、命名等程序产生。

（二）文明单位分为首都、中直和广电总局三个等级。分别由首都、中直和总局文明委批准命名。

**四、管理办法**

（一）文明单位实行分级管理。日常工作由本单位精神文明办公室负责，有隶属关系的由上一级领导部门负责。

（二）文明单位必须加强自身建设和管理，主要是通过建立和完善各项规章制度，加强档案管理，搞好经常性的自查、自评和创建活动等，落实创建规划，提高创建水平。

（三）各级精神文明活动主管部门和有隶属关系的领导部门，都应加强对所属文明单位的工作指导。主要是通过建立和完善各种考核制度，搞好经常性的调查研究、总结经验和宣传典型等，推动文明单位创建活动深入开展。

（四）总局精神文明办公室对各级文明单位均有直接调查指导、检查督促、表扬批评、建议命名机关给予奖励或处分的责任。

（五）首都、中直以上文明单位原则上每年由总局精神文明办公室牵头进行复查和抽查。经总局文明委审定，凡不符合条件的，由命名部门撤销文明单位称号，收回奖牌。

（六）被撤销文明单位称号的单位，经过改进并达到条件的，可以重新申报原有级别的文明单位。

（七）文明单位改变单位名称、变动隶属关系，应及时向命名机关报告，经核实并办理有关新单位手续后，可继续保持文明单位称号。

（八）因故被撤销、分解、合并的单位，其文明单位称号自然消失，应交回奖牌。凡原是文明单位，机构调整分为两个单位，其文明单位称号可分别继承，但必须通过验收后予以确认，凡机构合并的单位，也可继承被合并单位的文明单位称号，但必须通过复查验收后予以确认。

**五、奖励处罚**

（一）对验收合格被评为文明单位的单位，由命名部门授予同级文明单位称号，颁发命名证书和奖牌。

（二）获得文明单位称号的，当年可根据本单位的实际情况，参照下列标准一次性对在册职工进行奖励，其标准是：首都文明单位标兵：按人均一个月工资标准发给；首都文明单位和中直文明单位、广电总局标兵单位：按人均月工资2/3的标准发给；广电总局先进单位：按人均半个月工资标准发给。

（三）获得文明单位称号的当年，还应给予在创建工作中作出突出贡献的领导干部、工作人员适当的精神和物质奖励，以资表彰。

（四）计划生育、献血、交通安全、消防、综合治理、绿化、卫生等项工作，发生重大问题，分别按有关规定处罚。

**六、附则**

（一）本办法适用于广电总局文明单位。各单位可参照本办法，结合本单位特点和具体情况制定文明单位的管理办法。

（二）单位可根据实际情况经批准，集适当资金用于文明单位创建活动和表彰与奖励。

（三）机关报刊、闭路电视、内部通讯等要大力宣传文明单位的先进事迹，形成良好的社会舆论。

（四）创建文明楼院、文明班组、文明家庭活动，是文明单位建设工作中的一部分，其标准、奖励办法和日常管理制度等，由有关部门自行制订。

（五）文明单位的主会场必须悬挂本单位获得的文明单位牌匾。

（六）本办法实施过程中的问题，由总局精神文明办公室负责解释。

（七）本办法从颁发之日起生效。以前所颁发的管理办法同时废止。

1999年6月

## 中国气象局

# 关于在全国气象部门开展规范化服务活动的通知

（中气文发［1999］1号）

各省（自治区、直辖市）气象局，计划单列市气象局，直属单位、院校：

为加大创建文明气象行业的力度，进一步规范气象服务工作，提高服务质量，按照中央精神文明建设指导委员会办公室的统一部署，中国气象局决定自1999年开始在全国气象部门开展规范化服务活动。现将有关事项通知如下：

一、开展规范化服务活动，是气象部门业已开展的文明服务活动的深化，是创建文明气象行业的重要内容，对于促进气象部门的两个文明建设，全面提高气象服务水平，树立气象部门的良好形象，促进气象事业的改革和发展，具有重要的意义。

二、活动的范围。1999 年先在省与省以上气象部门的电视天气预报服务、气象信息电话服务两项业务中开展。取得经验后再逐步扩大到地（市）级气象部门和县局。各省、自治区、直辖市气象局也可根据实际情况，在地级以上气象部门同步开展这项活动。

三、接此通知后，各省、自治区、直辖市气象局和国家气象中心要在职工中广泛进行动员。要根据实际情况制订出实施细则和监督措施，确定活动负责人，并将负责人姓名、电话及邮政编码报中国气象局文明办。自新闻媒介公布《电视天气预报规范化服务标准》和《气象信息电话规范化服务标准》（附后）之日起，全国所有省与省以上气象部门都要按照《标准》的要求提供服务。

四、省与省以上气象部门开展规范化服务的情况，纳入全国气象部门目标管理内容，统一进行考核、评比和表彰。

五、1997 年公布的全国气象部门 20 个文明服务示范单位，也是规范化服务示范单位。所在省、自治区、直辖市气象局要注意发挥这些单位的示范作用，为在更大范围内开展规范化服务活动积累经验。

六、开展规范化服务活动，要把重点放在提高职工素质和服务质量上，注重实效，防止和克服形式主义。

附件：1. 电视天气预报规范化服务标准

2. 气象信息电话规范化服务标准

1999 年 2 月 8 日

附件一：

# 电视天气预报规范化服务标准

电视天气预报服务是指各级气象主管部门所属台站利用电视媒体向社会公众发布天气实况及未来天气预测，指导社会经济建设和人民日常生活的公益性气象服务项目。为使电视天气预报节目更好地服务于人民群众，为各级政府安排生产和指挥防灾减灾及时提供准确及时的气象信息，特制订本规范。

1.《电视天气预报》节目制作实行编导负责制，并做到节目名称固定、播出时次固定，便于观众收看。遇有重大灾害性天气出现时，应随时插播。

2.《电视天气预报》节目应包括对过去天气的简要回顾、重要天气实况的介绍和 24—48 小时的责任范围内的天气预报。节目内容要突出重点，尤其是灾害性、关键性、转折性天气。

3. 天气预报结论实行预报员领班负责制。发布的信息要准确、及时。

4. 使用规范的电视天气预报节目广播用语和统一的天气符号。

5. 解说词通俗易懂，并根据季节时令和当地工农业生产要求进行气象科普宣传。

6. 画面生动，可视性强，并应显示天气预报制作单位名称（有主持人的节目要显示主持人姓名）。使用云图数据资料应明确显示资料来源和采集时间。

7. 主持人使用标准普通话，手势合理，解说自然流畅，着装适宜。

8. 自觉接受公众监督，定期或不定期地进行问卷调查，征求公众对节目形式和内容的意见，不断提高节目质量。

附件二：

## 气象信息电话规范化服务标准

气象信息电话服务是指各级气象主管部门所属台站以电话为载体，向社会公众提供的常规天气预报服务和与大众生产、生活密切相关的各种专业专项气象信息服务。为使气象信息电话更好地服务于人民群众，为各级领导安排生产和指挥防灾减灾及时提供准确的气象信息，特制定本规范。

1. 气象信息电话一般采用“121”或“221”为电话号码，便于群众记忆和使用快捷方便。

2. 气象信息电话应设有一个主信箱，并可分设若干分信箱。主信箱主要提供24—48小时内天气预报及生活提示；分信箱分别提供各种专业气象预报，如人体舒适度预报、紫外线预报、空气污染气象条件预报、火险气象等级预报、花粉浓度预报以及医疗气象、气象科普知识等。

3. 气象信息电话内容应及时更新、订正，常规天气预报早、中、晚各更新一次，重要天气、转折性天气和突发性天气随时更新、订正；分信箱内容要求丰富多彩，有较强的针对性和地域特点。

4. 气象信息严格按气象行业规范采集，按规定程序签发后方可发布，力求及时、准确。

5. 对特殊要求的用户咨询采用专家预约，响应时间不超过24小时。

6. 气象信息一般采用标准普通话语音播发，语调悦耳，用语规范；人工转接要主动、热情、耐心，用语文明，服务周到。

7. 气象信息电话不插播与大气科学无关的内容。

8. 自觉接受公众监督，定期或不定期地进行问卷调查，广泛征求意见，不断优化服务内容和形式，提高服务质量。

# 国家电力公司
# 关于加强企业文化建设的若干指导意见

（国电政［1999］428号）

企业文化是在现代化大生产与市场经济发展基础上逐步产生的一种以现代科学管理为基础的新型管理理论、管理思想与管理方式，是当今世界企业管理的一种新趋势。改革开放以来，越来越多的电力企业积极地进行企业文化的探索与实践。企业文化在电力系统的两个文明建设中正在发挥越来越重要的作用。但是，电力系统的企业文化建设目前仍处于起步阶段。为了推动企业文化建设在全系统普遍开展起来，并使之健康发展，开创电力企业文化建设的新局面，现根据党中央关于企业文化建设的一系列指示精神，依据企业文化理论，借鉴系统内外企业文化建设的成功经验，结合电力企业实际，提出电力企业进行企业文化建设的若干指导意见。

**一、充分认识企业文化的地位与作用**

1. 企业文化是指企业在长期的生产、经营实践中逐步形成的、占据主导地位并为全体员工认可和恪守的共同价值观念和行为准则。它强调以人为本，在一般的注重企业管理技术与方法的基础上，更多地强调企业赖以存在与发展的精神环境，重视“人”在现代企业中的作用。加强企业文化建设，可以全面开发和利用人的价值、道德、信念、情感等精神力量，激发职工的积极性和创造性，从而增强企业内部的凝聚力。

2. 随着我国社会主义市场经济的逐步发展，电力市场的逐步形成，企业之间的竞争将更加激烈。企业之间的竞争是企业综合实力的竞争。建设有中国特色的企业文化，可以不断提高企业的整体素质和综合实力，对内增强凝聚力，对外增强竞争力，从而促进企业持续、快速、健康发展。

3. 国家电力公司确立了建设控股型、经营型、现代化、集团化管理的国际一流企业的发展战略。加强企业文化建设，对于国家电力公司塑造现代经营理念，培育优良的企业精神，树立良好的企业形象，从而保证在复杂多变的国内、国际环境下，实现这一宏伟的发展战略有着重要的意义。

4. 思想政治工作是党的优良传统。改革开放以来的实践充分证明，在社会主义市场经济条件下依然需要发扬思想政治工作的优良传统。加强企业文化建设，可以拓宽思想政治工作的渠道，促进思想政治工作与经济工作更紧密结合，使思想政治工作内涵更丰富、形式更多样、效果更明显。

5. 企业精神文明建设的基本任务是培养社会主义“四有”新人，为企业发展提供精神动力、智力支持、思想保证和舆论环境。企业文化建设培养职工的企业共同价值观、加强职业道德建设、建立良好的人际关系等等，有利于良好的社会风气的形成、有利于社会的稳定，是落实精神文明建设的重要途径，是加强企业精神文明建设的有效载体。

**二、当前电力企业文化建设的基本内容与要求**

6. 当前，企业文化建设的基本内容与要求是讲究企业经营之道、培育优秀的企业精神、塑造良好的企业形象。

7. 经营之道是企业生存与发展的宏观战略与微观策略。讲究经营之道是指企业要确立生产经营管理的基本原则与方法，包括确立符合社会主义市场经济规律的经营指导思想、宗旨、目标和发展战略等。经营之道是企业文化建设的基础，是企业谋求生存与发展的首要问题。

电力企业讲究经营之道，要认真做好以下工作：一是要制定与社会主义市场经济和世界电力发展相适应的企业经营发展战略，以解决企业生存与发展的长远与根本问题；二是要确立与企业发展战略相适应的决策、规划、生产、营销、创新、公共关系、人际关系等理念在内的新的企业理念；三是要建立科学民主的企业决策方式；四是要确立规范、严格、统一的企业管理制度；五是要建立体现职工当家作主的民主管理方式；六是要建立科学的人才管理方式；七是要建立职工平等、和谐的人际关系。

8. 企业精神是指企业在长期生产经营实践中所形成并为全体员工所认同与自觉遵守的群体意识。它是企业价值观的集中体现。企业作风、企业道德等是企业精神的外在表现。企业精神是企业生存和发展的精神支柱和动力源泉，是企业文化建设的核心内容。

电力企业要形成、保持和发扬优秀的企业精神，要认真做好以下工作：一是要发动职工群众总结提炼体现本企业优良传统与时代特征的企业精神，并且注意随着企业的发展，不断地丰富其内容；二是要开展多种多样的企业精神的主题活动，在实践中保持和发扬企业精神；三是要制定能反映企业精神、促进企业精神发扬光大的规章制度；四是要加强企业价值观、企业道德的建设；五是企业领导人要率先垂范，亲自倡导企业精神；六是要培养体现企业精神的先进典型。

9. 企业形象是指社会大众与企业职工对企业的整体印象与评价，是企业通过多种方式在社会上塑造起来的知名度、美誉度。企业形象本质上是企业的信誉。

电力企业要树立和保持良好的企业形象，要认真做好以下工作：一是要塑造好电力产品形象，即为客户提供优质、可靠、符合国家价格政策的电力；二是要塑造好良好的服务形象，加强行风建设，纠正以电谋私的不正之风，为客户提供优质服务；三是要塑造好职工队伍形象，努力培育一支适应社会主义市场经济的“四有”职工队伍；四是要塑造好企业环境形象，治理污染，保护环境，做到企业生产和生活环境整洁优美；五是要塑造好企业标识形象，精心设计并运用好企业标识；六是要塑造好公共关系形象，重视用非经济技术手段，通过各种社会公关活动，扩大企业在社会上的影响；七是要塑造好电力企业家形象。

**三、电力企业文化建设的基本原则**

10. 电力企业文化建设要以邓小平理论为指导。企业的经营之道、企业精神、企业形象等建设工作，都要贯彻党的十五大确定的路线和各项方针政策，确保企业文化建设沿着正确的方向进行，建设立足电力企业实际、继承我国企业的优秀传统、吸取外国企业文化有益成果的社会主义企业文化。

11. 企业文化建设要服从服务于企业中心工作。要以提高经济效益为中心，紧紧围绕电力生产、建设、经营、管理、营销等工作来进行，充分发挥企业文化功能，为企业改革和发展提供精神动力和良好氛围。

12. 要以人为本。职工是企业的主体，企业职工是企业活力的源泉。建设企业文化的根本任务是最大限度调动职工的主观能动性，为企业创造更多的经济效益和社会效益，同时促进职工的发展和职工价值的实现。企业文化建设的过程是全心全意依靠工人阶级办企业的过程。

13. 要从实际出发，突出个性。企业文化建设应当各具特色。企业文化建设既要博采众长，学习借鉴外国企业和国内其他企业文化建设的成功经验，更要立足于本企业的实际，发扬本企业的特点和优势，建设适合本企业的企业文化。切忌不加分析地简单摹仿，照抄照搬。

14. 要重在建设、循序渐进。企业文化建设要统筹规划，分步实施，重在建设，循序渐进。切忌大哄大嗡，急于求成。

15. 要处理好母公司与子公司企业文化建设的关系。作为一个集团公司，各子公司企业文化应当与母公司保持一致，尤其是在企业标识、企业价值观、企业精神等方面有集团的统一性。但各子公司情况各异，企业文化建设应当在保持统一性的同时，体现各子公司的特色。

**四、电力企业文化建设的主要途径与方法**

16. 普及企业文化理论。要广泛宣传企业文化理论，通过举办培训班、讲座等形式普及企业文化知识。通过宣传和培训，使企业全体职工特别是领导干部、管理人员明确企业文化建设的内涵、功能、意义与运作方式，提高对抓好企业文化建设的重要性的认识，从而增强建设企业文化的自觉性。

17. 营造文化氛围。各电力企业要注重建设文化网络，增加文化设施，加强文化活动，营造文化氛围，不断地提高文化品位，用文化的力量来影响职工。

18. 树立先进典型。要重视发挥典型的作用，经常培养典型、及时发现典型、适时宣传典型，用典型来推动企业文化建设。

19. 借助社会力量。社会文化团体在企业形象设计、策划上均具有一定的经验与优势。各种传播媒体对企业形象的塑造与影响有着无法替代的重要作用。各电力企业要善于借助这些社会力量，主动邀请优秀的社会文化团体、中介组织等为企业树立良好的形象出谋划策，保持与新闻媒体的经常联系，适时组织宣传报道。

20. 加强企业文化理论研究。企业文化理论是一种正在发展中的理论，为了充分发挥企业文化理论对企业文化实践的指导作用，要加强企业文化理论的研究，结合电力改革和发展的实践，确定研究课题，组织力量，上下结合，专群结合，进行研究。要发挥研究成果的作用，及时进行推广与应用。

21. 调查研究，选好切入点。要组织有关人员认真分析本企业的历史与现状，提出具有本企业特点的企业文化建设的整体思路与具体内容，查找薄弱环节，分清轻重缓急、认真选择切入点。切入点的选择应当根据企业的不同而不同。

22. 发动群众，广泛参与。企业职工是企业的主体，也是企业文化建设的主体。广大职工的参与是企业文化建设取得成效的重要保证。要深入发动并组织开展有关主题活动，广泛吸引职工参与，使企业文化建设始终保持生机与活力。

**五、切实加强对电力企业文化建设的领导**

23. 企业文化建设是一项事关企业发展大局的战略工程和系统工程，各电力企业要把企业文化建设纳入企业发展整体规划，切实加强领导，制定规划，分步实施。

24. 要健全运转有序的企业文化建设机制。要明确企业文化建设职能部门，做到工作有人负责；要制定有关企业文化的制度、规范、标准等，做到工作有章可循；要形成有计划、有部署、有检查、有总结、有奖惩的工作程序，做到工作规范化、经常化。

25. 企业党政工团要明确分工，各负其责，密切配合，齐抓共建，共同肩负起在企业文化建设中的责任。

26. 充分发挥企业党组织的政治核心作用，保证企业文化建设的正确方向，正确处理企业文化建设与思想政治工作、精神文明建设工作的关系，使它们有机结合，互相促进。

27. 企业领导者的认识和重视程度是企业文化建设能否取得成功的关键。企业领导者不仅要做企业文化建设的设计者、组织者，更要作企业文化建设的倡导者，率先垂范、身体力行，以自己的实际行动影响广大职工。各级企业领导都要不断提高现代文化素质。

28. 国家电力公司将进一步加强母公司企业文化建设，并对系统各子公司企业文化建设进行指导。国家电力公司思想政治工作办公室是国家电力公司企业文化建设的职能部门。当前，要密切结合国家电力公司第二步改革，切实做好国家电力公司企业形象、企业精神与企业理念的塑造工作。

1999年8月19日

# 共青团中央

# 关于共青团员不准修炼“法轮大法”的通知

（中青发［1999］23号）

共青团各省、自治区、直辖市委，总政组织部，武警总部政治部，全国铁道团委，全国民航团委，中直机关团工委，中央国家机关团工委，中央金融团工委：

一段时间以来，“法轮功”组织在有些地方蔓延。团员青年中也有极少数人修炼“法轮大法”。李洪志编造的“法轮大法”，宣扬一套歪理邪说，严重侵蚀人们的思想。“法轮功”组织还策划、煽动、蒙骗一些“法轮功”练习者到党政机关和新闻单位非法聚集，严重干扰社会公共秩序，破坏改革发展稳定的大局。按照党中央《关于共产党员不准修炼“法轮大法”的通知》的要求，为保持共青团的先进性和纯洁性，增强团组织的凝聚力和战斗力，现就共青团员不准修炼“法轮大法”（法轮功）作如下通知：

**一、充分认识“法轮功”组织的政治本质和严重危害，明确要求共青团员不准修炼“法轮大法”**

马克思主义的辩证唯物主义和历史唯物主义，是无产阶级的世界观和方法论，是无产阶级及其政党认识世界、改造世界的强大思想武器。建立在这一世界观基础上的马克思主义科学理论，是推进建设有中国特色社会主义的根本指针，是我们的精神支柱。李洪志所编造的“法轮大法”，宣扬唯心主义和有神论，否定一切科学真理，是同现代科学和现代文明根本对立的，是同马克思主义的基本理论和基本原则根本对立的，是同党领导人民群众进行的建设有中国特色社会主义的伟大事业根本对立的。如何对待“法轮大法”，是涉及共产党人的根本信仰，涉及全国人民团结奋斗的思想基础，涉及党和国家前途命运的重大政治问题。共青团是党领导的先进青年的群众组织，是党的助手和后备军。共青团员必须自觉遵守《中国共产主义青年团章程》，坚定地信仰马克思主义，决不能信奉“法轮大法”。各级团组织要引导广大团员青年深刻认识“法轮功”的政治本质和严重危害，深刻认识修炼“法轮大法”是与团的性质和宗旨相背离的，是团的纪律所不允许的。每一个共青团员都要立场坚定，旗帜鲜明，把思想认识统一到中央精神上来。

**二、针对“法轮功”问题在全团集中开展一次学习教育活动**

各级团组织要从现在起，针对“法轮功”问题，在全体团员中集中开展一次学习教育活动。学习教育活动要以江泽民总书记的重要讲话和党中央关于“法轮功”问题的指示精神为指导，使广大团员普遍受到一次深刻的马克思主义唯物论和无神论的教育，增强政治敏锐性和政治鉴别力，坚定共产主义理想信念；使修炼“法轮大法”的团员脱离“法轮功”组织，从思想上与其划清界限，自觉回到党的正确立场上来；使基层团组织经受锻炼和考验，加强和改进团员的教育管理，增强团组织的凝聚力和战斗力。

学习教育活动分为学习提高、教育转化和组织处理三个阶段，按照党中央的统一部署，在各级党委统一领导下进行。在学习提高阶段，首先要学好《中国共产党章程》和《中国共产主义青年团章程》、江泽民总书记重要讲话和中央有关精神，以及《共产党员为什么不准修炼“法轮大法”》等材料。要联系实际，增强学习的针对性和实效。学习要采取多种形式，时间要相对集中。教育转化阶段要开展谈心活动，组织好专题组织生活会，做深入细致的思想政治工作。要根据不同对象，采取不同方法，把学习教育落实到所有基层团组织和全体团员，不留死角。团的领导机关要把这次学习教育活动和正在开展的“三讲”教育结合进行。团属新闻报刊要认真贯彻中央精神，及时组织发表有说服力的文章，开展生动活泼的宣传教育，充分发挥强有力的舆论导向作用。

各级团组织要发挥党联系青年的桥梁纽带作用，团结广大青年积极分子，加强对青年的教育引导，把工作做到青年中每一个“法轮功”练习者身上，一帮到底，引导他们脱离“法轮功”组织，不参加“法轮功”组织的任何活动。

各级少先队组织要在少先队员中开展学习科学、热爱科学、反对迷信的教育活动。

**三、严格掌握政策界限，耐心细致地做好团员中“法轮大法”修炼者的转化工作**

这次学习教育活动，要立足于教育，立足于转化，惩前毖后，治病救人。团组织要通过开展深入细致的思想政治工作，使绝大多数参与修炼“法轮大法”的团员提高觉悟，转变态度，同“法轮功”组织在思想上划清界限，在组织上脱离关系，自觉回到党的正确立场上来，做到：不修炼“法轮大法”，不参加“法轮功”组织的活动；不担任“法轮功”组织的任何职务；不为“法轮功”组织的活动提供场所、经费资助和其他方便；不传播“法轮功”组织的材料；主动揭露、批判李洪志及其“法轮大法”；积极配合党、团组织和有关部门认真做好周围群众特别是青年的工作。

在学习教育活动中，要严格掌握政策界限。一般参与修炼“法轮大法”的团员，能主动脱离“法轮功”组织，并从思想上与其划清界限的，一律予以解脱。参与“法轮功”的组织、宣传活动的一般骨干，能主动脱离“法轮功”组织，从思想上与其划清界限，并揭露“法轮功”问题的，不予追究。错误严重的重要骨干，应视情节给予团纪处分；有悔过或立功表现的，视情况可不予追究或从轻处理。经反复教育仍坚持不改的，团组织应劝其退团，劝而不退的，予以除名。对极少数有政治意图、存心作乱的幕后人物和策划者、组织者，要开除团籍。

对那些一时思想不通，但已不参加“法轮功”组织的一切活动的团员，允许有一个认识转变过程，团组织要耐心做好思想教育工作。

组织处理工作一般放在学习教育活动的后期进行。

**四、各级团组织要加强领导，切实负起政治责任**

揭批李洪志及其“法轮大法”，是一场严肃的思想政治斗争。各级团组织要充分认识这场斗争的复杂性和艰巨性，坚决与以江泽民同志为核心的党中央保持高度一致。要严格按照党中央的统一部署和要求，在各级党委的领导下，紧密结合本地区、本部门的实际，认真落实，精心部署，积极主动、稳妥有效地开展工作，夺取这场斗争的全面胜利。各级团组织的主要负责同志要以高度的政治敏锐性和政治责任感，切实承担起领导责任和政治责任。要认真研究问题，投入足够的精力，抓好这项工作。处理问题要严格按照党中央的精神，既要旗帜鲜明，态度坚决，又要注意方法，防止草率从事，激化矛盾。要密切掌握动态，加强信息沟通，及时掌握本地区团员青年的情况，及时向同级党组织和上级团组织报告重要情况和信息，增强工作的预见性和主动性，积极维护社会政治稳定。

各地团组织接到本通知后，要抓紧制定工作方案，迅速传达部署，尽快将本通知精神传达到全体团员。贯彻本通知的情况，请及时报告团中央。

1999年7月23日

# 中共天津市委
# 关于加强和改进思想政治工作的若干意见

（1999年7月27日中共天津市委七届三次全体会议通过）

**一、适应新的形势和任务，进一步加强和改进思想政治工作**

（1）世纪之交，国际国内形势发展很快，变化很大。经济全球化进一步发展，科学技术日新月异，综合国力竞争日趋激烈，世界更加动荡，天下仍不太平，和平与发展面临更为严峻的挑战。西方敌对势力加紧对我推行“西化”、“分化”的战略。国内经济进入大调整、大变革关键时期。经济体制转轨步伐加快，改革攻坚任务加重。经济体制的转换、利益格局的调整，出现了经济成分和经济利益、社会生活方式、社会组织、就业岗位和就业形式多样化的新情况。历史和现实证明，每当社会处于重大转折关头，思想领域的矛盾和斗争总是异常激烈。思想政治阵地，马克思主义不去占领，非马克思主义和反马克思主义的思想必然会去占领。必须保持高度警觉，深刻认识意识形态领域斗争的长期性、艰巨性、复杂性。

（2）思想政治工作是党的优良传统，是天津工作的一大优势，为保证党的路线方针政策贯彻执行，推动全市改革开放和社会主义现代化建设，发挥了不可替代的重要作用。同时必须清醒地看到，一些地方、单位的党组织和领导干部忽视和放松思想政治工作，有的甚至软弱无力。一些党员干部理想信念发生动摇，精神空虚，私欲膨胀。思想政治工作还不能适应新形势发展的需要，亟待加强。各级党组织务必从共产党人的根本信仰、全国人民团结奋斗的根本思想基础、党和国家前途命运的高度，自觉增强做好新形势下思想政治工作的责任感和紧迫感，从处理和解决“法轮功”问题中举一反三，坚持党的基本理论、基本路线、基本纲领不动摇，坚持“两手抓，两手都要硬”的方针不动摇，坚持用马克思主义始终牢固地占领社会主义的思想政治阵地不动摇。

（3）加强和改进思想政治工作，必须高举邓小平理论伟大旗帜，坚定共产主义理想信念，在思想上、政治上坚决同以江泽民同志为核心的党中央保持高度一致，着眼于天津改革发展稳定大局，着眼于提高全市人民的思想道德素质和科学文化素质，培育“四有”公民，塑造开拓创新、自信自强的天津人形象，千方百计调动一切积极因素，团结、教育、鼓舞广大党员、干部和群众，把思想和行动统一到中央精神和市委部署上来，把力量凝聚到为加快天津发展做贡献上来，为全面贯彻落实党的十五大精神，把天津建设成为现代化港口城市和我国北方重要的经济中心，实现跨世纪发展宏伟目标，提供强大的精神动力和思想保证。

**二、强化思想政治教育，理直气壮地讲大道理**

(4) 加强马克思主义理论学习，进一步落实用邓小平理论武装全党、教育干部和人民的战略任务。在党员、干部、群众中坚持不懈地进行党的基本理论、基本路线、基本纲领的教育，牢固树立建设有中国特色社会主义的共同理想和信念。引导干部群众解放思想，冲破计划经济体制下形成的陈旧观念和思维方式的束缚，克服不思进取、小富即安、怕苦怕难、“等靠要”等保守思想，增强创新意识，投身创新实践。

(5) 加强马克思主义唯物论和无神论教育，树立正确的世界观、人生观、价值观。教育党员、干部和群众增强政治敏锐性和政治鉴别力，在大是大非面前立场坚定、态度鲜明，打牢全市人民团结奋斗的根本思想基础。大力普及现代科技知识，崇尚科学精神，掌握科学方法，善于识别和抵制伪科学和反科学的东西，以科学破除迷信，以文明改变愚昧。

(6) 加强形势政策任务教育，坚定加快天津改革和发展的信心。紧紧围绕党和国家以及市委、市政府的中心工作，配合重大改革政策和措施的出台，及时进行形势政策宣传教育，帮助干部群众正确认识形势，坚定改革和发展信心。大张旗鼓地宣传全国和天津的大好形势，坚持不懈地进行天津改革发展辉煌成就的宣传教育，用强大的正面宣传，鼓舞和激励人们弘扬新时期创业精神，横下一条心，创造新业绩。

(7) 加强爱国主义、集体主义、社会主义教育，增强振兴中华、建设天津的责任感、使命感。教育干部群众正确认识和处理改革与发展中各种利益关系，识大体、顾大局，努力实现国家、集体、个人三者利益的统一。充分发挥周恩来邓颖超纪念馆、平津战役纪念馆、蓟县抗日烈士陵园、大沽炮台等爱国主义教育基地的作用，弘扬革命传统，振奋民族精神。引导人们把爱祖国、爱家乡、爱集体的巨大热情转化为勤奋学习、扎实苦干、开拓进取的强大动力，报效祖国，建设家乡。

(8) 加强社会公德、职业道德、家庭美德教育，提高市民道德素质。贯彻《天津市市民守则》，大力倡导文明礼貌、助人为乐、爱护公物、保护环境、遵纪守法的社会公德；加强与人民群众密切相关的“窗口”单位建设，大力倡导爱岗敬业、诚实守信、办事公道、服务群众、奉献社会的职业道德；搞好社区文明建设，开展创建文明家庭活动，提倡健康文明的生活方式，大力倡导尊老爱幼、男女平等、夫妻和睦、勤俭持家、邻里团结的家庭美德，形成社会主义的新型人际关系。

(9) 加强社会主义民主和法制教育，增强法律意识和法治观念。进一步普及法律常识，教育人们学法、知法、守法，用法律规范行为，不参加非法组织，不参与危害社会公共秩序的活动，自觉维护社会稳定。依法加强对各种协会、学会等社团组织的管理。继续推进和完善村务公开、厂务公开、政务公开，引导群众参加民主管理和监督，善于运用法律维护自己的合法权益。

(10) 加强思想政治教育，突出重点，增强针对性。党政机关要突出抓好党的宗旨教育和艰苦奋斗教育，激励干部勤政廉政，做人民好公仆。国有企业要围绕建立现代企业制度和脱困的三年目标，坚定干部职工信心，克服前进中的困难，增强企业活力和市场竞争力。农村要全面落实党的各项农村政策，努力改善干群关系，切实调动农民群众的积极性，为率先基本实现农业现代化贡献力量。学校要着力抓好理想、信念和社会责任感教育，提高教师和广大青少年学生的思想道德和政治素质。城镇街道针对社会经济结构的变化和大量从业人员流向社区的新情况，采取多种形式，加大教育、管理力度。

**三、继承优良传统，推进思想政治工作不断创新**

(11) 以创新精神探索思想政治工作新路子。针对改革开放和发展社会主义市场经济中遇到的新情况、新问题，坚持在继承中发展，在改革中创新，把党和政府工作的重点、改革与发展的难点、人民群众关心的热点，作为思想政治工作不断创新的着力点，大胆探索新形势下做好思想政治工作的新内容、新方法、新手段、新机制、新路子。

(12) 继续坚持在实践中形成的指导原则、有效方法和成功经验。坚持以马列主义、毛泽东思想和邓小平理论为指导，以培育“四有”公民为目标；坚持思想政治工作服从服务于党的中心工作，融入经济和业务工作一道去做；坚持理论联系实际，一切从实际出发，注重学习和教育的效果；坚持群众观点，走群众路线，以调动人的积极性和创造性为根本出发点；坚持以人为本，把思想教育与为群众办实事结合起来，做到尊重人、理解人、关心人、爱护人；坚持正面教育为主，耐心疏导；坚持吸引群众广泛参与，自我教育；坚持精神鼓励与物质奖励相结合，以精神鼓励为主；坚持先进性要求与广泛性要求相结合，提倡社会主义、共产主义思想道德，团结广大群众，为实现共同理想积极向上，共同进步；坚持党的集中统一领导，党政工团齐抓共管；坚持身教与言教相结合，身教重于言教；坚持继承与创新相结合，着眼于新的实践和新的发展。

（13）认真落实思想政治工作各项制度。包括：思想政治工作责任制度、干部群众思想状况分析制度、领导干部联系点制度、领导干部报告员制度、干部谈心家访服务制度、领导干部接待日制度、党员责任区制度、党员“三会一课”制度、党员与群众“结对子”互帮互学制度、企业职工班前班后学习制度，等等。做好新形势下的思想政治工作，不仅要继续坚持这些行之有效的制度，还要根据情况的变化不断充实、发展、完善。

（14）积极建设和发展思想文化教育阵地。努力办好各级党校、干校、团校，有计划地对党、团员和干部进行培训。充分利用职工学校、市民学校、村民学校等对群众进行经常性宣传教育。城市居民区设置宣传栏和阅报栏，重要街道或重要活动场所设置公益广告栏；村镇设置公开栏。大力推进企业、居民小区和村镇图书阅览室、俱乐部、青少年活动中心、妇女和老年活动中心等文体活动阵地的建设。加强对城乡文化娱乐场所的管理，坚决扫除“黄、赌、毒”等社会丑恶现象，禁止制造、传播文化垃圾，净化文化市场。

（15）抓好吸引群众广泛参与的活动载体。深入持久地开展“建文明城市，做文明市民”、创建文明城区、文明行业、文明单位、文明村镇、文明家庭和文明户等精神文明创建活动。实施“希望工程”。活跃社区文化、村镇文化、企业文化、校园文化、家庭文化。组织好“文化、科技、卫生三下乡”活动。坚持寓教于文、寓教于乐，让群众在参与丰富多彩的精神文化生活中得到陶冶，受到教育。设计活动载体要突出鲜明的时代主题，不断充实新内容，创造新形式，增强吸引力、感染力和实效性。

（16）始终不渝地坚持树立和宣传先进典型。大力宣传先进集体和先进人物的崇高精神和先进事迹，弘扬正气，扶正祛邪，振奋精神。深入开展树先进、学先进活动，注意总结和宣传不同层次、不同类型的典型，使典型的示范、激励和引导作用辐射社会生活的各个领域和不同群体。关心爱护先进典型，帮助他们解决工作和生活中遇到的困难。在全社会营造崇尚先进、学习先进、争当先进的浓厚氛围。

（17）领导干部要带头讲学习、讲政治、讲正气，严于律己，言传身教。经受住执政的考验、改革开放的考验、发展社会主义市场经济的考验，坚持正确的政治方向，做讲政治的模范；坚持党的宗旨，做全心全意为人民服务的模范；坚持民主集中制，做遵守纪律的模范；坚持解放思想、实事求是，做开拓创新的模范。要求别人做的，自己首先做到；禁止别人做的，自己坚决不做，以真理的力量和人格的力量影响、带动广大群众。

（18）充分发挥大众传媒等现代化教育手段的作用。牢牢把握正确的舆论导向，充分发挥党报、党刊、电台、电视台的主导作用，宣传党的主张，传播知识信息，强化正面宣传和新闻舆论监督。改进新闻工作，给改革让版面，给群众让镜头，发挥好舆论监督作用，提高宣传质量和引导水平，营造良好的舆论氛围。高度重视互联网的作用，加强管理，趋利抑害，打好网上阵地的主动仗。文化、影视、出版部门要大力弘扬主旋律，提倡多样化，用优秀的作品教育人，鼓舞人。

（19）紧密围绕改革和发展中社会经济、政治、文化生活的新变化，深入调查研究，掌握社情民意，搞好超前预测和对策研究。创造和总结新的经验，探索新形势下思想政治工作的特点和规律。发挥思想政治工作研究会的作用，加强思想政治工作学科建设，充分发挥科学理论的指导作用，掌握主动权，提高实效性。

**四、面向基层、依靠群众，深入细致、扎实有效地做好群众思想工作**

（20）思想政治工作要充分体现一切为了人民，一切依靠人民。把群众情绪作为第一信号，关心群众疾苦，倾听群众呼声，了解群众心理，尊重群众意愿，与群众一起探讨改革和发展大计。想问题、办事情要着眼于中低收入的大多数群众。出台涉及群众切身利益的重大举措，必须走群众路线，充分考虑大多数群众的承受能力，做好宣传解释，得到群众的理解和支持。引导群众主动参与，自我教育，自我提高。

(21) 基层党组织要大力加强群众工作，扩大覆盖面，不留空白点，党的基层组织要从各自的实际出发，认真履行做好思想政治工作的职责。要把思想政治工作做到社会各个领域和不同群体。着力加强对下岗职工、个体经济从业人员、外来民工、流动人口等的思想政治教育。积极探索和推动在私营企业、三资企业中加强思想政治工作。

(22) 把解决群众思想问题同为群众办实事结合起来。认真落实国有企业下岗职工的基本生活保障制度，大力推进再就业工程。广泛开展“送温暖、献爱心”活动，不让一户困难家庭过不去。关心离退休人员的生活和学习。切实执行城市居民最低生活保障制度。全面落实农村各项政策，坚决制止乱摊派、乱收费、乱罚款，减轻农民负担，确保农民增收、农村稳定。有些困难和问题，一时难以解决，要耐心诚恳地向群众解释清楚，积极创造条件加以认真解决。动员和依靠社会各方面力量，广泛开展“志愿者服务”、“和困难户交朋友”等互帮互助活动，奉献社会，造福群众。

(23) 积极有效地处理好新形势下的人民内部矛盾。充分认识在新旧体制交替、社会经济关系调整、利益格局变化过程中人民内部矛盾的新情况和新特点。把思想教育贯穿于改革和发展的全过程，讲究方法策略，及时做好理顺情绪、化解矛盾的工作。认真做好信访工作，妥善解决实际问题，慎重处理敏感问题，避免因工作失误而激化矛盾以至造成社会震荡。善于及时发现和掌握苗头性和倾向性的问题，早谋对策，制定预案，把问题解决在基层，解决在萌芽状态。对群体性突发事件，主要领导干部要身临一线，积极疏导，果断处置，综合运用教育、行政、法律等手段妥善解决。

**五、加强政工队伍建设，形成思想政治工作齐抓共管的格局**

(24) 思想政治工作是全党的重要任务，是各级党组织和每一个共产党员义不容辞的责任。不仅党的部门要做，政府部门、企事业单位、群众组织、社会团体都要做，形成党委统一领导，党政主要领导亲自抓，政工部门协调推动，各方面分工负责，人民群众广泛参与，全社会共同关心、齐抓共管的工作格局。

(25) 必须建设一支“政治强、业务精、作风正”的专职政工队伍。政工干部要勤奋学习、淡泊名利、扎实工作、敬业奉献、提高素质，加快适应新时期思想政治工作的需要。进一步健全思想政治工作机构，充实、加强力量，选拔年富力强、德才兼备的人员充实到政工岗位，确保思想政治工作有部门管，有专人干。制定规划，用3年左右的时间，有计划、有步骤、分层次地对全市专职政工干部轮训一遍；根据形势和任务需要，进行经常性培训，全面提高政治和业务素质，培养“复合型”政工干部。

(26) 广泛动员社会各界力量做好思想政治工作。工会、共青团、妇联等群众团体，要充分发挥各自优势，有针对性地做好群众的思想政治工作；发挥人大代表、政协委员、离退休老同志、劳动模范、先进人物、文化教育工作者等各方面人员在思想政治教育中的特殊作用；联合各民主党派、工商联和无党派人士，发挥各自影响，形成整体合力，共同做好全社会的思想政治工作。

**六、加强党的领导，把思想政治工作落到实处**

(27) 坚持党要管党，从严治党。各级党委要把加强和改进思想政治工作作为“三讲”教育整改的重要举措，切实把思想政治工作列入重要议事日程，制定措施，常抓不懈。市委常委会每年召开1—2次会议，专题研究思想政治工作。建立由各工委书记、区县委书记和工、青、妇群众团体主要负责人参加的思想政治工作联席会议制度，定期分析研究社情民意，分析全市思想政治工作的形势，研究、提出加强和改进思想政治工作的措施。切实加强基层党组织建设，发挥党员的先锋模范作用，增强党组织的凝聚力和战斗力。

(28) 建立健全思想政治工作责任制。党员领导干部都要抓思想政治工作，党政一把手要带头抓，分管领导集中精力抓，其他领导干部要做好自己分管范围内的思想政治工作，一级抓一级，一级带一级，明确职责，明确任务，责任到人。市委各工委和区县局（总公司）党委，要结合本系统、本地区的实际，围绕加强和改进思想政治工作，健全和完善领导体制和工作运行机制，提出具体措施，狠抓落实。各区县宣传部门对本地区的广播电视、文化部门实行归口领导。

（29）关心政工干部的成长。调动政工干部的积极性，帮助他们解决工作、生活、学习上的实际问题。严格评定标准，搞好政工职称评定工作。建立思想政治工作奖励基金，鼓励社会各界对思想政治工作给予关心和支持。在政工队伍中开展评选表彰先进活动。市委每两年评选、表彰一次优秀思想政治工作者和思想政治工作先进集体，并给予精神和物质鼓励。

（30）保证对思想政治工作的必要投入。市和区县宣传经费在现有的基础上，增加一倍。各企事业单位要确保思想政治工作必需的经费，并应随着经济的发展逐年增加。有计划地搞好硬件建设，加快实现思想政治工作部门办公手段的现代化。

# 河北省各级精神文明建设委员会工作条例

（冀发［1999］13号）

**第一章　总则**

**第一条**　为了使全省精神文明建设委员会的工作制度化、规范化，更有效地发挥领导社会主义精神文明建设的职能作用，特制定本条例。

**第二条**　本条例是根据《中共中央关于加强社会主义精神文明建设若干重要问题的决议》的有关要求和我省精神文明建设委员会的工作实际情况制定的，适用于全省县以上（含县，下同）各级精神文明建设委员会。

**第三条**　各级精神文明建设委员会必须以马克思列宁主义、毛泽东思想、邓小平理论为指导，坚持党的基本路线，坚持精神文明重在建设的方针，为促进经济发展和社会全面进步，兢兢业业地履行职责，创造性地开展工作。

**第二章　委员会的设置**

**第四条**　省、市、县（市、区）设精神文明建设委员会。

**第五条**　省、市、县（市、区）各行业主管部门设精神文明建设委员会。

**第六条**　精神文明建设委员会由主任、副主任、委员组成。省、市、县（市、区）精神文明建设委员会主任、副主任由同级党委、政府主要负责同志担任，委员由同级直属部门负责同志担任；行业精神文明建设委员会主任、副主任由同级行业主管部门主要负责同志担任，委员在本行业有关单位的负责同志中聘任。

**第三章　委员会的主要职责和工作制度**

**第七条**　各级精神文明建设委员会是同级党委、政府和行业主管部门领导本地、本行业社会主义精神文明建设的工作机构。

**第八条**　精神文明建设委员会的主要职责是：

（一）督促检查本地、本部门、本行业贯彻落实党和国家关于精神文明建设的方针、政策和工作部署的情况；

（二）研究制定有关精神文明建设的规划、措施，总结部署年度精神文明建设工作，重点是精神文明创建活动；

（三）协调解决精神文明建设主要是思想道德建设和文化建设方面的有关问题；

（四）协调党政机关、人民团体、驻军在精神文明创建活动中的相互关系；

（五）推广精神文明建设先进经验；

（六）组织调查研究，为同级党委、政府，行业主管部门的有关决策提供建议。

**第九条**　精神文明建设委员会全体会议由委员会主任或副主任召集。每年召开一次，一般在年底或下一年年初举行。主要是总结、部署工作，研究和决定应由委员会处理的重大问题。必要时可临时召开会议或召开扩大会议。

**第十条** 精神文明建设委员会全体会议闭会期间，由委员会主任或副主任主持委员会的日常工作。主要任务是：

（一）按照精神文明建设委员会全体会议的工作部署，实施具体指导；

（二）签发精神文明建设委员会文件；

（三）批示由精神文明建设委员会办公室提出的工作请示；

（四）召集精神文明建设工作会议或由地方、有关部门领导参加的联席会议；

（五）应邀参加同级直属部门和下一级精神文明建设委员会召开的有关会议，代表精神文明建设委员会发表意见或讲话；

（六）听取或接受精神文明建设委员会办公室、精神文明建设委员会委员及地方、有关部门的工作汇报和情况报告；

（七）负责承办精神文明建设委员会职责范围规定的其他事宜。

**第十一条** 在精神文明建设委员会全体会议闭会期间，由委员会主任或副主任处理的重大问题，一般应在下一次全体会议上作适当说明。

**第十二条** 精神文明建设委员会委员要按时参加全体会议和由主任或副主任召集的有关会议，承担由精神文明建设委员会及其主任、副主任交付的任务，及时汇报本部门精神文明建设的情况，提出意见或建议。

**第四章 委员会办公室**

**第十三条** 精神文明建设委员会下设办公室。省精神文明建设委员会办公室的机构编制按冀机编〔1997〕18号文件执行，各市、县（市、区）可参照设置；行业精神文明建设委员会办公室可参照设置或靠挂同级行业主管部门中的相关处(科)、室。

**第十四条** 精神文明建设委员会办公室是精神文明建设委员会的办事机构，对精神文明建设委员会负责。

**第十五条** 精神文明建设委员会办公室的主要职责是：

（一）按照精神文明建设委员会的部署，制定相应工作措施和考核目标，督促落实工作；

（二）了解掌握精神文明建设工作开展情况，研究分析精神文明建设形势及出现的新情况、新问题，及时向精神文明建设委员会反映并提出建议；

（三）组织实施精神文明创建活动；

（四）组织精神文明建设工作经验的交流推广；

（五）负责精神文明建设委员会的文秘、会务工作，管理有关经费；

（六）完成精神文明建设委员会及其主任、副主任交办的其他工作。

**第十六条** 精神文明建设委员会办公室根据工作需要，适时召开有关会议，通报情况，研究问题，协调工作。

**第十七条** 精神文明建设委员会办公室可视情召开主任办公会议，主要研究办公室重要事宜。

**第十八条** 下一级精神文明建设委员会办公室每年两次向上一级精神文明建设委员会办公室书面报告工作，并报同级精神文明建设委员会。

**第五章 附则**

**第十九条** 各市、县（市、区）、各行业精神文明建设委员会可参照本条例制定具体实施细则。

**第二十条** 精神文明建设委员会及其办公室的设置和调整情况，及时报上一级精神文明建设委员会备案。

**第二十一条** 本条例由省精神文明建设委员会负责解释。

**第二十二条** 本条例自发布之日起施行。

1999年3月18日

# 河北省文明单位管理办法

（冀发［1999］13号）

第一章 总则

**第一条** 为了加强对文明单位的日常管理，充分发挥文明单位在两个文明建设中的示范作用，使文明单位创建活动经常化、制度化、科学化，特制定本办法。

**第二条** 本办法是根据社会主义物质文明建设和精神文明建设一起抓的原则，结合我省开展文明单位创建活动的实践和实施管理的经验制定的。

**第三条** 本办法由各级精神文明建设委员会组织实施。

第二章 文明单位

**第四条** 文明单位是在社会主义物质文明建设和精神文明建设中取得突出成绩，经过群众评议和主管部门推荐，由县以上（含县，下同）党委和政府审核批准、命名的单位。

**第五条** 文明单位称号是我省社会主义物质文明建设和精神文明建设的最高荣誉称号。

**第六条** 文明单位的级别分为：省级文明单位、市级文明单位、县（市、区）级文明单位。

**第七条** 文明单位必须具备下列基本条件：

（一）坚持以马克思列宁主义、毛泽东思想和邓小平理论为指导，全面正确地贯彻执行党的基本路线和基本方针，两个文明建设有机结合、协调发展。

（二）领导班子认真履行全心全意为人民服务的宗旨，团结务实，廉洁勤政，实绩突出，得到群众的普遍拥护。

（三）适应社会主义市场经济需要，实行科学管理、文明经营（工作），经济效益和社会效益好，工作成绩和主要经济指标稳居于当地或同行业前列。

（四）思想道德、科学文化、民主法制教育和创建活动扎实有效，干部群众具有良好的思想道德和科学文化素质。

（五）环境洁、齐、美，文化教育设施完善，无重大刑事案件和安全事故，无计划外生育。

（六）民主制度健全，群众能够参与本单位重大问题的决策和对日常事务的管理及监督。

第三章 文明单位的评选和命名

**第八条** 凡符合文明单位基本条件的下列单位均可参加评选：

（一）机关、团体、企业、事业单位、居民委员会、乡（镇）、行政村；

（二）中央和国家机关驻我省的企业、事业单位；

（三）中国人民解放军驻我省的军工企业、医院、招待所；

（四）中国人民解放军河北省军区所属各军分区、人民武装部；中国人民武装警察部队河北省总队所属各支队、中队；

**第九条** 上述符合基本条件的单位要求参加文明单位评选的，按照党的隶属关系向所在地的精神文明建设委员会提出书面申请。

**第十条** 各级文明单位的报批程序：

（一）县（市、区）级文明单位：由乡镇或相当于这一级的主管部门从申请单位中择优推荐，经县（市、区）精神文明建设委员会审核后，报请县（市、区）委、政府批准。

（二）市级文明单位：由各县（市、区）精神文明建设委员会从提出申请的县（市、区）级文明单位中择优推荐，经市精神文明建设委员会审核后，报请市委、市政府批准。

（三）省级文明单位：由各市精神文明建设委员会从提出申请并连续两年享有市级文明单位荣誉称号的单位中择优推荐，经省精神文明建设委员会审核后，报请省委、省政府批准。

（四）省、市直属机关工委可分别视为市、县级文明单位命名机关，参照有关报批程序，在所属单位中组织实施文明单位的评选命名工作，并可向同级精神文明建设委员会推荐上一级文明单位。

**第十一条** 申报文明乡（镇）的单位，其所辖行政村必须有60%以上的是县（市、区）级文明单位，申报后由县（市、区）以上精神文明建设委员会审核和党委、政府批准。

**第十二条** 遇有国家级文明单位评选时，由省精神文明建设委员会从省级文明单位中择优推荐，批准命名后，在省精神文明建设委员会办公室备案。

**第十三条** 文明单位的申报和审批，必须由申报单位对照文明单位所列条件和有关规定进行自查，填写文明单位申报表，按照文明单位的不同级别逐级申报。文明单位的审批权在县以上党委和政府。各级行业主管部门、各乡（镇、街道）以及大中型企业和事业单位，可在所属单位中评选、命名精神文明建设单项活动先进单位，但所授予的称号不得使用“文明单位”字样。

**第四章 文明单位的表彰和奖励**

**第十四条** 获得文明单位荣誉后，分别由批准、命名机关或由其委托的同级精神文明建设委员会授予相应称号的匾牌和证书，同级新闻单位要刊播文明单位名单。文明单位门前只悬挂最高一级文明单位匾牌，其他文明单位及单项先进匾牌一律移入室内。

**第十五条** 被命名的单位可给所在单位人员一次性物质奖励。

**第五章 文明单位的日常管理**

**第十六条** 对文明单位的日常管理包括：

（一）建立文明单位管理档案，掌握文明单位的级别、性质、隶属关系、规模、主要事迹、基本经验和历次检查评比的情况；

（二）结合本地实际，修改和补充各类文明单位的具体标准；

（三）监督和检查文明单位创建活动的进展情况；

（四）总结和推广文明单位的工作经验；

（五）接受文明单位申报材料，并负责检查和推荐；

（六）对违反文明单位条件或发生严重问题的，要提出警告、批评、通报，直至撤销文明单位称号。

**第十七条** 省、市、县（市、区）三级文明单位的日常管理工作由同级精神文明建设委员会办公室具体负责。

**第十八条** 县（市、区）、市精神文明建设委员会都要向上一级精神文明建设委员会报告本地文明单位创建活动情况。

**第十九条** 文明单位实行动态管理，不搞终身制。省级文明单位每两年重新评选、命名，落榜者自动失去文明单位称号，由命名机关收回匾牌，可保留证书，作为历史荣誉。无论哪一级文明单位，在下一届评选前出现问题，需要撤销荣誉称号的，要据其文明单位的级别，向有关精神文明建设委员会写出报告，经核实报请命名机关审批后，收回匾牌和证书，并予以通报。

**第二十条** 对于我省推荐、由中央命名的文明单位，凡属被取销荣誉称号的，要查清原因，报省精神文明建设委员会备案。

**第六章 附则**

**第二十一条** 各市、县（市、区）和省、市直机关工委根据本办法的规定制定实施细则。

**第二十二条** 中直机关、中国人民解放军、中国人民武装警察部队驻我省的有关单位被省、市、县（市、区）命名为文明单位的，出现特殊情况，报省精神文明建设委员会处理。

**第二十三条** 本办法由省精神文明建设委员会负责解释。

本办法自颁布之日起施行。

1999年3月18日

# 《黑龙江省文明单位建设条例》实施细则

（1999年2月27日黑龙江省精神文明建设指导委员会第一次会议讨论通过）

**一、总则**

**第一条** 为了深入贯彻《黑龙江省文明单位建设条例》，加强对文明单位的建设和管理，根据《条例》规定和各地的实践经验，制定本细则。

**第二条** 创建文明单位活动是精神文明建设活动的重要形式，是把两个文明建设的任务落实到基层的有效载体。文明单位是由党委政府共同命名的综合性荣誉称号，是上级部门评先树优的先决条件。

**第三条** 创建文明单位的范围系本省境内经济独立核算，建有共产党基层组织和工会基层组织的单位：党政机关，社会团体，国有、集体、私营、合资等各种所有制形式的企事业单位，各级各类学校，中直机关驻我省的单位。大型企业集团下属的二级机构，林业局所属的林场等符合上述条件的，可按独立单位对待。机关、企事业单位内部的科处室、车间、居委会等参加单位内部的创建活动。人员在30人以下的规模较小单位，一般不命名省级文明单位。

**第四条** 文明单位创建活动要坚持重在建设的原则，从提高干部群众的整体素质出发，做到两个文明有机结合，协调发展，努力提高经济效益，注重社会效益。党委和政府要切实加强创建文明单位活动的组织领导，工会、共青团、妇联等部门要把各自开展的专项创建活动与创建文明单位活动结合起来，齐抓共管，形成合力。

各单位要从本单位的实际出发，开展有特色的创建活动；要从群众普遍关心的问题入手，以群众满意为标准，把好事办实，实事办好，力戒形式主义。

**第五条** 文明单位建设工作要纳入机关、事业单位目标责任制和企业经营承包责任制，作为考核领导班子政绩和干部奖惩、选拔使用的重要依据。

**第六条** 党委、政府和各单位要为开展文明单位建设活动提供人员、设施、经费等必要条件，把创建活动所需资金列入当地财政预算和单位财务计划，及时拨划，专款专用。

**二、条件**

**第七条** 文明单位必备条件的具体内容是：

（一）坚持高举马列主义、毛泽东思想、邓小平理论伟大旗帜；认真贯彻执行党的基本路线和各项方针政策；坚持两手抓，两手硬，把精神文明创建活动融于实际工作的全过程，做到两个文明有机结合、一体化管理，物质文明建设和精神文明建设取得显著成绩。

（二）把创建文明单位活动作为两个文明一起抓的有效载体，摆上领导重要日程。成立文明单位建设领导小组，有具体办事部门，领导小组每季研究一次创建工作；从本单位的实际出发，提出切实可行的创建目标，制定体现两个文明有机结合的科学规划和具体措施；发动职工积极参与争做文明职工、文明市民，争创文明班组、文明车间、文明家庭等基础创建活动；干部、群众有较强的创建意识，能开展经常性的突出行业特色的创建活动，效果明显。

（三）领导班子坚持全心全意为人民服务的宗旨，讲学习、讲政治、讲正气，坚持民主集中制原则，开展批评与自我批评，决策科学民主，实事求是，作风正派；主要领导思想解放，大胆改革，谦虚谨慎，勇于创新；班子成员务实高效，廉洁自律，密切联系群众，善于听取不同意见，关心群众疾苦，在群众中有较高威望。

（四）有针对性地开展经常性的思想教育工

作，加强爱国主义、集体主义、社会主义教育，弘扬大庆精神、铁人精神、北大荒精神、突破高寒禁区精神，深入开展形势任务教育，引导人们树立正确的世界观、人生观、价值观，总结在培育共同理想、爱岗敬业、艰苦奋斗等方面的典型，用身边的好人好事教育群众，在深化改革和各种利益关系的调整过程中，顾大局、识大体，个人利益服从国家和集体利益，干部职工的素质明显提高。

（五）经常进行社会公德、职业道德、家庭美德教育，逐步完善道德规范，建立平等、团结、友爱的新型人际关系；树立讲道德、守信誉、风气正的良好社会形象；形成文明礼貌、敬老爱幼、助人为乐、见义勇为的道德风尚。

（六）教育、科技、文化建设取得明显进展。结合实际工作，有计划地组织成人教育、业余教育、技术练兵等；尊重知识，尊重人才，认真落实知识分子政策；大力应用和推广先进科技成果，劳动生产率居先进水平。

（七）建立文明、健康、科学的生活方式，移风易俗，树文明新风，坚决扫除黄、赌、毒等社会丑恶现象，有效制止婚丧事大操大办、封建迷信活动；职工业余文体生活丰富多彩，寓教于乐，寓教于活动之中，陶冶人们的情操。

（八）坚持开展法制教育，严格依法办事。群众民主法制观念不断增强，晚婚率、晚育率、独生子女率达到标准，无计划外生育，没有超过国家有关部门规定的人身伤亡、经济损失等问题，无重大刑事案件。开展综合治理，对两劳释放人员和重点人的教育工作成效显著，治安状况、生产生活秩序良好。

（九）认真执行国家有关环境保护的法规和当地的卫生管理制度，“三废”（废水、废气、废渣）得到有效治理，达到国家规定的指标；因地制宜地绿化、美化环境，无私建滥建，无滥采滥伐，无违法占地等问题；劳动保护设施逐步完善，安全生产措施落实；职工福利事业不断发展，每年有计划地办几件关系群众切身利益的好事、实事。

（十）坚持深化改革，扩大开放，注意引进和吸收国内外先进技术和管理经验，运用现代化手段实施科学管理。生产经营性单位能主动面向市场，转换经营机制，主要经济指标达到同行业的先进水平；非生产经营性单位能面向服务对象，强化内部管理，增强服务意识，提高工作效率，取得良好社会效益。

**第八条** 文明单位要利用各自优势，抓好军警民共建及工农、街企、厂校等多种形式的共建活动，积极参与当地创建文明城市、文明村镇、文明行业等相关的精神文明建设活动，在尊师重教、抢险救灾、扶贫济困、兴办公益事业等方面走在前列，充分发挥文明单位的先进示范作用。

**三、命名**

**第九条** 申报文明单位要在正式申报前三个月，通过适当方式向社会公示，接受群众监督，并发动本单位群众认真自评、自查。各级文明委在向上级正式推荐或命名文明单位之前，有条件的要利用新闻媒体将拟推荐命名单位向社会公开，认真征求纪检、监察、审计、计生、环保、爱卫、综合治理等相关部门和主管部门的意见，广泛听取这些单位所在地群众和服务对象的反映，在充分调查研究的基础上做出决定，以保证命名质量。

**第十条** 农垦、森工、哈铁和省直机关、省高校文明委要主动加强与市（地）、县的联系，推荐省级文明单位或命名本系统文明单位时，应当首先征求被推荐单位机关所在市、县的意见。

**第十一条** 各级文明单位实行晋档升级预报制度，推荐文明单位（标兵）要在命名年度前一年的年底，把拟推荐单位名单和相关材料上报文明办。

**第十二条** 对破格申报的单位要从严掌握。创建活动规范，成效特别显著，社会效益突出的单位可以破格申报，一般破格只跃一个档次。

**四、管理**

**第十三条** 各级精神文明建设指导委员会办公室，要切实负起文明单位创建活动的管理责任，及时指导基层单位制定创建文明单位活动规划或方案，有针对性地进行分类指导；定期检查文明单位创建活动的进展情况；总结推广文明单位建设的示范性经验，树立有行业特点的先进典型，组织开展理论研讨活动；沟通文明单位之间的联系，协调文明单位共建联建活动；对发生严重问题的单位给予批评帮助，及时提出处理意见。

**第十四条** 各级文明单位要自觉加强自我管理并实行年度报告制度。市地以上文明单位（标兵）要认真填报“年度报告表”，并于次年三月底以前上报其管理部门。不按时填报和报告时弄虚作假的单位，命名满四年时，没有重新申报的资格。

**第十五条** 文明单位门前只悬挂最高档次的文明单位牌匾，其他级别的同类荣誉牌匾放在荣誉室里。文明单位被撤销荣誉称号和文明单位命名满四年未被重新命名的，其荣誉牌匾不得再悬挂，由管理部门及时收回。

**第十六条** 各系统开展创建文明行业活动要以文明单位建设为基础，突出“为人民服务，树行业新风”的主题，狠抓文明窗口建设，促进本系统文明程度整体水平的提高。

**第十七条** 各级文明办要健全文明单位档案，把文明单位的申报审批表、年度报告表、主要事迹材料、文明单位变化情况、有关部门意见反映等基础材料收集齐全，整理规范有序。

各级文明单位要从实际出发，不断完善创建活动档案，把创建规划，基础创建活动的评选条件、考核方法、奖惩结果，先进典型，重大活动纪实等资料，以文字或图片、音像等形式认真收集，科学归档，便于查阅。

**第十八条** 文明单位合并或分解时，按以下原则掌握：两个以上单位合并，可保留其主体单位的荣誉称号，由原命名机关予以考核认定。如其主体单位不是文明单位或文明单位档次较低，要经过一年以上时间的创建，具备条件的，可按其合并单位中荣誉最高的级别申报。分解了的文明单位，其主体单位可申报继承原荣誉称号，由原命名机关及时予以考核认定；分离出来的单位，经过一年以上时间的创建，具备条件的，可申报原级别文明单位。

**五、奖励与处罚**

**第十九条** 各级文明单位奖牌设计要庄重，尺寸要规范：省级高50公分，宽70公分；市（地）级和系统级高40公分，宽60公分；县（市）区级高35公分，宽55公分。质地选材可依据各自的经济状况自定。

**第二十条** 文明单位应在命名当年兑现一次性物质奖励。奖励对象应包含本年度离退休的职工。奖金数额用职工月平均工资额（不含各种补贴）衡量，限额是省级文明单位标兵不超过120%，省级文明单位以下各档次按10%递减。对有突出贡献的人员，奖励范围不超过职工总数的5%，奖励金额不超过职工奖金的一倍。

党政机关、学校和其他事业单位的奖励费用可以从本单位经费包干节余或其他收入中解决。

**第二十一条** 文明单位出现严重问题需要处理的，该单位主管领导要在两周内将发生的问题上报所在市地县或系统文明办，问题复杂的可先报情况，待查清后详报。对县（区）级文明单位应在三个月内作出处理；对市（地、系统）和省级文明单位，在六个月内作出处理。

**第二十二条** 文明单位命名满四年，经过重新申请未被重新命名的单位，一般可按下一档文明单位管理，经过两年以上时间的创建，达到标准的，可以重新申报原级别文明单位。

**第二十三条** 各级文明办要加强自身建设，为基层创建文明单位活动服务。要不断改进工作方法，减轻基层负担。参加文明单位考核和审定的人员要树立良好形象，不接受超标准接待，不游山玩水，不接受礼品、礼金，不搞礼节性迎送，对违法违纪者要严肃处理。受检查单位有支持、监督的责任。

**六、附则**

**第二十四条** 本《细则》由省精神文明建设指导委员会办公室负责解释。

**第二十五条** 本《细则》自发布之日起实施。

# 黑龙江省文明村镇建设管理办法

（1999年2月27日黑龙江省精神文明建设指导委员会第一次会议讨论通过）

**第一章　总则**

**第一条**　为了加强文明村镇建设，充分发挥文明村镇在建设农业强省中的先进示范作用，推动农村经济发展和社会进步，依据《中共中央关于加强社会主义精神文明建设若干重要问题的决议》和宪法有关规定，结合我省实际，制定本办法。

**第二条**　文明村镇是以提高农民素质，奔小康，建设社会主义新农村为目标，以广泛开展群众性精神文明创建活动为基本特征，物质文明建设和精神文明建设有机结合协调发展的先进村镇。

**第三条**　文明村镇建设要充分发挥农民在物质文明建设和精神文明建设中的积极性、创造性，引导农民学科学、用科学，带头实践科技兴农，促进农村稳定、经济发展和社会全面进步。

**第四条**　凡本省境内的乡镇、村（含农垦系统生产队）都属创建文明村镇的范围。

**第五条**　文明村镇建设要坚持重在建设的原则，紧紧围绕发展农村经济这个中心，积极开展群众喜闻乐见的各种创建活动，吸引群众广泛参与。

文明村镇建设要坚持齐抓共管的原则，各有关部门密切配合，互相协作，形成合力。

文明村镇建设要坚持务求实效的原则，从群众普遍关心的热点和难点抓起，量力而行，把好事办实，实事办好，达到群众满意，切忌形式主义。

**第六条**　各级领导要把文明村镇建设列入干部任期目标责任制，作为考核政绩的重要内容。

**第七条**　各级政府要把文明村镇建设列入农村社会发展总体规划，保证其必要的投入。

**第八条**　文明村、文明乡镇分省、市（地）、县（区）三级，分别设文明村、文明村标兵，文明乡镇、文明乡镇标兵两个档次，由同级党委和政府命名。

**第九条**　县级以上精神文明建设指导委员会办公室负责本办法的实施。

**第二章　条件**

**第十条**　文明村必须具备下列条件：

（一）领导班子坚强有力。能够高举马列主义、毛泽东思想、邓小平理论的伟大旗帜。认真贯彻执行党的路线方针政策，发挥村党支部战斗堡垒作用和党员先锋模范作用。党政班子成员团结务实，廉洁自律，带头讲文明，讲卫生，做文明人，在群众中威信较高。

（二）经济持续发展。积极发展农村社会主义市场经济，走产业化道路，集体积累连年增长，达到小康村标准，人均收入高于当地平均水平，农民负担不超过国家规定。

（三）道德风尚良好。坚持对农民进行爱国主义、集体主义、社会主义思想教育和社会公德、职业道德、家庭美德教育，引导农民树立正确的世界观、人生观、价值观，形成热爱国家、热爱集体、文明礼貌、邻里和睦、尊老爱幼、勤俭持家的良好风尚。

（四）教育事业发展。普及九年义务教育，改善办学条件，适龄儿童入学率达100%，青壮年无文盲。积极开展科普活动，组织农民学科技、用科技，注重培养科技示范户，提高农民科技致富能力。

（五）文化生活丰富。经常组织农民开展文化体育活动，活跃村屯文化生活，村有文化活动阵地；积极配合有关部门做好文化、卫生、科技下乡等工作，引导农民形成科学、文明、健康的生活方式。不断提高群众精神文化生活的质量。

（六）公益事业不断完善。电话、广播电视入户率高于当地平均水平，初级卫生保健达标，积极发展合作医疗卫生事业，卫生厕所普及率、自来水入户率逐年提高，做到老有所养。

（七）移风易俗成效显著。红白理事会、帮贫助残会等群众组织健全，陈规陋习得到有效遏制，无封建迷信，无非法传教活动，无计划外生育，节俭办婚丧事，遗体火化率达标。

（八）治安秩序良好。积极开展普法教育，治保调解组织健全，及时化解矛盾，无越级上访、集体上访，边境地区无越境捕鱼、狩猎等事件发生。人人遵守乡规民约，无重大犯罪，无重大事故，无聚众赌博，无滥砍盗伐，无滥占耕地。

（九）村容村貌整洁。村屯建设规划合理，道路平坦，排水流畅，环境绿化、净化、美化，住宅砖瓦化率达到65%以上；生态环境，自然资源保护良好，做到粪堆、柴草、垃圾出屯，禽畜圈养，农民的居住环境明显改善。

（十）创建活动规范。积极开展十星级文明户创建活动，组织健全，评选条件和奖励办法切实可行，活动规范，参与面广，效果明显。

**第十一条** 文明乡镇必须具备下列条件：

（一）领导重视。高举马列主义、毛泽东思想和邓小平理论的伟大旗帜，坚决执行党的路线方针政策。紧紧围绕经济建设这个中心，坚持两手抓，班子成员团结务实、廉洁自律、开拓进取。

（二）活动规范。有近期和长远规划，认真组织开展十星级文明户、文明乡企、文明机关（站、室）等创建活动，建立有效的领导机制和工作机制。

（三）重视教育。对教育投入逐年增加，形成农民技校、业余党校、业余文化学校、初中、小学、幼儿园等教育网络，不断改善办学条件和教师生活条件，不拖欠教师工资，适龄儿童入学和普及九年义务教育达标。

（四）尊重科学。广泛开展科普活动，形成科普网络，推广实用科学技术，增加科技含量，专业户、示范户和多种联合体逐年增加。

（五）文化生活活跃。有专兼职文化队伍，有文体活动场所和设施，文化生活质量不断提高。

（六）卫生事业发展。基本解决农民看病难的问题，严格执行计划生育政策。基本普及生殖保健、避孕节育、优生优育等科学知识，无非婚生育和超生现象。

（七）风气良好。坚持开展破陈规陋习，树文明新风活动。婚丧事俭办，无聚众赌博、无封建迷信活动。落实复转军人优抚政策、五保户和孤寡老人得到赡养。

（八）环境整洁。乡镇建设规划合理，主要干道硬化，绿化达标。大力开展生态示范区、生态农业建设，企业排放污染物不超过规定标准。住宅砖瓦比率和自来水入户率达到标准。

（九）社会稳定。综合治理措施落实。积极引导农民遵守政策、法律，履行乡规民约，建立健全群防群治组织，无重大刑事案件。无越级上访、聚众闹事等事件发生。

（十）经济发展。产业结构合理，乡镇企业收入占总收入的1/3以上，并逐年增加。

**第十二条** 省级文明村、镇必须是被命名为市（地）级文明村、镇标兵两年以上的，在当地两个文明建设中起表率作用的村、镇；被命名为省级文明村、镇两年，在全省处于领先地位的村、镇，可申报省级文明村、镇标兵。

## 第三章 命名

**第十三条** 凡属创建范围的村、乡镇开展创建活动一年以上，取得明显成绩的，经过认真自评，均可在当地申报。

**第十四条** 各级精神文明建设指导委员会办公室对申报的村、乡镇，依据标准，严格考核，广泛征求群众和有关部门意见，审核本级文明村和文明乡镇，同时提出拟命名为上级文明村和文明乡镇的推荐意见。

**第十五条** 文明村镇每两年命名一次，命名满四年的要重新申报、考核命名。对个别创建起步较晚，但进步快、成效特别突出的可破格申报。

## 第四章 管理

**第十六条** 文明村镇的创建活动由各级精神文明建设指导委员会办公室负责管理。省级文明村、文明乡镇由省精神文明建设指导委员会办公室和推荐部门双重管理，以属地管理为主。

**第十七条** 各级命名机关要对文明村、镇建档备案，文明村、镇要建立创建工作年度报告和发生问题及时呈报制度。

**第十八条** 各级文明村、镇更名、合并、搬迁、改变隶属关系等，应及时向原命名机关报告，经复查考核合格的，重新命名。

**第五章 奖励与处罚**

**第十九条** 各级文明村、镇由命名机关授予荣誉称号颁发奖牌；对创建文明村镇贡献突出的人员可给予适当的物质奖励。奖励标准可参照《黑龙江省文明单位建设条例实施细则》执行。

**第二十条** 经复查、抽查发现问题的，根据不同情况分别给予通报批评、撤销荣誉称号等处理。通报批评由复查机关执行，撤销荣誉称号由命名机关执行。

凡有下列情形之一者，撤销其荣誉称号：

1. 领导班子有腐败行为的；

2. 发生重大刑事案件的；

3. 封建迷信、黄赌毒等丑恶现象得不到有效遏制的；

4. 发生计划外生育的；

5. 违反环保和土地法规的；

6. 弄虚作假骗取荣誉称号的。

**第二十一条** 撤销荣誉称号的单位，经两年以上时间创建，重新达到标准的村、乡镇，可在原级别重新申报。

**第六章 附则**

**第二十二条** 本办法由省精神文明建设指导委员会办公室负责解释，市（地）、县（区）可根据各自实际，制订实施细则。

**第二十三条** 本办法自公布之日起实施。

# 上海市关于文明行业创建管理的暂行规定

（沪文明委［1999］8号）

**第一章 总则**

**第一条** 创建文明行业是党的十四届六中全会《决议》和《中共上海市委关于加强社会主义精神文明建设的意见》中作出的一项重要部署，是以邓小平理论为指导，积极探索具有中国特色、时代特征、上海特点的社会主义精神文明建设发展路子，落实"提高市民素质，提高城市文明程度"总体目标的重要载体。为了充分发挥文明行业在社会主义精神文明和物质文明建设中的示范带头作用，使创建活动规范化、制度化，特制定本规定。

**第二条** 文明行业创建活动是群众性精神文明建设的重要组成部分；是各行各业在深化改革、建立社会主义市场经济体制的条件下，把两个文明建设的任务落实到基层，内强素质、外树形象，增强经济效益和社会效益的重要措施；是整体提高行业职工队伍素质，在职工中普遍开展职业责任、职业道德、职业纪律、职业技能的教育，树立爱岗敬业精神，形成有利于社会主义现代化建设的共同理想、价值观念和道德规范的有效途径；是充分调动广大职工自觉开展创建活动，发动广大市民和社会各界参与精神文明建设的有效载体。创建文明行业是规范行业行为，加强行业管理，形成"服务人民、奉献社会"良好社会风尚的需要；是各行各业提高现代化管理水平，进一步推进改革开放、促进经济建设、改善社会环境和投资环境的需要；是各行各业两个文明建设的有机结合。

**第三条** 文明行业是指：以职业类别为划分，或以区域的服务对象为主体，从事同一业务和工种的系统，在物质文明和精神文明建设中，经济效益、社会效益，服务质量、队伍素质、管理水平、企业文化处在全市、全国同行业的前列，受到广大人民群众和社会各界称赞的示范行业。

**第四条** 创建文明行业是本市创建文明单位和近年来开展全行业规范服务达标活动的发展、延伸和提高，是文明单位和全行业规范服务达标活动发展的新阶段、新目标。文明行业的创建，要先从同广大人民群众工作、生活关系密切的“窗口”行业抓起，在已实现全行业规范服务达标的行业中开展。

**第五条** 文明行业的创建，是从规范的合格服务提升到优质服务的过程，是一项涉及面广、综合性强的系统工程。创建文明行业，要从各行业的实际出发，坚持“以条为主、条块结合”的原则，要充分体现“行业创建、社会支持、群众参与”的要求。

**第六条** 各委办、局党政要把创建文明行业的工作作为各行各业两个文明建设有机结合的重要抓手，列入工作目标责任制，认真规划，定期研究，并纳入行业党政领导任期目标责任制，作为考核领导班子政绩的一项主要内容。

**第二章 文明行业的标准**

**第七条** 文明行业是全行业物质文明和精神文明建设的综合性最高荣誉称号。文明行业要符合下列标准：

一、全行业物质文明和精神文明同步发展，经济效益、社会效益以及管理服务水平在全市名列前茅，在全国同行业中领先。

二、行业要以“服务人民、奉献社会”为宗旨，在职工中普遍进行职业责任、职业道德、职业纪律、职业技能的培训教育。教育培训率为100%。

三、行业从业人员的服务态度、服务技能、服务质量，行业的服务效率、服务环境等方面，在社会各界以及广大人民群众中有较高的满意率，综合考评和专业统计部门测评，满意率在90%以上，百分值稳定在两年以上。服务对象的投诉率每年在3‰以下。

四、行业内各单位党政领导团结协调，“两手抓、两手都要硬”的意识强，管理科学有效，已基本形成现代化的管理制度和机制。行业的管理水平、科技水平、工作效率一流。

五、行业内文明创建活动形成系列和特色，文明单位的覆盖面明显高于其他行业。行业内有一批具有广泛社会影响的先进人物以及先进群体。企业文化丰富多彩，职工在单位是文明职工，在社会是文明市民，在家庭是文明成员。

六、行业的社会形象和信誉好。每年都能推出一些便民利民的服务举措。积极参与和支持社会、社区的公益性活动。

**第三章 文明行业的创建管理**

**第八条** 创建工作要按照市文明委的部署，在各委办、局党委和行政的统一领导下，由行业内各级党政组织认真组织创建，社会各界，各区、县、街道以及广大人民群众给予关心支持，进行监督和评价。各行各业、各地区，要根据市文明行业管理《暂行规定》，结合行业的实际，制定文明行业创建规划，抓好文明行业的创建工作。

**第九条** 各委办、局、各行业是创建文明行业的组织者和责任者，要根据文明行业的标准，把创建工作纳入到委办、行业、发展的总体规划之中，并把规划目标与任务层层分解，落实到各部门、单位、基层第一线，制定切实可行的措施和完成时限，定期检查，抓好落实。

**第十条** 文明行业要以人民群众满意为标准，每两年考核命名一次。市文明办每两年对新一届创建的行业，进行考评，并组织社会各界以及广大人民群众，按照本《暂行规定》，进行综合测评考核。

**第十一条** 各级精神文明建设委员会及其办公室，要会同有关部门、地区认真做好对文明行业创建的协调、指导和检查考核、测评及日常管理工作，使其保持先进性。地区、社区要把创建工作纳入地区、社区发展的总体规划之中加强监督。

**第十二条** 创建文明行业日常管理工作的主要内容：

一、制定本行业创建文明行业的规划、方案和措施，组织协调本行业所属各单位积极参与创建工作。

二、指导各单位建立健全创建活动组织和工作机制，开展内部检查，组织社会各界和群众代表对行业的各项工作进行视察和明查暗访。

三、总结推广文明行业的经验和先进典型，有针对性地进行分类指导。

四、沟通创建行业所在地区、社区和部门的横向联系，协调和帮助解决实际困难。

五、建立文明行业的档案。主要有：文明行业概况、创建规划、管理制度、创建文件、主要会议材料、主要活动记录、文明行业登记表、检查考核记录、年终工作总结、奖惩记录、群众和社会各界的反映等。

**第四章 文明行业的命名和表彰**

**第十三条** 文明行业的考评要有利于提高工作实效，减轻基层负担，避免形式主义。考核以明查和暗访、抽查相结合，行业自评及主管部门评估，专业统计部门测评和社会各界、人民群众评价相结合。

**第十四条** 凡按照市文明行业标准制订创建规划、落实创建措施、创建效果良好、基本符合文明行业标准的创建行业，可向所属委办文明委提出书面报告。

**第十五条** 在各行业申报的基础上，由各委办文明委择优推荐，经市文明办会同有关部门验收后，报请市文明委审核，由市委、市人民政府批准，并予以命名、表彰。

**第十六条** 文明行业不搞“终身制”。被命名的行业，每两年经考核后符合标准的，仍保持荣誉称号，予以命名。对不符合标准、难以得到社会认可、失去典型和示范作用、以及发生严重问题或质量下降的行业，命名机关及主管部门可视情节轻重，在中途给予批评、警告、限期整改，直至摘牌、撤销荣誉称号。

**第十七条** 凡获得文明行业称号的行业，奖励人均一个月标准工资的奖金。

奖金来源：从行业规定提取的奖励基金中支出。

**第五章 附则**

**第十八条** 各委办、局、行业、基层单位可根据本《暂行规定》制订具体的实施细则。

**第十九条** 本《暂行规定》由上海市精神文明建设委员会办公室负责解释。

**第二十条** 本规定自发布之日起实行。

1999年10月14日

# 上海市关于进一步加强“七不”行为规范宣传教育和执法管理的意见

（沪文委［1999］第6号）

自1995年市文明委在全市组织开展的以“不随地吐痰、不乱扔垃圾、不破坏绿化、不损坏公物、不乱穿马路、不在公共场所吸烟、不说脏话粗话”为内容的“大家从我做起，遵守七不规范”活动以来，经过几年的宣传教育和执法管理，“七不”工作取得了明显成绩，成为上海精神文明建设的一个重要抓手。但是，从全市范围来看，“七不”活动发展还不平衡，执法管理相对滞后，执法主体不够明确，执法力度不够有力，乱穿马路、乱扔垃圾、随地吐痰等不文明行为还时有发生。人大代表、政协委员和各界人士对进一步深化“七不”活动提出了很多很有针对性的意见。

为了落实黄菊同志代表市委在市级领导班子、领导干部“三讲”教育总结会上加强“七不”行为规范的宣传教育和执法管理，建立健全各级“七不”执法管理目标责任制，努力提高城市文明程度的指示精神，根据市委六届五次全会审议通过的《中共上海市委关于加强社会主义精神文明建设的意见》中提出的“继续深入开展‘七不’活动，在加强宣传教育的同时，加大管理和执法的力度。到2000年，要建成10个市级文明示范标志区域。各区县也要建成相应的文明标志区域”的工作要求，结合贯彻市委七届三次、四次全会全面加强城市管理和环境建设的工作部署，市文明办对进一步加强全市的“七不”行为规范宣传教育和执法管理工作，提出以下意见。

**一、加大力度，进一步形成“七不”宣传教育的浓厚氛围**

1. 从学习、宣传、执行"七不"规范向学习、宣传、执行"七不"法规方向延伸和发展。要把遵守"七不"法规，列入"三五"普法教育的内容，通过各种形式向广大市民进行广泛和反复的宣传教育，要上街头、下里弄、进班组、到家庭，成为广大市民的自觉行动。

2. 各新闻单位要继续加强宣传报道，既要注意正面宣传，及时报道各地区、各系统以及各级文明委办、市政市容、交巡警、卫生、园林、环卫、物业、爱卫会深入开展"七不"规范活动的典型事迹，又要发挥新闻舆论的监督作用，加大对违反"七不"的不文明行为的批评力度。

3. 各地区、各系统要充分运用公益广告、文艺演出、互联网络、宣传画、黑板报等多种形式，在社区、小区，公共场所对广大市民反复进行"七不"宣传。对进入上海的外地旅客，也要通过各种形式进行"七不"宣传。要加大对外来人员的"七不"宣传教育力度，结合法制教育，使他们自觉遵守"七不"规范。要发挥志愿者在"七不"活动中的积极作用，继续做好退休党员护绿队、在职党员双休日交通值勤队、中、小学生"七不"督导队等群众性"七不"义务监督工作。

**二、点面结合，创建文明示范区域，深化"七不"活动**

1. 建立一批市级文明示范标志区域。在各区县申报的基础上，经过申报创建、中途检查、社会测评、考核评比等工作，到2000年建成市级文明标志示范区域10个左右。各区县也要从实际出发，创建区县级文明示范标志区域。并以此为突破口，逐步推开，不断扩大文明示范标志区域。

建议各区县政府抓好创建文明示范标志区域的组织协调工作，建立文明示范标志区域创建的协调组织，明确有关职能部门的职责。要建立健全文明示范标志区域的创建机制，做到"五个一"，即确定一个区域范围，明确一个执法主体，制定一个管理规章，健全一套管理制度，落实一支管理队伍。要结合市政建设，配置必要的"七不"硬件设施，如交通隔离栏、废物箱、自行车停放点等，为市民遵守"七不"提供良好的外部环境。

涉及"七不"执法管理的有关职能部门要建立健全深化"七不"活动执法管理目标责任制。要把抓好"七不"行为规范的执法管理作为本部门的一项重要的经常性工作，制定切实可行的工作目标，采取有力的管理措施。公安交巡警、市容监察等职能部门要发挥综合执法的优势，抓好日常管理；园林绿化、环境卫生、物业管理等职能部门要加强专业管理，搞好日常维护和保养；街道监察队要抓好社区范围内的"七不"执法管理。

2. 文明单位和参加行业规范服务达标活动的"窗口"单位要走在"七不"工作的前列，结合创建工作，对员工深入开展"七不"宣传教育，从"七不"行为规范做起，树立文明单位、"窗口"达标单位在社会上的良好形象。

文明社区、文明小区、文明村镇要成为"七不"工作的示范单位。要把加大"七不"工作力度、创建文明示范标志区域作为考核文明城区、文明社区、文明小区、文明村镇的一个重要依据，作为创建工作的一个重要内容，采取各种形式对居民和村民进行宣传教育，自觉遵守"七不"行为规范。

对"七不"工作不力、群众反映强烈的文明单位、文明社区、文明小区、文明村镇、规范服务达标"窗口"单位，予以批评、警告、限期整改，直至摘牌、撤销荣誉称号。

3. 各大、中、小学和其他各类学校要把深化"七不"活动的宣传教育和执法管理作为对学生开展素质教育的重要内容，进课堂，进教材，积极参与"七不"活动。加强校园内的"七不"管理，劝阻、制止、处理违反"七不"的不文明行为，培养学生特别是中小学生遵守"七不"的良好习惯。

**三、加强领导，统一协调，促进城市文明程度和市民素质的进一步提高**

1."七不"活动是提高城市文明程度和市民素质的重要载体，是上海创建文明城市的重要内容，各级领导要进一步提高深化"七不"活动的认识。1999年是我们党和国家历史上具有特殊意义的一年，也是上海在本世纪末交出两个文明建设满意答卷的关键一年。要抓住庆祝建国50周年、迎接澳门回归祖国、迎接新世纪到来的有利契机，在掀起群众性精神文明建设阶段性高潮的同时，进一步加强"七不"行为规范宣传教育和执法管理，通过扎实有力的工作，促进城市文明程度和市民文明素质的进一步提高。

2. 要在协调组织公安交巡警、园林绿化、环境卫生、市容监察、爱卫会等政府职能部门整理汇编有关“七不”法规的基础上，进一步建章立制，完善《上海市民“七不”行为规范》及相关的处罚条例，明确单位和市民在“七不”中的权利和义务，对违反“七不”的行为，统一执法主体，明确处罚依据，以维护法规、规章的严肃性和公正性。

3. 加强“七不”宣传教育和执法管理，是一项系统工程。要在市文明委的统一协调下，发挥各方面的积极性，形成合力，务求实效。各级党政组织、文明委要围绕1999年的重大节庆活动，把进一步加强“七不”工作列入重要的议事日程，确定工作重点，明确分工职责，形成整体优势。探索、形成长效管理的机制，推动“七不”工作的不断深化。

4. 各级党组织和工、青、妇等群众团体要结合社会公德、职业道德、家庭美德建设，深化对干部群众的“七不”宣传教育，提高遵守“七不”行为规范的自觉性。共产党员、共青团员要率先垂范，在“七不”活动中起带头作用。

全市广大市民要积极投入进一步加强“七不”宣传教育和执法管理的活动，从我做起，从小事做起，说文明话，行文明路，办文明事，做文明人，以崭新的精神面貌跨入21世纪。

1999年8月

# 浙江省进一步开展创建文明城市活动的意见

（浙委办［1999］60号）

根据党的十五大精神和省第十次党代会关于加快实现现代化、城市化的战略部署，全省各地要进一步广泛深入开展创建文明城市活动，特提出以下工作意见。

**一、开展创建文明城市活动的指导思想和总体目标**

创建文明城市活动，要以邓小平理论和党的十五大精神为指导，坚持以经济建设为中心，坚持“两手抓，两手都要硬”，以加强思想道德教育为核心，以创造优美环境、维护优良秩序、提供优质服务、丰富文化生活、加强基础设施建设和基层社区建设为主要内容，常抓不懈，务求实效，努力提高市民素质、城市文明程度和群众生活质量，促进我省的城市化、现代化建设。

**二、开展创建文明城市活动的范围**

为推动我省城市现代化进程，普遍实现经济和社会全面发展，从1999年起，扩大参加创建文明城市活动的城市范围，即从原11个市（地）党委政府所在城市，扩大到全省70个县级以上城市（包括10个地级以上市的城区，60个县、市城关镇的建成区。4个党委、政府没有单独驻地镇的县，暂不列入）。

**三、开展创建文明城市活动的组织方式**

1. 采用申报制方式，组织这项活动，即由符合省定评审条件的城市，向省里申报，经考核后，分别命名为浙江省文明城市（地级以上）、浙江省文明城市（县级）。从2000年起，各城市可开始申报。

2. 分批推进，有计划地把全省县级以上城市都建成文明城市。原则上，市（地）党委政府所在城市须在2005年前建成文明城市。各县（市）中，凡计划于2005年第一批基本实现现代化的县（市），须在同一时期内把所在城市建成文明城市；计划于2010年、2020年第二批、第三批基本实现现代化的县（市），也须分别于相同时期内把所在城市建成文明城市。在建成一定数量文明城市的基础上，于适当时候，推出浙江省示范文明城市。

**四、文明城市的基本标准及评审条件**

1. 文明城市的基本标准是，经济社会发展、环境整洁优美、社会秩序优良、服务工作优质、基层社区文明、文化事业繁荣。

2. 根据上述基本标准，区别城市规模，分别制定《浙江省文明城市（地级以上）评审条件》和《浙江省文明城市（县级）评审条件》。详见附件。

3. 鉴于第二、第三批基本实现现代化的县（市）基础条件相对较差，创建工作须逐步提高，因此，在《浙江省文明城市（县级）评审条件》中，对这两类县（市）所在城市提出了“达标任务”和“基本达标任务”等阶段性创建目标。第二批基本实现现代化的县（市）应于2005年前首先完成“达标任务”，然后于实现现代化时建成文明城市；第三批基本实现现代化的县（市）应于2010年前首先完成“基本达标任务”，至2015年前完成“达标任务”，然后于实现现代化时建成文明城市。

**五、文明城市的申报、考核及命名办法**

文明城市的申报、考核、命名等工作，按以下步骤进行：

1. 申报城市根据评审条件，对创建工作进行自检。

2. 申报城市自检后，认为符合条件，可分级提出申报。地级以上城市，由市委、市政府向省委、省政府提出；其他城市，须先向所在市（地）党委、政府（行署）提出，由市（地）党委、政府（行署）研究同意后，向省委、省政府提出。

3. 省委、省政府接到申报后，委托省文明委在规定的时间内组织与创建文明城市工作有关的省级部门对申报城市创建工作进行会审，确定其是否具备申报资格。

4. 申报城市的申报资格经确定后，省文明委在半年内对其进行考核验收。申报城市须在省级及本市主要新闻媒体刊登申报告示，听取市民意见，接受本市及全省各地群众的监督。在此期间，省文明委组织若干次暗访，检验其创建实效。

5. 考核验收期满，由省级有关部门提出验收意见，提交省文明委全体会议审议。经审议同意，报省委、省政府命名。

**六、文明城市的管理**

对文明城市实施以下管理：

1. 文明城市须在本市主要新闻媒体，常年公布省文明办和市、县创建文明城市工作机构的联系地址和电话，听取市民意见，接受市民监督。

2. 对地级以上文明城市，省文明委每年组织若干次暗访或不定期进行抽查；对县级文明城市，省文明委可委托所在市（地）文明委组织暗访或抽查，也可直接组织暗访或抽查。市（地）文明委在对县级文明城市进行暗访或抽查之后，须认真负责地向省文明委写出报告。

3. 经过暗访、抽查和听取反映，如发现该城市创建工作发生明显退步，对照评审条件，有一个大项总评分在合格分数线以下，则予以警告，限期改进；有两个大项总评分在合格分数线以下，即撤销荣誉称号；限期改进项目，如到期仍达不到合格分数，亦撤销荣誉称号。

**七、创建文明城市活动的领导工作**

1. 各市（地）、县（市）党委、政府要加强对创建文明城市活动的领导。城市文明程度的提高，是现代化的重要标志；创建文明城市活动，是推进现代化的重要载体。各市（地）、县（市）要建立、健全党政领导班子齐抓共管的领导体制，做到主要领导负总责，分管领导具体抓，其他领导协同抓；人大、政协积极支持和参与。要建立、健全齐抓共创的工作机制，明确创建工作的协调部门，落实各机关、团体和基层单位的创建责任，加强创建文明城市工作的综合办事机构。要加强城市管理，建立、健全城市管理机构和队伍，调整、完善城市管理工作体制和机制。要认真规划部署，加强督促检查，务求实效。

2. 各市（地）党委、政府须在1999年底前，向省委、省政府提交有关本市（地）开展创建文明城市工作的专题报告，明确本级党委、政府所在城市的创建计划和申报时间，以及所辖各县级城市的创建申报时间、完成“达标任务”和“基本达标任务”的时间。

3. 建立创建文明城市工作责任制，认真进行考核、表彰。把这项工作作为对市（地）、县（市）党政领导班子考核的重要内容之一，认真组织考核。考核时，要征求省文明委的意见。同时，把各县（市）创建文明城市工作纳入《浙江省基本实现农业和农村现代化考核（评价）标准》，统一进行考核。对文明城市，省委、省政府予以通报表彰。

4. 全省开展创建文明城市工作，在省委、省政府的领导下，由省文明委负责实施。市（地）文明委每年须将创建文明城市工作情况，向省文明委作出书面报告。省文明委对全省创建工作情况，要进行暗访或抽查。

浙江省精神文明建设委员会

1999 年 6 月 23 日

# 浙江省农村社会主义精神文明建设规划（2000—2020 年）

（浙委办［1999］61 号）

为了贯彻党的十五大和十五届三中全会精神，实施省第十次党代会确定的提前基本实现现代化的发展战略和《浙江省农业和农村现代化建设纲要》，建设与现代化相适应的农村社会主义精神文明，为农村经济发展和社会进步服务，特制定《浙江省农村社会主义精神文明建设规划（2000—2020 年）》。

## 一、农村社会主义精神文明建设的重要地位

(1) 建设农村社会主义精神文明，是实现农业和农村现代化的重要保证。改革开放以来的实践充分证明，社会主义精神文明为经济发展和社会进步提供了强大的精神动力、有效的智力支持和坚强的思想保证。提前基本实现现代化，迫切需要精神文明提供更加有效的支持和保证。

建设农村社会主义精神文明，同时又是农业和农村现代化的重要组成部分。党的十五大指出，社会主义现代化应该有繁荣的经济，也应该有繁荣的文化；有中国特色社会主义的文化，是凝聚和激励全国各族人民的重要力量，是综合国力的重要标志。因此，只有当经济高度发展时，精神文明水平也得到明显提高，才是真正意义上的农业和农村现代化。

建设农村社会主义精神文明，也是农民群众的迫切愿望。我省农村基本实现小康之后，农民群众普遍希望提高科技文化素质，要求改善生产和生活环境，盼望社会安定、家庭和睦、邻里团结。全心全意为人民服务，是我们的根本宗旨，必须加强农村精神文明建设，不断满足农民群众的需求。

(2) 省第十次党代会强调，提前基本实现现代化，要把精神文明建设放到更加突出的位置，提高到新的水平。《浙江省农业和农村现代化建设纲要》把精神文明建设作为实现现代化的重要目标之一，提出我省农业和农村现代化建设的总体要求是，农业发达，经济繁荣，农民富裕，政治民主，社会文明，环境优美。因此，努力加强农村社会主义精神文明建设，对于落实省第十次党代会精神，全面实现现代化建设目标，具有十分重要的意义。

(3) 党的十一届三中全会以来，我省农村社会主义精神文明建设取得了明显进步，干部群众的精神面貌发生了深刻变化，农村居民生活环境得到了改善，社会秩序逐步好转，教育、科技、文化、卫生、体育等事业不断发展，农民科学文化素质有了提高。但是，与提前基本实现现代化的要求相比，精神文明建设还存在不小差距，“一手比较硬、一手比较软”的问题还没有很好解决；不少地方镇村建设规划滞后，基础设施和精神文明事业建设不够配套，脏乱差状况比较普遍；干部群众的思想道德观念和科技文化素质还不适应

经济社会的发展，陈规陋习和封建迷信活动在一些地方比较盛行，社会治安状况还没有根本好转。各级党委和政府必须在抓好物质文明建设的同时，下大力气抓好精神文明建设，切实改变上述状况。

**二、农村精神文明建设的基本任务和主要目标**

（4）我省农村社会主义精神文明建设的基本任务是，按照省第十次党代会和《浙江省农业和农村现代化建设纲要》关于农业、农村现代化建设的总体要求和分三步走的战略步骤，在推进现代化的进程中，紧紧围绕经济建设这一中心，大力加强精神文明建设，努力为经济发展和社会进步服务，努力培育有理想、有道德、有文化、有纪律的公民，努力把全省的城镇、村庄普遍建设成为社会风尚良好、环境整洁优美、文化生活丰富多彩、医疗条件和教育设施比较先进、人民安居乐业的城镇、村庄。

全省各县（市、区）要分步完成这一基本任务。凡是计划于2005年基本实现现代化的县（市、区），都要在同时完成精神文明建设的目标任务；计划于2010年、2020年基本实现现代化的县（市、区），也要从现在起，逐步提高精神文明建设的水平，并于基本实现现代化的同一时期内，完成精神文明建设的目标任务。基本实现现代化的县（市、区），还要进一步加强精神文明建设，努力向更高的目标迈进。

我省农村社会主义精神文明建设的主要目标有以下六个方面：

（5）人民思想道德素质普遍提高，形成文明进步的社会风尚。基层党员、干部队伍成为坚持邓小平理论和党的基本路线，努力带领群众加快实现农业和农村现代化的坚强队伍；农民和乡镇企业职工成为能够走有中国特色社会主义道路、善于发展市场经济的高素质队伍；农村青少年成为一代有理想、有道德、有文化、有纪律的青少年；爱国家、爱集体、爱社会主义的思想深入人心，公民意识、民主法制观念和市场经济意识大为增强；勤劳俭朴、诚实守信、尊崇科学、讲究卫生、男女平等、夫妻和睦、尊老爱幼、邻里团结等美德蔚然成风。

（6）镇容村貌普遍改善，建成一批基础设施完备、环境整洁优美、生态良性循环、管理规范有序的现代城镇、村庄。镇、村规划充分体现经济繁荣、社会文明、功能完善、设施共享、城乡协调的要求。城镇主次干道、镇（乡）村道路和村庄主要道路硬化、平整，排水管道普及率达90%以上。自来水普及率达85%以上，镇（乡）、村合格饮用水源达标率达100%，镇（乡）所在地水厂水质符合《国家饮用水卫生标准》，卫生厕所普及率达70%以上，粪便无害化处理率达35%以上。镇村建成区的绿化覆盖率达30%以上，人均公共绿地面积超过7平方米。建有选点合适的镇村垃圾填埋场，无害化处理率达70%以上。地面水、大气环境质量和区域环境噪声控制等指标，城镇分别达到Ⅲ类、二级和二类标准，行政村分别达到Ⅲ类、二级和一类标准。镇、村工业80%以上集中到乡镇工业小区，污水处理达标排放。城镇农贸市场整洁，服务网点卫生状况较好，“窗口”服务单位和执法单位文明服务、规范执法。在普遍改善镇容村貌的基础上，把100个中心镇和一大批中心村建设成具有较高水准的现代化城镇和村庄。

（7）文化设施普遍改善，人民文化生活丰富多彩。镇（乡）普遍建有一级以上文化站和广播电视站、藏书1万册以上的图书馆以及影剧院和书店，在80%的行政村建有文化中心。在中心镇建成一批高标准的文化、广电、科普、体育设施，发达的中心镇还建有蒲公英农村儿童文化园。普遍实现县——镇（乡）——行政村的光缆联网，极少数山区、海岛实现卫星差转接收，使广播覆盖率达到90%，电视覆盖率达到95%，有线电视终端入户率达到80%，用户能够收看20套以上节目。浙版农村图书的品种、总印数和总印张的年均增长率各达到5%。电话入户率达到60%。40%以上的镇（乡）和行政村建有符合国家标准的体育场所，人均体育活动场地在0.65平方米以上，经常参加体育锻炼人数占总人口比例达到40%，符合《国民体质测定标准》的人数占总人口比例达到80%。

（8）医疗保健普遍改善，人民健康水平明显提高。全面实现国家规定的农村初级卫生保健要求。镇（乡）卫生院布局合理，功能完善。实现每千人拥有医师和助理医师1.8人以上，每2000人拥有1个以上村社区卫生服务机构。农村合作医疗覆盖率达到80%，儿童保健覆盖率达到98%，儿童“五苗”单苗接种率达到95%，孕产妇系统保健覆盖率达到98%，住院分娩率达到98%，地方病达到控制标准，传染病基本得到控制。人口平均预期寿命70岁以上。年计划生育率达96%以上，婴儿出生性别比例基本正常，育龄妇女基本享受生殖健康保健。“五保老人”生活标准达到当地农村人均收入60%以上，集中统筹供养率达100%，集中供养率达50%以上。

(9) 教育设施普遍改善，人民科学文化素质明显提高。各类学校办学条件得到进一步改善，建成一批现代化示范性幼儿园、中小学校、职业学校、成人教育学校，“教育强镇”建成率达20%以上。农村师资素质显著提高，90%的幼儿园教师达到幼儿师范学校（中等师范）毕业以上学历，80%的小学和初中专任教师的学历分别达到专科、本科层次，高中专任教师和校长中获硕士学位者达到40%。普及学龄前三年幼儿教育，高标准普及九年义务教育，高中段教育普及率达到75%。成人识字率达95%以上，80%以上青年农民获得“绿色证书”，35%的农民达到高中以上文化程度，50岁以下的村主要干部、乡镇农技人员和农村党员90%达到中专（高中）以上文化程度，每一万农村人口有专业技术人员220名，每千名乡镇企业职工有工程师以上技术人员30名、高中毕业生420名。在90%以上镇（乡）、村建立科普组织，每镇（乡）有2个以上专业技术协会，每村有3名以上农民技术人员。

(10) 治安状况普遍良好，人民安居乐业。80%以上的镇（乡）达到“平安社区”标准，80%以上的村达到“治安安全村”标准。流氓恶势力、非法宗教势力、非法民间组织、各种多发性违法犯罪活动和“黄、赌、毒”等丑恶现象得到有效遏制，六类重大刑事案件占现住总人口的发生率稳中有降。农村交通干道和镇、村道路安全畅通。

**三、加强农村精神文明建设的主要措施**

(11) 有重点、分层次地加强思想道德建设，提高人民思想道德素质。要按照提前基本实现现代化的要求，进一步加强农村基层组织建设和党员教育，充分发挥党组织的战斗堡垒作用和党员的先锋模范作用。要结合各项工作，依靠党政工青妇等部门、企事业单位、群众自治组织等各方面力量，采取多种形式，经常不断地对党员、干部和群众进行爱国主义、集体主义、社会主义教育，进行党的基本路线和基本政策教育，进行社会公德、职业道德、家庭美德教育，进行公民权利和义务的教育，进行民主法制教育，进行科学世界观和无神论教育。要在全省农村持续进行农业和农村现代化主题教育，组织党员、干部和群众学习邓小平理论和党的方针政策，联系实际，统一思想，明确目标和任务，增强提前基本实现现代化的自觉性，增强改革开放意识和市场经济意识，增强正确处理国家、集体、个人关系的自觉性。

(12) 紧密结合小城镇建设和村庄整治工作，搞好镇村环境建设。要认真执行“两手抓、两手都要硬”方针和“可持续发展”战略，使镇村环境建设做到高起点规划，高标准建设，高效能管理。编制、完善镇村体系规划和镇村建设规划，调整、改善镇村布局，提高城镇化水平和镇村建设水平。配套搞好水、电、路、通讯、教育、科技、文化、广电、卫生、体育等公共设施建设，并充分发挥公共设施的共享性。建立镇村环境管理队伍，健全管理机制，严格依法管理。认真控制和治理污染，着重解决小城镇工业污染集中处理、中心村工业污水集中达标排放、镇村垃圾处理等问题，保护环境和自然资源，提高农村环境质量，实现“硬化”、“净化”、“美化”、“绿化”目标。

(13) 制订并实施农村文化、出版、广电等事业发展规划。要建立、健全农村基层文化工作网络，积极开展各种群众性文化活动。进一步加强文化设施建设，继续推进“东海明珠工程”建设，发展企业文化、社区文化、村居文化。加强农村文物保护工作。加强广播电视网络建设和镇（乡）广播电视站建设。加强农村适用图书的出版、发行工作，制订“十五”期间及今后一段时期浙版农村图书的出版计划，提高出版质量，合理确定书价，建设以新华书店为主渠道的农村图书发行网络，改进农村图书销售工作。加强对农村文化市场的培育和引导，坚持开展“扫黄打非”斗争，促进农村文化市场健康发展。

(14) 制订并实施农村教育、卫生、体育、科普等事业发展规划。要进一步创建教育强县、教育强镇，深化教育体制改革，多方面增加对各类教育的投入。保证对农村科普工作的政府投入不低于年人均0.60元标准，同时倡导全社会兴办科普事业。深化农村卫生改革，加快卫生现代化建设进程，增加农村各类卫生投入，加强镇（乡）卫生院建设，建立社区卫生服务体系，推广全科医疗服务，严格办医资格标准，不断提高医疗质量。理顺卫生监督执法体制，健全卫生监督执法队伍，加强食品卫生、环境卫生等监督管理。坚持预防为主的方针，加强卫生防疫、妇幼保健和健康教育工作。依法开展无偿献血工作。坚持计划生育基本国策，严格控制人口增长，普遍建立镇（乡）计划生育服务站、人口学校和村计划生育室，积极开展教育、培训和服务。努力创建体育强县、体育强镇。进一步做好“五保供养”工作，加强乡镇敬老院建设和管理。广泛推行火葬，加强乡村公益性墓地管理，制止乱葬乱埋和建造“建筑性”坟墓，健全殡葬管理和殡仪服务网络。依法制止滥建寺观教堂现象。

（15）加强农村社会治安综合治理。要全面推广新时期“枫桥经验”。加强农村派出所规范化建设。严厉打击各种违法犯罪，坚持开展禁毒禁赌斗争。推进小城镇户籍制度改革，加强对流动人口的管理。加强基层基础工作，扎实开展创建“平安社区”和“治安安全村”活动。加强农村司法所建设，广泛开展法律服务工作和普法教育。正确处理人民内部矛盾，保持农村社会稳定。

（16）广泛开展创建“文明村镇”、“文明户”活动。要把创建“文明村镇”、“文明户”活动作为推进精神文明建设的重要载体，加强领导，逐步推进，不断扩大创建面，努力提高创建水平。要与提高城镇化水平这一战略相适应，着重抓好创建“文明镇”，带动“文明村”、“文明户”的创建。要把创建活动与加强农村基层组织建设、发展村级集体经济、加强镇村环境建设等工作相结合。宣传、计划生育、妇联等部门要加强合作，共同抓好创建“文明户”活动。凡基本实现现代化的县（市、区），县级以上“文明乡镇”、“文明村”的建成率应分别达到60%以上。要推动文明村镇示范点提高创建水平，发挥示范作用。要在工业小区、乡镇企业中广泛开展创建文明单位活动。

## 四、加强对农村精神文明建设工作的领导

（17）各级党委、政府要从提前基本实现农业和农村现代化的全局出发，把物质文明建设和精神文明建设作为统一的奋斗目标，坚持“两手抓，两手都要硬”，切实加强对农村精神文明建设工作的领导。

各市（地）党委、政府（行署）要对县（市、区）农村精神文明建设，加强指导和检查督促。

各县（市、区）党委、政府要根据本《规划》的要求，制定加强农村精神文明建设的实施意见，并把它纳入本地实施《浙江省农业和农村现代化建设纲要》的总体规划之中，一起部署，一起检查，一起落实。1999年底，要把农村精神文明建设实施意见报省精神文明建设委员会。在此基础上，要确定阶段性目标和分年度工作计划，采取措施，狠抓落实。县（市、区）党委要确定一名主要负责同志，抓农村精神文明建设。要把精神文明建设任务落实给各乡镇和有关部门，加大考核力度。要充实县级文明办力量，加强乡镇党委领导下的宣传文化队伍建设，健全工作机制，提高队伍素质。要坚持改革的思路，在增加财政投入的同时，鼓励社会力量兴办和资助文化、教育、科技、卫生、体育事业，深化文化企事业单位的改革，探索公益型和经营开发型并举的路子。

（18）省级各有关部门要充分发挥职能作用，指导和帮助各地加强农村精神文明建设。要根据本《规划》提出的任务，制定部门业务领域2000年至2005年的工作规划及分阶段实施方案。要把农村精神文明建设工作列入重要议事日程，确定分管领导，明确职能部门，定期研究部署，加强督促检查。在此基础上，还要通过充分的调查研究，进一步制定到2020年的全省性发展规划。

（19）在党委、政府领导下，各级精神文明建设委员会要做好组织协调工作。省精神文明建设委员会要分年制定工作计划，组织省级有关部门认真做好工作，保证全省农村精神文明建设总体目标逐年得到实现。要加强分类指导，在第一、二、三批实现现代化的县（市、区）中确定若干个县（市、区），定点联系，帮助工作。要尽快制定《浙江省创建文明村镇工作意见》，明确创建标准，健全工作机制，在全省形成分步实施、滚动

推进、全面创建文明村镇的工作格局。要认真检查了解各地、各部门的工作。及时表彰农村精神文明建设工作先进县（市、区）和创建文明村镇先进单位，推广它们的经验。各市（地）精神文明建设委员会和省级有关部门每年要向省精神文明建设委员会汇报农村精神文明建设工作情况。

（20）建立农村精神文明建设责任制，加强检查考核。县（市、区）党委、政府对本地农村精神文明建设负主要责任。要把农村精神文明建设工作纳入《浙江省基本实现农业和农村现代化考核（评价）标准》，并作为对县（市、区）党政领导班子考核的重要内容之一，统一进行考核。

浙江省精神文明建设委员会

1999年6月23日

# 安徽省创建文明行业活动实施意见

（皖工创字［1999］1号）

近两年来，我省以窗口行业为重点的职工职业道德竞赛，不断向深度和广度推进，对提高全省职工的职业道德素质，树立行业新风，产生了积极的推动和促进作用。为进一步拓展和延伸职工职业道德竞赛，不断提高广大职工的思想道德素质和科学文化素质，努力建设有理想、有道德、有文化、有纪律的“四有”职工队伍，充分发挥工人阶级在推进全省物质文明和精神文明建设中的主力军作用，省精神文明建设指导委员会决定：在全省各行各业开展创建文明行业活动。

根据《中共中央关于加强社会主义精神文明建设若干重要问题的决议》和党的十五大精神，结合安徽实际，制定1999—2000年全省创建文明行业活动实施意见如下。

## 一、指导思想

以邓小平理论和党的十五大精神为指导，认真贯彻《中共中央关于加强社会主义精神文明建设若干重要问题的决议》，以经济建设为中心，以培育“四有”职工队伍为目标，以“服务人民、奉献社会”为宗旨，以深化职工职业道德建设为重点，大力推进文明行业创建活动，促进全省物质文明和精神文明建设协调发展。

## 二、主要任务

1. 主要任务

全面提高职工的职业理想、职业道德、职业技能和职业纪律素质，规范行业行为，培育“爱岗敬业、诚实守信、办事公道、服务群众、奉献社会”的职业道德风尚，推动各行各业形成服务优质、秩序优良、环境优美的行业文明新风。

2. 今明两年任务

创建文明行业是一项长期性的任务，需要分阶段逐步完成。

1999年度任务（1999年4月至2000年3月）。主要是建立各级创建文明行业活动指导委员会（简称文行委），制定方案，广泛宣传发动，初步形成创建活动的运行、激励和监督机制。依据省文行委的《实施意见》，各行业省主管部门创建文明行业活动指导委员会（以下简称省行业文行委）制定本行业的实施方案和具体的文明行业标准及其考核细则；各地市创建文明行业活动指导委员会（以下简称地市文行委）制定各地的实施方案。各地、各行业以职业道德十佳单位、先进单位和示范单位为重点和突破口，大力开展创建文明行业活动，创建30%达标单位。在此基础上，评选表彰本年度本行业、本地区创建文明行业活动先进单位。省文行委抽查验收。

2000年度任务（2000年4月至11月）。总结推广上一年度创建经验，在巩固创建活动成果的同时，拓展创建活动的范围。省、地市文行委选择基础好的行业，省行业文行委选择本行业内基础好的小行业（系统）和本行业在地市基础好的行业，把创建活动向其全行业范围拓展，并加强指导和监督，创建60%以上达标单位。省行业、各地市文行委在继续评选本年度本行业、本地市创建文明行业活动先进单位的基础上，评选表彰同级文明行业，并做好省级评选表彰的推荐工作。省文行委在2000年12月至2001年3月，开展省级文明行业、创建文明行业活动先进单位和十大杰出文明职工的评选表彰活动。

**三、文明行业标准**

1. 组织领导好

坚持两手抓、两手硬的方针，始终把“两个文明”作为统一的奋斗目标，一起部署、一起落实、一起检查；把创建文明行业活动摆上精神文明建设支柱性工作的重要位置常抓不懈，形成了行之有效的运行、激励和监督机制。领导班子及其成员，讲学习，讲政治，讲正气，在创建文明行业活动中率先垂范。

2. 行业风气好

行业风气端正，杜绝了吃拿卡要、坑蒙欺诈等行业不正之风，行风评议满意率达到良好等次。

3. 职工素质好

职工的思想道德素质和科学文化技术素质不断提高；“爱岗敬业、诚实守信、办事公道、服务群众、奉献社会”的职业道德蔚然成风；工作规范，服务优质，办事高效，用语文明。

4. 经营管理好

坚持以经济建设为中心，深化改革，加快发展，开拓进取，艰苦奋斗，经济效益不断增长。加强环境建设，办公区（工厂区）和家属宿舍区环境净化、绿化、美化。加强治安管理，治安状况良好，公共秩序优良。加强安全生产（经营）管理和计划生育工作，无重大责任事故，无计划外生育。

5. 社会评价好

行业内80%以上单位达到了文明行业标准，社会信誉良好，随机抽样调查社会满意率达80%以上。

**四、评选命名**

（一）评选命名的种类和级别

1. 种类分文明行业、创建文明行业活动先进单位和十大杰出文明职工三种。

2. 以上三种命名均分省、地市（省行业）、县（地市行业）三级。

3. 基层单位可根据创建活动的实际情况设立评选种类和级别。

（二）评选命名的实施与管理

各级各种评选命名由同级文行委负责组织实施。省级评选命名在地市（省行业）、县（地市行业）评选命名基础上进行，两年进行一次。其余两级三种评选命名，原则上每年进行一次。

十大杰出文明职工评选命名的条件与办法另行制定印发。各级文行委要根据本《实施意见》的文明行业标准等有关规定，结合实际，制定评选文明行业、先进单位、文明职工的具体标准与办法，并报上一级文行委批准同意。

各级各种评选命名都应给予被命名单位或个人一定的精神和物质奖励。各级各种命名均不是终身制，命名的文行委要加强对被命名单位或个人的管理与检查监督，对创建活动水平下降或出现严重问题的单位或个人，应视情节轻重给予通报批评、限期整改和撤销命名的处理。

**五、组织领导**

1. 为加强对创建文明行业活动的协调指导，形成党委领导、政府及各有关方面支持、工会牵头、齐抓共管的组织领导体制，成立安徽省创建文明行业活动指导委员会。成员由省委宣传部、省文明办、省经贸委、省直工委、省纠风办、省总工会、省人事厅、省财政厅、省广电厅、安徽日报等单位负责同志组成。由省委常委、宣传部长王明方任主任。省总工会主席高前清、省委宣传部副部长郎涛任副主任。省文行委下设办公室，负责日常工作。办公室设在省总工会。

各地、各行业也要成立相应机构，并明确办事机构和人员。

2. 省、地市、县文行委，负责领导协调、检查监督和考核评选本地区创建文明行业活动；行业各级文行委，负责领导协调、检查监督和考核评选本行业创建文明行业活动。各级文行委要认真履行职责。

**六、几点要求**

1. 各地、各行业要高度重视创建文明行业活动。创建文明行业活动，是《中共中央关于加强社会主义精神文明建设若干重要问题的决议》确定的三大创建任务之一，是社会主义精神文明建设的重要任务。要把以深化职工职业道德建设为重点的创建文明行业活动，作为“两个文明”建设的统一目标，纳入本地区、本行业改革与发展的总体规划和精神文明建设的总体规划，纳入领导目标责任制，摆上精神文明建设支柱性工作的重要工作位置，切实加强领导。

2. 各地、各行业的实施方案，尤其是各行业的文明行业标准及其考核细则，要结合实际，做到明确具体，定性要求与量化指标相结合，便于操作、检查和监督。并在报上一级文行委批准同意后，向社会公布。

3. 开展创建文明行业活动要突出重点，抓住根本。要把在与人民群众工作和生活密切联系的“窗口”行业，即商务、交通、公共事业（煤气、自来水、公交）、卫生、电力、邮政、电信、金融、铁路、航空、旅游等行业和公安、工商、税务等执法部门作为重点行业；把深化职工职业道德建设，作为创建文明行业活动的核心内容，不断拓展和延伸活动的广度和深度。要始终牢牢把握服务人民、奉献社会的宗旨，从办实事入手，从基层抓起，从解决人民群众反映最强烈的问题做起，把便民利民、群众满意，作为创建文明行业活动的出发点，作为衡量和评定文明行业的根本标准。

4. 创建文明行业活动要善于发挥典型引路作用，并强化激励和监督机制。要把各级职工职业道德十佳单位、先进单位、示范单位以及文明单位作为突破口，加大指导、监督力度，引导其开拓进取，率先达标，从而由点到线、由线到面逐步推进。与此同时，培养和发现新的典型，并及时总结和推广先进经验。要善于运用各种宣传媒体，通过多种形式，一方面及时宣传和推广先进经验，启发和激励其他单位和行业学习先进；另一方面曝光、批评创建文明行业活动中少数单位存在的突出问题，鞭策督促后进单位改进、提高。要不断调整和充实检查监督员队伍，尤其要充分发挥人大代表、政协委员、新闻记者和劳动模范的社会监督作用。要引入竞争机制，对少数不能发挥示范带头作用的示范单位、先进单位要取消其荣誉称号，并予以公开通报，同时选树一批在创建文明行业活动中取得突出成绩的新典型。

1999 年 4 月 7 日

# 安徽省文明单位创建管理办法

**第一章　总则**

**第一条**　为深入贯彻落实中共中央《关于加强社会主义精神文明建设若干重要问题的决议》，大力开展创建文明单位活动，充分发挥文明单位在物质文明和精神文明建设中的带头示范作用，加强对文明单位管理，不断提高文明单位的质量，使创建文明单位活动经常化、制度化、规范化，特制定本办法。

**第二条**　创建文明单位必须遵循党的基本路线，围绕经济建设这个中心，服务大局，坚持两个文明一起抓，围绕实现优美环境、优良秩序、优质服务，提高基层单位的整体建设和管理水平，提高市民素质和城市文明程度，为全省的经济建设和改革开放创造良好的社会环境。

**第三条**　文明单位是一项综合性的荣誉，社会各方面都应当积极参加创建文明单位活动，关心和扶持文明单位的成长，维护文明单位的荣誉。获得文明单位称号的单位应珍惜荣誉，继续创优争先，当好两个文明建设的排头兵。

**第四条**　创建文明单位活动在各级党委、政府的统一领导下进行，由各级精神文明建设指导委员会（以下简称文明委）负责组织实施。各级文明委的办公室作为办事机构，负责本地区、本部门文明单位创建的指导、协调和日常管理工作。

**第二章　文明单位的条件**

**第五条**　文明单位是在两个文明建设中取得

显著成绩，群众认可并经主管部门考核、评选，领导机关批准、命名的单位。文明村镇的评选不在此列。

**第六条** 文明单位的基本条件

1. 组织领导好。单位领导班子讲学习、讲政治、讲正气，团结进取，开拓创新，廉洁奉公，以身作则。始终坚持两手抓、两手硬，建立了一套有利于单位精神文明建设健康发展的运行机制，做到有目标、有计划、有步骤，并纳入干部岗位责任制，作为考核奖惩的重要内容。

2. 生产经营（工作）业绩好。单位坚持以经济建设为中心，坚持改革开放，抢抓机遇，加快发展，知难而进，艰苦奋斗，经济效益和工作业绩位居同行业前列。

3. 行业风气好。坚持以服务人民、奉献社会为宗旨，建立健全各类规章制度和服务规范标准，单位内部管理严格有序，服务态度热忱文明，服务技能熟练高效，服务设施完善周到，服务质量群众满意。

4. 创建效果好。认真按照省、市文明委的要求，积极参加创建文明城市、文明行业活动，卓有成效地开展“讲文明树新风”活动。从职工到班组、科室开展创建活动，内容丰富，载体多样，做到经常化、制度化，并按照“三个覆盖”的要求，全面实现工厂区（办公室）和家属宿舍区环境的净化、绿化和美化。

5. 思想文化建设好。重视和加强职工的思想道德建设和科学文化教育，坚持开展健康、文明、有益的群众文体活动，移风易俗，扫除精神文化垃圾，不断提高职工群众的思想道德素质和科学文化素质，激发群众的积极性、创造性。

6. 综合治理好。严格执行国家、省及地方的各项法律、法规，重视环境保护、计划生育和社会治安等各项工作，做到无环境污染、无计划外生育、无重大案件、无重大责任事故、无聚众赌博、封建迷信等丑恶现象。

**第七条** 各级文明委及省直有关行业主管部门可参照上述条件，确定文明单位的具体标准，并按行业制定考核验收细则。

## 第三章 文明单位的评选和命名

**第八条** 全省经济独立核算的工商企业和各级党政群机关、事业单位、街道居委会以及中央驻我省企事业单位、部队独立单位，均有资格参加文明单位的评选。

**第九条** 文明单位的级别分别为：省级文明单位，地、市级文明单位（省直文明单位同此级别），县（市、区）级文明单位。省级各地、市、县可根据创建活动的实际情况，在同级文明单位中设立不同档次，如文明单位标兵或甲级文明单位等。

参加全国文明单位的评选，原则上从省级文明单位标兵中推荐。

**第十条** 文明单位的评选实行条块结合，以块为主的原则，坚持日常考察与统一验收相结合，上级部门考核与社会监督相结合，综合部门考核与业务主管部门考核相结合。

**第十一条** 省级文明单位及其标兵的评选、命名实行届期制，一般为两年一届，超出有效期，所有单位均需重新申报。

省级文明单位的名额分配，由省文明委根据各地行政区域范围和创建活动开展的情况确定。如在抽查中发现有不合格的文明单位，将按1:1的比例在下届评选时扣减所在地市的名额。

**第十二条** 省级文明单位实行申报制，申报程序是：

1. 向所在地、市的文明委提出书面申请。党组织关系在省直工委的单位向省直机关文明委提出申请。

2. 省文明委委托各地、市文明委和省直机关文明委组织验收初审，经党委或政府认可，并按照省文明委分配的名额，确定推荐对象。

3. 被确定推荐的单位填写文明单位推荐审批表，并附详细材料，在规定时间内由各地、市和省直机关文明委汇总报省文明委。

4. 各单位在申报期间，要在单位内部广而告之，将创建目标、内容张榜公布，让职工群众广泛参与、了解；同时公布省、市（地）文明办的电话及地址，便于职工群众反映问题。张榜公布时间为一个月。届时地市文明办要逐一检查，省文明办抽查。

**第十三条** 获得地、市级文明单位称号两年（届）以上的单位，有资格申报省级文明单位。两个文明建设成绩特别突出，在省内外产生较大影响的单位，经地、市文明委同意，可以破格申报。

省级文明单位标兵原则上应是连续两届的省级文明单位。

**第十四条** 省级文明单位（含省级文明单位标兵）由省文明委审议批准，以省委、省政府名义授匾。

**第十五条** 地、市和县（市、区）级文明单位的评选和命名办法，由各地自行确定。

**第四章 文明单位的管理**

**第十六条** 文明单位的日常管理实行条块结合，分级管理。省级文明单位（含省级文明单位标兵）的日常管理和指导工作委托所在地、市文明委负责，党组织关系在省直工委的，委托省直机关文明委负责。各地、市文明委和省机关文明委定期向省文明委汇报省级文明单位的创建活动情况。省文明委将进行不定期抽查。

**第十七条** 各级文明委建立和完善文明单位档案制度。档案主要内容包括：单位概况，创建规划，申报、审批表，有关创建活动记录，年度工作总结，各类奖惩记录，各类检查考核情况记录，群众及社会各界的反映等。

**第十八条** 发挥有关职能部门及社会各方面监督作用，建立经常性的文明单位考核制度，及时了解、掌握文明单位建设中的新鲜经验和存在的问题。

**第十九条** 各级文明委要加强对文明单位建设的指导，通过组织各类活动，宣传先进典型，交流经验，加强文明单位之间的横向联系，推动创建文明单位活动深入发展。

**第二十条** 对文明单位的考核验收，在执行本办法第六条的基础上，实行社会治安综合治理和计划生育一票否决权。

**第二十一条** 文明单位如改变单位名称，变动隶属关系，要及时向命名机关和管理部门报告、备案，否则不再保有文明单位称号。文明单位与其他单位合并的，需重新申报命名。

**第五章 文明单位的奖惩**

**第二十二条** 对获得文明单位称号的单位，应本着精神鼓励和物质奖励相结合的原则，除授予荣誉称号、宣传表彰外，给予适当的物质奖励。物质奖励办法和政策由各地、市领导机关或主管部门根据本地区、本部门实际情况确定。省级文明单位奖励标准原则上略高于地市级文明单位。

**第二十三条** 文明单位不搞终身制，对省级文明单位在下一轮评选之前每年复查一次，复查工作委托地、市文明委和省直机关文明委组织进行，并以文字报省文明委，省文明委同时采取适时方式进行抽查。地、市级以下文明单位的复查，由各地自行组织。文明单位工作水平下降或出现严重问题，应视情节轻重给予通报批评、限期整改和撤销文明单位称号的处理。

# 福建省文明安全小区建设管理办法

（闽文明联［1999］6号）

**第一章 总则**

**第一条** 为进一步规范创建文明安全小区活动，加强精神文明建设和社会治安综合治理工作，努力营造安全有序、整洁优美、服务便捷、风气良好的居住环境，特制定本办法。

**第二条** 创建文明安全小区是指在城区（含重点集镇）居民工作生活地域内，划分相对独立集中的小区，在当地党委、政府统一领导下，以居委会为依托，以新村楼院为基础，以治安防范、环境卫生、社区服务、文体活动为重点，动员和组织小区内各方面力量，共同营造文明、安全、优美、舒适居住环境的群众自治活动。

**第三条** 创建文明安全小区活动是精神文明建设与社会治安综合治理工作有机结合的一种好形式，是把社会管理各项任务落实到千家万户的有效载体。它对于提高群众的思想道德水平和生活质量，维护社会安定稳定，密切党和政府与人民群众的关系，推进两个文明建设协调发展具有重要意义。

**第四条** 小区的划分要从实际出发，以利于创建、利于管理、利于维护治安、利于群众生活为原则，住户一般掌握在300户左右。小区的划分应尊重以往形成的自然环境，因地制宜，具体可从以下几方面进行划分：(1) 以一个居委会为单位；(2) 在一个居委会内以毗邻成片或若干幢住宅楼为单位，划分若干个小区；(3) 以较大机关、学校、团体、企事业单位的工作生活区为单位；(4) 以商贸、文化、服务网点等行业场所比较集中的繁华路段或旅游景点为单位。

**第二章 基本标准**

**第五条** 文明安全小区应符合下列标准：

1. 社会治安稳定。社会治安综合治理基层基础工作扎实，安全防范责任制落实，综治工作网络和群防群治队伍健全，防范措施有效，值班巡逻队伍发挥作用。认真调解民间纠纷，做好刑满释放解除劳教人员和失足青少年的帮教工作。外来暂住人口和房屋出租管理规范有序。无发生火灾事故，无重大刑事案件，无卖淫嫖娼现象。有报警电话，发生的治安问题能及时妥善处置。群众普遍有安全感。

2. 社会风气良好。大力开展以爱国主义和“三德”为主要内容的教育活动，居民群众讲文明、讲礼貌、讲卫生，遵纪守法，勤俭持家。开展创建“五好家庭”、“文明楼院”活动，家庭和睦，邻里团结，互帮互助。开展为民服务志愿者活动，以各种形式为孤寡老人、优抚对象、残疾人和下岗职工及困难家庭解忧愁、送温暖，献爱心。移风易俗，无封建迷信、聚众赌博、铺张浪费、重殓厚葬等现象。

3. 环境整洁优美。绿化覆盖率新建小区达25%，改造后的新区达13%，未改造的旧区要见缝插绿。道路平整，排水通畅，新建小区道路硬化率达到100%。无乱停车辆、违章搭盖、乱堆杂物、乱贴乱画、乱设摊点等现象。道路、绿地整洁，垃圾清运及时，环卫设施完善。积极消灭“四害”，不养家畜和无证犬。

4. 群众生活方便。社区服务网络健全，服务网点布局合理。有自行车和机动车停放点。在具备条件的居民小区，积极推行物业化管理。

5. 社区文化活跃。积极开展丰富多彩、内容健康的文化体育活动，倡导科学、文明、健康的生活方式，提高居民的文明素质。加强法制宣传教育，大力普及科学知识，宣传计划生育政策，独生子女领证率达100%，无计划外生育。

**第三章 组织领导**

**第六条** 各级党委、政府要把创建文明安全小区工作列入议事日程，作为为群众办实事的具体项目，认真研究，搞好规划，加强领导。

**第七条** 街道（镇）在创建文明安全小区活动中负有直接领导责任，要起到组织、领导、督促的作用，按基本标准要求抓好落实。

**第八条** 居委会是创建文明安全小区的直接组织者，要在当地党委、政府的领导下，以小区内文明单位为骨干，协调组织有关机关、团体、部队、企事业单位和房产所有权单位，开展共建共创活动。

**第九条** 建立健全创建文明安全小区活动的组织机构。每个小区都应有创建文明安全小区理事会或办公室，其成员由小区内的街居干部、骨干单位（或物业公司）负责人、责任区民警、居民代表和离退休干部代表组成，负责小区的具体创建活动。要做到有章程、有规划、有经费、有工作人员、有活动场所，能经常开展活动。

**第十条** 有关职能部门有责任协助开展创建文明安全小区活动。公安、财政、宣传、教育、民政、城建、环保、司法、卫生、计生、工商等职能部门和工会、共青团、妇联等群团组织要积极支持和密切配合，共同解决创建活动中的问题。

**第十一条** 各级文明办、综治办要当好党委、政府的参谋和助手，协助制定与精神文明建设和社会治安综合治理中长期规划相衔接相配套的文明安全小区创建规划。要认真调查研究，抓好试点和示范工作，推广经验，协调解决实施中的困难和问题，保证文明安全小区建设健康发展。组织工作由文明办统筹，创安工作由综治办为主负责，两办要加强配合支持，形成合力，也可以联合成立创建办公室进行组织协调。

**第四章 命名表彰**

**第十二条** 凡纳入创建规划，按照文明安全小区标准开展创建活动，并取得显著成效的居民住宅小区，均可参加文明安全小区的评选。申报工作由各级文明办和综治办负责。

**第十三条** 文明安全小区的命名分省、地（市）、县（市、区）三级。省级文明安全小区由省委、省政府联合命名；地（市）、县（市、区）两级文明安全小区分别由同级党委、政府联合命名。对符合条件的可逐级评选、推荐命名。

**第十四条** 文明安全小区的命名实行届期制，原则上每两年一届。在届期内如发生严重问题或质量下降，可根据情况，给予批评、限期整改直至撤销称号。

**第十五条** 命名表彰的文明安全小区实行精神物质相结合的办法给予奖励。凡被命名为省、地（市）、县（市、区）级文明安全小区的，分别由同级党委、政府授予“文明安全小区”牌匾。对在创建文明安全小区工作中有突出贡献的单位和个人，有关部门可结合实际，给予必要的奖励。

**第五章 日常管理**

**第十六条** 创建文明安全小区坚持“条块结合、以块为主”的原则，任何单位和住户都要服从属地领导，共同开展创建活动。

**第十七条** 文明安全小区实行分级管理。各级文明委、综治委及其办事机构负责日常管理，认真做好创建文明安全小区的规划、指导、检查、督促、验收、表彰工作。省级文明安全小区委托各地（市）、县（市、区）文明办、综治办管理。

**第十八条** 文明安全小区要自觉接受社会和群众监督，理事会要认真听取各方面意见，不断改进工作，规范管理，巩固提高。

**第十九条** 创建文明安全小区的经费，按照“政府拨一点、职能部门支持一点、辖区单位筹一点、热心公益的人士捐一点、受益群众出一点、理事会兴办实业创一点”的原则筹集。

**第六章 附则**

**第二十条** 农村地区要开展基层安全创建活动。在人口较多、经济比较发达、治安状况较复杂的重点集镇也要开展创建文明安全小区活动。

**第二十一条** 各地（市）、县（市、区）可根据本办法精神制定实施细则。

**第二十二条** 本办法解释权属省文明委和综治委及其办公室。

**第二十三条** 本办法自公布之日起生效。凡与本办法相抵触的有关规定、意见等一律废止。

福建省精神文明建设指导委员会
福建省社会治安综合治理委员会
1999年4月13日

# 福建省文明单位建设管理办法

（闽文明委［1999］9号）

**第一章 总则**

**第一条** 为了充分发挥文明单位在社会主义物质文明和精神文明建设中的示范带动作用，促进创建文明单位活动经常化、制度化、规范化，特制订本办法。

**第二条** 创建文明单位活动是在改革开放的新形势下，广泛开展群众性精神文明建设活动的主要形式，是两个文明建设有机结合的重要载体。文明单位必须是在两个文明建设中，努力提高干部职工的思想道德素质和科学文化素质，努力提高经济效益和社会效益，为改革开放创造良好的社会环境，成绩显著的先进典型。

**第三条** 文明单位是两个文明建设成果综合性的最高荣誉称号，由县级以上党委、政府联合命名；省直机关文明单位由省直机关党工委命名。

**第四条** 创建文明单位活动的范围包括党政机关、人民团体机关；实行独立核算，建有中国共产党基层组织或工会基层组织的各种所有制形式的企业、事业单位。

**第五条** 创建文明单位活动在各级党委、政府的统一领导下进行，纳入干部任期目标责任制，是考核领导班子政绩的一项重要内容。各单位都要把创建活动摆上重要议事日程，有领导、有计划、有步骤地组织实施。

## 第二章 基本标准

**第六条** 文明单位基本标准：

（一）领导班子坚强。坚持以邓小平理论为指导，执行党的基本路线，讲学习、讲政治、讲正气，同党中央保持高度一致；模范执行党和国家方针政策，坚持两个文明建设一起抓，重视精神文明建设投入，扎实开展创建活动，规划科学、目标明确、措施有力、责任落实。领导干部锐意改革，团结协作，求实创新，以身作则，廉洁奉公，在群众中有较高威信，完成党委、政府和文明委交付的各项任务。

（二）工作成效显著。生产经营单位改革开放步伐快，市场竞争能力强，科学决策，依法经营，严格管理，经济效益稳步提高，主要经济发展指标居于当地或同行业的前列。非生产经营单位内部管理完善，业务发展好，办事效率高，各项工作处于领先水平。

（三）精神状态良好。切实加强思想道德建设，干部职工精神振奋，形成爱岗敬业、诚实守信、办事公道、服务群众、奉献社会的良好风尚；严格执行计划生育国策，无计划外生育；遵守社会公德、职业道德、家庭美德，无歧视虐待妇孺老弱现象，有效遏制婚丧喜庆大操大办，无封建迷信、聚众赌博和传播淫秽物品行为。

（四）科教文体发展。重视科技进步，发展文化教育，增强创新意识，有比较完善的文化教育体育设施；坚持对干部职工进行科学技术、文化知识和法律常识的普及宣传教育，经常组织群众开展内容健康、形式多样的文化体育活动；重视职业培训，倡导科学、健康、文明的生活方式，干部职工的科学文化素质不断提高。

（五）单位秩序井然。规章制度健全，有明确具体的工作规范，监督保障措施完善。民主法制教育经常化、制度化，民主气氛浓厚，工作纪律严明，无严重违法违纪案件；见义勇为，自觉维护公共秩序；安全生产，无严重质量和责任事故；治安防范网络健全，治安综合治理工作达到省定标准。

（六）环境整洁优美。坚持绿化、美化、净化制度，环保制度健全、措施落实，环境污染控制等指标达到本省先进水平。环境整洁优美，基础设施配套，卫生防疫和职工保健工作达到省定标准。

## 第三章 评选命名

**第七条** 评选总原则：坚持基本标准，实事求是，公正科学，从严掌握，保证文明单位的质量。评选一般以块为主，条块结合，逐级升格。文明单位的命名实行届期制，原则上每两年一届，期满后重新申报。

**第八条** 文明单位实行申报制。凡有创建文明单位活动规划，根据标准要求开展创建活动，并取得显著成绩的单位，均可向所在地精神文明建设指导委员会（简称文明委）提出书面申请报告。党的关系（含党建工作指导关系）隶属于省直机关党工委的省直、中直在榕单位，符合条件的，经主管部门党组（党委）同意后，可向省直机关党工委申报。

下列情形之一者，取消申报资格：

违反计划生育政策的；

社会治安综合治理工作不达标的；

主要领导干部严重违法乱纪的。

**第九条** 文明单位评选、命名程序：

县级文明单位，在乡、镇（街道）或相当于这一级的党、政主管部门申报的单位中择优选拔，经县（市、区，下同）文明委审核后，报请县委、县政府审批、命名。

地（市）级文明单位，在县文明委申报的文明单位中择优选拔，经地（市）文明委审核后，报请地（市）委、行署（政府）审批、命名。

省直机关文明单位，相当于地（市）级文明单位，在省直各单位精神文明建设领导小组申报的在榕单位中择优选拔，经省直机关精神文明建设领导小组审核后，报请省直机关党工委审批、命名。

省级文明单位，在地（市）文明委或省直机关精神文明建设领导小组申报的文明单位中择优选拔；属于省直机关精神文明建设领导小组选拔推荐的，应征求福州市文明委意见；隶属关系未明确的部分中央部属单位、外省驻闽单位按照属地管理的原则择优选拔，经省文明委审核后，报请省委、省政府审批命名。在特殊情况下，省级文明单位经省委、省政府批准，可以越级命名。

**第四章　表彰奖励**

**第十条**　文明单位由命名机关授予相应称号的牌匾和证书。

凡被命名文明单位的，发给干部、职工一定数额的奖金。行政和事业单位奖金可从本单位预算包干经费中开支；企业奖金可摊入企业生产成本，但数量不得超过人均一个月的基本工资。

**第十一条**　文明单位在被命名后的两年内，是该单位评选上一级别先进党组织的必备条件，是主要领导评选上一级别劳动模范和党内各类先进的必备条件。

**第十二条**　凡连续两届被表彰的省级文明单位，其上级机关或主管部门，应给该单位必要的奖励。

**第五章　日常管理**

**第十三条**　各级党委和政府要进一步加强创建文明单位活动的领导。各级文明委及其办公室，要做好创建文明单位活动的组织、协调、调研、监督、指导工作，做好文明单位的检查、验收、评选、表彰以及日常管理工作。被命名的文明单位应继续努力，保持先进，不断提高文明单位建设的水平，充分发挥在两个文明建设中的示范作用。

**第十四条**　文明单位的管理原则上实行条块结合、分级管理，条块结合以块为主、上下结合以下为主。省级文明单位可委托所在地（市）文明委及其办公室和省直机关精神文明建设领导小组及其办公室管理。

文明单位的管理包括：文明单位的概况、申报审批表、主要事迹和考核记录，建立档案；指导制订每一年度的创建计划，总结推广创建文明单位活动的经验；每年对文明单位进行一次考核，考核情况报告命名主管机关。

**第十五条**　文明单位在命名后两年内如工作退步或发生严重问题，可根据情况，给予批评、通报、限期整改，以至取消下一届参评资格。

**第十六条**　各级文明单位如合并、分建等，要及时向命名主管机关报告，其荣誉称号自动取消，下一届可在原级别上重新申报。

**第六章　附则**

**第十七条**　各地（市）和省直机关党工委可根据本办法精神制定实施细则。

**第十八条**　文明学校、文明村镇建设属于创建文明单位活动的一部分，其管理办法根据本办法精神另行制定。

**第十九条**　省和省以下各部门、各系统对精神文明建设成效显著的单位，可以文明车站、文明医院、文明税务所等具体名称命名，但不得冠以“文明单位”称号。凡不符合本办法命名的文明单位，由原命名机关负责清理。

**第二十条**　本办法由省精神文明建设指导委员会办公室负责解释。

**第二十一条**　本办法自2000年1月1日起施行。从本办法生效之日起，各有关部门和各地市制定的有关文明单位管理规定，如有与本办法相抵触的，以本办法为准。

福建省精神文明建设指导委员会
1999年10月21日

# 福建省文明村镇建设管理办法

（闽文明委［1999］10号）

**第一章　总则**

**第一条**　为规范创建文明村镇活动，推动社会主义新农村建设，根据《福建省文明单位建设管理办法》精神，特制定本办法。

**第二条** 创建文明村镇活动是农村两个文明建设的重要载体，是把精神文明建设各项任务落实到农村基层的有效途径。文明村镇是农村经济和社会全面发展的综合性最高荣誉称号，必须由县级以上党委、政府命名。

**第三条** 凡建制村和乡镇都应有组织地开展创建文明村镇活动。

**第四条** 创建文明村镇活动必须以邓小平理论为指导，坚持党的基本路线，以发展农村经济为中心，以推动农村“进市场、奔小康、建新村、树新风”为主线，努力提高农民素质和农村文明程度。

**第二章 基本标准**

**第五条** 文明村镇应符合下列标准：

（一）农村经济活跃繁荣。深化农村改革，以家庭联产承包为主的责任制稳定落实；适应市场需求，优化产业结构，发展多种经营；集体经济稳步增长，财政收入和农民年人均纯收入高于当地平均水平，达到小康村镇标准；农民负担不超过国家和本省规定。

（二）基层组织坚强有力。党政组织认真贯彻执行党在农村的基本政策，坚持两手抓、两手硬的方针；领导班子团结务实，勇于开拓，善于带领群众勤劳致富，发挥战斗堡垒作用；班子成员敬业尽责，廉洁自律，联系群众，办事公道，先锋模范作用突出。

（三）思想教育扎实有效。不断加强思想建设，突出邓小平理论的宣传、学习和运用，干部群众精神振奋，开拓进取，努力探索发展农村经济的新路子；大力宣传党的农村政策，促进农村生产方式的转变；爱国主义、集体主义、社会主义思想和艰苦创业精神教育深入人心，群众能正确处理国家、集体、个人三者利益关系，自觉履行义务。

（四）治安秩序稳定好转。法制教育广泛深入，群众懂法守法，依法办事；基层创安活动逐步深化，治安防范网络和群防群治队伍健全；民间调解组织充分发挥作用，调处民事纠纷及时有效；无发生集体上访和大规模群众械斗事件，治安案件逐年减少，刑事犯罪数控制在万分之二十以内，群众安全感普遍增强。

（五）社会事业全面发展。传播科技知识，推广实用技术，经济发展的科技含量逐年提高。巩固提高普及九年义务教育，大力发展高中阶段教育，适龄少年儿童入学率达100%；加强职业教育和成人教育，无青壮年文盲。宣传文化体育设施逐步配套，充分发挥作用；广泛开展丰富多彩、健康有益的文体活动；广播电视入户率、初级卫生保健、计划生育达到省定标准。

（六）村镇环境整洁优美。村镇建设和改造的规划科学合理，生活服务设施与功能基本配套，建筑质量好；人畜分离，沟渠畅通，道路平坦，绿化美化；环境综合整治工作措施有力，生态环境逐步走向良性循环；保护耕地，合理利用土地；加强卫生管理，街路保洁定员定责，垃圾堆放定点封闭，转运及时；摊点归位，无危房和违章搭盖；花草树木和公用设施维护完好；从根本上解决脏乱差问题，村容镇貌整洁有序。

（七）社会风气健康向上。扎实开展社会公德、职业道德和家庭美德教育，健全村规民约，形成互帮互助、敬老爱幼、邻里和睦的良好风尚；开展评星级农户活动，先进面不断扩大；坚持开展“六提倡、六反对”活动，崇尚科学，有效遏制封建迷信、聚众赌博、铺张浪费等陈规陋习，严厉打击卖淫嫖娼、吸毒贩毒等丑恶现象；深化殡葬改革，清理乱占地建墓，火化率达到省定标准。

**第三章 组织领导**

**第六条** 各级党委、政府要坚持两手抓，两手都要硬，把农村精神文明建设摆上重要议事日程，切实加强对创建文明村镇活动的领导。县级党委和政府要周密部署，强化措施，树立典型，推广经验。宣传、公安、司法、民政、农业、建设、教育、科技、文化、卫生、计生和工、青、妇等有关部门和群众团体充分发挥职能作用，统一步调，分工协作，推动创建文明村镇活动蓬勃开展。

**第七条** 乡镇党政主要领导和村党支部、村委会的主要负责人是创建文明村镇活动的直接组织者，要切实负起责任，树立争创一流的思想，做好规划，精心组织，全面落实精神文明建设的各项任务。

**第八条** 各级文明办要当好党委、政府的参谋和助手，发挥指导、协调、检查、督促的作用，经常对创建文明村镇活动进行调研，及时有效地解决新形势下出现的新情况、新问题。

**第四章 评选命名**

**第九条** 文明村镇的评选实行申报制。凡坚持开展创建活动、符合基本标准的乡镇、村均可提出申报。

下列情形之一者，取消申报资格：

计划生育工作不达标的；

社会治安综合治理工作不达标的；

主要领导干部严重违法乱纪的；

严重违反环保和土地法规的。

**第十条** 文明村镇的命名采取逐级升格的办法，分为省、地（市）、县（包括市、区，下同）三级。评选、命名程序：

省级文明村镇从地（市）级文明村镇中选拔，由地（市）文明委负责申报，经省文明委审核后，报请省委、省政府审批、命名。在特殊情况下，省级文明村镇经省委、省政府批准，可以越级命名。

地（市）级文明村镇从县级文明村镇中选拔，由县文明委负责申报，经地（市）文明委审核后，报请地（市）委、行署（政府）审批、命名。

县级文明村镇由乡镇党委、政府负责申报，经县文明委审核后，报请县委、县政府审批、命名。

**第十一条** 文明村镇的命名实行届期制，原则上每两年一届，期满后重新申报。

**第五章 表彰奖励**

**第十二条** 命名表彰的文明村镇采取精神与物质相结合的办法给予奖励。凡被命名的文明村镇，分别由同级党委、政府授予文明村镇牌匾，并给予一定的物质奖励。省级文明乡镇，可从乡镇财政预算包干经费中发给干部职工人均不超过500元的奖金；省级文明村，可从所在乡镇财政中发给村干部人均不超过500元的奖金。

**第十三条** 文明村镇称号是乡镇党委、政府和村级组织工作实绩突出的重要体现。在命名后两年内，是该乡镇评选上一级别先进党组织的必备条件，是主要领导评选上一级别劳动模范和党内各类先进的必备条件。

**第六章 日常管理**

**第十四条** 文明村镇实行分级管理，由各级文明委及其办事机构负责。日常管理包括制定规划、检查督促、评选推荐和建档备案等工作。省级文明村镇可委托各地（市）文明办管理。

**第十五条** 各级文明村镇要不断加强自身建设，提高创建工作水平。在命名后两年内如工作退步或发生严重问题，可根据情况，给予批评、通报、限期整改，以至取消下届参评资格。

**第十六条** 各级文明村镇如合并、分建等，应及时向命名机关报告，其荣誉称号自动取消，下一届可在原级别上重新申报。

**第七章 附则**

**第十七条** 各地（市）、县（市、区）可根据本办法精神制定实施细则。

**第十八条** 本办法由省精神文明建设指导委员会办公室负责解释。

**第十九条** 本办法自2000年1月1日起施行。

福建省精神文明建设指导委员会
1999年10月21日

# 福建省文明学校建设管理办法

（闽文明委［1999］11号）

**第一章 总则**

**第一条** 为了促进学校精神文明创建活动，使文明学校建设制度化、规范化，把学校建设成为社会主义精神文明的重要阵地，根据《福建省文明单位建设管理办法》，结合学校实际情况，特制定本办法。

**第二条** 创建文明学校是指在当地党委、政府统一领导下，以学校为主体，以提高教育质量、加强内部管理、开展思想教育、活跃校园文化、维护治安秩序、改善设施条件、美化校园环境等为重点，动员和组织广大师生共建学校精神文明的活动。

**第三条** 创建文明学校活动对于全面贯彻党的教育方针，落实《中华人民共和国教育法》、《中共中央、国务院关于深化教育改革全面推进素质教育的决定》和《面向二十一世纪教育振兴行动计划》、《中华人民共和国高等教育法》的各项任务，提高师生的思想道德素质和科学文化素质，推进学校改革和发展，维护学校稳定都具有十分重要的意义。

**第四条** 创建文明学校活动的范围包括各高等学校、中等专业（职业、技工）学校、中小学、幼儿园以及社会力量办学等建有共产党基层组织或工会基层组织的各级各类学校。

**第五条** 文明学校是学校整体工作成效突出的综合性最高荣誉称号，必须由县级以上党委、政府命名。

**第二章 基本标准**

**第六条** 文明学校应符合下列标准：

（一）领导班子坚强。坚持社会主义办学方向，全面贯彻教育方针，办学目标明确，形成办学特色。积极进行办学和管理体制改革，努力推进教育“两个重要转变”的实现。重视领导班子组织、思想和作风建设，坚持民主集中制，领导干部有驾驭全局的能力，在师生中有较高威信。

（二）内部管理规范。学校改革和发展中重大问题的决策科学化和民主化，充分发挥校务委员会、教代会以及民主党派和群团组织的作用。学校思想教育、教学科研、总务后勤等各项规章制度健全，运行机制正常，常规管理逐步制度化、规范化。无乱摊派乱收费现象。

（三）教育质量良好。教育思想端正，深化教育改革，全面推进素质教育，努力培养学生的创新精神和实践能力，造就德智体美等全面发展的“四有”新人。教育教学质量处于同类学校的前列，社会对学校办学水平表示满意。

（四）思想教育扎实。学校思想教育工作能够结合师生的思想实际进行，特别是发挥了对青少年学生健康成长的导向、动力、保证作用。建立健全校长及行政系统为主实施的德育管理体制，努力建构大中小学纵向衔接，学校、家庭、社会横向联系的工作格局。切实加强教职工的思想道德教育，做到爱岗敬业、教书育人、为人师表，无违反计划生育政策。

（五）文化氛围浓厚。坚持以育人为宗旨，以校风教风学风建设为核心，进行有特色的校园文化建设，逐步形成廉洁高效的行政风气、科学严谨的学术风气、健康向上的生活风气。文化宣传阵地健全，舆论导向正确。社团组织管理和指导到位，积极开展丰富多彩、内容健康的文化体育活动。重视加强人文社会科学教育，提高师生文化素质。

（六）治安秩序稳定。重视学校稳定工作，落实校内治安责任制，工作网络健全，安全保卫措施落实，人员到位。配合有关部门搞好校园周边治安综合治理，防止不良事端发生，消除不安定隐患。无发生火灾事故，无重大刑事案件，无重大意外事故。

（七）设施条件达标。校园面积、体育场地和办公生活用房，以及教室、寝室、餐厅生均面积达到省定标准。教学设备完善，校舍维护、设施保养完好率高。宣传思想文化设施建设配套。

（八）环境整洁优美。校园整洁有序，人文景观布局合理，环境保护好。重视绿化、美化、净化，绿化覆盖率达30%以上，道路平整，排水通畅，卫生防疫达到省定标准。校园整体形象好，无乱停车辆、违章搭盖、乱堆杂物、乱贴乱画、乱设摊点等现象。

**第三章 组织领导**

**第七条** 各级党委、政府要把创建文明学校工作作为科教兴省的具体措施，列入议事日程，认真研究，搞好规划，加强领导。

**第八条** 各级精神文明建设指导委员会（简称文明委，下同）对所在地文明学校创建活动负有直接领导责任。成立由党委宣传部门、教育行政部门、文明办等单位领导组成的文明学校建设领导小组及其办事机构负责具体工作的实施。

**第九条** 各级各类学校的党政领导要对创建

文明学校负总责。要建立健全专门的组织领导机构，负责文明学校创建活动的领导、策划和实施，做到有规划部署、有经费投入、有工作人员、有活动场所，持之以恒地开展创建活动。

**第十条** 学校主管部门要积极组织开展创建文明学校活动，深入调研，加强指导，及时研究解决创建活动中出现的新情况、新问题，促进各项工作的落实。

**第十一条** 有关职能部门有责任协助所在地学校开展创建文明学校活动。公安、司法、工商、文化、财政等职能部门和工会、共青团、妇联等群众团体要密切配合，共同解决学校创建活动中的问题。

**第四章 评选命名**

**第十二条** 文明学校的评选实行申报制。凡有文明学校创建规划，持续开展创建活动，并取得显著成绩的学校，可按程序提出书面申报。申报工作由各级文明学校建设领导小组办公室负责。

下列情形之一者，取消申报资格：

违反计划生育政策的；

教育质量不高，受到教育主管部门批评的；

社会治安综合治理工作不达标的；

主要领导严重违法乱纪的；

发生重大责任事故的。

**第十三条** 文明学校的命名采取逐级升格的办法，分为省、地（市）、县（包括市、区，下同）三级。评选、命名程序：

省级文明学校，由地（市）文明学校建设领导小组从地（市）级文明学校中择优推荐，经地（市）文明委同意，省文明学校建设领导小组组织考核评估，省文明委审核后，报请省委、省政府审批、命名；在特殊情况下，省级文明学校经省委、省政府批准，可以越级命名。

地（市）级文明学校，由县文明学校建设领导小组从县级文明学校中择优推荐，经县文明委同意，地（市）文明学校建设领导小组组织考核评估，地（市）文明委审核后，报请地（市）委、行署（政府）审批、命名。

县级文明学校，由学区或学校向县文明学校建设领导小组办公室申报，县文明学校建设领导小组负责考核评估，县文明委审核后，报请县委、县政府审批、命名。

**第十四条** 省属各类学校申报省级文明学校的，必须取得地（市）级文明学校资格。程序如下：

高等学校经所在地（市）文明委同意，向省文明学校建设领导小组办公室申报，由省文明学校建设领导小组组织考核评估，省文明委审核后，报请省委、省政府审批、命名。

福州市区除高等学校外的省直各级各类学校，经主管部门和省直机关精神文明领导小组同意，向省文明学校建设领导小组办公室申报，省文明学校建设领导小组组织考核评估，省文明委审核后，报请省委、省政府审批、命名。

其他地区除高等学校外的省属各类学校申报省级文明学校的，按照属地管理的原则执行。

**第十五条** 文明学校的命名实行届期制，原则上每两年一届，期满后重新申报。

**第五章 表彰奖励**

**第十六条** 命名表彰的文明学校采取精神和物质相结合的办法给予奖励。凡被命名为省、地（市）、县级文明学校的，分别由同级党委、政府授予“文明学校”牌匾，高等学校授予“文明校园”牌匾，并给予一定的物质奖励。

**第十七条** 文明学校在命名后的两年内，是该学校评选上一级别先进党组织的必备条件，是主要领导评选上一级别劳动模范和党内各类先进的必备条件。

**第六章 日常管理**

**第十八条** 各级文明学校建设领导小组及其办公室负责文明学校的日常管理。要做好创建文明学校活动的组织、协调、监督、指导工作，做好文明学校的检查、考核、评选、推荐等工作。

**第十九条** 文明学校的管理原则上以条为主，条块结合，分级管理。省级文明学校可委托所在地（市）文明学校建设领导小组管理。

**第二十条** 文明学校的日常管理包括：文明学校概况、申报表、主要事迹和考核记录；指导制订每学年的创建计划，总结推广文明学校建设的工作经验；每年对文明学校进行一次考核评估，考核评估情况报告命名主管机关。

**第二十一条** 文明学校在命名后两年内，如工作退步或发生严重问题，可根据情况，给予批评、通报、限期整改，以至取消下一届参评资格。

**第二十二条** 创建文明学校的经费，除学校尽力而为外，可以按照“政府投入一点、主管部门支持一点、热心公益事业的人士捐助一点”的原则筹集。

**第二十三条** 各级文明学校如合并、分设等，要及时向各级文明委报告，其荣誉称号自动取消，下一届可在原级别上重新申报。

**第七章 附则**

**第二十四条** 省文明学校建设领导小组要根据本办法精神制定福建省文明学校建设实施办法和评估细则。各地（市）要根据本办法精神制定本地（市）的文明学校建设管理办法。

**第二十五条** 本办法由省精神文明建设指导委员会办公室负责解释。

**第二十六条** 本办法自2000年1月1日起施行。

福建省精神文明建设指导委员会

1999年10月21日

# 山东省创建文明行业活动考核办法

（鲁文明办［1999］9号）

根据省文明委［1999］4号《关于开展创建文明行业活动的意见（试行）》精神，现制定全省创建文明行业的活动考核办法。

**一、总体要求**。以《关于开展创建文明行业的意见（试行）》为依据，采取以群众评议为主的方式，对参评行业的创建活动进行全面检查考核，由省文明办综合检查考核成绩，排出名次，公布结果。

**二、考核内容**。按照《意见》提出的“建立领导机制，明确工作目标；强化思想教育，树立行业新风；规范办事程序，实现优质服务；创造优美环境，营造文明氛围；履行社会责任，提高综合效益”的要求，以群众满意为标准，测评群众对参评行业的满意率，着重测评行业推行社会服务承诺制和实行优质规范服务，立足岗位、争先创优的情况，特别是近年来解决群众不满意问题、实现优质规范服务的措施和成效。

**三、考核办法**。采取条块结合、以块为主的办法。省、市地两级参评行业要结合本行业的实际，将《意见》逐条分解、量化，制定出切实可行的创建实施细则，并分报同级文明办备案，以此作为本行业开展创建文明行业活动的具体依据。参评的21个行业、部门要先进行自查自评，然后由省和各市地文明办统一组织群众满意度评议，并进行必要的抽查。

1. 参评行业自评。各参评行业的省级主管部门都要对本行业开展创建文明行业活动的情况进行一次全面的自查和总结，形成4000字左右的文字材料。各参评行业的市地主管部门也要根据上述要求相应进行自评工作，形成500字左右的简介材料，向社会公布，让群众评议。材料主要介绍本行业近年来创建文明行业活动的基本情况、所解决的群众关心的主要问题、服务质量提高的主要实事。材料的内容要具体实在、实事求是。材料于7月底前分别报送省文明办和所在市地文明办。

2. 组织群众评议。一是通过新闻媒介或其他形式向社会公布参评行业的省、市地主管部门、自评情况和简介材料。二是采取无记名投票的方式进行评议。参加投票的群众应有一定的数量和代表性。人数一般不能少于1万人，投票人以参评行业的服务对象为主体，还要有人大代表、政协委员、民主党派人士、党纪监察机关干部和其他社会各界人士。省、市地评议工作相应地由省、市地文明办统一组织、协调，参评行业主管部门配合、协助。评议采取问卷调查形式。问卷调查时应附有行业的简介材料。市地的测评工作在8月31日前进行，测评后由各市地文明办负责统计出各参评行业的群众满意率。各市地文明办在进行必要的检查考核后，按满意率从高到低排出参评行业的名次，于1999年9月10日前报省文明办。省里的群众评议活动在10月1日前结束。

3. 新闻单位评议。省文明办将根据创建活动的进展情况，组织新闻单位对参评行业进行明察暗访和评议，评议结果作为综合考评阶段的依据之一。

4. 综合评议。省文明办汇总省、市地两级群众评议参评行业满意率情况，参考新闻单位的评议情况和抽查考核情况，对参评行业满意率情况进行综合评议，按满意率从高到低排出参评行业的名次，公布结果。

1999年7月9日

# 河南省关于省级文明单位评选和管理办法补充规定

（豫文明［1999］11号）

为了加强对省级文明单位的建设和管理，进一步提高创建水平，根据《河南省文明单位建设管理条例》，特制定如下评选和管理办法补充规定。

**一、评选范围**

本省境内经济独立核算，能独立开展社会活动，能承担权利和义务的党政机关、人民团体、学校、各类企事业单位、驻豫单位等均在创建省级文明单位行列。乡、镇和科级单位下属的机构一般不命名省级文明单位。

**二、评选条件**

（一）领导班子坚强有力。坚持以邓小平理论为指导，认真贯彻执行党的基本路线和各项方针政策，两个文明一齐抓。全心全意为人民服务，坚持民主集中制原则。讲学习、讲政治、讲正气。勇于创新，决策民主，团结协作，联系群众，务实高效，廉洁奉公，班子整体形象好，在群众中有较高的威望。近年来，两个文明建设卓有成效，班子建设在综合考评中处于先进行列。

（二）工作业绩突出。坚持改革开放，科学管理，依法办事，优质服务，计划生育、综合治理工作先进。有良好的社会形象。全面完成各项目标责任，在目标考评中处于先进行列，主要业务指标在全国（全省）同行业中处于先进位次。

（三）精神文明创建活动扎实有效。对创建活动高度重视，列入领导重要日程，做到有领导机构，有工作队伍，有切实可行的创建规划和具体措施，有经费保证，有完整的档案资料。坚持开展文明科（处）室、文明车间、文明家庭、文明市民、文明职工、军民共建等各种形式的系列创建活动，并取得明显效果。积极参与当地创建文明城市、文明行业、文明村镇、文明小区、文明街道和科技、文化、卫生“三下乡”等精神文明建设活动并走在前列。省直有行政隶属或业务指导关系的政府职能部门还要切实抓好系统的创建活动，系统内市地级单位20%以上是省级文明单位，全系统内各级文明单位数量达到60%以上。

（四）思想道德教育深入。对职工坚持进行爱国主义、集体主义、社会主义教育。加强职业道德、社会公德、家庭美德建设。有针对性地做好思想政治工作，经常开展丰富多彩、健康有益的活动。干部、群众有较高的思想道德素质，单位风气正，在社会上有良好的声誉和整体形象。

（五）环境整洁优美。办公区规划合理，绿化美化到位，有条件的建成花园式单位。与主次干道相连的单位，实行拆墙透绿透景。办公楼内卫生状况良好，科室标牌规范统一，室内物品摆放整齐。生活区达到当地文明小区标准。门前“三包”落实，对出租门面房有严格管理制度。重视环境保护，“三废”（废气、废水、废渣）排放低于国家规定的标准。

（六）管理科学，制度完善。内部管理有序，办公秩序良好，工作效率高，服务意识强。各种措施制度健全，劳动保护设施完善，安全生产措施落实。结合行业特点深入开展人民满意公务员和规范优质服务活动。积极发展公益事业，每年注意为群众办好事实事，群众生产、生活条件明显改善。

窗口行业先进单位，要深入开展规范化服务活动，建立健全职业道德规范和各项规章制度，规范工作程序，岗位责任和工作标准明确，内外监督约束机制有力，服务态度好，办事效率高，群众满意率高，在全省同行业中处于领先地位并获有全国荣誉称号。

**三、申报考核办法**

申报省级文明单位必须是两年以上的市地级文明单位，由当地文明委负责推荐，省文明办抽验。推荐过程要增加透明度和公开性，量化标准，严格把关，认真征求有关部门和主管部门的意见，候选单位要向社会公示，接受社会监督，并采取适当方式，征求群众意见，召开文明委全体成员会议研究投票确定。申报单位的直属二级机构或有行政隶属关系的下一级单位发生重大问题的，当年不予考虑。

**四、管理办法**

（一）省级文明单位委托各地文明委管理，如单位改变名称、隶属关系，要及时向所在地文明办和省文明办报告。因机构分设、变动，保留原单位名称的继续保持省级文明单位称号，另外成立的单位不再享受省级文明单位待遇，但在两年内可以直接申报省级文明单位。

（二）申报省级文明单位的单位，直属的具有独立法人资格、经济独立核算的二级机构，如同在一幢楼或一个大院办公的可以参加共同创建，在呈报表中注明，一并考核。单位内设机构参加内部的创建活动。共同创建单位发生重大问题受到处理的，整体一并不再享受省级文明单位待遇。

（三）省级文明单位实行年度复查制和五年届满制。届满的单位如符合标准，可以重新申报。

（四）省级文明单位的匾牌悬挂在单位门（楼）前，其他文明单位匾牌一律移入荣誉室内。届满的省级文明单位，匾牌移入荣誉室内。撤销的省级文明单位，其匾牌和荣誉证书，由当地文明办负责收回。

（五）凡具有下列情况，情节较轻的，给予警告处理；情节严重，影响较大，受到严肃处理的，撤销其省级文明单位荣誉称号：(1) 领导班子成员中受到党政处分或被判刑的，单位职工发生严重刑事案件或经济案件被判刑的；(2) 经营管理不善，经济滑坡幅度较大的。进行非法经营活动，违反价格政策或偷税抗税，情节严重，受到有关部门处理的；(3) 职工干部传看黄色书籍、音像制品、吸毒贩毒、聚众赌博、卖淫、嫖娼受到治安处罚的。封建迷信活动严重，婚丧事大操大办，在社会上造成不良影响的。有违反计划生育政策的；(4) 行风社会评议较差，群众满意率较低，形象不好的；(5) 发生责任事故超过国家有关部门规定的人身伤亡、经济损失指标的；(6) 存在重大问题，隐瞒不报的。

本办法自公布之日起执行，由省文明办负责解释。

河南省精神文明建设指导委员会

1999年9月8日

# 河南省关于省级文明单位建设先进系统标准及管理办法的补充规定

(豫文明［1999］11号)

为了进一步推动和规范系统创建活动，更好地发挥文明单位、文明系统在两个文明建设中的示范、带头作用，在执行《河南省文明单位建设管理条例》有关规定的基础上，对省级文明单位建设先进系统标准及管理办法作如下补充规定：

一、创建省级文明单位建设先进系统，要坚持以邓小平理论为指导，以“服务人民、奉献社会”为宗旨，以思想道德建设为核心，以爱岗敬业、树行业新风为主题，以创建文明单位为基础，努力提高全系统服务质量和文明水平，为全省经济发展和社会进步做出贡献。

二、创建省级文明单位建设先进系统，以省直有行政隶属或业务指导关系的系统为单位开展。整个系统领导班子对精神文明建设工作认识到位，自觉扎实开展创建活动，做到有领导机构，有工作队伍，有创建规划，有得力措施，有经费投入。每年有具体的创建活动要求和内容，群众广泛参与。省直单位和部门经常指导基层创建工作，针对行业特点和业务工作设计载体，积极探索创建活动的有效途径和方法，促进各项业务工作的完成。

三、系统文明单位创建活动成效显著，整体形象好。在全系统机关深入开展“三优一满意”活动，在窗口行业深入开展优质服务活动，突出系统和行业特色搞扎实有效的创建活动。服务标准规范，管理严格有序，行业风气正，服务意识强，社会评议良好。系统主管部门是省级文明单位，系统内二级机构和市地级单位60%是省级文明单位，全系统各级文明单位达到90%以上。

四、本职工作业绩突出。系统内各单位完成与政府和有关部门签订的目标责任，系统省直机关和大多数市（地）级单位处于先进行列，业务工作主要指标达到全国同行业先进水平，近两年来在全国同行业中有1—2项工作获得先进称号。

五、省级文明单位建设先进系统实行动态管理，五年届满。届期内每年底由系统内部自查和省文明办复查。届满后可重新申报，重新申报未批准命名的不再享受省级文明单位建设先进系统荣誉称号。

六、因发生问题，工作滑坡，系统主管单位、系统所属二级机构或市地级单位被撤销省级文明单位的，省级文明单位建设先进系统也同时予以撤销。被撤销荣誉称号的文明单位建设先进系统，经过两年以上时间的整改，达到创建标准的可以重新申报。

七、系统中的某个行业创建文明行业，参照此评选办法。创建省级文明单位建设先进系统，由省直系统主管单位直接向省文明委申报，由省文明办检查验收，符合条件的由省委、省政府命名，并颁发匾牌和证书。省直文明委要经常督促省直文明单位开展文明行业创建工作。系统中省级文明单位当年有被警告、撤销处理的，当年申报省级文明单位建设先进系统的不予考虑。

本办法自公布之日起执行，由省文明办负责解释。

河南省精神文明建设指导委员会

1999年9月8日

# 湖北省文明城市、文明小区建设暂行管理办法

（鄂发［1999］9号）

**第一章 总则**

**第一条** 为贯彻党的十四届六中全会和十五大精神，不断提高城市文明程度，实现城市两个文明建设相互促进、经济和社会协调发展的目标，促使创建文明城市（含文明城区、文明县城，以下统称文明城市）、文明小区活动科学化、规范化、制度化，特制定本办法。

**第二条** 文明城市、文明小区是社会主义物质文明和精神文明建设中成绩突出、效益显著、总体文明水平较高地区的荣誉称号。

**第三条** 创建文明城市、文明小区，必须以邓小平理论为指导，坚持党的基本路线和基本方针，紧紧围绕经济工作中心，为全党全国工作大局服务，为人民服务，注意从社会主义初级阶段的实际出发，认真贯彻党的十四届六中全会和十五大精神，以提高市民素质和城市文明程度为目标，以思想道德教育为重点，围绕解决文明言行、服务质量、环境卫生、社会秩序等突出问题，开展创建文明城市活动。

**第四条** 创建文明城市、文明小区要坚持重在建设的方针，从实际出发，从人民群众的愿望和要求出发，与本地经济、社会发展水平相适应，既量力而行，又尽力而为。要在为改革、发展、稳定工作服务，促进两个文明协调发展上狠下功夫；在发动群众广泛参与，为人民群众办好事、办实事上狠下功夫；在提高市民思想道德素质特别是党政机关干部和青少年的文明素质上狠下功夫；在加强管理，完善机制上狠下功夫；在坚持不懈，务求实效上狠下功夫。

**第五条** 全省所有县城及县以上城市、大城市所辖城区均在创建文明城市之列。全省城市的各类居民区均在创建文明小区之列。

**第六条** 各地都要从实际出发，确定创建目标，强化创建意识，制定创建标准，落实创建措施，开展创建活动，争取早日建成文明城市、文明小区。

**第七条** 创建文明城市工作要在各级党委、政府统一领导下进行，建立党委统一领导、党政主要领导亲自抓、各方面分工负责的领导体制和工作机制。各级精神文明建设委员会办公室（以下简称文明办）负责创建文明城市和文明小区的指导协调和具体实施工作。各有关部门要积极配合，齐抓共管，切实履行本部门工作职责。

创建文明小区工作要坚持“条块结合，以块为主”的原则，在各级党委、政府的统一领导下，由街道办事处、居委会牵头，组织辖区单位开展活动。小区内各级党政机关、企事业单位都要积极参与文明小区创建工作，在创建活动中发挥骨干带头作用。

**第二章 文明城市、文明小区标准**

**第八条** 文明城市标准：

一、组织领导有力

1.城市党委、政府高举邓小平理论伟大旗帜，坚持党的基本路线，坚持“两手抓，两手都要硬”的方针。

2.城市领导班子团结进取，勤政廉洁。

3.党委、政府高度重视文明城市创建工作，领导体制完善，定期研究文明城市建设问题，并制定创建规划和措施，有计划、有步骤地开展创建活动。

4.注意发挥精神文明建设委员会的指导协调作用和文明办的综合职能，工作效率不断提高。

二、环境整洁优美

1.主次干道路面平整，整洁卫生，无违章建筑，无占道经营，无占道停放车辆、物品。

2.沿街建筑外观整洁美观，户外广告及标牌

内容健康，外形美观，用字规范。

3. 绿化布局合理，见缝插绿，主次干道、人行道、街旁无裸露地面，主要街道有园林小景，公共绿地建设好。

4. “三废”（废水、废气、废渣）和噪声危害基本清除。环保目标责任制任务落实，环境保护工作走在全省前列。

5. 公共场所符合卫生要求，大多数单位和公共设施达到甲级标准，除“四害”成效显著。

6. 市容环境卫生改善，“门前三包”责任制得到切实落实，日常保洁工作抓得扎实。

7. 城市管理有力，有一支素质高、责任心强，专兼结合、装备良好的城市管理执法队伍。

三、社会秩序良好

1. 重视社会治安综合治理工作，深入开展严打斗争，坚决清除“黄、赌、毒”等各种社会丑恶现象，城市始终保持安定团结的政治局面。

2. 开展经常性的法制宣传教育，进一步提高公民的法律意识，增强公民的法制观念，按要求完成普法任务。

3. 社会治安综合治理责任制落实，措施有力，群众治保组织健全，专、兼职的社会治安联防队伍人员落实。

4. 公共复杂场所治安秩序良好，没有发生重大、特大治安灾害事故，没有发生影响全市社会稳定的事件。各种发案率控制在标准以内，市民有安全感。

5. 交通文明意识强，主次干道畅通，管理科学，秩序井然。

四、城市基础设施完善

1. 城市规划工作加强，有一套科学的中长期规划，严格按规划建设城市，把城市规划管理纳入法制化轨道。

2. 交通设施建设加快，城市交通设施和交通管理措施完善，交通运载能力较强。

3. 邮电通信能力提高，设备、设施先进，通信质量高，通信管理有力，服务环境优良。

4. 市政设施、环卫设施、供电、供水、供气、排水能力良好。

五、服务质量优良

1. 行业服务规范，市民满意，职业道德建设成效显著，行业不正之风不断得到纠正。

2. 经营活动诚实守信，买卖公平，老幼无欺，文明经营。

3. 集贸市场管理严格，打击假冒伪劣措施有力。

4. 执法部门秉公执法，文明执法，形象良好。职能部门廉洁奉公，机关干部公仆意识强，办事效率高。

5. 社区服务体系完善，布局合理，设施齐全，居民生活方便。

6. 孤寡老人、优抚对象、残疾人得到照顾；困难职工、困难居民最低生活保障制度和救助措施落实。

六、科教文卫事业发展

1. 实施科教兴市战略，重视发展社会事业。

2. 科技知识和成果普及推广应用成效明显。

3. 教育条件改善，九年义务教育率达标，并不断得到巩固，中小学在校学生无失学现象，青壮年无文盲。高等教育、职业教育和成人教育成效显著。

4. 医疗保健设施配套，预防措施落实，卫生保健达标。无计划外生育，计划生育工作走在全省前列。

5. 认真实施全民健身计划，群众体育和竞技体育协调发展。重视本地体育人才的培养，积极扶持本地优势体育项目的发展，体育比赛赛场管理规范。

6. 重视思想文化阵地建设，建成一批科技文化体育设施标志性工程。基层有文化体育活动场所，设备、设施完好，定期开展群众性文化体育活动。

7. 文化市场秩序良好，“扫黄打非”成效明显，文化娱乐场所管理严格，活动健康有益。

七、创建工作扎实

1. 针对干部群众的思想实际，采取多种生动活泼的形式，坚持不懈地开展爱国主义、集体主义、社会主义教育，广泛深入地开展社会公德、职业道德、家庭美德教育。

2. 不断提高干部群众的思想道德素质。广泛开办文明市民学校，成人居民经常性接受社会主义道德与文明行为规范教育。

3. 市民有良好的文明意识，语言文明，待人礼貌，爱护环境，讲究卫生，遵守秩序，爱护公物，尊老爱幼，见义勇为，扶危济困，移风易俗，社会风气积极健康向上。

4. 坚持精神文明重在建设的方针，结合本地实际，扎实开展多种形式的群众性精神文明创建活动，特别是具有本地特色、深受群众欢迎的主题创建活动。

5. 创建成效显著，建成一批文明小区、文明街道、文明楼栋、文明单位、文明行业和文明系统。

6. 有浓厚的创建氛围，市区内建有一批永久性精神文明建设宣传设施、公益性广告标牌。

八、经济建设领先

1. 经济增长速度快，经济综合指标逐年增长。综合经济效益和经济增长速度高于全省平均水平，国内生产总值、财政收入、人均纯收入，在全省同类城市中居先进水平。

2. 工业企业效益良好，第三产业发展较快，积极培植新的经济增长点，高新技术产业和民营经济发展较快，下岗、待业人员能够及时得到妥善安置。

3. 市场繁荣，供给充足，物价平稳，群众满意。

4. 经济发展同环境保护生态平衡相结合，走可持续发展的道路。

**第九条** 文明小区标准：

一、治安秩序良好

1. 社会治安综合治理各项措施落实，防范制度和群防群治组织网络健全，居民有安全感。

2. 无“黄、赌、毒”，无重大刑事案件和民事纠纷，无火灾和其他重大事故。

3. 普法教育落实，形成了学法、守法、用法、护法的良好风气。

4. 建立健全各类帮教小组，帮教措施落实，刑释、解教人员三年内无重新犯罪。民事纠纷调解及时有效。

5. 加强对外来人口和私房出租户的管理，协助做好暂（寄）住人口的登记、发证工作，开展法制教育，能及时发现、协助查处外来暂（寄）住人口中的违法犯罪活动。

二、环境整洁优美

1. 道路全部硬化，路面平整，街巷、楼栋、楼道、家庭、绿地及各种公共设施整洁卫生。

2. 无卫生死角，垃圾全部实行袋装化，日产日清。

3. 环卫设施齐全完好，公厕、垃圾箱整洁。环保达到规定标准。

4. 基本实现绿化，绿化区植物种类多样，布局合理，建有美化景点。

5. 除“四害”成效显著，无违章饲养家禽、家畜及其他动物，基本做到无鼠害、无蚊蝇、无蟑螂，有关指标达到国家规定的标准。

6. 无乱停乱放、乱搭乱建、乱摆乱占、乱贴乱挂现象。

三、社区服务完善

1. 服务网络健全，服务网点布局合理，积极推行物业管理，工作人员服务规范。

2. 便民利民工作到位，积极开办托儿所、养老院、老年人活动中心、卫生医疗站、综合服务站、便民商店等，住户生活方便。

3. 建立各种为民服务志愿者队伍，积极开展社区志愿者活动，对居民提供有偿或无偿服务。优抚工作落实，烈军属、残疾人、孤寡老人得到照顾，生活有实际困难的能及时得到解决。

4. 居民急需的水、电、煤气、房屋维修和急病车送医院等便民服务周全，自行车棚、公用电话等便民设施服务良好，社区服务设施利用率高，管理规范。

四、道德风尚良好

1. 普遍开展文明市民教育，对居民进行社会公德和家庭美德教育，居民群众形成尊老爱幼、扶贫济困、邻里团结、互帮互助、见义勇为的良好风气。

2. 积极开展文明家庭、文明楼栋、文明居委会、文明市民等创建活动。

3. 小区内无婚丧事大操大办，无封建迷信活动，无邪教活动，无赌博、嫖娼、卖淫现象，大力倡导科学、文明、健康的生活方式。

4. 无计划外生育。

五、社区文化健康

1. 大力开展邓小平理论和党的路线方针政策的宣传教育，大力普及科学知识和法律常识，开展健康卫生教育。

2. 经常组织居民群众开展丰富多彩、内容健康的文化体育活动，积极开展家庭文化建设和群众参与的广场文化活动。

3. 社区内文体活动基础设施良好，有一定数量的报刊、图书，有文体活动场所和活动器材，有固定美观的阅报栏、宣传标语和板报等。

六、组织管理有力

1. 建立由街道办事处牵头，小区内居委会、骨干单位、房产业主等参加的小区管理组织，文明创建有规范、有目标、有措施、有专班。

2. 治安、调解、卫生、计划生育、环保、绿化、生活服务、房管等管理制度完善，办事效率高。

3. 管理人员素质高，尽职尽责，持证上岗。

4. 居委会、管委会充分发挥作用，工作达到规范化、制度化要求。

**第三章　文明城市、文明小区评比、命名、表彰**

**第十条**　文明城市标准适用于文明城区、文明县城评比。省级文明城市、文明小区以省委、省政府名义命名表彰。

**第十一条**　省级文明城市、文明小区产生的程序是：县级城市（城区、县城）由各县市文明委自检合格，报请同级党委、政府审批同意后，向市级文明委提出书面申请，由市级文明委向省文明委申报；市、直管市申报文明城市、文明小区，由同级文明委自检合格后，直接向省文明委申报。由省文明委组织有关部门考核、验收，然后报省委、省政府审定。

**第十二条**　文明城市、文明小区产生实行“升级制”，市级从县级中产生，省级文明城市、文明小区从市级文明城市、文明小区中产生。

**第十三条**　省级文明城市、文明小区一般三年命名一届，市级文明城市、文明小区，县级文明小区的命名工作，由各地根据实际情况参照实施。

**第十四条**　文明城市、文明小区的评选，要从实际出发，严格创建标准，严格考核评选，不搞平衡照顾，不搞拔高凑数，不搞形式主义，不搞终身制，复查不合格者予以除名。

**第十五条**　按本办法产生的文明城市、文明小区，由命名机关发给文明城市、文明小区荣誉匾牌和证书，并予以公开表彰。荣誉匾牌和证书由命名机关统一设计、制作。

**第四章　文明城市、文明小区的管理**

**第十六条**　文明城市、文明小区原则上实行分级管理，具体工作由各级文明办负责。省级文明城市、文明小区管理由省文明委负责，并委托所在市、县文明委协助日常管理。

**第十七条**　各市、县的党委、政府和文明委是创建文明城市的领导者和责任者，各街道党工委、办事处和街道文明委是创建文明小区的领导者和责任者。各级领导者和责任者要根据文明城市、文明小区标准，把创建工作纳入城市和小区发展的总体规划，并把规划目标、任务层层分解，落实到各职能部门、企事业单位和居民群众，制定切实可行的措施和完成时限，定期检查。

**第十八条**　文明城市、文明小区的日常管理工作内容，主要是：

一、制定和完善本辖区的文明城市、文明小区的管理制度和规范，保证文明城市、文明小区管理制度健全；

二、制定本辖区的创建规划和实施方案，组织协调辖区各职能部门、企事业单位和群众积极参与创建活动；

三、指导本辖区各街道、小区和各企事业单位建立健全创建活动的组织，检查创建活动的进展情况；

四、加强对创建宣传教育工作的引导和指导，提高本辖区内各单位和个人参与创建的积极性；

五、总结推广文明城市、文明小区的先进经验和先进典型，有针对性地进行分类指导；

六、建立健全文明城市、文明小区创建档案，档案内容一般包括：概况、创建规划、创建文件、主要会议材料、申报审批表、主要事迹和验收结果、检查考核记录、自检报告、年终工作总结、奖惩记录、群众和社会各界反映。

**第十九条**　文明城市、文明小区每年应进行一次系统自查，并将自查情况和阶段创建工作总结上报主管部门。

**第二十条**　文明城市、文明小区创建组织要自觉接受社会各界和群众的监督，主动搜集、听取群众意见，对存在的问题要及时采取有效措施，加以整顿改进。

**第二十一条**　主管部门对所命名的文明城市、文明小区除进行验收考核外，应采取明查、暗查和抽查等形式对其进一步跟踪监督和管理。凡一经发现在“一票否决”的项目上存在严重问题的，即报告命名机关给予撤销荣誉称号的处理，并通报处理结果；如发现有其他问题或质量下降的，可根据情节轻重，给予其批评、警告、限期整改、摘牌、报命名机关给予撤销荣誉称号的处理，并通报处理结果。

**第五章 附则**

**第二十二条** 各地可根据本办法的规定，制定实施细则。

**第二十三条** 本办法由省文明办负责解释。

**第二十四条** 本办法自发布之日起实施。

1999年9月8日

# 湖北省文明村镇建设暂行管理办法

（鄂发［1999］9号）

**第一章 总则**

**第一条** 为了加强文明村、镇的建设管理工作，不断提高文明村、镇的质量，使创建文明村、镇活动经常化、制度化、规范化，根据我省实际，特制定本办法。

**第二条** 文明村、镇是社会主义物质文明和精神文明（以下简称两个文明）建设协调发展并取得优异成绩，经社会认可和有关部门严格考核、评选，由县以上党委、政府批准、命名的农村两个文明建设的荣誉称号。

**第三条** 文明村、镇建设，坚持以邓小平理论和党的基本路线为指导，坚持两手抓，两手都要硬的方针，认真贯彻党的十四届六中全会精神和十五大精神，以提高农民素质、引导农民奔小康和建设社会主义新农村为目标，全面加强农村思想道德建设、科技文化建设、民主法制建设、公益事业建设和环境面貌建设，在全省范围形成物质文明建设和精神文明建设协调发展的良好局面，为促进农村经济发展和社会稳定，实现湖北振兴崛起的宏伟目标创造良好社会条件。

**第四条** 全省所有行政建制村、乡、镇均在创建文明村、镇之列。

**第五条** 文明村、镇创建工作要坚持从实际出发，从人民群众迫切需要解决的问题入手，创建活动具体实在，不搞形式主义，不增加农民负担。

**第六条** 创建文明村、镇工作要在党委、政府统一领导下进行，指导协调和实施工作由各级精神文明建设委员会办公室（以下简称文明办）负责，各有关部门要积极配合。

**第二章 文明村、镇标准**

**第七条** 文明村标准：

（一）组织领导坚强。村级组织健全，政务公开，管理民主。村党支部战斗堡垒作用和党员的先锋模范作用突出，领导班子坚强团结，遵纪守法，廉洁奉公，认真贯彻党和国家的方针政策，积极带领群众脱贫致富奔小康。

（二）思想教育有力。有一支以村组干部、党团员为骨干的群众性思想政治工作队伍，坚持对群众进行爱国主义、集体主义和社会主义教育，不断提高农民思想政治觉悟和道德水平，正确处理国家、集体和个人三者利益关系。

（三）集体经济发展。有一个明确的符合本地实际的发展经济路子，农业生产条件不断改善、优化，农业产业化稳步推进，集体经济实力不断壮大，集体经济组织为广大群众服务的功能不断增强。农民收入逐年增加，人均收入在当地处于领先水平。

（四）治安秩序稳定。依法治村成效显著，普法教育落实。干部群众法纪观念强，无重大刑事和治安案件。社会治安管理有力，防范措施健全，群众有良好的生产、生活环境。

（五）社会风尚良好。村规民约健全，树立文明礼貌、助人为乐、关心集体、保护环境、尊老爱幼、男女平等、夫妻和睦、勤俭持家、邻里团结的社会新风；无封建迷信、邪教活动，无赌博、婚丧事大操大办和无歧视、虐待妇女、老人与儿童的现象，倡导科学文明健康的生活方式。

（六）基本国策落实。认真执行国家计划生育政策，无早婚早育、计划外生育现象。土地管理和环境保护法规条例贯彻较好。

（七）科教文卫普及。有比较完善的科技、教育、文化阵地；并能经常开展多种形式的实用技术培训和丰富多彩、健康有益的群众性文化活动；九年制义务教育工作扎实有效，适龄儿童入学率达100%，青壮年无文盲；农村医疗事业显著改善，农民群众普遍享受农村初级卫生保健。

（八）村容村貌整洁。按照规划建设，建筑布局合理，院落干净整洁，道路平整、畅通，绿化覆盖率高。

（九）创建活动扎实。群众性文明创建活动蓬勃开展，创建活动有领导、有规划、有措施、有投入、有成效。创建“十星级文明农户”（爱党爱国、勤劳致富、遵纪守法、计划生育、邻里团结、家庭和睦、学用科技、重视文教、讲究卫生、移风易俗）活动成效显著，创建面达到90%以上。创建活动坚持农户自评、村民互评、村委会复评程序，做到半年初评，年终总评，使创建活动民主化、经常化、制度化、管理规范化。

**第八条** 文明乡镇标准：

（一）领导班子坚持团结。坚持党的基本路线，认真贯彻执行党和国家的各项方针、政策，两个文明一起抓，带领群众奔小康；求真务实，遵纪守法，勤政廉洁。

（二）经济建设成效显著。乡镇内生产经营单位效益好，全镇人民生活水平有较大幅度的改善和提高，困难户生活有帮救措施，全镇人均纯收入在当地处于领先水平。

（三）思想道德教育扎实。思想教育工作有专人负责，规划目标明确，工作制度完善。能够充分利用各种阵地和手段，有计划地对群众进行爱党、爱国、爱社会主义教育，进行社会公德、职业道德、家庭美德教育和法制教育。

（四）文化生活健康向上。两站一室（广播电视站、文化站和图书室）健全，有文化娱乐活动场地，有活动器材，有宣传、广播电视、科普设施，有活动经费；镇内群众自治组织健全，并经常开展活动，无出售黄色书刊、无播放淫秽录像等违法现象。

（五）集镇面貌整洁卫生。城镇建设规划科学、布局合理；各种生活设施比较齐全，通讯通畅方便；镇内各干道全部硬化，无乱搭乱建、乱堆乱放等现象，交通秩序良好；集镇街道、单位、楼院整洁卫生，绿化美化好。

（六）计划生育政策落实。无计划外生育，晚婚晚育、优生优育政策得到有效落实。

（七）社会治安秩序良好。社会治安综合治理组织健全，并能较好地开展工作，刑事案件、治安案件控制在国家规定控制数之内，民事纠纷不断下降。

（八）科技教育不断发展。实施科教兴镇，建立健全科技网络，发挥科技服务作用。九年制义务教育质量较高，办学条件逐步改善，工作成效显著，小学适龄儿童全部入学，中小学在校学生无流失现象，青壮年无文盲。

（九）文明创建活动扎实。全乡、镇普遍开展创建“文明家庭”、“文明楼院”、“文明单位”、“十星级文明农户”、“十星级个体工商户”等活动。创建工作有规划、有措施、有目标、有重点、有领导，创建机制完善，创建档案齐全，创建成效显著。

**第三章 文明村、镇的评比、命名**

**第九条** 文明村、镇分县（含县级市、市辖区，下同）、市（含州，下同）、省三个级别，分别由县、市、省的党委和政府审批、命名。

**第十条** 县级文明村、镇产生的一般程序是：有创建规划，经常开展活动，并取得显著成绩的村、镇，可向当地县文明委申请参加文明村、镇的评比。由县文明委组织有关部门考核、验收，合格者报请县委、县政府审批、命名。

**第十一条** 市、省两级文明村、镇的产生实行“升级制”，市级文明村、镇从县级文明村、镇中产生，省级文明村、镇从市级文明村、镇中产生。

文明村、镇的升级由下级文明委报请同级党委、政府审批同意后，向上一级文明委提出书面申请，由上一级文明委组织有关部门考核、验收，合格者，报请同级党委、政府审批、命名。

**第十二条** 省级文明村、镇、一般每三年命名一届，市、县两级文明村、镇的命名届期，各地可根据实际情况参照实施。

**第十三条** 文明村、镇评选要注重质量，坚持标准，不搞平衡照顾、拔高凑数。

**第四章 文明村、镇的管理**

**第十四条** 对文明村、镇原则上实行分级管理，具体工作由各级文明办负责。

省级文明村、镇委托所在市、县的文明委协助管理。

**第十五条** 各级文明办应建立文明村、镇建设管理档案。档案内容一般包括：文明村、镇的概况、申报审批表、主要事迹和考核内容等。

**第十六条** 被命名的文明村、镇，应继续努力，保持先进，不断提高文明村、镇的建设水平和创建档次。文明村、镇每半年进行一次自查。各级文明委对所属管理的文明村、镇每年应进行一次抽查，切实加强工作指导，做好巩固和提高工作。

**第十七条** 加强对争创“十星级文明农户”活动的规范化管理，日常管理由村、镇两级负责；县、市和省一级文明委要加强对这项活动的指导，制定完善有关措施，总结推广经验，大力宣传先进典型。

**第五章 文明村、镇的奖惩**

**第十八条** 按本办法规定产生的文明村、镇，由命名机关颁发荣誉匾牌和证书，并予以公开表彰。荣誉匾牌和证书由市命名机关统一设计、制作。

**第十九条** 要把建设文明村、镇，作为考核评价党政领导班子和主要领导干部政绩的一项重要内容，并作为使用和奖惩的一项重要依据。

**第二十条** 文明村、镇不搞“终身制”，实行计划生育、社会治安、环境保护、党风廉政一票否决制，在届期内如出现违反文明村、镇标准的问题，各级文明委要责令其限期整改，并视情节轻重分别给予通报批评、警告直至报告命名机关撤销其文明村、镇称号的处分。

**第六章 附则**

**第二十一条** 各地可根据本办法的规定，制定实施方案。

**第二十二条** 本办法由省文明办负责解释。

**第二十三条** 本办法自发布之日起实施。

1999年4月9日

# 湖北省文明单位建设管理办法

（鄂发［1999］9号）

**第一章 总则**

**第一条** 为了加强文明单位建设管理工作，不断提高文明单位的质量，充分发挥文明单位在社会主义物质文明和精神文明建设中的示范带头作用，使创建文明单位活动经常化、制度化、规范化，结合我省实际，特制定本办法。

**第二条** 文明单位是以开展群众性社会主义精神文明建设活动为基本特征，物质文明和精神文明建设有机结合，协调发展，成绩突出，经社会认可和有关部门严格评选，由县以上党委和政府批准、命名的两个文明建设中的荣誉称号。

**第三条** 文明单位建设活动必须坚持以邓小平理论为指导，认真贯彻十四届六中全会和十五大精神，以提高人们的思想道德素质和科学文化素质，培育有理想、有道德、有文化、有纪律的社会主义公民为目标，充分发挥群众的社会主义积极性和创造性，维护政治稳定，促进经济发展和社会进步。

**第四条** 凡本省境内的党政机关、人民团体、各类企业、事业单位均属创建文明单位的范围。

**第五条** 文明单位创建活动要在党委和政府的统一领导下进行，具体工作由各级精神文明建设委员会办公室负责，按照齐抓共管的原则，各有关部门必须互相支持，密切配合。

**第六条** 文明单位创建活动要坚持重在建设的方针，紧紧围绕经济建设这个中心开展创建活动，实行两个文明建设统一领导、统一管理，使之互相促进，协调发展。

文明单位建设要坚持勤俭节约、注重实效的原则，从实际出发，量力而行，让群众受益，不搞形式主义。

**第七条** 各级党委、政府和各单位要为文明单位建设提供必要的条件，要把开展创建活动纳入本地本单位社会发展的总体规划。

**第八条** 文明单位分为省、市（州）、县（市、区）三级，分别设文明单位和最佳文明单位两个档次，由县（市、区）以上党委和政府审批、命名。

**第二章 条件**

**第九条** 文明单位必须具备下列条件：

（一）坚持马列主义、毛泽东思想、邓小平理论，执行党的基本路线，贯彻两个文明一起抓的战略方针，全心全意为人民服务。

（二）领导班子团结，勇于改革，廉洁勤政，作风民主，在群众中有较高的威信。

（三）有计划地开展经常性的创建活动，领导得力，目标明确，措施具体，富有实效。

（四）经常采取多种形式进行爱国主义、集体主义、社会主义和艰苦创业精神、民主法制以及形势政策教育，正确处理国家、集体、个人三者利益关系。

（五）社会公德和职业道德建设扎实有效，群众道德素质不断提高，行业风气端正。

（六）重视教育科学文化建设，积极进行基础知识教育和专业技能培训，群众科学文化素质逐步提高。

（七）建立文明、健康、科学的生活方式，经常组织丰富多彩的文娱体育活动。

（八）严格执行国家法律、法规和规章，无计划外生育，无重大责任事故，无重大刑事案件，治安秩序良好。

（九）重视环境的综合治理，卫生面貌良好，积极发展公益事业，群众生产、生活条件明显改善。

（十）坚持科学管理，实行文明生产（工作）、优质服务，经济效益和社会效益良好。

**第十条** 创建文明单位要突出行业特点，加强文明职工、文明户、文明班组、文明科室等基础建设。

**第十一条** 大型企事业文明单位，除符合本办法规定的标准外，还必须具备以下条件：所属单位80%以上必须达到文明单位的标准，其他所属单位一般也是比较好的。

**第十二条** 文明单位要积极参与当地文明建设活动，并发挥带头示范作用。

**第三章 命名**

**第十三条** 凡属创建范围内的单位，开展文明单位创建活动一年以上，取得明显成绩，经过认真自评，均可在所在地申报文明单位。各级精神文明建设委员会对申报单位必须坚持标准，严格考核，广泛征求群众和有关部门的意见，报党委、政府审定，同时提出拟命名为上一级文明单位的推荐意见。

**第十四条** 县（市、区）级文明单位产生的一般程序是：有创建规划，经常开展创建活动，并取得显著成绩的单位，可向乡（镇、街）申请参加文明单位的评比；经乡（镇、街）党委、政府推荐，由县（市、区）精神文明建设委员会组织考核、验收，合格者，报请县（市、区）委和政府审批、命名。

**第十五条** 市（州）、省两级文明单位的产生一般实行“升级制”。市（州）级文明单位从县（市、区）级文明单位中产生，省级文明单位从市（州）级文明单位中产生。对创建活动成效特别显著的单位，经同级精神文明建设委员会同意，可以破格申报。

文明单位的升级由下级精神文明建设委员会报经同级党委和政府审批同意后，向上一级精神文明建设委员会提出书面申请；由上一级精神文明建设委员会组织考核、验收，合格者，报请同级党委和政府审批、命名。

**第十六条** 省级文明单位必须是被命名为市

（州）级文明单位二届以上，在当地两个文明建设中起表率作用的单位。被命名为省级文明单位二届以上，在同行业中处于领先地位的单位可申报省级最佳文明单位。

**第十七条** 县（市、区）、市（州）、省直属机关，分别向县（市、区）、市（州）、省直机关党的工作委员会申请参加文明单位的评比，经该委员会推荐，由同级精神文明建设委员会组织考核、验收，合格者，报请同级党委、政府审批、命名。

在各地的中央、省、市（州）、县属企事业单位，按党组织的隶属关系，向其主管部门申请参加文明单位的评比，经主管部门推荐，由同级精神文明建设委员会组织考核、验收，合格者，报请同级党委和政府审批、命名。

**第十八条** 文明单位实行届期制，各级文明单位一般二年命名一次。

**第四章 管理**

**第十九条** 对文明单位原则上实行分级管理，即哪一级命名由哪一级管理，具体工作由各级精神文明建设委员会办公室负责，定期复查，并建立监督机制。省级文明单位由省精神文明建设委员会与推荐部门双重管理，以推荐部门为主。

**第二十条** 文明单位要加强自身管理，不断提高创建水平，建立定期汇报和发生问题及时呈报制度。

**第二十一条** 各行业开展的精神文明建设活动要同文明单位创建活动结合起来，行业自己评选的文明单位，要使用本行业的专用名称。

**第二十二条** 各级文明单位和命名机关要建立健全文明单位档案，并按照国家档案管理的有关要求逐步规范化。

**第二十三条** 文明单位改变名称、变更隶属关系、合并或分解，应及时向管理部门报告备案。对合并和分解后的单位，要由原命名机关重新考核命名。

**第五章 奖励与处罚**

**第二十四条** 文明单位的奖励实行精神鼓励和物质鼓励相结合的原则。各级文明单位由党委、政府授予荣誉称号，并颁发奖牌、证书；被命名的单位可按照有关政策规定，给予职工和贡献突出的人员以相应的物质奖励。

（一）企业和实行企业化管理的事业单位，被省委、省政府命名为省级文明单位的，可以凭省委、省政府的命名文件，一次性发给单位干部、职工人均一个月标准工资（有岗位津贴的，包括岗位津贴）的奖金。所需资金从企业成本（费用）中列支。发放的奖金，实行工资总额与经济效益挂钩的企业，免缴工资调节税；没有实行工资总额与经济效益挂钩的企业，免缴奖金税。

省级文明单位，被评为省级先进企业，或国家二级、一级、特级企业的，其奖励按国务院和省人民政府的有关企业升级的奖励规定办理。如果有关企业升级的奖励规定低于省级文明单位奖励标准的，则按省级文明单位奖励标准给予奖励，但不得重复发奖。

（二）党政机关、人民团体、非企业化管理的事业单位，被评为省级文明单位的，可以根据本单位行政事业包干经费结余情况，凭省委、省政府的命名文件，一次性发给本单位在编干部、职工（含合同制工人）人均一个月基本工资的奖金。

（三）评上县（市、区）级文明单位或市（州）级文明单位发奖后又被评为省级文明单位的，可以凭省委、省政府命名为省级文明单位的文件，一次性补发省级文明单位与县（市、区）级、市（州）级文明单位奖金的差额部分，不得重复发奖。

（四）连续两届被评为省级文明单位的，可另外一次性发给单位党政主要负责人一个月标准工资的奖金。奖金来源同上。

（五）如文明单位荣誉称号被取消，其相应的奖励待遇随之取消。

（六）各级文明办要加强对文明单位奖励工作的检查与管理。

（七）各市（州）、县（市、区）可以参照以上奖励办法制定本级文明单位的奖励办法，但不得超过省级文明单位的奖励标准。

**第二十五条** 各级组织人事部门要把创建文明单位的成效，作为考核单位领导干部政绩的一项重要内容和提拔使用干部的一项重要条件。

**第二十六条** 被命名的文明单位在届期内发生严重问题，造成重大影响的，同级精神文明建设委员会可根据情节，给予批评、警告、令其限期整改等处理，直至报告命名机关撤销其荣誉称号。有下列情形之一者，应撤销文明单位荣誉称号：

（一）领导班子不团结或班子成员有腐败行为的。

（二）经营管理不善，经济亏损或服务水平明显下降的。

（三）生产、销售假冒伪劣商品，经营、传播淫秽制品，提供色情服务或不讲职业道德，行业风气不正的。

（四）发生重大责任事故，造成经济损失或人身伤亡的。

（五）赌博、封建迷信、婚丧嫁娶大操大办得不到制止，或发生刑事案件，治安状况混乱的。

（六）出现计划外生育的。

（七）环境污染，卫生面貌差的。

（八）申报时弄虚作假，骗取荣誉的。

**第二十七条** 被撤销荣誉称号的单位，经两年以上时间的创建，达到标准的，可以重新申报。

**第二十八条** 参加文明单位考核和审定的人员，必须廉洁自律，秉公办事，不得徇私舞弊，滥用职权，违者由有关部门给予行政处分；情节严重构成犯罪的，依法追究刑事责任。

**第六章 附则**

**第二十九条** 各地各单位可以根据本办法的规定，制定实施办法。

**第三十条** 本办法由省精神文明建设委员会办公室负责解释。

**第三十一条** 本办法自颁布之日起实施。

1999年4月9日

# 广东省文明城市评选办法与考核细则

（粤文明委〔1999〕4号）

城市是一个地区经济、政治、文化的中心。随着改革开放和社会主义现代化建设的发展，城市在两个文明建设中的地位和作用越来越突出。以创建文明城市为"龙头"，带动各种群众性精神文明创建活动的全面发展，这是省委、省政府作出的重大部署。为了切实有效地推动这一创建活动的深入开展，现将文明城市评选办法与考核标准制定如下：

**一、指导思想**

创建文明城市的指导思想是，以党的十四届六中全会和党的十五大精神为指针，高举邓小平理论伟大旗帜，坚持党的基本路线，坚持两手抓、两手都要硬的方针，以提高市民现代文明素质和城市文明程度为目标，以实现城市的优美环境、优良秩序、优质服务、优化管理，推动城市改革开放和社会主义现代化建设为重点，以动员、组织群众参与各种创建精神文明活动为载体，进一步促进城市两个文明建设的协调发展。

**二、目标要求**

文明城市现阶段应当达到的目标要求是：经济繁荣，政治清明，风尚良好，科教领先，文化发达，管理科学，环境优美，社会安定。

**三、考评范围**

创建文明城市的活动在全省范围内普遍开展。所有列入建制的县（区）以上城镇〔含县（区）〕，都应积极开展创建文明城市活动，积极创造条件，经过若干年的努力，建设成为文明城市和文明城区。

**四、考评类别**

创建文明城市活动实行分档评估：一档是广东省文明城市；二档为创建文明城市先进单位。

**五、考评办法**

（一）自查自检。创建文明城市坚持以经常性工作为主，经常性检查督促为主，自查自检为主，不搞层层集中突击检查，力戒形式主义，反对弄虚作假。各地可制定适合本地实际的评选考核标准，进行经常性的自查自检，并将自查自检情况及时报省文明委。

（二）自我申报。省文明城市和创建文明城市先进单位的评选，由各地对照评选考核标准，凡认为达到文明城市标准的，由市（县、区）委、政府向地级以上市申请，经审批同意后，再由市委、市政府向省文明委提出参评申请。

（三）确认资格。由省文明办会同省直有关职能部门进行联合审核，提出会审意见，确认其申报资格。

（四）群众评议。省文明办将各地申报名单及其主要事迹通过新闻媒介向社会公布，广泛听取各方面的意见，发动群众进行评议。

（五）集体审议。召开省文明委全体会议进行审议。

（六）报省委、省政府批准。

**六、命名表彰**

在创建文明城市活动中经考评合格的城市，报请省委、省政府批准后按两个档次给予命名、表彰，由省委、省政府分别颁发奖牌、证书。

**七、组织领导**

创建文明城市活动及其评选考核在省委、省政府的领导下开展，由省文明委组织协调。具体工作由省文明办组织实施。

各有关市、县、区应在当地党委、政府的统一领导下把这项工作作为加强两个文明建设的重要载体，切实加强领导，摆上议事日程，充分调动和发挥各有关部门和社会各界的积极性，形成协同配合，齐抓共建的局面。

**八、动态管理**

文明城市必须做好巩固、提高、延伸、辐射的工作，发挥示范带头作用。对评上的文明城市要定期复查；工作滑坡的，要登报批评，问题严重的，要摘牌子。

**九、考评细则**

评选考核拟采取“千分制”的办法来进行，共分10个项目，每个项目100分。具体评选考核细则（略）。

广东省精神文明建设委员会
1999年12月16日

# 广西壮族自治区精神文明建设委员会成员单位责任制度（试行）

（桂文明［1999］22号）

社会主义精神文明建设是一项涉及面广、综合性强的社会系统工程。自治区精神文明建设委员会作为自治区党委、自治区人民政府主管精神文明建设的领导机构，主要担负着规划、组织、协调、指导全区精神文明建设工作任务。根据党的十四届六中全会《决议》和自治区党委七届二次全会的《决定》精神，为了深入贯彻党的十五大和十四届六中全会精神，把精神文明建设任务落到实处，更好地发挥各成员单位的“龙头”作用，齐抓共管，形成合力，把我区社会主义精神文明建设推向一个新的台阶，特制定本制度。

**一、成员单位职责任务**

1. 自治区党委办公厅、自治区人民政府办公厅：发挥办公厅在机关精神文明建设中的综合服务与窗口作用，继续深入开展“讲文明树新风”活动，切实做好为领导、为机关、为基层的三服务工作，树立良好公仆形象；加强机关的安全保卫工作，保持良好的办公秩序；把好区直单位的会议审核关，最大限度地精简会议和文件，减轻财政和基层负担；利用内部刊物加大精神文明建设的宣传力度，确实体现自治区党委、自治区人民政府坚持“两手抓、两手都要硬”的思想。

2. 自治区党委组织部：加强领导班子和干部队伍的思想政治建设，抓好县以上领导干部的“三讲”教育，不断提高领导干部的马克思主义理论水平；制定和落实县级以上领导干部培训规划，强化对党员、干部的管理监督，坚决防止和纠正干部工作中的不正之风；制定切实可行的措施和办法，把精神文明建设的政绩纳入领导班子和领导干部的考核内容，与干部的使用和奖惩挂钩；抓好党的基层组织和党员队伍建设，深入开展学理论、学党章活动，充分发挥共产党员在精神文明建设中的表率作用。

3. 自治区党委宣传部：组织开展党的基本理论、基本路线教育，抓好用邓小平理论武装党员、教育干部群众的工作；会同有关部门抓好形势教育、法制教育、国防教育等；贯彻团结稳定鼓劲、正面宣传为主的方针，协调组织有关新闻单位搞好宣传，把握正确导向；以“五个一工程”为龙头抓好精品生产，繁荣理论、文艺、出版事业；督促、协调有关部门落实宣传文化重点建设项目，改善基础设施；会同有关部门完善文化经济政策，管好用好各项基金和资金；协调有关部门开展“扫黄打非”斗争，制止文化垃圾的传播；抓好宣传思想干部队伍的思想政治建设和业务知识培训。

4. 自治区纪律检查委员会：参与组织开展讲学习、讲政治、讲正气为主要内容的党性党风教育，抓好党风廉政建设；贯彻落实领导机关、领导干部廉洁从政的法规制度，建立健全内部约束机制和外部监督机制；加大查办大案要案的力度，坚决遏制消极腐败现象；纠正和治理行业不正之风，制止各种乱集资、乱收费、乱罚款，推动纠风工作责任的落实。

5. 自治区党委政法委员会：制定和落实社会治安综合治理的各项措施，协调有关部门及时排查和消除各种不安定因素；针对治安突出问题，组织开展专项斗争和重点整治；协调有关部门开展“三五”普法宣传教育，增强人民群众的法律意识；指导、督促建立多层次的治安、民调防范网络；加强政法队伍建设，提高广大干警的政治业务素质。

6. 广西军区政治部：认真组织协调好驻桂军警部队之间的关系，增强军内团结，搞好部队自身精神文明建设，确实走在全社会精神文明建设前列；协调驻桂部队积极参加地方的精神文明建设和物质文明建设；不断增强军民团结，积极参与地方抢险救灾、扶贫助危和社会公益事业建设；组织所属部队和民兵积极参加军民共建精神文明活动，办好少年军校、预备役学校。

7. 自治区发展计划委员会：牵头组织制定自治区文化基础设施建设规划，下达年度计划，并督促和配合有关部门抓好落实；对重点建设项目进行检查监督，发挥投资的应有效益；积极研究在社会主义市场经济条件下，多渠道筹集文化设施建设资金的政策和措施。

8. 自治区财政厅：继续抓好各项宣传文化经济政策的落实工作；鼓励宣传文化事业单位开展“以文补文”、“各业助文”的活动；继续支持宣传文化事业的发展，对列入财政供应范围的文化设施，在预算内给予经费保证。

9. 自治区科学技术厅：围绕以产品创新、促进科技与经济结合新突破的工作要求，组织实施面向领导、工人、农民、企业家、科技人员、青少年的素质工程，开展科普大行动，提高全区人民的科学文化素质；组织好科技下乡和科技扶贫工作，推动农村经济发展。

10. 自治区教育厅：加强学校的思想道德文化建设，推动邓小平理论进教材、进课堂、进头脑，培养德、智、体全面发展的社会主义新人；加强教师职业道德教育，实施教师职业道德规范；实施中小学生日常行为规范和高等学校学生行为准则，培养学生良好的行为习惯；指导开展学校、社会、家庭三结合教育活动，为学生提供参加生产劳动、社会调查、科技文化服务、勤工俭学等社会实践的机会；开展多种形式的爱国主义、集体主义、社会主义教育，指导各类学校开展“看优秀影片、读优秀图书、唱优秀歌曲”活动；加强校园文化建设，抓好校园的环境卫生和绿化、美化，创造良好的育人环境；以创建文明学校为目标，抓好各类学校群众性精神文明创建活动。

11. 自治区公安厅：对突出的治安问题和治安秩序混乱的地方，适时组织开展专项治理和专项斗争；打击、查禁和取缔各种危害社会治安的违法犯罪活动和社会丑恶现象；会同有关部门加强文化市场管理，严厉打击制作、销售和传播淫书、淫画、淫秽录像或者其他淫秽物品的违法犯罪活动；健全多层次的治安、民调防范网络，落实各种治安防范措施；组织开展创建安全村镇、安全社区活动；加强公安系统的精神文明建设和党风廉政建设，开展职业道德教育和警民共建活动，创建一批文明示范窗口，树立良好形象。

12. 自治区民政厅：积极开展拥军优属活动，组织和协调有关部门开展“双拥模范城（县）”创建工作；全面推进农村基层民主制度建设，会同有关部门抓好村务公开和乡镇政务公开，推进村民自治的制度化、规范化；倡导移风易俗，革除陈规陋习，婚事新办，丧事简办，加强婚姻管理，维护婚姻家庭稳定，积极推进殡葬改革，贯彻落实殡葬管理政策，加强殡仪馆建设，逐步提高火化率；依法加强对社会团体的登记、指导、协调和监督管理，会同有关部门查处非法社团和社团违法活动；做好流浪乞讨人员的遣送工作。

13. 自治区文化厅：实施精品战略、抓好文艺创作，为人民群众提供更多的、优秀的文艺作品；组织开展具有民族和时代特色的大型群众性节庆文化活动，丰富人民群众文化生活；组织开展文化建设先进县（市）、乡（镇）活动，健全和完善县、乡、村三级文化网络和农村文化体系，建设稳固的农村文化阵地；加强文物的保护、管理和利用，会同有关部门严厉打击盗窃、盗掘、走私文物等犯罪活动；会同有关部门加强对文化市场的整顿、管理和监督，打击各种非法制品的传播和非法经营活动；对文化设施建设重点工作提出建议，并组织实施；管理和使用好现有的各项文化设施，充分发挥其作用；积极发展文化产业，增强文化事业发展活力；组织开展对外文化交流活动，搞好歌舞、戏剧、杂技、文物、书画作品等出国出境展演；会同有关部门组织好文化下乡和文化扶贫工作。

14. 自治区建设厅：对城市发展进行科学指导和规划，推动城市综合开发和城市基础设施建设，不断完善城市功能；继续开展城市环境综合整治和市容“南珠杯”竞赛及创建“园林城市”活动；加强城建监察工作，依法管理城市；会同有关部门加强对城市市容环境卫生的管理；督促建立城市管理包干区和责任到人制度，落实好“门前三包”；会同有关部门建立和完善城市住宅小区管理体制，强化社区服务，创建更多的优秀物业管理小区；指导村镇规划和建设，提高村镇建设水平；加强本系统的精神文明建设，抓好文明行业和文明服务示范窗口建设。

15. 自治区交通厅：配合有关部门搞好交通法规宣传教育，提倡文明交通，增强人民群众的交通安全意识；抓好交通系统的文明行业和文明示范窗口单位建设；配合有关部门认真治理公路、水路“三乱”；配合有关部门整顿车站、码头、渡口的治安秩序，打击车匪路霸的犯罪活动。

16. 自治区卫生厅：加强职业道德建设，提高工作人员的职业道德素质和卫生服务水平；大力开展健康教育活动，普及和宣传卫生防病及保健知识，促进人民群众卫生习惯的养成和保健意识的增强；会同有关部门抓好卫生下乡工作，抓好乡村一体化建设，巩固和发展合作医疗，在政府的领导下，多部门协调，做好农村初级卫生保健工作；抓好乡镇卫生院优质服务工作，提高综合服务水平；加强卫生法制建设和卫生执法监督力度，依法行政，文明执法，保障全区人民的健康权益；加强本系统的精神文明建设和廉政建设，对违背职业道德的行为进行处理。

17. 自治区贸易局：抓好商贸职工队伍的职业道德建设，建立比较完善的商业职工道德规范；会同有关部门组织开展以打假打诈为主要内容的“百城万店无假货”活动和“五联服务”一体化活动；积极开展“文明单位”、“文明行业”创建活动和优质服务承诺活动，提高全行业服务质量。

18. 自治区计划生育委员会：组织开展形式多样、行之有效的人口与计划生育宣传教育，引导人民群众树立科学、进步、文明的婚育观；加强计划生育基础工作，努力实现计划生育工作的经常化、制度化、科学化、法制化；继续推行计划生育“三结合”、政务公开，开展优质服务，积极推进计划生育工作思路和工作方法的两个转变，不断提高计划生育工作水平。

19. 自治区工商行政管理局：加强工商队伍的思想政治建设和职业道德建设，提高整体素质；加强广告监管，净化广告市场，广泛开展公益广告宣传活动；打击假冒伪劣产品、合同欺诈、走私贩私等各种违法行为，维护市场秩序；规范服务秩序，完善服务功能，搞好服务承诺；扩大消费者投诉渠道，维护消费者利益；加强对个体劳动者和私营企业者的法制和职业道德宣传教育，开展文明执法活动；组织开展本系统群众性精神文明创建活动，塑造行业的良好形象。

20. 自治区旅游事业局：加强全区旅游业管理，保护和合理开发利用旅游资源；规范旅游市场行为，维护旅游者和旅游经营者的合法权益；做好桂北经济区划和广西旅游产业发展总体规则；继续深入开展创建"中国优秀旅游城市"和"青年文明号"活动；组织开展本系统群众性精神文明创建活动，树立旅游行业的良好形象。

21. 自治区广播电视总局：组织采访、拍摄、报道精神文明建设方面的先进典型，及时宣传报道精神文明建设重大活动；组织好优秀广播影视作品的创作，满足人民群众多层次、多方面的文化需求；加强广播电视节目播出管理，坚持正确舆论导向，严禁播出有害的、低级趣味的广播电视节目；加强行业管理，严格对电台、电视台的年检、年审制度和接收境外卫星电视节目的管理；加强广告播出管理，严禁播出虚假广告和内容不健康的广告；完善广播影视职业道德规范，制止行业不正之风，抓好本系统的精神文明建设。

22. 自治区新闻出版局：制定和实施"九五"期间新闻出版发展规划的年度计划；抓好精品生产，促进新闻出版事业的繁荣；加强新闻出版行业的宏观管理和微观监督，严格把关，保证出版物的政治方向和舆论导向，制止各类违规违禁出版物流入社会；会同有关部门开展"扫黄打非"斗争，严厉打击制黄、贩黄、盗版、盗印等违法犯罪活动，查禁反动淫秽书刊、音像制品、电子出版物等，维护市场秩序；加强廉政建设和职业道德教育，严厉禁止有偿新闻和买卖书号、刊号行为。

23. 广西日报社：根据党中央和自治区党委的部署，制定一定时期全区精神文明建设宣传报道方案和选题计划；正确把握舆论导向，坚持用正确的舆论引导人，通过新闻媒体深入宣传党的路线、方针、政策，教育干部群众，提高全民素质；发挥新闻媒体的作用，倡导文明健康的社会生活方式，批评和鞭笞不文明的社会现象；总结宣传精神文明建设工作和先进典型，宣传报道精神文明建设的重大活动，为精神文明建设创造良好的舆论氛围。

24. 自治区总工会：宣传贯彻党的全心全意依靠工人阶级的方针，动员广大职工积极投身改革和建设；教育职工依照宪法和法律规定行使民主权利，参与管理国家事务，管理经济和文化事业，管理社会事务；对职工开展爱国主义、集体主义、社会主义教育，提高职工的思想道德素质和科学文化素质；做好职工内部矛盾的疏导和劳动争议的调解工作；调查研究，参与涉及职工切身利益的法规政策的修订，维护职工合法权益；宣传和表彰各条战线涌现出来的劳动模范和先进工作者；广泛开展群众性文化体育活动，寓教于乐；会同纪委、组织部、经贸委等有关部门，抓好推行"厂务公开"工作，加强以职代会为基本形式的企业民主管理、民主监督制度。

25. 共青团广西区委：带领团员青年在精神文明建设中发挥先锋作用，动员和组织广大团员青年踊跃参与创建文明城市、文明村镇、文明行业、文明社区和军民共建等群众性精神文明创建活动；组织开展"青年文明号"、"青年志愿者"、"手拉手"等活动，服务社会，树立新风，促进社会公德、职业道德、家庭美德建设；开展以为人民服务为核心、集体主义为原则的社会主义教育，加强民主法制教育和纪律教育，引导青年树立正确的世界观、价值观、人生观；在青年中弘扬爱国主义、集体主义、社会主义精神，提倡共产主义思想道德，发挥艰苦奋斗精神；切实加强青少年文化建设，建设青少年宫、青年活动中心、青年之家、青年文化站、青年图书室等文化阵地；会同有关部门做好失足青少年的帮教工作。

26. 自治区妇女联合会：会同有关部门组织各界妇女学习政治理论和科学文化知识，开展党的基本路线教育、法制教育和"自尊、自信、自立、自强"教育，不断提高广大妇女的自身素质；宣传和弘扬尊老爱幼、男女平等、夫妻和睦、勤俭持家、邻里团结的家庭美德；引导妇女移风易俗，抵制买卖婚姻、婚丧事大操大办等不良风气；维护妇女儿童合法权益，会同有关部门严厉打击拐卖妇女儿童犯罪活动，积极参与查禁和取缔卖淫嫖娼、吸毒、封建迷信等专项斗争；指导"妇女禁赌协会"、"红白理事会"等群众自发组织开展活动；组织妇女开展“五好文明家庭”、“巾帼文明示范岗”等多种形式的精神文明创建活动。

27. 自治区文明委办公室：拟定全区精神文明建设规划和年度工作要点；组织指导开展文明城市、文明行业、文明单位、文明村镇和军警民共建等各种创建活动；抓好文明城市、文明行业、文明单位和文明村镇的评比、命名考核和管理工作；调查、了解、综合汇总、及时反馈全区各地各部门精神文明建设的新情况、新经验、新问题，有针对性地组织理论研究，为自治区文明委决策提供依据；协调解决精神文明建设工作中出现的问题，负责自治区文明委的文秘、会务等日常工作。

**二、自治区精神文明建设委员会对各成员单位的考核制度**

（一）考核内容

自治区文明委负责对各成员单位落实职责情况进行检查考核。考核的主要内容包括：

1. 是否全面落实文明委成员单位责任制，认真履行职责，是否制定了长期的和年度的精神文明建设规划及考核办法，是否提出加强和改进工作的意见和建议，是否认真完成自治区文明委部署的有关精神文明建设的工作任务。

2. 是否做到一把手抓两手，一班人两手抓，协同合作，齐抓共管，广大干部职工真正参与到精神文明建设活动之中。

3. 各成员单位在精神文明建设中是否较好地发挥了带动和示范作用，是否制定了切实可行的制度，是否按规定和制度办事，规划和工作安排是否得到落实，是否总结了典型经验，并进行推广，有何效果。

4. 是否把精神文明建设列入部门重要工作日程，并作为干部政绩考核的主要内容之一；是否做到精神文明建设工作和部门业务工作同时规划、同时部署、同时检查，并认真进行总结和表彰奖励。

5. 部门制定的有关行业政策、规章以及制度，是否与精神文明建设工作协调，是否有利于精神文明建设工作的开展。

6. 是否做到了两个文明建设有机结合，协调发展，经济效益稳步增长，干部职工思想道德素质和科学文化素质逐年提高，政治稳定，秩序良好。

7. 成员单位责任制和精神文明建设工作是否存在不落实的问题，是否积极参加自治区文明委和自治区文明委办公室召开的有关会议以及组织的各项活动。

（二）考核办法

自治区文明委对成员单位落实职责任务情况的考核办法是：

1. 自治区文明委定期不定期召开会议，听取各成员单位关于落实精神文明建设职责分工的情况汇报，研究安排精神文明建设工作，协调解决有关问题。

2. 每个成员单位在每年元月15日前向自治区文明委书面报告本系统和本单位精神文明建设工作计划、工作安排；每年12月20日前要向自治区文明委书面报告本系统和本单位精神文明建设工作情况。

3. 自治区文明委通过听取各成员单位的工作汇报，同时组织力量，深入成员单位或其基层单位了解精神文明建设工作情况，广泛征求各地、市、县及有关部门意见，以自治区文明委会议或自治区文明委文件等形式对成员单位履行职责任务的情况进行通报。对工作成绩突出的进行表扬，对不能尽职尽责、工作成效不明显的提出批评，对不开展活动、不履行职责的，将提请自治区党委予以调整文明委成员职务的处理。

**三、文明委成员单位联系人制度**

为了充分发挥文明委成员单位的作用，加强工作联系，每个成员单位确定一名具体抓这方面工作的业务处处长担任联系人，建立成员单位联系人制度。自治区文明委办公室每季度将召开一次联系人会议，研究全区精神文明建设工作。

广西壮族自治区精神文明建设委员会

1999年8月11日

# 广西壮族自治区电子出版物经营管理办法

（1999年8月20日广西壮族自治区人民政府第十一次常务会议通过）

**第一条** 为了加强对电子出版物的经营管理，保障电子出版物事业的繁荣和健康发展，根据《出版管理条例》和《广西壮族自治区文化市场管理条例》有关规定，结合本自治区实际，制定本办法。

**第二条** 本办法所称电子出版物，是指以数字代码方式将图文声像等信息编辑加工后存储在磁、光、电介质上，通过计算机或者具有类似功能的设备读取使用，用以表达思想、普及知识和积累文化，并可复制发行的大众传播媒体。

电子出版物媒体形态包括软磁盘（FD）、只读光盘（CD—ROM）、交互式光盘（CD—I）、照片光盘（Photo—CD）、高密度只读光盘（DVD—ROM）、集成电路卡（IC Card）和国家出版行政部门认定的其他媒体形态。

**第三条** 凡在本自治区行政区域内从事电子出版物（含进口电子出版物，下同）批发、零售、出租或者展览展销活动（以下简称经营）的单位和个人，均须遵守本办法。

**第四条** 电子出版物的经营必须坚持为人民服务、为社会主义服务的方向，将社会效益放在首位，实现社会效益与经济效益的最佳结合。

**第五条** 自治区出版行政部门是本自治区电子出版物的行政主管部门。县级以上地方人民政府主管出版工作的行政部门负责本行政区的电子出版物经营管理工作，并接受自治区电子出版物行政主管部门的指导和监督。

工商、公安、海关、税务等部门应当依照各自职责，对电子出版物经营和有关活动进行监督管理。

邮政、铁路、民航、交通等企业应当协助电子出版物行政主管部门做好电子出版物经营管理工作。

**第六条** 申请从事电子出版物经营活动的，必须具备下列条件：

（一）有经营单位的名称、章程；

（二）有确定的业务范围；

（三）有必需的资金和设备；

（四）有固定的经营场所；

（五）有熟悉电子出版物业务的技术人员和管理人员；

（六）国家规定的其他条件。

**第七条** 申请从事电子出版物批发业务的，地区、市电子出版物行政主管部门应当在收到申请书之日起30日内审核，并在审核后5日内将申请书及审核意见报自治区电子出版物行政主管部门审批。自治区电子出版物行政主管部门应当在收到申请书及地、市电子出版物行政主管部门的审核意见后30日内作出批准或者不批准的决定。批准的，核发《电子出版物批发经营许可证》；不批准的，应当书面说明理由。

**第八条** 单位或者个人申请从事电子出版物零售、出租业务的，地区、市电子出版物行政主管部门应当在收到申请书之日起30日内作出批准或者不批准的决定。批准的，核发《电子出版物零售经营许可证》或者《电子出版物出租经营许可证》；不批准的，应当书面说明理由。

**第九条** 申请从事电子出版物经营活动的单位和个人，凭电子出版物行政主管部门核发的许可证到所在地县级以上工商行政管理部门进行登记后，方可开展经营活动。

本自治区行政区域外的电子出版物出版、发

行单位，须持原所在地电子出版物行政主管部门的证明文件，向本自治区电子出版物行政主管部门申请领取许可证并进行工商登记后，方可在本行政区域内开展经营活动。

许可证由国家电子出版物行政主管部门统一制作。任何单位和个人不得涂改、转让、出租、出借、伪造许可证。

**第十条** 申请设立电子出版物批发市场，应当报自治区电子出版物行政主管部门审批，并向市场所在地县级以上工商行政管理部门进行登记，领取营业执照，方可开展经营活动。

**第十一条** 申请设立电子出版物进口单位的，按国家有关规定办理。

**第十二条** 经营电子出版物的单位或者个人，变更名称、主办单位、经营方式、经营范围时，必须按开业申办的审批程序重新办理审批手续；变更经营地点、法定代表人的，应当到原审批机关办理变更登记手续；歇业、停业的，须报原审批机关备案。

**第十三条** 电子出版物经营者必须在许可证核定的场所内按许可证核准的经营方式从事经营活动，并在醒目位置展示许可证和营业执照。不得以承包为名将电子出版物的销售、出租业务转让、出租、出借给他人。

**第十四条** 电子出版物经营者在许可证核定的经营场所以外的地点举办电子出版物展览展销活动的，应当在开展前30日内按下列规定申请批准后，方可举办：

（一）跨地区、市的，由自治区电子出版物行政主管部门审批；

（二）跨县的，由展览展销活动举办地的地区、市电子出版物行政主管部门审批；

（三）全国性或跨省的，按国家有关规定办理。

展览展销活动按国家和自治区的规定须经其他部门批准的，应当向有关部门报批。

**第十五条** 电子出版物经营者批发、零售、出租的电子出版物必须是国家批准出版或者从国家指定渠道进口的电子出版物。

禁止经营违法出版和侵犯他人著作权的电子出版物。

**第十六条** 从事电子出版物销售、出租业务的单位和个人，不得向未经电子出版物行政主管部门批准的电子出版物经营者购进电子出版物。

**第十七条** 进口的电子出版物制成品，应在其外包装上贴有经国家电子出版物行政主管部门确认的专用标识，由经国家批准有进出口权的单位和国有书店经营，其他单位和个人不得经营。

供研究、教学参考用的进口电子出版物，不得进行批发、零售、出租和经营性复制。

**第十八条** 禁止经营有以下内容的电子出版物：

（一）反对宪法确定的基本原则的；

（二）危害国家的统一、主权和领土完整的；

（三）危害国家的安全、荣誉和利益的；

（四）煽动民族分裂，侵害少数民族风俗习惯，破坏民族团结的；

（五）泄露国家秘密的；

（六）宣扬淫秽、迷信或者渲染暴力，危害社会公德和民族优秀文化传统的；

（七）诽谤、侮辱他人的；

（八）法律、法规规定禁止的其他内容。

**第十九条** 电子出版物经营者必须建立进货登记制度，批发单位在批发电子出版物时应当向进货单位提供发货凭证，进货单位应当保存10年内的发货凭证，电子出版物批发经营者每季度应将进货记录（包括品种、数量、金额、折扣、出版单位、发行单位等）报地区、市电子出版物行政主管部门备案。

**第二十条** 自治区电子出版物行政主管部门依据国家有关规定负责对全区电子出版物的审查鉴定工作。县级以上电子出版行政主管部门对涉嫌非法或者内容违禁的电子出版物，有权予以扣押或者查封，并应在3日内报自治区电子出版物行政主管部门鉴定，自治区电子出版物行政主管部门应于7日内作出鉴定；对应当由国家电子出版物行政主管部门和其他省、自治区和直辖市电子出版物行政主管部门进行鉴定、处理的，由自治区电子出版物行政主管部门上报国家电子出版物行政主管部门或者通报有关省、自治区、直辖市电子出版物行政主管部门作出鉴定、处理。

**第二十一条** 电子出版物行政主管部门对许可证实行年度审核制度。电子出版物经营者必须按规定进行年审，逾期未经年审或者年审不合格的，不得继续从事电子出版物经营活动。电子出版物经营者的经营活动，必须接受电子出版物行政主管部门的检查。

**第二十二条** 对检举或者协助破获电子出版物经营活动中违法犯罪案件有功的单位和个人，由当地县级以上人民政府或者电子出版物行政主管部门予以表彰或者奖励。

**第二十三条** 违反本办法，有下列行为之一的，按下列规定予以处罚：

（一）违反本办法第九条、第十条、第十二条规定的，予以取缔或者吊销许可证，并没收违法经营的电子出版物和违法所得，可并处违法所得2倍以上10倍以下的罚款；没有违法所得的，可处2万元以下的罚款。

（二）违反本办法第十三条、第十四条、第十五条、第十六条规定的，予以警告，没收违法经营的电子出版物及其违法所得，可并处违法所得2倍以上5倍以下的罚款；没有违法所得的，可并处200元以上1万元以下的罚款；情节严重的，责令停业整顿或者暂扣许可证。

（三）违反本办法第十九条、第二十一条规定的，予以暂扣许可证或者吊销许可证，可并处500元以上1万元以下的罚款。

（四）违反本办法第十七条规定的，没收出版物和违法所得，可并处违法所得2倍以上5倍以下的罚款；情节严重的，责令停业整顿或者吊销许可证。

（五）违反本办法第十八条规定的，没收违法的电子出版物和违法所得，可并处违法所得3倍以上10倍以下的罚款；没有违法所得的，可并处3万元以下的罚款；情节严重的，责令停业整顿或者吊销许可证。

暂扣许可证的期限不得超过30日。罚没款一律按规定上缴财政。

**第二十四条** 本办法规定处以行政处罚的违法行为，其他有关法律、法规对处罚机关和处罚的种类、幅度另有规定的，从其规定；其他有关法律、法规未作规定的，由县级以上电子出版物行政主管部门决定。责令电子出版物经营者停业整顿和暂扣、吊销许可证的处罚，由原发证部门决定；自治区电子出版物行政主管部门可以直接对下级部门发证的违法经营者予以处罚。

**第二十五条** 违反本办法同时又侵犯著作权的行为，由电子出版物行政主管部门与著作权行政管理部门依法处理。

**第二十六条** 违反本办法，构成犯罪的，依法追究刑事责任。

**第二十七条** 电子出版物行政主管部门工作人员滥用职权、玩忽职守、徇私舞弊，构成犯罪的，依法追究刑事责任；尚不构成犯罪的，依法给予行政处分。

**第二十八条** 销售计算机设备或者其他商品附赠电子出版物的，适用本办法。

**第二十九条** 本办法自1999年11月1日起施行。

# 广西壮族自治区风景名胜区管理条例

（1999年9月23日广西壮族自治区第九届人民代表大会常务委员会第十三次会议通过）

**第一章　总则**

**第一条** 为加强对风景名胜区的管理，有效保护、合理开发和永续利用风景名胜资源，促进经济和社会发展，根据国家有关法律、法规，结合广西实际，制定本条例。

**第二条** 本条例适用于本自治区行政区域内风景名胜区的设立、规划、建设、保护和管理。

**第三条** 本条例所称风景名胜资源，是指具有观赏、文化或者科学价值的山河、湖海、地貌、溶洞、特殊地质、林木植被、野生动物、天文气象等自然景物和文物古迹、历史遗址、革命纪念地、宗教寺庙、园林、建筑、工程设施等人文景物及其所处环境、风土人情等。

本条例所称风景名胜区，是指风景名胜资源集中、自然环境优美、具有一定规模，经县级以上人民政府审定命名、划定范围，供人们游览、观赏、休息或者进行科学文化活动的地域。

**第四条** 县级以上人民政府应当加强对本行政区域的风景名胜区工作的领导，将风景名胜资源的保护、开发和利用纳入国民经济和社会发展计划，组织有关部门依法做好风景名胜区的管理工作。

**第五条** 县级以上人民政府建设行政主管部门主管本行政区域内的风景名胜区工作，县级以上人民政府设有园林行政主管部门的，由该部门主管本区域内的风景名胜区工作（以下统称风景名胜区行政主管部门）。

其他有关行政管理部门，依照有关法律、法规的规定，在各自职责范围内，做好风景名胜区的有关管理工作。

**第六条** 县级以上人民政府根据本行政区域风景名胜区等级、规模设立相应的管理机构，受所属人民政府风景名胜区行政主管部门的管理，其主要职责是：

（一）宣传和贯彻有关法律、法规和政策；

（二）组织保护风景名胜资源及其生态环境；

（三）组织开发利用风景名胜资源；

（四）建设、维护和管理风景名胜区配套设施；

（五）制定风景名胜区的公共规则，负责风景名胜区内环境卫生、商业和服务业的监督管理；

（六）负责风景名胜区的安全工作，定期检查其安全设施，保障游人的人身安全；

（七）法律、法规规定的其他职责。

跨行政区域的风景名胜区管理机构，由其共同的上一级人民政府确定的风景名胜区行政主管部门管理。

**第七条** 风景名胜区工作应当坚持严格保护、统一规划、统一管理、合理开发、永续利用的方针。

**第八条** 任何单位和个人不得侵占、买卖或者以其他形式非法转让风景名胜资源。

**第二章 设立和变更**

**第九条** 县级以上人民政府对具备设立风景名胜区条件的区域，应当依法申报或者审定划为风景名胜区。

**第十条** 设立风景名胜区，非经法定程序不得改变风景名胜区内土地、地面建筑物、附着物及其他资产的权属关系，不得改变风景名胜区内机关、企业、事业单位及其他组织的隶属关系。

**第十一条** 风景名胜区按风景资源的观赏、科学、文化价值和环境质量、规模大小、游览条件等，划分为三个等级：

（一）具有一定的游览、观赏、文化或者科学价值，环境优美、规模较小、有配套设施，在地、市、县内有知名度的，可以申报为市、县级风景名胜区；

（二）具有比较重要的游览、观赏、文化或者科学价值，景观有特色，有一定规模，配套设施比较完善，在自治区内外有知名度的，可以申报为自治区级风景名胜区；

（三）具有重要的游览、观赏、文化或者科学价值，景观独特，规模较大，配套设施完善，在国内外知名度较高的，可以申报为国家重点风景名胜区。

**第十二条** 设立风景名胜区按以下规定办理：

（一）市、县级风景名胜区由市、县人民政府风景名胜区行政主管部门组织有关部门提出风景名胜资源调查评价报告，报市、县人民政府审定公布，并报自治区建设行政主管部门备案；

（二）自治区级风景名胜区由市、县人民政府提出风景名胜资源调查评价报告，报自治区人民政府审定公布，并报国务院建设行政主管部门备案；

（三）国家重点风景名胜区由自治区人民政府提出风景名胜资源调查评价报告，报国务院审定公布。

**第十三条** 风景名胜区及周边区域有重大的风景名胜资源发现，或者原有的风景名胜资源价值经重新评价，具备上一等级风景名胜区资源条件及相应配套设施的，可按程序重新申请划定风景名胜区范围或者提高风景名胜区的等级。

风景名胜区内的风景名胜资源或者其配套设施发生重大变化，不再具备原定等级风景名胜区条件的，由审定公布该风景名胜区的人民政府降低或者撤销该风景名胜区的等级。

风景名胜区等级的提高、降低或者撤销，按本条例第十二条的规定办理。

**第三章 规划**

**第十四条** 风景名胜区应当编制总体规划和详细规划。

风景名胜区规划应当在所属人民政府领导下，由风景名胜区行政主管部门会同文化、环境保护、旅游、国土、林业、水利、交通等有关部门组织编制。

**第十五条** 编制风景名胜区规划应当遵循下列原则：

（一）贯彻执行国家有关保护管理和开发利用风景名胜资源的法律、法规，正确处理保护与开发、近期与远期、局部与整体的关系；

（二）风景名胜区规划应当与当地国民经济与社会发展规划、城市总体规划、土地利用总体规划、村镇规划等相衔接；

（三）科学评价风景名胜资源的特点和价值，合理确定风景名胜区的建设规模、开发程度和各项定额指标；

（四）注重保持自然景观和人文景观的原始风貌，突出风景名胜区的特色，维护生态平衡。

**第十六条** 总体规划应当包括：确定风景名胜区性质与规划原则、总体布局和合理游览接待容量；划定风景名胜区范围、外围保护地带、景区及其他功能分区；提出环境保护和开发利用风景名胜资源的措施；编制各专项规划和投资估算等。

详细规划应当包括：确定景区布局、道路交通、游览和服务设施分布、工程管线走向；明确各项建设用地范围；提出建筑密度、高度控制指标和风格、色彩要求以及景点保护措施；提供各主要景观、景点建筑的方案设计和景区绿化要求等。

**第十七条** 编制风景名胜区规划，应当通过招标、投标的方式选择具有相应规划设计资质等级的单位承担。规划编制单位在规划方案送审后，应当将有关材料整理成册，移交风景名胜区管理机构保存。

**第十八条** 风景名胜区规划按以下规定审批：

（一）市、县级风景名胜区总体规划和详细规划，由市、县风景名胜区行政主管部门审查，报同级人民政府审批；总体规划报自治区建设行政主管部门备案。

（二）自治区级风景名胜区总体规划，由风景名胜区所在地的市、县人民政府送自治区建设行政主管部门审查后，报自治区人民政府审批，并报国务院建设行政主管部门备案；详细规划由所在市、县风景名胜区行政主管部门审查后，报市、县人民政府审批，并报自治区建设行政主管部门备案。

（三）国家重点风景名胜区总体规划的审批程序按照国家有关规定执行；一般区域的详细规划由自治区建设行政主管部门审批；特殊重要区域的详细规划，由自治区建设行政主管部门审查后报国务院建设行政主管部门审批。

城市规划区内市、县级风景名胜区的总体规划和详细规划、自治区级风景名胜区的详细规划，由风景名胜区行政主管部门会同城市规划行政主管部门审查后，报同级人民政府审批。

县级以上人民政府应当在收到风景名胜区总体规划或者详细规划之日起6个月内审批。

**第十九条** 风景名胜区经审定公布后，应当在两年内编制规划。风景名胜区总体规划经批准生效后3个月内，风景名胜区管理机构应当将其主要内容公布。

**第二十条** 风景名胜区规划经审批公布后，对任何单位和个人都具有约束力。任何单位和个人不得擅自改变经批准生效的风景名胜区规划。如确需对规划作调整的，应当按照原审批程序报批。

**第四章 建设**

**第二十一条** 风景名胜区的各项开发、建设活动应当根据已经批准的风景名胜区规划进行。建设项目的布局、造型、高度、体量、风格和色彩应当与周围景观和环境相协调。

**第二十二条** 风景名胜区经审定公布后，总体规划获得批准前，不得在景区内新建永久性设施。临时建设项目如影响规划的实施，破坏景区的生态环境和景区景观时，建设单位应当在规定的期限内拆除。

风景名胜区设立前已有的建筑物或者设施，凡不符合规划，破坏景观、景物，妨碍游览活动的，应当在规定的期限内拆除或者迁移，所需费用按国家有关规定给予补偿。

**第二十三条** 在风景名胜区及其外围保护地带内，不得违反规划建设与景观和游览无关或者破坏景观、妨碍游览的项目和设施。

在风景名胜区景观、景点集中的游览地和自然环境保留地内，不得建设娱乐、食宿、生活以及其他大型工程设施。

**第二十四条** 风景名胜区及其外围保护地带内的建设项目，其规划定点及设计方案应当经风景名胜区管理机构同意，按以下规定批准后，方可依法办理其他手续：

（一）市、县级风景名胜区及其外围保护地带内的建设项目由市、县风景名胜区行政主管部门批准；

（二）自治区级风景名胜区及其外围保护地带内的缆车、索道、滑道，大型文化、体育、游乐设施，旅馆建筑，宗教项目，标志性建筑及自治区建设行政主管部门认定的大型建设项目，由自治区建设行政主管部门批准；

（三）国家重点风景名胜区及其外围保护地带内的缆车、索道、滑道，大型文化、体育、游乐设施，旅馆建筑，宗教项目，标志性建筑及国务院建设行政主管部门认定的其他重大项目，由自治区建设行政主管部门报国务院建设行政主管部门批准。

**第二十五条** 在风景名胜区及其外围保护地带进行建设活动，建设单位应当采取有效措施，保护自然景观和人文景观的原有风貌及周围植被、水体、地形、地貌等。工程竣工后，应当及时清理施工场地，恢复植被和环境原貌。

## 第五章　保护和管理

**第二十六条** 风景名胜区及其外围保护地带，按风景资源价值和环境保护需要实行分级保护。保护范围由其所在地的市、县人民政府依据批准的风景名胜区规划界定，并沿界设立界标，明确具体界区。

风景名胜区景区入口处和主要景物、景点应当设置保护说明和醒目的保护标志牌。

**第二十七条** 设在风景名胜区内的单位，应当依照有关法律、法规的规定，认真履行各自职责，并服从风景名胜区管理机构对风景名胜区的管理。

**第二十八条** 进入或者居住在风景名胜区的个人，应当保护风景名胜资源，爱护区内各项公共设施，维护区内环境卫生和公共秩序。

**第二十九条** 风景名胜区内经鉴定的古树名木，严禁砍伐、擅自移植或者毁坏。风景名胜区管理机构应当会同有关主管部门对古树名木设置标志牌和保护说明，并予以明示。

**第三十条** 任何单位和个人不得破坏风景名胜区及其外围保护地带的天然植被及砍伐风景林木；因景区建设、林木更新、景观和安全需要砍伐的，应当经风景名胜区管理机构同意，并按规定报有关部门办理批准手续后，始得进行。

**第三十一条** 因科研或者其他原因确需在风景名胜区内采集标本、野生药材和其他林副产品的，应当经风景名胜区管理机构同意，并按规定报有关部门办理批准手续后，方能定点限量采集。

**第三十二条** 风景名胜区管理机构应当会同有关主管部门对风景名胜区的古建筑、古园林、古树名木、古墓葬、摩崖石刻、革命遗迹、遗址和其他重要的人文景观登记造册，设立保护标志，做好维护和管理工作，落实防火、避雷、防洪、防震、防蛀等措施。

**第三十三条** 风景名胜区管理机构应当会同有关主管部门加强风景名胜区的安全和治安管理，配备专门的人员和必要的设备，维护风景名胜区景物、公共设施、游览秩序、保护人身安全；对有险情或者存在有害物的区域应当设置醒目的安全告示；对没有安全保障的区域，不得开展游览活动。

**第三十四条** 风景名胜区内禁止下列行为：

（一）擅自采矿、采石、挖沙、取土、安装杆线、开垦、建坟；

（二）擅自围、填、堵、截自然水系；

（三）捕杀、伤害野生动物或者引入未经检疫合格的动物；

（四）擅自在景物或者公共设施上涂、写、刻、画；

（五）攀折树、竹、花；

（六）扰乱景区游览秩序和安全制度；

（七）随处倾倒垃圾、污水及有害物质，乱扔废弃物；

（八）擅自设置、张贴广告或者标语；

（九）在禁火区生火、吸烟、燃放烟花鞭炮；

（十）在规定地点以外随意停放车辆或者占道摆卖；

（十一）擅自设点向游人收费。

**第三十五条** 在风景名胜区内从事商业、食宿、娱乐、运输等经营活动的单位和个人，应当经风景名胜区管理机构同意，并依法办理有关手续后，在规定的区域和范围亮证经营。

**第三十六条** 风景名胜区内的各有关部门应当建立健全档案制度，对风景名胜区的历史沿革、范围界限、资源状况、环境质量、设施状况、经营活动、游览接待等情况整理归档，依法纳入档案管理。

**第三十七条** 风景名胜资源按国家规定实行有偿使用。具体办法由自治区人民政府制定。

**第六章 法律责任**

**第三十八条** 违反本条例的行为，法律、行政法规已有处罚规定的，从其规定；法律、行政法规没有规定的，依照本条例的规定处理。

**第三十九条** 违反本条例第八条规定，侵占风景名胜资源的，由风景名胜区行政主管部门责令停止违法行为，没收违法所得，造成损失的，依法赔偿，可并处1000元以上1万元以下罚款。

买卖风景名胜资源的，买卖无效，由风景名胜区行政主管部门责令返还原物，没收违法所得；对出卖人并处与违法所得金额相同的罚款。

**第四十条** 违反本条例第十二条规定，未经批准擅自设立风景名胜区的，由风景名胜区行政主管部门责令改正，给予警告，没收违法所得。

**第四十一条** 违反本条例第二十条规定，擅自改变风景名胜区规划的，由风景名胜区行政主管部门责令改正，对擅自更改的直接责任人，由其所在单位或者上级主管部门给予行政处分；不按规划审批项目的，审批文件无效，对违法审批的直接责任人，由其所在单位或者上级主管部门给予行政处分。

**第四十二条** 违反本条例第二十二条、第二十三条规定，建设房屋、构筑物或者其他项目的，由风景名胜区行政主管部门责令限期拆除，恢复原状；不能恢复原状的，处1000元以上1万元以下罚款。但在城市规划区范围内的，按照《广西壮族自治区实施〈中华人民共和国城市规划法〉办法》的规定给予处罚。

违反本条例第二十四条规定，未按程序办理批准手续进行建设的，由风景名胜区行政主管部门责令停止建设、补办有关手续，可并处1000元以上1万元以下罚款。

**第四十三条** 违反本条例第二十五条规定，由于建设活动导致风景名胜区内自然景观和人文景观的原有风貌以及周围植被、水体、地形、地貌受到破坏的，由风景名胜区行政主管部门责令限期改正，恢复原状；不能恢复原状的，责令赔偿损失，可并处1000元以上3万元以下罚款。

**第四十四条** 在城市规划区范围内，违反本条例第二十九条、第三十条规定，砍伐、擅自移植、毁坏古树名木和风景林木的，由风景名胜区行政主管部门责令停止违法行为、赔偿损失，可并处1000元以上5000元以下罚款。

**第四十五条** 在城市规划区范围内，违反本条例第三十一条规定，采集标本、野生药材和其他林副产品的，由风景名胜区管理机构责令停止采集，给予警告，没收其采集的物品。情节严重的，可并处200元以上500元以下罚款。

**第四十六条** 违反本条例第三十二条、第三十三条规定，不登记造册，造成文物损毁的；不加强景区内安全工作，造成事故的，对有关主管人员或者其他直接责任人员给予行政处分；构成犯罪的，依法追究刑事责任。

**第四十七条** 违反本条例第三十四条第（四）、（五）、（八）、（九）、（十）项规定的，由风景名胜区管理机构责令停止违法行为，给予警告，可并处50元以下罚款。造成损失的，赔偿损失。

违反本条例第三十四条第（二）、（七）、（十一）项规定的，由风景名胜区行政主管部门责令停止违法行为，没收违法所得，可并处1000元以上3000元以下罚款。

**第四十八条** 风景名胜区行政主管部门或者风景名胜区管理机构违反本条例，由其上级主管部门依法查处；其工作人员玩忽职守、滥用职权、徇私舞弊、以权谋私、索贿受贿的，由所在单位或者上级主管部门给予行政处分；构成犯罪的，由司法机关依法处理。

**第七章 附则**

**第四十九条** 本条例自1999年11月1日起施行。

# 广西壮族自治区文化市场管理责任制

（桂办发［1999］73号）

**第一章 总则**

**第一条** 为了加强文化市场管理，明确有关机关和部门的责任，促进文化市场健康发展，根据国家有关规定，结合本自治区实际，制定本责任制。

**第二条** 文化市场管理的主要范围：

（一）书报刊市场，包括各类图书、报刊、图片的出版、印制、发行（包括批发、零售、出租）；

（二）音像制品、电子出版物市场，包括音像制品、电子出版物的制作、出版、复制、进口、发行（包括批发、零售、出租）和放映；

（三）文化娱乐场所、电影市场、演出市场、文物市场、艺术品市场、文艺培训市场、文化服务市场以及商业性的涉外文化交流等。

**第三条** 文化市场管理必须坚持下列原则：

（一）社会效益第一的原则；

（二）一手抓繁荣，一手抓管理的原则；

（三）依法管理的原则；

（四）归口管理，分级负责的原则；

（五）地方管理与行业系统管理相结合，以地方管理为主，各司其职，齐抓共管的原则；

（六）表彰先进，批评后进，奖惩分明的原则。

**第四条** 各级党委、政府和各有关职能部门要认真贯彻执行党中央、国务院及其主管部门和自治区有关加强文化市场管理的各项政策、法规，尽职尽责，努力工作，依法加强管理，尽快改变一些地方文化市场的混乱状态，使各种违规、违禁、违法现象减少到最低限度，使全区文化市场朝着井然有序、健康繁荣的方向发展。

**第二章 有关职能部门的责任**

**第五条** 有关职能部门包括各级宣传、政法、文化、新闻出版（版权）、广播电视、公、检、法、工商、交通运输、邮电、海关等部门和其他有关行政管理部门。

**第六条** 有关职能部门在文化市场管理中应担负的主要责任：

（一）党委宣传部：指导、协调、督促文化市场的管理工作；调查、研究文化市场的现状和发展趋势；向同级党委提出加强文化市场管理的建议和措施；做好文化市场管理的宣传工作；采取有效办法推动文化市场管理工作。

辖区内文化市场管理混乱，发生重大事件不及时报告和查处不力，受到上级有关部门严肃批评的，要追究党委宣传部主要领导和分管领导的责任。

（二）党委政法委员会：指导和协调公、检、法等政法部门对文化市场中违法犯罪案件，特别是重、特案的查处工作；检查、督促其办案进度和执法情况。

有下列情形之一者，要追究党委政法委员会主要领导和分管领导的责任：

1. 对辖区内发现的重、特案督办不力，以致贻误战机，影响及时结案；

2. 督办案件中有通风报信或徇私枉法行为，且不认真查处；

3. 年度内，所辖文化市场中发生影响社会稳定的重、特案不能及时妥善处理。

（三）文化厅、局：管理演出、电影、音像制品、文化娱乐、艺术品、文物经营活动以及其他属于文化行政管理部门管理的文化经营活动。

有下列情形之一者，要追究文化厅、局主要领导和分管领导的责任：

1. 不按规定审批有关经营许可证，或辖区内文化娱乐场所存在超范围经营的现象，经有关单位、个人举报和上级主管部门交办，而不及时认真查处；

2. 在检查中，自治区、地（市）、县（区）三级的歌舞厅等娱乐场所内的设施，不符合有关规定要求，分别达被检查总数的30%、20%、10%；

3. 辖区内文化娱乐场所中存在用色情或者变相色情招徕顾客等严重问题，且未能及时查处；

4. 辖区内存在放映违禁的影片，演出违禁的节目（包括歌舞等），展销违禁的绘画、图片等，且未能及时认真查处；

5. 发现辖区内音像制品的经营和放映点有严重违法违规行为，未能及时主动报告和认真查处；

6. 采取部门保护主义，对辖区内文化市场中的违法经营者，不按有关规定进行处罚和落实处罚；

7. 年度内，自治区、地（市）、县（区）三级的文化市场中，非当地文化部门发现，经有关单位、个人举报和上级主管部门交办，而不及时查处的案件分别达5起、3起、2起，或有情节严重、性质恶劣、影响较大的重、特案1起。

（四）广播电视总局、局：自治区广播电视总局负责管理本自治区电影、电视生产单位的电影、广播电视节目制作、发行和经营；各级广播电视局负责管理本辖区内的广播电视经营活动。

有下列情形之一者，要追究广播电视总局、局主要领导和分管领导的责任：

1. 不按规定审核或审批广播、影、视节目制作、发行、经营机构和有关经营许可证，或有超范围经营的现象，未能及时发现和认真查处；

2. 辖区内广播、电视节目经营活动中，有严重违禁行为，且未能及时认真查处；

3. 采取部门保护主义，对辖区内广播、电视节目经营活动中的违法经营者，不按有关规定进行处罚和落实处罚；

4. 年度内，自治区、地（市）、县（区）三级的广播电视节目经营活动中，非当地广播电视部门发现，经有关单位、个人举报和上级主管部门交办，而不及时查处的案件分别达5起、3起、2起，或有情节严重、性质恶劣、影响较大的重、特案1起；

5. 发现辖区内电视台（含有线电视台）播放侵权盗版影片、电视剧、电视片，未能主动报告和协助有关部门认真查处。

（五）新闻出版（版权）局：各级新闻出版（版权）局（办）和负有新闻出版（版权）管理职能的文化局，分别管理辖区内书报刊出版经营活动、音像制品的出版和复制经营活动、电子出版物出版经营活动、印刷业经营活动以及依法查处辖区内侵权、盗版案件、非法出版物和负责与著作权有关的经营活动的日常监督检查。

有下列情形之一者，要追究新闻出版（版权）局（办）和负有新闻出版（版权）管理职能的文化局主要领导和分管领导的责任：

1. 不按规定审批有关经营许可证或准印证，或对不按许可证、准印证范围经营的现象，发现后未能及时认真地进行查处；

2. 辖区内书报刊、音像、电子出版单位出版违禁出版物，未能及时认真查处；

3. 辖区内发生盗版案件及与著作权有关的经营活动中有侵权行为，未能及时发现和认真查处；

4. 辖区内持有《出版物印制许可证》的印刷企业，存在从事非法印制活动，发现后未能及时认真查处；

5. 采取部门保护主义，对辖区内书报刊、音像制品、电子出版物市场及印刷行业中的违法经营者，不按有关规定进行处罚和落实处罚；

6. 年度内，自治区、地（市）、县（区）三级的书报刊、音像制品、电子出版物市场及印刷行业中，非当地新闻出版（版权）部门发现，经有关单位、个人举报或上级主管部门交办，而不及时查处的案件分别达5起、3起、2起，或有情节严重、性质恶劣、影响较大的重、特案1起。

（六）工商行政管理局：负责依法核发当地经营印刷业、书报刊及音像制品、电子出版物的发行、批销、出租、放映和文化娱乐场所的营业执照；积极配合有关部门做好对文化市场的管理工作。

有下列情形之一者，要追究工商局主要领导

和分管领导的责任：

1. 自治区、地（市）、县（区）三级文化市场中非法经营者（包括无营业执照、不按有关规定发给营业执照、超范围经营）分别达被检查总数的30%、20%、10%；

2. 辖区内文化市场发生的重、特案中，属不按有关规定发给营业执照的；

3. 辖区内印刷业中，发现非法印刷厂（点）或从事非法印刷活动，未能配合有关职能部门及时认真查处；

4. 采取地方保护主义，对文化市场的违法经营者，不按有关规定进行处罚和落实处罚。

（七）公安厅、局：负责对文化市场违法经营中治安案件的查处和刑事案件的侦破；负责文化市场的治安管理；协调本系统参与、配合有关部门对文化市场的检查。

有下列情形之一者，要追究公安厅、局主要领导和分管领导的责任：

1. 发现辖区内非法设立印刷厂（点）、地下光盘生产线，且未能及时认真查处；

2. 辖区内营业性歌舞娱乐场所中，发现营利性陪侍、卖淫嫖娼、赌博以及传播淫秽物品等违法犯罪活动，查处不力，造成严重后果的；

3. 在办理文化市场的治安、刑事案件中有通风报信或徇私枉法行为，未能及时认真查处；

4. 对辖区内文化市场中发现的重大治安、刑事案件，不能及时查处和侦破，造成严重后果的。

（八）人民检察院、人民法院：分别负责检查、督促或执行对辖区内文化市场中违法犯罪分子的批捕、起诉和审理。人民法院还负责依法审理辖区内文化市场中的行政诉讼案件。

有下列情形之一者，要追究有关人民检察院、人民法院主要领导和分管领导的责任：

1. 对辖区内文化市场中的重、特案，人民检察院接公安部门报捕或人民法院接人民检察院起诉后，没有正当理由而未按时批捕、起诉、审理，或在审理案件中发生错案的；

2. 办案中有通风报信或徇私枉法行为，且未能及时认真查处。

（九）交通运输（包括铁路、公路、航运、航空）、邮政部门：分别负责对出版物（包括书报刊、音像制品、电子出版物）的运输和邮发的管理。

有下列情形之一者，要追究交通运输、邮政部门主要领导和分管领导的责任：

1. 所辖分局、站等管理的客运车辆上出售违禁出版物，且问题严重；

2. 采取部门保护主义，对有关违法经营者，不按有关规定进行处罚和落实处罚，或不配合其他管理部门的查处工作，造成严重后果的；

3. 年度内，自治区、地（市）、县（区）三级出版物市场（包括运发到外地的）被查处的违禁出版物属于当地本系统非法运发的案件分别达5起、3起、2起，或一次非法运发的违禁出版物，已构成重、特案的。

（十）海关：负责书报刊及音像制品、电子出版物的进出境检查。

如有违反海关总署规定，擅自放行进出境印刷品、音像制品和电子出版物的，视其数量多少或问题严重的程度，追究有关海关主要领导和分管领导的责任。

**第三章 地方党委、政府的责任**

**第七条** 地（市）、县（区）党委、政府全面负责本地区文化市场的管理工作，指导、督促职能部门加强对文化市场的管理，协调、督促本地区重大案件的查处；每季度研究一次文化市场管理工作，并责成本地区“扫黄”办、文化、新闻出版、广播电视、工商、公安等文化市场管理机构至少两个月对本地区的文化市场组织一次全面检查。

**第八条** 有下列情形之一者，要追究党委、政府主要领导和分管领导的责任：

（一）辖区内文化市场发生重大问题，影响恶劣；

（二）中央、自治区关于文化市场管理的政策、法规、规定、要求和工作部署，在当地未得到落实；或对群众举报的案件未及时查处，群众再向上级举报的；

（三）地（市）、县（区）两级的文化市场发生的案件中，结案率分别达不到70%、80%；

（四）采取地方保护主义，对辖区内文化市场中的违法经营者，不按有关规定进行处罚和落实处罚，或严重干扰、阻挠检查人员执行公务及对案件的查处；

（五）年度内，地（市）、县（区）两级文化市场发生的案件中，分别有5起、3起不属当地主动发现查处的，或有情节严重、性质恶劣、影响较大的重、特案1起的；

（六）辖区内文化市场问题较多，影响较坏的；

（七）职能部门在执行重大决策、重大行动和查处重大案件中不尽职或不积极配合，一味推诿，造成工作重大失误或严重后果的。

**第四章 考核与奖惩**

**第九条** 各级“扫黄”办、文化、新闻出版、广播电视、公安、工商等文化市场管理机构除按党委、政府要求组织全面检查外，还要组织不定期抽查。全面检查和抽查结果逐级上报，由上一级文化市场管理机构负责汇总分析，提出奖惩意见，报经同级党委、政府批准后实施。

**第十条** 做出以下成绩之一的单位和个人，由当地文化市场管理机构或以同级党委、政府的名义给予表彰奖励：

（一）在自治区评比、考核中，治理整顿工作成绩显著、名列前茅的；

（二）在破获重、特案件中作出突出贡献的；

（三）检举、揭发违法行为有功的。

表彰奖励方式由当地党委、政府确定。奖励费用由各级财政按规定安排。

**第十一条** 履行第二章第六条的职能部门，出现需要追究责任的问题，视其情节给予下列惩处：

（一）被追究责任的单位自问题处理之日起，两年内不得参与各类先进单位评比；

（二）被追究责任单位的主要领导和分管领导，自问题处理之日起，两年内不得参与各类先进个人的评比，不得提拔重用；

（三）追究主要领导和分管领导的责任包括：(1) 责令检查；(2) 通报批评；(3) 给予党纪、政纪处分；(4) 依照有关法律，追究刑事责任。

对上述责任问题的处理，一般先由同级“扫黄”工作小组经过核实，提出意见，按照干部管理权限报批、执行；“扫黄”工作小组认为应给予党纪政纪处分的，应将事实证据移送纪检监察机关立案追究党纪、政纪责任；触犯刑律的，移送司法机关依法处理。

**第五章 其他**

**第十二条** 本责任制适用于自治区内有关职能部门和地（市）、县（区）党委、政府。

**第十三条** 本责任制由自治区“扫黄”工作小组组织实施并负责解释。

**第十四条** 各有关职能部门和地（市）、县（区）可依据本责任制分别制定实施细则。

**第十五条** 本责任制自公布之日起施行。

1999年12月3日

# 海南省“齐心塑造海南形象”活动总体方案

（琼办发［1999］3号）

在全省深入学习邓小平理论、贯彻落实党的十五大精神和江泽民总书记的有关论述的过程中，省委书记杜青林同志发表了《齐心塑造海南形象》的重要讲话，引起了社会各界的热烈反响。最近，国务院总理朱镕基同志在我省考察时一再强调，要坚持两手抓、两手硬的方针，创造良好的投资环境，发挥优势，高水平、高质量地把海南建设好。为了推动海南形象塑造活动的深入开展，努力形成“全省上下关心海南形象、人人都来塑造海南形象”的良好局面，特制定本方案。

**一、形象建设**

塑造海南形象，要抓形象建设，搞好形象宣传。

形象建设的目标，从整体上说，是要通过各

级党委、政府和各行各业的努力，塑造海南的改革开放形象、发展创业形象、文明优美形象，把海南建设成为经济繁荣、城乡发达、文明法治、社会安定、环境优美，到处充满生机和活力的宝岛。

形象建设的目标，从人的素质上说，要通过不断提高干部群众的思想道德素质和科学文化素质，在外国人面前树中国人形象，在中国人面前树海南人形象，在人民面前树公仆形象，在客人面前树主人形象。

根据以上目标，当前和今后一个时期，要集中力量从以下几个方面入手，狠抓形象建设。

（一）环境形象建设

环境形象建设的目标是：椰林茂密，遍地葱绿，鲜花盛开，整洁优美。

1. 强化环境意识，在全省范围内净化环境。禁止乱扔杂物、乱倒垃圾、乱排污水废气。生产企业、宾馆、酒店、医疗机构等污染比较严重的单位，要落实治污措施。新上项目要落实环保措施，坚决杜绝新的污染源。

2. 美化海口、三亚等市和各个县城。大面积地种花植草；大力整治“脏、乱、差”，开展建筑工地乱占乱堆乱放现象和汽车“尾气”的专项整治，实现城市的净化、绿化、美化、亮化。

3. 在全省特别是广大农村，大种椰子。发展椰子产业，使海南成为名副其实的“椰子之乡”。

4. 重点抓好城市、农村、公路主干线尤其是环岛高速公路两旁和其他宜林地区的绿化，提高全省的绿化率。

以上四大工程建设要争取在1999年取得初步成效，在2000年前取得明显成效。

责任单位：省建设厅、省交通厅、省农业厅、省国土海洋环境资源厅、省卫生厅及各市县政府。

（二）城市形象建设

城市形象建设的目标是：道路整洁，街面美观，花团锦簇，环境优美，交通有序，文化繁荣，言行文明，社会安定。

城市形象建设活动，要认真对照全国文明城市评选条件，着眼于提高市民的文明素质和城市的文明程度，坚持开展“讲文明树新风”活动，开展文明车船、文明线路、文明司乘员创建活动；开展“全国卫生城市”、“国家卫生城市”创建活动，进一步加强环境卫生综合整治；落实社会治安综合治理的各项措施，严厉打击各种刑事犯罪活动，坚决扫除“黄赌毒”，净化社会环境。

责任单位：省委政法委、省建设厅、省公安厅、省交通厅、省文体厅、省爱卫会和各市县政府。

（三）农村形象建设

农村形象建设的目标是：科学规划，逐步达到民舍整齐，道路硬板化，村村通广播电视，饮用清洁卫生水，人有厕，畜有栏，绿树环抱，果园飘香，社会风气良好。

农村形象建设，要深入贯彻党的十五届三中全会和中央农村工作会议精神，紧紧围绕发展农村经济，以“破陈规陋习，树文明新风，治愚致富奔小康”为主题，广泛开展创建“十星文明户”、“环境优美城镇”、“环境优美村庄”和“文明村镇”活动，改变农村不良的生活习惯和落后的民风民俗，改善生活环境，提高生活质量；合理规划发展小城镇，加快农村城镇化建设步伐；继续抓好文化、科技、卫生“三下乡”活动和农村改水改厕改灶工作；引导农民大力发展科技农业、订单农业、绿色农业，搞好农副产品的深加工，带领广大农民告别贫穷和愚昧，走向富裕和文明。年底，表彰一批文明村镇。

责任单位：省农业厅、省公安厅、省建设厅、省国土海洋环境资源厅、省文体厅、省爱卫会和各市县政府。

（四）部门形象建设

部门形象建设是指对于海南形象塑造具有重要意义、负有特殊责任的部门和行业的形象建设。这些部门和行业主要是指党政机关、执法部门（即行政执法机关和司法机关）、旅游行业和服务行业。

1. 党政机关形象建设

党政机关形象建设的基本目标是：廉政勤政，热情服务，勇于开拓，乐于奉献。

要继续深化“优质服务”活动，解决党政机关公务活动中存在的“冷、硬、卡、要”现象，克服官僚主义，提高办事效率和服务质量。同时，开展“创建文明机关，做人民满意公务员”活动，大力弘扬伟大的抗洪精神，推动各级领导班子和领导干部特别是县级以上领导班子和领导干部，切实搞好以“三讲”为主要内容的党性党风教育，引导广大党的机关工作者和公务员忠于职守，爱岗敬业，艰苦奋斗，勤勤恳恳做好各项工作，努力做到“思想上有明显提高，政治上有明显进步，作风上有明显转变，纪律上有明显增强”，在老百姓面前树立人民公仆的良好形象。要大力推广海口市推行“窗口服务制”、“直接办理制”、“社会服务承诺制”等成功经验，公开办事制度，简化办事程序，建立健全服务监督机制，提高办事效率和服务质量。

责任单位：省纪委，省委办公厅，省委组织部，省直机关工委，省政府办公厅，各市县委、政府。

2. 执法部门形象建设

执法部门形象建设的基本目标是：秉公执法，清正廉洁，热情服务，忠于职守。

要进一步加强执法机关法制建设，提高执法水平；加强党风廉政建设，从根本上解决部分执法人员纪律作风松弛、违法违纪和少数单位管理不严、风气不正等突出问题，进一步健全各项管理制度，提高队伍整体素质。要充分发挥各级人大对法院、检察院的监督职能，落实监督措施，加大监督力度。组织评选“优秀基层派出所”、“优秀法院、检察院”、“优秀干警”活动。年底，命名表彰一批文明示范单位和先进个人。

责任单位：省人大办公厅、省政协办公厅、省委政法委、省高级人民法院、省人民检察院、省公安厅、省司法厅、省工商局、省国税局、省地税局等。

3. 旅游行业形象建设

旅游行业形象建设的基本目标是：服务热情，经营文明，管理规范，秩序优良。

要针对我省旅游行业存在的问题，进一步落实旅行社、旅游饭店、景点、购物点、车队、司机、导游员“六不准”等规章制度，把各项规章制度落到实处；进一步强化对导游队伍的管理，严格把关，强化培训，实行持证挂牌上岗。通过公布投诉电话、设立公众监督信箱、聘请社会监督员等手段，切实加强旅游行业及其从业人员的职业道德建设，改善服务态度，提高服务质量。要积极开展争创“中国优秀旅游城市”和“环岛文明旅游长廊”活动，塑造海南旅游行业的良好形象。海口、三亚两市已经通过国家检查组的验收，获得“中国优秀旅游城市”称号。我省其他城市也要对照“中国优秀旅游城市”的标准，加大创建力度，争取有更多的城市成为“中国优秀旅游城市”。

责任单位：省建设厅、省旅游局等。

4. 服务行业形象建设

服务行业形象建设的基本目标是：服务规范，价格公道，热情周到，着装整齐。

要加强职工队伍思想政治教育，提高干部职工的服务意识，增强爱国主义、集体主义观念；积极开展微笑服务、礼仪服务和推广文明用语活动，抓好行业规范化服务示范点建设，以优质高效的服务，树立服务行业的良好形象，推动全社会形成良好的服务氛围。年底，在服务行业表彰一批文明示范窗口单位。

责任单位：省商贸经济合作厅、省建设厅、省卫生厅、省邮政局、省电信局和各金融单位。

**二、形象宣传**

在广泛开展形象建设的基础上，加大形象宣传的力度。形象宣传包括对内宣传和对外宣传两方面。

对内宣传要达到：鼓舞士气，树立典型，推动全局。

对外宣传要达到：提高海南知名度，树立海南良好形象。

形象宣传由省委宣传部负总责。

在形象宣传过程中，我省及驻琼各新闻单位，要根据各自的特点，发挥优势，造成宣传声势，加强海外的宣传。

当前，我省的形象宣传主要突出以下 7 个方面的内容：

（一）经济建设

1. 宣传党中央、国务院对我省经济建设的大力支持；

2. 宣传我省经济建设取得的突出成就、大型项目的投产、骨干企业创佳绩等。

3. 宣传各市县大力发展热带高效农业、高科技农业、订单农业、绿色农业的经验和成就。

4. 宣传我省旅游设施建设和管理，包括搞好生态环境保护和生态旅游，创建“中国优秀旅游城市”、“文明旅游景区”活动等所取得的经验和成绩。

（二）改革成就

1. 宣传我省行政体制、用人制度、税收征管、公路规费等改革成就。

2. 宣传我省国有企业改革的成就和经验。

3. 宣传我省发展私营经济的做法、经验等。

（三）政府服务

1. 宣传我省各级党政机关开展“优质服务”活动的做法、成效。包括实行公开办事制度，精简会议、评比检查和应酬活动，实施再就业工程，保障特困职工和居民生活，联手扶贫，治理“三乱”，社会治安综合治理等方面所取得的成绩和出现的新气象。

2. 宣传海口市推行“三制”的做法、经验、特点。

（四）精神文明

1. 宣传城乡精神文明建设所取得的成绩和经验。突出反映海口、三亚、儋州等市县开展群众性精神文明创建活动的经验和做法。

2. 制作反映海南风光、自然资源、建设成就、发展前景、优惠政策等内容的光碟，在省内各个旅馆、酒店内部频道和飞机、旅游巴士播放，利用一切机会向国内外游客宣传海南，用健康向上的文化占领旅馆、酒店的娱乐阵地，展示海南的美好形象。

（五）先进人物

继续宣传“抗洪英雄”李向群的先进事迹。与此同时，大力宣传我省勤政廉政先进典型和各条战线涌现出来的先进人物。

（六）文化精粹

宣传我省历史和当代文化名人，宣传海南优秀的文化传统、文化特色，宣传改革开放以来我省文化建设所取得的新成果、新发展。

（七）部队建设

宣传部队正规化建设所取得的成效、经验，宣传军、地双方开展军（警）民共建社会主义精神文明和双拥工作所取得的成效和经验。

**三、实施步骤**

（一）发动阶段（第一季度）

1. 召开“齐心塑造海南形象”动员电话会议。

时间：1999 年 1 月下旬。

参加人员：各市县、各部门、各单位领导。

拟请省委领导作动员报告。

会议由省委办公厅、省委宣传部和省直机关工委筹办。

2. 刊发系列评论，营造舆论氛围。

从 1999 年 1 月下旬开始，海南日报、海南电视台、海南人民广播电台等省内新闻单位要围绕省委书记杜青林同志提出的海南形象的内涵和有关要求，开辟“塑造海南形象”专栏，不定期地发表各方面的意见，并发表包括评论、报道、理论等多种形式的文章，为塑造海南形象创造良好的舆论氛围和提供有力的舆论支持。

主要公共场所、高大建筑物、宾馆、酒店、交通要道、交通工具等，要张贴、悬挂“齐心塑造海南形象”宣传画、宣传标语、灯箱宣传广告，营造形象建设和形象宣传的热烈气氛。

3. 组织文艺活动，营造文化氛围。

(1) 组织《海南风光》歌舞专场节目，计划在 1999 年国庆节期间举办。

(2) 组织编创《海南正气歌》（暂名），争取明年元旦期间公演。

这两项活动由省委宣传部、省文体厅组织。

4. 召开系列座谈会，统一思想认识。

组织对海南形象有突出影响的战线和部门召开座谈会，深入学习朱镕基总理在我省考察时的重要讲话和省委书记杜青林同志《齐心塑造海南形象》的重要讲话，研究解决存在的突出问题。

(1) 政法战线座谈会

主办单位：省委宣传部、省委政法委。

参加单位：省委宣传部、省委政法委、省高级人民法院、省人民检察院、省公安厅、省司法厅、省武警总队、省边防总队、省消防总队。

拟请外省驻琼单位领导谈对海南形象的看法。

(2) 窗口行业座谈会

主办单位：省委宣传部、省直机关工委、省企业工委。

参加单位：省国土海洋环境资源厅、省商贸经济合作厅、省卫生厅、省交警总队、省邮电管理局、省工商局、省地税局、省国税局、省电力公司、各金融单位。

拟请外省驻琼单位领导谈对海南形象的看法。

(3) 旅游行业座谈会

主办单位：省委宣传部、省旅游局。

参加单位：省直新闻单位和各旅游景区（点）、旅行社、饭店、购物点代表。

5. 举办系列演讲（辩论）赛，吸引群众广泛参与。

(1) 举办“海南女性形象”大赛

时间：1999年“三八”妇女节期间。

形式：演讲、知识问答、时装表演等。

主办单位：省委宣传部、省妇联。

组织方法：大赛分团体形象赛、个人形象赛两个内容。

先分行业、系统组织初赛，评出优胜者参加决赛。

(2) 组织大学生举行塑造海南形象辩论会，并通过传媒扩大宣传

具体事项由省高校工委负责。

（二）整改阶段（第二、三季度）

各部门、各行业都要清醒地认识到本部门、本行业对于塑造海南形象所处的地位和所要承担的责任，按照全省的统一部署，认真研究制定各自的方案，精心设计好具体部门形象、单位形象，总结成绩，查找问题，大力整顿不正之风，坚决整改不良形象，努力树立自身的良好形象，为塑造海南的整体形象作出自己应有的贡献。

（三）巩固提高阶段（第四季度）

在第二阶段的基础上，进一步巩固、提高、升华形象建设活动的成果，促进我省经济健康快速发展，全面推进海南的现代化建设事业，把一个到处洋溢着生机与活力的海南带入21世纪。

**四、措施保证**

（一）加强领导，明确责任

“齐心塑造海南形象”工作能不能搞好，关键在于领导。本方案所列责任单位，要根据本方案的总体要求，立即着手制定具体方案，并组织实施。各部门、各单位一把手对形象塑造活动的全过程要负总责，要亲自部署，亲自抓落实。分管领导也要各尽其职，各负其责，做到分兵把口，务求全胜。

省精神文明建设指导委员会要加强对全省精神文明建设和“齐心塑造海南形象”活动的领导。

（二）强化监督

“齐心塑造海南形象”活动必须抓检查督促。要加强环境形象、城市形象、农村形象塑造活动的检查督促，加强党政机关、司法机关、旅游行业、服务行业的形象塑造活动的检查督促，加强海南形象宣传活动的检查督促。精神文明建设主管部门要强化检查督促，纪检、监察部门也要加强检查督促，新闻媒体要加强舆论监督，推动整个活动的健康发展。

（三）加大投入

“齐心塑造海南形象”活动，是一项系统的复杂的社会工程。在活动中，各级党委和政府要保证必要的资金投入，确保整个活动的顺利进行。

**五、实施要求**

一是要叫得响，做得实。“塑造海南形象”是精神文明建设的重要载体。形象塑造不仅是宣传的需要，更是发展的需要。既要搞得有声有色，又要扎扎实实；注重往实里抓，往实处做；要取得看得见、摸得着、实实在在的效果。

二是要各负其责，齐抓共管。各级党委和政府都要把责任明确到部门，任务分解到单位，落实到领导。全省上下，从党政机关到企事业单位，从城市到农村，从学校到工厂，都要肩负起塑造海南形象的责任，齐抓共管，形成合力。

三是形象塑造，人人有责。在海南工作、生活的每个人，都代表着海南形象。人人都要从我做起，从现在做起，从每一件具体的事情做起，以实际行动为海南的形象增光添彩。

四是要有力度，一浪推一浪。既要加大集中开展活动的力度，又要加大经常性工作的力度，加强部门之间的协调，下大力气推进活动的深入开展，使整个活动一浪高过一浪地向前推进。

1999年1月19日

# 云南省文明行业创建与管理办法

创建文明行业，是深入贯彻落实党的十四届六中全会精神和省委六届四次全会精神的重要任务，是广泛开展群众性精神文明创建活动，加强行业两个文明建设的有效载体和重要途径。为进一步推动和规范文明行业创建活动，特制定本办法。

## 一、总则

文明行业是指全行业社会主义物质文明建设和精神文明建设都取得显著成绩，社会公认，由县以上党委、政府授予的综合性荣誉称号。

创建文明行业要以邓小平理论和党的基本路线为指导，以服务人民、奉献社会为宗旨，以尽职业责任、讲职业道德、守职业纪律、懂职业技能、树行业新风为主要内容，着眼于全行业两个文明建设总体水平和文明程度的全面提高，努力形成新型的人际关系和良好的社会风尚，塑造云南新形象，为富民兴滇作贡献。

全省各行业都要积极创建文明行业，尤其是“窗口”行业、执法行业和党委、政府的职能部门要带头搞好创建活动。

文明行业创建要以行业自建为主，主管部门要加强领导，各级文明办要予以指导和检查。文明行业分为省、地（州、市）、县（市、区）三级，实行分级创建命名。

## 二、评选条件

文明行业应具备以下条件：

1. 组织领导坚强有力。行业各级党政领导坚持党的基本路线，认真贯彻执行国家的方针政策；团结协作、作风正派、廉洁自律，在两个文明建设中发挥表率作用。建立健全一把手负总责，党委统一领导，党政工团齐抓共管的领导体制和工作机制，把文明行业创建工作纳入全行业的工作目标，与业务工作同部署、同落实、同检查、同奖惩，做到有专门的工作班子和工作人员，有经费保障、有总体创建规划和年度实施计划。

2. 思想道德建设成效显著。全行业以培育“四有”职工队伍为目标，认真组织学习邓小平理论，广泛深入开展爱国主义、集体主义、社会主义教育，坚定建设有中国特色社会主义的理想信念。职业道德、社会公德、家庭美德及行业新风教育扎实有效，干部职工思想道德素质、科学文化素质和职业技能不断提高，爱岗敬业，争创一流，业绩显著。

3. 行业自身建设实绩突出。全行业坚持以经济建设为中心，坚持深化改革，扩大开放，加快事业发展，建立健全适应社会主义市场经济的经营管理机制，经济效益和行业管理工作突出，各项经济指标稳步提高，职工生活逐步改善。能够正确处理改革、发展、稳定的关系，没有发生影响社会稳定的重大事件。

4. 服务行风群众满意。深入开展“为人民服务、树行业新风”活动，社会服务承诺和文明示范“窗口”活动扎实有效；全行业建立健全各类规章制度和服务规范，内部管理严格有序，服务态度热忱，服务技能熟练、服务质量不断提高。行风监督体系健全，社会评议行风合格，群众满意率达90%以上。

5. 行业文化建设有特色。全行业要结合行业实际，扎实开展以塑造行业企业精神、企业形象为核心的行业文化建设。行业文化设施完善，职工文化生活丰富，热心社会公益事业，有良好的知名度和信誉度，积极在全社会树立诚实守信、艰苦奋斗、开拓进取、服务人民、奉献社会的建设有中国特色社会主义的行业企业形象。

6. 环境建设好。全行业企业都要不断加大投入，改善基础设施，积极绿化美化环境，认真执行“门前三包”，抓好区域公共卫生。做到服务设施齐备，服务环境优美。广大干部职工普遍有良好的环境意识，讲究卫生、珍爱环境，行业企业无环境污染超过国家或地方规定标准的现象。

7. 创建活动深入持久。全行业都要广泛深入开展各种形式的精神文明建设活动，创建载体要突出行业特点，丰富多彩，细胞建设要深入扎实，行业主管机关建成相应级别以上的文明单位，行业内文明单位建成率达到规定标准，质量不断提高。

各行业申报省级文明行业的，行业内省、地（州、市）级文明单位建成率达80%以上，行业内地（州、市）级文明行业建成率达60%以上；申报地（州、市）级文明行业的，行业内地（州、市）和县（市、区）级文明单位建成率必须达80%以上，行业内县（市、区）级文明行业建成率达60%以上。

凡发生下列情况之一，实行一票否决：

（1）相应级别的行业领导班子主要成员违纪违法受到党内或行政撤职以上处分或法律上追究刑事责任的；

（2）发生重大责任事故，给国家、集体和人民群众造成重大损害和损失的；

（3）行业内发生大案要案，严重影响行业形象的。

**三、申报考核**

各行业按照文明行业评比条件自查达标后，向同级精神文明建设指导委员会申报。

文明行业的考核验收，由同级文明委责成文明办组织相关部门进行。

为便于考核管理，公安、建设、交通、金融等大系统，可根据实际情况在报请省文明委审核批准后分成几个行业进行独立创建考评命名。但系统要负责做好协调组织工作，在所有内部行业建成文明行业后，再进行整个系统的命名。

**四、命名表彰**

考核验收合格后，由同级精神文明建设指导委员会审查同意，报同级党委、政府批准，授予文明行业称号，颁发证书、奖牌进行表彰，并向社会公布。

**五、管理**

文明行业实行主管部门和地方共同管理。各级文明办对创建活动予以指导。

文明行业实行复查制度。凡被命名的文明行业，由同级文明办会同有关部门每两年组织一次复查。经复查符合条件的保持文明行业称号。对放松管理，工作质量和水平明显下降或出现严重问题的，分别给予警告、通报批评并限期整改、撤销称号等处罚。撤销称号的收回奖牌，并向社会公布。撤销称号的行业两年后达到条件的可重新申报。

本办法从批准下发之日起执行，由云南省精神文明建设指导委员会办公室负责解释。

云南省精神文明建设指导委员会

1999年2月3日

# 陕西省资助贫困乡镇建设宣传文化站的管理办法

（陕文明办［1999］3号）

**第一条** 依据中央宣传部、文明办关于用5年时间资助我省建设90个乡镇宣传文化站的精神，为保质保量地完成建设任务，使其更好地为贫困地区社会主义物质文明和精神文明建设服务，特制定本办法。

**第二条** 被资助乡（镇）宣传文化站的建设资金（基建和基础设施），采取中央和省、地、县分级解决的办法。每建设一个乡镇宣传文化站，中央资助12.5万元，省、地、县配套资金12.5万元（其中省财政解决5万元，地、县财政各解决

3.75万元)。

**第三条** 省、地、县（被资助地区）成立“资助贫困乡镇宣传文化站建设领导小组”。由各级主管领导担任组长，宣传、财政、文化部门为成员，各级文明办为其办事机构。领导小组定期召开会议，研究解决建设过程中的有关事宜，督促检查，保证建设工作顺利进行。

**第四条** 被资助乡镇要将此项工作列入重要议事日程，主管领导兼任文化站主要领导，并确定一名熟悉业务，有事业心、有责任感的文化站长，承担具体负责建设施工任务。

**第五条** 中央、省资助资金80%用于基础设施建设（含新建、改建、扩建）。主体结构美观大方，建筑样式应属当地一流水平，室内使用面积一般不低于300平方米。

其业务用房面积标准要求如下：

（一）图书室室内使用面积不低于50平方米，藏书2000册以上。

（二）多功能教室室内使用面积不低于50平方米，电视机、投影机一套。桌、椅配套。

（三）音像放映室室内面积不低于40平方米，电视机，录像放映机一套。

（四）展览室室内使用面积不低于60平方米。

（五）各类文化活动室室内使用面积一般不低于80平方米。

室外橱窗、影剧场、体育场可根据各宣传文化站现有占地面积自定。

**第六条** 宣传文化站站舍和设施属国家公共设施，站舍只能用于教育和文化体育活动，任何单位和个人不得挪用或挤占为宿舍、住宅或个人用房。

**第七条** 基本建设进度要求：

第一至第二个月：立项阶段

县、镇组织力量，确定建设方案和设计方案，报经省文明办会同财政、文化部门审定后，资金到位50%。

第三个月至第九个月，施工阶段

建筑方案实施，主体工程封顶后资金到位30%。

第九个月至第十二个月，验收阶段

建筑工程竣工，配套设施到位，经省文明办组织人员验收，资金全部到位。

**第八条** 被资助的宣传文化站应建立健全财务管理规章和管理办法，专户管理，专款专用，各级财政和主管部门应加强对资金使用和管理的监督检查，切实提高资金使用效益。

**第九条** 为了充分发挥资金使用效益，鼓励各级为建设乡镇宣传文化站多作贡献，发挥宣传文化站的示范作用，省文明办拟设立“资助乡镇建设宣传文化站”特别奖（具体方案另定)。

**第十条** 乡镇宣传文化站建设要严把质量关，实行工程质量负责制。发现建设的设计方案与实际施工不符或无故拖延工期，影响文化站建设或发现资金挪用，贪污受贿的一律追究行政或法律责任。

**第十一条** 规划建设的乡镇文化站建立科学管理档案一式二份，并报送省文明办存档。

**第十二条** 各地、市、县文明办可根据本办法，制定适合本地实际情况的实施细则，并抄送省文明办备案。

**第十三条** 本办法适用于被资助建设乡镇宣传文化站的建设与管理。自颁布之日起执行。

**第十四条** 本办法解释权属省文明办。

陕西省财政厅<br>
陕西省文化厅<br>
陕西省文明办<br>
1999年3月24日

# 甘肃省文明小区建设管理办法

（甘文明［1999］4号）

**第一章　总则**

**第一条**　为了认真贯彻落实党的十四届六中全会和中共甘肃省委八届五次全委扩大会议精神，不断提高创建和管理文明小区的水平，使创建活动经常化、制度化、规范化，特制定本办法。

**第二条**　文明小区是在新的历史条件下，坚持精神文明重在建设方针，积极开展群众性精神文明创建活动，加强城市社区管理，重视综合治理工作，努力为群众办实事，办好事，成绩突出、社会效益显著的先进居民住宅区。

**第三条**　创建文明小区活动是文明城市建设的基础工程，是把精神文明建设的各项任务和城市管理的各项工作落实到基层，使广大居民群众在积极参与中受到教育，进一步密切党和政府与人民群众的联系，提高全体市民思想道德素质和城市管理水平，为经济建设和改革开放创造良好社会环境的有效形式，在社会主义精神文明建设中具有重要的地位和作用。

**第四条**　创建文明小区的范围，是城镇中已建成投入使用的住宅相对集中，有一个以上居（家）委会管辖的居民住宅区，包括机关、团体、部队、企事业单位的职工住宅大院，居民楼群和平屋区。

**第五条**　创建文明小区活动坚持“条块结合，以块为主”的原则，在各级党委和政府的统一领导下，由街道、镇党政组织负责，协调辖区内各单位、居民住房所有权单位和公安派出所具体组织实施。城建、市政、规划、房管、民政、卫生、绿化、工商、文化等部门都要大力支持和密切配合。

**第六条**　各小区建设和管理单位，要接受地方党委、政府的领导，根据辖区整体创建的安排和要求，协同居（家）委会开展工作，积极参加文明小区创建活动。

**第二章　文明小区标准**

**第七条**　文明小区应符合下列标准：

（一）社会风气良好

1. 重视市民教育，经常开展爱国主义、集体主义和社会主义思想教育，开展社会公德和家庭美德教育活动，居民文明礼貌，讲究卫生，爱护公共设施，风气良好。

2. 制定居民文明公约，坚持开展文明楼院和“五好文明家庭”评比活动，家庭和睦，尊老爱幼，邻里团结，互帮互助。

3. 建立校外教育组织，组织青少年参加以寒暑假为主的多种有益活动。

（二）环境整洁优美

1. 小区内道路、楼道、绿地等各种公共设施清洁，无乱画乱贴、乱堆放、乱扔倒、乱搭建和乱摆摊点现象。

2. 开展爱国卫生运动，消灭“四害”达到规定标准，小区内不养家畜、家禽，不违章养鸽。居民有较强的健康意识和良好的卫生习惯。

3. 环卫设施齐备完好，垃圾清运定点定时。大中城市的小区实行垃圾袋装化，日产日清。

4. 小区内绿化覆盖率高。河西三地区达到20%以上；其余地区达到25%以上。不能绿化的地方进行硬化。

（三）社会治安稳定

1. 法制宣传、安全教育经常化，居民群众有较强的法制意识和基本的法律常识。

2. 群防群治网络健全，值班巡逻形成制度，防火、防盗、防事故工作落实。

3. 帮教对象底子清、不失控，调解民事纠纷及时，无因民事纠纷激化而酿成的恶性案件。流动、暂住人口管理严格。无计划外生育。

4. 无重大刑事案件、治安案件和责任事故，治安秩序良好。

（四）群众生活方便

1. 小区内商业网点和公用服务设施基本健全，群众生活方便。

2. 坚持开展便民利民活动，有为民服务志愿者队伍，孤寡老人、残疾人和优抚对象有人关心照顾。

3. 小区内商业服务单位和个体工商户文明经商，礼貌待客，店（摊）容整洁，亮照经营，明码标价，商品质量和服务质量群众基本满意。

（五）文化生活丰富

1. 有宣传阵地和文化、娱乐场所，有图书、报刊和文化体育活动基本设施。

2. 经常组织居民开展丰富多彩、健康有益的文化体育活动。

3. 普及科学知识，破除陈规陋习，倡导科学、文明、健康的生活方式。

4. “扫黄打非”活动成效显著，小区内无黄色、淫秽的文化制品，无赌博现象，无封建迷信活动。

**第三章　文明小区建设**

**第八条**　各地要结合本地区实际，制定文明小区创建规划，纳入城市建设总体规划，充分发挥街道、镇及各职能部门和驻区单位的作用，组织开展多种形式的文明小区创建活动。

**第九条**　各小区要建立由居（家）委会干部、房产单位负责人和公安派出责任区民警等参加的管理组织，按照规划和街道、镇党委、政府要求，积极开展文明小区创建工作。

**第十条**　创建文明小区要突出思想道德建设，经常开展内容丰富、主题鲜明的活动，吸引群众积极参与，通过活动提高市民素质。

**第十一条**　创建文明小区要建立和完善卫生绿化、治安防范、民事调解、计划生育和市民学校等各项管理制度，管理队伍活动经常，责任落实。

**第四章　文明小区的评选、命名和表彰**

**第十二条**　凡按照文明小区标准制定创建规划、落实创建措施，创建成效显著的居民住宅小区，均可向所在地区文明办提出申请，参加评选。

**第十三条**　文明小区由省、地（州、市）、县（市、区）三级命名，省上每两年评选、命名一次。

县（市、区）级文明小区，由乡镇、街道择优推荐，经县（市、区）文明委审核后，报县（市、区）委、政府批准命名、表彰。

地（州、市）级文明小区，由县（市、区）文明委从县（市、区）级文明小区中择优推荐，经地（州、市）文明委审核后，报地（州、市）委、行署（州、市）政府批准命名、表彰。

省级文明小区，由地（州、市）文明委从连续两年以上的地（州、市）级文明小区中择优推荐，经省文明委审核后，报省委、省政府批准命名、表彰。

**第十四条**　对文明小区实行精神奖励和物质奖励相结合的原则。凡被命名为省、地（州、市）、县（市、区）级文明小区的，分别由省、地（州、市）、县（市、区）委、政府授予“文明小区”匾牌和证书，并给予一次性物质奖励。

**第十五条**　文明小区不搞终身制，经复查凡符合标准的仍保持其称号。如发生严重问题或质量下降，命名单位和管理部门可根据情节轻重，给予批评、限期整改、直至撤销文明小区的荣誉称号。

**第五章　文明小区的管理**

**第十六条**　各级党委和政府要切实加强对文明小区创建活动的领导。各级精神文明建设指导委员会及其办公室，要会同有关部门做好创建文明小区活动的组织、协调、监督、指导和检查、验收、评选、表彰等项工作。

**第十七条**　文明小区的管理，实行条块结合，以块为主，分级管理。省级文明小区依托所在地（州、市）、县（市、区）精神文明建设指导委员会及其办公室管理。

**第十八条**　文明小区门前只悬挂最高一级党委、政府授予的文明小区匾牌。

**第十九条**　各级精神文明建设指导委员会及其办公室，要加强对管理范围内的文明小区的检查考核，在小区自查的基础上，地（州、市）每年复查一次，省上每两年抽查一次。

**第二十条**　文明小区要自觉接受社会和群众的监督，对存在的问题要采取有效措施，及时整顿改进，并强化管理，巩固发展创建成果。

第六章　附则

**第二十一条**　各地（州、市）、县（市、区）可根据本办法制定具体的实施细则。

**第二十二条**　本办法由省精神文明建设指导委员会办公室负责解释。

**第二十三条**　本办法自公布之日起实行。

1999年1月5日

# 甘肃省文明村镇建设管理办法

（甘文明［1999］5号）

**第一章　总则**

**第一条**　为了加强文明村镇（包括乡，以下简略）建设和管理，推动全省农村社会主义精神文明建设，特制定本办法。

**第二条**　文明村镇是社会主义物质文明建设和精神文明建设协调发展并取得优异成绩的先进村镇，是上级党委、政府授予的综合性荣誉称号。

**第三条**　文明村镇建设必须以邓小平理论为指导，以建设社会主义新农村为目标，培养有理想、有道德、有文化、有纪律的新型农民。

**第四条**　创建文明村镇活动必须以经济建设为中心，着力解决农民关心的热点、难点问题，为农业和农村经济的可持续发展创造良好的社会环境。

**第二章　文明村镇标准**

**第五条**　文明村的基本标准：

（一）领导班子建设好

1. 村级组织健全，工作制度完善，村级干部政策观念强，民主作风好，有较强的实际工作能力。

2. 党支部、村委会干部团结协作，联系群众，办事公道，无违法乱纪现象。

3. 精神文明建设有组织，有规划，有投入，有活动，有成效。

（二）思想道德风尚好

1. 经常开展爱国主义、集体主义和社会主义思想教育，村民能够正确处理国家、集体、个人三者之间的关系，积极参加社会公益活动，完成各项农业合同任务。

2. 经常开展社会公德、职业道德和家庭美德教育，基本形成文明礼貌、助人为乐、尊老爱幼、勤俭持家、团结友爱的村风、民风。

3. 经常开展创建“文明农户”活动，村民参与面广，创评意识强，文明农户数量多，质量高。

（三）文化教育普及好

1. 村有标准化学校，适龄儿童入学率、升学率、毕业率、巩固率均达到95%以上。40岁以下成年人无文盲。

2. 科普活动搞得好，实用技术运用得好，科技示范户占总农户的5%以上。

3. 村有文化室，经常开展活动，村民生活文明健康。

（四）治安综合治理好

1. 坚持开展法制教育，村民有较强的法律意识和法制观念，能依法照章办事。

2. 村规民约、民事调解和治保组织健全，民事纠纷调解及时。

3. 执行国家法律、法规和规章，无计划外生育，无重大刑事案件、治安案件和责任事故，治安秩序良好。

（五）环境整洁卫生好

1. 村社建设有整体规划，居住条件改善，村容村貌，干净整洁，房前屋后无滥占耕地盖房和违章建筑。

2. 认真开展爱国卫生运动，无粪土、柴草、垃圾乱堆乱放现象。

3.“四旁”（村、路、渠、宅）绿化和植树造林搞得好，无乱砍滥伐现象。

（六）村社经济发展好

1. 农村经济政策落实，家庭联产承包责任制巩固、完善，各种承包合同兑现。

2. 农、工、商各业协调发展，集体经济不断壮大。

3. 家庭多种经营搞得好，农民人均纯收入逐年增加，生活水平稳步提高，达到小康水平。

**第六条** 文明乡镇的基本标准：

（一）组织领导坚强有力

1. 党政领导班子高举邓小平理论伟大旗帜，坚持党的基本路线，贯彻两个文明一起抓的战略方针，认真执行党在农村的各项方针政策。

2. 领导班子成员团结协作，廉政勤政，锐意改革，开拓创新，联系群众，奉公守法，积极为群众办实事。

3. 以村党支部为核心的村级组织建设配套，党组织的核心作用和共产党员的模范作用突出，共青团、妇联、民兵等群众工作得到加强。

4. 精神文明建设纳入党委、政府重要议事日程和工作日程，有规划、有组织、有措施，两个文明建设同安排、同落实、同检查、同奖罚。

（二）乡镇经济持续发展

1. 农村基本经济制度稳定、完善，以家庭联产承包为主的责任制巩固、发展，完成国家下达的各项任务。

2. 农业生产发展，农业投入不断增加，农业基础设施逐步改善。

3. 乡镇企业多种经营发展，农村产业结构合理协调，社会化服务体系发展良好。

4. 农民生活条件不断改善，家庭人均纯收入明显增加，脱贫致富成效显著，建成小康乡镇。

（三）思想道德建设深入

1. 坚持用邓小平理论武装党员、教育干部和农民，深化改革，引导广大农民进市场、奔小康。

2. 经常进行爱国主义、集体主义、社会主义和艰苦创业教育，取得明显成效。

3. 经常开展社会公德、职业道德和家庭美德教育，群众道德素质不断提高，社会风气良好。

（四）创建活动扎实有效

1. 文明乡镇创建工作，有组织、有计划、有措施、有专人负责，创建活动常抓不懈。

2. 以“十星级文明农户”为主的文明村、文明乡镇企业、文明单位创建活动深入开展，取得显著成效。

3. 军民共建精神文明活动形式多样，“拥军优属，拥政爱民”工作实绩突出，建成双拥模范乡镇。

（五）科教文卫全面发展

1. 义务教育成效显著，“双基”教育达标，标准化学校达到40%以上。

2. 科普工作搞得好，做到乡镇有农技站、村有示范户、户有科技明白人，实用科技的推广和应用成效显著。

3. 乡镇建有文化活动中心，经常组织丰富多彩的文娱体育活动，生活方式文明、健康。

4. 医疗卫生机构健全，人口与计划生育基础教育普及率高，无计划外生育现象。

（六）社会治安秩序稳定

1. 综合治理网络健全，乡镇、村、社层层落实治安责任制。

2. 法制教育成效显著，无重大刑事案件，无重大责任事故，治安秩序良好。

3. 民调组织健全，民事纠纷调解及时。

（七）环境建设整洁有序

1. 乡镇建设有总体规划，基础设施逐步改善，无违法占地行为和违章建筑。

2. 卫生管理制度健全，街道整洁畅通，庭院卫生清洁，农村“三乱”（粪土乱堆、柴草乱放、畜禽乱跑）现象得到有效治理。

3. 乡镇有绿化规划，植树造林成效显著，绿化覆盖率和人均绿地率高于全省平均水平。

（八）乡镇管理科学规范

1. 乡镇管理机构健全，管理制度完善，管理目标责任制落实。

2. 土地管理工作规范，用地审批手续严格，土地纠纷处理及时。

3. 乡村道路、集贸市场、文化市场得到全面整治，供电、通讯、水利设施保护完好，运转正常。

## 第三章　文明村镇建设

**第七条** 创建文明村镇，要从各地实际出发，制定创建规划，因地制宜，分类指导，典型示范，推动全盘。

**第八条** 创建文明村镇，要广泛开展“十星级文明农户”争创活动。要制定标准，严格评审，动态管理，使创建活动健康发展。

**第九条** 创建文明村镇活动，要注意把活动的目标、任务、形式同农民的切身利益结合起来，解决农民普遍关心的实际问题，广泛吸引农民积极参与。

**第四章 文明村镇的评选、命名和表彰**

**第十条** 文明村镇的评选、命名，从1998年开始，每两年命名表彰一次。

**第十一条** 凡有创建规划、持续开展创建活动并取得显著成绩的村镇，均可向所在地区文明办提出申请，参加评选。

**第十二条** 文明村镇分县（市、区）、地（州、市）、省三个级别，分别经县（市、区）、地（州、市）、省文明委考评后，报请同级党委和政府批准命名。

**第十三条** 地（州、市）、省级文明村镇，分别从县（市、区）、地（州、市）级文明村镇中产生。特殊情况下，省委、省政府可直接命名省级文明村镇。

**第十四条** 文明村镇的奖励，要坚持物质文明建设与精神文明建设一起考评、同等对待、同等奖励的原则。

**第五章 文明村镇的管理**

**第十五条** 文明村镇实行条块结合，以块为主，分级管理。省级文明村镇依托所在地（州、市）、县（市、区）文明办管理。

**第十六条** 各级文明委、办负责文明村镇的创建管理，做好组织、指导、协调、检查、考评建档等工作。

**第十七条** 文明村镇实行动态管理，每两年进行一次全面考评。凡符合标准的，保留文明村镇称号。有滑坡现象的视其情况予以通报批评限期整改、直至撤销其荣誉称号。凡有下列情形之一者，撤销其荣誉称号：

（一）领导班子有腐败行为的；

（二）发生重大刑事案件的；

（三）封建迷信、黄赌毒等丑恶现象得不到有效遏制的；

（四）发生计划外生育的；

（五）违反环保和土地法规的。

**第十八条** 撤销荣誉称号的单位，经两年以上时间创建，重新达到标准的村（乡镇），可在原级别重新申报。

**第六章 附则**

**第十九条** 各地（州、市）、县（市、区）可根据本办法制定具体的实施细则。

**第二十条** 本办法自公布之日起施行，省文明办负责解释。

1999年1月5日

# 甘肃省文明行业建设管理办法

（甘文明［1999］6号）

**第一章 总则**

**第一条** 为了进一步巩固和发展创建文明行业活动的成果，进一步提高创建活动的水平，更好地发挥文明行业在群众性三大系列创建活动中的重要地位和作用，推动全省两个文明建设深入发展，特制定本办法。

**第二条** 文明行业是社会主义物质文明建设和精神文明建设协调发展并取得优异成绩的先进行业，是省委、省政府授予一个行业的综合性荣誉称号。

**第三条** 创建文明行业活动，是贯彻落实党的十四届六中全会精神，坚持以经济建设为中心，促进两个文明协调发展的重要举措；是建设社会主义市场经济秩序，加强职业道德建设，树立行业新风的重要措施；是体现为人民服务宗旨，加快改革开放和现代化建设步伐，密切党和政府同人民群众关系的重要途径；是开展群众性精神文明创建活动，开创精神文明建设新局面的重要载体。

**第四条** 创建文明行业要以邓小平理论为指导，以服务人民、奉献社会为宗旨，以尽职业责任、讲职业道德、守职业纪律、树行业新风为主要内容，着力于提高全行业职工的思想道德素质和科学文化素质，着力于提高全行业两个文明建设总体水平和文明程度。

**第五条** 全省各行各业都要充分认识创建文明行业的重要性和紧迫性，积极开展文明行业创建活动。

**第二章 文明行业基本标准**

**第六条** 文明行业应符合下列标准：

（一）组织领导

1. 行业党政领导在思想上、政治上同党中央保持高度一致，模范执行党和国家的方针政策；坚持两个文明一起抓，努力完成党委、政府交付的各项任务，工作成绩处于当地同行业的前列。

2. 工会、共青团、妇联等群众组织，围绕党的中心工作积极开展工作，精神文明建设形成合力，形成齐抓共管的局面。

3. 精神文明建设纳入行业发展整体规划，做到两个文明建设同部署、同落实、同检查、同考核、同奖罚。

（二）道德建设

1. 坚持用邓小平理论武装干部职工，经常不断地开展各种思想教育活动，弘扬爱国主义、集体主义和社会主义精神，调动干部职工的工作积极性。

2. 职业道德教育有规划、有形式、有内容，做到经常化、制度化，全行业基本形成爱岗敬业、诚实守信、办事公道、服务群众、奉献社会的职业道德风尚。

3. 有健全的行业职业道德规章制度和良好的生产、经营、工作、生活秩序。

4. 基层单位一半以上达到思想政治工作先进单位标准。

（三）创建活动

1. 积极开展文明行业创建活动，创建工作有计划、有安排、有措施、有实效。

2. 文明“窗口”示范单位要达到本行业“窗口”单位总数的30%；一半以上的基层单位要达到文明单位标准。

3. 在创建文明城、卫生城、双拥城等活动中发挥了行业作用，得到地方党委、政府的肯定，树立了良好的行业形象。

（四）优质服务

1. 经营思想正确，服务态度端正，服务方式规范，服务技能过硬，服务纪律严明。

2. 服务规章齐全，服务设施完善，服务环境优美，服务用具用品齐全，便民措施得力。

3. 服务人员挂牌上岗，衣着整洁、仪态端庄、热情周到、有问必答、童叟无欺。

4. 行业内部监督和社会监督机制健全，措施得力，监督效果明显，群众满意率达到80%以上。

（五）综合治理

1. 法制教育形成制度，教育活动形式多样，完成上级规定的普法任务，职工的法律意识和法制观念不断增强，知法、懂法、守法形成风气。

2. 社会治安综合治理组织落实、措施落实、制度落实、工作落实，社会治安秩序良好。

3. 执行国家法律、法规和规章，无计划外生育，无重大刑事案件、治安案件和责任事故。

（六）文化生活

1. 文化活动阵地、设施、队伍建设得到加强，85%以上的基层单位文化活动设施基本齐全，并充分发挥作用。

2. 有计划地组织干部职工参加各种形式的文化、技术、管理业务学习，每年岗位培训人数占职工总数的1/4，职工的服务技能和服务水平不断提高。

3. 群众性文体活动经常开展，职工业余文化生活比较丰富，职工生活文明健康。

（七）环境卫生

1. 建立健全卫生管理制度，经常开展爱国卫生运动，门内达标，门前“三包”（包卫生、包绿化、包秩序）责任制落实。

2. 基层单位营业、服务工作场所布局合理，环境卫生整洁，柜窗、招牌、货架等整齐美观。机关办公室卫生干净，用具摆放有序，窗明几净。

3. 积极搞好绿化、美化，完成上级下达的植树造林任务，10%的基层单位建成园林化单位。基层单位环境保护符合国家规定要求。

（八）经济建设

1. 两个文明建设协调发展，改革开放和经济建设成效明显。

2. 积极推进行业体制改革，转换经营机制，改革用工制度和用人制度，改革管理和服务方式，并取得明显效果。

3. 发挥行业特点，扩大经营范围，增加服务项目，切实解决群众关心的热点、难点问题，成绩突出，受到社会和群众的好评。

4. 经济效益和社会效益明显增长，工作效率和工作质量显著提高，完成各项经济指标和业务工作任务。

**第七条** 文明“窗口”示范单位除达到本行业规定的还应具备下列条件：

（一）为本行业两个文明建设提供先进经验，为本行业同类单位提供发展模式。

（二）以良好的职业道德风尚和优质服务影响群众、教育群众。

（三）具有一定社会影响力和知名度。

**第三章　文明行业建设**

**第八条** 各地应结合实际，制定创建总体规划，突出重点，分类指导，典型示范，整体推进文明行业建设。

**第九条** 各行业要立足行业特点，制定操作性强、标准明确的文明行业创建实施意见和考评细则，认真组织开展创建工作。

**第十条** 创建文明行业，要从基层抓起，从示范点抓起，以创建文明“窗口”示范单位为突破口，夯实创建基础，逐步提高行业文明水平。

**第十一条** 开展文明行业创建活动，要同关心职工生活、解决实际问题相结合，广泛吸引职工参与，在参与中接受教育，在实践中得到提高。

**第四章　文明行业的评选、命名和表彰**

**第十二条** 省级文明行业每两年命名、表彰一次。特殊情况下，省委、省政府可直接命名省级文明行业。

**第十三条** 凡有创建规划、深入开展创建活动并取得显著成绩的行业，均可向所在地区或同级文明办提出申请，参加评选。

**第十四条** 文明行业由县（市、区）、地（州、市）、省三级命名。

县（市、区）级文明行业从县（市、区）所辖行业中产生，经县（市、区）文明委考评后，报请县（市、区）委、政府批准命名。

地（州、市）级文明行业从县（市、区）级文明行业和地（州、市）所辖行业中产生，经地（州、市）文明委考评后，报请地（州、市）委、政府批准命名。

省级文明行业从地（州、市）级文明行业和省所属行业中产生，经省文明委考评后，报请省委、省政府批准命名。

**第十五条** 文明“窗口”示范单位由各级行业主管部门检查验收，审核公布。

**第十六条** 文明行业和文明“窗口”示范单位的奖励，要坚持物质文明建设与精神文明建设一起考评、同等对待、同等奖励的原则。

**第五章　文明行业的管理**

**第十七条** 各级党委、政府要切实加强对创建文明行业工作的领导，总结推广先进经验，解决创建中出现的问题，推动创建活动深入发展。

**第十八条** 文明行业实行条块结合，以块为主，分级管理的原则。

**第十九条** 各级文明委、办负责文明行业的创建管理，要切实做好组织、指导、协调、检查、评比、建档等工作。

**第二十条** 各级文明“窗口”示范单位的管理由同级行业主管部门负责，要制定相应的建设管理办法，抓好创建工作的规范化管理。

**第二十一条** 被命名的文明行业，经每年复查考核后，凡符合标准的，保留其荣誉称号。如发生严重问题或质量下降，可根据情节轻重，给予批评、限期整改，直至撤销荣誉称号。

**第六章　附则**

**第二十二条** 各地（州、市）、县（市、区）可根据本办法，结合实际，制定具体的文明行业建设管理办法。

**第二十三条** 本办法自公布之日起施行，解释权属省精神文明建设指导委员会办公室。

1999年1月5日

# 甘肃省乡镇精神文明建设示范工程（宣传文化站）建设管理办法

（甘文明［1999］29号）

## 第一章 总则

**第一条** 为了认真贯彻落实中央文明办［1998］5号《关于组织实施“百县乡镇宣传文化工程”的通知精神》，切实加强国扶贫困县农村基层宣传文化阵地建设，确保乡镇精神文明建设示范工程（即宣传文化站，以下称乡镇精神文明建设示范工程）建设达标，管理有序，活动经常，效益明显，特制定本办法。

**第二条** 乡镇精神文明建设示范工程，是指由中央文明办和省、地（州、市）、县（市、区）拨款资助与乡镇筹资相结合兴建的集思想道德建设、科技文化培训、群众文体活动于一体的综合性、高标准、多功能的宣传文化示范站。它是国家最基层的文化事业机构，是乡镇党委、政府领导文化工作的助手，是把精神文明建设落实到基层的重要阵地。

**第三条** 乡镇精神文明建设示范工程，是贯彻党的十四届六中全会关于加强欠发达地区和少数民族地区文化事业建设精神的具体行动，是落实江泽民总书记关于精神文明建设要“每年办几件作用大、影响大的实事”的指示精神的重大举措，也是体现精神文明建设重在建设、虚功实做、既抓活动、又抓建设的重要措施。建好、管好、用好乡镇精神文明建设示范工程，对于繁荣农村文化生活，改变贫困地区农村基层宣传文化设施严重不足的情况，改善人民群众文化生活条件，提高人民群众的思想道德、科学文化素质，密切党和政府与人民群众的联系，均具有重要而深远的意义。

**第四条** 乡镇精神文明建设示范工程，要坚持以邓小平理论为指导，坚持“精神文明重在建设”和“要把精神文明建设落实到城乡基层”的基本方针，坚持示范工程与农村经济建设紧密结合的原则，因地制宜、分类指导、分步实施、分层推进的原则，以文补文、多种经营的原则，以示范工程总揽农村文化工作的原则；做到硬件建设与软件建设相结合，整体提高与重点突破相结合，国家投资与社会联办相结合，长远规划与近期目标相结合，社会效益与经济效益相结合。

**第五条** 乡镇精神文明建设示范工程由各级文明委负总责、总牵头，各级文明办负责具体工作的落实。各级财政、计委、扶贫办、建委、文化、科委、科协、体委、共青团、妇联、计生委、广播电视、图书发行等部门，要在党委、政府的统一领导下，共同关心支持乡镇精神文明示范工程的建设，并且尽可能给予较多的投入和其他方面的支持，真正建成一批标准高、管理严、效果好的乡镇宣传文化站，为活跃农村文化生活，提高农民思想道德和科技文化素质，推动农村精神文明建设深入发展提供有力保障。

## 第二章 定点范围和布点原则

**第六条** 乡镇精神文明建设示范工程，主要在省内41个国扶贫困县所属乡镇选点建设。省扶县和非贫困县的少数民族聚居乡镇和移民新建乡镇中无宣传文化站的可予以适当考虑。交通干线上的省际边界乡镇，可给予适当倾斜。

**第七条** 乡镇精神文明建设示范工程选点布点应遵循以下原则：（1）相对集中原则，即在县、乡财政有能力落实配套资金的前提下，定点要相对集中于若干县内，以便形成规模效应；（2）典型代表原则，即布点要具有典型代表性，要兼顾各类地区；（3）中心辐射原则，即选点应选择在地域经济、文化、交通中心和旅游景点及城镇周围，便于发挥带动辐射作用；（4）工作保障原则，即布点应选择经济基础和文化基础相对较好、领导重视、群众性精神文明创建活动活跃的乡镇，为乡镇精神文明示范工程建设管理提供必要的保障。

**第三章　资金来源和配置原则**

**第八条**　乡镇精神文明建设示范工程资助资金来源于中央文化事业建设费和省、地、县财政资金，不足部分由乡镇自筹解决。乡镇自筹资金不能增加农民负担，不准向农民摊派。

**第九条**　到2001年，对国扶县乡镇精神文明建设示范工程的资助资金，中央文明办给每个定点乡镇资助12.5万元，省、地、县按5:5:5比例落实配套资金共15万元，合计27.5万元。其中基本建设资金20万元，设备购置资金5万元，统一调剂使用2.5万元。

**第十条**　对省扶县、非贫困县的少数民族乡镇、移民新建乡镇和交通干线的省际边界乡镇中无文化站的，在征得中央文明办的同意后，中央文明办资助12.5万元，省、地、县、乡按5:5:5:5比例落实配套资金共20万元，合计为32.5万元。其中基本建设资金25万元，设备购置资金7.5万元。

**第十一条**　乡镇精神文明建设示范工程按以下资助原则划拨：（1）等额配套原则，即地、县配套资金应不少于省上配套资金；（2）奖罚原则，即对能落实配套资金，宣传文化站建设、管理、使用情况良好的地、县，省上给予重点扶持；对配套资金不到位、不能按时建好宣传文化站的地、县，减少或取消资助资金；（3）优先原则，即对自筹资金修建乡镇精神文明建设示范工程，并已完成主体工程的，可优先安排资助资金。

**第十二条**　中央和省上的资助资金由省财政划拨省文明办掌握，通过各级文明办渠道下拨使用。资助资金坚持专款专用、分期划拨的原则。省文明办划拨资金分两次进行，第一次在地、县、乡配套资金到位，建筑工程开始时拨款，主要用于基本建设。第二次在建筑工程验收合格后拨款，主要用于购置宣传文化站必需的图书、配套器材。为保证专款专用，各级文明办可根据乡镇精神文明建设示范工程资金到位情况和工程进度拨款，但不得因此而延误工程进度。

**第四章　申报时间和审批程序**

**第十三条**　从1999年起，各地、州、市文明办于5月1日前向省文明办申报下年度乡镇精神文明建设示范工程，省文明办在实地考察后，于下年度5月底前批准立项。

**第十四条**　申报乡镇精神文明建设示范工程所需的材料为：（1）有关乡镇的基本情况，如人口、面积、交通、经济发展状况、人均收入和财政收入以及近年来开展群众文化活动的文字材料和图片等；（2）乡镇精神文明建设示范工程的建设方案，包括工程预算、房屋结构、建筑面积和使用面积、功能设置、配套器材等；（3）由城建部门或专业规划设计单位设计的建站图纸；（4）由地、县、乡财政部门出具的配套资金证明；（5）乡镇精神文明建设示范工程领导小组名单。

**第十五条**　乡镇精神文明建设示范工程的申报程序为：（1）由乡镇党委、政府向县文明办提出书面申请报告，县文明办审核同意后报送地级文明办审批，地级文明办批准后向省文明办调研处提出申报，并附上有关资料；（2）立项。省文明办对各地上报申请材料进行审核，对符合申报条件和选点要求的予以批准立项，并上报中央文明委；（3）签订责任书。省文明办与地（州、市）文明办签订建设乡镇精神文明建设示范工程的责任书，地与县、县与乡镇也分别签订责任书并付诸执行。

**第五章　建设标准和工作要求**

**第十六条**　乡镇精神文明建设示范工程的建设标准为：（1）室内实际使用总面积不低于200—300平方米；（2）设有图书室（藏书2000册以上）、多功能教室（录像放映室）、展览室、文化活动室和室外宣传橱窗等；（3）配置必要的设备，能够开展图书借阅、教育培训、科技推广、文化娱乐等多种服务和活动。

**第十七条**　乡镇精神文明建设示范工程应在签订建设责任书后的一年内建成并交付使用。特殊情况需延期的，应在建成时限内向省文明办提出书面延期申请，说明延期原因及完工时间。

**第十八条**　乡镇精神文明建设示范工程建设完工后，地级文明办向省文明办提出验收申请报告，省文明办验收合格后，配置基本设备。

**第十九条** 乡镇精神文明建设示范工程是农村精神文明建设的主要阵地，要确保“四室”正常开展活动，不得随意转让、占用或挪作他用。

**第二十条** 在确保乡镇精神文明建设示范工程性质和主要用途不受影响的前提下，可以根据“以文养文”、“多业助文”的政策要求，按照国家有关规定开展经营活动，其收入主要用于开展活动支出、支付工作人员工资和维修、添置器材之用。

**第六章 职责分工和管理原则**

**第二十一条** 乡镇精神文明建设示范工程属国有资产，产权归乡镇所有，具体管理工作由乡镇负责。各地要结合实际制定乡镇精神文明建设示范工程管理办法，因地制宜，分类指导，典型示范，全面推进。

**第二十二条** 省文明办的主要职责是：(1) 负责审批新建示范工程的申请立项报告、建站方案、设计图纸、工程预算、地县乡配套资金证明；(2) 负责协调有关部门共同支持示范工程建设；(3) 负责按规定划拨中央文明办和省上的资助资金；(4) 会同有关部门审计建站资金使用情况；(5) 对乡镇精神文明建设示范工程建设情况进行检查验收；(6) 对乡镇精神文明建设示范工程使用管理进行监督指导。

**第二十三条** 地县文明办的主要职责是：(1) 负责审查并向省文明办提供新建乡镇精神文明建设示范工程立项报告、建站方案、设计图纸、地、县、乡配套资金证明和乡镇有关资料；(2) 负责督促、协调、筹措地、县、乡、配套资金到位并投入使用；(3) 对工程资金使用、工程质量进行监督，并代表省文明办对建站工程进行初步验收；(4) 及时准确地向省文明办提供建站进展情况，确保第一次划拨资金到位后一年内完成建站工作，确保示范工程建设达标；(5) 乡镇精神文明建设示范工程建成投入使用后，行使指导、监督和间接管理责任，确保不出卖、转让、全部出租，不改变其性质和用途。

**第二十四条** 乡镇党委、政府的主要职责是：(1) 要成立乡镇精神文明建设示范工程领导小组，全面负责示范工程的建设、管理、使用工作；(2) 制定和完善乡镇文化站的管理办法和活动制度，推动管理服务活动步入规范化、制度化、经常化轨道；(3) 负责规划、开展乡镇精神文明创建活动，确保“四室”不得随意占用或挪作它用；(4) 负责选配思想品德好、责任心强，热爱宣传文化事业、懂经营管理的人员担任站长或管理人员，乡镇文化站管理人员确定后，应经地县文明办同意并报省文明办审查备案；(5) 及时总结经验教训，通过发现问题、解决问题来改进工作，通过总结经验、宣传典型来推动面上的工作。

**第二十五条** 乡镇宣传文化站的主要职责是：(1) 运用各种载体和手段，进行社会主义物质文明和精神文明的宣传教育；(2) 组织开展丰富多彩的群众性文化艺术和娱乐体育活动；(3) 管理并办好广播电视；(4) 举办各类文化艺术、教育、科技、卫生、体育培训班；(5) 搜集整理民族民间文化艺术遗产，做好文物的宣传和保护工作；(6) 辅导各村群众文化活动；(7) 负责开展“以文养文、多业助文”活动；(8) 由县（市、区）文化行政部门授权管理当地文化市场。

**第七章 检查评选和命名表彰**

**第二十六条** 地县文明办要经常检查乡镇精神文明示范工程的建设、管理和使用情况，每半年向省文明办报告一次检查结果。省文明办每年对各地组织实施的乡镇精神文明建设示范工程进行一次全面检查验收，验收合格后，统一挂“甘肃省乡镇精神文明建设示范工程”的牌子，同时加挂“××乡（镇）宣传文化站”牌子。

**第二十七条** 乡镇精神文明建设示范工程是创建省级文明村镇的重要条件之一，凡建设不能达标，管理不严，不能经常开展活动，社会效益和经济效益不明显的乡镇，不得申报省级文明村镇。省文明办每两年进行一次评比表彰，对建设达标、管理有序、活动经常、效益明显的地、县文明办和乡镇予以奖励。

**第二十八条** 乡镇精神文明建设示范工程实行动态管理。对有名无实、活动开展不经常的乡镇精神文明示范工程，经地（州、市）文明办上报省文明办核准，撤销“甘肃省乡镇精神文明建设示范工程”的牌子和名称。对改变精神文明示范工程使用方向，或转卖、转让、全部出租乡镇精神文明建设示范工程的，依情节轻重分别给予全省通报、限期改正；收回中央、省上资助资金；追缴转让出租所得和送交有关部门查处等处罚。

第八章 附则

**第二十九条** 各有关地、县文明办和乡镇均应根据本办法，结合自身实际，制订相应的建设管理办法和实施细则。

**第三十条** 本办法自颁布之日起实施，由甘肃省精神文明建设指导委员会办公室负责解释。

甘肃省精神文明建设指导委员会

1999年12月6日

# 宁夏回族自治区精神文明建设指导委员会委员单位责任制度

（宁文明委［1999］1号）

社会主义精神文明建设是一项战线长、难度大、涉及面广、综合性强的系统工程，需要各地区、各部门紧密配合，共同来做。自治区精神文明建设指导委员会作为自治区党委指导全区精神文明建设工作的专门机构，担负着贯彻中央精神，组织、指导、协调全区精神文明建设工作的重要任务。为了充分发挥自治区文明委各委员单位的积极作用，特制定本制度。

**一、委员单位责任**

1. 按照中央和自治区党委关于精神文明建设的有关要求和自治区精神文明建设指导委员会的工作安排，督促检查各地各部门贯彻党的十五大和十四届六中全会精神、开展精神文明建设活动的情况，协调解决精神文明建设特别是思想道德和文化建设方面的有关问题。

2. 针对市场经济条件下精神文明建设面临的新情况、新问题，结合我区实际，深入开展调查研究，认真总结经验，为自治区党委加强精神文明建设提供决策依据。

3. 按照党的十四届六中全会和自治区党委七届五次全委会确定的目标和任务，切实加强全区思想道德建设和文化建设，特别是群众性精神文明创建活动的协调指导。

4. 主动加强与各地区、各部门的联系，共同研究和探讨深入开展精神文明建设活动的新途径、新形式，总结推广精神文明建设的新做法、新经验，不断促进全区精神文明建设向更高的层次和更广阔的领域拓展。

5. 积极组织好本部门、本单位的精神文明建设活动，努力加强职工队伍的思想作风建设，经常开展各种群众性文体活动，为全区精神文明建设活动带好头，做好表率。

6. 积极参加自治区精神文明建设指导委员会召开的各种会议，创造性地开展工作，圆满地完成委员会确定的各项工作任务。

**二、委员单位责任分工**

区党委办公厅、区政府办公厅

1. 负责落实自治区党委、政府部署的有关精神文明建设的各项任务，做好督察工作。

2. 组织、协调全区精神文明建设的重要会议和命名表彰先进的工作，组织开展精神文明建设重大活动。

组织、宣传、纪检部门

1. 把精神文明建设作为干部考核的重要内容，从组织制度上保证精神文明建设工作不断加强。重视对精神文明建设工作人员的培养、培训、安排和使用。

2. 对宣传思想文化战线精神文明建设进行规划，在全社会深入持久地开展树“三观”、讲“三德”宣传教育，深入开展思想政治工作，配合自治区文明办组织开展各种群众性的精神文明创建活动，协调各新闻舆论部门做好精神文明建设的宣传报道工作。

3. 参与精神文明创建活动，对各地各部门开展创建文明机关、文明行业、文明单位的活动进行督察和指导。加强对精神文明建设执纪执法的监督与检查，对忽视精神文明建设的现象进行通报和批评。

宁夏军区政治部、武警宁夏部队

1. 发扬人民军队的优良传统和作风，协同地方有关部门开展军民、警民共建活动，搞好双拥工作，积极支援地方的经济建设。

2. 充分发挥人武部门和民兵组织的作用，积极参与精神文明建设各项活动，发挥骨干带头作用。

3. 配合公安部门搞好社会治安，打击各种犯罪活动，保护人民群众利益。

区直机关工委

1. 制定区直机关精神文明建设规划和计划，组织开展各项创建活动，发挥区直机关在全区精神文明建设中的示范和表率作用。

2. 组织和协调有关部门，在全区党政机关实施《开展创建文明机关，做人民满意公务员》活动，定期开展评选和命名表彰。

3. 抓好区直机关的思想作风建设、党风廉政建设，增强广大机关干部的党性修养、大局观念和服务意识。

新闻舆论部门

1. 把握正确舆论导向，认真贯彻“两手抓，两手都要硬”的方针，把弘扬社会主义精神文明，以正确的舆论引导人，作为新闻舆论部门的重要工作来抓。

2. 发挥新闻舆论部门的优势，积极参与精神文明建设，唱响主旋律，弘扬社会正气。倡导社会主义新思想、新道德、新观念、新风尚，反对和鞭笞不道德、不文明的行为，运用生动、活泼、群众喜闻乐见的方式，开展宣传教育活动。

3. 组织好精神文明建设重要会议和活动的宣传报道，大力宣传精神文明建设先进集体和个人的典型经验。

文化出版部门

1. 加强社会文化市场管理，查禁各种非法出版物及反动、淫秽、色情出版物的销售和传播。和公安等部门协同配合，坚持开展“扫黄打非”，净化社会文化市场。

2. 积极开展丰富多彩的群众文化活动，满足人民群众不断增长的文化生活需要。加强农村基层文化馆（站）建设，有计划分步骤地建设好文化娱乐设施。

3. 繁荣出版事业。组织创作和出版好图书、好作品及电子音像制品。广泛宣传社会主义精神文明，为人民群众提供更多更好的精神食粮。

科技教育部门

1. 充分发挥各级科技部门、科普组织在精神文明建设中的积极作用，宣传普及科学知识，宣传文明健康的生产生活方式，破除封建迷信和陈规陋习，推广先进实用技术，依靠科技治穷致富。

2. 全面贯彻党的教育方针，按照社会主义现代化建设对人的要求和精神文明建设的根本任务，培养全面发展的有理想、有道德、有文化、有纪律的社会主义一代新人。

3. 重视德育工作。加强爱国主义、集体主义、社会主义和革命英雄主义教育，加强近、现代史和国情教育，加强社会公德和思想品德教育，提高学生的思想道德素质。

4. 抓好成人教育、职业教育和继续教育，提高群众的科学文化素质。

政法、公安、司法部门

1. 深入开展社会治安综合治理活动，维护社会稳定，为经济建设创造良好的社会环境。

2. 严厉打击各种违法犯罪活动，保护人民生命财产安全，协同有关部门做好“扫黄打非”、“除六害”工作。

3. 抓好政法系统自身的精神文明建设，从严治警，提高干部职工思想道德素质和部门整体工作水平。

4. 开展普法宣传和普法教育，努力提高全民的法制观念和遵纪守法意识。

计划、财政部门

1. 按照自治区社会经济发展总体规划，确定和安排年度文化建设重点项目，督促检查落实情况，确保两个文明相互促进，协调发展。

2. 根据党委、政府和自治区精神文明建设指导委员会的工作计划，安排精神文明建设活动的各项经费，配合自治区党委宣传部、自治区精神文明建设指导委员会办公室管好用好文化事业建设费。

工商、税务部门

1. 加强行政执法，加强文化市场管理。与文化、出版、广电以及公、检、法等部门配合，管理文化市场，促进文化事业繁荣发展。

2. 按照中央和自治区有关政策，认真做好文化事业建设费的征收工作，及时将文化事业建设费收缴入库情况通报区财政厅和区文明办。

3. 加强行业自身的精神文明建设，按照业务精、作风正、服务好，爱岗敬业、清政廉洁的要求，开展经常性的思想政治工作，建设高素质的职工队伍。

工、青、妇组织

1. 各级工、青、妇组织都要结合自己的工作性质和特点，经常性地、有针对性地开展形式多样的精神文明建设活动。

2. 积极发挥各级工会组织的作用。教育引导各行各业职工以主人翁姿态积极参与企业改革和精神文明建设各项活动，组织职工开展创建“职工之家”和文明健康的文体活动，发动职工开展互帮互助、“送温暖”活动，动员社会力量，关心、支持下岗职工的再就业。

3. 充分发挥共青团员和广大青年在精神文明建设中的生力军作用。积极组织团员和青年开展“学先进、讲奉献、树新风”活动，开展“手拉手、心连心”活动，开展丰富多彩、健康向上的科技、文化、体育活动。

4. 积极组织妇女投身改革，广泛参与社会生活，“自尊、自信、自立、自强”。开展家庭美德教育，评选“五好家庭”，开展家庭文化建设，开展计划生育、尊老爱幼、勤俭持家等各项活动，维护妇女、儿童的合法权益。

**三、考核内容和办法**

1. 自治区精神文明建设指导委员会将定期召开会议，听取各委员单位关于落实精神文明建设职责分工的情况汇报，研究安排精神文明建设工作，协调解决有关问题。

2. 自治区精神文明建设指导委员会负责对各委员单位落实职责情况进行检查考核。考核的主要内容包括：

(1) 是否全面落实文明委委员单位责任制，认真履行职责，是否提出加强和改进工作的意见和建议，是否认真完成文明委委托的有关精神文明建设的工作任务。

(2) 各委员单位在精神文明建设中是否较好地发挥了带动和示范作用，是否制定了切实可行的制度，是否按规定和制度办事，规划和工作安排是否得到落实，是否总结了典型经验，并进行推广，有何效果。

(3) 是否把精神文明建设列入部门重要工作日程，并作为干部政绩考核的主要内容之一。是否做到精神文明建设工作和部门业务工作一同部署、一同检查，并认真进行总结和表彰奖励。

(4) 部门制定的有关行业政策、规章以及制度，是否与精神文明建设工作协调，是否有利于精神文明建设工作的开展。

(5) 委员单位责任制和精神文明建设工作是否存在不落实的问题。是否积极参加文明委和文明办召开的有关会议以及组织的各项活动。

3. 自治区精神文明建设指导委员会将通过听取各委员单位的工作汇报，征求有关部门的意见，用文明委会议等形式对委员单位履行职责的情况进行通报。对工作成绩突出的进行表扬，对不能尽职尽责，工作成效不明显的提出批评，对不开展活动、不履行职责的，将提请自治区党委予以撤换文明委委员的处理。

# 宁夏回族自治区关于开展创建文明行业活动的实施办法

（宁文明办［1999］6号）

一、总则

**第一条** 为深入贯彻党的十五大和十四届六中全会精神，认真落实自治区第八次党代会和第七届五次全会精神，进一步推动和规范创建文明行业活动，提高行业干部职工思想道德素质，树立健康向上的行业新风，形成文明祥和的社会风尚，结合我区实际，制定本办法。

**第二条** 以邓小平理论和党的基本路线为指导，以服务人民、奉献社会为宗旨，以尽职业责任、讲职业道德、守职业纪律、树行业新风为内容，着眼于全行业干部职工思想道德素质和科学文化水平的全面提高，着眼于全行业两个文明建设总体水平和文明程度的全面提高，努力创造新型的人际关系和良好的社会风尚，以形成物质文明和精神文明建设相互促进、协调发展的良好局面。

**第三条** 创建文明行业活动，以各行业为单位开展。各行业、各单位领导都要站在贯彻落实党的重要决策的政治高度，认真抓好创建活动。把创建文明行业工作列入重要议事日程，列入各级领导干部和领导班子的任期目标，纳入目标管理考核体系。做到有健全的领导机构和创建责任制，有近期和中长期创建目标和规划，有良好的运行机制，有充实的活动内容和丰富的活动载体，有精神文明建设工作队伍和适当的经费投入。

**第四条** 为保证创建文明行业活动的开展，各行业都要建立健全管理运行机制：

（一）建立健全领导机制。坚持“以条为主，系统自建，条块结合，齐抓共管”的原则。创建文明行业工作实施“一把手”工程，由行业“一把手”负总责，各级一把手层层负责，行业精神文明办公室牵头组织、协调、督导、考核。

（二）明确管理机制。制定创建责任制度，确保各单位积极参加创建活动；制定创建质量保证制度，确保创建活动达到质和量的标准；制定创建检查验收制度，确保各项创建活动不走过场；制定高效运转、优质服务的规范和制度，确保各项任务如期完成。

（三）健全监督机制。健全内部监督，加强社会监督。创建单位抓好内强素质，外塑形象的活动。窗口行业要向社会公开承诺，让群众知道服务内容、服务标准、服务程序、服务口号、岗位纪律，要设立投诉电话和群众意见簿（箱），使监督活动社会化、公开化。行业内部要加强行风评议和监督，坚持开展“自查、自纠、自评、自议”活动，采取综合检查与专项检查、定期检查与经常性检查、明察与暗查相结合的办法，确保创建活动质量。

（四）建立激励机制。在行业内部大力开展比、学、赶、帮、超等各种竞赛活动，把创建工作实效与干部政绩考核、岗位责任落实挂钩，同干部的奖惩、任职、晋升挂钩，同职工群众的切身利益挂钩，做到奖惩分明。

**第五条** 文明行业分自治区、地（市）、县（区）三级，实行分级创建，分级命名。

二、评选条件

**第六条** 文明行业须坚持八条标准：

（一）组织领导坚强有力。行业主管部门领导班子讲学习、讲政治、讲正气，廉洁奉公，开拓进取。创建文明行业意识强。建立了一套有利于精神文明建设健康发展的运行机制（领导机制、管理机制、监督机制、激励机制、保障机制等）。

成立行业精神文明领导小组及办公室，有专人负责组织、协调、指导、检查、考核与管理。工作人员要“政治强、业务精、作风正”。

（二）本职工作业绩突出。全行业坚持以经济建设为中心，坚持深化改革，扩大开放，开拓进取、抢抓机遇、加快发展，建立健全适应社会主义市场经济规律的经营管理体制，经济效益显著，工作业绩突出，位居相近行业前列。

（三）创建活动深入持久。全行业广泛开展各种形式的精神文明创建活动。自建与共建成效突出，行业主管机关建成高级别文明单位，行业内文明单位率达到规定标准。

自治区级文明行业标准：行业主管机关建成自治区级文明单位，行业内处以上（含处）独立核算单位30%—50%建成自治区级文明单位。处以下单位50%以上建成地区级或地区级以上文明单位。其余单位95%建成县级文明单位。行业内部30%建成文明窗口示范单位。

地（市）级文明行业标准：行业主管机关建成自治区级文明单位，行业内处以上（含处）独立核算单位40%建成地区级或地区级以上文明单位。科以下单位90%建成县级或县级以上文明单位。行业内部20%建成文明窗口示范单位。

县（区）级文明行业标准：行业主管机关建成地区级文明单位，行业内科以上（含科）独立核算单位30%—40%以上建成地区级文明单位。科以下单位80%以上建成县级以上文明单位。

（四）行风与服务群众满意。全行业（含各单位）建立健全各类规章制度和服务规范标准，内部管理严格有序，服务态度热忱文明，服务技能熟练高效，服务设施完善周到，服务环境优美舒适，服务质量群众满意。建立健全行风监督评价体系，社会评议在良好以上，群众满意率达85%以上。

（五）思想道德教育和科技文化培训扎实有效。以活动为载体，开展主题突出、特点鲜明、生动活泼、经常化的思想道德教育和科学文化教育。行业内部以爱国主义和新时期创业精神为代表的先进思想成为主旋律，以社会公德、职业道德、家庭美德和文明行为为代表的美好道德蔚然成风，培养有理想、有道德、有文化、有纪律的社会主义公民的目标任务得到较好落实。完成主要党报党刊的订阅任务。

（六）民族团结事业繁荣发展。行业坚持开展马克思主义国家观、民族观、宗教观、历史观、文化观的教育，坚持开展党的民族政策教育，民族团结思想深入人心。能同一切破坏民族团结的人和事进行斗争。广泛开展创建民族团结模范单位和争当民族团结先进个人活动。各民族平等团结，友爱互助，共同进步。

（七）环境建设优美。建立了爱护环境、美化环境的制度。各单位做到道路硬化、四周净化、庭院绿化、环境美化。20%以上单位建成花园式单位并逐年巩固提高。积极参与城市净化、绿化、美化、亮化活动并带头实施。

（八）综合治理稳步推进。认真开展普法教育，干部职工学法、懂法、守法、用法。行业内部治安秩序良好，无重大恶性案件，无重大治安灾害事故，无“民转刑”案件，无群体性上访事件，职工无严重刑事犯罪，无超计划生育现象。

**三、文明行业的命名**

**第七条** 文明行业分为自治区级、地（市）级、县（区）级。实行分级考核、验收、审批、命名办法。一般由行业申报，上级行业精神文明办公室征求有关部门意见后，进行考核验收，然后依次报县（区）、地（市）、自治区精神文明建设指导委员会，由各级精神文明建设指导委员会组织有关部门进行考核验收，合格后报同级党委、政府审批、命名。

**第八条** 文明行业的申报验收，一般从最基层一级文明行业开始。特殊情况下，经上一级精神文明建设指导委员会批准，创建成绩特别突出的行业也可直接申报地区级或自治区级文明行业。获得文明行业称号后，荣誉保持两年（特殊情况除外），并有新的创建成绩者可申报上一级文明行业。

**第九条** 文明行业的考核验收工作，采取听（听创建情况汇报）、看（看环境建设、制度建设、基础建设、思想文化阵地和文化卫生设施建设）、查（创建规划、基础措施、目标管理、工作业绩、各种记录、工作总结）、问（召开座谈会、提问应知内容）、考（全员进行思想道德考核和考试）、议（考核验收小组进行评议打分）的办法进行。

**第十条** 报批文明行业必须具备以下材料：

（一）创建规划、措施、年度总结和自检报告、申报材料；

（二）创建工作大事记；

（三）地方各级文明委推荐报告；

（四）共建工作、综合治理、计划生育有关材料；社会反映。

**第十一条** 文明行业的命名实行届时制，每期届时两年。届期内由行业内部定期进行复查验收。届满后由命名机关重新验收命名。

**四、奖励与处罚**

**第十二条** 对文明行业实行精神奖励为主、物质奖励为辅原则。凡被命名的文明行业，应由批准命名机关颁发文明行业牌匾和命名证书，并在同级新闻报刊上予以公布。对创建工作成绩特别突出的单位，由精神文明建设指导委员会协商有关部门同意，给予一定的物质奖励。

**第十三条** 文明行业的标志是“文明行业”牌匾。机关门前只悬挂最高一级的“文明行业”牌匾。

**第十四条** 自治区级文明行业，从命名后的第一年度起，每年可单独发给单位在册干部职工人均一个月标准工资的奖金。被取消（撤销）文明行业荣誉称号的，从当年起取消该奖金。各地（市）、县（区）可参照此标准确定奖励金额。

**第十五条** 文明行业有下列情况之一者，应视情况分别给予黄牌警告、通报批评直至撤销文明行业称号：

（一）领导班子不团结，工作不得力，整体素质和经济效益差；

（二）领导班子成员发生政治错误和有腐败行为；

（三）精神文明建设工作长期处于停滞半停滞状态；

（四）管理不善，经营亏损或服务水平明显下降；

（五）行业内社会治安综合治理搞得不好，发生重大事故；

（六）行业内有违反计划生育政策的；

（七）卫生面貌差，经过有关部门批评仍没有改变；

（八）行业申报时弄虚作假，发生重大问题隐瞒不报。

**第十六条** 被撤销荣誉称号的文明行业，经两年以上时间的整改，创建达到标准的，可以重新申报原级别文明行业。

**五、附则**

**第十七条** 本办法由自治区精神文明建设指导委员会办公室负责解释。

**第十八条** 本办法自发布之日起实施。

# 宁夏回族自治区关于评选区级文明村镇的实施办法

（宁文明办［1999］7号）

**第一章 总则**

**第一条** 为了深入贯彻落实党的十四届六中全会和十五届三中全会精神，切实加强农村精神文明建设，加强文明村镇（包括乡，下同）的建设和管理，特制定本办法。

**第二条** 文明村镇是农村两个文明建设协调发展并取得优异成绩的先进村镇，是同级党委、政府授予的综合性的最高荣誉称号。

**第三条** 文明村镇建设必须以邓小平理论为指导，以建设社会主义新农村，培养有理想、有道德、有文化、有纪律的新型农民为目标。

**第四条** 创建文明村镇活动必须坚持以经济

建设为中心，着力解决农民关心的实际问题，为农业和农村经济的可持续发展创造良好的社会环境。

**第二章　文明村镇标准**

**第五条**　文明村的基本标准：

（一）领导班子团结有力

1. 村级组织机构健全，村民自治组织工作条例落实，工作制度完善，村级干部政策观念强，作风民主，有较强的实际工作能力。

2. 党支部、村委会干部团结协作，联系群众，办事公道，无违法乱纪现象。

3. 精神文明建设有组织，有规划，有投入，有活动，有成效。

（二）思想道德风尚好

1. 经常开展爱国主义、集体主义和社会主义思想教育，正确处理国家、集体、个人三者之间的关系，积极参加社会公益活动，完成上级布置的各项任务。

2. 经常开展社会公德、职业道德和家庭美德教育，形成文明礼貌、助人为乐、尊老爱幼、勤俭持家、团结友爱的村风、民风。

3. 定期开展评选“十星级文明户”、“科技示范户”、“遵纪守法户”等活动，村民参与面广，创评意识强，五星级以上文明农户达总农户的40%以上。

（三）农村经济发展，集体经济收入逐年增加

1. 党在农村的各项经济政策落实到位，家庭双层联产承包经营责任制巩固、完善，各种承包合同兑现。

2. 农、工、商及种、养、加各业协调发展，集体经济收入逐年提高，不断壮大。

3. 村民家庭多种经营搞得好，农民人均纯收入达到或超过市县平均水平，群众生活逐年提高，小康村建设达标。

（四）文化教育普及程度高

1. 村有标准化学校，适龄儿童入学率、巩固率、升学率、毕业率均达到95%以上。40岁以下成年人无文盲。

2. 能够对农民开展经常性科普教育，农民对实用农科技术掌握运用好，科技示范户比例达到或超过总农户的5%以上。

3. 有集思想教育、科技普及、活动开展为一体的多功能文化室，设施配套、制度健全、专人负责，党报党刊及农村科技报刊数在5种以上，文化活动经费逐年增加，经常开展活动，村民生活文明健康。

（五）社会治安综合治理好

1. 坚持开展经常性法制教育，村民有较强的法律意识和法制观念，能坚持依法照章办事。

2. 有便于操作、内容具体的村规民约，民事调解和治保组织健全，经常开展工作，民事调解及时。

3. 执行国家法律、法规和自治区的有关规定。无超生现象，无重大刑事案件、治安案件和责任事故，社会治安秩序良好，综合治理达标。

（六）环境整洁，卫生达标

1. 村庄建设有整体规划，居住条件改善，达到小康建设的规定要求。村容村貌干净整齐，无滥占耕地盖房和违章建筑。

2. 深入开展爱国卫生活动，生产生活区基本分开，村内无粪土、柴草、垃圾乱堆乱放现象。

3.“四旁”（村、路、渠、宅）绿化美化和植树造林好，无乱砍乱伐现象。

**第六条**　文明乡镇的基本标准：

（一）组织领导坚强有力

1. 党政领导班子高举邓小平理论伟大旗帜，坚持党的基本路线，贯彻两个文明一起抓的战略方针，认真执行党在农村的各项方针政策。

2. 领导班子成员团结协作，廉洁勤政，锐意改革，开拓创新，联系群众，奉公守法，积极为群众办实事，办好事。

3. 以村党支部为核心的村级组织建设配套，党组织的核心作用和共产党员的模范作用突出。共青团、妇联、民兵等群众工作得到加强。

4. 精神文明建设纳入党委、政府重要议事日程和工作计划。有规划、有组织、有措施、有专人负责，两个文明建设同安排、同检查、同落实、同奖惩。

（二）乡镇经济持续发展

1. 农村基本经济制度稳定、完善，以家庭联产承包为主的责任制巩固发展，完成国家下达的各项任务。

2. 农业生产发展，农业投入不断增加，农业基础设施逐步改善。

3. 乡镇企业和多种经营发展，农村产业结构合理协调，社会化服务体系发展良好。

4. 农民生活条件不断改善，家庭人均纯收入明显增加，脱贫致富成效显著，建成小康乡镇。

（三）思想道德建设加强

1. 坚持用邓小平理论武装党员、教育干部和农民，树立建设有中国特色社会主义的共同理想和正确的世界观、人生观、价值观。

2. 经常进行爱国主义、集体主义、社会主义和艰苦创业教育，并取得明显成效。

3. 经常开展社会公德、职业道德和家庭美德教育，群众思想道德素质不断提高，社会风气良好。

（四）创建活动扎实有效

1. 文明乡镇创建工作有组织、有计划、有措施、有专人负责，创建活动常抓不懈。

2. 以“十星级文明户”为主的文明村、文明乡镇企业创建活动深入开展，县（市）级文明村、文明乡镇企业比例达到30%以上。

3. 军民共建精神文明活动形式多样，“拥军优属，拥政爱民”工作实绩突出。

（五）科教文卫全面发展

1. 义务教育成效显著，“双基”教育达标，标准化学校达到80%以上。

2. 科普工作抓得紧，搞得好，做到乡镇有农科站、村有示范户、户有科技明白人，农业实用科技推广和运用成效显著。

3. 乡镇建有文化站（活动中心），设施配套，功能齐全，制度健全，专人负责，文化生活氛围浓郁，经常开展丰富多彩的群众文体娱乐活动。

4. 医疗卫生机构健全，人口与计划生育教育普及率提高，计划生育达标。

（六）社会治安秩序良好

1. 综合治理网络健全，乡、村、组层层落实治安责任制。

2. 法制教育收效明显，无重大刑事案件，无重大责任事故，治安秩序良好。

3. 民事调解组织健全，民事纠纷调解及时。

（七）环境建设整洁有序

1. 乡镇建设有整体规划，基础设施逐步改善，无违法占地和违章建筑。

2. 卫生管理制度健全，街道整洁通畅，庭院卫生清洁，农村“三乱”（粪土乱堆、柴草乱放、畜禽乱跑）现象得到有效治理。

3. 乡镇有绿化规划，植树造林成效显著，绿化覆盖率和人均绿地占有率高于市县平均水平。

（八）乡镇管理科学规范

1. 乡镇管理机构健全，管理制度完善，管理目标责任制落实。

2. 土地管理制度规范，用地审批手续严格，土地纠纷处理及时。

3. 乡村道路、集贸市场、文化市场全面整治，供电、供水、通讯、水利设施保护完好，运转正常。

**第三章 文明村镇建设**

**第七条** 创建文明村镇，要从各地实际出发，制定规划、因地制宜，分类指导，典型示范，推动全面。

**第八条** 创建文明村镇，要广泛开展“十星级文明户”、“科技示范户”等争创活动。要制定标准，严格评审，动态管理，确保争优创先活动健康发展。

**第九条** 创建文明村镇活动，要坚持把活动目标、任务、形式同农民的切身利益结合起来，着力解决农民普遍关心的问题，广泛吸引农民积极参与。

**第四章 文明村镇的评选、命名和表彰**

**第十条** 文明村镇的评选、命名，从1999年开始，每两年命名表彰一次。

**第十一条** 凡有创建规划、持续开展创建活动并取得显著成绩的村镇，均可向所在县（市）文明办提出申请，参加评选。

**第十二条** 文明村镇分县（市）、地（市）和自治区三个级别。分别经县（市）、地（市）和自治区文明委考评后，报请同级党委和政府批准命名。

**第十三条** 地（市）级文明村镇从县（市）级文明村镇中产生；自治区级文明村镇从地（市）级文明村镇中产生。在特殊情况下，自治区党委、政府可直接命名自治区级文明村镇。

**第十四条** 坚持两个文明同部署、同考评、同奖惩的原则，凡获得自治区级文明村镇的，对乡镇主要领导和具体负责精神文明建设工作的同志奖励一个月的基本工资。

第五章　文明村镇的管理

**第十五条**　文明村镇实行条块结合，以块为主，分级管理。区级文明村镇依托所在地、市、县文明办管理。

**第十六条**　文明村镇的创建管理由各级文明办具体负责。各级党政领导都要加强对文明村镇评创活动的组织领导，做好指导、协调、检查、督促工作。

**第十七条**　文明村镇实行动态管理，每年复查一次，凡符合标准的，保留文明村镇荣誉。停滞不前或出现滑坡的，视情况予以通报批评、限期整改、直至撤销荣誉称号。凡有下列情况之一者，撤销荣誉。

（一）领导班子中有腐败行为的；

（二）发生重大刑事案件的；

（三）封建迷信、黄赌毒等丑恶现象得不到有效遏制的；

（四）发生超计划生育的；

（五）违反环保和土地法规的。

**第十八条**　撤销荣誉称号的村镇，经两年时间整改，达到标准的，可按原级别重新申报。

第六章　附则

**第十九条**　各地、市、县（区）可结合本办法，制定具体的实施细则。

**第二十条**　本办法自公布之日起执行，自治区文明办负责对本办法解释。

# 宁夏回族自治区关于创建区级文明单位的管理办法

（宁文明办［1999］13号）

第一章　总则

**第一条**　为了全面贯彻落实党的十四届六中全会和十五大精神，使创建文明单位的活动向着经常化、制度化、规范化的方向深入发展，更好地发挥文明单位在两个文明建设中的示范带头作用，特制定本办法。

**第二条**　创建自治区文明单位，必须以邓小平理论为指导，坚持以经济建设为中心，坚持“两手抓，两手都要硬”的方针，把培养有理想、有道德、有文化、有纪律的社会主义公民，提高人的思想道德素质和科学文化水平作为根本任务。

**第三条**　自治区级文明单位是全区社会主义物质文明和社会主义精神文明建设取得显著成绩，被社会和群众认同，经自治区文明委考核、审定，由自治区党委和政府命名的先进单位，是区内综合性的最高荣誉称号。

**第四条**　凡经济独立核算，独立开展社会活动，并能承担权利和义务的机关、人民团体、具有法人资格的企、事业单位的创建活动，均适用本办法。

第二章　文明单位标准

**第五条**　文明单位标准：

（一）领导班子建设好。坚持学习邓小平理论，坚持党的基本路线，坚决贯彻党和国家的方针、政策，讲学习、讲政治、讲正气。锐意改革，开拓创新；团结协作，联系群众；作风正派，办事公道；勤政廉洁，群众满意。

（二）两个文明建设好。坚持以经济建设为中心，取得良好的经济和社会效益。精神文明建设有切实可行的规划和措施，工作落到实处，取得突出成绩，总结了典型经验。

（三）思想道德风尚好。坚持以为人民服务为核心，深入开展爱国主义、集体主义、社会主义教育，加强社会公德、职业道德、家庭美德建设，讲文明、树新风，团结互助，关系和谐，群众心情舒畅，精神状态良好。

（四）党建工作做得好。加强党的思想、组织和作风建设，充分发挥党组织政治核心作用和战斗堡垒作用，发挥党员先锋模范作用，发挥工、青、妇等群众组织的桥梁纽带作用。党群、干群关系密切。单位党报党刊征订任务完成好。

（五）文化体育工作好。文化设施基本配套，群众文化生活丰富多彩。积极开展全民健身运动，群众性文体活动活跃，群众参与面广，活动组织得好。

（六）教育卫生工作好。坚持对干部职工进行文化专业知识教育和培训，为职工的再学习创造良好的条件，干部群众学习热情高。坚持开展爱国卫生运动，贯彻落实计划生育基本国策，优生优育计划落实，无超生现象。

（七）遵纪守法做得好。坚持法制和纪律教育，社会治安综合治理措施落实；干部群众中无严重违法违纪行为，无聚众赌博现象，无重大刑事案件。

（八）绿化、美化、净化好。环保意识强，爱护环境、美化环境，积极参与城市净化、绿化、亮化、美化活动。“三废”（废水、废气、废渣）排放低于国家规定标准，治理环境污染效果显著。

（九）创建活动开展好。积极组织参加各项精神文明创建活动，发挥示范和带头作用。积极参与社会公益活动，移风易俗，弘扬正气，扶贫济困，捐资助学。

（十）民族团结互助好。各民族干部群众和睦相处，相互尊重，相互帮助，形成民族平等、团结、互助的良好风气。

**第六条** 各地可根据文明单位标准，结合实际情况制定具体的创建实施细则。

**第三章 文明单位建设**

**第七条** 各部门、各单位要结合部门特点和单位的实际，制定创建文明单位的规划和计划，由职工代表大会或群众讨论通过，使创建活动成为干部、群众的共同任务和奋斗目标。

**第八条** 创建规划、目标、任务要具体分解落实到每个基层、岗位和职工，广大群众要增强创建意识，明确自己的工作和责任。要有切实可行的措施和完成的期限，定期进行检查。

**第九条** 开展经常性的、形式多样的、富有成效的创建活动。广泛开展文明班组、文明岗位以及文明楼院、文明家庭、文明个人评选活动。

**第四章 文明单位的评审和命名**

**第十条** 自治区级文明单位由自治区文明委评议、审定，并由自治区党委和政府命名。

**第十一条** 文明单位的升格要逐级申报。自治区级文明单位在已获得两年地市级文明单位称号的单位中产生，由所在地市推荐，经自治区文明委组织考核、验收。个别在两个文明建设中成绩特别突出的单位，经市（地）文明委推荐，可不受命名时间的限制，破格验收评选。各综合部门、各行业系统的创建评选活动不得使用“文明单位”这一专用名称。

**第十二条** 各行业、各单位在参加全国性行业文明单位评选时，应事先将申报材料送自治区文明办征求意见。

**第十三条** 自治区级文明单位每年评审、命名一次。文明单位门前标志是“文明单位”牌匾。文明单位只悬挂获得的最高一级文明单位称号牌匾。

**第五章 文明单位的奖惩**

**第十四条** 对文明单位实行“精神奖励为主，物质奖励为辅”的原则。文明单位由同级党委和政府召开大会命名表彰，授予牌匾和证书。牌匾和证书，由自治区文明办统一制作。

**第十五条** 凡被命名为自治区级文明单位的党政机关、群众团体、事业单位，可在命名表彰后，按当年单位在册固定职工（包括合同制工人）发给人均一个月标准工资的奖金。奖金来源可从本单位行政事业费节余或创收经费中列支，免纳奖金税。

**第十六条** 凡被命名的企业和企业化管理的事业单位（实行财政承包的企业），根据单位情况，有支付能力的可发给在册职工人均一个月标准工资的奖金。奖金来源可从按规定提取的奖励基金或工效挂钩工资中列支，免缴奖金税或工资调节税。

**第十七条** 凡被命名为自治区级文明单位的街道、居委会等单位，发给党政主要领导和负责创建工作的同志一个月标准工资的奖金。奖金来源由各地自行解决。

**第十八条** 资金发放办法由单位自行决定。各级文明单位的奖金不能重复享受。

**第十九条** 文明单位如有不符合标准和质量下降的情况，文明委可对其提出通报批评和限期整改要求。整改期限不超过一年。到期没有改正的，撤销其文明单位称号，收回牌匾和证书，并进行通报。限期整改期间停止享受有关奖励。

**第二十条** 文明单位如发生重大事故，造成社会不良影响，或被有关部门一票否决，应撤销其文明单位称号，收回牌匾和证书，停止奖励。

**第二十一条** 撤销文明单位称号的程序是：由所在地、市文明委调查核实，提出意见，报自治区文明委审核，作出撤销决定，报自治区党委和政府备案。

**第二十二条** 被限期整改的单位，要认真总结经验教训，分析原因，落实整改措施，力争按期改正，保持荣誉称号。被撤销文明单位称号的单位，要吸取教训，从头做起，待条件成熟后可重新进行申报。各级文明委和主管部门要加强对这些单位的指导和帮助。

**第六章 文明单位的管理**

**第二十三条** 自治区级文明单位由自治区文明办管理。日常管理工作由所在地、市文明办负责。文明单位要自觉接受所在地、市文明办的管理和指导，采取有效形式，接受群众的监督和批评。

**第二十四条** 组织人事部门和各级主管部门要把文明单位精神文明建设情况做为单位工作考核、干部选拔使用和企业上等级评选的主要条件之一。

**第二十五条** 对已命名的自治区级文明单位实行动态管理，由区、地（市）文明办负责，县（区）文明办参加，每年进行一次复查。

**第二十六条** 自治区文明委办公室建立自治区级文明单位档案。档案内容包括：文明单位的基本情况，申报审批表，主要事迹材料，考核和历次复查记录，重大事故，奖惩情况记载等。

**第二十七条** 自治区级文明单位如改变单位名称或变动隶属关系，要向自治区文明办申报办理更改名称手续。对合并或分设的文明单位要重新进行考核、命名。

**第二十八条** 各级文明委要抓好文明单位的经验总结和交流，抓好创建理论研讨工作，发现新情况，研究新问题，不断提高文明单位的创建水平。

**第七章 附则**

**第二十九条** 本规定的解释权和修改权属于自治区文明委，所作的文字解释与本办法具有同等效力。

**第三十条** 本规定从颁布之日起实施。以往印发的文明单位建设管理办法停止执行。

# 新疆生产建设兵团文明单位管理办法

**第一章 总则**

**第一条** 根据兵团党委《兵团国民经济和社会发展“九五”计划和2010年远景目标纲要》和《兵团“九五”期间和2010年社会主义精神文明建设规划》的要求，为充分发挥文明单位在社会主义物质文明和精神文明建设中的示范带头作用，促进文明单位管理的规范化、制度化，提高文明单位建设水平，推动兵团精神文明建设的发展，特制定本办法。

**第二条** 文明单位是在社会主义市场经济条件下，物质文明和精神文明建设成绩突出，符合文明单位标准，经团（厂）以上精神文明建设指导委员会命名的单位。“文明单位”的称号是基层单位各种荣誉称号中综合性的荣誉称号。

**第三条** 创建文明单位，必须以邓小平理论为指导，以经济建设为中心，坚持四项基本原则，坚持改革开放，以全面提高职工整体文明素质，培养有理想、有道德、有文化、有纪律的职工队伍为目标，促进经济发展和社会稳定与进步。

**第四条** 创建文明单位是两个文明建设的基础性工作，是把两个文明建设的任务落实到基层的有效途径。各级党政领导要把创建文明单位作为本辖区、本系统、本单位两个文明建设的一项基本任务，纳入干部任期目标责任制，作为考核领导班子政绩的一项重要内容。未开展创建文明单位活动的单位及单位领导不能被授予其他先进称号。

**第五条** 文明单位评选范围：农牧团场、工交建商企业、文教、卫生、科研及机关等独立核算单位。

**第二章 标准**

**第六条** 文明单位标准：

（一）领导班子好。领导班子坚强团结，认真贯彻执行党和国家的各项方针政策；领导成员思想解放、实事求是、勤政廉洁、密切联系群众，具有开拓创新精神；坚持两个文明一齐抓，干部职工有较强创建意识，创建工作规划落实，措施得力，建立了精神文明建设的工作机制。

（二）党的建设好。党组织能发挥核心领导作用和战斗堡垒作用；党员能发挥模范带头作用，党员、干部在群众中有较高的威信；工会、共青团组织健全，发挥作用好。

（三）经济和社会效益好。积极推进改革、参与市场竞争，完成或超额完成生产、经营、工作任务，业绩突出，经济效益好，国内生产总值，职工人均创利、税，职工人均收入居本师（局）先进水平，科技工作成绩突出。文明单位必须是安全生产达标单位。非生产单位效率高，实行标准化优质服务，群众满意，社会效益好。

（四）民族团结好。认真贯彻执行党的民族和宗教政策，经常进行马克思主义民族观、宗教观和民族团结教育；维护祖国统一，坚决反对民族分裂主义，依法打击非法宗教活动；各民族平等、团结、友爱，共同发展、共同进步。

（五）思想政治工作好。努力学习邓小平理论，坚持爱国主义、集体主义、社会主义教育，弘扬“兵团精神”；思想政治工作不断改进和加强，讲求实效，成绩突出，干部群众具有良好的精神风貌；重视思想文化阵地建设。

（六）文化、科技建设好。重视智力投资，基本普及九年义务教育，基本扫除青壮年文盲，“两基”验收达标；群众性的科技、文体活动活跃，成效显著。

（七）社会治安、秩序好。社会治安综合治理措施落实，法制教育经常化，积极开展“安全创建”活动，单位生产、工作、生活秩序良好，单位无重大治安、灾害事故和恶性案件（团〈厂〉级文明单位总人口犯罪率低于万分之十五，师〈局〉级文明单位总人口犯罪率低于万分之五）。文明单位必须是社会治安综合治理甲级单位。

（八）道德风尚好。坚持进行“讲文明树新风”、《兵团职工道德行为规范》、“三德”（社会公德、职业道德、家庭美德）教育等系列活动，单位无行业不正之风，职工群众自觉遵守文明行业规范。

（九）环境卫生好。重视环境保护，做到绿化、净化、美化、道路硬质化，农牧团场场部小城镇化建设成效显著，并按照兵团关于社会主义现代化农牧团场的要求和标准，做到年年有发展。初级卫生保健达标，人口健康有明显提高。

（十）管理工作好。重视企业文化建设；各项管理规章制度健全，实行科学管理、文明生产、文明经营、文明办公；充分发挥职代会或职工大会的作用；单位内部必须有35%以上基层单位建成各种文明（先进）集体，积极开展创建“小康连队”和“十星级文明户”活动，成绩显著。文明单位必须是计划生育达标单位。

**第三章 创建**

**第七条** 开展创建活动的单位，要根据文明单位标准，结合本行业、本单位的实际，制定文明单位的规划和目标，由党员大会、职代会或职工大会讨论通过，使之成为本单位干部、群众的共同任务和奋斗目标。

**第八条** 要把创建规划中的目标和任务分解、落实到每个部门、岗位和职工群众中，制定切实可行的措施，提出完成期限，定期进行检查、评比，务求取得较好效果。

**第九条** 要教育职工增强创建文明单位的意识，使职工了解单位创建规划、目标和每个人应承担的责任，了解本部门、本车间、本班组、本岗位的具体任务和措施，把本职工作纳入创建活动中去。

**第十条** 创建文明单位要坚持“精神文明重在建设”的方针，充分发动群众广泛参与，开展经常性的、富有成效的活动；要着重抓好思想道德和科学文化建设，重视文化阵地建设和环境建设；单位内部要广泛开展评选文明机关、文明窗口、文明学科（系）、小康连队、安全创建、文明车间、文明班组、文明楼院，十星级文明户等系列活动，着力提高职工素质，培育“四有”职工队伍。

**第四章 评选和命名**

**第十一条** 文明单位分三级：兵团级文明单位、师（局）级文明单位、团（厂）级文明单位。兵团级文明单位一般从师（局）级文明单位中产生，由师（局）精神文明建设指导委员会推荐，报兵团精神文明建设指导委员会验收命名；师（局）级文明单位一般从团（厂）级文明单位中产生，由团（厂）精神文明建设指导委员会申报或推荐，报师（局）精神文明建设指导委员会验收命名；团（厂）级文明单位的产生，由申报单位向团（厂）精神文明建设指导委员会提出申请，经团（厂）精神文明建设指导委员会验收命名。农牧团场必须把创建文明连队活动和创建小康连队活动结合起来，在文明连队的基础上评选和推荐小康连队，小康连队必须是文明连队。

**第十二条** 文明单位的命名实行届时制，每届期限为三年，三年届满后，单位须重新向命名机关进行申报，由命名机关验收合格后重新命名。

**第十三条** 文明单位的申报，实行自检申报，上级考核、审批命名。连续两年保持文明单位称号的单位，经命名机关推荐，可于第三年申报上一级文明单位称号。特殊情况下，兵团精神文明建设指导委员会可对基层单位直接验收命名。

**第十四条** 文明单位的验收、命名及升格每年进行一次，特殊情况下可不限定时间。各单位要认真搞好文明单位的评选和推荐工作，并协助做好与上一级命名机关进行实地验收的工作。

**第十五条** 文明单位的评选和命名，必须坚持实事求是的原则，坚持标准，严格考核，做到符合标准，群众公认，能发挥示范带头作用。

**第十六条** 各行业、系统及部门开展的精神文明创建活动，其荣誉称号由本行业、系统及部门审批命名，荣誉称号可使用文明车组、文明派出所、青年文明号、文明医院等具体称号，不得使用“文明单位”称号。

**第十七条** 各系统、各单位推荐给国家各部委、各大系统、行业表彰的先进单位，一般应从师（局）级以上文明单位中产生，推荐时要事先征求兵团或师（局）精神文明建设指导委员会办公室的意见，并将受表彰情况及时通报精神文明建设指导委员会办公室。兵团驻自治区 19 城市单位，可参加自治区创建文明单位的活动，申报自治区级文明单位时，须经师（局）精神文明建设指导委员会办公室同意。

**第五章 奖励**

**第十八条** 对文明单位实行精神奖励为主，物质奖励为辅的原则。凡被命名为文明单位的，分别由批准机关授予荣誉称号，发给文明单位牌匾和证书。

**第十九条** 文明单位的标志是“文明单位”牌匾。文明单位门前，只悬挂最高一级“文明单位”牌匾。兵团驻自治区 19 城市单位，被分别命名为自治区和兵团级“文明单位”后，可在单位门前同时悬挂两块牌匾。

**第二十条** 兵团级文明单位，可从命名的第一个年度起，每年发给单位在册职工（含离退休人员）人均半个月左右，最多不超过一个月标准工资的奖金。具体标准由推荐师（局）掌握。被取消（撤销）文明单位荣誉称号的，从当年起取消该项奖金。

奖金来源：企业单位的奖金计入成本，行政事业单位的奖金从经费结余或自有资金中支出。

**第二十一条** 师（局）级文明单位和团（厂）级文明单位的奖励可参照执行。兵团、师（局）、团（厂）级文明单位的奖金不能重复领取。

**第二十二条** 对连续三届保持兵团级文明单位荣誉称号的单位连任主要领导，由兵团精神文明建设指导委员会进行通报表彰。成绩突出的报请其上级主管部门批准给予记功、晋级和其他奖励。单位职工在文明单位创建活动中表现突出的，由单位参照以上办法进行表彰奖励。

**第六章 管理**

**第二十三条** 各级党委要加强对创建文明活动的领导，把创建活动纳入精神文明建设的总体规划，积极组织，具体指导，定期督促检查，狠抓落实。各级精神文明建设指导委员会及办公室，要做好文明单位创建活动的组织、协调、指导和文明单位的检查、考核、评选、表彰及日常管理工作。

**第二十四条** 文明单位实行条块结合，分级、动态管理。兵团级文明单位委托所在师（局）精神文明建设指导委员会及其办公室管理；师（局）级文明单位由各师（局）直接管理或委托团（厂）精神文明建设指导委员会及其办公室管理。团（厂）级文明单位由各团（厂）精神文明建设指导委员会及其办公室直接管理。

**第二十五条** 文明单位的日常管理：

（一）建立文明单位档案。档案内容：创建单位的基本情况、创建规划、申报表格；有关创建工作的各种文件，检查、复查考核记录，年度工作总结，各种创建活动图文记载资料及创建活动大事记、奖惩记录和评比命名等材料。

（二）督促基层单位建立健全创建活动的组织机构，制订年度创建计划，有针对性地进行分类指导。

（三）掌握、检查创建规划的落实和各项工作活动的进展情况。总结推广经验，评比表彰和推荐先进，督促后进。

（四）按照文明单位标准和本单位创建规划和实施办法，组织协调本单位各类群众性精神文明创建活动。

（五）组织文明单位之间的横向联系，协调文明单位与其他部门、地区间的共建活动。

**第二十六条** 各级精神文明建设指导委员会办公室要定期对管辖范围内的文明单位进行检查、考核和复查，督促创建单位经常自检，保持良好的创建势头。

**第二十七条** 文明单位要自觉接受社会和群众监督，主动听取、收集群众意见，对存在和发现的问题要采取有效措施，及时整改。

**第二十八条** 文明单位如发生背离文明单位标准的问题，命名机关应会同其主管部门根据程度轻重，分别给予通报批评、限期整改，直至撤销文明单位荣誉称号。被撤销文明单位荣誉称号的单位主要领导要承担必要的责任。

**第二十九条** 撤销文明单位荣誉称号的权力分别由相应的命名机关行使。撤销各级文明单位的程序是：由所在团（厂）精神文明建设指导委员会发生的问题进行调查核实，提出撤销文明单位称号的依据和理由，在征求该单位的上级主管部门意见后，以书面形式上报相应的命名机关，经精神文明建设指导委员会研究审核后，作出撤销决定，同时抄报上一级精神文明建设指导委员会备案。如需要同时撤销兵团、师、团三级文明单位的，要从最高一级开始，逐级撤销其荣誉称号。特殊情况下，兵团精神文明建设指导委员会可直接做出撤销兵团级文明单位荣誉称号的决定。被撤销荣誉称号的单位要认真整改，重新创建，待条件具备后，可再次申报，参加评选。

**第三十条** 申报单位如有弄虚作假、骗取荣誉的现象，一经发现，相应命名机关应立即撤销其申报资格，并对单位领导及有关人员进行批评教育。

**第三十一条** 文明单位如合并、改变名称或隶属关系，须由命名机关重新确认。

**第七章 精神文明共建活动**

**第三十二条** 兵团共建、军民共建、警民共建、工农共建、厂校共建以及区域共建、系统共建、街道共建等多种精神文明共建活动，都是创建文明单位的有效形式。共建各方要成立共建领导小组，制定共建规划，落实共建措施。要坚持思想工作联做、社会治安联防、科学文化联教、公益事业联办、环境卫生联搞、经济工作联抓，努力营造良好的外部文明建设的氛围。

**第三十三条** 开展共建活动成绩显著的单位(部队)，经协商并申报，由上一级党委和精神文明建设指导委员会授予“精神文明共建先进集体”的荣誉称号。

**第八章 附则**

**第三十四条** 本办法解释权属于兵团精神文明建设指导委员会办公室。

**第三十五条** 本办法自公布之日起实施。1994年兵团办公厅印发的《新疆生产建设兵团文明单位管理办法》同时停止执行。

1999年5月8日

# 概况综述

URVEY

# 全国精神文明建设概述

1999年是我们党和国家历史上具有特殊意义的一年。在大事喜事多、热点难点多、突发事件多的复杂情况下，精神文明建设工作认真贯彻以江泽民同志为核心的党中央的指示精神，围绕中心，服务大局，唱响主旋律，打好主动仗，坚持用邓小平理论武装全党、教育人民，大力加强爱国主义、集体主义、社会主义教育和崇尚科学、反对迷信的教育，深入开展群众性精神文明创建活动，各项工作取得新的进展，营造了欢乐喜庆、昂扬向上、团结奋进的良好氛围，有效地激发了人民群众的爱国热情和创造精神，大大增强了干部群众对党和政府的信任感、加快发展的紧迫感、做好工作的责任感，为促进改革发展、维护社会稳定发挥了重要作用。

**一、坚持两手抓、两手都要硬的自觉性进一步增强，各地各部门抓精神文明建设工作更加有力**

各地各部门普遍把精神文明建设纳入党政领导的重要议事日程，做到了年初有安排部署，年终有总结检查。许多地方文明委对所属成员单位的职责和任务作出明确规定，制定了相关制度。党委统一领导、党政主要领导亲自抓，各方面分工负责的领导体制进一步健全完善，精神文明建设的工作机构进一步得到充实加强。全国各省（区、市）和许多行业系统都召开了专门会议，研究部署精神文明建设工作，许多地方和行业系统的主要负责同志作重要讲话。有的省（区、市）和部门的主要领导亲自调查研究，加强督促检查，对于推动工作起了重要作用。紧紧围绕经济建设中心，服务改革发展、稳定大局，各地各行业系统按照中央文明委的部署，积极配合全国统一开展的重点创建活动，齐心协力打战役，各负其责、齐抓共建。同时，结合本地本部门的中心任务和业务工作，普遍开展了具有地方特色和部门特点的创建活动，这对于配合当地经济建设、促进两个文明建设协调发展，促进群众文明素质和城乡文明程度的提高，起到了积极的作用。精神文明建设的社会影响不断扩大，整体效应不断增强。

**二、紧密配合三大政治斗争和重要节庆活动，思想道德教育的效果更加明显**

各地各部门把加强思想道德教育的要求贯穿于精神文明建设各项工作，在统一思想、凝聚力量上下功夫。按照中央关于深入开展以“讲学习、讲政治、讲正气”为主要内容的党性党风教育的部署，各地各部门把学习邓小平理论和十五大精神同“三讲”教育结合起来，坚持以县处级以上领导干部为重点，认真抓好广大党员干部的理论学习，带动全党和广大群众的理论学习深入发展。邓小平理论进教材、进课堂、进学生头脑的工作扎实展开。通过纪念五四运动80周年，深入开展理想信念教育，大力弘扬“爱国、进步、民主、科学”精神。紧密配合反对美国袭击我驻南大使馆和李登辉搞分裂祖国的政治斗争，开展多种形式的思想教育，把广大干部群众的思想统一到中央精神上来，中国要强大、中国要发展、中国要稳定、中国要统一，成为全国人民的共识，爱我中华、强我中华的爱国热情空前高涨。在深入揭批“法轮功”邪教本质和严重危害的斗争中，深入开展规模宏大的马克思主义唯物论无神论教育和弘扬科学精神、反对封建迷信的教育，使广大干部群众增强了反对迷信愚昧、抵御歪理邪说的能力。围绕庆祝新中国成立50周年和澳门回归祖国、跨入新千年等重大节庆，集中展示50年来两个文明建设的辉煌成就，隆重宣传举国欢腾的热烈盛况，广泛开展丰富多彩的纪念活动和文艺活动，唱响了祖国颂、社会主义颂、改革开放颂，人民群众爱国热情进一步高涨，民族力量进一步凝聚，政治觉悟进一步提高。

**三、隆重表彰一大批精神文明创建工作先进单位，推动了群众性精神文明创建活动更加蓬勃开展**

年初，中央文明委决定，为迎接新中国成立50周年，隆重表彰一批精神文明创建工作先进单位。各地各部门抓住有利时机，普遍加大创建工作力度。50周年大庆前夕，中央文明委在全国隆重表彰了58个创建文明城市工作先进城市（城区），500个创建文明村镇工作先进县（市）、乡（镇）、村，500个创建文明行业工作先进单位，503个精神文明建设工作先进单位。各地各部门也表彰了一大批本地本系统具有示范作用的先进单位，充分展示了我国精神文明建设的丰硕成果。在表彰工作推动下，群众性精神文明创建活动以前所未有的深度和广度蓬勃发展。

三大创建活动取得明显成效。创建文明城市活动加大环境治理、市容美化、秩序整顿、市民教育的工作力度，广泛开展创建文明社区、文明小区、文明单位、文明机关、军（警）民共建等活动，涌现出一批具有较高文明程度的小区和街道，受到广泛好评。引导勤劳致富，倡导移风易俗，创建文明农户活动逐步深入，改善村容镇貌，坚持以城带乡、城乡联动，创建文明村镇活动水平不断提高。创建文明行业活动向经常化、规范化、制度化发展。中央文明办、国务院纠风办联合组织的“深入开展行业规范服务、大力倡导文明行业新风”活动，进一步推动了越来越多的行业特别是与群众生活关系密切的窗口行业和执法部门，规范服务行为，加强职业道德建设和行业管理，纠正不正之风，促进了行业服务质量的提高。各级党政机关积极开展创建文明机关活动，为全社会的精神文明创建活动作出了表率。

一批深受群众欢迎的创建活动“名牌项目”，得到巩固提高、深入拓展。“讲文明树新风”活动继续抓住文明言行、服务质量、环境卫生、交通秩序四个方面突出问题，围绕搞好植树绿化、清理白色垃圾、改善空气质量、防治水源污染四项重点工作，开展了“保护生态环境、倡导文明新风”活动，增强了人们的环保意识，带动了社会风气的好转和生态环境的改善。各地各有关部门分别组织开展了增绿护绿、保护母亲河、妇女·家园·环境、使世界清洁起来、创建文明工地、创建平安大道、世界环境日、婚育新风进万家等各具特色的专项活动，收到了较好效果。对提高服务质量有直接促进作用的“百城万店无假货”、创建文明风景旅游区示范点等活动，推出了第二批活动示范街和示范点，取得了良好的社会效益和经济效益。为群众排忧解难的“送温暖献爱心”、“希望工程”、志愿者等活动，给群众带来了实实在在的利益，把工作做到了群众心坎上。有关部门组织的文化科技卫生“三下乡”、科技扶贫、“心连心”活动和“百县乡镇宣传文化工程”等，促进了农村卫生服务水平的提高和科技知识的普及，丰富了广大农民的精神文化生活。许多地方和部门创办的市民投诉中心、法律热线、为民应急服务中心、市政服务中心等，密切了党和政府与群众的联系，受到群众的普遍欢迎。

**四、大力弘扬社会正气，先进典型的示范带动作用更加突出**

在全国推出了新时期英雄战士李向群、当代青年的楷模秦文贵、群众信得过的建房人范玉恕、为民爱民的好医生吴登云、人民的忠诚卫士方红霄等重大典型；宣传了一批优秀党员、优秀青年、优秀妇女以及优秀离退休人员等先进典型，弘扬了社会主义思想道德风尚，展现了时代主流。配合深化国有企业改革，组织了“国有企业改革领导班子先进事迹报告团”和“深化国有企业改革先进事迹报告团”在全国巡回报告，引起强烈反响。庆祝新中国成立50周年，中央新闻单位以“人民不会忘记——共和国的建设者”为主题，选择50年来涌现出的53位英雄模范人物，进行了回顾性集中宣传，产生了积极的社会反响。中央宣传部、中央文明办集中宣传推广了湖北省宜昌市创建文明城市的经验和辽宁省沈阳市开办“2211”市民投诉中心的做法，宣传了一批精神文明创建工作先进单位，推动了群众性精神文明创建活动的开展。

总的看，1999年各级党政领导班子和主要领导干部抓精神文明建设的力度明显加大，紧密围绕中心、服务大局、结合业务开展工作的力度明显加大，突出重点、组织战役、上下联动、左右协调推进工作的力度明显加大，精神文明建设工作的社会影响、社会效果明显增强。随着我国经济实力的不断增强和精神文明建设的深入发展，城乡面貌和社会文明程度正在发生可喜的变化。

12月31日，江泽民总书记对宣传思想工作和精神文明建设作了重要批示，充分肯定了近些年来取得的成绩，深刻阐明了加强宣传思想工作和精神文明建设的重要性和紧迫性，对今后工作提出了明确要求。江泽民总书记的重要批示，对宣传思想战线和精神文明建设工作者是极大的鼓舞和鞭策，对加强新形势下的宣传思想工作和精神文明建设具有重大而深远的指导意义。

（中央文明办秘书组、调研组）

# 各系统精神文明建设概述

## 中直机关

1999年，中直文明委根据中央文明委的工作部署，在中直工委领导下，坚持以邓小平理论和党的十五大精神为指导，组织中直机关各部委精神文明建设领导机构紧紧围绕全党工作大局和机关中心工作开展各项精神文明建设活动，使中直机关精神文明建设工作取得了新的进展。

**一、深入贯彻党的十五大精神，结合“三讲”教育，推动邓小平理论学习向纵深发展**

中直文明委和各机关精神文明建设领导机构始终把深入贯彻党的十五大精神，认真学习邓小平理论作为机关精神文明建设的首要任务。年初，中直文明委召开了第三次全体会议，对1999年中直机关精神文明建设工作作出了部署，强调要会同机关党组织努力在中直机关广大干部职工中兴起学习邓小平理论的新高潮。中直机关各单位把学习邓小平理论和十五大精神同中央部署的“三讲”教育紧密结合起来，认真抓好党员干部特别是处以上领导干部的理论学习，推动理论武装工作的深入开展，普遍组织处以上党员干部学习了中央规定的“三讲”教育必读篇目。许多单位有重点地开展了邓小平党的建设理论学习。部委（党组）中心组学习制度进一步健全，领导干部率先垂范，把学习理论、武装头脑同整顿思想、改进作风结合起来，较好地促进了领导班子、领导干部思想政治理论素质的提高。

**二、紧密围绕全党全国工作大局，积极开展思想道德教育**

紧密结合三场大的政治斗争，开展了多种形式的思想教育。在抗议以美国为首的北约袭击我驻南使馆的侵略行径和深入批判李登辉的“两国论”的斗争中，中直机关各单位认真组织广大干部职工学习中央的指示精神和中央领导同志的重要讲话，通过召开研讨会、批判会、发表文章等形式，对美国的侵略行径和李登辉炮制的“两国论”进行了深入批判。在深入揭批“法轮功”邪教本质和严重危害的斗争中，各单位认真贯彻中央精神，集中开展了马克思主义唯物论和无神论以及弘扬科学精神、反对封建迷信的教育，党的观念、党的纪律教育，民主法制和维护社会稳定教育，引导干部职工认清“法轮功”邪教组织反科学、反社会、反政府、反人类的政治本质和严重危害。

围绕深入学习贯彻党的十五大精神和中央作出的一系列重大决策，隆重纪念五四运动80周年、新中国成立50周年庆典、迎接澳门回归等活动，及时、有效地开展形势任务教育。组织了经济、外交、国企改革、打击走私、社会治安、澳门回归等形势报告会以及多种形式的形势教育活动，进行形势政策宣传和爱国主义教育，引导干部职工认清形势，加深对党的方针政策的理解，增强对改革的信心。

各单位按照《中直机关精神文明建设委员会1998—2000年工作规划》和《1999年工作要点》的要求，把机关道德建设作为工作重点，常抓不懈。各单位在开展创建活动中，有意识地突出了思想道德建设这个重点，进一步加大思想道德建设的力度。大力加强以为人民服务为核心的道德建设，爱人民、爱劳动、爱科学、爱社会主义，遵守社会公德、职业道德和家庭美德的教育。继续抓了"部风"、"机关精神"和各行业职业道德规范的建立、完善工作。目前，中直机关已有22个部委制定了具有本单位特点的"部风"和"机关精神"。进一步加强对中直机关干部职工的思想道德教育，中直文明办组织有关专家学者撰写编辑了《党政机关干部道德教育读本》一书。

**三、深入开展群众性精神文明创建活动**

中直文明委继续组织开展"创建文明机关，当好人民公仆"活动，把工作重点放在"窗口"部门的建设上，使干部职工进一步增强政治意识、大局意识、责任意识，提高了为党中央服务、为地方和基层服务、为人民群众服务的自觉性。为了推动创建活动的深入开展，中直文明办于5月底召开了"中直机关精神文明创建现场观摩交流会"，部署了下一步的工作。中组部经济科技干部局、中国科协办公厅、中央党校窗口服务部门在会上分别介绍了他们结合本单位实际开展精神文明创建活动的做法和经验。

中直文明委在指导各部委深入开展精神文明创建活动的同时，还注意加强对文明单位的动态管理。10月底，结合对中直机关评出的"首都文明单位"的复查工作，会同有关部委成立了创建工作抽查考评小组，对中办秘书局印刷厂等11个单位的创建工作进行了综合检查考评。

中直各单位普遍开展了创建文明小区、文明居民区、文明楼院、"五好文明家庭"评选等项活动。共评出中直机关"五好文明家庭"20户，其中有4户被评为全国"五好文明家庭"，4户被评为首都"五好文明家庭"。在首都"五好文明家庭"评选中，有一户被评为首都"五好文明家庭"标兵。中直工委、中直文明委经过认真筹备，于9月22—26日在中国儿童中心成功地举办了中直机关"欢度中秋、喜迎国庆双节游园会"，进一步推动机关精神文明建设。

**四、进一步加大机关管理和环境秩序整治的力度**

中直各部委根据北京市"建首善、创一流"的总体要求，积极配合所在地区开展了"创建文明城区"活动，采取有力措施，切实抓好对机关的管理和环境的整治工作，对本单位办公区域、庭院、宿舍小区进行了彻底清理整治，使机关的管理和环境秩序得到了进一步改善。中联部、人民日报社、全国妇联等单位还积极响应中央文明办等11个单位关于开展"保护生态环境，倡导文明新风"以及首都文明办开展"绿色志愿者"活动的号召，组织人员参加了以环保为主题的志愿者活动。

（中央直属机关文明办）

# 金融系统

1999年，金融系统各单位认真贯彻落实党中央、国务院的方针、政策和一系列重要指示精神，紧密围绕经济建设这个中心，以建设一支高素质的金融队伍为目标，以弘扬正气、爱岗敬业、崇尚科学为内容，以推进行业规范化服务为载体，深入开展行业文明创建活动，激发了广大干部职工做好金融工作的自觉性和主动性，整个金融系统精神文明建设工作有了新的进步，有力地促进了金融的改革和发展。

**一、坚持“两手抓、两手都要硬”的方针，加强对精神文明建设的领导**

中共中央政治局委员、书记处书记、国务院副总理、中央金融工委书记温家宝同志多次强调要加强金融系统精神文明建设和员工队伍建设。在1999年4月召开的金融系统党建工作会议上，工委要求各金融机构把廉政建设、队伍建设和精神文明建设与业务工作同部署、同安排，确保“两手抓、两手都要硬”。

按照中央金融工委的要求，金融系统各级党组织把精神文明建设摆上了重要位置，加强了组织领导。中国人民银行党委发布《关于进一步加强中国人民银行系统精神文明建设的意见》，从提高认识、建立机构、制定规划、开展活动、考核奖惩、宣传教育、推广典型等方面对精神文明建设工作做了明确规定。中国农业银行结合实际制定了精神文明建设第一责任人和岗位责任人制度，同时，在金融系统中率先成立总、分行两级党委宣传部并作为精神文明建设的主抓单位，现两级行党委宣传干部已达140人。

**二、紧密结合实际，积极开展文明行业创建活动**

根据中央文明委表彰一批精神文明创建工作先进单位的决定，结合金融系统的实际，中央金融工委文明委积极组织开展了行业规范化服务、创建文明行业先进单位等活动。

各金融机构紧紧围绕金融改革和发展大局，积极支持配合中央金融工委统一部署的文明创建活动，做到年初有规划，年中有检查，年终有总结。5月，中央金融工委文明办决定在金融系统推行规范化服务并计划分两步实施：第一步先在中国工商银行系统近4万个营业网点上进行；在取得成效、积累经验的基础上实施第二步，即在各金融机构普遍推开。为此，中央金融工委宣传部会同中国工商银行党委宣传部制定了《全国金融界规范化服务标准——中国工商银行营业网点用本》，并对宣传、学习、贯彻《标准》提出了具体意见。中国工商银行党委高度重视开展规范化服务工作，对实施《标准》提出了保证措施。工行广大员工态度积极，把学习、执行《标准》作为自觉行动。同时，各金融机构对原有服务规范标准进一步修订、完善。中央金融工委召开现场经验交流会肯定并推广了中国银行的“员工行为守则”教育活动。

7月，中央金融工委宣传部、文明办下发《关于做好“全国创建文明行业工作先进单位”、“全国金融系统文明建设先进单位”评选表彰工作的通知》，各金融机构党委对被推荐单位及其先进事迹进行了认真核实。9月，中央金融工委文明委召开电视电话会议隆重表彰精神文明创建工作先进单位。金融系统共有65个单位获得中央文明委授予的“全国创建文明行业工作先进单位”或“全国精神文明建设先进单位”称号，41个单位获得中央金融工委文明委授予的“全国金融系统文明建设先进单位”称号。上述被表彰的单位中，县级分支机构及其以下的基层单位共有72家，占总数的90%，真实反映了金融系统员工参与创建活动的热情和基层单位创建活动的成果。

**三、围绕中心、服务大局开展多项活动，把爱国主义、集体主义、社会主义教育贯穿于精神文明建设的始终**

一是组织金融系统员工积极参加首都国庆活动。在中央金融工委和各金融机构党委的精心组织、周密安排下，金融系统员工积极参加“全国金融系统国庆知识竞赛”、“庆国庆、迎回归”联欢会和“人民政权货币回顾展”等活动，使国庆庆典活动真正成为爱国主义、集体主义的教育课堂。

二是积极开展“电脑扶贫助学活动”。通过该活动共向贫困地区中小学捐献各类电脑5000余台。有些青年志愿者辅导乡村中小学生学习使用电脑，受到了中小学教师、学生的欢迎。“电脑扶贫助学”活动还使金融员工特别是青年员工了解了国情，进一步激发了爱岗敬业、服务社会的热情。

三是举办“'99青年论坛”等活动。根据金融工作专业性强、金融系统青年员工多的特点，中央金融团工委组织青年员工开展“'99青年论坛”活动，把精神文明建设与金融业务工作结合起来，激发了青年员工学习业务、钻研业务的积极性。中国金融工会组织职工开展文明优质服务劳动竞赛，中国银行的工会组织聘请社会监督员监督服务质量，中国农业银行、中国农业发展银行的工会组织评选“优秀信贷员”、“十岗百佳”等活动，都收到良好效果。

**四、以邓小平理论为指导，积极探索金融行业思想政治工作和精神文明建设规律，形成一批理论成果**

中央金融工委宣传部召开金融系统学习邓小平理论研讨会，收到大量学习经验材料，许多文章在《金融时报》上开辟专栏发表后，对金融系统广大员工学习邓小平理论发挥了很好的促进作用。各金融机构在工作中不断改进工作方法，积极探索精神文明建设的规律。中国建设银行把企业文化建设、职业道德教育和企业 CIS 形象战略作为精神文明建设的重要载体，效果较好。许多金融机构为创建活动的组织机构、资金、人员等方面提供了制度保证。

**五、深入持久地开展学习饶才富的活动，进一步树立学习先进、弘扬正气的新风尚**

中央金融工委宣传部编辑、出版、发行《全国金融系统优秀共产党员饶才富同志先进事迹报告会》录像带和《红土地上的金融赤子——饶才富同志先进事迹选编》一书，将金融系统开展向饶才富同志学习的活动进一步引向深入。各金融机构积极开展创先争优活动，涌现了一批先进典型。在经过反复调查核实的基础上，经中央金融工委领导同意，中央金融工委宣传部组织中央多家新闻单位对两个文明建设的先进典型——中国工商银行浙江省分行进行了集中采访，在金融界乃至全社会产生了巨大反响。

为充分发挥典型的示范作用，金融工委和各金融机构宣传推出了中国人民银行上海印钞厂离休干部陈正，中国人民保险公司唐山分公司党委书记、总经理李乃云，中国银行总行营业部总支书记、总经理张燕玲，招商银行沈阳分行行长沈培泮等先进典型。中央金融工委分别授予他们金融系统优秀共产党员、优秀党务工作者的光荣称号。一些先进基层党组织也得到了表彰。

（中央金融工委文明办）

# 教育系统

1999 年，教育系统的精神文明建设在教育部党组的领导下，以邓小平理论为指导，全面贯彻党的十五大精神和全国教育工作会议精神，坚持精神文明建设紧密结合教育战线的中心工作，通过思想理论教育、形势与政策教育、道德教育、群众性精神文明创建活动等多种形式，取得了显著成效，有力地促进了教育事业的改革与发展。

**一、用邓小平理论教育广大党员、干部和师生员工**

发挥“两课”（马克思主义理论课和思想品德课）作为对学生进行邓小平理论教育主渠道、主阵地的作用，继续做好邓小平理论“三进”（进教材、进课堂、进学生头脑）工作。进一步贯彻落实中宣部、教育部《关于普通高等学校开设“邓小平理论概论”课的通知》精神，在全国高校普遍开设“邓小平理论概论”课的基础上，各高校在课程体系的研究、教学方法的改进、教学质量的提高、骨干教师的培养等方面下功夫，高质量地开设“邓小平理论概论”课。许多高校在硕士、博士研究生马克思主义理论课的教学中，增加了邓小平理论有关内容。各地结合党建、团建、学生会工作，重视发挥第二课堂在大中学生学习邓小平理论中的重要作用。在许多高校，学习、研究邓小平理论社团或学习小组已经成为规模最大的学生社团组织。对于邓小平理论教育，各高校采取了“三分三抓”（即分层次、分专题、分步骤和抓重点、抓结合、抓考核）的方法。

根据中央关于开展“三讲”教育的要求和部署，教育系统重点抓了领导干部学习邓小平理论工作。教育部党组印发《关于集中组织高校干部和教师认真学习邓小平理论的通知》，各高校在1999年春季开学前后，以《邓小平教育理论学习纲要》为重要辅助材料，用不少于两天的时间集中学习邓小平教育理论。各地高校普遍开展了教育思想大讨论，提高广大党员、干部和教师运用邓小平理论特别是邓小平教育理论认识和解决教育改革和发展中问题的能力。

**二、广泛开展爱国主义、集体主义、社会主义教育和道德教育活动，广大师生思想政治素质进一步提高**

各级各类学校通过形式多样的思想道德教育活动，教育、引导和激励广大学生把个人的前途与祖国的命运紧密相连，树立正确的世界观、人生观和价值观，为中华民族的伟大复兴贡献力量。为纪念五四运动80周年，在大、中学生中深入开展了“爱国、进步、民主、科学”精神教育活动。江泽民同志在表彰为研制“两弹一星”作出突出贡献的科技专家大会上，精辟阐述了“热爱祖国、无私奉献，自力更生、艰苦奋斗，大力协同、勇于登攀”的“两弹一星”精神。各地、各高校广泛、深入地开展学习“两弹一星”精神的主题活动。为庆祝中华人民共和国成立50周年、迎接澳门回归祖国、迎接新世纪到来，全国大、中、小学生不同程度地参与了文艺演出、读书会、讲演会、报告会、征文比赛等丰富多彩、生动活泼的庆祝活动，极大地激发了学生的爱国主义热情。教育部组织高校学生举办了'99全国大学生艺术节。教育部与司法部等部委共同举办了“为了明天——预防青少年违法犯罪展览”，组织广大大、中、小学学生参观，加强对学生的民主、法制教育，产生了良好的效果。

“形势与政策”教育时效性和针对性进一步增强。加强对“形势与政策”课教师培训工作，教学质量不断提高。同时，通过举办报告会加强对师生的“形势与政策”教育。教育部和中共北京市委联合举办多场形势报告会。各地各校根据实际邀请领导或专家作形势报告。广大师生能够正确认识我国经济发展面临的困难和机遇，充分了解和认识世界经济、政治格局新变化的趋势及其实质，正确理解我国政府处理国际事务的方针和策略。在抗议以美国为首的北约袭击我驻南使馆、反对李登辉“两国论”和揭批“法轮功”邪教组织的政治斗争中，充分体现了青年学生强烈的爱国热情和高度的组织纪律性，集中显示了当代大学生良好的思想政治素质。锻炼和考验了高教战线各级党组织和思想政治工作队伍，同时也体现了近年来加强和改进高校党建和思想政治工作的成效。

进一步推动加强教职工的职业道德建设，推动教书育人、管理育人、服务育人工作。教育部加快制定学校教师职业道德建设规范的工作，进一步推动各地学习和贯彻《中小学德育工作规程》。

**三、开展丰富多彩的群众性精神文明创建活动**

在教育部机关开展了“三优一满意”文明机关创建活动。河北、福建、辽宁、浙江等20多个省（区、市）教育部门在当地党政统一部署下，积极开展了政务、校务公开活动。

“文明校园”建设成为学校群众性精神文明创建活动的特色内容。以创建“安全文明校园”为主题，进一步修订和完善“文明校园”和“文明学校”的评估标准，推动“文明校园”和“文明学校”的建设工作。教育部与中宣部、共青团中央共同组织了50万大中专学生参加志愿者暑期文化科技卫生“三下乡”活动和青年志愿者扶贫接力计划，积极为社会、社区服务，北京大学等320个单位受到中宣部、教育部和团中央的表彰。积极落实中央文明办、教育部、团中央等11个部(局)《关于开展“保护生态环境，倡导文明新风”活动的通知》精神，组织青少年学生参加保护母亲河等活动。利用课堂教学和课外活动对广大青年学生进行环境意识教育，组织学生参加植树造林，保护绿地，治理“白色污染”等活动，青少年成为绿化美化家园的小卫士。

**四、大力宣传先进典型，充分发挥模范带动作用**

教育部、共青团中央在五四青年节期间联合开展了第五次“全国三好学生”、“全国优秀学生干部”和“全国先进班集体”的评选、表彰活动，在《人民日报》、《光明日报》、《中国教育报》、《中国青年报》、《北京青年报》、《大学生》等报纸、刊物上对受到表彰的个人和集体的先进事迹进行宣传、报道，他们的先进事迹在高校学生中产生了广泛的影响。教育部和共青团中央表彰了“全国小学思想品德课和中学思想政治课优秀教师”，在教育战线形成了崇尚先进、学习先进的良好风气。

（教育部）

# 司法行政系统

1999年，司法部围绕党和国家的工作中心，充分发挥职能作用，以服务于改革发展、维护稳定的大局为目标，以提高干警队伍和法律服务队伍的思想道德素质、文明执法水平为重点，全面加强司法行政系统的精神文明建设，取得了良好的社会效果。

**一、以“三讲”教育为契机，紧密结合三大政治斗争和重要节庆活动，深入开展理论学习和思想政治工作**

司法部及各级司法行政机关在开展“三讲”教育的过程中，结合自身实际，把加强理论学习作为首要任务。坚持集中时间、集中地点、集中精力的封闭式学习方式，对马列主义、毛泽东思想，特别是邓小平理论，进行了认真深入的再学习、再认识，不仅提高了领导班子自身的政治理论水平，受到了一次深刻的思想政治教育，而且还有力地推动了全系统广大党员干部理论学习的深入开展。

围绕与“法轮功”邪教组织的斗争，对广大干警进行了马克思主义唯物论、无神论及弘扬科学精神的教育。同时，各级党团组织注重做好“法轮功”练习者的思想转化工作，帮助他们划清与“法轮功”的界限，重新回到正确的立场上来。

各级司法行政部门充分利用纪念五四运动80周年、庆祝新中国成立50周年、迎接澳门回归等重大节庆活动的有利时机，采取多种形式对干警进行爱国主义和近现代史教育。针对以美国为首的北约悍然袭击我驻南联盟使馆和李登辉分裂祖国的政治事件，各级司法行政部门按照中央的要求，及时组织学习江泽民总书记的重要讲话和我国政府的严正声明，用中央的精神统一全体干警的思想，加强正确引导，增强“落后就要挨打”、“祖国要强大”、“中国要统一”的共识，把满腔义愤转化为爱国兴邦、做好本职工作的强大精神动力。

**二、充分发挥职能作用，为维护社会稳定，促进经济发展和精神文明建设提供有力的法律保障和法律服务**

在1999年大事喜事多、热点难点多、突发事件多的复杂情况下，司法部坚决贯彻中央的指示精神，把维护稳定作为司法行政工作的重要指导原则。从讲政治的高度把确保监所安全、维护监所稳定摆在工作的首位，年初就提出“两个不允许、一个压缩”的要求，并三次召开全国监狱、劳教系统安全稳定工作电话会议，强调要坚决把事故隐患、苗头消除在萌芽状态。各监所层层落实监管安全责任制，增强干警的忧患意识和责任意识，确保了各项监管安全指标创历史最高水平。

法制宣传教育紧紧围绕党和国家的中心工作，从抓宪法修正案的宣传入手，与中宣部联合下发了《关于认真宣传贯彻〈中华人民共和国宪法修正案〉的通知》，举办了全国司法厅（局）法制宣传处长培训班，积极推动宪法修正案的宣传落实。各地通过宪法宣传周等形式，对群众进行了广泛的宪法教育，使宪法观念深入人心。为了用法律引导群众、教育群众，司法部编印下发了《维护社会稳定法律知识问答》、《依法取缔邪教组织，防范和惩治邪教活动知识问答》等学习资料，教育群众充分认识“法轮功”的邪教本质，充分认识党和政府取缔“法轮功”的重要意义，充分认识法律在维护稳定中的作用。普法工作逐步走上了规范化轨道，已有9个省（区、市）制定了法制宣传教育条例，17个省（区、市）下发了领导干部学法用法的指导性意见，司法部与中央综治办等单位联合举办的“预防青少年犯罪展览”，以及由司法部在建国50周年大型展览中协调筹办的法制建设展馆，在社会上引起强烈反响。

加强人民调解工作，切实化解社会矛盾，建立新型人际关系。各级司法行政机关和广大人民调解员，按照江总书记“要采取各种措施，充分发挥治保会、调解会的作用，积极调解、疏导民事纠纷，化解社会矛盾，消除不安定因素”的指示，创造性地开展调解工作，开展民间纠纷大排查活动，加强了对社会难点热点纠纷的调处。全国人民调解组织共调解各类纠纷522万多件，成功率达96%。有效地协助党委政府处理了各种新时期人民内部矛盾，为建立新型的人际关系，树立社会主义的道德风尚创造了良好的社会环境。

推广“148”法律服务专用电话工程，充分发挥律师、公证和基层法律服务功能，促进社会主义精神文明建设。“148”是司法行政机关为满足基层广大群众对法律服务的需求而开设的专用电话。“148”以“把法律交给群众，送服务进入万家”为宗旨，组织律师、公证员和司法行政机关的干部轮流值班，随时解答群众提出的法律问题，并根据情况提供上门服务，充分发挥了方便、快捷的优势，把法律服务工作推向了新水平。截至年底，全国已基本实现“148”区域覆盖，各地通过“148”解答群众法律咨询求助电话达230万次。有效地宣传了法律，在帮助群众树立民主法制观念和权利义务观念，教育群众懂得依法办事、法律己、依法维护自身的合法权益方面，发挥重要作用。

**三、以争创人民满意的司法行政单位、争当人民满意的司法行政干警为目标，把创建文明行业活动引向深入**

为了贯彻落实《中共中央关于进一步加强政法队伍建设的决定》，司法部下发了《关于开展争创“人民满意的司法行政单位”，争当“人民满意的司法行政干警、律师、公证员、基层法律工作者”活动的通知》，在司法行政系统掀起了争创活动的热潮。各级司法行政部门结合工作实际，以强化职业道德建设为重点，采取多种措施，推动文明创建活动的发展。各级司法行政机关以“争创文明处（科），争当文明公务员”为主题，完善修订了各项规章制度，制定了工作流程，规范了文明用语，整顿了办公秩序，改善了办公环境，为基层服务、为群众服务的意识进一步增强。监狱劳教系统以“争创人民满意的监狱、劳教所，争当人民满意的干警”为主题，从人民群众关心的热点难点问题改起，从“严格执法，热情服务”的要求做起，进一步提高了执法水平。律师、公证和基层法律服务部门以“争创人民满意的律师事务所、公证处和基层法律服务所，争当人民满意的律师、公证员、基层法律工作者”为主题，以服务人民，奉献社会为宗旨，加强了职业道德和执业纪律教育，引导律师、公证员、基层法律服务人员正确处理竞争与协作、效率与公平、经济效益与社会效益的关系，自觉抵制拜金主义和极端个人主义的影响，增强了社会责任感。

继续深入开展创建现代化文明监狱、劳教所和文明律师事务所、公证处、基层法律服务所工作。在调研总结几年来创建工作的基础上，调整了创建现代化文明监狱、劳教所的指导思想和总体思路，为创建工作注入了新的动力。1999年有13所监狱被评为部级现代化文明监狱，12所劳教所被评为部级现代化文明劳教所。在创建文明公证处活动开展一年的基础上，按照《部级文明公证处考评办法》，经过考核验收，1999年评选出了首批21家部级文明公证处。创建基层法律服务所的工作坚持“分层次，有步骤”地进行，全国3.5万个法律服务所积极投身到创建活动中，1999年有100家基层法律服务所被命名为部级文明法律服务所。

实行政务、警务和法律服务公开，接受社会监督。司法部今年制定下发了执法活动“两公开一监督”的规定，推进了依法治监（所）和文明执法，促进了监狱劳教人民警察的职业道德建设。各级司法行政机关和法律服务单位普遍实行了公示制度，设立了公开栏、意见箱，领导接待日，向社会公布了举报电话。律师公证部门还加大了规范化管理和监督的力度，下发了《关于建立健全律师职业社会监督制度的通知》和《关于1997年以来全国查处的律师、公证员违法违纪案件的通报》等文件，修改了《律师违法违纪案件处罚办法》，制定了公证投诉、复议的有关规则，通过将年检注册与服务质量、内部管理、职业道德和职业纪律以及社会评议、社会监督等相结合，进一步提高了法律服务队伍的执业素质。这些监督机制与创建活动相互补充，为司法行政干警队伍和法律服务队伍建设提供了有力的保障。

**四、表彰先进，宣传典型，充分展示司法行政干警和法律服务工作者的优秀品质和精神风貌**

1999年司法部审批授予了和卫东、和忠、张文华同志司法行政系统一级英雄模范称号，孙启清、刘树安同志二级英雄模范称号，为湖北省枣阳市司法局等39个单位记集体一等功。司法部与《人民日报》等首都12家新闻单位联合组织了第二届全国“十佳律师”、“十佳公证员”、“十佳基层法律工作者”的评选活动。河南省司法厅、安徽省巢湖监狱、山东省琴岛律师事务所、湖南省临澧县新安法律服务所被评为全国精神文明建设先进单位和创建活动先进单位，受到中央文明委表彰。司法部通过下发文件和利用报刊，广泛宣传先进典型，树立了司法行政系统的良好形象，开创了精神文明建设的新局面。

1999年是司法行政机关恢复重建20周年，为了展现改革开放以来司法行政工作取得的成就，各省纷纷举行了纪念活动，通过文艺汇演、摄影、书画展览、出版画册、征文比赛、演讲比赛、歌咏比赛等多种形式的宣传活动，进一步扩大了社会影响，鼓舞了干警的斗志，增进了热爱司法行政工作，不断开拓进取，争创一流工作水平的积极性。

（中央政法委文明办）

# 公安系统

1999年，全国各级公安机关在党中央、国务院和各级党委、政府的领导下，坚持以邓小平理论和党的十五大精神为指针，紧紧围绕全党全国工作大局和公安中心工作，大力加强公安机关的社会主义精神文明建设，对民警进行理想信念、职业道德、爱国主义、集体主义、崇尚科学和反对迷信教育，极大地激发了广大民警不怕困难、顽强拼搏、无私奉献的精神，为推动公安工作和队伍建设，促进改革发展、维护社会政治稳定和社会治安稳定发挥了重要作用。

**一、加强对民警的思想政治教育，确保公安队伍政治上忠诚可靠**

各级公安机关始终把政治建警放在公安队伍建设的首位，针对队伍思想政治建设的新情况、新问题，不断加强队伍的思想政治建设，使公安队伍始终保持忠于党、忠于祖国、忠于人民、忠于法律的政治本色，经受住任何风浪的严峻考验。按照党中央的统一部署，公安机关在县级以上领导班子、领导干部中深入开展了以“讲学习、讲政治、讲正气”为主要内容的党性党风教育，通过学习讨论，听取意见，开展批评与自我批评，使领导干部的政治思想水平、全局观念和廉洁自律的意识有了明显提高。同时，各地公安机关区分不同层次，采取集中脱产学习、举办研讨班、研修班等形式，组织广大民警认真学习党的基本理论，特别是邓小平理论，有效地促进了广大民警关心政治、学习理论风气的形成。各级公安机关还认真贯彻中央关于加强和改进思想政治工作的文件精神，不断研究新情况、新问题，积极探索新形势下加强思想政治工作的新途径、新方法，提高思想政治工作的针对性和实效性。在三场严峻的政治斗争中，各级公安机关坚持把思想政治工作做到第一线，大力开展多种形式理想信念、革命传统、爱国主义、马克思主义唯物论和科学思想教育，巩固民警的政治思想基础，使队伍经受住了政治斗争的考验，爱国热情空前高涨，抵御和反对各种迷信愚昧、歪理邪说的能力普遍增强。

**二、深入开展创建人民满意活动，推动公安机关的精神文明建设**

各级公安机关按照中宣部和中央政法委的统一部署，深入组织开展了争创人民满意单位（民警）活动，坚持人民满意的根本标准，从人民满意的事情做起，从人民不满意的事情改起。突出重点，拓宽争创活动的领域。在抓好派出所、刑警、交管、110、出入境等窗口单位的同时，在扩展延伸上下功夫。在警种上，由派出所、交管、110、刑警等窗口向各警种部门延伸；在创建内容上，由“窗口”服务向机关建设和各项业务工作延伸；在创建主体上，由单位的争创向民警个人争创延伸；在争创形式上，各地结合本地的实际情况，创造性地开展工作，设计与本地实际情况相适应的争创载体；在区域上，由城镇向农村延伸，形成了整体推进的局面。河北开展了“常到百姓家看看”活动。浙江延伸110报警服务台社会服务功能，推出了110信箱。山东为了解和掌握群众所需，民警建立了“民情记录本”。公安部部署以102、107国道为重点开展了创建“平安大道”活动。在地方党委、政府和有关部门的支持下，创建活动取得了可喜成果，道路交通状况明显改观，治安秩序明显好转，密切了党群关系和警民关系，在党、政府与人民群众之间，在公安机关、人民警察与人民群众之间，架起了联系、沟通、理解的桥梁。在争创活动中，各级公安机关积极开展执法大检查，推行警务公开制度。针对群众反映最为突出的问题，集中力量对取保候审、刑讯逼供、保外就医、超期羁押、滥用警械、滥用强制措施和“吃拿卡要”以及欺压群众等严重违法违纪问题，进行了专项执法大检查，共检查各类案件614728件，查出有问题案件41208件，纠正32900余件，查处违法违纪民警5565人。为增强公安工作的透明度，提高公安机关和民警接受监督的自觉性，公安部下发了《关于在全国公安机关普遍实行警务公开制度的通知》，积极推行警务公开制度，将办事程序、办事依据、办事结果向社会公开，主动接受人大、政协和社会各界的监督。许多地方公安机关在调解交通事故、处理治安案件等方面也实行了执法过程公开，真正变“暗箱操作”为“阳光作业”，受到了社会各界和广大群众的好评。

**三、大力宣传表彰先进典型，发挥先进典型示范导向作用**

1999年，国务院、中央军委授予上海公安消防总队五支队车站中队、吉林省长春市公安局东盛路派出所等7个单位荣誉称号；人事部、公安部在全国推出了公安战线一级英雄模范、重庆市公安局石桥铺派出所民警卢振龙、广东省公安厅副厅长朱明健等重大典型。公安部分别授予12名和78名民警一、二级英雄模范称号，为453名和2779名民警记个人一、二等功，为122个和1359个集体记集体一、二等功。为配合建国、建部50年的宣传活动，组织了全国公安系统英雄模范事迹报告团，在北京、辽宁等省进行了巡回报告，在社会上引起较大的反响。公安部还集中表彰了一批在精神文明建设和争创活动中涌现出来的先进单位，105个派出所被评为人民满意派出所，10个公安局被评为争创活动先进单位。

**四、关心抚慰公安英烈家属，弘扬正气，凝聚警心**

为弘扬英烈正气，深切缅怀为国捐躯的公安英烈，激励广大民警的斗志，公安部先后组织了“全国公安英烈母亲代表团”、“中俄警方英烈子女夏令营”和慰问全国公安烈士家属大型活动。新中国成立50周年前夕，公安部组织了以“弘扬英烈正气，忠于党和人民”为主题的慰问公安战线革命烈士家属大型活动，共组成19个慰问团，分赴全国各地慰问英烈家属，发放慰问信、慰问金和奖牌。据统计，这次活动共发放慰问金300余万元，与300余名烈士家属进行了座谈，直接走访了近百个烈士家庭。《人民日报》、中央电视台和各省、区、市的电台、电视台、报刊都及时作了报道，形成了良好的宣传氛围，达到了宣传教育效果。

**五、广泛开展群众性文化育警活动，全面提高民警的素质**

各级公安机关不断加强宣传文化建设，丰富警营文化生活。公安部组织开展了第四届“金盾文化工程”优秀作品的评选工作，264件作品获奖。同时，积极做好“五个一工程”的评选推荐工作，群众出版社出版的图书《抉择》、公安部金盾影视中心拍摄的电视剧《面对诱惑》和广东省公安厅边防总队创作的歌曲《中国边防警察之歌》获“五个一工程”奖。此外，还组织开展了全国公安系统声乐大赛和“祖国颂”演讲大赛。在全国公安机关民警中开展了读书活动，与人民公安报社联合举办了邓小平理论有奖征文活动。这些活动的开展，不仅活跃了民警的业余文化生活，提高了民警的文化修养和政治业务素质，同时也促进了公安机关精神文明建设。

（公安部宣传局）

# 建 设 系 统

1999年，建设部及各级建设行政主管部门的精神文明建设工作，以邓小平理论为指导，认真贯彻党的十五大精神，紧紧围绕全党全国工作大局，从建设系统实际和行业特点出发，以建设“四有”职工队伍为目标，以多种活动为载体，全面落实职业道德建设第三个三年规划，大力开展以创建文明行业为重点的群众性精神文明创建活动，为建设事业的改革与发展提供了强有力的精神动力、智力支持与思想保证，促进了建设系统两个文明建设的协调发展。

**一、以精神文明建设为己任，做到“两手抓，两手都要硬”**

建设行政主管部门既肩负着行业管理的重要职能，又负有精神文明建设的重要责任。坚持“两手抓，两手都要硬”的方针，始终以精神文明建设为己任，已成为建设系统各级领导的共识。

建设部党组把精神文明建设摆到突出位置，列入党组重要议事日程，坚持每年对行业精神文明建设作出部署，有专门机构、专门人员负责。建设部党组对建设部精神文明建设指导委员会领导成员进行了重新调整，由建设部党组书记、部长俞正声担任主任，党组副书记、副部长叶如棠担任副主任。各地建设行政主管部门坚持做到“三个列入，四个同时”，即坚持把精神文明建设列入长期发展规划和年度工作计划，列入重要议事日程，纳入领导目标责任制；在部署、检查、总结、表彰业务工作的同时，部署、检查、总结、表彰精神文明建设工作。为切实加强对精神文明建设的领导，各级建设主管部门健全了组织机构和工作制度，形成了一把手负总责、分管领导具体负责、职能部门负专责的创建工作领导机制。在建设系统已形成上下结合，条块结合，齐抓共管，运作有序的精神文明建设组织体系和工作格局。

**二、以创建文明行业为重点，不断深化职业道德建设**

1999年是贯彻实施《建设系统职业道德建设第三个三年（1997年7月—2000年7月）规划的关键一年，重点是创文明行业，树行业新风促行业发展，为行业争光。

各级建设行政主管部门始终把制定和完善职业道德规范作为职业道德建设的核心内容，作为创建文明行业工作的一项基础性工作，重点抓窗口行业关键岗位职业道德规范和领导干部行规范的制定与落实，使干部、职工有准则可循有规范可依。目前，绝大多数省市建设系统已订和形成覆盖每个行业、每个工种、每个岗位职业道德规范体系。根据中央文明办的部署，继续重点抓好城市供水维修、房地产物业规范务的同时，还在全系统全面推行规范化服务。海市建设党委在全系统全面开展了规范化服务标竞赛活动，城市供水、燃气等7个行业实现规范服务达标，取得了明显成效。

各地建设系统在创建文明行业工作中，把行和完善社会服务承诺制，作为提高服务水平端正行业作风的重要举措，纳入管理与服务工机制，纳入目标责任制，形成逐级负责，层层诺，严格兑现的工作体系，从而强化了企业内管理和外部监督。山东省建委坚持把推行社会务承诺制作为一项重要工作，不断深化和完善他们坚持“两个延伸”、“五个深化”，即在服务围上不断延伸，在服务内容上不断延伸；在认上不断深化，在提高队伍素质上不断深化，在配套措施上不断深化，在承诺兑现上不断深化，在硬件建设上不断深化，使社会服务承诺制更具生命力。

通过一年来不懈努力，建设系统创建文明行业工作取得了突破性进展。河南省建设厅实施重点行业重点扶植，率先在全省城市供水行业创建成文明行业。天津市城建工委始终抓住窗口建设不放，大力推进文明行业创建活动，城市燃气和排水两个行业已被市委、市政府命名为文明标兵行业。北京市和上海市建设系统在规范服务达标的基础上，正在高标准地向文明行业迈进。

**三、以群众性创建活动为载体，深入开展讲文明树新风”活动**

一年来，按照中央文明委的部署，建设系统立足行业特点，精心设计载体，积极开展形式多样的“讲文明树新风”活动，以创建园林城市活动为载体，加强了城市绿化和园林建设，提高了城市建设的品位和形象；以深入开展城市环境综合整治活动为载体，结合开展“使世界清洁起来”主题活动，加大了城市环境建设和管理力度；以创建文明工地活动为载体，提高了施工企业综合管理水平；以创建优秀物业管理小区活动为载体，促进了物业管理的规范化、制度化和科学化，为创造社区文明发挥了积极作用；以创建“三优一满意”为主要内容的文明机关活动，促进了机关全面建设，发挥了表率作用。辽宁省建设厅开展了以“五治”即工程质量治劣，服务质量治差，环境卫生治脏，队伍管理治散，经济效益治低为主要内容的文明行业创建工作；山东省建委实施创建100个文明工地，100个文明小区，100个文明示范窗口的“三个一百”工程。太原市煤气公司开展了“二创一塑”活动，即创文明队伍，创文明服务，塑时代精神。这些各具特色的创建活动，使精神文明建设在全国建设系统常抓常新，长盛不衰。

各地建设系统相继开通服务热线，构筑服务网络，为市民提供方便快捷服务，建立了城市管理服务新机制、新格局，取得了显著成果。哈尔滨市政公用局组建市政“110”指挥中心，开通“110”服务热线，被称为市委、市政府的“民心工程”，得到了市民群众的普遍欢迎。辽宁省葫芦岛市建委开通了覆盖9个行业的服务热线，建立了“一部电话、一个中心、一个系统到基层”的高效、灵便的服务机制。青岛市公用局所属的供水、燃气、公交等行业全面实施“111”热线服务工程，体现一流的产品质量，一流的工作效率，一流的服务水平。天津市城建系统以行业为龙头，以服务站点为基础，组建左右相连，上下贯通的中心、区域、地段四级服务网络。上海市自来水公司“小郭热线”、济南市自来水公司“小白热线”、北京市公交总公司“李素丽热线”、河南省濮阳市公用局“老李热线”，以劳模的姓氏命名，提高了单位的信誉度，产生了“品牌效应”。实践证明，服务热线的开通和建立，体现了我们党全心全意为人民服务的宗旨，已成为沟通党和政府与市民群众的“连心桥”、“爱民线”。

**四、以先进典型为示范，营造创先争优氛围**

充分发挥先进典型的榜样的作用，是精神文明建设的重要内容和任务。建设部党组十分重视典型的培养宣传工作，在先后推出徐虎、李素丽等先进个人和徐州下水道四班、北京市呼家楼液化气供应站等先进集体的基础上，6月又与中宣部、天津市委联合推出了“群众信得过的建房人”天津市三建公司项目经理范玉恕的先进事迹，组织了专场报告会、现场交流会和巡回报告等活动，在全国建设系统掀起了学习范玉恕同志建设精品工程，争当范玉恕式的项目经理的热潮。

1999年，建设部先后两批推出了113个文明服务示范窗口，覆盖了城市供水、燃气、公交、房地产等9个行业。10月，建设部与中央文明办、国家旅游局又推出第二批10个文明风景旅游区示范点。各省市建设行政主管部门也相应推出了不同行业、不同层次的先进典型，形成了行业有典型、单位有标兵、层层有榜样的局面。根据湖南、江苏、福建、四川、浙江、云南、广西、新疆、江西等9个省、自治区建委（建设厅）统计，共推出265个文明服务示范窗口单位，充分发挥了示范窗口在创建文明行业活动中的典型作用、辐射作用和示范作用。

为迎接新中国成立50周年，根据中央文明委的部署，建设部在全系统开展了评选推荐“全国创建文明行业工作先进单位”活动。在中央文明委表彰的500个创建文明行业工作先进单位和503

个精神文明建设工作先进单位中，建设系统有72个单位榜上有名。

11月，建设部在河南省洛阳市召开了全国建设系统精神文明建设工作会议，会议对近两年来建设系统精神文明建设工作进行了总结、检阅和展示，同时对今后建设系统精神文明建设进行了安排部署。会议表彰了850名全国建设系统劳动模范（先进工作者）、112个精神文明建设先进单位和110名精神文明建设先进个人。

（建设部文明办）

# 铁路系统

1999年，铁路系统认真贯彻党的十五大和十五届四中全会精神，坚持以邓小平理论为指导，结合铁路行业特点，加强思想道德教育，广泛深入地进行爱国主义、集体主义、社会主义教育和崇尚科学、反对迷信的教育；深化“讲文明树新风”活动，大力推行站车文明规范化服务；开展警民共建铁路文明站区活动，不断提高铁路创建文明行业的水平，为深化铁路改革，落实资产经营责任制，提前实现扭亏目标，提供了强有力的思想保证，促进了铁路系统两个文明建设的协调发展。

**一、以迎接两件大事为契机，开展爱国主义教育，激发了职工群众的政治热情和工作积极性**

围绕新中国成立50周年和迎接澳门回归祖国两大盛事，在全路广泛开展以“迎国庆、见行动”、“迎回归、做贡献”为主题的群众性活动，通过座谈会、展览会、报告会等形式，引导广大职工回顾共和国的光辉历程和铁路的辉煌成就，激发职工爱国爱路的政治热情和投身改革的积极性；结合声讨以美国为首的北约轰炸我国驻南联盟大使馆的暴行，教育职工和青年学生认清霸权主义的本质，树立自立自强自尊的民族精神。

**二、结合揭批“法轮功”斗争，大力开展崇尚科学、反对迷信的教育活动**

全路广大干部职工和家属，旗帜鲜明地同“法轮功”邪教组织进行了坚决斗争。在这场斗争的每一个阶段，部党组都及时传达、坚决贯彻中央精神，统一干部职工的思想认识，引导这场斗争步步深入。对极少数顽固分子依法进行了处理，对绝大多数上当受骗的群众进行耐心细致的思想转化工作；在全路干部职工中普遍进行了马克思主义唯物论和无神论教育。采取有力措施，堵截、遣返进京聚集人员近两万人，查获“法轮功”出版物15万册、宣传品1万多件，有效遏制了“法轮功”流毒利用铁路渠道蔓延扩散，维护了铁路的稳定，受到中央有关部门的肯定。

**三、以“讲文明树新风”为主题，深入开展站车文明服务活动，促进了铁路行业文明创建**

铁道部党组和铁路运输系统各级党组织，把为人民群众办好事办实事，让旅客货主放心、满意，作为活动的出发点和落脚点，从大处着眼，从具体事情抓起，不断提出深化要求，大力推行规范化服务，一个阶段一个重点地向前推进，保证了活动的健康发展。活动中，注重培养职工“服务人民、奉献社会”的宗旨意识，采取了真心实意为旅客货主办实事的具体行动，站车服务质量有了明显的改善，深受人民群众的欢迎。50周年国庆前夕，铁路有40个窗口单位被中央文明委授予“全国创建文明行业工作先进单位”，受到了表彰；有32个车站和列车被中央文明办确定为“全国创建文明行业活动示范点”。

**四、广泛开展“保护生态环境，倡导文明新风”活动，大力整治了铁路沿线白色污染**

为以整洁、优美的环境迎接新中国成立50周年，铁路系统认真贯彻中央文明办等11个部、局《关于开展“保护生态环境，倡导文明新风”活动的通知》精神，以整治铁路沿线白色污染为重点，分阶段、有重点地在全路广泛深入开展了“治理白色污染，保护生态环境，倡导文明新风”活动。全路各单位按照铁道部的统一部署，结合爱国卫生月、“6·5”世界环境日、国庆50周年等重大活动和纪念日，动员广大职工群众积极参与整治站车和铁路沿线白色污染的集中行动。一是组织国家环保总局、北京市、铁道部、北京铁路局等有关部门的领导和职工群众万余人到北京城郊铁路经过的地区，清理白色垃圾，整治环境卫生，向周边群众大力宣传环保知识；二是在省会以上城市车站和快速、特快、直快旅客列车上，组织形式多样的宣传咨询活动；三是在全路各单位开展了普及环保知识活动，增强了广大干部职工的环保意识；四是采取拉网式的方法，对京广、京沪、京哈三大铁路干线治理沿线白色污染的情况进行检查；五是组织铁路卫生监督部门，重点对铁路站车落实垃圾袋装、定点投放、禁用发泡塑料餐盒有关规定的落实情况，加强了检查监督的力度；六是利用《人民铁道报》和各单位的报刊、有线电视集中组织宣传报道，形成了良好的舆论氛围。这些举措，为迎接新中国成立50周年，迎接澳门回归祖国，迎接新世纪的到来创造了良好的站车环境。

**五、在京九、京广线与武警部队联合开展了警民共建铁路文明站区活动**

路警双方围绕迎接新中国成立50周年、澳门回归祖国两大盛事，在京九、京广铁路、南疆铁路联手开展了警民共建铁路文明站区活动。共建活动中，双方在共同坚定政治信念、共同传播文明新风、共同维护站区秩序、共同学习科学文化、共同增进警民情谊上下功夫、见成效，密切配合，积极进取，勇于创新，探索出一条以点连线、以线带面的行业文明共建之路，为全社会精神文明建设注入了新的活力。

（铁道部宣传部）

# 交通系统

1999年，全国交通系统各单位以邓小平理论为指导，认真贯彻落实党的十四届六中全会、党的十五大和十五届三中、四中全会精神，坚持党的基本路线，坚持两手抓、两手都要硬的方针，针对国家大事喜事多，难点热点多的形势特点，紧密围绕交通经济工作中心，以职工队伍素质建设为基础，以创建文明行业活动为抓手，大力加强精神文明建设，促进了两个文明建设的协调发展。

为了加强党的建设，交通系统厅局级以上党员领导干部紧紧围绕十五大主题，深入学习邓小平理论，以整风精神开展了以“讲学习、讲政治、讲正气”为主要内容的党性党风教育，不断提高思想政治素质，增强政治意识、大局意识和责任意识，结合交通改革与发展的实际，对行业管理存在的突出问题进行了整改，不断加强廉政建设和反腐败斗争。在与美国霸权主义、李登辉分裂主义及李洪志“法轮功”邪教组织的政治斗争中，广大干部职工立场坚定，旗帜鲜明，在政治思想上和行动上与党中央保持了高度一致，维护了安定团结的政治局面。

交通系统以“服务人民、奉献社会”为宗旨，继续深入开展了以“学包起帆、学华铜海轮、学青岛港、创建文明行业”为主要内容的群众性精神文明创建活动。各单位按照交通部制定的《全国交通系统精神文明建设“九五”计划和2010年远景目标》以及《全国交通系统创建文明行业实施办法》的要求，制定创建规划，明确奋斗目标，统一工作标准，建立党政领导干部责任制，签订目标责任书，党政工团齐抓共管，加大物质投入，建立奖惩激励制约机制，切实解决在部分单位和领导干部中存在的“一手硬、一手软”的问题、解决创建文明行业活动与经济工作脱节的问题，解决职工队伍建设和行风建设上的不正之风问题，克服形式主义，不做表面文章，努力使各项措施落到实处。

在创建活动中，交通系统围绕道路运输市场管理、水上交通安全管理、公路建设质量管理以及交通行政执法队伍建设等交通经济工作的难点、热点问题，将精神文明建设与物质文明建设紧密结合，将创建工作与管理工作紧密结合，注意抓典型示范，点面结合，条块运作，规范服务，整体推进。充分发挥30个部级文明示范窗口以及全系统各个层次近千个示范窗口的作用，把窗口单位的典型经验在面上推广，开展规范化服务达标以及执法公示制和服务承诺制等活动，努力创建文明行业和文明单位、文明标志区，根据不同单位的行业特点，总结形成了创建文明行业活动的七种有效模式。

为了推动创建文明行业活动的深入发展，交通部于10月在青岛召开了全国交通系统创建文明行业活动经验交流会，回顾了近三年来全国交通系统加强精神文明建设，创建文明行业活动的情况，总结交流了28个单位的创建工作经验，听取了4位先进个人的事迹报告，现场考察了青岛市交通系统的基层单位、生产现场和公路建设，参观了山东交通系统创建文明行业活动展览，表彰了先进单位，黄镇东部长在会上作了题为《总结经验突出重点把创建文明行业活动提高到新水平》的工作报告。

为了深化创建文明行业活动，交通部确定了四个方面的工作重点，即：始终不放松职工的世界观、人生观、价值观教育；将创建活动贯穿于国企改革与发展的全过程；重点抓好交通行政执法队伍建设；不断提高窗口单位的文明程度并增强其辐射作用。随着社会主义市场经济的不断发展，根据政府职能转变的要求，交通部提出了《关于加强交通行政执法队伍建设的意见》，同时作出了《关于在全国交通系统推广安徽省淮北市运输管理处经验的决定》。

1999年，交通系统有62个单位被中央文明委分别授予全国创建文明行业工作先进单位和全国精神文明建设先进单位荣誉称号。同时，交通部与团中央联合表彰了1997—1998年度全国交通系统青年岗位能手和全国青年文明号；与中国海员工会、公路运输工会联合表彰了全国交通系统优秀海员家属、公路职工“贤内助”、优秀家属工作者和文明家庭；会同全国妇联表彰了全国巾帼建功标兵、巾帼建功先进单位和巾帼建功示范岗。

各单位充分利用庆祝新中国成立50周年、纪念五四运动80周年、迎接澳门回归祖国等重大庆典活动，深入开展了爱国主义、集体主义、社会主义教育。交通部编辑出版了《中国公路水运交通50年》、《中国交通50年成就》、《辉煌的中国交通》等大型书籍、画册和音像制品，大力宣传了国家改革开放和交通运输事业的发展成就，深入进行了有中国特色社会主义理论与实践的教育，使干部职工增强了贯彻党的基本路线的自觉性，坚定了走有中国特色社会主义道路的理想信念。

（交通部文明办）

# 信息产业系统

1999年，信息产业部门的精神文明建设在部党组的领导下，认真贯彻以江泽民同志为核心的党中央的指示精神和《中共中央关于加强和改进思想政治工作的若干意见》，以邓小平理论为指导，结合国际国内的政治斗争形势和信息产业部门的工作任务，围绕中心，服务大局，扎扎实实搞好思想道德教育，深入开展精神文明创建活动，进一步提高了干部职工队伍的整体素质，增强了凝聚力和战斗力，使广大干部、职工积极投身于信息产业发展、改革、服务的各项工作中去，效地促进了信息产业两个文明建设协调发展。

**一、大力加强精神文明建设，为信息产业的全面发展提供精神动力和政治保证**

在年初召开的信息产业部邮电管理局长、电子厅局长会议（以下简称：部 1999 全国工作会议）上，部长、党组书记吴基传明确提出，要求各级领导要始终坚持两手抓、两手都要硬的方针，从产业长远发展的战略高度，进一步加强精神文明建设，切实加强职工队伍建设。根据会议精神的要求，结合信息产业部组建后所面临的邮电分营、政府与企业脱钩、政府与事业单位脱钩、机关内部整改、电信重组等各项工作任务，在“三讲”教育的推动下，信息产业部各部门和单位始终都把发展、改革、稳定同加强思想政治工作和精神文明建设紧密结合起来，部以及通过部内相关部门，结合形势和任务及时对通信业、电子制造业、软件业的精神文明建设和思想政治工作给予指导，主要抓好以下工作：一是坚持用邓小平理论指导邮政、电信行业思想政治工作和精神文明建设实际，推动理论学习的深入。二是加强精神文明建设工作，深化创建活动。通过不断深化“创建文明行业工作先进单位”、“创建文明单位工作先进单位”、“文明服务示范窗口”、“青年文明号”、“巾帼建功”等群众性的“树、创、做、建”（树邮电新风，创优质服务，做文明职工，建文明行业）活动，加大职业道德、职业责任、职业技能、职业纪律的教育培训力度，进一步推进企业文化建设，培养企业精神，内强队伍素质，外树企业形象，不断提高全行业文明优质服务水平，努力实现创建文明行业的目标。三是进一步加强政工队伍自身建设，完善工作运行机制。

10 月，中国电子职工思想政治工作研究会召开了第五届电子工业企业党委书记工作研讨会第一次会议，研讨交流了贯彻十五届四中全会精神，在推进国企改革、建立现代企业制度中加强改进党建工作和思想政治工作的经验，并现场参观学习了长岭集团深化企业改革的经验。

信息产业系统有 51 个单位受到中央文明委的表彰，其中有 35 个邮电单位被评为创建文明行业先进单位，有 14 个邮电单位、两个电子单位被评为精神文明建设先进单位。有 34 个通信服务窗口单位被中央文明委办公室重新确认为“全国精神文明建设创建活动示范点”；有 104 个青年集体和 88 个青年集体被信息产业部和共青团中央分别命名和认定为全国青年文明号优秀集体；有 51 名职工被评为全国劳动模范和先进工作者，受到国务院的表彰。邮电全国劳模许国富被北京市推举作为全国劳模代表，参加国庆 50 周年活动，受到江泽民主席的亲切接见。为保证国庆 50 周年和澳门回归庆典活动的顺利进行，信息产业部门干部职工团结协作，奋力拼搏，在通信与无线电保障、电子装备技术保障等方面做了大量工作，圆满完成了各项任务。信息产业部荣获国庆活动“先进集体”称号，有 10 名职工荣获“先进个人”称号，受到中央国家机关党工委的表彰。部机关在京直属单位有 1 个单位荣获首都文明单位标兵、8 个单位荣获首都文明单位；有 2 个单位荣获中央国家机关文明单位标兵、15 个单位荣获中央国家机关文明单位称号。在精神文明建设取得了可喜成果的同时，物质文明建设也取得了令人鼓舞的成绩。全国通信业务收入完成 2803 亿元，比上年增长 24.6%；实现利税 321 亿元，增长 38%；通信固定资产投资完成 1518 亿元。电子信息产品制造业实现销售收入 4300 亿元，增长 27.7%；实现利税 330 亿元，增长 39%；出口总额达到 390 亿元，增长 45%。

**二、积极开展精神文明创建活动，不断提高通信服务水平**

国家邮政局、中国电信、中国移动、电子制造软件等行业集团都分别对开展精神文明创建活动，进一步提高通信服务质量和服务水平，提出新的目标、措施和要求。全国邮政、电信行业各基层单位在开展“树邮政形象，创优质服务”活动中，进一步加强领导、制定规划、规范标准、明确目标、健全制度、强化管理、完善机制，使其更加制度化、规范化、科学化，从而保证了“树创”活动的计划、目标和任务落到实处。全国各通信部门继续以上海通信部门规范服务为学习的先进典型，做好抓规范、创星级工作，推进邮电服务工作再上新台阶；以全国劳动模范许国富等 15 名先进人物为典型，在全体职工中开展学劳模、比贡献、创一流、当标兵的活动。在党政工团齐抓共管，广大干部职工积极参与，社会各界监督支持下，使“树创”活动在全国通信服务行业得到深入开展，使内强素质、外树形象改善服务工作取得了明显效果。全年服务质量用户评价满意度，邮政达到 81.56 分；中国电信达到 88.06 分；中国移动通信达到 73.4 分，服务质量和服务水平有新的提高。全国通信行业有 19 个邮政单位、29 个电信单位受到中央文明委的表彰，分别被授予“全国创建文明行业先进单位”和“精神文明建设先进单位”；18 个邮政服务窗口、21 个电信服务窗口被中央文明办继续认定为“精神文明创建活动示范点”；73 个邮政服务窗口、66 个电信服务窗口、31 个移动通信服务窗口、22 个寻呼服务窗口被信息产业部和共青团中央共同命名和认定为 1999 年度全国青年文明号优秀青年集体。

**三、加大思想道德文化建设力度，不断提高职工队伍整体素质**

在捍卫民族尊严、维护国家统一、保证社会稳定的三大斗争中，开展多种形式的思想政治教育，深入开展爱党、爱国、爱社会主义的“三热爱”教育，以及马克思主义唯物论和无神论教育，引导广大职工特别是党员、干部树立正确的世界观、人生观、价值观，进一步坚定共产党员的根本信仰和增强团结群众共同奋斗的自觉性。结合庆祝建国 50 周年纪念活动，深入进行爱国主义、集体主义和社会主义教育，尤其通过对建国以来信息产业的光辉里程和巨大成就的回顾、展示，更加激发了广大职工的自豪感和爱岗敬业、团结奋进、艰苦创业的精神，增强了企业凝聚力和竞争力。结合精神文明创建活动，深入开展“爱国、爱局、爱岗，一切为用户，满意在邮电”的“三爱一满意”和“树立职业理想、遵守职业道德、掌握职业技能、严守职业纪律”的四位一体教育和培训，作为职工自我教育、自我充实、自我完善的有效形式，牢固树立全心全意为人民服务的思想，增强全员服务意识，提高业务知识和技术能力，促进服务质量和服务水平的提高。结合信息产业部门发展、改革、稳定的大局，深入细致地做好职工思想政治工作。下半年，信息产业部邮电、电子两个思想政治工作研究会分别深入到 6 省市邮政、电信、电子基层企业调查研究，了解国企改革和职工思想政治工作状况，为领导决策和进一步加强思想政治工作提供了可靠依据。电子政研会举办了第三期高级政工师培训班，培训了 50 名思想政治工作骨干。全国通信业和电子业各级党政工团和政研会组织，继续发扬党的思想政治工作优良传统，坚决贯彻落实中央〔1999〕17 号文件精神，不断加强和改进思想政治工作，注重调查研究，分析新的形势和任务，总结新的经验，努力探索新途径、新方法、新经验，以适应新情况，迎接新挑战，发挥新优势，开创信息产业思想政治工作新局面。各行业涌现出一批先进基层党组织、优秀党务工作者、思想政治工作优秀集体、优秀工作者，受到各级党和政府的表彰。

信息产业部门精神文明建设在加强思想道德教育的同时，不断加强企业文化建设，使其相辅相成，融为一体。特别是在产业结构调整、企业分营、行业重组过程中，许多企业领导把企业文化建设与思想道德建设有机地结合起来，作为精神文明建设的有效载体和两个文明建设的结合点来抓，融于企业生产经营、管理服务和职工文化生活中，实行党政工团组织和相关部门齐抓共建，使理论教育、养成训练和文化娱乐一道进行，形成团结紧张、生动活泼、丰富多彩的工作生活环境和良好的文化氛围，充分调动和发挥了职工的积极性和创造性。中国电子神剑学会举办了书画美术摄影展，并在全国文联举办的书画展览会上参展，中国电子体育协会组织了全行业的“电子杯”职工桥牌赛、围棋赛、门球赛等；中国邮电体协组织邮电代表队，参加了国家体育总局举办的全国风筝、健美操、象棋、田径等比赛，产生了良好的社会影响，提高了知名度。

（信息产业部）

# 水利系统

1999年，水利系统精神文明建设工作认真贯彻党中央的指示精神，始终围绕灾后重建、整治江湖、兴修水利建设任务这个中心，坚持“两手抓，两手都要硬”的方针，坚持用邓小平理论武装广大水利职工，大力弘扬“献身、负责、求实”的水利行业精神，大力加强爱国主义、集体主义、社会主义教育和崇尚科学、反对迷信的教育，深入开展丰富多彩、形式多样的精神文明创建活动，营造了昂扬向上、团结奋进的良好氛围，有效地激发了广大水利职工的创造精神，增强了干部职工对党和政府的信任感，加快水利发展的紧迫感，做好工作的责任感，为促进水利事业的发展，提高水利职工的思想道德素质，维护社会的稳定发挥了重要作用。

**一、贯彻落实中央《关于在全党深入学习邓小平理论的通知》精神，兴起学习邓小平理论新高潮**

在邓小平理论学习活动中，水利系统各单位进一步建立和完善了理论中心组学习制度，处以上干部在职学习制度，职工学习制度和干部理论学习考核制度，保证了理论学习的健康开展。许多单位明确规定，领导干部在述职时要“述学”，考核时要“考学”。理论中心组基本上做到了计划、内容、时间、人员四落实，部党组理论中心组加强了对中央关于水利方针政策的学习和研究，着眼于研究新情况，解决新问题；加强了对法律法规、金融及新科技知识的学习，增强了依法行政的意识。处以上干部根据水利建设及干部自身建设的需要，以邓小平理论的学习为重点，本着缺什么补什么的原则，确定学习内容，保证学习时间，有计划地安排专题学习。许多单位开展了学理论知识竞赛，举办处以上领导干部研修班，加强了对科所队组干部和党员的政治理论培训。通过形式多样的理论学习活动，进一步调动了干部职工的学习积极性，加深了对邓小平理论精神实质的理解、理清了深化水利改革与发展的思路。

**二、深入开展以“三讲”为主要内容的党性党风教育，进一步提高领导干部的思想政治素质**

按照中央的统一部署，水利部机关及部直属单位，分别用4个月和3个月的时间，集中开展了以“讲学习、讲政治、讲正气”为主要内容的党性党风教育。部直属机关共有37个单位，110名司局级以上党员领导干部，474名处级党员干部参加了这次“三讲”教育。根据“三讲”教育过程中反映出来的问题，水利部党组重点在加强领导班子的思想政治作风建设，坚持民主集中制，严肃经济纪律和广大群众普遍关心的热点问题等方面进行整改，同时就进一步加强水利行业的精神文明建设和关心职工生活，搞好机关后勤工作提出了意见。通过边整边改，推动了水利建设和各项工作的开展，党员干部的精神面貌为之一新。

**三、开展丰富多彩的精神文明创建活动，营造积极健康向上的良好氛围**

水利系统把弘扬伟大的抗洪精神，树立“献身、负责、求实”的水利行业精神作为水利行业精神文明创建工作的主题，以创建文明行业为目标，以争创部级文明单位活动为龙头，按照“巩固、提高、延伸、辐射”的思路，通过多种形式的创建活动，不断丰富载体，进一步提高了创建工作的水平。

按照中央文明委的部署，水利部会同11个部委（局），联合在全国开展了“保护生态环境，倡导文明新风”主题活动，着重围绕搞好植树绿化，清理白色垃圾，改善空气质量，治理水源污染四个方面的任务，开展群众性宣传教育，组织集中性整治战役。在全国水利系统开展了以提高全社会水患和水环境、水资源保护意识为主要内容的“3·22世界水日”、“中国水周”和“全国节约用水宣传周”等活动，为加大宣传力度，部领导还亲自上街进行宣传；开展了以改变施工现场脏乱差状况，控制和减少施工伤亡，保证工程质量为主要内容的“创建文明工地”活动；开展了以保护长江、黄河等大江大河流域生态环境为主要内容的“保护母亲河行动。”

由水利部推荐的小浪底建设管理局、上海勘测设计研究院、四川省都江堰管理局等20个单位，被中央文明委命名表彰，授予“全国创建文明行业工作先进单位”荣誉称号。水利部机关连续第八次获得中央国家机关文明单位和第九次首都文明单位的称号。

为庆祝新中国成立50周年和澳门回归祖国，全国水利系统广泛开展了祖国颂，社会主义颂，水利颂的各种活动。成功地举办了国际水展和水利成就展；编辑出版了《新中国水利五十年》画册和《水利辉煌五十年》一书。由全国总工会和中国文联举办的“庆祝建国50周年、迎接新世纪、全国产业系统文艺展演”，反映水利建设、歌颂水利职工的京剧交响诗联唱和大三峡歌舞，赢得了金奖和好评。

全国水利系统各单位针对美国袭击我驻南大使馆事件和李登辉搞分裂的言论，开展多种形式的思想教育，把水利职工的思想统一到中央精神上来。在深入揭批“法轮功”邪教本质和严重危害的斗争中，深入开展了马克思主义唯物论、无神论教育和弘扬科学精神、反对封建迷信的教育，使广大职工增强了反对迷信愚昧、抵御歪理邪说的能力。

**四、召开全国水利系统精神文明建设工作会议，加大了思想政治工作和精神文明建设的力度**

11月，水利部召开了全国水利系统精神文明建设工作会议，党组书记、部长汪恕诚在讲话中强调：精神文明建设能否搞好，关键在领导，精神文明建设不但要有专门的领导抓，专门的机构管，还要有专门的人员办，这就是要抓认识，抓根本，抓领导，抓队伍。部党组成员、中纪委驻部纪检组组长李昌凡代表部党组作了“振奋精神，扎实工作，进一步加强水利系统精神文明建设”的工作报告，会议对今后一段时间的精神文明建设工作进行了部署。会上，23个“全国创建文明行业工作先进单位”的经验进行了书面交流，江苏省水利厅、上海勘测设计研究院、小浪底建设管理局、湖南省水文水资源局、四川省都江堰管理局、陕西省水电工程局以及张家港市水政监察大队在大会上交流了经验。

为加强水利系统思想政治工作，根据中共中央发出的《关于加强和改进思想政治工作的若干意见》通知精神，制订了《水利部关于加强和改进思想政治工作的意见》。

（水利部文明办）

# 文化系统

1999年，文化部系统贯彻以江泽民同志为核心的党中央的指示精神，在中央精神文明建设指导委员会、中央国家机关精神文明建设协调领导小组的指导帮助下，在部党组的领导下，坚持用邓小平理论武装全体党员、干部、群众，坚持“两手抓、两手都要硬”的方针，大力开展爱国主义、集体主义、社会主义教育和崇尚科学、反对迷信的教育，积极开展精神文明创建活动，部机关和各单位精神文明建设整体水平有了很大提高，迈上了一个新台阶，促进了各项业务工作的顺利开展，保证了文化部系统新中国成立50周年庆典和澳门回归祖国演出活动等任务的圆满完成。

**一、各级领导重视，社会主义精神文明建设整体水平大大提高**

文化部系统各单位党政一把手亲自抓，把精神文明建设工作列入了重要日程。部党组书记、部长孙家正等部领导多次召开会议，研究部署精神文明建设工作。各单位党政一把手也都把精神文明建设工作列入本单位的议事日程，做到有计划、有安排、有检查、有总结，切实抓好各项工作的落实；加强对精神文明建设的宣传教育，进一步提高对坚持“两手抓，两手都要硬”的认识，努力提高精神文明建设的整体水平，在社会主义精神文明建设中做出表率，切实完成好党中央、国务院交给的各项工作任务。由于各级领导重视，保证了精神文明建设的各项工作落到了实处，使文化部系统精神文明建设整体水平有了很大提高。

**二、深入开展创建活动，精神文明建设迈上新台阶**

各单位按照巩固、提高、延伸、辐射的思路，做到常抓不懈，不断完善有利于创建活动健康发展的运行机制，使创建活动更加规范化、制度化。在创建文明单位活动中，部机关率先垂范，深入开展“三优一满意”活动，广泛开展创建文明司局、文明办公室活动和文明职工活动。国家图书馆在历年创建文明单位活动的基础上，进一步深化改革，充分发挥国家级图书馆的优势，不断拓宽服务范围和项目，全方位的为党、政、军机关和广大读者服务。东方歌舞团、中央民族乐团、鲁迅博物馆等单位，高标准、严要求，使创建活动更加扎实。由于各级领导重视，通过全体人员的共同努力，文化部机关、国家图书馆、中央文化管理干部学院、东方歌舞团、中央民族乐团、中国文化报社、故宫博物院、中国青年艺术剧院东架松家委会等 8 个单位被评为首都文明单位，文化部机关、故宫博物院首次荣获首都文明单位称号。部机关及其 15 个在京单位还被评为中央国家机关文明单位，其中中国歌舞团、文化部离退休人员服务中心、中国文物研究所、文化部恭王府管理处，第一次跨进了中央国家机关文明单位行列。

**三、通过“三讲”教育和与“法轮功”邪教组织的斗争，全体党员干部讲政治的意识增强**

进一步增强部党组按照党中央的统一部署和要求，用整风精神在部机关开展了以“讲政治、讲学习、讲正气”为主要内容的党性党风教育。通过“三讲”教育，有力地推动了机关建设和各项业务工作的开展，部机关的精神面貌焕然一新。按照党中央统一部署，与“法轮功”邪教组织进行了坚决的斗争：一是及时组织广大党员干部学习中央关于处理“法轮功”问题的有关文件；二是在全体党员干部中开展了一次以马克思主义唯物论和无神论为重点的教育，教育广大党员、干部、职工认清“法轮功”邪教组织的本质，彻底揭露“法轮功”反科学、反人类的欺骗性；三是从维护社会稳定的大局出发，深入做好思想政治工作；四是严格执行党的政策界限，耐心细致地做好“法轮功”练习者说服、教育转化工作。针对参加法轮功练习者的具体情况，党政领导不仅亲自谈话，并采取办班、家访等形式，加大教育转化力度，使绝大部分“法轮功”练习者提高了认识，与“法轮功”划清了界限。通过这场斗争，广大党员干部经受住了锻炼和考验，马克思主义的唯物史观更加坚定，讲政治的觉悟得到了进一步增强。

**四、深入开展爱国主义教育活动，干部职工思想道德素质有了明显提高**

部机关和各单位在贯彻落实《爱国主义教育实施纲要》中，坚持把加强思想道德教育贯穿于精神文明建设各项工作中。一是根据中央部署，积极参加三场大的政治斗争。二是各直属单位和院团以迎接新中国成立 50 周年和澳门回归祖国为契机，广泛开展爱国主义教育活动和繁荣文艺的演出，为首都庆典奉献了一批精彩的文艺精品。充分体现了十一届三中全会以来我们党和国家以及文化战线取得的巨大成就，也充分体现了全体演职人员良好的精神风貌和爱国主义热情。通过开展三场政治斗争和重大庆典活动，使广大党员干部、职工受到了一次爱国主义、革命英雄主义和无神论教育，爱国热情进一步提高，更加坚定了建设有中国特色社会主义祖国的信心，为维护国家主权、祖国统一和社会稳定做出了贡献。

（文化部文明办）

# 卫生系统

1999年，卫生部精神文明建设工作高举邓小平理论伟大旗帜，认真贯彻中央精神，紧紧围绕激发爱国热情，弘扬民族精神，促进卫生改革和发展的主题，唱响祖国颂、社会主义颂、改革开放颂，取得了新的进展。

**一、通过“三讲”教育和三场政治斗争，政治思想素质明显提高**

卫生部机关和全国卫生厅（局）、处级以上领导班子、领导干部按照中央和各地党委的统一部署，认真进行了“三讲”教育，普遍受到了一次深刻的马克思主义党性党风教育。在提高认识的基础上，认真总结并充分肯定十余年来卫生改革与发展的经验和成绩，增强了深化改革的紧迫感，明确了促进卫生事业持续健康发展的方向和重点。“三讲”教育为卫生系统进一步解放思想、转变观念，坚定信心、团结奋斗，深化卫生改革，促进卫生事业健康发展，提供了重要的思想准备。

在三场政治斗争中，采取多种形式，开展了抵御外侮、强我中华，维护民族团结、实现祖国统一，马克思主义唯物论、无神论和弘扬科学精神、反对封建迷信的教育活动，引导广大干部职工特别是青年人把个人前途与祖国命运紧密相连，为中华民族的振兴贡献力量。广大卫生工作者旗帜鲜明，态度坚决，积极参加三场政治斗争，并相应做出了自己的贡献。卫生部北京医院出色完成了赴南救治驻南使馆受伤人员的任务。

部分省市再次遭受洪涝灾害时，卫生部和全国各地卫生厅局有准备、有针对性地开展工作。全国特别是灾区的卫生工作者进一步动员起来，认真贯彻以预防为主的方针；充分发挥农村预防保健网的作用，大力开展群众性的爱国卫生运动；加强检查，落实各项防疫防病措施；加大卫生监督执法力度，强化疾病控制工作的法制化管理；加强灾区重点传染病监测和控制，严格疫情报告制度。经过艰苦努力，有效地控制了疫情，圆满地完成了党和政府交给的光荣而艰巨的任务，又一次夺取了大灾之后无大疫的重大胜利。

**二、广泛开展向“为民爱民的好医生”吴登云同志学习的活动**

卫生部与中组部、中宣部联合在全国开展了向“爱民为民的好医生”、白求恩奖章获得者吴登云同志学习的活动。卫生部党组发出了向吴登云同志学习的决定，号召广大卫生工作者学习吴登云牢记党的宗旨、忠诚党的事业、立志扎根边疆，在艰苦地区建功立业、矢志不渝地追求崇高理想的世界观、人生观、价值观，学习吴登云建设边疆，与少数民族兄弟“同呼吸、共命运、心连心”的优秀品质；学习吴登云献身边疆、刻苦钻研业务、对医疗技术精益求精、对病人满腔热忱的白求恩精神。要求卫生系统各级党委把开展向吴登云学习的活动，与树立良好医德医风、加强职业道德教育和社会主义精神文明建设结合起来，鼓励广大医疗卫生人员深入基层、深入农村、支援边疆。特别要鼓励广大青年医务工作者到祖国最艰苦的地方建功立业，为我国卫生事业改革与发展做出新的贡献。全国卫生系统广泛开展了向吴登云同志学习的活动。吴登云同志的先进事迹和崇高精神，使广大卫生工作者受到一次生动的全心全意为人民服务的教育。以吴登云为榜样，做吴登云式的好医生的热潮正在形成。

**三、以重大庆典为契机，各项创建活动取得新成效**

为庆祝新中国成立50周年和迎接澳门回归祖国，组织开展多种形式的庆祝活动。卫生部与中国美术家协会等单位共同举办了“跨世纪全国卫生系统美术摄影精品展”。卫生部系统参加了辉煌50年成就展，广泛宣传50年来卫生改革与发展的辉煌成就。卫生系统广大干部、职工以文艺汇演、知识竞赛、座谈会等多种形式开展了丰富多彩的庆祝活动。卫生部组织了部机关“祖国在我心中”

歌咏演唱会、京内直属单位文艺汇演、知识竞赛等，激发了广大职工积极投身卫生改革，振兴中华的热情。

各地、各单位按照主题不变，充实内容，一抓到底，抓出成效的要求，把“讲文明树新风”活动不断引向深入。结合“以病人为中心，优质服务，创建百佳医院”活动，加强职业道德教育，狠抓行风建设，改进了服务态度，规范了服务行为，促进了服务质量的提高和服务形象的改善。卫生下乡、卫生扶贫工作的力度不断加大。卫生部、国家中医药管理局、中国人民解放军总后勤部卫生部在全国卫生系统评选表彰了145所“百佳医院”，促进了“以病人为中心”的活动向纵深发展。规范化服务在实践中前进，并取得了初步成绩。北京市在47家三级医院、130个社区卫生服务站开展了规范化服务活动，通过了首都文明办的验收。

全国卫生系统“青年文明号”、“青年岗位能手”工作取得新的进展。全国卫生系统创建活动领导小组在烟台召开了座谈会，总结交流开展创建活动的经验。经卫生部文明委推荐，北京天坛医院、江苏省卫生防疫站、河南省妇幼保健院等20个单位被中央文明委评为“创建文明行业工作先进单位”，27个单位被评为“精神文明建设先进单位”。在“五好文明家庭”、“巾帼建功”创建活动中，卫生部工业卫生实验所邢文庭、朱不远一家被全国“五好文明家庭”创建活动领导小组授予第二届全国“五好文明家庭”；中国预防医学科学院流行病学与微生物学研究所时曼华同志被中华全国总工会评为“全国先进女职工”。

（卫生部文明办）

# 海关系统

1999年，海关系统以党的十五大精神为指针，认真贯彻国务院领导同志关于加强海关思想政治工作和队伍建设的指示，根据中央文明委的总体部署，紧紧围绕打击走私、加强税收征管等海关中心工作，深入开展以创建文明窗口活动为载体的精神文明创建活动，推动了海关的改革发展和各项任务的完成。

**一、坚持“两手抓”，加强思想政治建设**

国务院领导对加强海关的思想政治工作和队伍建设作出了一系列的指示，围绕贯彻落实这些指示精神，紧密结合海关队伍的实际，加大工作力度，促进了海关队伍思想政治建设。

以“三讲”教育为契机，增强领导班子和领导干部“两手抓”的意识。根据党中央的总体部署，在全国处级以上海关领导班子和党员领导干部中开展了以“讲学习、讲政治、讲正气”为内容的党性党风教育。通过“三讲”教育，“两手抓”的意识得到增强。突出表现在能够把思想政治工作和精神文明建设摆在领导工作的重要日程，作为队伍建设的大事来抓。

针对新形势下海关关员思想上出现的新情况、新特点，开展了树立正确的世界观、人生观、价值观教育。通过学习理论、座谈讨论、参观展览、请先进人物作报告等多种方法，帮助大家理顺情绪，端正思想，正确处理得与失、苦与乐、荣与辱的关系，增强了抵制拜金主义、享乐主义和极端个人主义的能力，进一步树立了为祖国把关，为国家争光，对人民负责的荣誉感和责任感。在全系统开展了以“汲取湛江案件教训，清除执法腐败”为内容的法纪教育和整顿。组织广大关员认真学习国家的有关法律和总署制定的廉政规定，将近年来海关系统发生的违法违纪大案，编写成案例分析读本下发全国海关。引导广大关员明是非，辨美丑，从中汲取沉痛教训，自觉遵守法纪和廉政规定，增强抵制腐朽思想侵蚀的能力。根据中央的部署，开展了揭批“法轮功”的斗争。引导大家认清“法轮功”的反动本质，在思想上自觉地同“法轮功”划清界限。

**二、深入开展创建文明行业活动**

近年来，海关系统根据中央文明委的部署，在创建文明窗口活动的基础上，把精神文明创建活动延伸到创建文明行业上。总署派出三个检查组，专门对全系统开展创建文明行业情况进行检查，及时发现和纠正存在的问题，总结推广先进单位的做法和经验。对被中央文明委表彰的21个“全国创建文明行业工作先进单位”在全系统进行通报表彰和奖励，将他们的先进经验转发全国海关学习，推动了创建文明行业工作的深入开展。通过开展精神文明创建活动，使海关队伍的精神面貌发生了较大变化，涌现出一批先进集体和先进个人；廉政建设得到加强，行业新风逐步树立。多数关员自觉遵守海关各项廉政规定，文明之举得到弘扬，不正之风受到遏制；对外形象有了改变，得到地方党政的肯定和社会各界的好评。

**三、宣传典型，弘扬正气**

总署下发了《关于加强先进典型宣传和表彰工作的通知》，对搞好典型宣传工作提出了具体要求。一年来先后推出了赖伟忠等七名全国杰出(优秀)青年卫士，推出了全国民族团结进步先进个人米里干；与人事部联合开展了评选海关系统先进集体、先进工作者活动。共评选出先进集体30个、先进工作者15名，以不同形式在全系统宣传这些先进典型的事迹，并组织了海关系统的“全国杰出(优秀)青年卫士”事迹报告团到部分海关作巡回报告，弘扬他们爱岗敬业、廉洁奉公、无私奉献的高尚精神，展示了海关队伍精神文明建设的成果，对推动海关系统精神文明建设起到了积极作用。

**四、开展丰富多彩的文体活动，陶冶情操**

结合新中国成立50周年、人民海关成立50周年和澳门回归祖国，在全系统广泛开展了“爱祖国、爱海关、爱岗位”为主题的系列专题教育。许多单位采取举办报告会、演讲比赛、书画摄影展等多种形式，开展纪念活动。有些海关还举办了艺术节。总署还专门举办了纪念新中国成立50周年和人民海关成立50周年文艺汇演。展示了海关精神文明建设的成果。汇演以后，总署选择了一些优秀节目，组成了文艺小分队到边疆海关慰问演出。所到之处受到热烈欢迎，既宣扬了海关精神文明建设的成果，也活跃了基层海关的文化生活。

(海关总署)

# 税务系统

1999年，全国税务系统在邓小平理论和党的十五大精神指导下，按照国家税务总局《1999年全国税务系统思想政治工作和精神文明建设工作要点》的部署，紧紧围绕税收中心工作，认真组织政治理论学习，深入开展思想道德教育，大力宣传先进典型，积极推进群众性精神文明创建活动，为完成税收各项工作任务发挥了服务和保障作用。

**一、以规范化服务为重点，积极开展精神文明创建活动**

各地按照总局“依法治税，从严治队”的工作方针，以开展规范化服务为重点，继续深入开展以“为人民服务，树行业新风”和“讲文明树新风”为主题的创建文明行业、文明单位、青年文明号、最佳办税服务厅和争当人民满意的公务员、优秀税务工作者活动，使全系统文明行业创建水平又迈上了一个新台阶。

一是坚持经常性的思想道德教育。在广大干部职工中大力倡导以“热爱税收、依法治税、廉洁奉公、文明征收”为基本内容的税务职业道德。同时，将思想道德教育与职业技能培训结合起来，注重提高干部的综合素质，使广大干部特别是青年干部在工作实践中，不断增强责任意识、法治意识和服务意识，提高业务水平，发扬税务系统的优良传统和作风，树立良好的职业道德风尚。四川省隆昌县国税局局长廖太洪，被人事部授予“人民满意的公务员”荣誉称号。在总局的号召下，各地税务部门普遍开展了向廖太洪同志学习的活动。

二是深入开展规范化服务活动。各地税务部门积极响应总局的号召，结合各自实际，按照规范化服务的标准、内容、要求，制定实施方案，加强工作指导，帮助基层窗口单位建立健全包括岗位责任制、目标考核制、奖惩制在内的各项规章制度，加大检查、考核工作力度。河北省地税局结合自身特点，在全系统开展以加强基层规范化管理为重点的“文明执法杯”竞赛活动，深入进行职业责任、职业道德、职业技能、职业纪律教育，大力推行规范、文明、优质服务，认真解决群众关心的热点、难点问题，赢得了社会各界和广大纳税人的好评。

三是广泛开展群众性精神文明创建活动。总局关于《1999至2001年全国税务系统社会主义精神文明建设规划》下发后，各地税务部门在总结经验，巩固成绩的基础上，进一步落实领导干部责任制，建立健全各项规章制度，完善精神文明创建的管理机制，调动各方面积极因素，不断加大管理力度，积极推进群众性精神文明创建活动。通过开展争创“文明单位”和争当“优秀税务工作者”活动，带动了创建“青年文明号”、“最佳办税服务厅”和争当“人民满意的公务员”活动的开展，普及了“办税服务承诺制”、“文明办税八公开”等深受纳税人欢迎的办税形式，促进了税务部门特别是窗口单位的行业作风建设。

在全国税务系统，继北京、吉林、江西、河南、湖北、湖南、重庆、宁夏、新疆和青岛国税局，黑龙江、福建、河南、湖北、湖南、陕西、重庆和厦门地税局等18个单位在1998年度跨入省级文明行业（系统）行列，或在全省（区、市）“窗口”行业行风测评中名列第一名之后，1999年度又有江苏国税局、河北地税局被评为文明行业，大连、宁波国税局被评为行风建设优胜单位，吉林地税局被评为文明单位，陕西国税局被评为文明创建最佳厅局。3月和6月份，总局有关领导先后在人事部组织召开的深入开展“做人民满意的公务员”活动全国电视电话会议和中央文明办、国务院纠风办召开的“深入开展优质规范服务，大力倡导文明行业新风”全国电视电话会议上介绍了税务系统的做法和经验。

各地税务部门采取多种形式广泛开展了学习、宣传先进典型和模范人物活动。9月24日，国家税务总局在北京召开电视电话会议，表彰了全国税务系统222个“文明单位”和198名“优秀税务工作者”，以及30个被中央文明委授予“创建文明单位工作先进单位”。在全系统进一步形成了崇尚先进、学习先进的良好风气，推动了全系统精神文明建设和思想政治工作的开展。

**二、围绕重大节日和重大事件，深入开展社会主义、爱国主义和崇尚科学教育活动**

一是广泛深入地进行社会主义教育。各级税务机关紧密联系新的形势和任务，联系税制改革以来的新情况、新问题，组织广大干部认真学习邓小平理论，学习江总书记关于社会主义现代化建设的一系列重要讲话精神，不断加深对什么是社会主义、怎样建设社会主义这一根本性问题的认识。通过组织学习、经验交流会、理论研讨会、形势报告会和参观建国50年成就展览，以大量具体生动的事例，向广大干部职工宣传新时期社会主义建设的伟大实践和成功经验，进行改革开放和现代化建设的形势、任务教育，用社会主义建设的巨大成就和鼓舞人心的奋斗目标，展示社会主义的优越性。

二是扎实有效地推进爱国主义教育。迎接新中国成立50周年，各地税务部门普遍通过开展中国历史特别是近代史、现代史教育，使广大税务干部职工进一步了解中华民族五千年灿烂文明，了解中国共产党领导全国人民为建立新中国而英勇奋斗的崇高精神和光辉业绩。同时，联系李登辉企图分裂祖国的“两国论”，结合澳门回归祖国，广泛进行了维护民族团结，促进祖国统一的教育。在以美国为首的北约袭击我驻南使馆的野蛮行径发生后，各地税务机关及时组织广大干部职工学习中央领导同志的重要讲话精神，把广大干部职工中激发出来的爱国热情转化为做好本职工作的实际行动，有力地促进了税收工作的开展。

三是积极开展崇尚科学的教育。各地税务部门认真贯彻落实中央关于处理“法轮功”邪教组织的部署和总局党组的有关要求，在广大干部职工中普遍开展了一次辩证唯物主义教育，用科学思想、科学精神武装干部职工思想，深入揭批唯心主义在现代社会中的种种表现。在干部职工中形成了崇尚科学，反对迷信；崇尚文明，反对愚昧的良好氛围。

**三、以“三讲”教育为动力，加强税务系统思想政治工作**

根据中央关于深入开展“三讲”教育的精神，按照总局党组和各省（区、市）党委的统一安排，在处级以上领导班子和领导干部中，深入开展了以“讲学习、讲政治、讲正气”为主要内容的党性党风教育。在“三讲”教育中，紧密联系近两年来税务系统少数单位和个人发生的违纪违法问题，从思想上深刻反思，在理论上分清是非，取得了良好的教育效果。

《中共中央关于加强和改进思想政治工作的若干意见》下发后，各地税务部门进一步完善落实“一岗两责”制度，把思想政治工作纳入各级领导班子、领导干部的日常管理工作之中，与税收工作同部署、同落实、同检查、同考核，形成了一级抓一级、层层抓落实的齐抓共管格局。与此同时，各地税务部门把解决干部职工的思想问题与解决基层工作实际困难紧密结合，各级税务机关和领导干部心往基层想，人往基层走，钱往基层花，在人力、物力、财力上往基层倾斜，加大了基层建设的投入，做了大量得人心、暖人心、稳人心的具体工作，使基层单位的办公和生活条件有了极大地改善，解除了干部职工的后顾之忧，保证了干部队伍的稳定，为税收各项任务的圆满完成奠定了坚实的思想基础。

（税务总局）

# 环 保 系 统

1999年，全国环保系统精神文明建设工作，在各级环境部门党委（党组）的领导下，认真开展“三讲”教育，坚持以“四个一”活动为主要内容，紧密围绕十五大提出的各项任务和2000年的环保目标，开拓进取，奋发努力，取得了可喜的成绩，有力地促进了各项任务的完成。

**一、坚持“两手抓、两手都要硬”，组织领导有加强**

各级环保部门认真贯彻“两手抓、两手都要硬”的方针，把精神文明建设摆到了重要的位置。地、市以上环保局基本上都成立了精神文明建设领导机构，做到两个文明一起布置、一起检查、一起考核、一起总结。随着机构改革和人员调整，都注意及时调整充实领导机构。在总局召开的环保系统文明委第二次全会上，增补和充实了文明委成员，加大了领导力度。各级领导干部的“两手抓、两手都要硬”的意识不断增强，多数单位的主要领导同志担任文明委的主任，做到了“一把手亲自抓、负总责”。黑龙江省环保局重视两个文明建设，取得了显著成绩，局机关被黑龙江省委、省政府评为省级文明标兵，全省环保系统连续3届被命名为省级文明建设先进系统，90%以上的环保单位被命名为各级文明单位或标兵。天津市环保局坚持两个文明一起抓，被市委、市政府命名为文明机关标兵。内蒙古自治区环保局连续3年被自治区党委、政府评为实绩突出单位，局长吴国忠连续3年被评为优秀个人，还被国家环保总局推荐授予“地球奖”。河南省环保局连续3年在省政府目标考核中被评为优秀单位，被省委、省政府命名为“省级文明单位”。为了保证组织领导工作落到实处，一些单位建立和完善了领导工作机制，浙江、江苏、江西、新疆和大连、厦门等省、市环保局制定了目标责任制，实行严格考核，认真抓好落实，使精神文明建设逐步走向规范化、科学化、制度化的轨道。

**二、深入学习邓小平理论，“三讲”教育有成效**

按照中央部署，总局、直属单位及大多数省、区、市环保局开展了“三讲”教育，都能够严格按照“三讲”教育的基本要求、基本原则和方法步骤，用整风精神认真搞好领导班子和处以上干部的党性党风教育。

一是坚持把理论学习贯彻始终。党组（党委）中心组严格学习制度，领导干部带头学。山东、江苏、天津和大连等单位还举办了邓小平理论学习班。湖南环保局在省直机关组织的学习邓小平理论知识竞赛中，荣获电视决赛第三名。

二是坚持走群众路线，采取召开座谈会、征求意见、设立意见箱等多种形式，认真查找存在问题。总局同各省、区、市环保局之间也相互征求意见。

三是运用批评与自我批评的武器对存在的问题坚持边整边改，认真制定整改措施，限期改正。

四是发扬理论联系实际的学风，在改造主观世界上下功夫，在指导工作上花力气。各单位在时间紧、任务重的情况下做到了“三讲”教育与业务工作两不误。通过“三讲”教育，进一步提高了领导干部贯彻党的基本理论、基本路线的自觉性和坚定性，为做好各项业务工作和精神文明建设打下了思想政治基础。

**三、狠抓思想政治建设，思想道德教育有成绩**

各级环保部门围绕形势与任务，狠抓思想政治建设，充分发挥思想政治工作的优势，进行了以爱国主义、革命英雄主义和社会主义为重要内容的思想道德教育。

积极开展50年大庆和澳门回归祖国庆典活动。各单位组织了以祖国颂、改革开放颂、社会主义颂为主题的歌咏比赛、纪念会、座谈会、文艺演出等庆祝活动。愤怒声讨以美国为首的北约袭击我驻南使馆的野蛮行径。各级环保部门坚决拥护中国政府的严正声明，纷纷以集会、座谈会、出板报、展出图片等形式，声讨美国的侵略暴行。李登辉抛出所谓“两国论”后，各级环保部门坚决支持中央的严正态度，坚决拥护和贯彻“和平统一、一国两制”的基本方针，及时开展爱国主义教育。西藏自治区环保局坚持“稳定是压倒一切”的方针，在一些分裂分子搞“冲拉亚岁”活动时，立场坚定，组织干部、职工揭露和批判少数分裂分子的罪恶行径，藏汉族同志一致表示，坚决听党的话，跟党走，共同抵制“冲拉亚岁”活动，维护西藏的稳定和祖国的统一。4月25日，部分“法轮功”练习者非法聚集中南海事件发生之后，各级环保部门认真贯彻党中央统一部署，组织广大干部、职工积极投入同“法轮功”邪教组织的斗争，利用报纸、板报等工具和召开座谈会、民主生活会等多种形式揭批李洪志及其歪理邪说。按照中央《关于加强和改进思想政治工作的若干意见》，加大了思想政治工作的力度，积极开展有益于身心健康的文体活动，关心和解决离、退休老同志的老有所教、老有所养、老有所为的问题。

**四、发挥典型引导作用，先进典型的总结宣传有突破**

黑龙江省七台河市环保局局长乔文国和总局污控司水处副处长刘鸿志被评为国家级的“人民满意的公务员”。总局专门召开大会，请他们介绍经验，在《中国环境报》上进行宣传，并向全系统发出向他们学习的通知。总局机关党委还组织系统内的部分先进典型在北京、天津、石家庄等地作了巡回报告，反映强烈，效果很好。在全国环保系统精神文明建设联络员会议上，乔文国、刘鸿志和黑龙江、山东、上海、大连等省、市环保局介绍了事迹和经验。各级环保部门还总结表彰了一批优秀群体和先进个人。

**五、贯彻文明委的《指导意见》，以“四个一”为主题的创建活动有进展**

各级环保部门把开展“四个一”（坚持一种精神：坚持讲实话、办实事、求实效的精神；树立一个观念：树立经济、社会、环境可持续发展的观念；建设一支队伍：建设一支思想好、作风正、懂业务、会管理的环保干部队伍；塑造一种形象：塑造依法行政、文明执法的环保卫士形象）活动作为具有环保特色、加强队伍建设的重要举措来抓。一些单位十分注意总结、深化和完善“四个一”活动。黑龙江省环保局以“四好三优两满意”（好班子、好支部、好党员、好队伍；优良服务、优良作风、优美环境；让基层满意、让人民群众满意）活动为载体，在全省环保系统开展“四个一”建设活动。山东省环保局把“四个一”的内容具体化，形成39条可以量化的内容，使“四个一”活动看得见、摸得着，把“软”任务变成了

"硬"指标，使"虚"要求变成了"实"内容，开始形成争先创优的机制。

各单位注意把"四个一"活动同群众性精神文明创建活动结合起来，深入开展以"讲文明树新风"为主要内容的精神文明创建活动。根据中央文明办关于开展"保护生态环境，倡导文明新风"活动的统一部署，各级环保部门围绕"一年内解决长江、太湖和铁路沿线白色污染"的目标，积极开展了白色污染的治理。总局会同监察部、国家计委、国家经贸委、科技部、建设部、铁道部、交通部、国家旅游局、全国爱卫会等，对铁路沿线和长江、太湖流域进行了检查，受到国务院领导同志的肯定。"6·5"世界环境日，总局会同中国科学院、青海省、四川省人民政府及国家测绘局在长江源头联合举办了由江总书记题写的"长江源"环保纪念碑落成仪式，以此昭示子孙后代，共同保护祖国的母亲河。

（环保总局）

# 民航系统

1999年，民航总局党委始终坚持"两手抓、两手都要硬"的方针，认真贯彻党的基本理论、基本路线、基本纲领，贯彻中央领导同志对民航工作的一系列重要指示，紧紧围绕民航中心任务，广泛深入开展精神文明建设，取得了新的成绩。

第一，认真开展以"讲学习、讲政治、讲正气"为主要内容的党性党风教育。民航总局党委和总局机关于4月到7月，深入开展"三讲"集中教育。各级领导干部普遍受到了一次深刻的马克思主义思想教育，进一步增强了群众观点和廉洁自律的意识，恢复和发扬了党的批评与自我批评的优良传统和作风，经受了一次党内政治生活的严格锻炼，对于建设"廉洁、勤政、务实、高效"的政府机关有了更加深刻的认识，各级领导干部思想、工作、作风等方面发生了深刻的变化。

第二，围绕民航安全、效益、改革、发展等中心任务，认真做好深入细致的思想政治工作。贯彻中央部署，民航总局党委下发了《关于进一步加强飞行队伍思想政治工作的通知》。根据新形势、新情况和出现的新问题，对加强和改进飞行队伍思想政治工作提出具体要求；督促、指导各航空公司结合实际，制定本单位加强飞行队伍思想政治工作的具体措施。撰写印发了民航空勤人员"世界观、人生观、价值观"教育学习材料《蓝天的事业与追求》。这个学习教育材料紧密结合民航空勤人员的工作和思想实际，从确立正确的人生坐标、热爱神圣的蓝天事业、履行光荣的岗位职责、培养崇高的职业道德、提高立业的科学本领、把握难得的发展契机等6个不同的角度，阐述了马克思主义的世界观、人生观、价值观和空勤人员应具有的职业道德，对于加强民航空勤人员思想政治教育，有较强的针对性和参考价值。在同以美国为首的北约袭击我驻南使馆野蛮行径、同李登辉的"两国论"、同"法轮功"邪教组织的三大政治斗争中，加大宣传教育力度，加强思想政治教育，保证了民航各级领导班子和广大干部职工立场坚定、旗帜鲜明，在思想上政治上同党中央保持高度一致。特别是在对"法轮功"练习者的教育转化和对个别顽固分子的处理问题上，严格掌握政策界限，做了大量工作。

第三，深入开展精品服务样板创建活动。下发了《关于广泛开展规范化空中服务活动的通知》，对民航系统开展运输航班规范空中服务活动进行了部署。按照民航总局党委《关于加强和改进民航精品服务样板创建工作的通知》要求，总局有关司局与各地区管理局有关部门组成联合检查小组，在先期多次暗查的基础上，分期分批对申报总局一级精品服务样板的16个创建单位进行了检查验收。总的来看，申报达标的单位思想组织落实，业务管理规范，服务设施齐全，服务质量较高，达到了相应的标准要求。经总局精神文明建设领导小组和总局党委批准，授予中国北方航空公司6501/2、北航天鹅公司的6211/2、6251/2、6271/2、北航吉林分公司的6341/2、东航江苏公司5109/10航班文明航班称号；授予长沙黄花、成都双流、珠海三灶、青岛流亭、宁波栎社、大连周水子机场文明机场称号；授予民航拉萨售票处、北航大连分公司售票处、大连周水子机场售票处、北航天鹅公司售票处文明售票处称号；26个单位荣获全国精神文明创建先进单位称号。

第四，抓好精神文明建设“五个一工程”。按照中宣部《关于第七届精神文明建设“五个一工程”评选工作的通知》要求，向中宣部推荐了《中国机长》、《飞来飞去》两部电视片（分别由国航和东北管理局报送），《半岛的骄傲》、《空管之歌》两首歌曲（东北管理局报送），《选择正确的人生之路》1部图书（东航报送）。经严格评审，中国国际航空公司报送的电视连续剧《中国机长》荣获“五个一工程”入选作品奖。

第五，组织庆祝新中国民航50年和纪念“两航”起义50周年系列活动。在北京人民大会堂组织召开了新中国民航50年报告会，民航总局刘剑锋局长作报告，全面回顾了新中国民航50年取得的辉煌成就，总结了新中国民航建设和发展的基本经验，展望了新世纪民航发展的广阔前景，对民航干部职工提出了新的更高的要求。在人民大会堂组织召开了纪念“两航”起义50周年座谈会。中共中央政治局常委、全国政协主席李瑞环出席座谈会并亲笔题词：“弘扬爱国主义精神，再创民航辉煌”。组织民航各大单位分别在四川、广州、上海、沈阳等地召开了同样内容的座谈会，慰问“两航”起义人员。在中国美术馆举办了“飞向新世纪——新中国民航50年摄影展”。拍摄了电视专题片《随共和国腾飞》（上下篇），于11月3日和10日先后在中央电视台播出。成功举办了新中国民航50年暨纪念“两航”起义50周年文艺晚会。

第六，坚持正确舆论导向，加大新闻宣传工作力度。围绕民航中心工作，积极开展新闻宣传。特别是中央各新闻单位关于民航春运、民航工作会议、民航整顿销售代理、《安检规则》实施、新中国民航50年和“两航”起义50周年、计算机2000年问题等的报道，以及中央电视台“东方时空”、“生活空间”关于首都机场新航站楼建设，中央电视台“焦点访谈”关于国航执行赴贝尔格莱德专机任务，中央人民广播电台“新闻和报纸摘要”节目关于民航机场建设成就、计算机2000年问题新闻发布会等等，在民航内外产生了较大影响。每季度组织召开新闻通气会，加强了对民航新闻宣传报道工作的指导。

（民航总局）

# 广播影视系统

1999年，国家广电总局认真落实中央文明委部署，结合总局实际，坚持用邓小平理论教育武装干部职工，大力开展爱国主义、集体主义、社会主义教育，努力推进社会主义精神文明建设，取得了新的进展。

**一、加强思想政治教育，以重大活动促进精神文明建设**

广电总局不但重视系统的思想政治教育，同时把思想政治教育融于各项精神文明创建活动中，把深刻的教育内容寓于生动的活动形式之中，收到较好的效果。

根据中央的部署，广电总局先后在总局机关和直属单位处以上党政领导班子、领导干部中深入开展以“讲学习、讲政治、讲正气”为主要内容的党性党风教育。各单位牢牢把握“三讲”教育的指导方针和基本原则，坚持开门搞“三讲”，认真做好每个阶段的组织实施，确保了整个“三讲”教育的健康顺利进行，基本上达到了中央提出的目标，有效地促进了广播影视各项工作的开展。这一年，在同以美国为首的北约袭击我驻南使馆野蛮行径的斗争中，同“法轮功”邪教组织的斗争中，同李登辉“两国论”的斗争中，各单位党组织及时对干部群众进行爱国主义教育和马克思主义唯物论教育，积极引导干部职工认清霸权主义，邪教组织和“两国论”的本质及其危害，坚定反霸权、反分裂、反邪教的立场，把群众中激发出的政治热情落实到做好本职工作上来。

结合禁止有偿新闻的工作，着重抓了职业道德教育，从教育入手进行正面引导，同时，加强制度建设，强化制约机制，巩固教育成果。在总局机关深入开展“创建文明机关，当好人民公仆”和“做人民满意的公务员”活动，对机关转变职能、转变作风、转变工作方式、提高工作效率和质量起了一定的作用。

围绕庆祝新中国成立 50 周年和澳门回归祖国，在全局范围开展了以爱国主义为专题的一系列丰富多彩的活动。举办国庆 50 周年电影展映、文艺汇演、演讲比赛、共和国同龄人座谈会、《祖国在前进》摄影展。举办“迎国庆庆回归”文艺调演、“少年儿童迎澳门回归长卷绘画”等重大活动。通过上述活动唱响了祖国颂，社会主义颂，改革开放颂。使广大干部职工受到了一次生动的爱国主义教育，体现了广电部门干部职工的精神风貌，增加了向心力和凝聚力。

**二、评选和表彰先进，发挥先进典型的模范作用，推动精神文明建设**

总局文明委表彰了中国国际广播电台等 12 个精神文明标兵单位，总局机关党委等 14 个精神文明先进单位，中央电视台播送中心等 6 个精神文明先进集体以及袁同楠等 191 名精神文明先进个人。在此基础上举办了先进事迹报告会。

在以美国为首的北约对南联盟进行狂轰滥炸和袭击我驻南大使馆的重大事件中，国际台驻南记者王智敏、郭志家和中央电视台派驻贝尔格莱德记者顾玉龙、王晓琨等同志怀着广播电视工作者强烈的责任感，在炮火连天中，冒着生命危险进行战地采访，发回大量的报道，有力地揭露了以美国为首的北约对南联盟和我驻南大使馆狂轰滥炸的滔天罪行，使中国人民从活生生的事实中受到深刻教育。总局和国际台、中央电视台及时抓住这个机会举办报告会、表彰会，及时表彰和宣扬他们的先进事迹，弘扬了爱国主义精神和职业道德风尚，展示了广播电视记者的精神风貌，推动了总局群众性精神文明创建活动的蓬勃开展。涌现了一批精神文明先进单位和先进个人。中央电视台连续 7 年被首都文明委评为首都精神文明单位标兵，无线电台管理局、中央人民广播电台被评为首都精神文明单位标兵，保卫司、中国国际广播电台等 6 个单位被评为首都文明单位。

**三、建章立制、齐抓共管，精神文明建设稳步发展**

总局文明委根据形势的发展和中央的精神对《广电部文明单位管理办法》、《广电部精神文明先进个人、先进工作者评比表彰办法》等规章制度作了修订，增加了“讲学习、讲政治、讲正气”等方面内容。同时重新修订了《广电总局精神文明建设委员会主要职责和会议制度》、《广电总局文明委办公室主要职责和工作制度》，在广泛征求意见的基础上，制定了《广电总局文明单位考评办法》，使评比工作有章可循，达到量化、细化、规范化。

广电总局文明委增补了成员、增强了领导力量，成员由党政工团的主要领导和直属单位的一把手或主管领导组成，委员会主任由总局党组成员、机关党委书记担任，10 位副主任，由总局有关部门和群众团体的主要领导担任，其中一名党组成员担任常务副主任。进一步完善了党政工团齐抓共管的体制。总局各直属单位的党政主要领导，坚持两手抓、两手都要硬，把精神文明建设工作和本单位的业务工作一起提上议事日程，做到有计划、有布置、有检查、有总结。广播、电影、电视都涌现了大量优秀作品，做到了两个文明一起抓，两个文明双丰收。

（广播影视总局）

# 新 闻 出 版 系 统

1999年的中国新闻出版业，以邓小平理论和党的十五大精神为指导，在以江泽民同志为核心的党中央领导下，围绕全党全国工作大局，在三场大的政治斗争中，坚定地与党中央保持高度一致，唱响主旋律，打好主动仗，提供了强有力的思想舆论保证。

**一、深入开展以“讲学习、讲政治、讲正气”为主要内容的党性党风教育，大力推进党的建设**

按照党中央的统一部署和要求，新闻出版署坚持把理论学习贯穿“三讲”教育的始终，结合新闻出版工作实际，以及解决和处理“法轮功”问题，联系在贯彻执行党的路线方针政策、加强党性锻炼、改造主观世界等方面的不足，充分发扬民主，开门搞“三讲”，认真查摆问题，高标准搞好自我剖析，扎扎实实进行整改，取得了明显成效，做到了“三讲”教育与新闻出版业务工作两不误，两促进，双丰收。

**二、突出以职业道德为重点的思想教育，不断提高新闻出版队伍的思想政治素质**

新闻出版工作担负着“用科学的理论武装人，用正确的舆论引导人，用高尚的精神塑造人，用优秀的作品鼓舞人”的重要历史责任。为此，紧紧抓住“理想信念”教育这个核心，突出职业道德教育这个重点，依托创建“文明单位”、“文明职工”等活动，在广大干部职工中大力倡导讲理想、讲道德和爱岗敬业、乐于奉献精神，努力培养和造就一支有理想、有道德、有文化、有纪律的新闻出版队伍。

**三、狠抓出版繁荣，努力为服务于全党全国工作大局提供强有力的思想保证、智力支持和良好舆论环境**

为配合全国深入学习邓小平理论，新闻出版署1997年10月着手组织编写的一套“邓小平理论研究书系”（34种）于1999年6月底全部出齐，较全面地反映了邓小平理论体系的主要内容。

抓好献礼工程，为庆祝建国50周年和迎接澳门回归祖国营造良好的文化氛围。组织全国各有关出版单位出版一批庆祝建国50周年的重点图书，全国有234家出版社申报了765个选题，最后确定了100种重点图书选题。这批重点图书的出版，全方位的展示了新中国50年来在政治、经济、文化、科技、教育、军事、外交等方面取得的辉煌成就。为迎接澳门回归祖国，出版界推出了50余种图书，涉及澳门的政治、经济、文化、法律、历史、地理等方面，既有严肃的学术著作，又有普及的青少年读物，满足了社会各界读者的需求。同时，还下大力抓了音像电子出版物的两大献礼工程：一是“新中国舞台、影视艺术精品选”系列光盘和《辉煌五十年》多媒体系列光盘；二是组织出版“庆祝建国50周年重点音像和电子出版物选题”。

据统计，1999年全国共出版图书141831种（其中初版83095种），总印数73.16亿册（张）；报纸2038种，总印数318.38亿份；期刊8187种，总印数28.46亿册。

**四、深入开展揭批邪教“法轮功”的斗争，做好宣传马克思主义唯物论、无神论和科普读物的出版工作**

根据中央抓紧处理和解决“法轮功”问题的重大部署和决策，新闻出版署组织人民出版社、人民美术出版社、中国书籍出版社等直属出版单位，迅速地、高质量地相继出版了一批揭批“法轮功”，宣传唯物史观和无神论，反对愚昧迷信和伪科学的图书。在深入开展揭批“法轮功”斗争的同时，各出版单位抓好对有关“法轮功”等宣传封建迷信的非法出版物的检查清理工作，全国共收缴“法轮功”类出版物1070万余册（件）。

为贯彻落实中央关于在党员、干部和广大群众中开展马克思主义唯物论和无神论教育的指示精神，倡导科学文明，新闻出版署组织各出版单位认真做好有关宣传马克思主义唯物论、无神论和科普知识方面图书的出版工作。

**五、评优创先，促进新闻出版事业的繁荣和发展**

为促进我国新闻出版事业的繁荣和发展，开展了一系列评优创先活动。主要有：（1）第四届国家图书奖的评奖工作。从全国430家出版社推荐的1800余种图书中共评出国家图书奖荣誉奖12种，国家图书奖40种，国家图书提名奖96种，总计148种；（2）第六届中国韬奋出版奖评奖工作。全国有51位同志被推荐为候选人，最后江曾培等11位同志光荣当选；（3）首届“国家音像制品奖”评奖工作。集中检阅和展示过去5年国内音像出版的成果，共产生获奖音像制品54个，其中国家音像制品奖荣誉奖1个，国家音像制品奖19个，国家音像制品提名奖34个。（4）首届国家期刊奖和第二届全国百种重点社科期刊评比活动。评出获国家期刊奖的社科期刊48种，获国家期刊奖提名奖的社科期刊23种，获国家期刊奖的科技期刊64种，获国家期刊奖提名奖的科技期刊22种。同时评出108种第二届全国百种重点社科期刊。

（新闻出版署）

# 工商行政管理系统

1999年全国各级工商行政管理机关认真贯彻落实党的十五大精神和江泽民总书记关于精神文明建设的重要指示精神，进一步增强精神文明建设的责任感和自觉性，始终坚持“两手抓，两手都要硬”的方针，把市场监管执法工作与精神文明建设工作紧密结合，为促进社会主义物质文明建设与精神文明建设做出了贡献。

**一、围绕工商职能作用，体现精神文明建设具体要求**

工商行政管理系统在日常业务工作中，注意体现精神文明建设内容，在进一步加大市场监管执法力度，规范市场主体行为，净化市场环境的同时，将精神文明建设工作不断引向深入。

建立“打假维权协作制度”。5月，国家工商行政管理局与全国123家知名企业制订了《全国工商行政管理机关与企业建立“打假维权制度”实施办法》和《行动方案》，明确了参与企业的权利、义务和工商行政管理机关的职责任务。在协作企业的配合下，通过6月到8月的集中统一执法行动，查处了一批大案要案，端掉了一批制假售假的窝点。

开展“扫黄”、“打非”和收缴“法轮大法”出版物的专项整治行动。据统计，1999年共检查各类从事保健、娱乐、美容美发、饮食服务业的经营户28万户，取缔非法经营户6400多家，清理含有不良文化现象的商户牌匾13000余块，收缴含有不良文化内容的各种广告宣传品340万余份，责令停止发布含有不良文化内容的广告近3000起。根据中央的部署，各地工商行政管理机关迅速开展了收缴与“法轮大法”有关出版物的工作，共出动检查人员29.1万人次，收缴与“法轮大法”有关的非法书籍4.83万册、音像制品3.67万盘、有关宣传材料2.34万份。

整顿校园周边环境。根据国家工商行政管理局《关于清理整顿文化市场取缔利用电脑从事经营性游艺活动的通知》，针对那些违反规定擅自以各种名义利用电脑从事经营性游艺活动，使用色情、暴力等不健康内容的走私或盗版软件、光盘，引发变相赌博，败坏社会风气，诱导青少年荒废学业，危害青少年身心健康等不法行为，各地工商行政管理机关与公安、文化等部门共同行动，认真清理整顿校园周边的文化娱乐场所，重点是电子游戏厅、音像书刊店等。据不完全统计，截至6月，北京、上海等17个省、自治区、直辖市工商行政管理局共出动检查人员32542人次，检查经营场所19378户，取缔无照经营电脑游艺经营点981个，收缴盗版侵权软件40余万张，扣留电脑主机5583台，罚没款88万余元。同时各地工商行政管理机关还加强了对学校门口及周边路段的食品、饮品经营摊点的监督检查，严格规范其经营行为，取缔无照商贩。

倡导和推行“合同解忧”工程。国家工商行政管理局在全系统推广了“合同解忧”工程，包括四方面内容；一是工商行政管理机关运用资信审查、合同调解、监督履约等手段避免因违法或失效合同给企业带来的损失；二是通过动产担保抵押登记、反担保等手段为企业融通资金，使企业摆脱困境；三是打击合同欺诈，推行“重合同守信用”评比，为企业创造良好的市场交易环境；四是帮助企业加强合同管理。新华社、《人民日报》、《法制日报》、《经济日报》等重要媒体都报道了工商行政管理机关的这一活动，予以高度评价。实践证明，凡是“合同解忧”工作开展得好的地方，工商行政管理机关在企业和社会上的形象，都得到了明显的改善。

**二、结合业务特点，开展精神文明创建活动**

工商行政管理系统在市场监管和行政执法工作中，结合业务特点，积极探索，创造出很多富有部门特色、群众喜闻乐见的文明创建活动，为推进精神文明建设作出了新的贡献。

创建“12315”消费者申诉举报网络。3月，国家工商行政管理局在有关部门的协助下，将一些省市原有的消费者投诉电话统一为“12315”消费者申诉举报网络。这一网络的建立，不仅可以将行政机关的执法监督和人民群众的社会监督紧密结合起来，有利于打击各种经济违法行为，同时更具有及时化解经济矛盾纠纷，保障社会稳定，促进精神文明建设的作用。据统计，全国工商行政管理系统共建立消费者申诉举报服务中心（台、站）13981个，配备专用电话4605部，工作人员达34100人，配备计算机3100多台。“12315”申诉举报网络建立以后，工商行政管理机关受理消费者投诉和查处侵害消费者权益的案件明显增多，全年共受理消费者申诉27.2万件，为消费者挽回经济损失21.4亿元，为历年来最多；全年共查处侵害消费者权益案件67773件，比上年增长63%，案件总值5亿元，罚没金额7643万元，比上年增长70%；同时，通过“12315”的举报，全年还查处制售假冒伪劣商品违法案件16.85万件，捣毁制假售假窝点12913个。

继续深入开展“百城万店无假货”及其相关活动。工商行政管理机关与有关部门一起，将此项活动进一步延伸，在全国大中城市开展了创建“打假维权、消费者满意街（区）”、“购物放心一条街”活动。全国各级工商行政管理机关共创建“打假维权、消费者文明满意一条街”188条。

开展新一轮主题公益广告宣传活动。在中央文明办的指导下，全国工商行政管理系统组织开展了新一轮题材广泛、主题突出的公益广告宣传活动，紧紧围绕庆祝新中国成立50周年、澳门回归祖国和中央的中心工作进行宣传，作到了主题鲜明、导向正确、内容深刻、表达生动，切实发挥了公益广告的积极作用。据不完全统计，全国报纸、电视、广播、杂志、户外等媒体共发布公益广告25000余件，涌现出一大批主题鲜明、内涵深刻、制作精良的优秀公益广告作品。下半年与中央文明办共同召开了上一年度公益广告总结颁奖大会，对120件优秀公益广告作品颁奖，表彰了公益广告先进单位86家、先进个人76名。

创建优秀“青少年维权岗”活动。3月，国家工商行政管理局与共青团中央联合发文明确了创建活动的内容、方式和实施步骤，要求各级工商行政管理机关认真贯彻执行《宪法》、《未成年人保护法》等法律、法规中有关保护青少年合法权益的规定，积极维护青少年的合法权益；对制造、销售和经营有害青少年健康成长的商品、文化制品的行为依法严厉打击；配合有关部门大力开展“扫黄打非”和禁毒斗争，营造有利于青少年健康成长的社会环境；积极查处涉及侵害青少年消费者合法权益的案件。4月，国家工商行政管理局和团中央对上海市工商行政管理局虹口分局四川北路工商所等五个首批优秀“青少年维权岗”举行挂牌和命名仪式。5月—10月，各地工商行政管理机关也相继成立创建活动领导机构，将优秀“青少年维权岗”创建活动引入纵深。

继续开展个体工商业者争创“光彩之星”活动。激励他们在经济活动中自觉形成“遵纪守法、诚实信用、公平竞争”的职业道德规范，走健康发展的道路。1999年首批命名192个优秀个体工商户和私营企业为全国“光彩之星”，并在北京召开了表彰座谈会，宣传了他们艰苦创业自强不息、回报社会愿为人先的崭新精神风貌，在提高个体工商户和私营企业的政治思想水平和职业道德素质方面收到了良好的效果。

**三、以提高队伍素质为切入点，促进自身精神文明建设**

国家工商行政管理局专门组织召开了全国工商行政管理系统基层建设工作会议和纪检监察工作会议，对加强基层建设和反腐纠风工作进行了部署，促进了队伍政治素质和作风素质的提高，执法形象得到进一步改善，自身精神文明建设有了新的发展。

加大基层建设工作力度，提高队伍政治素质。第一，将加强领导班子建设，作为提高队伍政治素质的基础。省以下实行垂直管理后，大大加重了系统内干部管理工作的责任，加强领导班子建设成为基层建设工作的重点。在抓好基层机构建制改革的同时，全系统注重加强对领导班子的考核，特别是政治水平、理论水平和领导水平的考核考察，选好班子，带好队伍。第二，将加强基层党组织建设，作为提高队伍政治素质的组织保障。各地实行了党建目标责任制。第三，以“三讲”教育和三项大的政治斗争为契机，深入开展党性党风教育。全系统结合“三讲”教育，充实思想政治教育的内容，加强党的基本理论、基本路线、基本方针和理想信念教育，使广大干部在深化改革、发展社会主义市场经济和对外开放的条件下，保持清醒的头脑，坚定理想信念，树立正确的世界观、人生观和价值观，不断增强事业心和使命感。在开展政治思想教育的同时，各地还强化了岗位培训和知识更新培训，有效地提高了基层人员的政治业务素质，提高了履行岗位职责的能力。

加大反腐纠风工作力度，提高队伍作风素质。认真抓好领导干部廉洁自律，查处违法违纪案件，纠正行业不正之风三项工作任务，加大力度，狠抓落实，取得成效。第一，通过抓好节约会议开支、不新建或购买办公楼、严格出国管理等环节，重点查处领导干部违法违纪案件和窗口单位工作人员以权谋私案件，使党员领导干部的党性觉悟和廉洁自律意识有了较大增强，领导干部发挥了在党风党纪、精神文明建设方面的表率作用。全系统共取消、压缩各种会议 3055 次，节约经费 1988.43 万元，取消出国团组 148 个 391 人，节约资金 787.4 万元。第二，信访举报和查处违法违纪案件工作力度有所加大。全系统共受理群众来信来访、举报 18353 件次，比 1998 年增长 71.6%，共立案查办案件 1923 件，给予党纪政纪处分 1462 人，同比增长 17.4%。第三，以纪律作风整顿为突破口，坚持机关以纠正“案、费、证、照”为重点，基层纠正以“吃、拿、卡、要”为重点，持续开展纠正行业不正之风工作。坚决落实行政事业性收费和罚没收入实行“收支两条线”的规定，遏制乱收费、乱罚款、乱摊派和代收代扣费用等问题，1—10 月各地上缴提成款是 1998 年同期的 1.48 倍。同时，在坚持纠建并举，落实政务公开，组织行风测评，自觉接受外部监督的基础上，还加大了自查自纠的力度。据不完全统计，全系统在纪律作风整顿中，自查自纠问题累计 5681 项，查处违纪违法人员 1712 人，给予党纪政纪处分 670 人，辞退 354 人。通过狠抓纪律作风整顿，提高了基层人员的作风素质，促进了队伍形象的好转，群众对工商行政管理机关的满意率逐年提高，平均值达到了 90%以上。

工商行政管理系统通过加强队伍建设，加大反腐纠风工作力度，内强素质，外树形象，为造就一支适应时代要求的干部队伍创造了有利条件。一批先进集体和个人被评为“全国民族团结模范集体”、“全国十杰百佳青年卫士”等荣誉称号，全系统有 25 个基层单位被评为“全国创建精神文明行业先进单位”，受到中央文明委的表彰。

（国家工商局）

# 旅 游 系 统

1999年，全国旅游行业按照中央文明委的有关部署，从讲政治的高度，大力推进旅游行业社会主义精神文明建设，积极发挥重要阵地和重要窗口的作用。

第一，坚持在全行业开展“爱祖国，爱城市，爱旅游行业，讲职业道德”的“三爱一德”教育和“优美环境，优良秩序，优质服务，使旅游者满意”的“三优一满意”活动，全面巩固和发展精神文明建设成果。共推出52个首批旅游景区“全国青年文明号”、20家创建文明行业工作先进单位，并为19个旅游行业文明窗口示范点颁发了标志牌。

第二，在《中国旅游报》开辟“精神文明建设巡风”专栏，大张旗鼓地开展表彰先进、弘扬正气的活动，提高全行业从业人员的政治素质、业务素质和职业道德水平。在1998年确定首批10个全国文明风景旅游区示范点之后，1999年，又确定了第二批10个全国文明风景旅游区示范点，重点宣传了“文明建设、文明经营、文明服务、文明管理”等方面的经验；同时对全行业在精神文明建设上切实有效的经验予以大力推广。

第二，充分发挥先进人物“积极进取、勤奋工作、爱岗敬业、真诚服务”的精神楷模作用，进一步推动全行业职工积极投身于旅游行业精神文明建设。国家旅游局与人事部共同表彰了105名全国旅游系统劳动模范、30名全国旅游系统先进工作者和55个全国旅游系统先进集体。同时，利用新闻媒体对先进人物在“两个文明”建设中勇于开拓、真抓实干等先进事迹进行广泛的宣传报道。

第四，进一步将行业精神文明建设工作融入到创建中国优秀旅游城市工作中。城市旅游行业精神文明是创建中国优秀旅游城市的一个重要标准，具体细化为五个方面：一是城市的旅游行业精神文明建设有机构、有规划、有布置、有检查，工作成效显著；二是旅游行业积极开展职业道德教育和爱岗敬业活动，成效显著；三是旅游行业普遍开展创“青年文明号”活动，成效显著；四是各类旅游经营单位积极开展创文明行业活动，设立文明示范窗口，成效显著；五是各类旅游经营相关单位积极开展创文明行业活动，环境整洁，服务规范，设立文明示范窗口，成效显著。首批中国优秀旅游城市创建实践证明，这对城市旅游行业精神文明建设具有非常大的促进作用。参创城市普遍形成了旅游行业精神文明建设成就是城市文明程度的重要标志的共识，不仅各级领导十分重视旅游行业的精神文明建设工作，而且社会各界也大力支持、积极配合旅游行业的精神文明建设。

第五，加强导游队伍建设和旅游从业人员培训，大力提倡积极向上、健康文明的旅游消费行为和消费方式，杜绝旅游景区景点的封建迷信活动和各类旅游娱乐场所的“黄赌毒”现象。开展优秀导游词创作工作，出版发行了中国优秀导游词精选（综合篇、文物古迹篇），对引导和规范导游用语、优化导游队伍素质、提高导游的服务质量起到了积极的促进作用。7月21—23日，国家旅游局在北京组织了优秀导游词精选系列之山水风光篇、民俗风情篇、爱国史迹篇的专家评审会，100多篇稿件入选。

（国家旅游局）

# 气 象 系 统

1999年，全国气象部门继续深入贯彻党的十四届六中全会和十五大精神，按照《中国气象局党组关于加强精神文明建设的若干意见》和全国气象局长会议精神，围绕气象服务中心工作，深入开展群众性创建文明气象行业活动并取得较大进展，激发了干部职工的工作热情，为促进气象事业改革发展和维护稳定发挥了重要作用。

**一、坚持“两手抓、两手都要硬”，大力加强对精神文明建设的领导**

中国气象局把精神文明建设纳入重要议事日程，作为一项重要任务在年初全国气象局长会议上进行部署，将精神文明建设和思想政治工作要点下发各省（区、市）气象局、计划单列市气象局和直属单位执行，在年终目标管理任务考核中，将精神文明建设作为一项重要内容进行了考核检查。中国气象局精神文明建设指导委员会两次召开会议研究精神文明建设有关问题，指导日常工作的开展。许多省（区、市）气象局文明委制定了职责制度，调整充实了机构和人员，召开会议专题研究讨论精神文明建设工作。党委统一领导、党政主要领导亲自抓、各方面分工负责的领导体制进一步健全和完善。中国气象局于5月11—13日在安徽省气象局召开了“创建文明气象行业研讨会”，有力地促进了气象部门的精神文明创建工作。

**二、深入开展“三讲”教育，加强党员领导干部队伍建设**

按照党中央统一部署，中国气象局于上半年开展了“三讲”教育。之后，全国气象部门司局级领导班子“三讲”教育工作分两批陆续普遍展开，中国气象局向各省（区、市）气象局和直属单位派出了28个“三讲”教育巡视组（员）。至年底，除海南省局正在进行外，30个省（区、市）气象局、4个计划单列市气象局和8个直属事业单位全部完成了“三讲”的集中教育工作。中国气象局和各省气象局党组按照整改方案狠抓整改措施的落实，绝大多数群众比较满意。

**三、紧密配合三大政治斗争和三大庆祝活动，狠抓干部职工素质教育，加强思想政治工作**

按照党中央的统一部署，全国各级气象部门积极投入了反对以美国为首的北约轰炸我驻南斯拉夫大使馆和同李登辉分裂祖国的政治斗争。中国气象局召开了由各民主党派人士、科技人员和青年、妇女代表参加的座谈会，批判李登辉的台独路线，组织了反对以美国为首的北约轰炸我驻南斯拉夫大使馆的声讨活动。在同邪教“法轮功”的斗争中，各级气象部门深入开展马克思主义唯物论、无神论和崇尚科学、反对迷信的教育，召开了各种类型的座谈会，深刻揭批“法轮功”反科学、反政府、反社会，祸国殃民的邪教本质，使广大干部职工受到了深刻教育。同时还积极发挥思想政治工作的优势，做好“法轮功”练习者的思想转化工作。

各级气象部门结合新中国成立50周年、澳门回归祖国和新千年的到来，纷纷开展参观50年成就展，举办书画展、文艺演出等各种庆祝活动，进行爱国主义教育。中国气象局直属机关党委组织青年职工参与了天安门国庆游行和联欢。在中国气象局成立50周年之际，中国气象局组织了纪念座谈会、文艺演出和联谊会等欢乐节俭的庆祝活动，天津、内蒙古、辽宁、江西、湖北、重庆、甘肃等省（区、市）气象局和成都气象学院以及各直属单位选出优秀节目参加了演出。

中国气象局文明办于11月23—26日在江苏省徐州市召开了“气象部门思想政治工作研讨会”。与会者对新形势下气象部门思想政治工作的形势、特点和面临的任务进行了深入研讨，在此基础上形成了《气象部门关于加强和改进思想政治工作的实施意见》(初稿)。

**四、创建文明气象行业活动扎实深入，成效**

明显

按照中央文明委的统一部署，中国气象局决定在全国气象部门开展规范化服务活动。在调查研究的基础上，首先在电视天气预报和气象信息电话两项业务中开展规范化服务，取得经验后再在气象部门普遍推广。6月20日，各中央级新闻媒介公布了中国气象局制定的《电视天气预报规范化服务标准》和《气象信息电话规范化服务标准》。在开展规范化服务活动中，各级气象部门把规范化服务作为两个文明建设的统一目标，纳入精神文明建设总体规划，建立健全开展优质规范服务的领导体系和工作网络，并实行目标管理。

创建文明气象行业工作继续列入全国气象部门目标管理项目进行考核，并取得较大进展。各级气象部门完善创建工作制度，加大奖惩力度，使创建工作健康、稳步发展。截至12月底，全国气象部门由地方政府命名的省、市、县三级文明单位总数已达2105个，全国气象部门共建成省级文明系统14个。

在新中国成立50周年前夕，北京市气象台等20个单位被中央文明委表彰为“全国创建文明行业工作先进单位”，湖北省气象局、宁夏回族自治区气象局被中央文明委表彰为“全国精神文明建设先进单位”。黑龙江省漠河县气象局原局长周儒锵同志一家被全国妇联评为全国“文明家庭标兵户”，山西省气象局赵亮同志被中组部评为“全国离休干部先进个人”，四川省甘孜州气象局局长嘎玛扎西被国务院评为“全国少数民族先进个人”。新疆自治区和田地区气象局被国务院表彰为“全国民族团结进步模范单位”。

（中国气象局）

# 国家电力公司系统

1999年，国家电力公司围绕改革、发展、稳定的中心任务，加强思想理论建设、职业道德、行业作风建设，深入开展精神文明创建活动，取得显著成绩。

**一、加强政治理论学习**

公司党组对公司系统特别是公司本部党员、干部和职工的理论学习作出了全面安排，加强了督促和指导。公司系统各级党组织认真组织党员、干部和职工学习邓小平理论，学习党的十五届四中全会精神，学习中央经济工作会议精神。结合“三讲”教育，组织党员、特别是领导干部系统地学习了党中央规定的“三讲”教育必读篇目，使理论学习进一步深化，形成了联系工作实际、联系思想改造实际，自觉学习理论的良好风气。

5月，公司党组修订了党组理论中心组学习制度，并认真落实。党组中心组的学习做到了年度有总体计划，季度有具体要求，当月有日程安排。中心组学习做到了经常化、规范化、制度化。

公司党组运用理论指导公司全局性、战略性、前瞻性的问题研究，深化对公司改革和发展战略的认识，逐步形成了以“五个战略定位”、“三十一个字的战略目标”、“跻身世界企业500强”、“四步走的战略部署”、“一个调整、两个整顿、二个试点的重点工作任务”、“十六条战略方针”等较为系统完整的公司改革和发展的战略目标体系。

**二、紧密结合三大政治斗争和重要节庆活动，积极开展思想道德教育和形势教育**

在国家电力公司党组的领导下，公司系统各级党组织以高度的政治敏感性和责任感，发动全体职工参加了三场大的政治斗争，经受了考验和锻炼，维护了公司系统的稳定。愤怒声讨以美国为首的北约悍然轰炸我驻南使馆的暴行，坚决支持我国政府的严正立场。与“法轮功”邪教组织进行不懈的斗争，在全体职工中开展了马克思主义唯物论和无神论教育；对“法轮功”练习者进行了耐心细致地教育、挽救和转化工作；对少数顽固不化的“法轮功”练习者进行了组织处理。揭露和批判李登辉的“两国论”，揭露其“台独”

的本质，进行维护祖国统一的教育，坚定了维护祖国统一、民族团结的决心和信心。

围绕重大事件，在全公司系统组织开展了“庆五十华诞、迎澳门回归、话世纪沧桑”活动。国家电力公司本部及在京直属单位举行了庆祝建国50周年和庆祝澳门回归、迎接2000年欢庆大会暨庆祝演出活动。公司系统各单位也举行了书法、美术、摄影展览、征文比赛、文艺汇演等一系列活动。以这些活动为载体，对员工进行了现实的爱国主义、集体主义、社会主义教育。

结合电力改革形势，在全公司系统组织开展了“电力走向市场与转变思想观念”大讨论活动，调动了职工投入电力改革、发展的自觉性和积极性。

各级党组织关心群众的切身利益，注意及时了解职工工作、生活方面存在的困难，广泛听取职工的意见和建议，把做好思想政治工作与帮助职工解决实际问题结合起来，保证了各项工作的顺利进行。

结合形势，大力弘扬社会正气，做好宣传先进典型的工作。国家电力公司党组在公司本部组织了黑龙江鹤岗电业局党委书记张福全事迹报告会。在全系统团员、青年干部中组织了全国青年标兵、葛洲坝集团公司副总经理陈飞事迹报告。在《中国电力报》进行了山东电力公司刘继伟烈士事迹的宣传学习。公司系统各单位也开展了大力宣传学习本单位先进模范人物的活动。

**三、积极推动群众性精神文明创建活动**

国家电力公司系统有31个单位被中央文明委评为“全国创建文明行业工作先进单位”；有56个单位被中央文明委评为“全国精神文明建设工作先进单位”，国家电力公司系统60%的单位获得省部级以上文明单位称号；84%的单位获得地市级以上文明单位称号。

国家电力公司在继续开展纠正行业不正之风和创建文明行业活动的基础上，召开了纠风和行风建设工作会议，明确提出了纠风和行风建设的工作目标、任务及措施，把纠风和行风建设工作纳入到党风廉正建设和两个文明建设总体目标中，并制定下发了《国家电力公司1999年—2001年纠风和行风建设工作规划》，公司系统各单位制定了具体实施细则，使纠风和行风建设走上了制度化、规范化的轨道。同时，继续抓好地级及以上城市供电营业规范化服务和供电社会服务承诺制。到年底，推行服务承诺的地、市供电企业达到277个，县（市）供电企业达到1209个。公司系统地级及以上城市供电营业规范化服务的具体措施已向社会公布。有198个地、市供电企业接受了社会对行风的民主评议，其中142个被评为优秀，优秀率达到71.7%。国家电力公司系统68%的供电企业获得地市级以上文明行业称号；78%的供电企业在当地行风测评中获得前三名。

国家电力公司本部开展了“创文明建设先进处室、做文明员工标兵”的活动；公司在京直属单位继续开展文明单位、文明处室、文明员工及中央国家机关文明单位（标兵）和首都文明单位（标兵）等精神文明创建活动，取得了突出成绩。国家电力公司机关本部分别荣获“首都文明单位”和“中央国家机关文明单位”称号；国家电力公司5个在京直属单位获得“首都文明单位”称号；1个在京直属单位获得“中央国家机关文明单位标兵”称号，11个在京直属单位获得“中央国家机关文明单位”称号。

公司系统各级共青团组织开展了青年文明工程、青年人才工程、青年科技工程；开展了纪念五四运动80周年系列活动；与团中央联合启动开展了电力青年职工创新创效活动，并确定了100家试点单位；公司系统各单位妇女组织坚持在女职工中开展“巾帼建功”创建活动、“五好文明家庭”评选工作，积极引导广大妇女在电力系统改革与发展中建功立业。

（国家电力公司）

# 供销合作总社系统

1999年，全国各级供销合作社在党中央、国务院和当地党委、政府的领导下，认真学习贯彻党的“十五”大和十四届六中全会精神，高举邓小平理论的伟大旗帜，以全心全意为农业、农村、农民服务为根本宗旨，紧紧围绕深化供销合作社改革这一中心工作，坚持“两手抓，两手都要硬”的方针，深入广泛地开展群众性精神文明创建活动，各项创建工作取得新的进展，增强了广大干部、职工和社员做好供销合作事业的责任感和积极性，有力促进了供销合作社系统两个文明建设全面发展。

**一、坚持“两手抓、两手都要硬”的方针，认识普遍提高，工作力度加大**

各级供销合作社普遍把精神文明建设和创建文明行业活动同物质文明建设一起纳入总体工作部署，列为重要议事日程，作到一起规划部署、一起督促检查、一起考核验收；精神文明建设工作普遍实行一把手负责制，主要领导直接抓，精神文明建设的工作机构进一步得到充实；作到了工作有目标、落实有措施、创建有活动、操作有规范。各地坚持供销合作社为农服务宗旨，紧紧围绕深化供销合作社改革中心工作，积极配合全国统一开展的重点创建活动，同时，根据合作经济组织的行业特点和实际情况，普遍开展了形式多样的具有行业特点和地方特色的创建活动，取得一定效果，社会影响不断扩大，经济效益不断增加。

各级供销合作社党组、党委广泛开展了以“讲学习、讲政治、讲正气”为主要内容的党性党风教育。在“三讲”教育活动中，供销合作社系统党员干部把学习邓小平理论和十五大精神同“三讲”教育结合起来，把深化供销合作社改革工作面临的问题与“三讲”教育结合起来，加强了理论学习，提高了政治和业务素质，增强了贯彻党的路线方针政策的自觉性，坚定了从事供销合作事业的信心，增强了使命感和责任感。

各地供销合作社积极参与当地以庆祝新中国成立50周年、澳门回归祖国和跨入新千年等重大节庆活动，展示了供销合作社人的活力和风采。以声讨美国为首的北约袭击我驻南使馆为契机，各地供销合作社开展了多种形式的思想教育，把广大干部群众的思想统一到中央精神上来。在深入揭批“法轮功”邪教本质及其严重危害的斗争中，通过学习教育，增强了广大干部职工辨别是非和抵制封建迷信及各种伪科学的能力，维护安定团结大好局面。

**二、积极弘扬供销合作社的优良传统，切实加强思想道德教育，广泛开展文明行业创建活动**

全国供销合作社系统以“为人民服务，树行业新风”为主题，以加强职业道德建设为基础，弘扬供销合作社优良传统为特色，积极开展多种形式的精神文明创建活动，创建活动逐步向经常化、规范化、制度化方向发展。

在供销合作社系统统一开展的“创建文明社”和“争当奉献者”活动中，按照文明社的7个基本条件和奉献者的4条标准，各地供销合作社积极开展争创活动，密切了农社关系，提高了为农服务水平，增强了广大干部、职工和社员在各自的工作岗位上建功立业的自觉性。继续开展供销合作社系统文明服务示范窗口单位推行社会服务承诺制工作，在原20个示范窗口单位的基础上新增加了15个单位，并进一步完善了农资企业、棉花企业、商场和基层供销社等行业的服务标准和承诺内容，增强了系统争创服务示范窗口单位积极性，同时也增强了示范窗口单位优质服务的自觉性。在供销合作社青年职工中广泛开展了争创全国青年文明号和青年岗位能手活动，通过这项活动，有效提高了创建单位文明经营和文明服务水平，锻炼了一批青年人才，取得较好社会效益和经济效益。在女干部、女职工和女社员中广泛开展了“双学双比”活动，与全国妇联等部委成功组织了“双学双比”十年成果展览，扩大了这项创建活动的影响。在当地党委、政府的统一领导下，各级供销合作社积极参与当地的创建文明村镇、文明城市（区）、文明单位的活动，积极开展讲文明、树新风活动，引导勤劳致富，倡导移风易俗，创建文明农户活动逐步深入，对促进当地农村精神文明和物质文明建设起到积极推动作用。各地供销合作社和企业还根据当地、本企业的实际情况，推出了一些具有特色的创建活动，如：一人连百户、“千家万户工程”、百万农民评供销社等活动，丰富了创建活动的内容，受到社会广泛好评，促进了供销合作社系统精神文明创建活动发展。

加强了对干部、职工和社员的思想道德教育。我国供销合作社在发展过程中，形成了许多优良传统，“扁担精神”、“背篓精神”，吃苦耐劳、艰苦创业、全心全意为农服务的精神，进取、敬业、奉献、合作的合作社企业精神等，是供销合作社宝贵的精神财富，必须发扬光大。通过进行供销社优良传统教育，使系统干部、职工和社员树立正确的人生观、世界观、价值观；加强职业道德教育，规范职业行为，提倡爱岗敬业、勤俭办社、以社为家、乐于奉献；提高干部、职工和社员的政治、文化和业务技术素质，培养有理想、有道德、有文化、有纪律的供销合作社干部职工队伍，加快供销合作社改革与发展。

**三、发挥供销合作社在农村点多面广经营网络优势，积极促进农村文化事业的发展**

供销合作社利用遍布城乡的经营服务网络和大量文化娱乐场所和设施，以及与农民联系紧密等优势，通过专业合作社、消费合作社、农村综合服务站和各类交易市场建设等，对农民开展了多种形式的文化、科技宣传教育活动，引导广大社员、农民群众破除封建迷信、清除文化市场的精神垃圾，树立讲科学、崇尚文明的良好风气，不断开拓和占领农村文化市场。特别是在村级综合服务站建设上，努力办成农村的购物中心、科技服务中心、信息交流中心和文化娱乐中心，使其成为供销合作社在农村两个文明建设的前沿阵地。

**四、表彰一批精神文明建设先进单位，有力推动了群众性精神文明创建活动蓬勃开展**

在庆祝建国五十周年之际，经中华全国供销合作总社推荐，中央文明委授予天津市宏棉股份有限公司荒草坨仓库等20个单位“全国创建文明行业工作先进单位”称号，经各省、自治区、直辖市及新疆生产建设兵团供销合作社推荐，中华全国供销合作总社决定授予北京市昌平县供销合作社联合社等62个单位“全国供销合作社系统文明建设先进单位”称号。总社专门发出通知，要求全国供销合作社系统各企事业单位和广大干部职工都要向精神文明建设先进集体和个人学习，学习他们高度的政治责任意识、良好的职业道德风尚、踏实肯干的工作作风、积极向上的进取精神、全心全意为人民服务的思想和为供销合作社事业无私奉献的精神。并要求各级供销合作社和广大干部职工要进一步学习贯彻《中共中央、国务院关于深化供销合作社改革的决定》和《国务院关于解决当前供销合作社几个突出问题的通知》精神，继续坚持为农服务的宗旨，不断深化供销合作社改革，进一步加强行业文明建设，为促进供销合作社系统两个文明建设和国民经济持续、快速、健康发展作出新的、更大的贡献。

（供销合作总社）

# 军队系统

1999年，全军各部队开展形式多样的思想政治教育和精神文明创建活动，军队精神文明建设整体水平大幅提高。广大官兵精神振奋、积极进取，迸发出强烈的爱国热情和练兵热情，极大地推进了军队的革命化现代化正规化建设，同时也为促进社会经济发展、维护社会稳定发挥了重要作用。

**一、保持部队政治上的坚定性和思想道德上的纯洁性，始终是军队社会主义精神文明建设的根本着眼点**

着眼强基固本，加大理论学习的力度。总政制定下发了1999年至2002年《军队高中级干部学习规划》，从学习目标、必读书目和组织领导上提出了具体要求。各单位结合部队实际，紧密联系当前的形势任务，采取集中培训和个人自学等多种形式认真贯彻落实。全军共举办团以上干部理论轮训班1200多期，6万多人次参加了培训。此外，总政还召开了全军院校邓小平理论教育座谈会，总结交流经验，研究部署面向新世纪的理论武装工作，为邓小平理论进入教材、进入课堂、进入学员思想奠定了良好的基础。

按照中央和军委的要求，在部队团以上党委和领导干部中深入开展以“讲学习、讲政治、讲正气”为主要内容的党性党风教育。全军共有数万名领导干部参加了教育。通过“三讲”教育，进一步深化了邓小平理论的学习，坚定了理想信念，切实解决了党性党风方面存在的突出问题，树立了良好的形象，增强了各级党委的凝聚力和战斗力，确保了政令军令的畅通和部队建设的正确方向。

紧密结合国家和军队改革实际，深入开展四个教育和经常性教育。各部队认真贯彻江主席关于四个教育要一年比一年搞得更深入、更有效的指示精神，把抵制“酒绿灯红”和腐朽思想文化的侵蚀作为突破口，以树立正确的世界观、人生观和价值观为核心，深入进行了正确对待改革中利益关系调整、积极拥护和支持改革的教育，以及以团以上干部为重点的革命气节教育，增强了广大党员干部拒腐防变能力。围绕庆祝新中国成立50周年和澳门回归祖国，开展了以“赞颂辉煌成就，迎接新的世纪”为主题的系列教育。

紧密配合三大政治斗争，开展了专题教育。以美国为首的北约袭击我驻南使馆后，总政组织编写《强烈谴责以美国为首的北约袭击我驻南使馆教育讲话材料》，组织部队愤怒声讨美国悍然袭击我驻南使馆的罪恶行径，大力开展维护主权、反对侵略的教育，进一步了激发官兵的爱国主义热情；在与“法轮功”的斗争中，各部队按照中央军委和总政治部的部署，深入开展马克思主义唯物论和无神论教育，消除“法轮功”和封建迷信、伪科学对部队的影响；李登辉的“两国论”抛出后，全军广泛开展了形势教育和我军职能教育，增强官兵维护国家统一的强烈责任感和使命感。

**二、提高官兵的科学文化素质和军事技术素质，增强部队战斗力，是军队社会主义精神文明建设一项基础性工程**

各部队积极贯彻落实江主席关于开展群众性科技练兵的重要指示，着眼打高技术仗，练高技术兵，科技兴训全面启动，科技练兵蓬勃兴起。从将军到士兵，从部队到院校，讲科技、学科技、用科技蔚然成风，部队训练和院校教育呈现出生机勃勃的良好局面。

各级领导自觉将科技练兵作为军事斗争准备的大事要事来抓，广泛发动群众，充分调动群众的积极性，用对台斗争的严峻形势教育官兵，用人民军队的根本职能凝聚军心，用敢打必胜的革命精神激励斗志。广大官兵积极投身科技练兵，成为科技练兵的主体。士兵突出智能、技能、体能综合素质训练；军官突出新知识、新技能、新装备、新战法必备素质训练。很多部队在训练实践中，开展了“学科学、科学练、我为打赢献一策”和“小发明、小革新、小创造”等活动，使科技练兵活动既轰轰烈烈，又扎扎实实。为了推动全军科技练兵活动，总政治部在全军表彰了“科技练兵好战士”李洪涛等10名刻苦钻研科技知识的青年典型。

各部队采取有力措施，加强各种高科技知识学习。总部把学习高科技知识列入部队训练内容，使时间和经费有了可靠保证；编写了一批军队高科技教材，下发了《世纪之光》高科技知识电教光盘，使高科技知识的学习更加多样化。总部机关委托国防科技大学，举办了首批军以上领导干部高科技知识轮训班，各大单位依托院校加强对师以下干部的培训。据不完全统计，1999年，全军和武警部队举办的各种高科技知识学习班、培训班和讲座有8700多期（场），团以上干部受训率超80%以上。军委、总部积极为部队科学文化教育创造条件，先后开办了9个专业的高等教育自学考试，全军和武警部队共有近25万干部参加了大专、本科和研究生等在职学历教育，提高了全军干部的整体科学文化水平，大专以上学历的干部比例已达到70%以上。士兵的科学文化教育和军地两用人才培训也蓬勃发展，30多万名士兵获得各类知识或技术等级证书，近7万名战士获得中专毕业证书。

**三、不断满足官兵日益增长的精神文化需求，振奋精神，陶冶情操，鼓舞斗志，是加强军队精神文明建设的一个重要任务**

为了繁荣文艺创作，为广大官兵提供丰富健康的精神食粮，总政和各大单位召开文艺创作座谈会，充分调动专业和业余创作人员的积极性，出现了弘扬主旋律，齐心协力抓精品的可喜局面。1999年军队迎春晚会《欢歌奔向新世纪》无论是思想内容、表现形式，还是艺术特点，都达到了很高水平，受到党中央、中央军委领导和广大观众以及专家的好评。总政治部与中央电视台联合举办了“大红鹰杯”第四届军旅歌曲电视大赛，推出一批反映火热部队生活，讴歌当代军人情怀的军旅歌曲。结合庆祝新中国成立50周年，举办了第七届全军文艺会演，42台歌舞、话剧歌剧、曲艺杂技等，展现了当代军人的良好风貌。全军130多名专业创作人员深入基层体验生活，勤奋创作，在全国第七届精神文明建设“五个一工程”评选中，有24部作品在全国获奖。专业文艺团体深入部队，全军边海防万里行文化服务队深入到300多个基层连队和边防海岛，在送去精彩文化节目的同时，为部队培训文艺骨干，指导和帮助基层开展歌咏演唱、影视欣赏、节日晚会等活动，用健康向上、丰富多彩的文化活动占领军营思想文化阵地。

全军和武警部队新闻出版工作者认真贯彻江主席“以科学理论武装人，以正确舆论引导人，以高尚的精神塑造人，以优秀的作品鼓舞人”的要求，颂扬主旋律，唱响正气歌，出版了一批优秀图书和音像制品，为部队和社会提供了良好的精神食粮。军队体育工作在增强官兵体质，推动精神文明中发挥了积极作用，业余体育活动走上制度化、规范化轨道。八一男篮连续四年夺得全国甲A联赛冠军，一大批军队运动员在国内外大赛中获奖，振奋了民族精神，鼓舞了官兵士气。

各部队把精神文明建设同贯彻《军队基层建设纲要》结合起来，加大了对基层文化工作的投入。总政治部、总后勤部千方百计筹措资金，为全军建制连队全部更新彩色电视机；建立了2000个音像库，形成覆盖所有部队的VCD节目发行放映网络；调整政工费标准，确保基层按规定订阅《人民日报》、《解放军报》、《解放军生活》等报刊杂志。各大单位都投入上千万元资金加强基层文化设施建设，基本达到了“活动有场所，娱乐有器材，人人能参与”的目标。官兵文化活动档次日益提高，活动内容日益丰富，文化骨干队伍日益壮大，有力促进了基层全面建设。

**四、军民共建社会主义精神文明，是军队精神文明建设溶于全社会的桥梁和纽带**

全军部队既重视抓好自身的精神文明建设，又重视为全社会的精神文明建设做贡献，推动整个社会的精神文明建设不断深入发展。

科技助民，智力扶贫帮困，是军民共建工作的一个显著特色。各部队和院校充分发挥自身的技术和知识优势，热心帮助驻地群众学习科技知识，提供技术服务。据不完全统计，全军为驻地无偿转让技术成果上万项，帮助一大批中小企业走出困境。举办各种类型的知识讲座和技术培训班2万多期，培养各类专业技术人员30多万人。军需大学畜牧水产系政委李铁檩，致力以畜牧养殖帮助贫困地区脱贫致富，被评选为第六届全国十大“扶贫状元”。

创造性地开展“热爱驻地、建设第二故乡”活动，造福驻地群众。各部队积极支援地方重点工程建设，完成急、难、险、苦任务，从长江三峡大坝到黄河小浪底水利枢纽工程，都有子弟兵忙碌的身影。他们还积极创建少年军校，捐助“希望工程”，共建卫生城市、文明单位、文明村镇。全军近10万个军民共建点，数万个军民学雷锋小组，遍布全国的双拥共建先进单位，有力促进了社会稳定和社会进步。

积极适应改革开放，发展社会主义市场经济的新形势，探索军民共建精神文明建设的新路子。“地方干部群众争做关心国防建设的好公民、驻地部队建设的好后勤、为优抚对象排忧解难的好帮手；部队官兵争做拥政爱民的好军人、驻地经济建设和社会稳定的好后盾、社会主义精神文明建设的好榜样”的“双三好”创建活动，开展得有声有色，开拓了军地共建工作的新领域。

（解放军总政治部）

# 工会系统

1999年，全国总工会在贯彻落实各项工作的同时，下大力气抓好精神文明建设，激发了广大职工群众的爱国主义热情。中国工人阶级在两个文明建设中充分发挥了主力军作用。

**一、坚持用邓小平理论武装职工头脑，引导职工树立建设有中国特色社会主义的共同理想和正确的世界观、人生观、价值观**

近几年来，特别是党的十五大以来，各级工会组织积极响应中央号召，积极组织职工学习理论，创造了许多好的经验、作法。如振兴中华读书活动，工人理论队伍建设，职工技校、夜校等都取得了很好的效果。全国总工会坚持在职工中开展邓小平理论的教育活动，组织编写了《邓小平理论职工读本》和《邓小平原著摘编职工读本》。年初，全总组织开展了全国班组职工学习邓小平理论知识竞赛活动，到6月底结束，历时半年多。全国各省、自治区、直辖市总工会积极响应，广泛发动、认真组织，据统计，全国有近300万个班组，近4000万职工参加了竞赛活动，评出优秀组织奖10个，组织奖20个，一等奖100个，二等奖200个，三等奖300个。

**二、深入开展“讲文明树新风”活动，重点抓好职业道德建设**

全国总工会在加强社会主义精神文明建设中，把职业道德建设作为推进改革开放、经济发展和保持社会稳定的基础工作，抓紧抓实，抓出成效。1999年全总在连续五年四届评选表彰的基础上，又组织开展了评选表彰第五届全国职工职业道德“双十佳”活动。各省、自治区、直辖市总工会把本地在精神文明创建活动中的先进典型和爱岗敬业、无私奉献的模范人物推选出来，经公开投票参评，大连市劳动局职业指导师戚秀玉等10名同志获得第五届全国职工职业道德十佳标兵荣誉称号；深圳航空公司等10个单位获得全国职工职业道德十佳单位荣誉称号。

在全国总工会评选表彰全国职工职业道德“双十佳”示范作用的推动下，各地纷纷组织开展了各种各样的评先创优活动。据统计，各省市工会共表彰精神文明先进典型3605名，在全国工会系统初步形成了一个学先进，赶先进，争先进的热潮，极大地推进了精神文明建工作。

**三、以庆祝新中国成立50周年为契机，广泛开展爱国主义教育活动**

1. 组织开展全国职工“祖国颂”演讲大赛。3月，按照中宣部关于进行“祖国颂、社会主义颂、改革开放颂”教育的安排和全总书记处的有关指示，全国总工会会同中央人民广播电台在全国职工中开展了“祖国颂”演讲活动，分为两个阶段进行，第一阶段，初赛。由各地工会组织，自行组织初赛。到8月底，全国共有28个省市总工会和部分产业工会组织开展了“祖国颂”演讲活动，数十万演讲员深入基层，登上讲台，向广大职工群众宣传建国50年来，在政治、经济、文化等各个领域取得的辉煌成绩，直接听众达2000多万人次。第二阶段，决赛。由各地推选出优秀选手参加。所有参加决赛的选手，全部来自基层企事业单位，其中大部分是一线职工，他们以歌颂祖国为主题，以自己的亲身经历和发生在身边的巨大变化为素材，以生动的语言，激昂的情感，从不同角度、不同层次，热情讴歌了不同战线上的广大职工热爱祖国、热爱岗位，拼搏进取、文明服务、艰苦奋斗、无私奉献的崇高品德和可贵精神。决赛共产生优秀组织奖10个，组织奖20个，一等奖14名，二等奖21名，三等奖77名。

2. 大力宣传中国工人阶级的先进模范人物，推动社会主义文明建设。为向新中国成立50周年献礼，全国总工会策划制作了20集总长度为300分钟的大型英模电视专题片《共和国的脊梁》。该片通过50年来不同时期的50多位劳模代表的先进事迹，反映工人阶级和劳动群众在共和国50年历程中的巨大历史作用，弘扬他们主人翁责任感和艰苦创业精神，忘我的劳动热情和无私奉献精神，强烈的开拓进取意识和创新求实精神，良好的职业道德和爱岗敬业精神。在中央电视台第一套节目中陆续播出了该片。

3. 利用职工群众喜闻乐见的形式，开展爱国主义教育。全国总工会和中国文联共同组织了“99全国职工迎国庆戏剧小品大赛”。参赛的戏剧小品主题围绕着庆祝新中国成立50周年，以创新为主，热情歌颂我国社会主义现代化建设和改革开放取得的伟大成就，展示工人阶级在党的领导下创造的新生活、新风尚、新面貌。24个单位获组织奖，有4部作品获一等奖，7部作品获二等奖，10部作品获三等奖，89部作品获优秀奖。

（全国总工会）

# 共青团系统

1999年，各级团组织高举邓小平理论伟大旗帜，认真贯彻中央精神，围绕全党全国工作大局，围绕青年成长成才的实际需要，扎实开展工作，把握正确导向，广泛开展群众性精神文明创建活动，加强青年思想道德和青年文化建设，积极投身三场重大政治斗争，有力地推动了精神文明建设。

**一、高度重视，认真部署，全面推动精神文明建设**

在年初召开的团的全国宣传工作会议上，研究和部署了世纪之交团的宣传思想工作面临的形势和任务，专门就在全团深入学习邓小平理论、加强团的新闻宣传工作、推进中国青少年新世纪读书计划等进行专题研讨，强调要加强精神文明建设，为改革开放和现代化建设提供舆论环境和有力思想保证。面对工作头绪多，任务重的特殊情况，各级团组织牢固树立全团一盘棋的思想，服务大局、服务青年，正确处理常项工作和重点工作、深化老项目与推进新项目、服务团的工作大局与抓好自身重点工作的关系，在统筹兼顾、整体推进的基础上，积极开展好全国性的重点工作，并结合各地特点，创造性地开展活动，有力地促进了青年文明素质和城乡文明程度的提高。

**二、加强理论武装，广泛深入地开展学习邓小平理论活动**

根据中共中央《关于在全党深入学习邓小平理论的通知》精神，团中央及时下发了《关于在全团深入学习邓小平理论的意见》。团中央先后举办两期团中央委员学习邓小平理论读书班，为在全团大兴勤奋学习之风起到了示范推动作用。按照中央关于“讲学习、讲政治、讲正气”的要求，制定下发了《关于加强团干部思想作风建设的意见》，对团干部接受系统的理论培训进行了规划，并就加强民主集中制、落实勤政廉政措施等提出了具体要求。与中央党校联合举办的“共青团理论骨干培训班”对全国27个省（区、市）的80名青年理论骨干进行了培训，收到了良好的效果。各地团组织广泛开展主题教育、理论研讨、专题报告、培训班、征文、知识竞赛等形式多样的活动，在广大团员青年中兴起了学习邓小平理论的新高潮。

**三、利用重大事件，重要节庆活动开展青年思想道德教育，增强教育的针对性和实效性**

围绕五四运动80周年，组织了《青春之歌》大型文艺晚会，举办纪念五四运动80周年座谈会，召开“五四运动与迈向新世纪的青年和青年工作”学术研讨会，加深了青年对“爱国、进步、民主、科学”的五四精神的理解，增强了振兴中华的历史责任感。组织广大青少年积极参与国庆50周年庆典活动，举办了青少年建国50周年知识竞赛，开展“展望新中国100年”主题活动，广大青少年的民族自豪感和自信心空前高涨。开展全国青联成立50周年、少先队建队50周年纪念活动和迎澳门回归祖国活动，组织了“百面大鼓庆回归，盛和宝鼎献祖国”歌舞表演、“中国心——迎接澳门回归祖国倒计时100天天安门广场大型音乐会”，表达了中国人民尤其是中国青年统一祖国、振兴中华的雄心壮志。

我国驻南使馆被炸事件发生后，团中央迅速动员和正确引导各界青年特别是青年学生抗议以美国为首的北约暴行，及时举行了“学习江总书记重要讲话，缅怀烈士英雄事迹”座谈会，引导团员青年立足岗位，努力工作，保持稳定，把满腔义愤化为发愤学习、成才报国、振兴中华的强大动力。在开展揭批李洪志及其“法轮功”邪教组织的斗争中，团中央及时下发有关文件，开展马克思主义唯物论、无神论教育和讲科学、反迷信宣传活动，区分不同层次，做深入细致的说服教育工作，使广大团员青年普遍受到了一次深刻的思想政治教育。在反对李登辉“两国论”的斗争中，广大团员青年强烈谴责李登辉分裂祖国的言行，表明了坚决反对任何形式的分裂活动的鲜明态度和实现祖国统一、民族复兴的决心。

**四、大力表彰具有鲜明时代特征的青年典型，以典型示范引导和激励青年**

团中央经过深入挖掘、周密部署，成功地推出了当代青年的榜样秦文贵重大典型。通过巡回报告、座谈会等形式向全社会充分展示了秦文贵的先进事迹和崇高精神，推动了各地向秦文贵学习活动的深入开展。协同有关部门，开展了海军工程大学“衡阳抢险英雄群体”的宣传学习活动，展现了当代大学生的精神风貌。评选表彰了第三届中国青年五四奖章、第十届“中国十大杰出青年”、第四届中国杰出青年农民、第二届中国杰出（优秀）青年卫士及“全国共青团系统先进工作者”等一大批先进青年，集中展示了新时期青年的精神风貌，为广大青年树立了可亲、可敬、可信、可学的榜样。激励着他们在建设社会主义现代化的实践中成长进步。

**五、群众性精神文明创建活动更加扎实有效**

青年志愿者在大型活动中发挥着越来越重要的作用。云南、天津、上海、陕西、北京、西藏、广西和深圳等地的20多万名青年志愿者为世博会、世界体操锦标赛、《财富》全球论坛、国际高交会、少数民族运动会、国际民歌节等大型活动提供了全方位的志愿服务。通过加强与有关部委的协调与合作，积极参加更多的政策、人才、资金等方面的支持，进一步推进了青年志愿者扶贫接力计划、研究生支教扶贫团、绿色行动营计划、百千万科技扶贫和千家企业行系列活动，加大了青年参与扶贫开发的力度和广度。大中学生“三下乡”、“手拉手”、“青年文明号”继续得到深化，暑期有60万名大中专学生深入农村开展科技、文化、卫生服务活动，“共话家乡50年”书信赛、访友援助计划吸引了广大少年儿童踊跃参加交友互助活动，在主要窗口行业、工业企业、重点工程建设中，青年文明号在倡导职业文明、创造经济效益等方面起着良好的示范作用。创建青年文明社区活动把社区服务、社区建设与对青年的教育结合起来，贯穿到创建文明家庭、文明楼院、文明小区的各个环节，涌现出了沈阳南湖街道等一批先进典型。青少年新世纪读书计划、新世纪青少年素质训练计划积极倡导青少年学习新知识、新技能，对提高青少年的综合素质和创新意识起到了推动作用。“青少年维权岗”自觉履行法律和政策赋予的职能，积极宣传和普及《预防未成年人犯罪法》，为维护青少年的合法权益做出了积极的贡献。“保护母亲河行动”倡导和树立绿色文明意识和可持续发展意识，动员青少年和全社会积极投身生态环境保护和建设的伟大事业，全国有230多万名青少年参加了宣传和植绿护绿活动，龙羊峡、万家寨等重点造林项目已开工建设，更多的项目在规划之中。群众性文化活动日益丰富多彩，“大家乐”、“乡村青年文化节”、青少年电脑大赛等活动，寓教于乐，发挥文化净化心灵、开启智慧的重要作用，不断提高青少年的文化素养，促进了生活质量的提高。共青团精神文明建设“五个一工程”发挥在精神产品生产中的导向作用，努力为青少年提供更多更好的文化精品，歌曲《花季雨季》等三项作品获全国“五个一工程”入选作品奖，也受到广大青少年的欢迎。

（共青团中央宣传部）

# 妇联系统

1999年，全国妇联的精神文明建设工作在党组的领导下，以庆祝新中国成立50年、建会50年和迎接澳门回归祖国为契机，对广大妇女深入进行了爱国主义教育。按照党中央的战略部署，针对突发事件开展了多种形式的宣传教育活动，收到显著成效。同时认真落实中央文明委提出的本年度的各项工作任务，推动以五好文明家庭创建活动为主要载体的群众性精神文明创建活动深入开展，在凝聚人心、激发妇女的爱国热忱和促进社会稳定等方面发挥了积极的作用。

**一、在政治斗争和重要节庆活动中加强对妇女的思想教育，自觉维护改革、发展、稳定的大局**

以美国为首的北约轰炸我驻南使馆，激起我国妇女的强烈愤慨。各级妇联抓住有利时机，发动妇女以实际行动爱国、报国，为增强国家的综合国力努力生产和工作。针对李登辉的“两国论”，各级妇联在思想教育工作中论其本质，摆其危害，使各族各界妇女更加坚定了反对台独、实现祖国统一的信念。“法轮功”事件发生后，各地以“崇尚科学、破除迷信”为主题，开展了多种形式的宣传教育活动，对练“法轮功”的妇女作了大量的教育转化工作，并通过开展健身活动和丰富多彩的文化活动引导妇女树立文明、健康、科学的生活方式，自觉抵制封建迷信及各种伪科学。全国数以万计的妇女禁毒会、妇女禁赌会为社会治安综合治理和稳定大局发挥了积极作用。

结合“双迎双庆”活动，各级妇联普遍加强了对妇女的理想信念教育。广大妇女以亲身经历的生活巨变，感受到邓小平理论的伟大，改革开放的正确，进而坚定了对马列主义、毛泽东思想、邓小平理论的信仰，对社会主义的信念，对改革开放的信心，对党和政府的信任，树立正确的世界观、人生观、价值观，自觉地为实现共同理想而奋斗。

**二、五好文明家庭创建活动取得新进展**

1999年的五好文明家庭创建活动特点是贴近家庭，突出重点，注重实效。

（1）结合“国际老年人年”开展家庭奉献活动，弘扬尊老敬老的传统美德。各级创建活动协调小组普遍开展了家庭奉献活动，采用多种形式为老年人送温暖，献爱心，办实事，做好事。在家庭奉献活动中，成千上万的家庭志愿者、巾帼服务队以自己的一技之长为老年人、为社区服务，被称为“盲人的眼睛、残疾人的助手、下岗工人的红娘”。许多孤寡老人家庭、特困家庭、老革命功臣家庭再次感受到党和政府的关怀及人间的真情，密切了党群关系，对增强敬老爱老意识、保证老年人同其他社会成员一起共享社会发展成果，起到了促进作用。

（2）结合农村家庭实际，促进农民生活方式转变。各级创建活动协调小组将工作重点放在激发农民建设文明富裕新农村的热情上，鼓励农民勤劳致富、科技致富，内换家貌、外变村容，并将五好文明家庭条件转化为农村生活的实际内容，贴近家庭，贴近群众，使创建工作的过程变成群众积极参与、改变生活环境、提高生活质量的过程。

（3）结合形势和群众需求开展家庭文化活动，寓教育于活动之中。为了庆祝国庆50周年和澳门回归祖国，各级创建活动协调小组举办了融思想性、艺术性、趣味性于一体的家庭文化活动，唱响祖国颂、社会主义颂、改革开放颂。群众在参与的过程中愉悦了身心，增长了知识，陶冶了情操，受到了教育。

**三、积极参与“保护生态环境，倡导文明新风”活动**

积极参与中央文明委组织开展的“保护生态环境，倡导文明新风”活动，全国妇联继续深化“妇女·家园·环境”宣传教育活动，在我国妇女中掀起了新一轮绿色浪潮。全国妇联与林业部联合表彰了“三八绿色优质工程”67个，“三八绿色奖章”获得者100人。鉴于我国妇女在环境保护方面作出的成绩，联合国环境开发署授予全国妇联“全球环保500佳”奖。

**四、隆重表彰杰出女性和先进家庭，大力弘扬社会新风尚**

“三八”妇女节期间，全国妇联组织了“巾帼创新业”报告团进京汇报，来自农业、教育、科技、司法、卫生、公安、部队和劳动就业保障等战线的9位女性的演讲受到首都各界群众的欢迎。为纪念全国农村妇女“双学双比”活动10周年，全国妇联首次推出“十大农民女状元”，表彰了500名“双学双比”先进女能手和一批先进集体，成功地举办了全国农村妇女“双学双比”10年成果展。这次展览规模大、规格高、社会反响好，展示了我国农村妇女的巨大进步和对农业发展的重大贡献，树立了农村妇女的崭新形象。

为了进一步推动在我国城镇妇女中开展的“巾帼建功”活动，全国妇联会同有关部委树立了600个“巾帼文明示范岗”，表彰了100个巾帼建功标兵和一批先进集体，对职业道德建设和行业新风的形成起了促进作用。

在第二届全国五好文明家庭创建活动表彰大会上，100个家庭获得全国“五好文明家庭”荣誉称号。各省（区、市）也相继召开表彰会，有力地推动了文明城市、文明村镇、文明行业的创建工作。

**五、积极推动妇女、儿童事业的发展，以发展促维权**

“一手抓发展，一手抓维权”是妇联总结妇女工作实践而逐步形成的工作方针。各级妇联深入调查研究，积极为立法和决策提供依据，促进决策部门出台有关法规政策，推动妇女问题的解决。对农村妇女土地承包权、村委会换届选举中女性比例下降、婚姻法修改以及拐卖妇女儿童、色情陪侍等问题所提出的意见建议得到了中央领导及有关部门的高度重视和支持。各级妇联通过多种形式对合法权益受到侵害的妇女提供法律援助，如开通“148”法律服务专用电话，组织“148”妇女维权周活动等，对维护妇女儿童权益发挥了积极作用。为了促进儿童发展，全国妇联召开了中国家庭教育学会第二届理事会，全面总结了5年来我国家庭教育工作的经验。《全国家庭教育工作“九五”计划》、《家长教育行为规范》、《全国家长学校工作指导意见》在各地得到了认真贯彻落实。《现代家长应知应会手册》已发行到31个省、自治区、直辖市，为评估家长掌握教育儿童的知识提供了依据。全国20个城市开展的“心系新人、心系新生命”系列活动，将“三优”知识小册子送到1200多万对新婚夫妇手中。“百万家长学三优”、“好摇篮工程”、“面向21世纪我们怎样做家长”等家庭教育指导活动对普及家庭教育知识、提高家庭教育水平发挥了积极作用。

（全国妇联宣传部）

# 各地精神文明建设概述

## 北 京 市

1999年，在市委、市政府和首都精神文明建设委员会的领导下，在中央驻京单位和驻京部队的大力支持下，在广大市民的积极参与下，首都精神文明建设紧紧围绕“建首善、创一流”的总目标和“抓住机遇，突出重点，加大力度，求实创新”的基本思路，以迎接新中国成立50周年等一系列庆祝活动为契机，深入开展“建文明城市、做文明市民、迎50年大庆”活动，积极探索新的历史条件下发展精神文明的新路子，进一步加大了工作力度，取得了显著成绩。首都的城市面貌发生了巨大变化，社会风气进一步改观，为迎接50年大庆等大事、喜事营造了良好的环境、文明的氛围。

1. **加强领导**。市委市政府高度重视首都的精神文明建设工作，从面向新世纪，把首都建设成为精神文明的首善之区的战略高度，从全面实现党在社会主义初级阶段的基本纲领和基本路线的政治高度，从抓住机遇、促进首都改革发展稳定大局的高度，充分认识加强首都精神文明建设的重要意义，充分认识精神文明建设在首都各项工作中的地位，增强了各级领导搞好首都精神文明建设的责任感和使命感。各级领导切实把精神文明建设摆到重要位置，真正成为“一把手工程”。在环境整治工作中，成立了创建文明卫生城市、迎接国庆50周年领导小组，市领导多次就首都城市环境整治的重要意义和做好国庆环境保障工作提出要求，并身先士卒，亲临一线。各区县、各部门也都加强领导，党政主要领导亲自抓，建立和加强有关组织机构，把精神文明建设纳入地区、部门、单位的工作总体计划；一起部署，一起落实，一起检查。在创建文明城区、社区等管理办法中进一步把领导状况、两个文明结合的情况作为重要考核内容。

2. **完善管理**。进一步探索精神文明建设的体制、机制、法制建设，保障精神文明建设工作的常态运行和长效管理，逐步将精神文明建设纳入规范化、制度化、法制化轨道。《北京市奖励和保护见义勇为人员条例》将正式颁布，从而将使见义勇为工作有法可依，从法律上维护见义勇为者的合法权益。各项精神文明创建活动的管理在不断规范。对于文明城区创建工作，建立了“北京市城区文明综合评价指标体系”及数据库；对于文明社区创建工作，正在逐步建立和完善社区文明评价指标体系及管理办法；对于文明行业创建工作，建立了量化考评办法以及社会舆论和群众监督的机制，增强了考评的科学性和民主性。

3. **在重大政治斗争中经受了严峻考验，重大庆典活动取得圆满成功**。在中央的周密部署和统一指挥下，全市各级党组织积极主动工作，充分依靠群众，在反对以美国为首的北约轰炸我驻南使馆的野蛮行径、揭露李登辉的“两国论”、旗帜鲜明地果断处理“法轮功”问题三场政治斗争中，做出了积极的贡献。把庆祝新中国成立50年和澳门回归祖国、迎接新千年等大事、喜事作为精神文明建设的重要内容和推动工作的重要契机，全市人民以强烈的爱国主义热情，通力合作，顽强拼搏，紧张有序，运转高效地完成了国庆筹备工作，创建首都良好的政治环境、经济环境和城市文明环境，促进各项工作上新水平。由北京市具体承办的上述三项庆典活动，隆重热烈、宏大精彩、万无一失，获得了国内外高度的评价和广泛的赞誉，也充分展示了首都的崭新形象和文明新风，展示了人民群众团结奋进、昂扬向上的精神风貌。

**4. 加强思想政治工作和道德教育，市民素质显著提高。**一年来，围绕大事、喜事以及重大的政治斗争，广泛深入开展了市民教育活动，进行党的基本理论、基本路线教育，爱国主义、集体主义、社会主义教育和形势政策教育，加强和改善新形势下的思想政治工作，把握正确的舆论导向，唱响祖国颂、社会主义颂、改革开放颂和北京颂。抓住以美国为首的北约轰炸我驻南大使馆事件这一反面教材，深入开展了爱国主义教育，极大地激发了群众的爱国热情，大大提高了全体市民的政治觉悟，充分调动了广大群众做好工作的积极性。深入开展邓小平理论的学习活动，形成了学习邓小平理论的新高潮，各级党委理论中心组学习制度进一步健全和完备。按照中央的总体部署，先后在市级和区县局级领导班子和领导干部中，用整风精神深入开展以“讲学习、讲政治、讲正气”为主要内容的党性党风教育，取得了阶段性成效，探索了新时期领导班子和领导干部队伍建设的新路子。针对“法轮功”事件，深入揭批“法轮功”歪理邪说，开展科普教育，树立科学、文明的意识，在社区内加强思想政治工作，以健康文明的宣传教育和娱乐活动占领群众思想文化阵地，提高了广大市民的文明素质。

深入开展社会公德、职业道德、家庭美德教育。在全市3200余所市民文明学校中普遍进行了生动活泼，寓教于乐的“四要四不要”主题教育，深受群众欢迎。市文明办、市妇联、市教委、市老龄协会、团市委等单位联合组织了尊老敬老活动和评选“五好文明家庭”活动，对尊老敬老风气的形成和家庭文明素质的提高产生了积极的影响。市文明办与市教委联合制定了《关于首都市民素质提高培训工作的意见》，组建了市民学校讲师团、编发了专题教材活页文选、举办了以环保为主题的市民学校骨干培训班、在《宣传手册》上开辟了“市民教育大课堂”专栏等，促进市民形成良好精神风貌。

**5. “讲文明树新风”活动继续深入，促进了文明、健康的社会风尚的形成。**为落实中央文明办等 11 部委倡导“保护生态环境，倡导文明新风”活动和市政府突出抓好环境治理的要求，配合“创优美环境、迎 50 年大庆”工作，市文明办联合 20 个单位组织开展了声势浩大的“绿色志愿者行动”系列活动。全市 18 个区县组成了“绿色志愿者行动”大队 381 个，小队 16417 个，报名总人数达 280 万人。全市组织的重大活动累计有 1000 多万人参加，共捡拾废旧塑料袋 150 多万个，发放购物布袋 30 万条，清除 700 多个“白色污染”街区，全市的白色污染得到很大程度的控制。团市委、市妇联也相继组织了各种形式的“绿色志愿者”活动，增强了广大市民的环保意识，使“做文明市民，建绿色家园”成为广大市民的自觉行动。广大市民积极参与社会公益活动，有 317.8 万人次参加了居民区的义务劳动，106.3 万人次参加了社区志愿者服务，385 万人次参加了社区组织的各种文体活动，为首都精神文明建设奠定了坚实的群众基础。

各区县结合文化下乡活动开展了以“讲文明树新风”为主题的群众性文化活动，创作文艺节目 2500 余个，在城乡演出达 2200 余场；组织创作了“讲文明树新风”、“四要四不要”的新春佳联，给“五好文明家庭”和“十星级文明户”送春联，营造了喜庆、祥和的节日氛围。配合迎接国庆 50 周年，全市开展了“创文明新风，迎 50 年大庆”电视演讲比赛、环保知识竞赛、“逛京城，赞文明”主题教育活动、“文明乘车从我做起”活动等，使“讲文明树新风”活动内容不断充实，促进了社会文明风尚的形成。

**6. 大力塑造城市文明形象，群众性精神文明创建活动取得显著成效。**促进了首都城市整体文明水平的提高。创建文明城市活动以争创文明城区为重点，从居（家）委会抓起，以文明居民区、文明社区建设为基础，形成了由点到片、由片到面、以小区带社区、以社区促城区的工作格局。全市深入开展了创建文明区县活动，东城区、西城区和怀柔县被首都文明委命名为首都文明区县，并分别被中央文明委命名为全国创建文明城市工作先进城区、创建文明村镇活动先进单位。继续把“达标”与“创优”相结合，深入开展了创建文明居民区活动，全市2800余个居民区已基本实现达标。在此基础上，全市还涌现出区县级文明居民区700多个，首都文明居民区229个，为市民创造了较为安全、方便、清洁、和谐的生活环境。创建文明村镇活动以提高农民素质、奔小康为内容，以深化改革、发展经济为中心，以移风易俗、树立良好村风为重点，以实施“十、百、千工程”为工作目标，户、村、乡镇层层创建，内容不断丰富，水平不断提高。规范化服务达标取得可喜成绩。首都文明办和市纠风办组织人大代表、政协委员等近百人的考评委员会，对邮政、热力等12个行业进行了严格考核，各参评行业的群众满意率均在85%以上、总分均在85分以上。

7. **环境建设面貌一新，精神文明办实事取得显著成效**。全市突出以人为本、服务群众，把群众关注的热点、难点问题作为工作的重点，把为群众办实事作为深化首都精神文明建设的重要基础，使一些群众反映强烈的问题得到彻底解决。全市以新中国成立50周年庆典为契机，进行了大规模的城市环境建设。天安门广场、长安街、平安大街、王府井地区经过改造展露新姿；大力开展城市水系和大气环境的综合治理，还京城碧水、蓝天；拆除各类违法建设455.5万平方米，撤消主要大街占路市场214个，66处城乡结合部得到了治理，对836所大中小学的周边环境进行了整治，创建了一批精品街、示范街、街心花园、城市雕塑和亮丽工程，发动群众绿化首都，新增城市绿化面积130万平方米，使首都城市环境面貌焕然一新，得到了中央领导和广大市民的一致好评。

8. **宣传成果，弘扬正气，反映时代新风的先进典型大批涌现**。一年来，全市各地区、各部门、各单位都加大了精神文明建设工作力度，涌现出了一大批先进集体和先进个人。全市充分发挥典型的示范带动作用，大张旗鼓宣传表彰各类先进典型。加大了对环境整治和“创三优”的宣传力度，对东城、西城和怀柔三区县的精神文明创建活动进行了联合采访，对创建文明社区、文明村镇的丰硕成果进行了广泛的宣传报道。中央、市属各新闻单位集中连续推出了首都精神文明建设成果系列宣传。共组织新闻报道80多次，发稿900多篇。充分展示了首都北京近几年来在精神文明建设方面所取得的辉煌成就，展示了首都北京的良好风貌。市委、市政府隆重举行“创三优迎国庆”精神文明建设表彰大会，表彰了首都文明区县、首都创建文明城市示范点等200个先进集体及“首都见义勇为好市民、好卫士”，并组织先进典型人物报告团，在全市巡回报告，扩大先进人物的影响，促进精神文明建设各项工作的开展。我市东城区、西城区2个全国创建文明城市工作先进城区，怀柔县、通州区宋庄镇等10个全国创建文明村镇工作先进县、镇、村，北京市公安交通管理局东城交通支队帅府园队等24个全国创建文明行业工作先进单位，毛主席纪念堂管理局等18个全国精神文明建设先进单位受到中央文明委的表彰。

9. **充分发挥军、地各自优势，军（警）民共建活动取得新的成果**。首都军（警）民共建工作，以开展“三创”活动为重点，以维护首都稳定，巩固军政、军民团结，建设首都文明城市和提高部队战斗力为目标，广泛开展共建活动。驻京解放军和武警部队参加了国庆阅兵、游行和保卫工作，积极配合和参与了全市迎国庆、迎澳门回归的环境治理工作，发挥了重要作用。2141个共建对子以人为本，团结一致，优势互补，广泛深入地开展共建共育活动，为首都和部队的两个文明建设做出了显著成绩。

10. **繁荣科教文卫体事业，倡导科学、健康、文明的生活方式，群众的精神文化生活更加丰富**。实施精品战略，搞好精神文化产品生产，涌现出一大批思想性、艺术性相统一，为群众喜闻乐见的优秀作品，实施“五个一工程”，北京市共有19部作品入选，获奖成绩居全国首位。成功举办了第三届北京新年音乐会、第二届北京国际音乐节。精心组织，确保了国庆50周年的重点文艺作品按时高质量完成，组织了一系列优秀电影、电视剧、戏剧节目展演和其他大型文化艺术活动。坚持重在基层、吸引群众参与，广泛开展了“五月的鲜花”群众歌咏活动、夏日文化广场活动、文化科技卫生“三下乡”等群众性文化活动，初步形成了覆盖全市的市、区（县）、街道（乡镇）三级群众文化网络。加大“扫黄”、“打非”力度，促进了首都文化市场健康、繁荣、有序发展。加快文化设施建设，完成了抗战纪念群雕园、广播电视光缆网等文化设施工程的建设和改造，中国现代文学馆、中华世纪坛、北京海洋馆、西单文化广场、国际金融大厦等一批文化设施和大型标志性建筑相继建成。科教、卫生、体育等事业也都取得了新成绩。开展了以“环境连着你和我”为主题的“科普周”活动、北京青少年科技俱乐部活动，广泛开展全民健身活动，成功举办第二届全民健身体育节，推出“万人家庭健步走”等五个万人活动，投资1000多万元建立了35个全民健身工程。实现了北京地区三级医院和130个社区卫生服务站规范化服务达标。各项事业的全面发展促进了市民素质的提高，推动了精神文明建设的不断深入。

（首都文明办）

# 天 津 市

1999年，在市委、市政府的领导下，按照市文明委的统一部署，高举邓小平理论伟大旗帜，坚持党的基本路线和“两手抓，两手都要硬”的方针，以重大庆典和赛事活动为契机，开拓创新，扎实苦干，广泛深入地开展群众性精神文明创建活动，全面推进精神文明建设。

**一、各级党政组织采取有效措施，大力推进精神文明建设**

年初，市委书记、市文明委主任张立昌亲自主持市文明委全体会议研究部署，年内多次过问、批示，有力地推动了全市精神文明建设工作。市委、市政府其他主要领导同志也都十分重视精神文明建设，深入基层，调查研究、总结经验、推广典型、研究措施、指导工作。市委在全国率先印发了《关于加强和改进思想政治工作的若干意见》，召开了“天津市区街工作会议”，制订《关于加强社区精神文明建设的若干意见》，市文明委召开了“天津市精神文明创建活动表彰大会”，成立了“精神文明建设干部培训中心”，举办文明办主任培训班，提高专职干部队伍素质，大大推进了全市精神文明建设的健康发展。

各区县、各系统坚持主要领导亲自抓，实行目标责任制，普遍由党政一把手亲自抓精神文明建设工作。有的制定了文明委成员单位职责制，对所有成员单位承担的任务作出明确规定；有的定期分析形势，研究问题，制定措施，深入基层进行实地考察验收；有的邀请人大代表、政协委员对本单位精神文明建设进行评估；有的在街、镇增设了主管精神文明建设的副书记，成立精神文明建设领导小组和文明办。

**二、围绕大局、配合形势，深化思想道德教育**

一是理论学习掀起新热潮。按照中央要求和市委统一部署，全市各级领导班子和领导干部把学习邓小平理论摆在首位，与落实十五大精神、开展“三讲”集中教育结合起来，取得实实在在的效果。在宣传、教育等部门的共同努力下，邓小平理论进教材、进课堂、进学生头脑的工作取得新进展。特别是通过开展“创新”大讨论，干部群众形成思想共识，全市上下紧密结合天津经济和社会发展的实际，注重理论的运用，把学习的过程变成研究问题、提高水平、推动工作的过程，使“创新”精神成为两个文明建设的强大动力。

二是百万市民看津城活动深得人心。为深化思想道德教育，全市精心组织“看津城新貌、庆建国50周年，树创新意识，展跨世纪宏图”活动，参加活动的干部群众达100多万人，全市呈现出“看津城、讲变化、议创新、做贡献”的热潮。各区县、各系统把“看津城新貌”活动与推动“创新”紧密结合，与加强和改进思想政治工作紧密结合，与批驳“法轮功”的歪理邪说紧密结合，与做好本职工作紧密结合，促进了全市各项工作迈上新台阶。

三是思想文化阵地得到有力加强。“法轮功”事件后，各单位认真贯彻市委《关于加强和改进思想政治工作的若干意见》，充分利用市民学校、村民学校、职工政校和爱国主义教育基地等阵地，加强马克思主义唯物论和无神论教育，帮助广大干部群众深刻认识“法轮功”的邪教本质。广泛开展“志愿者在行动”、“送温暖献爱心”、“青年文明岗”等道德实践，组织文化科技卫生“三下乡”和“科技周”等活动，引导群众崇尚科学、破除迷信，提高思想道德素质，养成科学文明健康的生活方式。

**三、以重大庆典和赛事活动为契机，深入开展群众性精神文明创建活动**

以迎办世界体操锦标赛、庆祝新中国成立50周年、迎接澳门回归祖国为契机，加大工作力度，广泛深入地开展群众性精神文明创建活动，开创了文明城市、文明村镇、文明行业创建工作的新局面。

一是创建文明城市活动整体推进。坚持以提高市民素质、群众生活质量和城市文明程度为目标，深入开展创建文明小区、文明社区、文明城区活动。广大干部群众以极大的热情和积极性，用自己的汗水和实践创造美好的生活。经过共同努力，创建了一大批文明小区、文明社区。和平区新兴街等10个街被市文明委命名为全市首批文明社区。和平区跨入全国创建文明城市工作先进城区行列，受到中央文明委表彰。江泽民总书记在津专门考察了社区工作，对我市开展社区服务的思路和效果，给予充分肯定，对社区精神文明建设提出明确要求。市委、市政府召开区街工作会议，出台了《天津市加强社区精神文明建设的若干意见》等三个文件，进一步掀起了加强社区精神文明建设的热潮。

二是创建文明村镇活动不断深化。广大农村深入贯彻落实党的十五届三中全会精神，以整治村容镇貌、倡导移风易俗为重点，广泛开展各种形式的创建活动。争做“十星级文明户”活动得到进一步推广。创建文明乡镇企业活动，在农村精神文明建设中的作用日益突出。创建文明村、文明城镇活动在改善农村面貌，净化社会风气，促进农村经济发展和社会进步方面发挥了积极作用。宝坻县被评为全国创建文明村镇工作先进县；后蒲棒村、张家窝镇等10个单位被中央文明委授予“全国创建文明村镇工作先进单位”荣誉称号。

三是创建文明行业活动日趋规范化。各行各业坚持以推行政务公开、实行规范化服务为主要内容，深入开展创建文明服务窗口、文明单位、文明行业和“百城万店无假货”、“争做人民好公仆”、“争做人民满意公务员”等活动。在全市各政府职能部门、执法部门和公共服务行业中，有5300多个基层单位及站所实行了政务公开，12个行业实行了规范化服务和民主监督。有20个单位进入市级“文明服务窗口”先进行列，11人被市政府授予“天津市人民满意的公务员”荣誉称号，鸿起顺饭庄等8个单位被中央文明委命名为“全国精神文明建设先进单位”，18个单位跨入“全国创建文明行业工作先进单位”行列。

四是军民共建活动发挥优势。军民共建工作立足基层，拓宽共建领域，丰富共建内容，积极开展国防教育、爱国主义教育。全市1580个共建点在“三大政治斗争”和群众性精神文明创建活动中发挥了带头作用。

**四、抓住突出问题进行综合治理，讲文明树新风活动取得明显成果**

一是综合治理城市环境秩序成果突出。按照市委、市政府提出的整体工作目标和阶段性工作任务，各有关部门和单位采取“任务分解，责任承包”、“上下结合，条块配合”等方法，发动群众、组织战役，重点整治了112条主干道路、12个整建制街、3片城乡结合部居民区、15个重点地区和6个进市口。先后数十次集中组织开展清整活动，广大群众踊跃参与，为塑造文明整洁优美的都市新形象奠定了基础。

二是“我为世体赛增光彩”活动广泛深入。为办好世界体操锦标赛，向世人展示天津国际港口大都市的风采和天津人的精神风貌，全市人民以《天津市民行为道德规范》和《天津市民“十不”》为准则，讲文明话，办文明事，做文明人，积极为世体赛做贡献。许多地区和部门还成立文明言行督导队，开展“伸伸手、弯弯腰，为世体赛增光彩”活动。广大市民的精神风貌，在世体赛期间得到了充分展示，受到中央领导肯定和外国友人的称赞。

三是保护生态环境得到高度重视。围绕搞好

植树绿化、清理白色垃圾、改善空气质量、治理水源污染等四项重点工作，市文明办、环保局等16个单位联合发起了“保护生态环境、倡导文明新风”活动。市领导亲自参加活动，中小学生发出“保护环境、从我做起”的倡议，广大市民广泛开展“保护母亲河志愿者行动”等8项活动，新闻单位开展了'99环保世纪行活动，大大增强了全市干部群众的环保意识，推动了全市环保工作的开展。

**五、大力弘扬社会正气，充分发挥先进典型的示范作用**

一是宣传典型取得重大突破。从1998年开始实施的精神文明创建“个十百千”示范工程取得重大进展。在中宣部、建设部的大力支持下，向全国推出了范玉恕这一重大典型。全市和中央18家新闻单位，分别进行深入报道。组成范玉恕先进事迹报告团，先后到北京、上海等7个省市巡回报告，引起强烈反响。范玉恕被列为“人民不会忘记”——建国50年来53名全国杰出英模人物之一，并应邀参加了国庆盛典。

二是先进典型群体形成规模。在层层评选推荐，广泛征求各方面意见基础上，市委、市政府树立表彰了21个天津市先进单位和先进个人重大典型。市文明委命名表彰了55个精神文明创建活动先进单位。国庆前夕，天津有41个单位进入全国精神文明创建工作先进单位行列。各区县、各系统也涌现出一大批本地区、本单位立得住、推得开的先进典型。

三是学先进活动形成浓郁氛围。各单位认真贯彻市委、市政府《关于向先进单位和先进个人重大典型学习的通知》，广大干部群众立足本岗，以先进典型为榜样，对照先进找差距，在全社会掀起了崇尚先进、学习先进、争当先进的热潮。

（天津市文明办）

# 河　北　省

1999年，河北省委、省政府和精神文明建设委员会围绕全党、全国工作大局，精神文明建设工作目标明确，内容丰富，重点突出，组织严密，呈现出积极向上的发展态势，为改革、发展、稳定创造了良好的社会环境，促进了城乡经济和社会全面发展。

**一、认真开展“三讲”教育，各级党委、政府两个文明一起抓的自觉性进一步增强**

深入开展“三讲”教育，有力地推动了领导班子和干部队伍的思想政治建设。在“三讲”教育过程中，各地、各部门把学习理论、武装头脑同整顿思想、改进作风紧密结合起来，抓住领导班子和领导干部在党性党风方面存在的突出问题，充分发扬民主，开展积极的思想斗争，取得了明显的成效。各级各部门的领导班子、领导干部按照省委开展“三讲”（讲学习、讲政治、讲正气）、促进“三抓”（抓改革、抓调整、抓需求）、实现“三保”（保增长、保增收、保稳定）的总体要求，边整边改，开拓进取，积极推进改革、发展、稳定的各项工作，为全省的现代化建设注入了强大精神动力，提供了可靠的思想政治保证。

完善宣传教育措施，进一步用邓小平理论教育干部群众。在认真组织好各级领导班子理论中心组学习的同时，组织了全省21000名县级以上干部邓小平理论基本知识考试。在党员中组织开展了学理论、学党章和“双基两史”（党的基本理论、基本路线，中共党史、中华人民共和国史）教育活动，全省党员参与面达到80%以上。召开全省市、县中心组学习邓小平理论经验交流会，制定下发了《关于进一步加强广播电视理论宣传的意见》，广播、电视、报纸、刊物开辟了专栏、专版，举办了广播讲座、理论征文等活动，联系人们的现实生活，面向广大群众，生动活泼地开展了邓小平理论宣传教育工作。

各级党委、政府对精神文明建设的领导力度进一步加大，推动各项工作取得新进展。省委率先垂范，带头坚持做到两手抓，两手都要硬，先后召开了全省精神文明创建工作表彰动员大会、全省思想政治工作会议。省委、省政府修订印发了《河北省各级精神文明建设委员会工作条例》和《河北省文明单位管理办法》，调整充实了省精神文明建设委员会成员。省委主要领导多次深入精神文明建设工作第一线开展调研，进行现场指导，解决实际问题。由于各级党委、政府的重视，调动了有关部门工作的积极性，促进了精神文明建设各项工作的深入开展，取得了一系列重大成果。全省有两个省辖市、27个村镇、18个单位、18个服务“窗口”被中央文明委命名为全国精神文明创建工作先进单位。河北省先后4次在全国各种会议上介绍精神文明创建工作经验。在中宣部精神文明“五个一工程”评选中，河北省在全部7个评选门类中都有作品入选，共有11件作品获奖，是历年来获奖总数最多的一次，并获得“组织工作奖”。省艺术中心、文学馆、出版大厦等一批精神文明基础设施陆续建成并投入使用，有19处省级爱国主义教育基地建成。

**二、以四项重大活动和三大政治斗争为契机，积极推进爱国主义、集体主义和社会主义教育，进一步深化了思想道德建设**

围绕重大纪念和节庆活动，在全省城乡唱响了祖国颂、社会主义颂和改革开放颂。一是继续认真组织了纪念党的十一届三中全会召开20周年宣传教育活动。二是认真组织了纪念五四运动80周年宣传教育活动。三是认真组织了国庆50周年宣传教育活动。国庆50周年宣传文化活动主题突出、组织严密、群众参与广泛，城乡各地欢乐喜庆，全省人民的爱国热情进一步高涨。四是认真组织了迎接澳门回归祖国宣传教育活动。通过这些活动，有效地宣传了邓小平同志关于“和平统一、一国两制”的光辉思想，使全省人民受到一次深刻、生动的爱国主义教育。

围绕三场重大政治斗争，在全省兴起了强我中华、弘扬科学精神、实现祖国统一的教育热潮。一是充分运用以美国为首的北约悍然袭击我驻南使馆这一反面教材，在人民群众中开展振兴祖国的思想教育。二是深入开展揭批“法轮功”斗争，在广大群众中广泛进行了马克思主义唯物论、无神论和科学精神教育。开展了遵守《市民行为规范》的大规模宣传教育活动，组织群众开展专项劝阻活动，劝退清理各类算命、卜卦摊点567个；828所各类市民学校共举办了形式多样的科普学习班4580个，受教育的市民达13.7万人次；在社区，组织群众开展了广泛的文体活动，用健康文明的文体活动占领社区文体阵地，被公安机关取缔的“法轮功”原练习点，大都变成了“健康晨练点”，组织安排了太极拳、交谊舞、老年迪斯科、京剧票友等健康文明的晨练活动；在小城镇和农村集市，重点加强了集市和庙会的管理，共清理各类销售迷信用品摊点4800多个，通过创建“十星级”文明农户活动，重点引导和教育农民崇尚科学、遵守法律，促使部分“法轮功”练习者及时得以转化。三是针对李登辉抛出“两国论”，开展了一系列维护祖国统一的宣传教育工作。引导广大干部群众认清李登辉抛出“两国论”的险恶用心，深刻领会中央关于解决台湾问题的一系列方针、政策和正确主张，引导广大干部群众把反对分裂祖国的义愤化为爱国热情，化为立足本职、为祖国的强大而努力工作的动力。

**三、广泛吸引各方参与创建活动，大力表彰宣传先进单位，进一步拓展了精神文明建设的工作领域，促进了崇尚文明的社会风尚逐步形成**

“讲文明树新风”活动进一步延伸。根据中央文明委的统一部署，在全省开展了“保护生态环境，倡导文明新风”活动。围绕植树绿化、清理白色垃圾、改善空气质量、防治水源污染，先后组织了三个战役：一是清理白色垃圾战役。全省先后组织动员了50多个市、县各界干部群众，集中对铁路、主要公路河北段、主要河流、湖泊周围和旅游风景区的白色垃圾进行了清理。二是全民义务植树战役。组织了全省城镇80余万人次，义务植树2900余万株。三是在全省地级市部署、启动了营造城市“森林”大型社会公益活动，并组织单位、家庭、个人认领、认种、认养。

各项创建活动进一步深化。一是文明城市创建活动力度加大。各市围绕落实《市民行为规范》，以市政府《通知》形式颁布了有关法律、法规和行政管理办法，依法规范社会公德；以居民生活区为重点的创建文明小区活动，取得明显进展；全省地级市的所有35个市内行政区，分别就区域内的社区教育、社区服务、社区文化、社区治安、社区环境、社区管理做出了具体规划，以行政区为单位的创建文明城区活动全面开展。在全省推广了石家庄市新华区的“六五四”工作法，有效地推动了文明城区创建工作，得到中央文明办领导的肯定。二是创建文明行业活动不断深入。“窗口”单位职业道德建设进一步深化，全省28万个“窗口”单位，已有4096个通过验收进入了服务质量一级（三星级）单位；“窗口”行业规范化服务取得新的进展，在中央文明办和国务院纠风办联合召开的“深入开展优质规范服务，大力倡导文明行业新风”电视电话会上，河北省介绍了经验。会后，省文明办与省纠风办联合制定下发了《关于在全省“窗口”行业深入开展优质规范服务，大力倡导文明行业新风实施意见》，石家庄电业局作为重大典型在全国推广；对行政执法、社会服务、垄断性行业服务质量、行风建设的群众监督力度不断加大，参与评议的群众达到50多万人，评议结果通过新闻媒体向社会公布。三是文明村镇创建活动有了新进展。“十星级”文明农户创建活动质量普遍提高。加强了分类指导；进一步落实了部门“包星”责任制，把包星职责列入职能考核的目标，调动了部门的积极性；普遍落实了动态管理，对星级文明农户，进行群众性的半年初评、年底总评。文明小城镇创建活动逐步展开。文化科技卫生“三下乡”活动进一步深入，全省共组织集中活动达300多场次，河北省连续三年在全国“三下乡”工作会议上介绍了经验；“读书兴农”活动有步骤地推进，截至年底已有1021个行政村建立了藏书3000册以上的图书室。

集中宣传了一批体现时代精神的先进典型。在全省推广了石家庄电业局、邯郸地税局、唐山百货大楼开展优质规范服务的先进经验，宣传了全省公安交警创建文明行业、平安大道的事迹。在“三八”、“五一”、“五四”、“七一”等重大节日期间，各地分别宣传了一批巾帼英雄、先进职工、杰出青年、优秀共产党员和人民公仆的先进事迹。国庆50周年前夕，省委、省政府召开了全省精神文明创建工作表彰动员大会，大张旗鼓地表彰了160个创建文明城市、文明单位、文明村镇、文明行业工作先进单位。充分展现了时代精神，弘扬了社会正气，进一步营造了文明向上的良好社会氛围。

（河北省文明办）

# 山 西 省

1999年，山西省的社会主义精神文明建设工作，紧紧围绕省委工作的总体部署，落实中央文明办一系列具体工作安排，配合三场重大政治斗争和国家两大庆典，持续开展五大创建活动，为营造全省欢乐喜庆、昂扬向上、团结奋进的良好氛围，为促进全省的改革、发展、稳定发挥了重要作用，做出了积极贡献。

**一、全省各级党委、政府抓精神文明建设的自觉性进一步增强，精神文明建设工作逐步走上规范发展的道路**

省委、省政府主要领导全都出席了年初全省的精神文明建设工作会议和年度的精神文明建设总结表彰大会，对工作作了部署，对拟推荐表彰的精神文明建设先进典型，都严格审核，认真把关，保证了先进典型的真实可靠。

在对精神文明建设工作认识不断提高的同时，全省各级精神文明建设工作机构不断充实和加强，精神文明建设的工作制度逐步规范和完善。省、地（市）两级都做到在年初对全年工作做出安排，年终对工作有检查总结，省、地（市）、县、乡主要党政领导，都逐级签订年度精神文明建设目标责任书，年终全面考核，精神奖励和物质奖励挂钩，有效调动了各级主要领导抓好精神文明建设工作的积极性。

**二、精神文明建设以培养四有新人为根本目标，始终贯穿了思想道德教育这条主线**

按照中央统一部署，在厅局以上干部中开展“三讲”集中教育，带动全省广大干部群众掀起了学习邓小平理论和党的十五大精神的热潮，使广大干部群众，特别是各级领导干部在对邓小平理论的认识上，在运用邓小平理论解决实际问题的能力上，在改造主观世界的自觉性上有了新的提高。全省各高校配合纪念五四运动80周年，在大学生中深入开展理想信念教育，大力弘扬“爱国、进步、民主、科学”精神，共有96名优秀大学生和优秀青年知识分子在纪念五四80周年大会上受到省文明委的表彰，在大中专学生中激发了爱国主义的热高潮。“三大政治斗争”和庆祝中华人民共和国成立50周年、澳门回归祖国两大庆典活动，为广大基层单位开展以爱国主义为主题的思想道德教育提供了丰富的教材，激发了广大群众爱我中华、强我中华，搞好本职工作的巨大热情。在深入揭批“法轮功”邪教本质和严重危害的斗争中，太原市开展了“崇尚科学、破除迷信、倡导文明、提高素质”大讨论，选拔代表队在电视台举办了“崇尚科学、破除迷信、做文明太原人”百科知识竞赛，深化了教育效果。围绕庆祝新中国成立50周年和迎接澳门回归祖国，宣传系统同心协力，各展所长，成功地组织了丰富多彩的系列庆典宣传活动，展示了改革开放和社会主义建设的巨大成就，烘托了节日的喜庆气氛。成功组织了第三届全省精神文明建设“五个一工程”评选活动，有6项9件作品入选全国精神文明建设“五个一工程”奖，推动了全省优秀精神产品的创作。

**三、坚持精神文明建设正面引导为主的原则，表彰和树立了一大批精神文明创建工作的先进典型**

年初中央文明委决定在50周年大庆前夕表彰一批全国精神文明创建工作先进单位。省文明委就这项工作做了部署，提出了明确要求。各地（市）抓住这一有利的时机，积极发动，加大创建工作的力度，特别是一批原来工作起点高的省级精神文明建设先进单位，积极寻找差距，提高创建标准，发动群众广泛参与，在全省形成了一股争创全国先进的创建热潮。山西省共有太原市迎泽区等21个县、镇、村，31个单位被中央文明委评选为全国精神文明建设先进单位。为了进一步推动全省群众性精神文明创建活动，省文明办还组织各地（市）文明办和省直文明办，为受表彰的先进单位举行了隆重的挂匾活动，各主要新闻单位做了广泛的宣传报道，使这批先进典型起到了良好示范作用。

在重点做好全国精神文明建设先进典型的选拔、推荐、表彰工作的同时，继续组织了全省精神文明建设先进典型的推荐表彰工作。于12月16日举行了隆重的全省精神文明建设“五个一工程”暨文明创建先进典型表彰大会，对11个文明城市、25个文明小区、57个文明乡镇、280个文明村、348个文明单位、29对军民共建先进单位、8个文明风景旅游区、301户文明家庭进行了表彰。会议还首次对全省50个精神文明创建工作先进集体、102名精神文明建设先进工作者进行了表彰。

**四、坚持继续开展五大群众性精神文明创建活动，全省城乡面貌有了进一步改观**

坚持继续开展以创建文明城市、文明村镇、文明单位、文明家庭、文明景区为主要内容的五大创建活动，推动了全省城乡面貌和人们的精神面貌的进一步改观。

文明城市创建活动以提高市民素质、城市综合文明程度和人民群众生活质量为目标，以加强思想道德教育、创建优美环境、维护优良秩序、提供优质服务、丰富文化生活、加强基础设施建设为主要内容，年初在县以上城镇开展了'99文明之春系列活动，8至9月份组织全省16个县级市、6个地级市开展了文明城市创建竞赛活动，通过检查评比，产生了太原市、榆次市等11个城市为99年度全省竞赛获奖城市，受到了省文明委的命名和表彰。一系列创建活动推动全省城市的基础设施建设有了新的发展，城市管理水平有了新的提高，广大市民的精神面貌有了新的变化，为新中国成立50周年大庆创造了良好的社会氛围。

文明村镇创建活动按照全国农村精神文明建设工作座谈会的要求，以提高素质，发展经济、建设小康为目标，在全省农村广泛开展了十星级文明户评选活动，吸引广大农民群众自觉参与。

在整治村容村貌，改善农村公共设施，倡导文明新风，破除陈规陋习上下功夫，用良好的生活环境和风俗习惯引导农民群众逐步建立起文明的生活方式。中央资助的20个乡镇宣传文化站建设工作进展顺利，年底大部分宣传文化站建成并投入了使用，丰富了这些地区农民群众的精神文化生活，受到了广大农民群众的欢迎和好评。

继续开展文明单位和文明家庭创建活动，引导人们从最基本的工作生活中的事情做起，养成文明的习惯，培养高尚的情操，争创文明集体，共有348个单位获得“省级文明单位”荣誉称号，301个家庭获得了“省级文明家庭”称号，强化了单位和家庭在全社会精神文明建设中的基础作用。文明景区创建活动发展势头良好。全省各主要景区、景点，把文明景区的创建当做树立自身形象，传播精神文明，提高两个效益的有力抓手，加大工作力度，增加物质投入，使全省多数景区的环境秩序有了大的改观，受到广大游客的好评。

（山西省文明办）

# 内蒙古自治区

1999年，内蒙古自治区的精神文明建设工作，高举邓小平理论伟大旗帜，坚持党的基本路线和基本方针，围绕自治区改革开放和经济建设的大局，认真组织开展了以“讲文明树新风”活动为龙头的创建文明城市、文明村镇、文明行业等群众性精神文明创建活动，强化了思想道德教育，宣传了一批两个文明建设协调发展、共同进步的先进典型，精神文明建设呈现出积极、健康、平稳、向上的态势，为全区的改革、发展、稳定创造了良好的社会环境，维护了安定团结的大好局面。

**一、以“三讲”教育为契机，配合“三大”政治斗争和重要节庆活动，进一步深化了思想道德教育**

全区把思想道德教育作为一条主线贯穿于精神文明建设各项工作之中，坚持以人为本，努力培育“四有”新人。结合“三讲”集中教育，继续深入开展了社会主义市场经济理论大学习大讨论和“理论下基层”活动，切实抓好广大党员干部和基层群众的理论学习，进一步促进了用邓小平理论武装全党、教育干部群众工作的深入开展。围绕新中国成立50周年、澳门回归祖国和迎接新世纪到来等节庆活动，举办了“迎回归、跨世纪、爱祖国、爱家乡、做贡献”知识竞赛，重点组织创作了一批献礼项目，广泛开展了丰富多彩的文艺活动，集中展示了50年辉煌成就，唱响了祖国颂、社会主义颂、改革开放颂、民族团结颂。在纪念五四运动80周年活动中，引导广大青年爱党爱国、努力学习、报效祖国。在反对以美国为首的北约袭击我驻南大使馆、李登辉分裂祖国丑恶行径、“法轮功”邪教组织的三场大的政治斗争中，开展了积极的宣传教育工作，在全区上下兴起了强我中华、维护民族团结、实现祖国统一、弘扬科学精神的教育热潮，进一步深化了思想道德教育。

**二、深入开展群众性精神文明创建活动，促进了良好社会风尚的形成**

按照中央文明委提出的“主题不变、充实内容、一抓到底、务求实效”的要求和“巩固、提高、延伸、辐射”的思路，在认真总结经验的基础上，狠抓巩固提高工作，着力解决文明言行、环境卫生、交通秩序、服务质量四个方面存在的突出问题，“讲文明树新风”活动取得了新进展。在活动中，坚持从实际出发，开展了“文明言行从我做起”活动，规范市民言行，努力提高市民的文明意识；开展了“讲文明、送温暖、献爱心”为主题的扶贫济困活动，为灾区群众和下岗职工提供热情的服务和帮助。围绕搞好植树绿化、清理白色垃圾、改善空气质量、治理水源污染四项任务，开展了“保护生态环境、倡导文明新风”

活动，组织广大群众参加植树种草，爱绿护绿义务劳动，开展了“多种一棵树、多植一片绿”，“保护母亲河、建设草牧场”，“三八绿色工程”等活动，重点抓了城市及周边地区的绿化工作，清理了城乡结合部、城市公共场所、旅游景点、河湖两岸、铁路公路沿线的白色垃圾，使城市“绿起来、美起来、净起来”。全区各地继续深入开展了“百城万店无假货”活动，在包头市召开了全区“百城万店无假货”活动座谈会，学习推广了全国“百城万店无假货”活动示范街——包头市钢铁大街的经验。对已命名的全区文明风景旅游区示范点进行了抽查，使其更好地发挥示范作用，取得更好的社会效益和经济效益。

在文明城市创建活动中，坚持以提高市民文明素质、城市文明程度和群众生活质量为目标，从群众关心的问题出发，从创建文明小区、文明街道抓起，组织进行了第二届全区“星级文明城市竞赛”考核评比活动，有6个城区、7个市分别进入了甲组四星级和乙组四星级文明城市的行列。在文明村镇创建活动中，以提高农牧民素质、发展经济奔小康为目标，从农牧户抓起，组织了全区“十星级奔小康文明户”评比活动，十佳乡镇苏木、百佳嘎查村评比表彰活动，调动了广大农牧民参与文明村镇创建的积极性，促进了农村牧区“十星级奔小康文明户”活动的深入开展，为农牧民加快奔小康步伐创造了条件。在文明行业创建活动中，以“服务人民、奉献社会”为宗旨，着重抓了与人民群众工作生活密切相关的窗口行业和执法部门，组织进行了全区第二届行业“文明杯”竞赛评比活动，命名了首批全区创建文明行业工作先进单位，创建文明行业活动逐步走上规范化、制度化的轨道。按照中央文明办、国务院纠风办的要求，组织开展了“优质规范服务、倡导文明新风”活动，使服务行业的文明程度有了提高，行业行为得到了规范，行业风气有了明显好转。

**三、树立和宣传精神文明建设先进典型，发挥典型的示范和引导作用**

8月7日，自治区党委、政府在锡林郭勒盟锡林浩特市召开了全区农村牧区精神文明建设经验交流会，推出了牧区精神文明建设先进典型锡林郭勒盟，集中对锡盟“突出特点，形成优势，注重实效，努力开创牧区精神文明建设新局面”的典型经验进行了全面的宣传报道，收到了很好的效果。自治区还先后推出了王果香、王卫东、郭志光、永青加布等先进个人的事迹，大力宣传了杭锦旗的“穿沙精神”。国庆50周年前夕，中央文明委隆重表彰了一批精神文明创建工作先进单位，内蒙古包头市被评为我国创建文明城市工作先进市，赤峰市等12个地区、单位被评为全国创建文明村镇工作先进市、镇、村，包头市煤气公司营业部等6个单位被评为全国创建文明行业工作先进单位，内蒙古新城宾馆等15个单位被评为全国精神文明建设工作先进单位。自治区党委、政府、内蒙古军区命名表彰了219个自治区级文明单位和39个自治区级文明单位标兵。自治区文明委、人事厅表彰奖励了214名精神文明建设先进工作者。对这些先进单位和先进个人通过多种形式进行了宣传，在全区上下形成了崇尚先进、学习先进、争当先进的良好氛围，通过典型的影响和带动，极大地调动了广大干部群众的积极性，促进了全区群众性精神文明创建活动的深入开展。

（内蒙古自治区文明办）

# 辽 宁 省

1999年，辽宁省的精神文明建设工作，按照中央和省委的要求，贯彻落实《1999年全省精神文明建设工作安排意见》，呈现出积极向上的发展态势，在各项创建活动中都取得明显成果，为推动全省改革开放、经济发展和社会稳定起到了重要作用。

## 一、思想道德教育不断深入

各地进一步贯彻落实《全省群众性思想道德教育的意见》，普遍开展了不同形式的教育活动，一些地区重新修订了《市民文明公约》，编写了公民思想道德教育材料，组织社会公德教育讲师团，开办系列讲座，利用公益广告、“文明知识竞赛”活动等多种形式普及文明知识，进行科学常识教育。进一步培养了公民的文明习惯，促进公民的思想道德素质的不断提高。

在揭批“法轮功”斗争中，各地大力开展“反对封建迷信，弘扬科学精神”宣传活动，组织群众清算“法轮功”歪理邪说毒害人们思想、制造社会动乱、对抗人民政府种种罪行。7月，省文明办在《辽宁日报》发表题为《对社会主义精神文明的反动和亵渎》的署名文章。同时，组织社会知名人士、专家学者座谈，对“法轮功”的歪理邪说的欺骗性和危害性进行深入地揭露和批判。用马克思主义唯物论和无神论等科学思想武装广大干部和群众，提高干部群众的科学文明素质。

认真贯彻落实中央《关于加强和改进思想政治工作的若干意见》，结合辽宁省的实际，探索新形势下思想政治工作的新领域、新思路、新方法。就加强社区思想政治工作专题，进行了广泛调研，撰写了《关于辽宁省社区、小区思想道德建设的调查》。

## 二、“讲文明树新风”活动效果明显

“讲文明树新风”活动重点搞了六项活动，掀起了两个高潮。六项活动是：深入开展“送温暖、献爱心”活动；党政机关广泛开展“为民、助民、便民”活动；青少年开展“向不文明言行告别”活动；窗口服务行业开展“'99服务年”活动；有关部门开展文化科技卫生“三下乡”活动；城乡开展环境整治活动。两个高潮是：春节前后掀起以“送温暖、献爱心”和整治城乡环境为重点的“讲文明树新风”的第一个高潮；国庆节前后掀起以欢庆国庆50周年和喜迎澳门回归祖国为主题的第二个高潮。

## 三、创建文明城市、文明村镇、文明行业活动取得新进展

创建文明城市从小区抓起，创建文明村镇从开展“星级”（十星级文明户、村、乡镇）系列活动抓起，创建文明行业从推行“三制”（社会服务承诺制、生产经营信誉制、行政执法公示制）抓起，收到了明显成效。

文明城市创建活动，以创建文明小区、文明市场、文明风景旅游区为重点，总结、树立、宣传了大连市西岗区、沈阳市和平区、鞍山市铁东区、千山文明风景旅游区等一批先进典型。

文明村镇创建活动，着眼于提高农村精神文明建设的整体水平。一是深入开展创建“文明户”、“文明村镇”活动。全省开展创建“文明户”活动的村已达80%以上。二是解决群众最关心的实际问题，深入开展专项整治活动。推广辽阳市和西丰县的经验。三是开展城乡共建活动。推广了开原市“以城带乡，以乡促城，城乡一体，整体推进”的经验。

文明行业创建活动，以“服务人民，奉献社会”为宗旨，以推行“三制”为载体。全省已有30个系统、70个行业、近万个单位分别实行了“承诺制”、“信誉制”、“公示制”。全省推出沈阳市“2211”市民投诉中心为民服务、便民服务典型。一年来，投诉中心受理各类投诉电话29万件次，回复率保持在95%，市民满意率保持在85%以上。中央文明办领导把“2211”市民投诉中心作为精神文明建设重大典型，在全国进行了宣传。

在迎接新中国成立50周年之际，为贯彻落实中央关于表彰全国精神文明创建工作先进单位的指示精神，全省作了深入细致、认真负责的总结、选拔、推荐工作，最后，有69个单位被中央精神文明建设指导委员会命名为全国精神文明创建工作先进单位。大连市、沈阳市沈河区为全国创建文明城市工作先进城市、城区；东港市、沈阳市于洪区北陵乡小韩村等15个县（市）、镇、村为全国创建文明村镇工作先进县（市）、镇、村；招商银行沈阳分行南湖支行、鞍山市公用事业局等27个单位为全国创建文明行业工作先进单位；东北制药总厂、大连冰山集团有限公司等25个单位为全国精神文明建设先进单位。

（辽宁省文明办）

# 吉　林　省

1999年，吉林省精神文明建设工作按照中央文明委和省委提出的总要求，以邓小平理论为指导，以服务经济建设、服务改革发展稳定大局、服务人民群众为原则，大力加强思想道德建设，深入开展群众性精神文明创建活动，总结宣传推广一批先进典型，切实推进文化建设，取得了新的成效。

## 一、以“解放思想、更新观念、振奋精神、树立新风”为主题的系列教育活动在全省广泛开展

省委七届二次全会向全省人民发出了“解放思想、开拓创新，把我省改革和发展更加扎实地推向前进”的号召，精神文明建设工作紧紧围绕全省的中心工作，组织开展了以“解放思想、更新观念、振奋精神、树立新风”为主题的系列教育活动。在党政机关，开展了增强服务意识教育，使广大干部进一步树立了勤勉敬业的工作态度，求实务实的工作作风。在企业，围绕实现“两个根本转变”，开展了职业理想、职业道德、职业技能教育，进一步激发了广大干部职工爱岗奉献、艰苦奋斗、建功立业的热情。在窗口行业，通过继续推进行业规范化服务示范工程，不断提高服务标准，建立严格科学的考核机制和奖惩措施，使全省各行业服务水平和服务质量有了新的提高，赢得了社会和人民群众的好评。

在农村，继续开展了“推进产业化、致富奔小康”系列教育活动，使广大农民进一步树立了适应市场经济发展的思想观念，增强了致富奔小康的信心和能力。在全社会大力倡导文明礼貌、助人为乐、爱护公物、保护环境、遵纪守法的社会公德，破旧俗立新风，良好的人际关系和社会风气逐步形成。

在广泛开展主题系列教育活动的同时，全省各地还紧密配合三大政治斗争，采取多种有效形式，对全省广大干部群众进行了生动具体的爱国主义、集体主义、社会主义教育，马克思主义唯物论和无神论教育，伟大抗洪精神教育，艰苦奋斗精神教育等。在具体工作中，省文明办组织专家、学者召开了“严惩邪教‘法轮功’组织，切实加强精神文明建设”专题座谈会。各地还采取座谈会、报告会等多种形式，对干部群众进行形势任务教育，崇尚科学、反对迷信教育。通过大力加强思想道德教育，使全省干部群众的思想觉悟不断提高，精神面貌昂扬向上，建设吉林、发展吉林、振兴吉林的积极性进一步得到了调动。

## 二、推进以“巩固、深化、创新、提高”为原则的系列创建活动

群众性精神文明创建活动继续坚持从具体事情抓起、从领导机关抓起、从中心城市抓起、从人民群众关注的问题抓起、从基层基础抓起的工作方针，紧紧围绕“讲文明树新风”这一主题，精心组织了创建文明城市、文明村镇、文明行业活动和军（警）民共建活动。

在创建文明城市活动中，把创建文明小区、文明街路作为工作重点，各地结合实际，按照全省的统一部署，对所辖小区和街（路）进行了分类排队，有针对性地提出了创建标准和达标时限。同时，集中力量抓好各级各类示范点的巩固提高工作，以此带动工作基础较为薄弱的小区和街（路）尽快改变面貌。经过一年的努力，全省县以上城市的小区、街（路）环境质量、文化品位和服务水平有了新的提高，文明小区、街（路）的覆盖面得到不断扩大。

在创建文明村镇活动中，全省各地进一步加大了实施改水改厕工程的力度，落实责任，完善机制，加大投入，保证了全年工程任务的顺利完成。同时，各地还把开展创建“十星级文明户”活动作为基础性工作来抓，并在组织领导、内容程序、运行机制等方面有了进一步的提高，广大农民群众参与评选的积极性进一步调动起来。为了不断拓展创建文明村镇的工作领域，更好地服

务和促进农村经济发展，1999年在全省范围内还组织开展了创建文明乡镇企业活动。省文明办、省乡企局联合制定了《文明乡镇企业标准》，各地乡镇企业积极参加到这项创建活动中来，注意在加强企业内部管理，对职工进行社会主义、集体主义、爱国主义、思想道德和法律法规教育；开展职业理想、职业道德和职业技能培训，努力提高产品质量，杜绝假冒伪劣产品；开展健康有益的文体活动，丰富职工的业余文化生活，不断提高职工的文明素质；加强企业环境建设，防止环境污染，树立企业的良好形象等方面进行了积极的实践，涌现出一大批创建文明乡镇企业的先进典型。

在创建文明行业活动中，紧密结合中央文明办部署的“深入开展优质规范服务，大力倡导文明行业新风”活动，进一步推进“行业规范化服务示范工程”，拓展参与范围，提高规范化服务水平，掀起了创建文明行业活动的新高潮。省文明办专门制定下发了《关于进一步推进窗口行业规范化服务示范工程的意见》，将在全省实施的“规范化服务示范工程”由19个窗口行业扩大到所有窗口行业，全面推广了规范化服务标准，狠抓了职工的全员培训，并且普遍设立了服务质量投诉点，公布了投诉电话，聘请了行业作风监督员，广泛接受社会监督。

在创建活动中，全省各地还以巩固成果、健全制度、加强管理、提高档次为重点，开展了以“净起来、好起来、美起来”为目标的系列综合治理活动，整治了城乡环境卫生，进一步优化了交通秩序和市场秩序。

**三、开展以“迎国庆、迎回归，颂祖国、颂改革”为主旋律的系列文化活动**

围绕庆祝新中国成立50周年，开展了丰富多彩的广场文化活动，大秧歌、街头卡拉OK等群众自娱自乐活动遍布城区。在农村，结合“三下乡”活动的开展，各地积极组织文明、健康的大众性文化体育活动，使乡村文化、田园文化更加活跃。在农闲季节特别是在国庆期间，各地精心组织具有地方特色的花会、灯会、剪纸、绘画书法、歌咏比赛等活动，让农民参与进来，切实体会到祖国的繁荣发展，家乡的新变化、新面貌。为加强贫困地区农村宣传文化设施建设，促进人民群众生活条件的改善和素质的提高，在两个贫困县定点资助建设10个乡镇宣传文化站。为此，省文明办制定了《吉林省实施“乡镇宣传文化工程”的方案》，明确了资助办法、进度安排、基本标准和责任分工等，并指导各定点乡镇制定了建站方案和实施办法。

**四、在评比表彰精神文明建设先进工作过程中，总结宣传了一批典型**

为全面展示精神文明建设的新成就，推动群众性精神文明创建活动深入发展，以丰硕成果迎接新中国成立50周年，省文明委决定评比表彰1998—1999年度省级精神文明建设先进集体和精神文明建设先进工作者。在评比过程中，各地注意发现、总结、宣传工作典型。及时总结了省高级人民法院开展“创人民群众满意法院，做让党放心、让人民放心法官”活动的经验，被中央文明办宣传推广。省内总结了省电力公司实行“双文明一体化管理”的经验，舒兰市“能人带动工程”的经验和磐石市创建农村文明小区经验等。共有46个精神文明建设先进集体受到中央文明委表彰。其中长春市、吉林市被评为全国创建文明城市工作先进城市，德惠市被评为全国创建文明村镇工作先进县（市）。

（吉林省文明办）

# 黑龙江省

黑龙江省的精神文明建设工作紧紧围绕改革、发展、稳定的大局和“搞好二次创业、实现富民强省”的战略目标，唱响了迎接新千年的主旋律，精心组织一系列丰富多彩的群众性创建活动，进一步弘扬大庆精神、铁人精神、北大荒精神、突破高寒禁区精神和抗洪精神，全省精神文明建设工作出现了前所未有的好局面。

**一、深化认识，加大领导力度，把精神文明建设提高到突出地位**

新年伊始，省委书记徐有芳亲自带领黑龙江省考察团到国内经济较发达地区学习两个文明建设的经验，对全省精神文明建设工作提出了新的更高的要求。各地市、各部门切实把精神文明建设摆上突出的战略位置，遵照《黑龙江省社会主义精神文明建设"九五"规划和2010年远景目标纲要》及《中共黑龙江省委贯彻〈中共中央关于加强社会主义精神文明建设若干重要问题的决议〉的实施意见》，认真作好总结"九五"、规划"十五"的工作。确定全省年度工作重点：以解放思想为先导，以提高全省人民的思想道德素质和科学文化素质为根本，以"三个主义"、"三德"、"三观"、"四大精神"和抗洪精神教育为内容，以开展"三大创建"活动为载体，以"迎国庆做贡献"为重点，唱响主旋律，打好主动仗，为促进全省经济发展、社会稳定创造良好的社会环境和舆论氛围，迎接新中国成立50周年和澳门回归祖国。为使各项工作切实抓出成效，颁布了《黑龙江省文明单位建设条例实施细则》和《黑龙江省文明村镇管理办法》法规性文件。各地普遍建立健全领导干部目标责任制，把两个文明建设作为统一的奋斗目标一起部署、一起检查、一起落实。党政一把手是精神文明建设第一责任人，一把手抓两手，一班人两手抓。实施一岗双责、目标分解落实到人，定期考核，兑现奖惩。全省各级精神文明建设指导委员会的成员单位，在首先抓好自身建设、抓好本部门、本系统精神文明建设的同时，积极关心、支持和参与本地区精神文明建设活动，从本部门职能出发，较好地发挥了组织协调作用，全省上下形成了各部门齐抓共管的态势。

**二、抓住机遇，深入开展系列教育活动，努力提高广大干部群众的思想道德素质**

全省精神文明创建活动围绕中心、狠抓机遇，以生动、具体、活泼的教育形式，有针对性地进行爱国主义、集体主义、社会主义教育和崇尚科学、反对迷信的教育。特别是在声讨以美国为首的北约袭击我驻南使馆的野蛮暴行以及同李登辉分裂祖国的丑恶行径、同李洪志"法轮功"邪教组织的斗争中，取得了显著成果。

为了进一步深化爱国主义教育，省文明办会同省教委、省建委等12部门在全省范围内开展了"迎国庆、做贡献、保护生态环境、倡导文明新风"系列教育活动。哈尔滨市组织了"送温暖献爱心"、"治脏乱、树形象"、"创三优、迎国庆"和"三热爱、庆回归"四个战役。齐齐哈尔市围绕加快经济发展，发挥全市1600所文明市民学校的阵地作用，对全市人民进行改革开放和爱国主义教育。各大专院校组织开展了"爱国，成才，迈向新世纪"主题纪念活动，唱响了祖国颂、社会主义颂和改革开放颂。

**三、充分发挥典型的示范作用，推动"三大创建"活动不断深入**

在创建文明城市方面，全省推广了牡丹江市以提高市民素质和城市文明程度为目标，实施一把手工程的经验和大庆市把创建文明城市活动同加强城市规划、管理，改善投资环境紧密结合起来，建设闻名全国的科教城、卫生城、环保城和花园城的经验，在先进典型的带动下，全省已经形成从文明城区、文明社区、文明小区建设入手，以提高城市文明程度和群众生活质量为目标，大中城市带中小城市、中小城市带县镇的文明城市创建新格局。

深入贯彻党的十五届三中全会精神，全省把文明村镇建设作为建设农业强省的重要内容，重点推进经济欠发达地区文明村镇创建活动。7月中旬，在绥棱县召开全省文明村镇建设现场会，推出"两强、两带、三到位"（强化正面引导，强化分类指导；以城带乡，以村带户；工作到位，管理到位，领导到位）的经验。在绥棱现场会的推动下，全省形成"以城带乡、以村带户、分类指导、量力而行、群众参与，建管结合"的高潮。"十星级文明户"评比活动更加规范，农村的落后面貌和农民的传统观念、生活方式发生明显改变。

在文明行业建设中，把创建活动同规范行业行为，树立行业新风，提高经济效益和社会效益紧密结合起来，总结推广了哈尔滨市药材总公司实施公示制、承诺制，为人民群众提供"放心、便捷、礼貌"服务的经验和牡丹江妇产医院坚持

“零缺陷”服务标准等经验。电力、邮电、公安、旅游、卫生等24个窗口行业结合重大节庆活动开展了“放心满意”系列活动评选；形成了抓机关、带直属、促战线，齐心合力争创文明行业的热潮。

在中央文明委首次表彰中、全省有两个城市、12个村镇、22个行业、22个单位榜上有名，充分展示了全省“三大创建”的成果。

**四、解决群众的热点、难点问题，社会风气、社会环境明显改善**

为了进一步改善生存环境、提高人民群众生活质量，在全省范围内深入开展了“保护生态环境、倡导文明新风”活动，各级文明委广泛动员群众参与保护环境、防治污染、绿化祖国、美化家园。党政机关、大专院校、群团组织都建立了义务植树基地，实施认种认养绿地、拆棚还绿、拆墙透绿。全省以启动“天然林保护工程”为契机，大大加快了宜林两荒的绿化速度。结合爱国卫生运动，开展了集中性的城市环境综合整治，改善了背街小巷、城乡结合部脏乱差状况，哈尔滨、佳木斯、大庆、鹤岗、伊春等地，一大批跨世纪工程的建立，一大批生活新区的竣工，使城市公用设施功能和人民群众的生活质量提高了一大步。经过规模整治，全省村屯环境封闭落后的面貌有了明显的改变。哈尔滨日报社与有关部门一起就下岗职工再就业、环境卫生整治和“闹心房”治理等难点热点问题开展了1、2、3号行动，使精神文明建设与人民群众的日常生活，与党和政府关注的热点难点问题结合起来，增强了创建工作的针对性和实效性。哈尔滨市夕阳红义务服务队由单纯为社会做好事发展到主动参与社会监督，走出老有所为、老有所乐、老有所教的新路子。公安、市政“110”、司法“148”等热线电话的开通，为密切党和政府与人民群众的关系，履行服务人民、奉献社会的宗旨，找到一条好途径。省直11个部门从10个方面入手，开展文化科技卫生“三下乡”活动，把党的温暖送到农民的心中。全省1500支志愿者服务队深入到全省13个市(地)、67个县（市）的2900多个村屯为群众服务，有效地发挥了联接党和政府与广大农民的桥梁纽带作用，推动了农村经济的发展。

（黑龙江省文明办）

# 上　海　市

1999年是中国历史上具有重要意义的一年，也是上海群众性精神文明创建活动取得重大进展的一年。

**一、“一把手抓创建”形成趋势**

从市委、市政府到区县委办各级党政组织主要领导高度重视、亲自抓创建，这是上海精神文明建设的一条重要经验。各区县党委、政府普遍把精神文明创建活动放在本地区经济社会协调发展、全面提高整体水平的全局上来考虑，把党的全心全意为人民服务的根本宗旨落实在行动中。创建文明城区、文明社区、文明小区、文明村镇等都摆上党委、政府的重要议事日程，牢固树立了“两手抓、两手硬”、“一把手抓两手”的观念和意识，提高了创建的自觉性和主动性。许多区县的党政一把手亲自担任精神文明创建的第一责任人，层层签订责任书，层层明确责任人，确保创建任务真正落到实处。他们在抓好本地区经济工作的同时，亲自抓创建工作，经常带领各职能部门负责人深入创建第一线，进行调查研究，现场办公，协调解决创建中出现的各种问题，确保了文明小区、文明社区创建高标准、高质量、高速度的持续发展。

1999年，上海连续召开了老城区创建文明小区、文明村镇创建工作、文明示范区和全行业规范服务达标的精神文明创建工作专题会议，对创建活动进行了分类指导、具体部署。许多区县、大口的党政一把手立即行动起来，认真学习领会会议精神，组织向先进典型学习、交流经验，同时针对自身实际情况，认真分析优势和不足，加强了分类指导，促使全市的创建工作得以在中心城区和城乡结合部、新建住宅和老式里弄、中心集镇和自然村落等不同类型地区以及30个与市民生活密切相关的行业普遍开展，取得实效。

**二、创建成果受益面进一步扩大**

上海的群众性精神文明创建始终坚持从群众切身利益出发，从为群众办实事、做好事入手，把精神文明创建活动与解决群众普遍反映、普遍关注的热点、难点问题结合起来，坚持虚事实做，力求实效，真正使群众在创建中得到实惠、看到变化、得到提高。正是由于这个原因，文明小区、文明社区等创建活动才吸引了越来越多的群众参与，获得了社会各界的广泛认同，创建质量和数量正在不断提高，这是创建工作不断向前推进的根本动力。市一级的文明小区已经从1995年度的96个发展到887个，增长了8倍多，据测算全市有1/2左右的居民生活在市区两级文明小区里面，提前实现了市委提出的“到本世纪末有1/3的居民生活在文明小区”的目标。文明社区从1997年度的首批15个发展到1999年度的57个，增加了3倍多。文明村镇从1998年度开始评选，至今也发展到了148个，呈现星火燎原之势。文明单位1995年是795个，现在已增加到了1255个。规范服务达标行业从最初的4个行业发展到了目前全市范围内与群众生活密切相关的30个行业。

**三、全社会齐抓共管精神文明创建工作的局面已经形成**

精神文明创建工作的一个显著变化就是在各项创建活动中，条块结合得更加紧密，创建合力作用更加突出，全社会齐抓共管精神文明创建活动的局面已经初步显现。市综治委、爱卫会、计生委、市政委、公安局等许多职能部门积极支持精神文明创建工作，把创建活动作为将自身工作真正落实到基层、落实到广大市民群众中去的一条有效途径和促进本部门工作提高水平、提高效率的良好载体，从而自觉配合和支持基层搞创建。地方党委和政府也感到创建工作涉及方方面面，需要各级职能部门的有力支持，需要条块结合、形成合力、共同创建。许多街道都成立了由社区单位、市区各级职能部门负责人参与的社区共建组织，定期召开联席会议，协调处理创建工作遇到的问题。现在，已经形成以街道为核心，居委会为依托，社区单位齐抓共建，广大居民积极参与的创建工作机制。

**四、“讲文明树新风”活动不断深入开展**

以志愿者活动、市民“三德”教育、“七不”（不随地吐痰、不乱扔垃圾、不破坏绿化、不损坏公物、不乱穿马路、不在公共场所吸烟、不说脏话粗话）活动为主要内容的“讲文明树新风”活动不断深入开展。志愿者活动是上海群众性精神文明创建的一大创举，上海100多万志愿者继续坚持“服务他人、奉献社会”的宗旨，活跃在各个方面，为他人、为社会提供了智能、技能、体能服务，弘扬了社会新风，成为上海精神文明建设的一个亮点。志愿者活动在坚持为世界中学生运动会、《财富》500强年会等大型活动提供服务的同时，进一步把主要力量放在小区、社区，立足社区、服务社区、长期定点服务成为一个重要特征，49万社区志愿者成为社区精神文明创建活动的主力军。志愿者活动向规范化、制度化方向迈出了一大步，志愿者协会的体制基本完善，长期志愿服务提供者的电脑登录、统计、联网工作基本完成，共登记长期志愿者101万名，为下一步实现全市志愿者资源共享提供了有力保证。

为进一步加强市民“三德”教育，由市文明办牵头，和市妇联、上海人民出版社一起组织编写，作为上海市民“三德”教育丛书之一的家庭美德教育读本《爱心的港湾》出版发行，收到了较好的社会效应。坚持数年的“七不”规范活动，出现了宣传教育与管理并重、加大执法管理力度的新变化。在人民广场、新客站、五角场环岛地区、徐家汇等12个重点区域进行了首批“‘七不’文明示范标志区”创建试点，制订了一套完整的规章制度、成立了一支专门的执法管理队伍，从而保证宣传教育落到实处、见到实效。下半年，市文明办与市公安局、市教委联合组织了声势浩大的“依法整治交通秩序，规范走路骑车行为”的活动，取得了明显的成效。这是“七不”活动与政府管理职能紧密结合、依靠执法管理进行宣传教育的一个突破，是对市民素质教育与法治管理双管齐下、合力推进的一次有效探索。

“上海市社会主义精神文明建设十佳好事”已经连续评选了7届，这项活动得到了社会各界广泛的认同。历年来的好事无不体现了社会主义道德的高尚情操，无不体现了正确的世界观、人生观、价值观。新时代十佳好事对市民群众进行爱国主义、集体主义、社会主义教育和素质教育、对上海弘扬社会主义新风尚起着无法估量的巨大作用。此外，“三学”活动、读书活动、市民学校等市民教育的有效载体和阵地也有了更大的发展，参与群众不断增加，作用更加明显，内容进一步充实丰富，这些都在引导教育市民提高思想道德素质和科学文化素质，自觉抵御“法轮功”等歪理邪说方面起到了重要作用。

(上海市文明办)

# 江 苏 省

根据中央和省委的统一部署，从江苏改革开放和经济社会发展的实际出发，1999 年全省精神文明建设以邓小平理论为指针，认真贯彻党的十五大和十四届六中全会精神，按照省文明委《关于 1999 年全省群众性精神文明建设工作的意见》的要求，把各项工作往深里做、往实里做，努力服务经济建设这个中心，服务改革、发展、稳定大局，服务广大人民群众，对促进全省的改革开放和现代化建设发挥了积极作用。

**一、围绕“大事、喜事”和“难点、热点”，切实加强思想道德建设**

全省围绕欢庆新中国成立 50 周年和喜迎澳门回归祖国，开展各种形式的宣传、教育活动，通过集中展示 50 年特别是改革开放 20 年全省取得的伟大成就和巨大变化，对广大群众进行生动的爱国主义、集体主义、社会主义教育。以美国为首的北约悍然袭击我驻南使馆事件发生后，各地各部门组织广大群众认真学习江泽民总书记在欢迎我驻南工作人员大会上的重要讲话和中央的一系列方针政策，学习许杏虎等烈士的英雄事迹，统一思想，凝聚人心，爱国热情空前高涨。结合揭批“法轮功”，加强科学知识、科学精神的宣传教育，在创建文明小区、文明村镇中，组织开展多种形式的文明健康、积极向上的科普、文体活动，深入开展马克思主义的唯物论和无神论教育，使广大群众自觉以科学破除迷信、用文明战胜愚昧，在全社会形成崇尚科学、反对迷信的风气。与此同时，按照全省三年道德普及教育计划的要求，进一步开展社会公德、职业道德和家庭美德教育。以省编《社会公德、职业道德、家庭美德知识读本》为教材，充分利用各种教育形式特别是大众传媒，着力加强社会公德教育。各地结合创建文明城市，广泛开展了“创建文明城市，争当文明市民”的讨论，修订、编印了《文明市民读本》、《文明市民守则》、《文明市民行为规范》，拍摄、播放了道德教育和文明规范电视公益广告、小品，在城市入口处和中心区建立了大型公益广告牌，不少地方开办了外来务工人员文明学校，进一步推动了社会公德普及教育的深入开展。

**二、围绕“往深里做、往实里做”的总体要求，不断深化群众性精神文明创建活动**

一是紧紧围绕提高生活质量、改善投资环境、建设美好家园的要求，深化文明城市创建。3 月 19 日，省文明委召开了全省深化群众性精神文明创建工作电视电话会议，就以创建文明城市为龙头，带动文明行为、文明村镇、文明小区创建工作全面发展，作了进一步动员部署。各地认真贯彻会议精神，从环境整治、城市管理和设施建设入手，切切实实解决脏、乱、差的问题，解决城市净化、绿化、亮化、美化的问题；从爱国主义、集体主义、社会主义和艰苦奋斗精神的基础教育入手，从普及精神文明基本知识、规范市民言行、倡导文明交往抓起，着力提高市民文明素质。全省在创建文明城市的过程中，既注意抓重点，集中力量加强对城市主要窗口地带的建设和整治，不断改善小区环境、完善小区配套设施、发展社区服务，又注重抓热点，对群众在城市建设和管理方面，在精神文明建设方面反应强烈、迫切需要解决，经过努力又能解决的问题，制定出具体计划和方案，拿出切实可行的措施，动实招、办实事，做一件、成一件，从而使创建工作受到了群众的欢迎和拥护。省文明办依据《江苏省文明城市指标体系与考核细则》，进一步细化了文明城市的考核标准，逐条确定了计分办法，制订了《江苏省文明城市考核表》，专门开设了"3311090"文明创建专线监督电话，使文明城市创建工作在标准化、规范化、科学化的轨道上健康发展。

二是紧紧围绕服务人民群众、规范行业行为、促进经济发展的要求，深化文明行业创建。各行各业努力将创建向基层一线延伸，重视并切实抓好基层的工作、一线岗位的工作，做好一线人员的教育和管理工作，使创建有坚实的基础；将创建向机关内部延伸，使各行业的主管部门不仅成为本行业文明创建的组织者，也成为本行业文明建设的实践者和带头人，从而在更大范围里、更长时间内发挥示范带动作用；将创建向社会小区延伸，使文明行业创建在纵向深化的同时，不断向横向拓展，走出系统、走向社会，把文明服务送进千家万户，不仅方便了小区群众的生活，也检验了行业文明创建的实际成效；将创建向个体私营经济领域延伸，按照《关于在全省个体工商户和私营企业中进一步加强社会主义精神文明建设的意见》，深入开展"文明个体工商户"、"文明私营企业"的创建工作。第四季度，召开了全省个体私营企业精神文明建设座谈会，总结交流了这方面的经验和做法。

三是紧紧围绕促进农村发展、改变村镇面貌、提高农民素质的要求，深化文明村镇创建。许多地方从科学规划做起，立足当前、着眼长远，远近结合、合理布局，明确目标、分步实施，持之以恒、逐步推进，促进城镇化水平的提高；从实实在在的事情做起，解决诸如改厕改水、道路交通、看病吃药、读书看报、听广播看电视、子女教育等广大农民迫切需要解决的问题。全省重点抓了200个左右中心镇的文明建设，每个县（市）都重点抓了3—5个文明镇和一批重点文明村的建设。各地从实际出发，总结经验，努力探索，积极建立有效的创建、评选激励机制，使文明户、新风户、"十星户"评选工作更具凝聚力和影响力。

四是围绕"巩固、提高、延伸、辐射"的思路，扎实持久开展"讲文明树新风"活动。"保护生态环境，倡导文明新风"活动在全省各地蓬勃开展，组织集中整治战役，着重解决搞好植树绿化、清理白色垃圾、改善空气质量、治理水源污染等四个方面的主要问题。省文明办、省建委、省旅游局组织开展了创造文明风景旅游区活动，积极推出省级示范点，努力形成多层次、多类型的示范点网络。10月，扬州市蜀冈—瘦西湖风景区被中央文明办、建设部、国家旅游局命名为"全国文明风景旅游区示范点"。全省党政机关继续开展做"人民满意公务员"、"三优三满意"等创建文明机关活动，自觉结合"三讲"教育，切实转变机关作风，进一步密切了党和政府与群众的联系。

**三、做好精神文明创建工作先进单位的评比、推荐和表彰工作，推动群众性精神文明创建更加蓬勃开展**

为庆祝新中国成立50周年，集中展示近年来精神文明建设的丰硕成果，推动各项创建工作的深入发展，1999年江苏省命名表彰了一批精神文明创建工作先进单位。按照"重在创建、淡化评选；重在过程、淡化结果；重在群众参与，反对形式主义"的指导思想，坚持实事求是、精心组织、科学评选。文明城市和创建文明城市工作先进城市的评选工作，依据"统一标准，自愿申报，地方自测，部门复核，重点抽查，综合审定，群众参与，社会监督，保证质量，推动创建"的基本原则和方法进行。创建文明行业先进行业的评选工作，依据"块块认可，条条扎口"的方法进行，即行业自愿申报，所在市党委、政府和文明委审核认可。创建文明村镇工作先进村镇以及文明单位的推荐审核工作以各市为主，评选工作主要尊重各省辖市党委、政府和文明委的意见。

被中央文明委命名表彰的有：苏州、无锡、南京、张家港、江阴、昆山等6个全国创建文明城市工作先进城市，海门市等21个全国创建文明村镇工作先进县（市）、镇、村，江苏省沪宁高速公路有限公司等23个全国创建文明行业工作先进单位，南京长途汽车站等25个全国创建文明单位工作先进单位；被省文明委命名表彰的有：通州市等18个文明城市，扬州市等8个创建文明城市工作先进城市，南京市雨花台区板桥镇等99个文明乡（镇），江阴市华士镇华西村等151个文明村，宜兴市官林镇等72个创建文明乡（镇）工作先进乡（镇），常熟市张桥镇东平村等217个创建文明村工作先进村，省国税系统等4个创建文明行业工作先进省行业，常州市供电系统等47个创建文明行业工作先进市行业，金坛市卫生系统等55个创建文明行业工作先进县行业，苏州市三元四村等76个文明小区，以及江苏沙钢集团有限公司等1335个文明单位。9月17日，省文明委隆重召开了全省精神文明创建先进单位表彰大会。这次评选表彰结果表明，经过多年的精神文明创建，全省在提高城乡文明程度和市民文明素质方面取得了积极成效，一是促进了城市的建设和管理，城市的品味不断提高，城市的魅力进一步凸现；二是促进了良好投资环境的形成，进一步推动了经济的发展；三是促进了文明教育的深入普及，市民素质不断提高，社会风气进一步好转；四是促进了行业规范服务水平的提高，行业、部门为民服务渐成风气，群众生活得到进一步改善；五是促进了经济文化政策的贯彻落实，社会文化事业有了新的发展；六是促进了精神文明建设自身的发展，工作队伍得到锻炼，创建工作进一步深入人心。

**四、继续举办第三届江苏省精神文明建设新人新事评选活动，弘扬社会正气、倡导文明新风**

经过全省数十万群众投票，评选出陈敏官等15名精神文明建设的各类先进典型，并通过隆重热烈的集中表彰和形式多样的新闻宣传，大力宣传了在文明城市、文明行业、文明村镇、文明单位、文明小区创建中起模范带头作用的新人新事，大力宣传了在深化国有企业改革、扶助特困企业和下岗职工再就业方面作出突出贡献的新人新事，大力宣传了在社会公德、职业道德、家庭美德建设中发挥表率作用，并以实际行动倡导社会主义新型人际关系的新人新事，大力宣传了在救死扶伤、扶危济困、助人为乐、自强不息等方面表现突出的新人新事，大力宣传了积极维护社会治安，弘扬正气、见义勇为，敢于同违法犯罪行为作坚决斗争的新人新事。

**五、围绕提高工作水平和队伍素质，进一步加强调研和培训工作**

结合工作实际，组织了调查研究和理论研讨，进一步加强了对创建工作的理性思考。上半年，在广泛动员、全面组织开展精神文明理论研究工作的基础上，于2月4日召开了全省精神文明建设理论研讨会，在250余篇参加研讨的论文中，39篇论文入选。下半年，在全省进行了深化“三创一建”工作的专题调研，选择苏南、苏中、苏北不同地区不同类型的市、县（市）和乡镇，通过召开座谈会、现场考察等形式，总结回顾了近年来全省群众性精神文明创建活动的成功经验，分析了新形势下精神文明建设面临的新情况、新问题，并就深化下一步工作的基本思路进行了研讨。10月28日至11月1日，省文明办在南京举办了第二期全省县（市、区）文明办主任培训班，全省45个县（市、区）以及华东石油局系统的56位同志参加了培训。

（江苏省文明办）

# 浙 江 省

1999年，浙江省精神文明建设工作，紧紧围绕全党全国和全省工作大局，认真贯彻党的十五大精神和省第十次党代会关于提前基本实现现代化的战略部署，广泛深入地开展群众性精神文明创建活动，各项工作取得了新的进展，为浙江省的改革开放和现代化建设发挥了积极作用。

**一、进一步统一认识，坚持贯彻“两手抓，两手都要硬”的方针**

按照省委的要求，年初，省文明委组织省级有关部门，对在现代化进程中如何加强精神文明建设进行了调查研究，起草了《关于进一步开展创建文明城市活动的意见》和《关于浙江省农村社会主义精神文明建设规划（2000—2020年）》。

5月上旬，召开了全省精神文明建设工作会议，回顾总结了全省精神文明建设的成绩和经验，研究部署当前和今后一个时期精神文明建设工作。会议审议通过《关于进一步开展创建文明城市活动的意见》和《关于浙江省农村社会主义精神文明建设规划（2000—2020年）》，对现代化进程中的全省精神文明创建活动作出了部署。

**二、以申报制为组织形式，广泛深入开展文明城市创建工作**

从1999年起，全省创建文明城市活动的组织方式由原来的竞赛制改为申报制。把城市的创建活动与提前基本实现现代化战略目标结合起来，按经济社会发展、环境整洁优美、社会秩序优良、服务工作优质、基层社区文明、文化事业繁荣六大标准，在全省县以上城市同步进行，到2020年全省基本实现现代化时，把全省11个地级以上城市和60个县级市、县城，全面建成现代化的文明城市。

9月15日，省文明委就全省创建文明城市工作召开了电视电话会议。对文明城市创建工作进行了专题部署。会议根据创建步骤提出了在创文明城市中要立足于文明社区的创建，按照“总体规划，分级创建，逐年推进，十年覆盖”的工作总要求。全省十一个市（地）党委、政府所在城市的1588个社区，都明确了创建任务，制定了逐年分期分批全面建成文明社区的规划，争取经过10年的努力，把市（地）所在城市的所有社区全部建成市级文明社区，达到全面覆盖的目标。全省城市各社区围绕风尚良好、环境优美、居住安宁、服务便捷、文化活跃五方面的工作，全面展开了形式多样的创建活动，促进了城市文明程度的提高，涌现出一批具有较高创建水平的先进社区。

**三、以创建文明村镇为主要载体，大力推进农村精神文明创建活动**

根据《浙江省农业和农村现代化建设纲要》，省文明委制定了《关于浙江省农村社会主义精神文明建设规划（2000—2020年）》，提出全省实现现代化进程中的农村精神文明建设的任务和措施，要求全省各地在基本实现现代化的同一时间内，把广大农村建成人民思想道德素质普遍提高；镇容村貌普遍改善、环境整洁优美、生态良性循环、管理规范有序；文化设施普遍改善，人民文化生活丰富多彩；医疗保健普遍改善，人民健康水平明显提高；教育设施普遍改善，人民科学文化素质明显提高；治安状况普遍良好，人民安居乐业的文明农村。全省各级党委、政府根据《规划》要求，认真制定农村精神文明建设实施意见，确定阶段性目标和年度工作计划，把农村精神文明建设任务统一纳入到本地实施《浙江省农业和农村现代化建设纲要》的总体规划之中，以创建文明村镇为载体，努力落实农村精神文明建设任务。围绕加强思想道德建设，提高人民思想道德素质；紧密结合小城镇建设和村庄整治工作，搞好村镇环境建设；制定并实施农村文化、教育、卫生、广电、出版、科普、体育等事业发展规划，推进农村文化建设；加强农村社会治安综合治理，保持农村社会稳定。各级精神文明建设委员会加强了对创建文明村镇工作的分类指导，全省已形成分步实施、滚动推进、全面创建文明村镇的工作格局。

**四、以“服务人民，奉献社会”为宗旨，继续抓好创建文明行业工作**

在创建文明行业中，主要围绕以下几方面开展工作，一是省文明委根据创建工作实际，将创建文明行业活动的范围，从12个“窗口”行业部门扩大到18个，定期召开由省文明办和省政府纠风办牵头，18个省级窗口行业主管部门负责人参加的创建文明行业联席会议，形成了经常性的工作机制。二是普遍推行优质规范服务，进一步突出“为人民服务，树行业新风”的主题，省级各行业主管部门结合行业特点，制定和完善服务规范标准、广泛推行规范服务。三是继续抓好文明服务示范点的创建工作。要求省级各主管部门，加强对省级文明服务示范点及本系统示范点的指导管理，在总结经验基础上，克服存在的差距，加大创建力度。四是着重抓好文明子行业的创建工作。省级各行业主管部门确定1个与群众生活关系密切，工作基础较好的子行业作为重点，加强创建力度，提高子行业文明服务水平。

**五、开展多种形式的群众性精神文明创建活动**

继续开展省级文明单位的争创和评比活动，在县、市（地）推荐和征求省级有关部门意见的基础上，省文明委讨论通过了第六批295个省级文明单位，于7月6日由省委、省政府命名表彰。对前五批省级文明单位进行了严格的考核复评，重新确认了合格单位，对存在问题的视情况作出了不同程度的处分或处理。

根据中央文明办等部门的部署，以保护生态环境、倡导文明新风为主题，着重围绕植树绿化、清理白色垃圾、改善空气质量、治理水源污染四个方面的主要任务，开展群众性宣传教育活动，组织集中性整治战役。动员群众植树造林、养护林木、绿地，开展绿色通道工程建设，重点搞好公路、铁路、江河沿线绿化。在杭州市以防治白色污染为主要内容，由省和杭州市联合组织清理白色垃圾万人行动，重点清理公共场所，旅游景点，内河水域和铁路、公路沿线白色垃圾。在全省开展“6·5”世界环境日宣传活动，淘汰车用含铅汽油，整治机动车对大气污染，推广家庭环保经验，评选省级文明标准化工地，增强人们环境保护意识。通过新闻单位及时宣传保护生态环境方面的先进经验和先进典型，对造成环境污染和破坏生态的现象，进行批评曝光，收到了较好的效果。

全省各级机关广泛开展创建文明机关、做人民满意公务员活动。在省直机关认真开展以“优良作风、优质服务、优美环境，做人民满意的公务员”为主题的创建文明机关活动。使广大公务员牢记全心全意为人民服务的宗旨，进一步密切了与群众的联系，转变了机关作风，提高了工作效率，为全社会的精神文明创建活动做出了表率。

继续在全省开展“百城万店无假货”活动，以11个市（地）党委、政府所在地城市作为活动重点，根据各类市场众多，节假日和农忙期间商品流动量大的特点，把市场打假、重大节假日打假、农村春耕春种期间打假作为工作的重点，在全省广泛开展打假、扶优和各类为民服务活动。杭州市延安路、宁波市中山东路，杭州解放路百货商店、杭州大厦购物中心、宁波长发商厦、宁波中百股份有限公司第二百货商店、浙北大厦购物广场等单位分别被中宣部等六部门授于全国“百城万店无假货”活动第三批示范街和第二批示范店。深入开展军（警）民共建和双拥活动，促进军地两个文明建设，增进军政军民团结。配合省级有关部门开展创建“文明家庭”、“文明样板路”、“青年文明号”、“中国优秀旅游城市”等活动，使文明建设工作的社会影响、社会效果得到了明显增强。

**六、认真开展全国精神文明创建工作先进单位的宣传推广工作**

9月16日，中央精神文明建设指导委员会表彰了全国精神文明创建工作先进单位，浙江省63个单位受到表彰。9月21日，省精神文明建设委员会发文要求各地文明委，认真总结受表彰单位的先进经验，经常不断地加强指导和帮助，进一步提高创建水平。省文明办组织了《浙江日报》、浙江电台、浙江电视台、《钱江晚报》等新闻单位，对受表彰的先进单位进行了不同方式的系列报道。全省各市（地）、省级行业主管部门，按照省文明委的要求结合本地实际，通过召开经验交流会、现场会、座谈会、新闻媒体开辟专栏等不同方式，掀起学先进、赶先进活动，把全省的精神文明创建活动推向了新的水平。

（浙江省文明办）

# 安　徽　省

1999年，安徽省的精神文明建设工作，高举邓小平理论伟大旗帜，围绕经济建设这个中心，围绕中央和省委工作大局，精神文明建设各项工作深入开展，促进了经济和社会事业的发展，促进了全省的稳定。

**一、各级领导对精神文明建设工作的重视程度进一步提高**

原省委书记回良玉同志专门听取省文明办工作汇报，并在全省精神文明建设工作会议上，强调创建工作一要坚定不移，二要扎实有效，三要不断创新。同时确定把合肥的创建作为重点，锲而不舍地推进。9月至12月，省文明委组织了对全省创建文明城市工作暗访，省委副书记方兆祥对每个城市的暗访报告都一一作了批示，直接寄给当地党政一把手。各地按照暗访报告指出的问题，举一反三，开展整治活动，制定相关措施。在合肥市刚刚获得全国创建文明城市工作先进城市称号的第6天，省暨合肥市文明委召开了新闻发布会，合肥市委书记就创建文明城市工作做了新一轮承诺，方兆祥同志在会上分析了合肥市创建工作形势，严肃指出了存在的问题，要求合肥市“看家的本领不能丢”，创建工作不能松，机制创新要加快，要在全省继续发挥好龙头作用。各市、地党政一把手把创建工作摆在重要位置，对工作提要求、作部署。省直各有关部门对创建工作认真负责，全省形成了条块结合，共同努力抓创建的局面。

**二、创建文明城市的突破效应向农村和行业进一步延伸、辐射**

创建文明城市工作从实现“三年大变样”向“五年步入良性循环”迈进，面临许多新情况、新问题。为了推动工作健康发展，在全省精神文明建设工作会议上，省领导提出了要进行城市管理体制改革和创建机制创新的任务，抓住了解决问题的关键和创建工作新的着力点。全省上下把落实好这个任务作为大事来抓，进行了积极的探索。如合肥市对路边摊点按照“主干道严禁，次干道严控，小街小巷规范管理”和“划片集中，规范经营”的原则，进行了重新界定，马鞍山市依照“两级政府、三级管理、四级网络”的思路，积极开展社区创建试点。芜湖市实行城市管理重心下移、财政下沉、权力下放，充分发挥居委会作用。蚌埠市、安庆市、芜湖市在环卫体制上进行了多种改革尝试。滁州市启动了综合执法试点。阜阳市、明光市鼓励个人投资建公厕，实行谁投资谁受益。体制改革与机制创新的提出，引起了各级领导对创建工作深层次问题的思考和研究，新的举措给创建工作带来了新的活力。

农村精神文明建设围绕“三三三一”（三改、三下乡、三反对、一提倡）工程，以移风易俗为重点，把开展创建文明村镇、评“三户”和“十星级文明户”活动作为农村精神文明建设的主要形式。结合小城镇建设，开展创建文明村镇活动，制定了规范化要求，抓点带面，各地重点抓了一批示范集镇。农村“三改”（改水、改厕、改善居住环境）工作，正在扎扎实实地推进，7月份在舒城县召开了“改水改厕”现场会，交流了各地成功的做法，进一步加快了工作进程。

创建文明行业活动继续以职工职业道德竞赛为载体，从13个窗口行业向各行各业延伸。一是在活动中健全组织，成立了安徽省创建文明行业指导委员会，17个市、地和23厅局也都成立了指导机构。二是完善标准，强化考核。制定了《安徽省创建文明行业活动实施意见》，确定了文明行业的五条标准，即组织领导好、行业风气好、职工素质好、经营管理好、社会风气好。省气象、建设、卫生等部门还制定了行业规范化服务标准和便于检查考核的本行业百分制考核细则。三是加强职业道德教育和规范化服务培训，注意把职业道德教育与“三讲”教育结合起来，与深入揭批“法轮功”相结合，发挥工人阶级在精神文明建设中的主力军作用。四是重视抓载体，让职工在活动中受到教育，得到提高。如出租车行业开展了“迎国庆50周年优质服务竞赛”活动，邮电系统“星级规范服务窗口竞赛”活动。五是加大整治力度，倡导文明新风，旗帜鲜明地纠正行业不正之风。如电力系统狠刹以电谋私之风，交通系统治理“三乱”，都取得了明显成效。

在群众性创建活动中，涌现了一批创建工作先进典型。中央文明委在国庆50周年之际表彰一批先进，安徽省有2个城市被评为全国创建文明城市工作先进城市，1个县、20个村镇被评为全国创建文明村镇工作先进县（市）、镇、村，30个企事业单位被评为全国创建文明行业、文明单位工作先进单位。安徽省气象局被中国气象局和安徽省文明委授予“文明系统”称号，进行了命名表彰和宣传，在全省掀起了“学习气象系统，争创文明行业”的热潮。

**三、坚持从具体事情抓起，抓紧抓实，群众参与创建的积极性进一步高涨**

创建活动始终坚持从具体事情抓起，把中央文明委“讲文明树新风”的各项要求，同安徽的具体实际结合起来，把群众最关心、最需要解决的问题作为切入点。创建文明城市工作从群众反映最强烈的“脏、乱、差”问题突破，从“三个起来”入手，又不失时机地延伸到群众最需要延伸的地方，全面实现“三个覆盖”。农村精神文明建设从群众日常生活密切相关的“三改”入手，更新了农民的观念，改善了生存环境，提高了生活质量，使群众在创建中得到实惠，享受到创建的成果，从而极大地调动了群众参与创建的积极性，使创建工作具有深厚的群众基础和不竭的动力源泉。创建文明行业，从窗口单位、窗口行业抓起，从人民群众不满意的事抓起，制定行业规范化服务标准，规范职工言行，纠正行业不正之风。创建成果也要由群众来认可、来评判，以群众满意不满意为最高标准，自觉接受群众监督。在创建活动中，开展群众投诉、行风测评、创建文明城市、文明县城工作“三年大变样”问卷调查等，组织人大代表、政协委员、劳动模范、新闻记者、专家学者对窗口行业进行暗访，并在新闻媒体上开辟专题专栏，公布暗访结果，表彰先进，鞭策落后，在社会上产生了强烈反响，得到了群众的拥护和支持。

**四、结合三场政治斗争和两大庆典活动广泛开展宣传教育，干部群众的思想认识进一步提高**

一是深入开展党的基本理论、基本路线和基本纲领教育，重点加强了县以上领导班子和领导干部的理论学习，逐步健全了各级党委中心组学习制度和领导干部学习考核制度。积极开展“三讲”教育，进一步增强了政治意识、大局意识和责任意识。深入开展了邓小平理论和党的基本路线教育，青年学理论活动和基层党教工作搞得有声有色。二是深入开展爱国主义、集体主义、社会主义教育，《共和国之声》百场演出、《党和祖国在我们心中》知识竞赛，青少年爱国主义读书活动、《国旗颂》巡展、《祖国万岁》晚会等系列大型活动，以及《建国50年——安徽十大建设成就》评选活动，进一步凝聚了人心，鼓舞了斗志。三是深入开展马克思主义唯物论和无神论教育。在对“法轮功”邪教组织的斗争中，教育工作与舆论引导相结合，深刻揭批“法轮功”反人类、反社会、反科学的本质，增强了干部群众对封建迷信和伪科学的识别和抵制能力。安徽省有6项8部作品获中宣部“五个一工程”奖，并蝉联组织工作奖。7项92部作品获省“五个一工程”奖。35种图书获第三届“安徽图书奖”，《安徽文学50年》丛书出版，集中反映了安徽省当代文学成就。“黄梅戏艺术年”成果丰硕，出人出戏。国庆和迎接新千年的广场文化活动、第五届企业文化节、黄梅戏新剧目基层巡演、农村文化和校园文化等，参与面广，影响大。

（安徽省文明办）

# 福 建 省

1999年，福建省精神文明建设工作坚持高举邓小平理论伟大旗帜，进一步落实党的十四届六中全会《决议》和本省精神文明建设“九五”规划，以服务经济建设、培育“四有”新人为目标，结合“三讲”教育，加强和改进思想政治工作，扎实推进理论学习、思想道德教育、基层创建活动，深化先进典型宣传、文化建设以及为民办实事等工作，创建了一批具有全国水平的精神文明建设先进城市、村镇、行业和单位，为加快建设海峡西岸文明繁荣带发挥了积极的作用。

**一、深入学习邓小平理论，扎实开展“三讲”教育**

坚持把学习宣传贯彻十五大精神，用邓小平理论武装党员、教育干部和群众作为精神文明建设的首要任务。各地各部门把邓小平关于社会主义精神文明建设的思想和江泽民关于建设有中国特色社会主义的论述，作为党委（党组）中心组学习的重要内容，以增强领导干部“两手抓、两手都要硬”的意识；在开展创建文明城市、文明村镇、文明行业和文明单位活动中，把学习、实践邓小平理论和十五大精神的实际成效，作为重要内容和评优条件。省委办公厅、宣传部、组织部联合对地市县理论学习情况进行了全面的督察，推动理论进基层，促进理论武装工作向广度深度拓展。结合“三讲”教育，县级以上党政领导班子、领导干部普遍做到带头学好理论，端正思想作风，严格剖析和认真整改党性党风方面存在的突出问题。

**二、服务改革发展稳定大局，开展多种形式的思想道德教育**

各地各部门紧紧抓住五四运动80周年、新中国成立50周年、红四军入闽和“古田会议”70周年、澳门回归祖国等大事，广泛开展多种形式的群众性思想道德教育活动，用新中国成立50年特别是改革开放20年来的伟大成就，对广大干部群众进行具体、生动、深刻的基本理论和基本路线教育，增强人们学习邓小平理论和贯彻党的基本路线的坚定性；面对国际国内变化复杂、并不太平的政治局势，认真贯彻中央的重大决策，不断加强形势政策教育和基层思想政治工作；围绕抗议以美国为首的北约轰炸我驻南使馆的罪行，组织引导党员和干部群众学习江总书记有关讲话精神和中央的方针政策，激发抵制外侮、强我中华的爱国热情；围绕解决和处理“法轮功”问题，组织引导党员和干部群众学习贯彻中央《通知》和有关决定精神，深入揭批李洪志及其“法轮大法”的反科学、反人类、反政府、反现代文明、迷惑群众、破坏社会稳定、宣扬唯心主义的歪理邪说，大力加强马克思主义唯物论和无神论教育及科学知识的普及教育，帮助受蒙骗参加修炼的群众，从思想上、组织上、行动上与“法轮功”划清界限；围绕批驳李登辉公开抛出的“两国论”，组织引导社会各界坚决拥护党和国家的严正立场，运用各种形式揭露李登辉分裂祖国的险恶图谋，并认真做好团结、争取台湾同胞的工作，共同反分裂，促统一。各地各部门还组织引导党员和干部群众继续深入开展“岗位学雷锋、行业树新风”、“百城万店无假货”、“放心店”、“志愿者行动”、“手拉手”、“希望工程”、“送温暖、解忧愁、办实事”等活动，营造了文明言行、扶危济困、助人为乐、见义勇为、维护公共生活秩序的良好社会氛围。

**三、以文明安全小区建设和城市管理为重点，提高创建文明城市活动水平**

继续把抓好文明安全小区建设和加强城市管理作为创建文明城市的工作重点。年初，省文明委协调各有关部门组织开展第七届全省创建文明城市竞赛活动的初评工作，推动各地创建文明城市活动掀起新的热潮。厦门、福州、三明三个城市党委一把手亲自动员部署，广泛组织干部群众争创全国文明城市，基础条件比较薄弱的莆田、南平、龙岩三个城市也提出争创全省文明建设一级达标城市的目标。各城市普遍加强了市民文明行为规范教育、城市管理、基础设施建设、卫生保洁、环境保护与绿化美化以及社区服务、为下岗职工排忧解难送温暖、维护社会安定稳定、丰富文化生活等方面的工作。省直机关各单位与福州市携手共建文明省会城市，围绕“共建美好家园”主题，联合开展“美在小区”、“爱护内河”、“文明交通行为”三项活动，为全省作出表率，推动创建文明城市活动向纵深发展。在文明安全小区建设中，省文明委要求各地加强全面规划，合理布局，加大市民思想道德教育力度，进一步健全创建工作的管理体制和运行机制，截至年底，全省已建、在建文明安全小区达11560个。这些小区在市民思想道德教育、安全防范工作、环境整洁优美、丰富文化生活、发展社区服务等方面出现新的气象，尤其明显的是，凡扎实开展创建活动的小区，其刑事、治安案件都有大幅度下降，群众的安全感大为增强。在城市管理工作上，继续开展“让市场干净起来”和创建文明工地活动，使整个城市管理工作上了一个新的台阶。各城市还有计划地实施拆墙透绿，扩大园林式单位覆盖面，新建一批各具特色和有一定规模的绿地广场及艺术公园。

**四、以行业服务窗口建设和全行业优质规范服务为重点，深化创建文明行业活动**

继续在全省25个行业深入开展“创文明行业、建满意窗口”竞赛活动，调整和充实了一批窗口服务示范点。各示范点普遍围绕积极发展业务和加强行业管理，实行经济利益与社会效益挂钩，按照“文明、优质”的要求，进一步落实窗口行业竞赛协议的五项内容，提高服务质量。各参赛行业的创建活动从抓示范点向全行业拓展、从抓一线窗口向提高单位全员素质拓展。省文明办在漳州举行全省创建文明行业、文明机关现场观摩活动，推广漳州110、漳州交警直属大队、漳州315和漳州市委组织部等4个先进单位为民服务工作的新鲜经验。各城市建立的以“110”为龙头的社会服务联动体系，基本上做到运行顺畅、快速反应，在维护社会治安、服务群众、解救急难险情方面做了大量工作，深受群众的赞扬。

**五、以文明新村建设和开展移风易俗活动为重点，开拓农村精神文明建设的新局面**

围绕农村新一轮创业的规划要求，省里制定加强农村精神文明建设的六项措施，要求各地围绕发展经济、深化改革，加强农村宣传思想教育工作，创建一批高标准的文明集镇、文明村、文明标兵户和文明乡镇企业。这些工作在全省广大农村扎实推开，特别是文明新村建设出现了很好的势头。与此同时，省里要求各地着力抓好移风易俗、治脏治乱和美化环境，继续深入开展健康的文体活动和文化科技卫生“三下乡”活动，使农村精神文明建设有了新进展。年初，省委、省政府把建设100个文明新村“精品”工程列入全省为民办实事重点项目，拨出300万元专项资金给予支持。各地市以经济条件和工作基础较好、地处城郊或沿交通干线的行政村为重点，确定了100个村作为项目单位。针对全省农村新村建设的现实基础和持续发展的需要，省里提出新村规划科学、环境整洁优美、科教文卫达标、社会风气良好、社会治安稳定、创建活动扎实、集体经济发展等七条标准及其分项细目，并明确了组织领导、资金投入、检查督促等方面的相关措施。除省级财政下拨300万元专款外，市、县两级财政也分别配套300万元和400万元资金，用于文明新村“精品”工程的宣传文化设施建设。各地按省文明委有关建设文明新村“精品”工程的统一部署，制定实施方案。年底省有关部门对该项目进行检查验收，从检查的结果看，该项目基本达到了预期目标。11月，省文明委在闽侯县召开全省第九届精神文明建设先进县城暨边界县城创建活动联谊会，对改革开放以来创建文明县城活动进行全面回顾和总结，对新形势下抓县城、带乡村，推进城乡一体化的进程进行了研究部署。会议要求各地面向新世纪，以创建文明县城活动为龙头，以文明农户、文明村镇建设为载体，依托县城，面向农村，城乡互促，山海联动，老少边岛齐头并进，干部群众广泛参与，努力建设村镇规划科学、环境整洁优美、科教文化发达、道德风尚良好、社会治安稳定、农民生活殷实的社会主义新农村。

**六、认真做好推荐全国精神文明建设先进单位工作，积极宣传和推广各类先进典型**

福建省厦门、福州、三明市被中央文明委评为创建文明城市工作先进城市，晋江市被评为创建文明村镇工作先进市，永春县一都镇美岭村等11个村镇被评为创建文明村镇工作先进镇、村，福建南纺股份有限公司等12个单位被评为创建文明单位工作先进单位，漳州“110”等19个单位被评为创建文明行业工作先进单位。此外，武夷山市被中央文明办、建设部、国家旅游局确定为第二批全国文明风景旅游区示范点，晋江市安海镇被列为中宣部、中央文明办在全国宣传推广的10个文明集镇之一。

**七、广泛开展保护生态环境活动，巩固、发展卫生城、园林城建设成果**

遵照中央文明办等11个部门关于开展“保护生态环境，倡导文明新风”活动的总体部署，省文明办组织协调各对口部门联合制定了活动实施方案。整个活动分两个阶段推进，形成两个高潮。3月初至6月底为第一阶段，重点搞好植树绿化、治理白色垃圾，3、4月份形成活动高潮。7月初至国庆节前后为第二阶段，狠抓改善空气质量、治理水源污染，为迎接新中国成立50周年创造整洁优美的环境，9月份再次形成活动高潮。3月下旬，地市文明办主任会议在厦门召开，与会全体同志到厦门市环岛大道、海滨景区清理“白色垃圾”，以实际行动拉开活动帷幕。省有关部门和人民团体组织开展了以保护本省“五江一溪”（即闽江、晋江、九龙江、汀江、赛江和木兰溪）为主要内容的“保护母亲河”行动，福州把提高城市空气质量列入为民办实事首抓项目，宣传力度、活动规模和成效之大都是历年来少有的。各地加快实施城乡绿化一体化工程和以公路、铁路、江河沿线绿化为主的绿色通道工程。1999年厦门、三明再次保持国家卫生城市称号，福州市也顺利通过了国家卫生城市验收，三明市荣获国家园林城市称号。

**八、落实各级领导班子精神文明建设政绩考评的规范化管理，促进精神文明建设工作的经常化和制度化**

省文明办协同省委组织部对党内各项评先工作进行了认真的审核把关，在“七一”前后推荐全国表彰和本省表彰的先进党组织、先进党务工作者和优秀党员，全部经过精神文明建设政绩的审核。对部分不是县以上文明单位的基层单位党组织和党政一把手候选对象，给予了否决，并按规定条件进行了重新推选，确保了质量，产生了很好的社会反响，极大地促进了各级领导坚持“两手抓、两手都要硬”和群众性精神文明创建活动的深入开展。省文明委还对各类创建活动的规范化管理进行了积极探索。在深入调研、广泛听取意见、反复论证的基础上，重新修订了《福建省文明单位建设管理办法》、《福建省文明安全小区建设管理办法》，新制订了《福建省文明学校建设管理办法》、《福建省文明村镇建设管理办法》、《福建省创建文明风景旅游区实施意见》。

（福建省文明办）

# 江 西 省

1999年，全省精神文明建设呈现出创建范围不断拓展，创建内容不断充实，创建措施不断强化，创建水平不断提高，创建效果不断增强的良好态势，逐步进入到上下联动、城乡互动，整体推进、协调发展，常规运作、管理规范的新阶段，为维护改革发展稳定大局，促进江西改革开放和社会主义现代化建设发挥了十分重要的作用。

**一、高度重视，精心部署，各地各部门抓精神文明建设的力度明显加大**

一年来，全省上下坚持两手抓、两手都要硬的自觉性进一步增强，各地、各部门普遍把精神文明建设纳入党政领导的重要议事日程，党政主要领导亲自部署，精心组织，做到了年初有安排部署，年中有检查督促，年底有总结评比。年初，省文明委召开全体委员会议，安排全年精神文明建设工作。省委书记、省文明委主任舒惠国，省长、省文明委第一副主任舒圣佑亲自部署精神文明建设任务，提出工作要求。省文明委50多个成员单位（省直部门）认真贯彻省文明委的要求，结合工作实际，制定工作计划，精心组织实施。全省11个地市都调整、充实、完善了文明委领导机构，各地市文明委都制定了成员单位职责制度。南昌市、九江市、赣州市、宜春地区等地市还把精神文明建设任务分解落实到各个部门，对所有成员单位的职责和具体任务作出了明确规定。全省11个地市和省气象、水利、公安、国税、林业、建设、卫生等30多个行业部门都召开了文明委全会和精神文明建设工作会议，总结经验，表彰先进，研究部署精神文明建设工作。各地、各部门进一步健全完善了党委统一领导、党政主要领导亲自抓，各方面分工负责、齐抓共管的精神文明建设领导体制，普遍充实加强了精神文明建设的工作机构。各地、各部门还从实际出发，围绕经济建设这个中心，制定了“双文明”建设考核制度和办法，把两个文明作为统一的任务一起部署，一起下达，一起考核评比，使精神文明建设在思想认识上有位置，加强领导上有班子，组织实施时有队伍，检查考核时有措施。

**二、突出重点，精心组织，思想道德教育的效果明显增强**

按照中央关于深入开展以讲学习、讲政治、讲正气为主要内容的党性党风教育的部署，全省各地、各部门把学习邓小平理论和十五大精神同“三讲”教育结合起来，坚持以县处级领导干部为重点，认真抓好广大党员干部的理论学习，带动全省理论学习深入发展。深入开展纪念改革开放20周年和五四运动80周年宣传教育活动。省直各报刊社、电台、电视台联合在全省开展了“我与改革开放二十年”征文活动，从不同角度大力宣传20年来江西改革开放和现代化建设的巨大成就；各高校认真组织开展了纪念五四运动80周年“青春之光”文艺晚会、“青春与使命”征文比赛等活动，省内宣传、社科、理论、教育、新闻界联合召开理论研讨会和专家学者座谈会，探讨怎样在新的历史条件下大力弘扬“爱国、进步、民主、科学”精神，为中华民族的伟大复兴贡献力量。围绕庆祝新中国成立50周年和澳门回归祖国、迎接新千年等重大节庆，集中展示全国和江西50年来两个文明建设的辉煌成就，隆重宣传举国欢腾的热烈盛况。省内主要新闻媒体开辟了“走过50年”、“在红土地的新史册上”等各具特色的专题专栏50多个，整个国庆宣传气势宏大，气氛浓郁，唱响了祖国颂、社会主义颂、改革开放颂，营造了团结奋进、欢乐喜庆、昂扬向上的浓厚氛围。成功举办了《辉煌的50年——江西省两个文明建设成就展》，展示了江西在政治、经济、文化等方面发生的翻天覆地的变化，在全省引起了强烈反响，30多万群众参观了展览，从中受到了一次生动的党的基本理论、基本路线、基本纲领教育和省情教育。在上百万青少年学生中开展了“辉煌五十年，跨入新世纪”读书活动，使广大青少年学生受到了一次深刻的爱国主义、集体主义、社会主义教育。深入开展愤怒声讨以美国为首的北约袭击我驻南使馆宣传教育活动。采取集会、座谈等多种形式，强烈谴责以美国为首的北约的野蛮暴行，各级宣传、教育、新闻部门及时开展深入细致的思想教育，把广大干部群众的思想统一到中央的精神上来。与人民日报社联合在南昌举办吕岩松“目击暴行摄影展”，5万余学生、工人、军人、机关干部、市民群众参观了展览。通过宣传教育，进一步弘扬了爱国主义精神，凝聚了人心，鼓舞了斗志，增强了民族自尊心和民族自信心。

**三、立足基层，注重实效，群众性精神文明创建活动更加深入**

扎实推进文明城市创建活动。全省围绕“塑造城市形象，提高市民素质，促进经济发展，推动社会进步”这个主题，继续深化全省创建文明城市竞赛活动，注重在巩固的基础上求发展，在发展的基础上求提高，形成了以省会南昌为重点，省辖市带县级市，城市带县城，上下联动，整体推进的生动局面。一季度，省文明办在上饶地区广丰县召开创建文明城市（县城）现场会。二、三季度，省文明办组织省建设厅、公安厅、卫生厅、工商局、环保局等部门两次对全省创建文明城市工作进行明查暗访，并将结果在全省通报。年底，协调建设、公安、卫生、工商、环保、计生、综治等部门，以全省首届创建文明城市竞赛活动进行总评，评出了南昌、九江等14个创建文明城市工作先进城市（区、县城），报省委、省政府表彰。创建文明城市活动美化了市容，整顿了秩序，改善了投资环境，促进了经济发展，规范了城市管理，提高了市民素质，融洽了人际关系，深受广大群众欢迎和好评。

扎实推进文明村镇创建活动。全省各地认真贯彻党的十五届三中全会精神，以提高农民素质、发展农村经济、建设小康为目标，广泛深入开展创建文明村镇、十星级文明户和文明乡镇企业活动。在创建活动中，各地采取以点带面、点面结合的办法，抓大村，抓示范村，重点抓好京九、浙赣铁路和105国道、320国道沿线村镇的精神文明创建活动。同时，结合创建工作，大力加强农村精神文明阵地建设。投入400万元，在省内重灾区援建20个农村精神文明活动中心，并统一招标配备了100万元设备。

扎实推进文明行业创建和“讲文明树新风”活动。江西省把创建文明行业活动的着力点放在树行业新风、促企业增效、为群众提供优质高效的服务上，深入开展优质规范服务，大力倡导文明行业新风，重点抓了党政机关、执法部门和窗口单位的创建工作，树立了一批窗口行业全心全意为人民服务的典型，授予方琦等10位同志为江西省“窗口行业服务十大标兵”。省文明办会同有关部门，按照“巩固、提高、延伸、辐射”的工作思路，不断深化“讲文明树新风”活动，精心组织“保护生态环境，倡导文明新风”、创建文明风景旅游区、创建交通安全村、“做人民满意的公务员”活动，督促推动南昌市开展“百城万店无假货”一条街活动。通过这一系列创建活动，有效促进了行业风气的进一步好转，服务水平明显提高。

**四、狠抓管理，促进繁荣，宣传文化事业蓬勃发展**

江西省文化市场管理工作有三个突出特点：一是紧密配合揭批“法轮功”的政治斗争，严肃查处了非法销售“法轮功”类出版物的案件，清理收缴这类出版物4万余册；二是充分发挥新闻媒体的舆论监督作用，协调社会各界的力量，坚决打击利用电子游戏机赌博的非法经营活动，有效遏制其发展蔓延势头；三是严肃查处重点案件，全省认真开展了印刷业清理整顿、书刊市场集中整顿和打击“金华纳系列盗版光盘”等集中行动，收缴销毁了一批非法书刊和音像制品。严肃查处了南昌法制时报社大量盗印教辅读物案，萍乡市严肃查处了津津录像厅播放淫秽录像案，有效震慑了违法经营行为，进一步净化了文化市场。在加强管理的同时，以实施“五个一工程”为龙头，以组织纪念新中国成立50周年等重大节庆活动为重点，下大力气繁荣和发展宣传文化事业。一是进一步加大优秀作品生产的力度，认真规划，精心选题，加大投入，严格把关，使全省精品生产出现了整体推进的良好态势。在中宣部第七届“五个一工程”评选中，江西省共有7项11件作品获奖，省委宣传部再次荣获组织工作奖。二是进一步加大群众文化工作力度，在全省精心组织“辉煌五十年”——江西优秀歌曲征集和优秀歌手选拔赛、首届江西农民艺术节、省市军民庆祝建国50周年游园活动、1999中国曹禺戏剧文学奖小品小戏决赛等一系列文艺活动，增添了节日的喜庆气氛，丰富了人民的文化生活，深受广大群众的好评和欢迎。为庆祝澳门回归祖国，举办了“庆澳门回归迎接新世纪”文艺晚会和民间龙腾灯会活动。省委宣传部、省文化厅等联合举办的江西省首届农民艺术节规模盛大，反响热烈。全省77个专业剧团和数以百计的农民业余剧团、民间职业剧团和各类演出队，以戏剧、小品、声乐、器乐、民间舞蹈、曲艺的精彩演出参加这项活动。同时，农民艺术节还举办全省农民美术、书法、摄影作品大赛、展览等一系列丰富多彩的文艺活动，充分展现江西当代农民奋发向上的精神风貌和农村翻天覆地的可喜变化。省委宣传部从省宣传文化专项资金中拿出147万元用于首届农民艺术节活动。艺术节期间，全省479个专业、业余剧团和演出队共演出7600多场，观众达683万人次。

**五、表彰先进，推广典型，努力形成崇尚先进、学习先进的良好风尚**

年初，中央文明委决定在新中国成立50周年前夕，命名表彰一批全国精神文明建设工作先进单位。全省各地抓住有利时机，加大创建工作力度，树立先进典型。经过反复考核推荐，江西省南昌市东湖区、井冈山市、昌河飞机工业集团公司等45个单位受到中央文明委隆重表彰。为发挥好先进典型的示范带动作用，10月，省文明委举行隆重授牌仪式，省党政军领导亲自为获奖单位授牌，江西日报、电台、电视台等省内各大新闻媒体都在显著位置或黄金时段开辟专栏，刊播受表彰单位名单，广泛宣传他们的先进经验。省委宣传部、省文明办、省军区政治部联合表彰了50对军警共建社会主义精神文明先进单位。省文明办组织了江西省第七届文明单位评选工作、江西省首届创建文明城市竞赛活动的评比工作。大张旗鼓地表彰宣传先进典型，在全社会引起强烈反响。在表彰工作推动下，全省群众性精神文明创建活动以前所未有的深度和广度蓬勃发展。

（江西省文明办）

# 山 东 省

一年来，山东省精神文明建设工作从实际出发，适应形势需要，注重提高公民素质和城乡文明程度，大力开展群众性精神文明创建活动，取得了很大成绩，为促进改革发展、维护社会稳定发挥了重要作用。

**一、精神文明建设三大创建活动取得丰硕成果**

年初，中央文明委部署了全国创建文明城市、文明行业、文明村镇活动后，各级党委、政府、文明委高度重视，省文明委召开全委会作了研究，明确提出山东省在全国的创建活动中要争取优异成绩。省文明办集中力量认真进行组织、指导和协调，三大创建活动呈现出四个特点：一是领导重视。各地普遍实施“一把手创建工程”，成立由市委、市政府主要领导任组长的创建活动领导小组，实行责任制，层层签订责任状。各级文明办做了大量艰苦细致的工作。二是动员广泛。大多数市地都以党委、政府的名义召开动员大会，进行全面发动和部署，调动群众参与创建的积极性，营造人人自觉为创建活动做贡献的浓厚氛围。三是工作扎实。各市结合本地实际和特点，对创建的指导思想、目标要求、实施步骤、组织领导等都做出了明确规定，制定了具体措施。四是各具特色。济南市实施容貌工程、青岛市抓好社区服务、烟台市突出广场文化、威海市立足为民服务，都取得较大成效。总之，全省的创建活动形成了领导重视，群众参与，积极主动，上下一致，既轰轰烈烈又扎扎实实的局面，取得了丰硕成果。在全国精神文明创建工作先进单位的评选表彰中，山东省共有86个单位受到中央文明委的表彰，总数居全国第一。

**二、认真开展省级文明城市、文明行业创建活动**

年初，省文明委全委会研究制定了关于开展创建省级文明城市和文明行业活动的两个意见，对创建活动的有关问题提出了明确要求，并确定了卫生、民政、金融、电力、交通、城建、工商、税务、公安等21个行业作为重点。各地对省级创建文明城市、文明行业活动都很重视，组织领导有力，工作扎实有效。在创建活动中注意搞好五个结合，即形成声势与讲求实效相结合，突出重点与整体推进相结合，教育群众与干部自律相结合，硬件建设与软件建设相结合，注重共性与突出特点相结合。年底，省文明办对全省14个市地的创建活动进行了检查，结果表明，各市地的文明城市创建活动，党委、政府重视程度之高，参与部门之多，群众发动之广泛，人们的精神面貌和市容市貌变化之大，都是空前的。文明行业创建活动以“服务人民、奉献社会”为宗旨，以解决人民群众普通关心的实际问题为重点，办好事、办实事，从先行一步的行业逐步发展到各行各业，从窗口单位逐步延伸到整个系统。公安系统110报警服务联动系统向农村延伸，司法行政系统积极在全省范围内开通148法律服务专线；卫生系统实施美化亮化门诊急诊环境、优化医院“十大窗口”服务，送医下乡、送医上门，把扶贫病房延伸到群众家中。各级文明办会同有关行业系统主管部门先后开展的“行风万人评”、“百城万店无假货”、社会服务承诺制、行业规范化服务等活动不断深化，取得了阶段性成果。在对21个重点行业进行“行风万人评”活动中，省文明办和各市地文明办共发放问卷调查表25.5万份，回收22万多份，社会测评满意率在90%以上。省文明办还及时总结推广了青岛公用事业系统“111”服务热线工程的经验，中央各大新闻单位集中进行了宣传，在全国产生了较大影响。

**三、加强农村精神文明建设**

全国农村精神文明建设工作座谈会在文登召开以后，全省确定了16个学习文登经验带头县(市、区)，研究制定了十条衡量示范带头作用的标准：第一，领导认识到位了没有，党政一把手是不是两个文明一起抓，是不是真重视，重视程度够不够、强不强，是不是列入了重要议事日程？第二，基层党员干部群众的教育是不是抓在手上，常抓不懈；是不是通过教育，使党员干部群众的思想观念、精神面貌发生了深刻变化；市场观念、发展观念、科技观念、法制观念是不是深入人心；在思想教育方面有没有得力措施，能否落到实处；第三，全民读书活动是否形成社会风气？第四，城乡文化活动是否喜闻乐见，丰富多彩；三下乡活动、广场文化、家庭文化、移风易俗效果如何；特别是对落后的愚昧的封建迷信，抵制力度够不够，究竟解决了多少问题，非法宗教等活动是否得到有效打击和有力扼制？第五，为民服务是否形成有效网络，公安、司法等部门联动服务搞得怎么样，是不是有让群众满意的有力措施？第六，便民、利民工程有没有新的起色，是不是每年根据自己的条件上几个项目，办几件实事，特别是与群众密切相关的城乡美化、绿化，文化设施建设，基础设施建设等。第七，城乡一体化是不是有规划、有措施、有行动，小城镇的带动作用发挥得如何？第八，有没有自己的一批先进典型，先进典型作用发挥得如何？第九，文明村镇、文明户建设是否扎实深入、富有成效，有没有流于形式，有没有作表面文章，是不是保持了较高水平？第十，是不是从自己的实际出发，创造了新经验，突出了自己的特色？5月底省文明委又在莱州召开学习推广文登经验座谈会，对深入学习推广文登经验作出新的部署，促进了精神文明建设工作先进县（市、区）创建活动的进一步开展。通过深入学习推广文登经验，全省农村精神文明建设在四个方面取得新的进展：一是在发展市场经济、为民服务上实现了新的进展；二是在创建文明村镇上实现新的进展；三是在解决农村突出问题上实现了新的进展；四是在保障机制上实现了新的进展。各地还深入开展了创建“五好家庭”、“双文明户”、“十星级文明户”等多种活动，把精神文明建设活动搞得更具有群众性，更注重实效。年初，在全省农村广泛开展了“倡新风模范户”评选活动，以爱党报国、热爱集体、勤劳致富、守法奉公和反对封建迷信教育为主要内容，免费印发张贴宣传画120万幅，评选、表彰省级“倡新风模范户”1万户。

**四、深入开展思想道德教育和科学文化教育**

省文明委把对广大干部群众的思想道德教育放到更加突出的位置上，突出抓好五个教育活动：一是深入开展马克思主义和党的基本理论、基本路线、基本纲领教育；二是深入开展理想信念教育；三是大力开展马克思主义唯物论和无神论教育；四是开展科学精神、科学知识教育；五是深化爱国主义教育。在声讨以美国为首的北约袭击我驻南大使馆的过程中，加大了爱国主义教育力度。在揭批“法轮功”的斗争中，各地采取多种形式，组织干部群众学习马克思主义唯物论和无神论，批判唯心论和有神论，对“法轮功”邪教及其粗俗的唯心主义歪理邪说进行了坚决的斗争。

**五、深化对精神文明建设的认识和宣传**

采取召开研讨会、座谈会、外出参观学习等形式，开展调查研究活动，总结精神文明建设的经验教训，探讨新形势下搞好精神文明建设的规律性问题。省文明办还参与“山东省21世纪前10年经济社会发展战略”课题的研究，写出了“精神文明建设专题”报告，受到充分肯定。为庆祝新中国成立50周年、迎接澳门回归祖国，省文明办选择部分有代表性、工作过硬的精神文明建设工作先进县（市、区）和国家级、省级文明单位，组织新闻单位开展了“精神文明建设巡礼”活动，展现全省精神文明建设的丰硕成果。

（山东省文明办）

# 河 南 省

1999年，河南省精神文明建设以“热爱河南、增辉中原”活动为总载体，以争创全国文明城市、文明村镇、文明行业为重点，全面推进精神文明建设，使精神文明建设各项工作保持了积极、健康、向上的态势，为河南省深化改革、促进发展、保持稳定创造了良好的社会环境。

**一、“热爱河南、增辉中原”活动全面展开，全省社会面貌和人民群众的精神面貌有了新变化**

为更好地把全省人民的力量凝聚到维护河南形象、促进河南发展上来，省委、省政府决定在全省组织开展“热爱河南、增辉中原”活动。各市地和多数省直单位都成立了活动领导小组，结合本地、本单位实际，对活动进行认真安排部署。各级新闻单位对活动进行了充分的宣传报道，营造了浓厚的活动氛围，调动了社会各方面参与的积极性。

一是围绕迎接新中国成立50周年，在广大党员、干部和群众中深入开展了爱国主义、集体主义和社会主义教育。各地普遍开展了“回顾50周年，展望下世纪”活动，通过板报、展览、参观、演讲比赛、文艺演出等形式，总结回顾各条战线、各个单位50年来的巨大变化，增强了全省人民坚持社会主义道路，坚持党的领导的自觉性和坚定性。各市地、各单位还把“活动”同高质量地完成业务工作结合起来，开展多种形式的“我为河南添光彩，立足岗位做贡献”活动，把广大干部群众的爱国之心、报国之志和热爱河南之情，转化为做好本职工作、维护河南形象的实际行动。5月份，以美国为首的北约袭击我驻南使馆事件发生后，各级党委抓住这一反面教材，加强对人民群众的爱国主义教育，大大激发了全省人民干好本职工作、振兴中华民族的强烈责任感。7月份以后，各地又结合同“法轮功”的斗争，在人民群众中广泛深入地开展了马克思主义唯物论和无神论教育，营造了倡导文明科学、反对封建迷信的浓厚氛围。

二是组织开展了自查自纠，提高了大家的形象意识。围绕如何树立良好的地区形象、行业形象和个人形象，全省各级党政机关、行业单位以“影响形象的突出问题到底是什么”为主题，组织广大干部职工认真开展了查摆问题、自查自纠活动。

三是组织开展了三项整治，解决了一些影响河南形象的突出问题。各地把窗口地区、城市环境和市场秩序作为“增辉”活动的重中之重，公安、建设、工商分工负责、协同配合，分阶段、打战役，进行综合治理。在窗口地区综合整治方面，全省公安机关会同旅游、交通、工商等部门对主要车站、旅游景点、中小学校、中心商业区、集贸批发市场等窗口地区在经营秩序、治安秩序、服务环境、服务质量、服务态度等方面存在的突出问题，开展了专项治理。责令停业整改或限期整改场所6000多处，取缔非法营业场所600家。开展了创建107“平安大道”活动。对中小学校周边环境进行了大规模治理。在市场秩序综合整治方面，全省工商部门会同技术监督、公安等部门开展了“整顿市场秩序中原行”活动，重点抓了“三打两保护”活动，即打击假冒伪劣，打击经济欺诈、坑蒙拐骗，打击走私贩私，保护经营者的合法权益，保护消费者的合法权益。通过“三打两保护”，规范了一批专业市场，打掉了一批假冒、欺诈、走私贩私窝点和团伙，查处了一批大案要案。全省共立案查处各类经济违法违章案件1.2万多件，端掉制假售假窝点400多个，市场秩序有了一定好转。

**二、软件硬件一齐抓，创建文明城市工作再上新台阶**

一是各市地根据省里要求，普遍创办了文明市民学校。在制定和完善文明市民公约、守则的基础上，加大了对市民的教育培训力度，濮阳、安阳、商丘、许昌、焦作、南阳、三门峡、开封、洛阳等市地专门编发了文明市民培训教材，举办了辅导员骨干培训班，以街道办事处、居委会、中小学校为依托，兴办文明市民学校，开展了多种形式的市民培训工作，为文明城市创建打下了良好的群众基础。

二是加强经常化管理，城市的建设和管理逐步向制度化、规范化方向迈进。各市地继续以完善城市创“三优”市长例会制度、暗查暗访制度为主体，不断探索经常化管理的新路子，使文明城市创建不断发展。省文明办先后组织省属新闻单位和有关部门暗查了20多个县市区和十几个乡镇村，掌握了大量一手材料。对申报省级文明城市的地方，采取了调阅有关部门业务考核档案、组织专业部门开展专项调查的办法，对其建设和管理水平进行量化考核，较好地体现了文明城市评审的群众性、科学性。

三是以绿化、美化、亮化为重点，抓好城市环境综合整治。各市地把文明城市创建和“增辉”活动有机地结合起来，以迎接国庆50周年为契机，加大城市建设和管理的力度。组织实施了整治市容环境、绿化美化战役和光辉工程，促进了城市的绿化、美化、亮化。濮阳市把都市村庄和城市河道作为治理重点，推进文明城市创建向纵深发展。漯河市以整治出入市口、都市村庄、背街小巷为重点，开展城市“净、绿、亮、美、文”活动，完成300多项治理项目，使城市面貌进一步改观。郑州市以水清、气爽、地绿为目标，加强城市环境的综合治理，组织开展了“环卫竞赛”活动，继续实施“拆墙透绿工程”，全面铺开了4个新辟广场的建设，新增绿地面积达16万多平方米。郑州市以治乱、治堵为重点，大力整治交通秩序。省市领导率先垂范，到各交通路口值勤，宣传交通管理条例，维护交通秩序，促进了交通秩序的好转。信阳市以“争创文明城市、共建美好信阳”为载体，提出了街道净起来、垃圾装起来、路灯亮起来、道路让出来、噪音降下来、标牌新起来、“蜘蛛网”拆下来、城市绿起来八个方面的任务。实施市级领导包街制度，大大促进了城市管理水平的提高。濮阳、漯河、登封市被中央文明委命名为全国创建文明城市工作先进市。

**三、广泛开展创建文明单位、文明行业活动，窗口行业的服务水平有了新提高**

以“开展优质规范服务，倡导文明行业新风”为主题，以文明单位创建为龙头，各地深入开展文明行业创建活动，进一步提高了窗口行业的服务水平。一是深化优质服务承诺活动。在实行服务承诺制的窗口行业和单位建立监督约束机制，做到有诺必践，违诺必纠。二是在国家公务员中继续开展“做人民满意的公务员”活动。省直机关广泛开展了“三优一满意”活动，促进了工作作风的转变和服务质量、工作效率的提高。各市地、省直各单位以推行政务公开为重点，不断扩大公示范围，提高了政务透明度。三是对各级文明单位实行动态管理，优化文明行业细胞。各市地以推行公示制为主要手段，加大文明单位管理力度。在命名各级文明单位时，各市地都在当地新闻媒体对申报单位进行了公示，广泛听取群众意见，加强社会舆论监督。各级文明单位内部广泛开展了创建文明科室、文明班组、文明家庭、文明职工活动，从单位到个人创建意识不断增强。平顶山市还出台了对“不文明单位”、“不文明窗口行业”挂牌的制度，对存在严重问题单位悬挂“不文明单位”牌匾，新闻媒体予以曝光。河南省有22个单位被评为全国创建文明单位先进单位，有16个单位被评为全国创建文明行业工作先进单位。

**四、广泛开展文明农户、文明村镇创建活动，农村精神文明建设有了新起色**

各地以贯彻落实党的十五届三中全会精神，以创建文明农户、文明村镇为重点，把各种创建活动与农村政策法纪教育和“三级联创”结合起来，推动农村精神文明建设向深度和广度发展。一是加强了对农民的思想道德教育，重点是广泛组织开展了唯物论和无神论教育，引导农民养成文明、健康、科学的生活方式。此外，各地还结合政策法纪教育，对乡、村两级干部广泛进行了邓小平理论、法律知识、农业科技知识、文化卫生知识等教育，为农村精神文明建设奠定了良好的思想基础。二是结合实际，注重实效，组织开展了多种形式的创建活动。三是从完善集镇各项设施、增强集镇辐射功能入手，以硬化、美化、净化为突破口，开展争创文明集镇活动。南阳、周口、信阳等市地都制定了文明集镇创建活动的实施办法，在交通要道沿线乡镇和基础条件较好的乡镇引进城市管理机制，对占道经营、乱堆乱放、乱停乱行等问题进行治理，取得了一定的效果。共有27个乡镇、村被中央文明委命名为全国创建文明村镇工作先进单位。

**五、以方便群众、服务大众为宗旨，为群众办实事有了新进展**

一是广场文化活动更加蓬勃地开展起来。省委宣传部、省文明办、省文化厅在全省范围内组织开展了"百日千场广场文化活动"，参演人员达10万人次，观众近2000万人次，其参与面之广、规模之大、社会影响之好都是前所未有的。

二是认真贯彻中宣部、中央文明办等11部委关于文化、科技、卫生"三下乡"活动的指示精神，以服务农民生产生活、提高农民科技文化素质、促进农村奔小康为目标，掀起了春节、"三夏"和国庆节三次"三下乡"活动高潮。据不完全统计，共有文化、科技、卫生工作者18万人次奔赴农村，为广大农民送去了各类文艺演出4万多场，观众近千万人次，赠送图书64万册，举办科技大集2万多场次，发放科技资料374万份，派出卫生医疗队1200支，培训基层医务人员5万人，赠送医疗设备和药品价值510万元，诊治病人90万人次。

三是"万村书架"工程进展顺利。有4000个村完成了书架建设任务，为2000年实现在1万个村建起书架工程的目标打下了坚实基础。

四是乡镇卫生院优质服务活动深入开展，取得了初步成效。各级文明办和卫生主管部门加强对乡镇卫生院优质服务活动的组织指导，相继成立了乡镇卫生院优质服务领导小组，制定下发了活动实施方案，并层层签订责任目标。各乡镇卫生院根据考评细则的要求，将优质服务的有关内容逐条分解，落实到科室和个人，并将乡镇卫生院优质服务活动列入目标管理，作为考核各县市区卫生局总体工作的重要内容，定期进行督导检查。加大对乡镇卫生院的投入，按照"一无三配套"（无危房，房屋、设备及人员三配套）的标准，改善乡镇卫生院的基础设施。

五是组织实施了"百县乡镇宣传文化工程"。根据中央文明办的要求，河南省确定桐柏、确山两县为首批定点资助县，下发了专门通知，确定资金配套办法、建站标准、审批秩序和工作要求，会同有关部门多次实地考察，检查督促，促进了建站工作的顺利开展，第一批10个宣传文化站已经全部投入使用，受到了中央文明办有关领导的好评。

**六、抓完善、促配套，精神文明规章制度建设有了新飞跃**

以完善创建措施、创建内容、推进制度落实为重点，狠抓创建活动的规章制度建设，使各项群众性创建活动日趋规范。

一是督促各市地认真执行城市创"三优"市长例会制度和暗访制度。马忠臣书记、范钦臣副书记分别作了批示，大大促进了市长例会制度和暗访制度的落实。全省大多数市、县长切实担负起城市创"三优"的责任，自觉抓，经常抓。市长例会制度已经成为河南省创建文明城市的一个重要抓手，受到了中宣部和中央文明办的充分肯定。

二是出台了省级文明城市、文明村镇表彰决定。9月，省委常委会研究决定，从1999年开始，每两年由省委、省政府命名表彰一批省级文明城市（区）、文明村镇，对获得省级文明城市（区）、文明村镇的分管领导实行记功和物质奖励。省文明办等单位下发了省级文明城市（区）、文明村镇命名表彰办法和对有关人员实行记功奖励的具体办法。顺利推出新郑市为省级文明城市、郑州市中原区为省级文明城区，郑州市丁烟村等19个村镇为省级文明村镇。命名表彰省级文明城市（区）、文明村镇制度的出台，是对现有群众性精神文明创建活动的重要补充和完善，使群众性精神文明创建活动形成了文明城市、文明村镇、文明行业、文明单位四项创建相互促进，城乡精神文明建设协调发展的创建格局。

三是根据有关文件、条例，制定了《关于省级文明单位评选和管理办法补充规定》、《关于省级文明单位建设先进系统标准及管理办法的补充规定》，使创建活动更规范、更科学。

此外，5月份省文明办举办了县区文明办主任培训班，160名县区文明办主任参加了培训。组织市地文明办主任到云南进行了考察调研。通过培训和考察，增长了知识，开阔了视野，明确了目标，增强了信心。

（河南省文明办）

# 湖 北 省

1999年，是精神文明建设经受考验，取得丰硕成果的一年，也是湖北省精神文明建设获得大发展、大加强、大提高的一年。

**一、提高素质，培育“四有”新人，思想道德教育的效果更加明显**

创建活动中，全省各地以大力培养“四有”新人为目标，用邓小平理论武装广大干部群众，深入进行党的基本理论、基本路线和方针政策教育，深入开展爱国主义、集体主义、社会主义和艰苦创业精神的教育，促进了公民素质和城乡文明程度的不断提高。特别是在揭批“法轮功”斗争中，各地深入开展了马克思主义的唯物论和无神论教育，用社会主义思想道德和健康有益的文体活动占领思想文化阵地。武汉市广泛开展了“百万市民进课堂”活动，宜昌市把提高市民素质同科教兴市、依法治市、改革强市、开放活市紧密结合起来，襄樊市在全市10万多户居民中开展“文化特色家庭”活动，涌现出一批具有浓厚文化特色的家庭。随州市有针对性地做好“法轮功”练习者思想转化工作，有99%的练功人员脱离了“法轮功”组织。

**二、争先创优，夯实基础，“三大创建”活动提高到了新水平**

为迎接新中国成立50周年，中央文明委决定在全国首次表彰精神文明建设先进单位，以及省委、省政府也决定首次命名表彰省级先进，极大地鼓舞和调动了广大干部和各地干部群众建设社会主义精神文明的热情，荆楚大地掀起了一股强劲的建设社会主义精神文明的高潮，出现了你追我赶争上游的可喜局面。

文明城市的创建活动——以提高市民素质和城市文明程度为目标，以提供优质服务，维护优良秩序，丰富市民文化生活和建立良好的人际关系为重点，深入开展文明机关、文明行业、文明社区、军警民共建等各种形式的创建活动，涌现出一批具有较高文明程度的城市（区）、社区和街道，受到广泛好评。创建文明小区活动作为创建文明城市和文明社区的基础性工程，已经全面启动。创建文明城市活动已经呈现系统规划、整体推进、协调发展、规范运作的新局面。

文明村镇活动——以改善村镇环境，提高农民生活质量，倡导文明健康生活方式，发展农村经济，脱贫致富奔小康为目标，配合省委、省政府大力发展小城镇建设的战略，召开全省文明村镇创建工作座谈会，对小城镇文明创建工作进行了部署和动员，以灾后重建和发展小城镇建设为契机，稳步推进农村精神文明建设。不断改进完善“十星级”文明农户活动的创建机制，开始形成以文明户为基础，以文明村为重要环节，以文明镇为重点，以城带乡，以镇带村，以村带户的新格局，文明村镇的创建活动初见成效，发展态势良好。

文明行业的创建活动——以“服务人民，奉献社会”为宗旨，向经常化、制度化、规范化发展。召开了全省文明行业文明单位创建工作经验交流会，按照“巩固、提高、延伸、辐射”的要求，发挥先进单位的示范作用，提高先进单位创建水平。创建文明走廊、省级文明路等活动向更高层次更新目标迈进。

湖北省有66家单位受中央文明委隆重表彰。省委、省政府命名表彰了27个省级文明城市（区、县）和创建工作先进市，50个文明村镇，41个文明小区。较好显示了全省精神文明创建工作的整体水平。

**三、主题不变，内容深化，“讲文明树新风”活动拓展到新层面**

围绕解决环境卫生、交通秩序、服务质量和文明言行方面存在的问题，进一步发展和深化“讲文明树新风”活动，在全省部署开展了“保护生态环境、倡导文明新风”活动。全省有关部门和各地根据统一部署，结合实际，进一步加大了工作力度，以植树绿化，清理白色垃圾，改善空气质量，治理水源污染四个方面为重点，分两个阶段，广泛组织动员群众参与活动改善生态、生活环境，着力提高群众环境卫生意识。沿江各市组织力量整治长江、汉江和湖泊，清理垃圾，植树绿化，护江护堤；沿交通干线各市以治理铁路、公路沿线为重点，清理白色污染，使天空更加明朗，城乡更加洁净，为迎接新中国成立50周年创造了整洁、优美的环境，营造了欢乐祥和的喜庆气氛。按照中央文明办等部门的部署，在全省部署开展了创建“文明风景旅游区示范点”活动，湖北省东湖风景区被命名为全国第二批创建文明风景旅游区示范点。省文明办还与省公安厅一起开展创建“平安大道”活动，与省计生委一起开展“婚育新风进万家”活动，与省妇联一起开展“五好文明家庭”活动，与团省委一起开展“保护母亲河”及青年志愿者服务活动，均取得良好的社会效果。

**四、建章立制，规范管理，精神文明制度建设跨入新阶段**

精神文明建设要深入持久地发展，必须加强制度建设，走上制度化、规范化轨道。省委、省政府下发了《湖北省文明城市、文明小区、文明村镇管理办法》和《湖北省文明单位管理办法》，使精神文明创建活动有章可循。为细化量化评比标准和条件，制定了文明城市、文明小区、义明乡镇、文明村等四个《检查评比细则》，下发了《关于加强省级文明系统、最佳省级文明单位和省级文明单位管理工作的通知》，推动了全省文明单位管理工作的健康发展，制定和完善了信息等工作的管理制度。一些地方、窗口行业和文明单位建立和健全一套相应的规章制度。如，例会制度、管理制度、奖惩制度、社会监督制度。在创建文明城市活动中，全省各地普遍实施党政领导创建目标责任制和门前三包责任制、路段长负责制、目标责任考核制，等等。不少县市还制定了市民行为规范，引导市民逐步养成良好的行为习惯。各行业主管部门加强自身规章制度建设，规范行业行为，树立行业新风。

**五、以点带面，巩固发展，先进典型的示范带动作用更加突出**

经省文明办推荐，中央文明委在全国范围内大规模地宣传推广了宜昌市坚持教育、环境、管理、活动“四育人”，依靠人民群众创建文明城市的典型经验，在全省、全国产生了广泛的影响，这是湖北省继农村精神文明建设的竹山经验之后在全国打响的又一重大典型，它向全国人民展示了宜昌和整个湖北的良好形象。襄樊实施四大形象工程创建文明城市、在推进小城镇建设的同时加强精神文明建设的经验，也受到中央文明委领导的充分肯定和高度重视。为更好地发挥示范点的辐射、带头作用，重新公布了一批“三大创建”活动示范点，更换了一些不合格的示范点，调整了示范点的结构。为了加强对文明行业的管理，经各行业主管部门推荐，调整公布了120个新的文明行业示范点；为了促进村镇精神文明建设，在认真检查的基础上，调整公布了100个文明村镇示范点。调整后的示范点名单在《湖北日报》等新闻媒介上公布，广泛接受群众监督。省文明办加强了典型经验的总结交流工作，宣传了一批先进典型，以点带面，推动了全省精神文明建设发展。

**六、认真实施“百县乡镇宣传文化工程”，全省精神文明基础设施建设有了新改善**

根据中央文明委决定实施“百县乡镇宣传文化工程”的总结要求，对我省贫困县乡镇宣传文化站建设情况进行了调查了解，制定了落实方案，确定了10个乡镇作为资助对象，并落实配套资金，作好前期准备工作。落实“百县乡镇宣传文化工程”，改善了贫困地区精神文明基础设施建设状况，特别是通过这个项目，进一步引起了各级党委、政府对精神文明基础设施建设的重视。各地在财政比较困难的情况下，挤出资金新建或扩建了一批图书馆、文化馆、博物馆等基层文化基础设施，坚持开展了丰富多彩的文化活动，促进了基层文化事业的发展。

（湖北省文明办）

# 湖 南 省

1999年，在邓小平理论和党的基本路线指引下，湖南省认真贯彻落实党的十四届六中全会和十五大精神，按照年初确定的“重点突破，整体推进；提高标准，扩大成果；服务群众，务求实效”的总体思路，精神文明建设取得新成绩。

**一、文明素质教育和形势教育取得新成效**

全省各地充分利用市民学校、村民学校、培训班、墙报、板报等形式，深入开展以十五大精神和“三观、三德、三义”为主要内容的文明素质教育，注重把知识教育与养成教育结合起来，把宣传正面典型与纠正不良习惯、不良风气结合起来，把教育群众与教育干部结合起来，引导全省公民树立正确的世界观、人生观、价值观，正确处理国家、集体和个人的关系，形成文明健康的生活方式，收到了明显成效。同时，围绕两件大事、三场政治斗争积极开展形势教育。一是隆重庆祝新中国成立50周年和澳门回归祖国。全省各地组织了丰富多彩的群众性的庆祝活动，群众参与面广，唱响了祖国颂、社会主义颂、改革开放颂，营造了欢乐喜庆、团结奋进的氛围，鼓舞了群众斗志，振奋了民族精神。二是组织了反对以美国为首的北约轰炸我驻南使馆、揭批“法轮功”和批驳李登辉“两国论”的斗争。全省各级文明委从讲政治的高度，按照中央统一部署，组织广大干部群众积极投入到三场政治斗争中。

**二、“三大创建”工作取得新进展**

省文明委把创建文明城市作为群众性精神文明创建活动的重头戏来抓，取得了显著成效。常德市采取8条措施巩固文明城市创建成果。长沙市针对目前城市管理和综合整治、交通秩序、市容市貌等方面存在的问题，开展了大规模的“城市管理综合整治”活动，召开了全市城市管理综合整治大会，向市民发放了《城市管理综合整治市民教育手册》，各行各业，各个部门一起行动，使长沙市城市面貌为之一新。岳阳市在抓好软件建设的同时，确定了十大硬件工程，获得创建全国文明城市先进市称号。株洲、衡阳、邵阳、益阳、郴州、怀化、永州等市也积极行动起来，成立了相应的领导班子，制订措施，确定了主攻方向，使全省的创建文明城市工作有了一个良好的开端。

在创建文明村镇工作方面，一是重点抓了岳阳县张谷英村和凤凰县黄丝桥村的文明村镇建设工作。张谷英村和黄丝桥村是湖南省两个历史文化名村，具有浓烈民族建筑风格。省文明委引导他们走文明建设、旅游开发、文物保护相结合的新路子。二是配合中宣部进行了文明村示范点情况调查，以此促进全国文明村镇示范点长沙县黄垅新村、浏阳市龙洞村、靖州县灌堡渡村、嘉禾县英花村更上一层楼。三是进行了洞庭湖区行洪移民区的精神文明建设情况摸底调查，为抓好行洪移民区的精神文明建设提供了依据。四是采用简报、通讯等形式推介了益阳评选十星级文明农户的经验，娄底市评选农村精神文明“五个十”(十个“两手抓”的乡镇党委书记、十个见义勇为标兵、十个勤劳致富标兵、十个尊老爱幼标兵、十个学雷锋标兵）等经验。五是12月18日在浏阳市召开了农村思想政治工作会。交流了浏阳市、沅江市、中方县、隆回县、衡东县、走马街镇、新安镇加强农村思想工作的经验，省委常委、宣传部长文选德同志总结了全省农村思想政治工作情况和经验，布置了下一步工作。

在创建文明行业工作方面，一是贯彻落实中央文明办、国务院纠风办6月9日召开的深入开展优质规范化服务、大力倡导文明行业新风电视电话会议精神，进一步推动行业优质规范化服务工作向纵深发展，坚持一个主题：为人民服务、树行业新风；抓住两个重点：社会服务行业，其他行业的服务窗口；落实三项任务：全面开展制定服务规范的工作，在工作基础较好的行业率先实施规范化服务，结合推行规范化服务为群众解决实际问题。省电力局、省地税局、省国税局、省烟草局、省新闻出版局、省文化厅、省卫生厅等行业迅速行动，制订措施。省国税局自我加压，自我挑刺，以求得本行业的服务水平和文明程度再登新台阶。他们的经验被中央电视台在《焦点访谈》栏目推出。二是4月至5月，省文明办、省纠风办、湖南日报社联合对全省部分文明示范窗口进行第二次暗访，并在湖南日报头版推出了《示范窗口再跟踪》系列报道。对在两度暗访中受到社会各界认可称赞的农行邵阳分行等12个单位给予表扬，对在两次暗访中被新闻媒体曝光后未能认真整改的单位给予批评，撤消娄底湘中大厦“文明服务示范窗口”单位称号。此举引起了社会各界的关注，有力推动了文明行业创建工作。三是继续深化了“百城万店无假货”活动，扩大了示范店的范围，充实了活动内容，长沙五一路示范街受到全国通报表扬。

**三、“讲文明树新风”活动向广度深度延伸辐射**

按照“巩固、提高、延伸、辐射”的思路，进一步深化讲文明树新风活动，全省先后组织了五项大的活动：一是认真贯彻中央文明办［1999］1号文件和3月17日中央文明办等11个部门联合召开的“保护生态环境，倡导文明新风”活动全国电视电话会议精神，在全省大力开展了保护生态环境，倡导文明新风活动。二是开展创建五好文明家庭活动。开展了“妇女·家园·环境”主题宣传教育活动，评选表彰一批五好文明家庭。评选出了100户五好文明家庭，20户标兵家庭。三是创建文明机关、做人民满意的公务员活动。3月19日，中宣部、中央文明办、人事部下发了《关于继续深入开展做人民满意的公务员活动的通知》，根据通知精神，湖南省采取了3条措施：(1）把“建设文明机关，做人民满意公仆”活动与“三讲”教育密切结合起来，以“三讲”促活动，通过活动巩固“三讲”成果。(2）年底召开了“创建文明机关，做人民满意公仆”座谈会，省高院等3家文明机关介绍经验。(3）表彰了30个“湖南省文明机关”和30名“湖南人民满意公仆”，并把文明机关纳入文明单位管理系列。活动的开展，推动了各级机关单位的文明建设。邵阳市在市直机关全面、扎实地开展以“三心三为”(心系基层，为民兴办实事；心贴群众，为民排忧解难；心想发展，为民脱贫致富）为主题的创文明机关活动，认真解决“门难进、脸难看、事难办”和“不学、不干、不和、不廉、不畅”的“机关病”，受到中央文明办的肯定。四是军民共建活动。长沙、株洲等8个市县（区）获得全国双拥模范单位称号。五是评选“省级文明市场”活动。4月2日，省文明办与省工商局、省市场发展促进会联合发文，公布评选范围，制定了评选条件和评比计分标准，强调群众测评，增加了评选活动的公开性和公正性。六是庆祝新中国成立50周年展览活动。4月至10月，省计委、省委宣传部、省文明办等单位筹办了光辉的历程——中华人民共和国建国50周年成就展湖南展厅的展览，和辉煌50年——湖南两个文明建设成就展。两个展览运用声光电等现代手段，充分展示了湖南解放50周年的光辉成就。北京展览馆的湖南展厅还获得了中央筹展办颁发的最佳设计制作奖和最佳组织奖。

**四、文明单位考评机制进一步完善**

为克服和防止重评比表彰轻监督管理的倾向，全省各级文明办加大了对文明单位的考察、监督和管理力度。一是在全省推行双文明目标管理责任制。二是加强了对文明单位的申报、评比和表彰的把关。4月至6月省文明办对申报全国文明城市、文明行业、文明村镇、文明单位名单进行了考察把关，下发了《关于做好推荐全国“三大创建”工作先进单位的意见》，重点考察了岳阳市、常德市、长沙市等单位，向中央文明委写出了考察推荐报告。5月至6月，对申报全国第二批文明风景旅游区示范点的武陵源风景区进行了考察，保证了国家级精神文明创建工作先进单位的质量。衡阳市对文明单位实行星级管理，为加强文明单位的评选和管理作了有益的探索。

**五、文化事业建设取得新成果**

在抓好精神文明各项创建工作的同时，湖南省文化事业建设取得新成果。一是根据中央文明办的要求，部署资助20个乡镇建立宣传文化站工作。7月至8月，省文明办与有关市州共同进行了选址、资金安排等前期工作，下发了《关于组织实施“乡镇宣传文化工程”的通知》。10月，正式向中央文明办报送了建站名单。二是作好文化事业建设费的协调、征管工作。

**六、精品生产硕果累累**

坚持“二为”方向和“双百”方针，以“五个一工程”为龙头，结合重大纪念活动，抓规划、抓导向、抓服务、抓激励，精心组织生产了一大批优秀精神产品。在全国第七届精神文明建设“五个一工程”评奖中，有12件作品获奖，省委宣传部也第四次获得组织工作奖。国庆前后，成功地举办了第十届全国书市。电视综艺节目继续保持在全国的优势地位，《快乐大本营》、《乡村发现》、《玫瑰之约》、《幸运》系列等栏目在省内外产生了较大影响；电视谈话类节目《有话好说》、《新青年》等已经成为新的收视热点，呈现出较好的发展势头。

（湖南省文明办）

# 广 东 省

1999年，广东省围绕“增创新优势，更上一层楼”的目标，以服务中心，造福人民为宗旨，以创建文明城市为龙头，加强精神文明工作“三德”建设和三大创建活动取得了新的进展，创造和积累了一些新的经验，有力地促进了全省经济、社会的协调发展和两个文明的共同进步。

**一、以创建文明城市活动为“龙头工程”，推动城市整体文明的进步**

广东省全面启动了以创造优良秩序、优美环境、优质服务、优化管理为主要内容的创建文明城市活动，进一步加大创建文明城市的力度，整治脏乱差，整顿公共秩序，优化美化环境，推动城市整体文明的进步，各地在这一创建活动中，积累了一些成功的经验：

一是把握关键，建立强有力的领导机制。党政一把手亲自抓，以创建文明城市的工作统揽全局，使这一创建活动真正成为推动经济、社会协调发展和两个文明共同进步的“龙头工程”、“一把手工程”。建立层级领导责任制和严格的考核制度、奖惩制度。

二是坚持为民造福的宗旨。在创建活动中，各地大力为人民群众办好事实事，把它作为实践党的全心全意为人民服务宗旨，提高人民群众生活质量的“民心工程”。许多地方科学地规划城市，整顿交通秩序，增加城市绿地，建成了文化广场、绿地公园、城标雕塑、宽阔马路、步行街等标志性工程，为广大市民创造一个环境优美、秩序优良、风气良好、社会文明的生活环境。

三是以整治脏乱差为突破口。各地都从解决群众反映强烈的环境脏乱差这一问题入手，治字当头，建在其中，以专项整治带动和促进全面建设。大力整治市容环境，整治占道经营和乱摆乱卖，清拆违章建筑，整顿车辆乱停乱放，整顿违章户外广告，整治环境污染。与此同时，加大以道路、交通为重点的基础设施建设，把创建活动作为进一步改善投资环境，树立良好形象的“形象工程”。

四是抓好规划、建设、管理三个环节。各地坚持经济社会的协调发展和可持续发展战略，以长远眼光和超前意识，对城市规划进行修订，以高标准、高质量、大手笔进行建设，以强烈的管理意识、严密的规章制度，健全的管理队伍和先进的管理措施对城市进行管理。

五是充分发挥广大人民群众在创建文明城市活动中的主体作用。各地在创建活动中，注重让人民群众在活动中得到实惠，得到教育，得到提高，使之成为他们建设美好生活的过程，成为改造环境和改造自我的过程，成为发挥智慧力量的过程。

六是抓住提高市民的现代文明素质这一根本。各市都加大了社会公德、职业道德、家庭美德为主要内容的道德建设的力度，使人们学会怎样与人相处、与社会相处、与自然界相处，具备基本的做人的道德素养，培育人们的文明言行。

为表彰先进，树立典型，进一步推动创建文明城市活动的深入开展，广东省委、省政府在国庆前命名表彰了首批“广东省文明城市”和“广东省创建文明城市先进单位”。这次文明城市的评选，一改过去组织评比检查团层层检查评比的做法，突出经常性和群众性，在总结近几年来各种评比活动的经验和教训的基础上，探索文明城市评选的新途径：制定标准，自我申报，确认资格，明查暗访，群众评议，集体审议，上报批准，进行表彰，隆重挂牌、反馈意见。

**二、以“讲文明树新风”为主题，加强了农村的道德风尚建设**

一是突出抓好农村的道德风尚建设，着力解决农村存在的封建迷信、聚众赌博、乱埋乱葬、抢生超生等突出问题，12月，省委宣传部、省文明办在东莞市召开了全省农村道德风尚建设经验交流会，总结推广东莞市从家风村风民风抓起，扎实推进农村道德风尚建设的新鲜经验，明确了搞好农村道德风尚建设的思路、途径和方法。

二是从基本规范做起，用道德规范推动了人们道德行为的养成。各地公开征集、制订了市民行为道德规范和守则，增强了市民的公德意识和现代文明意识。

三是以道德建设的主题活动为载体，把道德教育与道德实践结合起来。各地开展了“讲社会公德、除不良陋习、做文明公民”、“为人民服务，树行业新风”、“美德进万家”等道德教育的主题活动，引导广大群众从我做起、从告别陋习做起，逐步革除在公共生活和生活方式方面存在的不讲文明、不讲道德、不讲科学、不讲卫生、不守法纪的现象。动员和吸引群众广泛参与，使人们在实践中提高了道德素养和养成良好的行为习惯。

**三、以规范服务、文明服务和纠正不正之风为重点，继续深化创建文明行业活动**

认真贯彻中央文明办、国务院纠风办联合召开的“深入开展优质规范服务，大力倡导文明行业新风”全国电视电话会议精神，各行业各部门从本单位的实际出发，从人民最关心的“热点”问题入手，制定规范服务标准，深入开展以优质规范服务为主要内容的创建文明行业活动。省文明办还与省建委、省旅游局联合评出了全省首批十大文明风景旅游区示范点。各地也相继推出了自己的示范点，促进了风景旅游区的两个文明建设。

**四、以隆重表彰精神文明建设各类先进单位为动力，形成学先进、赶先进的社会氛围**

为迎接和庆祝中华人民共和国成立50周年，中央文明委决定表彰一批全国创建文明城市、文明村镇、文明单位和文明行业工作的先进单位。全省受到中央文明委表彰的上述各类精神文明创建工作的先进单位共计72个，其中受到表彰的创建文明城市工作先进市有深圳、中山、肇庆和广州市天河区等4个单位，是全国受表彰同类单位数量最多的省之一。

9月13日，省委、省政府召开全省精神文明建设电视电话表彰大会，对精神文明建设先进单位和先进个人进行了表彰。有6个城市被评为“广东省文明城市”，有13个城市被评为“广东省创建文明城市先进单位”，206个单位被评为“广东省文明单位”，88个村镇被评为“广东省文明村镇”，97个窗口单位被评为“广东省文明窗口”，5个行业被评为“广东省创建文明行业先进单位”，195名个人被评为“广东省精神文明创建活动积极分子”。

**五、分类指导，分层次推进，创建文明村镇、文明户活动取得新进展**

各地继续深化创建文明村镇、文明户活动，坚持分类指导原则，分层次推进，使创建文明村镇、文明户活动更加切合实际，更富有生命力。东莞、宝安、龙岗、顺德、南海、花都等经济发达地区在坚持“高起点规划、高标准建设、高效能管理”的“三高”原则的基础上，又自觉地朝着“高品位文化、高文明素质”的目标努力，推广“一村一公园”、“一镇一广场”的做法，建设高标准的文明村镇；在经济欠发达地区，普遍把创建文明村户同奔康工程结合起来，同解决农村存在的突出问题结合起来，开展以“五改”（即改水、改厕、改灶、改路、改造住房）为主要内容的创建文明小康村镇的活动。其中韶关市、云浮市、清远市在全市开展创建“文明小康村”和“十星级文明户”的“双创”活动，取得了新的进展。

与此同时，各地继续开展创建文明单位、文明小区、文明路段、军民共建活动，不断扩大精神文明创建活动的覆盖面，提高创建活动水平。

**六、以弘扬正气为目标，宣传推出一批体现时代精神的先进典型**

为弘扬正气，充分发挥先进典型的示范作用，全省相继推出了党的好干部、人民的好公仆贺方军、新时期英雄战士李向群、科技革新的好工人刘铁儿、“模范干部”邵荣雁、见义勇为英雄霍健敏、扶贫助学的好青年麦锡祥等一大批可信、可亲、可敬、可学，体现时代精神的先进典型，特别是对贺方军的宣传，省委、省政府作出了《关于向党的好干部、人民的好公仆贺方军同志学习的决定》，组织贺方军先进事迹报告团到广州、汕头、佛山、湛江、惠州等市开展巡回报告活动；省、市新闻媒体对贺方军的先进事迹进行了集中的宣传报道，在社会上产生了强烈的反响，收到了很好的教育效果。

（广东省文明办）

# 广西壮族自治区

1999年，广西各级党委政府、各级文明委根据中央文明委、中央宣传部和自治区党委的工作部署，以“讲文明树新风，树立广西新形象”的群众性创建活动为龙头，以推出全国精神文明创建工作先进单位为载体，以实施自治区党委“1234610”工作思路，抓好农村精神文明建设为突破口，开拓奋进，精神文明建设取得了显著成绩，为广西的改革、发展、稳定提供了有力的思想保证、精神动力和智力支持。

**一、坚持两手抓、两手都要硬方针的自觉性进一步增强，各地各部门抓精神文明建设的力度加大**

全区各地各部门普遍把精神文明建设纳入党政领导的重要议事日程，做到年初有安排部署，年中有督促检查，年终有总结评比。不少地市建立了文明委成员单位职责制度，进一步明确了各成员单位的职责任务。党委统一领导、党政主要领导亲自抓、各部门分工负责的精神文明建设领导体制得到进一步健全和完善。

**二、思想道德教育常抓不懈，干部群众的思想道德素质进一步提高**

根据中央和自治区党委的统一部署，全区各地、各部门以县级以上领导班子和领导干部“三讲”教育为契机，深入开展邓小平理论的学习，同时注重抓好广大党员、干部群众的学习，使邓小平理论成为干部群众认识世界、改造世界的思想武器。紧密结合国内外形势，深入进行了党的基本路线、基本纲领教育，爱国主义、集体主义、社会主义教育，形势政策教育和弘扬伟大抗洪精神教育。自治区文明委、党委宣传部在全区组织了《民族魂》大型图片巡回展，开展了向抗洪英雄李向群，模范共产党员、优秀党支部书记王任光以及扶贫助学的好警官何方礼等先进人物的学习活动。以纪念五四运动80周年，强烈谴责以美国为首的北约轰炸我驻南联盟使馆的罪恶行径，庆祝新中国成立50周年，批判李登辉“两国论”，迎接澳门回归祖国等重大事件、重大活动为契机，掀起了爱我中华、强我中华的爱国主义教育热潮和实现祖国统一教育热潮。深入揭批“法轮功”邪教本质，兴起了马克思主义唯物论、无神论和弘扬科学精神、反对封建迷信的教育热潮，深入细致地做好“法轮功”练习者的思想转化工作，努力消除“法轮功”歪理邪说对干部群众的消极影响。

**三、“讲文明树新风，树立广西新形象”活动蓬勃开展，势头良好**

在年初召开的全区思想政治工作会议上，自治区党委提出树立广西“改革开放、文明礼貌、办事认真，奋勇争先”的新形象，使全区社会主义精神文明建设的要求更明确，目标更具体，重点更突出。自治区文明委、自治区党委宣传部召开了全区“讲文明树新风，树立广西新形象”电视电话会议，活动作出总体部署，抓了南宁市、桂林市、防城港市“创建全国（区）文明城，树立广西新形象”试点工作，抓了区直机关大板二区创建文明小区的示范点工作，南宁市、桂林市、防城港市的创建文明城市工作实现了领导力量、宣传力度、群众参与、整治措施、资金投入五个方面的突破，城市面貌有了明显改变，有力地推动了全区“讲文明树新风，树立广西新形象”活动的蓬勃开展。自治区党委宣传部、文明办还以自治区工商局、旅游局为试点，开展创建文明行业活动，促进了全区文明行业创建活动的深入发展。全区各地市、各部门在开展这一活动中，突出抓市民的思想道德教育、城市市容环境卫生及交通秩序整治工作，重点解决市民文明言行、行业服务质量、市容环境卫生以及城市交通秩序等方面存在的问题，把软件与硬件结合起来，把教育与管理结合起来，着力为群众办实事办好事，提高城市的文明程度，树立城市的良好形象，收到了明显成效。全区各地还广泛开展了治理环境污染，保护生态环境活动，使“讲文明树新风”活动不断向深度、广度拓展。

**四、群众性精神文明创建活动持续深入，影响广泛**

全区各地市以争创全国精神文明创建工作先进单位为动力，以第三轮自治区级文明城市达标竞赛及第七批自治区级文明单位评比命名表彰活动为契机，认真总结经验，寻找差距，强化措施，落实责任，真抓实干，普遍加大了创建力度，促进创建活动上台阶、上水平。

8月，自治区文明委、党委宣传部在贺州市、昭平县召开全区创建文明小区（庭院）现场经验交流会，总结、推广了贺州市、昭平县的经验，促进了全区文明小区创建工作的开展。全区各地、各部门普遍把创建文明城市活动同加强城市规划、建设、管理，树立广西新形象，改善投资环境紧密结合起来；把创建文明村镇活动同提高农民素质、奔小康、建设社会主义新农村结合起来；把创建文明行业同规范行业行为，树立行业新风，提高经济效益和社会效益紧密结合起来，促进两个文明建设协调发展。各地农村精神文明创建活动紧紧围绕自治区党委“1234610”工作思想，从农户抓起，通过抓一校（一所学校）、两室（文化室、卫生室）、四美（环境美、语言美、行为美、习俗美）、办五件实事（修路、改水、改厕、通电、办沼气），加强农村宣传文化基础设施建设，为农村群众办实事好事，解决实际问题。

3月，自治区文明委、党委宣传部命名表彰了莫家让等10人为广西首届“八桂精神文明十佳人物”、李世秋等29人为“八桂精神文明先进个人”、桂平市航运管理所等10个单位为“十佳文明窗口”；9月，在新中国成立50年前夕，中央文明委首次命名表彰的全国精神文明创建工作先进单位中，广西有南宁市、桂林市等2个城市以及12个镇（村）、30个单位榜上有名；11月，自治区文明委命名表彰第七批自治区级文明单位188个、文明村镇71个、军民共建先进单位40个、广西首批“文明单位标兵”20个、“文明村标兵”20个。这些先进单位、先进典型的推出，产生了很好的社会影响，有力地促进了群众性精神文明创建活动的广泛深入开展。

**五、“扫黄打非”工作力度加大，成果显著**

按照中央的统一部署，广西切实加大了对“扫黄打非”工作的指导力度和组织协调力度，多次组织开展了“扫黄打非”集中行动；开展了以“全面清理出版物市场，全面整顿印刷业，认真查处大案要案”为主要任务的专项治理行动。加大了对全区“扫黄打非”集中行动的督察督办力度和舆论宣传、舆论监督力度；进一步完善了文化市场管理责任制，强化了“扫黄打非”工作制约机制；严厉打击了“制黄”、“贩黄”和非法出版活动，坚决取缔政治性非法出版物和各类宣传、鼓吹迷信和伪科学的非法出版物，全面清查了“法轮功”类出版物出版、印刷、复制和发行情况，尤其是抓好湖北“5·14”、“6·14”非法出版发行“法轮功”类书籍案的协查工作。全区共检查出版物摊点及印刷厂点29362家，收缴各类非法音像制品355744张（盒），非法书报刊668369本（册）。其中，“法轮功”类音像制品11145张（盒），书刊42571本（册），宣传品15371张，南宁市“扫黄”办和柳州市“扫黄”办被评为全国“扫黄打非”工作先进集体，分别受到中宣部等七部委的表彰和表扬。

**六、精神文明建设工作宏观指导和协调管理得到加强，工作水平进一步提高**

8月，制定并下发了《广西壮族自治区文明委成员单位责任制度》（试行），明确了各成员单位的工作职责任务，进一步发挥了文明委成员单位的作用，形成各部门对精神文明建设齐抓共管，守土有责的运行机制；12月，自治区党委办公厅、自治区人民政府办公厅下发《广西壮族自治区文化市场管理责任制》，进一步强化了全区“扫黄打非”工作的制约机制。通过加强宏观指导和协调管理，把全区精神文明建设工作提高到一个新水平。

（广西壮族自治区文明办）

# 海南省

1999年，全省城乡围绕海南省委、省政府关于开展“齐心塑造海南形象”活动的号召，广泛开展各种精神文明创建活动，开展学习“新时期的英雄战士”李向群活动。思想道德建设扎实有效，文明城市、文明村镇、文明行业、文明单位创建活动成绩显著，投资软环境不断改善，全省精神文明建设出现崭新的局面，为推进海南的改革开放和各项事业的发展，维护社会的稳定起了积极的作用。

**一、完善精神文明建设领导机制**

1月20日，成立海南省精神文明建设指导委员会。省委书记、省人大主任杜青林任省文明委主任，省委副书记、省长汪啸风，省委副书记蔡长松，省委常委、副省长朱明国，省委宣传部长洪寿祥任副主任，省委宣传部副部长周文彰任秘书长。委员由有关部门负责同志27人组成。省文明委下设办公室，办公室设在省委宣传部。各市县以及省直许多单位相继成立了精神文明建设指导委员会。省文明委的成立，保持了与中央文明委工作的一致性，加强了与各省市文明委、文明办之间的交流和联系，加强了对全省精神文明建设的领导，促进了全省两个文明建设的健康、协调发展。

**二、开展齐心塑造海南形象活动**

年初，召开全省“齐心塑造海南形象”活动电话动员大会，省委、省文明委领导杜青林、汪啸风等出席会议，蔡长松作动员报告，洪寿祥作总体部署。各市县、各单位积极贯彻省委、省政府号召，制定了本地区、本部门的《实施意见》，广泛组织各种形式的“塑造形象”活动。定安、琼中县把“塑造形象”的各项具体任务分解到县直属各部门和乡镇，县委主要负责同志与县有关部门各乡镇主要负责人签订了塑造形象责任书。海口、三亚、琼海、儋州等市县和省高级人民法院、省直机关工委、省建设厅、公安厅、审计厅、卫生厅等单位党政主要领导带头参加或组织群众性的创建活动，如塑造省会城市形象、塑造公安形象、卫生行业形象、服务窗口形象，塑造琼山英雄家乡形象，塑造文昌侨乡形象，塑造海南女性形象等。“齐心塑造海南形象”成为海南精神文明创建活动的重要载体，她以强大的号召力，吸引广大干部群众积极参与。“海南明天的繁荣有赖于海南今天的形象”的观念深入人心。“在外国人面前树中国人形象，在中国人面前树海南人形象，在人民面前树公仆形象，在客人面前树主人形象”的共识逐步成为全省人民的自觉行动，呈现全省上下关心海南形象、人人都来塑造海南形象的良好局面。“齐心塑造海南形象”活动，为全省两个文明建设注入了新的活力。

**三、思想道德建设取得新进展**

用邓小平理论武装全党和教育广大群众。年初举办一年一度的由省级四套领导班子成员，各市县、省直各部门主要负责人，专家学者及企业界代表参加的海南省理论研讨会，以邓小平理论为指导，研究和探讨海南改革、发展、稳定的一些重大问题。抓好各级中心组的理论学习，加强理论专题研究，重视理论通俗化教育，层层举办培训班，组织演讲比赛和举办理论研讨等。邓小平理论不断深入人心，为海南的改革开放以及经济和社会的全面发展提供强大的精神动力。

爱国主义教育。全省以庆祝新中国成立50周年、迎接澳门回归祖国活动为重要载体，组织形势教育，图片展览、知识竞赛、文艺调演、传递签名、书法篆刻作品展等，以及组织青少年“光辉的50年”读书教育专项活动，回顾建国50年奋斗历程，讴歌祖国建设辉煌成就，展望21世纪光辉未来，激发广大干部群众热爱中华、振兴中华的爱国热情，组织光辉50年成就展晋京展出，展示和宣传海南50年来特别是建省办经济特区以来的辉煌成就。针对以美国为首的北约轰炸我驻南使馆的野蛮暴行，通过舆论引导、座谈声讨等形式，开展“抵御外侮、强我中华”教育，把干部群众对霸权主义野蛮行径的愤慨引导到振奋精神、齐心协力做好海南特区的各项工作中去。加强琼台两地经济交流的宣传，加强祖国统一的教育，在舆论宣传、思想教育方面同李登辉分裂祖国的丑恶行径进行坚决的斗争，增强人民群众祖国统一是神圣不可侵犯的观念。

加强科学精神传播。针对“法轮功”邪教组织对社会和人民群众的祸害，加强科普文化宣传教育、丰富群众科学文化生活，弘扬科学精神，引导干部群众深刻认识“法轮功”的伪科学本质。对法轮功练习者做耐心细致的思想政治工作，促进其思想转化。海口市广泛开展“崇尚科学、破除迷信”教育活动，不断完善社区文化设施建设，整治公庙，建立文化活动中心135家、科普技术夜校11家。通过广播、电视，以及召开座谈会、发放资料、出墙报等形式，宣传科学精神，普及科普文化。街道、居委会经常组织球赛、卡拉OK比赛等文体活动，让科学精神传播深入社区街巷，健康向上的文体活动占领社区、村镇文化阵地。

社会公德、职业道德、家庭美德教育。全省各部门、各行业开展多种形式的职业道德教育活动。按照中宣部、国家人事部和中央文明办《关于继续深入开展做人民满意的公务员活动的通知》精神，省直机关5月召开推行“三制”（直接办理制、窗口服务制、社会服务承诺制）经验交流会，把推行“三制”与“创建文明机关”、“做人民满意的公务员”活动结合起来。省检察部门要求检察官要做到“严明、廉明、文明、开明”执法，法院部门开展争当“人民满意的好法官”活动，司法部门开展“148”司法热线电话便民服务，商贸系统开展“百镇千店无假货”、“青年文明号服务卡”活动，旅游部门加大旅游企业和从业人员职业道德教育力度，规范服务行为。省审计部门依法审计，审计人员在各种压力和诱惑面前，不徇私情，维护国家利益，受到社会好评。在社会公德教育方面，在全省继续组织“十不”（不说脏话；不随地吐痰；不随地丢纸屑、果皮杂物；不翻越交通护栏；不闯红灯；不在公共场所喧哗起哄；不在公共场所乱贴乱涂乱画；不在公共场所吸烟；不破坏公共设施；不毁坏花草树木）行为规范教育，在主要城镇加大综合整治力度，实行教育和管理相结合形式，规范人们的行为，城镇公共秩序明显好转，在家庭美德教育方面，从省直机关到各市县，以创建“文明家庭”、开展“婚育新风进万家”活动为载体，弘扬孝敬老人，教育子女，夫妻和睦，崇尚科学文化的美德，省直机关、各市县层层评选表彰文明家庭、五好文明家庭，涌现出黄循强等91户海南省“五好文明家庭”，王淑琴10户海南省“五好文明家庭标兵”。各部门、各行业思想道德建设有效开展，涌现出“人民满意的公务员”昌江黎族自治县副县长兼王下乡党委书记王应才、“全国模范公安局”文昌公安局等一批重大先进典型。

**四、宣传学习先进典型**

全省广泛深入开展学习“新时期英雄战士李向群”活动，开展向“人民满意的公务员”王应才同志学习和向全国模范公安局文昌市公安局学习活动。

认真贯彻落实江泽民同志题词精神，进一步深入开展向李向群学习活动。省公安厅、省高级法院、省商检局等80多个单位和海口、琼山等市县召开动员大会和座谈会，学习宣传李向群的英雄事迹，邀请中宣部、总政治部组织的“李向群事迹报告团”到海口、三亚、琼山市等地作巡回报告，进行实况录像转播。李向群的光辉事迹打动着英雄家乡每一个人的心，全省人民受到一场生动的思想教育。省内组织创作一批宣传学习李向群的歌曲、电视剧，编写出版《抗洪英烈李向群》等介绍英雄事迹的书籍。教育部门组织大学生“踏着英雄李向群的足迹成长”演讲比赛，组织“学习李向群事迹演讲团”，先后在海南大学、热作大学、海南中学等学校作20场巡回演讲。

王应才和文昌市公安局的代表从北京人民大会堂作先进事迹报告回来后，省内抓住时机，先后组织了王应才和文昌市公安局在省内作先进事迹巡回报告，在全省掀起学习先进典型，创人民满意活动，学习王应才牢记全心全意为人民服务的宗旨，扎根基层，以带领山区群众脱贫为己任，以自己的行动带领人民群众改造生存环境，发展山区农村经济，赢得了人民群众的依赖和赞誉，展示了新时期共产党员和国家公务员勤政为民的崭新的精神风貌。学习文昌市公安局抓队伍建设，保一方平安，创人民满意的先进事迹。对加强全省干部队伍思想道德建设，牢记全心全意为人民服务的宗旨，改善社会风气有着积极的意义。

**五、“保护生态环境，倡导文明新风”活动**

根据中央文明办等11个部委办的部署，联系海南生态省建设的实际，省文明办等10个单位联合在全省广泛开展“保护生态环境，倡导文明新风”活动，利用“6·5”环境日、“6·17”海洋日、“6·25”土地日加大环境生态意识教育力度，在青少年中发起“关爱我们的家园”和保护母亲河活动；组织集中性整治战役，组织“绿化宝岛百万人大行动”，实施“百万亩椰林工程”，清理白色垃圾、治理机动车尾气污染、工厂排放物及城市排污对水资源的污染和捕杀野生动物、毁林开垦等。增强社会各界和广大干部群众保护环境和生态建设的意识，努力营造爱护花鸟、护林造林、绿化美化、保护野生生物、保护环境的文明新风。各地、各部门把大种椰子树作为生态市、县建设的大事来抓，全省干部群众84.1万人次参加了植树，种植椰子树71.3万株，17万亩。交通部门加强港口、高速路口生态环境建设，海口、三亚、八所、洋浦、清澜等省内主要港口的绿化、净化、美化、亮化有了较大的改观。

**六、精神文明创建活动取得实效**

创建文明城市。海口、三亚市和各市、县城，围绕创建文明城市、文明城区等有关标准，结合争创国家优秀旅游城市、国家园林城市、国家卫生城市等，开展综合整治创建。海口市提出“教育引导、规范行为、实践参与、环境熏陶”四位一体的育人模式，做到教育和管理、自律和他律相结合，使市民的思想道德素质有了明显提高。在原有基础上，环境建设着重开展以大种椰子树为主要内容的绿化活动，大种花草和提高园艺水平为主要内容的美化活动，以治理乱吐乱扔和白色污染为主要内容的净化活动，以改造路灯和增加城市亮度为主要内容的亮化活动，塑造城市环境良好形象，为市民和旅游者创造良好的便利条件和游览环境。海口市被评为1999年“全国环境综合整治优秀城市”称号。三亚市委、市政府重视市民、村民素质培养，投资2000多万元用于文化设施、道路改造、市区绿化、扶持贫困；实施城市公园工程、雕塑工程、夜景灯光工程和标准化路牌工程；抓好田独镇的改造，树立三亚东大门的亮丽形象；抓好城市环境生态建设，依法整治南中国大酒店等一批污染企业，做好海岸线退塘还林工作。三亚市获得1999年“国家生态示范区”称号。

创建文明村镇。省文明委印发了《关于加强农村精神文明建设的实施意见》，各市县围绕提高农民素质，努力抓好思想道德教育进村、民主法制教育进村、科技培训进村、文化教育进村，引导农民破除迷信，革除陈规陋习，讲究文明的新风。文昌、琼海、儋州、万宁、琼山等市县抓好乡镇和村级文化建设，组织农民开展丰富多彩、健康向上的文化活动，让农民在参与中陶冶情操，破除迷信，讲文明，树新风。加强农业实用科技培训，各市县都有一批农民获得“农民技术员资格证书”，许多农民懂得1—2项农业实用技术。加强农村“绿色形象工程”建设，提高农民生活质量。结合生态示范省，城乡大种椰子树，构筑椰子树长廊，绿化家园。儋州市王五镇等乡镇抓好墟镇建设的规划和管理，实现了净化、绿化和管理有序。琼海市中原镇、长坡镇，琼山市云龙镇，海口市长流镇等许多墟镇基本做到“摊点归位、车辆进场、垃圾入桶、猪舍圈养、公厕卫生、水沟通畅、路旁绿化、环境优美”。各市县加大改水、改厕、农村合作医疗等方面工作力度，改善农村生活环境。全省涌现出琼山市云龙镇、儋州市王五镇、琼海市中原镇、三亚市田独镇，海口市流水坡村、琼山市苏民村委会，琼海市欧村村委会、儋州市美万村委会、万宁市牛漏镇边肚村、保亭县三道镇什办村、文昌市会文镇汉园村等一批精神文明建设先进村镇。

创建文明行业。全省各部门、各行业针对服务质量、行业风气方面存在的突出问题，深入开展文明行业创建活动。旅游行业整顿旅行社和加强导游队伍的管理，整治旅游市场秩序，年初在全省开通“8008768188”免费旅游投诉热线电话，努力解决削价竞争、宰客、高回扣、服务质量低下等问题。卫生系统针对行业存在问题，深化改革，重塑“白衣天使”形象，组织学习新时期英雄战士李向群和人民的好医生吴登云活动，进行全心全意为人民服务教育，以“优质服务、树立行业新风、建文明窗口、塑造白衣天使新形象”为主题，进行行风评议，加强医德医风建设。

创建全国精神文明建设先进单位。根据中央文明委《关于表彰全国创建文明城市（区）、文明村镇、文明行业工作先进单位的通知》精神，省文明委及时作出部署，各地以争创全国文明先进单位为契机，深入开展创建活动，推动全省精神文明建设。各市县、省直各工委认真组织评选、推荐全国精神文明创建活动先进单位，省文明委于8月组织有关成员单位，做好抽查、评议和申报工作。海口市振东区等24家单位分别获得创建全国文明城市（区）、文明村镇、文明单位、文明行业工作先进单位荣誉称号。

（海南省文明办）

# 重 庆 市

1999年，重庆市精神文明建设工作根据中央的总的部署，在市委、市政府的领导下，经过精神文明工作战线全体同志的共同努力，不断取得新的成绩，工作水平有明显提高，工作质量上了一个新的台阶，开创了良好的工作局面。

突出提高市民素质、城乡文明程度这个根本，围绕培育适应新重庆发展需要的有理想、有道德、有文化、有纪律的社会主义公民，深入进行思想道德教育。坚持邓小平理论和党的基本路线教育，深入进行马克思主义的唯物论、无神论和科学精神教育，树立正确的理想信念和正确的世界观、人生观、价值观，在全党形成讲学习、讲政治、讲正气的良好氛围，在全社会形成反对迷信、抵制各种歪理邪说的健康气氛。同时，扎实推进爱国主义、集体主义、社会主义教育，广泛开展形势政策教育和社会主义道德教育。把道德要求融入社会、行业管理之中，加强道德监督，弘扬正气，鞭挞丑恶，树立良好社会风气。

围绕全国两大庆典活动和三场大的政治斗争，开展专题活动和多种形式的精神文明创建活动，唱响祖国颂、社会主义颂、改革开放颂，营造团结奋进、欢乐喜庆、昂扬向上的良好氛围。市文明办组织开展了“告别不文明言行，干干净净迎国庆”专题活动；与市交通局共同组织了出租汽车行业“迎国庆、迎回归优质文明服务竞赛”活动；利用《重庆日报》、《晨报》等媒体，在全市开展了“跨入新世纪的重庆人”大讨论，各区县（市）及市级各部门结合自身实际，开展了相应的活动。总工会在全市开展“祖国颂”职工演讲赛，共举办演讲300多场（次），5000多名职工登台热情饱满地抒发了热爱祖国、热爱重庆、热爱家乡、热爱岗位的豪情壮志。团市委组织开展了“清洁重庆城，文明迎国庆”、“迎接澳门回归，奔向21世纪”等主题活动。长寿县开展了“面向新世纪的长寿人”全民大讨论；双桥区举行了“跨入新世纪征文”活动；荣昌县开展了“文明健康杯”知识竞赛。这些活动的开展，对于提高市民综合素质，营造社会文明氛围，起到了积极作用。

在同美国袭击我驻南使馆的野蛮暴行、同李登辉分裂祖国丑恶行径、同“法轮功”邪教组织的政治斗争中，按照中央的统一部署，组织各地、各单位开展专题活动，兴起了抵御外侮、强我中华的教育热潮，兴起了维护民族团结、实现祖国统一的教育热潮，兴起了马克思主义唯物论、无神论和弘扬科学精神，反对封建迷信的教育热潮。

群众性精神文明创建工作坚持以建设繁荣、富裕、文明、进步的新重庆为主题，以创建文明城区为龙头，以培育“三创”示范点为重点，对全市的100个“三创”示范点和推向全国的示范点，加大指导力度，加强检查，建立动态管理机制，提高示范点的工作水平，对成功经验进行及时总结和推广，充分发挥示范点和创建工作先进典型的示范带动作用。有39个单位和地区成为全国精神文明创建工作先进单位。

创建文明城市活动走向规范化。创建文明城市以渝中区为试点工作区，在全市开展了创建文明城区竞赛活动。市文明委组织各区文明办主任到广西南宁、北海等地学习考察创建文明城市的经验。同时加强了对渝中区、渝北区等近郊主城区创建工作的指导，文明委发出了《关于加强文明城区创建活动统筹协调工作的通知》，制定了《重庆市文明城区考核细则》。加大了文明小区创建工作力度，从抓好文明小区的创建入手，分期分批建设区县级和市级文明小区，逐步向文明社区、文明城区、文明城市推进。市委，市政府命名了61个市级文明小区。渝中区成为全国创建文明城市（区）工作先进城区。

文明村镇建设稳步推进。创建文明村镇坚持以培育“四有”社会主义新型农民为根本任务，着力抓好“三村”、“十星级农户”等创建活动，推动农民素质的提高和农村经济的发展。市文明委组织各县（市）文明办主任到湖南长沙等地学习考察农村精神文明建设及创建文明村镇工作的经验。活动中注意把创建与加强农村基层党的建设、巩固基层政权等工作和帮助农民致富奔小康结合起来，与库区开发性移民结合起来，推动农村创建工作向“创文明、保安全、奔小康、共富裕”方向发展。江津市成为全国创建文明村镇工作先进市，有14个村镇成为全国创建文明村镇工作先进村镇。

文明行业创建全面展开。市委、市政府印发了《开展文明行业创建活动的意见》，着力把创建文明单位、青年文明号、巾帼文明岗、职工之家建设作为基础工作抓紧抓好。加强了文明单位创建的指导和协调，组织文明单位创建工作培训班，突出理论与实际的结合，既有精神文明建设理论的讲解，又有创建工作的具体要求，对提高文明单位的创建质量起到了积极的作用，1999年新命名的231个市级文明单位和文明单位“五十佳”的创建水平和质量有明显提高。市文明办与有关部门和行业密切配合，积极推进文明行业创建。建立制度化、经常化、规范化的活动机制，把提高从业人员的素质，树立行业形象贯穿在创建文明行业的全过程。市文明办与市交通局共同开展“出租汽车文明区县（市）”创评活动，在主城区推出100辆优质服务示范车，推出永川市为全市第一个出租汽车文明示范市；与市建委、园林局共同组织“文明风景区”的创评活动，评出巫山小山峡和武隆芙蓉洞两个文明风景区；与长江轮船公司共同组织“文明旅游示范船”创评活动；与共青团、妇联合作，进一步深化“青年文明号”、“巾帼文明示范岗”创建活动。与国家气象局共同推出第一个文明行业——重庆市气象局，有12个单位成为全国创建文明单位工作先进单位，有11个窗口行业成为全国创建文明行业工作先进单位。

市文明委成员单位和市级有关部门、行业积极配合，认真组织开展以“讲文明树新风”为主题的各种群众性精神文明创建活动。根据中央文明办等11个部委的统一部署，大力开展“保护生态环境，倡导文明新风”活动，市建委、市环保局、市爱卫会、市绿委会等部门积极开展活动，掀起“爱卫月”、植树造林、保护环境的高潮，团市委、市水电局等部门组织开展“保护母亲河”行动，市妇联在全市开展“告别白色污染，播种绿色希望”活动。各行业、各部门结合自身实际，开展了形式多样的创建活动，极大地丰富了群众性精神文明创建活动的内容，市总工会组织开展的创建“职工之家”活动，市妇联开展的“五好文明家庭”、“好丈夫”、“好婆媳”评选活动，共青团组织开展的青年志愿者活动，市工交工委、市建委、市农委、市商委、市教委等行业主管部门开展的创文明单位、文明行业、文明礼仪示范学校，红岩班（队），争做红岩好学生、红岩好教师等，有力地推动了全市精神文明建设全面发展，营造了建设“繁荣、富裕、文明、进步”的新重庆的良好氛围。

此外，继续扎实推进“百城万店无假货”和文化科技卫生“三下乡”活动。积极组织实施“百县乡镇宣传文化工程”落实在重庆市贫困地区建设10个宣传文化站的定点和资金到位工作。

加强市民教育的阵地建设和载体建设，不少地区和单位建立和完善了市民学校，各级市民学校建立了完整的领导体制和教学体系，做到了市民教育有组织、有计划、按要求实施。市文明办组织编印了《重庆市民文明知识读本》，该书紧密结合市民日常生活、学习、工作的实际，既有对精神文明建设基本理论的阐释，又有对市情、法律知识、道德规范、文明礼仪和先进模范人物的介绍，将理解大道理、贯彻大原则同正确处理身边小事联系起来，是一本比较系统的市民教育教材。

（重庆市文明办）

# 四 川 省

1999年，四川省精神文明建设工作认真贯彻中央、省委一系列指示精神，深入开展爱国主义、集体主义、社会主义教育，以经济建设为中心，以讲文明树新风活动为龙头，以创建文明城市、文明村镇、文明行业活动为重点，以创建文明单位、开展各类共建活动为基础，坚持高扬主旋律，唱响祖国颂、社会主义颂、改革开放颂，着力进行思想道德和科学文化素质教育，鼓舞士气，凝聚人心，营造了迎接新中国成立50周年和澳门回归祖国的良好氛围，对促进全省经济发展、社会进步发挥了重要作用。

**一、认真学习邓小平理论，深入进行思想道德教育**

一是始终把学习邓小平理论放在首位，各级文明办和文明示范单位采取多种形式，认真学习邓小平理论，特别是关于精神文明建设的论述，用邓小平理论武装头脑，指导工作，坚持做到两手抓、两手都要硬。二是广泛开展爱国主义、集体主义、社会主义思想教育和社会公德、职业道德、家庭美德教育，突出讲文明树新风、文明言行、环境卫生，形成良好社会风尚；突出优质服务、树立窗口行业良好形象；突出尊老爱幼，孝敬父母，城乡广泛开展五好家庭、文明户评比活动，促进社会风气进一步好转。二是认真贯彻中央文明办召开的“深入揭露批判‘法轮功’，切实加强精神文明建设”座谈会精神，把科学知识、科学思想、科学精神、科学方法的宣传和普及，作为精神文明建设的重要内容，大力开展科学知识和科学精神教育活动。四是围绕学习贯彻党的十五大精神和中央一系列重大决策，抓住县以上领导干部“三讲”教育的时机，深入进行党的基本理论、基本路线和基本纲领教育。进一步弘扬了新时期创业精神和伟大的抗洪精神，组织干部群众学习江泽民总书记关于抗洪抢险的重要讲话，凝聚了人心，振奋了精神，鼓舞了斗志。

**二、突出“讲文明树新风”主题，三大创建活动取得新成效**

进一步贯彻落实全国农村精神文明建设工作座谈会精神。省文明委下发了《关于进一步加强农村精神文明建设的意见》，提出了当前和今后一个时期全省农村精神文明建设总的目标要求和基本任务。3月中旬在巴中地区召开了全省农村精神文明建设工作座谈会。传达了文登会议精神，交流了全省创建文明村镇先进经验，表彰了37个先进村。各地党委、政府结合本地实际制定了加强农村精神文明建设措施。在全省广大农村，学习巴中经验，服务农民群众，建设文明新村活动普遍展开。6月上旬在什邡市召开了全省农村精神文明建设活动示范点座谈会，进一步落实了“三户一村”的“5515工程”，即省抓5个县、每个地市州抓5个乡、每个县抓1个乡和5个村的典型示范。全省命名省级文明村31个；评出遵纪守法户、五好家庭户、双文明户占全省总农户的80%以上。

贯彻落实中央文明办等部门召开的“保护生态环境，倡导文明新风”、“深入开展优质规范服务，大力倡导文明行业新风”电视电话会议精神，按照“巩固、提高、延伸、辐射”的思路，把“讲文明树新风”活动引向纵深。省文明办与省“五好家庭”创建协调小组、省妇联、省体委、四川航空公司等单位联合举办了“保护生态环境，倡导文明新风”趣味体育比赛；与团省委组织实施了四川青年志愿者支教扶贫接力计划。5月上旬，省纠风办、省文明办召开了“建文明行业，树行业新风”座谈会，进一步明确了文明行业创建，要以“为人民服务，树行业新风”为主题，以服务示范窗口为重点，与纠风工作紧密结合，搞好优质规范服务，推进创建活动。与此同时，省委宣传部、省文明办、省人事厅联合下发了《关于建立“做人民满意的公务员”活动联系点的通知》，确定成都、绵阳、攀枝花、内江、达川、阿坝六个地区和公安、民政、国税三个系统作为活动联系点，推选出11名同志作为“人民满意公务员”受到省政府表彰，隆昌县国税局廖太洪被中央命名为全国十个人民满意的公务员之一。同时还对全省首批158个文明示范窗口单位进行抽查。9月下旬，省文明委命名了全省第二批141个“文明服务示范窗口”单位。国庆前夕，表彰了60个创建文明行业工作先进窗口单位。

“三优一学”创建文明城市竞赛活动理清了工作思路。一是面向群众，突出重点。以“讲文明树新风”为主题，重点解决群众关心的文明言行、环境卫生、服务质量、交通秩序四个方面的突出问题，改善生活环境，提高生活质量。二是宣传典型，整体推进。学习绵阳、成都、峨眉山市的经验，形成了全省文明城市建设你追我赶的局面，创建活动取得了明显成效：（1）进一步健全了组织机构，形成了创建工作新体制；（2）坚持以人为本抓市民教育培训，市民素质明显提高；（3）城市建设步伐加快，城市面貌日新月异；（4）改善环境，促进了经济健康发展和社会全面进步；（5）强化城市综合管理，提高了文明程度；（6）弘扬正气，树立新风，城市形象更加鲜明；（7）以城促乡，城乡结合，带动了广大农村精神文明建设。本届“三优一学”创建活动对竞赛内容和检查方式进行了改进，精简了内容，缩短了检查时间，7个责任部门在6月下旬对30个参赛城市进行了总评检查。9月中旬，省文明委召开了第六届“三优一学”创建文明城市竞赛活动总结表彰暨第七届动员大会，省委、省政府对地县级18个先进城市和省级有关部门进行了表彰。国庆前夕，中央文明委表彰了全国精神文明创建工作先进单位。四川省有67个单位受到表彰。

**三、开展调查研究，加强信息工作**

5月底，省文明办组织五个调查组，拟定调查提纲，分别对全省13个城市、23个县市的文明单位、文明小区、文明村镇、军警民共建和“窗口”行业进行了调查研究，写出了4篇专项调研报告。对当年申报的部分省级文明单位、文明村镇，深入到车间，班组、科室、街道、院落、农户进行了实地考察，听取意见，总结经验，并向中央文明办推荐绵阳文明城市建设的经验和总结的峨眉山市抓文明小区建设的经验，受到中央文明办的肯定。同时，认真抓了军警民共建文明川藏运输线的工作。

**四、加强省级文化事业建设费的管理，认真组织广安、仪陇两县兴建乡镇宣传文化站**

年初，会同省财政厅编制了全年省级文化事业建设费预算方案，遵照按项目、进度拨款的原则，陆续对18个单位进行了补助，特别是保证了新中国成立50周年大庆期间大型文化活动和进京演出的顺利进行。全省1900万元文化事业建设费已拨付完毕，资金全部到位，使用情况良好。同时认真贯彻落实中宣部、中央文明办《关于组织实施“百县乡镇宣传文化工程”的通知》精神，下发了《关于组织实施我省“乡镇宣传文化工程”的通知》和《关于继续抓好“乡镇宣传文化站”建设的通知》，明确了每建一个乡镇宣传文化站，由省级文化建设事业费中资助8万元，市地州县资助4.5万元，并确定首批广安、仪陇各建10个乡镇文化站。9月下旬，省文明办会同省文化厅组成工作组，深入广安、仪陇十几个乡镇进行调查研究、指导工作。建站资金已到位，年底已全部建成。

（四川省文明办）

# 贵 州 省

1999年，省文明委围绕着全国的重大事件，唱响主旋律，打好主动仗，使全省精神文明建设呈现积极、健康的良好发展态势。

**一、大力开展爱国主义教育**

在三大政治斗争中，全省掀起了热爱祖国、振兴中华、建设贵州的教育热潮；掀起了维护民族团结、实现祖国统一的热潮；掀起了弘扬科学精神、反对封建迷信的热潮。省文明办邀请中国人民大学政治系教授在全省作了六场国际形势报告。组织丰富多彩的群众文化活动，举办各种展览，庆祝澳门回归祖国，庆祝中华人民共和国成立50周年暨贵州解放50周年庆典。在财政紧张的情况下，坚持面向基层，面向群众，为基层办好事、办实事。从制度化、规范化入手，深入开展“四创”活动。全省有37个单位荣获中央文明委表彰的全国精神文明创建活动先进单位的称号。黄果树景区被批准为全国“文明风景旅游区示范点”。加强爱国主义教育基地建设。按照《爱国主义教育基地暂行管理办法》的要求，对第一批的25个省级爱国主义教育基地的建设、管理和使用情况进行自查和抽查。公布了第二批6个省级爱国主义教育基地。确定贵阳市息峰集中营旧址等3个省级爱国主义教育基地，作为向中宣部、中央文明办申报的全国第二批爱国主义教育基地。

**二、联系贵州实际，开展专题活动**

举办成就展。在纪念五四运动80周年、庆祝建国50周年和贵州解放50周年，以及迎接澳门回归祖国等重大庆典活动中，省文明办牵头承办了《奋进中的贵州——贵州解放50周年成就展》。在贵阳的10天展出期间，参观展览的单位达1200多个，观众8万多人次。观众从中看到了社会主义的前途，增强了信心，进一步坚定了“没有共产党就没有新中国，只有社会主义才能救中国”的信念。省文明办由此被省委、省政府评为“中华人民共和国成立50周年暨贵州解放50周年庆祝活动组织工作先进单位”。

开展“卫生与秩序”主题创建活动。针对“脏乱差”比较严重的实际情况，把中央文明委开展的“讲文明树新风”活动，具体化为更适合本省实际的“卫生与秩序”主题创建活动。活动的重点是解决各地州市所在地中心城区的环境卫生和交通秩序问题。年初，省文明办与省公安厅、省爱卫会等12个单位联合下发了《关于开展“卫生与秩序”主题创建活动的安排意见》，围绕清洁卫生、义务植树、保护环境、交通秩序这四个方面存在的问题，开展了以宣传教育和组织整治为主要内容的四次集中行动。以省市、地州市、市区共创的形式，每次集中行动确定一个重点，领导机关和领导干部带头，广泛发动群众参与整治环境卫生与交通秩序。四次集中行动产生了很大反响，带动了各地“卫生与秩序”活动的开展，较快地促进了各地的环境卫生与交通秩序的状况的好转，推动了各地“讲文明树新风”活动向纵深发展。省文明办组织有关单位，分两次检查了各地开展“卫生与秩序”活动情况和实际效果情况，贵阳市等4个城市获得“卫生与秩序进步奖”。

开展“保护生态环境、倡导文明新风”活动。省、市文明办以省市共创的形式，共同策划组织了贵阳10万军民义务治理南明河的集中行动，参加清淤活动的省市党政领导、机关干部、军警民等各阶层和各行各业的群众，在为期4天的劳动中，共清除河道淤泥及各种杂物1.5万立方米。为了进一步确立群众的环保意识，省文明办、省环保局、团省委等13个部门联合举办了世界环境日“保护生态环境、倡导文明新风”宣传咨询活动，向白色污染宣战。团省委组织青年志愿者在市内主要交通干线、车站、公园等地捡拾白色垃圾。省、市各有关单位设6个咨询点，向群众发送宣传资料10多万份，赠送印有“保护生态环境，倡导文明新风”的购物布袋2500个，接受群众咨询3000多人次，收到较好的宣传效果。

规范创建活动。在总结以往创建活动经验的基础上，分别制定下发了《关于开展创建文明城市、文明县城的意见》、《关于在全省开展创建文明行业（系统）活动的意见》、《关于在全省开展文明村镇、十星级文明户创建活动的意见》、《关于在全省乡镇以上党政机关开展创建文明机关的意见》，对各项创建活动的意义、基本要求、思想道德教育、方法步骤、基本标准、推荐办法等提出了具体、明确的要求，提高了各项活动的规范性和可操作性。

为基层办实事。根据中央和省政府的有关精神，省文明办会同省财政厅制定了《贵州省文化事业建设费使用管理办法》，对省、地两级文化事业建设费的征收、管理、开支范围、检查监督等作了明确规定。从省级文化事业建设费等多方面筹措400万元资金，为基层办了三件实事：为一万多个未配“万村书库”图书室的行政村建立图书室，实现了村村建成“万村书库”图书室；免费为87个县市区配发农村电影放映设备和5个科教片拷贝；为48个国家贫困县县委宣传部或文明办免费配备现代化办公设施。受到地县宣传部门和干部群众的热烈欢迎。

认真组织“三下乡”活动。按照中央有关部委的统一部署，省委宣传部、省文明办与有关部门共同组织“三下乡”活动。活动采取集中和分散相结合，进村宣传和入户服务相结合，“三下乡”与送温暖相结合，对农民群众进行文化、科技、卫生等方面内容的传授和教育。受到广大农民群众的欢迎，取得了明显成效。

**三、加强农村精神文明活动中心建设**

为了抓好中央文明办组织实施的“百县乡镇宣传文化工程”，根据我省近年来文明中心的管理经验，结合中央文明办的要求，制定了《关于进一步加强农村精神文明活动中心建设的意见》，对文明中心的布点原则和资金分配、申报时间和所需材料、申报程序和名称等提出了明确要求。根据我省文明中心已实施多年的现实，文件规定把中央文明办资助的宣传文化站统称为“农村精神文明活动中心（中央文明办资助点）”。1999年度，中央文明办资助我省125万元建10个宣传文化站，省财政划拨了150万元的文明中心专项资金，除用30万元作为宣传文化站的省级配套资金外，余下的120万元安排了24个文明中心的修建，全年共建34个农村精神文明活动中心。实行省地县乡签订责任状的制度，以确保资金的正确使用和文明中心的建设。

**四、评比表彰，宣传先进**

按照中央文明委评选全国精神文明建设创建工作先进单位的要求，从500个省级文明单位中，认真选择、慎重推荐。经中央文明委批准，贵州省获表彰的单位有37个。

对荣获中央文明委表彰的37个单位，获全国文明风景旅游区称号的黄果树风景旅游区，获省“卫生与秩序进步奖”的4个城市，20个“四好”文明中心，作为全年的宣传重点，开展全方位的宣传。省文明办与新闻单位共同制订宣传方案，作出具体安排，进行了相对集中的深入宣传，取得明显宣传效果。

开展宣传贵州精神文明建设好新闻奖评选活动。由省文明办和省委宣传部共同组织，对贵州地厅级以上新闻单位主办并公开出版的报纸、期刊刊登及正式电台、电视台刊播的，反映我省精神文明建设活动为主要内容的新闻作品进行评奖，并以省文明委的名义颁发了“贵州精神文明建设新闻奖”奖状和奖金。召开了贵州省精神文明建设新闻宣传研讨会。

（贵州省文明办）

# 云　南　省

1999年，是我们党和国家发展史上至关重要的一年，也是云南省精神文明建设经受考验，取得丰硕成果的一年。主要做了五个方面的工作：

## 一、结合“三讲”抓理论学习

全省各级党的组织和广大干部群众一开年就紧密结合党的基本理论、基本路线、基本纲领教育，选学中央编发的“三讲”教育读本和省委印发的《“三讲”教育文件选编》，普遍做到了早学习武装，早认识提高，早边整边改，提前作好了思想上、理论上的准备。特别是中央关于处理“法轮功”的指示下达之后，各级文明办在同级党委的统一组织和领导下，动员全社会揭露和批判“法轮功”歪理邪说，教育和挽救“法轮功”练习者。坚持以“三讲”为动力，迅速在全省掀起了一个学习马克思主义唯物论和无神论的热潮。全省“三讲”活动于7月铺开以来，从省委领导班子到全省县以上领导机关，从各级领导干部到广大人民群众，高度重视，密切关注，自觉把搞好“三讲”同加强党的思想建设和组织建设、同提高全省精神文明建设的整体水平联系起来，达到了理论同学、问题同找、根源同挖、措施同订的效果。

## 二、围绕中心抓思想教育

遵照中央和省委关于“唱响主旋律，打好主动仗”的指示，思想道德教育始终以爱国主义为核心，紧扣服务中心、服务大局、服务人民的总体要求，集中抓了四项大的活动：(1)以迎接和办好'99世博会为主题，狠抓了文明公民素质教育。主要是抓了《文明公民教育读本》的学习和普及工作。并以省委宣传部、省文明办、省教委名义，联合下发了《关于进一步在全省教育系统中开展迎接'99世博会提高公民文明素质教育的通知》，3月下旬又举办了全省“迎世博盛会，做文明公民”的知识大赛，有130多万人参加，通过电视向全省播放，在群众中产生了强烈反响。(2)巧借东风，召开了三个“倡导文明新风”的电视电话会议。即：由中央文明办等11个部委联合召开的“保护生态环境、倡导文明新风”会议；由省委宣传部、省文明办等7个部委联合召开的“加强综合整治，净化社会环境，倡导文明新风，迎接世博会”的会议和中央文明办、国务院纠风办召开的“深入开展优质规范服务，大力倡导文明行业新风”会议。这三个电视电话会议的召开，为办好世博会，营造外部环境，“送来了及时雨，注入了新活力”，起到了巨大的推动作用。(3)以迎接和庆祝新中国成立50周年为契机，在全省唱响了“祖国颂、社会主义颂和改革开放颂”。全省普遍举办了讲演赛、诗歌赛、字画赛、歌咏赛，层层召开了庆祝会、展览会、报告会。其形式之多样，参与之广泛都达到了空前的程度。(4)总结世博精神，组织巡回报告。遵照省委主要领导同志指示，在省文明委的统一协调组织下，经过将近半年的广泛调查、集中研讨，最终概括了“爱国爱乡、知难而上、团结奋斗、争创一流、敢为人先”的世博精神。从11月中旬开始，组成了先后有18人参加的报告队伍，在全省报告了35场，通过广播、电视向全省播放，受到广泛称赞。这些教育活动，对于凝聚全省各族人民，净化社会环境，确保各项中心工作的顺利开展，都产生了巨大而积极的作用。

## 三、突出难点抓创建

从云南的实际出发，群众性精神文明创建活动，长期存在三个难点：一是难在农村，二是难在行业，三是难在公路。一年来，全省坚持以党的十五届三中全会和省委六届七次全会为指导，在三个难点上都有较大突破。首先，经过调查研究、概括总结、典型筛选、精心准备，于4月5日至7日在保山地区成功地召开了全省农村精神文明建设现场经验交流会。全面推广了保山地区开展评选“十星级文明户”的经验。省委副书记、省文明委常务副主任王天玺同志在会上作了《农村文明、全省文明》的重要讲话。第二，正式颁发了《云南省创建文明行业活动管理办法》。并特别加强了对全省工商银行系统、电力系统和气象系统的实地检查、现场指导，使之大大加快了创建步伐。第三，实施“文明走廊工程”，创建“文明公路运输线”的活动有新的进展。6月，由省文明办、省交通厅、省交警总队在丽江召开了创建昆丽“文明公路运输线”协调会议。年底，联合组成督察组，进行逐段、逐片、逐点地督促检查，全面提出要求和规范。使沿线各地州及相关部门的思想重视程度、创建工作力度都得到了大大增强。第四，完成了对第八批省级文明单位的考评、推荐、审核工作。经过层层筛选，并报经省委、省政府正式批准新命名省级文明单位588个，省级文明村128个，复查合格的文明单位543个，文明村64个。第五，组织实施“百县乡镇宣传文化工程”进展顺利。中央文明办组织实施的“百县乡镇宣传文化工程”给云南省50个建设指标。为确保这项工程落到实处，省委宣传部、省文明办、省文化厅、省财政厅召开了协调会议，联合下发了文件，并从5月下旬开始，先后派专人深入到8个地州市的25个定点乡镇进行实施考察，逐点敲定。使干部群众提高了认识，端正了态度，加强了组织工作和施工工作强化了农村精神文明阵地建设。

**四、学习先进树典型**

结合全省农村精神文明建设现场经验交流会的召开，大力推广了保山地区开展争创“十星级文明户”的经验。同时，有22个先进县、乡、村在会上作了书面交流，有12个先进地、县、乡、村代表作了大会发言。结合庆祝新中国成立50周年，省文明委从年初就根据中央文明委关于表彰一批精神文明建设先进单位的部署作了安排，7月上旬又专门下发了文件，组织了自下而上的评选推荐。9月中旬，省文明委召开了全体会议，专门讨论审核了表彰办法和名单，并于9月28日召开了约6000人参加的全省电视电话表彰会议，共有7个创建文明城市、103个创建文明乡镇、107个创建文明行业窗口、101个创建文明单位的先进单位和100名精神文明建设的先进个人受到表彰。同时有1个先进城市（昆明），12个创建文明村镇先进县、乡（镇）、村，11个文明行业先进“窗口”和12个文明单位受到全国表彰。结合'99中国昆明世界园艺博览会的工作总结，先后大张旗鼓地表彰了两批先进集体和先进个人。

**五、面向新世纪狠抓队伍建设**

开创新局面，队伍是关键。针对云南省近两年领导班子变动较大和各级文明办普遍得到加强而又新手较多的实际。举办了地厅级副职领导干部精神文明建设和建设民族文化大省专题研讨班。集中探讨了云南省新时期的精神文明建设问题，有83名分管精神文明建设的地厅级副职领导干部参加学习。举办了全省县以上文明办主任培训班。参加学员111人。学习内容有精神文明建设工作的理论和实践，有具体的规范和要求，有新时期的探讨和研究。两次培训，都从不同角度、使不同人员加深了对精神文明建设战略地位、战略目标、战略布局和战略途径的认识，大大提高了精神文明建设骨干队伍的自信心和积极性。

（云南省文明办）

# 西藏自治区

1999年，西藏的精神文明建设工作在自治区党委和文明委的领导下，服务经济建设大局，突出治乱治愚，坚持破立结合，积极开展精神领域的斗争，深入揭批达赖，大力加强马克思主义祖国观、民族观、宗教观、文化观和唯物论、无神论教育，引导群众崇尚科学文明，消除迷信愚昧，广泛开展群众性精神文明创建活动，取得了显著成效，为社会稳定和改革发展发挥了重要作用。

**一、各级领导对精神文明建设日益重视，工作力度不断加大**

自治区党委、政府立足西藏实际，高举邓小平理论伟大旗帜，认真贯彻党中央和江泽民总书记关于加强社会主义精神文明建设的重要指示，明确了西藏精神文明建设的主要任务是："治乱治愚"；与达赖集团的斗争，"精神领域是主战场"；精神文明建设必须立足西藏人民的根本利益，抓住要害，破立结合；精神文明建设是在西藏建设有中国特色社会主义的重要特征；以经济建设为中心，维护统一、反对分裂和精神文明建设三位一体，必须"两手抓，两手都要硬"。从而形成了西藏精神文明建设的指导思想，明确了工作方向，初步形成了一套明晰有效的精神文明建设思路。多数地区和单位都能把精神文明建设纳入领导班子的重要议事日程，一把手负总责，分工副职具体管，做到年初有安排部署，年终有总结检查，不少单位制定了量化考核标准，把精神文明建设的内容和效果，与经济指标同时检查验收，作为考评领导班子的重要依据，推动作用很大。党委统一领导，党政领导亲自抓，精神文明建设工作机构得到充实加强，工作条件和经费等问题得到相应解决，极大地推动了精神文明建设各项工作的开展，使全区的精神文明建设呈现出全面推进的良好态势。

**二、示范点建设日臻完善，较好地发挥了带动和辐射作用**

针对西藏经济基础薄弱，精神文明建设困难大的特点，采取了普遍号召、重点突破的工作方略，在全区设立了104个国家和自治区级精神文明示范点，各地、市、县也分别树立了一些这样的示范点，全区有各级示范点1200余个。各单位像种试验田一样，在抓好面上精神文明建设工作的同时，着力在点上下功夫，加强检查指导，帮助制订规划和措施，力所能及地给予倾斜和支持，在示范点建设的过程中，各地、市从实际出发，把中央文明办和自治区的要求同当地实际相结合，形成了一套切实可行的规章制度，使示范点建设有目标、措施、具体内容和检查考核验收标准，保证了示范点建设不走形式。有的地区还采取开现场会等办法，利用一切机会组织干部群众到示范点参观学习，推广他们的做法和经验，通过示范点的示范，基层干部普遍受到启发，不仅学到了成功的办法和思路，也实实在在的看到了抓精神文明建设的好处，增强了做好工作的决心和信心。

在示范点的带动下，群众性精神文明创建活动蓬勃开展，由机关向基层、由城镇向农牧区延伸。"讲文明树新风"、"保护生态环境，倡导文明新风"、"开展优质规范化服务，树行业新风"、"五好家庭"、"青年文明号"以及创建文明城市、文明村镇、文明行业等活动，着力解决群众迫切希望解决的服务质量、文明言行、环境卫生、交通秩序等问题，广泛吸引群众参与，极大地调动了人民群众参与精神文明创建活动的积极性，显示了精神文明创建活动的旺盛生命力。拉萨市城关区在抓好创建文明城市、文明村镇、文明行业的同时，紧密结合实际，开展了群众性精神文明建设"十大工程"创建活动。即：理论武装与思想教育工程、形象工程、容貌工程、文化建设工程、双拥工程、普法工程、温暖工程、楷模工程、平安工程和安居工程。通过创建活动，提高了人们的整体素质，市容市貌和各单位的精神面貌有了较大的改观。

**三、思想政治教育扎实有效，干部群众的精神面貌发生了明显变化**

各地、市，各单位把思想政治教育作为精神文明建设的首要任务，高度重视，认真计划，精心组织。一是深入开展以维护祖国统一，揭批达赖分裂罪行为主要内容的爱国主义教育，不断提高对达赖反动本质的认识。以青少年作为重点，把反对分裂、维护祖国统一的内容编入中小学思想品德乡土教材。二是结合庆祝新中国成立50周年和西藏民主改革40周年活动，用国家建设成就和西藏巨大变化的历史事实，进行社会主义教育，进一步坚定社会主义理想信念。三是以党章和党规党纪为主要教材，以"法轮功"等封建迷信思想给社会造成严重危害的事实为教材，对党员干部进行唯物论、无神论教育，增强党员干部坚定马克思主义世界观、不信仰宗教和封建迷信的自觉性，适时编印了《新时期党员干部教育读本》。四是采取正面引导的方法，发动群众运用身边科技致富的生动事例，进行"科学精神"自我教育，自觉崇尚科学文明，主动告别愚昧落后。通过一系列思想政治教育，马克思主义的祖国观、民族观、宗教观、文化观逐步深入人心，社会主义道德风尚不断弘扬，宗教的消极影响有所淡化，封建迷信和陈规陋习对人们的束缚明显减弱。随着科普和文化科技卫生“三下乡”活动的广泛开展，人民群众信科学、学科学、用科学的自觉性增强，依靠科技勤劳致富已成为不少群众的共识。

**四、专项治理工作取得良好效果，文化娱乐场所得到净化**

在区党委和区文明委的领导下，以禁止赌博、取缔卖淫嫖娼、打击非法政治出版物为主要内容的专项治理工作，在各级党政领导和各有关部门的积极参与配合下，取得了良好社会效果，全区经营性电子游戏机和模拟机全部被关闭，利用电子游戏机赌博的问题得到彻底解决。歌舞厅、卡拉OK厅、美容美发厅以及桑拿、按摩、浴室等场所的卖淫嫖娼活动得到了有效遏制，录像出租放映行业管理混乱、出租放映黄色淫秽影碟的问题基本得到控制，文化娱乐服务场所得到清理整顿，文化娱乐和新闻出版市场的管理进一步得到规范。

（西藏自治区文明办）

# 陕　西　省

1999年，陕西省精神文明建设工作紧紧围绕全省工作大局，精心安排部署，扎实稳步推进。思想道德教育兴起热潮，群众性创建活动成效显著，表彰先进、宣传典型的力度明显加大，各项工作取得了新成绩，激发了人民群众的爱国热情和创造精神，凝聚了各方面的力量，维护了改革发展稳定的良好局面，促进了全省的改革开放和现代化建设。

**一、抓住机遇，精心组织，思想道德教育兴起新热潮**

全省上下抓住大事喜事多的机遇，广泛组织开展各种活动。一是结合“三讲”、“四教育”和深入揭批邪教“法轮功”兴起理论学习热潮。按照省委的安排，在全省农村基层干部中开展了以“党的解放思想、实事求是的思想路线教育，全心全意为人民服务的根本宗旨教育，党的方针政策教育和民主与法治教育”为基本内容的“四教育”活动，解决了农村基层干部在工作作风和工作方法中存在的一些突出问题。在开展与“法轮功”邪教的斗争中，通过学习文件、座谈讨论、撰写批判文章等形式，使广大干部群众认清了“法轮功”组织的反动本质，受到了生动深刻的马克思主义唯物论和崇尚科学、反对迷信的教育。二是紧密配合同美国袭击我驻南使馆暴行和李登辉宣扬“两国论”的政治斗争，开展了抗议暴行、反对外侮、强我中华、反对分裂的爱国主义教育。三是围绕庆祝新中国成立50周年、迎接澳门回归祖国和迎贺新千年三件喜事组织开展了“祖国颂、社会主义颂、改革开放颂”系列活动，在全省范围内组织开展了自下而上的群众性“三颂”演讲竞赛和文艺汇演活动；举办迎回归报告会、书画展、座谈等活动；举办了千面锣鼓迎千年大型庆典活动和戏剧、音乐、综艺演出活动等，主题鲜明、生动活泼、覆盖面大、参与面广，营造了喜庆热烈的良好社会氛围。四是以举办“四城会”为契机，广泛开展“当好东道主，服务城运会，满意在陕西”精神文明建设系列活动，强化“三德”教育，倡导社会新风尚，塑造跨世纪陕西人新形象。

**二、组织战役，上下联动，讲文明树新风活动声势大、影响广、效果好**

按照中央文明委的部署，结合实际，在全省组织开展了“三大战役”，有力地推动了讲文明树新风活动的深入发展。第一，组织开展“保护生态环境，倡导文明新风”活动。各地广泛发动群众植树造林、栽花种草，清除白色垃圾，治理大气、水源污染，整顿交通秩序，清理马路市场。省委、省政府主要领导同志同省直机关和西安市的干部和群众数十万人走上街头清理垃圾，捡拾白色污染物，打扫环境卫生。各地及铁路、交通、旅游、教育、环保、共青团、妇联等系统和团体，发动群众在铁路、公路沿线，江河湖泊沿岸，风景旅游区清理白色垃圾；组织开展了“青年志愿者”、“妈妈环保建设21世纪绿色家园”、“保护母亲河”等活动，使城乡面貌有了明显改观。第二，广泛开展了“讲文明、树新风、塑形象、迎城运、庆国庆”活动，各市地、行业以“创三优”为目标，结合自身特点积极组织系列活动，推广文明用语，开展礼仪教育，美化营业窗口，规范服务行为，努力塑造行业新形象。第三，深入开展“优质规范服务，倡导文明行业新风”活动，中央文明办和国务院纠风办召开电视电话会议之后，省文明办及时进行安排部署，各行业相继出台了一系列制度、措施，完善规范化服务，查纠不正之风，使行业形象进一步改观，如省邮电管理局出台了星等级服务标准及全面系统的检查、考核标准，省工商局推出服务行为、监管行为、工作秩序三项规范，并制订制度以保证规范的落实。省旅游系统严格依照饭店新星级标准和导游管理条例，对全省所有宾馆、饭店、旅行社和旅游车队分部门、分专业、分等级进行全员培训、考核，实行持证上岗。

**三、服务大局，注重结合，“五大创建”活动社会效果明显**

全省的“五大创建”活动以迎城运、庆国庆、迎澳门回归总揽全局，具有三个鲜明特点：一是围绕大局，突出重点。省里以抓创建文明城市、文明行业作为重点，着力营造良好舆论氛围和社会环境。各地密切配合，以市地县所在城区为重点，加大工作力度、采取措施，使城市面貌和行业形象有了明显改观。二是围绕中心，注重结合。各项创建活动与各地各部门的中心工作紧密结合，促进和保证了中心工作的完成。西安、咸阳、延安、宝鸡、汉中等市把创建文明城市同加强城市规划、建设、管理，改善投资环境紧密结合，使文明城市创建活动不仅成为加强城市文明程度的重要手段，也成为加快城市总体发展的有效途径；22个窗口行业把创建文明行业同规范行业行为、树立行业新风、提高经济效益紧密结合，使文明行业创建活动成为行业在激烈的市场竞争中站稳脚跟、开拓发展的关键环节；延安、榆林、商洛、安康、铜川等市地把创建文明村镇同提高农民素质、科技兴农、扶贫奔小康紧密结合，制定规划，出台政策，发动群众退耕还林，治理农田，发展主导产业，掀起了再造一个山川秀美的新陕西的热潮。使创建文明村镇、评选“十星级文明户”，成为发展农业经济，改变乡村面貌的有效途径；创建文明机关同改变机关作风，提高办事效率，加强廉政建设紧密结合，使创建文明机关活动成为加强机关建设，密切干群关系，反腐倡廉的重要手段；全省教育系统把创建文明校院同提高教学质量，培养合格人才紧密结合，不断深化、硬化文明校园创建活动，使其成为提高师生素质，提高教学质量，优化教学环境，纠正教育系统不正之风的有效途径。三是狠抓基层，扎实推进。各项创建把着力点放在了文明小区、文明街道、文明社区、文明单位、文明营业厅室、文明处室、文明班组、文明所站、文明家庭和“十星级文明户”等基层创建上，取得了实实在在的成效，得到了各方面、各部门的重视和支持。西安市，旬阳县等21个镇、村和包括行业在内的28个单位，受到中央文明委的表彰，展示了陕西省群众性精神文明创建活动的丰硕成果。

**四、精品带动，繁荣创作，群众性文化体育活动丰富多彩，健康活跃**

围绕大事喜事，各地积极组织开展各种健康有益的文体活动，活跃了文艺舞台，丰富了群众的精神文化生活。一是狠抓创作，精品带动，文艺舞台空前繁荣。省委宣传部、省文化厅实施精品战略，制定创作规划和计划，公开征集剧本，调动了各方面的积极性。在经费等方面给重点剧目以政策倾斜，有力地促进了精品生产，文艺舞台呈现出姹紫嫣红、空前繁荣的景象。在重大节庆日举办大型综合文艺晚会；组织安塞腰鼓、陕北大秧歌进京参加首都国庆中心会场演出；组织飞龙艺术团赴澳门参加庆回归演出；组织千面锣鼓迎千年大型庆典活动，中央电视台通过卫星向全世界播送。组织20多台优秀剧目于国庆期间在西安进行观摩、展演，《迟开的玫瑰》、《火焰驹》、《轩辕黄帝》等还进京演出，受到好评。举办了美展、摄影展和书法展，参加全国相应展览。在全国精神文明“五个一工程”评奖中陕西省获得

"满堂红"佳绩；眉户戏《迟开的玫瑰》获"五个一工程"奖，在第六届中国戏剧节上获"曹禺戏剧大奖"等8个奖项；在文化部举办的"金狮奖"全国小品比赛中，陕西获6项奖；在首都国庆筹委会举办的歌曲征集评奖中《祖国强大 国旗增色》获一等奖；电视剧《毕业生》在中央电视台二、三、四、八频道连续播出4次，获得"飞天奖"，并在第17届全国电视金鹰奖评奖中被评为优秀长篇电视剧。二是认真组织，形式多样，群众文化生活健康活跃。省委宣传部、省总工会共同举办全省百万职工"祖国颂"歌咏活动，形成歌咏演唱热潮。各厅局、市地积极组织卡拉OK比赛、戏曲演唱、纳凉晚会、扭秧歌、书画展、摄影展、音乐会等多种形式的群众性文化娱乐活动。省文化厅、省音协与陕西电视台联合举办庆祝国庆50周年声乐比赛，参赛选手达2000多人；举办戏曲"荧屏百佳"评选活动历时5个多月，活跃了城乡戏曲舞台。延安市组织周末广场演出40余场，演出节目500多个，观众达6万人以上。西安、咸阳等市还组织了广场音乐会、纳凉晚会等活跃群众生活，榆林夕阳红老年秧歌队在全国中老年人民间艺术节上获得全国一等奖，内容丰富的文艺活动，既活跃了生活，营造了喜庆气氛，又使广大干部群众在参与中受到了生动的爱国主义教育。三是加大投入，积极引导，全民健身活动蓬勃开展。抓住举办四城会的机遇，各地加大投入，健全完善体育健身设施，使全省的体育设施水平大大提高。以迎城运为主题积极组织开展"保龄球比赛"、"第八套广播体操比赛"以及篮球、游泳、拔河、爬山、冬季越野长跑、门球比赛等。在广场、公园、街面、操场设立太极拳剑、扇子舞、交谊舞、门球等辅导站，培训骨干，加强辅导，使广大群众对健身活动由不懂到学，由旁观到投入，由兴趣不大到积极参与，丰富了生活，增强了体质。

**五、深化认识，加强领导，精神文明建设的力度进一步加大**

各级领导坚持"两手抓、两手都要硬"的自觉性进一步提高，工作力度进一步加大。主要表现在四个方面：一是对精神文明建设的领导力度进一步加大。省文明委两次召开全委会研究部署工作。凡重大活动，省文明委领导认真谋划、周密部署、严格检查。各市地、厅局一把手和主要领导加强调查研究，积极参加文明办组织的有关活动，对于推动工作起了重要作用。二是对精神文明建设的指导力度进一步加大。一年中，省文明委、办召开三次电视电话会议和一次座谈会，安排部署工作。各级文明委、办多次召开专题会议、现场会议指导、推动工作。三是对各类示范点的建设和典型宣传的力度进一步加大，省文明办加强对各类示范点的复查，把推荐、评选全国精神文明建设先进单位的过程作为调查研究、分析总结、宣传典型的过程。省文明办召开"陕西省荣获全国精神文明创建工作先进单位颁牌大会"，隆重表彰、宣传了先进典型。一些市地、厅局也召开相应会议，表彰先进、总结经验、展示成果。各市地、厅局结合自身实际树立了自己的典型，并大力加强宣传。省教工委、省教委宣传命名了优秀教师呼秀珍和优秀大学生殷小平，在全省教育系统乃至全社会产生良好反响。四是为群众办实事、好事的力度进一步加大，各地继续组织开展"三下乡"活动，全省文艺团体下乡演出7438场，观众多达200多万人次。采取"影企联姻"形式组织"送万场电影下乡"活动，受到农民群众欢迎。全省卫生系统共组织下乡医疗队1055支，2000多名医务人员深入农村治病防病，共治疗病人552471人，为农村建立卫生室545个，培训医务人员15万余人。各级农科人员下乡送科技入村到户，承包项目，组织科技大篷车，普及农业实用技术，受到广大农民群众欢迎。各厅局特别是执法、服务行业和部门，设置了市民投诉中心、服务热线、查询电话，方便了群众，及时解决了一些热点、难点问题。由中央文明办和省文明办组织实施的"百县乡镇宣传文化站工程"稳步推进，推动了乡镇文化站的建设。继续组织开展"扶贫帮困献爱心"、"百城万店无假货"、"心连心"、"希望工程"等活动，使人民群众得到了实实在在的好处。

（陕西省文明办）

# 甘 肃 省

1999年，甘肃省精神文明建设工作按照“思想道德建设要鼓舞士气、凝聚人心，群众性精神文明创建活动要上水平、出成果，先进典型宣传要讲质量、求深度，文化艺术工作要出精品、促繁荣，重点办好几件作用大、影响大、群众满意的实事”的总体要求，精心组织，狠抓落实，团结拼搏，锐意进取，各项工作整体推进，对促进全省的改革、发展、稳定发挥了积极作用。

**一、思想道德教育不断深化**

各地各部门把学习邓小平理论和十五大精神同“三讲”教育结合起来，坚持“突出重点，分层要求”的原则，使邓小平理论武装全党、教育干部群众工作深入发展；围绕落实省第九次党代会提出的各项任务，结合党的十五届三中、四中全会精神的学习、宣传和贯彻，开展了各种形式的形势教育活动，增强了广大干部群众对甘肃改革发展的信心；隆重纪念五四运动80周年，大力弘扬了“爱国、进步、民主、科学”的“五四精神”，兴起了理想信念教育的热潮；同以美国为首的北约袭击我驻南使馆野蛮暴行进行坚决斗争，深入开展了“抗议暴行、反对霸权、努力工作、振兴中华”的主题教育活动，兴起了抵御外侮、强我中华的教育热潮；热烈庆祝新中国成立50周年和澳门回归祖国，开展了“展示辉煌成就、颂扬爱国情怀”主题教育活动，兴起了“唱响三颂、振兴中华”的教育热潮；揭批“法轮功”，深入开展了马克思主义唯物论、无神论教育，兴起了弘扬科学精神、反对封建迷信的教育热潮。全省4000多家市（村）民学校都广泛深入地开展了市（村）民教育，在全省城乡普及了市民道德规范和乡规民约。省文明办还在兰州市西固区开展了“全省社会主义精神文明社区教育工程”，定西地区组织千名干部下乡宣传政策理论和实用技术，兰州市开展了政策、法制、道德、科技、文化、卫生“文明进万家”活动，金昌市开展了社会公德的全民大讨论，白银市开展了“五提倡、五反对”活动，这些教育活动均取得了良好的成效。

**二、三大系列创建活动更加务实**

创建文明城市工作成效显著。各地认真贯彻落实全省城市精神文明建设金昌现场会议精神，紧紧围绕人民群众迫切需要解决的问题，深入开展文明单位、文明机关、文明行业、文明社区、军民共建等各种形式的创建活动，涌现出了金昌市“共建美好镍都八大工程”、嘉峪关市争创省级文明城市，张掖、酒泉、玉门、敦煌、平凉等市“争创一流城市”，以及定西地区的“五城创建”等一批特色工程，全省城市精神文明建设步入了一个新的阶段。

创建文明村镇工作深入开展。各地认真贯彻落实全省农村精神文明建设工作座谈会精神，以改善村镇环境，提高农民生活质量，倡导文明健康生活方式为主要内容的各种创建活动范围不断扩大。临夏、陇南、甘南等地因地制宜，提出了分类创建农村精神文明建设的目标和要求，天水市开展了评定“十星级文明农户百强榜”活动，张掖地区开展了创建“教育、科技、文化、卫生、体育”等先进乡镇的创建活动，武威地区实施了“沿路形象工程”，庆阳、陇南等地采取联合行动集中整治脏乱差，收到了明显的成效。

创建文明行业工作向经常化、制度化、规范化发展。省文明办会同有关部门组织了“甘肃省优秀公务员”先进事迹报告团，在省内5个地州市进行了巡回演讲报告活动；指导建委、交通、电力、气象、旅游、水利以及建设银行，推出了一批行业精神文明建设示范窗口。省直机关开展了“双优一文明”创建活动，兰州市开展了“五十大”评比活动和“十佳文明卫士”评选活动，金昌市开展了“三化”达标创优竞赛活动，对推动行业精神文明建设起到了积极的作用。

**三、“讲文明树新风”活动逐步深入**

按照主题不变、充实内容、一抓到底、抓出成效的要求和“巩固、提高、延伸、辐射”的思路，围绕解决文明言行、服务质量、环境卫生、交通秩序四个方面存在的问题，在全省推广了兰州市讲文明树新风“四个一”主题活动，一个时期确定一个主题，集中解决一个方面的问题，推动了讲文明树新风活动深入开展；在全省集中开展了治理脏乱差、改善城镇环境面貌的专项活动，城乡卫生面貌得到了较大改观；重点开展了“保护生态环境、倡导文明新风”活动，增强了人们的环境意识，推动了生态环境改善；继续深入开展了优质规范服务，大力倡导文明行业新风活动，促进了行业职业道德建设的制度化和行业文明程度的不断提高；广泛开展了创建文明风景旅游区活动，各地相继推出了自己的示范点。省公安厅的“平安大道”活动，省计生委的“婚育新风进万家”活动，省妇联的“五好文明家庭”活动，团省委的“保护母亲河”及青年志愿者服务活动，均取得了良好效果。

**四、创建“河西精神文明模范走廊”工程正式启动**

根据省文明委的指示和要求，制定了《创建“河西精神文明模范走廊”纲要》，经省文明委第六、第七次全体会议通过。根据《纲要》要求，指导省交通厅、省旅游局、省民航局、兰州铁路局制定了创建河西文明铁路线、公路线、旅游线、航空线建设管理办法或实施意见。召开了甘肃省创建河西精神文明模范走廊动员大会，正式启动了创建工程。为了搞好试点，积累经验，组织开展了创建“国道312线甘肃段部级文明样板路”活动，经过近8个月的艰苦奋斗、连续作战，使1538公里的交通干线面貌发生了巨大的变化：路内建设成绩显著，基础建设任务完成，路况质量良好，路容整洁美观，标线清晰流畅，设施规范统一，执法文明有序，运输畅通无阻；路外形象焕然一新，全线共拆除违章建筑2276处49887平米；拆除残墙壁1890处18248米；拆除乱设广告牌11962块；清理马路市场147处；清理白色污染、垃圾98330方；植树380388株，种草46086平米；人工造景54处。9地市、20个县（市、区）、101个乡镇共投入人工52.76万人次，地方自筹资金492万元。创建文明样板路，不仅促进了公路的自身建设，而且也带动了沿线城乡的两个文明建设，使山丹县长达20年的脏乱差问题得到了较好的解决，使武胜驿6年来路内无人建设、路外无人管理的老大难问题得到了解决。这一创建活动，深得广大人民群众的理解和支持。

**五、典型宣传水平进一步提高**

在总结以往典型宣传经验的基础上，省文明委组织省内100家新闻媒体，利用8个月时间，在全省集中开展了“文明之光”精神文明建设先进典型宣传战役。省、地、县以及行业、企业等所属新闻媒体共刊播了2000多篇稿件，省级新闻媒体对200多个精神文明建设先进集体和个人进行了重点宣传报道，充分展示了全省精神文明建设的成果和全省人民奋发向上的精神风貌。国庆前夕，有42个单位荣获全国创建文明城市（区）、文明村镇、文明行业和文明单位先进单位称号，受到中央文明委表彰。省文明委抓住这一契机，隆重召开了颁奖大会，组织新闻采访团，深入宣传报道了这些单位的先进经验和创建成就，在社会上产生了巨大的反响。在城市精神文明建设中，重点推广了金昌市的经验，交流了天水市、兰州市城关区、平凉市、金塔县等10个单位依法管理、优化环境、搞好城市规划、建设、管理、抓好市民教育以及创建文明小区、文明城区的经验。在农村精神文明建设方面，重点推广了临夏州的经验，交流了张掖地区、定西地区、临洮县、武威市黄羊镇等13个地、县、乡（镇）的工作经验。在行业精神文明建设中，推广了交通、电力、建设银行的工作经验和兰州市安宁区开展“三优一满意”活动的经验。三大系列创建活动在电视台开辟专栏，共推出20多期专题报道。《创建“河西精神文明模范走廊”纲要》、《甘肃省精神文明建设骨干培训意见》、《甘肃省文明样板公路建设管理办法》、甘肃省平安大道创建活动被中央文明办转发；省文明办组织拍摄的兰州市城关区《精神文明建设巡礼》和酒泉市总寨镇的《丝路新镇》电视专题片被中宣部、中央文明办采用，制成了电视片，向全国发行。

**六、文化事业和基础建设明显改善**

省文明委下发了《甘肃省文化事业建设费使用管理办法》，并多次督察，使全省14个地、州、市普遍开征文化事业建设费，为精神文明建设提供了比较稳定的经费保障。“百县乡镇宣传文化工程”进展顺利，1998年度20个建站任务基本完成，制定下发了《甘肃省乡镇精神文明建设示范工程〈宣传文化站〉建设管理办法》。文化事业建设不断加强，各地在财政比较困难的情况下，挤出资金新建或扩建了一批图书馆、文化馆、博物馆、展览馆、影剧院、纪念设施、文化公园以及基层文化中心（站）、市（村）民学校、科技服务中心，继续实施了“333211”农村小康文化工程，实施了村村通广播电视工程，基层宣传文化基础设施有了一定的改善。坚持开展了各类丰富多彩的文化活动，文化科技卫生“三下乡”力度大，效果好。文化市场的管理不断加强，深入开展了“扫黄打非”专项活动，促进了文化市场的健康发展。

（甘肃省文明办）

# 青 海 省

1999年，青海省文明委按照年初工作安排，围绕中心，服务大局，突出重点，真抓实干，使精神文明建设各项工作取得新的进展，为提高公民素质和城乡文明程度，为全省的改革、发展、稳定发挥了积极作用。

## 一、理论武装工作深入发展

各地各部门紧紧围绕十五大和省九次党代会的主题，始终把理论武装工作作为精神文明建设的首要任务，认真部署，精心组织，狠抓落实。通过健全学习制度、举办读书班、召开研讨会、审阅读书笔记以及述学、评学、考学等措施，把学习邓小平理论同学习贯彻十五大精神相结合，同“三讲”教育相结合，同本地区、本部门的工作实际相结合，不断把学习引向深入。省委宣传部和省委高校工作领导小组召开了全省青年大学生学习邓小平理论经验交流会，举办了高校理论课教师培训班，使邓小平理论“进教材、进课堂、进学生头脑”的工作得到进一步落实。省、州（地、市）宣传部门先后举办十五大专题讲座和“三基本”教育讲座160多场，听讲人员4万人次。通过各级党组织坚持不懈地努力，广大干部群众学理论、用理论、研究理论的自觉性大大提高，学习空气空前高涨，学习效果更为明显，抓住机遇、加快发展成为全省各族干部群众的共识，促进了两个文明建设的协调发展和共同进步。

## 二、思想道德建设进一步加强

一是围绕纪念五四运动80周年、新中国成立50周年和澳门回归祖国三件大事，通过举办一系列形势报告会、座谈会、知识竞赛、演讲、展览、文艺演出和主题班会等形式，广泛开展了爱国主义、集体主义、社会主义教育活动，向全省各族人民展现了新中国成立50年来特别是改革开放20年来的光辉成就和祖国日益强大、逐步走向完整统一的前景，进一步激发了人们振兴中华、振兴青海的热情，唱响了祖国颂、社会主义颂、改革开放颂，营造了欢乐喜庆、昂扬向上、团结奋进的良好氛围。二是围绕抗议以美国为首的北约袭击我驻南使馆的罪行，组织广大群众认真学习江泽民总书记有关讲话精神和中央的一系列方针政策，广泛开展了形势政策教育，深化了爱国主义和维护稳定的宣传教育，使各族群众进一步认清了形势，激发了抵御外侮、强我中华的爱国热情。三是同李登辉分裂祖国的丑恶行径进行坚决斗争，揭露其抛出“两国论”的险恶用心，大力宣传我国政府的严正立场，兴起了维护民族团结、实现祖国统一的教育热潮。四是围绕解决和处理“法轮功”问题，认真组织广大党员、干部和各族群众学习中央《通知》和一系列有关决定精神，深入揭批“法轮功”反人类、反科学、迷惑群众、破坏稳定、宣扬唯心的歪理邪说，广泛开展了唯物论和无神论、崇尚科学和破除封建迷信的教育活动。“科普宣传万里行”，3万多人次参加观展，发放科普书刊5000余册。省委宣传部组织专家学者成立专题宣讲团深入到西宁、海东、海北、海南、玉树等地宣讲22场次，听众达6000多人。五是围绕道德建设，普遍开展了社会公德、职业道德和家庭美德教育，努力提高公民基础道德素质，促进良好行为习惯的养成。各级党组织更加重视思想政治工作，注重研究新情况，解决新问题，增强针对性和实效性，引导广大干部职工爱岗敬业、为国争光、为青海发展作贡献，增强扎根高原、无私奉献、团结奋斗、开拓进取的自觉性。配合思想道德教育，在全省开展的职业道德“双十佳”评选活动、“做人民满意的公务员”活动、“五好文明家庭”活动、政务公开活动以及省直机关开展的“十佳公仆”评选活动都收到了良好的效果。

**三、群众性精神文明创建活动取得新进展**

根据中央文明委把保护生态环境作为“讲文明树新风”活动的重要内容的要求，全省组织开展了“保护生态环境、倡导文明新风”活动，重点部署了搞好植树绿化、清理白色垃圾、改善空气质量、防治水源污染四项工作。全省先后出动80万人次参加了此次活动。团省委等有关部门组织的“保护母亲河”活动，宣传力度大，活动规模大，参加人员多都是历年来少有的，这些活动的开展对增强人们的环保意识，改善生态环境起到了积极作用。

创建文明城市、文明县城工作在全省“三优杯”竞赛活动电话会议之后掀起新高潮。各地文明委按照全省部署切实加强领导，精心组织，认真落实各项措施。西宁市、格尔木市、德令哈市以及兴海、平安、互助、乐都、共和、同仁、门源、玛沁、杂多等一批城镇投入明显加大，管理力度不断加强，市容市貌有了较大改观，居民生活、工作环境有了一定改善。

创建文明村镇活动，按照全国农村精神文明建设工作座谈会要求，不断完善制度，充实内容，“十星级文明户”、“评三户”等多种形式的创建文明户活动水平逐年提高，群众参评率达90%以上。不少农村的道路和环境建设有了很大改进，小城镇和乡镇企业在农村精神文明建设中的作用日益突出。1999年，全省农牧区新评选出“十星级文明户”、“双文明户”10566户，州（地、市）县级文明乡镇15个，文明村160个，有力地推动了农牧区两个文明建设。

创建文明行业活动不断深化，窗口服务行业和行政执法部门认真贯彻“深入开展优质服务，大力倡导文明行业新风”全国电视电话会议精神，按照全省创建文明行业经验交流会的要求，结合自身特点，对干部职工普遍进行了职业理想、职业道德、职业技能、职业纪律的教育，不少窗口行业和行政执法部门推出了一批规范化服务措施，开展了规范化服务活动，促进了行业风气的进一步好转。“百城万店无假货”活动进一步深入，西宁市西大街被列入第二批全国“百城万店无假货”活动示范街，沿街近百家门店签订了《目标责任书》。

军民共建活动向纵深发展。军地双方领导重视，目标明确，重点突出，组织有力，措施具体，共建活动进一步经常化，军地双方互办实事好事不断，双拥共建工作局面喜人。省文明委和省军区还组织力量对全省共建示范点进行了检查、指导，促进了共建任务的落实。省委、省政府、省军区召开大会，对在军民共建“高原千里文明线”工作中做出突出成绩的32个地方和部队单位进行了表彰。青海、西藏两省区和总后青藏兵站部召开青藏公路通车45周年纪念大会，总结了军民共建文明青藏公路运输线活动的经验，规划部署了跨世纪的活动目标。

**四、先进典型不断涌现**

在集中宣传了郭尖措、李小松、秦文贵的先进模范事迹之后，又推出了几十年如一日，艰苦奋斗、无私奉献的退休干部李斌的先进模范事迹。特别是中央文明委在新中国成立50周年之际，表彰了一批创建文明城市、文明村镇、文明行业工作先进单位，青海省有区县5个村镇和16个单位受到了表彰，在全社会引起很大反响。

**五、文化事业建设有了新进展**

围绕新中国成立50周年和澳门回归祖国，各地普遍开展的群众文化活动，内容丰富，形式多样，异彩纷呈。企业文化、校园文化、社区文化、村镇文化、广场文化进一步活跃。荣获全国第七届“五个一工程”入选作品奖的广播剧《永远的琴声》等4件作品及荣获青海省第四届“五个一工程”入选作品电视剧《走出大山》等22件作品受到表彰。中央文明办确定的青海省第一批10个乡镇宣传文化站大部竣工。省广电中心、省博物馆等文化基础设施建设正在加紧进行。完成了百部科教片的译制工作。农牧区村村通广播、通电视工程进展顺利，已覆盖了585个盲点村。文化、科技、卫生“三下乡”活动持续开展。文化市场管理进一步规范。

（青海省文明办）

# 宁夏回族自治区

1999年，宁夏的精神文明建设紧紧围绕全党工作大局和自治区经济建设中心，以“四迎”（迎接新中国成立50周年、宁夏解放50周年、澳门回归祖国和新世纪的到来）、“四颂”（祖国颂、社会主义颂、改革开放颂和宁夏颂）为主题，坚持用邓小平理论武装全党、教育群众，大力加强“两论”、“三观”、“三德”、“四信”、“四科”教育，深入开展群众性精神文明创建活动，各项工作取得了新进展，极大地激发了干部群众的爱国热情和创造精神，为促进社会的全面发展与进步发挥了重要作用。

**一、两手抓的意识明显增强，工作力度进一步加大**

各地各部门普遍把精神文明建设纳入党政工作的重要日程，做到了年初有安排部署，半年有检查考核，年终有总结评比。全区三市一地24个市县（区）都有具体的年度工作安排和年终工作总结，90%以上的市县制定了委员单位责任制度，95%以上市县区的文明委主任由党政一把手兼任。党委统一领导、党政齐抓共管，各有关方面分工负责的领导体制和两个文明同部署、同检查、同落实的工作机制得到进一步巩固、加强。为了推动精神文明建设向更广的领域和更深的层次拓展，自治区文明委在年初召开了全区精神文明建设工作会议，对全区的精神文明建设工作进行了部署，自治区党委领导多次深入基层，就企业、农村、社区、行业的精神文明建设、西部大开发与精神文明大发展进行调查研究，加强工作指导。各地各行业结合实际，及时召开了精神文明建设专题会议，对本地区本行业的精神文明建设进行了精心安排。在自治区党委的高度重视下，各地各部门积极配合全国统一开展的创建活动，全方位组织，多层次开展，精神文明建设的社会影响不断扩大，整体效果明显增强。精神文明建设围绕中心、服务大局的地位和作用得到了进一步提高。

**二、深入开展邓小平理论学习，思想道德教育成效显著**

在精神文明建设中始终突出了思想道德教育。按照中央深入开展以“讲学习、讲政治、讲正气”为主要内容的党性党风教育的部署，坚持把学习邓小平理论和“三讲”教育相结合，重点抓好县处级以上领导干部的理论学习，影响带动全体党员干部和广大群众。坚持开展理论下基层工作，区党委宣传部、讲师团联合组织区内理论社科界的专家学者，深入厂矿、农村、学校，进行了260多场理论学习辅导，参加人员4.8万多人。组织了全区邓小平理论统一考试，3.7万多人参加。结合三场政治斗争和各种庆典活动，组织开展了多种形式的教育活动。围绕纪念五四运动80周年，深入开展了理想信念教育，进一步弘扬了“爱国、进步、民主、科学”精神。联系谴责以美国为首的北约袭击我驻南大使馆和李登辉搞分裂的政治斗争，在全社会广泛开展了“强我中华、扬我国威”的爱国主义教育，极大地激发了广大干部群众的爱国热情。在深入揭批“法轮功”邪教本质和严重危害的斗争中，自治区党委召开了全区大会，开展规模宏大的马克思主义唯物论无神论教育和弘扬科学精神、反对封建迷信的教育，组织清理街头算命和求神问卜，广大干部群众进一步增强了反对迷信愚昧、抵御歪理邪说的能力。围绕庆祝新中国成立50周年、澳门回归祖国、宁夏解放50周年等重大节庆活动，广泛开展了爱祖国、爱宁夏教育，通过多角度、全方位地展示50年来我国社会主义和宁夏两个文明建设的辉煌成就，丰富多彩的纪念活动和文艺活动，唱响了祖国颂、社会主义颂、改革开放颂、宁夏颂，进一步鼓舞了广大干部群众的斗志，坚定了建设有中国特色社会主义的理想信念。

**三、真抓实干，群众性精神文明创建活动迈上了新台阶**

群众性精神文明创建活动是把精神文明建设各项任务真正落到实处的有效载体。为迎接新中国成立50周年和自治区解放50周年，根据中央文明委的决定和自治区年度工作安排，各地从年初开始，精心组织，周密部署，加大力度，开展活动。50周年大庆前夕，自治区党委、政府隆重召开命名表彰大会，对银川市城区、石嘴山市大武口区、银川郊区大新乡塔桥村等37个村镇，宁夏送变电工程公司等16家单位进行了命名表彰，其中银川市城区、银川郊区塔桥村、宁夏送变电工程公司等23家单位被中央文明委命名表彰。在表彰工作的推动下，群众性精神文明创建活动以前所未有的势头蓬勃发展，极大地促进了其他各项工作的健康发展。

三大创建活动成效显著。文明城市创建活动在巩固讲文明树新风成果基础上，进一步向广度和深度拓展，向中小城市和城市社区、小区、机关、单位延伸，涌现出一批具有较高文明程度的小区和街道。以倡导移风易俗，引导农民勤劳致富和奔小康为目标，以评选文明村镇和“十星级文明户”为形式，以改善村容村貌、提高整体文明层次为要求，创建文明村镇活动水平不断提高，评选出了一批体现时代特点、代表农村发展方向的文明村镇。落实中央文明办、国务院纠风办“深入开展行业规范服务、大力倡导文明行业新风”活动，以抓与群众生活关系密切的窗口行业和行政执法部门为重点，广泛开展了创建文明行业活动，规范服务行为，加强职业道德建设和行业管理，纠正不正之风，促进了行业质量的提高。

一批深受群众欢迎的创建活动“名牌项目”得到巩固提高。“讲文明树新风”活动继续抓住文明言行、服务质量、环境卫生、交通秩序四个方面突出问题，重点开展了“保护生态环境、倡导文明新风”活动，增强了人们的环保意识，带动了社会风气的好转和生态环境的改善。组织开展了增绿护绿、保护母亲河、使世界清洁起来、创建文明工地、创建平安大道、世界环境日、婚育新风进万家等各具特色的专项活动，收到较好效果。继续开展“百城万店无假货”、创建文明风景旅游区示范点等活动，取得了良好的社会效益和经济效益。“三下乡”、“科技扶贫”、“心连心”活动和“百县乡镇宣传文化工程”等，促进了农村卫生服务水平的提高和科技知识的普及，丰富了广大农民的精神文化生活，密切了党和政府与群众的联系，受到群众的普遍欢迎。

**四、大力弘扬社会正气，先进典型的示范带动作用更加突出**

先进典型是时代的楷模、精神文明建设的典范。在广泛组织学习全国先进典型的同时，自治区通过深入挖掘、总结，在全区推出了一心为公、爱岗敬业的“铁党员”金占林，热心本职、助人为乐的税务干部丁小莲，身残志坚、自强不息的残疾青年王嘉鹏，为民解忧、不怕牺牲的优秀民警“4.20英雄群体”，奉献岗位、舍己救人的环卫女工秦玉英的先进事迹，通过组织新闻单位集中宣传报道，举办报告会等，有力地弘扬了社会主义思想道德风尚，展现了时代主流。配合扶贫攻坚，弘扬宁夏精神，组织了艰苦创业的彭阳县委先进典型经验的宣传。配合庆祝新中国成立50周年和宁夏解放50周年，对中央命名表彰的精神文明建设先进单位进行了集中宣传报道，推动了群众性精神文明创建活动的开展。

（宁夏回族自治区文明办）

# 新疆维吾尔自治区

1999年，根据中央文明委和自治区党委的安排，全区的精神文明建设工作以邓小平理论和十五大精神为指针，以继续贯彻落实党的十五大和十四届六中全会提出的各项任务、落实十五届四中全会精神为重点，组织各地各单位继续开展大规模的“讲文明树新风”活动、精神文明三大创建活动和群众性专项整治活动，为自治区经济建设和社会各项事业全面进步创造了良好的社会环境和舆论氛围。

**一、以庆祝新中国成立50周年为契机，大力开展爱国主义教育，在全社会唱响祖国颂、社会主义颂、改革开放颂**

为迎接建党78周年，与天山影画社等单位联合举办了“抗洪精神颂”大型图片展览，10万余人参观了展览，在全社会弘扬了伟大的抗洪精神。各单位还以座谈、讨论、征文等形式为载体，开展了广泛的爱国主义教育。

在全疆城乡自下而上普遍开展了大规模的“我的爱国情、我的报国行”演讲比赛，9月20日到9月23日在乌鲁木齐举行了复赛和电视决赛。全疆14个地州（市）以及生产建设兵团、区直机关、大型企业公司共17个代表队57名选手分汉语场和维语场进行了角逐，共评出一、二、三等奖各6名，集体奖10名。这次全疆性的“我的爱国情、我的报国行”演讲比赛历时两年，是全区近年来爱国主义教育活动中，规模最大，参与人数最多的一次。据不完全统计，全疆共组织演讲比赛9370场，有37908名选手参加，直接、间接听众430多万人，对于推进爱国主义教育的深入具有重要作用。同时，各地各单位还围绕“庆国庆、迎回归”组织了多种形式的“岗位创效益、岗位献厚礼”劳动竞赛，开展了行业树新风、企业增效益、农村奔小康、学校出人才等系列活动，激发各族干部群众把爱国情化为报国行，积极投身于自治区的两个文明建设。

为了在全社会大力倡导崇尚先进、争当先进的社会风气，10月，自治区文明办搜集了全区两个文明建设战线上涌现出来的先进人物，请专家雕塑成像，举办了以爱国主义教育为主题的新疆杰出人物大型雕塑展，并在喀什地区和乌鲁木齐地区巡回展览，10余万观众参观了展览。

**二、继续强化精神文明三大创建活动力度，推动全区创建工作上水平**

狠抓创建文明行业工作。按照“划分系统、建立组织、制定计划、明确责任、全员创建、认真考评、严格奖罚”的程序，重点培养了法院系统、金融系统、气象系统、铁路系统、工商系统、税务系统争创文明行业活动。通过检查验收，先后命名了工商银行巴州分行、乌鲁木齐地税局、建设银行乌鲁木齐分行营业部等单位为首批自治区级文明行业，组织五个组分别验收了文明列车和全区气象行业创文明行业工作。

进一步规范了文明单位创建工作。完善了文明单位申报验收制度，加强了对文明单位申报表、自检报告、大事记的验收前检查。大力强化思想道德教育和科学文化教育，规定每个文明单位每月至少精心组织一次有力度的思想道德教育活动，每季度至少组织一次环境整治活动，每季度至少检查一次科技文化素质提高状况，并进行规范操作，列入考核。同时，改进了城区街道办事处创建文明单位的内容和方法，规定街道办事处的创建工作与片区的整体创建工作相结合，全部从零开始争创，在乌鲁木齐市进行了试点，协调乌鲁木齐市文明办对市属所有街道办事处进行了重新验收，进一步发挥了街道办事处在创建文明城区、文明小区中的作用。截至年底，全区又建成命名了300多个自治区级文明单位，各地又相继建成一批地州级和县市级文明单位。

加强对精神文明三大创建工作的指导。在新中国成立50周年前夕，中央文明委首次表彰的全国精神文明建设先进单位中，新疆共有2个城市，14个县、镇、村，16个文明窗口，15个文明单位荣获殊荣，取得了良好成绩，在西北地区、少数民族自治区和边疆地区中，均名列第一。

9月17日至9月18日召开了自治区精神文明建设总结表彰大会，命名表彰了自治区级文明城市7个、文明区4个、文明县5个、精神文明建设先进城市5个、先进县15个；命名表彰了101名自治区精神文明建设带头人，并向每人颁发了铜质奖牌和2000元奖金。

**三、在全疆19个城市继续实施“五个不带入21世纪”工程，组织大规模治理，树立城市新形象**

组织各城市以自治区文明委提出的“城市泥泞道路、占道经营、单位院落的裸露地面、白色垃圾污染、市场内的脏乱差现象”不带入21世纪为目标，继续开展“把垃圾装起来，把马路让出来，让环境美起来”三大战役和十大专项整治，进一步加大城市管理力度，提高城市净化、绿化、美化、硬化、亮化程度，确保在国庆期间给各族干部群众创造一个良好的社会环境。自治区文明办还派专人对奎屯、克拉玛依、石河子等地的环境整治情况进行了督察。通过集中整治，乌鲁木齐市、库尔勒市以及全区各城镇在优化环境方面有了长足进步。配合中央文明委组织实施的“保护生态环境、倡导文明新风”活动也取得了较好成效。

**四、认真落实全国农村精神文明建设座谈会精神，切实抓好农村精神文明建设工作**

认真学习贯彻党的十五届三中全会精神，按照全国农村精神文明建设工作座谈会的要求，大力抓好创建文明村镇、文明乡镇企业、文明户活动。在更新观念、开阔视野方面，组织各地利用文明学校、农民学校、科技下乡、科技集市等多种阵地和手段，有计划地推广科学种植、科学养殖、科学生产、科学包装知识，认真抓好科技书市和“三下乡”活动，满足农民科技文化的需要。在农村环境建设方面，把“讲文明树新风”活动向农牧区延伸，重点抓了六项工作，一是抓改水改厕，二是抓农村合作医疗，三是抓社会治安，四是抓街道整修，五是抓村镇绿化，六是抓环境卫生。在农村思想道德建设方面，继续发挥共青团、妇联和道德评议会、红白事理事会的作用，各地推出了一批勤劳致富，科技致富奔小康的先进典型和致富带头人。伊犁、昌吉等地还组织致富带头人报告团进行巡回报告。到年底，全区又建成了50多个自治区级文明示范村镇。

根据中央文明委实施“百县乡镇宣传文化工程”的要求，把这一工程当做宣传文化口的暖心工程，当作世纪之交精神文明建设和农牧区思想文化阵地建设的跨世纪工程，认真组织抓落实。自治区文明办在认真筛选、考察的基础上，选报了16个实施项目工程的乡镇，统一设计了工程图纸，落实了200万元计划资金的划拨到位。截至年底，已有13个基本完工，其余正在施工建设中。

**五、继续加大精神文明宣传力度，宣传了一大批精神文明建设先进典型**

9月至10月，《人民日报》等中央新闻单位宣传了库尔勒市创建文明城市先进典型。《新疆日报》、《新疆经济报》、新疆人民广播电台和新疆电视台宣传了库尔勒、乌鲁木齐、阿克苏、克拉玛依等城市和中国工商银行巴音郭楞州分行机关等20余个创建工作先进单位的典型经验，《光明日报》宣传了屯河集团公司创建文明单位先进经验。同时，还在《新疆日报》等4家报纸组织了“我的爱国情、我的报国行”演讲词征文比赛，在《乌鲁木齐都市报》开设了“文明瞭望”专栏。

11月15日至12月30日，《新疆日报》、《新疆经济报》、新疆人民广播电台和新疆电视台开设了“精神文明建设巡礼”专栏，以消息、专访、通讯等形式，对全区荣获中央文明委表彰的4个村镇，6个创建文明行业先进单位、7个文明单位进行了集中宣传报道。

（新疆维吾尔自治区文明办）

# 新疆生产建设兵团

1999年，兵团精神文明建设工作，服务于经济建设中心和改革、发展、稳定的大局，弘扬兵团精神，进一步加大思想道德教育力度，深化以建设小康连队为龙头的群众性精神文明创建活动，注重探索、总结新形势下加强精神文明建设工作的新途径、新形式、新经验，使精神文明建设又有了新的发展。有8个单位被中央文明委命名为“全国精神文明建设先进单位”。有82个基层农牧连队和单位被命名为兵团首批小康连队。已建成兵团级文明单位47个，师（局）级文明单位998个。

**一、加强理论学习，坚定政治信念**

兵团各级党委结合党的十五届四中全会召开、迎接新中国成立50周年、澳门回归祖国、建党78周年及兵团成立45周年等重大事件、重要纪念日，充分利用党校、业余党校、电教、广播、电视、报刊等学习宣传阵地，扎实地组织广大干部、职工，特别是各级领导干部重点学习马克思主义的辩证唯物主义和历史唯物主义的有关论述；学习毛泽东、邓小平有关党的建设、经济建设、改革开放及建设社会主义精神文明等方面的著作；学习党的十五届四中全会的精神；学习江泽民在中纪委三次会议、全军政治工作会议、建党78周年座谈会和建国50周年大会上的讲话；学习《江泽民论社会主义精神文明建设》读本以及《中共中央关于加强和改进思想政治工作的若干意见》等文件精神。石河子大学还在大学生中成立了“邓小平理论学习会”。在此基础上，各级党委以党委中心学习组为龙头，以团处级以上干部为重点，以各种形式的培训和理论研讨为载体，更加扎实地抓了理论教育工作。兵团党委制定下发了《兵团各级领导干部规范学习管理暂行办法》，加强了党委中心组学习的规范化管理，宣传和推广了一批党委中心组学习的典型经验；兵、师两级围绕贯彻党的十五届四中全会精神，重点抓了团级以上干部的学习。分别组织了干部理论研讨班，有的师（局）还组织了讲师团；围绕新中国成立50周年、兵团成立45周年、屯垦戍边50年组织了理论研讨活动。兵团和部分师（局）还围绕改革的热点、难点问题及国家重点课题，组织了理论调研活动，如兵团企业解困及下岗分流再就业，兵团思想政治工作的继承与创新，新疆稳定与兵团的地位作用等等。通过精心组织形式多样的理论学习，有力地提高了广大干部、职工对建设社会主义精神文明建设重要性、紧迫性的认识，增强了广大干部，特别是领导干部抓好本单位精神文明建设的信心和责任感，激发了广大职工群众广泛参与精神文明建设的积极性，为完成全年各项任务打下了良好的思想基础。

兵团各级党组织还认真开展了同“法轮功”邪教组织的斗争。坚决贯彻中央关于处理和解决“法轮功”问题的方针、政策，兵团领导亲自率领工作组赴“法轮功”活动重点单位，指导、督察和协助处理“法轮功”问题，层层建立和落实了领导责任制，认真耐心地做转化教育工作，使绝大多数“法轮功”练习者脱离了“法轮功”邪教组织。各级政法、治安部门采取了有效措施，取缔活动场所、收缴所有的宣传品，彻底摧毁了“法轮功”在兵团的组织体系。针对“法轮功”邪教，各级党组织认真及时地组织广大职工群众学习了中央的《通知》、民政部的《决定》、公安部的《通告》及相关材料，充分认识“法轮功”邪教的本质。同时，在广大干部、职工中普遍开展了马克思主义唯物论和无神论的教育以及科普知识、文明健康生活方式的教育，进一步坚定了广大职工群众对马克思主义的信仰，对社会主义的信念，对改革开放和现代化建设的信心以及对兵团屯垦戍边事业的责任感。

**二、坚持思想道德教育，提高职工素质**

兵团各级党委结合实际，普遍加大了7项教

育力度：一是加大了爱国主义教育力度。精心组织纪念五四运动80周年、“三迎”及兵团成立45周年活动，对广大职工群众进行了以歌颂祖国、歌颂社会主义、歌颂改革开放为主要内容的爱国主义教育，特别是通过声讨以美国为首的北约袭击我驻南联盟大使馆的暴行，进一步激发了广大职工群众的爱国热情。二是加大了形势与任务的教育力度。围绕学习、贯彻党的十五届四中全会精神，联系国家和本单位改革开放20多年来的变化，认真组织了座谈、讨论、培训及宣讲活动，帮助广大职工进一步理解党的方针、政策，了解改革开放的大局，正视国企改革的困难和问题，进一步化解矛盾，转变观念，消除困惑，精神振奋地参与改革，投身西部大开发。三是加大了“三德”教育力度。继续实施了《兵团职工道德行为规范》，并普遍制定和完善了基层单位的职工守则、文明公约等。继续开展了第三个“三德教育月”活动，兵团结合“学习吴登云活动”，举办了“兵团人‘三德’风采录”电视专题片展播比赛，各基层单位结合行业特点树立表彰了一大批“三德”先进典型。四是加大了民族团结、兵地团结、军（警）民团结的教育力度。继续开展了第17个“民族团结教育月”活动，重点学习了江泽民视察新疆和兵团时的讲话，学习了党的民族政策及马克思主义的国家观、民族观、宗教观、历史观和文化观。树立表彰了一大批民族团结进步、兵地团结、军（警）民团结的先进典型，促进了各项民族政策的落实及反对民族分裂和非法宗教活动工作的开展。五是加大了民主法制教育的力度。重点开展了《宪法修正案》、《兵役法》、《治安处罚条例》、《行政监察法》、《保密法》、《公务员条例》、《廉政准则》、《澳门基本法》等法规和规章的普法教育活动。各师（局）和各行业、系统全面地完成了年度普法任务，有170万人参加了普法学习，办培训班610期。各单位还采取各种形式，鼓励和引导职工群众参与民主选举、政务公开等工作和活动，促进了广大职工，群众民主法制意识的提高。六是加大了科技、文化教育的力度。针对近年来职工队伍发生变化的实际，广泛实施了“职工素质工程”，充分利用农闲和冬季开展了科技示范、“科教之冬”等活动。对广大职工，尤其是新到团场、连队的劳务工进行了系统的科技、文化及市场经济知识的培训，提高了广大职工群众奔市场、奔小康的能力。七是按照中央的统一要求，在团（处）以上干部中认真开展了“三讲”教育，有力地促进了干部作风的转变和素质的提高。

**三、以小康连队建设为龙头，促进精神文明创建活动深入开展**

兵团党委进一步提出了以建设小康连队为龙头，带动群众性精神文明创建活动深入发展的要求，制定下发了《新疆生产建设兵团文明单位管理办法》和《新疆生产建设兵团小康连队管理办法》。各单位抓住机遇，掀起了新一轮的小康连队创建热潮。主要做法有：（1）大力发展生产，深化改革，夯实创建基础。以发展“两高一优”农业为目标，大搞农业综合开发，积极推行“两费自理”（生产资料和生活费用自理），租赁承包，股份合作制，连务公开和住房、医疗、社会保障制度的改革，鼓励职工群众发展庭院经济，扩大致富门路，使小康连队年人均收入达到了3500元以上。（2）以改造环境面貌为突破口，优化生活质量，狠抓创建成效。进一步确立了“高起点规划，多渠道投人，分阶段实施，有重点建设，全方位推动”的创建方针，集中解决了职工生活的“吃水难”、“行路难”、“看病难”、“上学难”、“听广播、看电视难”、“通讯难”等问题。（3）坚持“以人为本”，提高职工素质，增强创建后劲。进一步加大了投人，抓好农牧团场和基层连队的职工文化设施的建设，已建成团场职工文化中心78个，连队文化室1500多个。小康连队试点单位修建了图书室、会议室、文化活动室等设施，成立了文化技术培训学校或班（点）等。广泛开展了“十星级文明户”评选活动，95%的职工家庭参与了活动，做到了“户户有星牌，连连有星榜”。（4）加强组织领导，实施规范管理，加快创建步伐。各师（局）成立了以师（局）长、政委为组长，机关职能部门为成员的小康连队创建领导小组，各农牧团场也成立了相应的组织领导机构。师、团、连层层签订责任状，一级抓一级，层层抓落实。师、团实行常委责任制，连队实行奖罚、罢免制，做到了层层有指标，人人有压力，分工明确，责任到人，齐抓共管。兵团在9月15日至20日，召开了第二次小康连队建设经验交流会议，总结、推广了创建经验，命名表彰了兵团首批82个小康连队。同时又进一步提出了兵团创建小康连队的具体奋斗目标，即：到2005年，兵团2820个基层连队全部建成小康连队。会后，经兵团文明办评选推荐，农一师一团七连、农二师二十九团十六连、农八师一二一团十九连和农五师八十九团荣获了中央文明委授予的全国创建文明村镇（县、市）先进单位的光荣称号。通过开展这项创建活动，职工群众普遍感到三个变化：一是连队面貌发生根本变化，营区规划建设，环境净化、绿化；二是职工生活质量得到根本改善，居住方便，社区安全；三是“讲文明树新风”活动日益深入人心，连队职工“人人争星级，户户上星榜”蔚然成风。

各单位还广泛地开展了文明单位、文明窗口（机关、学校、医院、社区）及小城镇建设、儿童文化园等各项创建活动，并取得了明显的成效。兵团对各师（局）创建文明单位活动进行了调研和抽查，并经过评选和推荐，农一师十二团、农四师新疆伊力特实业股份有限公司、农七师一二三团、兵团供销合作总公司棉麻公司分别荣获了全国精神文明建设先进单位和先进行业的荣誉称号；各“窗口”行业单位普遍开展了以“纠风塑形”为目标的创建活动。兵团公、检、法、司、监等政法系统广泛开展了“争创人民满意政法干警”、“争创人民满意政法单位”的“双争”活动。兵团卫生系统开展了“以病人为中心、优质服务示范医院”评选活动。兵、师、团机关普遍开展了“创文明机关、做群众满意公仆”活动。兵团机关、农一师等9个师（局）机关分别被命名为自治区级文明单位，在驻地精神文明建设共建工作中起到了表率、带头作用；各单位还普遍地开展了以创建“整洁、文明军垦新城”为目标的“小城镇建设”活动，石河子市、五家渠、北屯、阿拉尔等地区加快了创建步伐，进一步向所属农牧团场辐射和延伸，有效地带动了农牧团场“小城镇建设”的快速发展；各单位还坚持开展了兵地（兵团单位与地方）、军（警）民共建精神文明的创建活动，通过“结对子”，订公约（目标、规划），科技、文化交流，生产、生活互助，促进了当地两个文明建设的发展。兵团航空企业管理局克服各种困难，坚持为地方10多个县、市进行农（牧）业防治病虫害、区域卫生防疫、防灾救灾、物探勘测等，有效地支援了地方经济建设，增进了兵地团结。拥有边境团场的农四、五、六、九、十师等9个师（局），继续深入开展了“军兵警民共建万里文明边防线”的创建活动。各单位建立并充实了共建边防领导小组，加大了实施共建公约和计划的力度，开展了各种互助和文化联谊活动，有力地维护了边境治安，增强了军兵警民团结，促进了部队、派出所及团场的建设，为发展边贸提供了良好的社会环境。农八师、石河子市获得了全国“双拥模范城”的光荣称号。

（新疆生产建设兵团文明办）

# 创建活动

中国精神文明建设年鉴

# ACTION PROGRESS

# “讲文明树新风”活动取得新成效

抓住文明言行、服务质量、环境卫生、交通秩序四个方面的突出问题，结合创建文明城市、文明村镇、文明行业，加大工作力度，进行专项治理。重点抓了“保护生态环境，倡导文明新风”活动。广泛动员各方面的力量，开展植树绿化、清理白色垃圾、改善空气质量、治理水源污染等工作，收到了较好效果。人民群众热爱自然、关心生态、保护环境的社会公德意识普遍增强。各地、各有关部门围绕活动主题，组织增绿护绿、保护母亲河、妇女·家园·环境等各具特色的专项活动。

1999年3月5日，中央文明办、教育部、建设部、铁道部、交通部、水利部、国家环保总局、国家林业局、全国绿委办、共青团中央、全国妇联发出关于开展“保护生态环境，倡导文明新风”活动的通知（全文见《法规·文件》）。

## 中央文明办等11个部门

# 联合启动“保护生态环境，倡导文明新风”活动

1999年3月17日上午，中央文明办、教育部、建设部、铁道部、交通部、水利部、国家环保总局、国家林业局、全国绿委办、团中央、全国妇联等11个部门联合召开了全国电话会议，对开展“保护生态环境，倡导文明新风”活动进行动员和部署，要求各地区、各部门结合实际，贯彻落实。

本次活动着重围绕搞好植树绿化、清理白色垃圾、改善空气质量、治理水源污染四个方面的主要任务，开展群众性宣传教育活动，组织集中性整治战役。

活动分两个阶段推进，各要形成一个高潮。第一阶段，3月初至6月底，充分利用春季植树造林的最佳季节，搞好群众性植树绿化活动，着重搞好城市及城市周边地区的绿化和绿地养护；结合开展春季爱国卫生运动，重点清理城市公共场所、旅游景点、内河水域和铁路沿线的白色垃圾；第二阶段，7月初至国庆节前后，大中城市要切实按照国家有关法律和规定，着力改善空气质量，重点治理机动车污染、建筑工地尘土污染、工业烟尘排放、街头烧烤等影响城市空气质量的突出问题。沿江、沿河、沿湖地区要加大环保执法力度，坚持依法惩处乱排乱放废水、向水中倾倒垃圾等污染水源的违法行为。要加强保护水资源的宣传，组织群众积极参与清理江河湖岸垃圾和水面漂浮物的公益活动。

国务院副秘书长、中央文明办副主任刘奇葆在讲话中指出，“保护生态环境，倡导文明新风”活动，是讲文明树新风活动在新形势下的发展和深化。我们要完善管理，积极推进，把活动扎扎实实引向深入。首先，要充分依靠群众。精心设计群众乐于接受、便于参加的活动载体，把政府

行为和群众参与结合起来，形成活动声势，取得活动效果；其次，重在提高素质，通过活动，使全社会的生态意识、环保意识、可持续发展意识有明显增强；三是坚持齐抓共管；四要加强舆论宣传；五要把“保护生态环境，倡导文明新风”活动融入各项创建活动之中，创建文明城市、文明村镇、文明行业的先进单位和各类创建活动示范点，要在这次活动中发挥示范带动作用。

刘奇葆强调指出，“保护生态环境，倡导文明新风”活动，是为迎接新中国成立50周年创造整洁、优美环境的一项重要工作。我们要通过开展这项活动，动员全社会的力量治理环境污染，以崭新的面貌迎接新中国成立50周年这一盛大节日。

中央文明办专职副主任胡振民主持会议。建设部、国家林业局、国家环保总局、团中央等部门和北京、河北、杭州等3个省市的领导在会上作了发言。

（1999年3月18日《光明日报》）

# 广泛开展“保护生态环境，倡导文明新风”活动

## ——中央文明办负责同志答人民日报社记者问

问：如何认识“保护生态环境，倡导文明新风”活动的意义？

答：我们可以从三方面理解这次活动的意义。

首先，“保护生态环境，倡导文明新风”活动，是精神文明建设服务中心、服务大局、服务群众的一项重要举措。保护生态环境是可持续发展战略的重要组成部分，是我国的一项基本国策，关系到国家的长远发展和人民群众的切身利益，党和国家对此非常重视。改革开放20年来，我国环保事业取得了巨大成就，但形势仍然十分严峻，许多地区环境污染和生态破坏的状况仍然没有得到改变，有的甚至还在加剧。环境污染和生态破坏成为危害人民健康、影响群众生活质量、制约一些地方经济和社会发展的重要因素，也成为社会各界和人民群众非常关注、迫切要求解决的一个热点问题。1998年10月，江泽民总书记在抗洪抢险总结表彰大会上，对经济建设与生态环境的关系作了深刻的阐述，对进一步做好生态保护工作提出了明确的要求。1999年3月13日中央专门召开人口资源环境工作座谈会，江泽民总书记发表重要讲话，朱镕基总理就如何学习、贯彻、落实江泽民总书记的讲话精神作了部署。会议提出：2000年，要力争使环境污染和生态破坏加剧的趋势得到基本控制，部分城市和地区的环境质量有所改善。到2010年，要基本改变生态环境恶化的状况，城乡环境质量普遍有比较明显的改善，建成一批经济快速发展、环境清洁优美、生态良性循环的城市和地区。朱镕基总理在刚刚闭幕的九届全国人大二次会议上所作的《政府工作报告》中也指出：“要强化全民族的环境保护意识，继续增加环境保护投入，加强对重点城市、区域、流域、海域的污染治理。”认真贯彻中央人口资源环境工作座谈会和九届全国人大二次会议精神，切实做好保护生态环境工作，不仅需要各级党委政府的重视和有关主管部门的努力，而且有赖于社会各方面和全国人民的广泛参与和共同努力。广泛开展“保护生态环境，倡导文明新风”活动，大力提高全民族的环境保护意识，动员吸引广大群众和社会各界积极参与保护和改善环境的实践活动，努力形成人人自觉维护生态环境的社会氛围和文明风尚，对于实现我国经济和社会发展的长远目标，提高全社会的文明程度具有重要意义。

第二，“保护生态环境，倡导文明新风”活动，是在全国开展的讲文明树新风活动的深化和发展。江泽民总书记在中央文明委第一次全体会议上讲话时强调，精神文明建设工作的着眼点一定要放在紧贴群众利益、受到群众欢迎的事情上，每年办几件作用大、影响大的实事。根据总书记的重要指示精神，1997年7月，中央文明委在全国部署开展了讲文明树新风活动。一年多来，各地各有关部门围绕解决文明言行、环境卫生、服务质量、交通秩序方面存在的突出问题，广泛动员群众参与，取得了明显成效，受到人民群众的热情拥护和普遍欢迎。开展“保护生态环境，倡导文明新风”活动，就是按照中央文明委提出的巩固、提高、延伸、辐射的思路和主题不变，充实内容，一抓到底，抓出成效的要求，顺应群众的愿望，把讲文明树新风活动继续引向深入的一项重要内容，也是精神文明建设的一项长期任务。

第三，“保护生态环境，倡导文明新风”活动，是为迎接新中国成立50周年创造整洁、优美环境的一项重要工作。1999年是新中国成立50周年，开展“保护生态环境，倡导文明新风”活动，动员全社会的力量治理环境污染，绿化美化祖国，使山河更加秀美，天空更加明朗，城乡更加洁净，对于迎接全中国人民的共同节日具有重要意义。

问：这次活动主要有哪些内容?

答：这次活动的内容主要有四项：一是搞好植树绿化，二是清理白色垃圾，三是改善空气质量，四是治理水源污染。要紧紧围绕这四个方面的主要任务部署工作，组织好集中性整治战役。

问：这次活动将如何推进?

答：这次活动从3月份开始，1999年大体分两个阶段推进，形成两个高潮。

第一阶段，从3月17日全国电话会议开始至6月底，重点围绕搞好植树绿化，清理白色垃圾组织开展活动。要充分利用春季植树造林的最佳季节，组织广大群众参加植树种草，爱绿护绿的义务劳动。着重搞好城市及城市周边地区的绿化和绿地养护，同时，要注意搞好公路、铁路、江河沿线的植树绿化。要结合开展春季爱国卫生运动，加大治理环境卫生的力度，重点清理城市公共场所、旅游景点、内河水域和铁路沿线的白色垃圾。要教育群众，不乱弃垃圾，少用、不用一次性塑料包装用品，自觉抵制有损环境的产品和服务，大力提倡绿色消费。3月下旬和4月份要形成活动高潮。

第二阶段，下半年，特别是7月初至国庆节前后，要在第一阶段活动的基础上，继续加大力度，巩固成果，在加强管理，完善机制上下功夫，为迎接新中国成立50周年创造整洁优美的环境。大中城市要切实按照国家有关法律和规定，着力改善空气质量，重点治理机动车污染、建筑工地尘土污染、工业烟尘排放、街头烧烤等影响城市空气质量的突出问题。沿江、沿河、沿湖地区要加大环保执法力度，坚决依法惩处乱排乱放废水、向水中倾倒垃圾等污染水源的违法行为。要加强保护水资源的宣传，教育轮船乘客和沿岸群众不向水中丢弃垃圾，主动举报污染水源的违法行为，积极参与清理江河湖岸垃圾和水面漂浮物的公益活动。9月份，要形成活动高潮，取得明显成效。

问：对搞好这次活动有哪些要求?

答：第一，要充分依靠群众。要把群众反映强烈、迫切要求解决的难点、热点，作为活动的重点。在为群众多办好事和实事的前提下，精心设计群众乐于接受、便于参加的活动载体，探索出一套公众参与生态环境建设与保护的有效机制，把加强领导和动员群众结合起来，把政府行为和群众参与结合起来，依靠群众力量，充实活动内容，形成活动声势，取得活动效果。

第二，要重在提高素质。开展这次活动，既是改善生态环境的过程，也是提高公民文明素质的过程。要把环境保护这一基本国策的宣传教育贯穿于活动的始终，引导人们正确认识和处理人与人、人与社会、人与自然以及局部利益和全局利益、眼前利益和长远利益的关系，使全社会的生态意识、环境意识、可持续发展意识有明显增强。

第三，要坚持齐抓共管。这次活动由11个部门和团体共同发起，体现了精神文明建设齐抓共管的要求。各地要充分发挥有关职能部门的作用，调动社会各界的积极性，协同配合，形成合力。各地环保、建设、林业、绿化、交通、铁道、水利等部门，要根据各自主管的业务范围，从本地实际出发，针对存在的突出问题，提出改进措施，并规定相应的时限。教育部门和共青团、妇联等群众团体，要发挥各自的优势，运用多种形式对青少年和广大群众进行教育，组织动员他们积极参加各项活动。各地文明委要做好组织、指导工作，文明办要做好协调、服务工作，使各方面的优势更好地发挥出来，各方面的力量更好地集中起来。

第四，要加强舆论宣传。各级宣传部门和新闻单位要加大宣传力度，积极营造舆论氛围。要广泛宣传国家有关法律、法规，介绍保护生态环境方面的知识，倡导科学文明的生活方式。要及时报道活动的情况，反映群众对活动的反响。要注意发现和树立好的典型，大力推广先进经验和先进事迹，用榜样的力量教育和激励群众。要发挥舆论监督的作用，对损害生态环境的不良行为和不文明现象，有选择地进行批评曝光。

第五，有关活动要相互配合。创造优美环境，是创建文明城市、文明村镇、文明行业、文明单位的重要内容之一。要把“保护生态环境，倡导文明新风”活动融入各项创建活动之中，相互促进，整体推进。创建文明城市、文明村镇、文明行业的先进单位和各类创建活动示范点，要在这次活动中发挥示范带动作用。

(1999年3月19日《人民日报》)

# 推动“保护生态环境，倡导文明新风”活动深入开展

1999年4月22日，中央文明办与人民日报社联合召开座谈会，中央文明办专职副主任胡振民在会上发表讲话，北京、上海、广州、南京、西安、武汉、杭州、海口等城市文明委负责同志在会上发言。

## 胡振民：加大力度　务求实效

根据中央文明委1999年的工作安排，3月17日，中央文明办、教育部、建设部、铁道部、交通部、水利部、国家环保总局、国家林业局、全国绿化办、团中央、全国妇联等11个部门联合召开了电话会议，在全国正式启动“保护生态环境，倡导文明新风”活动。一个月来，各地认真贯彻会议精神，围绕四项重点工作，特别是植树绿化、清理白色垃圾，开展了形式多样的大规模群众性活动，取得了初步成效，发展势头很好。同时也要看到，这项活动还在起步阶段，发展也不平衡，需要进一步提高认识，加强领导，抓住重点，加大力度，按照预定的计划，把活动推向高潮，务求取得扎扎实实的工作成效。

开展“保护生态环境，倡导文明新风”活动，是落实中央重大战略部署的具体体现。江泽民总书记在3月13日中央召开的人口资源环境工作座谈会上指出：“全党同志必须从战略的高度深刻认识处理好经济发展同人口、资源、环境的关系的重要性，把这件事关中华民族生存和发展的大事作为紧迫任务，坚持不懈地抓下去。”同时，江泽民总书记强调：“要抓住调整产业结构，加强基础设施建设的机遇，使环保工作有一个大的进展。2000年，要力争使环境污染和生态破坏加剧的趋势得到基本控制，部分城市和地区的环境质量有

所改善。到2010年，要基本改变生态环境恶化的状况，城乡环境质量普遍有比较明显的改善，建成一批经济快速发展、环境清洁优美、生态良性循环的城市和地区。”现在，距实现总书记提出的第一步目标，只有一年左右时间。实现第二步目标也只有10年左右时间。任务十分艰巨，时间非常紧迫。这不仅需要各级党委和政府高度重视，各有关部门齐抓共管，而且需要广泛动员全社会的力量共同参与。中央文明办等11个部门联合组织开展“保护生态环境，倡导文明新风”活动，目的就是要紧紧围绕中央的重大战略部署，在各级党委和政府的统一领导下，充分发挥有关部门的作用，互相配合，协调作战，更好地动员和组织广大干部群众，切实把这件事关经济和社会发展全局、事关人民健康和生活质量、事关子孙后代的大事抓紧抓好。

开展“保护生态环境，倡导文明新风”活动，是加强精神文明建设的重要载体。“保护生态环境，倡导文明新风”活动，不仅是人民群众用自己双手改善生态环境、提高生活质量的过程，而且是在创造新生活的过程中不断提高自身道德素质和文明程度的过程。过去我们在道德建设中，比较重视人与人之间的关系、人与社会之间的关系。现在人们越来越深刻地认识到，人与自然的关系，也是道德建设的重要方面。随着现代化进程的发展，保护生态环境越来越成为衡量社会文明程度包括人们思想道德水平的重要尺度，成为社会主义精神文明建设的一项必不可少的重要内容。江泽民总书记在中央文明委第一次全体会上讲话时强调，精神文明建设每年要办几件作用大、影响大的实事。为落实总书记的指示，从前年开始，中央文明委在全国组织开展了“讲文明树新风”活动。两年来，各地着力解决文明言行、环境卫生、服务质量、交通秩序四个方面存在的突出问题，取得了明显成效。这次开展的“保护生态环境，倡导文明新风”活动，是把“讲文明树新风”活动引向深入的具体步骤，是1999年精神文明建设中的一件大事。紧密结合正在全国广泛开展的创建文明城市、文明村镇、文明行业、文明单位等多种形式的创建活动，办好这件大事，必将对提高人们的思想道德素质和城乡文明程度，发挥重要作用。

开展“保护生态环境，倡导文明新风”活动，也是为迎接新中国成立50周年创造整洁优美环境的一项重要举措。通过这项活动，动员全社会的力量治理环境污染，绿化美化祖国，使山河更加秀美，天空更加明朗，城乡更加洁净，对于我们以优异的成绩和崭新的面貌迎接新中国成立50周年这一盛大节日，具有重要意义。

（胡振民：中央文明办专职副主任）

# 刘敬民：全民参与环境建设

一是以治理城市大气污染为突破口，不断改善首都生态环境。1998年底，北京市政府出台并实施了控制大气污染的18条紧急措施，经过全市人民和社会各界、各方面的努力，圆满完成了第一阶段治理任务。目前，全市已进入治理大气污染第二阶段，正在抓紧落实新颁布的28条治理措施，重点任务是巩固治理成果，坚决制止反弹；全面控制扬尘污染，按期完成城市建成区裸露地面的绿化铺装任务；进一步控制煤烟型污染，强化控制机动车排气污染；加强科研监测工作和行政监察力度，营造宣传舆论等。治理大气污染第二阶段的目标是使空气质量三级或好于三级的天数达到70%，刘淇市长还与各区县政府及有关部门领导签订了《北京市控制大气污染第二阶段目标和措施责任书》，全市加大力度，加快节奏，坚决打好这场治理大气污染的攻坚战。

二是继续以治理城市环境脏乱为重点，努力创建全国卫生城市。北京市委、市政府决定，从3月下旬到5月底，广泛动员社会各界和广大市民，开展“环境整治春季战役”，清洁城市环境，治理脏乱，美化市容，促进全社会精神文明建设。市有关领导亲自带队，多次深入实际，查看铁路沿线、城乡结合部拆除违法建筑，治理白色污染，整顿街头烧烤等情况，现场办公，解决问题，推动整治工作全面展开。目前北京市环境整治工作进展顺利，势头良好。

三是各有关部门积极响应中央文明办和市委、市政府号召，积极行动，取得整治成果。市水利局发出通知，在全系统开展“整治环境，迎接建国50周年”活动，加大城区水环境、城区河道的整治力度，组织人员清除河坡白色污染，保持水体清洁，配合有关部门加大执法力度，清理河边市场，拆除河道两岸违法建设，并搞好绿化美化；市林业局抓住各种契机，开展春季植树造林活动，改善生态环境。与有关单位联合开展种植“三八国际友谊林”、“京澳青年澳门回归纪念林”等，并突出抓好一批精品绿化工程；市交通局结合创建文明行业和“优质服务月”活动，抓好汽车尾气达标治理工作，取得较好成效；市绿化办结合迎国庆和环境整治，完善提高长安街、平安大街、故宫筒子河等地段的绿化美化水平，加大拆房建绿、见缝插绿、垂直挂绿工作的力度。

（刘敬民：北京市副市长）

# 崔林涛：改善古都的容貌

西安是享誉中外的旅游城市和历史文化名城，努力改善城市的生态环境，对实现经济和社会可持续发展，提高人民群众的生活质量，加快城市文明化进程有着十分重要的意义。西安市委、市政府高度重视环境保护工作，把它作为文明城市建设的重要任务，采取一系列措施认真抓好。在实施精神文明建设八大工程中，把容貌工程作为突破口，旨在解决影响城市容貌，特别是生态环境的突出问题，塑造西安良好的外部形象。我们按照“统盘规划，突出重点，分阶段，抓治理，见成效”的工作思路，全市动员，统一部署，落实责任，积极行动，去冬今春以来，着力抓了以下五项重点工作。

大面积、高质量植树种草，绿化城市。西安地处内陆，干旱少雨，搞好绿化是改善生态环境的根本性措施。多年来，西安的绿化特别是行道树的栽植基础是好的，但绿化的总量还不够大，层次还不够高。近几年，我们大面积种植乔木、草坪、花坛，兴建绿色广场，培植绿化带，取得了突破性进展。

下大力整治环城河，改善明城墙园林环境。位于西安中心区的明代古城墙、环城河及绿化带，是集文物、园林、水面为一体的著名旅游风景区。城墙全长13.7公里，园林和水面总面积达180万平方米，是游人和市民观光、休憩的重要场所，对改善西安的生态环境也具有重要作用。但由于过去设施不配套、功能不完善，造成城河淤泥沉积、污染严重。1998年底，我们开始对护城河及环城园林进行全面整治，工程投资1.1亿元，实施城河清淤、河床衬砌、截污暗涵改排，加固整修绿化护坡，完善设施，美化园林。清淤衬砌工程可望于5月底完成，环城林的整修、美化6月底完成。届时，城河水变清，环城林更绿，古城墙更美，将成为古都西安一道更加亮丽、壮美的景观。

（崔林涛：陕西省委常委、西安市委书记）

# 许德明：提高城市文明程度

为贯彻中央人口资源环境工作座谈会的精神，动员社会各方自觉参与环境保护和生态建设，促进社会与经济协调发展的工作要求，市文明办会同各部门就这项工作分阶段作出安排：第一阶段以全民义务植树为重点，动员社会各界参与，形成高潮；第二阶段主要突出提高全社会对保护生态环境的认识，加强综合协调管理，为重点治理城市河道、道路环境、空气污染，推进各项活动深入开展。

绿化上海成为精神文明建设的重要载体。为在全社会营造“人人为保护环境尽责，人人为绿化建设出力”的浓厚氛围，上海市把组织市民参加植树绿化劳动作为精神文明建设的重要载体，1999年植树节期间，全市掀起了全民义务植树的高潮。

城市生态环境建设与现代化管理并举。建设良好的城市生态环境是精神文明的重要标志，也是精神文明建设服务中心、服务大局、服务群众的一项重要举措。根据中央有关工作要求，这几年上海在城市发展中一直强调加强城市生态环境建设和城市现代化管理，要在生态环境建设和现代化管理方面，争取一年一个样，三年大变样。按照中央和市委领导的指示，我们对下一步上海开展“保护生态环境，倡导文明新风”的活动进行了安排。首先加强舆论宣传，精心选择活动载体，增强市民保护环境意识：上海的主要新闻单位在这次活动中，继续做好环境保护这一基本国策的宣传教育，引导市民形成良好的行为规范，提高市民文明素质；开展“绿色上海”宣传系列活动：举办第三届“绿色进家庭”活动，举办“身边的绿色不是梦”家庭电视短片比赛，组织绿化知识电视竞赛和“绿色家园”电视专题片的制作等；开展“保护母亲河·绿色希望工程”，组织广大团员开展“交一元特殊团费”的捐款活动。切实作好市容卫生的各项工作，以整洁的市容面貌迎接第四次全国卫生检查评比。其次把保护生态环境作为精神文明创建工作的重要内容抓实抓好：要在城市的主要景观线路、公共场所大力开展创建10个文明示范标志区的活动，增强市民的生态环境意识；努力建成市区两级文明小区2000个；市级文明单位在城市环境建设中起到榜样和示范作用。

（许德明：上海市精神文明委秘书长）

# 朱小丹：让城市“一年一小变”

广州市结合自身的实际，以整治城市脏乱为突破口，整治、建设、管理、教育四管齐下，不断加大改变城市环境面貌、保护城市生态环境的力度。1998年初，我市启动了为期4年的创建文明城市“形象工程”，提出了创建全省文明城市和全国环保模范城市的目标。1998年下半年以来，根据中共中央政治局委员、广东省委书记李长春提出广州城市环境面貌要实现“一年一小变，三年一中变，2010年一大变”的要求，围绕新中国成立50周年前实现城市环境面貌“一年一小变”的目标，开展了全市性的全面整治脏乱大行动。

以整治脏乱为重点，着力改变城市环境面貌。1999年以来，全市已清理成片连线大型卫生死角176处，处理污泥垃圾1.48万吨；全市已建立垃圾压缩站47个，对95%的居民住户实行了上门收集垃圾，全市3.1万个垃圾桶，已经撤销了1.8万个；市区内一级道路100%、二级道路70%以上实行16小时保洁，道路机械化清扫率达69%。同时，整治占道经营和乱摆乱卖。目前，已新建室内市场37个，撤销占道市场19个，清理临时摆卖点42处，取缔占道摊档67910档，加大了取缔无牌流动摊贩的力度，有效减少了城市环境污染源。在环保整治方面，市政府与全市24个责任单位签订了《1999年度广州市环保责任状》，制定了《广州市环境规划》、《广州市环境保护“九五”计划和2010年远景目标》、《广州市青山碧水蓝天工程计划》等环保规划。

以城市绿化建设为重点，大力营造良好的城市生态环境。1998年，全市新建成广东树木公园、瀛洲生态公园、黄埔公园等8个城市公园，总面积2000多公顷；全市新增公共绿地250公顷，建成区绿化覆盖率为28.08%，人均公共绿地面积达6.37平方米；全市已建成2000万亩公益林，4个县级市和5个带城乡结合部的区已划定生态保护区和生态农业点。

（朱小丹：广州市委副书记）

# 汪正生：把生态保护当成“生命工程”

市委、市政府要求全市一定要把保护生态环境作为保持南京经济、社会可持续发展的“生命工程”来抓，努力做到社会效益、经济效益和生态效益一起要，物质文明、精神文明和生态文明一起上。全市开展“保护南京的母亲河——秦淮河”、“保护南京城的明珠——玄武湖”、“清除白色污染”、“认养绿地”、“我与大自然结对认亲”、“建造跨世纪青年生态林”和市民学唱“环保公约歌”等系列活动，动员广大干部群众保护生态环境、倡导文明新风、创建文明城市。

南京的生态环境有着较好的基础，特别是绿化工作一直受到重视。近年来，我市在围绕保护生态环境、建设美好家园方面努力做到“四个坚持”：一是坚持广泛开展形式多样的群众性活动，切实增强全民环境保护意识。确定每年5至6月为环境保护宣传月；在全市各级干部培训中，把环境保护作为必修课；在中、小学开设环境保护课，开展环保活动；依托社区、乡镇，开展了“爱碧水，爱绿地，爱南京”等系列活动。二是坚持实施“绿色工程”，争创国家级园林绿化城市。每年植树节前后，在市领导的带动下，全市机关干部、职工和广大市民都要开展植树造林活动。结合城市改造和农村现代化示范工程建设，城乡绿化建设有了新的发展，逐步形成了道路、水系、绿化带相互配套，城乡连接的绿色生态系统。三是坚持开展环境综合治理，不断改善城市生态环境：狠抓“两河一湖”（秦淮河、金川河、玄武湖）的整治；从源头治理工业、生活污染；大力改善城市气声环境质量。四是坚持依法管理，推动保护生态环境步入法制化轨道。

（汪正生：南京市委副书记）

# 叶金生：大力推动环境创新

武汉市作为湖北省省会和我国重要的工业基地及交通、通信枢纽，在改革开放的进程中，为实现城市的可持续发展，将武汉建设成为经济实力雄厚，科学教育发达，服务体系完备，城市布局合理，基础设施完善，生态环境良好，社会高度文明并具有滨江、滨湖城市特色的现代城市，市委在1997年提出了环境创新战略，通过近年来全市上下的努力，市民素质和城市文明程度不断提高，城市面貌在“洁、绿、亮、美”方面取得了突破性进展。

近年来，武汉市委、市政府深刻认识到“保护生态环境，倡导文明新风”是推动经济和社会可持续发展的必要条件，也是推进城市现代化建设进程的现实要求，特别是当前中央对保护生态环境工作提出了更高的要求，武汉市力争把这方面工作做好，收到实效。市委、市政府领导高度重视，经常检查全市生态环境保护工作情况，并对有关部门提出明确要求。市委常委会确定每年至少听取一至两次生态环境保护工作汇报，研究解决突出问题，并形成制度，长期坚持。同时，市委决定继续在全市各级党校和行政学院开设环保课程，组织有关部门成立党校环境教材编写小组，着手规范和统一教材；继续开展环境渗透教育，创办100所环境教育示范学校；继续开展环保法制教育，将其作为“三五”普法教育的重要内容，定期考核验收。市委还要求各级党委认真抓好生态环境保护工作，建立工作目标责任制，形成各部门齐抓共管、全社会都来关心保护生态环境的良好局面。

（叶金生：武汉市委常委、宣传部长）

# 吴键：保护“绿色天堂”

杭州是国家重点风景旅游城市、历史文化名城和长江三角洲重要的中心城市，素有“天堂”的美誉，山清水秀、风光旖旎是杭州的特色。保护好杭州的生态环境，塑造秀美洁净的城市形象，既是杭州城市性质的必然要求，也是增强杭州城市综合实力的重要“资本”和强大驱动力，对杭州经济和社会的发展具有特别重要的意义。几年来，市委、市政府坚持把创造良好的生态自然环境作为实现可持续发展的重要战略任务，实行保护与治理并重、管理与建设并举，为改善城市环境，美化绿化净化杭州做了大量的工作，促进了杭州城市环境质量和面貌的明显进步。我们将在全市开展“碧水、蓝天、绿色、清静”四大工程建设，投入60亿元，争取用2至3年时间，创建国家环境保护模范城市。

“碧水、蓝天、绿色、清静”工程的建设已全面启动。1999年工作的重点是治理环境污染，改善环境质量，计划投入18亿元，实施30个重点项目，力争在净化、绿化、美化杭城上取得突破性进展。

在“碧水工程”建设上，年内要实现80%以上（钱塘江流域90%以上）的水污染企业达标排放，市里已对达标排放的企业下达了限期治理的决定，对污染严重的企业，坚决实行转产、停产和搬迁。在“蓝天工程”建设上，已开始全面实施清洁燃料工程，扩大烟控区创建面积，努力创建“烟尘控制市”。“绿色工程”建设主要是：实施沿江、沿河绿化带建设，增加市区绿地面积，建设绿色广场，在1998年已扩绿147万平方米的基础上，再完成扩绿面积100万平方米。“清静工程”重点是加强对杭州市区和主要交通干线噪声污染的治理。1999年以来，我们已进一步采取教育与处罚相结合的措施，全面落实市区范围禁鸣喇叭的规定，对运河船只鸣笛问题开始着手进行整治。

（吴键：杭州市委副书记）

# 符兴："三结合"创建生态城市

海南建省办特区以后，海口作为大特区的省会市，坚持不懈地开展包括生态环境在内的环境建设，取得了较好的成绩。海口市委、市政府把环境建设提到"发展工程"、"民心工程"、"形象工程"的高度来看待。实践使我们深深地认识到：经济建设不是纯粹的经济行为，自然、社会等对其具有很大的制约性，其中环境是一个重要因素，发展经济必须借助好的环境。抓好环境建设，就是塑造城市良好形象。

几年来，我们采取建设与整治、教育与管理、立法与执法"三结合"的模式，不断推进生态市建设，使经济建设和环境建设走上协调发展的轨道。一是坚持建设与整治相结合。提高城市的总体功能，首先要建设好基础设施硬件。我们逐年加大市政基础设施建设的力度，从1996年至今，市财政投入资金10亿多元，建设道路、桥梁、供水、排污、公交等工程项目50多个，使基础设施进一步完善配套。二是坚持教育与管理相结合。保护生态环境是一项社会性事业，只有全民参与、大家动手才能奏效。为了增强市民的生态意识和环境意识，我们抓住"讲文明树新风"活动的契机，不断加大宣传教育的力度，努力提高市民素质。三是坚持立法与执法相结合。近三年，在城市管理中，我们边实践边探索，在原有法规的基础上，先后制定颁布了《海口市供水管理条件》、《海口市城市节约用水管理规定》等21个法规，使环境建设有法可依、有章可循。

（符兴：海口市委副书记）

# 科 学 技 术 部

## 科技扶贫青年知识分子促进行动

为贯彻落实党的十四届六中全会和中央扶贫工作会议精神，最广泛地动员和组织广大青年知识分子在服务于贫困地区的实践中锻炼成长，由科学技术部和共青团中央共同组织的"科技扶贫青年知识分子促进行动"自1997年实施以来，共组织了681名青年志愿者到36个贫困县进行了志愿服务。三年来，这些来自高校、科研院所、机关、企业的青年志愿者，分赴湖南、湖北、江西、山西、河南、河北、安徽、宁夏、内蒙古、陕西、甘肃、青海、海南、新疆等14个省（区）开展科技、教育、卫生、文化和管理等多方面的服务活动。为地方解决技术问题150余项，举办各种讲座258余场，累计听众达4.09万多人次，义诊1.14万人次，发放医疗手册3.86万册，同时，还援建了"青年图书站"，讲公开示范课，设立贫困学生奖学金，举行"心连心"文艺演出和科技成果发布会，开展社会调查、访贫问苦等活动。向全国28个省（区、市）的413个县市无偿捐助了技术创新成果34项。

这项活动的实施，引起了较大的社会反响，赢得了贫困地区人民群众的普遍欢迎。许多地方党政部门认为，这项活动实现了"三个带下去"、

"三个带上来"。"三个带下去"是：将党和政府对老区人民的关怀、新时期党的农村政策带下去；将首都人民对老区人民兄弟般的友谊和感情带下去；将广大青年知识分子的聪明才智、知识和技术带下去。"三个带上来"是：将老区人民从大局着眼、甘于奉献、勇于献身的革命传统精神带上来；将老区人民脚踏实地、勤俭办事业的优良作风带上来；将老区人民对知识、科技的渴求和需求带上来。

"促进行动"得到了国务院领导的充分肯定。1999年3月，国务院副总理温家宝指出："扶贫攻坚任务艰巨、时间紧迫，必须动员社会各方面力量，广泛开展各种行之有效的扶贫活动。科技部、团中央组织实施的'科技扶贫青年知识分子促进行动'很有意义。要精心组织，注重实效，引导更多的青年知识分子参与这项活动，为实现扶贫攻坚目标、推动社会主义精神文明建设作出更大的贡献。"

（科学技术部）

## 计 生 委 系 统

# 婚育新风进万家活动

1999年3月，国家计生委与中宣部联合下发了《关于广泛开展婚育新风进万家活动的通知》，明确提出了开展婚育新风进万家活动的主题、指导思想、活动内容及活动的总体安排。

活动的主题是：在全国特别是广大农村，大力宣传晚婚晚育、少生优生、生男生女一样好、女儿也是传后人、男女平等和计划生育丈夫有责等新型婚育观念，普及计划生育和生殖保健知识；在城市和经济比较发达的农村地区，还要加强优育优教、增强自我生殖保健能力、提高家庭生活质量和讲求健康的生活方式的宣传，满足人们多层次的需求。

活动的指导思想是：以马克思主义人口理论、邓小平人口思想和江泽民同志关于计划生育工作指示精神为指导，认真学习贯彻党的十五大精神和中央关于计划生育工作的方针政策，大力倡导科学、文明、进步的婚育观念，大力普及计划生育和生殖保健科普知识，依托社区、面向家庭，把计划生育宣传教育融入、渗透到群众性精神文明建设各项活动中，促进人的全面发展和社会的文明进步。

活动的主要内容是：组织好经常性和集中性的宣传教育活动；营造良好的计划生育宣传教育的社会氛围；制作一批计划生育宣传精品；创作一批计划生育优秀文艺作品；发挥好新闻媒介宣传计划生育的作用；开展面对面的计划生育宣传教育。

活动的总体安排是：分3年进行，1999年是试点启动阶段；2000年是全面展开阶段；2001年是总结表彰阶段。

1999年的主要任务是：认真贯彻1998年全国婚育新风进万家活动座谈会精神，作好活动的试点启动工作，围绕新中国成立50周年、世界60亿人口日等重大事件，大造计划生育宣传声势，形成活动的第一个高潮。进行全国婚育新风宣传画的评选，推出一批优秀宣传画；组织以婚育新风为主题的全国计划生育文艺调演，进一步推动计划生育文艺宣传；组织各地广泛开展演讲比赛、绘画书法、戏剧影视、有奖征文、知识竞赛、摄影比赛、文艺汇演、集市文艺宣传等多种形式的宣传活动；召开婚育新风进万家活动研讨会。

中宣部、国家计生委《关于广泛开展婚育新风进万家活动的通知》下发后在各地引起了积极的响应。据统计，截止1999年底，全国除西藏自治区外，各省（区、市）和计划单列市全部下发了开展婚育新风进万家活动的文件。一些省（区、市）为开展婚育新风进万家活动成立了专门的领导机构，由党政主要领导任组长。

在庆祝新中国成立50周年、世界60亿人口日中国宣传周和全国计划生育文艺调演中，紧密结合婚育新风进万家活动，丰富了婚育新风进万家活动的宣传形式和宣传内容。全国计划生育文艺调演共收到各地选送的节目140个，有54个节目经评选入围，在北京进行演出，评出金奖、银奖和组织奖，节目质量是计划生育有史以来最高的一次，并由中央电视台录制了一台专题节目，于世界60亿人口日期间播出，广泛传播了人口文化和婚育新风。

（国家计生委）

# 水利系统

## “保护生态环境，倡导文明新风”系列活动

水利部根据中央文明办的工作部署并结合水利实际，在全国水利系统组织开展了“保护生态环境，倡导文明新风”系列活动。

开展“世界水日”、“中国水周”宣传活动，保护水资源，举办全国青少年节水夏令营。1999年的“世界水日”、“中国水周”宣传活动，以“江河治理是防洪之本”为主题，以《水法》、《水土保持法》、《防洪法》为主要内容，通过举办街头宣传活动，召开座谈会，发行宣传画，发布宣传口号，散发宣传资料等多种形式，进一步提高全社会依法治水、计划用水、节水、护水、保护水资源的意识。在北京、大连、青岛、西安等缺水城市同时举办了“倡导节水，爱护环境”为主题的全国节水夏令营活动。青少年营员通过参观供水、节水工程，参加节约水、清洁水的活动，学习了解水资源知识，达到知水、爱水、惜水，进而做到节水、护水，在全社会进一步普及节水观念，创造共同爱护水资源的良好社会氛围。这是对中央文明办等11个部委开展“保护生态环境，倡导文明新风”活动的落实；是对水利部实施“跨世纪节水行动”的推进；更是对青少年树立正确的水资源观，从小养成节约用水良好习惯的生动教育。

启动“保护母亲河流域综合治理工程”和“水土保持生态环境建设‘十、百、千’示范工程”。水利部与共青团中央等部门合作，以保护哺育中华民族和一方人民的“母亲河”——黄河、长江及其他主要江河为主题，充分吸纳和发动水利行业内外的力量，积极参加捐款、植绿护绿、清洁河湖等“保护母亲河行动”的各项活动，为再造祖国秀美山川贡献力量。从1999年起，启动“保护母亲河流域综合治理工程”，用5年时间，在黄河、长江及其他主要江河流域，国家重点生态工程治理区，建设50万亩以上水土保持生态工程，完成沿沟渠15万公里植树1000万株的目标；开展以“植树节”和“中国水周”为载体的“保护母亲河行动周”；实施以“世界水日”、“国际地球日”、“防止荒漠化日”等行动作为“保护母亲河行动日”。

在全国范围确定深圳、青岛等10个水土保持生态环境建设示范城市，在密云、定西等100个水土保持生态环境建设县，1000个水土保持生态环境建设示范小流域。同时，以重点支流为骨干，以县为单位，以小流域为单元，重点抓好长江、黄河等七大流域中上游重点水土流失区的综合治理。

（水利部文明办）

# 环保系统

## 学先进 促环保

国家环保总局开展向先进人物学习活动，于1999年4月16日至23日，组成环保系统先进事迹报告团，在北京、天津、石家庄等地，组织了6场先进事迹巡回报告会，参加人员2300多人，受到广泛的欢迎。

报告团有5名成员，他们是：全国“十佳人民满意公务员”、全国环保系统精神文明建设先进个人、陕西省咸阳市环保局副局长刘新民；全国环保系统精神文明建设先进个人、黑龙江省“十佳人民满意公务员”、七台河市环保局局长乔文国；全国环保系统精神文明建设先进个人、“河北省人民满意公务员”、邢台市环保局党组书记杨元魁；安徽省马鞍山市环保局办公室副主任周光明(介绍该市环境监测站化验室副主任、被誉为环保系统的“雷锋”——徐东红的生前事迹)；曾援藏5年、担任过阿里地委秘书长、山西省运城行署环保局局长柴腾虎。

巡回报告产生了强烈反响，收到良好效果。主要特点是：

主题突出，时机好。为正在开展的“三讲”教育提供了生动实际的正面教材，起到了积极的促进作用。同时，对加强队伍建设和精神文明建设、实现跨世纪环保目标，也起到有力的推动作用。

针对性强，内容好。5名报告团成员绝大多数是战斗在第一线的执法人员，既有环保战线的领导干部，又有在监测岗位上默默奉献的科技工作者。他们分别从不同的角度，介绍了“坚定信念，勇于奉献；严于律己，率先垂范；爱岗敬业，为民造福；淡泊名利，一身正气”等反映时代精神和环保特色的先进事迹。一些同志说，我们与他们是同行，有同样的感受，同样的苦衷，强烈的共鸣。他们的事迹离自己很近，听起来很亲切，很有教育意义。这些先进事迹的宣传，有助于加强全系统精神文明建设，形成崇尚先进、弘扬正气的良好风气。

事迹感人，效果好。报告团的5名成员，是环保战线的杰出代表，他们的先进事迹，件件生动、感人肺腑、催人奋进。北京市环保局局长赵以忻表示，我们要以先进人物为镜子，以先进事迹为动力，努力做好环保工作，把控制大气污染第二阶段工作做得更好，把一个清洁优美的首都奉献给全国各族人民。

(环保总局)

## 工商行政管理系统

# 作好公益广告 促进社会文明建设

公益广告具有社会教育、文化传播、舆论导向等社会作用，为充分发挥公益广告对社会主义精神文明建设的促进作用，1999年，中央精神文明建设指导委员会办公室和国家工商行政管理局联合发出了《关于进一步做好公益广告宣传的通知》，要求各级文明办、工商行政管理机关把公益广告宣传活动作为精神文明建设的一项长期工作，深入开展下去。各级工商行政管理机关积极组织开展公益广告活动，取得可喜成绩。

**1. 增加数量，提高质量**

各地工商行政管理机关围绕新中国成立50周年、澳门回归祖国等大事和国家的中心工作，进行公益广告宣传活动。如，上海市工商局不但倡导和鼓励广告界创作主题鲜明、制作精良的优秀公益广告，而且直接参与发布了10余部电视、户外公益广告。重庆市工商局在全市范围内开展了“以实际行动迎接建国50周年和澳门回归”为主题的公益广告活动，歌颂改革开放以来所取得的重大成就，宣传党的路线、方针和政策，弘扬民族精神和“红岩”精神，共制作、发布公益广告约1万件（次）。云南省1999年全省共投入人力400余人，资金500多万元，设计、制作、发布各类公益广告500余件。以“人与自然，和谐发展”为主题制作的公益广告，为'99昆明世界园艺博览会创造了良好的舆论氛围。

据不完全统计，1999年，全国报纸、广播、电视、杂志、户外等广告媒介共发布公益广告25000余件，涌现出了一大批主题鲜明、内涵深刻、制作精良的优秀公益广告作品。如，宣传禁烟的平面公益广告“远离它”，以其独特的创意获得了1999年亚太国际广告节平面作品入围奖，这是我国第一个在国际广告节获奖的作品；电视公益广告“守株待兔新篇”从环保的角度重新诠释了这一成语，创意新颖，画面优美，令人难忘。此片在湖南省广播影视厅和湖南卫视举办的由群众投票评选全国十大影视广告活动中，获得“首届全国影视广告十大广告奖”。

**2. 动员社会积极参与**

推动公益广告事业的发展需要全社会的支持和参与。各地工商行政管理机关除了在媒介上加强公益广告活动的宣传，还采取了多种有效措施，动员和鼓励社会各界关心和支持并参与公益广告活动，如，北京市、上海市、西安市工商行政管理局分别会同当地党委宣传部、文明办组织开展了面向社会的公益广告作品有奖征集活动，极大地提高了人们对公益广告的参与意识。在有奖征集活动中，北京市共收到公益广告作品约900余件；上海市共收到公益广告作品653件；西安市共收到公益广告作品810多件。极大地提高了人们对公益广告的热情和参与意识。

**3. 积极开展理论研讨**

1999年中央文明办和国家工商局等有关部门联合召开公益广告座谈会，对公益广告的运行机制、运行方式、发展方向以及资金来源等问题进行了探讨和可行性研究。1999年2月，全国电视联播网在海南召开“电视公益广告理论研讨会”，全国50多家电视台参加。这些理论研讨活动，促进了公益广告的健康发展。

（国家工商局）

## 工商行政管理系统

# 争创“光彩之星”活动

国家工商行政管理局和中国个体劳动者协会从1997年起在全国个体工商户和私营企业中开展了争创“光彩之星”的活动。1999年，在各级工商行政管理机关和个协、私协组织的精心组织和积极推动下，争创“光彩之星”活动进展顺利，取得良好的成效。

各级工商行政管理机关和个协、私协组织对争创活动十分重视。许多省市都成立争创活动领导小组，制定了周密的工作计划。北京市做到统一研究、统一组织、明确分工、互相配合，把争创“光彩之星”活动扎扎实实地抓好。黑龙江、辽宁、湖北、山东、福建、广东等省工商局和省个协、私协为加强对争创活动的指导，召开工作会议进行专题部署，制定出具体活动方案，为争创活动的顺利开展奠定了基础。

为使广大个体劳动者和私营企业经营者真正认识、了解争创“光彩之星”活动的重要意义，积极踊跃投入争创活动，扩大争创活动的社会影响，各地工商局、个协、私协迅速行动，采取多种形式，结合本地特点，加强宣传力度。有的省市召开基层个协和个体劳动者、私营企业经营者骨干会议、千人群众大会进行动员；有的地方开展了争创“光彩之星”宣传周活动；有的地方利用各种新闻媒体把争创“光彩之星”活动的方法、步骤和要求反复宣传；广东省各级个协、私协组织共印制宣传册、宣传单，倡议书40多万份，发到会员手中；四川省一些地方工商局、个协、私协利用板报、简报、标语、广播站、广播车等宣传手段，努力使争创活动做到家喻户晓，人人皆知，调动了广大个体工商户和私营企业参与争创活动的积极性，推动了争创活动向纵深发展。

各地在组织争创活动中，注意总结推广好经验、好做法，对活动中涌现出来的先进典型大力宣传，使广大会员学有榜样，赶有目标，努力在个体工商户和私营企业中营造出崇尚先进、学习先进、争当先进的风气。湖北省是最早开展争创“光彩之星”活动的省市之一，省个协、私协带领争创“光彩之星”活动中涌现出的先进典型人物所组成的巡回演讲报告团，先后在省工商局机关和十几个市、县做了演讲报告，受到当地党委、政府和群众的热烈欢迎，听众达8000余人；山东、河南、北京等地个协、私协也组织了“光彩之星”演讲团，深入基层协会传经送宝。先进个体工商户、私营企业热爱党、热爱社会主义、热爱人民、诚实劳动、守法经营、优质服务、乐于奉献的感人事迹，激发了广大个体劳动者和私营企业经营者“为光彩事业添光彩”的热情和决心。许多省市与当地新闻单位密切合作，在报纸、广播、电视和协会刊物上介绍推广争创活动开展情况、经验做法和先进典型事迹，中国个协与中国工商报联合在“非公有制经济专刊”开办了20期《争创“光彩之星”专栏》，及时对各地开展争创活动中的好做法、好经验和“光彩之星”的优秀事迹，进行宣传、推广，不仅在非公有制经济领域中产生了良好的影响，而且在社会上引起较大反响，提高了个体私营经济的社会地位和知名度。

各地把争创“光彩之星”活动看做个协、私协加强个体工商户和私营企业精神文明建设的一个重要“名牌”，注意发挥争创活动的带动作用，与中央和地方政府以及各级个协、私协开展的各项活动结合进行。如青海省工商局、省个协、私协在开展争创“光彩之星”的基础上，开展了认定全省“百强”私营企业的活动；福建省一些地方把争创“光彩之星”与“讲文明、树新风、做贡献”的系列教育结合起来；重庆市把争创活动与思想政治教育、“三五”普法教育、爱国主义教育、职业道德教育结合起来，提高了个体劳动者和私营企业经营者的整体素质；许多省市把争创活动与“户户讲道德，店店无假货”、帮助下岗职工再就业、优质优惠服务等活动，特别是与1998年的抗洪赈灾活动结合起来开展，收到了很好的效果，既充实了活动的内容，又带动了其他活动的开展。

争创活动取得了明显的成效。一是在广大个体工商户和私营企业中兴起了争创“光彩之星”的热潮，造成了积极的社会影响；二是广大个体工商户和私营企业增强了用“光彩之星”的标准规范行为的自觉性，加强了政策和法制观念，提高了文明经营水平，改善了自身的社会形象；三是广大个体工商户和私营企业热心公益事业、为国家多做贡献的积极性空前高涨，赢得了广泛的社会赞誉。许多个体工商户和私营企业都把获得“光彩之星”称号作为自己的崇高荣誉，在争创“光彩之星”活动中，涌现出了一大批优秀个体工商户和私营企业。

（国家工商局）

## 全 国 总 工 会

# 第五届全国职工职业道德“双十佳”评选表彰活动

为了深入贯彻落实党的十五大精神，进一步加强职工职业道德建设，深入开展“讲文明树新风”活动，推动社会主义精神文明建设，由中宣部、国家经贸委、国务院纠风办、全国总工会组成的全国职工职业道德建设指导协调小组，在各地开展职业道德创建活动的基础上，于1999年1月，开展了评选表彰第五届全国职工职业道德“双十佳”（职业道德十佳标兵、职业道德十佳单位）活动。

全国各地工会组织积极响应、广泛发动、认真组织，截止到3月底，全国各地将在精神文明建设和职业道德建设中涌现出来的模范人物和先进集体推荐上报，在此基础上，本着优中选优的原则，推选出戚秀玉（女）大连市劳动局职业介绍中心职业指导师等10名同志，深圳航空公司等10个单位为第五届全国职工职业道德“双十佳”。

7月23日在北京召开了表彰大会，中共中央政治局常委，全国总工会主席尉健行会前亲切接见“双十佳”代表并合影留念。

（全国总工会）

# 共青团系统

## '99保护母亲河行动

共青团中央、全国绿化委员会、全国人大环境与资源保护委员会、全国政协人口资源环境委员会、水利部、国家环保总局、国家林业局、中国青少年发展基金会共同发起开展的“保护母亲河行动”，是一项以保护和改善生态环境为宗旨的社会公益活动，是迈向21世纪的绿色希望工程。主要是以保护哺育中华民族和一方人民的母亲河——黄河、长江等主要江河湖泊流域生态环境为主题。通过动员中国广大青少年，依靠海内外各种社会力量在母亲河流域国家重点生态治理区植树造林、治理水土流失、防治污染、保护生态环境，在全社会倡导和树立母亲河意识、绿色文明意识和可持续发展意识，为母亲河更好地造福于中华民族和促进全球生态平衡作贡献。

在各发起单位的共同努力下，“保护母亲河行动”起点高，启动快，发展迅猛，不断取得新的突破，初步形成了以工程建设为载体、宣传教育活动为基础、基金筹集为保障的基本格局。

“保护母亲河行动”宣传教育活动始终以“拳拳爱国心，保护母亲河”为主题，针对不同的时节和不同阶段，确定不同的主题，形成一浪高过一浪的宣传教育高潮。春季加大宣传力度，开展植树种草、管护植被活动；夏季通过社会实践让青少年认识大自然、认识母亲河；秋冬季以流域治理和水利基础设施建设活动为载体，深化宣传教育活动。一年中初步形成了相对统一的“保护母亲河行动”宣传活动日、宣传活动周；开展了一些影响大、牵动面广的宣传教育活动；充分利用艺术手段和作品，增强宣传教育效果。首都24家新闻单位记者参加了历时两个多月的“保护母亲河行动江河行”大型采访活动，“母亲河，我与你同行”绿色传递活动吸引了沿黄河、长江54个大中城市数百万青少年和社会公众参加，全国领导小组办公室制作了“保护母亲河行动”招贴宣传画，还创作了公益歌曲《别无选择》，举办了“保护母亲河”大型交响音乐会等。各地也结合实际开展了丰富多彩的活动，在当地形成了宣传保护母亲河、保护生态环境的热潮。据不完全统计，一年来，有上千万青少年参加了各种宣传教育活动，180多家新闻媒体两轮免费刊登了“保护母亲河行动”公益广告。

保护母亲河工程建设始终遵循从严把握，确保质量，注重效果这一原则，制定了《“保护母亲河工程”实施暂行办法》，建立了以申报审批立项制、项目法人制、工程监察制、资金报账式支付制、产权预先确认制等五项制度为核心的工程建设制度，从工程科学规范立项、建设管护责任、工程建设质量、资金安全、产权归属几方面作了详细规定。按照这些制度，全国领导小组审批立项建设全国资助工程项目8个：青海龙羊峡项目、甘肃兰州大砂沟项目、陕西延安延河项目、山西偏关项目、河南孟津项目、四川乐山项目、重庆万州项目、湖北郧县项目等，总规划面积23万亩。在各项目法人的积极努力下，完成造林4.5万亩，整地4.3万亩。各地也积极建设自己的“保护母亲河工程”，已立项省级项目51个，规划面积90多万亩。

“保护母亲河行动基金”充分借鉴“希望工程”的成功经验，以“5元钱捐植1棵树”、“200元捐建1亩林”等可操作、简便的方式募集。在筹资过程中，主办单位带头捐资。团中央向各省（区、市）团委下达筹资任务，各地团组织积极响应，并开创性地开展基金募集工作。绿化委、水利、林业等主办单位也带头发动本系统干部职工为母亲河奉献爱心。少先队组织开展了“手拉手捡拾一片希望，还母亲河一片绿色”活动，带头认捐了“中国少年水保世纪林”。武警、解放军踊跃捐款，分别上交430多万元和330多万元。社会公众积极加入。个人捐款中有年逾花甲的老人，有刚满5岁的孩童。法人捐款中有企业、也有事业单位，有国有、也有私营。同时还积极向港澳台地区及海外拓展，争取更多捐资。截止1999年，全国领导小组直接接受各类捐款1663万多元。为加强对募集基金的管理，我们制定了《关于“保护母亲河行动（绿色希望工程）专项”基金管理的暂行规定》，用强烈的社会责任感和严格的制度来保障资金管理和使用的合法、严格、规范。

“保护母亲河行动”得到了各级党政领导的高度评价，受到了社会各界的普遍关注和认可，显示出强大的生命力，正在逐步成为社会公众参与国家生态环境建设的重要渠道，成为对青少年进行生态环境教育和爱国主义教育的有效载体。

（共青团中央宣传部）

# 共青团系统

## 青年文明号活动

青年文明号活动是共青团中央会同中央金融工委、中央企业工委、国家计委、公安部、建设部、铁道部、交通部、信息产业部、水利部、卫生部、国家税务总局、中国民航总局、国家工商行政管理局、国内贸易局、国家海洋局、国家电力公司、中国石油天然气集团公司、中国石油化工集团公司、中华全国供销合作总社、中国个体劳动者协会等有关部门开展的一项群众性精神文明创建活动，目的在于引导广大青年职工弘扬职业文明，创造一流业绩，为推动经济与社会的协调发展作贡献。

1999年，各级团组织以江泽民总书记为活动题字五周年为契机，认真贯彻团十四大和十四届二中全会精神，大力推进青年文明号活动，使这项活动又有了新的发展。涌现出全国青年文明号3262个。

**1. 创建规模更大**

各地在抓好原有行业、原有单位的基础上，积极向其他领域拓展，推动活动连线成片，实现了规模效应。吉林、四川等22个省市在党政群机关开展了青年文明号活动。河南、湖南团省委会同省交通厅、水利厅、建设厅、电力工业局、铁路局等单位在全省地市级以上重点建设工程中开展了青年文明号活动。北京、辽宁、浙江、重庆开展了创建青年文明号街道、青年文明号公交线路活动。安徽、江苏等省开展了创建青年文明号旅游景区活动。山东团省委联合省建委在全省城建系统的10个行业中开展了青年文明号活动。广西在公安厅、交通厅在全区二级以上高等级公路的收费、路政、排障、养护、服务区、交警、派出所等窗口单位的青年集体中开展了创建“青年文明号服务网”活动。

**2. 创建内涵更丰富**

各地在加强和完善企业管理，推动企业全面创新的过程中，创造性地开展青年文明号活动，赋予了这项活动新的内涵。上海以科技创新、管理创新、服务创新、营销创新为切入点开展青年文明号活动，在拉动内需、推动经济增长、提高企业经济效益上狠下功夫。甘肃以军事化上岗和标准化作业为基本要求，在工业企业开展青年文明号活动，每一条青年文明号生产线都成为科学管理的一种模式。湖北、四川把青年文明号活动、青年岗位能手活动作为一个整体来推进，使两者相互促进，相得益彰。广西在11个地市、15个行业中开展了青年文明号服务技能大赛和服务模式表演赛。海南推出了“青年文明号旅游专线”，为游客提供从食、住、行到导、购、娱一条龙的青年文明号精品服务。山西和吉林延边州开展了“青年文明号促销增效”活动，通过创新服务方式、创新营销手段推动了企业经济效益的提高。河北等地开展了10大青年文明号标杆评选活动，优中选优，创新了青年文明号的评选方式。

**3. 创建机制更完善**

各地着眼于活动的可持续发展来强化机制建设，使组织领导机制、考核评价机制、激励表彰机制进一步得到完善。天津有30多个局（总公司）成立了由局领导任组长，团委书记和有关部门领导参加的活动领导小组，形成了团组织协调、各行业主管部门支持参与、全社会齐抓共管的生动局面。上海以岗位责任制为基础，制定了青年文明号生产线、青年文明号科技团队、青年文明号线路、青年文明号示范街城的创建实施细则，把青年文明号标准细化、量化，进一步完善了活动的评价机制。山东团省委提出青年文明号活动要做到评价科学化、申报公开化，各单位在创建青年文明号过程中必须有计划、有标准、有职责、有档案、有检查、有评比。河南省电力、煤炭、公安、金融、石化等行业制定了操作性强的奖励政策，与企业奖励体系同轨运行。安徽省电力公司制定了发电、供电、基建企业有关机组、变电所、营业大厅、重点工程青年文明号的考评实施细则，并在培训、上学、推优上对青年文明号成员予以政策倾斜。

**4. 管理监督更严格**

各地本着“重在创建，贵在管理”的原则，进一步加强对青年文明号的基础性管理和监督性管理，实现了管理工作科学化、制度化和规范化，确保了青年文明号的先进性和权威性。福建为所有省级以上青年文明号建立了专门档案，抓好日常管理。江苏进一步完善和健全了青年文明号申报公示制度、青年文明号年报统计制度、年初申报制度等，使青年文明号管理工作走上制度化进程。山西要求青年文明号集体必须规范悬挂牌匾，公布服务承诺和监督电话，争创集体要统一争创标志，由社会进行评价。山东青岛市建立信息反馈制度，定期听取监督员的意见，逐步形成定期抽查、跟踪检查、行业互查、社会协查、电话督查的“五查”制度，对服务质量下降、投诉率高的青年文明号实行“黄牌警告”，逾期不改或效果不明显的则给予“红牌销号”。广东对1994年以来命名表彰的省级以上青年文明号进行了统一复核登记，公布监督电话，接受社会监督。新疆从10月起开始了青年文明号检查认定、考核验收工作，根据考核细则为350家区级以上青年文明号和135家新申报的争创集体评分，对不达标单位摘牌或取消创建资格。吉林、河南等省开展了青年文明号检查监督月、明查暗访周活动，组织特邀监察员进行集中检查，并在新闻媒体上公布青年文明号名单，开通热线电话，受理群众投诉。据统计，1999年各地共取消1100多个省级以上青年文明号的称号。

**5. 创建效果更明显**

各地通过开展青年文明号活动，提高了广大青年的职业文明，加强了行业基层管理，促进了企业经济效益的提高。天津的调查表明，青年文明号集体的经济效益一般高于同类集体30%以上。河南开展青年文明号活动后，一大批综合素质高的青年人才脱颖而出，在青年文明号集体中，青年岗位能手的比例占到了41%，很多青年文明号负责人走上了领导岗位。上海窗口单位开展青年文明号活动后，党员比例提高了12%，积极分子比例提高了15.7%，有56.9%的集体荣获市（部）劳模集体等荣誉称号，先后向领导机关输送了一大批从事科技、管理、经营等方面的青年人才。同时，青年文明号集体以规范服务、优质服务和特色服务在社会上树立了良好形象，弘扬了社会新风，成为职业文明的典范，有力地推动了社会主义精神文明建设。

（共青团中央宣传部）

# 共青团系统

## 青年志愿者行动

1999年是青年志愿者行动各项事业蓬勃发展的一年。在项目及队伍建设方面，社区“一助一”长期结对服务达到200多万对；参加扶贫接力计划的青年志愿者累计达4000多名，有2500多名青年志愿者正在150多个受援贫困县开展为期一年的志愿服务；近百万名大中专学生志愿者继续深入农村基层和受灾地区，开展暑期文化科技卫生“三下乡”活动；6月，青年志愿者绿色行动营计划首期项目——河北丰宁营正式启动，不到半年时间就吸引了全国19个省（区、市）及英、法、德、日、土耳其等12个国家和地区的1000多名志愿者在丰宁沙化区整地造林1500余亩；数十万青年志愿者为昆明世界园艺博览会、上海《财富》论坛年会等大型活动提供了优质高效的志愿服务。截至年底，全国累计已有7000多万人次的青年向社会提供了超过31亿小时的志愿服务。在组织建设方面，已初步形成了由全国协会、34个省级协会、2/3以上的地（市）级协会以及部分县级协会组成的志愿服务组织管理网络；由1万多个街道社区青年志愿者服务站、10多万支青年志愿者服务队组成的青年志愿服务基层组织网络已见雏形；青年志愿者招募、培训、考核、评估、表彰等制度普遍建立起来，青年志愿服务的内部运行机制逐步形成；以1999年8月广东省人大通过的国内第一部青年志愿服务条例为标志，青年志愿服务的立法工作取得了突破。

青年志愿者行动把服务社会与教育青年有机结合起来，使一些需要帮助的社会成员从志愿服务中感受到社会的温暖，在全社会弘扬“奉献、友爱、互助、进步”的志愿者精神，倡导时代新风正气，对社会主义精神文明建设有积极的推动作用，已经成为新时期群众性精神文明创建活动的有效途径；为当代青年在实践中锻炼成长提供了广阔的舞台，开辟了现实的途径，体现了共青团在实践中育人的宗旨，成为新时期加强青年思想政治工作的重要载体；适应当代青年自主意识、参与意识日益增强的特点，组织和引导青年以志愿服务方式积极参加经济建设和社会发展，调动了青年的内在积极性，已经成为共青团在社会主义市场经济条件下动员和组织青年的有效手段，成为新时期青年工作的重要内容。

（共青团中央宣传部）

# 共青团系统

## 中国青年科技创新行动

中国青年科技创新行动是共青团组织团结带领广大青年积极参与科教兴国伟大实践，推动科技进步和经济发展的重大举措，是在实践中提高青年素质、培养青年人才的重要途径，是共青团工作的一项十分重要的内容。

为进一步大力推动中国青年科技创新行动，1999年，团中央、全国青联重点实施了“金桥计划”，主要有以下三方面内容：第一，架起科研院所、大专院校与企业之间的桥梁，组织有关科研院所的青年科技工作者，为企业技术创新提供人才智力服务，同时要开辟青年科技人才参与科技创新的多种渠道，帮助他们申请课题、寻找项目，为他们直接从事生产领域的科技攻关创造条件；第二，架起东部与西部之间的桥梁，组织青年科技人才参与西部大开发，特别是组织东部地区的青年科技工作者、企业管理者等开展东西互助、科技扶贫等形式多样的活动，为西部地区的科技进步、经济发展作贡献；第三，架起海外与国内之间的桥梁，充分发挥共青团、青联、学联的联络优势，组织海外留学人员、爱国之士，通过技术服务、项目合作和直接创办高新技术企业等为祖国服务，为科技创新注入新的活力。

团中央、全国青联开展了“百名博士西部行”活动，组织有志于为西部大开发做贡献的海内外青年博士，以短期工作、定期服务、项目合作等方式，分期分批地为西部地区提供人才、信息、技术、项目等多方面的服务，同时努力营造良好的舆论导向，带动影响更多的青年科技工作者为西部大开发作出更大贡献。目前活动已成功地在陕西正式启动，活动期间举行了多场报告会，建立了中国杨凌海外学人农业高科技虚拟创业园，赴46家企业进行了咨询论证，发布了361项科研成果，达成了60个意向性合作项目，据不完全统计，协议合作资金达9250万元，取得了良好的社会效益和经济效益。

全国青联与全日本在职中国留学人员联谊会共同组织了“留日学人归国服务团”（成员大多为已取得博士学位且暂留在日本工作的中国留学人员）参与国家863计划和“九五”重点工程的研究开发，先后与华北制药集团、北京有色金属研究总院等单位进行技术合作和项目攻关，为江苏昆山、山东烟台等地建立留学人员创业园牵线搭桥，既推动了企业和地方的经济发展，也激发了海外学人为国服务的热情。在团中央、全国青联的具体指导和帮助下，在国家有关部委的支持下，迄今为止，“留日学人归国服务团”已12次组团归国服务，与国内开展了110项经济技术合作项目，在国内创办了3家高科技企业，取得了较好的经济效益和社会效益。

共青团中央、全国青联命名了第一批中国青年科技创新行动教育基地和示范基地，使之成为积聚项目、吸纳人才的有效载体，并通过示范基地探索流动孵化方式，为科技成果转化创造条件。全国青联还建立了中国青年科技信息网，广泛收集人才、技术和市场需求信息，促进各种科技创新信息的交流对接和社会创新资源的有效运用，为全社会的科技创新提供服务。

团中央、全国青联开展了一系列科技知识的学习传播活动，通过实施新世纪青少年读书计划，举办科技节、科技广场等，引导广大青少年学习科技知识，提高科学思维能力，增强创新意识，提高科技素质。团中央、全国青联还充分利用大众传媒，依托青少年宫、青少年科技活动中心、青年科技创新行动教育基地等团属阵地和自然博物馆、科技馆等场所，广泛开展科学知识的宣传教育和普及工作，帮助青少年建立起科学的自然观、宇宙观，树立正确的世界观和人生观，增强辨别和抵制各种愚昧迷信和反科学、伪科学的能力。

（共青团中央宣传部）

# 共青团系统

## 全国少年儿童“手拉手”互助活动

“手拉手”互助活动是由共青团中央、全国少工委发起的，旨在倡导城市和农村、富裕地区和贫困地区、健康的和有残疾的以及不同民族的少年儿童之间，相互通信交往，互帮互助，共受教益的一项实践教育活动。

“手拉手”互助活动的宗旨是：通过少先队员和队组织之间的交流、互助、服务，引导少年儿童了解国情，认知社会，从小培养爱国主义、集体主义和社会主义精神，培养乐于助人、团结友爱的健全人格。

1999年正值中华人民共和国50周年，为推动“手拉手”互助活动的深入开展，全国少工委紧扣“手拉手”互助活动的“通信”和“访友”等两个基础环节，充分利用社会资源，开展了“‘共话家乡50年’手拉手书信赛”和“手拉手访友援助计划”活动。

其中，“手拉手书信赛”以“共话家乡50年”为主题，引导“手拉手”小伙伴通过采访调查，深入地了解自己的家庭、家乡的发展变化情况；通过相互通信，相互交流和介绍发生在祖国各地的巨大变化，受到了广大基层少先队组织和少先队员的热烈欢迎，截止到9月底，全国约有数百万“手拉手”小伙伴参加了书信赛活动，共推荐参赛书信70余万封。

1999年6月1日，中共中央政治局常委、国家副主席胡锦涛，中共中央政治局常委、国务院副总理李岚清等党和国家领导同志，出席了在人民大会堂举行的“小伙伴手拉手，共话祖国50年”六一交流活动。来自北京、山东、上海、延安、西藏、深圳等地的“手拉手”小伙伴在采访调查的基础上，结合自己收集、制作的图片、模型、实物等，相互介绍发生在祖国各地的巨大变化，表达他们对祖国、对家乡、对亲人的无限热爱和对祖国美好未来的热切向往，受到了中央领导同志的高度评价。

“手拉手访友援助计划”则采取基层少先队员组织初评申报“手拉手访友方案”，经专家小组审批提供活动经费的方式，资助基层少先队组织实施“手拉手访友活动”。1999年暑期，全国少工委共斥资近百万元，资助400多所学校的近4000名小伙伴实现了“手拉手，看朋友”的梦想。

根据1999年的最新调查统计，参加“手拉手”互助活动的少先队员已占全国队员总数的52.7%，并已由最初的少先队员之间“手拉手”，发展到辅导员之间、家长之间、学校之间甚至地区之间的“手拉手”互助。“手拉手”互助活动的广泛开展，不仅为老、少、边、贫地区的小伙伴送去了图书、杂志、报纸，以及文具、衣物等物质援助，更为生活在不同层面的小伙伴们提供了了解国情、互帮互助、团结友爱的宝贵财富。

（共青团中央宣传部）

## 共青团系统

# 希望工程进入新的发展阶段

1999年是希望工程进行战略重点转移的第一年。中国青基会适时提出战略重点转移的要求既符合国家扶贫攻坚的战略部署，也是希望工程自身发展的必然需要。

1. 狠抓深化项目的发展。希望工程实施战略重点转移之后，注重对受助生的追踪培养、希望小学的后续扶持等深化项目的管理，使希望工程的人才效益和社会效益更加明显，同时也使捐款方支持希望工程的热情得到有效延续。

2. 消除安全隐患，作好地（市）县结存资金（基金）的清理工作。为了维护希望工程的声誉，消除管理上的漏洞和隐患，中国青基会及各省级希望工程实施机构加强了资金（基金）的管理工作，将地（市）县机构结存的希望工程资金全部上交省级实施机构托管或一次性就地安排希望工程的资助项目。

3. 积极作好希望工程的总结和研究工作。1999年进一步规范了希望工程的基础资料管理工作，使所有档案齐全规范。1999年中国青基会还成功举办了“非营利组织发展和中国希望工程国际研讨会”。此次研讨会是非营利组织的盛会，是一次理论和实践经验的荟萃与检阅。不仅大大拓宽了中国非营利组织的工作思路和工作方法，也向国人和国际社会展示了中国希望工程的风采。

4. 积极培育和实施新的公益项目。在成功实施希望工程的基础上，中国青基会经过调查研究，会同共青团中央、全国绿化委员会、水利部、国家林业局等向社会推出了“保护母亲河行动——绿色希望工程”项目。这个项目继承了希望工程原有的品牌，紧扣中国亟待解决的环境保护问题，作为战略重点转移之后的重要项目。项目实施仅一年就接受海内外捐款3000多万元，为保护生态环境，促进中国经济—社会—环境的可持续发展和全球性生态平衡作出了积极的贡献。

5. 加大了对专业管理人员的培训力度。为提高希望工程实施机构从业人员的管理水平，中国青基会和人民大学于10月联合举办了首届“社会管理和公共政策”研究生班，为中国公益事业的发展培养人才。

总之，在希望工程实施战略重点转移的过程中，希望工程又进入了新的发展阶段，迈出了新的步伐。在深化希望工程项目的同时，以“保护母亲河——绿色希望工程”为龙头的一批新型骨干项目正逐步成长发育、呈现出良好的发展势头，同时这也标志着希望工程战略调整已经初见成效。

（共青团中央宣传部）

# 北 京 市

## “绿色志愿者行动”蓬勃开展

为贯彻落实中央文明办等11个部委关于开展“保护生态环境，倡导文明新风”活动和市政府关于突出抓好环境治理的要求，全市20个部门联合组织了以“拥抱绿色、关爱家园”为宗旨的“绿色志愿者行动”，开展了多次内容丰富、颇具特色的系列活动。

**配合城市环境整治，组织全市宣传日活动。**“绿色志愿者行动”在全市引起强烈反响，18个区县迅速行动，组成了“绿色志愿者行动”大队381个，小队16417个，报名总人数达280万人。全市组织的重大活动累计有1000多万人次参加，4月4日在奥体中心召开了首都“绿色志愿者行动”活动启动仪式，并组织全市60万“绿色志愿者”开展了清理“白色污染”活动。4月17日在恒基广场开展了全市“控制白色污染，推广使用购物布袋”宣传日活动。在全市发放了《北京市限制销售、使用塑料袋和一次性塑料餐具管理办法》和《市长刘淇致广大市民的一封信》，同时开展了回收旧塑料袋换购物布袋活动，受到广大群众的欢迎。9月18日组织了“迎50年大庆维护首都环境”全市统一卫生大扫除活动。这些活动有力地促进了首都环境整治工作的顺利开展，并使环境整治成果得到了维护。

**广泛动员市民，大力清除“白色污染”。**“白色污染”是困扰市容环境的一大难题，除从源头禁止生产、销售和使用超薄塑料袋外，动员社区居民、机关干部和驻京部队、武警官兵等积极参加清除“白色污染”也是治理环境的一项重要工作。为此，首都文明办5月5日组织4城区的“绿色志愿者”，参加了铁道部等11个单位在丰台区黄土坡铁路沿线清除“白色污染”的千人大行动。5月8日与团市委共同组织西客站、莲花池环境治理千人大行动。同时在全市18个区县也开展了此项活动，共捡拾废旧塑料袋150多万个，发放购物布袋30万个，清除700多个“白色污染”街区。团市委、市妇联也相继组织了各种形式的“绿色志愿者行动”活动。

**加强环保知识宣传，促进树立环保意识。**为了使“绿色志愿者行动”持之以恒地开展下去，增强群众的环保意识，首都文明办组织开展了“发挥您的聪明才智，为首都环保献计献策——环保生活‘小建议’、‘小窍门’、‘小制作’”社会征集活动。从4月初到5月底，共收到小建议、小窍门、小制作300余件。群众献计献策，环保走进家庭，“三小”征集活动获得圆满成功。5月22日首都文明办、市妇联、市环保局、市文化局、市环保基金会在北京图书大厦门前广场组织开展“做文明市民，建绿色家园”科技周宣传日活动。会上宣读了《妇女·生活·家庭环保倡议书》，邀请梅葆玖等20余位文艺界名人、“五好文明家庭”代表共同参与倡导环保，发放了“绿色志愿者行动”宣传卡、“环保生活学学做做”和清除白色污染宣传材料；开展了环保知识咨询、回收废旧电池、塑料袋活动；展示了部分环保生活用品、开展了塑料袋换布袋活动。同时各区县组织了多种形式的科技宣传周活动，全市共发放了环保宣传材料10万份。在下半年举办了环保知识骨干培训和环保知识竞赛。这些活动增强了广大市民关爱环保的意识，“做文明市民，建绿色家园”越来越成为广大市民的自觉行动，环保越来越走近市民、走进家庭，有力地促进了环境治理工作的开展。

（首都文明办）

## 北 京 市

# 军（警）民共建取得新进展

1999年首都军（警）民共建社会主义精神文明，以“迎五十年大庆，庆澳门回归”为契机，蓬勃开展，扎实推进，为维护首都稳定，巩固军政、军民团结，促进首都两个文明建设和部队的自身建设做出了突出贡献。

**军（警）民共建单位在“三创”活动中充分发挥示范带头作用。**全市2141个军（警）民共建对子紧紧围绕“迎国庆”，“庆回归”做好各项工作，当好首都排头兵，增强首都意识、前列意识，积极参与创建文明区县、文明地区、文明村镇、文明单位活动，促进军地全面建设。东城、西城区的军（警）民共建单位积极行动，以共建促自建，自建带共建，起到了示范带头作用，并为东城、西城进入全国精神文明建设工作先进城区行列做出了贡献。驻京部队在开展“三创”活动中有力地促进了部队自身建设，1999年度驻京部队涌现出首都文明单位95个，文明单位标兵14个。

**坚持育人为本，共建共育取得了新成果。**各共建对子，发挥军地优势，广泛深入地开展共建共育活动，在提高广大军民思想道德、科学文化素质上下真功夫。在揭批“法轮功”、声讨北约轰炸我驻南使馆暴行及批驳李登辉“两国论”谬论三大政治斗争中，军（警）民通过形势报告、座谈会、演讲会和宣传板报等多种形式，进行社会主义、爱国主义、集体主义和国防教育。全年驻京部队为地方军训达58万余人次。空军第六研究所国防教育基地又为西城、朝阳等区县训练学员3.5多人次。武警北京总队一年来共有1250多名官兵担任校外辅导员，军训学生、职工、民兵12.3万人次，其中几支队与三里屯一中共同创办的校园国防教育书架工程，成为全市的国防教育试点工程，带动了全市国防教育的全面发展。

**军（警）民共建少年军校有了新发展。**军地领导对少年军校建设更加重视。少年军校建设逐步规范化、正规化，整体水平又有新提高。区县文明办（双拥办）、教育局、武装部和共建部队积极配合，通力协作，齐抓共管少年军校建设。各区县大力表彰树立典型，许多区县成立了少年军校的总校，首都少年军校的数量已发展到1009所，先后受到表彰的首都先进少年军校已达137所。各少年军校建立健全了组织机构，制订了教学大纲。许多少年军校还制作了校旗（牌）和军校校服。少年军校活动的深入开展，有效地增强了学生们的身体素质和国防意识，培养了同学们的集体主义精神和吃苦耐劳、关心他人的优良品质，有力地推动了学校的素质教育和教学质量的提高。

**地方充分发挥人才、技术优势，为部队培养军地两用人才，有力地支持了部队的现代化建设。**全市一年来共投入资金257万元，建立军地两用人才培训学校147所，为11276名战士补习了文化课，7948人接受了劳动技能培训。海淀区专门拨出25万元作为两用人才培训经费，使1300多名战士在服役期间学到了家电维修等军地两用技术，提高了战士文化科技水平，促进了部队稳定。西城区充分发挥知识密集、人才集中、教育教学质量高的优势，广泛开展“流动书车进军营”、“法律知识进军营”、“文化辅导进军营”、“科学配餐知识进军营”、“育才工作进军营”多种形式的科教拥军活动，为部队官兵整体素质的提高提供了很好的智力支持。

**动真情、办实事，首都军（警）民关系更加融洽。**军转干部、退役军人、随军家属安置工作有了新举措、新政策。全市全年共安置随军家属

1419人，解决部队子女入学入托5107人。各区县继续加大对部队“菜篮子”工程建设的投入，共投资558.26万元，为部队提供土地18255亩，有力地支持了部队后勤建设。驻京部队和广大武警官兵以“爱首都、建首都”的实际行动支援首都建设。全年承担首都工程150个，出动兵力17万多人次，出动车辆机械近2万台次。参加抢险救灾45353人次，抢救群众504人，为国家和群众挽回经济损失655.5万元。武警北京总队认真履行“双重领导，双重保障”的职能，一年来抓获各类违法犯罪人员430多名，有力地维护了首都的社会稳定，保证了人民生命财产的安全，为首都的经济发展创造了良好的社会环境。

（首都文明办）

## 天津市

# 综合治理城市环境秩序

天津市为进一步提高城市管理水平，按照建设现代化国际港口大都市和我国北方重要经济中心的城市定位，于1999年部署开展了城市环境秩序综合治理工作，力争用三年左右时间，基本根治市区脏乱问题，让天津以优美、整洁、文明、有序的新面貌进入21世纪。

综合治理城市环境秩序的主要内容是：

(1) 综合治理道路环境秩序。依法清理各类违章占道，治理沿街商店“里空外卖”，清除摊贩乱摆乱卖，治理马路工厂、马路仓库、马路餐桌，整顿机动车和非机动车行驶、停放秩序。

(2) 大力整治居民区环境。拆除违法建筑、违章棚亭。彻底清除乱堆乱放、乱贴乱画，消灭卫生死角。完善小区配套设施，使居民区的环境达到路平、灯亮、草绿、地净。

(3) 治理占路市场。坚决实施“建厅退路”，鼓励利用闲置空地、厂房和拆除危陋平房建设封闭式农贸市场。新建居民区要按照规定标准，建设非占路农贸市场。加强农贸市场的规范管理，清除不属于“菜篮子、米袋子”的经营项目，禁止经营人员在市场内居住，治理市场外溢。

(4) 整治市郊结合部。拆除违法建筑、违章棚亭，清除垃圾杂土。加强流动人口管理，清理非法聚居点，取缔非法加工点，迁移废品储存点，清整入市口周边环境卫生。

(5) 高标准搞好环境卫生。广泛开展群众性爱国卫生运动，搞好除害防病。整顿施工现场，及时打捞水面漂浮物，保持道路经常干净整洁。在机关、企事业单位和“双气”居民区实行垃圾袋装化。

(6) 治理规范街景立面。拆除违法、过期、破旧及长期闲置的户外广告设施。认真规范商业门脸、单位牌匾、各种路标和指示牌。严格禁止沿街底层住宅开门脸，文明示范路已开门脸的，要逐步恢复并使街景达到和谐美观。

(7) 加强市容环境基础设施建设和景观建设。在城市环境秩序综合治理中，市委、市政府主要领导同志带头参加义务劳动，广大干部群众热烈响应，积极参与，在全市进一步掀起了“建文明城市，做文明市民”活动的热潮，取得了明显成效。一年来，全市先后重点治理了112条主干道路、15片重点地区、12个整建制街和6个进市口，清运滞留工程渣土和垃圾20多万吨，改造各类燃烧设备2500多台，新增绿地280万平方米，拆除违法建筑、违章棚亭共5万多间、54万多平米，综合整修街道47条，安装各类灯饰约2.5万处，形成了26条灯光通道和10处大型灯光组团。通过综合治理和景观建设使天津城市环境秩序发生了可喜的变化，为塑造文明整洁优美的都市新形象奠定了良好基础。

（天津市文明办）

# 河 北 省

## 推进精神文明创建活动 消除“法轮功”消极影响

中央决定取缔“法轮功”以后，省文明办及时发出了《关于大力推进精神文明创建活动，积极消除“法轮功”消极影响的通知》，按照《通知要求》，各地各部门运用精神文明创建活动的有效载体，引导广大群众自觉抵制封建迷信，积极消除“法轮功”非法组织及其非法活动给社会带来的不利影响。

一是创建文明城市，规范市民行为。以落实《市民行为规范》为重点，引导市民抵制封建迷信、维护公共秩序。全省11个地级市都制作了宣传展牌，在主要公共场所展出，并散发大量宣传资料，开展了大规模宣传活动，教育广大市民不相信、不参与“法轮功”和其他迷信活动，自觉遵守《市民行为规范》。针对背街小巷的算命、卜卦、看风水等迷信活动，全省各地都组织街道办事处、青年志愿者开展了群众性的专项义务劝阻活动，共劝退、清理各类算命、卜卦摊点567个。利用各类市民学校，开展科普教育。全省828所市民学校，共举办各种讲座、报告会、学习班4580场次，受教育的市民达13.7万人次。突出抓好群众性的社区文化建设。各市被公安机关取缔的“法轮功”原练习点，大都有组织地安排了太极拳、老年迪斯科、京剧票友等健康的文体活动。一些社区还制定了专门措施，配备了专兼职的管理人员。

二是创建文明村镇，教育农民遵纪守法、崇尚科学。突出加强小城镇的集市、庙会工作。各地文明办协调有关部门对农村市场进行了清理，全省共清理各类销售迷信用品摊点4879个。利用创建十星级文明农户活动，重点引导和教育农民崇尚科学、遵纪守法、树立新风。有些地方实行一票否决，明确规定，凡有家人练习“法轮功”且不能及时与其划清界限的农户，一律不得评挂“新风星”、“守法星”和“科技星”。促使家庭成员主动做工作，有效地促进了“法轮功”练习者的转化。发挥红白事理事会和道德评议会的作用，引导广大农民群众自我教育、自我提高。全省农村现有各类红白事理事会、道德评议会24126个，大部分在揭批“法轮功”斗争中，积极开展工作，有的组织原“法轮功”练习者现身说法，有的召开村民揭批座谈会，有的协助有关部门收缴“法轮功”书刊和音像制品。

三是创建文明单位，提高干部群众抵制歪理邪说的自觉性。总结推广文明单位经验，开展抵制歪理邪说教育。全省995个省级文明单位，基本上没有“法轮功”练习者。

四是创建文明旅游景区，净化景区环境，抵制封建迷信。全省265个旅游景区、景点，都对导游服务人员进行了唯物论和无神论教育，对景区、景点内的服务项目进行清理，取缔了18项带有迷信色彩的服务项目，对89个专门出售迷信用品的摊点进行了清理。与此同时，还通过漫画、宣传牌、导游解说词向游人宣传“法轮功”的危害，倡导科学文明的生活方式。

（河北省文明办）

# 河　北　省

## 大力开展“保护生态环境，倡导文明新风”活动

河北省认真落实中央文明办等11部门关于开展“保护生态环境，倡导文明新风”活动部署，精心谋划，组织社会各界广泛参与，推动活动在全省城乡广泛展开。

3月10日，省文明委召开全省开展“保护生态环境，倡导文明新风”活动新闻发布会。省文明委发布了活动《实施方案》，明确了工作重点及实施阶段。省环保局、省建委、省林业厅、省绿委办、省交通厅、省水利厅、省工商局、团省委、省妇联、石铁分局和全省11个省辖市都作出具体部署，活动按计划开展起来。

为了更广泛地发动群众，组织了三个整治战役：一是清理白色垃圾战役。集中对铁路、主要公路河北段、主要河流、湖泊周围和旅游风景区的白色垃圾进行了拣拾和清理，沿线50多个市、县各界群众25余万人参与，其中铁路、主要公路河北境内的1000多公里路段初步净化，约60%的白色垃圾得到清理。二是全民义务植树战役。自植树节以来，全省城镇有80余万人次参加了这一活动，义务植树2900余万株。三是太行山绿化战役。全省沿太行山的19个县（市）数十万干部群众参与，整地育林18.7万亩。

各地各有关部门把开展活动与解决突出问题结合起来，精心设计活动载体，增强对群众的吸引力。石家庄市开展了“城市绿化美化年”活动。对市区57公里长的民心河、15条主要街道、3条迎宾线和7个市区出入口进行绿化、美化。唐山市开展了“还绿色给市民”主题活动。年内完成城市植树54万株，新植草坪67.9公顷，栽植花卉29.9公顷，新增绿化面积205公顷，新增公共绿地面积100公顷，使绿化覆盖率和人均公共绿地面积分别达到国家园林城市标准。市委、市政府机关带头，铺种绿色草坪1万平方米。承德市开展了“改善名城形象，净化绿化武烈河”活动。将贯穿市区长12.4公里、宽120—240米的河道的治理任务划分到各机关、企事业单位和驻地部队，实行承包责任制。每天出动干部、群众、部队官兵3000余人，清理10余万土方。省环保局公布的滹沱河、磁河、铭河、滦河、张家口洋河、滏阳河衡水段、戴河、石河、汤河、武烈河等11条河流的水污染治理和企业污染源治理工作，关闭、拆除了一批小水泥、小石灰生产摊点。省林业厅负责的“首都周围绿化、太行山绿化、沿海防护林、平原绿化、治沙、省会周围绿化”等六大重点工程全面启动，年内实现造林面积400万亩、义务植树1亿株、新封山育林300万亩。省建委在全省城市发起了“还我一片绿地”活动，通过拆除城区规划绿地内所有违章建筑、临时建筑，退地还绿，加强城市广场、小游园、街头绿地建设，年内全省城市新增绿地面积600公顷。

（中央文明办《精神文明建设工作》）

# 山 西 省

# '99文明之春系列活动

'99文明之春系列活动，是继'97、'98两届文明之春活动之后，山西省开展的第三届专题精神文明创建活动。为了开展好'99文明之春系列活动，省文明委于1999年1月15日召开了全省电话会议，省委常委、省文明委常务副主任侯伍杰到会讲话，对'99文明之春系列活动进行部署，并公布了实施方案。'99文明之春系列活动的主题是“倡导文明新风尚，喜气洋洋过新春”；活动时间从1月中旬至3月中旬；活动内容集中在同广大人民群众生活密切相关的五个方面：（1）搞好城乡环境卫生，干干净净过春节；（2）搞好社会治安综合治理，安安全全过春节；（3）搞好窗口行业优质服务，高高兴兴过春节；（4）大力开展移风易俗活动，文文明明过春节；（5）广泛开展文化娱乐活动，红红火火过春节。整个'99年春节期间，全省的精神文明创建活动以“文明之春系列活动”为总抓手，把各个部门已经组织开展的“百城万店无假货”活动，文化科技卫生“三下乡”活动和“百日禁毒”等活动统一纳入到'99文明之春系列活动中来，形成系统工程，形成社会合力，提高活动的综合效果。

全省各地市高度重视，积极行动，对本地市'99文明之春系列活动作出了具体安排。太原市为加强对文明之春系列活动的领导，成立了以市委副书记为组长，各有关部门和县（区）分管领导参加的'99文明之春系列活动领导组，具体安排了六大活动，在全市营造了浓郁的节日气氛。阳泉市重点部署开展了五大战役：一是打好亮丽战役，让城市建筑物、市政设施、城市夜景亮丽起来；二是打好执法战役，保证全市节日期间的社会稳定和交通畅通。净化节日商品市场，让全市人民吃到放心肉，喝到放心酒，买到放心货；三是打好“窗口”战役，在全市水、电、气、热和财贸等窗口行业，开展承诺践诺活动，为全市人民过好两节提供一流服务；四是打好文化战役，在全市基层单位组织开展以表演灯展为主要内容的群众文化活动，组织各类文艺表演团体送戏到基层，活跃节日期间全市人民的精神文明生活；五是打好舆论战役，全市各主要新闻媒体都开辟专栏、开办专题，集中反映'99文明之春活动的进展，鼓舞士气，营造气氛。

通过'99文明之春系列活动，促进了全省城乡环境面貌的进一步改善，维护了新春佳节期间的社会稳定，提高了窗口行业优质服务的水平，推动了群众性文化娱乐活动的开展，兴起了文明健康的社会新风尚，为全省社会主义精神文明建设工作开创了一个良好的开端。

（山西省文明办）

## 山西省太原市

# “崇尚科学，破除迷信，倡导文明，提高素质”大讨论活动

为认真贯彻落实《中共中央关于共产党员不准修炼“法轮大法”通知》精神，太原市从1999年7月开始，在全市城乡广泛开展了以“崇尚科学、破除迷信、倡导文明、提高素质”为内容的大讨论活动。活动内容主要集中在以下五个方面：

一是召开了不同类型的座谈会。7月27日，全市召开了“崇尚科学文明、破除封建迷信”主题座谈会，拉开了全市大讨论活动的序幕。之后，各县（市、区）、各单位党委纷纷召开了党员、干部、群众及原“法轮功”习练者参加的座谈会。

二是开展马克思主义唯物论和无神论系列教育活动。全市各单位，充分利用党校、文明市民学校和文化夜校、农技培训班等场所，对广大干部群众进行教育，并把教育和创建文明城市、文明行业、文明村镇、文明单位结合起来，使教育活动落到实处，见到实效。

三是开展广泛的群众性文化体育活动。结合新中国成立50周年纪念活动，全市广泛开展了广播操大赛、手工制作展览、歌咏比赛、文艺汇演活动。在太原电视台举办了多场以歌颂祖国为主题的专场文艺汇演。市文化局举办了太原市“龙门杯”广场卡拉OK大赛。许多单位和村镇，自编自演了批判“法轮功”的秧歌小戏，观众达数十万人次。

四是组织开展科普知识宣传活动。全市组织开展了“崇尚科学、破除迷信、做文明太原人百科知识竞赛”、“普及科学知识，破除封建迷信、倡导文明新风尚板报大赛”“科普知识挂图巡回展”等活动。

五是及时取缔打卦算命等封建迷信和伪科学的摊点、书报刊和音像制品。各区、县公安局、文明局组织力量在全市范围内进行了调查摸底，对主次干道算命摊点全部取缔。

（山西省文明办）

## 山西省

# 百名十佳尊老敬老好儿女评选活动

为了加强家庭美德建设，弘扬中华民族尊老敬老的传统美德，提高公民的道德意识，1999年初，由省文明委倡导，省妇联主办，在全省广泛开展了百名十佳尊老敬老好儿女评选活动。向全

省发出了参加“五心”奉献行动，争做尊老敬老好儿女倡议书，号召做儿女和晚辈的尊敬长辈，善待老人，向父母、向长辈献爱心、尽孝心、常关心、有耐心、愿称心。

活动期间，全省各地妇联举办街头宣传咨询活动2600多次，书写宣传版面1.4万多块，征集尊老敬老格言1800条。《山西妇女报》、《生活晨报》开辟了专栏，共刊登格言100余条。全省涌现出1.6万多名尊老敬老好儿女，签订养老协议9.6万余份。活动受教育达820万人。活动结束时，省妇联在太原召开了隆重表彰大会，省委副书记郑社奎到会并做重要讲话。隆重表彰了百名十佳尊老敬老好儿女，颁发了荣誉证书。

活动产生了良好的社会效果，一是贴近了家庭、贴近了群众，因而受到了各界的广泛重视。无论是省直单位，还是各地（市）对这次活动都高度重视，广泛参与，层层推荐，在全社会营造了“人人争当尊老敬老好儿女、处处展示尊老敬老好风尚”的良好氛围。二是推出了一批尊老敬老好儿女的典型，使群众受到家庭美德的教育。这项活动同时受到全国妇联的好评。

（山西省文明办）

## 内 蒙 古 自 治 区

# “讲文明树新风”活动

1999年3月25日，自治区文明办会同区民政厅、环保局、直属机关工委、总工会、团委、妇联、劳动厅、人事厅、公安厅、建设厅、旅游局、商务厅、教委等14个部门，召开了全区“讲文明树新风”活动协调会，协调有关部门在全区组织开展了“学雷锋、讲文明、树新风”系列活动；开展了以“告别不文明言行”为主题的文明校园创建活动；扶助下岗职工的“讲文明、送温暖、献爱心”活动；评选表彰全区职业道德建设“双十佳”活动；在机关开展了“做人民满意公务员，创建文明机关”活动；在窗口行业开展了“优质规范服务，倡导文明新风”活动；开展了创建文明风景旅游区（点）的活动，促进了“讲文明树新风”活动的延伸辐射和深入发展。

认真贯彻落实中央文明办等11个部门召开的“保护生态环境，倡导文明新风”活动电话会议精神，在全区开展了以保护生态环境，绿化美化家园为主要内容的“保护生态环境，倡导文明新风”活动。4月2日，自治区文明办会同区环保局、交通厅、教委、建设厅、林业厅、水利厅、呼铁局、绿化办、团委、妇联等10个部门召开了开展“保护生态环境，倡导文明新风”活动座谈会。联合下发了《关于在全区开展“保护生态环境，倡导文明新风”活动的安排意见》。活动紧紧围绕搞好植树绿化，清理白色垃圾，改善空气质量，治理水源污染四个方面的任务，分两个阶段，形成了两个高潮。第一阶段，从4月4日至6月底，在4、5月份形成了高潮，重点开展了植树绿化和清理白色垃圾活动。利用春季植树造林的最佳季节，组织广大干部群众参加植树种草，爱绿护绿义务劳动，开展了“多植一棵树、多种一片绿”，“保护母亲河、建设草牧场”，“三八绿色工程”等活动，重点抓了城市及城市周边地区的绿化工作。同时，结合开展爱国卫生运动，加大了治理环境卫生力度，清理了城乡结合部、城市公共场所、旅游景点、河湖两岸和铁路、公路沿线的白色垃圾，努力使城市“绿起来、美起来、净起来”。第二阶段，从7月初至国庆节前后，9月份形成了高潮。协调环保、建设、水利、公安等有关部门组织开展了“治理环境污染”、“创建文明工地”等活动，重点治理大气污染、锅炉尘烟排放、煤烟污染、街头烧烤、建筑工地脏乱差和黄河以及主要湖泊、河道两岸的污染问题。

农村牧区的“讲文明树新风”活动，重点抓了改善农牧民的生活环境，着力抓好制定乡村规划，改造乡村道路，完善卫生设施，美化村容镇貌等工作。在农牧民中积极倡导移风易俗，破除封建迷信，反对陈规陋习。开展了普及科技知识，丰富文化生活等活动，使“讲文明树新风”活动向农村牧区延伸、进展。

（内蒙古自治区文明办）

# 辽 宁 省

## “讲文明树新风”活动

1999年的“讲文明树新风”活动，按照中央文明委提出的“主题不变、充实内容、一抓到底、务求实效”和“巩固、提高、延伸、辐射”的工作思路，以及省委领导关于“精神文明建设要集中力量办实事、求实效”的要求，组织开展了六项活动。其中有四项反响较大，成果突出 。

（1）以进万家门、知万家情、解万家难、暖万家心为主题的“送温暖、献爱心”活动。全省各级党政部门和社会团体，积极组织各种形式的扶贫解困活动，大力开展社会服务事业，发动群众支援和帮助城乡贫困户，促进社会安定团结。仅在春节期间，全省就筹集送温暖资金4600多万元，走访慰问困难职工23万多户，其中特困职工19.5万户全部得到救助。

（2）根据东北地区的气候特点，在全省开展了大规模爱国卫生清洁月活动。城市的重点是美化环境，清除垃圾，消除污染，特别是城市的进出口、城乡结合部、棚户区作为重中之重；农村重点是抓好村容村貌的整治。由于精心组织，精心安排，在3月份一个多月的时间里，全省共出动500多万人次，6580台车辆，清除垃圾22万多吨，清理铁路沿线白色污染1670公里，城乡卫生状况大为改观。4月，全省开展“植树造林、绿化辽宁”活动。省直机关做出开展义务植树责任区和帮扶重点乡村植树造林的决定，对提高全省人民的绿化意识、环境意识，提高全省适龄公民的义务植树尽责率，为全民义务植树活动“基地化、制度化、科学化、规范化、法制化”起到推动作用。9月，贯彻落实中央和国务院有关部门《关于开展“保护生态环境，倡导文明新风”活动的通知》精神，省环保局与省文明办组成联合检查组，对全省烟尘污染专项整治工作进行全面检查。13个省辖市依法对大气污染物超标排放的5358个污染源下达了限期治理令。截止到10月底，全省共有3471个污染源完成了治理任务，烟尘污染专项整治工作取得阶段性成果。

（3）文化科技卫生“三下乡”活动。省委宣传部等13个部门下发了文件，有关部门积极行动，“三下乡”活动规模大、声势大、范围广、频率高、内容丰富、形式多样、效果显著、群众满意。仅元旦、春节期间，全省组织大型活动100多次，免费为农民送文化科技卫生书籍50多万册，举办培训班1000多期，培训农民10多万人次，送戏、送电影下乡演出2000多场，送医疗设备、器械和药品价值1000多万元。

（4）学雷锋活动。3月，召开全省学雷锋先进典型事迹报告会，宣传树立了热心安置下岗再就业职工的大连市劳动局职业指导师戚秀玉、为再就业工程做出突出贡献的沈阳市下岗工人王玉江、在国企改革脱困中无私奉献的鞍钢工人邢贵斌、凭一身正气保一方平安的丹东市民警姜金利等一批贴近社会生活、反映时代精神的先进典型，引起社会强烈反响。

（辽宁省文明办）

# 吉 林 省

## 开展以“净起来、好起来、美起来”为目标的系列综合治理活动

为了推动全省创建文明城市、文明村镇活动的深入开展，以群众性精神文明创建活动的新成果为全省改革和发展提供优良的社会环境，迎接新中国成立50周年，吉林省精神文明建设指导委员会决定在全省城乡集中开展“净起来、好起来、美起来”为目标的系列综合治理活动。从3月中旬开始，至5月中旬结束。

在城市，“净起来”在三个方面取得突破。一是建立健全各种卫生包保责任制。机关干部包公路、铁路市区段沿线，部队包城乡结合部、城市主要出入口，学校、企事业单位包自身庭院和周边区域，街道包居民楼院、居民居住区，并签订责任书，由责任单位和责任人负责。二是组织“基本队伍”。每个街道办事处和地处城乡结合部的乡镇，都建立健全两支队伍，即清扫保洁队伍和综合执法队伍。同时大力组织社会单位，广泛发动群众，形成群专结合的管理机制。三是加大环卫设施的投入，增设果皮箱，增建垃圾中转站和处理场，加快实行垃圾袋装化，定点、定时收集垃圾，切实搞好垃圾处理。“好起来”在加强管理、严格执法上取得突破。各级政府及有关部门将国家、省和本地的有关法律、法规、行政管理办法逐条加以落实，对不文明行为，依法加强管理，严管重罚。“美起来”在绿化、美化上取得突破。各地把绿化、美化作为重要的公益事业来抓，以“黄土不见天”为原则，该硬化的硬化，该绿化的绿化，并适当增加草坪面积，对建筑物、围墙进行垂直绿化，有条件的还可以修建一些凉亭、雕塑小品等。

在农村，一是抓好环境建设。进一步完善村镇建设规划，修好主要街路，建好边沟和植树台，设立垃圾点和垃圾站；开展植树造林、栽花种草活动，搞好美化、绿化；进一步规范集贸市场，清除沿街叫卖和露天烧烤等现象，创造统一、规范、清洁、文明的交易环境；根据实际，建设好抗旱排涝工程。二是搞好环境卫生治理。组织人力清除街路两侧、集贸市场、民宅庭院、学校、乡镇企业、机关单位内及周围的越冬垃圾；清理村屯内的柴草垛和粪堆，建立统一的垃圾点；对猪、鸡、鸭、鹅等禽畜实行圈养，坚决杜绝随意放养。三是继续实施农村改水改厕工程。按照《全省农村实施改水改厕工程的方案》，1999年是攻坚阶段，切实采取得力措施，确保完成全部工程量的2/3。四是强化管理，健全机制。健全一整套规范、严明、具体、细致、科学的管理体制，使村屯规划治理工作有章可循；明确岗位职责，使广大农民在积极参与环境建设的同时，自觉地参与到环境改善与管理工作中来；在健全管理制度和规范岗位标准的基础上，严格按照规章制度进行管理。

这次活动在全省掀起了环境卫生综合治理的新高潮，使综合治理活动取得了很好的实效。

（吉林省文明办）

# 黑 龙 江 省

## “让群众满意放心”系列活动

为了着力解决群众关心的热点难点问题，努力营造“人人为我，我为人人”的良好社会风尚，全省开展了“让群众满意放心”系列活动。

省文明委首先推出三个系列：即在全省国有医药行业中开展“三无”活动（无经销假劣药品行为、无违反价格规定行为、无违背服务准则行为）；在交通部门开展“满意在出租车”活动；在哈尔滨商业服务系统开展“货真价实满意店”活动。然后通过推行社会服务承诺制，把“让群众满意放心”文明优质服务活动在全省逐步推广开来。很多市地举办新闻发布会，在电视台、广播电台开辟专题栏目，搞现场评说和新闻特写，印发宣传提纲，使这项活动由开始的“事后责任型”拓宽到“综合承诺型”。

“让群众满意放心”系列活动深入发展对于促进改革、稳定大局，推动经济建设和社会发展起到了重要作用。一是为群众办实事、办好事，体现了全心全意为人民服务宗旨，改善了党群、干群关系。有关部门把为群众排忧解难作为“让群众满意放心”的出发点，借鉴公安巡警110反应快速的特点，组建市政110，及时解决市民“路、水、汽、热”等方面的困难，使人民群众真正体会到党和政府的关怀。地税系统实行文明服务，礼貌待人，为纳税人提供信息和咨询，推销产品，联系业务，处处体现“纳税人第一，服务第一，效率第一，形象第一”的宗旨，努力营造法治、公平、文明、效率的纳税环境，在出色完成了税收任务的同时，也密切了征纳关系，受到了纳税人和社会各界的好评。二是树立了崭新的行业形象，促进了行业风气的好转。各地各部门把“让群众满意放心”系列活动与纠正行业不正之风相结合，使职工思想观念、服务观念、经营观念、行为习俗等方面发生深层次的变化，职工的文明素质和思想道德水平有了明显提高。铁路系统过去被称为“惹不起、交不透、离不开的铁老大”。近年来，他们开展牢记人民铁路为人民的宗旨，重塑铁路形象活动，售票、候车、乘车、发货秩序都有明显改观，铁路职工的良好形象在群众的心目中逐渐树立起来。三是推动了市场经济条件下的企业自身发展。很多医院在医疗市场的激烈竞争中，把提高医疗技术、强化内部管理和医德医风建设作为医院发展的关键环节来抓，坚持高标准的“零缺陷”服务。不仅杜绝了“收红包”的现象，还成为患者信得过的医院，既产生良好的社会效益，也给医院带来良好的经济效益。“让群众满意放心”系列活动深化了文明行业创建工作，成为黑龙江精神文明建设的“民心工程”。

（黑龙江省文明办）

# 黑龙江省哈尔滨市
# 开展“文明救助”行动

为认真贯彻中央办公厅、国务院办公厅通知精神，落实全国文明办主任会议提出的要求，保证全市人民特别是灾区群众和生活困难的下岗职工过一个欢乐、祥和、喜庆的新春佳节，黑龙江省哈尔滨市组织开展以“向灾区人民献一份爱心，为困难职工送一份真情”为主题的“文明救助”行动，拉开了1999年“讲文明树新风”活动的序幕。

全市各行各业、各界人士积极参与这一行动，掀起了“送温暖、献爱心”的热潮。一是党政机关率先垂范。市直93个部委办局与灾区村镇结成扶贫帮困对子，以各种方式支援灾民恢复生产，重建家园，捐助节日物品。有3808名处以上干部与部分生活困难的下岗职工建立了“手拉手扶贫脱困联系热线”，帮助他们寻找就业门路和脱困办法。二是人民团体结合各自特点开展工作。团市委组织10多万青年志愿者走进千家万户开展扶贫帮困活动，市妇联组织开展“帮助贫困姐妹奔小康”活动，实施了资助百名特困下岗职工，帮助千名贫困下岗女工实现再就业，走访慰问万名贫困家庭的“百千万”救助计划。全市已有1.2万名女干部与贫困妇女建立了帮扶关系。三是文明单位积极参与。各级文明单位纷纷组织职工捐款捐物，向灾区人民和困难职工献爱心。四是人民群众自觉响应。广大市民以各种形式表达对灾区和有特殊困难的职工的关心，弘扬了文明新风。

（中央文明办：《精神文明建设工作》）

# 黑 龙 江 省
# 军民共建活动抓好“四个环节”实现“四个转变”

黑龙江省军民适应发展社会主义市场经济和落实新时期军事战略方针的新形势，深入扎实地开展军民共建共育活动，较好地实现了四个“转变”，即由重数量到重质量、重形式到重内容、重经济利益到重政治效益、重活动到重管理的转变，有力地推动了军地两个文明建设的协调发展，进一步密切了军政军民关系。

**领导重视，营造共建共育工作的良好环境。**一是坚持“双向纳入”。各级党委、政府和部队坚持把共建共育工作纳入地方精神文明建设和社会发展规划，纳入部队全面建设和“双争”活动计划，列为军地领导干部工作目标考评的重要内容。

许多市县、部门和行业明确规定，凡是有条件的地方和单位，必须开展军民共建活动，不是共建共育先进单位，没有参加评选文明单位的资格。省军区、驻省某集团军、武警总队等坚持把共建共育作为参与部队内部评比先进的条件。二是形成了工作网络。省市县三级及时调整加强了共建共育领导小组，充实了办事部门的力量。省编委正式定编成立省军民共建办公室之后，各市地全部设置了共建共育指导科，县区及各行业、部门和大单位都指定有专人主抓，由文明办主任具体负责，省市县三级已经形成了以200多名专职工作人员为骨干的共建共育工作体系。三是领导干部率先垂范。各级党政军领导不仅是共建共育工作的指挥者，也是共建共育活动的积极参与者。军地领导到基层检查工作，都把军民共建共育工作作为一项重要内容。各级领导干部，坚持把机关、部队的共建点作为自己参与共建的联系点、实践点，经常过问并带头参加共建活动，为基层做出了榜样。

**突出特点，探索共建共育工作的新形式。**各地、各部队从自身的特点出发，坚持实事求是，不断创新形式，推动了共建共育活动的持续深入发展。黑龙江是农业大省，全军农场半数以上分布在这里。各农场把科技助民作为共建文明村镇的主要形式，全面开展了送科技进村、进户活动。

**围绕中心，充实共建共育内容。**适应新的形势和任务的要求，不断赋予共建共育工作以新的内容，使这项活动始终保持了旺盛的生机和活力。一是从市场经济发展的需要出发，注重引导人们树立正确的世界观、人生观和价值观。各共建点普遍成立了邓小平理论学习组，开展丰富多彩的学习和研讨活动；不少团以上领导班子同地方党政班子间开展了“学理论、比廉洁、创先进”对手赛。各地各部队把搞好青少年教育作为共建共育工作跨世纪的重点工程，先后建立青少年爱国主义教育基地和思想道德教育基地300多个。部队的军史馆、团史馆、英雄人物事迹展览馆全部对青少年开放，各种少年军校、少年警校、居民学校、农民夜校遍布城乡，较好地发挥着政治教育的阵地作用。二是紧紧围绕“搞好二次创业、实现富民强省”的目标开展共建活动，促进两个文明建设协调发展。各部队把创建文明城市、文明村镇、文明行业作为改善投资环境、发展经济、保持稳定的重要措施，在抓好共建精神文明的同时，积极参加地方能源、交通、通讯等重点工程和社会公益事业建设。三是着眼于培养现代化建设需要的人才。全省有400多所各类院校发挥知识密集的优势，帮助部队培养各种人才。现在，每年从黑龙江省转业、退伍的官兵，多数都掌握了一两门科学技术。

**健全机制，推进共建共育工作规范化、制度化。**一是健全规章制度。省委、省政府制定颁布了《黑龙江省军警民共建共育工作暂行规定》，对共建共育工作的指导思想、活动形式、基本原则、主要内容、建点要求、工作制度、组织领导、评比条件、奖励办法和保障措施等作了明确规定。市地、县和部队也从本地实际出发，制定了实施细则。二是突出共建点建设。各级把提高共建点质量作为基础性工程，进一步加强了管理，严格把好审批关，按照有关规定办事，指导共建点健全工作制度，普遍做到了有领导小组、有专人负责、有活动规划、有检查评比、有管理制度、有共建共育档案。同时，还及时进行检查，撤掉了一批名不符实“挂名点”，使共建点的质量有了明显提高。三是开展理论研讨活动。省召开了五届精神文明与共建共育理论研讨会，交流共建共育论文89篇，保证了共建共育工作在正确理论指导下不断健康深入地发展。四是定期交流经验，表彰先进。召开经验交流和表彰大会，表彰先进集体（标兵）523对，先进个人（标兵）333名。对总后嫩江基地、东莱街派出所等一些有影响的共建先进单位，激发了广大军民深入开展共建共育活动的积极性、主动性和创造性。

（黑龙江省文明办）

# 上 海 市

## 开展百万志愿者活动

上海市志愿者协会由于有100多万市民的热情参与，成为全市覆盖面最广、规模最大的群众团体；经常走上街头、深入社区开展各项服务他人奉献社会活动，成为上海社会主义精神文明的模范实践者和传播者。

走进这个由市委书记黄菊任名誉会长的团体，阵阵文明新风扑面而来——

**一、哪里需要哪里就有志愿者**

“树新风，为老家政服务日”活动在上海展开。5万多名职工志愿者主动放弃星期六休息，分别到上万名生活困难的老人家里和敬老院、护理院，为老人们或理发、沐浴，或洗衣洗被。

哪里有需要，哪里就有志愿者。全市41万青年志愿者和49万在社区的志愿者、11万职工志愿者，在上海形成了一个个特殊的群体。

上海有近10万户志愿者家庭与6万多户困难家庭结成对子，有的一户帮一家，有的几户帮一家，平时困难家庭一有什么事，结对的志愿者家庭就立即伸出援助之手。

分布在各社区的1600多支志愿者服务队，承担了护绿保洁、医疗保健、法律咨询、治安巡逻、科普文化辅导等工作，为上海营造了一个舒适的“工作后方”。

全市有600多个公益场馆及街头广场、旅游景点等被作为青年志愿者服务基地，数以万计的青年志愿者经常到这些基地提供各类义务服务。在中共一大会址、上海烈士陵园和上海博物馆等处，经常活跃着一支支由大中学生组成的志愿者队伍。

上海志愿者活动几乎渗透到社会生活的方方面面。连上海对口支援云南的队伍里，也出现了青年志愿者的身影。

**二、永远不走的“雷锋”**

过去每年的3月5日，上海都有热烈的“学雷锋”活动。可这一天一过，“雷锋”便悄无声息了。一些市民说：“雷锋是3月5日来，6日走。”自从有了志愿者服务活动，“雷锋”再也不走了。“雷锋精神”如涓涓细流，流淌在市民们的心中。

继承和发扬雷锋精神，利用本人的知识、技能和体力服务他人，是上海百万志愿者最明显特色。

从静安区医疗志愿者服务队为全区5800位老人开展的全天候服务，到卢湾区1000名中学生志愿者为233户特困老人而组成的“爱心放送服务队”；从浦东新区各街道志愿者开设的“999求助热线电话”，到浦西许多街道、里弄设立的“百帮箱”和“百帮求助电话”；还有徐汇区的党员志愿者护绿队，杨浦区职工志愿者的环卫服务队等等，他们长年坚持利用业余时间尽其所能，向他人向社会倾注了全部的热情。

**三、重塑崭新的人际关系**

我为人人，人人为我。人的素质在志愿者服务活动中提高，人与人之间新型的人际关系在“雪球效应”中重塑。在上海百万志愿者队伍中，有500位让人难忘的“爱心使者”。他们都是上海市癌症俱乐部的成员，一群正在与死神抢夺生命的人。当他们得到广大志愿者的各种关爱后，也以志愿者的身份走近5000多位病友，鼓励他们鼓起生活的勇气，为家境贫困的病友筹措医疗费用，同时组织了《生活之光》报告团，到学校给同学们讲述如何面对人生。

(上海市文明办)

## 浙 江 省

# 积极开展“保护生态环境，倡导文明新风”系列活动

根据中央文明办等11个部委关于开展“保护生态环境、倡导文明新风”的部署，浙江省11个厅局精心策划，联合发文，在全省范围内开展内容丰富，形式多样的“保护生态环境，倡导文明新风”系列活动，吸引发动众多群众参与，收到了良好的社会效果。

**一、植树造林，养护林木，美化家园**

植树节前后，省绿委召集专题会议，对全省植树造林进行重点布置，抓住春季植树造林的最佳季节，组织广大群众积极参加植树种草，种绿护绿，美化家园活动。动员群众认种认养树木和绿地，结合文明城市、文明村镇的创建，大力开展绿化、美化家园、绿化小城镇活动。在安吉县建立“三八绿色工程”示范基地，并在全省推广和深化。在“五一”、“六一”节期间组织中小学生到当地的森林公园、自然保护区植树，开展绿色营地活动。在公路、铁路、江河沿线，开展“千家万户绿公路、航道活动”，继续实施浙江“311交通绿化计划”（用3年时间，搞好1000公里国、省道和100公里京杭运河浙境段绿化），1999年已完成270公里国省道、400公里县乡道和京杭运河浙境段全部绿化任务。以“千里铁路、千里林”为目标，落实了1999年铁路沿线新增绿地10万平方米、种植30万棵苗木的任务。完成“金温铁路青年绿化工程”全线11.47万株苗木补植任务。各城市所在地普遍开展了“植纪念树、造纪念林”活动，如开展“国庆50周年纪念林”、“澳门回归纪念林”、“共青林”、“新婚纪念林”、“文明社区（镇、村）纪念林”、“跨世纪纪念林”等活动，发动引导群众积极参与到植树活动中来。

**二、治理污源，保洁净水，净化环境**

为迎接新中国成立50周年，创建整洁优美环境，围绕保洁净水、净化环境，加大了对污染源整治力度。开展“保护母亲河行动”，在钱塘江、瓯江等8大水系，实施“保护母亲河绿色工程”，开展保护母亲河行动周（日）活动。为进入长江、太湖和省内主要河道的船舶配备有盖、不渗漏、不外溢的垃圾储存容器，从源头开始整治对水的污染。淘汰车用含铅汽油，整治机动车对大气污染。1999年杭州推行液化气LPG绿色公交车500至1000辆，对污染超标机动车治理率达70%以上。宁波、温州市巩固全市范围机动车禁用含铅汽油，并进一步在其他城市逐步推广。对建筑工地尘土污染、工业烟尘排放等影响城市空气质量的突出问题，也进行了整治。在建筑工地广泛开展创建“文明标准化工地”活动，年内在全省市（地）、县层层评选的基础上，评出50个“省级文明标准化工地”。以防治白色“污染为主要内容、重点清理公共场所、旅游景点、内河水域和铁路、公路沿线的白色垃圾活动。在省城杭州，由省级机关和杭州市级机关联合组织了一次清理白色垃圾大行动，省、市领导带头和机关万名干部参加了运河两岸清理白色垃圾的义务劳动，在全省形成了清理白色垃圾的活动高潮。通过“6·5世界环境日”、“中国水周”和“全国节约用水宣传周”等活动，全面推广“洁净家园、绿化社区、净化环境”为主要内容的家庭环保活动，教育群众，不乱弃垃圾，少用、不用一次性塑料包装用品，自觉抵制有损环境的产品和服务，大力提倡绿色消费。以杭州西湖环境风景名胜区为示范，加大

力度在全省各风景名胜区开展了创建文明风景旅游区活动。

**三、精心组织，齐抓共管，落实措施**

在“保护生态环境，倡导文明新风”系列活动中，省级有关职能部门齐抓共管，形成合力，充分调动了社会各界的积极性。环保、建设、交通、铁路、水利、林业、绿化等部门，根据各自主管的业务，针对存在的突出问题，提出了改进工作的要求和具体措施。教育部门和共青团、妇联等群众团体，发挥各自优势，运用多种形式对青少年和广大群众进行生态环境教育。新闻单位及时报道全省系列活动的进展情况，宣传保护生态环境方面的先进经验和先进典型，对造成环境污染和破坏生态现象进行了批评曝光。在整个系列活动中，把环境保护这一基本国策的宣传教育，贯穿于活动的始终。通过系列活动，引导人们正确认识和处理人与人、人与社会、人与自然以及局部利益和全局利益，眼前利益和长远利益的关系。使全社会的环保意识、生态意识、可持续发展意识有了明显的增强。

（浙江省文明办）

# 安 徽 省

## 以“美在我家”为龙头 开展“五好文明家庭”创建活动

安徽省“五好文明家庭”创建活动以“美在我家”为龙头，在“小家庭，大社会”上作文章，将家庭美德与社会公德、职业道德有机结合起来，以家庭文明促进社会的文明，推动全社会文明风尚的形成。“五好文明家庭”创建活动还逐步由家庭延伸到行业、社区、军营、学校。

一是以“美在我家”为龙头开展系列创建活动。通过推荐好书、组织好书、进行交流、评比表彰等形式开展了“百万家庭读好书”活动。省妇联编印了《家庭读书手册》，推荐了全国妇联爱心读书活动用书，各市、地积极响应，结合实施家庭书架工程，组织发动近百万家庭参加读书活动，开展了征文评选、心得交流、读书演讲、知识竞赛等活动。

“爱国爱家 50 年”家庭文艺活动有声有色，在层层选拔的基础上，推出精品进行了汇报演出。

在母亲节期间，省妇联、省环保局、蚌埠市妇联、蚌埠市环保局等部门联合开展“情满淮河，再现碧水清风”母子护淮行动，组织 600 名小学生和他们的母亲在淮河宣誓成立了护淮小卫队，向市民发放宣传单，宣传保护淮河、合理利用水资源的知识。

省体委、省妇联联合举办了第二届欢乐家庭趣味运动会，通过选拔，全省 11 个市、地，20 余户家庭参加决赛，为推动全民健身计划纲要的实施，促进家庭成员身心健康，建设幸福美满家庭，起到了推动作用。

“万户家庭迎国庆”广场文化活动深受群众欢迎，省暨合肥市妇联举办的主场表演，演出人员达 1000 多人，上万人观看。此外，省计生委牵头开展了“婚育新风进万家”活动、省民政厅开展的社区服务活动、团省委开展的“一帮一”家庭结对服务活动、广电厅开展的“家庭美德教育”摄影展等活动，都在社会上产生了广泛的影响。

二是注重树立先进，宣传典型。据不完全统计，全省共表彰了“五好文明家庭”27782 户。对评出的 20 个先进协调组织、百户“五好文明家庭”进行了表彰和宣传。安徽省“五好文明家庭”

创建活动协调小组还荣获全国先进协调组织称号，有3户家庭被评为全国“五好文明家庭”。

各级新闻媒体在宣传五好文明家庭创建活动中发挥了重要的作用。《安徽日报》、省电视台、省电台等新闻媒体开辟专题专栏，广泛宣传开展“五好文明家庭”创建活动的重要性，及时报道活动的开展情况和五好文明家庭先进典型，在全社会营造了学习先进的良好氛围，扩大了“五好文明家庭”创建活动的社会影响。

（安徽省文明办）

## 安　徽　省

# 创建文明风景旅游区活动

安徽省认真落实中央文明办、国家建设部、国家旅游局的有关部署，广泛开展以倡导文明开发、文明经营、文明服务、文明管理为基本内容的创建文明风景旅游区活动，阶段性成果十分明显。

**一、提高认识、加强领导**

安徽是中国旅游资源最丰富的省份之一。境内有国家级风景名胜区5处，国家级自然保护区、森林公园、重点文物保护单位37处，省级风景名胜区30多处，1998年接待中外游客逾千万人次，成为传播精神文明的重要阵地。

安徽省风景旅游区的精神文明建设很早就得到中央领导同志的关怀。1979年邓小平同志莅临黄山视察时，曾语重心长地指出安徽省旅游环境、服务质量方面的问题，殷切地期望他们“要有点雄心壮志，把黄山旅游的牌子打出去”。近20年来，全省旅游事业由小到大，已经发展成全省国民经济的重要支柱。随着我国对外开放的进一步扩大、旅游事业的飞速发展，加强风景旅游区的精神文明创建已经成了形势发展的必然要求。开展这一活动，不仅是把群众性精神文明创建活动引向深入的需要，也是风景旅游区改善形象、强化自身的内在要求。

**二、从整治突出问题入手，把创建工作落到实处**

从群众关注的热点、难点入手是有效的切入手段。各景区普遍存在的“脏、乱、差”是游客意见最大的问题。活动一开始，便组织了有针对性、有声势、有力度的整治工作。一是抓环境卫生。各景区充实加强了清扫保洁队伍，按照“定点、定人、定责”的办法划片包干，组织专门力量实行全方位督察，落实奖惩措施。二是抓交通秩序。景区内的车辆采取总量控制、分流运营、禁止乱停乱放的办法管理，在双休日、节假日、旅游旺季，加大警力，确保交通安全。三是抓摊贩管理。取缔游道两旁算命、看相等带有封建迷信色彩的经营户；对个体摊贩实行定员、定点、定行业、定面积管理，一部分景区的管理部门还与个体摊贩签订协议书，收取违章保证金，保证做到无占道经营、无乱设摊点、无强买强卖。四是抓安全管理。按照“打、防、管、建”并举的方针，实行“两包三结合”的管理办法（即领导包片、干部包段；常抓不懈与重点突击相结合、教育与处理相结合、专业与群防相结合）。各景区的卫生状况和秩序有了明显改观。

**三、制定规范、夯实基础**

创建文明风景旅游区活动是一项标本兼治的系统工程，省文明办、建设厅、旅游局先后公布了创建文明风景旅游区活动的考核标准，从环境卫生、优质服务、经营管理、社会治安到基础设施、资源保护、文化氛围、职工教育等方面明确了基本要求。考核标准公布以后，各景区普遍制定了细化、量化的实施方案，把精神文明创建活动与风景旅游区的保护、开发、建设、管理工作结合起来，使之融合到景区的日常工作中去，变为自身需要，增强了创建文明风景旅游区活动的生命力。10月，由一名省级干部带队、省直有关部门人员组成的考评组对12个风景名胜区的创建工作进行了考评，推动了创建文明风景旅游区活动考核标准的落实。

**四、树立典型、整体推动**

一是树立龙头。黄山一直是省创建文明风景旅游区活动的龙头，1998年夏天，黄山风景区获得全国文明风景旅游区示范点的荣誉后，在赞扬声中找差距，发动全体职工摆问题，共排出70多条整改项目，采取责任到人的办法逐一落实，巩固和发展了创建成果。1999年国庆期间，黄山风景区创纪录地接待了海内外12万人次的游客，圆满完成了风景区管委会提出的“五不”要求（不出现人员伤亡、不出现重大责任故事、不出现游客露宿、不出现刑事案件、不出现服务和管理重大问题），受到中外游客的一致好评。二是培养骨干。黄山风景区的示范效应激活了全省的创建工作，各景区纷纷争创文明风景旅游区示范点。经重点帮扶，九华山风景名胜区继黄山之后成为省创建文明风景旅游区活动的又一面旗帜。三是强化基础。2月，省文明委经过全面考评，授予马鞍山采石矶等12个风景名胜区“全省文明风景旅游区示范点”的荣誉称号，进一步调动了基层单位的创建积极性。现在全省已经形成了以黄山为龙头、以九华山为骨干、以省级文明风景旅游区示范点为基础的创建文明风景旅游区活动新格局。

创建文明风景旅游区活动改善了旅游环境，提高了旅游服务质量和管理水平，为各景区带来了良好的经济效益和社会效益。同时旅游业的发展也带动了相关产业，给地方经济注入了新的活力。

（安徽省文明办）

## 江　西　省

# 进一步延伸“讲文明树新风”活动

江西省按照“巩固、提高、延伸、辐射”的工作思路，着力解决文明言行、环境卫生、交通秩序、服务质量四个方面存在的突出问题，在巩固成果的基础上，把“讲文明树新风”活动进一步延伸，与环境保护、创建交通安全村、创建文明风景旅游区、创建五好文明家庭有机结合起来，取得了良好效果。

**1. 保护生态环境，倡导文明新风**

江西省把保护生态环境、绿化美化家园作为“讲文明树新风”的重要内容，精心部署，狠抓落实，进一步把活动引向深入。省文明办、省教委、省建设厅、南昌铁路局、省交通厅、省水利厅、省环保局、省林业厅、团省委、省妇联、省绿化办联合下发了《关于开展“保护生态环境，倡导文明新风”活动的通知》，要求各地以“保护生态环境，倡导文明新风”为主题，着重抓好植树绿化、清理白色垃圾、改善空气质量、治理水源污染四个方面的任务，精心组织了两个阶段的战役。

第一阶段，3月初至6月底，重点是搞好植树绿化，清理白色垃圾。各地充分利用春季植树造林的最佳季节，组织群众植树种草，着重抓了105、320、206国道，京九、浙赣铁路，长江、赣江、抚河、信江、修河、饶河沿线的植树绿化。在5月9日母亲节这一天，省文明办、省妇联组织在全省统一开展“告别塑料袋，提起菜篮子、布袋子”活动，号召全省妇女带头保护生态环境，带头使用布袋购物。这一天全省共免费向群众赠送布袋子20余万个，仅南昌市就向市民赠送布袋子5000多个，取得了良好的社会效果。

第二阶段，7月初至国庆节前后，重点是改善空气质量，治理机动车污染、建筑工地尘土污染、工业烟尘排放、街头烧烤等影响空气质量的突出问题。省建设厅在全省各地组织开展创建文明工地活动，在全省大中城市区内施工的工程，施行围档封闭施工，减少施工粉尘对城市环境的污染。以淘汰机动车用含铅汽油、整治机动车污染、清理街头烧烤以及禁止在城市和机场周边焚烧秸秆为主要内容，广泛开展治理城市大气污染活动。

**2. 推行规范服务，创建文明景区**

为促进江西旅游事业的发展，进一步加大了创建文明景区工作力度。省文明办、省建设厅、省旅游局联合制定了创建活动的规划和要求。创建文明风景旅游区活动以让游人游得放心、游得开心、游得舒心为目标，以文明开发、文明经营、文明服务、文明管理为主要内容，以创建优美旅游环境、创造优良旅游秩序、提供优质旅游服务为重点。各旅游风景区按照全省创建文明风景旅游区的总体要求，从硬件和软件两个方面强化风景旅游区的建设。一是不断加大投入，改善旅游景点的设施条件，科学安排高峰期间旅游供给，解决好供水供电、环境卫生、告示牌设置、旅游步道修缮、旅游厕所添建等问题。不断推出新的旅游商品和娱乐项目，深入挖掘省内丰富的地方传统文化资源，丰富旅游内容；进一步开发旅游特色产品，强化精品意识；加快发展旅游交通，提高游客客运能力。二是加强管理，严格规范旅游市场。根据市场情况，适时制订旅游指导价格，防止随意涨价和不正当竞争。进一步强化导游队伍建设和管理，严格实行持证上岗制度，坚决取缔无证导游。认真执行国家关于旅游行业的服务标准，开展经常性服务达标检查，确保旅游服务质量。省文明办与省建设厅、省旅游局在全省开展创建文明风景旅游区活动以来，推出了庐山、井冈山、滕王阁等9个全省创建文明风景旅游区示范点，其中庐山被评为全国创建文明风景旅游区示范点。

**3. 整治公路秩序，创建交通安全村**

为保障国道、省道的安全畅通，促进经济建设的顺利进行，教育国道、省道沿线农民群众提高交通安全和交通法规意识，降低交通违章、交通事故率，开展了创建交通安全村活动。7月，省文明办、省综治办、省公安厅联合下发了《关于在全省农村开展创建交通安全村活动的通知》，制订了创建工作目标和规划，对创建工作提出了明确要求。通过举办交通法规培训班、少年交通警校，设置宣传栏、教唱交通安全歌等群众喜闻乐见的形式，寓交通安全常识于丰富多彩的宣传教育活动之中，深受群众欢迎。全省共举办各类交通安全培训班700余期（次），受训人员达10余万人（次）。全省国道、省道沿线还推出一批交通安全示范村、示范路，并在各示范村、示范路显著位置设置了宣传标志牌，形成了创建交通安全村的良好氛围。10月份，省文明办、省综治办、省公安厅在抚州地区南城县召开了全省创建交通安全村工作现场会，总结推广了南城县五帝村、湖东村的典型经验，交流了情况，提出了全省下一步创建交通安全村的工作目标和措施。通过创建交通安全村，广大农民的交通安全意识、交通法规意识有了普遍提高，确保了国道、省道的安全畅通，为促进经济建设提供了有力保障。据统计，自开展创建交通安全村活动以来，全省农村道路交通安全事故发案率与上一年同比降低了30%，交通肇事造成的死亡人数减少了51%。

**4. 抓好细胞建设，创建“五好”文明家庭**

全省创建五好文明家庭活动，重点是抓好家庭美德建设和家庭文化建设。全省推出了一批各具特色的示范基地、示范点、示范户，走出了一条具有江西特色的创建路子。一是自评申报，自我教育。创建活动深入千家万户，不仅促使成千上万的人在做好本职工作的同时，积极争当家庭好成员和社会好公民，而且对强化城市社区管理，发展社区文化和加强基层政权建设起到了积极的促进作用。二是选准主题，服务群众。把创建五好文明家庭活动与创建文明城市、文明行业、文明村镇和文明单位紧密结合起来，与广大群众的切身利益结合起来，实施送温暖工程、再就业工程，美化居住环境工程，文化扫盲工程等等，得到了广大家庭成员的欢迎，群众参与面越来越广。三是力创精品，树立样板。努力探索符合本地实际的创建形式，在整体推进的同时，突出创建重点，涌现出了一批不同类型、各具特色的示范样板。如赣州市把创建五好文明家庭与发展经济、建设小康结合起来，在农村创造性地开展“猪—沼—果”121万池工程，即从改善生存环境，解放妇女劳动力，发展庭院经济，增加家庭收入着手，户均建一口沼气池，人均养两头猪，种好一亩果（菜、蔗或养好一渔塘），实现改圈、改灶、改厕一体化。这一活动既围绕发展农村经济这个中心，又贴近农村家庭的致富需求，得到广大农民热烈响应。4月，全国妇联已将赣州市的这一做法向全国各地推广。四是选好载体，优化细胞。紧紧抓住现代家庭求知、求美、求乐、求新的兴奋点，为群众创造丰富多彩的文化空间，基本实现了思想道德、科学技术、文明新风、法律知识、科学理家、卫生保健“六进”家庭。全省举行家庭文化活动数万次，参加人数达百万以上。五是抓好典型，表彰先进。为总结经验，进一步推动全省五好文明家庭创建活动深入开展，8月26日，省文明办、省妇联在新余市召开了江西省创建五好文明家庭现场经验交流会，省委副书记、省文明委副主任钟起煌，省政府副省长、省文明委副主任胡振鹏出席会议并分别作了讲话。命名表彰新余市五好文明家庭创建协调小组等32个单位为“先进协调组织”，赣州市章贡区方杆巷居民小区等23个单位为“家庭文明工程特色工作示范基地”，罗国全等30位同志为“创建活动先进工作者”。通过表彰先进，有力地推动了创建工作向纵深发展。

**5. 服务农村乡镇，切实抓好“三下乡”**

为使“讲文明树新风”活动向农村延伸，帮助广大农民解决实际困难，对农村实施文化扶贫、卫生扶贫、科技扶贫，省委宣传部、省文明办、省文化厅、省科委、省卫生厅等11个部门精心组织文化科技卫生“三下乡”活动。全省文化下乡内容丰富多彩，81个专业剧团深入农村演出2400余场，放映电影6000多场，送图书下乡30余万册，帮助农村建图书室500多个，各级新华书店下乡销售图书134万册；贴近农民、服务农民的科技下乡深受广大农民欢迎，有万名农业科技人员下乡进户，培训农民技术骨干20万人次，推广农业实用技术200多项；为农民送医送药、排忧解难的卫生下乡扎扎实实，仅春节期间就下派医疗队480支，医务人员4000余人，义诊10万人次。通过“三下乡”活动，广大农民的文化素质有了明显的提高，科技致富的本领有了明显增长，农村卫生医疗条件有了一定的改善。

（江西省文明办）

# 山 东 省

## 开展“美在家庭”活动

“美在家庭”活动是山东省开展五好文明家庭创建活动的载体。它是在总结了临沂市“美在家庭”创建活动经验之后向全省推广并拓展到城市家庭的群众性精神文明创建活动。

“美在家庭”活动与家庭的生活实际紧密结合，以治理居住环境脏乱差为突破口，以美化生活环境、创造富裕生活、弘扬家庭美德、建设家庭文化为内容。“美在家庭”活动提出了“三化”要求和“四改”卫生标准，即居室庭院净化、绿化、美化；改水、改厕、改灶、改圈，并在农村分为三类标准：

（1）80%以上家庭达到“三化”，实现“四改”，村庄路面平坦；排水通畅，街道绿化；家庭成员素质明显提高。

（2）60%以上家庭达到“三化”，实现“四改”；村容村貌整洁卫生；家庭成员素质明显提高。

（3）50%以上家庭达到庭院净化、绿化，实现一化两改；村容村貌卫生良好；家庭成员素质明显提高。

在城市，结合城市发展建设规划和当地实际，实现家居美化、阳台绿化、生活科学化；家庭有藏书；家庭生活质量不断提高；家庭环保意识不断增强，生活环境整洁卫生。

“美在家庭”活动得到了各级党委政府的重视和支持，纳入了全省小康村建设和精神文明建设总体规划。省委副书记、省“五好文明家庭”创建活动协调小组组长陈建国对这项工作非常重视，多次作指示，要求抓紧、抓实、抓好，切实抓出成效。创建活动协调小组成员单位互相配合，齐抓共管，根据各自的工作特点，发挥优势，在政策上给予有力扶持，在经费上给予适当投入，在业务上加强指导和培训，推动“美在家庭”活动各项目标落实。根据山东省各地经济发展和群众文化生活水平不平衡的实际情况，提出了“穷则穷办，富则富办，不能不办”的要求，对不同的乡村、城镇提出不同的创建标准。经济条件好的地方，引导家庭在庭院布置、村庄街道规划、精神文明生活上向一类标准发展。中等条件的地方，突出抓好“改水、改厕、改灶、改圈”，重点开展“美在家庭、富在庭院”活动，向二类标准发展。条件较差的地方，重点治理脏乱差，改变旧的生活习俗，创造清洁、卫生的生活环境，边富边美，向三类标准发展。在各地层层试点的基础上，分别在东营市和威海市召开了“美在家庭”活动现场经验交流会，总结推广了东营市对改厕实行户投资、村出工、乡补贴、市县两级扶持的经验和威海市村庄、阳台绿化美化、全方位提高家庭文明程度的经验，为经济欠发达地区和经济较发达地区树起样板。

“美在家庭”活动得到了群众的支持和欢迎，广大群众积极参与到改善环境、美化家园活动中来。两年以来，全省改厕、改灶、改水、改圈分别达到近千万个，部分先进地区四改率接近100%。一些村庄、街道、庭院、居室的脏乱差现象得到了有效改善，涌现出一大批花园式、别墅式村庄，促进了村庄的规划和建设，优化了农村生活环境，改善了农民群众的生活质量，提高了广大农民的思想道德素质和科学文化素质，推动了农村社会经济的发展。

“美在家庭”活动坚持把加强思想教育、提高农民素质贯彻始终。在大力推进“三化”“四改”的同时，注意用健康向上的思想文化占领“家庭”阵地。全省普遍开展了各种形式的创建星级文明户活动，开展了倡导新的道德风尚、宣传科学知识、破除封建迷信和陈规陋习的倡新风活动，表彰了倡新风模范户1万户；开展了读书活动，成立了山东省家庭读书指导委员会，向全省家庭推荐好书，评选“齐鲁百户爱书家庭”；开展了以“告别塑料袋，重拎布袋子”为主题的家庭环保活动，表彰了“齐鲁百佳环保女性”，强化了家庭环保意识；开展了家庭文化建设活动，突出思想教育的针对性、可参与性，依托文化大院、科技夜校、妇女之家等活动阵地，利用丰富多彩的活动吸引群众，使群众在参与中受到教育，得到提高。

（山东省文明办）

## 湖北省武汉市

# 开展“家庭承诺活动”

武汉市的家庭承诺活动始于1998年，以“讲文明——从我家做起”为主题，面向全市广大家庭成员，以家庭为单位，以五好文明家庭为骨干，以家庭成员全部参与为条件，以家庭美德和家庭成员应遵守的基本文明行为为主要内容，以家庭代表自愿签订承诺书为形式，由居委会监督落实，引导家庭成员从我做起，从小事做起。

家庭承诺的主要内容是：敬养老人，爱护孩子，邻里团结，互助友爱；不打人，不说脏话、粗话；保持家庭室内外及周边环境的卫生整洁；不在楼梯、走道存放自家物品，不乱搭乱盖；不从楼上乱扔乱倒废弃物；保护生态环境，积极养花种草，不损坏公共设施，管好房前屋后的绿地；热心参加门栋及居委会（村委会）组织的义务劳动和家庭文化等活动；注意防火防盗，关心门栋、社区安全，自觉维护社会秩序。

家庭承诺的主要做法是：

（1）广泛宣传，层层发动。各级妇联通过召开妇代会、党员会、居民（村民）大会、报告会等形式进行动员，在群众充分认识活动重要意义的基础上，组织大家讨论，修改承诺内容以及开展家庭承诺的意见和建议；举办骨干培训班，宣讲承诺活动的操作方法；运用板报、标语、门栋园地、宣传栏、小广播等形式，喊响“讲文明——从我家做起”的口号。

（2）精心组织，群众承诺。在家庭承诺家喻户晓的基础上，由门栋长（村民小组长或中心户）召开居民（村民）大会，组织家庭代表在家庭承诺书上签字。签字后的家庭承诺书，用铝合金框挂在门栋（中心户门口）显著位置。有的地方还组织有一技之长的家庭，承诺为邻里义务服务；有的地方组织家庭向门栋（村民小组），门栋（村民小组）向家庭的双向承诺。

（3）监督管理，督促履行。承诺书签订以后，健全监督机制，注重承诺兑现。对照承诺书，门栋（村民小组）内的家庭互相监督；居委会（村委会）统一登记造册、建档建卡、定期检查。有的门栋（村民小组）还建立了义务巡查制度，为履行承诺的家庭鼓劲，给忘记承诺的家庭提个醒；规定不愿承诺或不履行承诺的家庭、门栋（村民小组），不能参与五好文明家庭、五好文明门栋（五好文明村民小组）的评选。

家庭承诺是武汉市深化五好文明家庭创建工作的有效活动形式，它调动了广大家庭成员的内在积极性，变被动参与为主动参与；提高了家庭成员的素质，增强了家庭成员自我约束、自我管理的能力；密切、融洽了人际关系；改善了家庭、门栋（村民小组）的生活环境，维护了生活小区的安定团结，推动了社区文明建设。

（湖北省文明办）

## 湖 南 省

# 以小街小巷为突破口 深化“讲文明树新风”活动

湖南省“讲文明树新风”活动在向领导机关和县乡延伸辐射的同时，以小街小巷为突破口，集中时间，组织力量对这些地方的交通秩序、环境卫生、服务质量进行切实整治，让大多数居民受惠。

一是组织攻坚活动。年初，省文明委在安排部署全年“讲文明树新风”活动时，明确提出整治小街小巷是全年四个重点之一。要求各市州城区管好小街小巷，增加投入，硬化路面，搞好绿化带、垃圾桶、路灯、文明警示牌等硬件设施，落实门前三包和坚持保洁。并组织干部和群众开展“治脏日”活动，集中清扫小街小巷卫生脏乱差重点地段，使全省城市的小街小巷面貌焕然一新。

二是全民共建。一方面，省文明办会同有关部门召开有城建局长、街道办事处主任、居委会主任参加的小街小巷专题座谈会，商讨如何治理和建设小街小巷。另一方面，针对各区小街小巷存在的卫生死角和不文明现象，加大宣传力度和清理整治力度，组织机关干部发起“集团作战”，实现“把马路让出来”的要求。同时，各城区采取军民共建、厂居共建文明路的形式，组织部队官兵、厂矿职工清扫“小胡同”卫生死角，宣传环卫保洁，做好门前三包，提高居民群众的文明卫生意识。

三是督促检查。省文明办与有关职能部门负责人对各市州城区小街小巷的交通秩序、环境卫生、居民的文明言行、服务质量进行督察，并采取评比打分、插流动红旗的方法，评选出“讲文明树新风”活动先进城区和最美小街小巷。对不合格街道，给予通报批评，并要求认真整改。

四是加强舆论监督。为引起各级部门和广大市民对小街小巷的足够重视，省文明办组织各新闻单位对小街小巷聚焦，监督引导各职能部门管好普通老百姓生产、生活的重要场所，提高大多数老百姓的生活质量。通过舆论引导，调动了规划、交警、工商、防疫、卫生、城建等各部门协调作战，综合治理，共同担起管理小街小巷的担子。

(湖南省文明办)

## 湖南省张家界市武陵源风景区

# 开展“告别封建迷信，告别白色污染，告别违章建筑”活动

1998年，国家公布了第一批全国文明风景旅游区，武陵源榜上无名。张家界市委书记刘力伟、市长鲁平益及时召集有关部门研究，力创全国文明风景旅游区示范点。为自加压力，市里争取国家旅游局、国家环保局、国家林业局、中科院和湖南省政府在此举办'99张家界国际森林保护节。与此同时，一场“告别封建迷信，告别白色污染，告别违章建筑”和“满意在张家界”活动全面铺开。

武陵源景区曾有少量“算命先生”他们传播迷信，既对游人无益，又大刹风景，市、区领导决定坚决予以取缔，堵邪门，开正门。在告别封建迷信的活动中，张家界市倡导用健康文明的文化活动点缀景区。他们举办了景区歌手、导游、轿夫、挑夫培训班，建设了摄影活动基地、作家创作基地、音乐家活动基地和科学家考察基地。如今景区歌手用健康文明的民歌感染游客，一批土摄影家、艺术家脱颖而出，导游、轿夫的素质也大为提高。

在张家界森林公园，珍惜旅游环境，防止“白色污染”已逐渐成为景区群众的自觉行动。张家界市确立了“保护第一，开发建设第二”的原则，在景区建立了环保、环卫队伍，定人定岗对景区实行全天保洁。该市还实施“蓝天、碧水、宁静”工程，推广无动力地埋式污水处理系统，改燃煤锅炉为燃油、电、气锅炉。

对于景区建设之初的一些违章建筑，张家界市严格按景区规划和执行开发建设项目管理制度。

从1999年初开始，对景区内的违章建筑一律拆除，并实施景区原有居民逐渐外迁，所有新建项目一律停批停建。目前已拆除违章建筑100多处，面积达1万多平方米。

围绕创建全国文明风景旅游区，张家界市武陵源区还全面开展了16项群众性精神文明创建活动，包括创建文明景点、文明宾馆、文明旅行社、文明导游、文明商店等。文明新风的吹拂使武陵源的风景更加迷人。武陵源区先后获得了湖南省治安模范区县，湖南省卫生，安全风景名胜区，全国风景名胜区系统先进单位，全省文明风景旅游区示范点等荣誉称号。

（湖南省文明办）

## 广西壮族自治区

# 开展“讲文明树新风，树立广西新形象”活动

在年初召开的全区思想政治工作会议上，自治区党委书记曹伯纯提出要树立广西“改革开放、文明礼貌、办事认真、奋勇争先”的新形象。之后，广西广泛开展“讲文明树新风，树立广西新形象”活动。

树立“改革开放、文明礼貌、办事认真、奋勇争先”新形象的主要内容是，树立改革开放的新形象，就是要把广西的改革开放事业胜利推向21世纪；树立文明礼貌的新形象，就是要在全社会倡导一种良好的社会风尚，互相关心，助人为乐，文明礼貌，提高整个社会的文明程度；树立办事认真的新形象，就是全区各行各业、各部门各单位直至广大干部群众，都要树立一种好的作风，具有很强的责任意识、质量与效率意识，爱岗敬业，不推不拖，优质高效地做好各自所承担的工作，确保改革与发展总体任务的实现；树立奋勇争先的新形象，就是要鼓励争上游、争先进，在全区形成一种你追我赶、不甘落后的精神状态。这四个形象，相互联系，密不可分，共同构建广西的整体形象。

5月份，自治区文明委、自治区党委宣传部召开了全区“讲文明树新风，树立广西新形象”电视电话会议，对全区“讲树”活动作出进一步部署，并抓了南宁市、桂林市、防城港市“创建全国（区）文明城，树立广西新形象”试点工作，抓了区直机关大板二区创建文明小区的示范工作，南宁市、桂林市、防城港市的创建工作实现了领导力量、宣传力度、群众参与、整治措施、资金投入五个方面的突破，城市面貌有了明显改变，有力地推动了全区“讲文明树新风，树立广西新形象”活动的蓬勃开展。全区各地市、各部门在开展这一活动中，突出抓市民的思想道德教育、城市市容环境卫生及交通秩序整治工作，重点解决市民文明言行、行业服务质量、市容环境卫生以及城市交通秩序等方面存在的问题，把软件与硬件结合起来，把教育与管理结合起来，着力为群众办实事好事，提高城市的文明程度，树立城市的良好形象，收到了明显成效。

1999年，广西各行各业涌现了一批先进典型。3月，自治区文明委、自治区党委宣传部命名表彰了广西首届“八桂精神文明十佳人物”10名、“八桂精神文明先进个人”10名、“十佳文明窗口”单位10个。8月，全区有27个市场被自治区文明委命名为自治区文明市场。9月，在建国50周年前夕，中央文明委首次命名表彰的全国精神文明创建工作先进单位中，广西有南宁市、桂林市等2个城市以及12个镇（村）、30个单位榜上有名。11月，自治区文明委命名表彰第七批自治区级文明单位188个、文明村镇71个、军民共建先进单位40个、广西首批“文明单位标兵”20个、“文

明村标兵”20个。12月，全区有126个基层组织被评为自治区先进基层党组织，有137人被评为自治区优秀共产党员，有28人被评为自治区优秀党务工作者，有115人被评为自治区劳动模范、自治区先进工作者，有44人获全国劳模、24人获全国先进工作者称号。这些先进单位、先进典型的推出，在全区上下产生了很好的社会影响，有力地促进了广西“讲文明树新风”活动的广泛开展，树立了广西的良好形象。

（广西壮族自治区文明办）

## 广西壮族自治区百色地区

# 开展“百里文明河谷”一条线创建活动

革命老区广西百色地区为把农村精神文明建设推向新阶段，更好地为农村经济建设服务，根据当地特点，推出“百里文明河谷”一条线创建活动，积极探索区域性精神文明建设路子。

“百里文明河谷”从平果县新安镇至百色市百色镇，全长150公里，中间穿越四个县（市）的12个乡镇，1个国家大型企业，5个汽车转运站，8个火车客货运站，7个公路收费站。为建设“百里文明河谷”，展示百色新风貌，树立百色新形象，百色地区采取有力措施，以点带线，以线带面，着重做好如下工作：

1. 全面清理沿途乱搭盖房屋、摊点、乱挂乱贴标牌标语。由地、县宣传、文化、交通、公路、公安、建设、工商等相关部门协同，逐段排查处理，做好拆、补、换工作及公路两旁的绿化、美化工作。

2. 沿途树立永久性“百里文明河谷”等示范牌。在平果县新安镇竖一块“百里文明河谷终点”碑块，在百色市澄碧河路段竖一块“百里文明河谷起点”碑块；沿途标明村镇、里程、限速等亮丽牌匾；沿途相关单位由始点到终点标明“百里文明河谷”示范共建点，营造浓厚的共建声势，发动沿途单位积极参与。

3. 明确各点共建内容，提出各点活动方案。组建工作组，把各点活动内容梳理清楚，让各点明确自已的活动思路和时间要求，并标画出“百里文明河谷”共建点分布图，开展经常的指导工作。

4. 规范共建行为、制度。理顺沿途城区的交通，减少堵车，防止交通事故发生；各车站、收费站健全制度，改观容貌，文明礼貌，认真办事，提高服务水平，开展争创文明单位竞赛活动，树立窗口行业新形象。

5. 平果、田东、田阳、百色县（市）加大“创三城”工作力度，各自建设好2至3条文明示范街，把文明、卫生、双拥工作推向新水平。

6. 实施“二个12工程”。第一个12工程是：沿途12个乡镇以“讲文明树新风”活动为载体，开展“规范文明言行、提高服务质量、改善环境卫生、维护交通秩序”四个战役，争创文明乡镇创建“百里文明河谷”，树立百色新形象。第二个12工程是：以争创“十星级文明户”活动为载体，沿途乡镇各抓好一个文明村示范点，共12个，总结经验，指导全面。

为加强对这项活动的指导，百色地区成立了“百里文明河谷”创建活动指挥部。由百色地委、行署分管宣传、文化、精神文明建设的领导担任正副指挥长，沿途四县（市）委、政府分管领导以及地直有关部门领导担任成员，抽调相关部门人员组成办公室，指挥部每月听取汇报一次，加强检查指导，帮助解决实际问题。

（广西壮族自治区文明办）

## 四 川 省

# 开展“双争双创”活动

“双争双创”活动是四川省文明办、团省委等单位于9月组织实施的，其目的是动员和引导广大青年职工围绕国有企业改革攻坚目标作贡献，动员和组织广大农村青年在建设社会主义新农村中发挥生力军作用。这项活动分为青年职工和农村青年“双争双创”活动两个部分。企业青工“双争双创”是指争当青年岗位能手、争当青年文明号，创新创效；农村青年“双争双创”是指争当青年致富能手、争当青年文明户，创新创效。

青年职工“双争双创”活动以企业青年职工为主体，以争创青年文明号、争当青年岗位能手、争当青年技术创新创业带头人等活动为载体，以市场为导向，以思维、技术、管理、服务、营销五个方面的创新为手段，以坚持因地制宜、分类推进、突出重点、讲究实效为原则，以创造良好人才、经济和社会效益为目标。目前已有20万青年职工参与到活动中，活动覆盖企业已达168家，为企业创造经济效益近1亿元，有10名杰出青年技术创新带头人和44名优秀青年技术带头人受到了表彰，有10名杰出青年营销能手和41名优秀青年营销能手受到了表彰。

农村青年“双争双创”活动是以服务农村青年增效增收、成长成才为主线，以领办科技推广项目、百万农村青年脱贫致富奔小康竞赛、保护母亲河运行、青年星火带头人活动、农村剩余劳动力转移工程和农村青年群众性精神文明创建活动为主要内容，以实现团的农村工作人才效益、经济效益、社会效益和生态效益的有机统一。各地团组织和农村青年积极推广了一批科技含量高、推广价值大的科技项目，创建了科技示范基地，营造了保护母亲河绿色工程林、培养了一批有文化，懂技术，善经营，会管理的农村脱贫致富的带头人。

（四川省文明办）

## 云 南 省

# 开展净化社会环境 迎接世博会专项活动

在中国'99昆明世界园艺博览会开幕前，为确保世博会的圆满成功，根据省文明委的部署，省委宣传部、省政法委、省文明办、省综治委、省扫黄办、省文化市场管理办公室等7个单位联合组织开展了“加强综合整治，净化社会环境，倡导文明新风，迎接'99世博会”的专项整治活动。4月7日，召开了全省电视电话动员大会，省委副书记王天玺在会上作了动员讲话。这次活动的主要内容是坚持扫除卖淫、嫖娼的丑恶现象；取缔非法制作、贩卖、传播有问题出版物和黄色淫秽物品；禁止聚众赌博；坚决禁除吸毒、制作、贩卖毒品，深入开展“讲文明、树新风、迎接世博会”活动。这次活动历时半年，由于各级各部门的高度重视，措施有力，取得显著效果。据不完全统计全省共清退“三无”盲流人员达26.85万人次，查处卖淫嫖娼人员8600多人次，查处非法制作、贩卖、传播有问题出版物和黄色淫秽物品的犯罪人员2400多人次，查处吸毒贩毒人员500多人次，为世博会召开创造了良好的社会环境。

（云南省文明办）

## 云　南　省

# 宣传弘扬“世博精神”　开展群众性思想道德教育活动

中国'99昆明世界园艺博览会是我国首次举办的世界博览会，也是本世纪全球最后一次高规格的大型国际博览盛会。在党中央、国务院和组委会的领导下，在全国人民的大力支持下，云南省委、省政府带领全省人民，克服重重困难，艰苦奋斗、顽强拼搏，以超常的速度、一流的水平圆满完成了世博会的各项筹备工作，并精心组织、周密安排，使世博会系列活动获得了圆满成功，创造了宝贵的“世博精神”。

根据省委第90次常委会的决定，省委宣传部、省文明办迅速组成课题组，及时进行了“世博精神”的调研总结，向省委提交了调研成果。7月8日，省委将“世博精神”简要概括为“爱国爱乡，知难而上，团结奋斗，争创一流，敢为人先”20个字。随后，在全省迅速掀起宣传弘扬“世博精神”的高潮。省委宣传部、省文明办于8月9日，下发了《关于在全省组织开展弘扬“世博精神”宣传教育活动的通知》，把弘扬“世博精神”作为云南省精神文明建设的主要任务，通过组织先进事迹的集中宣传、演讲报告会、座谈会、举办展览等多种形式，在全省组织开展了以世博会成功举办的生动事实和世博会筹备工作中涌现出来的模范人物的先进事迹为教材，以爱国主义、集体主义、社会主义为核心，以弘扬“世博精神”为主要内容的群众性思想道德教育活动。特别是世博会结束后，省委宣传部、省文明办、省园艺博览局组织了一支由各个方面精心挑选的19人组成的“弘扬世博精神报告团”，在全省巡回演讲35场，并通过广播、电台、电视台反复向全省进行播放，直接或间接听众达上千万人次；事后，又编辑出版了《为了人类共有的家园》一书和光盘。整个活动在全省各族人民中产生了强烈反响，对全省精神文明建设产生了巨大的推动作用。

（云南省文明办）

# 西 藏 自 治 区

## 开展群众性“崇尚科学文明，消除迷信愚昧”自我教育活动

为了探索新形势下基层精神文明建设的有效形式，切实加强农牧区思想政治工作，西藏自治区党委宣传部会同拉萨市委于8月27日至12月2日，在拉萨市堆龙德庆县开展了以“崇尚科学文明、消除迷信愚昧”为主题的群众性自我教育活动试点工作。教育试点以引导广大群众淡化宗教消极影响，消除迷信愚昧观念，树立科学、文明、健康向上的世界观、人生观、价值观，以促进西藏两个文明协调发展为目的，坚持正面教育引导的原则，采取典型引路，群众自我教育的方法，努力把马克思主义教育和思想政治工作具体化、直观化，调动了干部群众的积极性，取得了圆满成功，探索总结出了一些适合西藏社会特点，符合群众实际的教育工作经验，得到了区党委的充分肯定。

**一、主要收获**

这次试点工作取得了7个方面的主要收获：人们要做命运的主人，不当鬼神奴隶的自觉性普遍提高；很多群众放弃了不求今生求来世的想法，决心依靠科技奔小康；相信封建迷信的人明显减少，崇尚科学知识的人越来越多；破除陈规陋习，告别愚昧落后，已成为人民群众的自觉行动；强化了发展经济靠人才的意识；坚定了干部职工马克思主义理想信念；增强了各级政府加快实施“科技兴县”战略的紧迫感和责任感。

**二、基本做法**

一是调查研究，摸准情况。县委成立“崇尚科学文明、消除迷信愚昧”教育活动领导小组，对全县封建迷信和愚昧落后情况进行摸底调查。教育活动领导小组经过分析认为：堆龙德庆县地处拉萨市郊，干部群众文明程度较高，科技意识较强，但由于受历史和传统观念影响深远，愚昧落后的问题仍很突出，并严重桎梏着生产力的发展。集中表现在农牧民群众信教人数较多，宗教消极影响很深，封建迷信和陈规陋习还严重束缚着人们的思想，祈求来世、畏惧鬼神、信奉天命、不信科学、不讲文明的问题普遍存在。通过调查分析，县委明确了这次教育活动的任务和目标，制定了教育计划。

二是训练骨干，培养典型。从县级机关各部门中抽调组织协调和文字能力较强的同志，组成教育活动宣讲组，学习领会有关文件精神，明确辅导任务和各自责任，当好教育骨干。在调查研究的基础上，对群众公认、科技致富成果显著的12名先进集体和个人，进行重点培养，为引导群众开展自我教育发挥了示范作用。针对群众普遍关心的问题，采取问答的方式，把有关常识编成群众易懂的教材，发到基层学习。同时，还制作了科教兴县图片，配合宣讲组到各乡村巡回展出，深受群众欢迎。

三是搞好发动，形成声势。在调查研究和充分准备的基础上，召开全县“崇尚科学文明、消除迷信愚昧”群众性自我教育动员大会，县委书记作教育动员，县人大主任作科教兴县报告。各乡、镇党委、机关各支部都成立了教育活动领导小组，党政领导负总责，层层传达动员，讲意义，提要求，县里领导和教育领导小组的同志，深入到乡、镇、村、组，配合基层干部对群众进行辅

导，帮助大家认清开展教育活动的必要性。群众参与教育的积极性高涨。不少群众早早就赶到学习点等候，有些村还主动挂起了欢迎横幅和标语，情景感人。

四是引导群众，自我教育。这是整个教育活动的高潮，也是检验教育效果的关键。采取的基本做法有三条：一是深入动员。县领导讲意义，提要求，教方法；二是典型引路。由科技致富典型向群众讲述自己转变观念，破除封建迷信，依靠科学技术治穷致富的体会和经验。有条件的乡、村还组织群众代表到科技致富典型家中进行了参观；三是组织各种形式的群众座谈会。全县95%以上的户主和80%以上的农牧民群众参加了学习讨论，在学习和听取典型宣讲的基础上，大家联系自己的生产、生活实际，畅谈信科学、用科学的好处，坚持封建迷信的坏处。群众发言热烈，越谈越深入。不少人不仅谈体会，还当场介绍自己下一步坚持走科技致富道路的打算。大家以科技致富先进典型为榜样，互相启发，互相影响，互相学习，形成了强烈的崇尚科学文明的舆论氛围。

（西藏自治区文明办）

# 陕西省

## “保护生态环境，倡导文明新风”活动

依据中央文明办的安排，陕西省文明办会同省教委、省建设厅、省交通厅等12个部门和团体，联合发文，具体安排部署了保护生态环境，清除白色污染，倡导文明新风活动。各地、各行业积极行动、认真落实，使这项活动迅速在全省展开。

省委、省政府高度重视，主要领导带领省直机关干部和西安市的干部群众数十万人走上街头清理垃圾，捡拾白色污染物，打扫环境卫生，鼓舞了士气，激发了广大干部群众参加活动的热情。各市地区领导也率先走上街头亲自组织和指导工作，全省上下兴起了植树造林、栽花种草、打扫卫生、清除污染、美化环境的热潮。

各地根据自身特点和实际情况，广泛宣传动员，采取有力措施，组织开展了形式多样的活动。延安市在市区各机关和单位实行植树造林栽、活、管三包制度，并对“三包”情况进行检查、通报。安康地区开展红领巾护树活动，使树木成活率大大提高。铜川市确定每月最后一个星期六为全民义务环境卫生活动日。11市地区以市地区所在城区和县城为重点，全面开展治理整顿，扩大绿化绿地面积，清理各种垃圾，净化环境，治理水源和空气污染，整治交通秩序，清理马路市场，使全省城镇面貌有了明显改观。

各行业结合行业特点开展活动。铁路、交通、旅游、教育、环保、共青团、妇联等系统和团体，发动干部群众在铁路、公路沿线，江河湖泊沿岸，风景旅游区等清理白色垃圾。组织开展了“青年志愿者”、“妈妈环保建设21世纪绿色家园”、“保护母亲河”等活动。西铁分局在陇海、宝成、宝天、宝中等11条干支线，1340多公里线路和163个站区组织200支青年志愿服务队，开展清理白色垃圾活动200余次，清除垃圾31690袋，共约820余吨，使分局所属各线路面貌一新。西安客运段16对列车全部使用可降解餐盒、垃圾袋，从源头上消除造成白色垃圾的弊端。省建设厅狠抓城市环境质量，半年中新植各类树木284.4万余株，新增绿地12.9万余平方米，整治绿地15.9万平方米，改造绿地56.3万余平方米，更换护栏4.6万余米，摆设花钵9855个。同时抓住占道经营和背

街小巷脏乱差两个重点，坚持突击整治与长效管理相结合，使市容环境整治取得新进展。据不完全统计，13个设市城市直接参加市容整治的群众达124万余人次，出动车辆1160余台次，取缔占道市场187处、占道摊点17320个，整治户外广告牌、标志物12270个，拆除乱搭乱建棚亭6480处，清运积存垃圾33160吨，30多万居民户实行了垃圾袋装收集，城市环境脏乱差问题得到初步治理。省旅游局在全省景区景点开展“争创青年文明号”活动，改变了景区面貌，提高了景区服务质量。

（陕西省文明办）

# 陕　西　省

## “讲文明、树新风，塑形象、迎城运、庆国庆”活动

在迎接新中国成立50周年大庆之际，第四届全国城市运动会于9月在陕西举行。为了为国庆和城运会营造良好舆论氛围和社会环境，推动各项群众性精神文明创建活动深入发展，陕西省文明委在全省范围内组织开展了“讲文明、树新风，塑形象、迎城运、庆国庆”活动。

这项活动与中央文明办和国务院纠风办联合部署的“深入开展优质规范服务，大力倡导文明行业新风”活动紧密结合，分为两个阶段展开。第一阶段围绕整治市容市貌和交通秩序两个重点开展活动，组织治理“脏、乱、差”战役，兴起美化市容市貌新高潮，主要安排部署了8项工作。第二阶段重点围绕提高服务质量和文明言行开展活动，组织开展文明教育和优质服务战役，兴起“塑行业新形象，倡文明新风尚”高潮，主要安排部署了5项工作。省文明委召开电视电话会议对活动安排动员，在活动中期又召开座谈会对活动情况进行总结交流，检查督促。

活动涉及全省11个市地和22个“窗口”行业。各市地和行业积极响应，以“创三优”为目标，组织开展了内容丰富、生动活泼的活动。承担赛事任务的西安、延安、咸阳、宝鸡、渭南市开展了“当好东道主，办好四城会”精神文明建设系列活动，广泛开展思想道德教育，完善城市公共设施，落实环境卫生“四自一包”责任制，加大交通秩序整治力度，加强监督管理和巡查，确保四城会如期圆满成功。窗口行业结合自身特点，以“三优一满意”为目标，在强化优质规范服务上狠下功夫。西安市在市民中广泛开展“三讲三做”活动，即：讲家庭美德、做文明成员；讲职业道德，做文明职工；讲社会公德，做文明市民，促进了广大市民素质的提高。省邮电管理局狠抓服务质量，健全规章制度，美化营业窗口，开展礼仪教育，全力以赴为四城会做好通讯保障。省商务系统在全省商店、餐饮店广泛开展“当好东道主，服务城运会，满意在陕西”宣传教育活动，要求各服务单位做到“五放心、两满意”，即：让群众对商品质量、价格、计量、卫生、安全放心，对服务质量和购物环境满意。公安系统开展“四严”（严打、严防、严管、严治）和“三满意”（评选群众满意的派出所、服务窗口和干警）活动。文化系统精心排练优秀剧目和节目，营造喜庆欢乐氛围。旅游系统在宾馆、饭店、旅行社、旅游车队等窗口单位全面推行行业服务规范，在旅游景区开展创建“优秀旅游景区”活动等等。

这项活动声势大、范围广、效果好，为四城会和国庆节营造了良好的舆论氛围和社会环境，有力保障了四城会的顺利举办，不少地市和厅局受到全国第四届城运会组委会的表彰或赞扬。

（陕西省文明办）

# 陕　西　省

## “祖国颂、改革开放颂、社会主义颂”演讲比赛活动

为了进一步深化思想道德教育，陕西省文明办在全省范围内组织开展了自下而上的“三颂”（祖国颂、改革开放颂、社会主义颂）演讲比赛活动。这是一次群众性的自我教育活动，历时半年，群众参与踊跃，覆盖面广，影响大，效果好。

采取演讲竞赛这种形式，受到群众欢迎。一人台上演讲，评委打分，观众听讲，具有广泛的参与性和激烈的竞争性。全省层层举办演讲竞赛，逐级选拔选手，吸引了干部群众踊跃参与。

在演讲中，选手们紧扣主题，突出一个“颂”字。联系实际，突出行业特点，内容真实可信，事例生动感人。

在各市地、厅局比赛的基础上，省文明办组织了全省“三颂”演讲决赛。共有33支代表队66名选手参加决赛。经过激烈的角逐，分别决出行业、市地集体一、二、三等奖和行业、市地个人一、二、三等奖。省文明办向获奖单位和个人颁发了奖品和证书，将竞赛情况通报全省。

（陕西省文明办）

# 甘　肃　省

## 全面实施“保护母亲河行动”

“保护母亲河行动”是中央文明办等11部委联合开展的“保护生态环境、倡导文明新风”活动中的一项重要主题活动。甘肃团省委制定方案，认真作了部署，在1999年上半年全面实施了“保护母亲河行动”。

一是成立了甘肃省“保护母亲河行动”领导小组。

二是省“保护母亲河行动”领导小组联合甘肃省林业科学研究院、省林业勘察设计研究院，对国家重点生态工程治理区——兰州市大砂沟绿化工程进行认真考察论证，同时，积极做好工程配套资金的筹集，上水设施的建设及1999年造林

作业的准备工作。

三是团省委联合省绿委、林业厅、水利厅、省青少年发展基金会联合下发了《关于实施“保护母亲河行动”的意见》，明确了建设“保护母亲河绿色希望工程”任务，即从1999年开始，利用5年时间，在省内“母亲河”流域国家和省重点生态工程治理区建设5万亩绿色生态工程，其中绿色工程2.5万亩，流域综合治理工程2.5万亩。各地、州、市积极响应，制定了相应的规划、方案，正在贯彻实施当中。

四是3月23日在兰州大砂沟举行了甘肃省“保护母亲河行动”启动仪式。省委书记孙英、省长宋照肃等党政主要领导参加了仪式。党政军领导率先拿起铁锹带领5000余名干部、群众、大中专院校学生爬上山坡，挥锹播绿，为甘肃省“保护母亲河行动”拉开帷幕。

五是3月27日在兰州市主要群众聚会地举行了“保护母亲河行动”大型宣传活动。兰州青年志愿者、大中小学生、机关团员青年3000余人，分别在东方红广场、兰州西站、兰州安宁培黎广场、兰州西固公园等地开展宣传募捐活动。据统计，3月27日一天共收到社会各界群众捐款8000多元。

（甘肃省文明办）

## 甘 肃 省

# 创建“河西精神文明模范走廊”

甘肃省精神文明建设指导委员会制定了关于《创建“河西精神文明模范走廊”纲要》，对创建河西精神文明模范走廊工作作出部署。这一创建活动对于进一步提高河西精神文明建设的整体水平，培育两个文明协调发展的示范区，促进河西地区经济发展和社会进步，具有重要的意义。

创建“河西精神文明模范走廊”的奋斗目标是：与“再造河西”同步，力争经过5年的努力，在河西人民中牢固树立建设有中国特色社会主义的共同理想，坚定坚持党的基本路线不动摇的信念。实现以思想道德修养、科学教育水平、民主法制观念为主要内容的公民素质明显提高；实现以积极健康、丰富多彩、服务人民为主要要求的文化生活质量明显提高；实现以社会风气、公共秩序、生产环境为主要标志的城乡文明程度明显提高。围绕加强改革开放、发展社会主义市场经济的目标任务，营造解放思想、改革创新的舆论环境，讲理想、讲道德、讲文明、积极向上的社会环境；学法守法、依法办事的法治环境；公正公平、健康有序、人才辈出的竞争环境；政治稳定、社会安定、民族团结、军民团结的政治环境。最终建成河西精神文明建设示范区，为实现“再造河西”的战略目标提供可靠保障。

创建“河西精神文明模范走廊”主要抓好四项基本建设：一是加强思想道德建设。在全民中坚持爱国主义、集体主义、社会主义教育，加强社会公德、职业道德、家庭美德建设，引导人们树立建设有中国特色社会主义的共同理想和正确的世界观、人生观、价值观。在全社会认真提倡社会主义、共产主义思想道德。二是加强科学文化建设。在巩固提高“两基”成果的基础上，在城乡干部群众中掀起学科技、用科技的热潮，大力普及科技知识，推广先进科学技术。一手抓繁荣，一手抓管理，努力满足人民群众精神文化需求，促进文化市场健康发展。三是加强环境卫生建设。围绕实现优美环境、优良秩序、优质服务，加强治理脏、乱、差，努力提高城乡文明程度。四是加强宣传文化事业的基本建设。要在加快已确定的宣传文化设施建设的基础上，面向新世纪，在地州市所在地新建或改建一些档次较高，服务功能较全的科技馆、博物馆和群众文化娱乐中心。

创建“河西精神文明模范走廊”重点搞好三项创建活动：一是开展创建“四城”活动。即在河西五地市及县、乡政府所在城镇，深入开展创建科技、教育、文化、卫生先进城镇活动，不断提高城镇文明水平。经过5年努力，85%以上的城镇要达到省级文明城镇水平。二是开展创建“四线”活动。即依托河西基础设施、文化资源、驻地军警等优势，建设河西铁路、公路、航空、旅游文明线。经过5年努力，将“四线”全部建成省级文明线。三是开展创建“四村”活动。经过5年的努力，80%以上的乡镇实现：(1)村村通车、通电、通邮、通电话；(2)村村道路硬化、“四旁”绿化、村容美化、净化；(3)村村有广播电视室、文化图书室、体育场地、农民夜校；(4)村村农户改厨、改水、改厕、改圈。

创建“河西精神文明模范走廊”的主要措施是：

建立科学有效的工作格局。坚持领导班子“两手抓”，职能部门“联手抓”，社会各界“众手抓”的工作格局，建立省、地、县、乡、村纵向到底，委、办、厅、局与辖区单位、企业、学校、部队横向到边，覆盖整个河西走廊的创建网络，形成区域性精神文明建设的整体优势。

抓好创建队伍建设。坚持用邓小平理论武装广大党员干部，不断提高对创建“河西精神文明模范走廊”重要性的认识，增强工作的主动性和创造性。加强对各行各业骨干力量的培训，造就一支思想好、业务精、作风正的工作队伍，为创建活动提供组织保证。

突出思想政治工作。继承和发扬党的优良传统，切实加强思想政治工作，深入开展马克思主义唯物论和无神论教育，以科学破除迷信，以文明战胜愚昧，用社会主义思想道德和健康有益的文体活动占领思想文化阵地。

加强各项管理。建立健全精神文明建设各类管理制度和办法，加强对文明城市、小区、单位和文明行业、窗口以及文明村镇、农户的管理，使各类创建活动经常化、规范化、科学化。

搞好创建试点。各地先选择一些基础好、条件好的县（市、区）作为试点，先行一步，探索经验，取得成效，以点带面。要继续落实“创建河西千里双拥模范走廊”规划，不断提高双拥创建水平。在认真抓好312国道甘肃段部级文明样板路建设的基础上，不断延伸、扩大到所有的交通干线。

加大宣传力度。积极探索创建“河西精神文明模范走廊”的好途径、好方法。各新闻媒体要采取多种形式，通过多种渠道，加强创建活动的宣传。

（甘肃省文明办）

## 甘肃省酒泉地区
# “绿色通道”工程全面启动

为认真贯彻落实党中央“再造山川秀美的西北地区”和省委、省政府“再造河西”战略及全省创建国道312线甘肃段部级文明样板路动员大会精神，酒泉地委、行署正式启动了建设酒泉——敦煌“绿色通道”工程。“绿色通道”工程规划从1999年至2005年，以国道312、313公路为轴线，东起酒泉市屯升乡的河心村，西止敦煌市的左阳关，途经酒泉、玉门、安西、敦煌四县市，总长度554公里。工程总投入6831万元；沿国道两旁人工造林1108公顷，封沙育林育草3.82万公顷，建成沿线2.9万公顷高标准的防风护路带；沿线的主要城镇平均绿化覆盖率达到15%；护路柏绿化带离道路中心20米处而造，路两边各设置10米宽的绿化带一条；沿线旅游景点全部达到园林化标准；沿线554公里的国道基本实现绿化。项目建成后，全区可新增林地面积4.12万公顷，2.9万公顷的农田得到更加有效的保护，进一步改善沿线农业生产的基本条件，改变沿线城镇的自然面貌，对促进全区经济发展和社会主义精神文明建设具有很大的直接和间接效益。

“绿色通道”工程建设坚持四个原则，做到六个结合。四个原则：一是统一规划，分区域实施。地区统一规划设计，分县市组织实施，有关部门积极配合。二是合理布局，因地制宜。根据沿线实际情况，宜树则树，宜草则草，宜果则果。三是先易后难，点面结合；长期工程放在离村镇较近，土质条件好，灌溉条件比较容易的地方，首先在酒泉、敦煌、玉门、安西四县市各建一个有特色的示范区。四是量力而行，讲求实效。工程建设坚持提高标准高科技、高质量、高效益，三分建设，七分管理，确保建一片，保住一片。六个结合：一是与现有农田林网的改造提高相结合，把沿线农田林网提高一个等级，达到林网标准，林带规范、林相整齐；二是与农业综合开发结合，凡沿线经过的农业综合开发区，疏勒河流域开发区等重点农业工程建设地段，按照工程规划，高标准的林网配套建设一步到位；三是与城镇绿化美化相结合，沿线城市、乡镇按照绿色城市的建设标准，尽快实现绿化美化达标，迅速改变沿线城镇绿地面积少的局面；四是与旅游景点建设相结合，按照酒泉——敦煌旅游热线的建设规划，搞好沿线与旅游景点相配套的旅游风景林园建设；五是与国道护路林建设相结合，依据312/313国道改造工程的要求，以养护道班为基点，每隔60—70公里前后建设一处停车、休息、加油、餐饮、公厕等五位一体的交通服务点，以此为中心，搞好植树绿化，并向沿线两头延伸，建设公路防护林，逐步推进、连成一线；六是与封滩育林育草相结合，沿线河区的天然沙生植被实行全面封禁，保护植被，加快恢复。

为保证“绿色通道”工程建设顺利进行，酒泉地委、行署成立了工程建设组织领导机构，由行署专员担任组长，行署常务副专员和有关部门主要负责人担任副组长，下设办公室，各县市也成立了相应的领导机构。

（甘肃省文明办）

# 青 海 省

## 军民共建文明青藏公路运输线活动

青藏公路运输线地处高寒、缺氧、气候恶劣的世界屋脊，1954年12月25日建成通车。起自西宁，终至拉萨，全程1937公里，号称“四千里青藏线”。其中格尔木至拉萨段1155公里，平均海拔在4500米以上，年平均气温零下6℃，大气中含氧量仅为海平面的50%左右。青藏线广连青、藏两省（区）5个地、市、州，19个县，公路沿线地区有汉、藏、回、蒙、土等10多个民族，少数民族占全线军民的50%以上，是国内外敌对势力特别是达赖集团对我进行“西化”、“分化”和渗透、破坏的重点地区之一。近半个世纪特别是改革开放以来，沿线数十万军民团结奋斗，现已建成集公路运输、管线输油、通信联络等为一体的立体通道。目前，它承载着85%以上的进藏物资运输、100%的进藏油料输送和日益增多的通讯信息，在维护青藏两省（区）社会稳定、维护民族团结、维护祖国统一和促进青藏地区改革、发展上有着极其重要的地位和作用。沿线广大群众把青藏线亲切地称为：民族团结的连心线，经济发展的保障线，国防建设的生命线，青藏人民的幸福线。

为切实加强“四千里青藏线”的社会主义精神文明建设，1984年12月，由中国人民解放军总后勤部青藏兵站部倡议，在青海、西藏两省（区）党委、人民政府的领导和具体指导下，决定在全线开展军民共建文明青藏公路运输线活动，并成立了组织领导机构。此后，沿线军民坚持从青藏线特点出发，边实践、边摸索、边总结，逐步开拓了一条具有青藏线特色的共建新路子，使青藏公路沿线地区出现了“军民一家亲，各族团结紧；交通秩序好，沿途无纠纷；服务质量高，人人树新风”的可喜局面。

军民共建文明青藏公路运输线活动开展15年来，军地各单位认真贯彻落实中共中央、中央军委、总后勤部和青藏两省（区）关于加强社会主义精神文明建设的指示精神，以“三个维护”和“两个促进”为主题，紧紧围绕“军风民风正，治安形势好，政治工作强，经济效益高，共建成绩大，脱贫致富多”的共建文明青藏公路运输线目标，广泛开展以“大计共商、大局共护、传统共讲、人才共育、新风共树、治安共管、贫困共帮、实事共办”为主要内容的共建活动，取得了突出的成绩。青藏公路沿线的青海省格尔木市和西藏自治区堆龙德庆县连续三次、青海西宁市连续两次、西藏自治区拉萨市一次被评为“全国双拥模范城（县）”；总后青藏兵站部、该部所属汽车第三团、格尔木市、石油管理局输油管道处等单位被中宣部和解放军总政治部表彰为“全国军民共建社会主义精神文明先进单位”，还有30多个军地单位分别被省（区）、地（州）、市、县评为文明单位。

（青海省文明办）

## 宁夏回族自治区

# “保护生态环境，倡导文明新风”活动

宁夏依照中央文明办等11个部委关于开展“保护生态环境，倡导文明新风”活动的部署，结合宁夏的实际，召开各厅局负责人联席会议和全区电话会议，进行具体部署。自3月中旬以来，以“保护生态环境，倡导文明新风”为主题的各项活动在全区展开。自治区有关厅局和群众团体组织实施了“绿色通道工程”、“保护母亲河行动”、“三八绿色工程”、“城市园林化工程”等。

全区开展“保护生态环境，倡导文明新风”活动分两个阶段实施，第一阶段，重点实施好“三大工程”，即：以“绿色通道工程”为龙头，带动“保护母亲河行动”和建“绿色基地活动”，实施“城市园林化工程”和“建设生态农业工程”，在全区广泛开展植树种草、绿化美化活动。第二阶段，重点是全面清理白色垃圾，加强城市空气污染整治，加强水资源的治理和保护，健全机制抓管理。

3月20日，自治区团委组织社会各界和青少年2000多人，在黄河岸边进行义务植树，同时开展了“5元一棵树，200元一亩林”的“绿色希望工程基金”募捐活动，当场捐资7000多元。3月31日党委书记毛如柏等自治区主要领导在石嘴山市森林公园参加了植树造林活动。自治区妇联把“保护生态环境，倡导文明新风”活动与创建“文明家庭”活动结合起来，在全区开展了“妇女·家园·环境”活动。银川市兴建“西夏王陵绿化建设基地”、“绿色生态工程”和“义务植树基地”，实施二氧化硫综合防治规划，推广使用无铅汽油，建设日处理10万吨的污水处理厂建设。全区各地市县积极行动起来，积极落实自治区的部署。自治区各新闻单位对活动的情况及时进行报道，在全区造成声势。

4月初，自治区召开各市县绿化办主任会议，和全区“绿色工程”动员会，进一步把植树绿化活动推向高潮。

在6月5日世界环境日，自治区文明办、环保局和银川市人民政府联合组织开展了“迈向21世纪绿色生活行动”，动员全社会参与“清理白色垃圾”活动，进一步改善环境质量，为市民创造一个清新优美的工作生活环境。

（宁夏回族自治区文明办）

## 宁夏回族自治区石嘴山市

# 广场文化活动方兴未艾

石嘴山市以贯彻落实十四届六中全会和十五大精神为契机，在全区首创开展了广场文化活动。通过组织文艺演出、体育表演、书画展览、歌咏活动等等，推动了全市企业文化、乡镇文化、社区文化、校园文化等基层群众文化的蓬勃开展。据统计，目前全市文化广场已发展到24个，其中综合文化广场6个，小型专类文化广场18个。广场活动已达到418场（仅大武口区中心广场组织的活动已达到109场），参与单位929个，登台表演者近3万人次，观众750多万人次。通过广大群众喜闻乐见的多种多样的娱乐形式，形象化地宣传了党的路线、方针、政策，表现了煤城人民积极投身改革开放和现代化建设，以实际行动迎接新中国成立50周年，迎接新世纪的精神风貌。广场文化活动成为石嘴山市城乡一道亮丽的文化风景线，为传播精神文明，提高全市社会文明程度，推进改革开放和现代化建设，营造了良好的文化环境。石嘴山市广场文化活动蓬勃发展主要得益于四个方面：一是各级领导高度重视，大力支持；二是文化行政管理部门和单位积极主动工作；三是各有关部门单位密切配合，团结协作；四是驻地单位、广大人民群众积极参与。

（宁夏回族自治区文明办）

## 新疆维吾尔自治区

# “保护生态环境，倡导文明新风”活动

1999年入春以来，新疆维吾尔自治区掀起了“保护生态环境，倡导文明新风”活动热潮。

库尔勒市开展了“见缝插绿、开山造绿、平房增绿、拆墙补绿”活动，使城市绿化有了长足发展。阿克苏市为营造“人人为保护环境尽责，人人为绿化建设出力”的浓厚氛围，把组织各族干部群众参加植树绿化劳动作为精神文明建设的重要载体。据统计，城区 399 个单位出动人力 17 万人次，拉沙、换土、修整公共绿地 45.3 公顷，植树 2.8 万株，修整林带 7 万平方米，为创建自治区园林城市迈出了坚实的一步。阿勒泰市在巩固 1998 年“种花种草”活动成果的基础上，加大城区植树绿化面积，共出动 2 万余人次，植树 5 万余株，清理林带 1 万平方米。吐鲁番地区各县市组织开展了学雷锋整治环卫行动、植树种草绿化家园行动、青年志愿者环保行动和创建文明旅游景点行动，重点治理单位院落裸露地面、泥泞道路和卫生死角，着力搞好城区及周边地带的绿化和绿地养护，取得了初步成效。阜康市、乌鲁木齐市大力整顿风景旅游区，加快创建文明旅游区，使风景旅游区面貌焕然一新。乌鲁木齐市东山区把绿化 500 亩干旱缺水的红光山作为造福 10 万市民的跨世纪工程来抓，展开大会战。绿化现场，彩旗飘扬，万人涌动，各族军民携手栽下了“军民共建林”、“民族团结林”；有 20 多名年满 18 岁的青年在此举行了别开生面的成人议式，栽植了“成人纪念林”；有 10 对新人在“相思地带”栽下了结婚纪念树。福海县把改善生态环境，防治污染，绿化、美化家园活动作为再塑福海新形象的一项重要工程来抓。入春以来，全县共种植草皮 4.5 万平方米，植树 107 万株，拉运垃圾 2000 多立方，条田林网化 4500 亩。

（新疆维吾尔自治区文明办）

## 新疆生产建设兵团哈密管理局

# 开展兵地互学共建活动

兵团哈密农场管理局长期以来开展兵地互学共建活动。

1999 年初，中共哈密地委和兵团哈管局党委共同形成了《关于兵地共建精神文明的意见》，并联合召开了兵地共建精神文明动员大会，使互学共建活动进一步走向有序化、规范化、制度化。随后，哈管局在哈密区域的 11 个农牧场与一市两县相邻的 11 个乡场，都签订了共建公约，并建立了“共建日志”、“共建档案”，有专人负责。一市两县还把这次活动列为“一把手工程”和对领导班子年终考核的主要内容。

兵地互学共建活动主要从经济建设、精神文明建设、社会综合治理三个方面向更广的范围拓展，向更深的层次延伸。

一是促进了经济建设。哈管局各单位在科技示范、人才培养、土地开发、高科技节水、扶贫帮困、机械耕作、物资支援等方面，发展兵团大农业的优势，大力支援地方发展。据不完全统计，哈管局各农场帮地方乡村开荒、整地达 1.1 万余亩，指导、支持安装节水工程 5500 余亩，机务播种 1200 亩，提供优质棉种、粮种 600 多吨，场乡共栽共建林 3 条，共修建路 2 条，给乡村农民上棉花、园艺技术培训课 1.2 万人（次），兵地互派挂职科技干部 44 人，为地方乡、村农牧民到农场打工增加收入约 30 万元之多。乡村农民也无偿帮助农场抗灾补苗 70 多个工天。

二是推动了精神文明建设。1998 年兵地双方形成了一个共识，“民族团结，兵地团结从娃娃抓起”。兵地双方学校的共建活动成了共建精神文明的重头戏。11 个农场学校和结对子乡场学校都结成了共建对子。领导互相走访，老师互相观摩，学生组成文艺演出队、体育代表队互相演出、比赛，使孩子们之间增加了了解和感情。黄田农场还为哈密天山乡牙吾龙开发区学校赠送课桌、办公桌、椅子等教学用品。哈管局团结学校共接受 1500 余名地方乡村学生就近入学，一律不收高价学费，哈密市也接受1300余名哈管局学生入学，还对家庭困难的270名学生免收学杂费。

医院是兵地共建精神文明的另一个阵地。哈管局各级医院利用自己先进的医疗设备，优良的医疗技术，为地方各族人民防病治病。各团场医院对附近乡村来院就诊的农牧民有求必应，一视同仁。有些农场医院还为乡村特困户、军烈属、残疾人免费治病。红星医院长期坚持上山下乡为民服务活动已在哈密各族人民中有口皆碑。1998年，红星二场医院将自己的“B超”“X光机”低价转让给二堡镇医院。红星四场医院为大泉湾乡150多位“三老人员”（老模范、老干部、老党员）免费作了体检。

三是加强了社会治安综合治理。这几年，兵地之间学习推广了红星二场与二堡镇成立联合调解委员会的经验，场乡之间都成立了联调会。有事由联调会出面解决，不上交矛盾，不激化矛盾。场乡共建公约上，把民族团结、宗教管理、联调联访、社会综合治理、土地草场管理、计划生育、流动人口管理等都写得清清楚楚，出了问题，按公约办事。兵地共建促进了兵地联防，使可能发生的民族分裂活动、非法宗教活动、危害社会安定和人民生命财产的犯罪活动都受到遏制。也使许多兵地间可能因土地、草场、水源等纠纷引发的矛盾都消除在萌芽之中。不仅兵地关系出现了新局面，而且哈密地方、兵团哈管局的社会治安也是近年来最好的一年。

（新疆生产建设兵团文明办）

# 创建文明城市活动成效显著

各地紧紧围绕人民群众迫切需要解决的突出问题，加大环境治理、秩序整顿、行风建设和市民教育等方面的工作力度，深入开展文明社区、文明单位、文明机关、文明学校、军民共建、警民共建等各种形式的创建活动，城市面貌和社会风气发生了明显变化。

## 共 青 团 系 统

### “青年文明社区”创建活动

1999年是“青年文明社区”创建活动在全国普遍展开并取得丰硕成果的一年。3月，团中央会同中组部、民政部、建设部和国家工商行政管理局在福州召开了全国创建“青年文明社区”暨社区团建工作现场会，随后，又下发了《关于在全国城镇深入开展创建“青年文明社区”活动的意见》，着力“建立青少年参与社区服务和社区建设的制度”，以社区团建为基础，以服务项目为主导，全面深化创建工作，10月，推出了沈阳市南湖街道“青年文明社区”典型，在全国引起了巨大的反响。全年涌现出全国“青年文明社区”100个，“青年文明社区”示范点200个。

主要做法是：

（1）着眼社区群众的基本需求，确定切实可行的服务项目。各地从调查研究入手，通过问卷调查、走访座谈等方式，了解社区群众的基本需求。建立社区服务资源信息库，制定创建活动方案。逐步明确了青少年参与社区服务和建设的6个服务项目，即社区青年志愿服务、社区“青年文明号”优质服务、社区家政服务、大学生社区援助服务、社区少先队服务、社区安全服务；确定了社区服务青少年成长成才的3个服务项目，即社区维权服务、社区教育服务和社区就业服务，建立了青年服务社区的目标体系。

（2）培育社区理念，带动群众共同参与社区服务和建设。以“用我们的爱心和双手共建温馨美好的家园”为理念，广泛开展社区形象设计和社区精神宣传，增强广大居民对所在社区的归属感和认同感；在居民中发放社区互助服务卡，谁家有急事，马上就能找人帮忙。

（3）建立服务网络，把优质服务送到千家万户。以社区青少年服务中心为阵地组织青年志愿者和“青年文明号”集体，形成了覆盖社区的服务网络。组织了8000多支社区青年志愿者服务队开展义务服务；全国1.3万多个“青年文明号”集体开展“青年文明号服务卡助万家”活动；建立社区青年家政服务站、点，开展便民利民服务；组织大学生开展社区援助活动，担任居委会主任助理，参与社区事务管理，受到居民的普遍欢迎和称赞。

（4）整和社区资源，为青少年成长成才服务，使社区成为青少年健康成长的摇篮。“青年志愿者社区行动”通过协调多方面力量，为青少年提供心理咨询、婚恋服务、技能培训、就业指导、法律援助、失足青年帮教等服务项目。通过援助青少年弱势群体，帮助有困难的青年走出困境，使他们健康成长；建立“社区青少年维权岗”，清除社区“黄赌毒”，净化青少年成长成才的环境；开展“千校百万”外来务工青年培训和下岗青年再就业培训，提高他们的劳动技能和文明素质。

(5) 着力构建创建活动持续发展机制。各地团组织积极争取党政领导的重视和支持，把“青年文明社区”创建活动纳入城市精神文明建设的整体部署，建立创建领导机构，形成政策保证机制。建立健全社区团组织、青年工作委员会和少先队工作委员会三套组织，形成组织保障机制。把创建活动纳入文明城市、文明社区的考评范围，把青少年参与社区服务和建设情况纳入当地精神文明先进个人的奖励体系，形成激励机制。邀请社区管理委员会、驻区人大代表、政协委员、居民代表等组成监察委员会，定期对创建活动的任务目标、项目实施、创建效果、荣誉保持等进行全方位的考评、监督，形成监督约束机制。

(共青团中央宣传部)

## 北 京 市

# 开展“建文明城市，做文明市民，迎50年大庆”主题活动

北京市抓住迎接新中国成立50周年的有利契机，以建设文明城市为目标，以治理环境脏乱为突破口，深入开展“建文明城市，做文明市民，迎50年大庆”主题活动，全面提高首都市民素质和城市文明程度。

**加大环境治理力度，促进文明城市建设。**全市把抓好城市环境整治和环境建设作为迎50年大庆和首都精神文明建设中的一项重要任务，把群众反映强烈、对城市环境影响大的环境脏乱、违章建设作为环境整治的重点。经过全市人民的努力，拆除违章建筑455万平方米，相当于1988年至1998年拆除违章建设面积的总和，城市面貌发生明显变化。同时建成一批精品大街、示范小区，为城市环境增添了亮色。

占路市场是影响北京城市环境的另一个重要因素。全年全市共撤消占路市场214个，一批长期脏乱、严重扰民、影响交通的占路市场被撤消。同时，积极在8个城区新建改建52个菜市场，满足了群众生活需要。

1999年，北京市进行大规模的城市水系综合治理，在京密引水渠昆明湖至玉渊潭段两岸建起园林小品，使昆玉河成为城市风景观赏河道，国庆节前实现通航。长河、双紫支渠、筒子河、六海等城市河道经截流、清淤、拆违、绿化后，面貌焕然一新，成为城市流动的绿色链条。

北京市还结合治理大气污染，加快城市绿化工作步伐，绿化美化取得新的突破。全市通过见缝插绿、拆违还绿、绿化铺装，消灭裸露土地。全市“黄土不露天”工程共完成治理面积708万平方米，其中完成绿化面积382万平方米，拆违还绿131万平方米。8个城区共建成11块面积在1万平方米以上的绿地。国庆节前，北京天更蓝、河更清、地更绿，环境更整洁、更清新、更优美，呈现出前所未有的崭新风貌。

**利用多种形式，开展市民教育活动。**充分利用元旦、春节、国庆契机，继续深入开展“讲文明树新风”、“四要四不要”宣传教育活动。在全市3200余所文明市民学校中采用多种形式普遍进

行了“四要四不要”“一堂课”教育；在公交、商贸、地铁、园林、铁路等窗口行业广泛宣传“四要四不要”；进一步宣传和推动“文明乘车从我做起”活动；印发宣传“四要四不要”的春节贺卡，组织创作“讲文明树新风”、“四要四不要”内容的春联并开展送春联活动；结合文化下乡活动创作演出了“四要四不要”内容的节目；国庆前后组织全市10万市民参加“首都文明监督员”活动，宣传文明成果，劝阻不文明行为，取得较好成效。

组织数以百万的“绿色志愿者”，开展了“绿色志愿者行动”：先后组织清除了进京铁路沿线白色污染、治理北京西站莲花池的环境、迎接新中国成立50周年统一大扫除等一系列活动，在社会上产生了广泛影响，“做文明市民，建绿色家园”，越来越成为广大群众的自觉行动。组织开展了“逛京城，赞文明”主题教育活动：9、10月份组织精神文明建设先进个人和各区县市民学校代表共1600多人，参加了游览神州第一街、平安大道、锦绣大地、昆玉河等“逛京城”活动，使大家受到了一次生动的首都精神文明建设和环境整治成果教育。

遍布全市城乡的3200余所文明市民学校，在各项文明教育活动中发挥了积极作用。18个区县的文明市民学校，结合“讲文明树新风”、“四要四不要”内容，进行了“示范课”拉练观摩，取得很好的效果。为了进一步规范市民学校管理，把教育引向深入，在对市民学校教育调研的基础上，制定了《关于首都市民素质提高培训工作的意见》，并在7月组建了市民学校讲师团、编发了专题教材活页文选、举办了以环保为主题的市民学校骨干培训班、在《宣传手册》上开辟了“市民教育大课堂”专栏，在全市举办了环保知识竞赛、见义勇为好市民社会评选和见义勇为立法社会大讨论等活动，把市民教育工作提高到一个新水平。

（首都文明办）

## 北　京　市

# 创建文明城市活动

北京市以争创文明城区为重点，以文明社区建设为基础，以文明居民区为依托，从居（家）委会抓起，坚持“达标”与“创优”相结合，深入开展多种形式的创建活动，取得显著成效。

**文明居民区建设扎实有效，全市居民区基本实现达标目标。**据不完全统计，全年在开展创建文明居民区活动中，各居民区共组织义务劳动1.2万余次，参加人员317.8万人次，拆除违章建设3万余处、120万平方米，清运垃圾渣土42.2万余吨，铺装、修整路面380.6万平方米，新建围栏、围墙68.7万延长米，封闭居民区203个，新建自行车棚199处，新建服务设施173处、18.73万平方米，植树44万棵，栽花181.5万株，铺草坪158.6万平方米，参加社区志愿者服务106.3万人次，参加各种文体活动385万人次，为群众创造了安全、舒适、方便、和谐的生活环境。同时，创建文明居民区活动坚持“达标”与“创优”相结合的原则，分类指导，分层推进。全市2800余个居民区，除新建小区、危改小区外已基本实现达标。并涌现出区县级文明居民区700多个、首都文明居民区229个、首都文明安全居（家）委会151个，还有3个居民区被命名为全国创建文明城市活动示范点。

**文明社区建设全面发展，整体水平进一步提高。**市委、市政府非常重视社区的建设和管理，确定了以加强社区管理、建立良好秩序、改善人际关系、创造优美环境、完善社区服务、繁荣社区文化、促进经济发展的工作目标，逐步形成了立足社区、面向社会，齐创共建、整体推进，全方位，多层次的工作思路和工作方法。

年初，全市召开了首都创建文明社区工作会议，命名表彰了13个首都文明社区示范点。同时，对文明社区建设进行了全面部署，使社区服务、社区卫生、社区文化、社区体育和社区教育等工作紧密结合，整体推进。各有关部门、各区县、各街道加大了文明社区建设的工作力度，取得了明显的成绩。据不完全统计，目前全市已有规模不等的社区服务设施4600多个，区、街两级已开通社区服务便民热线电话129条，服务项目达200多项，入网单位8700多个，入网居委会达3800多个；城近郊区共建社区卫生服务站205个，覆盖了70%的街道办事处和50%的居民；社区居民文体活动日益丰富，现有19个文化馆，300多个文化站，107个街道成立了街道体协，60多个街道建立了健身活动中心；95%的街道办事处都成立了区、街社区教育委员会或社教办公室，全市共有3200余所文明市民学校。社区建设成为首都精神文明建设中的一个耀眼的亮点。全市还围绕迎接新中国成立50周年，广泛开展了“百日社区换新颜”活动，社区面貌普遍改观。

**文明城区建设重点突破，东、西城区跻身先进行列。**首都精神文明建设委员会决定推荐东、西两个城区争创全国精神文明建设先进城区，并印发了《关于创建全国精神文明建设先进城区工作实施意见》。东城区和西城区以此为契机，制定规划，广泛动员，明确责任，狠抓落实，在全区开展了声势浩大的创建文明城区活动，形成了全区人民齐创共建的大好形势。东城区组织实施了让群众舒心、称心、欢心、放心的“四心工程”，开展了“好公仆”、“青年文明号”、“巾帼服务队”等多种形式的活动。西城区围绕提高居民文明素质和生活质量，推动科技教育事业，加强思想、道德、文化建设，组织实施了10项“工程”，开展了“八十万双手，共建美好家园”的主题活动。中央单位、驻区部队、市属单位及广大市民积极参与，收到了良好的效果。

为加强协调指导，全市建立了由30多个有关委、办、局组成的首都创建文明城市工作联席会，制定了考核标准细则，开展了“首都城区文明综合评价指标体系”的课题研究，建立了文明城区综合评价指标体系，进行了综合评估，保证了推荐工作的全面性、科学性、客观性，为进一步把理论与实践相结合，促进文明城市建设奠定了科学基础。

通过开展创建文明城区活动，东、西两个城区的精神文明建设工作上了一个新台阶，在全市创建文明城市活动中做出了突出贡献，为各区县做出了表率，推动了首都创建文明区县活动的深入开展。9月份，东城区和西城区被首都精神文明建设委员会命名为首都文明区县，又被中央文明委命名为全国创建文明城市工作先进城区。全市共涌现出首都创建文明城市活动示范点50个。

（首都文明办）

## 天 津 市

# “百万市民看津城”活动

为推进改革开放，加快经济发展，维护社会稳定，以两个文明建设的优异成绩迎接新中国成立50周年，天津市委、市政府在全市组织开展了“看津城新貌、庆建国50周年，树创新意识、展跨世纪宏图”活动。

这一活动由市委办公厅、市政府办公厅和市

委宣传部负责统一部署和协调，市精神文明建设委员会办公室负责协调实施。整个活动自6月初开始至10月上旬结束，历时4个月，共有100多万干部群众参加。活动的主要方式有：组织干部群众参观天津市经济发展、改革开放、城乡建设、科教兴市和精神文明建设等方面取得的重要成果及先进典型；举行多场报告会，分别由市委宣传部、市发展计划委、市经委、市外经贸委、市建委的负责同志作报告，宣讲天津市改革开放特别是党的十四大以来两个文明建设的巨大成就；举办建国50周年天津成就展，集中展示50年来天津市的历史巨变；围绕天津市两个文明建设的辉煌成就，录制、编辑电视专题片作为宣传教材，同时新闻媒体集中进行宣传报道；各地区、各部门和各单位结合实际，广泛开展征文、座谈、演讲、歌咏等群众喜闻乐见的活动，吸引广大干部群众积极参与。

在“百万市民看津城”活动中，各地区、各部门和各单位采取边看边议、今昔对比，召开各种类型的座谈会、讨论会等多种形式，充分发挥这一载体活动的教育立足本岗、建功立业的实际行动中，并切实做到“四个结合”：一是把“百万市民看津城”活动与推动创新工作的深入结合起来，许多干部职工在讨论中说，我市近年来发生的巨大变化，都是不断创新的结果，要进一步加快天津的发展，就必须坚持走改革之路、创新之路；二是与加强和改进思想政治工作结合起来，各单位把这一活动，作为加强和改进思想政治工作的一个有效载体，使广大干部群众在活动中受到教育，得到启发，增强了加快天津发展的信心和决心，增强了主人翁责任感；三是与批驳“法轮功”的歪理邪说结合起来，许多干部群众用事实批驳李洪志及其“法轮功”的歪理邪说，各单位结合实际，深入剖析“法轮功”得以兴风作浪的原因，开展形式多样的教育活动，积极占领群众思想文化阵地。四是与做好本职工作结合起来，各单位十分注重把干部职工激发出的极大政治热情，转化为“比干劲、争贡献”的动力，进一步树立创新意识，以新的姿态创造新的业绩。

通过参与，广大干部群众对改革开放以来，特别是近年来的经济发展、城市建设和人民生活等方面发生的巨大变化，有了更加全面的了解，进一步统一了思想、振奋了精神，增强了信心，鼓足了干劲，为天津实现跨世纪奋斗目标奠定了良好的基础。

（天津市文明办）

## 河北省石家庄市

# 创建文明城市着眼于为群众办实事

近年来，石家庄市委、市政府坚持两手抓、两手硬的方针，认真贯彻落实党的十五大精神，进一步落实十四届六中全会确定的各项任务，以为群众办实事，让群众满意为出发点和落脚点，大力开展创建文明城市活动，受到了广大群众的欢迎。

**1. 加强基础设施建设，完善城市功能**

1993年以来，石家庄市先后投资130多亿元完成了道路、供水、供热、绿化等一批民心工程，城市功能进一步完善，群众的生活质量得到提高。

一是加强道路建设。建成了宽60米，全长41.2公里的二环路一期工程；拓宽改造了中山路、裕华路等主要城区街路，形成了“三横六纵”、四通八达的城市道路网络。1999年完成二环路二期工程和对20条道路的顺接、贯通、拓宽等综合改造，使城区的道路建设再上新台阶，方便居民的出行。

二是加强供水设施建设。为提高供水质量，加强了对岗南、黄壁庄水库水质的治理和保护，关闭迁移了水库周围污染严重的乡镇企业，取缔了水库的网箱养鱼。引水入城二期工程已经启动，它的建成使城市居民生活用水质量明显提高。

三是加强环境建设。为调节市区气候，给广大群众提供一个好的休闲去处，从 1997 年投资 7 亿元开工兴建环绕石家庄城区一周的“民心河”工程，全长 57 公里，连接 22 个公园。水上公园、花卉园等 5 个公园及游园已建成开放。民心河的竣工，使市区增加水面 250 万平方米、绿地 140 万平方米，使人均增加绿地、水面 3.5 平方米。

四是加强居民住宅建设。多渠道筹措资金，加大旧城改造和危房拆迁力度，大力推行住房制度改革。人均住宅建筑面积达到了 20.12 平方米，在全国 25 个省会城市中位居第三。

**2. 开展“城市管理年”活动，解决群众关心的热点问题**

为实现城市管理的科学化、规范化、法制化，为市民创造整洁、优美、舒适的生活环境，石家庄市确定 1999 年为“城市管理年”，旨在通过进一步加强城市管理，努力解决群众关心的热点问题和政府关注的难点问题，提高城市文明程度。

一是加强城区规划管理。已完成 4 个分区规划的编制，使城市规划的覆盖率达到 60% 以上。做好年内开工建设的城市道路与各项管线工程建设的规划统筹，使主次干道的供水、污水、电力、电讯、热力、煤气、有线电视等工程一并建设，防止新建道路出现多次开挖影响城市环境、群众生活、道路交通的现象。

二是加强住宅小区管理。为解决小区环境的脏、乱、差问题，制定了《关于加强城市住宅小区规划、建设和管理的意见》和《生活小区综合整治实施方案》，开展了文明小区达标活动。针对部分住宅小区建设年代较早，规划设计标准较低，配套不够完备问题，本着缺什么补什么和分别轻重缓急的原则，投资 500 多万元，对 25 个小区进行了配套项目的补建。全市交付使用的 63 个住宅小区已全部建立了小区管委会，38 个小区成立了物业管理机构，23 个住宅小区达到了市级文明住宅小区标准，使越来越多的群众能够安居乐业。

三是加强市容环卫管理。加大综合治理力度，以整治占道市场为切入点。对市区 57 条街道 4 万平方米的违章临建棚亭和 17 个相关的占道市场进行了拆除整治。对人口密集区的占道摊位和占道市场实行了“总量控制”和“制式化设置、规范化管理”。本着总体压缩、布局合理、重点控制的原则，全市占道摊位由 2000 个压缩到 900 个。同时，在城区内主要道路两侧门店、交易市场、机关单位、生活小区逐步实行垃圾袋装化，年底覆盖率达到 60% 以上。

四是加强市政公用设施管理。为解决好群众反映的急、难、险问题，规定供水设施抢修要在 1 小时内赶到现场，小修不过日。供气服务做到安全、持续、稳定，供气站煤气脱销最长不超过 2 小时，钢瓶重量误差在 0.3 公斤以内。二环路以内主干道无坑洼、无溢水，路灯完好率在 97% 以上。公共交通确保安全畅通，站亭、站杆以及车厢卫生做到洁、齐、美，各项服务达到规范化要求。

**3. 实施'99 环保攻坚战，提高市民生活质量**

为改善市民生活质量，市委、市政府投资 60 多亿元，实施以治理大气、垃圾污染为重点的'99 环保攻坚战。重点实施七项工程：

一是燃煤污染治理工程。坚决拆除燃煤锅炉和灶具，一律改造为电锅炉、液化石油气灶具。市区内 66 个饭店（馆）及单位的燃煤饮食炉灶已全部改换完毕。

二是粉尘治理工程。关闭超标排放水泥粉尘生产企业 106 家，治理石灰窑 65 个，全部安装了喷、撒、扬水设备，降低了粉尘污染。

三是扬尘和垃圾治理工程。在城区内，建筑工地一律围档作业，作业场地必须硬化，减少扬尘。市区道路实现机械清扫，取消垃圾散点，垃圾无害化处理率达到 70% 以上。建筑垃圾和生活垃圾实行覆盖运输。

四是机动车尾气治理工程。从 1999 年 1 月 1 日起禁售含铅汽油；治理机动车（含摩托车）排气污染，对不达标者，限期采取维修、清洗、安装尾气净化装置；复检仍不达标者，按报废处理。从 5 月 1 日起，禁止新增摩托车，调整市内公交和长途客运体系，公交车辆不出建成区，长途车不入二环路。

五是露天市场整治工程。整顿集市，设置摊位垃圾容器，做到定时清扫保洁。取缔露天烧烤，加强早、夜市管理。

六是农作物秸秆综合利用工程。通过实施秸秆切碎还田、青贮过腹还田、沤制高效菌肥、果园深埋还田等多种有效途径，使玉米秸秆综合利用率达到95%以上，彻底解决因焚烧造成的大气污染。

七是绿化美化工程。积极开展花园式小区和花园式单位创建活动，年底达到50%。大力开展“营造城市‘森林’、创建绿色城市活动”。发动群众加大植树造林力度，大幅度扩大绿化面积，实现市内道路树成带，市区空地树成片，城区周边的道路、沙地、河滩、山坡建成小森林的目标，改善城市生态环境，营造绿色城市。

（中央文明办：《精神文明建设工作》）

# 内蒙古自治区

## 星级文明城市竞赛活动

为迎接新中国成立50周年，提高市民文明素质、城市文明程度和群众生活质量，组织开展了全区第二届星级文明城市竞赛活动。

在星级文明城市竞赛活动中，各地区高度重视，把这项活动作为改善投资环境、发展经济、提高市民文明素质和城市文明程度的有效载体，加大了文明城市的创建力度，将创建文明城市活动纳入了领导班子和领导干部目标考核责任制之中，把创建任务落实到有关职能部门和街道办事处，层层签订了责任状，形成了齐抓共管的局面。深化文明市民教育，制定了《市民文明公约》、《文明小区公约》、《文明街道公约》等市民行为规范，努力提高市民文明素质。加强职业道德教育，推行了社会服务承诺制，开展了以优质规范服务为主要内容的行业文明杯竞赛活动，改善了窗口单位的服务质量。各地增加投入，加快了市政基础设施建设步伐，提高了城区绿化美化水平。进一步健全完善了城市管理的各项制度，加大了依法治市力度，市容市貌、环境卫生、交通秩序、市场秩序等明显改观，为改善社会风气、优化社会环境起到了积极的推动作用。

5月31日至6月18日，由自治区文明委领导带队，抽调自治区有关厅局和盟市文明办的同志，分东、中、西三个组对参赛市区进行了全面细致的考核验收工作。通过考核评比，呼和浩特市新城区、回民区，包头市昆都仑区、青山区；赤峰市红山区、元宝山区6个城区；海拉尔市、满洲里市、乌兰浩特市、通辽市、锡林浩特市、东胜市、临河市7个市分别进入了甲组四星级和乙组四星级文明城市（区）的行列。

（内蒙古自治区文明办）

# 辽 宁 省

## 创建文明城市活动

辽宁省的创建文明城市活动重点开展文明小区、文明市场、文明风景旅游区的创建活动。

**文明小区创建活动**。着重抓了三个方面工作：一是着眼于夯实基础，创建“绿、净、美、安”文明小区。近几年省内各市在硬件建设上下了很大力量，搞了一大批精品工程。全省1929个小区中已初步建成“绿、净、美、安”文明小区747个（其中省级81个、市级218个、县区级448个）。实行物业管理的小区618个，占建筑面积2万平方米以上、人口千人以上的居民小区的一半。二是着眼于提高市民素质，努力增强市民的公德意识、文明意识、城市意识。大连西岗区北京街道开展楼道文化活动，通过宣传治家格言、开展读书活动、进行健康教育，把道德、文明寓于群众喜闻乐见的各项活动之中，倾注到千家万户。沈阳市开展“三相四爱”、“五进家庭”、“四个百万”等活动，有力地弘扬社会主义道德风尚，探索出一条切实可行又为群众喜闻乐见的精神文明建设之路。三是注重解决当前群众最关心的实际问题，广泛开展社区服务活动。随着改革的逐步深入，社区在社会生活中的作用日益重要，下岗职工再就业工作又是重中之重。鞍山市铁东区拓宽社区服务领域，广开就业渠道，通过社区服务一条街，安置5000多名下岗职工再就业。

**文明市场创建活动**。重点是街办市场的规范化、制度化建设。针对街办市场不规范、环境脏乱差比较严重等问题，制定《辽宁省文明街路市场创建方案》，召开现场观摩会，推广沈阳市和平区街办市场的管理办法、大连市中山区街道市场退路进厅的作法，对解决街办市场的环境、管理和规范化、制度化起到一定的作用。同时，省文明办会同省工商局，对全省登记市场（大型消费品市场）按照《辽宁省文明市场评比检查标准》，进行市场设施与场容场貌、经营者资格和行为、市场监督管理进行检查评比。抽查的66个市场占申报省级文明市场总数的40%，被抽查市场得分在95分以上28处，占抽查市场的42.42%。

**文明风景旅游区的创建活动**。文明风景旅游区是推动精神文明创建活动深入发展的一项示范性工程。创建文明风景旅游区活动受到各市的普遍重视，领导力度明显加大，基础建设投入大幅度增加，规章制度不断健全和完善，特别是对封建迷信现象进行彻底整治。各市文明办、建设局和旅游局，在活动中建立了齐抓共管的工作机制，形成合力。全省市级以上56个风景、旅游、文物保护区都积极地参加了创建活动，鞍山千山风景名胜区9月份被中央文明办、国家建设部、国家旅游局确定为全国文明风景旅游区示范点。

（辽宁省文明办）

## 辽宁省沈阳市

# 建立“2211”市民投诉中心

沈阳市“2211”市民投诉中心始创于1998年1月25日，是代表市委、市政府受理人民群众提出的投诉、举报、报告和建议等事项的专门机构。“2211”市民投诉中心成立以来，认真贯彻市委、市政府指示，全心全意地为市民服务，赢得了普遍的赞誉。1999年，共受理各类市民投诉电话29万多件次，办复率95%，满意率85%。3月，中央文明办组织11家中央主要新闻单位进行大规模采访，集中地进行了宣传报道。1999年以来，他们针对尚存在的一些问题，按照市委、市政府要求，进一步改进工作，“2211”还在继续发展。

**1. 加强设施建设**

为解决市民拨打“2211”电话难的问题，受诉电话由10部增至20部，微机由14台增至27台，人员编制由20人增至26人，原市政府电话会议室改造成受话大厅。“2211”的网络规模也不断扩大。“2211”的分支机构已经发展到49家，近1/3的分支机构实现24小时服务。二级网络建设也日趋规范，市纪委、市煤气公司开通的“2244”、“2277”特服电话，实现了与“2211”微机联网，区县的二级联网正在试点。

**2. 强化人员素质**

要求全体工作人员做到“三熟”（熟悉政策、熟悉市情、熟悉各单位主要职能）、“四勤”（腿勤、嘴勤、脑勤、手勤），具备“五个能力”（独立工作能力、文字综合能力、组织能力、协调能力、办事能力）。编写《投诉指南》，作为基本教材，组织干部学习。举办专题讲座，请有关部门的领导同志，解答专业性较强的问题。坚持在每周四的班后时间进行全员干部培训。实行规范管理，印发《市民投诉中心工作制度》、《市民投诉中心网络单位目标管理考核办法》。坚持政务公开。把工作职责、工作程序、工作标准、工作要求及工作人员的姓名、职务、职责上榜公布。在新闻媒体公开监督电话，走进电台、电视台直播间介绍情况，请人大代表、政协委员提意见和建议。

**3. 提高工作质量**

主要是加大督察督办的力度。市民投诉中心紧紧围绕市委、市政府的工作重点督察督办，紧紧围绕领导的指示开展督察督办，紧紧围绕影响大的难点、热点问题开展督察督办，紧紧围绕群众生活中急等解决的问题开展督察督办、紧紧围绕基层单位的难点问题开展督察督办。对投诉政府部门的违示、违诺行为，继续沿用“事不过三”、“一票否决”的原则。对整改效果不明显或在群众中造成不良影响的，采取了三条措施：一是通过《投诉动态》、《市长专报》向领导反映；二是通过《投诉专报》向责任单位或系统领导通报；三是通过新闻媒介向社会曝光。一年来，“2211”共下达承办单1万多个，现场调查300次，处理违示违诺干部10多名。

（辽宁省文明办）

# 吉 林 省 吉 林 市

# 开展城市形象建设年活动

吉林市委以塑造良好城市形象，优化城市发展环境为目标，组织开展了城市形象建设年活动。通过扎实有效、富有创造性的工作使城市形象建设工作呈现出领导高度重视、市民广泛参与、工作措施着实、成效较为显著的特点，初步树立了良好的城市形象。

**1. 搞好规划，落实责任**

遵循城市形象建设的整体性、差异性、可持续发展和历史文化保护四个原则，组织制定了《吉林市城市形象建设年实施方案》和《吉林市1999—2001年城市形象建设规划》，提出了把吉林市建成居住者自豪、来访者羡慕、外来投资者满意的具有历史文化底蕴和现代文明气息的北方山水园林城市的工作目标。同时，聘请了城市形象理论专家及省内专家、学者帮助策划城市形象建设，召开了《吉林市1999—2001年城市形象建设规划》论证会和城市形象理论与实践报告会。在此基础上，按照城市形象建设管理委员会成员单位的职能和职责，将城市形象建设的工作目标进行任务分解，实行目标责任制，明确完成时限和责任人。

**2. 突出重点，统筹兼顾，精心组织四项工程**

为促进城市形象和城市品位整体提升，吉林市文明办重点组织了四项工程，即城市精神“培树”工程、市民形象塑造工程、城市环境建设工程和城市秩序优化工程。

以培树城市精神为核心，实施城市精神“培树”工程，激发广大市民参与城市形象建设的热情。利用座谈会、研讨会等形式，组织了城市形象与市民素质大讨论活动。全市各单位围绕城市形象与城市发展关系、市民形象与城市形象关系、行业形象与城市形象关系、面向新世纪吉林市应树立什么样城市形象、实现富民强市目标需要市民具备什么样素质等内容进行了讨论，全市共举办各种座谈、研讨600余次，有20余万人次参加。组织召开了城市形象建设研讨会，对城市形象、市民形象、机关干部形象、青年形象、学生形象、妇女形象、教师形象、窗口形象、企业形象、司法形象的目标及关系进行了研讨。

以塑造市民形象为基础，实施市民形象塑造工程，提高市民文明素质。一是通过组织“百万市民看江城、爱我家园万人行”活动，让市民感受江城近年来的巨大变化，增强市民热爱家乡、建设家乡的荣誉感和紧迫感。在全市开展“为振兴发展献计献策”活动，引导广大干部群众围绕改革开放和经济建设、城市建设与管理、行业形象与服务、党风廉政建设与精神文明建设等方面广开言路、献计献策，激发了全市人民关心家乡、建设家乡的热情。二是在全市开展了讲学习、树正气，讲文明、树新风，讲奉献、树形象“三讲三树”主题教育活动。通过开展“全民塑形”、“学科学、除旧习、树新风”，“增强公德意识、告别不文明行为”、“从我做起、共建美好家园”等系列活动，进一步倡导了社会新风，弘扬了社会正气，提高了市民的思想道德素质。三是以普及文明行为规范为重点，抓市民行为规范管理。利用全市200余所各级各类文明市（村）民学校，进行《“十不”文明行为规范》、《吉林市市民文明守则》等文明知识、文明行为教育。同时通过确立“十不”规范宣传月，建立“十不”规范示范点，总结宣传遵守“十不”规范先进典型，印发10万份“十不”行为规范宣传折页等形式，促进广大市民文明意识的养成。活动中还注重引导市民进行自我教育，由他律走向自律。在社区进行了“三告别、三建立”教育，在楼院开展了道德评议和“单元一大家”活动，在学校开展了“小手牵大手”活动。四是组织召开了塑造市民形象座谈会，总结交流了部分单位塑造市民形象工作的先进经验，推动了全市市民形象塑造工作的深入开展。五是开展了移风易俗活动，组织了“清明节烧纸该不该”大讨论，协调有关部门取缔花圈店、禁止街头烧纸，开展了全市禁止抽签、算命、看相等封建迷信集中整治周活动，有效地净化了环境。

以创造良好发展环境为目的，实施城市环境建设工程和城市秩序优化工程，着力提高城市品位和人民生活质量。既抓城市面貌改变，又抓人的素质提高，确保两个文明建设协调发展，使广大市民在参与中受到了教育，得到了提高。

**3. 加大舆论宣传，营造城市形象建设的良好氛围**

把舆论引导作为城市形象建设的推助剂，充分发挥全市各新闻单位的舆论引导功能，开辟城市形象建设专栏、专题、专版，大力度、大篇幅、高密度地宣传报道。在全市营造了一种人人争做文明市民，人人注重自身形象，人人为城市形象建设做贡献的良好氛围。

城市形象建设活动的深入开展，使城市环境面貌和市民精神风貌都发生了可喜变化，1999年，吉林市被中央文明委评为全国创建文明城市工作先进城市，省文明委在吉林市召开了全省群众性精神文明创建活动现场会，向全省推广了吉林市的做法和经验。

（吉林省文明办）

# 上　海　市

## 深化“七不”活动　创建文明示范标志区域

为了实现市委六届五次全会提出的继续深入开展“七不”活动（不随地吐痰、不乱扔垃圾、不破坏绿化、不损坏公物、不乱穿马路、不在公共场所吸烟、不说脏话粗话），到2000年建成10个市级文明示范标志区域的工作目标，全面加强城市管理和环境建设，提高城市文明程度和市民素质的要求，市文明委决定在黄浦区人民广场地区、外滩地区、浦东新区陆家嘴金融贸易中心区等12个区域开展文明示范标志区域创建活动，通过扎实创建，积少成多，从小到大，滚雪球发展，并由文明示范标志区域向周边地区辐射。

深化“七不”活动，创建文明示范标志区域，主要以公共场所为载体，从基本素质、基本行为、基本要求抓起，从人民群众看得见、摸得着的“七不”行为规范抓起。抓宣传教育，抓执法管理，与创建文明社区、文明小区、文明单位、规范服务达标活动形成合力，互相影响，互相渗透。为此，市文明办制定下发了《关于进一步加强“七不”宣传教育和执法管理的意见》，召开了创建文明示范标志区域工作现场会，总结推广人民广场等地区深化“七不”活动，创建文明示范标志区域的经验和做法，组织城市文明巡访员暗查，及时提出整改措施。12个创建区域围绕创建目标，加强领导，明确职责，完善机制，做到“五个一”，即确定一个区域范围，明确一个执法主体，制定一个管理规章，健全一套管理制度，落实一支管理队伍，把执法管理和宣传教育结合起来，把硬件建设和软件管理结合起来，有力地促进了文明示范标志区域的创建，取得了明显的效果。

（上海市文明办）

## 江苏省南京市

# 狠抓交通综合整治 努力创建文明城市

南京市在开展创建文明城市活动中，高度重视城市交通综合整治工作，把完善交通设施、整顿交通秩序、改变交通面貌作为创建文明城市的一项重要的基础性工作，不断加大工作力度。采取有力措施，大胆革新，积极采取先进的科技管理手段，初步达到了“车不堵塞、人不违章、科技一流、事故下降、各级领导和广大群众满意”的整治目标，形成了具有南京特色的城市交通管理新模式。

**1. 广泛参与，严格管理，努力形成社会化交通管理大格局**

始终以道路建设为突破口，坚持建管并重，以管促建。一是领导高度重视。市委、市政府高度重视道路交通管理工作，成立了“道路交通综合整治领导小组”，由一名市委常委、副市长任组长，由市公安局牵头，组织建委、规划、交通等13个职能部门共同参与交通综合整治工作。二是有关部门齐抓共管。在公安交通管理部门的统一协调下，交通、市容、工商、警备区等部门和单位从各自工作实际出发，集中优势兵力，发挥整体作用。三是市民广泛参与。组织机关干部、团员青年和广大群众，协助公安交通民警上路执勤，维护秩序，创建文明道路，形成了全社会参与、警军民携手、共同维护交通秩序的社会化管理局面。新的管理形式不仅彻底改变了过去交通民警警力不足、管不胜管的状况，而且大大提高了道路通行质量，全市信号灯控制路口机动车通行能力平均提高20%—30%，交通冲突点减少了50%，市区14条主干道机动车平均行驶速度由10.7公里/小时提高到29公里/小时。

**2. 强化教育，以人为本，提高广大市民的交通文明素质**

一是进行新闻舆论监督。一方面通过新闻媒体，广泛开展交通法规、交通安全、交通文明意识教育，营造人人遵守交通法规的良好舆论氛围；另一方面在报纸、广播、电视上开辟《交通曝光台》、《交通大哥大》、《违章曝光台》等舆论监督栏目和节目，对违章行为予以公开曝光，督促整改，并以此教育他人。二是广泛开展宣传教育活动。先后在全市范围开展“个、十、百、千、万、十万、百万”系列宣传教育活动，即“一个口号——告别不文明交通行为”、“十区评议——10个区开展评选人民满意交警活动”、“百家倡议——100家车辆运输单位联合发起‘告别交通违章’的倡议”、“千人宣誓——组织1000人宣誓‘从我做起，不闯红灯’”、“万人执法——组织1万名机关干部、公安干警及青年志愿者上路执勤”、“十万人签名——组织10万名市民群众签名告别不文明交通行为”、“百万人阅信答卷——印发50万份《致全市骑车人一封公开信》和50万份交通安全常识调查问卷”。通过这些活动普及了交通知识，倡导了交通文明，增强了广大市民遵守交通规则的自觉性。三是开展共建活动。重点针对学生骑车、军车和公交车辆驾驶员违章多、管理难的问题，开展军警共建、警校共建、警民共建活动，实行学生联系卡、军警共建卡、警民工作卡“三卡”制度，把公安交通管理融入到培养和树立良好的以品质、社会公德、行为习惯等深层领域，大大减少了学生、军人和公交驾驶员交通违章肇事。据调查统计，全市95%以上的市民对交通面貌的改观表示满意，90%以上的市民对交通民警工作予以肯定。

**3. 利用高科技，大力发展智能型交通科学技术**

大胆借鉴和引进先进的管理经验和技术，依靠科技强警、科技兴路，实施交通智能化管理。一是建成了具有80个道路摄像探头、市区联网、总覆盖面积34.5平方公里的交通监控系统，实现交通控制管理自动化、网络化。二是将主要路口建成交通智能化路口，设立电子警察，全天候自动拍摄违章车辆。三是在92个路口安装多相位信号灯，按序放行直行与转向的车流；在83个路口配备信号倒计时器，引导车辆安全通过；在多股车道交汇的路口安装长臂式线道牌，实现交通设施地空一体；在主要路口设立8平方米大型指路牌，提高交通标志提示效率。四是将路口非机动车停车线后移3米，错开车辆与行人通行时间，提高通行能力；在机动车流量多、空间范围大的路口划设非机动车二次候车区，避免与机动车的互相干扰；在各主要路口人行道漆划三道黄色禁停线，促使车辆定点规范摆放。五是在主要干道安装红黄白三色反光道钉。在有条件的学校、医院门前安装行人触摸式过街信号灯，在主要繁华路段设置行人过街灯。现代化的交通科技设施和管理方法，不仅提高了城市交通管理水平，优化了交通秩序，在全国率先实现了路口无岗亭管理，而且大大美化了环境，为创建文明城市奠定了坚实的基础。

（中央文明办：《精神文明建设工作》）

## 浙 江 省 杭 州 市

# 大力推进文明城市创建工作

杭州市以为群众创造“四优四感”（优良秩序、优美环境、优质服务、优化管理和安全感、亲切感、舒适感、文明感）的社会生活环境为宗旨，以争创全国文明城市为目标，围绕实现“三个突破性进展”（在改善城市环境面貌和环境质量上，在弘扬良好社会风尚、树立行业新风上，在提高城市治安管理和市容管理水平上取得突破性进展）的主要任务，组织开展了声势和力度空前的创建文明城市活动，效果明显。

**1. 组织专项战役，整治突出问题**

一是整治市容环境卫生。以城郊结合部、背街小巷、市区河道、居民区为重点，发动群众整治“脏、乱、差”，清除垃圾十几万吨，有效地解决了长期积存的问题，改善了城市的环境卫生面貌。

二是整治治安秩序。针对外来“三无”人员违法犯罪率居高不下，“黄赌毒恶（恶势力）”等违法犯罪活动势头上升的严峻形势，开展了以整治“三无”人员和“打黄扫丑除恶”为重点的治安秩序大整治。检查出租私房、建筑工地等场所近2.8万余处，清理“三无”人员5000余名，查处外来违法犯罪人员近3700名，破获了1540起刑事案件。检查特殊服务业场所2.3万多家，查处“黄赌毒”案件1800多起，查获违法犯罪人员近7000名，收缴各类淫秽物品1.5万多件。这些措施的落实，使全市的社会治安秩序进一步好转，群众的安全感进一步增强。

三是整治交通秩序。以严管重罚为主要措施，加大交通秩序的整治力度。全体交通干警全力投入交通秩序的整治和管理工作。共出动警力6.4万人次，暂扣违章机动车4200多辆、驾驶证3.87万余本，暂扣违章自行车5.8万余辆以及其他非机动车2.8万余辆，取缔违章占道1.27万余处，实施交通处罚16万多次，维护了交通的安全和畅通。

四是整治违法建筑。采取发动群众举报；定期张榜公布拆违清单；对违法建筑停发、收回有关证照；对限期拆除的违法建筑，实行停电停水；

对搞违法建筑的党员干部，按情节给予纪律处分等一系列强有力的政策措施。结合环境卫生整治，拆除了20多万平方米的违章建筑。

**2. 抓长效管理，着眼于治本**

一是学习借鉴黄山的先进管理经验，加强对西湖风景区、市区和主要街道的管理。在充实加强路面保洁力量的基础上，实行“定人、定点、定责”包干的全天候保洁措施；对市容市貌和秩序的管理，实行责任制；对问题比较多的地段，落实专门力量，进行严管重罚。这些措施的落实，有效地增强了保洁和管理人员的责任心，风景区和市区主要道路的环境面貌、卫生状况和秩序有了明显的改观。二是在背街小巷、居民区，以实行“门前三包”为重点，建立街长、路长、段长负责制，把环境保洁、秩序管理的责任落实到人头，并进行严格的监督检查。三是在城郊结合部，主要抓“三个一”措施的落实，即组建一支日常的保洁管理队伍，建设一批卫生保洁的基础设施，制定一套有效的管理和作业制度。

**3. 抓精品建设，提高城市品位**

为了提高杭州市的品位，创造方便、舒适、优美的环境，一是实施“蓝天、碧水、绿地、清静”工程。二是抓好以“一堤、一隧、一站、两场、四桥、八路”为重点的基础设施建设，进一步改善硬环境。三是美化街景，大规模改造环城北路，使之成为城市的又一条标志性大道。四是实施“亮灯”工程，使夜间的西湖更亮更美，同时把“亮灯”工程延伸到市区主要道路和建筑物。五是在小区建设、市场管理、河道治理、绿地广场等方面，抓一批典型，推动整个工作。

**4. 抓创建活动，提高城市文明程度**

把创建文明社区作为文明城市创建的基础性工作。主要措施是：层层下达目标，落实责任；机关与社区结对共建，区域联建；培育不同特点的小区建设的典型；开展重点整治，改善小区环境；组织人大代表、政协委员进行视察和督查。全市围绕营造社区优美环境，维护社区秩序安定，完善社区服务功能，丰富社区文体活动，兴起了文明社区建设的高潮，促进了社区文明程度的提高。同时，全面推进文明行业的创建活动。进一步修订完善了文明行业的创建标准，特别是对窗口行业提出了明确的要求，在管理执法部门中普遍推行行政执法责任制。各行各业以职业道德建设为核心，广泛开展以提高管理服务质量，改善服务环境，树立良好形象为主要内容的创建活动，促进了城市软环境的明显改善。

**5. 抓道德教育，提高市民文明素质**

针对目前社会公德状况还不如人意的问题，以青少年和外来人员为重点，以市民守则和行为规范为主要内容，从基本行为规范抓起，从一言一行抓起，培养市民良好的公德意识和文明习惯。一是抓媒体宣传，开辟专栏，形成有声势的舆论氛围；二是在主要入城口、景区等窗口地段和车站、码头等公共场所及居民小区加强公益广告的宣传分量，形成良好的环境氛围；三是抓道德实践活动，使市民在参与中受到教育，得到提高。同时，进一步加强了对不文明不道德行为的劝阻和处罚力度，倡导良好的社会风尚。

（中央文明办：《精神文明建设工作》）

# 安　徽　省

## 改进方法　加大力度　继续推动创建文明城市竞赛活动

1999年是安徽省创建文明城市工作从“三年大变样”向“五年步入良性循环”迈进的关键一年，为进一步推动创建文明城市活动步入经常化轨道，在检查考核方式上，进行了较大的改进，减少了明察，增加了暗访。

为了使创建工作更好地体现人民群众的根本利益，真正提高群众的生活质量，推动创建工作步入良性循环的轨道，实现检查与不检查一个样，平时与临时一个样，促使各地把创建工作的功夫下在平时，把重心放在基层，根据省委负责同志关于创建工作“加大力度，改进方法，做得更好”的要求，安徽省对创建文明城市竞赛活动的检查考核方法进行了重大调整，减少了明察次数，加大了暗访分量。一是将原来年终检查占总分的70%，日常检查占30%，调整为各占50%，坚持年终检查与日常考核并重的原则。二是对暗访的时间、单位数额、类型等方面进行统一规范，使检查工作更加科学、合理，准确反映各地工作实际。三是暗访不打招呼，不同地方联系，不定期进行。四是及时公布暗访结果，变“年终一次总结”为“经常进行小结”，让各地及时了解自己的薄弱环节，以便尽快补缺补差。四是把暗访与新闻舆论的监督结合起来，对暗访中发现的正反典型，组织新闻单位进行宣传与曝光，表彰先进，鞭策后进。

根据调整后的考核办法和统一标准，省文明委不定期地组织了对省辖市不打招呼的暗访，做到暗访人员相对固定，一把尺子量到底，暗访点采取随机抽查的办法确定。省委负责同志对暗访活动非常重视，对反馈到各地的暗访情况通报一一作了批示。暗访组对各地暗访的情况还进行了打分，并在新闻媒体上公布了暗访结果，在全省产生了良好的反响。检查考核方式的改变，促使各地都在积极探索长效管理的机制，在城市管理体制改革、创建机制创新上下功夫，真正使城市管理工作走上经常化、制度化，克服过去靠突击来应付检查的侥幸心理；广大群众对这种方法拍手称赞，以前那种“检查时突击，检查后放松”的情形明显减少，周围环境明显改善，人民群众能够经常享受到创建给他们带来的实惠和利益，进一步密切了干群关系，树立了党和政府为民办实事的形象，群众参与创建的热情日益高涨，成为创建工作不竭的动力。

（安徽省文明办）

## 福 建 省

# 创建100个高标准文明安全小区

1999年，福建省委、省政府把创建100个高标准文明安全小区列入为民办实事项目之中。为切实办好这项实事，采取了5条措施，即：制定工作方案，确保实施进度；加强组织领导，各方协调运作；实行分类指导，确保群众受益；广开筹资渠道，增加必要投入；做好舆论宣传，实施检查督促。经验收，福州市鼓楼区华大街道长富宫小区等100个小区实现了“治安稳定好转、社会风气良好、环境整洁优美、群众生活方便、社区文化活跃”的预定目标，成为文明安全小区。

（福建省文明办）

## 福 建 省 三 明 市

# 创建文明城市工作取得新进展

近年来，福建省三明市大力开展创建文明城市工作，突出重点，抓住关键，以点带面，重在建设，狠抓落实，整体推进，两个文明建设取得新进展。

**1. 紧密贴近实际，服务工作大局**

在深化文明城市创建活动中，三明市把改革开放的难点、经济建设的重点和人民群众关注的热点作为精神文明建设的切入点，主动地为改革发展稳定大局服务。在国有大中型企业广泛开展了“发扬艰苦创业精神，争当新一轮创业排头兵”活动。先后总结推广了三明化工总厂“陈学刚学雷锋小组”坚持27年奉献社会、爱岗敬业的经验和三农化学股份有限公司、三明纺织厂、啤酒厂“向科学管理要素质、要效益、要文明”的做法。开展了以“讲传统、比奉献”为主题的系列教育活动，引导广大职工“为厂分忧、爱岗敬业、艰苦奋斗”。

全市广泛开展“办实事、排忧难、送温暖、献爱心”活动，推动再就业工程实施，努力实现“两个确保”（即确保下岗职工领到基本生活费，确保离退休职工按时领到养老金）和“三个百分之百”（即有下岗职工的国企百分之百建立再就业中心，下岗就业人员百分之百进入再就业中心，进入再就业中心的职工百分之百领到生活费）。工商、税务、劳动等部门制定了优惠政策，区、街道和城管部门开设再就业一条街；工会、共青团、妇联等群团组织为下岗职工、女工、青工举办各种再就业培训班；市直机关各部门广泛开展扶贫帮困活动，全市1326名党政领导干部联系困难企业265家、困难职工2991户，切实解决国有企业下岗职工基本生活保障和再就业问题。

**2. 注重以德育人，提高市民素质**

把深化文明市民教育作为创建文明城市的一项基本功，常抓不懈，按类型、分层次、多渠道对全体市民进行思想道德教育。重点抓好党政机关干部、青少年学生和居民思想道德建设。一是在广大干部中兴起学习邓小平理论的热潮，深入开展以“三讲”为主要内容的党性党风教育。党政机关广泛开展了“创文明机关、当人民公仆”和“评选十佳人民公仆”活动。二是在大中小学校普遍开设道德规范教育课。广泛开展了“美我城市、爱我三明”的演讲比赛、精神文明建设小建议征文、“护绿”行动、“向不文明行为告别”签名、成立“小交警”督导队等教育活动，寓教于学，寓教于乐。三是狠抓文明市民教育。通过文明市民学校培训教学骨干，带动全市312所文明市民学校和2300多个分班教学经常化、规范化，形成单位、社区和家庭教育网络。评选“十佳文明市民”，组织市民参与社会公德大讨论，促进市民养成文明礼貌、助人为乐、爱护公物、保护环境、遵纪守法的习惯。有计划地组织市区机关、学校、厂矿、企事业单位干部群众分期分批到爱国主义教育基地接受教育。积极开展群众文化活动，大力宣传“三明精神”、“三明市民文明公约”、三明市民“行为”规范。市民的思想道德素质和城市的文明程度有了明显提高。

**3. 深化创建活动，增强工作实效**

以“讲文明树新风”活动为龙头，以“三大创建”为抓手，在“巩固、提高、延伸、辐射”上下功夫，不断深化群众性精神文明创建活动。一是深化创建文明小区活动。把市区38个共建片区划分为146个小区，分类指导，规范管理。同时，不断加强基层组织建设，把党支部建到居委会，实行事务公开，方便群众监督。二是深化创建文明行业活动。以“共创满意窗口，同享社会温馨”为主题，以“为您服务、向您承诺、请您监督、让您满意”为主要内容，不断深化“满意在三明”系列活动。在25个行业推出了201个示范窗口，广泛开展了以“六讲六比”（讲发展经济，比整体素质；讲敬业爱岗，比行业新风；讲规范服务，比制度落实；讲群众观点，比活动实效；讲环境设施，比加大投入；讲延伸服务，比满意率高低）为主要内容的竞赛活动，通过明察暗访、群众评议、行风监督、情况通报、督促整改等措施，不断提高行业优质服务水平。努力把行业优质服务的措施延伸到片区，重点实施了“八个引进”（把警务改革、物业管理、道德教育、法律服务、家政服务、再就业服务、计生优生和文化建设引入社区），使行业在参与片区共建活动中为居民谋利益。三是深化创建文明村镇活动。突出抓好改善生活环境和倡导移风易俗两个重点，把现代文明与优良传统结合起来，狠抓国道、省道沿线村镇的创建示范工作。确立了100个创建文明户活动示范点。开展创建文明县城活动，把城市管理经验运用到农村，使乡容镇貌有了大的改观。

**4. 加强建设和管理，塑造城市文明形象**

紧紧围绕城市“水、气、桥、路、厕”等群众关心的热点问题，扎实抓好与群众生产生活密切相关的市政公用设施建设，不断完善城市功能。近几年，投入城市基础设施建设资金达1.5亿元，重点对6条市区道路进行拓宽改造，抓好沿线路灯、绿化建设和环境整治，营造了浓厚的现代城市气息。针对城市污染问题，建设污水处理厂、生活垃圾填埋场、封闭式垃圾中转站和水冲式公厕等。同时利用市区依山傍水的自然条件，大力实施“花草工程”，大做“山水城市”文章，加大街区庭院绿化力度，拆墙透绿，还绿于民，绿化覆盖率达35.6%。市区逐步实现公共场所用字规范化、路牌标志明亮化、小区庭院园艺化、建筑雕塑个性化、商品陈列艺术化、沿街道路绿美化，城市环境文化品位进一步提高。

在城市管理中，坚持“门前三包”制，推广垃圾袋装化，抓好全日制保洁，加强摊点管理，把综合整治和长效管理结合起来。建立了省、市、区三级文明单位卫生达标制以及环境卫生情况通报制，树立了13个卫生示范片区，有效地提高了环境卫生管理水平。集贸市场广泛开展了“让市场干净起来”的活动，做到内部环境、周边环境、各类商品干干净净。整顿交通秩序，按照“各行其道、各停其站、疏通中心、开发外围、各负其责、严管重罚”的要求，对市区客运线路和车辆进行适当调整，使市区的交通秩序步入良性循环轨道。建筑工地开展了“创建文明工地”活动，招标时提出明确要求，施工中加强动态管理和监督，改变了过去“建一年房脏三年，建一栋房干扰一大片”的状况。

**5. 强化组织领导，狠抓工作落实**

坚持做到“一把手抓两手”，建立了领导包片包点责任制，实行党政领导精神文明建设工作目标管理责任制。市几套班子领导和市直各部门主要领导做到了每季度不少于一次下基层调研、指导工作，帮助解决实际问题。市精神文明建设指导委员会认真履行职责，做到重大问题及时决策，重要工作及时部署，主要活动及时开展，保证中央文明委和省文明委部署的各项任务得到落实。市委、市政府把年度精神文明建设的目标任务分解到各部门各单位，做到人人有责任，个个挑担子；推行依法治市，用法律、法规、规章制度规范人的行为；采取行政、教育、新闻舆论、群众监督等多种手段，确保精神文明建设各项工作不断取得新成效。

（中央文明办：《精神文明建设工作》）

# 江　西　省

# 创建文明城市竞赛活动

江西省始终把创建文明城市作为群众性精神文明创建活动的龙头，坚持“两手抓，两手都要硬”的方针，努力为经济建设营造良好的社会环境，在巩固的基础上求发展，在发展的基础上求提高。

经省委同意，根据省文明委的安排，全省创建文明城市竞赛活动每两年一届，分省辖市、县级市和区、县城三个组别进行，1998—1999 年为首届。创建文明城市活动在 1999 年底进行了总评。

在创建活动中，全省各地紧紧围绕“塑造城市形象，提高市民素质，促进经济发展，推动社会进步”的主题狠下功夫，创建的水平、效果迈上了新台阶，形成了以省辖市为重点，城市带县城，你追我赶，整体推进的生动局面。

省委书记、省文明委主任舒惠国，省长、省文明委第一副主任舒圣佑在省文明委全会上亲自作创建文明城市的工作动员。全省 11 个地市的专员（市委书记）在《江西时报》和省电视台发表文章或讲话，向全省人民表决心，谈打算。各地市都建立了由党委政府负责同志牵头的创建文明地市工作领导小组或指挥部。南昌市以创建国家卫生城市为契机，多方筹资 26 亿元，用于改善城市基础设施建设，共建了新八一大桥，朝阳水下麦园垃圾处理厂、昌北机场等一批市政工程，使城市面貌大为改观。在着力抓好城市基础设施建设的同时，南昌市注重对广大市民进行深入的思想道德教育，以“做文明南昌人”大讨论为主题，围绕提高市民素质，开展了集中宣传《南昌市民文明守则》、《南昌市民行为道德规范》、《市民行为十不准》教育活动。通过举行“十不准”承诺活动、“十不准”宣传劝导活动，引导市民提高素质，自觉维护公共卫生，促进了良好道德规范的养成，取得了明显成效。九江市在创建文明城市工作中，投入 2 亿多元改善城市主干道，治理市区内的甘棠湖和南门湖，实施城市亮化工程，使城市面貌为之一新。广丰县牢牢把握经济建设这个中心，努力为经济建设和人民群众生活营造优美的社会环境，用环境来教育和影响群众，逐步形成了经济发展促环境优美，环境优美促市民素质提高的良性循环，有效地推动了县城两个文明协调发展。该县投资 5000 万元建成了 7.5 万平方米的月兔广场，与县城其他基础设施交相辉映，使广丰县城展现出现代城市的文明风采。为学习、推广广丰县创建文明城市的经验，省文明办 4 月份在广丰县召开了全省创建文明城市工作座谈会。

省文明办组织了卫生、建设、工商、交警等部门，分别于5月、11月赴各地进行明察暗访，并以文件形式下发了全省创建文明城市情况通报，表扬先进，督促后进，有效地促进了创建工作。

各地在创建文明城市工作中，重点抓了三个环节：一是坚持以人为本，着力提高市民整体素质。普遍制定了《市民公约》、《市民行为道德规范准则》等规章，以简练易懂易操作的形式向市民提出了一系列具体的行为要求，并利用新闻媒体广为宣传，使之家喻户晓，深入人心。二是切实加大城市建设力度，完善城市综合功能，夯实文明城市基础。着力抓好四项重点工程，即以拓宽道路为重点的城市交通工程，以兴建广场、公园、绿地、公厕、垃圾中转站为重点的市政公用设施工程，以兴建图书馆、体育馆、广电大楼、文化中心、城市雕塑为代表的标志性工程，以实现让城市主干道和主要临街建筑夜晚亮起来为目标的亮化工程。三是坚持为群众办好事办实事，不搞花架子，不做表面文章，认真解决群众关心的热点难点问题，使人民群众在创建活动中真正得到实惠。

全省上下一致反映，创建文明城市竞赛活动美化了市容环境，整顿了交通秩序，改善了投资环境，促进了经济发展；规范了城市管理，形成了有效机制，提高了群众素质，推动了社会进步。

1999年底，省文明办组织省建设、卫生、公安、工商、环保、计生等部门对全省创建文明城市竞赛活动进行了综合评比。在全省进行暗查暗访的基础上，省文明委征求了省纪委、省综治委、省计生委的意见，确定了全省首届创建文明城市竞赛活动的优胜城市。南昌市、九口市、井冈山市、赣州市章贡区、广丰县等14个市、区、县荣获全省首届创建文明城市竞赛活动优胜城市（区、县）称号，由省委、省政府进行表彰。

（江西省文明办）

## 山 东 省

# 创建省级文明城市活动

创建省级文明城市活动，是山东省深入贯彻落实党的十五大和十四届六中全会精神的重大活动，也是以精神文明建设的丰硕成果迎接新中国成立50周年和澳门回归祖国的重要举措。

3月，省文明委制定了《关于开展创建文明城市活动的意见（试行）》，对创建活动的指导思想、内容、范围、组织领导提出了明确要求。各市地根据省文明委的部署，加强组织领导，采取有效措施，广泛发动群众，创建活动既轰轰烈烈又扎扎实实。12月，省文明办组织部分省文明委成员单位对14个城市的创建活动进行了实地考察（青岛市、威海市、烟台市已被中央文明委命名为“全国创建文明城市工作先进单位”，不参加本年度省里的评选），重点考察城市规划和建设、绿化和亮化工程、城市卫生、环境保护、交通秩序、市场管理、市民素质、社区建设、群众文化、文化基础设施、优质规范服务、公益广告等。同时，进行了随机问卷调查，了解群众对创建活动的知晓率、参与率，对执法部门、交通秩序、环境卫生、窗口单位、社会治安、群众文化活动的满意率，以及创建活动的实际效果。

为确保考评工作的客观、公正、合理，省文明办制定了《山东省创建文明城市活动考核细则》，由省建委、省环保局、省综治办、省公安厅、省司法厅、省民政厅、省文化厅、省科委、省教委、省计生委、省卫生厅、省体委、省新闻出版局、省直机关工委等部门对被考察城市的建设规划和环境建设、环境保护、社会治安综合治理和破除封建迷信、社区建设、计划生育、环境卫生、全民健身活动、文化基础设施和群众文化活动、“扫黄打非”和文化市场管理等各项工作进行评估。

最后，省文明办综合实地考察、问卷调查和部门考评三个方面的情况，对14个城市进行了综合评价，排出了名次，排在前8名的城市是济南市、淄博市、莱芜市、泰安市、潍坊市、济宁市、枣庄市、东营市。

创建文明城市活动效果明显，使城市建设和城市面貌、人民群众的生活环境和生活质量、广大市民的文明素质和城市的文明程度都显著提高。一是城市环境面貌大有改观。各市地采取有效措施，加大城市容貌整治的力度，城市面貌为之一新。二是市民素质进一步提高。各市地普遍加强了思想道德教育。广大干部群众通过政治理论培训、“社教”活动、“文明市民”教育等，增强了学习邓小平理论和党的十五大精神的自觉性，进一步坚定了共同理想。广大市民的社会公德、职业道德、家庭美德水平进一步提高。三是社会服务功能和质量显著改善。各市地以改善服务为中心环节，大力抓好行业服务和社区服务。先后开通公安“110”、交警“122”、公用“111”、急救“120”、司法“148”等服务热线，为市民提供行业承诺服务、社区系列服务、社会救助服务、法律咨询服务和安全健康服务。四是社会秩序明显好转。各市地把维护社会稳定作为创建文明城市的前提和保证，健全和完善了各级社会治安综合治理领导责任制和工作责任制，层层签订了社会治安综合治理责任书，切实抓好重点地区、重点部位、企业内部、居民楼院的治安防范。各市地通过建立和完善创建“安全小区”，把基础薄弱、治安问题较多、工作难度较大的居民小区和单位作为重点，不断扩大“治安”工作覆盖面，广大市民的安全感明显增强。

（山东省文明办）

# 河　南　省

# 创建文明城市活动

河南省抓住中央文明委在新中国成立50周年前夕表彰一批全国文明城市的有利契机，以形象建设为主体，加大文明城市创建力度。把创建文明城市的立足点放在软件抓突破、硬件上水平上，使河南文明城市创建工作取得明显成效。基本做法是：

**1. 狠抓城市市民文明素质的提高。**市民文明素质的提高是文明城市创建的基础和前提。为了提高市民的文明素质，在全省广泛开展了以“热爱河南、增辉中原”活动为载体的形象教育，树立“人人都是河南形象，人人都是投资环境”的形象意识。各市地普遍开办了文明市民学校，制定和完善文明市民公约、守则等，对广大市民加强培训和教育，为文明城市创建活动打下了良好的群众基础。

**2. 加强城市的经常化管理。**一年来，按照省文明委要求，各市地继续认真抓好城市创“三优”市长例会制度，坚持每季度召开一次由市长主持的座谈会，邀请人大代表、政协委员及各界人士参加座谈，研究城市创“三优”工作中存在的问题，现场办公，帮助解决实际困难。坚持暗查暗访制度，省文明办定期组织新闻单位，不打招呼，自带车辆，食宿自理，现场拍照，对不文明行为进行批评曝光，将暗查结果在省级新闻媒体上公布。同时，出台了文明城市评选表彰奖励办法。省委决定，从1999年开始，每两年由省委、省政府命名表彰一批文明城市（区）。省委办公厅、省政府办公厅联合下发了《关于命名表彰文明城市的通知》。省文明委制定了《河南省文明城市命名表彰办法》，明确了评选标准、命名、管理办法和实施奖励办法，从而推动了文明城市创建活动向经常化、制度化、规范化方向迈进。

**3. 以绿化、净化、美化、亮化为重点，狠抓城市环境综合整治。**各市地把文明城市创建与“增辉”活动有机结合起来，结合实际，确定重点，集中力量解决与群众生活关系密切，直接影响城市形象的热点、难点问题。组织实施了整治市容环境，绿化、美化战役和光辉工程，促进了城市的绿化、美化、净化、亮化。如濮阳市把都市村庄和城市河道的治理作为整治重点，推进了文明城市创建活动向纵深发展；郑州市以治乱、治堵为重点，大力整治交通秩序，促进了郑州交通秩序的好转等等。经过全省的共同努力，文明城市创建工作整体上了一个大台阶，涌现出一大批创建文明城市先进典型。濮阳、漯河、登封市被中央文明委命名为全国创建文明城市工作先进市，受到表彰。省委、省政府决定，命名新郑市为省级文明城市，郑州市中原区为省级文明城区。

（河南省文明办）

## 湖　北　省

# 创建文明城市活动

湖北省文明城市创建活动，掀起了“三迎”“三颂”的新热潮。各地文明城市创建工作在前两年工作基础上，在查漏补缺上作文章，在为群众办实事办好事上作文章，在抓好文明城市的基础性工作上作文章。不少城市认识明显提高，力度明显加大，措施明显加强，投入明显增多，制度明显健全，效果显著。

**1. 明确指导思想，提高创建水平。**省委、省政府领导贾志杰、蒋祝平、王生铁等同志在荆州、十堰等市调研时，对文明城市创建工作提出了具体指导意见；省委常委、宣传部长缪合林强调文明城市创建要正确处理好“三个关系”，即要正确处理结果与过程、硬件建设与软件建设、形式与内容的关系，提出实现三个转变的重要指导思想：由突击迎检型向长效管理型转变，由面上造势向基层造福转变，由数量扩张型向质量提高型转变。

**2. 摸清小区类型，进行分类指导。**在调研的基础上，把全省小区划分为单位居民区型、散居居民区型和物业管理型3种小区类型，进行分类指导，分类创建。文明小区创建以文明楼栋、文明家庭为细胞，以开展小区居民的市民教育为重点，着重提高小区文明程度和居民文明素质。在创建文明小区活动中，各地按照市场经济规律，和小区周围的单位开展资源共享，共建了一批文明市民学校，作为市民教育的阵地。充分发挥典型的示范引导作用，宣传了襄樊市水星台小区，立足老城区的实际，为群众造福的经验；宣传了武汉桥口区“五位一体”的做法，形成声势和氛围，为创建文明社区奠定了基础。

**3. 加强制度建设，实行规范管理。**颁布了《湖北省文明城市、文明小区建设暂行管理办法》，制定了《省级文明城市、文明小区的标准和检查验收实施细则》，以省委、省政府文件下发，指导各地创建工作，促进了文明城市、文明小区创建活动的规范化和制度化建设。

**4. 严格考核验收，促进基层工作。**从省文明委部分成员单位抽调人员，对30个市、县、区的文明创建工作进行了认真检查验收。检查工作做到了“三严格、五不准”，较好地体现了“三讲”精神，体现了精神文明建设检查工作带头讲文明的要求。

**5. 评比表彰先进，形成激励机制。**在认真评选考核基础上，省委、省政府隆重表彰了27个文明城市、创建工作先进市和41个文明小区、50个文明村镇，并向中央文明办推荐了襄樊市、宜昌市、武汉市江岸区等3个创建文明城市工作先进市和钟祥市、谷城县石花镇等21个创建文明村镇工作先进单位。

**6. 坚持改善环境，优化基础设施。**运用市场手段多方筹措资金，兴建了一批标志性工程和基础性工程，进一步完善了城市和集镇的功能，提高了城市和集镇的文化品位。全省与人民日常生活息息相关的城市基础设施投入达67亿元，新建扩建城市道路382公里，新增绿化面积5000公顷，新建城市桥梁25座，新增公交车辆1200多台，新增污水处理能力10万立方米。全省人均日生活用水量、每万人拥有公交车台数等城市基础设施水平指标，已经进入全国前列，大大改善了人民群众的生活环境，提高了人民群众的生活质量。

（湖北省文明办）

## 湖 北 省 襄 樊 市

# 大力开展塑造城市形象活动

襄樊市委、市政府结合襄樊实际，大力组织开展了以塑造城市形象、单位形象、产品形象和市民形象为主要内容的文明城市创建活动，使城市基础设施不断完善，市容市貌明显改观，社会事业全面进步，经济建设健康发展，被中央文明委命名为全国精神文明建设工作先进城市。

**1. 在指导思想上坚持“真抓”**

不搞形式主义，不搞花架子，不应付检查，不搞“一阵风”。形象工程建设任何时候都要经得起人民群众的检查，做到“四个一样”，即白天晚上一个样，晴天雨天一个样，大街小巷一个样，检查不检查一个样。从而建立起真正的文明、持久的文明。比如，人民广场本来是群众活动的地方，前些年却被一家公园用铁栅栏围了起来，进去还要买门票，市区近60万居民，却没有一个活动的地方。市委、市政府真心为市民着想，把建好人民广场，美化“城市客厅”当作“民心工程”来抓，用两个月时间，拆掉了挤占广场的58间商业门店，迁走了占场经营的400多个服装摊位，推倒了周围的铁栅栏，投资800多万元，铺设花岗岩地坪，人行道彩色地面砖，常绿草坪。紧接着，又打响了四大战役，改造了58条泥巴路，扩建了6个出口路，硬化、绿化了1400个泥巴小巷和场院，把34座旱厕所全部改建成水冲式公厕，修建了20个垃圾转运站。城市面貌焕然一新，形象工程成为民心工程。

**2. 在工作作风上坚持“认真抓”**

在形象工程建设中，襄樊市委、市政府领导首先自己认真，并把讲认真作为对干部的一个最基本的要求，以此保证和推动形象工程顺利进行。一是抓得细。过去收费站的减速坎，谁从那儿过都有意见，但是谁也没有把它当成一回事。形象工程一开始，市长宣布要把襄樊境内所有收费站的减速坎铲掉。铲掉一个坎，就减少了影响襄樊形象的一个污点，就在市民心目中增加了一个亮点，收到了以小见大的效果。二是抓得实。市委、市政府每年都确定为市民办10件实事，并通过新闻媒介公布于众，一件一件狠抓落实，在干部和群众中起到了很好表率作用。三是抓得严。正是这种认真的作风，推动了形象工程建设不断深化和提高。

**3. 在组织领导上坚持“一把手抓”**

形象工程是一项系统工程，涉及到方方面面，不是哪一个部门的事，理所当然应由“一把手”亲自抓，负总责，成为“一把手”工程。第一，“一把手”负责总动员。第二，“一把手”负责抓落实。完不成任务或干的不好，不追究别人，就追究“一把手”的责任；亮黄牌、亮红牌，只对“一把手”；双目标考核也主要是考核“一把手”。第三，“一把手”负责解难题。第四，“一把手”带头作表率。襄樊市各级领导干部的一个最响亮的口号，就是“一级做给一级看、一级带着一级干”。市委书记、市长经常起早摸黑到街上检查市容，发现问题，立即解决。为了更直接地听取群众意见，接受群众监督，市委、市政府专门在新闻记者中聘请了30多名监督员，市领导分别联系58个居委会。

（湖北省文明办）

## 湖南省岳阳市

# 坚持不懈地开展创建文明城市活动

岳阳市始终坚持“两手抓，两手都要硬”方针，以文明城市创建总揽全局工作，不断加大文明城市创建力度，提高市民素质，推动社会经济持续快速发展。被授予“全国科技兴市先进城市”、“全国绿化先进城市”、“全国地级十佳卫生城市”、“中国旅游先进城市”。9月16日被中央文明委命名为全国创建文明城市先进市。

**1. 党政配合，齐抓共管**

岳阳市在创建文明城市活动中建立了市五大班子领导参加的领导小组和各执法部门组成的工作班子。常设办事机构在市委宣传部直接领导下开展工作，从组织上形成了一个能够统筹协调和检查推动城乡文明创建的核心。综合运用经济、行政、法律、纪律和思想政治工作的手段“五管齐下”，建立上下衔接、条块结合、整体联动、各司其责的创建网络，推动了全市精神文明建设逐步完成由软到硬、由虚到实、由量到质的转变。

**2. 围绕中心，服务大局**

岳阳市在创建文明城市过程中，牢牢把握经济建设这个中心，在精神文明规划和活动中始终坚持为推动经济发展提供思想保证和精神动力，确保“开放兴市”战略的有效实施。深入开展文化科技卫生“三下乡”、“百城万店无假货”、“青年文明号”等活动。集中整治行业不正之风，打击违法犯罪，维护外地客商权益，为两个文明协调发展创造了良好的社会环境。

**3. 突出特色，敢于创新**

在创建工作中引入竞争机制，大力开展“文明在岳阳”活动。这一活动分为五大工程，即争做“文明学生、文明市民、文明个体户”和“文明家庭”的“细胞工程”；争创“文明单位”、“文明小区”的基础工程；机关干部“公仆杯”竞赛的“龙头工程”；服务性单位“三满意”竞赛的“窗口工程”；城区“四路一站一码头”和小街小巷保洁执勤的“三保工程”。五大工程分层推进，运用党内、行政、司法、民主、舆论等多种方式，加强监督，保证创建文明城市工作的顺利进行。

（湖南省文明办）

# 广 东 省

## 探索文明城市评选新途径

根据中央政治局委员、省委书记、省文明委主任李长春关于“开展创建文明城市活动检查评比，要以经常性的督促检查为主，以基层申报为主，以社会评议为主，不要层层搞检查评比，不要搞大规模的评比检查”的指示精神，省文明委在总结近几年来各种评比活动的经验和教训的基础上，在1999年的文明城市评选活动中，探索形成了文明城市评选的新途径。

量化标准。制订印发了《广东省文明城市、创建文明城市活动先进市评选考核细则》，采用“千分制”的办法，分10个项目，每个项目又分若干个子项目，将文明城市的标准量化、细化、具体化。

自我申报。对照条件，各市自查自检，自我打分，自我申报。

登报评议。省内大报刊登文明城市的基本条件和申报城市的主要事迹，广泛发动群众积极参与评选活动。

实地考核。由省文明办组织精干人员对申报城市进行实地考察、抽样调查和民意测评，召开各有关部门和群众代表参加的座谈会，广泛听取各界人士和广大市民的意见。

部门考核。请计生、纪委、综治、绿化、卫生、环保、建委、文化、教育等部门会审考核，对经济增长低于全省水平、计生工作没有达标、社会治安综合治理工作没有达标、没有评上省以上卫生城市、没有污水处理厂、脏乱差现象突出、市领导班子成员有严重的违纪违法、发生后果严重的突发事件的城市实行一票否决。

集体会审。召开省文明委全体成员会议，对候选城市进行会审，最后拟定候选名单，上报省委、省政府批准。

隆重表彰。经上述程序层层筛选，最后经省委、省政府批准，省委、省政府召开表彰大会给予表彰。

反馈意见。省文明委将评选活动中收集到的广大群众和各职能部门的主要意见和建议汇总反馈给所有申报城市，对当选和落选的城市均指出它们存在的问题，提出今后努力的方向，以推动各城市的文明建设不断进步。

与以往的评比活动相比，新的文明城市评选办法有以下几个特色和优点：

一是公平、公正，充分反映民意。由于指导思想明确，评选方法科学，杜绝了“黑箱”操作，社会反映和效果很好。

二是发动面广，影响大，文明城市的标准深入人心。这次活动得到了广大人民群众的大力支持，整个活动共收回选票40多万张。参加这次评选活动的有全国各地的社会各界人士，他们不但投了自己满意的城市的一票，而且还提出了许多宝贵的意见和建议。这次活动也是对群众进行的一次创建文明城市的再动员、再教育。

三是评出了积极性，评出了荣誉感。这次评选创造了一个良好的公平公开的竞争氛围，让城市间互相学习，取长补短，既选出了真正的文明城市，又对落后城市起到了鞭策作用。

（广东省文明办）

## 广东省深圳市

# 振奋精神　真抓实干　努力创建文明城市

在经济高速发展的同时，深圳正在努力实现社会的全面进步。近年来，先后获得“国家卫生城市”、“全国环境综合治理优秀城市”、“国家园林城市”、“全国双拥模范城”、“国家环保模范城市”、“全国科技兴市先进城市”、“全国优秀旅游城市”和“全国青年文明号模范城市”等荣誉称号。

深圳毗邻香港，面向海外，环境复杂，搞好精神文明建设的任务十分艰巨。改革开放以来，在邓小平理论指引下，坚持以经济建设为中心，坚持“两手抓，两手都要硬”的方针，促进物质文明和精神文明共同进步、经济和社会协调发展。近几年，深圳市开展以“做文明市民，创文明单位，建文明城市”为主题的群众性创建活动，全市精神文明建设水平不断提高。

**1. 明确创建工作思路**

深圳市开展创建文明城市工作的总体思路是：以邓小平理论为指导，以经济建设为中心，以“同在一方热土，共创美好明天”为主题，以创建文明区为基础，以创造优美环境、优良秩序、优质服务为重点，以全面提高市民综合素质和城市文明程度为目的，齐抓共管，形成合力，创建文明城市。为此，制订了以“经济繁荣、政治清明、规划科学、建设美观、法制健全、管理先进、科教领先、文化发达、风尚良好、环境优美”为主要内容的30条系统量化创建标准和11项千分制检查评比标准。由于工作思路清晰，措施得力，创建工作既轰轰烈烈，又扎扎实实。

**2. 抓好规划和环境整治工作**

根据建设经济中心城市、园林式、花园式现代化国际性城市的目标，坚持高起点规划，高标准建设，高水平管理的原则。规划要覆盖全市2020平方公里，保证50年不落后。进一步明确了各组团的功能，即建设福田现代城市中心区、罗湖商业旺区、东部黄金海岸、西部田园风光、华侨城人文景观、“中英街”历史风貌、老东门步行街等组团。同时，市委、市政府要求区、镇、村都要树立规划意识，注重科学规划。按照“统一规划，合理布局，因地制宜，综合开发，配套建设”的原则开发建设。

**3. 实施形象工程**

深圳是个口岸城市，众多的口岸单位环境面貌对深圳的城市形象影响很大。市委、市政府决定实施“深圳形象工程”，抓好关口、城门、主要道路干线的净化、绿化、美化工作，重点搞好机场、火车站、海关、检查站等单位的环境治理和107国道、广深高速公路、深惠公路、深盐公路、广深铁路两旁的整治绿化工作。

**4. 狠抓环境整治工作**

通过整治，全市43个街道办（镇）辖区范围内基本消灭了暴露垃圾及卫生死角。积极组织开展好每年4月的“清洁深圳月”活动，巩固整治成果。在狠抓环境整治工作中，全市各职能部门、各区敢于碰硬，不惜牺牲局部和眼前利益以保证全局和长远利益，解决了冬瓜岭违章建筑拆迁、泥岗村卫生死角等一批老大难问题。在开展创建文明城市活动中，全市围绕创建园林式、花园式城市目标，建成广场45个，总面积达54万平方米；建成公园46个，总面积达2553万平方米。通过环境整治，深圳的天更蓝、水更清、地更绿、花更多、城更美。

**5. 加大社会治安综合治理力度**

市委、市政府作出了《关于加大综合治理力度，两年内实现社会治安更大好转的决定》，按照

“属地管理、条块结合、以块为主”的原则，形成了“党委领导、政府牵头、政法为主、各方参与、共同行动”的体制和工作机制。大力加强政法战线各级领导班子和队伍建设，治安先治警、治警先治长，全面加强公安政法队伍的正规化建设，干警的政治、业务整体素质明显提高。全市加大了“严打”力度，有计划、有步骤地开展打击凶杀、“两抢”、涉枪犯罪、车匪路霸等暴力恶性犯罪案件，取得了阶段性成果。

安全文明小区建设是创建活动的一项重要基础性工作，全市共建成安全文明小区 1699 个，总面积和总人口的创建覆盖率分别达到 53% 和 94%。安全文明小区内文化、教育、卫生设施配套，服务网络健全，社区文化丰富多彩，环境整洁优美，治安稳定，人民安居乐业。同时，大力加强出租屋和外来人口的规范管理，制订了出租屋治安管理办法，作出了加强流动人口管理决定，清理“三无”人员做到“五管”齐下，即堵得住、查得严、清得尽、管得好、送得快。组织了多次大规模扫除“黄赌毒”统一行动。广东省委、省政府肯定了深圳市在加大社会治安整治力度和扫除“黄赌毒”方面的工作。

**6. 弘扬深圳精神**

市委始终坚持抓好理论学习和思想道德教育，弘扬“开拓、创新、团结、奉献”的深圳精神，教育干部群众坚定走有中国特色社会主义道路的信念，树立强大的精神支柱。深入开展以“三讲”为主要内容的党性党风教育，把“三讲”教育与全面整顿机关作风和“创建文明机关，做人民满意公务员”活动结合起来，建设高效、务实、廉洁、为民机关。在机关和企事业单位开展创建“团结、廉洁、开拓”好班子活动，促进了各级领导班子建设。制定了《深圳市民行为道德规范》，大力开展社会公德、职业道德、家庭美德和个人品德宣传教育。积极开展职业道德建设，开展“窗口行业规范服务达标活动”，制订公布了行业规范服务标准，聘请了 200 多名社会监督员，受到群众欢迎。计划用 5 年时间，使全市 30 个主要服务行业全部开展规范服务达标活动。农村着重抓了禁毒戒毒、禁止赌博、殡葬改革、“四不”青年教育等工作，涌现出了一批好的典型，总结了一些好的经验做法。

（广东省文明办）

## 广西壮族自治区

# 创建文明城市达标竞赛活动

广西壮族自治区各地紧紧围绕贯彻落实党的十四届六中全会和十五大精神，大力推进创建文明城市活动，取得了明显成效，开放繁荣、优美文明的广西城市群体形象正逐步显现。

全区各级党委政府把创建文明城市活动提高到促进两个文明建设协调发展，树立广西新形象的高度来认识，进一步加强领导，由过去仅为争取荣誉称号向发展城市经济、提高城市品位转变，由“要我建”向“我要建”转变，由部门创建向社会共建转变。各地市层层建立目标责任制，各部门形成合力。全区各地坚持为群众办实事好事，为群众提供优美环境、优良秩序、优质服务，使群众从中得到利益，受到教育，得到提高，不断增强参与创建的主动性、自觉性和积极性。

全区各地围绕“建文明城市，做文明市民”，开展了“公德进万家”、“文明新风进万家”、“科学技术进万家”等系列活动；围绕提高市民文明意识，广泛进行《文明守则》、《文明公约》再教育；文明小区、文明街道、文明庭院和文明行业、文明单位、文明窗口创建活动进一步推进，创建文明城市活动有新的突破。南宁市从“三个一”（抓摊前一个垃圾桶，整治环境卫生；抓街头一个交通岗，整治交通秩序；抓路上一辆出租车，提高服务质量）扩展到“五个进”（文明新风进社区、优质服务进网络、群众文化进广场、园林绿化进街道、环保行动进家庭），依托社区深化“绿城”建设；桂林市围绕建设“国际旅游名城”目标，实施大规模的城市整治改造；钦州市开展“树立新形象，争当好市民”活动，建设“滨海工业城市”；百色市发扬老区艰苦奋斗的光荣传统，推进“在三省区经济边缘现代化中心城市”建设；凭祥市、东兴市实施“树立国门形象”工程；宜州市注重结合历史文化发掘，树立“千年文化城”形象，建设花园式城市。各城市坚持“一手抓繁荣，一手抓管理”，群众性文化活动丰富多彩。南宁市的国际民歌节、柳州市的国际奇石节、桂林市的山水与文化艺术节、青春文化艺术节、“漓江之声”艺术节等等，品位高、影响大，有力促进了文明城市创建活动。

全区各地注重在建立和完善领导机制、工作机制、监督机制、奖惩机制上下功夫，在建立、完善管理办法、管理措施等规章制度上下功夫，各城市普遍制订了《文明市民公约》、《市民文明守则》、《环境卫生管理条件》、《道路交通管理规定》、《“门前三包”责任制》等一系列涉及城市道路交通、经营秩序、环境卫生、消防安全等各方面规章制度，出台了创建文明城市、文明社区（小区、庭院）、文明单位、文明楼院、文明家庭（户）的一系列工作规划、方案，推进创建活动的系列化和持续发展。各地进一步加大城市基础设施、环境秩序、市民生活等方面投入，坚持为群众办好事实事，提高群众生活质量，进一步抓好城市绿化、美化、净化、亮化工作，实施“安居工程”、下岗职工“再就业工程”。许多城市在城市规划、城市建设、城市改造等方面力求大手笔、高品位，突出特色，体现民意，以完善城市功能、提高城市文明程度、满足群众需要、提高市民文明素质为重点，开展创建活动。钦州市在半年之间，实现了主要交通线与街道灯光照明“一街一品”，提高了城市品位。桂林市从建设国际旅游城市着眼，对全市进行全面改造，拆房改路，拆桥整沟，以建设“显山露水”、“城景交融”的旅游城市景观，大大提高了国际旅游名城的档次与水平。

（广西壮族自治区文明办）

## 广西壮族自治区南宁市

# 创建文明城市向“五个进”迈进

南宁市创建文明城市活动向“五个进”迈进，即：文明新风进社区、优质服务进网络、群众文化进广场、园林绿化进街道、环保行动进家庭，掀起了“讲文明树新风”、创建文明城市活动的新高潮。

**1. 文明新风进社区**

把创建文明社区活动作为争创全国创建文明城市工作先进城市的重头戏，市委市政府主要领导带领各城区领导和有关部门的负责人到上海市考察创建文明社区的经验，并结合本市实际情况研究制定了《南宁市文明小区创建管理规定》（试行）和《南宁市1999年创建文明小区工作方案》，提出了创建文明小区的七条标准：环境整洁优美、社会秩序井然、邻里关系和睦、社区服务全面、文体活动丰富、管理制度完善、计划生育达标。着重抓了四个方面的工作：

一是抓教育，努力提高小区居民的文明素质。以文明市民学校为阵地，以社会公德教育为重点，组织广大居民认真学习《南宁市文明公约》、《南宁市民"八不"规范》、《南宁市文明市民学校读本》，提高居民道德素质。在居民中开展"文明家庭"、"文明楼院"、"好婆媳"、"好邻居"等活动，举办"邻里情、温馨家"文艺晚会、读书演讲比赛、家庭运动会等，促使在居民中形成互帮互助、谦和礼貌、诚实友爱的新型邻里关系。

二是抓服务，尽心尽力方便居民生活。通过组织邻里志愿者服务队，建立便民服务网点，开展电器维修、医疗卫生、法律咨询、家政服务等义务活动，为居民群众提供良好的服务，从而为他们排忧解难。

三是抓治安，为居民群众创造安定和谐的居住环境。在小区建立健全社会治安综合治理的组织机构，加强群防群治防范网络，加强"两劳"人员和失足青少年的帮教工作，建立出租房屋管理制度，加强对外来人员的管理，开展普法教育和社会安全教育，增强居民的法制观念和安全意识，确保小区安全。

四是抓建设，完善小区服务功能。采取因地制宜、分类指导的办法，对商住小区重点抓管理，提高小区的现代化管理水平。对单位生活区重点抓改造，清除杂物房和乱搭乱盖建筑物，增加绿化面积，增加活动空间，营造舒适生活环境。对居民区重点抓配套工程，完善社区服务功能。通过以上工作，大大推动了全市创建文明小区工作的深入开展。

**2. 优质服务进网络**

在抓"路上一辆车"，推动全市窗口服务行业服务质量提高的基础上，进一步推行社会服务网络化。

一是建立了以公安局110指挥中心为龙头，公安、工商、供水、供电、医疗等12个窗口服务行业参加的社会应急救援服务网络，为广大市民群众提供快捷、优质、有效的社会服务。

二是建立了交通治安巡逻网络。5月1日，市公安部门二级巡逻体制正式启动。对全市41条主要街道进行交通治安重点巡逻防范，有效地震慑了违法犯罪分子，加强了交通秩序的整顿，保证了道路畅通。

三是建立了"3·15"投诉网络。全市设立一个投诉举报中心（市工商局），13个投诉站，91个投诉点。在全市300多条大街小巷2万多个门店摊点建立了"工商监督管理联系卡"制度，消费者如买到假冒伪劣商品或遇到困难需要帮助，通过"联系卡"，就能够及时准确地找到有关工商所及负责人予以解决，深受市民群众欢迎。

**3. 群众文化进广场**

市委、市政府把开展群众广场文化活动作为"树立广西新形象，创建全国文明城"的重要内容来抓，确定1999年为《世纪之声》广场文化主题年。做到月月有主题，周周有安排。除市里在朝阳广场、民族广场设立主要活动点外，每个城区都设有一个广场文化活动点。朝阳广场、民族广场已成为市民健身、跳舞、书法绘画、文艺演出、板报摄影比赛的场所，这些活动丰富了市民的文化生活，陶冶了人们的情操。

**4. 园林绿化进街道**

以建设具有南方特色、少数民族风格的现代化"绿城"为目标，以抓街道的园林式绿化为重点，加快了全市绿化美化建设步伐。

一是加大绿化宣传力度，开展全民义务植树活动。每年春季，南宁市都召开植树造林总结表彰动员大会，调动市民群众参与义务植树的积极性。充分利用新闻媒体及时宣传报道绿化工作情况，使植绿、护绿、爱绿深入人心，成为全市人民的自觉行动。

二是系统规划，定职定责。在城市总体规划的指导下，组织编制《南宁市城市园林绿地系统规划》，为城市绿化建设提供了科学的指导。

三是因地制宜，突出特色。根据不同的环境、不同的要求种植不同的植物，使绿化、美化、彩化与亚热带风光有机地融为一体。重点抓了公共绿地、街道绿化及单位庭院和居民小区的绿化美化建设。如今，全市街道绿化已展现新姿，纵横交错的街道构成了一道道独特的风景线。目前，森林覆盖率达36.3%，城市绿化覆盖率36.7%，绿地率31%，人均公共绿地面积7.16平方米，绿化总面积为601公顷。南宁市真正是"绿在城中，城在绿中，终年常绿，四季花开"。

**5. 环保行动进家庭**

认真贯彻《国务院关于环境保护若干问题的决定》，不断加大环境治理的力度，把保护生态环境，建设绿色家园作为"讲文明树新风"，创建文明城市活动的重要内容。

一是通过各种传播媒体开展环保宣传，举办以环保为主题的各种宣传教育，使“环境保护”意识深深地根植于市民的脑海中，许多个人和家庭都积极参与绿色行动，保护生态环境已逐渐成为市民的自觉行动。

二是积极开展以家庭为主体的群众性环保活动。先后开展了“百户环保优美家庭”、“小手拉大手、清除白色污染”等一系列群众性环保活动，全市共有14万多户家庭参加了“百户环保优美家庭”和“十佳节水家庭”活动，有1万多户家庭参加了“绿化阳台、美化南宁、五百街万户达标竞赛”活动，有数万名中小学生和家长参加了“小手拉大手、清除白色污染”活动。6月5日，市委、市政府向全市家庭和市民发出了“绿色倡议书”，提出了保护邕江、节约用水等8条保护环境的建议，得到了广大家庭及市民的赞同和积极响应。

三是加大环境治理力度，提高城市环境质量。近几年来，依法取缔关停严重污染环境的“15小”企业75家，完成污染治理140多次，清理邕江水面的网箱养鱼点400多个，鸭场6个，停止尾气排放浓度高的二冲程摩托车入户，实施市区机动车禁鸣喇叭制度，投资8亿元对朝阳溪进行综合整治，投资1.73亿元兴建日处理污水10万立方米的琅东污水处理厂等。市区大气环境质量稳定达到国家二级标准，流经市区的江河水质基本保持在国家地面水Ⅱ—Ⅲ类水质标准，市区声环境质量水平处于90年代以来最高水平。

（广西壮族自治区文明办）

## 海南省海口市

# 扎实抓好创建工作　齐心塑造海口形象

海口市认真贯彻落实党的十五大精神和省委关于“齐心塑造海南形象”的精神，紧紧围绕“两个提高”、“两个塑造”的目标，扎扎实实地开展群众性精神文明创建活动，齐心塑造海口形象，不断提高市民文明素质和城市文明程度，推动了两个文明建设。

**1. 加强领导　健全制度**

制订了《塑造海口形象活动总体方案》和《让海口精神深入人心，让特区省会更加文明》活动方案，确定了五项任务：以提高市民素质为核心，塑造市民形象；以环境整治为突破口，塑造环境形象；以争创国家各类先进城市为动力，塑造城市形象；以推行“三制”为载体，塑造机关及行业形象；以创造文明村镇为重点，塑造农村形象。

一把手抓两手。市委书记蔡长松、市长王法仁担任市精神文明建设指导委员会主任，部署检查工作，抓文明示范点，为实施“一把手工程”作出了表率，从根本上解决了“两张皮”问题。

管理一体化。对各项创建工作实行一体化管理。即：以创建全国文明城市为龙头，把创建“中国优秀旅游城市”、“国家园林城市”、“国家卫生城市”、“全国环境综合整治优秀城市”、“国家环保模范城市”、“全国双拥模范城”等活动紧密结合，统一规划，综合部署，分头实施，形成一体化的大创建格局。

建立健全制度。认真制定了《海口市精神文明建设指导委员会工作职责和工作制度》、《海口市精神文明建设指导委员会成员单位责任制度》等，使精神文明建设的领导机制、运作机制、激励约束机制进一步完善，步入制度化、规范化的新轨道。

**2. 围绕中心　服务经济**

围绕经济建设，提供理论指导。以市委中心组的学习为龙头，带动全市的理论学习。每年举办两期处以上干部理论培训班，对科级干部也定期组织培训，广大干部群众通过电视、广播、报纸、专题讲座、理论知识竞赛等灵活多样的形式，加强理论学习，使邓小平理论深入人心。

围绕经济建设，营造舆论氛围。通过广泛宣传海口市"两地一中心"的发展战略、实施经济结构调整、深化国有企业改革等，让全市人民了解这些举措的内容、意义和要求。通过宣传海口的名牌产品、明星企业、重点工程等，扩大海口的影响，增强海口对外的吸引力。针对干部群众反映强烈的职工下岗、社会治安等热点问题，认真做好引导工作，理顺情绪，消除疑虑，增强群众对改革开放的承受力和参与经济建设的热情。

围绕经济建设，营造良好环境。把城市环境建设作为精神文明服务经济的重头戏，常抓不懈。不断强化市民的环境意识，让市民认识到抓环境建设就是抓发展经济，就是抓对外开放；从群众反映强烈的热点、难点问题入手，有针对性地开展一系列环境专项整治，如整治"三乱"，治理公庙、敬天香，整治美舍河、西海岸等。通过专项整治，净化、绿化、美化、亮化了环境，树立了椰城良好的环境形象。

**3. 以人为本　提高素质**

教育引导。坚持不懈地抓好"三基"、"三个主义"、"三德"等教育，引导人们树立正确的世界观、人生观、价值观；坚持不懈地用先进典型激励人，通过举办报告会、演讲比赛、诗歌朗诵会等多种形式开展学习新时期英雄战士李向群和爱岗敬业的楷模卢修学等先进典型，弘扬正气；坚持不懈地用"海口精神"鼓舞人，精心组织了历时半年的"培育海口精神，提高市民素质，塑造海口形象"群众大讨论，将海口精神提炼概括为"文明、豁达、坚韧、求实、争先"，使这十字精神逐步深入人心，成为凝聚海口人力量、振奋海口人精神、增强海口人责任感的精神支柱。

规范行为。一是加强规范建设。先后制定了《海口市市容管理办法》等21个法规。颁发了《海口市文明市民条件》（"十要"）、《海口市市民"十不"行为规范》，使市民有法可依，有章可循。二是开展规范宣传。通过印发小册子，举行宣传咨询日、万人签名、知识考试等多种方式，大张旗鼓地宣传城管法规和"十要"、"十不"规范，使之家喻户晓。三是强化规范约束。选定路段开展执法大行动，对各种违法违章行为进行教育处罚，有力地鞭挞了不文明行为，规范了人们言行。

实践参与。坚持以人为本，重在建设，吸引广大人民群众参与精神文明建设，并在参与中受到教育，自我提高。结合海口实际开展了推行"三制"、治理"三乱"、"告别不文明言行"、"保护生态环境，倡导文明新风"、"文明出租车工程"等活动。

**4. 重在建设　塑造形象**

一是抓好建设和整治，营造优美的城市环境。以建设生态市为目标，进一步加大投入，不断完善市政基础设施建设。同时，加大"依法治市、环境综合整治"力度。开展环境建设绿化、美化、净化、亮化"四大战役"；开展公庙、敬天香专项整治活动，共整治了183个公庙、1万多座敬天香。二是抓好社区建设，优化城市细胞。以民政部在振东区开展社区建设实验区为契机，认真抓好社区环境建设、社区服务等工作，创建安全文明社区。三是加强文化建设，提高城市文化品位。组织文艺家采风，创作文艺精品。海口广播电视台创作的《请到天涯海角来》广播剧荣获全国"五个一"工程奖。认真组织节庆文体活动，大力发展企业文化、社区文化、校园文化、广场文化，丰富群众的业余文化生活。

以推行"三制"为载体，塑造部门形象。一是进一步推行"三制"，在提高办事效率、反腐倡廉等方面取得进步，刷新了海口党政机关的形象。二是开展创建文明机关活动。39个单位进入现代文明机关行列。三是执法部门和窗口服务行业积极开展各种"创优评佳"活动，不断提高服务水平，树立良好的行业新风。

（海南省文明办）

## 四　川　省

# 第六届“三优一学”创建文明城市竞赛活动

四川省“三优一学”创建文明城市竞赛活动，在1984年启动，第一、二届为期一年，从第三届开始，每两年一届。竞赛内容由优美环境、优良秩序、优质服务，学雷锋树新风逐步细化为组织领导和统筹协调；城市建设管理和发展；职业道德建设和优质服务；社会治安、交通秩序和消防安全；群众文化活动和文化市场建设及管理；城市环境综合整治；市场和广告、店名管理；群众性精神文明创建活动；学英模树新风九大类。这项活动已坚持开展了15年。

第六届“三优一学”创建文明城市竞赛活动，是根据中央对四川行政区划的调整，减少了重庆等6个城市，新参赛的有绵竹等5个城市，共31个城市，分地级以上市组和县级市组两个层次，竞赛内容不变，但在检查评比上有所改进。一是重在经常性的创建活动，平时考核分值60%，总评检查分值40%；二是在总评检查中取消领导汇报，直接审阅有关专题报告、档案资料；三是着重走访企业、机关、学校、服务窗口，发放调查表，召开人大代表、政协委员、新闻界代表座谈会；四是突出重点，减化细则，缩短检查时间。这些改进，减轻了各市党政领导的负担，效果好，群众满意。

（四川省文明办）

## 甘肃省金昌市

# 实施“八大工程”　努力创建文明城市

金昌市精神文明建设以创建全国文明城市为目标，坚持为经济建设服务，为改革发展稳定服务，为人民群众服务，着力实施“共建美好镍都八大工程”。

**一是污染治理工程。**为解决群众普遍关心的环境污染问题，加强市区大气污染源的监测与管理，进一步落实环保责任制，大力降低市区二氧化硫等主要污染物的排放量，努力实现空气质量达标。加强对金川河流域的污染治理，使污水达到排放标准，建成饮用水净化站，进一步提高城市饮用水质量。进一步净化城乡生活环境，加快垃圾无害化处理和公共水厕建设步伐，重点整治国道、省道等交通干线垃圾和“白色污染”，进一步巩固省级卫生城市的成果，努力提高城市卫生管理水平。

**二是绿化美化工程。**进一步改善人民群众的生活环境和城市生态环境，坚持把造林绿化工作放在重要位置。紧紧抓住春季造林的大好时机，本着先绿后美的原则，大力开展“保护生态环境，绿化美化家园”活动，努力实现北部防护林达标和主要街道、小区主要道路无绿化空白带的目标。加快进度、加大力度完成人民文化广场的绿化、美化任务。全面开展街道绿化美化工作，力争完成新华东路、泰安路、公园路的绿改美任务。大力开展庭院和机关绿化、美化活动，创造优美舒适的生活、工作环境。

**三是安居小康工程。**抓住国家加大基建投资力度、扩大内需的机遇，采取多种措施，下大气力解决市区居民的住宅问题，努力实现市区有条件居民“居者有其家”的目标，建成13万平方米的居民住宅。以争创全国文明城市为契机，把精神文明建设与小城镇建设结合起来，进一步加大小康住宅建设力度，努力改善居住条件。

**四是文化精品工程。**坚持以“优秀的作品鼓舞人”，以“五个一”工程为重点，发挥文化部门、社科部门和广大文艺、社科工作者的创作积极性，创作出一批文化精品，向新中国50华诞献礼。

**五是温暖平安工程。**以“学雷锋、树新风、送温暖、献爱心”为主题，在全市范围内倡导理解人、关心人、体贴人、帮助人的良好社会风尚，建立平等团结、互助友爱的新型人际关系；进一步加强社会治安综合治理，大力培养、树立、宣传见义勇为、群防群治的先进典型，努力维护社会的稳定和平安，切实增加广大居民的安全感。

**六是全民健身工程。**以“121”全民健身活动为重点，通过再发动、再动员，掀起晨操、晚练的全民健身热潮，大力宣传表彰长期坚持健身运动的先进典型，积极倡导和推广爷孙同步、夫妻同行、父子同练等好的做法。

**七是文明小区工程。**把文明小区建设作为文明城市建设的重要内容，进一步优化生活环境，为群众提供更好的服务。总结推广近年来创建文明小区的做法和经验，重点抓好小区硬化、绿化、美化工作，大力加强卫生管理，强化治安管理措施，使现有文明小区再上一个新台阶，并建成一批新的文明小区。大力开展“美化家园”活动，进一步搞好居民点道路硬化、门前美化等工作。

**八是文明形象工程。**把树立城市形象作为提高城市知名度、扩大对外开放、促进经济发展的重要工作，进一步做好文明市民守则的宣传、教育、落实工作，大力提倡使用温馨礼貌用语，用自己的言行，建文明的家园。以与人民群众利益息息相关的“窗口”行业为重点，大力开展“擦亮‘窗口’、添彩金昌”活动，进一步提高规范化优质文明服务水平，使群众满意。积极推广机关岗位公示做法，在4月底前，各级党政机关和所有“窗口”单位建立起岗位公示牌，以达到文明行政、方便群众、便于群众监督的目的。

（甘肃省文明办）

## 青 海 省

# 开展城镇“三优杯”竞赛活动

5月以来，青海省各级党委、政府紧紧围绕提高城镇文明程度和市民素质的目标，广泛开展了以“优美环境、优良秩序、优质服务”为主要内容的城镇“三优杯”竞赛活动。在努力推进思想道德建设的同时，大力加强城镇的基础设施建设和城镇法制化建设，使全省大多数城镇的面貌发生了显著的变化。

**一是领导重视，措施得力。**各地党政领导把这项活动作为创建文明城市建设的“龙头”工程，摆上了重要议事日程。省上召开电话会议，进行部署安排，各地各单位研究实施方案，制定具体措施。有些地区把竞赛活动的目标和任务层层分解，确定参赛单位和治理的重点，使竞赛活动的各项任务落实到了部门、小区、街道、单位。

**二是广泛宣传，积极动员。**各地充分利用广播、电视、报纸等新闻媒介，广泛宣传开展活动的目的、意义、内容和要求，形成声势，营造了浓厚的舆论氛围。同时，印发了大量的《市民守则》、《居民公约》等宣传材料，悬挂宣传横幅、标语等，充分发挥了宣传舆论的导向作用。

**三是制定规划，明确目标。**各地根据实际，制定了治理环境卫生、整顿社会秩序、净化文化市场、加强市政建设和提高服务质量的规划，以主要街道、集贸市场、车站广场为重点，使城市的管理纳入规范化、制度化、经常化的轨道。

**四是突出重点，成效显著。**各地在开展活动中，把治理脏乱差作为实现优美环境、优良秩序、优质服务的基础工程来抓，不断强化市民的城市意识和文明意识。在环境治理中，各地以创建国家和省级卫生城市为目标，从搞好城区的净化、美化、绿化入手，治理白色垃圾，清除卫生死角，完善卫生设施，成立城市管理机构，制定《城市管理监察办法》、《门前“三包”管理办法》等一系列城市管理的规范性法规和办法。使城镇的环境卫生面貌发生很大的改观。在整顿社会秩序过程中，各地重点抓了市场秩序、交通秩序和公共场所的秩序。加强外来人员和流动人口的教育，保证了社会的稳定。在开展优质服务中，各城镇普遍推广了规范化服务和社会服务承诺制，服务质量有了明显的改观。特别是省、州、地、市、县确定的各示范窗口单位，积极参与竞赛活动，带头示范，推动了竞赛活动的健康发展。

（青海省文明办）

# 创建文明村镇活动深入开展

以改善村镇环境、提高农民生活质量、倡导文明健康生活方式主要内容的多种创建活动范围不断扩大，水平逐步提高。小城镇和乡镇企业在农村精神文明建设中的作用日益突出。文化科技卫生“三下乡”力度大、效果好，大学生暑期“三下乡”等集中活动，受到广大农民群众欢迎。广泛开展群众性文化活动，丰富了群众的精神文化生活。“百县乡镇宣传文化工程”进展顺利。

## 中宣部等七部门

# 联合启动西北五省区科普工程

1月11日，中宣部、科技部、中国科协、中科院、共青团中央、全国妇联、全国总工会在京联合举行仪式，向西北五省（区）科普工作负责人和科普工作示范区的代表赠送一批科普录像带。标志着西北五省区科普工程正式启动。

西北五省区科普工程是由中央有关部门和地方政府采取联合行动，共同组织开展的一项以实用技术推广、卫生与健康、环境保护与资源综合利用以及破除迷信为主要内容的科普活动，是贯彻十五届三中全会精神、落实“三下乡”工作的一项重要举措。

这一工程将经过3至5年的努力，达到以下目标：通过对西北五省区厅局级领导干部及国扶贫困县和省扶贫困县党委、政府主要领导干部的培训，使其科技素质有较大提高，能够因地制宜制定有关政策，带领群众脱贫致富；帮助西北地区广大农民掌握良种选育、合理施肥、节水灌溉、先进栽培和节粮养殖等技术，提高农业综合效益；普及推广30项关键性实用技术，促进当地生产发展，摆脱贫困；培训科普工作专业人员、开办省区电台或电视台科普栏目、出版发行或推广适应当地需要的高质量科普图书和科普影视作品；在五省区分别建立科普工作示范县和科普工作示范基地。

（1999年1月12日《人民日报》）

## 中宣部　科技部

# 联合举办电视星火下千县活动

2月份以来，全国近1000家县（市）电视台相继在黄金时段开办“星火科技30分”专栏，将一大批农业生产、农村发展、农民生活所需要的实用技术和致富信息通过电视送到千家万户，标志着“电视星火下千县”活动全面展开。

“电视星火下千县”是文化、科技、卫生“三下乡”活动的一项重要内容，由中宣部、科技部联合举办，科技部负责组织实施。按活动要求，全国1000家县（市）电视台常年开办“星火科技30分”专栏，每周播出两次，所需录像带全部由科技部编辑制作，并定期免费提供。

（1999年3月24日《人民日报》）

## 中宣部　教育部　团中央　全国学联

# 部署大中专学生暑期“三下乡”活动

中宣部、教育部、团中央、全国学联6月16日在京召开全国电视电话会议，全面部署1999年暑期大中专学生志愿者文化科技卫生“三下乡”活动。

1999年暑期大中专学生志愿者“三下乡”活动集中在7月上旬至8月中旬进行，动员组织60万名大中专学生参加。活动的主题是：弘扬五四爱国精神，勇担强国富民重任。

中宣部副部长刘鹏在会上强调，大中专学生开展“三下乡”活动，要突出工作重点，满足农民需要，实实在在为农民做一些有益的事情。“三下乡”要与扶贫开发工作紧密结合起来，坚持实事求是的原则，做到尽力而为，量力而行。大中专学生开展“三下乡”活动，有利于提高农民群众的思想文化素质，有利于满足农业和农村现代化建设的迫切需要，也有利于广大学生培养爱国之情、激励报国之志、锻炼强国之才，坚定地走与工农群众相结合、与社会实践相结合的健康成长道路。

团中央书记处常务书记巴音朝鲁对1999年大中专学生志愿者暑期“三下乡”活动进行了部署。教育部党组成员陈文博作了书面讲话。

（1999年6月17日《人民日报》）

# 中宣部 中央文明办等11个部委

# 要求加强农村精神文明建设 维护农村改革发展大局

中宣部、中央文明办等11个部委11月25日联合召开文化科技卫生“三下乡”电视电话会议，贯彻落实党的十五届三中全会、四中全会和中央《关于加强和改进思想政治工作的若干意见》精神，总结交流经验，安排部署下一步的“三下乡”工作。

“三下乡”是加强农村思想政治工作，推进农村精神文明建设的重要途径。据年初统计，近年来，共送图书1.8亿多册，送戏下乡350多万场，电影下乡1360多万场；下去科技人员260多万人次，举办科技培训班59万多次，1亿多农民参加培训；下乡医疗队2.76万多支，培训乡村医务人员50多万人次，给2100万农民看了病，深受农村干部群众的欢迎，也得到社会各界的好评。11月18日，中宣部、中央文明办、科技部、农业部、文化部、卫生部、国家计生委、国家广播电影电视总局、新闻出版署、共青团中央、中国科协等11个部委联合发出了《关于进一步做好文化科技卫生“三下乡”工作的通知》。

中宣部副部长刘鹏强调指出，深入开展文化科技卫生“三下乡”，对维护农村改革发展稳定大局具有重要意义。当前，全党全国人民正在深入开展揭批“法轮功”邪教组织的斗争。宣传科学、反对迷信，巩固农村思想文化阵地，是各级党组织的重要任务，也是农村思想政治工作和精神文明建设的重要内容。

深入开展“三下乡”，要把解决思想问题与解决实际问题结合起来，认真贯彻党的各项政策，多做得人心、暖人心、稳人心的工作，增强思想政治工作的凝聚力、感染力、说服力。

深入开展“三下乡”，充分发挥文化的社会教育功能，积极引导群众文化消费；大力宣传马克思主义唯物论、无神论，加大科学精神、科学思想、科学方法和科学知识的普及力度，增强农民识别和抵制唯心主义、封建迷信的能力；普及与农民日常生活密切相关的医疗卫生、科学健身和自然科学知识，提高农民自我保健和科学养生能力，有利于在农村形成爱文化、学科学、讲卫生的良好风尚，从根本上巩固揭批“法轮功”的成果，用健康有益、丰富多彩的精神文化生活占领农村阵地，保持农村社会稳定。

会议指出，明年是世纪之交的一年，是具有特殊历史意义的一年。下一步的“三下乡”工作要做得更深入、更细致、更有效。今冬明春将推出一批集中活动：建设百县乡镇宣传文化工程，组织各级专业文化团体到农村进行慰问演出，广泛组织开展各种群众性文化体育活动，向农民赠送一批科技图书、科技挂图、科技录像带，推进星火电视下千县活动，组织树文明新风科普万里行，开展婚育新风进万家活动，组织医疗队下乡巡诊，开展九亿农民健康教育行动，举办农村青年文化节等。

会议特别强调，农民欢迎“三下乡”，更需要常下乡，要认真研究有利于常下乡的措施和办法。一是要坚持“送”与“用”结合，注重增强农民群众转化“三下乡”成果的能力。二是要坚持“送”与“建”结合，为广大农村建设必要的阵地设施。三是要坚持“送”与“教”结合，为农村培养一支不走的“三下乡”队伍。四是要与社会主义市场经济体制相适应，建立健全“三下乡”

常下乡的机制。"三下乡"要靠行政推动，为农民无偿提供各种服务；也要靠市场的力量，用政策调动和鼓励社会各方面都来关心农民，支持农民。

会议要求，各地各部门要从增强农民致富能力、推动农村经济发展的高度，从密切干群关系、保持农村稳定的高度，从完成党的历史任务的高度，进一步提高对"三下乡"的认识，切实增强做好"三下乡"工作的自觉性。要把这项工作摆上重要日程，认真进行研究，制定具体方案，明确各方责任，狠抓工作落实。

中央文明办专职副主任胡振民主持会议。文化部、科技部、卫生部和农业部的领导对本系统"三下乡"工作提出了要求；黑龙江、福建、河北、云南等省的代表介绍了他们开展"三下乡"的经验与做法。

（1999年11月26日《人民日报》）

# 共青团系统

## 全国大中专学生志愿者暑期"三下乡"活动

大中专学生志愿者暑期文化、科技、卫生"三下乡"活动，是由中宣部、教育部、团中央和全国学联共同举办的。5月底，下发了开展活动的通知；6月16日，召开了全国电视电话会议进行部署；6月29日，北大、清华等首都10所高校学生向全国大中专学生发出了积极投身"三下乡"实践的倡议；而后又在暑期"三下乡"活动开展得非常好、取得了突出成绩的中国农业大学举行出征仪式。从7月初至8月上旬，60万名大中专学生组成3万多支志愿服务队深入基层开展志愿服务。从各地的活动情况看，大中专学生志愿者暑期"三下乡"活动呈现出以下几个特点：

第一，各地重视程度高。各地根据通知精神，及时成立了由地方党政分管领导挂帅、各有关方面负责同志参与、相关部门协同工作的领导小组，对本地活动进行统一领导与协调。各相关部门先后召开工作协调会，积极研究、认真论证活动项目，根据本地高校、青年学生、经济和社会发展的实际情况，制定具体实施方案，及时下发各高校，有力地指导了"三下乡"活动。一些学校也先期派人与被服务地区联系，了解当地需求，增强组队的针对性和活动的实效性。山东、河南等省要求各地、各校成立组织协调机构，县乡一级团组织协助有关方面成立"三下乡"活动接待机构，建立相应工作机制，层层抓落实。

第二，活动重点突出。1999年的大中专学生暑期"三下乡"活动在总结过去两年经验的基础上，在活动的内容和方式上进一步突出了重点，主要包括三个方面：一是突出重点地区，二是突出重点服务队，三是突出重点项目。不搞平均主义，不做表面文章。保证最需要服务的地区得到服务，最需要帮助的群众得到帮助，最需要解决的问题得到解决。湖南、湖北、江西等省把重点地区明确定位在贫困或受灾地区，提出"人员要多往这些地方派，东西多往这些地方送，设施多往这些地方建"，使这些地方通过"三下乡"活动见到成效，并通过这些地区辐射和带动周边地区的发展。

第三，注重加强机制建设。1999年各地各校在部署安排中普遍注重和进一步加强了各项制度和运行机制的建设，以保证"三下乡"不流于形式，巩固和扩大实践成果。很多地方、学校在活动中进一步健全和完善活动的参与机制、服务机制、表彰机制、考核机制，使"三下乡"成为一个科学统一的整体。如山西等省积极探索符合市场经济体制要求的新模式、新机制，湖南要求各地要坚持基础化运作模式、事业化运行机制，形成多元化支持系统等。

第四，加强对活动的宣传。各地各学校在学生中广泛宣传“三下乡”的意义，引导学生积极参与，在活动中了解国情，服务社会，报效国家，提高自身素质。各地宣传部门对活动的新闻宣传作出了明确要求和具体部署，将活动宣传摆上日程，进行较大力度的宣传报道；要求在活动中注意典型宣传，扩大影响，为“三下乡”活动营造良好氛围。

第五，活动成果显著。1999 年的大中专学生暑期“三下乡”活动以中西部边远贫困地区和受灾地区为重点，深入广大农村，开展了科技扶贫、灾区援助、乡企促进、文艺演出、健康普查、支教扫盲、法律宣传、“保护母亲河”等服务活动，内容丰富，形式多样，卓有成效。

（共青团中央宣传部）

# 共 青 团 系 统

## 第二届“乡村青年文化节”活动

为深入贯彻落实党的十五届三中全会精神，进一步激发广大农村青年建设有中国特色社会主义新农村的内在热情，充分发挥其在学用科技、繁荣文化、倡树新风等方面的生力军作用，1999 年 12 月至 2000 年 2 月，共青团中央在总结首届“乡村青年文化节”经验的基础上，继续扎扎实实、卓有成效地开展了第二届“乡村青年文化节”活动。

第二届“乡村青年文化节”以推广科技、倡树新风、传播文明为主题，以乡村两级为活动重点，抓住澳门回归祖国和元旦、春节的有利时机，通过重点实施“万乡青年科技大集”、“乡村青年大擂台”、创建“共青团文明一条街”等具体项目，牵动“科技大集、文体大赛、卫生大扫除”活动深入开展，努力使“乡村青年文化节”开展得更广泛、更扎实、更热烈，成为农村群众性精神文明创建活动的重要载体。

第二届“乡村青年文化节”活动主要内容有：(1) 举办“万乡青年科技大集”。在乡村团组织普遍开展科普教育、技能培训、咨询讲座等科技传播活动的基础上，推广河南省 1998 年举办“百日百乡百万青年科技大集”的成功做法，即县级以上团委依托农业科研院所和青年星火带头人、青年科技示范户，广泛征集适合在本地推广的农业技术项目，通过制作展板和宣传资料、配备必要的农资、聘请专家教授，组成“科技大篷车”，到重点乡镇集市巡回服务。一方面，各省、地（市）、县（市）层层组建“科技大篷车”，深入到当地基层，形成上下联动的态势；另一方面，积极探索在省际、地（市）际、县（市）际之间开展项目、信息、技术等交流，形成横向联合的局面。经过全团上下的共同努力，使“科技大篷车”在文化节期间巡回服务一万个以上乡镇，辐射带动一千万农村青年。(2) 开设“乡村青年大擂台”。充分利用现有的文化娱乐场所和设施，围绕宣传改革开放成就、科教兴国战略、澳门回归、迎接新千年等主题，以乡村团组织为重点，普遍开展内容文明健康、形式活泼多样的文化科技竞赛活动。在此基础上，借鉴吉尼斯世界大全的做法，积极探索层层开设“乡村青年大擂台”，全国定期发布“乡村青年大擂台最高纪录公告”，统一登记和公告各地申报的各类擂台比赛的最高纪录。(3) 创建“共青团文明一条街”。各地团组织继续采取突出整治、重点示范、表彰激励等办法开展卫生大扫除活动。乡村团组织重点围绕文明村镇建设，开展以整治乡村主要街道环境卫生、优化美化村容村貌为主要内容的创建“共青团文明一条街”活动，通过组建青年突击队、青（少）年志愿者植绿护绿队、团组织分段包干等形式，定期对创建街道进行道路整修、打扫卫生、植绿护绿，使其在环境卫生、绿化美化、街容街貌等方面达到本乡村最高水平，并建立目标责任制，做到长年坚持。各地把这项活动作为树立团组织良好社会形象，在农村精神文明建设中发挥示范带头作用的重要措施，予以高度重视，层层创建、表彰。

（共青团中央宣传部）

# 北　京　市

## “十、百、千”工程

北京市创建文明村镇活动，认真落实党的十五届三中全会和市委八届二次会议精神，紧紧围绕农业和农村跨世纪发展的目标和方针，以提高农民素质、奔小康和建设社会主义新农村为目标，进一步向广度和深度发展，取得了新的成绩。

**以加强思想道德教育为重点，广大农民文明素质进一步提高。**京郊农村以迎接新中国成立50周年为契机，以“讲文明树新风”为内容，以揭批“法轮功”为重点，进一步加大了思想道德教育的力度。各区县、乡镇和各行政村充分利用电视、广播、板报、宣传栏、市民学校和丰富多彩的文艺活动等形式，加强了“五爱”（爱祖国、爱人民、爱劳动、爱科学、爱社会主义）、“四有”（有理想、有道德、有文化、有纪律）、“三观”（世界观、人生观、价值观）、“三德”（社会公德、职业道德、家庭美德）教育，普遍开展了移风易俗、科学文化和民主法制教育，使京郊农民的文明素质有了明显的提高。同时开展了形式多样的文化体育活动，丰富了农民的精神生活，倡导了文明、科学、健康的生活方式。京郊农民积极参加并圆满完成了国庆盛典中的群众游行和广场晚会活动，展现了首都农民的精神风貌。“法轮功”事件发生后，全市农村积极响应中央的号召，深入开展了揭批“法轮功”歪理邪说的斗争，深刻揭露了“法轮功”对人民和社会造成的危害，使广大农民认清了“法轮功”邪教的本质，受到了一次崇尚科学、破除迷信的生动教育，保持了农村社会的稳定。

**以农村环境整治为突破口，郊区环境面貌发生了巨大变化。**京郊区县紧紧抓住迎接新中国成立50周年的有利契机，开展了大规模的环境整治活动。各区县以县城为重点，各乡镇以乡镇所在地为重点，对农村和铁道、国道、河道两侧及旅游景区普遍进行了环境整治和绿化美化。各区县层层负责，一级抓一级，定期检查和讲评，并列入干部考核内容。怀柔县以县城环境建设带动村镇环境建设，不但加大了整治力度，而且提高了环境档次，为各区县作出了表率；延庆县结合发展旅游事业和“千名干部下乡包村”活动，县城、旅游景点和农村环境都发生了明显变化。在开展达标村活动中，昌平区马池口镇、顺义区马坡乡、通州区宋庄镇的乡（镇）、村领导认识高，行动快，效果好，走在全市各乡镇的前列。房山区韩村河镇韩村河村和丰台区王佐乡南宫村一贯重视农村环境建设，规划有序，环境整洁，形成了一套长效管理的机制。朝阳区、丰台区、海淀区重点进行了城乡结合部的环境整治和拆除违法建设工作，在时间紧、任务重的情况下，集中优势兵力打歼灭战，圆满完成了迎接新中国成立50周年的环境整治任务。

**以落实“十、百、千”工程为目标，农村创建活动层层深入。**在创建文明村镇活动中，全市以抓好十个文明乡（镇）、百个文明村、千个达标村为重点，坚持两个文明建设同步发展，全面开展“户、村、乡（镇）”创建活动；坚持创建活动与农村经济建设、环境建设、基层政权建设、思想政治工作紧密结合，促进农村工作全面发展；坚持“达标”与“创优”相结合，努力完成“十、百、千”工程；坚持精神文明重在建设的方针，努力形成农村精神文明创建活动的合力；坚持以人为本，从思想道德教育、科学技术普及和文化体育活动等方面入手，努力提高农民的文明素质；坚持为群众办实事的工作思路，努力解决农民关心的难点、热点问题。全市农村已涌现出各种类型的文明户40余万户，达标村2000余个，区县级文明村700余个，区县级文明乡镇50余个，首都文明村147个，首都文明乡镇34个，首都文明村镇活动示范点50个，全国创建文明村镇活动示范点5个，全国创建文明村镇工作先进县、乡镇、村镇10个。逐步形成了以文明村建设为主要形式，向下辐射到文明户建设，向上延伸到文明乡镇建设，创建活动由点连线、由线成片、由片到面的工作格局，促进了首都农村精神文明建设工作全方位发展。

同时，乡镇企业还以加强企业管理、提高产品质量、防止环境污染、提高职工素质、树立企业形象为主要内容，深入开展了创建文明村镇活动，取得了较好效果，有10个乡镇企业跨入了首都创建文明村镇活动示范点的行列。

（首都文明办）

# 河 北 省

## “读书兴农”活动

全省的“读书兴农”活动，是从1998年6月开始启动的跨年度的创建活动。省委宣传部等七部委《关于实施“读书兴农、读书兴企”工程的意见》下发后，各级各部门结合自己的实际，认真研究，精心谋划，周密部署，全省“读书兴农”活动呈现出积极、健康、向上的发展态势。在市、县两级成立了“读书兴农”活动领导小组，相继制定了本地的实施意见和规划方案，有的市列入年终考核领导班子责任目标，明确规定完不成年度任务，要从精神文明目标考核中扣分。为在全省形成一定声势，省委宣传部召开了新闻发布会，加大宣传报道力度，开辟了专栏和专题，对高邑县等示范点先进典型进行了集中宣传，并发挥各示范点的带动辐射作用，由点到面形成网络。短短半年时间，全省新建藏书5000册以上的示范点730个。各地根据自己实际探索出不少图书室建设、管理和发挥作用的有效经验。在图书室建设上，有的依靠社会各界捐助，有的依靠集体投入，有的依托村文化户滚动发展，有的从村提留中提取，有的依靠图书租售费用，走以文养文的路子。为了增强读书活动的吸引力，各地开展了读书演讲、征文比赛、知识竞赛、读书笔记展览等活动，增加了读书活动的趣味性。团省委、省妇联组织开展了适合青年和妇女的读书活动。农民把读书自学与田间地头现场指导结合起来，聘请农业技术人员现场解答读书提出的疑难问题，增强了读书的实际效果。由于各级各部门领导重视，全省“读书兴农”活动已经取得了阶段性成果。这个活动农民欢迎，认为党和政府为他们办了一件实事、好事；宣传干部高兴，感到农村宣传工作找到了“把手”，找到了切入点；领导满意，认为宣传工作与经济建设贴得更紧了。

（河北省文明办）

## 河北省衡水市

# 实施“三下乡”“三扎根”工程

按照中央、省关于开展“三下乡”活动的部署、安排，紧紧围绕广大农民的实际需要，坚持“送建结合，以建为主”的原则，在积极组织各级各部门深入开展“三下乡”活动的同时，大力实施文化、科技、卫生“三扎根”工程，加强了农村文化、科技、卫生基础设施建设。使农村思想政治工作从内容、方式、效果上实现了由虚到实的转变，深受农民群众的欢迎。

1999年初，中宣部、省委宣传部分别组织中央和省级16家新闻单位对衡水市的“三下乡”、“三扎根”工作进行了集中专题报道，在全省、全国推广了衡水市的做法。一是着眼于广大农民群众的迫切愿望，从办实事入手，使农村思想政治工作具体化、实在化。把宣传和普及农业科技知识作为“三下乡”活动和“三扎根”工程的重点，采取科普大集、发放科普书籍资料、举办专家讲座、集中培训等多种形式，向农民传授科技知识，有针对性地解决农民在生产中遇到的难题，先后组织棚菜种植、果树养殖、养鸡技术等各种专题下乡活动14260次，深受农民的欢迎。建立起信息网络，组织“三下乡”应急小分队，把农民的生产难题及时解决在田间地头。二是建立科学的领导体制和完善的运行机制，从根本上保证“三扎根”工作规范化、经常化。在市县两级分别成立了以主管副书记为组长，20个有关职能部门主要负责人为成员的“三下乡”协调领导小组及其办事机构，在实践中建立了管理协调、督导检查、社会监督、激励约束、新型服务等五种机制，调动了各部门、各类专业技术人员及广大基层干部、群众的积极性。三是加强队伍与设施建设，夯实农村思想政治工作的基础。把“三下乡”活动和“三扎根”工程作为加强农村思想政治工作的重要载体，建立一支不走的队伍，强化基层队伍和设施建设。在乡镇加强新华书店售书网点、电影放映队伍建设，全市投入300多万元用于实施“读书兴农”工程。加强医疗卫生设施建设，乡镇卫生院、村卫生室或门诊部开展帮扶活动，医疗条件有很大改善。加强科技设施建设，健全乡镇农民技校、农村成人学校。80%的村建立了科技园地。全市出现科技示范村386个，科技示范户5万余户。在实施“三扎根”工程中，始终把为基层育人作为重点，注重采取多种形式和途径，切实抓好培训，广泛开展“手拉手”帮扶和“一帮一”科技家教活动，指导建立农民农业技术研究会，培养“土专家”，变“输血”为“造血”，为农村培养一支不走的文化、科技、卫生队伍。

（河北省文明办）

# 内蒙古自治区

## 创建文明村镇活动

内蒙古自治区文明委精心组织全区“十星级奔小康文明户”评比活动和十佳苏木乡镇、百佳嘎查村评比表彰活动。为了引导和带动全区“十星级奔小康文明户”评比活动的深入发展，1999年2月24日自治区文明委制定下发了《全区农村牧区精神文明建设“一十一百”评选活动方案》。经过由苏木乡镇、旗县、盟市自下而上的层层评选推荐，呼和浩特市土左旗兵洲亥乡等12个苏木乡镇，呼和浩特市郊区西菜园乡西菜园村等100个嘎查村被评为全区“十星级奔小康文明户”。8月7日，在全区农村牧区精神文明建设经验交流会上进行了表彰。

全区创建文明村镇活动示范点水平进一步提高。3月26日，自治区文明办下发了《关于对部分全区创建文明城市、文明村镇活动示范点抽查的通知》。按照中宣部关于创建文明村镇活动示范点的有关标准要求，通过抽查，对符合自治区创建文明村镇活动示范点条件的呼和浩特市郊区巧报乡等8个苏木乡镇，包头市郊区新城乡当铺村等12个嘎查村予以重新确认，并正式挂牌。

召开了全区农村牧区精神文明建设经验交流会。为了总结交流近年来全区加强农村牧区精神文明建设的情况和经验，推广锡林郭勒盟牧区精神文明建设的经验，研究部署今后农村牧区精神文明建设工作，8月7日至9日，自治区党委、政府在锡盟锡林浩特市召开了全区农村牧区精神文明建设经验交流会。自治区党委书记刘明祖作了重要讲话，自治区党委副书记、精神文明建设委员会主任乌云其木格作了总结讲话。会议推出了锡林郭勒盟“突出特点、形成优势、注重实效、努力开创牧区精神文明建设新局面”和锡林浩特市“发挥优势、以城带乡、促进牧区精神文明建设健康快速发展”的典型经验以及全区一批农村牧区精神文明建设的先进典型。

（内蒙古自治区文明办）

# 辽宁省

## 创建文明村镇活动

辽宁省文明委按照“创建‘十星级文明户’为基础、创建‘十星级文明村’为关键、创建‘十星级文明乡镇’为方向”的总体思路，开展“十星级系列”创建活动。同时，继续开展专项整治和城乡共建活动。

全省开展创建文明户活动的村已达总数的80%以上。有国家级文明村镇示范点8个，省级示范点100个，市级示范点437个。在此基础上，把创建“十星级文明户”的工作机制引入到创建文明村镇上来，开展了创建“十星级文明村镇”活动，总结宣传了宽甸县在这方面的经验，在全省推广。

从解决群众最关心的实际问题入手，深入开展专项整治活动。宣传推广辽阳市整治乡村道路、整治农村集贸市场、整治封建迷信活动的经验。宣传推广西丰县实施“净化工程”的经验。从小处着眼，从具体事情抓起，净化生活环境，净化市场环境，净化文化环境。在实施“净化工程”的过程中，西丰县有80个行政村、6条城内主要街路达到卫生净化标准。封建迷信现象、非法宗教活动得到有效遏制。婚丧事大操大办的风气大为扭转，“黄赌毒”等社会丑恶现象得到根本治理。

大力推广开原市城乡共建精神文明的经验。开原市从1998年开始，组织动员城区的精神文明建设先进单位与56个农村精神文明建设先进单位结成对子，以城带乡，强强联合。共同建设农村文化活动中心，丰富农村文化生活；共同治理环境脏乱差，改变村容村貌；共同商议发展大计，帮助农民致富奔小廉。通过共建，城区对农村和农民加深了感情，进一步改进工作作风，提高工作质量，实现共建双方一齐进步。全市村容村貌已有很大改观，文化阵地得到巩固和加强，社会事业向前发展，城乡和干群关系明显改善。

（辽宁省文明办）

# 上　海　市

## 学习　借鉴　创新

1999年7月，上海市文明办和市农委在闵行区七宝镇联合召开了“上海市农村精神文明建设工作会议”，进一步明确了农村精神文明建设的各项目标任务，突出文明村镇创建活动是当前农村群众性精神文明创建活动的主要形式，也是农村各级党政组织为民办好事、做实事的重要载体，强调了创建的重点和难点，号召全市城郊地区要大胆借鉴中心城区精神文明创建活动的优秀成果和各省市的先进经验，创建成功一大批两个文明建设成绩突出的、具有时代特征的文明村镇，积极推进上海城乡一体化的历史进程。

全市广大郊区农村地区积极响应会议号召，继续加大了创建力度，结合自身实际情况，因地制宜，广泛开展创建活动。并且继1999年6月份市文明办组织学习考察江苏、浙江两省文明村镇创建活动先进经验之后，各区县、乡镇也纷纷组团学习考察，学各地之长，争创上海之新。

截至1999年底，上海市共命名表彰了市级文明村112个，文明镇36个，其中浦东新区孙桥镇、嘉定区南翔镇、青浦区徐泾镇前明村等9个村镇及闵行区被中央文明委评为“全国创建文明村镇工作先进单位”。

（上海市文明办）

# 浙 江 省

## 围绕实现农业农村现代化 加强思想道德教育

浙江省认真贯彻落实党的十四届六中全会和十五届三中全会精神，围绕提前基本实现农业农村现代化，积极开展主题教育，在全省农村较好地形成了“知现代化、想现代化、干现代化”的浓厚氛围，呈现出“作风大转变、思想大解放、群众大发动、促进大发展”的生动局面。

坚定信念，增强率先基本实现现代化的信心。各地在农业农村现代化教育中，把制定农业和农村现代化规划作为教育的前提和基础，把宣传规划、落实规划、推动《浙江省农业和农村现代化建设纲要》实施作为教育的着力点和落脚点。全省1730个乡镇制订了符合本地经济和社会发展的规划，占全省乡镇总数的92.8%；3万多个行政村把乡镇规划进行细化、量化，制订了村的规划，占90.7%。许多地方运用各种形式把规划形象化、具体化，使规划家喻户晓，进一步强化了农民群众实现农业农村现代化的信心。

注重结合，推进基层党组织建设。年初，省委组织部、省委宣传部联合下发了关于在全省农村党员中深入开展学习邓小平理论、学习党章活动的意见，用2—3年时间，对全省农村党员普遍进行一次轮训。5月份，省委宣传部举办两期“双学”师资培训班，为在农村开展“双学”，培训了一批教育骨干。各地结合开展乡镇党校、党员活动室建设和抓好党员活动日工作，加强农村党员教育阵地建设，丰富农村党员的活动内容。

突出重点，加强思想政治工作和精神文明建设。在教育中，各地普遍重视方法创新，探索了一些在新形势下紧密围绕经济建设中心、紧贴实际、切实有效的新鲜经验。不少地方组建了现代化教育讲师团、文明新风报告团、农技咨询指导团、桔乡文艺演出团、医疗卫生服务团、科技知识宣讲团等宣传服务队伍，深入农村开展教育活动，把农业和农村现代化的知识融于丰富多彩的宣传形式和服务之中，收到良好的效果。各地还以突出提高人的思想道德素质，加强和改进了新形势下的思想政治工作，在“破旧俗、改村貌、建阵地、抓活动、育队伍、树典型”等方面有新的突破，人民群众和农村社会的文明程度有了新的提高。

围绕中心，促进经济、社会协调发展。各地农村在农业农村现代化教育中，普遍讨论制订了农业增效、农民增收的措施，推动了农村经济发展。宁波市在教育中，提出以“五抓”（即抓结构调整、抓创新、抓龙头教育、抓社会化服务、抓减轻农民负担）为工作重点，在全市范围内开展农业增效、农民增收活动。各地紧紧围绕经济建设中心，正确处理好改革、发展、稳定的关系，着力解决农民群众关注的热点难点问题，进一步促进了经济社会协调发展。

（浙江省文明办）

# 安　徽　省

## 以“三改”为突破口 全面推进农村精神文明建设

安徽省农村精神文明建设以“三改”（改水、改厕、改善居住环境）为突破口，经过两年多来的努力，至1999年底，全省农村卫生厕所普及率已达到32%，农村改水普及率达34.81%。“三改”工作带来了良好社会效益，改善了群众的生活环境，提高了群众的生活质量，更新了群众的观念，激发了群众对健康文明生活方式的追求，增强了群众参与“三改”活动的自觉性。主要做法是：

**1. 提高认识，加强领导**

省委、省政府进一步加大了“三改”工作领导力度，在舒城县召开了“三改”工作推进会，进一步加快了工作进程。各级党委、政府高度重视，从推进农村精神文明建设，保护人民群众身体健康，加快农村奔小康进程，提高文明村镇创建水平的高度认识“三改”工作的重要性，转变了“厕所是小事，可以摆一摆，放一放”的认识，把“三改”工作作为农村精神文明建设的突破口和牵动性项目，列入了重要的议事日程，在全省形成了抓“三改”就是抓农村精神文明建设，就是为人民群众办实事、办好事的共识。特别是各级共青团、爱卫会积极参与，大力推进，团省委还专门下发了《关于全面推进农村改水改厕工作的意见》，在全省范围内广泛开展了“团干部、团员、青年星火带头人、乡镇企业青年职工、青年教师”等“五带头”活动，明确提出把改水改厕列入团的重点工作，实行评先评优一票否决。由于全省各级团组织、爱卫会上下联动，多方联系，主动争取党政领导重视和有关部门的支持，使“三改”工作形成了一套健全、高效的领导体系和工作体系。

**2. 广泛发动，强化措施**

冬闲时节是推进“三改”的良机。1999年11月，在全省范围内开展了“农村改水改厕宣传突击月”活动，专门制作了农村改厕电视广告片，组织拍摄了改厕技术科教片下发到全省各地，各地利用多种形式加强了宣传，在全省掀起了“三改”工作的热潮；团省委还结合实际制定了“改水改厕”工作3年推进计划，使改水改厕工作目标明确，措施具体；团省委与卫生部门联合举办了5期较大规模的改厕培训班，并指导各地层层培训，共培训骨干5000多人，在全省范围内组建了一批熟练掌握改厕技术的专业施工队伍；各地还积极争取政府和相关部门加大改厕投入，对先期改厕户实行“以奖代补”，鼓励群众改厕；为了强化工作督查，建立了农村改厕调研督查制度，对各地的改厕工作的组织领导、宣传发动和推进情况进行督促检查，进一步推动了改厕工作的落实。

**3. 突出重点，注意示范**

按照抓点带面的思路，重点抓示范乡镇和示范村。要求每个地、市、县抓1个重点乡镇，3至5个示范村，达到每个村成片改厕50户左右；每个行政村以团支部委员以上团干部为主要对象，抓3至5个青年改厕示范户；在此基础上，确定了全省20个改水改厕重点示范县，由于重点明确，注重示范，全省确定的200个改厕重点乡镇，314个重点村，都完成了成片改厕50户以上的目标。

（安徽省文明办）

# 福 建 省

## 组织实施100个文明新村“精品”工程

福建省委、省政府把建设100个文明新村“精品”工程纳入1999年全省为民办项目之一。该项目分布在全省各县（市、区）条件和工作基础较好、地处城郊或沿交通干线的行政村。

省、地（市）、县（市、区）财政共拨出专款1000万元支持该项目。经努力，至年底，100个“精品”文明新村基本建成，达到了“新村规划科学、环境整洁优美、教科文卫达标、社会风气良好、社会治安稳定、创建活动扎实、集体经济发展”的标准，对全省农村精神文明建设起到了示范和辐射作用，深受人民群众的欢迎。

（福建省文明办）

# 江 西 省

## 创建文明村镇　着力抓好“四个结合”

1999年江西省认真贯彻党的十五届三中全会精神，按照全国农村精神文明建设工作座谈会的要求，继续深化创建文明村镇活动。全省各地在创建活动中以提高农民素质、发展经济、建设小康为目标，着力抓好四个结合，即把创建活动与实现农业产业化、推广农业科技、发展优质高效农业、增加农民收入结合起来；与帮助农民更新观念、掌握新知识、提高科技文化素质结合起来；与改善村容村貌、抓好改水改厕、创造文明生活环境结合起来；与基层民主政治建设和农村社会治安综合治理有机结合起来，使创建活动富有生机和活力，取得了显著成效。

各地人力推广思想道德进农家、科技文化进农家、法制教育进农家、文明生活进农家的“四进门”活动，继续开展了创评“十星级”文明户活动，深入开展农村爱国卫生运动，进一步加强了农村宣传文化阵地建设，引导农民移风易俗、革除陋习、改善农村环境。据不完全统计，全省90%的农户参与了“十星级文明户”的创评活动，46%的农户达到了五星级以上文明户，80多个乡镇被评为省级文明单位。通过创建活动，教育了广大农民，推动了农村各项工作的发展。全国创建文明村镇示范村崇仁县巴山镇巴山村，在创建活动中实施“经济腾飞工程”、“民心工程”、“文化熏陶工程”，不断壮大集体经济，改善了农民生活，提高了农民素质。于都县委、县政府积极围绕发展农村经济、带领农民奔小康的目标，在全县组织开展文明村组（户）创评活动，促进了以社会风气好转、公共秩序井然、生活环境优化、农村经济发展为主要标志的城乡文明程度的提高。

上高县以讲文明、创“十好”奔小康活动为载体，突出对农民进行思想道德教育、农业科学技术教育、法律知识教育，提高农村干部、农民的整体素质和农村文明程度，帮助农民了解市场，寻找新的经济增长点，推动当前农村各项工作，促进农民增收、农村稳定，村风、民风、社会风气明显好转，取得了较好的效果。上饶地区积极开展创评“十星级农户”活动，极大地增强了广大农民的大局意识、市场意识、法制意识，有效地推动了农村经济建设的发展和各项工作的进行。

为改变贫困地区和灾区农村基层文化设施落后的状况，促进农民群众文化生活条件的改善和自身素质的提高，加强农村宣传文化阵地建设，认真实施农村精神文明活动中心的建设工程。省委宣传部、省文明办对工程实施的各个环节都严格标准，认真把关。各地市在工程实施过程中，做到了“高度重视，加强领导”、“落实资金，科学布点”、“落实责任，确保质量”。1999年底，全省首批20个农村精神文明活动中心已基本建成。

（江西省文明办）

## 河　南　省

# 丰富内容　提高效果　搞好农村精神文明建设

河南省各市地以“三户一村”和“十星级文明农户”为主要载体，把创建活动与农村政策法纪教育和“三级联创”结合起来，推动了文明村镇创建活动的深入开展。

一是加强了对农民的思想道德教育。广泛组织农民群众开展唯物论和无神论教育，引导农民养成文明、健康、科学的生活方式。如鹤壁市认真开展了“崇尚科学、破除迷信、倡导文明”的集中教育活动；洛阳市开展了“破除封建迷信，树立文明新风”活动；一些市地还结合政策法纪教育，对乡村两级干部广泛进行邓小平理论、法律知识、农业科技知识、文化卫生知识等教育。通过一系列宣传教育活动，增强了基层广大干部群众的法律意识、科学意识、环境卫生意识，提高了政策法纪水平，为农村精神文明建设奠定了坚实的思想基础。与此同时，再次对农村乱建寺庙、非法宗教和封建迷信活动进行了彻底清理整顿，优化了农村精神文明建设环境。

二是结合实际、注重实效，组织开展了多种形式的创建活动，丰富了农村创建内容，激发了创建活力。郑州市在全市农村广泛组织开展了文明村镇和“十星级文明农户”创评活动，新创建文明村镇20个，70多万户农民参加了文明农户评选，占农户总数的70%，评出“十星级文明农户”10万户，占参评户的15%。三门峡市组织开展了“十星级文明农户”、文明村民组、文明村、文明乡镇四级创建活动。开展创建“十星级文明农户”的村已达85%，参评农户达95%。驻马店地区在农村广泛开展“三评一帮”（评好党员、好农民、好农户，帮帮带对象）活动，较好地解决了精神文明建设进村入户的问题。

三是从完善集镇各项设施、增强集镇辐射功能入手，以硬化、美化、净化为突破口，开展争创文明集镇活动。南阳、周口、信阳等市地都制定了文明集镇创建活动的实施办法，在交通要道沿线乡镇集中力量对占道经营、乱堆乱放、乱停乱行等问题进行治理，取得了一定效果。

四是大力加强小城镇建设。各市地积极在沿

公路干线基础条件较好、经济发展较快的乡镇，开展小城镇建设，并引入城市管理机制，推动小城镇向城市化方向迈进。全省共有 27 个乡镇、村被命名为全国创建文明村镇工作先进单位，有 19 个村镇（乡）被省委、省政府命名为省级文明村镇。

（河南省文明办）

## 湖　北　省

# 从“五抓”入手　创建文明村镇

湖北省在农村精神文明建设工作中，主要抓两个重点：一是对争创“十星级文明农户”活动进行规范化管理；二是全面启动以创建文明乡镇为重点的文明村镇建设工作。一方面针对争创“十星级文明农户”活动的内容不统一、提法不够准确，加大规范化管理力度，逐步更换不规范的匾牌；另一方面，按照省委、省政府“农业产业化、乡镇企业二次创业和小城镇建设”三大战略扭在一起抓的思路，召开全省创建文明村镇工作现场会，重点开展文明村镇创建活动，形成以城带镇、以镇带村、以村带组带户、城乡共建、工农共建、干群共建、军民共建的“四带”、“四建”工作格局，建设汉十、宜黄、京广、京九四大文明走廊。

在文明村镇创建工作上主要有“五抓”：

**一抓示范**。认真办好文明村镇创建示范点。中宣部在湖北省确立有 13 个农村精神文明建设示范点，湖北省也确定了 100 个创建文明村镇活动示范点。为充分发挥这些示范点对周边乡镇和广大农村的示范辐射作用，开展了“四个一”的竞赛活动，即建好一个创建专班，制定一个总体规划，夯实一个城管基础，实施一项综合工程（小城镇形象工程）。

**二抓延伸**。将讲文明、树新风活动向农村延伸，分阶段集中抓好村容村貌、镇容镇貌的整治，实现村镇面貌的洁绿净美，抓好农村植被保护和水土保持，保护生态环境，倡导生态文明观念。

**三抓典型**。在重点学习推广谷城县石花镇文明小城镇创建经验的同时，集中宣传了随州殷店、钟祥旧口、襄阳太平店等乡镇创建文明村镇的经验。

**四抓制度**。制定《湖北省文明村镇建设暂行管理办法》和《湖北省文明村、文明乡镇检查评比细则》，分别以省委、省政府文件形式下发，指导创建工作，促进创建活动的规范化、制度化。

**五抓表彰**。省委、省政府命名表彰了文明乡镇 40 个和 10 个文明村，向中央文明办推荐了钟祥市、谷城县石花镇等 21 个文明村镇创建工作先进单位。在评比表彰活动中，把争创“十星级文明农户”活动规范化程度作为文明村镇创建的一条重要考核依据，促进了农村争创“十星级文明农户”活动的规范化。

（湖北省文明办）

## 广西壮族自治区

# 精心实施乡镇宣传文化工程

广西壮族自治区认真贯彻落实中央宣传部、中央文明办、文化部《关于组织实施“百县乡镇宣传文化工程”的通知》精神，精心组织施工，全区50个宣传文化站已全部竣工投入使用。

**1. 建立机构，明确职责**

为使整个建站工作顺利进行，成立了广西乡镇宣传文化站建设工作领导小组及其办公室。各地市级有建站任务的县（市）、乡镇，也相应成立领导机构，并指定专人负责。在此基础上，自治区党委宣传部、文明办会同各地、市委宣传部与有建站任务的县（市）委宣传部、乡镇党委签订了《建站协议书》。为进一步规范乡镇宣传文化站的规模和功能，自治区党委宣传部专门请广西建筑设计院为文化站设计了6种类型的图样，从中选定3种，作为乡镇宣传文化站建设的参考图样，供各地选择使用。

**2. 落实资金，选好站址**

在中央拨款和自治区财政配套资金到位后，迅速将每个站10万元的首批款项拨到县委宣传部，促使乡镇宣传文化站建设按时启动。同时，各地（市）和有建站任务的县（市）委宣传部及乡镇党委想方设法，积极筹措配套资金。

项目确定后，自治区专门发出通知，要求有关县（市）、乡镇做好选点、定点、征地等前期工作。每个宣传文化站用地面积不少于1亩，建筑面积不少于400平方米；文化站要具备图书、阅览、棋艺、音像、娱乐、教室等基本功能用房，同时预留室外活动场所用地，一次规划，分步实施。宣传文化站安排在交通条件相对较好、积极性较高、土地征用和配套经费到位的乡镇进行建设。有建站任务的县（市）委宣传部、文明办领导深入乡镇，了解乡镇的具体情况，实地查看地形，检查配套资金的最后落实情况。在选定站址后，各地又认真做好土地征用工作，保证中央、自治区的拨款下达后，各乡镇都能迅速投入施工建设。

**3. 检查督促，抓好施工**

为掌握施工情况，自治区组织了三个检查组分别到10个地市20多个在建的宣传文化站进行实地检查，了解进度，查看工程质量，发现问题及时予以解决。自治区党委常委、宣传部长潘琦亲自带检查组深入到河池地区都安县、大化县以及南宁地区马山县的建设工地进行检查，确保施工质量。

梧州、玉林等地（市）委宣传部的主要领导多次到建站的乡镇检查，协调有关部门解决施工中出现的土地、资金及工程质量等方面的问题，保证工期按时完成。许多县对所建的乡镇宣传文化站，能够从更长远的发展去考虑问题，切实抓好施工的各个环节，为充分发挥其作用奠定基础。

**4. 认真验收，配好设施**

在大部分宣传文化站土建工程基本完成时，自治区党委宣传部、文明办及时下发了《关于做好宣传文化站验收工作的通知》，要求各地市、各县（市）上报已完成土建任务的宣传文化站的情况，组织人员进行验收。根据各地、市上报的情况，自治区进行抽查验收。宣传部及文明办领导带队，结合年度考核地、市宣传思想工作，对全区51个宣传文化站进行抽查。

根据上报和抽查验收的情况，自治区迅速将每个站5万元—10万元的设施配套资金下拨到县委宣传部，重点用于购买各种宣传文化设施。明确要求：一是图书室、阅览室必须藏书3000册以上，订报5份以上，杂志10种以上。同时，配备相应的书架、报架、阅览桌椅等。二是必须配备不低于29寸彩色电视机一台，录像机、VCD影碟机各一台，须配有话筒、音箱及录像带、影碟若干盒（张）。三是购置的球、棋、琴等文艺、体育用品不少于5000元。四是购置办公用具及课桌椅不少于5000元。各个宣传文化站基本能够按照自治区的要求配好各种设施。同时，乡镇党委及时选派管理人员，制定措施，管好用好宣传文化站。

（中央文明办：《精神文明建设工作》）

## 重 庆 市

# 抓教育 抓示范

重庆市在文明村镇创建活动中，针对农村的特点，进行了总体部署，制定了有力的措施，建立了工作机制，使创建活动落到了实处，有力地推动了农村两个文明建设的深入发展。

**一是深化认识，加强领导。**市委、市政府高度重视，加强了领导，在年初召开的全市精神文明建设工作会议上，对创建工作进行了全面的部署。4月份对达到文明村镇条件的单位进行了命名表彰。各区县（市）党委、政府对创建文明村镇的工作，进行了全面的规划，实行任期目标责任制，同奖惩挂钩。各级党委宣传部、文明办等工作职能部门，加强了对创建工作的指导和协调，深入到农村进行具体帮助，并建立了横向到边、纵向到底的创建组织网络，使创建工作形成了党政领导亲自抓，职能部门齐心抓，基层干部具体抓的良好工作局面，保证了创建工作的落实。

**二是突出重点，以人为本，狠抓教育。**以突出提高农民素质，培养“四有”新型农民，致富奔小康和建设社会主义新农村为主题，深入开展了邓小平理论和弘扬红岩精神的宣传教育，深入开展了党的路线、方针、政策教育。结合农村特点，还开展了市场经济知识、科普知识和法律知识的教育。在创建文明村镇活动中，注重抓骨干、抓示范；在农户中开展“三户”和“十星级”的评选活动，在全市开展了文化科技卫生三下乡活动，1999年向全市8498个村社送书245711册，新建图书馆244个，送戏175场，建立广播电视接收站（座）3673个；送科技资料479万多份，办科技培训班2.6万次；送医疗器械和药品88万元，建医疗卫生室1546个，培训农村医务人员4.6万多人，有25万多农村人民群众受到益处，使农民感到创建活动实在具体，受到了教育。

**三是抓点带面、突出示范。**坚持抓示范、抓典型，以典型引路，推动了面上的创建。市里首批确定了九龙坡九龙镇和沙坪坝区覃家岗镇新桥村等50个文明村镇示范点，3个全国文明村镇示范点，1143个村、镇被各级党委政府命名。在这些示范点中，有发展乡镇企业的典型，有种养殖业得到较快发展，实现产业化生产、经营的典型，有通过艰苦创业带领农民脱贫致富的典型。通过抓点带面，使全市村镇在创建活动中，做到了学有榜样，赶有目标，操作有示范，有力地推动了创建活动的深入开展。

（重庆市文明办）

# 西藏自治区

## "三下乡"活动卓有成效

按照中宣部等11个部委《关于认真贯彻党的十五届三中全会精神，广泛深入持久地开展文化科技卫生"三下乡"活动的通知》精神，对"三下乡"活动作了全面部署。1月份，以自治区党委常委、宣传部长肖怀远为团长、自治区卫生厅、文化厅、区科委、科协、武警西藏总队文工团、日喀则地委、行署为成员的自治区文化科技卫生"三下乡"工作团一行47人，到日喀则地区江孜县、白朗县和日喀则市的21个乡、4个村和开发区、移民点、扶贫点、养老院。文化部门组织10个专业艺术表演团体送戏下乡400场；修建6座文化馆，举办了县文化管理人员培训班和业务骨干培训班；区展览馆联合有关单位到农牧区举办宣传党的政策和科普知识的巡回展览；出版社出版了一批农牧民看得懂买得起的藏文图书。科技部门狠抓科技普及工作，举办学习班，培训乡镇基层干部、农牧民群众；播放以藏文为主的科普录像带；赠送藏文农牧业实用技术文库，藏汉文西藏畜牧兽医实用手册合订本，藏文科技报，碘缺乏技术书、技术挂图及破除迷信挂图等科普读物。卫生部门以自治区卫生厅和各地（市）扩大农村合作医疗试点为契机，将合作医疗试点工作与卫生下乡工作有机地结合起来，组派技术骨干加强基层医疗单位工作，组织下乡医疗队，深入农牧区巡回医疗，开展健康、防病治病和计划生育技术服务。广播影视部门推出一套藏语电视节目，完成800个村级广播站的建设，完成30个县级电视设备更新改造，更新乡级电影队设备，保证了每月每村看一部新电影。

在自治区的示范带动下，各地（市）、县也纷纷组织"三下乡"工作团，深入农牧区开展活动。据不完全统计，全区各级"三下乡"工作组为农牧民群众演出290余场，观众47万余人；送图书报刊5.5万余册（份），赠送科技录像带220盘，赠送药品价值73000元；办医务人员培训班10次；办科技人员培训班29次；慰问灾区群众（含送温暖）3万多人，资金达1437万元；建卫星广播电视差转台121座；建立科普示范工程16处，举办科技大集4场，播放农村科教录像片636场，新建乡镇卫生院2座，农村青年"三下乡"接力行动开展2次。

西藏1999年"三下乡"活动，具有以下几个特点：

一是把"三下乡"活动与扶贫济困送温暖活动紧密联系在一起。"三下乡"工作团与送温暖慰问团一同开展工作，为灾区群众和贫困户办实事。

二是在为农牧民群众办好事、实事上下功夫。各相关单位各尽所能，想方设法多为农牧民办实事。文化部门力争把最好的文艺节目、群众能看得懂用得上的实用技术图书奉献给农牧民。卫生部门力争为农牧区多送些药品，多培养一些当地的医务人员。

三是各级领导高度重视，各相关单位顾全大局，通力合作，无私奉献。全体工作人员具有高度的责任心和使命感，团结协作，忘我工作，保证了"三下乡"活动的顺利进行。

（西藏自治区文明办）

## 宁夏回族自治区

# 扎实开展“三下乡”常下乡活动

宁夏在农村精神文明创建活动中，坚持发挥文化科技卫生“三下乡”的名牌效应，在总结以往经验的基础上，1999 年，全区累计组织 6.3 万多人次开展“三下乡”活动，共举办科技大集 1100 场，派出医疗队 14 批共 223 支，举办科技、卫生培训班 4560 期，培训农村文化骨干近 5 万名，医疗卫生人员 400 多名，发送各类图书和资料 140 万册，科技录像带 3 万多盘，播放电影 18 万场，送戏下乡 2400 场，送医药器械和各种药品达 490 多万元。接受义诊农民 60 多万名。使“三下乡”成为继评选“文明村镇”、“十星级文明户”之后深受农民群众欢迎的重要活动。

各地广大农民群众把积极参与“三下乡”活动作为提高科技文化水平，改善生活条件和实现脱贫致富奔小康的有效途径，倾注了极大的热情，主动为“三下乡”活动提供各种方便。一些乡镇根据农民群众的要求，聘请了农业科技方面的专家常年作农村科技种养的技术顾问。在“三下乡”活动中，全区各级文化、科技、卫生部门与农村结成了 200 多个相互帮扶的对子。“三下乡”常下乡的活动，正在农村精神文明建设中发挥越来越大的作用。

（宁夏回族自治区文明办）

# 创建文明行业活动向纵深发展

1999年初，中央文明办、国务院纠风办联合召开全国电视电话会议，总结了近年来创建文明行业工作的经验，对进一步推广规范化服务做出部署，公布了金融、铁道、民航、电力、气象等第二批行业服务规范。越来越多的行业特别是与群众生活关系密切的窗口行业和执法部门，规范行业行为，加强行风建设。表彰全国职业道德十佳单位和十佳个人。继续开展“百城万店无假货”活动，在全国推出第二批15条活动示范街，召开现场经验交流会，推广南京市湖南路的经验。继续组织开展做人民满意的公务员活动，表彰了一批先进集体和先进个人。各级党政机关积极开展创建文明机关活动，为全社会的精神文明创建活动做出表率。

## 中宣部　广播影视总局　新闻出版署　全国记协

## 要求加强职业道德建设　禁止有偿新闻

中共中央宣传部、广播电影电视总局、新闻出版署、全国记协1999年3月25日在京联合召开加强职业道德建设，禁止有偿新闻电视电话会议，要求全国新闻系统贯彻落实中纪委三次全会和全国宣传部长会议精神，深入开展加强职业道德建设，禁止有偿新闻工作，充分发挥全国新闻系统43家精神文明示范单位的作用，树立新闻工作和新闻工作者的良好形象，更好地为人民服务，为社会主义服务，为全党全国工作大局服务。

会上，全国记协常务副主席郑梦熊代表4部门总结了1998年工作，部署了1999年任务。广电总局副局长吉炳轩就广电系统开展这项工作提出了要求。新闻出版署副署长梁衡就加大违规查处力度讲了意见。中宣部副部长徐光春作了总结讲话。会议由中宣部新闻局局长李宝善主持。

会议认为，1998年电话会议以来，中宣部等4部门加大工作力度，通过宣传教育、举报查处、召开片会、经验交流、检查验收等方式，推动了会议精神的贯彻落实。一年来，中央、地方大多数新闻单位狠抓新闻报道和经营活动分开，新闻采编队伍和经营队伍分开，新闻职业道德建设明显加强，有偿新闻蔓延势头得到遏制，新闻宣传工作健康发展。突出反映在'98年抗洪斗争中，新闻记者不为名利，舍生忘死，和抗洪大军并肩奋战，采写了许多感人至深的优秀报道，对凝聚人心、鼓舞斗志、战胜洪灾发挥了积极的作用。

会议指出，当前在一些地方的部分新闻单位“两不分”现象仍然存在，1999年要进一步推进“两分开”，落实“两分开”。要抓住关键环节，加强制度建设，加强查处力度。新闻采访制度、广告经营制度、记者管理制度等，不仅要建立，还要完善，更要严格执行。1999年将依据有关政策法规，按党风廉政建设责任制的要求，追究“两不分”单位领导的责任，坚决禁止有组织的集体有偿新闻行为。对那些隐蔽的个人有偿新闻行为，一旦查实，要认真处理，包括吊销记者证。至于那些社会性的被动有偿新闻行为，比如一些单位为了宣传自己的需要，向记者发红包、开稿费、发奖金等，应一律上缴，查实后，还要对这些单位在媒体上公开曝光。

会议强调，在进一步加强“两分开”制度建设的同时，1999年还要加强版面管理和确保新闻真实性的工作。现在一些媒体出现出卖版面、节目和虚假报道问题。出卖版面和节目是典型的有偿新闻行为，是坚决不允许的。除了党和政府授权、批准主办新闻媒体的部门、单位外，未经批准的其他单位、团体、企业、个人不能办报办台。今后再发生出卖版面和节目的，将依据有关政策法规，严肃处理。虚假报道是违反真实性原则和新闻职业道德的行为。新闻单位要教育编辑记者，克服片面追求“卖点”，追求“轰动效应”，不顾事实的错误倾向，一定要从信息源、编辑、审稿诸环节上制定制度，严格把关，杜绝虚假新闻的发生。

会议要求，加强职业道德建设，禁止有偿新闻，首先，领导要重视，社长、台长、总编辑是第一责任人。第二，学习要加强。新闻单位一定要抓住党中央决定在县级以上党的领导班子、领导干部中以整风精神开展“三讲”教育的机会，把加强职业道德建设，禁止有偿新闻与开展“三讲”教育有机结合起来。第三，制度要完善。各新闻单位要根据这次会议精神，检查总结，堵塞漏洞，完善制度，进一步推进“两分开”工作。第四，查处要得力。各新闻单位要严格自律。各级记协都要成立举报中心，切实担负起受理举报、查处的责任。各级党委宣传部门、广电部门、新闻出版部门要加强对新闻业的管理。同时，要把舆论宣传置于社会监督之下，建立必要的社会监督制度。第五，改革要深化。通过改革，从体制上、机制上、工作上把新闻报道与经营活动分开，把新闻队伍与经营队伍分开，使有偿新闻没有滋生的土壤和条件，进一步振兴、发展和繁荣社会主义新闻事业。

(1999年3月26日《人民日报》)

## 中宣部　人事部　中央文明办

# 要求深入开展做人民满意公务员活动

中宣部、人事部、中央文明办3月30日联合召开电视电话会议，要求深入开展做人民满意的公务员活动。

做人民满意公务员活动自1996年开展以来，涌现了一批全国性的先进典型，同时各地表彰了上千名先进公务员和一大批先进集体。在宣传典型的同时，“三优一满意”、推行公务员挂牌上岗等活动也迅速展开，并且活动内容不断丰富，影响不断扩大，一个为人民办实事、争做人民满意公务员的热潮止在各地广泛兴起。

中宣部副部长刘鹏在会上宣读了中宣部、人事部、中央文明办《关于继续深入开展做人民满意的公务员活动的通知》。通知要求，要在前几年工作的基础上，继续把这项活动深入开展下去。要紧紧围绕建设廉洁、勤政、实务、高效政府的目标，大力推进政务公开，切实加强群众监督，突出为人民群众办实事，更好地为改革发展稳定的大局服务，用让人民满意的实际行动，迎接新中国成立50周年。

人事部部长宋德福在会上指出，深入开展这项活动要不断深化“让人民满意”的主题。首先，抓学习，提高认识。在活动中组织公务员深入学习“三讲”教育规定书目中的有关论述，把为人民服务变成自觉行动。其次，办实事，服务群众。

办实事的重点要放在群众普遍关心、与群众切身利益密切相关的问题上，让人民群众得到实实在在的好处。主管部门要加强对办实事的监督考核，并把考核结果作为公务员表彰、奖励、晋升的依据之一。

公安部、国家税务总局、辽宁省人事厅、湖北省人事厅的代表在会上发了言。

中央国家机关工委、国务院各部委、各直属机构主管人事工作的负责人和北京市有关部门负责人，以及全国30个分会场的2800多人参加了今天的会议。

（1999年3月31日《人民日报》）

## 中央文明办　国务院纠风办

# 要求深入开展优质规范服务 大力倡导文明行业新风

中央文明办和国务院纠风办6月15日联合召开全国电视电话会议，要求各地各有关部门要从服务经济建设中心、服务人民群众、服务改革发展稳定大局的高度，充分认识深入开展文明行业创建工作的重要性和紧迫性，深入开展优质规范服务，大力倡导文明行业新风。

中宣部常务副部长、中央文明办主任刘云山，中纪委常委、监察部副部长、国务院纠风办副主任李至伦分别在会上讲话。

会议指出，现在我国改革进入攻坚阶段，发展处在关键时期，稳定的任务相当繁重。贯彻落实中央总的工作部署，迫切要求文明行业创建活动有一个更大的发展，为深化改革、促进发展、维护稳定提供强大的精神动力和思想保证，为迎接建国50周年大庆、迎接澳门回归祖国营造团结奋进、欢乐喜庆、昂扬向上的社会氛围。

刘云山在讲话中强调，深入开展创建文明行业活动，要以邓小平理论为指导，认真贯彻党的十五大精神，继续落实十四届六中全会提出的创建要求，坚持标本兼治、纠建并举的方针，深入开展优质规范服务，着力解决服务质量、行业风气方面存在的突出问题，大力倡导文明行业新风，努力促进各行各业两个文明建设协调发展，更好地为人民服务、为社会主义服务，为全党全国工作大局服务。

刘云山指出，深入开展优质规范服务，要以为人民服务、树行业新风为主题，以解决群众最关心的问题为着力点，通过规范行业行为，把职业要求制度化，把为人民服务具体化，多办好事实事，使群众得到实实在在的好处。要着力抓好与群众日常工作生活紧密相关的社会服务行业和其他行业系统的服务窗口这些重点行业和重点单位的工作，进一步密切党和政府同人民群众的联系。各行各业都要结合自身实践，制定切实可行的服务规范。要围绕实施优质规范服务，深入进行职业理想、职业道德、职业纪律和职业技能教育。要建立健全科学规范的管理制度，不断提高管理水平，保证优质规范服务的实现。要把行业系统内部监督与外部监督紧密结合起来，使监督工作经常化、社会化。各地各行业系统主管部门要加强组织领导，采取有力措施，狠抓工作落实。

李至伦讲话时指出，深入开展优质规范服务关键在于加强领导。各级领导干部要率先垂范，带头搞好“三讲”，真正做到思想上有明显提高，工作上有明显进步，作风上有明显转变，纪律上有明显增强，并把这“四个明显”在推行规范化服务、创建文明行业活动中体现出来。要把这项工作作为落实党风廉政建设责任制的一项重要内容，加强督促、检查和指导，严格执行责任追究的规定。对违反服务规范和行业纪律，尤其是以权谋私，侵害群众利益，影响恶劣的违法违纪行为，要严肃查处，并有选择地予以公开曝光，以儆效尤。要把深入开展优质规范服务与加强行风建设的其他有效做法紧密结合起来，统一融入到创建文明行业的总体规划和行动之中，发挥好各种载体的作用。各级纠风办要在各级党委政府统一领导下，认真履行自己职责，与文明办等有关部门积极配合，共同做好组织协调，积极推动这项工作取得更大的成效。

中央办公厅副主任、中央文明办副主任姜异康，国务院纠风办副主任郭汝斌出席了会议。会议由中央文明办专职副主任胡振民主持。国家税务总局、铁道部、上海市文明委、石家庄电业局的负责同志在会上介绍了开展规范化服务的经验。中直工委、中央国家机关工委、中央金融工委和有关行业系统主管部门以及北京市的有关负责同志在主会场参加会议，各省（区、市）文明办、纠风办及有关部门的负责同志在各分会场参加会议。

（中央文明办：《精神文明建设工作》）

# 贺邦靖的发言（摘要）

**1. 开展规范化服务活动是税制改革和形势发展的必然要求**

随着经济建设的蓬勃发展和改革开放的不断深入，1994年党中央、国务院决定对我国的税收体制进行重大改革，并作了一系列重要指示。根据中央精神，近年来我们逐步完成了税制改革、征管改革和机构改革。实现了从单一税制向复合税制转变，税收征管从分散管理向集约化管理的转变，同时，在全国组建了国家税务局和地方税务局两套税务机构。经济建设形势的发展和新的税收体系的建立，都要求我们必须建设一支思想过硬、素质优良、执法严格、纪律严明、服务文明的税务干部队伍，以更好地担负起时代赋予税务工作者的光荣使命。

1995年以来，我们立足于提高税务干部队伍的整体素质，以深化改革为动力，以推行税务基层窗口单位全面建设为突破口，以健全执法、服务和监督制约机制为保证，广泛深入地开展了行业规范化服务活动。特别是1998年，按照中央文明办关于在四部门、七行业中率先实施规范化服务，进一步推动"讲文明树新风"活动深入开展的工作部署，国家税务总局召开了推广办税规范化服务座谈会，要求在全国税务系统办税服务厅全面推广规范化服务。通过开展这项活动，全国税务系统推出了文明服务示范单位20个，评选出了71个"最佳办税服务厅"。各级税务机关在规范化服务活动中深化了税收征管改革，同时也提高了税务机关的服务质量。

**2. 以行业作风整顿为重点，积极推进规范化服务活动的开展**

税务部门是代表国家和政府形象的"窗口"行业。我们在开展规范化服务活动中首先确立了"爱祖国、爱税收、爱岗位，树立税务新形象"这一鲜明主题，其核心是全心全意为人民服务，树立税务新形象。我们在全国税务系统建立了1.7万个"办税服务厅"，并对"办税服务厅"的办税功能、窗口设置、服务标准、管理办法等作了统一规定，条件具体，要求明确。为适应现代化税收征管模式的需要，根据"法治、公平、文明、效率"的新时期治税思想，建立了"以申报纳税和优质服务为基础，以计算机网络为依托，集中征收，重点稽查"的新型税收征管体系，明确了税务部门与纳税人之间的法律责任，提高了纳税申报的透明度，降低了纳税人的办税成本，同时也从机制上铲除了滋生不廉行为的土壤和条件。

在办税服务中，实行了税务登记、纳税申报、税务审核、涉税文书、税务咨询等"一站式"服务，并在办税服务厅设立银行窗口。将各项税收政策规定、办税程序、服务标准、承诺项目、廉政公约等实行公示制，让群众明白、使纳税人放心。过去纳税人需要3天才能办完的事，现在两个小时就可办完。税务人员在严格执法、文明办税、规范服务中注意做到高素质、高效率、高标准、高质量，使基层办税服务厅真正成为纳税人方便、快捷、舒心的办税场所。税务部门在坚持严格执法、文明服务的同时，向纳税人传播着社会主义精神文明，进一步密切了税务部门与企业、业户之间的征纳关系。

根据中纪委和国务院纠风办的要求，我们按照“内强素质、外树形象”的基本方针，1998年对全国税务系统基层窗口单位深入进行了行业作风整顿。整顿的对象是办税服务厅、税务分局、税务所、征收分局、稽查分局等税收一线基层窗口单位。整顿的重点内容：一是对国家规定以外的收费项目一律予以取消：二是对“吃、拿、卡、要、报”等为税不廉、以税谋私的行业不正之风，坚决予以查处；三是对服务意识差、服务质量低的问题限期整改；四是对乱施处罚和不按程序办税的行为加大整改力度，坚决纠正；五是采取一系列有力措施，加强内部管理，着力解决管理不严、纪律松懈、违法违纪问题。通过整顿，税务系统基层窗口单位的征纳环境、服务状况有明显改进，群众反映强烈的行业不正之风问题得到了进一步纠正，促进了税收任务的完成，巩固了税制改革、征管改革的成果。

**3. 大力加强税务系统社会主义精神文明建设，努力实现全行业的规范化服务**

经过不懈努力，目前全国税务系统涌现出了一大批各级文明行业或先进系统，有10个省税务系统被本省评为文明行业，另有9个省税务系统在行风测评中多年名列第一。下一步，我们要在全国税务系统进一步加强对规范化服务活动的组织领导，全面开展以创建文明行业为目标的办税规范化服务活动，力争在3至5年内有80%以上的基层窗口单位成为规范化服务先进单位。

一是坚持经常性思想道德教育。按照依法治税、从严治队的工作方针，在广大税务干部职工中大力倡导以“热爱税收、依法治税、廉洁奉公、文明征收”为基本内容的税务职业道德。同时，将思想道德教育与职业技术教育结合起来，使广大税务干部特别是青年干部不断增强责任意识、法治意识和服务意识，提高业务技能，大力弘扬税务系统的优良传统和作风，树立良好的税务职业道德风尚。

二是深入持久开展群众性精神文明创建活动。以提高税务干部素质和实现全行业规范化服务为目标，大力开展争创“文明单位”和争当“优秀税务工作者”活动，定期评选、表彰全国税务系统规范化服务活动先进单位和先进个人。窗口单位的行风建设以抓好检查落实和巩固提高为重点，使文明服务示范、办税服务承诺、“文明办税八公开”和争创最佳办税服务厅等进一步规范化、制度化，以“依法治税，从严治队”、让人民满意的具体行动，来体现“讲学习、讲政治、讲正气”的总要求。

三是大力宣传先进典型和模范人物。利用广播、影视、报刊，组织报告团、出版英模事迹图书等多种形式，大力宣传在精神文明建设中，特别是在开展规范化服务活动中涌现出来的先进集体和先进人物，在全系统形成崇尚先进、学习先进的良好风气。

四是切实加强领导。1999年，我们制定了《全国税务系统精神文明建设三年规划》，其中对全行业规范化服务活动提出了更高的要求和奋斗目标，并在加强领导，严格管理，落实制度三个方面作了进一步规定。针对税务系统80%的机构是基层单位的实际情况，国家税务总局提出，各级税务机关要与地方精神文明建设职能部门紧密配合，以取得指导、支持和帮助，共同推进税务系统的社会主义精神文明建设。

（贺邦靖：国家税务总局党组成员、纪检组组长）

# 王宪魁的发言（摘要）

党的十四届六中全会以来，铁路系统按照中宣部、中央文明办、国务院纠风办关于开展“为人民服务、树行业新风”为主题的精神文明创建活动的总体要求，结合铁路行业的特点和实际，广泛深入地开展了“诚心待客，热情服务，争当精神文明建设的火车头”为主题的“十百千”站车文明服务活动。重点解决在礼貌用语、环境卫生、站车秩序、文明服务等四个方面存在的突出问题，努力提高铁路客货服务质量，人民群众和社会各界对此给予了充分肯定和积极评价。今天，中央文明办、国务院纠风办召开“深入开展优质规范服务，大力倡导文明行业新风”全国电视电话会议，把铁道部列为第二批推广规范化服务的行业，这是对铁路工作的关心、支持和期望。我们要按照这次会议要求，进一步动员全路广大干部职工积极行动起来，全面推行规范化服务，为人民群众提供更安全、更便捷、更放心、更舒适的客货文明服务。

**1. 前一阶段推行规范化服务的情况**

1998 年 5 月 19 日，中央文明办召开推行行业规范化服务座谈会以后，铁道部党组认真研究了铁路系统如何推行规范化服务的问题，认为在全路客货窗口大力开展规范化服务很有必要，不仅是群众性精神文明创建活动深化的需要，也是铁路改善形象，提高市场竞争力的内在要求。在年初召开的全路工作会议上，部党组把这项工作列为 1999 年铁路开展群众性精神文明创建活动的一项重要内容进行了具体部署，提出了明确要求。前一阶段，我们按照定好标准，突破重点，分层推进，年底达标的工作思路，主要做了以下几个方面的工作：

(1) 科学定位，明确重点。铁路有 5000 多个车站和 1000 多对旅客列车，要推行规范化服务，必须科学定位。一是在基本需求上定位，即着眼于大多数，着眼于普遍服务，着眼于基本满意的规范服务。二是在重点部位上定位。考虑到全国各个车站、各次列车工作基础、条件不同，一下子铺开有难度。我们把规范化服务的重点首先定位在基础条件较好的 100 多个车站的候车大厅、售票大厅、货运营业大厅和 100 多对旅客列车上，先取得重点突破，然后再逐步推开到其他车站和列车。三是在上级要求和自身需求的结合点上定位。开展文明行业创建活动，为人民群众办好事、实事，是党和政府对服务行业提出的要求；提高服务质量，也是铁路参与市场竞争的最重要的条件。

(2) 抓好典型，推广经验。在抓规范化服务中，我们总结了一批典型，有丢牌不丢志，再创示范车，深入开展规范服务的南宁客运段 K5/6 次列车；有长期开展规范服务达标活动的上海铁路分局；有规范语言、规范举止、规范程序的济南铁路局。我们把这些先进典型的经验在全路其他站车推广，有效地推动了规范化服务活动。

(3) 制定标准，强化基础。1998 年底，我们向全路公布了《铁路站车文明规范化服务标准》。为了进一步加强基础管理，提高服务质量，提高铁路在市场上的竞争力，1999 年初，铁道部又制定下发了《提高铁路客货运输质量的百点计划》。把旅客货主对铁路服务质量反映突出的问题列入 100 点，并相应地提出解决措施、责任单位以及要达到的目标要求。有了“规范化标准”和“百点计划”，全路客货窗口单位在推行规范化服务中，应该提倡什么，克服什么，便有了基本的依据。

(4) 动员部署，形成高潮。1998 年 12 月 22 日，铁道部政治部召开全路电视电话会议，部署在全路开展规范化服务活动，提出首批参加规范化服务的百站百车要在 1999 年年底以前必须达标。各铁路局按照铁道部的部署，层层进行动员，广大职工群众积极参与。目前，各省会车站包括特、一等站，各次快速、特快列车包括大部分进京、进沪、进穗列车，都根据铁道部的规范化标准，制定了细化、量化措施和具体的实施计划，一个立标达标的群众性创建活动热潮正在掀起。

**2. 下一步的工作打算**

1999 年，我们将重点抓好四个方面的工作：

一是抓教育。规范化服务的主体是广大职工，人的素质是搞好规范化服务的关键要素。铁路系统已对全体职工进行了为期 3 年的职业道德教育系统轮训。年内，我们将继续推进这一教育，突出“服务人民、奉献社会”的宗旨教育，使干部职工深刻理解中央部署开展规范化服务的重要意义；突出改革教育，建立工效挂钩、竞争上岗的机制，使职工有责可负，有利可得；突出客货营销教育，使广大干部职工懂得铁路自身形象、产品信誉是市场竞争的无形资产，从而把这项工作看做是企业自身发展的要求和内在动力，自觉地搞好规范化服务。

二是抓活动。开展主题活动是推行规范化服务的有效载体。5 月，全路运输系统开展了“客货服务质量月”活动，重点抓好提高站车服务质量，优化客货运输产品，狠抓列车运行秩序，简化货运办理手续，切实抓好货物理赔，压缩货物运到时间，继续清理整顿乱收费，强化行车设备整修等方面的工作，有力地推动了铁路运输服务水平的全面提高。

三是抓考核。规范化服务能否落实、能否持久，关键在于考核。我们要求各铁路局、分局、站段、车间、班组、岗位对规范化服务怎么做到，什么时候做到，做到了怎么样，做不到怎么样都要提出明确的细化标准、量化内容和考核指标，一级考核一级，并和工资奖金直接挂钩。根据考核结果，定期进行排序公布，激励先进，鞭策后进。目前，各铁路局推行的百站百车规范化服务考核机制正在抓紧建立，经过一段实践以后，还要进一步加以完善，逐渐使规范化服务纳入科学管理轨道，变活动型要求为日常管理型要求。

四是抓监督。规范化服务是否达标，最终取决于社会的认可及群众的满意度。我们将进一步加大对规范化服务的检查力度，实行半年滚动一次的优上劣下动态管理。在加强内部检查考核的同时，充分发挥社会监督的作用。这次会议以后，铁道部将把规范化服务标准向社会公布，我们诚心诚意地请各级政府、社会各界、新闻舆论和广大旅客货主对铁路执行规范化服务的情况进行检查、监督和评议，便于我们更快、更好地改进工作。

（王宪魁：铁道部党组成员、政治部主任）

# 许德明的发言（摘要）

按照党的十四届六中全会《决议》关于要“以服务人民、奉献社会为宗旨，开展创建文明行业活动”的部署，根据邓小平同志和党中央提出上海在本世纪末要交出物质文明建设和精神文明建设两份满意答卷的目标，在市委、市政府的领导下，近年来，上海围绕提高市民素质、提高城市文明程度，从全行业规范服务达标抓起，认真扎实地开展了文明行业的创建活动。1996 年制定的《中共上海市委关于加强社会主义精神文明建设的意见》中肯定和总结了各行各业特别是窗口行业开展的规范服务达标的经验，提出了“到 2000 年，要有 30 个与市民关系密切的窗口行业做到全行业规范服务达标，努力创建文明行业”的要求。我们在开展这一工作中形成了上海创建文明行业活动分两步走的实施办法：第一步，创建全行业规范服务基本达标行业，使行业的服务质量达到合格规范；第二步，在达标的基础上开展文明行业的创建，使行业的服务质量提升为优质。

这一活动，从 1995 年开始至今，已有煤气、邮电、医院、超市、自来水、银行、地铁、出租汽车、供电、商业百家零售企业、旅游、环节、铁路、图书销售、园林、影剧院、民政等 17 个行业基本实现了行业规范服务达标的要求，公交、物业管理、海关、公安等 13 个行业及党政机关执法部门，正在积极努力做到规范服务达标。民航和自来水等行业已在争创文明行业。

上海创建全行业规范服务达标和文明行业的活动是以深化职业道德建设为主要内容，以整体提高行业管理水平和员工素质、改变窗口服务形象、向社会提供合格和优质服务为目的的群众性精神文明创建活动。这一活动的主要目标，就是要把少数劳模、职业明星的优质服务转化为全行业职工的合格服务，并在规范合格的基础上提升为优良，使整个行业的服务质量不断上台阶。为了深入扎实地开展这一活动，市文明办会同各行各业的主管委办，在活动的一开始，就注重抓整体性、系统性和科学性，制定了全行业规范服务达标和文明行业的基本标准、范围、评估考核体系、操作程序。

**1. 立足于从基层单位、基础管理、基本素质这“三基”抓起，推动行业整体水平的提高**

我们紧紧抓住行业和企业的日常管理，把职业道德的要求和提高管理水平、建立岗位操作规范、体现职业工种特点紧密结合起来。在创建中，注重分层次递进，把工作落实到所有的基层单位。先一线窗口达标，后后勤保障部门达标，并结合市场经济对行业和企业管理的要求，把以往的各项服务和管理标准及制度进行了梳理和筛选，明确最基本的、必须做到的内容，从内部管理、工种特点、服务对象、社会需求、职业道德建设等主要方面出发，重新制定车间、班组、岗位的标准，做到了全员、全过程、全行业覆盖。

**2. 以人民群众满意为标准，狠抓培训率、知晓率、执行率、满意率这“四个率”，使创建工作落到实处**

在创建活动中，我们立足于狠抓行业服务的量化标准，围绕规范、优良服务的培训率、知晓率、执行率、满意率，把创建工作抓好、抓细、抓实。培训率是规范优良服务的基础，知晓率是衡量培训广度和深度的指标，执行率是对日常工作和管理是否规范优良的检查，满意率是达标与否的检验尺度。各创建行业围绕这4个量化指标，狠抓落实。一是人人参加考试。二是每天进行抽问。三是对服务全过程进行监控。这样就保证了落实“四个率”的水平大幅度提高。特别是在抓规范、文明服务的养成上，各行业更注重于从职工的一言一行入手，组织职工强化操练。邮电行业像考驾驶员掌握交通法规那样，开展现场操作，对每一位工作人员进行考核。煤气行业在所有营业网点的岗位上，设小型录音机，把接待客户的对话全过程录制下来，组织班组、职工听录音，挑毛病，抓整改。医院、自来水、地铁、汽车等行业还采取“现场观摩”、“单兵对练”的形式强化日常教育和培训。

**3. 以加强宣传教育、严格管理、强化监督作为三个支撑点，保证创建活动持之以恒，保持常态**

宣传教育、严格管理、强化监督，这三个方面是规范、优良服务工作的重要环节。各行业普遍采用动员大会、黑板报、广播、知识竞赛、演讲、展示演练、把规范服务内容标准印成小册子等形式，帮助广大干部群众统一思想，提高认识，激发热情，形成浓郁的活动氛围。各创建行业普遍建立健全了检查、考核、奖惩的管理办法，以经济责任制的形式来保证达标工作的实施。他们与每个部门、每个岗位层层签订责任书，并推出“上岗、下岗、待岗、试岗”制度加以配套。在抓监督上，各行业注重建立科学、全面、正确的考评体系。普遍建立了社会各界和群众的评估、监督网络。并通过监督网络，定期向服务对象发放万人《意见征询表》；召开各层次的座谈会，听取意见；组织人大、政协、各级信访办、新闻界以及专业人员进行“啄木鸟”式暗访。开展创建活动以来，直接参与评价、测评行业规范服务达标满意率的社会各界人士和普通市民群众就达30万人次之多。由于服务标准客观，检查测评广泛，抽样调查科学，广大人民群众的意见就能如实反映，抓薄弱环节整改就有了目标，规范服务的效果也能得到群众的认同。规范服务达标活动注重思想教育，注重岗位规范，注重把创建中形成的有效机制纳入到企业的日常管理中，实行长效管理，因此，保证了服务质量的稳定和不断提高。

**4. 以优质服务为新起点，积极推进文明行业的创建工作**

1999年，我们要继续在公证、商检、环保、家电产品等7个行业开展规范服务达标活动，保质保量地实现市委提出的目标。同时，在进一步巩固达标、创建成果的基础上，在商业、铁路、交通、煤气、出租汽车等行业中开展职业明星的评选和创建服务品牌活动，以明星带群星，深化创建工作。要在旅游、地铁、超市等行业推出“星级服务”。要进一步健全和完善自来水、物业管理、图书销售、民政等行业的“小郭热线”服务中心、“徐虎热线”、“尹鹏热线”以及“社区服务热线网络”。在工商、民政等推出在第一次接待中必须向服务对象说清楚所有必办手续的“首问”责任制，不断提高服务水平。

（许德明：上海市委宣传部副部长、市文明委秘书长）

# 钟均奇的发言（摘要）

近年来，石家庄电业局始终坚持“两手抓，两手都要硬”的方针，紧紧围绕经济建设这个中心，努力实践人民电业为人民的宗旨，以服务人民、奉献社会为主题，以让党和政府放心、群众满意为目标，以定标准、抓教育、严管理、强科技、重监督为内容，广泛开展了规范服务活动。

**1. 定标准，确立规范服务的依据**

一是规范服务言行。先后制定了《岗位人员文明用语、文明忌语40句》、《用电服务中心人员行为规范》、《紧急修理人员自律十规》等一系列规章制度及考核办法，变软要求为硬约束。二是规范服务内容。为使服务内容细化、量化，我们对营业环境、柜台服务、故障抢修、用电报装、电费电价等方面作了严格规定。违反规定者，扣发当事人当月奖金；吃喝用户者，由当事人付全部费用并罚款1000元，两次吃喝者下岗待业。三是规范服务程序。制定了《窗口单位用电服务工作流程》，公开办事程序，增强了规范服务的透明度。四是规范服务监督。用电服务中心采用八讯道电脑录音系统和微机监控系统，将用户的咨询、报修、表扬和投诉电话全过程实时记录，有效地保证了规范服务的真实性和可靠性。

**2. 抓教育，增强规范服务的意识**

一是成立了石家庄电业局职工教育委员会和职工岗位培训考核委员会，为提高职工规范化服务意识提供了组织保证。二是广泛开展以职业理想、职业道德、职业纪律、职业技能和纠正行业不正之风为主要内容的“四职一纠”教育，引导职工增强工作责任感和使命感。三是创造并实施“三定三融合”思想道德教育工作法，即对思想道德教育进行定性、定位、定量分析后，把思想、责任、制度三方面的要求融合在一起，增强了教育的实效性。四是分层次、多途径、系列化地开展各具特色的规范服务标准教育，使职工对各自岗位的规范服务标准及其具体内容的知晓率达100%。五是开展了文明职工、文明班组、文明车间、服务明星和星级窗口单位竞赛活动，激发了广大职工争先创优的主动性和积极性，为推广规范服务奠定了坚实的思想基础。

**3. 严管理，确保规范服务的效果**

一是认真贯彻执行国家电力公司《严禁以电谋私20条》，制定和实施了《石家庄电业局规范服务目标措施》等一系列规章制度和考核办法，充分发挥规章制度的约束作用。二是向社会公开作出10项用电服务承诺，成立了紧急事故抢修班，并与“110”联动，为解决群众反映强烈的用电难、报装接电难等问题提供了保证。三是实施“惠农”工程，减轻农民负担。针对农村中存在的“三电”（人情电、关系电、权利电）和“三乱”（乱收费、乱加价、乱摊派），加大管理力度，较早地实行了农村用电“两统管”（统一管理农村电管站和农村电工），电费“三公开”（公开电价、公开电量、公开电费）、“四到位”（抄表到位、开据到位、收费到位、服务到位）和“五统一”（统一电价、统一发票、统一抄表、统一核算、统一考核），使农村生活用电电价居于全国较低水平，仅1998年就减轻农民负担6000多万元。

**4. 强科技，提高规范服务的效率**

一是把科技进步作为规范服务、创建文明行业的最佳支撑点，制定和实施了电网发展规划、“九五”科技规划和科技进步三年滚动发展计划。二是广泛应用计算机技术，实现规范化管理。三是以科技为手段，提高规范服务的效率。建立了全天候提供高效服务的集故障报修、业务查询等为一体的用户服务中心。在营业大厅设置了国内一流的用电业务语音信箱、大屏幕电子显示屏和触摸式电脑查询屏，开通专用咨询电话、电力信息预报台和寻呼台，提高了服务手段的科技含量，使服务工作上了一个新台阶。

**5. 重监督，保证规范服务的落实**

一是强化制度监督。先后制定了规范服务的一系列规章制度和考核标准，设立了300万元的规范服务专项奖励基金，对做出突出贡献的单位和个人给予奖励，对违反规范服务的予以处罚。二是健全监督网络。在企业内部，建立了纪检监察、职能部门和用户服务中心三级监督网络；在企业外部，聘请人大代表、政协委员、用户单位代表等各界人士178人，组成供电服务行风监督理事会。每年开展“千人万户大走访”活动，接受批评和监督。三是开展新闻监督。在电台、电视台、报纸等新闻媒体开辟了用电热线和专栏，及时解答和处理用户提出的各种问题。每年召开两次用电及规范服务承诺新闻发布会，欢迎社会各界进行监督。

实践证明，规范服务活动的深入开展，有力地促进了我局两个文明建设的协调发展，实现了经济效益和社会效益的双丰收。年度售电量居全国大中城市前10位，先后荣获全国思想政治工作优秀企业、全国军民共建社会主义精神文明先进单位、全国电力系统双文明单位和纠风工作先进单位、全国电力系统“为人民服务、树行业新风”示范窗口，连续10年保持了河北省文明单位称号。

（钟均奇：石家庄电业局党委书记）

# 金融系统

## 开展规范化服务活动

金融界作为中央文明办确定的全国六大窗口示范行业之一，向全社会公开承诺推出规范化服务。中央金融工委宣传部、文明办根据工委领导同志和中央文明办的要求，通过调查研究和广泛协商，决定金融系统规范化服务首先在中国工商银行全国近4万个营业网点上进行，在取得成效、积累经验的基础上向其他金融机构推开。

中央金融工委十分重视行业文明建设和规范化服务工作，对金融系统推广规范化服务做了认真准备。中央金融工委常务副书记阎海旺在年初召开的全国金融系统宣传部长会议上强调，金融机构是专门从事货币信用活动的中介组织，同社会各个方面和广大人民群众的利益息息相关，备受关注，必须要有可靠的信用、良好的风貌，必须提供文明规范的服务。要积极创造条件，开展行业规范化服务，为客户、为群众提供文明礼貌、方便快捷的服务。之后，中央金融工委宣传部会同中国工商银行党委宣传部本着密切结合金融实际，员工容易熟记、便于操作、通过努力能够做到，群众普遍欢迎、容易理解、便于监督的原则，制定了《全国金融界规范化服务标准——中国工商银行营业网点用本》。

中国工商银行党委高度重视开展规范化服务工作，下发了《关于印发“中国工商银行营业网点规范化服务标准”的通知》，对实施《标准》提出了五项保证措施。工行党委宣传部根据党委《通知》又进行了具体部署，要求各级行切实加强组织领导，广泛深入学习《标准》，做到人人皆知，保证营业网点员工在4月中旬以前熟知《标准》，并按照《标准》严格执行。

工行各分行党委非常重视《标准》的落实，许多分行一把手亲自召集服务工作领导小组会议，认真研究部署学习贯彻《标准》。北京分行行长董庆东要求把贯彻落实《标准》作为1999年服务工作的大事，上海分行召开千人服务工作大会，行长姜建清亲自作大会动员。

工行总行和各分行的有关部门认真工作，采取多种形式开展宣传教育。许多分行制作了统一规格的《标准》宣传品，员工人手一册，要求能诵能用，对答如流，并组织检查评比。河南分行设立了298部投诉、监督电话，黑龙江分行5月初对全分行营业网点落实和执行《标准》情况进行了一次全面暗查，山西分行4月起对照《标准》组织了一次全行优质文明服务工作大检查。北京分行海淀支行在活动中抽查了40名员工，有95%以上能熟练背诵《标准》，崇文支行电话抽查背诵《标准》100%合格。

（中央金融工委文明办）

# 司法部系统

## 推广“148”法律服务专用电话

为满足基层群众特别是农村群众不断增长的法律服务需求，山东省东明县司法局于1998年3月16日在全国率先创设“148”法律服务专用电话。“148”以其独特的优势和便捷、高效的法律服务，赢得了广大群众和社会各界的广泛赞誉。

1998年6月后，司法部先后与中央文明办等单位联合召开了全国法律服务专用电话推广工作电视电话会议、全国法律服务专用电话建设现场会，在全国大力推广“148”法律服务专用电话。经过不懈努力，至1999年底，全国31个省（区、市）及新疆生产建设兵团的267个地（市、州）和2942个县（市、区）开通法律服务专用电话，开通率分别达到地、县建制数的77.4%和96.4%。

“148”开通后，以“把法律交给群众，送服务进入千家万户”为宗旨，为社会各界和广大群众提供了大量优质高效的法律服务。1999年，“148”解答法律咨询求助电话230万次，接待来访43万人次，24万多件，提供法律援助2.5万件，调解各类纠纷15万件，与有关部门实行联动或分流处理的8.1万件，为群众避免挽回经济损失20多亿元。

法律服务专用电话通过为广大群众提供及时的法律帮助，使司法行政部门与其他政法部门相互配合，标本兼治，优势互补，共同构建社会化的法律救援、服务、保障机制和体系，推动依法治国的进程，更好地实践党和政府全心全意为人民服务的根本宗旨。

（司法部）

司 法 部 系 统

# 服务人民　奉献社会　积极开展创建文明公证处活动

为贯彻落实党的十五大精神及司法部《关于加强社会主义精神文明建设的意见》，1997 年司法部决定在全国公证系统广泛、持久、深入地开展创建文明公证处活动。目的是要通过文明创建活动，努力加强公证处的政治思想工作，健全各项管理制度，提高公证队伍的整体素质和服务水平，拓宽公证服务领域，推动公证处向规模化、高层次发展。为了切实加强对各地开展创建文明公证处活动的指导，同年 10 月，司法部下发了《关于创建部级文明公证处实施办法》，进一步明确了开展创建部级文明公证处活动的指导思想、评选标准、实施步骤等具体要求。各省、自治区、直辖市司法厅（局）根据《实施办法》，结合本地的实际情况制定出本地区文明创建活动实施方案。在各级司法行政机关的统一领导下，公证系统的文明创建活动分层次，有步骤地在全国范围展开。

几年来，各地公证处和广大公证人员积极投身文明创建活动，以服务人民，奉献社会为宗旨，全面提高公证处的整体水平和公证队伍的整体素质，充分发挥公证职能作用，为国家经济建设的发展和社会稳定提供优质高效的法律服务和法律保障，取得了显著成效。涌现出一大批政治坚定、业务精湛、清正廉洁、服务优质、管理规范、设施先进、业绩突出的创建活动先进典型，在此基础上，经过考核验收，司法部于 1999 年底评出了吉林省长春市公证处、上海市公证处等 21 个单位为部级文明公证处。这些先进单位，以自己的模范行动和优良的业绩，树立了公证的良好社会形象，并将公证系统的精神文明建设推进到一个新的高度，有力地促进了公证事业的全面发展。

（司法部）

司 法 部 系 统

# 创建文明法律服务所

为贯彻十五大精神，引导基层法律服务工作向规范化、高层次发展，司法部于 1998 年 3 月组织开展了“创建文明法律服务所”活动。这次活动的指导思想是坚持以邓小平理论为指导，全面实施司法部关于加强司法行政系统精神文明建设的意见和有关基层法律服务工作的各项规定，切实加强基层法律服务机构建设、队伍建设、业务建设、制度建设和基础设施建设。目的是通过典型引路、树立基层法律服务工作者良好的社会形象，把基层法律服务工作者队伍的素质提高到一个新的水平，从而为促进基层经济发展、社会稳定和民主法制建设做出更大的贡献。

创建活动坚持“分层次、有步骤”的原则，既轰轰烈烈、全面广泛，又扎扎实实、富有成效。司法部下发了《关于创建司法部部级文明法律服务所实施办法》。各省、区、市也根据实施办法制定了本地创建活动的具体方案。各级司法行政机关切实加强对创建活动的规划、领导和宣传工作，推动了创建活动的广泛、深入开展。

按照司法行政机关的部署要求，全国3.5万个基层法律服务所和12万名基层法律服务工作者以饱满的热情，积极投身到创建活动中，并且将文明服务、争做表率变成日常的自觉行动，取得了明显的成效。思想政治工作普遍受到重视，基层法律服务所中党的建设得到切实加强，对行业精神文明建设形成强有力的领导保障和组织保障。基层法律服务队伍建设和职业道德、执业纪律建设进一步强化，社会形象进一步改善。基层法律服务工作改革和规范化建设进一步加快，在基层社会稳定和经济发展中发挥了更加积极的作用。在创建活动广泛深入开展的基础上，司法部于1999年2月命名北京市大兴县红星法律服务所等100家基层法律服务所为“司法部部级文明法律服务所”。

（司法部）

# 公　安　部

## 创建平安大道活动

为了进一步加强公路的交通和治安管理，更好地为经济建设服务，推动公安队伍建设，树立公安机关和人民警察的良好形象，1999年3月底，公安部在江苏省建湖县召开公路巡逻民警队建设座谈会，部署在102、107国道开展创建平安大道活动。要求102、107国道沿线省、市公安机关采取有力措施，认真组织，加强领导，在10月1日前实现“道路安全畅通，治安秩序良好，执法公正文明，警务保障有力，人民群众满意”的创建目标。其他省（区、市）公安机关也要选择本地区一两条交通流量大的重要国道、省道积极开展创建活动，以优异的成绩向新中国成立50周年献礼。

各地公安机关认真贯彻落实公安部的部署，紧紧依靠地方党委、政府的领导，在有关部门的大力协作配合和广大人民群众的热情参与支持下，发动和组织广大民警，克服重重困难，创造性地开展工作，广泛开展活动，取得了明显成效。主要表现在：第一，强化了交通管理秩序，改善了道路交通状况，扭转了这两条国道过去长期存在的交通秩序混乱、道路堵塞、事故频发和环境脏乱差的局面，基本实现了国道交通的安全畅通和规范有序，为经济建设和人民群众的工作生活提供了良好的交通环境。4至9月，两条国道交通事故起数、死亡人数、受伤人数和直接经济损失分别比上年同期下降30.16%、26.78%、24.61%和21.32%。清理集贸市场占道经营、车辆乱停乱放、路边店乱设广告牌，以及公路上违章堆物作业，摆摊设点、打场晒粮等违章占路5万多处，第二，公路巡警队与刑侦、治安部门密切配合，严厉打击车匪路霸，严密公路治安管理，通过保一路平安促进了保一方平安，有力地配合了公安中心工作。第三，102、107国道公路巡警队普遍充实了警力，改善了装备，加强了培训和规章制度建设，初步探索了适应公路交通和治安管理需要的勤务方式与工作机制，队伍建设迈上了一个大台阶。第四，为工农业生产和交通运输提供了良好的服务，改善了地方投资环境，积极服务了国家经济建设。第五，进一步密切了党群关系和警民关系，树立了公安机关的良好形象。各地把创建平安大道与争创人民满意活动紧密结合起来，广泛开展便民利民活动，积极为群众排忧解难，进一步密切了警民关系。创建活动在党、政府与人民群众之间，公安机关、人民警察与人民群众之间，架起了联系、沟通、理解的桥梁，人民群众更加信任党和政府，更加支持公安机关的工作。第六，通过营造浓厚的创建气氛，整治交通和治安环境，加强交通安全和交通法规的宣传教育，树立了良好的职业风貌，推动了社会治安和城镇环境卫生的综合治理，促进了国道沿线的文明城市、文明村镇建设，积极促进了社会主义精神文明建设。不少地方出现了社会各界“与交警同行，警民共建平安大道”的喜人局面。

（公安部宣传局）

# 铁路系统

## 铁路站车文明服务活动

铁路运输系统各窗口单位深入贯彻落实党的十四届六中全会精神，积极响应铁道部党组的号召，继续深化以“诚心待客，热情服务，争当精神文明建设的火车头”为主题的“十百千”站车文明服务活动，大力推行文明规范化服务，有力地促进了铁路窗口行业的文明创建工作。

**1. 解决群众买票难、乘车难、喝水难等问题**

铁道部把旅客货主最希望铁路站车坚持与做到、改进与提高的问题归纳“礼貌用语、环境卫生、站车秩序、站车服务”四个方面，制定出32条规范化服务标准，在全路站车进行推广，同时向社会公布。各示范站车带头按照铁道部制定的《铁路站车文明规范化服务标准》，逐条对照检查，逐个问题解决，在狠抓落实上下功夫。为保证旅客24小时能喝上开水，更新了供水设备，调整了上水人员，完善了管理制度，确保了旅客列车的供水；为方便旅客买票，增开了售票窗口，实行了微机售票、流动售票，开办了电话预订，使长期存在的旅客排长队买票的现象得到了基本缓解；为严格执行到站收取卧具的规定，增加了必要的投入，添置了卧具备品，调整了乘务人员作业程序和卧具收取时间；为满足不同层次旅客的需求，开展了特色服务和延伸服务。

**2. 发挥典型的示范带头作用**

铁道部和各铁路局把示范站车作为有力抓手，制定领导包保制度，加强检查指导，教育引导职工认清示范站车的地位、作用和责任，在管理上坚持“示范站车无小事”的原则，高标准、严要求。活动中，各示范站车努力实践“服务人民、奉献社会”的宗旨，积极探索做好文明规范化服务工作的规律，在认真落实好32条规范化内容的同时，从服务语言、服务行为、服务程序、服务标准上都加以细化、量化，使服务工作更加规范；推出特色服务，既为群众提供微笑服务、细微服务、便捷服务，又根据运输条件的变化和改善，为旅客提供无干扰服务、超值服务和宾馆化服务，使旅客乘车更加舒适、满意；实行星级服务，根据职工服务水平的高低，评定星级服务员，激励职工向高水平看齐，提高整体服务质量；推广劳模服务工作法，归纳整理、总结提炼先进模范人物的服务经验和方法，使更多的职工学到他们的先进思想和精湛技艺，提高服务技能和本领，充分发挥了典型引路的作用。

**3. 抓好职业道德教育**

注重对职工进行职业道德培训，各单位在全员集中轮训的基础上，及时转入专题教育，引导职工正确处理服务质量和市场竞争、经济效益和社会效益、个人行为和企业形象的关系，进一步增强职工的社会责任感和职业荣誉感。同时引导职工把活动作为职业道德教育的实践课堂，把职业道德要求纳入工作标准和考核内容，进一步规范了职工的岗位行为。

**4. 建立和完善有效的管理机制**

各单位健全了领导责任制，制定了示范站车管理办法，完善了各种激励约束机制，重点在抓教育、抓规范、抓落实、接受监督和加强领导五个方面下功夫，把责权利紧密相连，使活动的质量与单位的经济效益和职工的切身利益直接挂钩，有效地调动了单位领导和职工群众的积极性，也使站车文明服务活动达到一种有序可控状态，步入日常管理轨道。

**5. 主动接受人民群众和社会舆论监督**

各单位采取的办法主要是：走访新闻单位征求意见，虚心接受新闻舆论的批评，对媒体曝光迅即作出反应，严肃查处，认真整改；邀请社会各界人士到铁路站车检查评议工作，广泛听取对铁路服务质量的意见；设立路风投诉台，公布投诉举报电话，热情接待来访，耐心倾听意见，妥善解决问题，及时化解矛盾，减少不良反映；加大明察暗访的力度，及时发现和纠正存在的问题；组织社会中介机构对示范站车的服务质量进行社会测评。这些措施和办法体现了以旅客货主为中心，以社会需求为导向的市场原则，有力地促进了铁路站车的文明服务水平。

（铁道部宣传部）

# 建 设 系 统

## 大力开展文明行业创建活动

建设系统把创建文明行业作为全系统精神文明建设的重点工程，作为全系统精神文明建设的一条主线，大力开展文明行业创建活动，取得明显成效。主要作法是：

**一、提高认识，增强创建意识**

建设部党组主要从三个方面深化对创建文明行业工作重要性的认识，并在全系统，特别是在省市建设厅一级行政主管部门形成了共识：一是从中央要求看，创建文明行业活动是群众性精神文明建设的一个创造，是中央确立的社会主义精神文明建设的重要任务，也是当前改革和建设的实践提出的迫切要求。二是从建设系统行业特点看，建设系统窗口服务行业多，与人民生活息息相关，是党和政府联系群众的重要纽带。开展创建文明行业活动，更具有很强的针对性。三是就行业精神文明建设来讲，它是一种好的载体、好的形式，能够贴近行业实际，实现两个文明建设的有机结合，能够起到提纲挈领的作用，取得事半功倍的效果。

**二、突出主题，明确创建重点**

“为人民服务，树行业新风”，是创建文明行业活动的主题，同时也是创建文明行业活动的灵魂。一年来，建设系统各行业，特别是窗口服务行业，始终突出创建主题，始终坚持“服务人民，奉献社会”的宗旨，从办实事入手，从窗口抓起，从解决群众反映强烈的问题做起，始终把为民、利民、便民、群众满意作为创建文明行业活动的出发点和落脚点，作为衡量和评定文明行业的根本标准。

建设系统明确提出以下几个方面为创建重点：一是以提高职工队伍素质为重点，深入开展向徐虎、李素丽、范玉恕和徐州市下水道四班、北京市呼家楼液化气供应站等先进人物和先进群众学习活动，倡导和形成“爱岗敬业、诚实守信、办事公道、服务人民、奉献社会”的职业道德风尚；适应市场经济发展，迎接知识经济挑战，倡导和强化五种意识，即创新意识、竞争意识、服务意识、质量意识和自助意识，努力建设一支爱岗敬业、技术过硬、纪律严明的建设大军。二是以端正行风，提高服务水平为重点，突出解决群众反映强烈的问题，努力塑造良好行业形象。三是以推动行业改革、管理和发展为重点，坚持围绕发展经济这个中心，坚持与深化行业改革、强化管理相结合，促进行业发展。四是以建立创建文明行业工作机制为重点，推动制度建设，努力建立一套既体现时代特色，又突出行业特点，既有利于加强行业管理，又能充分调动基层积极性的创建文明行业工作机制。

**三、扎实推进，落实创建措施**

一是制定颁布文明行业标准。在充分调研和论证的基础上，制定颁布了建设系统城市供水、燃气、公共交通、物业管理、城市规划管理等五个行业文明行业标准，作为开展和评定创建文明行业工作的依据。二是推出113个文明服务示范窗口，充分发挥示范窗口在创建文明行业活动中的典型示范作用和辐射激励作用。三是继续推行和完善社会服务承诺制。四是全面推行规范化服务。上海、北京等省市建设系统把推行规范化服务作为创建文明行业基础性工作来抓，在实现规范化服务达标的基础上，又高标准地向文明行业迈进。五是建立城建设服务热线，构筑服务网络，为市民提供方便快捷服务，形成了城市管理服务新机制，有力地促进了文明行业创建工作。哈尔滨市政公用局组建设市政“110”指挥中心，开通“110”服务热线。青岛市公用局所属的供水、燃气、公交等行业全面实施“111”热线服务工程。上海市自来水公司“小郭热线”、济南市自来水公司“小白热线”，以劳模姓氏命名，提高了单位知名度、信誉度，产生了品牌效应。

一年来，通过大力开展文明行业创造活动，不仅提高了职工队伍素质，促进了服务水平的提高，促进了行业风气的改观，而且也推动了行业改革、管理和发展。促进了建设系统两个文明建设相互促进，协调发展。

（建设部文明办）

# 卫 生 系 统

## 创建“百佳医院”活动

创建“百佳医院”活动是卫生部，国家中医药管理局、中国人民解放军总后勤部卫生部共同组织的。“百佳医院”以患者满意与认同为基础，紧紧围绕“以病人为中心”，树立“病人第一、质量第一、服务第一”的思想，方便病人就医，改善服务态度，保证服务质量，提高工作效率，减轻病人负担，加强医德医风建设。

几年来，各省、自治区、直辖市积极参与创建活动，形成了创建省十佳、双十佳、以“百佳”带千家、促进万家的可喜局面。在各地进行创建工作的基础上，经过医院创建、新闻媒体展播展示、社会评议、卫生厅（局）评审、卫生部医院评审委员会抽查复核和征求当地人大、政协意见等严格程序，并经创建工作领导小组集体审议，1999年8月16日卫生部、国家中医药管理局、中国人民解放军总后勤部卫生部联合发出《关于授予中国医学科学院北京协和医院等145所医院为1997—1998年度“百佳医院”称号的通知》。对145所“百佳医院”的表彰，进一步促进了“以病人为中心”，优质服务树医疗行业新风的活动向纵深发展。

（卫生部文明办）

# 民 航 系 统

## 开展精品服务样板创建活动

在全民航广泛开展精品服务样板创建活动，是民航总局党委认真贯彻党的十四届六中全会精神，大力加强民航精神文明建设的一项重要举措。该项活动自1996年开展以来，取得了很好的实效。1999年，民航总局党委为了进一步巩固创建成果，切实提高创建工作质量，更好地发挥先进典型的示范作用，重点抓了以下工作：

(1) 坚持“严”字当头，改进创建精品服务样板达标审定办法。在创建精品服务样板的实施过程中，按照“少而精”的达标原则，严格把关审定，真正体现达标单位的先进性，更好地发挥先进典型的示范作用；改进达标审定办法，增设民航地区管理局级达标层次。凡申报民航总局级达标称号的单位，要先取得所在地区管理局级文明单位称号，巩固提高一年以上，才可以经所在地区管理局申报民航总局级文明单位称号；建立动态复查机制，达标单位定期自查，民航各地区管理局每年度要对本地区达标单位进行检查，民航总局精神文明建设办公室有重点地抽查。对创建质量下降，发生严重问题的达标单位，按照民航总局有关规定，由授予单位严肃处理。

(2) 严格验收审定，有16个单位被民航总局授予荣誉称号。民航总局与各地区管理局组成联合检查小组，在多次明查暗访的基础上，分期分批对申报民航总局一级精品服务样板的16个创建单位进行了检查验收。经总局精神文明建设领导小组和总局党委研究，批准授予中国北方航空公司6501/2、北航天鹅公司的6211/2、6251/2、6271/2、北航吉林分公司的6341/2、东航江苏公司5109/10航班文明航班称号；授予长沙黄花、成都双流、珠海三灶、青岛流亭、宁波栎社、大连周水子机场文明机场称号；授予民航拉萨售票处、北航大连分公司售票处、大连周水子机场售票处、北航天鹅公司售票处文明售票处称号。

(民航总局)

# 气 象 部 门

## 开展创建文明气象行业活动

全国气象部门贯彻《中国气象局党组关于加强精神文明建设的若干意见》和全国气象局长会议精神，深入开展创建文明行业活动。各级气象部门完善创建工作制度，加大奖惩力度，使创建工作健康、稳步发展。年内共建成省级文明系统6个。截至12月底，全国气象部门由地方政府命名的省、市、县3级文明单位总数已达2105个，较上年增加了412个，增长幅度达24%，文明系统已达14个，较上年增加了6个，增长幅度达43%。

中国气象局在年初全国气象局长会议上，将创建工作作为一项重要任务进行了部署，并在年终目标管理任务考核中以量化方式进行了考核检查。中国气象局精神文明建设指导委员会两次召开会议制定创建目标，部署工作任务，研究有关问题，指导日常工作的开展。1999年的工作重点放在华东地区，抓华东，促全国。于5月11—13日在安徽省气象局召开了主要由华东地区省（区、市）气象局局长和政工处长参加的全国气象部门“创建文明气象行业研讨会”。会后，华东各省（市）气象部门加大力度，加快创建进度，取得了明显进展。到年底，华东区有江苏、上海、安徽3省（市）气象部门建成文明系统，其他省（市）气象部门创建工作也有了实质性的进展。

在新中国成立50周年前夕，北京市气象台等20个单位被中央文明委评为“全国创建文明行业工作先进单位”，受到表彰。湖北省气象局、宁夏回族自治区气象局被中央文明委命名为“全国精神文明建设先进单位”。新疆维吾尔自治区和田地区气象局被国务院表彰为“全国民族团结进步模范单位”。

（中国气象局）

## 国家电力公司

# 开展双文明单位创建活动

全系统在总结双文明单位创建活动经验，巩固已经取得的创建成果的基础上，进一步推动创建活动向纵深发展。在创建活动的内容上向生产经营的全过程延伸，各单位从实际出发，紧紧围绕生产经营这个中心和电力改革、发展、稳定这个主题开展创建活动，把思想政治工作和各项教育活动渗透、融合、贯穿生产经营的全过程；在活动范围和形式上向行业外、社会、基层、家庭延伸，广泛发动各专业、各层面开展不同形式、不同内容的创建活动。使创建活动从单一的创建双文明单位扩展到创建双文明公司、双文明单位标兵和创建文明行业活动；延伸到创建双文明车间、双文明科室、双文明班组、双文明职工和创建文明家庭系列活动。通过这些活动把双文明单位建设任务落实到基层、落实到每个职工身上。

根据国家电力公司双文明建设管理办法和考评实施细则的要求，各单位普遍加强了对双文明单位建设的组织领导，建立健全工作体系，制定具体的考评标准、创建规划、实施意见和保证措施，对创建工作实行标准化、制度化、规范化管理。同时把创建活动作为一个系统工程来抓，从经济建设、思想道德建设、行业作风建设、党的建设等方面统筹考虑，整体推进，分层管理，定期检查，年终进行考评奖惩。一些单位还实行“一岗双责”、“双文明单位建设承包”制度，逐级签订责任书，把创建目标、任务层层分解、层层落实，形成“千斤重担人人挑、人人身上有指标”的工作格局，使双文明单位建设做到任务明确，职责清楚，责任落实。

根据国家电力公司第二步改革的要求，国家电力公司精神文明建设办公室对双文明单位管理办法和考评细则贯彻实施情况进行了调查研究，做了相应的修改，制定了《国家电力公司双文明单位建设考评实施细则补充规定》，使双文明单位创建活动的管理进一步规范和完善。从机制上保证了双文明单位创建活动的深化和创建质量的提高。全系统双文明单位创建活动已走向系统化建设、标准化考核、规范化运作、制度化管理良性循环的发展轨道。

为了使精神文明创建活动向更高层次迈进，

国家电力公司组织开展了争创双文明单位标兵活动，并与开展创建“一流企业”工作和建立现代企业制度密切结合，把连续四年保持双文明单位荣誉称号、获得“一流企业”、具有典型示范作用的“双文明单位”作为双文明单位标兵的必备条件。获得荣誉称号的319个双文明单位紧紧围绕必备条件，积极争创双文明单位标兵。国家电力公司在电力系统及时宣传报道他们的典型事迹，推广了19个不同类型双文明单位的先进经验，充分发挥了先进典型的表率作用和示范辐射作用，使创建活动学有先进、赶有榜样。

至1999年底，全系统荣获国家级精神文明建设先进单位56个，占全国总数的11.1%；获得全国创建文明行业先进单位31个，占全国总数的6.2%；公司系统已有83%的基层单位建成为地市级以上文明单位，60%的单位被命名为省部级文明单位；黑龙江、吉林、河北、天津、湖北、湖南、河南、青海、甘肃、宁夏等10个省电力公司已被当地政府命名为文明行业或创建文明行业先进单位。

（国家电力公司）

## 国家电力公司

# 加大纠风力度　倡导文明行业新风

为贯彻落实全国纠风工作会议和“深入开展优质规范化服务、大力倡导文明行业新风”电视电话会议精神，进一步抓好行业作风建设，国家电力公司在西安召开了纠风和行风建设工会会议。在这次会议上，为中央文明办确定的20个“精神文明创建活动示范点”授牌，制定了《国家电力公司1999—2001年纠风和行风建设工作规划》，使纠风和行风建设步入制度化、规范化的轨道，明确了到2001年要达到的4个目标：

（1）杜绝严重以电谋私的行业不正之风问题的行为；不发生严重影响政治稳定的行风违纪事件。

（2）国家电力公司所属地级及以上城市供电企业和90%县级供电企业达到《城市供电营业规范化服务标准》；城市供电可靠率达99.8%。

（3）建成500个乡（镇）供电所（电管站）示范窗口，农村供电服务水平普遍提高；农村供电可靠率达98.85%。

（4）在开展社会民主评议行风的地区，90%以上地市供电企业在当地社会民主评议行风中居于先进行列；在开展创建文明行业的地区，60%地市供电企业和80%省（直辖市、自治区）电力公司建成文明行业。

为实现规划目标，国家电力公司以示范窗口创建工作为基础，加大了纠风和行风建设力度，采取了6项措施。一是在地市供电企业中全面开展基层窗口单位行业作风整顿工作；各省（直辖市、自治区）电力公司在30%县级供电企业和有条件的农村基层供电所（电管站）中开展行业作风整顿试点工作。二是进一步发挥城市示范窗口的作用，全面开展城市供电营业优质规范化服务活动；巩固“精神文明创建活动示范点”建设成果。三是大力推动农村乡（镇）供电所（电管站）示范窗口建设工作，1999年命名了42个示范窗口；制订农村供电规范化服务标准，积极开展农村供电规范化服务。四是继续推行城市供电社会服务承诺制，重点提高承诺水平和质量，确保有诺必践。五是不断加大城乡电价秩序的整顿力度，严格执行国家电价政策。六是积极参加社会民主评议行风，努力争创文明单位和文明行业。到

1999年底，电力系统共有686个企业被授予“文明单位”称号，有31个基层供电单位被中央文明委授予创建文明行业先进单位称号；54个单位被中央文明委授予精神文明建设先进单位。

（国家电力公司）

# 共青团系统

# 青年岗位能手活动

“青年岗位能手”是指年龄在35岁以下，有优良的思想品德和职业道德，敬业爱岗，熟练掌握本岗位各项业务技能和理论知识，优质并超额完成本岗位各项年度考核指标，创造出了较好经济效益的企业青年职工，是青年职工在岗位上表现出德、能、勤、绩的综合评价。青年岗位能手活动是在企业党政直接领导下，以共青团组织牵头组织协调、协同企业劳资、人事、教育、生产、质量、技术安全等部门一起实施，以企业青年职工为主体，以岗位为基本单位，以提高岗位文明、岗位技能、岗位效益为基本内容，以培养为中心环节，以规范、考核、评定、奖励为主要手段的新的企业行为，是团中央实施跨世纪青年人才工程的主要内容。青年岗位能手活动已经纳入企业发展的总体规划，进入企业决策和企业政策的企业管理运作机制之中，成为企业培育青年职工的根本措施。

为贯彻党的十五届四中全会精神，加快国有企业的改革和发展，青年岗位能手活动在全国范围内进一步发展，在原有活动的基础上，各地注重将创新创效纳入其中。目前，各地在具体组织开展青年岗位能手活动中已形成了一套成熟的做法。一是从企业和青工的实际出发，在对所有职工基本规范的基础上，以岗位技能为核心、以岗位效益为标志、以岗位文明为导向，制定出“青年岗位能手”定性与定量的考核指标，并层层分解，使其成为每一位青工明确的行为目标；二是采取经常性的培养措施，建立诸如电视学校、夜校，开展拜师学技、岗位技能示范、技术比武、岗位练兵等活动；三是建立起科学的评价奖励机制，通过对青工定期的考核评价制定出对青年岗位能手从工资、奖励到晋职、晋级、提拔使用、培养深造、住房等方面的政策，并将其作为企业职工奖励体系的重要组成部分；四是通过设立青年岗位能手成才基金，组建青年科协、青年科技文化培训阵地等建立起与青年岗位能手活动相配套的物质依托。

青年岗位能手活动现已取得了很大的成效，在社会、企业、青年中产生了积极的影响，为全面实施团中央“跨世纪青年人才工程”积累了经验，奠定了基础。同时也推动了企业的发展，促进了现代企业制度的建立，为青年岗位成才提供了广阔的舞台，为市场经济条件下企业团组织的改革与发展找到了一个主要突破口。

（共青团中央宣传部）

## 北 京 市

# 大力开展文明行业规范化服务达标活动

北京市按照党的十四届六中全会“要以服务人民、奉献社会为宗旨，开展创建文明行业活动”的精神和中央文明委“深入开展优质规范化服务，大力倡导文明行业新风”的要求，以广大群众满意为标准，以规范化服务达标为突破口，从基层和基础抓起，在“窗口”行业继续深入开展了创建文明行业规范化服务达标活动，呈现出蓬勃发展的良好态势。

**规范化服务达标活动步步深入，一批“窗口”行业通过了达标考评。**根据首都精神文明建设委员会的部署，北京市邀请人大代表、政协委员、市政府特约监察员、民主党派和无党派人士100余人，组成了首都创建文明行业活动规范化服务达标联合考评委员会和考评小组，分两批对18个行业进行了系统考评。考评小组广泛听取了群众和客户的反映，征求了信访、消协和新闻单位的意见，向群众和客户发放调查问卷近4万份，对参评行业进行了量化考核。上半年有北京邮政、气象、市属和部分区属公园、房管锅炉供暖和电梯运行、液化石油气、煤气、铁路旅客列车和货场、电信数据通信、移动通信和市、郊电话等12个行业通过了规范化服务达标考评。下半年又有北京地区三级医院、社区卫生服务站、公共电汽车运营、公路、铁路客运站、公用热力等6个行业通过了规范化服务达标考评。至此，在15个“窗口”行业细化的33个小行业中，已有24个行业通过了规范化服务达标考评。

**各行业紧密结合本行业的特点，深入开展了各种形式的创建活动。**各个行业根据本行业自身的特点，围绕迎接新中国成立50周年，开展了不同形式的创建活动。如：法院系统以“审判质量年”、“执行年”为突破口，深入开展了“争创首都先进法院，争当首都先进法官”活动；检察系统深入开展了“建五好、创一流、争当排头兵”活动，各检察院积极争创“五好”检察院和检察官；市安全局深入开展了“争创国家安全优秀干警和先进集体”活动；市公交总公司狠抓规范化服务达标，经过努力，所有职工、车组和运营线路于1999年全面实现了“三个一工程”；市卫生局对三级医院和社区卫生服务站进行了四次抽查，发现问题及时处理和解决；市供电行业始终抓住规范化服务达标工作不放，定期向社会监督员汇报工作，听取意见，自动加压，寻找差距，服务水平不断提高；市国税局和地税局分别开展了“创建最佳办税服务厅”和“争创文明办税服务示范单位”活动；市商业系统命名了40个不同行业和岗位的服务明星。这些都有力地推动了首都创建文明行业活动的深入发展。

重点“窗口”行业以群众满意为标准，针对群众关心的热点、难点问题，采取措施，认真解决。如：邮政行业以“树邮电新风，创优质服务”为目标，实现了信函次日妥投率96%，查询回复率99%，特快直投率100%，提高了群众满意率；电信行业确立了“以前台服务为标志，以后台服务为支撑，以网络服务为基础”的工作思路，实现了全市电视装机及时率超过99%，障碍平均历时低于4小时，方便了群众；气象行业努力扩大气象服务范围，加大了为农业、商业服务的力度，圆满地完成了各项重大政治活动的天气预报工作。其他“窗口”行业也都确定了各自的重点工程，并认真实施，取得了良好的效果，得到了群众的好评。

**基层创建活动进一步提高水平，两个文明建设协调发展、互相促进。**在首都创建活动中，中直机关、中央国家机关和解放军、武警驻京部队及全市26个系统、18个区县都积极开展了创建文明单位活动。各系统、各区县把创建文明单位活动，纳入领导的重要议事日程，两个文明建设共同规划、共同部署、共同检查、共同落实、共同考核，形成了一把手抓两手，主要领导亲自抓，主管领导具体抓，党政工团和各个部门齐抓共管的工作格局。基层创建文明单位活动的积极性越来越高，创建活动的内容越来越丰富，创建工作的水平也越来越高，各单位两个文明建设相互促进的良好局面日渐形成。毛主席纪念堂管理局、中国工艺美术总公司、燕京华侨大学等18个单位被中央文明委命名为全国精神文明建设工作先进单位。呼家楼液化气供应站、利康搬家公司、西单电话局查修班等24个单位被中央文明委命名为全国创建文明行业工作先进单位。有50个单位被首都精神文明建设委员会命名为首都创建文明单位活动示范点，有50个单位被首都精神文明建设委员会命名为首都创建文明行业活动示范点。

（首都文明办）

## 北京市劳动教育管理局

# 架起高墙内外亲情和服务的空中桥梁

1999年6月28日，北京市劳动教养管理局在全国劳教系统率先开通了连接劳教所内外的热线——1600628，并举行了劳教人员法规咨询专线和劳教人员亲情电话热线开通仪式。8月28日，北京市郊区电信局、北京市电话局又无偿为各劳教场所安装了IC卡和201卡式电话。

劳教法律咨询专线提供服务的范围主要有：劳教机关在办理劳教人员减期、提前解教、所外执行、所外就医等执法工作中的规章制度及办事程序；提供劳教人员延期、申诉、惩处、奖励、计分考核等执法环节的法律法规和法律程序；劳教人员在教育、劳动、生活、学习、入所、出所、解教时履行的法律手续和应注意的问题；回答对劳教所执法工作的咨询。提供服务的方式是：北京市劳教局及各劳教所采用人工坐台解答问题的声讯平台，使劳教局与各劳教所电话联网插转。

对各劳教所开通的亲情电话热线，北京市劳教局制定了统一的规章制度，规范了人员条件、审批手续，严格管理，确保不发生乱收费等问题。

热线的开通，向全社会公开了劳教所的执法工作，揭开了多年来“蒙在劳教所头上神秘的面纱”。通过向社会特别是劳教人员及其家属提供法律法规咨询服务，有效地宣传了党的劳教工作方针和各项劳教法规，同时将劳教机关置于全社会的监督之下，推进了依法治所和实施所务公开的进程，带动了劳教机关工作作风的转变和工作效率的提高，促进了由封闭式管理向公开管理模式的转变，体现出了首都劳教管理机关加强社会主义精神文明建设，以“严格执法，热情服务”为目标，以人民满意为标准，开创工作新局面的崭新风貌。

亲情电话的开通，使劳教人员定期与亲属交流思想、沟通感情，达到了以亲情稳定劳教人员思想情绪，促进思想改造的目的，并且解决了劳教人员亲属探视路途远、时间短的困难，通过电话就可以迅速解决劳教人员的疑虑，保证各劳教所改造秩序的稳定。数月的时间里，安装电话的家庭以及社会有关部门通过热线进行了法律咨询。热线的开通不仅成为社会和劳教人员亲属了解劳教执法状况的窗口，而且也成为劳教人员和家属维系亲情的空中纽带。

（首都文明办）

# 天津市塘沽区

# 创办“1001”城管为民服务中心

天津市塘沽区在城市管理中，大力开展精神文明创建活动，创办了“1001”城市管理为民服务中心，全天候受理群众日常生活中急难问题和有关建议，为广大居民开辟了一条方便迅捷的绿色通道，树立了城建系统人民公仆的好形象。

**1. 牢固树立全心全意为人民服务的思想，开辟创建文明窗口活动新途径**

塘沽区在开展创新讨论的基础上，解放思想，开动脑筋，创造性地提出创办“1001”城管为民服务中心，让居民群众只打一个电话，就能解决工作和生活中涉及城市管理方面的困难。经过积极酝酿筹划，于1998年6月26日，建立了“1001”城市管理为民服务中心。设置以“1001”为号码的热线电话，通过ISDN110专线在169公网上实现与INTERNET联通，采取一机多线的方式接受和处理信息，并建立了由一个信息服务中心、18个二级网络单位和56支分队组成的三级服务网络，运用网络手段和技术为居民群众服务，做到了便捷、快速、高效。

**2. 充分发挥行业联动优势，构筑文明窗口服务工作网络**

“1001”表面上是热线电话的号码，实质上是一个为民服务的网络系统。“1001”城管为民服务中心是一级网络，承担着接收信息、协调指挥、处理反馈的重要职责。专门设有区主要领导和人大代表、政协委员、社会监督员的热线电话，并与区委、区政府值班电话连通，直接接受领导和群众的监督检查。市政、房管、供电、环卫、环保、园林、自来水、煤气、供热、城管监察大队等系统内单位，利用微机和电话与“1001”城管为民服务中心实现局域联网，形成二级网络。二级网络单位设有专门的工作联络站，配备专门信息处理设备，并通过微机、电话和对讲机等通讯工具，由工作人员全天候同“1001”服务中心保持联系，履行上传下达、分解任务、跟踪反馈等职责。二级网络单位又分别组织了自己的专业抢修分队，形成第三级网络。群众遇有房屋漏雨、电灯不亮、自来水不流、煤气不足、暖气不热、环境脏乱差等问题，只要拨打“1001”，信息网络系统就会自动显示呼叫主机的电话号码、地址，并配有专线电话进行用户与指挥中心、二级网络的三方通话，利用群呼群通等功能及时准确地了解情况，指示并监督二、三级网络单位为居民及时排忧解难，实现了群众反映的问题从业务受理、分解任务、故障抢修到结果反馈的一条龙服务。

**3. 大力提高网络科技含量，增强城建文明窗口为民服务功能**

塘沽区在“1001”二期建设中，进一步加强硬件建设，提高网络科技含量，增强服务功能。一是安装了一套具备600小时录音功能的数字录音系统，可以滚动记录群众反映的问题；二是配备了两台电子大屏幕，一台屏幕滚动显示当前受理群众反映的各类问题及解决情况，另一台屏幕显示全区当天城市管理的动态文字信息，包括自来水压力、煤气压力、重点部位交通状况、天气预报等；三是安装了一套由48台电视画面组成的电子监控系统，可以全天候监控城区重点部位、主要道路、海潮和海河水位等自然状态；四是设计安装了一台大屏幕电子地图，只要居民群众打通电话，地图上就能显示呼叫人的具体方位。在网络中还配备了一套高分辨率的无线对讲系统，指挥人员可通过对讲机直接与现场维修人员通话，及时了解情况，提高了为民服务的效率。

**4. 探索创建文明窗口工作新机制，提高文明**

**窗口为民服务工作水平**

利用网络系统为民服务是建立新的城市管理机制和管理格局的一种有益探索。“1001”网络的硬件建设上去了，如果不注重管理，不抓软件建设，这些硬件就不能发挥最佳效能。只有从机制上创新，在管理上从严，文明窗口服务才能更有效、更有序、更持久。因此，“1001”网络系统从上到下建立了由党政主要领导负总责，分管领导全力抓，党政齐抓共管的领导体制；建立了全新的工作机制，只要群众反映了问题，不管分内分外，以解决问题为第一责任；健全和完善了《工作职责》、《服务制度》、《汇报制度》、《反馈制度》、《值班制度》、《培训制度》等多项工作制度，形成了一个完整的管理体系。

塘沽区“1001”城管为民服务中心建立一年多来，共受理居民群众反映的城市管理方面的问题1.97万多个，办结率始终保持在98%以上，得到了居民群众的高度赞扬，取得了显著的社会效益和经济效益。

（天津市文明办）

# 河 北 省

## “窗口”行业优质规范化服务活动

为了进一步推动创建文明行业活动，根据中央文明办、国务院纠风办联合召开的全国电视电话会议的部署，河北省文明办和省政府纠风办联合部署开展了全省“窗口”行业深入开展优质规范服务、大力倡导文明行业新风的创建活动。以服务人民、树行业新风为主题，着眼于群众最关心的问题，进一步规范各行业及其“窗口”单位的行为，将职业要求制度化，使为人民服务具体化。把开展优质规范服务与“窗口”单位星级评定、行风评议、夺杯竞赛活动有机结合起来，统一融入于创建文明行业的总体规划。参与活动的行业重点是行政执法、社会服务和垄断性行业。制定出服务规范的基本方面是：（1）以为人民服务为宗旨的职业道德教育规范。（2）以简化程序、提高效率、方便群众为着眼点的岗位操作规范。（3）以遵守相关法纪和实行内外监督为主要内容的行为制约规范。（4）以营造整洁、优美、舒适空间为重点的服务环境规范。

基层“窗口”单位规范服务水平的评定，按照各系统制定的《“窗口”单位星级考评细则》进行，三星级为规范服务优质单位、二星级为规范服务良好单位、一星级为规范服务达标单位。每年3至4月评定一次，由省、市、县（市、区）各行业主管部门具体组织。一、二、三星级分别由县（区、市）、市、省文明办核准、备案。各行业规范服务水平的评定，通过“三杯”竞赛社会评议的方式进行。由省、市、县（市、区）文明办、纠风办组织。获得“文明执法杯”、“优质服务杯”、“便民利民杯”的行业，视为年度文明行业。“三杯”竞赛社会评议每年开展一次，在9至10月份进行，年底或下年初向社会公布。地税、电力、交通等行业在1999年度创建文明行业夺杯竞赛群众评议中分获“文明执法杯”、“便民利民杯”、“优质服务杯”群众评议第一名，被省文明委授予河北省1999年度“创建文明行业竞赛活动优胜行业”荣誉称号。

（河北省文明办）

## 河北省邯郸市地税局

# 推行公示制　搞好规范服务

邯郸市地税局在全系统推行税务公示制规范服务，得到了各级领导的高度重视和支持，引起了舆论的普遍关注，在社会上和纳税人中产生了良好的反响，促进了地税行业文明建设。河北省地税局和邯郸市人大对税务公示制给予充分肯定，邯郸市文明委向全市执法执纪和窗口行业推广了这一做法。

（1）解放思想，转变观念，树立良好的地税形象。为了规范干部行为、树立良好行业风气，先后在系统内部实行了公开办税、制式管理和岗位等级制度，开展了夺杯竞赛活动，该局经验被省市推广。

（2）规范公示内容，强化监督机制，确保税务公示制度向纵深发展。在实施过程中坚持换位思考的原则，想纳税人之所想、急纳税人之所急，把纳税人满意不满意、方便不方便作为检验工作的标准。

（3）围绕关键环节，软件硬件共抓，确保税务公示制持续、健康发展。在推行公示制中，本着实事求是的原则，采取了多渠道向社会公示，加大服务设施投入的力度，加强对干部的思想道德教育，开展群众性的创建活动等一些行之有效的保障措施。

（4）提高干部素质，促进任务完成，公示制在全系统全面推行。公示制推行增强了干部主动服务的意识，促进了职业道德建设和作风的好转，促进了税收稳步增长，为经济发展做出了贡献。1999年被中央文明委授予“全国创建文明单位工作先进单位”称号和“全省精神文明创建工作先进单位”称号。

（河北省文明办）

## 内蒙古自治区

# 行业“文明杯”竞赛活动

按照中央文明办关于创建文明行业要从创建文明窗口抓起，从基层单位抓起，从规范化服务抓起的要求，制定下发了《关于深入开展“文明杯”竞赛、创文明行业活动的意见》，继续在全区26个有关行业和部门的窗口单位组织开展了以“服务人民、奉献社会”为宗旨，以“三优一满意”为主要内容，以推行社会服务承诺制和政务公开制为突破口，以提高职工思想道德素质和服务质量为目标的“文明杯”竞赛活动。这项活动从1995年起步至今，吸引广大职工的广泛参与，在加强职业道德建设，提高服务水平，纠正行业不正之风方面取得了明显成效，有力地推动了创建文明行业活动的深入开展，受到了广大群众的普遍好评。

**一是组织动员。**为进一步巩固和提高创建活动的成果，1999年上半年自治区文明办、纠风办先后召开4次有关行业和部门负责人座谈会，总结工作，交流经验，安排部署了竞赛活动的各项任务。各行业和部门通过召开动员会、报告会、“夺杯”誓师会等形式深入宣传、广泛发动、精心组织，把竞赛活动扎扎实实地开展起来。

**二是机制建设。**为确保竞赛活动取得实效，自治区文明办督促各有关行业和部门进一步调整充实了“文明杯”竞赛活动领导小组，许多行业实行了“一把手”工程，强化了组织领导机制建设。同时，自治区文明办制定下发了《内蒙古自治区创建文明行业（系统）标准及管理办法》（试行），各行业和部门也都制定了创建文明行业规划和“文明杯”竞赛考评标准，使创建活动逐步走上了制度化、规范化的轨道。

**三是开展了主题教育活动。**为了把广大职工的爱国之志、报国之情引导和凝聚到“热爱内蒙古、建设内蒙古、振兴内蒙古”上来，以优异的成绩迎接建国50周年、澳门回归和新世纪的到来，自治区文明委、自治区党委宣传部、内蒙古日报社、内蒙古电力（集团）有限责任公司联合举办了“电业杯”全区“迎回归、跨世纪、爱祖国、爱家乡、做贡献”知识竞赛活动，有近10万名职工群众积极参与了答题竞赛活动，使爱国主义教育深入人心。各行业和部门也从各自的特点出发，开展了“爱家乡、爱岗位、做贡献”，“为人民服务、树行业新风”等多种形式的教育活动，进一步提高了广大职工的思想道德素质，增强了为人民服务的意识。

**四是推行了社会服务承诺制和政务公开制。**各行业和部门都分别制定了优质规范服务标准和实施细则，对职工进行了业务技能培训，强化了服务标准和工作程序。全区电力系统就群众关心的文明服务、报装接电、设备抢修、事故处理、供电可靠性、监督举报等10项内容作出了明确承诺；公安系统在派出所、交警队等13个警种及所有“窗口”单位全面推行了警务公开制度，做到了办事内容公开、办事程序公开、办事结果公开，受到广大干部群众的欢迎。

**五是表彰先进。**自治区文明委于1999年12月29日召开了全区“窗口行业”创建文明行业工作总结表彰会，对在创建文明行业工作中做出突出成绩的内蒙古电力（集团）有限责任公司、自治区公安厅、交通厅、国税局、民航局、呼铁局、中国工商银行内蒙古分行7个行业和部门进行了表彰，并授予“全区创建文明行业工作先进单位”荣誉称号。同时，自治区文明委与16个有关行业和部门联合对在“文明杯”竞赛活动中取得突出成绩的262个优胜单位进行了表彰。这些受表彰的单位在加强职业道德建设，提高服务质量，树立文明窗口形象中较好地发挥了示范带动作用，进一步推动了行业系统的精神文明建设。

（内蒙古自治区文明办）

## 辽 宁 省

# 深入推行“三制” 开展规范服务活动

辽宁省以“服务人民、奉献社会”为宗旨，在全省各行各业深入推行“三制”，普遍开展规范服务活动。

全省已有30个系统、70个行业、近万个单位分别实行“承诺制”、“信誉制”、“公示制”。抚顺、铁岭、丹东等市广泛开展“文明行业万人评”

等活动，对树立文明行业新风起到了积极作用。在1998年按照中央文明办要求，向社会推出110报警接警、车辆管理、邮政服务、市话服务、供水维修、房屋维修、办税服务7个行业的规范化服务措施后，又向社会推出民航、气象、电力等3个行业的规范化服务措施。这些活动把创建文明行业同各行各业的业务紧密结合起来，推动创建文明行业活动向制度化、规范化方向发展。

年初启动的全省60户重点扶持企业开展创建“花园式工厂”活动。4月，有关单位组织初检。9月，省文明办会同省经贸委、省建设厅等进行检查验收。有52户企业创建活动成果显著，提高管理水平，扩大招商引资，开拓产品市场，强化商业信誉，增强企业职工的凝聚力，推动企业精神文明建设，达到“花园式工厂”标准。省政府决定对这52户企业授予“花园式工厂”称号。

全省推出沈阳市“2211”市民投诉中心为民、便民服务的典型。全年，投诉中心受理各类电话17万件次，每天受话量在700件次以上，回复率保持在95%，市民满意率保持在85%以上。中央文明办把沈阳市“2211”市民投诉中心作为精神文明建设重大典型在全国宣传。截止到年底，全省14个省辖市全都建立市民投诉中心或相类似的职能单位，市属各重点部门和窗口单位大都建立了投诉分中心，并成立了二级网络。“2211”作为党和政府联系群众的桥梁与纽带，也扩展延伸到省直行业各部门。省地税局、省公安厅、省检察院、省法院等都设立公开举报电话。

（辽宁省文明办）

## 吉林省高级人民法院

# 以群众满意为根本标准　塑造人民法院新形象

近年来，吉林省高级人民法院围绕“做让党放心法官，建人民满意法院”的目标，以让群众满意为根本标准，以整治司法腐败为重点，以完善行之有效的工作运行机制为保证，通过生动活泼的群众性创建活动，加强行业精神文明建设，取得了明显效果，树立了人民法院的新形象。

**1. 实事求是，确立“做让党放心法官，建人民满意法院”的目标**

吉林省法院提出：以邓小平理论为指导，以加强社会主义精神文明建设，着力抓好队伍建设，不断提高司法水平，做让党放心法官，建人民满意法院，经过3至5年的努力，力争全省有70%的法院达到“人民满意法院”标准。围绕这样一个工作目标，在全省法院系统部署开展了“做让党放心法官，建人民满意法院”活动。发出57万份“致吉林人民的一封公开信”，在长春市最繁华的地段组织“主题宣传日”，广泛宣传活动的宗旨、目的，公开办事程序、公布承诺内容，诚恳接受广大人民群众的评议、监督，使这项活动在全省法院系统迅速展开，取得了阶段性成果。

**2. 加大力度，解决群众最不满意的热点问题**

当前人民群众对法院工作最关心、最不满意的问题主要是：裁判不公、案件超审限、审判结果执行难、衙门作风等。为此，从1998年年初开始，他们坚持“从人民满意的事情做起，从人民不满意的事情改起”，着力解决以下四个方面存在的问题：

（1）强化司法公正，切实解决案件裁判不公问题。针对近些年来个别干警以权谋私，办人情案、关系案、金钱案的问题，各级法院采取了一系列强有力的措施。一是对近年来所审理的案件，重新进行了核查，对有问题的案件进行了纠正和处理，对有关当事人进行了公开曝光、公开处理。二是发动机关干警进行自查，认真剖析司法腐败的典型事例，吸取教训，增强了广大干警公正执法的责任意识。三是实行公开审判，审理在法庭，判决在法庭，防止“暗箱操作”。同时规定，对一年中出现两起错案的审判员，撤销职务。

（2）提高裁判效率，集中解决案件超审限问题。开展了清理积案大会战，逐庭逐人落实审结积案任务。通过会战，全省原有的2526件积压案件清理审结了90%以上。从1998年3月到1999年底，全省已基本没有超审限的案件。

（3）确保裁判生效，认真解决“执行难”问题。省高院为解决“执行难”的问题，先后4次召开执行工作会议，研究具体措施，对全省执行工作进行调度。同时，利用报纸、电视等新闻媒体发布执行广告，求得社会各界的支持。各级法院紧紧依靠党委、人大、政府的领导和有关部门的配合，积极改善外部执行环境；改革法院执行方式，规范执行程序；加强对执行人员的培训，提高执行艺术；发挥合力，开展执行会战。通过采取这些强有力的措施，使“执行难”问题得到初步缓解。

（4）坚持从严治警，积极解决衙门作风问题。首先，在干警中加强了思想教育。在全省法院系统开展了“端正服务态度，转变工作作风”的专题教育，开展了“假如我是当事人”的大讨论。组织30岁以下的年轻法官到贫困乡村与农民同吃、同住、同劳动，增进对人民群众的感情。其次，加强了“窗口”建设。省高院对十几个接待室进行了全面的装修改造，张贴了《诉讼人须知》，更换了桌椅，摆放了鲜花，准备了饮用水，还为老年人和伤病人员提供了花镜、助听器和常用药品。各级法院热情接待群众来信来访，做到专人接待，每信必复。为了方便群众诉讼，各级法院还设立了巡回法庭，定时、定点到基层办案；开办了信函、电话立案业务；设立了法律服务热线，确定了“便民投诉日”。为了提高法庭的工作质量，开展了“评庭”活动，定期评选“为民服务先进法庭”，受到了广大人民群众的欢迎。制定了《端正服务态度改进工作作风做好审判工作的暂行办法》和《吉林省人民法院法官守则》。

**3. 深化改革，健全创建文明行业的运行机制**

实现“做让党放心法官，建人民满意法院”的目标，不仅要靠教育，更要靠管理、靠法制。

一是在干部队伍建设上，引入竞争机制。改变了过去单一的干部任命制度，对空缺领导职务实行竞争上岗，对非领导职务的晋升采取考试、述职、测评、考核之后综合评分的办法。实行末位淘汰制度，即年度各项指标综合评定为后两名的，第一年亮黄牌，诫勉谈话，第二年仍为后两名的，法院系统不再留用。

二是在机关建设上，完善管理机制。制定了《关于加强法院系统管理的若干意见》，对法院系统自身建设等方面做出了明确规定。同时，加大了内部管理力度，合理调整了基层法庭布局，撤并了小法庭，设立了中心法庭，对法庭的人、财、物集中统一管理。经与组织人事部门联系，加大了对下级法院院长选任、考核的参与程度。对机关干警实行规范化管理，严格着装、挂牌上岗。

三是在审判工作上，强化内外监督机制。建立健全了一个全方位、多层次、内外结合的监督制约机制。在法院内部成立了“督导办”、“督查办”和“岗位责任制考核办公室”，形成“督导办”抓系统、“督查办”抓审判、纪检监察抓党纪政纪、“岗位责任制办公室”抓考核的监督管理体系，充分发挥内部监督功能。推行了公开办事制度，将法院工作向社会公开，让人民群众及时了解法院工作情况。如在审判法庭前设立公示板，将受案范围、诉讼费收费标准、各类案件审限及有关廉政建设的规定，一律向社会公开。凡公民持有效证件均可旁听，记者凭证可对庭审活动进行现场采访。

（吉林省文明办）

# 黑龙江省哈尔滨市市政局

# 创造精神文明建设新机制

哈尔滨市市政公用建设管理局是市政府负责城市市政公用建设和管理的职能部门。多年来，管理局认真贯彻落实十四届六中全会精神，坚持两个文明一起抓，两个成果一起要，先后荣获全国城市公用系统行风建设先进单位、全国拥军优属先进单位，省党风廉政建设先进集体、省抗洪抢险先进集体等多项荣誉。1999年9月被中央文明委首批命名为全国精神文明创建工作先进单位。1999年4月1日，以服务人民、奉献社会为宗旨，在全行业开通了市政“110”服务热线，作为新时期精神文明建设的切入点，全面提高了全局精神文明建设水平。

**1. 提高认识，以市政“110”开辟精神文明建设新途径**

管理局借鉴公安“110”快速反应机制，提出了开通市政“110”服务热线的设想。通过广泛进行思想发动，全局从上到下普遍认识到：市政管理服务工作作为创建文明城市、营造经济发展环境的重要内容，要适应形势的发展，提高服务质量，必须采取新的办法，建立新的机制，真正做到“一心一意为人民办实事”。在提高认识、统一思想的基础上，管理局制订了详细的工作方案，将开通市政“110”服务热线纳入了工作日程，并逐项推进落实。

**2. 创新机制，以市政“110”促进精神文明建设工作机制的完善**

市政“110”服务热线开通后，管理局在工作机制上做到了“四个一”。

一是成立一个中心。组建了市政“110”指挥中心，指定一名副局长和四名处长坐镇指挥，抽调29名专职工作人员，内设“三科一队”（受诉科、督查科、综合科、快速反应大队）。

二是开通一条热线。向社会公布了2520110市政“110”服务热线电话，配备了28部专用电话和21台联网微机，围绕10大行业管理服务内容，向社会群众实施24小时昼夜不间断接听服务。

三是形成一个快速反应系统。突破行业隶属界限，在10个行业直属单位和7区14个市政局、环卫局分别设立24个分指挥中心，落实了2000余名管理人员、113个快速反应队伍和93台印有市政“110”标志的专用车辆，将全行业扭成面向社会、上下联动的整体。

四是建立受理—督办—反馈一条龙工作机制。市政“110”指挥中心受理登记投诉后，下达督办指令，限定办结时间；承办单位根据督办指令组织人员进行现场调查处理，并按规定时限反馈办理结果。

**3. 强化监督，以市政“110”促动精神文明建设落到实处**

市政“110”服务热线开通后，管理局在强化监督和保证措施上狠下了功夫。

一是抓制度建设。建立健全了10余项规章制度，明确规定：电话铃响3声内受理投诉，一小时内到达现场，易于处理的投诉当日解决，涉及执法、协调相关部门的投诉3日内解决。

二是强化社会监督。在《哈尔滨日报》设立了市政“110”监督台，聘请人大代表、政协委员、新闻记者作为市政“110”义务监督员。

三是实施目标管理。局与指挥中心、24个分指挥中心签订了目标管理责任状，将市政“110”工作纳入了行业“三杯”竞赛和目标管理的重要内容，作为否决指标进行考评。

四是加强督办检查。定期对承办工作情况进行抽查，制发《承办工作通报》。如市政府广场管理所3名管理人员对群众投诉无动于衷，擅离工作职守，经查实后做出了开除管理队伍的处理，在全行业引起了震动。

**4. 发挥优势，以市政“110”促进精神文明建设目标化、具体化**

管理局借助市政“110”服务热线这一有效载体，把精神文明建设“服务人民、奉献社会”的宗旨目标化、具体化。

一是发挥面向社会的优势，集中解决社会群众关注的热点难点问题。二是发挥市区联动的优势，突出解决环境治理难点问题。三是发挥信息灵通的优势，一心一意为群众办实事。四是发挥群众参与的优势，迅速打击违法行为。五是发挥社会监督的优势，促进职工队伍工作作风的转变。

市政“110”开通后，引起了各级领导关注和群众的赞誉。中央文明办、国家建设部称赞市政“110”是全国省会城市中第一个覆盖面广、起点高的便民服务热线，是加强城市管理、推进文明城市建设的一个创举，在全国建设系统具有推广价值。新闻媒介评价市政“110”开通了政民沟通的快车道，是透视城市管理的广角镜，反映市民生活状况的晴雨表。群众也称赞市政“110”是冰城的百姓热线，一拨就灵，是市民的“贴心人”。

（黑龙江省文明办）

# 上 海 市

## 开展全行业规范服务达标活动

近年来，上海各行各业，特别是窗口行业，以“提高市民素质、提高城市文明程度”为目标，从点上文明单位创建，到线上开展全行业规范服务达标活动，从面上形成30个行业达到服务质量的合格，到先进、示范行业把合格服务提高到优质服务，开展了文明行业的创建活动。随着这些活动深入发展，使上海的群众性精神文明创建活动在各行各业不断找到新载体和结合点，形成了深入持久、不断发展的新局面。

《中共上海市委关于加强社会主义精神文明建设的意见》中提出“到2000年，要有30个与市民关系密切的窗口行业做到全行业规范服务达标，努力创建文明行业”的要求，形成了上海创建文明行业活动分两个阶段实施的基本做法。即从窗口行业抓起，第一步，创建全行业规范服务基本达标行业，使行业的服务质量达到合格规范；第二步，在达标的基础上开展文明行业的创建，使行业的服务质量提升为优质。文明单位创建，全行业规范服务达标活动，以及文明行业创建已成为上海群众性精神文明创建活动的重要形式。

按照市委、市文明委的部署，从1995年开始至今，已有煤气、邮电、医院、超市、自来水、银行、地铁、出租汽车、供电、商业百家零售企业、旅游、环卫、铁路、图书销售、园林、影剧院、民政、工商行政管理等21个行业基本实现了行业规范服务达标的目标，公交、物业管理、海关、公安等9个行业及党政机关执法部门，正在积极努力争取规范服务达标。这些行业基本包括了与老百姓生活密切相关的吃、住、行、医疗、文化娱乐，以及工商、民政、公安等行业和社会管理、行政执法部门。据统计：5年来，共有30个行业，9059个窗口，72万从业人员参加了这一活动，百余万市民群众参与了对全行业规范服务达标和文明行业创建活动的检查、监督和测评。

许多实现了全行业规范服务达标的行业，在巩固成果，坚持长效管理的基础上，积极提出争创文明行业的目标。自来水、民航、医院、地铁、民政、工商行政管理、煤气等行业，开始了文明行业的积极探索，形成了创建文明行业的良好氛围。为了科学、规范地开展创建活动，1999 年市文明委颁布《上海市文明行业创建管理暂行规定》，并对刚起步的一些行业加强指导，在取得经验的基础上，再在面上全面推开。

第一，加强对从业人员的职业道德教育，牢固树立“服务人民，奉献社会”的思想。广泛开展学习服务明星等各类先进的活动。在从业人员中广泛开展学知识、学科学、学技术的“三学”活动，培养良好的职业技能，使广大职工不仅具有良好的职业道德素质，而且有高超的服务技能，高效的办事效率，成为文明行业的合格从业者。

第二，以广大人民群众满意为标准，在提高服务质量上下功夫。针对不同时期市民提出的热点、难点问题，采取有效的改进措施，推出行业的服务特色和服务品牌；不断开展便民利民服务，让广大市民群众看得到、摸得着，感受得到文明行业创建的成果，真正受益。

第三，加强了科学管理，大胆探索，勇于创新。逐步建立完善、合理的管理机制，建立起科学、高效的企业管理模式，使文明服务的质量始终处于稳定受控状态。

通过开展文明行业创建活动，不仅取得了社会效益和经济效益，树立良好的形象，而且使行业的服务水平在国内同行业中处于领先水平。

（上海市文明办）

## 浙 江 省 司 法 厅

# 开展《警情日记》活动

浙江省司法厅党委结合司法行政系统加强干警队伍建设的实际，在省属监狱劳教单位开展记《警情日记》活动。《警情日记》是以日记特有的文体形式记载监狱、劳教干警的思想状况、工作状况、生活等情况；具有典型意义的人和事，包括思想、工作、生活上的困难和问题。出台了《浙江省司法厅关于在省属监狱劳教单位建立〈警情日记〉制度的意见》，在省属监狱劳教单位全面推开了记《警情日记》的活动。

推行《警情日记》制度，对于加强精神文明建设，做好新形势下的思想政治工作，是具有时代特色的一个新的载体，为新时期思想政治工作提供了新的思路和参考。《警情日记》制度以“知警情、连警心、排警忧、严警纪、正警风、铸警魂”为主题，要求“着眼于民警、体现于真情、坚持于勤记、落实于办理”，为发挥思想政治工作的作用，带动和促进各项工作提供了有力的保证。

（1）建立领导干部联系群众制度。监所（大队）领导都要确定若干基层单位作为联系点。监所领导要有监区（大队）、分监区（中队）联系点。经常了解基层干部、民警的思想、工作和生活状况，通过座谈会、谈心等形式切实加强同群众的联系，切实帮助他们解决思想、工作、生活中的问题。

（2）建立《警情日记》分析制度。监区（大队）每月要通过支委会对本监区（大队）的警情进行分析；监所政工部门每两个月要通过政工例会等形式对本监所的警情进行分析；监所领导班子每两个月也要听取政工部门的警情汇报，进行分析，提出意见。

（3）建立《警情日记》制度。监所政治部门要定期不定期对本单位《警情日记》的记载情况进行督查。一是督查《警情日记》制度的落实情况，同时对《警情日记》中反映出来的重大问题要及时向党委报告。二是督查有关解决问题措施或处理意见的落实情况。

(4) 建立通报、反馈制度。监所政工部门对《警情日记》中反映出来的个性问题，其处理意见要责成有关部门及时反馈，对反映出来的共性问题，其落实情况要及时以书面形式向干警群众通报。

通过半年多《警情日记》活动的实践，收到了良好的效果。干警普遍反映，思想政治工作抓得实了，领导作风更深入了。随着配套措施的进一步完善，《警情日记》活动将在全省司法行政系统继续有声有色地开展。

（浙江省文明办）

## 浙江省气象系统

# 积极开展创建文明行业活动

浙江省气象系统根据中国气象局的统一部署，在各级党委、政府的领导下，切实加强精神文明建设，以开展创建文明行业活动为抓手，努力增强干部职工的文明意识，提高文明服务水平，塑造良好的社会形象，取得了明显成效。

**建立责任制**。全省气象系统实行“一把手抓两手”的领导责任制，建立健全主要领导亲自抓，分管领导和政工部门具体抓，有关部门配合抓的领导体制和工作机制。

**实行目标管理**。建立目标考核责任制，把创建文明行业纳入各级综合目标管理责任制之中，一级抓一级，层层抓落实。年初省气象局与下属各市气象局负责人签订创建目标管理责任书，半年通报各市气象局创建工作情况，年终检查考核。

**坚持以人为本，建设“四有”队伍**。全省气象系统把培养“四有”干部职工队伍作为创建文明行业的根本目标，贯穿创建活动始终。突出抓好四个方面的工作：一是开展以“讲学习、讲政治、讲正气”为重点的教育活动，普遍提高了各级领导干部的政治思想水平，增强了政治意识、大局意识和责任意识。二是省、市局两级党组都坚持中心组学习制度，制订了学习计划，认真学习。三是抓好干部职工的教育，做到学习内容有具体安排，学习时间保证落实，教育形式不断改进，学习教育效果落到实处。四是做到学习教育与本单位的实际相结合。

**开展形式多样的创建活动**。全系统开展了“全面提高各项业务服务质量”为主要内容的第12个“职业道德教育月”活动。制定了《浙江省气象局创建文明机关实施意见》，在省局机关认真开展“三优一满意”为主要内容的创建文明机关活动。各级党组织开展争创“二优一先”活动，共青团组织开展创建“青年文明号”等活动。各级工会开展民主化管理，“职工之家”建设，有力地推动创建工作的开展。

**创建活动效果显著**。省气象系统积极开展创建文明行业活动，取得显著成绩。全省气象系统被省、市、县命名为文明单位的数额比上一年增加23%，总数达53个。常山县气象局被中央文明委授予“创建文明行业工作先进单位”。为进一步提高行业文明程度，规范行业服务，提高气象服务水平，省气象局制定了《浙江省电视天气预报规范化服务实施细则》和《浙江省气象信息电话规范化服务实施细则》，并已在全省气象系统推开。浙江省气象局被中国气象局授予“全国气象系统重大灾害性天气预报服务先进集体”称号。

（浙江省文明办）

# 安 徽 省

## 广泛开展优质规范化服务活动

安徽省创建文明行业工作以职工职业道德竞赛为载体，以“讲文明树新风”为旗帜，以“为人民服务，树行业新风”为主题，以23个窗口行业为重点，深化职工职业道德建设，广泛开展优质规范化服务活动，促进了职工队伍整体素质和行业文明程度的提高，推动了全省“两个文明”建设的协调发展。

**一是抓组织建设，建立了协调指导组织。**根据省委负责同志和省文明委的要求，进一步加强了对创建文明行业活动的领导，成立了安徽省创建文明行业活动指导委员会，统一指导协调全省的创建文明行业活动。各市地和23个窗口行业主管部门及其大多数基层单位，都相继成立了由地方党委或行业党政领导牵头的协调领导组织，设立了办公室，为创建文明行业活动的深入开展提供了强有力的组织保证。

**二是抓制度建设，制定了实施办法。**出台了《安徽省创建文明行业活动的实施意见》，确定了“组织领导好、行业风气好、职工素质好、管理经营好、社会评价好”的文明行业“五好标准”和“政治思想优、职业道德优、规范服务优、社会评价优”的文明职工“四优”标准，各市、地和23个窗口行业，结合自身实际，制定了本地本行业的实施办法。

**三是抓机制创立，推出了运行、监督、激励措施。**省、市、地和窗口行业，通过电视电话会议、汇报会、工作会、现场会、调度会和简报、通报等措施，实施了有力的协调指导；通过开展迎国庆创建文明行业宣传周，印制张贴全行业统一的宣传标语标识，组织爱岗敬业演讲比赛、岗位技能比赛和职业道德培训，开设暗访目击专栏，实施了广泛深入的宣传教育。在活动中各地注意把职业道德教育与“三讲”教育结合起来，与深入揭批“法轮功”相结合，发挥工人阶级在精神文明建设中的主力军作用；通过召开服务对象座谈会，完善电话、信函、舆论监督办法，聘请监督员开展明查暗访等措施，强化了检查监督。全省聘请人大代表、政协委员、劳动模范、新闻记者等各界人士组成的100名社会义务监督员，对省直及合肥市23个窗口行业、50多家窗口单位进行了暗访，暗访结束后，在新闻媒体上开辟专题专栏，连续刊载暗访情况，激励先进，鞭策后进，促进了“五好”、“四优”标准的实现，在社会上产生了广泛的影响。

（安徽省文明办）

## 福建省南平市交警支队

# 开展奖牌展示活动

1999年11月1日至10日，南平市交警支队在全市10个交警大队中开展巡回展示“全国精神文明建设工作先进单位”奖牌活动。通过这一活动，鼓舞民警士气，凝聚队伍力量，强化团队精神，树立公安一盘棋的思想。同时，教育和引导全体民警，团结奋进，服务大局，珍惜荣誉，戒骄戒躁，自强不息，锐意进取，做一颗永不生锈的螺丝钉，为奖牌增光彩。各交警大队结合实际，开展了“迎奖牌、保荣誉、立誓言、鼓斗志”等系列活动，组织民警重温《人民警察誓词》，高唱《团结就是力量》、《我们是光荣的人民警察》等歌曲，要求全体民警务必忠实地履行人民警察的誓言，人人都要成为为人民服务的一个窗口，都要成为精神文明建设的一面旗帜。

（福建省文明办）

## 江 西 省

# 树行业新风　增企业效益<br>为百姓提供优质服务

江西省把创建文明行业活动的着力点放在树行业新风、促企业增效益、为百姓提供优质服务上。

一是抓示范。树立了一批全省窗口行业全心全意为人民服务的典型，授予方琦等10位同志为江西省“窗口行业服务标兵”。省气象局、省建设厅在调查研究的基础上，确定并向社会公布了一批优质服务示范点，共青团江西省委以创建“青年文明社区”为重点，深化了“青年文明号”创建活动。

二是抓重点。重点抓了党政机关、执法部门和窗口单位的创建工作。省国税局向全省国税系统下发了《关于进一步抓好基层分局（所）建设的意见》，对基层单位的创建工作进行了具体部署，就文明优质服务、落实政务公开、实施创建规划等方面提出了明确要求。省电力公司下发了《1999—2001年纠风和行风建设工作规划实施方案》，提出以效益为中心，以创建文明行业为目标，深入扎实开展纠风和行风建设，努力在服务群众、方便群众上下功夫。景德镇市从抓认识、抓载体、抓舆论、抓督促入手，结合实际积极开展“三创一讲”活动，邀请市人大代表、政协委员和基层群众代表对全市窗口行业进行评议，市文明办针对群众反映强烈的问题，在调查核实的基础上，给相关部门发出函告，限期整改。

三是抓监督。各地结合实际广泛开展的民主评议行风活动，有效促进了行业风气的转变，在社会上引起强烈反响。省委宣传部组织省内新闻单位对各地各行业确定的优质服务示范点进行暗访调查，对名不符实、服务质量差的示范点进行批评曝光，使创建活动置于社会舆论的有效监督之下。上饶地区在全区积极组织开展“十个十”评比活动，通过行风评议，表彰了一批窗口示范单位，对一批服务质量滑坡的示范点作出了限期整改的决定。宜春地区在群众评议的基础上，选出300多个“创建文明规范服务示范窗口试点单位”，统一悬挂牌匾，统一制作“群众意见反馈卡”，公布监督举报电话，接受社会各界的监督。通过这一系列的创建活动，使行业风气有了明显好转，群众满意度有了明显提高，企业经济效益也有了明显增长。

（江西省文明办）

## 山 东 省

# 创建文明行业　为群众提供高质量的服务

1999年3月，山东省文明委全委会研究决定在交通、工商、卫生、邮政、电信、电力、国税、地税、城建、旅游、商业、金融、公安、检察院、法院、司法、民航、铁路、海关、教育、民政等21个服务行业和行政执法部门开展创建文明行业活动，制定了《关于开展创建文明行业活动的意见（试行）》，对创建活动的指导思想、创建内容、参加范围、方法步骤、组织领导等作了明确规定。各市地和各行业、各系统的主管部门对这项工作给予高度重视，采取措施，将省文明委的《意见》逐条分解、量化，制定了切实可行的实施细则。7月，省文明委又制定了《全省创建文明行业活动考核办法》，采取以群众评议为主的方式，对参评行业的创建活动进行全面的检查考核。评议采取问卷和无记名投票的方式进行，以群众满意为标准，着重测评行业推行社会服务承诺制和实行优质规范服务，立足岗位、争先创优的情况，特别是近年来解决群众关心的“难点”、“热点”问题、实行优质规范服务的措施和成效。依据《办法》规定，各市地文明办统一组织了“行风万人评”活动。据统计，全省各市地共发放评议问卷25.5万多份，回收22万份。各市地文明办根据社会投票结果和群众满意率测评结果，经过必要的检查考核后，对21个参评行业从高到低排出名次。

在创建文明行业中，各行业各部门紧紧围绕为群众创造优美的环境，提供高质量的服务，让群众过得更舒心、更满意来开展各种活动，在优质规范服务上下功夫。一是加强对创建活动的组织指导。省里大多数行业主管部门成立了领导小组，制定实施方案，层层动员部署。不少行业在内部层层签订责任状，形成“一把手”亲自抓、各部门齐抓共管的局面。二是建立健全优质规范服务的规章制度。各参评行业针对需要解决的问题，制定了优质服务的规范、标准、要求、条例、守则，使优质服务逐步走上制度化、规范化。一年来，多数参评行业已在窗口示范单位各岗位工种和服务流程的服务质量标准、服务用语、行为举止、仪容仪表、接待程序以及服务设施、管理办法等方面，提出了明确的量化要求，并形成一套考核督促、检查评比制度，使服务人员工作有规章，执行有标准，考核有依据。三是发挥典型的示范、带动作用。重点总结推广了青岛市公用事业“111”热线服务工程的经验。全省各行业涌现出很多为民服务的“热线”。各地各行业还结合自己的实际，广泛开展了评选“示范岗”、“放心店”、“青年文明号”、“巾帼文明号”、“优秀服务员”和“职业道德建设标兵”等活动，一批优质规范服务先进集体和先进个人脱颖而出。四是提高行业职工队伍的整体素质。各行业坚持以人为本，把加强思想道德教育，提高职工队伍整体素质作为基础和关键来抓，把着力点放在提高职工热爱岗位、忠于职守、热情服务、优质高效服务的自觉性和业务本领上。

经过一年来的工作，创建文明行业活动初步形成了领导积极主动、创建重点突出、群众广泛参与、社会效果良好的局面，干部职工为人民服务意识进一步强化，行业服务质量和办事效率进一步提高，行业内部管理进一步规范，文明、规范、优质的行业新风逐步树立。

（山东省文明办）

## 河 南 省

# 开展优质规范服务 倡导文明行业新风

河南省各单位各部门认真落实“九五”精神文明建设规划和年初确定的精神文明建设各项任务，围绕中心工作，加大工作力度，以“开展优质规范服务、倡导文明行业新风”为主题，深入开展文明行业、文明单位创建活动，取得明显成效。

(1) 在窗口行业和单位以“服务人民、奉献社会”为切入点，深入开展优质规范服务承诺活动。在实行服务承诺制的窗口行业和单位建立监督机制，设立投诉电话，聘任行风监督员，强化社会监督，做到有诺必践、违诺必纠，促使行业的服务质量和服务水平不断提高，使行业成为反映河南良好形象的一个重要窗口。如洛阳市连续几年在窗口行业开展创建文明行业“牡丹杯”竞赛，推广了白马寺派出所等先进窗口的经验，有力推动了创建文明行业活动的开展。省供水系统大力推广安阳水务总公司方便、快捷为民服务的供水“110”做法，在全行业开通便民热线，群众有困难随叫随到，被誉为沟通党和政府同市民百姓的“连心桥”、“爱民线”。全省供水行业被省委、省政府命名为文明行业。建设部1999年11月在河南召开了全国建设系统精神文明建设工作现场会，向全国建设系统推广了河南供水行业为民服务的做法。

(2) 在党政机关继续深入开展“做人民满意的公务员”活动。如南阳市在市直机关中开展创“四优机关”（优质服务、优良作风、优美环境、优化管理）活动，对活动中评出的“四优机关”和“十佳公仆”进行大张旗鼓的表彰，并组织报告团巡回报告，在全市群众中产生了很大反响。省直机关广泛开展了“三优一满意”活动，促进了省直机关工作作风、服务质量和工作效率的提高。

(3) 广泛深入开展文明单位创建活动。对现有文明单位实行动态管理，优胜劣汰。新申报文明单位实行公示制。各市地以推行公示制度为主要手段，广泛听取群众意见，加强社会舆论监督。各级文明单位内部广泛开展了创建文明科室、文明班组、文明家庭、文明职工活动，从单位到个人创建意识不断增强。

经过各单位、各行业一年来坚持不懈的共同努力，文明行业、文明单位软件、硬件得到协调发展，创建意识、创建水平、服务质量明显提高。1999年河南省有22个省级文明单位被中央文明委命名为全国创建文明单位先进单位；有16个行业和窗口单位被命名为全国创建文明行业工作先进单位；有501个单位和济源市公安交警五大队分别被省委、省政府命名为省级文明单位和省级窗口行业先进单位。同时，对发生问题和工作滑坡的河南省交通厅等29个单位，撤销其省级文明单位称号；对尉氏县供电局等14个单位提出警告，限期改正。

（河南省文明办）

## 河南省建设厅

# 着眼“窗口”特点　创建文明行业

河南省建设厅，坚持以“服务人民、奉献社会”为宗旨，以“争一流”为目标，以群众满意为标准，以先进典型为示范，在全省城市供水行业率先开展文明行业创建活动并取得了突破性进展。1999年2月省委、省政府正式命名河南省建设厅城市供水行业为省级文明单位建设先进系统。1999年9月，河南省城市供水行业有3个企业被中央文明委命名为创建文明行业先进单位、精神文明建设先进单位。

**1. 建立创建工作机制**

一是建立了文明行业创建组织领导机制。各级领导把创建省级文明行业活动，列入本单位长期发展规划和年度计划，列入重要议事日程，列入领导目标责任制。省建设厅和市（地）行业主管部门、各城市供水企业均成立了由主要领导任组长的创建工作领导小组，健全了组织机构和工作制度。

二是建立了城市供水文明行业标准体系。印发了《河南省城市供水行业开展创建省级文明行业活动的实施意见》，制订了《城市供水省级文明行业标准》。各市（地）行业主管部门和城市供水企业均制订了创建工作方案措施，将《标准》层层分解，进一步细化、量化。

三是建立了综合协调、整体推进的创建运行机制。与省文明办等部门建立了联合推进的指导体系，加强了对创建活动的综合协调指导；以创建文明单位为基础，在全行业开展文明单位达标升级活动，从基层抓起，通过单位创建带动整个行业的创建。

**2. 提高整体素质**

一是深化职业道德教育。组织职工学习供水行业职业道德准则和关键岗位工种职业道德规范，举办形势报告会、职业道德教育演讲会、典型报告会和知识竞赛等，进行爱国主义、集体主义和社会主义教育，引导职工增强服务意识、敬业意识和奉献意识，在广大职工中形成了“爱岗敬业、办事公道、服务群众、奉献社会”的良好道德风尚。

二是搞好岗位培训，规范服务行为。根据建设部颁发的城市供水行业规范化服务标准，省建设厅完善了城市供水职业规范和标准要求，各供水企业制订了更具有操作性的《关键岗位规范化服务细则》。省建设厅和省供水协会联合组织供水行业关键岗位人员的培训，各供水企业通过技校、夜校和与院校联办大专班等形式培育业务骨干；开展“一口清、一业清”岗位规范化服务竞赛，对关键岗位人员经培训考核合格后持证挂牌上岗等方法，推行“窗口”人员的标准化服务。

三是开展以“塑形”为主旨的企业文化活动。各单位注重硬件、软件一齐上，创建企业文化环境。城市供水企业驻地和水厂实现了硬化、绿化、美化，厂中有园，园中有景，三季有花，四季常青，独具风格，成为当地一景，不少单位的花园式庭院已成为居民休闲观光好去处。各供水企业注意培育自己的企业精神增强了企业的凝聚力和对社会的辐射影响力，树立了良好的行业形象。

**3. 着力提供一流服务**

一是以解决供水“热点”问题为切入点，全

面推行社会服务承诺制度。针对群众反映强烈的供水设施维修不及时，服务态度不好、质量不高等“热点”问题，省建设厅印发了《关于在全省建设系统推行社会服务承诺制度的决定》，提出全省城市供水行业的“一条线”，并召开专门会议进行了部署。各市（地）行业主管部门和供水企业均制订了《推行社会服务承诺制实施细则》，通过新闻媒体向社会公开承诺，将服务标准、服务时限、质量要求，工作纪律、承担责任、处罚标准、投诉程序和举报电话等向社会公开，自觉接受群众监督。各供水企业加强了内部管理，量化细化工作责任，做到件件投诉有回音，事事处理有结果，保证一诺千金，取信于民。

二是以提高维修及时率为着力点，创建“城市供水‘110’”。省建设厅及时推广安阳市水务总公司成立以党、团员技术骨干为主力的供水服务处，负责供水咨询、供水管网勘查与维修服务的典型经验，各供水企业在加强供水服务协调指挥的同时，先后成立了快速反应小分队，配备必要设备；开通供水服务热线，对外实行“一个窗口，一条热线，一部电话”。并先后实现与社会“110”联动，随叫随到，提供及时的优质服务。

三是以满足群众需要为己任，拓宽便民服务领域。各供水企业组织“假如我是用户”大讨论，换个角度想问题，千方百计为群众办实事，纷纷推出一系列便民利民服务措施，如组织便民服务队、青年志愿者服务队等。

**4. 营造创先争优氛围**

省建设厅在大力宣传徐虎、李素丽、范玉恕和徐州下水道四班、北京呼家楼液化气站等全国建设系统先进典型的同时，及时向全省推出了全国劳模、省建设系统“十佳职工”、平顶山自来水公司管网维修工顾玉贞和被誉为国家级“青年文明号”、建设部“文明服务示范窗口”的安阳市水务总公司供水服务处等本行业先进典型。各市地、各供水企业都有自己不同层次的典型。涌现出3个国家级、13个省级“青年文明号”，2个省部级、27个地厅级“文明服务示范窗口”等先进群体和一大批以顾玉贞、吴汉卿、杨素琴为代表的行业先进个人。初步形成了行业有典型，单位有标兵，层层有榜样的好局面。

在全行业广泛开展了以调动职工积极性为目的的“创先争优”活动，开展了评选“十优十佳”和“树标兵、学典型、上水平”竞赛活动。在整个行业形成了崇尚先进、学习先进、赶超先进的良好氛围。

（河南省文明办）

## 湖 南 省

# 创建文明“窗口”单位活动

湖南省在窗口行业广泛开展了创建文明“窗口”单位活动。年初，省文明委专门召开了各市、州和省直19个“窗口”部门负责人座谈会，实事求是地分析了“窗口”行业精神文明建设的形势，要求“窗口”部门发扬成绩、正视问题，防止固步自封，防止问题反弹，并采取强有力措施，把“窗口”行业的创建活动推向深入。

张家界市围绕创一流旅游城市的目标，在各“窗口”单位开展了优质服务活动，旅游环境得到进一步改善，得到了国内外游客的肯定。长沙、株洲、岳阳、湘潭、常德等市在多年的“窗口”单位行风评议活动中，进一步完善工作制度，促使评议活动不断朝着规范化、制度化方向发展，“窗口”行业的服务质量有了新的提高。省电力工业局在本系统内树立了35个规范化服务“窗口”和文明示范“窗口”，推动了整个系统的文明创建活动的开展。长沙铁路总公司大力宣传推广长京K1/2次列车车组的文明创建先进经验，带动了铁路售票窗口、行李寄存处、货运处等其他“窗口”单位和全公司系统的文明创建活动。

“窗口”行业文明创建活动的广泛开展，规范了“窗口”单位行为，树立了行业新风，干部职工的职业道德、文明素质明显提高，“窗口”单位行业风气进一步好转，在全社会发挥了很好的文明示范作用。

（湖南省文明办）

## 湖南省邵阳市

# 创建“四优一满意”文明机关活动

湖南省邵阳市在市直机关开展了以“三心三为”（心系基层，为民兴办实事；心贴群众，为民排忧解难；心想发展，为民脱贫致富）为主题的创建“四优一满意”（优美环境，优良秩序，优质服务，优秀业绩，做人民满意的公务员）文明机关活动，认真解决机关“五不”（不学、不干、不和、不廉、不畅）和“三难”（门难进、脸难看、事难办）及索、拿、卡、要等问题，进一步加强机关作风建设、制度建设和环境建设，提高机关的服务水平和办事效率。

年初，市委、市政府决定把创建“四优一满意”文明机关活动作为精神文明建设的“重头戏”来抓，并在创建活动中做到“七带头”，即带头学习邓小平理论，带头服务群众办实事，带头改善院落环境，带头维护机关秩序，带头转变机关作风，带头争创优秀业绩，带头倡导文明新风。

一是抓宣传教育。各单位利用会议动员、专栏宣传、主题学习等方法进行多层次、多形式的宣传发动和思想教育。开展了“爱我邵阳、兴我邵阳”形势教育，组织了“三心三为”与“用好权、带好队、服务好”大讨论活动，有效地激发了干部职工参与创建的积极性。

二是强化目标管理。市文明委将创建目标下达到各市直机关。各市直机关按要求分解目标任务，将创建责任落实到所属单位、科室和个人，真正做到千斤重担众人挑，人人肩上有指标。

三是强化制度建设。在市直机关推行了办事公开、挂牌上岗、学习、考勤、卫生、财务、接待等一系列规章制度，使机关工作有章可循，较好地维护了机关的正常秩序。

四是加大投入力度。各单位根据市文明委提出的“整洁、简朴、高雅、大方”的要求，千方百计挤出资金，绿化、美化、净化环境。

一年来，邵阳市在创建“四优一满意”文明机关活动中，涌现了许多先进典型。比如市建委瞄准一流标准、一流目标，高品位、高水平开展创建活动，相继推出了承诺服务、首日接待制、机关干部“八不准”和告诫制度等规章制度，把机关文明建设提高到新水平。市委、市政府及时推广、宣传了创建活动中涌现出来的先进典型，年底评选出市建委等8个机关为文明机关，并进行了隆重表彰。

（湖南省文明办）

# 广西壮族自治区南宁市

# 开展“公仆接待日”活动

南宁市在创建文明行业工作中，紧紧抓住机关“门难进、脸难看、话难听、事难办”这个群众反映强烈的问题，整顿机关作风，在窗口服务行业建立便民服务网络，扎实开展“公仆接待日”活动，收到了明显成效。

**1. 明确一个宗旨：为民排忧解难**

南宁市委、市政府认为，在体制转轨的过程中，人民群众尤为期盼政府能为他们办实事，广大基层单位也迫切要求党政机关提供优质高效的服务。因此，近几年来，南宁市一直把改变机关作风和为民办实事、办好事作为加强精神文明建设和党的建设的一项重要工作来抓。为了切实增强为民、利民、便民的服务效果，组织开展“公仆接待日”活动，即每周的星期一至星期五的上午，12个窗口服务行业轮流派出领导到南宁晚报社现场办公，接待群众来访、来电，现场解答市民的热点、难点问题，为群众排忧解难。每一个接待日，南宁晚报在报纸上提前公布接待单位、时间和热线电话，便于市民积极参与。

**2. 突出两个重点：转变机关作风、为民办实事**

“公仆接待日”和以往的“市长接待日”、“局长接待日”不同的是，把地点设在报社，直接接受新闻媒体的监督，直接面对群众。接待单位的工作作风、工作效率、工作水平如何，群众一目了然，这对推动机关作风建设起到积极作用。一是机关单位领导干部与群众直接见面，促使他们在短时间内了解情况，公正、高效、廉洁地为群众解决实际问题，进一步提高机关的服务意识和工作效率。二是督促机关工作人员经常进行“四查”，即查服务观念、查工作水平、查工作程序、查公仆意识，不断增强服务人民、服务基层的自觉性。

**3. 加强舆论监督和群众监督，保证活动收到实效**

“公仆接待日”活动作为整顿机关工作作风、提高窗口行业服务水平的有效尝试，受到社会各界和广大群众的普遍欢迎。一方面，加强了舆论监督的力度。干部走出机关到新闻单位现场办公，新闻单位直接参与接待活动的策划，新闻记者现场监督整个接待过程，追踪报道群众投诉的处理结果。今天接待的情况，明天见诸报端。对服务态度好、工作效率高、群众满意的给予表扬；对服务态度差、解决问题不力、群众不满意的予以曝光。另一方面，强化群众的社会监督。“公仆接待日”活动一开始就得到广大市民的积极参与，热线电话不断，来访群众络绎不绝，反映内容既有政策咨询和对加强城市建设、环境卫生、市容市貌、市场管理的批评、意见和建议，也有对机关工作质量、工作作风的批评、意见和建议，还有举报偷税漏税、贩黄盗版、假冒伪劣、无证经营等违法行为，激发了广大市民投身两个文明建设的主动性和积极性。“公仆接待日”活动既是对参与者工作水平和质量的一个考验，同时也为接待单位提供了一个展示其精神面貌的好机会。为了使群众满意，各接待单位精心准备，派出工作能力强的领导干部，针对群众的投诉，能当场解决的马上就办；一时解决不了的进行真诚耐心的解释；对于不属于本部门职权范围的，记录下来并转达有关部门处理。

“公仆接待日”活动为老百姓做了大量好事实事，受到了广大群众的欢迎，密切了政府部门与人民群众之间的关系，改善了服务行业的形象。

（中央文明办：《精神文明建设工作》）

# 云　南　省

## 以世博会为契机　促进文明行业建设

云南省抓住迎接'99昆明世博会这个机遇，广泛开展创建文明行业活动。通过一年多的努力，各行各业服务质量有了较大改善，社会环境得到综合整治，社会风气大为改观，有力地促进了全省精神文明建设的深入开展。

**1. 抓住机遇，塑造云南新形象**

'99昆明世博会是我国本世纪末举办的最后一次高规格、高水平、高质量的国际性大型盛会，有96个国家、地区和组织参展，有近1000万中外宾客云集昆明，这对世人了解云南、认识云南，推动云南经济和社会发展，是一次千载难逢的历史机遇。省委提出要抓住时机，广泛深入扎实地开展创建文明行业活动，努力塑造"经济繁荣、环境优美、改革开放、高效工作、文明礼貌、热情服务、团结稳定、治安良好"的云南新形象。省文明委召开了全省"迎接'99世博会，加大整治力度"电视电话会议，对文明行业的创建工作进行了具体部署和安排。会后，各行各业结合自身实际，制定方案，组织活动，认真落实，努力改进工作作风，提高服务质量。

**2. 抓住重点，带动整体工作**

创建文明行业是一项社会系统工程，必须选准切入口，抓住重点，以此影响和带动面上工作。从云南实际出发，突出抓了三个重点：一是确定邮电、公安、电力、商业、交通、卫生、金融、城建等16个窗口行业为创建工作的重点行业，并推出示范点168个，推动工作由点到线，由线到面。二是确定昆明、曲靖、玉溪、楚雄、大理、丽江、景洪、瑞丽等8个城市为创建工作的重点城市，充分发挥他们的辐射带动作用。三是确定从人民群众反映强烈的热点问题入手，逐步改善行业作风，提高服务水平。一些窗口行业"门难进、话难听、脸难看、事难办"的不良作风，某些实权部门工作人员贪污受贿等腐败现象，商业经营活动中存在的假、冒、伪、劣、坑、蒙、拐、骗等欺诈行为以及城市的脏乱差等问题，都是创建文明行业所要着力解决的。

**3. 加强管理，推进规范服务**

一是制定了《云南省文明行业创建与管理办法》，对创建的指导思想、目标、条件、措施、考评等方面作出了明确的规定。二是下发了《文明公民素质教育读本》，制定《市民守则》，规范市民行为，提高文明程度。三是各行业结合实际，制定了服务的标准、内容、程序，使规范服务有章可循，逐步向制度化、标准化方向发展。省文明委召开了全省创建文明行业现场交流会，互相交流，取长补短，不断完善和改进创建管理办法和措施。

**4. 发动群众，掀起创建热潮**

一是向全省发出了倡议，动员全省人民以实际行动迎接世博会的到来，充分展示云南的新风貌。二是设立了举报箱、意见箱，自觉接受群众监督，为群众提供热情、周到的服务。三是开展行风民主评议，测评群众满意程度。四是组织开展评选服务明星、优秀服务员和"百城万店无假货"活动，扩大活动的影响面。五是开展"树行业新风、创优质服务"活动，实行服务承诺，落实责任制。通过上述活动，极大地调动了人民群众投身创建工作的热情，为加强行业精神文明建设注入了强大的动力。

**5. 采取措施，完善工作机制**

各部门各系统采取有力措施，不断健全创建文明行业工作运行机制。一是各行各业把精神文明建设纳入工作目标，与生产经营同部署，同落实，同检查，同奖惩。二是做到机构、经费、人员三落实，为创建工作提供保证。三是实行分级负责制，层层签订责任状，把工作落到实处。四是充分发挥新闻媒体的监督作用，不断改进工作。五是完善考评制度，促进两个文明建设协调发展。

由于领导重视，组织严密，措施有力，创建文明行业工作取得了明显成效。一是转变了机关工作作风，二是提高了服务水平，三是改善了服务环境，四是推动了社会经济发展，五是树立了新形象，受到了人民群众的普遍好评。总之，创建文明行业活动为开好世博会奠定了良好的工作基础。

（中央文明办：《精神文明建设工作》）

## 陕　西　省

# 开展“创佳评差”竞赛活动

在“窗口”行业开展以为人民服务为宗旨，以“强化职业道德建设，提高服务质量，纠正行业不正之风”为目标的“创佳评差”竞赛活动，是陕西省在行业精神文明建设中设计推出的一项重要活动载体。这项活动到1999年已开展了9年，参加的行业已达22个。由于这项活动引入了竞争机制和激励机制，极大地调动了各行业和广大干部群众参加竞赛活动的积极性，在提高行业服务质量，纠正行业不正之风，塑造行业良好形象方面发挥了重要作用，效果十分明显，产生了广泛而深远的社会影响，引起了全社会的关注。“创佳评差”竞赛活动已成为陕西省精神文明建设的名牌项目。

1999年陕西省的“创佳评差”竞赛活动表现出新的特点：

**一是各级领导更加重视，采取了新举措。**行业领导进一步认识到“创佳评差”竞赛活动是加强行业精神文明建设的有效载体，出台新的措施强化这项工作。如省旅游局参加创评竞赛的单位达到380多个，覆盖了全行业的宾馆饭店、景区景点、旅行社、车队、购物点等。咸阳市把参加创评的行业扩大为34个。省商务厅出台政策，实行经济效益一票否决制，使创评工作与各单位的中心工作紧密结合。

**二是突出思想道德建设，唱响了主旋律。**各行业抓住1999年大事喜事多的机遇，组织开展“三颂”（祖国颂、改革开放颂、社会主义颂）文艺演出。“三颂”歌咏比赛，“三颂”书画大赛等生动活泼的群众性活动，吸引广大干部群众参与。把思想道德教育的内容渗透到各项活动之中，使群众在参与中受到教育。

**三是抓载体，不断提高优质规范服务水平。**如省工商局在全系统推出“一厅式办公、一条龙服务”，简化了办事程序，提高了办事效率，方便了群众。省交通厅在全省公路系统开展评选文明收费站活动，规范了收费文明用语。邮电、邮政、广电、粮食、电力等行业都结合自身特点推出各具特色的创建活动。通过抓活动，规范服务行为，促进服务质量不断提高。

**四是加强监督，强化激励机制。**一是加强社会各界的监督。各级文明办充分发挥人大、政协、群众团体和新闻媒体对“创佳评差”竞赛活动的监督，定期召开座谈会听取意见，给各行业打分；定期邀请他们对行风建设进行视察；热情欢迎新闻界的褒扬和批评。二是各行业普遍聘请了社会监督员，设置了服务监督电话。三是各厅局普遍推行了月考核、季小结、年评比制度。许多厅局加大了对“创佳评差”评比结果的奖励和处罚力度，使这项活动的激励机制进一步增强。

在“窗口”行业开展的“创佳评差”竞赛活动中，经全年考核评比，评出最佳厅局19个，最佳单位54个，相对后进厅局3个，相对后进单位28个。

（陕西省文明办）

# 陕西省

## 创建文明机关活动

为了充分发挥领导机关和领导干部在精神文明建设中的表率作用和带头作用，加强机关建设，树立党政机关的良好形象，陕西省文明委把“创建文明机关大院”活动扩展为“创建文明机关”活动。这项活动产生了两方面的良好效应：一是把领导机关和领导干部摆进精神文明创建活动之中，激发和调动了基层单位和广大干部参与各项创建活动的热情和积极性，鼓舞了创建士气，增强了创建力度，在全省带了好头；二是有力地促进了机关建设，在转变干部作风，塑造领导机关良好形象方面发挥了重要作用。

**深入动员，精心组织，营造浓厚的创建氛围**。省直机关工委高度重视，带头行动，制定创建规划，作出安排部署。制定下发了《关于在省直机关开展创建文明机关活动的安排意见》，召开会议动员，印发活动简报，开设刊物专栏，分类指导，督促检查，不断对活动进行指导和引导。各机关均研究制定了考核标准和考核办法，分解创建任务，落实创建责任，并且不断总结经验，交流情况，推动创建活动健康发展。各市地、县党政机关和行业各级机关也广泛开展“创建文明机关，争当十佳公仆”活动，不仅改变了机关面貌，还进一步引起了各级领导对精神文明建设的重视。

**坚持把思想建设放在首位，提高党员干部的思想政治素质**。各单位把用邓小平理论武装干部头脑摆在创建工作首位，普遍建立了处以上干部学习制度，基本做到了理论学习经常化、制度化。在“三讲”教育中，处以上干部经受了一次系统、深入的马克思主义教育和严格的党内政治生活锻炼，思想政治素质有了新的提高，坚持党的群众路线和改造主观世界的自觉性进一步增强。在与以美国为首的北约野蛮轰炸我驻南使馆暴行、李登辉的“两国论”和邪教组织“法轮功”的三场政治斗争中，各级机关干部立场坚定，旗帜鲜明，与党中央保持一致，发挥了骨干、带头作用，进一步提高了辨别是非和抵御错误思想的能力。

**以美化机关环境为突破口，以转变机关作风为着力点，努力塑造文明机关形象**。各单位从打扫处室卫生，整治机关环境入手，美化净化机关大院，改善办公条件，推行自动化办公，制定完善卫生管理和文明办公制度，提高了机关大院的文明程度。在此基础上，各机关广泛开展党的全心全意为人民服务宗旨和群众路线教育，推出一系列勤政廉洁、提高办事效率、增强工作责任感的制度和措施，促进机关转变作风，树立勤政为民的公仆形象。

**组织丰富多彩的文体活动，增强机关干部体质，培育朝气蓬勃，奋发向上的精神风貌**。各级机关普遍组织了歌咏比赛、文艺演出、棋类、球类、广播体操比赛以及书画展等活动，为机关建设注入了新的内容和生机。省委主要领导和各常委登台与机关干部一同参加歌咏比赛，影响和带动了机关文体活动的开展。

年末，经全面考核评比，全省共评出省级文明机关22个，十佳公仆9名，受到省委省政府的表彰。

（陕西省文明办）

# 先进典型

# ADVANCED INDIVIDUALS AND UNITS

# 先进个人

## 李向群

李向群，1978年生，海南琼山市人，中共党员。

李向群1996年12月入伍，是驻桂53013部队“塔山守备英雄团”九连战士，上等兵军衔，先后获团、营、连三次嘉奖，荣立三等功一次，并被评为“优秀士兵”。1998年8月5日随部队赴湖北荆州地区参加抗洪抢险，他带病顽强拼搏，因劳累过度，于8月22日献出了宝贵的生命。李向群是改革开放新时期成长起来的先进青年，是人民军队培养锻炼出来的优秀士兵的杰出代表。他牺牲时年仅20岁、入伍才20个月、党龄只有8天，却用自己年轻的生命，谱写了一曲壮丽的人生凯歌。

李向群从小就受到老区光荣革命传统的熏陶，立志做一个好孩子、好学生、好青年。在海南省琼山市东山圩镇小学（现改名为“向群小学”）和东山中学读书时，学习雷锋精神，乐于助人。由于他品学兼优，多次被评为“三好”学生和优秀班干部，并加入了中国共产主义青年团，是师生公认的好学生。

李向群的家庭很富裕，但他并不安于富足舒适的生活，毅然投身部队，报效祖国。他入伍后，立志献身国防事业，时时处处严格要求自己，努力争做“四有”（有理想、有道德、有文化、有纪律）军人。他在新兵训练时，为了实现当兵要当合格兵的目标，每天利用休息时间增加训练量，总分为新兵营第一名；分到班排后，被评为“训练尖子”、“优秀士兵”。他不仅刻苦学习政治理论，还认真学习文化和与军事相关的高科技知识。他当兵20个月，写了近10万字的读书笔记和心得体会；参加法律函授学习被评为“优秀学员”。在执行各项工作任务中，他总是奋勇争先，4次成为突击队员。1998年2月至4月，他随部队到湖南沅陵地区进行光缆施工，出色地完成了任务，荣立三等功。他生活节俭，制订了每月只花10元津贴费的计划，不追求享受，不在吃穿玩乐上多花一分钱，把省下的上千元津贴费捐给战友和群众。他还经常为部队和驻地老百姓做好事，受到部队领导和驻地群众的好评。战士们称赞他：“不是党员做的是党员的事，不是干部操的是干部的心”。在关键时刻，敢于挺身而出，曾从水、火中和爆破现场救出5名老人、儿童和战士。

1998年8月5日，李向群随部队到湖北荆州地区抗洪抢险。部队到达沙市后，他连夜趴在背包上又写了一份入党申请书，请党组织在最关键的时刻考验他。在抗洪抢险中，一次次冲到最危险的地方，用身体挡住肆虐的洪水。8月14日在抗洪前线中光荣加入了中国共产党。8月17日第六次洪峰到达荆州，李向群跟战友们已连续作战了10多天，体力消耗很大，但他们又赶到险情最严重的公安县南平镇。在那里，他持续发高烧，可他几次拔掉胳膊上的吊针针头去抗洪。8月21日，李向群已经发高烧4天4夜，还是一直坚持在大堤和战友们一起扛沙袋，默默地忍受着病痛。连队干部几次发现他生病了，强令他到卫生所治疗，但他几次都偷跑出来。上午10时左右，浑身是泥的李向群一个踉跄，昏倒了，口吐鲜血，战友们和当地老百姓把他抬到一个背阴的地方。5分钟后醒过来的他，连喝了两大杯凉开水，又马上翻身爬起来跑上大堤。几位战友追着他的背影，大声地呼喊着劝他休息，可是他头也不停地奔跑着。排长几次拉他下堤休息，他总是说：“我还行，能坚持”。上午10时50分，已到了生命极限的他，再也支撑不住连续多日高烧的病体，口吐鲜血，再次昏倒在离堤坝仅有一米的地方。部队干部把他迅速送到湖北省公安县第二人民医院时，体温已是40.8℃，医院立即采取一系列紧急抢救措施，他终于苏醒过来，第一句就问：“大堤上的抢险工作，完成了没有?”他患的是钩端螺旋体病，病情继续恶化，22日凌晨被送往广州军区武汉总医院，医护人员全力以赴地抢救。上午10时10分，李向群由于带病参加抢险时间太长，导致肺部弥漫性大出血，心力衰竭，抢救无效，壮烈牺牲。

李向群牺牲后，为表彰他的模范事迹，驻桂某集团军追认他为革命烈士，追记一等功；广州军区追授他“抗洪勇士”荣誉称号；团中央追授他“中国青年五四奖章”。1999年4月2日，由中央军委主席江泽民签署、中央军委颁布命令，授予李向群“新时期英雄战士”称号，并号召全军广大官兵向李向群同志学习。江泽民主席还为李向群题词：“努力培养和造就更多李向群式的英雄战士”。4月9日，中共广西壮族自治区委员会、广西壮族自治区人民政府作出决定：在全区广泛开展向李向群同志学习的活动。4月12日，中宣部、解放军总政治部、共青团中央联合在京举行“新时期英雄战士”李向群先进事迹报告会。李向群的先进事迹和崇高精神在军内外引起强烈反响。

## 评论：从雷锋到李向群

中共中央总书记、国家主席、中央军委主席江泽民为“新时期英雄战士”李向群题词：“努力培养和造就更多李向群式的英雄战士”。这是党的第三代领导核心对一名普通士兵的褒奖，也是对人民军队的殷切期望。如同当年毛泽东同志为雷锋题词，曾极大地推动了全国学雷锋热潮的兴起一样，江泽民同志为李向群的题词，必将使学习李向群的活动，蓬勃展开。

时代呼唤英雄，也造就英雄。李向群正是继雷锋之后，人民解放军涌现出的许许多多英雄模范中的杰出代表，他的身上所折射出的精神，正是雷锋精神在新的历史条件下的发扬和光大。虽然，这两个年轻的士兵生长在不同的时代，出身不同，成长环境也不同：一个是从旧社会走过来的苦孩子，一个是改革开放环境中长大的富家子弟，但他们都是平凡岗位上的普通一兵，都是仅有短暂青春的年轻战士，都是解放军这所大学校哺育出来的时代英雄，都有崇高的人生追求、强烈的进取意识、高尚的道德情操、无私的奉献精神，都有着共同的人生观、世界观、价值观。在他们身上，体现了中华民族传统美德、人民军队的优良传统与时代精神的统一，体现了爱国主义、集体主义和革命英雄主义的统一。他们不仅是部队官兵的榜样，也是广大党员干部的榜样，是当代中国青年的榜样。

从雷锋到李向群都不是孤立的存在。他们身后是千千万万个雷锋和李向群。人民军队之所以能在各种急难险重任务中打胜仗，几十万官兵之所以能在'98抗洪斗争的极端险恶环境下抵御洪水，制服洪魔，我们改革开放的宏伟大业之所以能乘风破浪、不断前进，就因为在中国共产党领导下，我们的各行各业有千千万万个雷锋、李向群式的英雄人物。他们是民族的中坚，时代的脊梁。李向群的事迹再一次说明，时代变了，但人民军队的性质、宗旨没有变，他们仍然是人民群众最可依赖的子弟兵；伴随着改革开放成长起来的青年一代，具有新的历史环境赋予他们的新思想、新观念，但这种新思想、新观念本质上与雷锋精神是一脉相承的，雷锋精神依然流淌在他们的血液里，植根于他们的基因中。李向群短暂的人生经历和先进事迹，反映了改革开放条件下一代优秀青年的成长规律，证明了当代青年完全能够继承我党我军优良传统，肩负起跨世纪的历史使命。

我们要积极响应江泽民同志的号召，认真地、扎扎实实地开展向李向群学习的活动，努力培养和造就更多李向群式的英雄战士和“四有”新人，推动有中国特色社会主义事业不断向前。

（摘自1999年4月4日
新华社特约评论员文章）

# 秦文贵

秦文贵，1961年生，中共党员，大学，高级工程师。现任青海石油管理局钻井处处长。

1982年，秦文贵从华东石油学院毕业后，来到地处柴达木盆地的青海石油管理局钻井工程处工作，在“天上无飞鸟，地上不长草”的荒漠戈壁上一干就是17年。

1992年，秦文贵赴加拿大卡尔加里大学学习。在加拿大的13个月中，他上午上课，下午到加拿大第三大石油公司AKITA公司跟班作业，如饥似渴地汲取新知识、新技术。他的中期学习论文得到了学校和公司的高度重视和好评。经AKITA公司派遣，他先后两次到渥太华参加国际钻井工程会议，有机会了解到这一领域的高新技术及其发展动态。在他即将结束学习时，AKITA公司副总裁出高薪邀请他留在公司，干满5年，公司负责办理他爱人和孩子的定居手续，但秦文贵毅然选择了养育他的祖国，回到了青海油田。

为了多出油、出好油，为了缩小青海油田与国外先进水平的差距，秦文贵用自己全部的智慧和心血攻克了一个个技术难题。他积极探索固井新工艺的推广应用，基本消灭了小钻具通井事故的发生，仅这一项全年节约数十万元；他精心设计推广双级固井和7寸尾管完井技术，通过两口深开发井的试验应用，每口井节约成本30余万元；他优化改进井身结构，用八又二分之一英寸钻头替代十二又四分之一英寸钻头，缩小井眼，岩石破碎量降低一半，提高了钻井速度，大大降低了成本；他研制出可移式钻机水泥条形基础，不仅搬运、安装简单迅速，还可多次使用，使每口井节约5万多元；他采用“木塞纠正，对准套管，水泥固定”的措施，妥善处理了狮32井的深层套管断裂事故，为国家避免了重大损失。秦文贵组织研究和推广、运用的科技项目达10多项，大幅度提高了钻井速度，使2个月打成 口井的梦想变成现实。

1995年，秦文贵开始对“关于尕斯油田 $E_3^1$ 深井中不下技术套管的可行性”研究。经过半年的苦心钻研，秦文贵和他的课题组完成了可行性论证，并成功地打出了4口深井发井。每口井节约技术套管2500米，4口井节约综合钻井成本近700万元。在160多个日日夜夜里，34岁的秦文贵一头黑发竟花白了。10多年来，秦文贵多次被评为青海油田优秀科技工作者和劳动模范，被青海石油管理局和中国石油天然气（集团）公司确定为“学科带头人”，被青海省委树立为新一代青年知识分子的优秀代表和全省人民学习的榜样；1997年，团中央、全国青联授予他“中国青年五四奖章”；在纪念五四运动80周年之际，共青团中央号召全国青年向秦文贵学习。1999年，团中央、全国青联又授予他“中国青年五四奖章”。

## 通讯：拼搏奉献写青春

1954年5月，一支长长的驼队载着一群血气方刚的青年踏进了青海省西部的柴达木盆地。从此，这块广阔而神秘的戈壁荒漠上，开始有了奋斗和挫折，有了欢乐和泪水，有了青海石油人的历史。

28年后，一位文静、瘦削的青年背着简单的行囊，带着憧憬和理想也踏上了这块土地。他的名字叫秦文贵。

17年来，在严酷的自然环境中，秦文贵以顽强的毅力克服重重困难，扎根油田，拼搏奉献，一步一个脚印，由一名大学生成长为油田的科技骨干，为油田的发展做出了突出贡献。

**在高高挺立的钻塔上，他建立了自己的人生坐标**

沉睡在昆仑山、祁连山和阿尔金山怀抱中的柴达木盆地，属于干旱的大陆性气候。“天上无飞鸟，地上不长草，风吹石头跑，氧气吃不饱”，就是人们对这里生存环境形象的概括。

然而，正是在这片人们望而却步的盆地内，却蕴藏着丰富的矿产资源，其中石油天然气的储量十分丰富，被人们称为“聚宝盆”。早在60年代初，青海油田就成为我国当时继玉门、四川、克拉玛依之后的又一个石油基地。

秦文贵1982年从华东石油学院毕业后，被分配到青海油田。当时，他也有过犹豫，因为那里是石油行业人人皆知的全国海拔最高、生活最苦的油田。但他也深知，那里地域辽阔，油气发展潜力大，年轻人到那里一定会有所作为。于是，他怀着“头戴铝盔走天涯，昆仑山下送晚霞”的豪情走向了戈壁瀚海。

秦文贵的家在河北省平山县的一个小山村。行前，年近80的老父亲特地去买了本地图，可查了半天，也没有找到儿子所说的原油生产基地“花土沟”。虽然有些不舍，但曾当过游击队小队长的老父亲懂得小家与大家谁轻谁重的道理，他叮咛儿子：“娃，你记住：不管走到哪里，不管那地方有多苦，你都要对得起国家！”

至今，秦文贵都记得刚到井队时的情景。先是坐了3天火车，又坐了2天汽车，当懵懵懂懂的他走下班车时，迎接他的是一阵打得脸颊生疼的黄沙。当时的花土沟只有几间低矮破旧的泥坯房，职工都住帐篷，家属来了没地方住，就四家各住帐篷的一角，几块布隔着。有些人干脆在荒滩上斜着挖一个坑，支上废钻杆，铺上油毛毡，再盖上沙子，就是个家了，外面看起来与荒漠无异，俗称“地窝子”。刚来时，秦文贵常被从“地窝子”钻出来的人训斥和埋怨，因为他踩到了人家的“房顶”上。

初到井队，队长让他从最细小的事情做起——扫钻台、擦机器、收工具、打吊钳……白天忙了一天，晚上却睡不着觉，还总流鼻血。别人告诉他，这叫高原反应。

两个月后的一天深夜，大地被惊醒。井喷了！不一会儿，井口压力已上升到了200多个大气压，而放喷管线又被结晶盐堵死，若不立即处理，将会抬翻井口，造成井毁人亡的严重后果。

秦文贵看到睡梦中惊醒的钻工们连安全帽都没来得及戴，甚至光着膀子就跳进齐腰深的泥浆中。在巨大的地层压力作用下，数千米深的盐水泥浆狂龙般喷涌而出，暴虐地扑向靠近它的每一个人。但是，没有一个人退缩。秦文贵感到血在往上涌。愣怔片刻，他把外衣一脱，跳进泥浆，加入到抢修管线的人群中。

黎明时分，井喷终于被制服了。为了洗掉身上的泥浆和油污，秦文贵学着师傅们的样子，先用汽油一遍又一遍地擦，再用肥皂一次又一次地搓，浑身蜇得火辣辣地疼，不久身上开始脱皮。

经受了盐水泥浆的“洗礼”，秦文贵意识到，来柴达木需要勇气，而为柴达木献身更需要一种崇高的精神。从身边这些钻工们的身上，秦文贵看到了那些柴达木英烈们的影子——那位为了寻找失踪的骆驼而倒在柴达木的年仅18岁的范建民，那位关键时刻挺身而出，宁舍生命不舍油井的肖缠岐……秦文贵感受到了柴达木人顾全大局、艰苦奋斗、为油而战的可贵精神。

渐渐地，大漠的风沙吹粗了他的皮肤，高原强烈的紫外线晒黑了他的面庞。在全队掰腕子比赛中，他已排名第二。打钳子、甩钻杆、扶刹把、下套管……钻井的每一道工序，他都了如指掌。

闯过了生存关的秦文贵，实现了人生的第一次跨越。在高高挺立的钻塔上，他建立了自己的人生坐标。那就是，只有为社会创造价值的人，他的人生才有价值。

**在苦地方苦熬不算真本事，只有自强创业，才有真正的价值**

秦文贵在最艰苦的井队一干就是5年。5年中，他从不摆大学生的架子，和工人们一起摸爬滚打。

硫酸钡重晶石粉能增加井压，但是要靠肩膀扛到井上。油田高价雇来的民工刚扛了两袋石粉，就不干了。秦文贵就和师傅们一起扛。6袋重晶石粉压在他的身上，鼻血浸透了胸前的工服，但他仍一步一步向井架挪去。3个月下来，他们硬是扛了1万多吨，相当于2000辆解放卡车的运量。

渐渐地，秦文贵发现，柴达木盆地恶劣的自然条件和油田相对落后的技术装备严重阻碍了青海油田的进一步发展。要改变现状，出路只有一条，那就是实干。他深知，在艰苦地方苦熬不算真本事，只有自强创业，干出一番事业才有真正的价值。一种强烈的责任心、紧迫感促使他努力学习、刻苦钻研。

为学好英语，秦文贵自费订阅了英文《中国日报》、《北京周报》等报刊，长年坚持用英语记工作日记。劳累了一天后，别人已酣然入睡，他还就着昏暗的灯光学习。秦文贵坦言，扎实的英语底子，为他日后查资料、搞科研创造了便利条件。

在钻井队，他还不断琢磨研究各种设备，练就了一套千里眼、顺风耳的本领：看板房的灯光明暗，就知道井上启动了什么电机设备；听钻机的异常声音，就可判断出井上哪个环节出了问题。毕业第5年，他入了党；第8年，他当上了钻井队队长兼工程师。

在油沙山一口井的施工中，为了防止把井打斜，他根据自己所掌握的专业知识，提出采用刚性满眼钻井技术和钟摆钻井组合工艺。他的建议被采纳了。实践证明，不仅井身质量合格，而且钻井速度提高了20%，节约成本20多万元。

这一成功，使秦文贵进一步认识到，油田的开发需要艰苦创业、吃苦耐劳的精神，更需要科学技术。作为一名年轻的科技人员，他应该在这方面发挥更大的作用。

**实际生产的需要，就是科技工作者工作的动力**

1995年，秦文贵在处理一口井的技术套管事故时，闪现出一个大胆的想法：能不能简化套管程序呢？这一技术一旦成功，将带来可观的经济效益。

他放弃冬休，送走妻子和孩子，一头扎进研究中，查阅资料，设计方案，用去的草稿纸摞起来有1米多高。睡眠被压到了三四个小时，方便面成了他的一日三餐。两个月后，可行性报告通过了，秦文贵被任命为实验领导小组组长。2月17日，实验井正式开钻。从这一天起，秦文贵就没日没夜地守在井旁。

初春的柴达木仍是寒风凛冽，秦文贵却虚汗淋淋。沾满油泥的双手冻裂了，结成血痂的双唇又冒出殷殷鲜血。实验终于成功，整个井场欢腾了。此时，秦文贵却说不出一句话来，惟有热泪潸然而下。此项技术在类似地质条件油井的不断推广，将给油田创造出更大的经济效益。

疲惫不堪的秦文贵回家了。孩子盯着面前这位形销骨立、满头花发的“陌生人”，惊恐地躲在了妈妈的身后。妻子也惊讶得瞪大了双眼——这个又黑又瘦的人真是自己的丈夫吗？他那一头乌黑的头发哪里去了？过了好半天，妻子才反应过来，一把搂住他的脖子放声大哭：“文贵，你的头发怎么都白了，你才只有34岁呀！”就是从那时起，年轻的秦文贵就开始染发了。

随着中国石油工业“稳定东部，发展西部”战略的逐步实施，已任青海油田钻井工程处总工程师的秦文贵更觉肩负责任的重大。他常说，实际生产的需要，工人们的需要，就是我们科技工作者工作的动力。

他随着不同的井队南迁北移，风餐露宿，走遍了方圆上千公里的荒漠戈壁，组织研究和推广、运用了10多项新技术、新方法，为油田创造了可观的经济效益。

悠悠17载，秦文贵把自己融入戈壁荒漠，把对事业的追求化作实实在在的行动，走出了一条当代青年知识分子在苦干、实干中成长、成才的道路，先后获得青海油田“新长征突击手”、“双文明先进个人”、“优秀科技工作者”、“劳动模范”、中国石油天然气集团公司“特等劳动模范”，以及首届“中国青年五四奖章”等荣誉称号。

在为企业、为社会创造价值的同时，秦文贵也实现着自身的价值！

以秦文贵为代表的新一代柴达木人坚信，没有柴达木精神就没有青海油田的今天，丢掉了柴达木精神就没有青海油田的明天。

**“我的事业在中国，在青海”**

1992年2月，经过严格的考试，秦文贵被选派到加拿大卡尔加里大学学习，为期13个月。临行前，他来到冷湖四号烈士公墓。在烈士墓前，他站了很久、很久。最后，他用一块白色的方巾裹了一把沙土装在衣兜里，他要让这带着油香的沙土陪他远行。

在加拿大学习的日子里，秦文贵上午在大学学习，下午则到AKITA石油公司跟班作业。一有空闲，他就泡在图书馆，研读专业书刊，了解钻井新工艺。在跟班实际操作中，他处处留心，事事观察，凡是觉得有启发、有价值的东西都一点不漏地详细记录下来。

不间断的英语学习，此时派上了用场；几年的钻井实践，使他能迅速、准确地理解课堂所传授的新知识。他在论文中总结了这个公司成功的经验，也提出了存在的四个问题及解决方案。这篇论文不仅被指导教授作为范文分发给其他同学参考学习，而且引起了公司董事长的关注。一天下午，公司董事长约翰先生将秦文贵请到办公室，紧紧握着秦文贵的手说：“公司要发展，就得有大批像你这样的专业人才。”

就在他将要结束13个月的留学生活时，这家公司副总裁克力格先生郑重邀请他留下来在公司工作，月薪3600加元（折合人民币2万多元）。干满5年，公司负责承办他爱人和孩子的定居手续。

但秦文贵谢绝了。时至今日，仍有人询问他当初拒绝的理由。秦文贵的回答很实在——“油田培养了我这么多年，就像一个工人刚不出废品，可以创造效益了，却要走，那多叫人心寒呀！我不能在油田最需要我的时候离去，我必须回来尽我的义务和责任。我的事业在中国，在青海！”

他忘不了当他把自己回国的决定告诉加方人员时，他们惊诧的目光。他们说：“从你身上，我们看到了你所在油田的希望，看到了中国石油工业发展的希望。”秦文贵说，那一刻他感到非常自豪。

**“面对荣誉和压力，我告诫自己，追求超越，赢得新的目标”**

获得“中国青年五四奖章”后，许多单位邀请秦文贵去做报告，都被他婉言谢绝了。对那些声称要把他编入名人辞典、成才宝库的信函，他也总是一笑置之。面对荣誉和压力，他时常告诫自己——追求超越，赢得新的目标。

科技兴油，二次创业，激发了秦文贵和所有青海石油人的干劲和热情。在浩瀚的尕斯库勒湖畔，在高高的狮子山头，到处都留下了秦文贵匆匆的脚步。

1998年3月，秦文贵担任了钻井处处长，成了油田钻井试验工作主管部门的领导。上任伊始，他就确定了新的工作思路——“增加技术含量，提高钻井效益，降低钻井成本，增强作战能力”。为此，他常常与技术人员深入生产第一线，哪里需要就出现在哪里。他常挂在嘴边的一句话是，“学钻井的，就注定要以荒山戈壁为家。”

近一年来，青海油田钻井总进尺增加了2万多米，钻井生产时效提高了8%，钻井综合成本大幅度下降。这其中包含着秦文贵等技术人员付出的汗水和心血。

17年来，不管岗位如何换，职务如何变，荣誉多么高，秦文贵始终保持自己的本色——刻苦钻研，勤奋工作，以一个青年知识分子对祖国的赤诚，为油田奉献着自己的才华，实现着他“在为社会创造价值的奋斗中实现自身价值”的人生追求！

（摘自1999年4月28—29日
《人民日报》）

## 评论：当代青年的一面旗帜

在五四青年节到来之际，我们向读者介绍“中国青年五四奖章”获得者秦文贵的动人事迹。

我们高兴地看到，在改革开放的伟大事业中涌现了一批又一批杰出青年，他们在各自不同的岗位上建功立业，秦文贵就是他们中的一个代表，是当代青年的一面旗帜。秦文贵22岁大学毕业以后的17年，是青春勃发、光彩照人的17年。17年来，秦文贵扎根在我国海拔最高、环境最艰苦的青海油田，以其学得的科学知识和青春热血，战胜了一个个常人难以想象的困难，攻克了一系列技术难关，为社会主义现代化建设做出了突出贡献，在报效祖国、报效人民的事业中走出了一条当代青年的成才之路。

秦文贵这个先进典型再次告诉我们：青春最有生命力、创造力，被称作是“人生之王，人生之春，人生之华”；知识就是力量，科学技术就是第一生产力；爱国、进步是一种高尚情操，符合历史发展规律；困难是一所大学校，国家和人民的需要是一个大舞台。这几个方面一旦结合在一起，即青春一旦与知识、与科技、与爱国、与进步结合在一起，一个人的追求与国家和人民的需要结合在一起，就会产生巨大的力量，闪现绚丽的光彩。

在秦文贵身上，起关键作用的是爱国和进步。1982年，秦文贵作为“文革”后恢复高考后的第一批大学毕业生，就毫不犹豫地选择了祖国最需要他的地方——青海油田。那是一个“天上无飞鸟，地上不长草，风吹石头跑，氧气吃不饱”的生命禁区，没有强烈的爱国之心、报国之志，就很难作出这种选择。1992年，秦文贵在加拿大学习期间，毅然放弃国外高薪聘请，再次选择回国报效，选择青藏高原上的青海油田。秦文贵以他对祖国和人民的无限忠贞，以现代科技知识，以坚韧不拔的献身精神，创造了不凡的业绩。

爱国、进步是我们时代的主旋律，只有把青春献给祖国和人民，把自己的知识、才华和能力献给祖国和人民，把个人的前途与党和国家的命运紧密联系在一起，才能实现自身的最大价值。我们的国家是一个发展中的大国，取得了重大成就，还面临着很多困难，这是一个需要为之献身，需要英雄也造就英雄的时代。当代青年要以秦文贵为榜样，进一步继承和发扬爱国、进步、民主、科学的五四精神，为把我们的祖国建设得更加美好，贡献出自己的青春和力量！

（1999年4月28日人民日报评论员）

## 范玉恕

范玉恕，中共党员，大专，高级工程师，国家一级项目经理资质。现任天津建工集团三建建筑工程有限公司项目经理。

范玉恕坚持“老老实实做人，结结实实盖楼”的信念，做群众信得过的建房人。他先后组织了23项30多万平方米工程的施工，做到项项优良，其中，天津体育中心土馆、电力大厦两项工程获得国家建筑工程质量最高荣誉奖——“鲁班奖”，是天津市惟一一个创出两项“鲁班奖”工程的项目经理。

在工作中，范玉恕恪守职业道德，做到“六个工程”：

1. 建放心工程，坚持处处精心、细心，努力做到上对得起国家，下对得起百姓，当中对得起自己的职业良心。施工中，他坚持“四个一样”：大事小事一个样、外露工程和隐蔽工程一个样、分内事和分外事一个样、有要求和没有要求一个样。厕所和浴室地漏安装渗水是施工中常被人忽视的一件小事，可是对于住户来说就是一件最心烦的大事。因此，他通过反复查找原因，发现主要是施工中土建和水电配合不好，防水层没有裹到下水管里去。于是就选派技术较高的抹灰工和水暖工规规矩矩做好防水。他对工人说：“住户买了房，要住一辈子、几辈子，咱干活粗心一阵子，住户就会堵心一辈子、几辈子。咱可得干良心活。”耐心的教育加上有效的措施，凡是范玉恕项目经理部盖的房，每个地漏都是高矮合适，厕所、浴室里的水排得干干净净。钢筋是包在混凝土里的隐蔽工程，但是越是看不见的活，范玉恕越是细心管、严把关、精心干，让用户放心。

2. 建百年工程，坚持严格管理、科学施工。为了保证能够按照科学程序和规范去施工、去管理，他经过多年的探索，创造了“8、5、15”项目管理工作法。“8”就是项目管理算、采、收、发、代、保、撤、结等8项管理内容；“5”就是在经济管理中把好措施方案关、经济核算关、材料成本关、变更签证关、工程结算关等5个关口；“15”就是在审图、放线、方案、材质、工序、使用功能等15个质量关键环节上建立管理站，实施全过程的质量控制与管理。这个先进的工作法，被建设部确定为全国施工企业项目经理培训教材，为提高项目管理水平提供了宝贵经验。

3. 创精品工程，坚持科技创新，积极应用新技术。在金皇大厦施工中，他应用高强度混凝土、建筑节能等7项新技术，在施工技术和工艺上创出4个“津门之最”：连续浇筑9200立方米高强度混凝土；完成全市输送管道最长、工程量最大的泵送混凝土的浇筑；建起全市目前最高、面积最大、基础最深的大厦；创出了全市超高层建筑垂直度误差最小的成绩。他土洋结合，将常规吊线坠垂直线控制和先进的激光铅直仪控制并用，组织人员在楼里一层一层地精心挂线坠，在楼外一个点、一个点地用激光铅直仪监测。当工程封顶时，188米高的大厦，垂直度误差为15毫米，不到国家优良工程允许误差的1/3，创出了国内超高层建筑垂直度的高水平。

4. 创优质工程，坚持以人为本，注重提高队伍素质。近些年，范玉恕项目经理部先后来了7名大中专毕业生，为了让他们尽快成才，他大胆地把锅炉房、汽车库、变电站这些小栋号交给他们，由老工长手把手带着他们搞方案、干基础、上主体，直到竣工，加快了青年知识分子的成才。有一名青年放线工在工作中肯于钻研，范玉恕就积极支持他上“业大”，亲自带着他干，使这名放线工成为一名优秀项目经理，由他组织完成的一项工程，获得了国家“鲁班奖”。

5. 交良心工程，坚持堂堂正正做人，理直气壮把关。一次，一个刚进工地的民工队在浇筑地梁混凝土时打胀了模，按说这不是太大的质量问题，可是范玉恕要给他们立个高标准的质量规矩，让他们马上拆掉重新返工，还要包赔工料损失。当时，那个民工队长跟范玉恕求饶说：“今天你放我们一马，事后定有所表示”。范玉恕斩钉截铁地说：“刚一干活你们就这样马虎，后边的活还不知怎么对付，这活必须推倒重来，你给我多少好处也没商量！”

6. 干满意工程，坚持文明施工不扰民。电力大厦工地现场狭小，又处闹市区，范玉恕带领项目班子千方百计落实施工不扰民，噪音不扰民的措施，以诚挚的态度感动了周围居民，在14个月的施工中，没有发生一起居民投诉，让老百姓满意。

范玉恕先后获得天津市优秀共产党员标兵、天津市特等劳动模范，全国劳动模范、全国“五一劳动奖章”、全国建筑施工企业优秀项目经理、全国建设系统行业标兵、全国十大杰出职工等称号；1999年6月14日，由中宣部、建设部、天津市委联合组织的范玉恕同志先进事迹报告会在北京举行。与此同时，中共建设部党组作出《关于开展向范玉恕同志学习活动的决定》，号召全国建设系统广大干部职工向范玉恕学习。

## 通讯：人间正道何处寻 无字丰碑筑心中

土生土长的范玉恕不过是普普通通的项目经理，人财物集于一身，捞点儿沾点儿易如反掌。然而，多年来他以“活好、人正”的不凡业绩，在“僧多粥少”竞争激烈的建筑市场，打出了名气。在企业挑大梁、创效益、赚大钱，成为三建的“王牌”，同行们既羡慕又“眼红”。他成了一面旗帜。

范玉恕小学毕业没读初中就进了技校，17岁参加工作，干了30年没离开过建筑工地。从小钻研好学，放线、识图、操作技能样样熟样样通。“文革”中在本系统幸运而不可思议地念完了“721”职工大学建工专业，学了24门课，有一定理论基础。当过工长、施工队长，直到项目经理。按公司总经理马骏的说法，项目经理是企业经济效益的主要来源和重要支撑点，是一线施工的指挥者，工程质量的把关人，人、财、物大权独揽，是个重要角色。在建筑行业，人家的活儿给不给你干，放不放心，全看项目经理班子如何。

建工集团有几百个项目经理，顶数他厉害，无人不服。三建公司获三项鲁班大奖，有他两尊，这是建筑行业极严肃极严格的最高荣誉奖。20来年，干了18项、近30万平方米工程，工程技术质量优良率100%。这几年建筑市场“僧多粥少”，而他光是为企业招来的“回头活”，就有20多万平方米。名气之大，可见一斑！

搞建筑的知道，任何建筑在用混凝土浇灌前，一般要进行基础钢筋绑扎作业。范玉恕对这类关乎基础质量的活儿要求格外严格：“必须在模板上先量好尺寸，弹出墨线，然后按墨线一根一根地绑扎，钢筋平整度误差不得超过半厘米。”每次开工前，他把丑话说在先，说到做到，毫不含糊。当年春风得意的某施工队副队长刘从勋，走南闯北也算颇有名气的人物，4年前，慕名来到范经理组织施工的金皇大厦项目工地，他万万没想到，在天津“大棱子”面前，偏偏为钢筋绑扎这种基础活儿“栽”在工地。只差半厘米，硬是返了工。刘队长说，没见过像他那么“叫板”的。钢筋绑扎得再好，也是包到混凝土里面，查不出来，骗甲方很容易。有人喊：“干不了！不干了！”范玉恕当场是这么回答的：“干不干是另码事，我得跟你讲个理儿。建设单位投资6个亿，盖47层大楼，基础钢筋有一点位移，受力不匀，就是隐患。你家盖房愿意留下隐患吗?”说得你哑口无言，不得不服。

一项大工程有几十个民工分包队，千多号人在工地干活，面对如此众多的施工“野战军”、“游击队”，没有一点过硬本事管不了，看不住。直到今天，工程的关键部位关键活儿，范玉恕还是坚持亲自动手亲自过目。

范玉恕常说：“住房是老百姓一辈子的大事，我们盖房子就要上对得起国家，下对得起人民，当中对得起自己的良心。”早在1988年夏天，他们承担天津城建学院工程施工，范玉恕按惯例仔细审核图纸，发现主教学楼基础桩的混凝土强度偏低，可能给大楼留下隐患。其实出事也没他的责任，当时有人这样劝过他，范玉恕有范玉恕的道理：“咱们发现问题，又不向甲方汇报，等于不负责任的施工。让咱们盖，就要对得起用户！”没有什么豪言壮语，实实在在，事情就像他说的那样。结果一查，果然设计强度偏低，于是混凝土标号由原来的200号提高到250号，还把大楼的实心砖墙改为空心砖墙，使大楼万无一失。甲方感动得赶快拿出钱奖励，范玉恕自然不会收。范玉恕不但把住质量关，还能替你着想，为甲方省钱。

在市场经济条件下，物质利益考验着人们的职业良心和敬业精神。

范玉恕干的大工程需要把一些项目分包出去或外采购建筑材料，一些外分包、外采购单位，为了争揽分包工程，或把建筑产品打进工地，使出各种手段，五花八门。一天晚上，一个外分包队负责人突然闯进范玉恕家，拿出一大把钱，还有大包礼物。范玉恕明白他的来意，无非是想让他多结点工程款，在工程质量上马虎点。范玉恕没让坐下就把他推出了门。为了不让这些人打他的主意，第二天向项目班子宣布一条规矩：以后谁向外单位人透露他家的地址，就处分谁。民工们私下说：“跟范玉恕干，别想来歪的邪的，只有规规矩矩干好活。”

有一回，一个刚进场的民工队在浇筑一道地梁混凝土时打胀了模。这本来不是太大的质量问题，可是范玉恕要给他们立下个质量高标准的规矩，让他们马上拆掉重打，工料损失自己包赔。那个民工队长直求饶，范玉恕对他们说：“干基础活儿你们就这样马虎，后边的活儿还不知怎样对付呢，这活儿推倒重来没商量，今后也没商量！”最后他们只好把那道梁拆掉重打。像这样的事，一传十，十传百，民工队都知道他的脾气秉性。

为了恪守不交付1平方米不合格工程的承诺，他不怕得罪甲方，不怕给自己找麻烦。这种高尚精神不仅教育了身边的职工，也深深打动了甲方。他负责的另一项工程使用的钢筋由甲方提供，有一批钢筋因存放时间较长生了一层浮锈。钢筋一到现场，范玉恕就提出有锈的钢筋不能用。但甲方考虑这么一大批材料废弃不用会造成很大损失，就恳求范玉恕接收并使用。范玉恕对甲方说，从工程质量考虑，这样不能用，非要使用，必须严格除锈。就这样钢筋又被拉了回去，直到除锈合格后才使用。为此，甲方领导特意召开全体员工会议，号召职工向三建公司的范玉恕学习。

范玉恕干的工程越来越大，从几千平方米到几万平方米乃至10万平方米以上，工程质量也越来越好。43届世乒赛主赛场天津体育中心，是他施工生涯最为难忘的一项工程。该工程由主馆、大小练习馆、运动员宾馆等幢号组成，5万多平方米的建筑群要在一年零十个月内完成，工期紧、工艺复杂、质量标准要求高，是当时天津市的一号工程。工程建设中，有一个精度要求特别高的关键环节，这就是要把固定屋面网架用的384颗螺栓准确地预埋在96根柱顶上，而且要使预埋螺栓和网架上的螺孔一一对应，误差稍大，直径108米、重800吨的大型屋面网架就难以吻合。为了攻克这道技术质量难关，他和伙伴们付出极难想象的代价，精心进行了上万个点的测量，最后大型屋面网架分毫不差地架到了梁柱上，一次安装成功。

范玉恕不负重望，把这项事关天津名声、国家声誉的工程建成了精品工程，获鲁班大奖。

他把沉甸甸的爱播撒到一个个工程项目，融入一幢幢大厦，将无字的丰碑留给后人，以表率作用启动人们心中的良知和道德资源。

范玉恕一生中最大的愿望，就是亲手多干几个大工程，多拿几个鲁班奖。为此他不断给自己“充电”。

刚参加工作时只有中专文化，他却用顽强的毅力攻克高等课程，就像海绵一样一滴一滴吮吸着知识的乳汁。他得到过老校长的教诲，同伴们的指点，单位领导的帮助和扶持。他手里总是离不开笔和本，把所见、所闻、所得随时记下，30年来写满体会的本子码起来足有1米多高。

住房屋顶漏雨是老百姓最头痛的事，一般工程技术人员也挠头。他发现毛病出在屋顶找平层抹灰没干透就铺上了油毡，水气一拱，油毡起鼓、开裂、漏雨。可是屋顶干燥程度怎么测，他反复琢磨，找到一种法子，在屋顶上铺一块塑料布，四周用砂浆压实封闭，只要塑料布不结水珠，说明屋顶就干透了。厨房厕所下水管道漏水也是个通病，他都有“绝招”解决。这一类小改小革并不难，但像他那么用心的并不多。老百姓说，他德行好，是真君子。

他主持施工的电力局生产调度综合楼高110米，是天津市当时为数不多的超高层建筑之一。百米高的大厦要建成优质工程，控制大楼的垂直度是关键。范玉恕对此缺乏经验，毕竟是他第一次组织超百米高层建筑施工。为此，他一方面查阅有关高层建筑施工技术的材料，一方面虚心向有关人员请教。在控制高层垂直度上有两种常用的方法：一种是采用传统的线坠法来控制；一种是采用现代激光铅直仪来控制。线坠法简单、实用，便于操作，但精度欠佳。激光铅直仪把握性较大，但运用起来比较复杂，二者各有利弊。他考虑再三，决定土洋结合，两种方法同时使用。他组织人员在楼内一层一层的挂线坠，在楼外一个点一个点地用激光铅直仪进行监测。结果进度加快了，垂直度保证了。当主体工程结顶时，百米高的大厦垂直度误差不到20毫米，创造了天津地区超百米大厦垂直度的最佳水平。整个工程工期仅用了220天，创出框架施工速度的新纪录。该大厦被评为鲁班奖工程。

他攀上了一座又一座高峰，始终保持一种执著的追求精神。正在承建的金皇大厦地下3层、深16米，地上47层、高188米，建筑总面积达10万平方米，是迄今津门第一厦。为了确保底板混凝土浇筑质量，他对提供混凝土的搅拌站一家家的考察，和技术人员一起确定计量控制，并制定一套严密的施工方案。在底板浇筑时，4天4夜没离开现场一步，直到打完最后一车混凝土。

范玉恕懂得，一个人就是浑身是铁也打不成几颗钉，加强管理保证质量必须靠大家来做。他把“高招”“绝招”都毫无保留地传授给别人。他认真总结多年施工经验，归纳出《8、5、15工程项目管理法》，提出“算、采、收、发、代、保、撤、结”八字诀，经济管理把“五关”以及施工质量“十五个控制点”。他的这一成果，很快被建设部收作全国项目经理培训教材。

尽管范玉恕用自己的信念和人格塑造了理想道德的大厦，但他仍有许多遗憾。

最大歉疚是对不住自己的妻子、女儿和老母。80多岁的老母，早年守寡，在范玉恕少年求学时，因家中过于贫穷，裹足的老母被迫出外找事做。但终因贫穷，他刚念完小学就不得不读技校，以便早日参加工作。由于在工地没日没夜地干，平日经常半夜才能回家，以至让年迈的老母日夜牵挂着。一次，他因眼疾犯了，在现场被同事拽上班车送回家。吃饭时他还惦记着工地，夜里要浇筑地下室混凝土，盯班的是一名年轻工长，他不放心，便撂下碗筷又骑车奔向工地。从家到工地有40多里地，骑到郊区，眼病突然发作，一头栽到路边的小水沟里。不知过了多长时间，当他苏醒过来时发现自己躺在医院里，后来才知道是夜间巡逻的人把他送进了医院病房。胳膊上划破了10多厘米长的口子，医生给他缝了7针，鲜血把衣服都染红了。谁知他又咬着牙去了工地。此时已是深夜两点多钟。这件事瞒过了大家，却瞒不过老母，她老人家没有言语，眼泪一滴滴往外流。望着母亲苍老而慈祥的面容，范玉恕的心里涌上一股无限的愧疚，一阵阵发酸。

让范玉恕最感遗憾的是在妻子生孩子期间，作丈夫也未尽到应尽的责任，妻子李宗芝因产后未满月就过早下床做事，染上了疾病，至今一身浮肿。李宗芝原是天津织袋厂职工，为了照顾老人及家人，只好过早从工作岗位退下来。

16岁的女儿也很生爸爸的气，爸爸哪像个爸爸，连春节都不在家过，更不消说和她相伴去公园了。

企业已尽很大努力，为范玉恕解决了较好住房，并给他提了级加了薪。三建公司马总经理对记者说：“今后谁拿鲁班奖，奖励20万。”

（摘自1999年6月14—15日《人民日报》）

## 评论：可贵的“叫板”精神

从今天起，本报连续报道天津市建工集团三建项目经理范玉恕的事迹。

范玉恕在建筑行业工作了整整30年，先后负责组织了18项、30万平方米工程施工任务，工程质量优良率达到了100%，并获得两项建筑业最高奖——鲁班奖及多项嘉奖。范玉恕视质量为生命，“严”字当头，一身正气，对工作一丝不苟的精神，正是我们从事现代化建设十分需要的时代精神和职业道德。范玉恕靠优异质量不仅建筑起一个个工程丰碑，也在人们心中树立起一个令人尊敬的高大形象。

30年来，范玉恕始终恪守着一条准则：质量第一。无论建高楼大厦，还是盖百姓住房，都是一视同仁，质量第一。不管是什么人，不管是哪方施工队，只要让他负责，他就铁面无私，敢为质量“叫板”。哪怕“基础钢筋有一点位移”，哪怕“混凝土”马上就要浇筑覆盖，他也决不放过，一律返工。正是他的这种敢于“叫板”的精神和做法，不仅在建筑行业高高矗立起值得参照的质量标杆，而且带出了一支过硬的包括民工在内的建筑队伍。

范玉恕不仅“活好”，而且“人正”。只有“人正”，才能“活好”；只有“活好”，才可能更好地体现其高贵品格。范玉恕认为，粗制滥造的工程，必定是腐败工程。在这方面，范玉恕有着深刻的体会。30年中，他有着多次发财的机会，只要他高抬“贵手”，睁只眼闭只眼，他就可能财源滚滚，甚至腰缠万贯。范玉恕“人财物”权集一身，从不吃下面的一顿饭，从不吸下面的一支烟。对比那些视工程为“肥肉”，只要有利可图，根本不顾工程质量，偷工减料，互相利用，中饱私囊者，范玉恕愈加显得品格高洁，值得学习。

百年大计，质量第一。当前，我国为了扩大内需，正在加大水利、交通、通讯、城乡电网、经济住房和城市基础设施等方面的建设。这些工程事关人民利益，事关全国大局，是功在当代，福泽千秋的重大基础建设。建设这些重大工程，一定要发扬范玉恕一丝不苟，敢于“叫板”的精神，尽力做到质量全优，万无一失。

迅速提高建筑工程质量，已成为建筑行业一项十分紧迫十分重要的任务。做好这项工作，不仅要有制度的保证，科学技术的保证，尤其需要建设一支像范玉恕这样“活好”、“人正”的建筑队伍，队伍建设更加是百年大计。

（1999年6月14日人民日报评论员）

# 吴登云

吴登云，1940年5月出生，江苏扬州市高邮县人，1963年7月从江苏扬州医专毕业后，积极报名到新疆乌恰县人民医院参加支援边疆建设，在高寒缺氧的帕米尔高原，一干就是36个春秋。

吴登云几乎每年都要下乡搞防病治病工作3个月左右，骑马（或骆驼）走遍了全县30多个自然村、50多个牧业点，渴了，喝几口山间的雪水，饿了咬几口干粮，困了在马背上休息一会儿，就这样为生活在大山深处的柯尔克孜族牧民防病治病辛勤工作着。36年来，他先后为危急重病人献血30余次，累计献血7000毫升以上，超过一个成年人体内血液的总量。1975年，一个柯尔克孜族儿童被大面积烧伤，他毅然从自己腿上取下13块邮票大小的皮肤移植到孩子身上，使幼小的生命转危为安。

乌恰县是国家级贫困县，医院环境十分艰苦。1984年一场7.5级的地震使医院夷为平地。在戈壁滩，吴登云带领全院职工艰苦创业、重建家园。为了改变医院环境，挖通了从山脚下到医院的12公里长的水渠，拉走了砂子，运来粒土，在医院内种植各类树木3.5万余棵，建花坛22个，使医院成为戈壁荒滩上的一块绿洲。

为从根本上解决民族地区缺医少药的状况，10余年来，他手把手毫无保留地将医疗技术传授给柯尔克孜族医生，将一批优秀的少数民族医务人员送出去深造、进修学习。他将少数民族病人视为亲人，将医院当成自己的家，无论是清晨还是傍晚，无论是严冬还是酷暑，他总是第一个来到医院，最后一个离开病房。当少数民族患者遇到困难时，他总是慷慨解囊，为病人送钱送物。

吴登云淡泊名利、无私奉献，先后几次放弃了回内地和调到条件较好的地方工作的机会。他说：如果有来生让我选择，我还选择乌恰。乌恰人民需要我，我也需要乌恰人民。他担任院长15年，担任县人大副主任、政协副主席9年，一直住在同医院职工一样的两间简陋的平房里。他惟一的女儿，继承父志，投身到医务工作行列。在一次护送病人去乌鲁木齐治病的途中，因车祸不幸殉职。他强忍着悲痛，第二天照常上班为患者治病。

作为一名党员，他热爱边疆、建设边疆、献身边疆，一切听从党的安排，到人民群众最需要的地方去；淡泊名利，清正廉洁，无私奉献；艰苦奋斗，勤奋工作。

作为一名民族干部，他是民族团结的楷模，几十次为少数民族患者献血；为少数民族培养人才，呕心沥血；关心爱护少数民族群众，当他们遇到困难时能为他们送医送药、送钱送物，甚至不惜献出自己的血液和皮肤。

作为一名医务人员，几十年来他爱岗敬业，忠实于党的卫生事业，对工作极端负责任；把病人视为亲人，为大山深处的牧民防病治病，不怕劳苦，风餐露宿，忘我工作；对医疗技术精益求精，对病人满腔热情。

吴登云的事迹平凡之中见伟大，朴实之中见真情，服务之中见精神。他的事迹昭示了党和国家的利益高于一切，人民的利益高于一切，全心全意为人民服务的无私奉献精神。

1998年，吴登云作为新疆维吾尔自治区民族团结先进典型报告团的成员，在全疆作巡回报告61场，直接听众4万多人，通过看录像、听广播实况转播的群众达100多万人，吴登云被广大群众赞誉为活着的孔繁森、活着的雷锋。自治区党委、人民政府于9月17日联合作出《关于开展向吴登云同志学习活动的决定》。1999年，自治区党委、自治区人民政府先后授予吴登云为“模范共产党员”、“民族团结进步先进个人”称号。中央宣传部、国家卫生部决定把吴登云作为全国精神文明建设的重大典型在全国进行宣传。

## 通讯：雪山的呼唤

新疆克孜勒苏柯尔克孜自治州乌恰县人民医院院长吴登云，1999年已经59岁。从小桥流水的江苏扬州到“万山之祖”的帕米尔高原，他实现了一生中最富传奇色彩的跨越。

乌恰县地处祖国版图的最西端，是我国最晚送走太阳的地方。全境海拔在1700—6146米之间，属高寒山区，风大氧少，紫外线强，自然环境恶劣，至今仍是国家级贫困县。这里生活着4.3万各族人民，其中柯尔克孜族占总人口的72%。

吴登云眷恋这里的土地，眷恋这里的雪山，眷恋这里的人民。正如柯尔克孜族人民献给他的民歌《清泉水》中所唱：“你和帕米尔高原各族人民的友谊，就像慕士塔格峰下的清泉水，源远流长……”

吴登云的鲜血一次次地流进民族兄弟的体内，他先后无偿献血30余次，总计7000多毫升，超过了一个成年人全身血液的总量。为了抢救烧伤的婴儿，他割取自己腿上的13块皮。他的生命在民族兄弟的身上延续。

他献出了全身的血液，又再生了全身的血液。一声声婴儿的啼哭，一声声老人的欢笑，都是他生命的延续。

那是1966年冬天，一位患功能性子宫出血的柯尔克孜族妇女住进了乌恰县人民医院，她脸色苍白，双眸无神，一下床，没挪几步便直冒虚汗，这是严重的贫血。望着奄奄一息的病人，年轻的医生吴登云认为，别无选择，只有输血。

然而，一座大山深处的简陋医院，连一些常见的医疗设备都没有，哪里有什么血库呢？何况，柯尔克孜族人把血液看成是灵魂的聚集，对输血闻所未闻，诸多忌讳。怎么办？吴登云决定抽自己的血。

当吴登云伸出自己的手臂时，连护士的手都在发抖。很快，300毫升的热血静静地流进了病人的血管。病人的眼眸亮了，惊喜地说：“我的身上长力气了！”

第一次献血就这样开始了。吴登云试着出去挑了一担水，头未晕，腿未软。他暗喜：自己献出的只是一点血，别人获得的却是健康和生命，这是天底下最值得做的事情。从那时起，他便把献血当成了自己的又一个天职。

60多岁的库尔班大叔至今难忘：1978年，他的小女儿玛依诺尔刚刚出生3天，呼吸困难，昏迷不醒。在医院里，吴登云紧张地进行了抢救。病人急需输血，可喀什地区医院的血库又远水不解近渴。吴登云急得团团转，情急中挽起袖管，请护士抽自己的血。护士知道他一个月前刚给病人输过血，谁也不愿帮忙。无奈，吴登云又喊库尔班帮忙，库尔班也不干。吴登云果断地将注射器绑在床头上，然后艰难地把针头扎进自己的手臂，再用手按住针头往外抽，针管里很快注满了殷红的血。随后，150毫升“救命血”缓缓流进了婴儿的体内。热血驱走了死神，库尔班的热泪沾湿了胡子。

1998年5月，波斯坦铁列克乡牧民买买提明和他29岁的儿子来到了乌恰县人民医院。阔别20余年，他不知多少回梦见救命恩人吴登云。尽管岁月流逝，但在穿白大褂的人流中，他还是一眼就认出了那张和蔼的脸。父子俩翕动着嘴唇，抖动着肩膀，同时扑向吴登云的怀抱，一任激动的泪水长流，久久不愿放开。

1971年12月1日，买买提明两岁的婴儿在玩耍时扑进火堆烧伤。买买提明心急如焚，怀抱婴儿骑着骆驼走了两天，才来到乌恰县人民医院。经检查，婴儿全身三度烧伤，50%的皮肤被烧焦，生命垂危。

面对惨不忍睹的小生命，吴登云感到阵阵揪心。10多天的抢救，使婴儿度过了休克关和感染关。接下来，就需要进行创面植皮了。但是，婴儿自身的完好皮肤所剩无几，谁又忍心过多取用那些细嫩的皮肤呢？于是，吴登云首先想到了鸡皮。他买了4只大公鸡，将鸡皮覆盖在婴儿的创面上。可惜，手术没有成功。

失望之余，吴登云把目光投向了婴儿的父亲。当买买提明听懂了医生的意思后，惊恐万状。大山里的牧民对现代医学一无所知，以为割皮就是割肉，吓得连连后退。

这时，吴登云又想起了曾经看到的一篇报道，汉族医生李贡为抢救一位藏族姑娘，用自己的皮肤为姑娘植皮，并获得成功。为了婴儿的生命，只有割取自己的皮肤了。

“什么？割你的皮肤？你疯了？不行不行！”几名护士坚决反对吴登云的“荒唐”想法，他们谁也不愿配合。怎么办？自己动手。

吴登云在酒精里泡好一只刮胡刀片，坐下来，挽起裤腿，注射麻药。他先从两条大腿上取皮，由于皮肤无法绷紧，几块皮都不理想。随后，他又在小腿上注射了麻药，果断下刀，效果不错。10分钟后，他一共从腿上4处割下13块邮票大小的皮肤。接着，他又拖着麻醉的双腿走上手术台，把自己的皮肤移植到婴儿身上。

在吴登云的感召下，他的子女都无偿献过血。乌恰县有1000多名机关干部职工参加了“永恒血库”志愿者活动，从而储备了一支献血大军。

“马背医生”吴登云踏遍全县的山山水水，给草原人民带来生命的阳光。对贫困的病人，他充满了仁爱之心。

1963年初夏，一列火车呼啸着停靠在乌鲁木齐站。江苏扬州医学专科学校的90多名毕业生满怀豪情，好奇地审视着这片神秘而广袤的土地。他们都是立志扎根边疆的热血青年。

然而，没过几天，所有人的新鲜感都被大漠的黄风吹散了。当听说地处帕米尔高原的乌恰县需要两名医生的时候，同学们沉默不语。憨厚的吴登云勇敢地举起了手。当时，吴登云把南疆想象得很美。

一辆满载旅客的敞篷大卡车颠簸了7天之后，停在了路边。满面尘土的吴登云背着行李，边走边打听乌恰县人民医院。在12间简陋的土房子前，他停住了脚步。他简直不相信自己的眼睛，难道这就是自己选择的地方：当晚，他被安排住在一间土房子里，屋里只有一只炉子，连放木箱的地方都找不到。窗外起风了，高原的风像咆哮的野兽，屋里的煤油灯忽明忽灭，陪伴他的只有孤独的影子。不知为什么，他的眼泪淌了下来。他想起了扬州的“二十四桥明月夜”，想起了家乡鲜嫩的莲藕，想起了远在天边的父母……在这凄清的高原之夜，他真的有些后悔。

吴登云穿起白大褂上班了。当时，医院连他在内只有3名医生，而病人却是一个接一个。医院不分科，来什么病人都要看。一位柯尔克孜族牧民骑了三天三夜的马，将一名胃穿孔的病人抬了进来，家属苦苦哀求医生救命。吴登云一时竟急得束手无策，大汗直淌。他刚刚走出校门，只懂得一些书本知识，哪里做过胃穿孔手术啊？而其他两位医生也直摇头，满脸的无奈。后来，病人痛苦地死去了。

这件事深深地刺激了吴登云。他开始养狗，每月从微薄的工资里挤出一点钱，用于买狗食。当狗长大后，他就在狗身上开刀，一遍遍地做颅、胸、胃、肠、肾手术。因此，他说他的狗是“天下最不幸的狗”。为了救急，吴登云常常在诊台上放一大摞医学书籍，随时阅读。病人来看病，他常常是现翻书，现查找，然后“对号入座”。在吉根乡的一间土房子里，他曾借助窗户透进来的一缕阳光为牧民做扁桃体切除手术，由于不熟练，整整两个小时仍没做完，但淳朴的老乡却安慰他：“别着急，慢慢做。”吴登云为此十分感动，他下决心要当一位医术过硬的全科医生，解除乡亲的病痛，报答他们的厚爱。

为了提高医疗技术，吴登云先后到喀什人民医院和扬州大学医学院附属医院两次进修。他白天在外科进修，晚上去妇产科，周日又去牙科，恳求各科医生多教自己一点“绝活”。就这样，他对烧伤科、泌尿外科、胸外科、神经外科等知识都有了一定程度的掌握，成了边疆最需要的全科医生。

乌恰县山高路远，地广人稀，牧民缺医少药。从60年代初到80年代末，吴登云每年都要花三四个月的时间到牧区巡诊和防疫。他骑着马，背着药箱，翻山越岭，风餐露宿，遭遇雪崩、洪水的险情时有发生。有时为了一个病人，往往要走几天的山路。一次，他在山区巡诊，由于极度疲惫，不知不觉在马背上睡着了。结果，摔下山沟，全身受伤，连眼睛都青了。但是，正是他和那只小药箱，却给牧民的帐篷带去生命的阳光。“马背医生”吴登云足迹踏遍全县9个乡的30多个自然村，成了农牧民心中的“圣人”。

多年来，吴登云养成了一个习惯：每天晚上临睡前，一定要查一次病房，否则心里就不踏实。对于那些危重病人，他总是反复观察，仔细询问，生怕有半点闪失。86岁的宗教人士塔力甫阿洪一生一世都铭记这样一件事：1987年3月，他在地里劳动时，突然肚子痛，被儿子送到医院。当时，值班医生诊断后，认为是一般病情，住几天院就好了。一天深夜，他突感疼痛难忍，吴登云闻讯赶来，确诊为疝气。当时正值停电，吴登云一面急忙找人发电，一面吩咐两名医护人员准备手术。此时已是凌晨3时，吴登云亲自主刀，手术进行了4个小时。术后，吴登云一直守在病床边观察。病人苏醒了，他才露出欣慰的笑容。

乌恰县是个贫困县，对于那些无力承担医疗费的病人，吴登云也充满了仁爱之心。他当院长后规定：凡确属贫困户的病人，医院只收取药费，免除其他一切费用。他说：“只要有百分之一的希望，我们就要尽百分之百的努力，不能因为钱而误事。”有些老乡连药费也出不起，吴登云就让他们秋天把羊卖给医院，或者随时来打点零工，充抵药费。

干火云出生于湖北省武穴市的农村，父母早逝。1984年他投奔老乡来到乌恰县，在一家砖厂当小工。1989年，他突然胃痛，昏倒在路边，后被及时送到医院抢救。当他苏醒之后，坚持不住院，他说：“我的收入只够勉强糊口，没钱支付医疗费。”吴登云了解情况后说：“治病要紧，钱以后再说。”

经过抢救，干火云脱离了危险。一个月后，医院决定为他做胃切除手术。在没有亲属签字的情况下，吴登云安慰他说：“你只管放心，我亲自主刀。”手术从下午6时开始，结束时已是深夜。为了避免意外，吴登云彻夜未眠，一直守护在病床边。

住院期间，干火云吃饭、护理是医院包下来的，治疗费用包括3次输血1700毫升也是医院垫付的，吴登云还把自己的200元钱送给他当营养费。当他出院时，共欠下医院2500元钱。

由于胃切除了2/3，干火云身体虚弱，不能干重活，生活失去保障。吴登云时不时去看望他，每次都要留下一点钱。后来，又让他去医院看大门，使他有了稳定的收入。这次经历对干火云是刻骨铭心的，他说：“我真没有想到世上还有吴院长这样的好人。”

为了降低医疗成本，吴登云总是认真算计每一分钱。他把药品的进价压到最低；医院的所有药用棉签，都是他们亲手制作的。

一场地震将乌恰县夷为平地。在灾后重建中，吴登云推出了“十年树木工程”和“十年树人计划”，4万棵白杨长高了，一大批柯尔克孜族医生成长了。

1985年8月23日傍晚，乌恰县发生了7.4级强烈地震，整个县城被夷为平地。在一片废墟中，失去家园的人们痛哭失声，不知所措。

危难时刻，出任乌恰县人民医院院长不到一年的吴登云迅速组织起医疗队，赶赴受灾现场。

不到半个小时，100多名伤员被抬到医院，但医院的土房已经全部倒塌。当他看到一名被砸得血肉模糊的群众时，立即脱下自己的衣服，盖在伤者的身上，然后轻轻俯下身，口对口做人工呼吸。当晚，天下起了雨，吴登云只穿着一件衬衣和白大褂，冻得牙齿直打颤。在随时会有余震发生的危险中，他来回奔波于断壁残垣间。刚把病人抬进新搭的帐篷，又到废墟中挖掘药品、绷带、夹板……直到天色微明，才在树林里露天躺下。

一个“帐篷医院”奇迹般地矗立在废墟上。震后第三天，他们就恢复了门诊，第十天，就开展了各种手术。病人们说：“有吴院长在，我们啥也不怕!”

灾后重建医院，困难重重。吴登云提出了“十年树木工程”，为了给病人创造一个优美的环境，他带领全院职工在寸草不生的戈壁滩上植树。新城没有土，全是石头滩，他们就到7公里外的老城去拉，一个树坑一个树坑地垫土。他们还从雪山下挖了一道10多公里的引水渠，浇灌树木。经过6年的奋战，共种活4万棵白杨，不少已经亭亭如盖。为了方便大山里前来就医的柯尔克孜族老乡，医院还搭了一间漂亮的毡房，里面铺着地毯，放着被褥，病人家属可以免费住宿。

然而，医院面临的最大困难还是人才短缺。近年来，这里先后共分配来10多名汉族医生，但全都“飞”走了。怎么办?要彻底改变当地医务人才短缺的状况，出路只有一条：立足实际，培养一批土生土长的柯尔克孜族医生。

他找乌恰县委每一位常委倾诉他的想法，并拿出了详细的“十年树人计划”，得到了一致的赞同。很快，吴登云就马不停蹄地到各乡镇卫生院物色人才，并选派了首批柯尔克孜族医护人员外出进修。

10多年来，吴登云先后送出26名柯尔克孜族医务人员进修，目前全院70%以上的医务人员是少数民族。过去，这家连阑尾炎手术都做不好的医院，现在除了开胸、开颅手术不能做，几乎所有的常规手术都能开展，医疗水平在边疆县级医院中遥遥领先。

现任县人民医院副院长的海拉提难忘这样一件小事：一个周末，他为一名支气管炎患者做完检查，没有来得及书写病历，就和朋友们玩去了。星期一早晨，吴登云来查房，发现这个病人的病历是空白，十分生气。他狠狠地盯着海拉提，用力将病历摔到一边，说：“你就这么对待我们的病人?”海拉提满脸通红，从此再也不敢疏忽大意。后来，他才知道，吴登云当时正在暗暗培养他这名柯尔克孜族“技术尖子”，如此严厉苛刻是因为爱之太切。

在高寒的帕米尔高原，一排排白杨树长高了，一批批柯尔克孜族医生成长了。

每当风起的月夜，独对孤灯，吴登云总有一缕扯不断的乡愁。故乡，有他童年的梦想，有他牵挂的亲人。

1969年7月，吴登云正在偏远的吉根乡牧区巡诊。邮递员送来加急电报：“母亲病危”。天遥地远，他恨无双翅飞回母亲身边。于是，骑快马赶到乡里，口述电报：“全力抢救”。同时，寄回100元钱。两天后，邮递员又送来电报：“母亲去世”。他在山上哭了一天，然后写信给亲人：“请把母亲的骨灰保存好，我回去后再安葬。”

1986年初，家乡的弟弟来电说：“父亲病危，千万回趟家与老父见一面。”吴登云再也不愿留下终生遗憾了，他立即启程。抵家的那天，父子俩执手相看，泪眼蒙眬。父亲患的是胃癌，在病痛的煎熬下已经骨瘦如柴。父亲说：“总算把你盼来了。”几天里，吴登云和父亲朝夕厮守，彻夜长谈。他还亲手给父亲熬鱼汤，可惜父亲已难以进食。此时，震后的乌恰县正在紧张地重建家园，吴登云的目光中不时露出几分不安。父亲觉察了儿子的心思，说：“自古忠孝不能两全，你早点回去吧。寄几张孙子的照片给我，爹想看看他们。”数月后，父亲溘然长逝。噩耗传来，肝肠寸断的吴登云给家乡亲人写了一封信，希望在父亲的坟茔前栽一棵常青树。

随着时光的流逝，吴登云的思乡之情也越来越浓。他几次想离开这个边陲小县，落叶归根。可徘徊又徘徊，犹豫再犹豫。他不知该怎样面对柯尔克孜族老乡热切的目光。

1980年，扬州医学院附属医院烧伤科急需人才，家乡的同窗为他联系好了调动事宜，说是“一路绿灯”。吴登云把手续揣在怀里好几天，怎么也没有勇气掏出来。

1986年10月，江苏高邮县政府给吴登云寄来一封沉甸甸的信，热情洋溢地说家乡求贤若渴，希望他能回去工作，同时还附了一份调动表。这次，吴登云的心弦真的被拨动了。

一位县领导得知消息后，诚恳地说："你回故乡的心愿我完全理解，人非草木，孰能无情？但乌恰需要你呀，我代表4万乡亲恳求你留下。留下来吧，好兄弟！"

血浓于水。他离不开这里的民族兄弟，就像民族兄弟离不开他。乌恰县缺医少药的状况还没有改变，崇山峻岭里的老乡还呼唤着他，他怎么能走呢？在家乡，他这样的医生有很多；但在乌恰，他这样的医生只有一个。

吴登云留下来了，他的三个子女也都留下来了。

吴燕是吴登云心爱的女儿，在父亲的感召下，她成为乌恰县人民医院的一名"白衣天使"。一位患宫外孕的柯尔克孜族妇女失血休克，吴燕毫不犹豫地挽起袖管，献血250毫升，而那时她自己也刚刚分娩不到40天；为了挽救患者的生命，她共4次累计献血1000毫升，一对柯尔克孜族双胞胎小女孩提起她便泣不成声；新来的护士做静脉穿刺不过关，吴燕就伸出手臂，忍痛让她一遍遍地练习。

然而，这样一位可敬的天使，却不幸地离开了人世。1997年5月的一天，吴燕正在家里休假。吴登云要她护送一位患癌症的柯尔克孜族民警去乌鲁木齐，因为她熟悉那里的医院。到了乌鲁木齐后，吴燕安排好病人，经查，病人已是癌症晚期，乌鲁木齐的医生建议尽快准备后事。于是，吴燕又匆匆地护送病人上路了。没想到，在返回乌恰的途中，不幸遭遇车祸，29岁的吴燕永远地闭上了聪慧美丽的双眼……

5月23日凌晨6时，噩耗传来，吴登云如闻晴天霹雳，泪如泉涌，瘫倒在地。

但是，他并没有感到孤独，感到绝望。他知道，在大山深处，还有无数挚爱着他的民族兄弟；在风雪高原，还有成千上万他挚爱着的人民。他们就像一座座雪山，是他坚实的依靠和力量的源泉,他们的呼唤，支撑了他几十年无悔的岁月。

延绵的雪山下，河水淙淙，胡杨以顽强的生命力送走了又一个冬天。在帕米尔高原，吴登云如同不屈的胡杨，倾诉着对雪山的无尽眷恋。

（摘自1999年6月22日《人民日报》）

## 评论：到人民最需要的地方去

为民爱民的好医生吴登云从东海之滨来到帕米尔高原，扎根边疆36年，把一切都献给了人民。他的感人事迹说明：只有到人民最需要的地方去，把自己融进千百万人民群众之中，才能实现人生的最高价值。

作为一名在边疆少数民族地区工作的医生，吴登云挚爱那片土地，与那里的各族群众心心相印，情同手足。他爱岗敬业，对患者抱有深切的同情心和强烈的责任心，视病人为亲人，把为患者解除痛苦当作自己的神圣职责。几十年来，他的足迹踏遍乌恰县的山山水水，送医送药，把党和政府的温暖传递到各族群众的心中。吴登云真正做到了像白求恩那样，对工作极端负责，对人民极端热忱。他的身上，体现了一个共产党人的博大胸怀，一个医务工作者的崇高思想境界。

吴登云有过多次调回故乡的机会，但他最终都放弃了。因为他深知：在内地，像他这样的医生有很多；而在边疆，像他这样的医生却很少。边疆人民的需要，就是他最广阔的舞台。他的物质生活虽然艰苦，但精神世界却很富足。他为群众付出了很多，但也从群众中汲取了丰富的营养，得到了各族人民最衷心的爱戴。各族群众离不开他，他也离不开各族群众。在他的身上，为人民服务不是一个抽象的概念，而是具体的行动。他把人民的疾苦当成自己的疾苦，把人民的幸福当成自己的幸福，他与各族人民血脉相连。

60年代，吴登云等一大批有志青年唱着"到农村去，到边疆去，到祖国最需要的地方去"的歌曲，毅然奔赴艰苦的地方，献出了青春和热血。今天，在改革开放的新时期，我们同样需要一大批有志之士和有才之士。然而，当前不少人只考虑个人的理想，不考虑人民的需要；只留恋大城市的繁华，不愿到艰苦的地方创业；只强调收入和待遇，不讲求责任和奉献。吴登云的经历生动地证明，只有把人生的价值定位在祖国和人民的需要上，把个人的理想同祖国和人民的需要结合起来，才能有所作为。幸福不是毛毛雨，美好生活等不来。越是人民需要的地方，就越是创业者施展才华的天地。青年人是祖国的未来和希望，只有树立正确的人生观和价值观，把个人的命运同祖国的命运联系起来，脚踏实地，开拓进取，才能奏出人生的最强音。没有远大的理想，就不会有伟大的事业；有了远大的理想，而又不愿进行艰苦的实践，也不会有壮丽的人生。

世纪之交，我们呼唤千千万万吴登云式的创业者，到人民最需要的地方去，在平凡的岗位上实现人生的理想和价值，为祖国的富强谱写新的篇章。

（1999年6月22日人民日报评论员）

## 方红霄

方红霄，1970年生，中共党员。现任武警云南省总队二支队中队长。

方红霄入伍后，刻苦训练，练就了一身精湛的技艺，成为所在部队的“训练标兵”和“执勤能手”。在调到车站驻警中队后，他认真学习业务知识，虚心向周围同志请教，注意掌握执勤地域的社会情况，不断在实践中摸索，逐步掌握了通过“看、听、闻、摸”查验违禁品的绝招。

方红霄把哨位当作没有硝烟的战场，机智多谋、英勇无畏，同违法犯罪分子进行了坚决的斗争，在刀光剑影中屡显英雄本色。一次，方红霄在进站口进行例行检查，一个佯装生病神态异样的男青年引起他的警觉，当他追上去再次盘查时，对方突然掏出手枪直顶他的头部，方红霄趁其分神，飞脚踢掉手枪，经过激烈的搏斗，将这名歹徒擒获，并从其身上搜出了毒品。方红霄身怀绝技使得他出手必胜，遭致犯罪分子的切齿痛恨。他经常接到恐吓信和恐吓电话，经历过无数次生死考验的方红霄总是付之一笑，仍然义无反顾地站在执勤第一线，同犯罪分子进行着面对面的较量。几年来，方红霄带领官兵共查缴各类毒品40余公斤，假钞14万元，枪支41支，子弹2172发，爆炸装置1121枚，管制刀具3万多把，抓获违法犯罪分子1919人，有力地打击了违法犯罪分子的嚣张气焰。

方红霄时刻不忘人民卫士的天职，以一尘不染的浩然正气捍卫着人民卫士的尊严。在车站执勤的7年中，金钱、女色的拉拢、引诱经常出现在他的面前，可他从来不为所动，表现出一个人民卫士应有的精神风貌。方红霄曾对一名企图用40万元收买他的毒贩义正辞严地说：你用多少钱也休想买到武警战士的尊严。

方红霄始终牢记全心全意为人民服务的宗旨，急群众之所急，想群众之所想，赢得了人民群众的赞誉。在车站执勤的几年里，遇到老弱病残旅客时，他主动上前，搀扶着进站出站；遇到旅客发病时，他主动寻医买药；当人民的生命财产受到威胁时，他就挺身而出，不惜用鲜血和生命，保护人民群众不受侵害。几年来，方红霄帮助过的群众不计其数，他还从自己微薄的工资收入里拿出2万多元，捐给贫困山区的失学儿童，体现了一个人民卫士对人民的深情厚意。

方红霄曾先后荣立二等功1次、三等功3次，被评为首届“中国优秀青年卫士”；1998年被武警总部授予“护法勇士”的称号，并被评为“中国武警十大忠诚卫士”；1999年，团中央、全国青联授予他“中国青年五四奖章”。

### 通讯：人民的忠诚卫士

作为“中国五四青年奖章”和首届“中国武警十大忠诚卫士”称号获得者，29岁的方红霄在与形形色色的犯罪分子殊死较量中，以勇猛、胆识和智慧，塑造了新一代人民的忠诚卫士形象。

国徽上闪烁着人民卫士的忠诚。面对一次次生与死的考验，方红霄铁骨铮铮——

“站着该是柄利剑，即使倒下，也要成为一道犯罪分子不可逾越的屏障。”

“刀，快躲开……”话音未落，一把寒光闪闪的钢刀已朝方红霄后脑砍了过来。他闪身转体，猛地用左臂一挡，手表被砍碎。鲜血，顿时流了下来。

这是1994年4月23日上午，两个企图登上166次列车的贩毒分子，在武警执勤官兵面前露出马脚后，挥舞着大刀逃遁。他顾不得手腕钻心的疼痛，顺手接过一位卖水果的老大娘递过的扁担追了上去，直把个子略矮的那个歹徒逼进了一条死胡同。发现无路可逃，歹徒举刀向方红霄劈来。方红霄抡起扁担迎上去，扁担“咔嚓”断成两截。见方红霄手无寸铁，歹徒更加疯狂，明晃晃的砍刀在方红霄头上“嗖嗖”作响。方红霄瞅准一个空当就势一蹲，躲过了横着削过的长刀，一头将歹徒撞倒在地，当场擒获。

此刻，另一个膀阔腰圆的大个子毒贩，也被战士们围堵在一幢七八米高的两层楼上。方红霄“噌噌”爬上楼顶，逼近歹徒。歹徒跳楼而逃，方红霄也纵身跳了下去。没想到，左脚踩在废弃的木板上，一颗铁钉刺穿了脚背，他眼前一黑，差点晕了过去……眼瞅着歹徒向盘龙江逃跑，方红霄猛地拔出钉子，猛追上去。跳进盘龙江，歹徒更不是长在洞庭湖边的方红霄的对手。几个回合下来，便被方红霄将刀打掉，生擒到了岸上。这时，方红霄受伤的脚肿得连鞋子都脱不下来了。

望着从歹徒身上搜出的1800克海洛因，方红霄这才松了一口气。一个人吸食3克以上海洛因就会成瘾。要是让这么多的毒品流入社会，不知又将毒害多少人，毁掉多少个家庭！

1993年国庆节，方红霄第一次走上火车站执勤哨位，便面临着一场严峻的生死考验。这天晚上9点，一个双手捂着肚子的小伙子，躬着腰来到检票口，声称肚子痛，要赶紧上车。方红霄看他病兮兮的样子，就让他进站了。那人没走几步，竟直了腰。方红霄警惕起来，疾步上前，让他接受检查。没想到那人猛地从裤裆里掏出一支手枪，狠狠地说：今天你要是挡我，你就死定了。方红霄早已把生死置之度外，惟一担心的是罪恶的子弹伤了车站内穿梭的人群。他强压着心头的怒火，两眼圆瞪，直视歹徒。就在歹徒一愣神的当儿，他飞脚踢掉歹徒的枪，抓获了云南省公安厅正在通缉的这名盗枪犯。

靠着一身过硬的功夫和一双千锤百炼的眼睛，方红霄和他的战友们在这个没有硝烟的战场上，与凶相毕露的亡命之徒殊死较量，和乔装打扮的犯罪分子周旋斗智，查获海洛因等毒品45.3公斤、假钞14万元、各类枪支41支、子弹2172发、管制刀具3万多把，捕获各类犯罪分子1919人。

当方红霄把一个个犯罪分子送上法庭、送向刑场的时候，一些穷凶极恶的犯罪分子也把方红霄视为眼中的钉子和发财路上的“灾星”，多次扬言：“你断我的财，我断你的腿。”方红霄毫不畏惧：既然选择了与犯罪分子打交道的职业，那么，站着就该是柄利剑，即使倒下，也要成为一道犯罪分子不可逾越的屏障。

盾牌上镌刻着武警战士的尊严。面对一回回金钱与美色的诱惑，方红霄正气凛凛——

“哨位就是阵地。即使送来一座金山，也绝不给任何人开一丝缝隙。”直面生死考验的方红霄，也时时面临着红与黑的较量、荣与辱的抉择。担任车站执勤班长不久，一桩试图用巨款换“通行证”的交易，就摆在了他的面前。

那天，一个手提黑色密码箱的小伙子，急匆匆地向进站口跑来。方红霄请他开箱检查时，小伙子显得有些紧张：“来不及了，火车马上要开了……”见他神色不对，方红霄把他带进了值班室：“没关系，我送你上车。”这下，小伙子更慌了。瞅瞅四周没人，从口袋里掏出厚厚一沓钱：“咱们交个朋友。”见方红霄摇头，小伙子以为嫌少，急忙说：“要不这一箱子全给你，行个方便吧。”没等对方反应过来，方红霄一把揪住了小伙子的衣领：“别动，把货也交出来。”小伙子用力挣脱方红霄的手，扔下箱子就往外跑。方红霄飞身越过护栏，扑了上去，从他特制的“腰带”中，搜出了750克海洛因。密码箱里装着63万元崭新的人民币。

为了从这群年轻的武警官兵身上打开“通道”，犯罪分子们可谓费尽了心机。他们有的许诺为他们在银行立账户，有的给他们送来崭新的小车、手机。提升为警官之后，犯罪团伙对方红霄更是加重了“砝码”，多次派人携带重金找他疏通“关系”。

一天，在熙熙攘攘的出站人流中，一个中年男子手提皮包向方红霄张望。方红霄走上前去：

“请出示身份证。”那人装模作样地摸了摸衣兜，“糟了，证件落在车上了，能带我去找一下吗?”方红霄觉得蹊跷，决定探个究竟。走到地下过道，那人悄声说：“方大哥，我今天是奉命给你送钱来的。这是10万块，请你以后高抬贵手。”

方红霄对面前的中年人怒斥道：“如果我放任你们坑害百姓，就玷污了我头顶上的国徽。”他一把将中年人扭进了派出所。经审讯，这家伙是一个贩毒集团的小头目，身上还藏着730克海洛因。

方红霄名声越来越大，犯罪团伙把他盯得越来越紧。见金钱买不动他，就变换花招，雇请年轻漂亮的女人，妄图引诱他“下水”。

1996年仲夏的一个中午，方红霄头顶烈日检查进站旅客。一把洋伞从背后遮在了他的头上。方红霄说声“谢谢”。回头一看，是一个面目清秀的女孩。“方大哥，我经常在电视里见到你，一直梦想能交个朋友，我特崇拜英雄。”“对不起，”方红霄礼貌地说，“这里是执勤哨位，有什么事请找车站问询处。”“人家大中午的来找你，不就是想聊聊嘛。”女孩扯了扯方红霄的胳膊，“请你吃顿饭，方哥不会驳面子吧。”方红霄仿佛明白了什么，厉声道：“小姐，请自重。”女孩定定神，说：“真人面前不说假话。我是‘黄毛帮’的，只要大哥给个方便，我就是你的人，随叫随到。每个月给你2000元，外加4条高档烟。”

对“黄毛帮”，方红霄再清楚不过了。这是一个专靠色相和暴力欺诈旅客的团伙。车站警方多次围剿，均未根除。没曾想，今天竟送上门来了。他对女孩轻轻一笑：“那好吧，跟我来。”没等对方反应过来，冰冷的手铐已将她铐住。果然，这女人招认是“黄毛帮”老板娘指使来的。方红霄协助公安干警顺藤摸瓜，彻底端掉了这个53人的犯罪团伙。

面对一尘不染、软硬不吃的方红霄，犯罪分子尤其是一些犯罪团伙在屡屡失手之后，使出更加卑鄙的伎俩：一边对方红霄家人恫吓要挟，一边炮制种种谣言诋毁他，企图逼方红霄就范。

1997年除夕傍晚，方红霄的妻子蔡锦华一个人在家忙年夜饭。电话铃响了。话筒里传来一个粗鲁的男声：“听着。你男人毁了我们两个卖白粉的弟兄，刚才，我们把他捅了，明天让你也去陪我们的兄弟。”说完，“啪”的一声把电话挂了。小蔡懵了，定在那里好半天才反应过来。电话打到中队部，人又不在，急得泪都下来了。等到好不容易找到牵挂的人，电话那头，方红霄笑笑：“我命硬，没那么容易死。”

橄榄绿凝聚着人民群众的重托。面对一双双期盼与信任的目光，方红霄真情依依——

“执勤好比执法，即使千难万难，也不能为难父老乡亲。”

昆明市委、市政府代表300万市民赠给方红霄的铜匾上，镌刻着两行大字：“犯罪分子眼中钉，人民心中一颗星。”

在春城昆明，甚至在云南各族人民心目中，方红霄有着特殊的位置：他以高票当选昆明市和云南省“十大杰出青年”；云南省委、省政府授予他“人民卫士”称号。人们清楚，正是因为身边有着方红霄这样对党对人民赤胆忠心的卫士，才有了一方的安宁与祥和。

1994年3月2日上午，一位背着一篓蔬菜的老阿妈来到车站口。请她接受检查时，老人不耐烦了：“就带点菜，有啥好查的!”说着就往里走。方红霄没有硬拦，客客气气地把老人请到检查台旁。老人见方红霄没有放行的意思，把背篓往地上一扔，“查吧，看能查出啥东西来?”这一扔不要紧，菜筐里掉出了一个手掌大的塑料包，方红霄捡起一看，是块海洛因。

进站的旅客七嘴八舌地议论：“这么大年纪还贩毒，凭这块海洛因，就够枪毙了。”老人慌得顿时瘫坐在地上。方红霄扶起她，领着老人到车站派出所，倒了杯开水递到她手上。从老人的神态变化，方红霄觉得她是被毒贩子利用了，就耐心地问：“大妈，进站前有没有人帮你背过菜筐?”老人平静下来后回忆：“对了，我排队买票时，碰到一个20多岁的小伙子，说和我是同乡，坐一趟车走，就帮我背菜筐，还买了车票。”方红霄恍然大悟，箭一般地冲向列车，在老人车票座号的旁边，当场抓获了在菜筐里夹带海洛因的贩毒分子。列车将要开动，大妈老泪纵横，隔着车窗不停地挥手：“孩子，要不是你抓住这个坏家伙，我就是跳进黄河也洗不清啊!”

这件事，给方红霄震动很大。他要求全体官兵，“执勤好比执法，即使委屈了自己，也不能冤枉一个好人。”

即使对有过过失或一度失足的人，方红霄也尽量用真情去感动、用爱心去抚慰他们。昆明市强制戒毒所是他每月必去的地方，3名染上毒瘾的青年，在他的关心和帮助下已有两名告别了毒品。

1995年元旦，昆明出现了少见的寒冷天气。入夜，正在车站巡逻的方红霄，发现候车厅房檐下躺着一个冻僵了的小男孩，用手一摸孩子的胸口，还有一丝热气，便赶紧脱下外衣裹住小孩，跑向铁路医院。经诊断，小孩因饥饿引起极度贫血，急需输血抢救。得知自己的血型与小男孩血型相符，他马上挽起袖子——400毫升鲜血流进了一个陌生孩子的身体。小孩脸上出现红润，渐渐苏醒了。

12岁的陈斌是从四川离家出走的，带的200块钱花光，只好流浪街头。方红霄一边将陈斌带到中队，为他洗澡；一边多方联系，等待着孩子的家人。几天之后，当陈斌的父亲匆匆赶来，看到失而复得的孩子浑身上下都变成了新的，激动得连句话都说不出来了。

被方红霄的殷殷爱心所感动的，还有1999年4月15日正式更名为“卫士小学”的宜良县草甸乡迎丰小学的全体师生。这所全国第一个以“卫士”命名的小学是与方红霄的名字连在一起的。

在草甸乡，许多适龄儿童因为家贫无法入学，进了校的又时时面临着辍学。从报纸上得到这个消息，方红霄心里沉甸甸的。贫穷带来愚昧，愚昧又导致贫穷的道理，是他这个农村出身的孩子再也清楚不过的了。他和蔡锦华商量，宁可自己晚要孩子，也要挤出钱来资助那里的特困生。

星期天，小两口颠簸60多公里，将600元钱送到两名叫做王艳、付天月的女童的父母手中。从那以后，两人轮流给王艳、付天月写信，勉励她们努力学习，争做对社会有用的人。一有空闲，就往乡下送钱、送物。

在方红霄夫妇的关心与教育下，王艳、付天月成绩优异，分别担任了副班长和学习委员。1998年7月8日，方红霄被云南省委、省政府授予“人民卫士”称号后，把2万元奖金全部捐给迎丰小学改造校舍。

（摘自1999年8月2日《人民日报》）

## 评论：浩然正气写忠诚

武警云南总队二支队五中队中队长方红霄入伍9年来，谱写出一曲忠于党、忠于人民的正气歌。

武警部队是国家武装力量的重要组成部分，在维护国家安全和社会稳定方面负有重大责任。广大官兵在各自的岗位上，勤奋工作，忠于职守，文明执勤，在国家利益和人民生命财产受到严重威胁的紧要关头，挺身而出，为维护国家安全和社会稳定作贡献，涌现出一批先进典型。方红霄就是他们的杰出代表。他面对穷凶极恶的歹徒，舍生忘死，无所畏惧；他面对金钱美女的诱惑，一尘不染，正气凛然；他面对暂时遇到困难的群众，慷慨解囊，热心援助。他不愧为人民的忠诚卫士。

方红霄成长为人民的忠诚卫士，有党团组织的教育、领导的关怀、周围官兵的帮助，主要的还是靠自己的努力。他勤奋刻苦，按照党的要求努力加强学习和实践，牢固树立正确的世界观、人生观、价值观。他忠诚于党和人民的事业，把无私奉献作为自己的人生追求，爱岗敬业，练就当好人民卫士的真本领。

江泽民同志在纪念中国共产党成立78周年座谈会上的讲话中指出：“一个革命政党，必须有一股浩然正气，这样全党才能具有强大的精神支柱，才能充满生机和活力。”树立和保持共产党人的政治本色、高尚情操与革命气节，这历来是我们党团结奋斗、夺取胜利的强大精神力量。大力加强革命气节教育是新形势下一项重要的思想政治建设。我们应以方红霄同志为榜样、为教材，加强这项思想政治建设，使党的正气进一步弘扬起来。

（1999年8月2日人民日报评论员）

## 邵安军

邵安军，1989年毕业于中国人民警官大学外语系俄语专业，同年参加海关工作，先后在北京海关调查局、海关总署走私犯罪侦查局工作。

天龙、华顺走私案曾被称为“走私犯罪全国第一大案”。案件发生后，海关总署立即成立专案组进行调查。邵安军作为骨干选入专案组，为调查取证走遍了大半个中国，终于查清天龙深圳实业公司和湛江华顺实业公司走私通讯设备的违法事实，走私案值高达10亿元。至此，整个案件本来可以结束了，但邵安军丝毫没有放松警惕，在进行案件收尾工作时，发现有一本单据中支出的运费与登记运出的货物实际费用不符。高度的政治责任心和敏感的职业意识，使邵安军立刻觉察到可能有一批走私货被秘密运往他处。他随即将此重大线索通知北京，结果查出了天津长途电讯局走私通讯设备的犯罪事实，案值达亿元。

1997年6月8日，北京海关调查局责成邵安军主办北京太子纺织工业公司涉嫌利用保税加工贸易手册走私进口大量纺织原料案。此案办理过程中，时值盛夏，邵安军带领专案组四赴上海。在长达31天的艰苦拼搏中，先后到5个口岸、9家报关行、30家有关单位，找了70余人进行艰苦细致的调查取证工作，终于突破全案。共查获倒卖手册22本，走私进口羊毛1646吨、腈纶792吨，案值人民币1亿元，挽回了国家的重大经济损失。

面对危险，邵安军总是奋不顾身。一次，他突然接到某外企办事处涉嫌走私的线索，立刻和几位同志前往调查取证。当发现犯罪嫌疑人已跳窗逃跑时，邵安军不顾个人安危，飞身从窗户跳下，将企图销毁证据潜逃的犯罪嫌疑人抓获。经审讯，掌握了该公司的犯罪事实，一举将此案破获，案值3000多万元。

邵安军参加工作11年来，查办各类案件100多起，其中千万元以上的大案20多起，案值累计人民币20多亿元。近5年来为国家挽回经济损失10多亿元。

1996年，邵安军被评为“’95中国海关旅客年北京海关先进个人”，北京市反走私先进个人；1998年因查获“天龙华顺”公司走私案受海关总署表彰；1999年被人事部、海关总署评为全国海关先进个人。

（海关总署）

## 赖伟忠

赖伟忠，36岁，中共党员，大学文化程度。1981年进入海关工作，现任广州海关调查局副局长。

赖伟忠参加海关工作18年，始终战斗在查私工作第一线。在办案中，赖伟忠注意分析各类案件的特点，以敏锐的洞察力寻找案件的突破口，在与形形色色的走私分子的斗争中，练就了一身过硬本领，积累了丰富的查私经验，成为走私分子望而生畏的“克星”。从查处80年代的“飞料”走私案、中泰毒品走私案、川丝南下香港走私案、汽车捐赠变相走私案，到90年代查处建国以来罕见的湛江富力糖业有限公司原糖走私案、广西玉林白糖走私案，赖伟忠为案件的突破和顺利查处作出了突出贡献，有效地打击了走私活动，保护了民族工业的健康发展，得到了各级领导的充分肯定和赞扬。

1995年4月，赖伟忠带领联合办案组，查处一宗线索纷繁，案情朦胧的原糖走私大案。经初步调查，30余万吨原糖的进口符合来料加工进口环节的要求，原糖进口后也确实在有关糖厂加工，而没有直接倒卖。由于对方都是上千人的国有大型糖厂，万一查不出问题，影响正常生产，查私工作就会陷于被动，这些问题困扰着办案人员，有的同志开始犹豫不决，考虑收兵。但是，强烈的事业心和多年的办案经验告诉赖伟忠，一定要坚持办下去。在赖伟忠的带领下，通过全体办案人员7个昼夜的连续作战，清查了堆成一座小山似的账册、单证，取得第一手有力证据，从而查清这宗案值十几亿元，偷逃税款数亿元的走私案。国务院几位领导曾批示、过问的特大原糖走私案最终告破。此后，海关又连续破获了数起同类手法的案件，遏制了原糖走私的势头，稳定了糖价，恢复了国内正常的市场秩序。

由于工作需要，赖伟忠早出晚归，难得有时间照顾家庭。1994 年，赖伟忠的母亲患了肝癌，长期住院，当时正逢赖伟忠的爱人怀了孕，而他又老是忙着案子的事，跑医院、送汤水就全靠父亲了。由于四处奔波，劳累过度，精神忧郁，老父亲于 2 月份突然去世，这真是晴天霹雳！赖伟忠心情十分沉重，假如当时能够腾出时间去照顾母亲，不至于把这副重担压在父亲肩上，他为没有尽到做儿子的责任而深深内疚。母亲患病后，一直想去一趟北京，这是老人家多年的心愿。可偏偏在这段时间，赖伟忠负责查处几个大案，有的案值超过 2000 万元，他无论如何安排不出时间离开工作岗位。4 月份，赖伟忠参加了配合昆明海关实施“控制下交付”一批数量巨大的毒品的行动，并担任现场的一个突击队长，缴获高纯度海洛因 107 公斤及美制手枪一支，子弹 50 发，抓获案犯 4 名。胜利的喜悦过后，他却发现母亲的身体已经不再适宜出门。去北京成了母亲也成了赖伟忠终生的遗憾。

18 年的打私生涯，赖伟忠取得了突出的成绩，也获得了众多的荣誉。1985 年被广州市政府评为打击走私先进个人，1989 年被广州海关记功奖励，1991 年、1992 年被评为广州海关先进工作者。1992 至 1993 年度，被评为广东省反走私先进工作者，1993 至 1994 年度，被评为全国海关先进个人，1996 年被评为广州海关“十佳”青年，1999 年被评为第二届中国杰出青年卫士。

（海关总署）

## 米 里 干

米里干，女，1984 年毕业于上海海关专科学校，跨出校门，她毅然来到祖国最需要、环境最艰苦的红其拉甫海关，成为第一个登上帕米尔高原的女关员。

红其拉甫海关位于海拔 4200 米以上的帕米尔高原。这里是一个“天上无飞鸟、地下石头跑、山里不长草、氧气吃不饱”的地方，被人们称为“生命禁区”。这里没有蔬菜，吃水要到十几公里以外的地方去拉，馒头蒸不熟，水烧不开，看不到电视，报纸运上山后成了“半月谈”，所有生活用品全靠 300 公里外的喀什供应。特别是高原缺氧和强烈的紫外线照射对人体健康造成了很大伤害，长期在这里工作的同志，不同程度都要患上心肌炎、心肺扩大、关节炎等多种高原疾病。曾有人说，在红其拉甫工作，就意味着“透支生命”。

高山反应导致的胸闷、气短、头痛、恶心使米里干整夜睡不着觉。加上条件差，只能十几天洗一次头或洗一次澡，她的脸曝皮变黑，开始掉头发、掉睫毛，指甲塌陷。往脸上搽油抹不开，而且特别疼。姑娘喜欢照镜子，但每次照镜子，她都不敢相信镜子里就是过去的米里干。一次米里干从山上下来，两岁的儿子认不出，堵在门口，说：“这不是你的家，你不是我妈妈”。说什么也不让她进家门。米里干心里非常难过，眼泪止不住流了下来。

米里干就是在这样的条件下、这样的环境里，承受着生理和心理的双重困难，坚持工作。有一年 12 月份，红其拉甫未能按时闭关。这天有 6 位旅客携带很多货物通关，米里干在天寒地冻、大风呼啸的恶劣环境下验放货物，连续工作了几个小时后，全身都冻透了。她不知道自己是怎么走回宿舍的，脚冻得揪心的痛，连鞋都脱不下来。她钻进被窝，大哭了一场，边哭边对自己说，看看那些在边疆工作了一二十年的老关员，遭这点罪又算得了什么！别人能受得了，我为什么受不了？她擦干泪水，从床上爬起来，又一瘸一拐地走向了工作岗位。

红其拉甫海关监控的孔道有 90 公里的区域，监管工作难度很大，此外，新疆的民族问题历来十分敏感，海关处在分裂与反分裂、渗透与反渗透的第一线，斗争非常复杂。米里干是一个少数民族干部，心胸如雪莲般圣洁，任何损害国家利益的事，她都深恶痛绝。一些走私分子见逃不过去，就悄悄往米里干手里塞钱、塞戒指，都被她严辞拒绝。1993年6月，一小撮反动分子在新疆喀什制造了“6·17”特大爆炸案，国外敌对势力遥相呼应，加紧对新疆的政治文化渗透。在这种情况下，米里干和同志们坚守岗位，严密监控进出物品。先后查获鼓吹“圣战”、宣扬新疆独立的反动宣传品1850余册，受到地方党政领导的高度评价。

16年来，米里干累计加班6000多小时；和同志们一道查获走私违规案件142起，案值近1000万元，经她手管理的私货没有一件损坏和丢失；1997年以来，查获鸦片4000克，易制毒化学配剂醋酸酐28.5吨。

16年来，帕米尔高原的风雪磨砺着米里干的人生，红其拉甫的艰苦锤炼着米里干的意志，米里干战胜了自我，承受住了考验，不断取得新的成绩。她先后35次受到乌鲁木齐海关、喀什海关和地方党政的表彰，被评为关区首届十佳青年关员，被授予自治区劳动模范。1999年10月，被国务院命名为全国民族团结先进个人，被人事部和海关总署评为全国海关先进工作者，并作为海关系统的代表，应邀进京参加了盛大国庆观礼。

（海关总署）

## 刘鸿志

刘鸿志，女，1966年2月出生，1990年7月参加工作，中共党员。1994年8月在中国科学院生态环境研究中心获博士学位。现为国家环保总局污染控制司水环境处处长。

刘鸿志刚走上工作岗位，就从事“三河三湖”水污染防治工作，首先是从淮河开始的。她第一次到淮河流域调研，就被她所见到的情形震惊了：人们在喝着像酱油汤一样的水。她与同志们先后18次到淮河流域实地调查。淮河全长1000公里，流经河南、安徽、江苏、山东4省。2000年要实现水体变清，还21世纪一个清澈的淮河，任务非常艰巨。1996年，30岁的刘鸿志被任命为污控司水环境处副处长，负责淮河和太湖治理规划及监督实施。她与同志们一道，在全面细致调研的基础上，提出了治理淮河的建设性报告，为我国第一部流域水污染防治法规《淮河流域水污染防治暂行条例》的出台奠定了基础，并会同有关部门制定了全国第一部淮河流域水污染防治规划，使淮河流域走上了依法治水的轨道。

在淮河治理最关键的1997年，她走遍了沿淮河大大小小的企业。如何最大限度地帮助地方企业把达标和改变产业结构结合起来，特别是对一些革命老区、国家级贫困县和涉及社会敏感问题的特殊企业能不能争取在政策上有一个积极妥善的解决办法？于是，她和其他同志经过综合统计分析后，向国家环保总局提出“特事特办”，建议国家在经费和政策上对这些地区给予支持和倾斜。国务院根据这个报告，专门安排了3亿元的特别贷款，用于贫困县的污染治理。国家先后出台了一系列优惠政策，并向淮河地区投放国内贷款35亿元、世界银行贷款4亿美元，对加快淮河治理起到了积极的作用。刘鸿志在深入实际的基础上，仅1997年就向国务院上报了72份报告和建议，为党中央、国务院在水污染治理决策上提供了翔实的依据，推动了我国第一部流域水污染防治法规及淮河“九五”规划的顺利出台。

经过1000多个日日夜夜的紧张工作，1998年1月1日，当新年钟声敲响之际，淮河流域1562家重点污染企业基本实现了达标排放，淮河治理初战告捷！这是我国环保史上一座重要的里程碑。

刘鸿志情系环保，甘做奉献，执著追求，尤其是为“三河三湖”水污染防治工作付出了艰辛的劳动，受到有关领导和当地群众的热情赞扬。1997年底，荣立三等功。1999年8月，被中宣部、人事部、中央文明办评为全国“人民满意的公务员”。

（环保总局）

## 乔文国

乔文国，1988年11月任黑龙江省七台河市环保局党组书记、局长。

七台河市是一座严重缺水的城市，水资源紧缺与人民生活和经济发展的矛盾越来越突出。七台河市发电厂是国家“八五”立项、“九五”开工的重点工程，总投资计划47.52亿元。在市长召开的项目协调会上，他坚持反对把电厂建在水库边上，并建议通过环评科学确定厂址。紧接着，他派人到省和国家环保局请求支持。在国家主持的项目环评论证会上，终于改变了第一选址方案，重新科学地选择了厂址。亚行官员和环保专家3次到七台河考察，对电厂选址和环保对策十分满意，使电厂顺利争取了2.2亿美元的贷款。在许多类似这样的经济活动中，乔文国都积极参与综合决策，有效地发挥了环保部门的职能作用。

乔文国一贯主张严格执法必须公正执法，敢于执法，善于执法，管理必须与服务相结合。10年来，他组织解决了38个影响到全市环境保护的难点问题，环保局为企业提供了2300多项咨询服务和技术指导。企业感到他既是严厉的执法者，又是企业的好朋友。

1996年，国务院决定取缔“15小”企业。乔文国组织人员对全市“小土焦”进行全面调查，向市政府提出具体取缔意见，取缔了72家小土焦厂。执法是胜利了，但乔文国认为七台河有丰富的煤炭资源，焦化生产应当上规模、上档次发展。他向市政府提出了自己的想法，得到了有关领导的赞许。他马上组织有条件、有能力的8家焦厂去山西考察，引进国家专利技术进行改造，并建议企业走集团化联合发展的路子，获得成功。结果，8家焦厂的生产能力超过过去72家小土焦生产能力的5倍。《黑龙江日报》以《驱害趋利》作了典型报道，受到上级环保部门赞赏。

在乔文国的言传身教带动影响下，形成了一支懂业务、会管理、素质高、形象好的环保执法队伍。多年来，环保部门从没出现勒、卡、索、要等执法违法行为。市环保局连续3年被市委、市政府授予“党风行风十佳单位”称号。1997年被国家环保局授予全国环保系统精神文明建设先进个人称号；1998年黑龙江省人事厅、省环保局授予他全省环保系统劳动模范称号，并号召全省环保系统全体干部职工向他学习；1999年，黑龙江省委、省政府授予他全省“十佳人民满意公务员”称号；被中宣部、人事部、中央文明办评为全国“人民满意的公务员”。

（环保总局）

# 丹 向 东

丹向东，1962年10月生人，回族，大学文化程度，中共党员，经济学学士学位。1988年7月毕业于河北经贸大学，分配至中华人民共和国监察部，现为中纪委第八纪检监察室干部。

丹向东到中纪委、监察部机关工作以来，在反腐败工作中做出了突出成绩，特别是在精神文明建设方面为纪检监察干部树立了榜样。他两次被评为中纪委、监察部优秀工会干部，并荣立一次三等功。

坚持原则，恪尽职守，秉公执纪，不畏艰难困苦是丹向东一贯坚持的工作作风。几年来，在参与并查处多起全国有影响的大案要案中，出色地完成了任务。在协助湖北省查办一要案取证时，丹向东一个人骑着自行车守候在证人居住地附近，守了几个晚上，取得了证据，使案情得到了突破性进展。1998年5月在调查由中央领导交办的广西合浦买官卖官及腐败一条街案件中，他又独自一人，冒着生命危险克服重重困难，成功地突破了全案主犯何××包养情妇的问题，并千里追捕另一重要当事人阮××，为此案的顺利突破做出了重要贡献。

丹向东热情助人，舍身忘我，始终把人民群众的利益放在第一位。1993年在四川江油办案期间，他发现一位老太太昏倒在路边，便主动上前搀扶，热心询问，当得知老人无依无助时，他便倾其所有，慷慨相助，老人极为感激。1994年夏，浈江和武江两江会合口的广东韶关一带洪水泛滥。在此处办案的丹向东舍生忘死，冲锋在前，与当地干部群众团结一心，奋力抗洪，保证了国家财产和人民群众生命安全免受损失。1998年5月，他赴广西北海办案，6月16日晚，他同几位同事在北海侨港镇海滩边休息时，忽然听到几声尖厉的呼救声。只见茫茫大海中，一只气垫船被大浪打破，船上3人顿时被卷入无情的巨浪中，她们一面挣扎，一面高声呼救。丹向东连衣服都来不及脱，就迅速冲进巨浪之中。当他拽住一名落水者的手时，落水者用双手死死抓住他的胳膊，几次浪头打来，又苦又咸的海水呛得他头昏眼花，生与死只有一步之遥，如果再呛上几口海水，他就会与落水者一同沉入海底。经过半个多小时的奋力抢救，终于将奄奄一息的女青年拖到了岸边。女青年得救了，而丹向东却身疲力竭，倒在了海滩上，连说话的力气都没有了。《北海日报》、《广西日报》、《中国纪检监察报》连续报道了丹向东舍己救人的感人事迹。

（中纪委、监察部文明办）

## 周儒锵

在中国的最北端有个漠河，在漠河的最北端有个北极村。北极村，这个年平均温度在零下4.9摄氏度的偏僻村落因为美丽炫目的北极光而闻名于世，四方游客争相从北京倒换3次车，颠簸五六天到这里来一睹北极光的“芳容”，但有缘与之相遇的人却少之又少。然而广东人周儒锵却有幸20余次看到北极光，因为他已经把根扎在了中国最北端的村庄。

1999年11月7日晚，中央电视台在新闻节目中播出了由全国妇联组织评选的“全国五好文明家庭标兵”名单，黑龙江的周儒锵榜上有名。

48年前，广东省新丰县龙文村16岁的周儒锵怎么也没想到自己会在遥远的冰天雪地的北方生活一辈子。当时正是抗美援朝时期，初中二年级的周儒锵和同学们一起背着家人去报名参加志愿军，300多名报名者中只选6个，学习好、成分好、身体好的周儒锵幸运入选。1951年7月11日，由于要进行出发前的准备，他回家已经很晚了，父亲已在村头等了很久，原来母亲病倒在床上，父亲拿着药方等着大儿子回来给母亲抓药。那天晚上周儒锵给母亲熬完药，服侍母亲喝下。第二天一大早，周儒锵早早起身在自家的门前转了一圈又一圈，他真想再看母亲一眼，可为了不耽误行程，抹了一把眼泪就上路了。没有想到，这一次就是诀别，5年后周儒锵第一次回老家探亲时，两位老人已双双过世。

参加了志愿军的周儒锵并没有走上朝鲜战场。1953年10月，他被派往哈尔滨市气象站，做通讯工作。1956年，周儒锵带着7岁的弟弟，从家乡回到了北方大地。当年6月，周儒锵接到省局的调令，去瑷辉县霍龙门乡建气象站。半年后气象站建成了，周儒锵把留在哈尔滨托人照顾的弟弟接到了霍龙门，不知情的人还都以为他们是父子俩。

男大当婚，女大当嫁。周儒锵这个憨厚肯干的南方小伙子自然也引来媒人上门。姑娘于静贤是乡政府的文书，长得不出众，可善良、勤劳。经过一年的接触，1958年，周儒锵和瘦瘦小小、梳着大辫子的于静贤幸福地结合了。1960年，周儒锵的第一个孩子就要出世，他却又被派到红色边疆农场建气象站。1961年是北方畜牧农场，1962年5月是宋氏屯水库，9月份的一纸调令，周儒锵又匆匆赶到了漠河。10年间，周儒锵的生活概括起来就是“北上北上再北上”，走到哪里他就把家安到哪里，当一直走到祖国的最北端漠河，他便在这里扎下了根。周儒锵的家乡是地道的亚热带气候，随部队初到东北，第一次下雪让这些南方兵兴奋不已，他们在雪地里欢呼雀跃，完全被北方这洁白晶莹的精灵所迷住。也许就是从那时起，周儒锵爱上了北方这片飘雪的黑土地。

30余年如一日，周儒锵将青春和汗水都献给了这片异乡的土地，他忘我地工作，爱人半是心疼半是埋怨地说他“把家当成了旅馆”。1983年，由于气象站的人员短缺，只好在当地招来了一批待业青年。一切都得从头教起。惟一的“成手”周儒锵，既要教年轻人学习专业知识，又要手把手地教他们熟悉业务，还要关心他们的生活，同时气象站每天必须的工作从预报到测报、到通讯，他都是千斤重担一肩挑。别人能够三班倒，周儒锵却是一天24小时连轴转。每天8次测报气象数据发向国家气象中心，每次他都要盯紧。30多年来，他没有休息过一天节假日。

1996年10月，他的事迹随着“大兴安岭精神”事迹演讲团传遍了全省，并被载入了中国青年出版社出版的《脊梁》一书。

（中国气象局）

## 高炳环

高炳环，女，中共党员。现任北京市通州区人民法院执行员。

高炳环在平凡的司法执行工作岗位上一干就是10年，她爱岗敬业、努力拼搏，维护司法公正，经她办理的千件执行案无一差错，为申请人执行2600万元之多，深受领导和当事人赞誉。

在长期的实践中，高炳环刻苦努力、勇于探索、不畏艰难，办案以当事人满意为标准，实实在在为人民群众排忧解难，总结出做好执行工作的四点经验，即：“用热心去帮助、用耐心去解释、用诚心去感化、用公心去执法”。她以高度的政治责任感和强烈的事业心，出色地完成了疑难案件的办理任务。

1996年4月，高炳环在承办某公司与河北某厂购销纠纷一案遭到围攻时，为了维护法律的尊严，挺身而出，义正词严地向被执行人宣传抗拒执行应负的法律责任。但在某厂厂长张某的煽动下，她遭到谩骂殴打，被一群人打倒在地，头发被揪了下来，昏迷过去。这起暴力抗拒执行案件，在政法部门的协助下，煽动殴打执法人员的某厂厂长张某被依法逮捕判刑。高炳环顾不上脑震荡和肋下组织多处受伤尚未痊愈，又立即投入到紧张的执行工作中。

在办理某运输公司申请执行某学院租赁纠纷案过程中，执行标的50余万元。学院的两个代理人每次被传唤到庭时总是说：“这个案子我们输得冤枉”，可就是一直没有拿出证据。高炳环让两个代理人积极提供线索，为了确保当事人的合法权益，她先后多次到门头沟调查取证，终于获取了新的证据，使已生效的二审判决得到纠正，为当事人避免了50多万元的损失。

作为一名女执行员，高炳环要克服常人难以想象的困难，多次被评为先进工作者、优秀共产党员；1998年被评为“全国优秀女法官”；1999年被授予“全国十大杰出女法官”、“全国‘三八’红旗手”称号，荣立个人一等功。

（首都文明办）

## 丁雪峰

丁雪峰，36岁，中共党员。现任中共山西省河曲县委书记。

1996年，33岁的丁雪峰走马上任。河曲县位于晋陕蒙三省区交界处，是历史上有名的“走西口”的地方，是一个国定贫困县。上任伊始，丁雪峰面对的是人畜吃水困难、水土流失严重、教育基础设施落后、老百姓看病难等一大堆问题。他并没有被这些困难吓倒，凭着一股牛劲，扑下身子，一件件地去解决这些老百姓急需解决的生存、生活和生产问题。

河曲县共有345所中小学校，其中危房窑洞学校就有210所，有许多村的孩子们在农户家炕头上、草房里，甚至牛棚羊圈里上课。丁雪峰坚决地提出：治穷先治愚，治愚就得办教育，就是砸锅卖铁也要把这件事办成。为此，河曲县委、县政府把1997年定为“教育基础设施建设年”。短短3个月时间，全县上下一条心，干部群众一股劲，一次性投入建校资金1756万元，一次性完成新建、改扩建学校237所，占全县学校总数的69%。学校建好了，但缺少教师又是制约山区教育发展的一个大问题，不得已雇佣代教人员270多人，因而出现了初中生教小学生，甚至初中生教初中生的怪现象。为了解决这一问题，从1998年开始，“教师大上山，代教全撤换”的行动在河曲全面开始实施。他们一次性选派新分配大中专毕业生和没有在山区任过教的县城教员共500多名公办教师上山任教，将雇佣代教人员全部撤换下来。县里不仅给上山教员实行了生活补助，更重要的是实行了“上山下山服务大轮换”的管理政策，形成了一个公平、公正、合理的教员上下山大循环服务机制，彻底解决了多少年来贫困山区派不上人、留不住心，以及调配中存在不正之风等老大难问题。使全县中小学师资队伍得到整体优化，小学专任教师合格率由82.1%提高到98.1%，初中专任教师合格率由78.4%提高到87.5%；教学质量也得到前所未有的提高。省政府在河曲召开了教育现场会，学习推广他们一次性改善旧校舍，公办教师上山任教的经验；《中国教育报》也介绍了他们的经验。

河曲县十年九旱，人畜饮水非常艰难，因水致穷、因水致病的现象十分严重。解决老百姓的吃水问题，成了丁雪锋的一块心病。他带着人从1998年起，连续3年大搞山区人畜饮水工程，使全县农村人畜饮水基本形成了“三道防线”，即每户建一个储水窖，保证正常年景用水；每村建一个蓄水池，保证旱年有水吃；每个乡打一眼深井，保证几十年一遇的天旱有水供，缓解了群众吃水难的状况。同时，投资1000万元从18公里以外引地下深层水进县城的工程也已完成投入使用，彻底结束了县城居民饮用黄河苦水的历史。

河曲人世世代代“走西口”，原因就是这块土地是黄河流域水土流失的重灾区，流失面积占总面积的82%，每年有1300多万吨泥沙灌入黄河。恶劣的生态环境已直接威胁到当地老百姓的生存。丁雪峰带领一班人下定决心，用最大的努力，坚决把流经境内的76公里黄河作为重点治理好，把河曲给母亲河灌入的泥沙最大限度地拦截住。为此，他们采取了“三连环”综合治理法，即：“山顶修梯田，山腰草灌乔，山沟淤泥坝，山洪不出坳”。通过3年的苦干，共建成万亩水保综合治理片12个，在山顶“坡改梯”，新修高标准机修梯田10万多亩；在山腰退耕还林还草，使林草植被面积达到36万多亩；在山沟新建和维修淤泥坝大谷坊500多座。这样，梁、坡、沟综合治理，水土流失得到了有效控制，使全县的生态环境得到改善。

1999年，丁雪峰被评为全国“十佳人民满意的公务员”，受到了江泽民、朱镕基等党和国家领导人的接见，并为国家机关和省地机关作了多场事迹报告会。

（山西省文明办）

# 嵇蓉珍

嵇蓉珍是中国人民解放军驻浙83012部队战士嵇琪的母亲，她在送子参军、爱国拥军中的生动事迹，充分体现了战士母亲的博大胸怀和伟大精神。

1969年嵇蓉珍响应国家号召，从上海南市区下放到宁波镇海县觉渡公社袁家大队插队落户，在当地成了家。婚后不久丈夫得病，长年卧床不起。1979年国家落实知青政策，她毅然放弃重返上海的机会，留在宁波乡镇照顾病重的丈夫。由于生活的重负，到1982年丈夫病逝时，她已经背上了几千元的债务。1995年征兵时，由于企业效益不好，嵇蓉珍已下岗两年，而且家庭负担沉重，在生活十分艰难的条件下，她想到的是祖国和人民，决意把刚能挣钱养家的儿子送到部队报效国家。儿子到部队服役后，她自强不息，独自承受着生活的压力，先后在上海和镇海等地6家工厂打工，从未向儿子诉过半点苦，始终教育儿子安心服役，建功军营，多作贡献。

1998年8月，嵇蓉珍因为过度劳累，妇科病复发，引起了大出血，本想让儿子利用休假回来照顾她，时值部队整装待发参加抗洪抢险，她在电话里对自己生病的事只字未提，鼓励儿子在抗洪第一线经受考验。嵇琪没有辜负母亲的期望，在抗洪抢险中表现突出，立了功入了党。可是，不幸又一次降临嵇蓉珍。1999年10月28日，嵇蓉珍接到部队通知，匆匆赶到部队医院，得知儿子患了绝症。自从丈夫去世后，儿子是她生命中惟一的希望。但是，她强忍随时可能失去儿子的悲痛，托亲戚朋友借了5万多元钱，主动要求承担儿子治病所需的药品和营养费用，并把嵇琪所在连队战友捐赠的1388元钱原封不动地退了回去，让大家买一些学习资料。她还主动承担了嵇琪的护理工作，让部队派来陪护儿子的战士回连队参加训练。

为了表彰嵇蓉珍的先进事迹，浙江省委、省政府于1999年11月24日作出决定，授予嵇蓉珍

"爱国拥军好母亲"荣誉称号，并号召全省人民和社会各界向嵇蓉珍学习。

（浙江省文明办）

## 张 玮

张玮，1953年生，辽宁昌图人，中共党员。

1970年，初中没毕业的张玮，就到平顶山田庄选煤厂当了一名电焊工。他刻苦钻研技术，废寝忘食地工作，在1983年平顶山市首次举行的全市青工技术大比武中荣获冠军。1985年至1987年厂里推荐他到西安交通大学焊接专业进修。1987年，张玮回到厂里当管工班班长。两年的学习，加上他本人的勤奋努力，张玮开始创造一个又一个奇迹。

1987年，厂里四号油罐的管道裂了一条大缝，管道与油罐相距仅20多厘米。厂部先后安排几个电焊工，没有一个人愿接这个活儿，万一焊接时的火花引爆油罐，后果不堪设想！张玮冒着生命危险，毅然接受了这个任务，并取得了成功！这一年，他被河南省授予"技术革新能手"称号。1991年10月，在北京召开的全国焊协成立10周年庆祝会上，他的论文《关于怎样开展好基层焊接协会工作的一点体会》获"全国十佳"优秀论文。10多年来，他带领管工班，在正常进行管道阀门维修的情况下，苦干加巧干，陆续完成了压风机旁冷却水管改造和回油管路改造，彻底解决了风包废油满地、严重污染环境的问题；完成了068#磁选机系统管路改造安装、浮选灰分测试仪管道安装调试等100多项大中型工艺管道的改造和安装工程，改变了车间脏乱差的状况。现在，在田庄选煤厂几乎找不到建厂初期的弯头和阀门，70%以上的管道都经他们的手改变了模样。全厂管道影响生产时间从开始时的每月20多个小时下降到每月1个小时以下。近几年来，甚至多次创造连续几个月影响生产时间为零的好成绩。

张玮经过多年的反复实验，研制出了"选矿用耐磨阀门"和"选矿用耐磨弯头"。这两项成果双双获得国家专利，其中"选矿用耐磨阀门"被中国专利局评为中国新、高、精2000项专利技术之一，荣获"当代专利科技技术博览会"银奖。他把这两项专利无偿地献给田庄选煤厂。目前，200毫米、250毫米、300毫米等规格的耐磨弯头和耐磨阀门已使用在生产管道上。这两项专利产品的应用，为厂里节约了上百万元的材料费，还大大缩短了检修时间。

张玮不仅自己刻苦钻研、精益求精，还积极招收徒弟，传授技术。10多年来，他带过的徒弟，7人获得中级以上技术职称、12人获得初级职称，都成了工厂和车间的技术骨干。由于他的焊接技术高超，外单位遇有难题纷纷上门求援。10多年来，他无偿和外单位协作攻关20多项课题，为30多个单位解决了技术难题，创直接经济效益数千万元。

张玮时刻牢记党的全心全意为人民服务的宗旨，作为一个党员，他身体力行，虽身怀绝技，却没有为自己积累多少财富，反而把自己的技术乃至整个身心都献给了社会。有人曾以月薪3万元人民币请他留在新加坡工作，但被他婉言谢绝了。由于多年的拼搏，他积劳成疾，患有肠胃溃疡出血、心脏病、椎间盘突出症，即使这样，他仍坚持工作，特别是遇到高难度的技术，他总是要亲自上阵，带病坚持工作。其母亲患癌症在郑州住院治疗期间，张玮只去看望过一次。母亲的匆忙离去，给他留下终身的遗憾。

张玮多次受到表彰，1993年获河南省"五一劳动奖章"；1993年、1994年连续被评为河南省"劳动模范"；1998年获全国"五一劳动奖章"；1999年全国总工会授予他"十大杰出工人"、"全国职工职业道德十佳标兵"称号。

（河南省文明办）

## 潘 兰 英

潘兰英，女，1959年生，中共党员。

潘兰英1975年参加工作，1984年入党，先后担任黄石市丝绸厂班长、车间党支部书记、厂计生办主任、工会主席。现任黄石市铁山总工会副主席兼区妇联副主席，丝绸厂工会主席。

1994年黄石市丝绸厂全面停产，当时35岁的潘兰英成了留守工会主席。6年来，她以一个共产党员的崇高风范，为党的基层干部树立了榜样。她顾全大局，无私奉献，满腔热情，历尽艰辛，为党分忧，为民解难，为安置下岗职工，先后跑遍了黄石地区150多家企事业单位，走访职工家庭390多户达2464次，先后组织110名下岗职工及子女参加再就业培训，为190多名下岗职工找到了新岗位。在自己拿不到工资、家庭生活困难的情况下，她用丈夫收入的微薄工资接济困难职工，把党和政府的温暖送到每一位职工的心坎上。她的事迹在全国广为传颂，被誉为下岗职工的贴心人。

潘兰英先后荣获黄石市优秀共产党员、市劳动模范；湖北省“十大杰出妇女”；1999年获“全国先进女职工”、“五一劳动奖章”、全国职工职业道德“双十佳”先进标兵、全国模范工会干部。

（湖北省文明办）

# 萧栋栋

萧栋栋，1972年生，武汉理工大学马房山校区东院（原武汉汽车工业大学硕士进修课程98级）学生。

1999年2月28日，萧栋栋在武昌汉阳门长江大桥旁的滔滔江水里，勇救一名轻生女青年，不幸壮烈牺牲。萧栋栋临危不惧、舍己救人的壮举引起了社会的极大关注，《人民日报》、《光明日报》、《人民日报海外版》、《中国青年报》、《中国教育报》、中央人民广播电台先后发表了长篇通讯并配发短评。新华社发了通稿。全国几乎所有省、市大报及部分晚报、电视台、广播电台计百余家新闻单位进行了典型报道。

萧栋栋出生在湖北巴东一个偏僻贫穷的落后山区，父、母是中、小学教师。他从小好学上进，乐于助人，不畏强暴，他的成长过程是党的教育、社会教育、学校教育与家庭教育有效结合的成功范例。

萧栋栋的英勇行为在荆楚大地乃至全国上下，尤其是青少年之中产生了巨大的影响，被人们誉为当代张华式的优秀大学生。1999年，湖北省委高校工委、省教委和团省委分别授予他各种荣誉称号；湖北省委根据他生前的愿望，追认他为中共党员；国家教育部授予他“舍己救人的优秀大学生”称号；国家民政部追认他为“革命烈士”。原武汉汽车工业大学在校园里塑造了“萧栋栋铜像”。

（湖北省文明办）

# 王任光

王任光，壮族，1958年生，中共党员，原任都安瑶族自治县大兴乡骨龙村党支部书记、村民委员会主任兼民兵营教导员。

王任光1990年3月加入中国共产党，历任村文书、村党支部书记、村民委员会主任等职，先后被群众推选为都安瑶族自治县第八、九、十、十一届人大代表，3次被大兴乡党委评为优秀共产党员。

1993年8月，王任光主动放弃到山外经营一家工厂的机会，挑起了骨龙村党支部书记的担子，并立誓做一名合格的党支部书记。多年来，他努力学习邓小平理论，组织带领全村群众，认真贯彻党在农村的路线、方针、政策，为早日改变骨龙村贫穷面貌，废寝忘食，倾注了全部心血。他认真实践全心全意为人民服务的宗旨，充分发挥党员、干部的表率作用，在修建家庭水柜、劈山修路中，既当指挥员，又当战斗员；既做爆破手，又当凿岩工，哪里最困难，哪里最危险，他就出现在哪里。为了工作，他无法顾及瘫痪的母亲和体弱多病的妻子。在他的带领下，全村劈山凿岩修通了5条村级公路；建起家庭水柜329个，解决了全村428户人、畜饮水难问题；架设15公里的高、低压输电线路，户户用上了电灯。为了解决村中心小学危房问题，他与学校教师一起走村串户，先后集资4.1万元，建起了两幢540平方米的教学楼。

王任光的家庭并不富裕，但对公益事业却慷慨捐助。几年来，为了修公路、建水柜、建学校、架设输电线路和扶持贫困户，他省吃俭用并向亲戚借债，共捐助15400多元。他还热心帮助邻里乡亲，为他们排忧解难，群众都称赞他是“我们的好支书”。

1999年1月2日，王任光在带领群众劈山修路、执行危险地段爆破任务时，不幸坠下50多米深的悬崖以身殉职，为党和人民的事业献出了宝贵的生命。

1999年6月29日，中共广西壮族自治区委员会决定：追授王任光同志“模范共产党员”、“优秀党支部书记”称号，并在全区广泛开展向王任光同志学习的活动。

（广西壮族自治区文明办）

## 何方礼

何方礼，四川通江县人，中共党员。现任武警广西总队柳州地区支队融水苗族自治县中队副指导员。

融水苗族自治县是广西贫困县之一，居住在该县的几千名红瑶同胞世代与大山为伍，生产条件恶劣，生活贫困，文盲率高。1992年，何方礼入伍到融水苗族自治县武警中队后，在与红瑶群众的接触中，深深感到要改变他们的贫困落后面貌，必须首先提高他们的文化水平。为此，他倾囊相助，主动投入到驻地的扶贫助学活动中去。何方礼家在贫困的山区农村，父母亲都是残疾人，妹妹上学需要扶助。在这种情况下，他克服困难，坚持从每个月仅有的21元津贴费中取出8元钱用于资助红瑶女童。提干以后，他仍然坚持将每月工资的1/3寄给红瑶女童，支持他们上学。入伍7年来，除了部队下发的衣服外，他从没有买过一套便服、一双鞋子。在他的直接资助下，有6名辍学的红瑶女童先后重返校园学习。为了争取社会力量资助红瑶女童上学，他多次深入瑶山村寨拍摄反映红瑶女童渴望知识但因家庭困难无法上学的照片，与中队官兵一起自编自演反映红瑶女童求学的节目，先后在融水县城和柳州市展览和演出，引起了社会的强烈反响。柳州市第二职业学校为此一次性资助10万元、课桌60套和教具一批，解决50多名红瑶女童完成6年小学教育的基本费用。

为了帮助红瑶群众发展经济，早日脱贫解困，何方礼利用节假日跋山涉水，跑遍了白云乡红瑶较集中的村寨，进行社会调查。根据当地的实际情况，他多次到柳州市、融水县农科单位联系，请技术人员到当地为红瑶群众传授实用农业技术，并用自己攒下来的400元钱买了120册农村实用技术书籍送到红瑶群众手上。当他了解到当地适宜养殖牛蛙后，又掏出800多元钱买回美国种蛙，培育山蛙苗后送进山里，指导群众养殖，为改善当地群众生活起了很好的作用。

何方礼入伍7年来，始终牢记我党我军全心全意为人民服务的宗旨，以促进新形势下军政军民关系为己任，积极参与贫困地区的助学兴教、扶贫解困工作，与所在中队战友一道，先后帮助93名红瑶女童上学，其中43人已完成中、小学学业，有多人考取中专或任教师、村干部；并想方设法争取社会的支援，改善驻地的办学条件，为发展少数民族的教育事业作出了积极贡献。

几年来，何方礼荣立二等功1次、三等功2次、嘉奖12次，被评为广西壮族自治区拥政爱民先进个人，被授予第二届广西五四青年奖章；1999年1月获联合国开发计划署和中国青少年基金会颁发的第三届“国际青少年消除贫困奖”。1999年8月4日，中共广西壮族自治区委员会作出决定：要求全区广大党员干部群众向何方礼同志学习。

（广西壮族自治区文明办）

# 王应才

王应才，黎族，中共党员。现任海南省昌江黎族自治县副县长兼王下乡党委书记。

王下乡是海南省最贫困的乡镇。1994年9月，王应才肩负着县委治穷的重托来到王下乡任党委书记。1998年3月他被选为副县长，但还没有脱贫的王下乡，就像一座大山一样压在他的心上，于是，在县政府工作不到两个月，他主动向省委、县委请缨，要求重返王下乡工作。

王下乡山高路陡，交通不畅，几乎与世隔绝。因此，开山修路成了王应才要为群众办的第一件事，也是治穷的突破口。1994年11月，他领着乡干部走村串户，发动全乡1000多个劳动力到霸王岭上安营扎寨，义务投劳修建王下乡主干公路。当时，正值冬季，他和群众在山沟里风餐露宿，一起劳动，一起吃住；既当指挥员，又当战斗员，炸石、挖土、填沙、引爆样样带头干，在山沟里一干就是十天半月。一个多月后，一条20多公里长的沟壑纵横的土路，变成了宽阔平坦的砂石路。从王下乡到县城石碌镇，原来要用4到5个小时，现在只用1个多小时。主干公路开通了，黎族同胞看到了自己的巨大力量和脱贫的希望，干劲倍增。王应才带领乡党委一班人趁热打铁，组织群众开辟乡政府通往各村的公路。经过整整5年艰苦努力，乡政府与14个自然村的路终于开通了。5年间，全乡共投入9.8万个劳动力，挖掘土石方26万多方，共修路65公里，修建桥梁6座，为国家节省资金300多万元。

王下乡有许多河流，可长期以来，黎胞们守着河流却没有电，守着山泉却还喝着浑浊的河沟脏水。由于卫生条件差，王下乡成了华南地区有名的高疟区。为了改变这种状况，王应才带着乡干部翻山越岭，寻找水源；而后又利用简便的引水系统，把清甜可口的山泉引到黎族同胞家里。目前全乡已有90%以上群众饮上自来水。同时，他土法上马，将水轮泵架在河沟上，用山泉水做动力，解决了用电问题。1996年，王下乡人度过了有史以来第一个亮堂堂的春节。有了电，卫星电视差转台、程控电话也相继设立开通了。

在落后贫困的少数民族地区开展民房改造，把茅草房改成砖瓦房，这本是一件好事，但在王下乡封建迷信思想影响下却阻力重重，成了难题。1994年，全乡仅有3间瓦房，当乡里决定在椰子村进行民房改造时，包括村长在内，全村人反对。针对这种情况，王应才带领乡干部多次下到各村长家做说服工作，宣传科学、破除迷信，晓之以理、动之以情，以实际行动去打动农民的心。村长的思想通了，他赶紧帮村长搬家、拆房、平整地基。乡亲们看到这些，都很感动，便自觉行动起来，拆掉祖祖辈辈住惯的“船型茅屋”。1995年春节，椰子村52户村民高高兴兴地搬进了宽敞明亮的新房。全乡已有80%的黎胞住上了新瓦房。从这件事上使他悟出一个道理：要改变黎族的落后面貌，必须从教育入手。于是，他请求有关部门帮助，集资70万元，带领老师和干部开山劈石，平坡量地，搬运河沙，在王下乡建起了全县第二所希望小学。

到王下乡上任的第一天起，王应才时刻提醒自己：要全心全意为百姓做事，要时时刻刻想着老百姓的利益。1996年8月，海南历史上罕见的第18号强台风从昌江登陆，当时他正在海口开会，想到那些山里的同胞随时都有生命危险，心里就急得像火烧。他当即乘车赶回昌江，回家拿起斧头、山刀、手电筒，叫上几位在县城的乡干部，冒着狂风暴雨就往王下乡赶。一路上，风雨越来越大，路已被狂风刮倒的树木拦腰截断。同行的人下车后砍的砍、搬的搬。他在举刀砍树时，却失手砍中了自己的膝盖，鲜血流个不停，同事们劝他返回县城。他坚定地说：“那不行！王下乡3000多黎族同胞在受灾，这时他们最需要我们啊，就是爬也要爬过去！”经过7个多小时的跋涉，他们终于赶到了乡里。同行的乡干部强迫着把他送到卫生院包扎，在他的身体不适宜麻醉的情况下，共缝了6针，他几乎昏过去了。包扎好伤口，他立刻叫来乡干部询问灾情，部署抗灾。第二天早上，他就拄着拐杖下到村里查看灾情，慰问群众。由于组织救灾及时，这次灾害的损失降到了最低限度。

在改善基础设施的同时，王应才把工作的着

重点放在发展经济上。几年来，他带领王下乡黎胞走出了一条“以养为主，以种为辅”的经济发展路子，并组织群众大力发展种植业和养殖业。全乡已种植芒果3450亩，实现了全乡人均一亩，种菠萝2000亩，养羊2550只，养牛3500头，养猪2668头，还种橡胶、木薯、椰子、香蕉，不断增加农民的收入。在短短的5年时间里，在省、县各级党委政府的领导下，在社会各界的大力支持下，王下乡的面貌发生了喜人的变化：农民人均纯收入从1993年的200元增加到1999年的850元，基本解决了温饱问题；从1995年起，长期吃救济粮的王下乡，每年也开始向国家上交公粮1万多公斤。

1998年，王应才被评为海南省“优秀公务员”，1999年被评为全国“十大人民满意公务员”。

（海南省文明办）

## 刘汇海

刘汇海，中共党员。现任四川省公安消防总队成都市支队七中队抢险救援班班长。

刘汇海入伍7年来，参加火场战斗1360多次；社会抢险救援370余次；在火场、水中、井下、高楼等救出群众76人，打捞尸体71具。1997年10月6日，成都正科甲巷商业店铺发生大火，刘汇海始终紧握水枪逼向火魔，眉毛烤焦了，脸上、手上烧起一个个血泡，仍然坚守在最前沿。当他听说室内存放的煤气罐随时面临爆炸的危险时，毅然和战友们冲向了滚滚浓烟之中，他一人提两个灼热发烫的煤气罐从浓烟烈火中突围出来。1998年7月15日，刘汇海和战友们连续3天在成都府南河中打捞起因救人而牺牲的苏自强等3位勇士遗体准备归队时，一个女青年突然跳河。刘汇海迅速跳入湍急的河中，连日的疲劳使他体力不支，时浮时沉，但他还是拼尽全力，和另一名男青年将这个投河者救上岸。由于溺水时间过长，女青年人事不醒，危在旦夕。刘汇海及时对其作人工呼吸，从她嘴中吸出污物，并火速驾车送往医院治疗，使她苏醒过来，而刘汇海却一头累倒在驾驶台上。1998年1月以来，他为群众取钥匙、摘马蜂窝、为出门在外的住户关水管、关煤气3300余次。中央电视台、四川电视台等新闻媒体宣传了他的事迹，全国20个省市和地区的老人、青年写信追寻他成长的经历。宁夏一个女青年悲观厌世，得知刘汇海的事迹后，特意从银川赶来，这位姑娘在中队住了4天，她从刘汇海和官兵的言行中，重新鼓起了生活的风帆。

刘汇海干一行、精一行，在担任战斗员时，他苦练消防技能，钻研消防知识，是业务尖子；在担任通讯员时，他熟记中队辖区243条街道的详细情况，被中队干部战士称为“活电脑”、“活地图”；在担任驾驶员时，他虚心向老同志学习，苦练驾驶和修理技术，爱车节油，连续3年被评为“红旗车驾驶员”。

刘汇海多次受嘉奖，一次荣立三等功，先后被成都市评为“救人明星”、“十大文明之星”；1999年被公安部评为“全国优秀人民警察”，授予“抢险救援尖兵”、“全国公安系统二级英雄模范”称号；同年，被中共四川省委评为“优秀共产党”，被四川省人民政府荣记一等功。

（四川省文明办）

## 文华福

文华福，中共党员。现任四川省什邡市人民检察院院长。

1998年2月，文华福任检察长以来，坚持党组中心学习组政治学习制度，坚持民主集中制原则，发扬民主作风。他给自己定下目标：要竭尽所能，带一流队伍，创一流业绩，树一流形象。他说：不建一流的队伍，检察长就不是称职的检察长。他处处以身作则，每天坚持提前半小时上班，改打考勤为不打考勤。他组织指挥反贪局侦破一银行的经警监守自盗24万余元大案；带领反贪干警调查处理洛水镇洛城村村民反映村干部的贪污问题。这两个单位多次请他去吃饭，他总是婉言谢绝。1998年，市乡镇局供销公司濒临破产，40多名职工基本下岗，该公司10余名下岗工人来院反映：该公司在变卖临街12间铺面还债的过程中，未公开拍卖，每平方米售价300多元，总售价为17万余元，严重偏低于市场价格。他迅速将此事向市委、市政府作了汇报，同时派出专案组，迅速调查，未发现有职务犯罪问题，只是有关评估部门违规操作，造成了这一起显失公平的房屋买卖。他又亲自带领干警对7名购房者进行了耐心细致的法律宣传和思想政治工作，使他们自愿交出所有的“产权文书”，由公司下岗职工职代会公开拍卖，总售价是37.8万元。

1999年4月，文华福患肝血管瘤增大病，医生建议立即住院治疗，当时全院正在配合市委、市政府清理整顿农金会，他不仅没有住院，反而加班加点地工作。他不仅对自己要求严格，对中层干部和干警也同样要求严格。他坚持每年与中层干部谈心，坚持每周星期五下午的政治理论学习和政治教育，亲自讲课，鼓励干警参加高等院校学历教育。全院69名干警中，大专以上学历占95.3%；有3名干警考取全国律师资格。

文华福乐于社会公益事业，哪里有困难，总是挤出钱为民献上一份爱心。两年来，他带头捐资共2万余元，献给长江和嫩江流域灾区人民，资助本市方中、三小、双盛小学的特困学生，慰问了元石镇、两路口镇的老人福利院和双盛镇、皂角镇的特贫户，以及能源化工总厂的下岗职工特贫户等。

1999年文华福被最高人民检察院授予“人民满意的检查干警”，所在检察院被省检察院评为“先进集体标兵”、“人民满意的检察院”。

（四川省文明办）

## 尼美曲加

尼美曲加，藏族，1948年生，中共党员。原任四川省石渠县公安局政保科长。

尼美曲加自1980年参加公安工作以来，长期扎根海拔4200米的雪域高原，十几年如一日。他在担任派出所长期间，大力加强基层基础工作，积极开展法制宣传教育，使辖区的社会治安状况在短期明显好转。1986年他担任政保科长后，充分发挥民族干部的特长，主动承担危险任务。17年中，他共参与破获各类案件1150余件，抓获犯罪嫌疑人450余名，挽回经济损失价值100多万元，为维护民族地区的社会治安稳定作出了突出贡献。

1983年组织调尼美曲加到东区派出所任所长，到任第5天，便遇上一件十分棘手的事。村民扎西家一头牦牛突然死亡，扎西怀疑是同村牧民洛扎所毒死，便索要赔偿，双方争执不休，流血事件一触即发。他请兽医解剖，查知牛因误食铁钉穿肠胃而死，扎西一方仍不依不饶，他当即从死牛上割下一节肠子，吃进嘴里。过了一会儿，大家见他安然无恙，双方偃旗息鼓，心服口服散去。

1989年，长沙贡马乡乡长被害，家产被洗劫一空。尼美曲加率干警全力追捕罪犯，狡猾的罪犯利用熟悉的地形、精良的马匹一次次逃脱了法网。直到1994年，他率民警历尽艰辛，骑马整整追踪15天，终于将罪犯一伙团团包围，主犯卓卓绝望中服毒自杀，历时5年的特大杀人抢劫案终于破获。

高原恶劣的气候环境，长期超负荷的工作，使尼美曲加患上了肝癌、胃溃疡等疾病，但他始终以坚韧不拔的毅力，长期带病坚持工作。他一家老小共7人，妻子是牧民，并不富裕，但他从不为金钱、贿赂而折腰。据统计，尼美曲加在10多年中拒收贿赂23次，金额达53万元。

1997年7月25日，从青海省玉树州办完案的尼美曲加，搭一货车回县城，途中肝病发作，就在汽车座位上心脏停止了跳动，因公殉职。

尼美曲加生前曾连续被评为县公安局先进工作者和优秀共产党员，并荣获个人三等功二次，受嘉奖1次。1998年公安部追授他“全国公安系统一级英雄模范”称号，国家民委授予他“民族团结模范”称号；1999年中共四川省委授予他“优秀共产党员”称号，四川省人民政府追授他“全省模范公安员”称号，中共甘孜州委、甘孜州石渠县委，先后追授他“优秀共产党员”称号。

（四川省文明办）

# 廖太洪

廖太洪，中共党员。现任四川省隆昌县国税局局长。

廖太洪1964年参军，1966年入党。在20年的军旅生涯中曾被评为“五好战士”、“干部标兵”，荣立三等功2次、嘉奖10余次。1968年他作为西藏军区“学习毛主席著作积极分子”受到过毛泽东的亲切接见。1985年转业后，历任县委办公室副主任、组织部副部长、人事局局长。

1995年2月，廖太洪调任隆昌县国税局局长。当时的县国税局是个“烂摊子”，面对困境，廖太洪没有退缩。经过认真的调查，局党组很快制定了“以制度建设为基础，以队伍建设为重点，以创建活动为龙头，以廉政建设为保证”的工作思路。治税必先治队。廖太洪一方面通过深入细致的思想工作稳定队伍，另一方面针对纪律松弛、管理松懈的突出问题，对症下药。首先抓经费管理。当时，县局的经费已十分困难，而几个业务股室都还有“小金库”，存在公款私存、白条入账等问题。他和局领导班子统一思想，顶住阻力和压力坚决撤销了“小金库”，经费一律交县局财务统管，堵住了收支漏洞。其次是“约法三章”。规定：从我做起，谁违反了纪律，影响了国税形象，就砸谁的饭碗。

廖太洪深知，抓队伍建设，必须用严格的制度来规范管理每一个干部职工的行为，队伍建设才有保证。他组织起草了20多项共2万多字的局机关管理制度，后来又逐步完善制度50多项，经局党组讨论后印发全局人手一册。建制的关键在于落实，他提出首先从自己做起，凡事身体力行。针对机关人浮于事、不思进取的问题，他顶住巨大压力，精简机构，调整队伍，清退协税员队伍，取得了好的效果。

1996年7月，县局查出一家企业偷逃增值税近百万元。企业找到县里，提出要把这笔税款交入地方金库，这就意味着将截留一部分中央收入。廖太洪认为，国税局离不开地方的支持，但必须走正道，决不能截留中央收入，决不能拿国家的利益做交易。他向县领导汇报后，得到了充分理解，这笔税款全部按规定入了库。

收税的艰难使廖太洪认识到，“发展才是硬道理”。县里的经济上不去，税收的路子只会越走越窄。1996年，他在调查中了解到，吉宇建材公司利用“三废”资源符合国家有关优惠政策，便立即会同有关方面进行评估、测算、上报申请免税。3年来，经上级批准，依法为该企业减免税600多万元，该企业的负责人多次说：“国税局帮了我们的大忙，使企业焕发了生机。”

带好队伍是为了收好税。在组织税收工作中，廖太洪始终要求严格依法征税，当期实现的税款必须及时足额入库，并建立了领导挂所责任制，哪个税务所压力大，他就挂哪个所，每月拿出110元工资，按季考核，奖惩兑现。4年来，隆昌县国税局共组织收入2.3亿元，查补偷漏税2000多万元，清理欠税5000多万元；连续四年超额完成上级下达的税收任务。1996年，县国税局的12个基层单位全部建成了县级“文明单位”；1997年，县局在全县窗口行业中率先建成了“文明行业”；1998年，县局被四川省委、省政府命名为省级“文明单位”。

1999年，廖太洪被国家人事部授予全国“十佳人民满意的公务员”称号；被四川省政府授予“人民满意的公务员”称号，省委又授予他“优秀共产党”称号。1999年11月15日，国家税务总局作出决定，在全国税务系统开展向廖太洪同志学习的活动。

（四川省文明办）

# 邱　磊

邱磊，广东省梅县人，1963年7月出生，1989年6月参加工作，1996年5月加入中国共产党，生前系陕西省工业展览馆干部。

1996年邱磊自动放弃大城市优裕的生活条件，克服父母年迈体弱多病、儿子幼小无人照顾等诸多困难，响应中共陕西省委“双万工程”号召，到陕西省紫阳县向阳镇扶贫挂职，先后任紫阳县向阳镇悬鼓村村委会副主任、向阳镇党委副书记、紫阳县工业经济局副局长、紫阳县驻西安办事处主任（副县级待遇），为改变悬鼓村落后面貌付出了辛勤的汗水和心血。

邱磊到紫阳县后，深入群众、走村串户、问寒问暖，跑遍了悬鼓村10个村民小组281户人家，与村民同吃同住、促膝谈心，扑下身子办实事、抓扶贫。为解决山村群众生产生活用水困难，他深入实地勘察概算，争取资金修建堰渠2条，新增灌溉面积70多亩，解决了700多人的饮水问题。他带头出钱扶持悬鼓村创办股份制“蛋鸡养殖场”和“甲鱼饲养场”，取得可观的经济效益，发挥了扶贫示范作用。他狠抓治愚扶贫，自己拿出500元钱使孙宗梅兄妹重返校园，联系亲友及省经贸委干部与失学儿童结成帮扶对子，使向阳镇84名失学儿童得到救助。他积极争取干部管理学院、财贸干院免费为当地培养大专人才19人，争取扶持资金17万元，改建了向阳镇小学。他联系经贸委各处室干部为贫困户捐助衣物4410件、购化肥11吨、送粮食800公斤，争取资金11万元解决镇机关办公经费不足的困难。

邱磊不满足于干好包村工作，从全县发展的大局出发考虑县域经济的发展。他支持紫阳县提出的县域经济发展战略，从茶叶、蚕桑、板石、富硒食品、钡盐基地等10个方面给予扶持，落实帮扶单位，担当帮扶联络员和组织者。他帮助协调审批了“神云”牌紫阳富硒茶省级名牌，促进了茶叶产业的发展；引资80万元成立紫阳县绿宝生物有限公司，其产品“绿农素”获得’98杨凌农博会金奖；引资200万元成立陕西月池食品有限公司，大力开发富硒食品；协调争取省里170万元矿山公路建设资金；争取“甘露工程”款15万元，解决人畜饮水问题；争取省地有关部门专项资金200多万元，建设农贸综合市场和小集镇；先后引进三宝集团等企业投资款7000万元，现已先期投放500万元等等。在短短的4年中，他做了大量的扶贫工作，硕果累累，成绩显著。

1999年5月13日，在上山考察板石资源返回县城的途中，汽车刹车失控，在陡峭的山路上像一匹脱缰的野马，直冲悬崖。在这万分危急的关头，坐在汽车后排靠车门处的邱磊本可自己先跳车，但他却把生的希望留给了别人，猛力用手推出发懵的小李，而自己却来不及跳车随车翻入120多米深的崖下，以身殉职，年仅36岁。

邱磊以奉献为乐，从不计较个人名利得失，廉洁勤政。他对自己约法三章：不在紫阳报销和领补贴费，不打麻将，不进歌舞厅。县里同志曾多次向他索要票据报销，他不给。他去世后，人们在他的皮包里、办公室和住处发现3万多元的出差票据。

1999年，中共陕西省委授予邱磊“优秀共产党员”称号，省委、省政府授予他“扶贫标兵”称号；省民政厅追认他为革命烈士。省委采取多种形式广泛宣传邱磊的事迹，号召全省党员、干部和群众向邱磊同志学习。

（陕西省文明办）

# 丁晓莲

丁晓莲，女，回族，1954年生，宁夏泾源县人，中共党员。现为固原县国税局干部。

1975年，丁晓莲从宁夏财校毕业后分配到泾源县税务局工作。在当时的税收环境下，一个女同志在贫困的山区伸手向别人“要钱”，常被看做是一件不光彩的事。因此，乡亲们多次劝她换个工作，她自己在工作中也经常遇到预想不到的难题。但她知道税收工作在国家建设中的分量，常常告诫自己不光要敬业爱岗，还要忠诚和献身这项事业。

1986年丁晓莲调固原县城关税务所管理个体户，有些人认为这是份“肥差”，可以捞到不少“方便”，但她忠于职守、廉洁奉公，从不拿原则做交易。但对个体户在经营中遇到的困难，她总是想办法、出主意，热心帮助。时间一长，她成了个体户们的好朋友，许多个体户不但积极纳税，还成了税收义务宣传员。

1990年丁晓莲调到固原县国税局搞内勤。西海固地区的贫困在全国都出名，90年代初的连续几年干旱，使农村辍学的孩子一年比一年多。自幼在贫困山区长大的丁晓莲深知农户家庭供养一名学生的困难，更了解农村孩子期盼求知的渴望。于是，她决然将自家的几间房子腾出来，提供给生活困难的农村学生使用。1993 年以来，她先后接收了 60 名贫困学生在她家住宿，其中 25 名分别考入了大中专院校。这期间，有几位外地的生意人看中了她家的房子，多次找上门，愿以每月 300 元的价格租用；也有人愿以 4 万元买下她家的小院，但她都毫不犹豫地拒绝了。她还主动承担了照顾贫困学生的生活，6 年中，她每月替住宿学生交纳水电费；遇到学生有病时，她端水送药；有学生断粮时，她端米送面；有学生没钱买文具时，她 3 元 5 元的接济；每年高考临近，她提前给学生们买些奶粉、白糖，让他们补身子，还忘不了塞给他们 10 元 8 元的零花钱；考试期间，她都是做好饭让他们来家一起吃，以便节省时间，好好复习和休息。

丁晓莲勤奋工作、热心助人的先进事迹，赢得了社会的广泛赞誉。1997 年，自治区总工会授予她"职工职业道德十佳标兵"。1998 年，全国妇联、国家民委授予她"全国各族妇女团结进步模范个人"，全国总工会、全国职工职业道德建设指导委员会授予她"全国职工职业道德十佳标兵"；1999 年，国家税务总局授予她"全国税务系统优秀税务工作者"，国务院授予她"民族团结进步模范"称号。自治区党委和国家税务总局分别作出决定，号召全社会和全国税务系统向她学习。

（宁夏回族自治区文明办）

## 伍 元 秀

伍元秀，女，中共党员，现为新疆生产建设兵团农二师三十一团十二连职工。

伍元秀 1986 年参加工作，承包土地 14 年，共为团场生产粮食 187 吨、棉花 178 吨。"艰难困苦，玉汝于成"，伍元秀就是在与艰难困苦的抗争中，靠奋斗实现自身价值，显露其本色的。1986 年伍元秀第一年承包，就赶上了一块连队无人敢包的盐碱地，她一包就是十几年，凭着自己的精心管理和顽强不屈的吃苦精神，硬是在盐碱地上创出高产。

近些年新工人不断增多，有不少人找到伍元秀请教种地拿钱的经验，她反复讲的就是一句话，即"要想多拿奖金，关键是干、算、管"。

在谈到"干"时，她说："要有实干精神，不怕苦、不怕累、不怕脏，要能干、会干、善于干，只要功夫下的深，碱地也会出黄金。"1996 年 4 月 22 日，一场罕见的狂风暴雨和超低温袭击了三十一团数万亩棉田，伍元秀的 42 亩地也没能逃过厄运。第二天她就和腿有残疾的丈夫一道开始了抗灾自救。她们起早贪黑"泡"在棉田破碱壳、补棉种、扒棉苗，弯腰干累了，干脆跪着干，整整 12 天，双膝跪破了，双手磨破了，手指裂开了，但他俩始终没有停止干，硬是一尺、两尺、一米、两米、一窝窝、一棵棵地找苗、补种，27 万株苗硬是被他们补齐了。这一年，她创下了重灾年份拿奖金 2 万余元的奇迹；也是这一年，她光荣地加入了中国共产党。"一分耕耘，换来一分收获。"1998 年，伍元秀承包的 76 亩地，总产籽棉达 2.64 万公斤，盈利 3.5 万元。1999 年，罕见的自然灾害造成产量下降，棉价大幅下跌，效益也下滑，尽管如此仍取得了好效益，总产达 10368 公斤，盈利 1.1 万多元。

在谈到如何"算"时，伍元秀说："算是一个农工的基本功，是经营者的依据和镜子，那种只干活不算账，肉烂在锅里的做法，是不会有好效益的。"她从播种到管理，再到收获，每个环节始终是坚持算着干、干着算。1994 年团场实施两费部分自理，她一算账，在全国第一个带头响应。多年来伍元秀在"算"字上下功夫，如为减少机力费降低成本，她坚持人工追肥、找药、多施农家肥；自己外购生产资料，机力作业后强化人工辅助效果。她算了细账，也算了远账，因此她获利多。

在谈到"管"字时，伍元秀说："三分种七分管，十分的精细管理，收获才会有保险。"所以每年从年初到年末，每项工作，她都注重严管细作，力争高标准，及时完成。农忙时，为了省时间，她干脆在地头搭个草棚，吃住在田间。在科学管理上，她比别人严得多、高得多，付出的也多。为掌握更多的农业科技知识，1997年师里举办女职工培训班，她报名参加了；1998年，中央农广校招生，她又报名参加了函授学习。几年来，不管再忙，伍元秀都始终坚持学习，这为她连年获得丰收奠定了基础。

伍元秀“爱管闲事”、乐于助人，她把爱心不仅献给了土地，也献给了他人、献给了社会。近年来，她关心公益事业、救助危难同胞；给希望工程捐款助学，为灾区赈灾捐款，给连队托儿所捐款，给改水工程捐款，她始终积极带头参加。多年来，伍元秀为公益事业以及救助困难同胞捐出资金累计已达6000多元，无偿借给或送给连队职工用于上学、看病、承包土地的资金已达5万余元。此外，她还经常帮助行动不便、有困难的孤寡老人，为其义务操持家务，喂药、端茶、洗衣做饭。有些得到她帮助的人家，如今已住上新房，买了高档家具，而伍元秀依然住的是70年代的旧房，用的是70年代的老家具，一家人依然过着简朴平淡的生活。

自1989年以来，伍元秀连续多年被团场评为“先进生产者”、“三八红旗手”、“标兵”等；1996—1999年分别被农二师授予“绿原之星”、“劳动模范”、“优秀党员”，被兵团授予“优秀合格主人”、“屯垦戍边劳动奖章”，被自治区授予“开发建设新疆劳动奖章”；1999年被兵团评为“劳动模范”。

（新疆生产建设兵团文明办）

## 杨晓明

杨晓明，1980年入党，甘肃省静宁县双岘乡页沟村党支部书记。自1971年起，先后担任生产队长、大队副队长、村委会主任、乡党委委员、村党支部书记。28年来，先后25次受到地、县、乡的表彰奖励。党的十一届三中全会以来，他和党支部一班人，认真贯彻党的基本路线和各项方针政策，为发展本村经济和各项事业做出了突出贡献。他团结带领群众兴修梯田，在全县第一个实现了梯田化村；他组织群众植树造林、封沟育林，兴办集体林场，绿化了全村的梁峁沟壑；他动员群众发展林果业，修建乡村公路，带头推广农业先进实用技术，为父老乡亲脱贫致富奔小康奠定了坚实的基础；他多方奔走，筹集资金，建立了村小学，使全村250名适龄儿童就近上学；他舍小家顾大家，廉洁奉公，多年义务看护集体林场，不取分文报酬；他关心乡亲们的疾苦，多次为贫困户资助钱物、担保贷款，帮助他们发展生产，增加收入；他想方设法解决了全村人的吃水问题，现在全村50%的农户盖起了新房，94%的人口稳定脱贫，但他和他的家人至今仍过着比较清贫的日子。杨晓明同志正值中年，但由于他忘我的工作，积劳成疾，倒在了改土工地上。他在被确诊为身患晚期食道癌、病危住院的情况下，将生命置之度外，仍然坚持履行自己的职责，惦记着村上的工作和乡亲们的生产、生活。在他身上，集中体现了一个共产党员的崇高精神和思想境界。

杨晓明同志在平凡的岗位上，近30年如一日，忠于职守，一心为民，勤奋工作，无私奉献，忠诚地实践了共产党人全心全意为人民服务的根本宗旨，谱写了一曲创业之歌、奉献之歌，为全省农村基层干部树立了光辉的榜样。中共甘肃省委下发了“关于开展向优秀村党支部书记杨晓明同志学习活动的决定”，授予杨晓明同志优秀村党支部书记称号，并决定在全省广大党员干部中深入开展向杨晓明同志学习的活动。省委宣传部、省委组织部发出了《关于认真组织学习杨晓明同志先进事迹活动的通知》，要求全省“把典型树起来，把先进学起来”。一个学习杨晓明的热潮正在全省兴起。

（甘肃省文明办）

# 第十届中国十大杰出青年

（由中华全国青年联合会、中国青少年发展基金会、中央电视台、中央人民广播电台、人民日报、中国青年报、光明日报、解放军报、经济日报、科技日报、工人日报、农民日报联合组织评选）

## 丁　榕

丁榕，女，1965年生，中共党员。1985年参加工作，任南昌火车站派出所民警、福州铁路乘警大队民警。1987年，任福州铁路公安处福州车站派出所民警、副主任科员。

福州火车站是祖国南大门陆上的重要通道，不法分子便将福州站作为铤而走险的“黄金通道”。丁榕来到福州站后，面对走私犯罪猖狂的情景，在实践中不断摸索经验、总结积累，很快就掌握了一套识别违法犯罪的真本领，查获了体内藏金进行长途贩运的女走私犯；抓获了杀人疑犯。从1990年至1999年，先后抓获犯罪嫌疑人、违法分子1980余人，破获刑事案件175起，查处治安案件318起；查获走私黄金5.6万克、银元256公斤、鳗鱼苗16公斤、手表17545只、玉器253件、鸦片900克、淫秽物品1400余件及大量违禁物品，价值710余万元。

客运民警大都是独立工作，独当一面。因而，丁榕每次在查缉走私贩私时，都要面临腐蚀和反腐蚀的较量，她深知秉公执法要面临人情关、金钱关、生死关的严峻考验，她一次次地经受住了这些考验。一次，丁榕查获女走私分子王某，将其带到值勤室审查。王某见四下无人，便摸出重约370克的10块金元宝，塞到丁榕手里，请她放行，遭到了丁榕的严厉训斥，只好将50块重1850克的金元宝如数交出。常在河边走，就是不湿鞋。丁榕以自己的一言一行，模范地履行了一名人民警察的神圣职责，9年来她先后拒收贿赂60余次，价值数十万元。

丁榕对违法犯罪分子狠狠打击，对旅客却十分热情。1994年5月的一天，她在候车室值勤时，发现一位妇女抱着一个两岁大的男孩坐在地上哭泣，便热情地上前询问。原来这位妇女从江西到福建打工，出来时与同行人失散，小孩发高烧又没钱看病。丁榕主动带其到车站医疗点为小孩看病，为她付了医疗费，还给她买了返家的车票及途中的食品、饮料，使这位身在异地陷入困境的妇女感动不已。1998年春运期间，丁榕在售票处门口看到一位已80高龄的老太太愁眉不展地坐在那里，经询问得知这位老人身体不支，买不到车票，便为老人买了车票，又利用休息时间，将老人送上车。自1990年以来，丁榕每年收到的感谢信、受到的表扬100多次，被人们誉为“警坛女雷锋”。

丁榕是铁路女警队伍中的一位佼佼者，她在平凡的客运值勤岗位上创造出了一流的业绩，1999年被评为第十届中国十大杰出青年。

（共青团中央宣传部）

## 邓　伟

邓伟，1966年生。1984年哈尔滨船舶工程学院电子工程专业毕业后，在黑龙江计算机应用开发研究中心工作。1988年创办亿阳集团。现任亿阳集团有限公司董事长兼总裁。

邓伟创建和领导的亿阳集团，是以计算机系统开发为主的高新技术企业。创业之初，他确立了“以开发为主导，以市场为目标，以效益为中心，以经营为手段”的经营原则，并在以后的经营中逐渐完善、发展，形成了系统的、符合市场规律的经营机制。在项目开发上，他带领亿阳集团超前思考、科学布局，把经济增长点放在电信、交通、石油、石化等高速发展行业的计算机应用上。10年来亿阳集团的市场附加值大幅度增加，近3年利税的平均增长速度达142%，纳税额列哈尔滨市前茅，荣获“纳税光荣企业”，成为黑龙江省民营高新技术企业的排头兵。1997年被国家科委认定为国家重点高新技术企业，1998年获国家科技部授予的首届火炬优秀企业奖。

邓伟领导和主持了60多个电信、交通领域的计算机应用系统开发项目，其中中国电信移动电话网网管系统、电信综合计费系统、高速公路机电系统和智能客户服务中心系统等在技术上达到了世界先进水平，同时也取得了显著的经济效益和社会效益。中国电信移动电话网网管系统，在技术上解决了“八国九制”等问题，达到了国际领先水平，目前已经在全国22个省级网管中得到推广应用。它既为国家节约了40多万元人民币的外汇，又有效地阻止了外国同类产品抢占国内市场，并将在全国300多个地市级网管广泛应用。此外，他研制的高速公路机电系统即高速公路的通讯、监控、收费三大系统也处于国内领先水平。

对于所取得的业绩，邓伟从不满足，从创业之初就一直萌发的愿望更加强烈——亿阳终有一天要研制出批量出口能挣外国人钱的应用软件产品，研制出自己的“信息弹”。1998年下半年，在他的倡议和主持下，亿阳集团作出决定：在北京、哈尔滨两地分别建立北京研究开发中心和哈尔滨高新技术研究所。这两个研究机构成立后，致力于亿阳集团自主产权的应用软件产品，即“信息弹”的研制。

10年来，他积极支持希望工程，倡导1+2助学方式，即：邓伟和员工每人资助两名失学儿童，使更多的失学儿童重返校园。他出资创立了“现代园丁奖”、“亿阳师范教育奖”，奖励黑龙江的优秀教师；又拿出200万元设立了“亿阳教育基金”，奖励全国的杰出教师。他支援教育的热诚激励了亿阳集团全体员工对“希望工程”的重视，在本世纪最后一轮“希望工程”捐款活动中，亿阳集团员工捐款名列黑龙江省第一名。邓伟对公益事业的支持还体现在积极参与光彩事业上。1996年在山东沂蒙老区投资建厂，解决了200多人的就业问题；1997年为政府排忧解难，与黑龙江省团委创立下岗青年再就业基金；1998年，在和特大洪水进行斗争中，亿阳集团积极捐款、捐物100多万元，支援灾区，重建家园。

邓伟先后获得黑龙江省优秀民营科技实业家、黑龙江省光彩企业家等称号；连续8年当选为哈尔滨高新技术产业开发区优秀管理者标兵，并荣获哈尔滨市劳动模范、第二届中国优秀青年科技创业奖；1999年，被评为第十届中国十大杰出青年。

（共青团中央宣传部）

# 刘 谊

刘谊，1962年生，中共党员。1983年参加工作，在淮南七中任教师、校团委书记，淮南谢一矿宣传干事。1992年任淮南新集二矿经营办副主任、主任、副矿长、矿长，新集能源开发有限责任公司副总经理。1998年，任国投新集能源股份有限公司总经理、党委书记。

1993年7月开工建设的国投新集公司所属的新集二矿，最初设计年产量仅为150万吨。刘谊担任矿长后，以锐意创新的精神和敏锐的决策目光，改革传统煤矿建井思路，果断提出将矿井扩建为300万吨。他在深入调查研究的基础上，运用市场化经营的思路，创造性地实施项目法人制度，既落实了工程质量责任制，又使每一个子项目都变成了相对独立经营的经济实体，推动矿井高速地建设。由于广泛采用各种新设计、新工艺、新材料、新装备，新集二矿仅用3年时间就高标准建成投产，比传统的建矿工期缩短了四年半，投资仅为同类型矿井的1/3。矿井建成后，在开局的1997年即生产原煤305万吨，实现利税2.828亿元，百万吨死亡率为零，实现了当年投产当年达产，投入的生产人员只有同类型煤矿的1/5，创造了中国煤炭建设史上建设工期最短、投资和用人最少、投产达产最快三项全国记录。

针对煤矿市场供大于求、竞争激烈的形势，刘谊将煤炭质量作为管理的头等大事。他把实行全面质量管理与贯彻质量认证标准相结合，使公司从1998年开始成为全国煤炭系统少有的几家通过ISO9002国际质量体系认证的企业。首创品牌煤“新优二号”，成为安徽省第一个煤炭质量免检产品，使产品质量的管理和审核与国际接轨。他领导的公司始终稳产高效，1998年生产原煤631.76万吨，产销率达98.76%，销售收入11亿多元，实现利税2.42亿元，经济效益名列全国煤炭行业盈利企业前列。公司综合经济实力在全国512户重点国有企业中排名300名之内。

刘谊采用现代化煤矿建设与管理模式，使管理的五大环节环环出新。建立了风险共担营销机制，明确代理商因市场因素造成的亏损由企业承担，并鼓励包销、多销，使代理商成为企业的利益共同体；建立了成本核算中心，采用严格的“倒逼成本计算”，使成本指标层层分解落实到区队和班组。“倒逼成本”逼出了“带薪轮岗”制度，尽管公司效益稳步提高，却常年保持有1000多人的轮岗培训制度；建立安全日报制度，赋予各矿（厂）负责安全的副矿（厂）长代理总经理安全督察权，他们可以立即撤换违章指挥的同级副矿长，并建议撤换违章指挥或有安全渎职行为的矿长，使安全副矿长的监督权力真正落到实处；专门设立科技会，按销售收入的2.8%提取科技开发基金；建立了年度科技大会重奖制度，使个人利益与公司利益挂钩，1997、1998年组织推广科技成果72项，创经济效益1.3亿元。

刘谊勇字当头，推行民主管理。他坚持全心全意依靠职工办企业，提出“职工为我师”的管理思想，打开了企业民主管理的局面。在他担任总经理以来，每年一次的民主评议公司领导干部活动中，他尊重民意，敢于动真格，现场公布评议结果，并且与奖惩任免挂钩。他注重抓好公司领导干部的勤政廉政建设，并于1999年春节前夕带领公司班子成员和处级干部签订廉洁自律保证书，置于职工群众的监督之下。民主选举32名职工代表，组成公司职工管理委员会，其中生产一线职工代表占60%以上，参加公司工作会议和经理办公会，对公司重大事项行使参与管理、参与决策、参与监督的职能；对公司职代会、工作会议通过的决议、方案落实情况行使监督、检查的职权。

1999年，刘谊被评为第十届中国十大杰出青年。

（共青团中央宣传部）

# 吕岩松

吕岩松，1967年生，中共党员。1989年北京大学俄罗斯语言文学系毕业后，在人民日报国际部工作，任人民日报驻俄罗斯记者、人民日报国际部编辑。1996年至今，任人民日报驻南斯拉夫记者。

吕岩松作为一名党报的新闻工作者，不仅具有高度的新闻敏感性和政治敏感性，而且对工作兢兢业业，踏实肯干。他曾多次被指定为时政记者，参加中央领导重大外事活动的报道；他撰写的内参多次为中央有关部门的正确决策提供准确的依据。1991年吕岩松出任人民日报驻前苏联、俄罗斯记者，成为人民日报有史以来最年轻的驻外记者。1996年，吕岩松出任人民日报驻南斯拉夫记者，他一边工作，一边学习塞尔维亚语，很快便能用塞语工作。他没有满足于驻俄采访报道的经验，而是认真研究南斯拉夫、巴尔干地区及其周边国家的情况，一边扩展报道面，一边在深度报道上下功夫。他3次采访巴尔干地区安全问题外长会议，采写的文章由于扎实有深度，引起有关研究机构的关注。

1998年2月，科索沃危机爆发后，他是第一个被特许去战区采访的中国记者，也是第一个采访激进的科索沃阿族解放军的中国记者。他冒着随时可能饮弹的危险，战胜独自整夜开车赶路的心理恐惧，拖着重感冒后极度虚弱的身体，甚至连车带人翻进山沟后爬起来继续坚持采访。3篇连续报道《科索沃纪行》是以生命为代价采写成功的，文章均为丰富翔实的第一手材料。

1999年3月24日北京时间凌晨3时，以美国为首的北约在未得到联合国授权的情况下，对南联盟实施空中打击。吕岩松5时就发回稿件，人民日报当即上版，成为国内独家新闻。此后一段时间，吕岩松为了采写消息，甚至为了证实一条消息的真实性，冒着生命危险深入轰炸现场。

1999年5月8日，当北约的导弹野蛮投向中国驻南使馆，死亡距他只有十几厘米时，作为使馆惟一幸存的中国记者，在轰炸发生仅仅15分钟后，第一个将这一震惊世界的消息传回国内。在使馆随时可能再度发生爆炸的危险情况下，他一边帮助抢救伤员，一边进行现场报道。他第一个向人民日报网络版详细报道了我使馆被炸事件；第一个在全世界首先确认3位中国记者牺牲的消息；第一个发回死难者的遗照及现场照片；第一个准确报道北约使用5枚导弹袭击我使馆等等。

吕岩松在采写大量稿件的同时，冒着生命危险拍摄了几千张照片。其中发表在1999年5月18日人民日报第一版的《中国使馆升旗》成为全世界独家新闻。吕岩松战地摄影展《目击暴行》在全国巡展期间，引起全社会的强烈反响，前来观看的观众数以万计。

1999年，吕岩松被中宣部、人事部联合授予“优秀新闻工作者”称号，被评为第十届中国十大杰出青年。

（共青团中央宣传部）

# 孙 雯

孙雯，女，1973年生，共青团员。上海女子足球队运动员，现任中国女子足球队队长。

孙雯自幼酷爱足球，小学毕业时放弃了到市重点中学学习的机会，来到了市体校女子足球班。虽然她的身材条件并不见长，但她深信“勤能补拙”。她经常半夜趁着月光在球场上单练，并结合自己的身材特点，苦练控球技术。终于，凭着她的灵气、她的倔强以及她的勤奋，孙雯到专业队不足半年，就成为队里的主力。她视野开阔，全局观强，整体意识清晰，跑位、传接球令人信服，很快受到教练的青睐，并入选国家集训队。在比赛场上，孙雯不服输的精神更是随处可见，终场哨声不响，她就决不放弃每一分钟的努力。1999年世界杯上，孙雯带领队友凭着不服输的劲儿再次闯入决赛，与老对手相逢。经过顽强的拼搏，她们虽以点球惜败，但以孙雯为代表的中国女足强大的精神力量感染了每一位中国人。

当运动员的，身上难免有伤。在1991年的一次热身赛上，她膝部严重受伤，手术后，她的左膝半月板歪了，卡住了关节，使她艰于步履，难于伸直左腿。这样严重的伤势对一个足球运动员来讲，就等于被判了“死刑”。可是顽强的孙雯在以后的8年里，就是拖着这条伤残的腿依然拼搏在绿茵场上，不断向人类极限发起挑战，成为国际足坛最优秀的女运动员之一。

孙雯作为队长，善于团结队友，别人有什么困难，她都主动伸手相帮；别人有什么思想波动，她都主动谈心沟通。正是她的热心随和，赢得了大家的喜爱。在关系到球队整体发展的关键时刻，孙雯总是尽量把压力“扛”在自己肩头，把乐观写在脸上。队友们都非常敬佩她，总感觉她一上场，就能立刻打开局面。这是一种能力的表现，更是孙雯在队友心目中地位的反映。孙雯善于调动大家的积极性，共同提高运动成绩。她带领队友不畏强手，团结拼搏，为祖国赢得了荣誉，中国女子足球队先后获得第8届、第9届亚洲杯冠军，第26届奥运会亚军和第3届世界杯亚军。

孙雯在不断完善球技的同时，对于读书、对于自身素质的完善同样有着执著的追求。她平时抓紧时间，勤奋读书，点点滴滴地积累文化知识。1995年，孙雯在《新民晚报》上发表了一篇名为《我要读书》的文章，她直言不讳地提出自己的思考：“我们的运动员究竟有多少文化素养？我们提高运动成绩主要靠的是科学还是蛮干？在外界形成了普遍认为中国运动员战术素养差、心理素养差等观点，而这些评价客观反映出了中国运动员普遍文化素养低的事实。”美国华盛顿大学曾力邀孙雯入学，北欧国家的一些大学也曾给孙雯发出邀请，这些邀请都被她婉言谢绝了。身为国家队队长、主力国脚，孙雯知道现在的中国女足少不了她，她清楚地意识到自己的责任。她说：“祖国至上，国旗和国歌永远在我心中。”于是，她选择了放弃。目前孙雯利用业余时间在国内一所大学读书。

孙雯被国际足联评为“最佳运动员”，第三届女足世界杯“金球奖”和“金靴奖”；被授予“中国体育运动荣誉奖章”，上海市“十大杰出青年”，上海市“新长征突击手”，上海市“三八红旗手”等荣誉；1999年被评为第十届中国十大杰出青年。

（共青团中央宣传部）

## 吴奇修

吴奇修，1966年生，中共党员。1987年北京大学经济系毕业，主动申请到湖南省涟源市计委工作，1991年到桂花乡民主村扶贫。1993年至今，任涟源市茂塘镇石门村党支部书记。

石门村人多地少，交通闭塞，80年代初，少数青年农民走出山门闯市场，学会了经营，积累了资金，而留在家里的大多数人依然贫困。吴奇修进村后，走东家、串西家，经过深入的调查研究，他发现：石门农民穷，穷在思想；石门发展慢，慢在观念。于是，他利用党员大会、村民大会、村组干部会和外出经商人员座谈会等形式，组织学习邓小平理论，解说市场经济内涵和基本法则，讲述农村工业化、城镇化、现代化的美好前景，用现代观念引导农民致富，激发起了石门人满腔的创业热情。村党支部决定制订优惠政策，创造有利条件，实施"引凤归巢"战略，通过吸引能人回村办厂兴业，实现共同富裕。党支部成员赴新疆、广州、沈阳、长沙，召唤远方游子回乡创业。全村已建成企业28家，1998年实现工业产值3.1亿元，农民人均纯收入达7285元，安置各地剩余劳力和下岗职工2400多人。

在石门村，吴奇修探索出了一条以市场为依托、以工业为主体、以城镇化为目标，实现"工业生产规模化、农业生产集约化、贸工农一体化、乡村建设城镇化、社会生活文明化"的农村腾飞之路，他以青春为笔、知识为墨，在石门村做了3篇大文章：一是抓规模带动，培育龙头企业；二是抓品牌牵动，开发拳头产品；三是抓科技推动，增强发展后劲。他带领企业管理者们走南闯北，开阔视野，增长知识，寻找商机，千方百计引进新技术，开发新产品，增加产品的科技含量和附加值。此外，吴奇修还以科技为先导，以工业来带动农业和第三产业的发展，推动小城镇建设。全村工业反哺农业的资金达80多万元；新建500亩速生丰产林；300亩优质经果林，两座电灌站；新建商业门店50多个；新建1.2公里村级水泥公路；新建建筑面积1200多平方米的花园式学校；开通了直达长沙和株洲的卧铺班车；建起了图书室；开通了有线电视、无线寻呼、移动电话。如今，一座崭新的工业小镇在石门拔地而起，使偏僻、闭塞的特困村成为湘中首富村，将社情复杂的失控村建成全省文明村。

在石门村，老百姓都说，吴书记是个只讲奉献、不图回报、一身正气、两袖清风的好干部。到石门4年多来，他多方筹措资金300多万元，引回投资9000多万元。为了改善基础设施，家境并不宽裕的他带头捐了4600多元修公路、建学校、改电站、建邮电支局。他为企业办了很多实事、难事，却从没到企业要过一分钱，走南闯北都是坐火车、汽车，住最便宜的旅馆，吃最简单的盒饭，就连联系业务花费的400多元电话费都是自己掏的腰包。4年多来，他的工资几乎没给过家里，还从父亲手里借了近万元。吴奇修把全部精力都用在了石门村的发展上。

1999年，吴奇修被评为第十届中国十大杰出青年。

（共青团中央宣传部）

## 张庆伟

张庆伟，1961年生，中共党员。1982年至1985年，任航天部603所总体室副组长。1985年在西北工大攻读控制理论应用专业研究生。1988年毕业后任航天部一院一部11室设计员、主任助理、型号副总师。1994年至1999年任航天总公司一院一部主任助理、副主任，一院副院长，公司总经理助理。现任中国航天科技集团党组成员、副总经理。

张庆伟独立完成长征三号运载火箭发射亚洲一号通信卫星的星箭起旋方案分析，为中国长征火箭首次参与国际商业卫星发射的成功做了开创性的工作；在担任某航天重点型号运载火箭的副总设计师后，为运载火箭技术上新台阶作出了贡献。在发射"澳星"时，他与同事们一起在时间紧、风险大、压力大的情况下，攻克了长征二号

E捆绑火箭助推器分离和卫星整流罩分离等关键技术，为圆满完成“澳星”的发射，为长征火箭开拓国际商业发射市场作出了贡献。特别是1996年，中国航天经受了“2·15”长征三号乙火箭和“8·18”长征三号火箭两次发射卫星失败的严重挫折。张庆伟在任研究院副院长不足半年的情况下，毅然担负起长征三号甲火箭发射东方红三号通信卫星责任人和发射队队长的重任。他深感责任重大，任务完不成，将带来不可挽回的巨大经济损失和政治影响。在困难面前，他没有退缩，而是一边严格抓质量管理，一边开展思想发动工作，带领全体研制人员团结一心、负重拼搏，进行了大量的艰苦工作。1997年5月12日成功地将我国新一代通信卫星送入了预定轨道。接着，他又担负了长征三号乙火箭发射亚太二号R卫星发射队队长，与其他研制人员一起，克服长征三号乙火箭首飞失利带来的巨大压力，在现场指挥协调，夜以继日奋战32天，高质量地完成了任务。

1999年5月8日，以美国为首的北约野蛮轰炸我国驻南联盟大使馆，激起了全国人民对以美国为首的北约暴行的极大愤怒。此后不到3个星期的时间，美国以考克斯为代表的一小撮反华政客，无中生有地炮制出一份罗列中国窃取美国武器秘密的报告，再一次激怒了中国人民。此时的张庆伟正执行长征四号乙发射风云一号和实践五号卫星的任务，祖国和人民正热切期待中国航天。历史的责任感、使命感激励着张庆伟和他的同事们。祖国的荣誉、人民的期望，在张庆伟心里变成了巨大的动力，要捍卫祖国的尊严。5月12日，中国航天不负众望，张庆伟和全体参试人员不负祖国人民的厚望，发射取得圆满成功。中国航天事业的发展以无可辩驳的事实驳斥了考克斯报告的无耻谎言，中国航天将以更高的发射成功率来证实自己的实力。

张庆伟先后获得国家教委、国务院学位委员会“作出突出贡献的中国硕士学位获得者”称号；1992年获政府特殊津贴；作为主要完成人所参与的科研项目，曾获航空航天部科技进步一、二、三等奖各一项；1997年被中央国家机关评为“十杰”青年；1999年被评为第十届中国十大杰出青年。

（共青团中央宣传部）

# 张 荣

张荣，女，1964年生，河南省西峡县丁河镇北峪村农民。

张荣为支持丈夫王益在部队建功立业，以惊人的毅力，顽强地挑起家庭生活的重担，以实际行动谱写了一曲爱国拥军的赞歌。张荣结婚11年来，以超乎寻常的毅力和吃苦耐劳的精神，把一个多难的家庭操持得井井有条。王益参军时，奶奶和父母身体都有病，五个兄弟中，三个都是先天性痴呆患者，最小的弟弟在念书，她是家里惟一的壮劳力。张荣为支持丈夫参军报国，独自挑起了赡养三个多病老人、照料三个傻弟弟和操持10多亩责任田的重担。与此同时，踊跃承担乡村义务工1200多个，交公粮近万斤，歉收年还去银行贷款交公粮。1997年王益的岳父突患脑溢血去世，张荣知道丈夫忙，没有告诉他。1999年夏天，王益的父亲患肝癌，正值嫩江抗洪抢险关键时刻，张荣为不影响丈夫工作，没有告诉他。王益的父亲去世后，张荣还是没有告诉他，自己在家代丈夫处理丧事，为公公送终。张荣常说：“咱把家操持好了，王益就能安心工作。王益工作干好了，就是咱对国家、对军队的支持和贡献。”张荣用自己的实际行动和无私付出解除了丈夫的后顾之忧，使丈夫在部队1次荣立二等功，3次荣立三等功，5次受嘉奖，并多次评为优秀士兵、优秀共产党员。

张荣全家10多亩责任田，全靠张荣1人耕种操持。麦收时，张荣每天总是在凌晨2点多就下地，别人下地时，她已割下了一长垄小麦。累得实在直不起腰，只好跪在麦地里割。为使家里脱贫致富，张荣又设法发展了桃园、葡萄园和香菇棚。张荣背上50多斤重的药桶，给桃树打药，常常压得她腿肚子直打颤。种香菇时，为搭菇棚，张荣上山砍了半个多月的柴禾。张荣就是这样，用自己一双勤劳的手改善着全家人的生活。

张荣对三个患病老人十分孝敬，公公病危期间，张荣不顾农村的世俗偏见，日夜陪护在病人床前，为公公端屎倒尿，抱起放下，一直侍候到老人去世，乡亲们称赞张荣是十里八乡也难挑的好儿媳。对待三个傻兄弟，张荣像嫂子，像姐姐，更像母亲，平时帮他们穿衣、洗脚、系鞋带、剪指甲。婆婆见儿媳为了照顾三个傻儿子如此操劳，心里感到愧对张荣，竟想买老鼠药，自己和他们一起吃下去毒死算了，这事幸亏被张荣及时发现，哭着央求婆婆不能这样做。她用真诚的爱挽救了四个人的生命。

张荣有着一副热心肠，邻居杜二奶半身瘫痪，每次家人外出时，她总是主动承担起伺候老人的重任；遇到割麦等农忙时节，她在干好自家活的同时，还总帮助别人。她自己生活不宽裕，却乐于助人，慷慨济困，邻居家没钱给女儿交学费，张荣知道后，取出准备买化肥的100元钱送到邻居家。

1999年，张荣被评为第十届中国十大杰出青年。

（共青团中央宣传部）

## 李洪涛

李洪涛，1975年生，中共党员。1994年参军，是总参陆航某直升机团新兵连战士、机务大队战士、机械员，上士军衔。

李洪涛当兵四年，努力学习、刻苦钻研军事技术，自学攻下了18门直升机机务专业大学课程，练就了“一口清”、“一笔成”、“一摸准”的直升机维护绝活，掌握了一套机务排障过硬本领，撰写了16篇科技论文，完成了20项技术革新成果，总结出12条科学练兵方法。在全军陆航部队士兵中，他创下了“八个第一”，即：第一个通过岗位自学达到机务专业大学水平，第一个兼通机械、特设、无线电专业，第一个担任机务兵专业理论教员，第一个破格加入机务技术攻关专家小组，第一个在国家权威性航空刊物上发表科技论文，第一个特邀入选参加中国直升机年会，第一个走上名牌大学讲台进行学术交流，第一个被国家直升机专业学术“泰斗”收为“弟子”。李洪涛取得的显著成绩，在军内外引起强烈反响，人民称赞他是“小战士有大作为，小战士走上大讲台，小战士钻大课题，小战士有大目标”。

李洪涛在各级比武竞赛中共获得28项优胜名次，检查排除直升机各种故障和隐患40多起，所在机组保证了300多个场次的安全飞行。他先后10余次跟机执行重大军事演习和'98抗洪抢险等急难险重任务，展示了技术设计、技战合一、准确排障、快速抢险、判定假象、应急替代等六种过硬技能。1996年3月在某重大军事演习中，他提出了《为直升机空中电瓶加装自动控制提示装置设想》的技术革新方案，为攻克这一技术难题作出了主要贡献。1997年3月在执行某项重大任务中，他提出了直升机吊挂转移地面装备的战术科目合理化建议，把原来需要20分钟的准备时间缩短为3分40秒，在全军陆航部队普及推广。1998年7月在抗洪抢险中，他果断处置直升机启动机超高温险情，保证了抢险突击队紧急出动。

李洪涛不仅专业技能过硬，而且对军用直升机技术学术研究有许多独到见解，在他身上有过“五个破例”：（1）国家级专业科技刊物《航空维修》杂志破例发表他的论文，这是该杂志创刊25年来第一次发表战士论文。之后，他又有4篇论文被该刊发表。（2）陆航科技进步成果鉴定会破例对“李洪涛科技练兵法”进行评审，18位专家一致认为：这12条方法揭示了单兵科技练兵的真谛，具有普遍的指导示范作用。（3）1996年10月，李洪涛提交的《防止某型号直升机尾桨打地改进设想》的学术论文，破例入选第12届中国直升机年会，并受到一致好评。（4）外国专家破例会晤中国士兵。（5）我国直升机专业学术“泰斗”，南京航空航天大学王适存教授破例收下李洪涛为“关门弟子”。

1999年，李洪涛被评为第十届中国十大杰出青年。

（共青团中央宣传部）

## 侯新民

侯新民，1975年生，中共党员。1991年起在家自办兽医门诊部。1996年至今，任金钟乡斜坡村团支部书记，创办斜坡希望小学。现任斜坡希望小学校长。

侯新民的家乡漳县金钟乡斜坡村，位于素有“定西瘠苦甲天下”之称的甘肃省定西地区，村民生活十分困难，原来连一所小学也没有。

早在1955年斜坡社就开始创办学校，那时是政府出钱建校，调派教师上课，但严酷的自然条件让教师走马灯似地一个个离去。学校建了散，散了建，建了再散，先后折腾了12次，最终的结论是：“条件艰苦，无法建校”。1991年，侯新民从漳县职业中学毕业，在家乡当上了兽医。行医过程中，他痛感村民们因为没有文化，愚昧落后丧失了很多致富机会，那些失学儿童则只能在山坡上和牛羊为伍。这一切深深地刺痛了他的心。于是，他做了一个调查，发现本村上、下斜坡两社，7—14岁的适龄儿童入学率仅为27%，而青壮年文盲率竟在80%以上。这时已经担任团支部书记的侯新民，便萌生了创建学校、义务教书、扫除文盲、消灭贫困的念头。经过东奔西跑，借下三间民房，发动20余名团员进行维修，自制了木黑板，砌起了几个土台，从家里拿来了木板搭起当课桌。不计一分报酬、不计一分学杂费的“斜坡希望小学”终于在1996年8月26日开学了，55个小猪倌、小羊倌，终于背起书包，走进课堂，连邻县的7名藏族儿童也闻讯赶来念书。

孩子们都上学了，可是没钱买课本和作业本。他白天教孩子们识字，口里念、地上划，晚上写信与县城小学联系，结成“手拉手”对子，找来了很多城里孩子用过的旧课本，他还带学生们星期天上山采药，用卖药换来的钱为他们买作业本。时间一长，借的民房裂缝越来越大，相当危险。他又开始四处奔波，求助县城里的单位捐出一些旧门窗、旧瓦，自己把家里用来修房的几根檩子和几十块木板拿了出来。他的行动打动了村民，村民开始捐物出力，终于在1997年建起了五间土木结构校舍。而后在党和政府的支持下，1998年补修三间，1999年又建了五间平房。学生也从55名发展到目前的91名，教师队伍中又多了3个义务教学的团支部委员。

在办好“斜坡希望小学”的同时，侯新民与其他团支部成员创办了“女子扫盲班”、“团员扫盲班”和“青少年夜校”，建立了“斜坡村扫盲科技学校”。为使团组织成为农村脱贫的骨干力量，组织建立了“青年信箱”、“青年科技服务部”，开展科技、普法、婚育讲座，带头开发实体并带动村民种植地膜药材。在上级组织帮助下，希望书库、兽医服务站、医疗室都先后创建起来。

在侯新民的努力下，斜坡希望小学在全县统考中三次名列第一；92人脱盲；30人掌握了1—2门实用技术。侯新民先后获得“国际青少年消除贫困提名奖”、“全国希望工程园丁奖”、“甘肃青年‘五四’奖章”等荣誉；1999年他被评为第十届中国十大杰出青年。

（共青团中央宣传部）

# 中国青年五四奖章获得者

（由共青团中央、全国青联授予）

## 秦文贵

（详见第519页）

## 杨元庆

杨元庆，1964年生，中共党员，硕士研究生。现任联想集团高级副总裁兼联想电脑公司总经理。

杨元庆毕业后，进入联想集团工作。1993年，国外计算机厂商大举进军中国市场，我国年轻的计算机工业面临严峻的生存考验。杨元庆临危受命，出任联想微机事业部总经理。上任伊始，他力排众议，进行改革。一是调整组织结构。将微机事业部从20多个部门缩编为5个部门，人员精简一半多，建立了以市场为龙头，产、供、销一条龙的管理机制。二是由直销转向分销。他跑遍了全国各地，理顺销售关系，建立了一支荣辱与共的代理商队伍，形成了能够适应市场发展的营销网络。三是转变经营理念。立足"联结世界、着想中国"的产品策略，推出"联想1+1电脑"，使电脑走入千家万户。同时，他正确把握商机，抓住国际上计算机零部件降价快，本土厂商拥有贴近市场、反应迅速的优势，发动了"万元奔腾"行动，连续4次大幅度降低电脑价格，把洋电脑打落下马。1997年联想电脑销售量达50万台，夺取了中国电脑市场的桂冠；1998年产销量76万台，进入亚太市场前三名，其中家用电脑名列亚太第一。江泽民主席出访俄罗斯时，将昭阳笔记本电脑作为中国信息产业的代表产品，赠送给新西伯利亚科学城。

为了使中国人不仅用得起电脑，而且用得好电脑，杨元庆提出了"功能和应用"的理念，强调联想电脑要联结世界、着想中国。联想在主流机型上全面预装Window，并推出了"无线办公系统"解决案、"幸福之家"场景式功能操作环境、中小企业商贸管理系统"商博士"，开发了证券、教育、公安、税务等专用电脑；顺应Internet的大潮，联想先后推出了网络接入装置、网络服务器、Web服务器等一系列产品，着力帮助中国用户由单机应用向网络应用转变。

杨元庆十分注意学习国外的先进管理经验和市场运作方法。他借鉴国外先进的生产管理技术，建立健全了订单系统、预测系统、质量保障体系、供应商评价系统等一系列的生产管理体制；在国内信息厂商中率先通过ISO9001质量体系认证。根据零库存直销生产模式，他独创了安全库存结合按订单生产的模式，使生产成本大大下降。

杨元庆曾被评为"跨世纪青年科技创业英才"，中科院"有突出贡献的中青年专家"，北京市"优秀青年知识分子"；荣获第二届"中国优秀青年科技创业奖"；1999年，团中央、全国青联授予他"中国青年五四奖章"。

（共青团中央宣传部）

# 胡万毅

胡万毅，1959年生，中共党员，大学。现任铁道部第16工程局总工程师兼地下工程指挥部指挥长。

胡万毅依靠科技创新，为我国繁华大都市地铁修建闯出了一条新路。1988年北京地铁西单站工程开始招标。车站位于繁华的西单路口，地面上南北两侧高楼林立，地下管网密布，车站工程最大跨度26.14米，覆盖厚度仅有6米，属超浅埋大跨度地下结构，不仅在国内尚无先例，就是在国外也极其罕见。参加西单站设计论证的美国、西德专家认为，中国目前还没有建设如此规模工程的施工技术。参加工程投标的胡万毅，在一批老专家指导支持下，通过上百次的设计论证，大胆指出"大跨度浅埋暗挖双眼镜法"施工方案，把隧道施工的"新奥法"、"单眼镜法"和地铁施工的"浅埋暗挖法"，以及房建临时支撑技术的优点综合运用，变大跨度开挖为小跨度分步开挖，在竞争中一举中标，并按期优质设计建成了西单地铁车站。

1996年，胡万毅担负了长安街地下过街通道施工技术的研究设计任务，大胆提出了"超浅埋暗挖通道施工技术方案"，在通道施工中创造了覆盖层80厘米、地面正常行车的暗挖施工世界纪录。此外，他先后运用的"深基坑软弱围岩开挖与支撑技术"、"城市软弱围岩深基础开挖及防水综合技术"，填补了我国地下工程技术的空白。

胡万毅狠抓施工队伍的科技素质，主持制定了指挥部《"八五"后三年队伍建设规划》，先后选送30名大学毕业生到科研院所深造，聘请了近20位国内地下工程技术专家作为技术顾问。他还下大力气提高科技装备水平，几年中，先后购置了近4000万元的工程配套机械设备，使机械化施工水平达到90%以上，迅速实现了企业向技术和资金密集型的转变，提高了竞争实力。六年来，胡万毅率领的地下工程指挥部，年施工能力由刚组建时的不到5000万元，发展到1.2亿元，人均产值由1992年的44万元，增长到1997年的超百万元。

参加工作20年，胡万毅始终保持深入现场、扎实细致的工作作风。1995年初，上海地铁江苏路站基础开挖已深达十几米，连日大雨，使下到基坑施工的职工产生了畏难情绪，胡万毅下到基坑，站在冰冷的泥水里，边勘察设计、边指挥施工，一干就是20多天，大年三十都是在基坑里度过的。

胡万毅曾荣获“中国杰出青年创业奖”、“铁道部科技拔尖人才”称号；1999年，团中央、全国青联授予他“中国青年五四奖章”。

（共青团中央宣传部）

# 郭 雷

郭雷，1961年生，博士研究生。现任中国科学院系统科学研究所所长。

郭雷从事的控制科学是一门高度综合的交叉学科，处于数学、计算机科学和工程技术科学相互作用的前沿。研究生二年级时，他在导师的指导下，创造性地直接研究随机矩阵的无穷乘积，在国际上首次证明了非“持续激励”情形下随机梯度算法的收敛性，此成果至今仍处于国际领先水平。研究生期间，郭雷与导师合作完成了近20篇论文，发表在国内外核心学术刊物上，其中科研项目“动态系统的辨识与适应控制”获得1987年国家自然科学三等奖。一些成果被选入美国“控制与动态系统进展”系列专著中，他们提出的“衰减激励”方法被认为是使估计与控制同时达到最优的“强有力方法”。

郭雷无论是在异国他乡作博士后，还是在国内从事研究，始终刻苦攻关，勇攀科学高峰，先后取得了多项重要成果。1990年，他的《关于利用Kalman滤波器估计时变参数》的论文，首先解决了一般非平稳随机情形下，对系统内部不断变化的未知参数进行估计时的稳定性问题；1993年，他解决了自动控制领域“自校正调节器的稳定性与收敛性”这一被国际学术界公认的“长期以来自适应控制领域的中心课题”；1995年，他解决了“非最小相位随机系统的适应控制”这又一国际著名难题，并建立了3个最基本的参数跟踪算法的一般性严格理论；1997年，他发现了自适应非线性控制的临界稳定现象，他主持的“自适应估计与控制的基础理论”科技攻关项目获得国家自然科学三等奖。

近年来，郭雷先后发表专著2部，论文70余篇，得到国内外同行的高度评价。他因对自适应控制和系统辨识领域的三个关键的基本理论问题作出了突破性贡献，当选为国际上最大的专业学术组织——美国电子与电气工程师协会（IEEE）的会士（Fellow），这是该协会颁发的最有声望的荣誉之一。

科学研究是一项神圣而艰辛的事业，郭雷深感在目前我们国家经济还不发达的情况下，从事基础科学研究不仅要有满腔热情，而且要有艰苦奋斗的精神。1987年，他在澳大利亚作博士后时，在校方安排的公寓住了不到两个月就搬了出来，住进了学生宿舍。回国前，他用节省下来的钱买了计算机和专业资料；回国后的相当长一段时间他与6位研究人员挤在一间小房子里办公。全家三口挤在12平方米的小屋里，雨天，比门还低一截的小屋成了蓄水池。在这样的条件下，他解决了“Astrom – Wittenmark 自校正调节器的稳定性”这一国际控制界20年来未能解决的难题。

郭雷曾荣获“中国青年科学家奖”；被评为“中国十大杰出青年”、“中青年有突出贡献专家”；1993年，他荣获国际自动控制联合会颁发的“青年作者奖”是迄今为止该奖得主中惟一的中国人；1999年，团中央、全国青联授予他“中国青年五四奖章”。

（共青团中央宣传部）

# 陈　飞

陈飞，1963年生，中共党员，硕士研究生。现任葛洲坝水利水电工程集团公司三峡工程施工指挥部指挥长、党委书记，葛洲坝水利水电工程集团公司副总经理。

陈飞1986年到葛洲坝集团公司后，就在施工一线工作，先后参加了葛洲坝二期工程、广西岩滩电站、湖北保康马桥电站和三峡工程的建设。1997年8月，陈飞担任三峡右岸中堡岛纵向围堰的项目经理，这是三峡一期工程的关键项目。他带领以青年为主体的500多名职工组成青年突击队，树起青年工程的大牌子，每天工作10多个小时，基本没有休息日，完成了565米围堰填筑任务，超额填筑90米，并主动承担了最难的茅坪溪箱涵渐变段和进水口的浇灌任务，夺得了同期三峡工程施工的十个第一，两次综合测评第一，公司荣立一等功，他个人荣立特等功。1994年江泽民总书记视察三峡工程时称赞："你们搞青年工程，这很好，青年是祖国的未来，要有志气把三峡工程建设好。"

在指挥长江截流现场施工期间，陈飞组织技术班子，反复研究方案。1997年10月，组织1000多台大型施工设备进行了两次截流模拟演习。11月8日下午3:30，仅用了6小时30分按时截流，创造了水深（60多米）、流量（8300～11600立方米/秒）、日抛投量（19.4万立方米）、小时抛投量（1.71万立方米）的四个世界第一。

1998年5月，他担任葛洲坝集团公司三峡工程施工指挥部指挥长后，面临较为严峻的形势，仅1998年上半年，指挥部所属单位就亏损9161万元，在银行共贷款14亿元。面临着困境，他实行了大刀阔斧的改革。对下属16个公司实行了"成本封闭"管理，建立了一整套责权利明确的管理机制，取得了很好的成效。1998年，指挥部实现产值11.75亿元，比原计划8亿元多出3.75亿元，占集团总产值的45%；16个下属公司全部扭亏为盈，总盈利3.3亿元。半年中，指挥部不仅没有到银行贷一分钱，而且还贷3.6亿元。

作为一名从事技术工作出身的管理者，陈飞具有很强的科技创新意识。由他担任课题组长的三峡工程混凝土纵向围堰强风化层开挖中的光面爆破、深槽开挖中的深孔预裂爆破、保护层开挖爆破中的柔性垫层技术和水平预裂爆破技术的应用研究，均取得了重要成果，大大加快了施工进度，并已在三峡工程中推广应用。作为截流现场施工主管的他与技术人员认真学习和借鉴国外先进技术，采用了卫星定位等世界先进技术成果，确保了大江优质安全合龙。大江截流技术获电力部特等奖，被两院院士评定为当年国内十大科技成果；获"电力总公司三峡长江截流关键技术与工程实践电力科技一等奖"。

陈飞曾被评为"湖北省新长征突击手标兵"、"三峡工程优秀建设者"；1999年，团中央、全国青联授予他"中国青年五四奖章"。

（共青团中央宣传部）

# 郭广昌

郭广昌，1967年生，民盟盟员，大学。现任上海复星高科技（集团）有限公司董事长、总经理。

1989年郭广昌从上海复旦大学毕业后，留校工作。他深深地认识到将科技转化为现实生产力的重要性，决心走出一条高科技创业之路。1992年，郭广昌"下海"创业，他和同伴们选定以开发治疗与中国人相关的疑难杂症的基因工程新药作为主攻方向。经过6年的努力，复星集团先后研制开发了链激酶、克隆伽玛、克隆怡宝等一系列基因工程新药，成为国家一、二类基因工程新药和检测产品生产权证最多的企业，多数产品已达到国内和国际先进水平。其中核酸检测产品已成功开发出肿瘤诊断、肝炎传染病检测、优生优育等六大系列78种产品，技术水平处于国际领先地位。链激酶是迄今为止中国惟一获得国际专利的首创新药，被列为1998年中国医药科技十大成果之一。

郭广昌提出“科教兴医”、“科教兴院”的营销宗旨，创造性地实施高科技“技术+产品”的捆绑式输出的营销策略。复星集团采取与医院合作、赠送配套使用的诊断仪器等联建形式，开辟了广阔的产品市场，先后与上海华山医院、北京中日友好医院等大医院建立了合作关系，在全国300多家中心医院设立了基因诊断中心。以此为依托，成功地建立了具有复星特色的市场营销手段和销售网络，形成了稳定的产品用户市场和良好的售后服务体系。他依靠科技创业，历经六载，创建了总资产11亿元的上市高科技集团公司，被誉为“上海的彼尔·盖茨”。

郭广昌倡导营造积极向上、团结协作的企业文化，构建了一套“以发展吸引人、以事业凝聚人、以工作培养人、以业绩考核人”的用人制度，使每个人都在复星的“长河”中找到自己汇入的位置。他注重人才培养，建立了复星集团人才培训中心，日常化、系统化的企业人才培养工作已逐步展开。“要比竞争对手学得更快”已成为复星员工中最响亮的口号和自觉行动。复星集团员工中大学本科以上学历占85%，其中硕士、博士占15%；近200名经理全都是大学以上学历，平均年龄29岁。

郭广昌深知创业的艰辛，更感节俭创业、服务国家、社会的责任。1996年开始，他带领企业参与了一系列国有企业的股份制改造的服务工作，用民营企业的机制激活国有企业的存量资金，成为国有企业和民营企业共同发展的“助推器”。他先后倡导设立了“复星—大华百万科教发展基金”、“复星—曹家渡街道百万扶贫帮困基金”、“复星—普陀百万科教发展基金”等，奖励优秀教师和学生，向返沪知青子女的入学深造和困难家庭伸出援助之手，献上爱心。

郭广昌曾荣获“全国优秀民营企业家”、上海市“劳动模范”、“中国十大杰出青年”称号；1999年，团中央、全国青联授予他“中国青年五四奖章”。

（共青团中央宣传部）

# 刘汝山

刘汝山，1961年生，中共党员，大学，高级工程师。现任胜利石油管理局钻井工程技术公司经理。

刘汝山先后参与和组织了国家“七五”、“八五”、“九五”重点科研课题的攻关研究，取得了一系列重大突破。他完成了解决128等一批创国际石油钻井纪录的高难度水平井；共11次创造和刷新全国石油钻井纪录；获得国家科技进步一等奖和省部级科技进步奖、科技推广成果奖10多项；推广应用多目标井，丛式井1600余口，节约钻井成本18.91亿元，推广应用水平井技术，新增产值达17.42亿元。胜利油田钻井技术实现了由钻常规井到钻各类定向井、多目标井和丛式井、水平井的飞速跨跃，使得我国水平井、定向井技术达到了90年代国际先进水平。他发扬新时期的“铁人”精神，在自己从事的石油钻井技术领域刻苦钻研、孜孜不倦。1989年，他承担了“八五”重点科研项目——水平井钻井技术攻关任务，并重点负责我国第一口勘探水平井埕科1号的前期考察设计工作。在他的努力下，1991年1月13日，我国第一口先导性科学试验水平探井顺利完钻，探明油层21层，并创造了当时水平段505米的国内最长纪录。他还参与和指导了28口水平井的钻井施工，其中胜利水平2井水平段长901米，再创全国纪录，取得相当于打10口直探井的经济效益，节约钻井投资740万元。这也是我国目前惟一的一井双探多目标井，创水平段下油层套管最长的世界纪录。

刘汝山时刻把党和人民的利益放在第一位。1985年，他承担了辛11—74多目标定向井技术研究攻关任务，在没有任何资料可供借鉴的情况下，大胆设计、敢于创新，自行完成了设计任务。就在这口井处于紧张施工阶段时，接连收到父亲病危和病故的电报，他强忍悲痛，一直坚持在钻井第一线。这口井是胜利油田第一口多目标定向井，取得了相当于4口直井的经济效益，国家节约钻井投资194万元，被当时的石油部长康世恩命名为“聪明井”，荣获了国家科技进步三等奖。

刘汝山带领技术公司，面对市场日益激烈的竞争，采取科学、严格的管理措施，努力开拓国内、国际钻井市场，先后为新疆、大港、青海等国内16个油田提供技术服务，并与法玛斯特、阿吉普等多家国际知名公司进行了成功的技术合作与交流，业务往来已扩展到新加坡、泰国、马来西亚等国家。

刘汝山曾被授予“山东五四青年奖章”、“第三届中国杰出青年科技创业奖”等荣誉；1999年，团中央、全国青联授予他“中国青年五四奖章”。

（共青团中央宣传部）

## 刘　明

刘明，1964年生，中共党员，双学士，特级飞行员。现任中国人民解放军空军某飞行试验训练中心副团长。

1983年，刘明从西北工业大学毕业后应招入伍，成为我军首批大学生飞行学员，在航校期间，他刻苦学习航空理论和飞行技术，很快成长为同批学员中的尖子飞行员，并作为“种子”飞行员被选调到空军某飞行试验训练中心，从事新战机战术技术和高难新飞行课目试飞带教工作。由于刘明理论水平高、飞行技术好、反应敏捷，在科研试飞中，经常提出独到的见解和有价值的意见，引起了航空界人士的关注。

着眼于未来军事发展，刘明所在团陆续装备了各种新型战机。刘明认识到，有了新武器新装备，并不意味着战斗力应运而生，只有实现人与武器的最佳结合，才是战斗力的最佳体现；未来主宰战斗机操纵控制和航空电子系统的必将是计算机。早在1991年，他就自费购买了电脑，边学边应用，每次飞行结束，第一件事就是把当天飞行的感受输入电脑。现在，刘明不仅用电脑撰写论文、分析飞行数据，而且用电脑制作了多媒体软件，建起了现代空战研究资料库和国外先进航空装备发展信息库。经过十五载风雨荡涤，十五度蓝天磨砺，他已成为空军少有的能熟练驾驶国产所有机种15个机型歼击机的“智能型”特级飞行员，并先后翻译科研资料20多万字，编写教材和战法80多万字，发表学术论文20多篇。

刘明先后80多次参与新武器、新课目、新战法试验飞行，凭着高超的技艺和非凡的胆略，多次战胜空中险情。1995年4月22日，他执行某型歼击机转场试飞任务，飞机升至8000米高空时，突然断电，仪表失灵，通讯中断。按规定，遇到这种情况，飞行员可以跳伞，但刘明想到的不是个人安危，而是挽救飞机，保护科研数据。根据时间判断，此时油量可供飞机在空中活动的时间不足20分钟，而飞机所处位置他全然不知。他冷静地驾着半失控的飞机，果断穿云下降，10分钟后，终于找到了机场。由于失去仪表指示和地面引导，加之飞机操作不灵，两次试降都没有成功。他预感到飞机油料已经不允许再盘旋了，大胆实施小航线着陆，把平时五六分钟才能降落地面的过程，缩短到不足两分钟，在短短的瞬时完成了上百个动作，终于驾机安全着陆，不仅保住了价格昂贵的新型战机，更重要的是为该型机的改进定型提供了极为宝贵的依据。

刘明先后被空军评为“先进青年”、“学雷锋标兵”、“优秀飞行员标兵”；荣立二等功2次、三等功5次；1999年，团中央、全国青联授予他“中国青年五四奖章”。

（共青团中央宣传部）

## 公方彬

公方彬，1962年生，中共党员，大学。现任中国人民解放军军事科学院战役战术研究部副团职研究员。

公方彬多年从事思想政治工作理论研究，科研成果突出。当战士时，努力探索新时期基层思想政治工作的特点、规律，发表了许多很有价值的研究文章，并满腔热情地关心和帮助战友的成长进步，成为全军有影响的“思想工作骨干典型”。1985年至1987年，他在西安政治学院学习期间，利用2个假期自费到52所高校和100个基层连队进行调查，撰写的调查报告在《解放军报》连载后，引起了反响，受到学校的表彰。1987年8月调到军事科学院专门从事政工研究以来，他热爱本职、献身科研、辛勤笔耕，先后独立和参与完成军委、总部和军事科学院赋予的研究课题32项，有21项分别获得了全军、军事科学院和其他有关学术机构的奖励。他还参与了1991年、1995年两代《中国人民解放军政治工作条例》的修改，参与了《中国人民解放军联合战役纲要》的起草；出版了《困惑与选择》、《人生的省悟》等个人专著6部；主编和参编图书7部（套），计78种，其中包括与邵华泽、刘吉、李燕杰共同主编，计划出版500种，现已完成60种的《中国当代思想教育艺术精华丛书》等；发表研究文章100多篇，其中数十篇获奖；个人完成文字总量达200多万字。他积极参与社会学术活动，1989年、1990年先后荣获中华教育艺术研究会“理论研究与教育实践铸魂金杯奖”和“教育艺术研究与实践创新奖”。

公方彬自觉实践我党我军全心全意为人民服务的宗旨，担任了11所学校的校外辅导员，对军地许多慕名而来的研究生和理论工作者予以热情帮助，无私地贡献自己的研究成果，向他们赠送图书资料近千册。他长期坚持扶贫帮困。入伍不久，他就开始从为数很少的津贴费中挤出一些钱来资助驻地的贫困学生，特别是1992年以来，他开始了有计划的长期捐资助学的行动。他先后与山东、河北、四川、甘肃、江西和重庆等8个省市的121名贫困学生建立了联系，资助金额达94000多元。此外，他还资助战友和社会贫困者15000多元，向学校、部队、社会捐赠图书2000多册，价值10000多元。据不完全统计，公方彬在入伍18年中，先后拿出12万元用于帮助他人。他资助的学生已有23人考入包括北京大学在内的大中专院校。

公方彬先后荣立一等功2次、三等功2次，受嘉奖14次，被广州军区授予“模范思想工作骨干”荣誉称号，获二级英雄模范奖章；2次被军事科学院和战役战术研究部评为“优秀共产党员”；1998年，中共军事科学院委员会作出《关于开展向公方彬同志学习活动的决定》；1999年，团中央、全国青联授予他“中国青年五四奖章”。

（共青团中央宣传部）

## 方 红 霄

（详见第533页）

## 张 绍 新

张绍新，1963年生，中共党员，大专。现任广东省公安厅刑侦局科长。

作为战斗在反严重暴力一线的公安干警，张绍新面对的是最穷凶极恶、嚣张狡诈的犯罪分子。他英勇无畏，技高胆大，屡破大案，建立奇功，令犯罪分子闻名丧胆。1998年初，根据公安部的指示，省公安厅成立了侦查张子强犯罪团伙专案指挥部，张绍新被抽调到专案指挥部，具体负责外线侦查工作，同组织严密、凶残狡诈的香港黑社会歹徒斗智斗勇。他冒着生命危险，先后亲手抓获张子强等6名团伙主要成员，为全面捣毁这一震惊海内外的犯罪团伙奠定了坚实的基础，受到公安部和广东省公安厅领导的高度赞扬，为中国警察赢得了赞誉。近年来，他和战友们成功地破获了一系列震惊中外的重大案件：中山“东星”轮千万港元大劫案、深圳宝安系列杀人抢劫车案、番禺“12·22”持枪杀人抢劫银行解款车1500多万元特大案、中山“4·15”持枪杀人抢劫案，以及号称“粤东第一案”的普宁“5·19”持枪杀人案。

张绍新在以身作则的同时，从严治警，狠抓队伍建设。他平时经常组织大家学习法律、法规和政策，开展热爱本职工作的职业道德教育，不断加强全科同志全心全意为人民服务的公仆意识和依法办案的法制意识，使这个集体政治立场坚定、纪律严明，具有很强的战斗力，成为招之即来、来之能战、战之能胜的“尖刀”和依法行使职权、严格依法办事的表率，被誉为“直插严重暴力犯罪分子心脏的尖刀”。1995年以来，全科立集体一等功4次、集体二等功2次；1997年度被授予广东省“青年文明号”称号。

自从事反暴事业以来，在张绍新的脑海中，从来就没有节假日的概念，无论是在休息时，还是在饭桌前，只要一接到工作电话，他就会立即出发，从不耽误。在侦破一起特大案的关键时候，妻子住院动手术，他只是在手术单上签了个字，就一狠心，含着眼泪转身投入到工作中。在侦办“6·13”案件、追捕逃犯期间，正碰上女儿发高烧，他却近一个月没有回家，为了工作的需要，他只能将对女儿的爱埋在心里，坚守在工作岗位上。每当有空去幼儿园接女儿或带孩子散步时，他总是把孩子抱在怀里，总想通过各种方式加倍弥补对女儿的爱。每一次在执行重大任务离开家门时，他都情不自禁地回头看看送他出来的妻子，因为这也许将是与家人的永诀，可是为了更多人的安宁，他必须出发，必须去面对种种的危险和困难，甚至是付出自己的生命。

张绍新曾先后荣立二等功3次、三等功5次、1998年被评为“广东省十大杰出青年”。1999年，团中央、全国青联授予他“中国青年五四奖章”。

（共青团中央宣传部）

# 王玉荣

王玉荣，女，1961年生，中共党员，大专。现任河南省郑州市公安局火车站分局侦察员。

王玉荣热爱本职工作，以踏踏实实的工作作风、英勇顽强的战斗意志、快速高效的工作效率，使违法犯罪分子望而生畏。1992年夏季，她所在的车站地区连续发生绑架少女案件，她主动请缨，在广场附近化妆守候三天三夜，终于引出了犯罪分子并将他们一网打尽。1996年12月18日，郑州市国棉五厂发生一起特大劫持人质案，一歹徒持炸药包劫持了该厂幼儿园的28名幼儿和2名教师，索要50万元人民币，否则将引爆炸药，与人质同归于尽。案件牵动着省领导和无数人的心。王玉荣临危受命，冒着生命危险，沉着冷静地与歹徒斗智斗勇，终于将其当场击毙，救出了所有人质，保护了人民群众生命财产的安全。江泽民总书记得知此案后，极为重视，亲自批示。当时的国务院秘书长罗干亲自与郑州市公安局领导联系，在听取了详细汇报后批示：干警王玉荣有勇有谋，不怕牺牲的忘我精神，使28名幼儿和2名老师获救，值得我们学习，请公安部门以适当的方式给予嘉奖。

王玉荣在日常工作中兢兢业业、勤廉为警、作风严谨，以共产党员的标准严格要求自己。9年来，她拒收的现金和金项链、戒指等物品折款达10多万元。她出身贫寒，生活并不富裕，但她深深知道自己的进步与成绩的取得，离不开党的培养和人民的厚爱。她毫不犹豫地将公安部和市委、市政府奖励的2万元人民币全部捐献给了希望工程。她时刻牢记全心全意为人民服务的宗旨，对人民群众赤诚相待、满腔热情，只要群众有难，她都尽力帮助。有一次，她发现一位从人贩子手中逃脱的四川姑娘身无分文、走投无路，就把她领到自己办公室，拿出自己的衣服，买来新鞋让她穿上，并为她安排好住处，第二天又买好车票送姑娘回四川。作为人民警察，她还利用工作之余，积极做好失足青年的帮教工作，经她帮教的10多名失足青年都走向了新生。

王玉荣在自己平凡的工作岗位上勤勤恳恳、任劳任怨、不怕牺牲、无私奉献，做出了突出的成绩。在她身上集中体现了公安干警对党的忠诚，对人民的热爱。王玉荣先后被授予全国公安系统“一级英雄模范”、河南省“劳动模范”和“全国杰出青年卫士”等称号；1999年，团中央、全国青联授予她“中国青年五四奖章”。

（共青团中央宣传部）

## 王新全

王新全，1964年生，中共党员，大专。现任中国远洋运输（集团）总公司轮机长。

1986年，王新全以优异成绩从集美航海专科学校毕业，被分配到远洋运输船上工作。参加工作12年，有近9年的时间是在远航中度过的，12个春节，他在船上过了7个，用10年时间完成了一般人需要15年才能完成的工作量；航迹所及50多个国家近百个港口，累计航行40多万海里，相当于绕地球20多周，为国家安全承运了价值200多亿元人民币的进出口货物。他刻苦钻研，并在工作实践中不断进行技术革新，解决了上千个生产难题，创造直接经济效益3000多万元。十几年来，他从实习生做起，由最普通的轮机工到三管轮、二管轮、大管轮，一步一个脚印，成长为我国目前现代化程度最高的5250集装箱船舶轮机长，也是目前世界上同类型船舶中最年轻的轮机长之一。

长期的航海工作，使王新全深深感到，一个好的船员，仅靠能吃苦流汗是不够的，还必须用科学知识武装自己。十几年来，他以“打铁必须自身硬”为信条，主动迎接新技术的挑战，由一名普通轮机员迅速成长为解决船舶故障的行家里手。1993年，他在花园口轮的一次吊缸检修中，发现安装活塞连杆组件时既费力又费时，稍不注意，就要碰坏连杆固定螺栓，造成返工，成为同类船舶在吊缸检修时速度提不高甚至造成工伤事故的主要原因。为解决这一问题，他反复琢磨，苦苦思索，发明了一套主机吊缸检修用的导向工具，使连杆螺栓在安装过程中不受损伤，大大提高了安装质量和速度，使原来要用20多个小时完成的工作，减少到7个小时以内。

王新全注重积累经验，不管是学术书籍上的资料，还是工作中解决问题的心得，他总是细心地记录下来，十几年来，他用过的笔记本有100多个，积累了上千万字的技术资料。在此基础上，他先后撰写并发表了122篇论文，编著、翻译或与他人合作出版了《滚装船艉门艉跳液压系统管理》、《船舶柴油机微机监测与操作技术》、《船舶维修保养与故障诊断》等专著。

远洋航行是艰苦的，经济待遇也不高，但王新全无怨无悔。他深刻地认识到国有大型企业在振兴民族经济、提高国力中的重要作用，深深地感到中国工人阶级的神圣使命。十几年来，他婉言谢绝了同学要他改行的邀请和国外著名航运企业的高薪聘请，矢志献身于中国远洋事业。

王新全先后荣获全国“五一”劳动奖章、上海市劳动模范等称号；1999年，团中央、全国青联授予他“中国青年五四奖章”。

（共青团中央宣传部）

## 邱汝舜

邱汝舜，1965年生，中共党员，高中。现任天津百货大楼股份有限公司电讯商场进口音响部主任。

1983年，邱汝舜高中毕业后走上了百货大楼科学仪器组的柜台。作为一名商业战线的新兵，他坚持“干中学、学中干”，不断丰富和提高自己的业务技能，苦练“高、广、快、准、精”的服务绝技，成为能够熟练地调试、操作、安装、维修各种家用和办公电器的商业服务多面手。为了企业的增收节支、更好地为顾客服务，他连续几年放弃公休时间，维修库存残机。经他维修的彩电、录放像机、音响近万台，为商场节约维修费43.5万元，多创销货1853万元，赢利159.71万元，使“死商品”变为“活资金”。他还潜心钻研，取得了多项技术成果，攻克了被权威专家认定不可能做到的通过简捷调改的方法，使日立2005型彩电适应NTSC制式节目播放的难题，成功地找到了只需加装几个元件即可解决问题的简便易行的办法。其独到的技术、精巧的构思受到有关专家的赞赏，得到广大消费者的好评。

邱汝舜精心揣摩顾客心理，研究商业服务的发展方向，总结摸索出一套以“技能服务、亲情服务、延伸服务”为特点的商业服务模式，诚心诚意地为顾客行方便、办实事，以服务促销售，让顾客买了放心、用了称心。有位顾客想买一台价值2000元的先锋音响，说它具有多极菜单的选择功能，当时市场上供大于求，卖出去一台不容易。他却告诉顾客，这种型号的音响是一种改制机器，只有两极选择功能，需慎重选定。顾客半信半疑，转了其他两个商场后回来找他，与他商量买了一台索尼4500音响满意而去。

邱汝舜积极探求营销策略，将其负责的“全国青年文明号”部组，当做实践文明经商的载体，搏击商海的效益岗。他确立“一新、二快、三抢点”的经营思路，实现了3天往返广州组货上柜的最快速度，创造了购买音响预交货款的罕见记录。在市场竞争白热化的情况下，他摸准市场，致力开发前卫经营；他瞄准了在国内崭露头角的几大知名合资品牌机，以价格优势和完善便捷的售后服务，迅速赢得了广大消费者的青睐。同时，联合日本索尼公司开展了索尼视碟新产品展示会，发挥了市场的先导性，有效地增强了竞争力，月均销售额达八九十万元，始终保持着同行业销售的领先水平。近5年来，他所负责的进口音响部，由原来的年售货200多万元、利润十几万元，上升到年售货1155万元、利润84.13万元，在国有大中型商场效益普遍滑坡的情况下，出色地完成了销售和利润指标，连续三届保持“全国青年文明号”称号。

邱汝舜先后荣获全国“五一”劳动奖章、天津市特等劳动模范，成为天津市商业系统的一面旗帜；1999年，团中央、全国青联授予他“中国青年五四奖章”。

（共青团中央宣传部）

## 秦英林

秦英林，1965年生，中共党员，大学。现任河南牧原养殖有限公司总经理。

秦英林大学毕业后毅然放弃较为舒适的城市生活，辞掉“铁饭碗”。回到家乡农村，白手起家，养猪致富，走出了一条艰苦创业的路子。他起步的资金只有262元，只好把弟弟用于盖房的钱拿出来，又找亲戚朋友东挪西借，终于凑够了钱，开始了养猪生产。为了工作方便，他吃住在养猪场，和工人们一起喂猪、挑粪。有时为给猪做直肠截除手术，他就用手指把猪粪一点一点往外抠。夏天，养猪场的蚊虫多，经常被蚊虫咬得无处可躲，他就索性穿上长衣长裤，在近40度的高温下坚持工作。就这样，凭着不屈不挠、不怕吃苦的精神，使养猪场日益红火起来。

秦英林把先进的科研成果、新技术和管理方法应用到养猪的生产中，走出了一条科技致富的成功之路。他在建场伊始就制定了一套严密的防疫制度，实行封闭式饲养，解决了温和型猪瘟、伪狂犬病和继发性链球菌、大肠杆菌等疾病的防治难题，使育肥猪成活率达99%以上。在饲料配制上，综合了国内外先进的经验和技术，建立了一套高效率的营养体系。猪舍采用国内独一无二的双级砖拱结构，并改造了母猪网床采暖系统，攻克了冬季养猪育仔的难关。为了提高职工的业务素质，他利用业余时间，每周给职工讲3次课，还定期选送职工到南阳农校、郑州牧专、河南农大等高校接受培训。正是依靠先进的科学技术和管理，秦英林养猪场的窝均断奶猪数、育肥猪料肉比等主要指标，居于国内领先水平，每头猪的利润是其他养猪场的两倍。经过5年的努力，秦英林建成了一个拥有职工65人、总资产达1400万元、利税340万元的现代化大型养猪场。

秦英林致富不忘社会、不忘他人，为了帮助乡亲们共同致富，他大力推广经济价值高、市场销路好的瘦肉型猪。为此，义务兴办养猪培训班43期，培训技术人员1200余人；无偿发放饲料配方和防疫程序资料3000余套；向农户提供良种猪1800余头，同时提供技术、销售等一系列服务。其技术服务已辐射到豫西南的20多家养猪场。他还积极推广先进的双级砖拱结构的猪舍，按此猪舍模式无偿帮助家乡兴建、改建了5个养猪场。在他的示范带动下，有100多家养猪场采用了这种猪舍模式，节约了上亿元的投资。为了帮助家乡的养猪场形成规模，提高抵御市场风险的能力，实现养猪的产业化经营，秦英林以自己的养猪场为龙头，以技术服务为纽带，联合家乡18家养猪场，组建了集科技、生产、销售为一体的河南牧原养殖有限公司，形成以生产瘦肉型猪为主的生猪生产基地，辐射带动大批农户走了致富之路。

秦英林曾被评为“河南省十大星火带头人”、“河南省优秀大学毕业生”、“中国十大杰出青年农民”；1999年，团中央、全国青联授予他“中国青年五四奖章”。

（共青团中央宣传部）

## 乌 兰

乌兰，女，蒙古族，1963年生，中共党员，大学。现任内蒙古中蒙医医院副主任医师、党委副书记。

1989年，乌兰针对内蒙古没有一个系统而规范的蒙医外治法科室的现状，主动请缨挑起组建蒙医五疗科的重任。

为了迅速提高医术水平，她每天学习到深夜，一边看书研究，一边在自己身上反复试针，几十针扎下来，她的胳膊和腿酸肿了起来，甚至青一块、紫一块。她还动员父亲和丈夫作练针的对象，练习自己身上扎不到的穴位，勤学苦练使她的针灸水平有了飞快提高。1998年，她出访日本时，日方负责人弓川小姐在参观旅途中突然胃痉挛，疼痛难忍。乌兰因没带医疗工具，只好徒手在穴位上用拖手法治疗，没过5分钟，弓川小姐的脸上露出了笑容。近年来，经她就诊医治的患者达8万人次。

乌兰注重临床实践的理论总结与完善，她系统地研究了脑出血、脑血栓等多种多发病，形成了独特的配套治疗方案，有效率在95%以上。她还先后编著了《汉蒙医学对照词典》、《蒙医妙方》、《中国特种针法全书》，发表了20余篇学术论文，其中两篇论文在国际传统医学大会上获奖。她注意借鉴中西医学的特长，创造性地发挥蒙医传统疗法的特殊功效，使之与现代医学新技术接轨，先后创造了“蒙、中药穴位注射”、“脉络导推”、“电蒙药平衡浴”等疗法，使古老的蒙医重新焕发出了盎然的生机。

为了使祖国传统医学代代相传，她着力搞好传、帮、带，毫无保留地传授自己摸索出的技艺。在她的带动下，越来越多的人加入到蒙医外治法的学习和实践的行列中。蒙医五疗科在不到10年的时间里，成为内蒙古最大蒙医外治法科室和蒙医外治法学习、深造的重要基地，先后培训了近500名蒙医专业人员，其中包括两批世界卫生组织派来的蒙古国研修人员。

乌兰以高尚的医德自觉地实践着救死扶伤，全心全意为患者服务的宗旨，她时常加班加点，坚持治疗完最后一名患者才下班。一次，她义务献血回来，已是11点多钟，她感到很疲惫，但当她看到那么多候诊的患者，咬牙坚持给患者治疗到下午两点多钟，由于血压低和过度劳累，她差点晕倒在地上。真情的付出，换来了真情的回报。

乌兰曾荣获“中国十大杰出青年”、全国“五一”劳动奖章、“巾帼建功标兵”等称号；1999年，团中央、全国青联授予她“中国青年五四奖章”。

（共青团中央宣传部）

## 孙海涛

孙海涛，1977年生，中共党员。现为南京大学新闻传播系学生。

孙海涛5岁时，他的右眼因病失明，左眼视力大大下降，但孙海涛从小就与体育结下了不解之缘：上小学时他是学校体育的佼佼者；14岁被肇东市体校破格录取；1993年在全国少年田径分龄赛上荣获铁饼冠军，在省体委、省残联的支持下，被省体校破格录取。

在省体校，教练单独为他制订了特别的训练计划。在教练的指导下，他于1994年、1995年两次参加具有较高水平的全国少年甲组田径赛，进入了前八名。这期间他不但体育成绩提高很快，而且严于律己、品学兼优；他不因自己是残疾人而退缩、苦闷，而且主动关心帮助别人，在学生中享有很高的威信。艰苦的体育训练，不但锻炼了他的意志，也培养了他独立工作的能力。他被选为田径队长、校团委委员、校学生会副主席，被评为“省三好学生”、“省优秀学生干部”，并光荣地加入了中国共产党。

失去光明的命运对孙海涛是残酷的，但他抱着实现自身价值、为国增光的信念，在残疾人体育的天地里谱写出亮丽人生。1996年，大连举办的第四届全国残疾人运动会上，他以绝对的优势摘取男子B3级铅球、铁饼、标枪三枚金牌，并打破了男子B3级铅球世界纪录，入选第十届残奥会中国残疾人体育代表团。1996年盛夏，孙海涛来到了素有我国“三大火炉”之称的南京，开始了第十届残疾人奥运会的赛前集训。天气炎热，他的眼睛发炎了，痛痒折磨着他，但训练一丝不苟。领队和教练心疼地说：海涛这孩子懂事，有志气。

在亚特兰大残奥会田径运动场上，孙海涛奋勇一搏，以47米56的成绩一举夺得铁饼金牌，并且超世界纪录72厘米。这一胜利，使他信心倍增。随后，他势如破竹，以51米50的成绩再夺标枪金牌，打破残奥会纪录；又以15米66的绝对优势勇夺铅球金牌，打破世界纪录。多年的愿望实现了，五星红旗一次次冉冉升起在亚特兰大田径赛场上，孙海涛成为本届残奥会中国代表团赢得金牌最多的选手。

为了进一步充实提高自己，更好地为祖国的现代化事业服务，1998年，孙海涛进入南京大学新闻传播系学习。同时，继续坚持体育训练，时刻准备接受国际国内重大比赛的任务。

孙海涛被评为“全国自强模范”；1999年，团中央、全国青联授予他“中国青年五四奖章”。

（共青团中央宣传部）

# 先进单位

## 湖北省宜昌市

## 为群众谋利益　靠群众抓创建

1997年11月8日，全世界的目光向长江西陵峡口聚集。人们在为三峡工程截流的壮举所折服的时候，惊喜地发现在工程所在地，一座文明的新城以妖娆的身姿跃出东方地平线。

从此，宜昌——一个美丽的城市名字，高频率地出现在新闻媒体上，出现在因特网上。慕名而来的观光者络绎不绝：1998年，来这里的海内外游客达到425.8万人！

是什么力量使宜昌声名远播？是什么力量使宜昌变得如此风姿绰约？

**目标：一流城市**

三峡工程上马给宜昌发展带来了千载难逢的机遇，也给宜昌不小的冲击。城市服务功能不全，基础设施不配套，最重要的是人们思想准备不足，城市的文明程度不高。几年前在宜昌街头人们常见这样的情景：繁华的十字路口，交警繁忙指挥，红绿灯不停闪烁，但横穿马路的人流却视而不见，想怎么走就怎么走。警察不灵了，红绿灯是摆设。

有人想出一个“绝招”：红灯亮拉起绳子封锁路口，绿灯亮放下绳子让人通行。这就是让宜昌为之尴尬的“绳子警察”。

一流的工程呼唤着一流的城市文明。宜昌的决策者反复掂量着肩上的重任。物质文明建设要争创一流，精神文明的各项指标也要争创一流。“一个精神状态不振的领导不敢提一流目标，一个胸无大志的领导不愿提一流目标，一个缺乏魄力和水平的领导提不出一流目标。有了一流目标，工作才有动力，行动才有方向”。市委常委会上，市委书记田震亚道出了全市人民的心声。

精神文明重在建设。“高起点、快节奏、大力度，迅速在局部改变面貌，造成突变的态势，给全市人民以信心！”获得博士学位的年轻市长孙志刚提出了施政方略。市政建设加快向大城市迈进的步伐。短短几年，宜昌城区共投资30亿元，完成25个重点工程，办了37件实事：三峡国际机场打开通向世界的空中走廊；高速公路使宜昌和省城武汉连在一起；一个陆海空立体交通网络，大大缩短了宜昌与世界的距离；全市的通信实现了传输数字化和交换程控化，市话普及率跃居全国内陆城市前列；昔日的旧城得到大规模改造，全市人均居住面积超过10平方米；城区面积拓展到40平方公里，现代化大城市的骨架已经形成。

宜昌市在大力加强城市基础设施建设的基础上，舍得为精神文明硬件建设花本钱。东山体育村、青少年宫、工人文化宫等一批公益性设施相继建成，大大提高了城市的文化品位；四个绿地广场、五处重点绿化地段、六条绿化示范街的建设，使城区绿化覆盖率达到37.5%，人均占有绿地7.5平方米，居全国前列。

精神文明建设纳入了党委、政府的重要议事日程，写进了党代会、人代会的决议，列入全市经济社会发展总体规划，有法规和制度保障。他们实行多年的“一二三四五”的领导制度行之有效：即市委、市政府每年召开一次高规格的精神文明建设工作会议；市委常委每年召开两次专题办公会；每年解决三个以上精神文明建设重大问题；做到领导班子、工作班子、创建机构、创建责任四落实；各级党政一把手每年就精神文明建设搞一次调查，写一份报告，发一份专门文件，抓一两个先进典型，办一件实事。这项制度的建立，把精神文明建设由“软”变硬，由“虚”变实。

短短几年，宜昌先后获得全国卫生城、全国双拥模范城、全国科教兴市先进城市、全国计划生育先进集体、全国城市环境综合整治先进集体等全国性的荣誉称号就有18项之多。1994年以来，先后有舞剧《土里巴人》、电视连续剧《家在三峡》、MTV《雀尕飞》、广播剧《三峡移民第一村》获得全国“五个一工程”入选作品。

**为群众创造一个安心、舒心、开心的生活环境**

以民为本，是宜昌市创建文明城市，建设社会主义精神文明的一大特色。为群众着想，替群众办事，让群众参与，请群众监督，使群众满意，促进群众在受益中坚定信心，在参与中升华境界，在评判中明确责任。用田震亚的话说，就是以服务群众为宗旨，以群众创建为主体，以群众满意为标准。

宜昌市民都知道有个“市委书记专线电话”，专门倾听市民呼声。那是1996年3月，田震亚调任宜昌市委书记后开通的。孙志刚到任不久就把原设在信访办的“市长专线电话”移到市政府秘书科。一位家住长江南岸的孩子在江北读书，晚上放学后轮渡已经收班，只得冒险乘渔船过江。家长不放心，给市长专线电话反映。市领导马上派人到轮渡公司了解情况，轮渡公司延迟了收班时间。有人统计，从1997年1月至1998年7月500多天里，共接到这类市民电话17071个。每天30多个电话把市民情绪、心态以及社会热点呈现在书记、市长面前，把党和政府同群众紧紧联系在一起。

云集路是市中心的“王府井”，商贾云集，店铺林立，创建难度大。田震亚毅然承担起创建文明样板示范街的重任。为了指导创建，把握规律，每周总有几个晚上，他在云集路“散步”，发现问题及时解决。桃花源酒家一楼临街两台分体式空调，不仅占去了一大半人行道，而且把热气直接排放到街上。行人经此，无不怨声载道。田震亚找来酒家经理，经理答应拆。过了两天还是没有动静。田震亚不客气了，请来市委一位副秘书长，“你今天坐在这里，拆了就算完成任务；不拆，你就不能回来。”拔掉了这颗“钉子”，带动了一大片。一时间，全市四条主要街道的一楼临街空调全部改装了，群众满意了。云集路旧貌换新颜，成了全国“文明示范街”。

市长孙志刚、市委副书记万九才等其他几位市领导也承担起创建文明示范街任务。在书记、市长的带动下，宜昌市形成了市领导包大道，区领导包小街，街道领导包小巷，部门单位领导包门前的全方位创建责任制。一年多来，全市共建成文明示范街道23条，其中国家级文明示范街1条，省级文明示范街6条。

**一切为了群众满意**

宜昌市委、市政府领导常说，搞文明创建、精神文明建设，目的是提高全民素质，更好地适应现代社会事业的需要，而不是为了“管”住群众。把群众的意愿变成精神文明建设的行动；把为民排忧解难变为窗口服务行业的承诺；把群众迫切需要办的事，变为党和政府马上要办的实事。

宜昌市前几年投资4亿元办了一个煤气厂，本来是为了向市民供应煤气。但是由于管理不善等原因，煤气生产不正常，造成大量亏损不说，还常常停气。再加上停水、停电，市民气不打一处来，常常把怨气直接发泄到市政府头上。煤气公司被称做“没气”公司，连前任市长也落下“三停”的雅号。在财政不堪重负的情况下，有人提议让煤气公司破产，市民重新回去烧煤球。田震亚不同意。他说关系千家万户的事，政府困难再大也要坚持办好。于是市委决定把这件事作为“一把手项目”。田震亚九下煤气厂调查，并派出三个强有力的工作组，从班子、财务、管理三个方面进行整顿。依法查处了三个“蛀虫”，调整了领导班子，市政府又从资金调度方面予以支持，很快使生产经营和社会服务走上正轨。市区煤气普及率达100%。群众说：“管道有气（煤气），我们就没气（怨气）了。”

宜昌市中心有一个占地5.5万平方米的夷陵广场，其规模之大，档次之高在全国中等城市中首屈一指。即使在隆冬时节，也是芳草萋萋，鲜花不败，充满生机和活力。这里原是市民集会的场所，改革开放以后演变成小商品市场。前两年，许多房地产开发商看上了这块“风水宝地”，要出高价在此搞开发建商业城。可是广大市民不答应，他们给市委、市政府写信、打电话反对。是搞开发还是建广场？搞开发将获得数以亿计的经济效益，但却要牺牲环境效益，占用群众的活动空间，群众不高兴；建广场就意味着要投入上千万元资金，没有直接经济效益，但可以改善市民的生活环境和投资环境，群众高兴。

两相比较，市委坚定地选择了建广场。建一个什么样的广场？交给广大市民讨论，民主决策。有关部门从全国6家大设计单位报送的24个建设方案中，选择4个方案在新闻媒体公布，请市民挑选。在10多天时间里，街谈巷议的全是建广场的事。最后经市民投票选中上海园林设计院设计的方案。群众参与决策，必然得到群众的拥护。资金短缺，群众慷慨解囊；小商品市场数百名个体经营者原计划3个月拆迁，结果不到1个月全部搬完；国家定额工期是11个月，但在全市上下“迎十五大、迎截流，创文明城市”气氛感染下，施工单位通力合作，夜以继日抢工期，不到100天就圆满完成任务，创造了宜昌建设史上的奇迹。夷陵广场是宜昌精神文明建设的标志性工程，也是民主决策的范例。

在宜昌，人民当家作主表现在社会生活的方方面面。城市环境脏乱差是以前群众反映最强烈的热点问题，市委、市政府围绕“抓四创，建四城”这一群众性主题活动，实施五大工程：一是“明净工程”，采取群众检举、新闻曝光、行政处罚等措施，在市区推行“门前三包”；二是开展“十星级文明卫生单位”创建活动，把无垃圾污物、无烟头纸屑、无痰迹脏水等10项内容做成十颗小红星挂在门口，多一颗星多一分光荣；三是“点亮工程”——开展楼道革命，使居民楼道多年黑灯瞎火、乱堆乱放、乱贴乱画得以根治；四是“美化工程”——剪掉“蜘蛛网”，扯掉“万国旗”，将主要街道上的电线电缆埋入地下，使城市空间更加明亮；五是“绿化工程”——植树造林，栽花种草，大街小巷披绿装。

群众是文明创建的主体，也是文明创建活动的评判者。宜昌市文明城市创建富有成效，除领导重视、常抓不懈外，强有力的群众监督机制是重要保障。为了使“社会服务承诺”长驻宜昌，创造性地开展“百名市民查承诺”活动。每季度邀请100名热心市民对58个承诺单位明察暗访，到医院进药房查药品质量、价格，进病房查红包和医德医风；到商场询问顾客，查假冒伪劣商品；甚至走进屠宰场，视察从屠宰、检疫到上市的全过程，实地了解老百姓吃的是不是“放心肉”。衡量标准中有一个：群众满意不满意，高兴不高兴。每季度集中检查评议，结果要向社会发通报。对优胜者颁发流动红旗；对差的责成拿出整改方案，限期整改，直到市民满意为止。

在宜昌，群众监督无处不在。比如环境卫生，他们说，卫生靠检查。街道组织“千人执法、千人保洁、万人上街”，居委会每日巡回检查，还有无处不在的义务巡查队，这样的检查，保持了宜昌的清洁卫生，也养成了人们良好的卫生习惯。你如果有不文明的习惯，在宜昌你可要留神，你的行为很可能被摄入“不文明行为”曝光。

群众监督机制的建立和完善，使全市的服务承诺进入了新的境界。

**在教育中升华境界**

文明，从根本上说是人的文明，人是创建文明城市之魂。宜昌市的同志说，要想把宜昌建设好，必须始终抓住人这个根本，在培养“四有”新人上下功夫，在广大市民中树立起热爱宜昌、建设宜昌的主人翁意识。

教育者应先受教育。宜昌市委把注意力首先放在党员干部系统学习邓小平理论上，树立正确的人生观、价值观，解决精神支柱问题。在市委中心组的带动下，全市600多名县处级干部、3700名科级干部接受了比较系统的邓小平理论教育。围绕邓小平理论和中央重大决策、结合宜昌两个文明建设的实际，在学习中领会，在学习中提高。

人是城市之本，人是城市之魂。市民的高素质来自坚持不懈的思想道德教育。1992年全国人大七届五次会议通过三峡工程决议，此后5年宜昌市坚持一个主题不走调，把塑造城市之魂的工程一步步引向深入。1993年开展宜昌精神大讨论，从“三峡工程在宜昌，我们怎么办?”等贴近群众生活和思想实际的话题切入，引导市民参与讨论。历时一年，6万人直接参加讨论，25位市级领导在报刊发表文章，确立了“团结奋斗，争创一流”的宜昌精神。1994年，以“知我宜昌”为前提，“爱我宜昌”为核心，“兴我宜昌”为目的，开展了声势浩大的“知、爱、兴”教育活动。市委宣传部编写的乡土爱国主义教材，印了2万多份还供不应求。全市共有10万人参加笔试答题。家乡悠久的人文历史、独特的地域文化、光荣的革命传统和雄伟的三峡工程，激发了市民热爱祖国、建设宜昌的热情，有力推动了服务大三峡，实现宜昌第二次振兴的伟大群众实践。1995年，三峡工程正式开工，又在全市开展“建设一流文明城，怎样做个宜昌人”的大讨论，确立了“文明、开明、廉明、精明”的宜昌人形象，制定出市民文明行为规范。1996年又开展爱祖国、爱家乡、爱人民，讲社会公德、职业道德、家庭美德、个人品德的“三爱四德”教育。1997年开展了“迎十五大，迎香港回归，迎三峡工程大江截流，创建文明城市”的活动。

这些教育活动深入到千家万户，进入到课堂、岗位、家庭和社会各个方面，在每一个市民心中打下深深的烙印。在这里教育不是生硬的说教，而是一个个群众喜闻乐见生动具体的活动。爱国主义教育在这里被具体化为“五百计划”——向全市人民推荐看百部影片、读百本书、唱百首歌、演百场戏、建百个爱国主义教育基地。“宜昌是我家，大家建设她”成为全市人民的共同心声和行动。

在宜昌，有一张卡片，上面印着“请家长和学生一同填写《市民守则》”。这张小小的卡片，曾经牵动过全市几十万人的心。这是前年普及《市民守则》时，由市文明办印制的。7万多份卡片发到城区7万名中小学生手中，请他们带回家与家长一同填写，一同学习。孩子们在卡片上工工整整地写上“十要十不要”的《市民守则》，首先自己背诵，再教家长背诵，家长背完后郑重签字，向孩子、向社会承诺告别不文明行为，做孩子的表率；孩子则督促家长“说话算话”。“小手拉大手，文明一起走”，把学校、家庭、社会有机地结合在一起，推动了全市文明建设进程。

1998年4月，市文明办又在全市4.1万名小学生中开展了“争当文明小喇叭”活动。短短一个多月，以《市民守则》、《市民公约》和“门前三包”为内容的《市民须知》，通过“小喇叭”宣传到15万个家庭，30万市民在宣传材料上签了名。6年级学生杜寅手拿宣传单跑东家、串西家，先后上门宣传35户，116人在宣传单上签了名。杜寅同学成了全市“文明小喇叭”首席号手。

家庭是社会的细胞。宜昌开展的以“五好家庭”为龙头，围绕“家”字作文章，“科技之家”、“文艺之家”、“体育之家”和好丈夫、好妻子、好婆婆等十大特色评比，倡导健康、文明、科学的生活方式，维护社会稳定和发展。

书是人类进步的阶梯。宜昌市委重视教育，市民喜爱读书，市委宣传部开展城区“一二三”活动，即每个家庭一台电视机、两份报纸、300本书，促进了市民买书读书的积极性。在全市40平方公里内，拥有300余家书店，大大高于11万人一个书店，1万人一个发行网点的标准。

**像抓物质产品生产一样重视精神产品**

宜昌古称夷陵，是楚文化的重要发祥地，曾孕育过屈原、王昭君等著名历史人物；这里又是古代巴人聚居地，神秘的巴文化令人惊叹不已。市委鼓励作家和艺术家，念巴楚经，打三峡牌，努力创作富有时代精神、巴楚风格、三峡特色的文艺作品，努力营造城市的文化氛围，提高城市的文化品位，满足人民日益增长的文化需求，为物质文明和精神文明建设服务。

宜昌人强烈的竞争意识、精品意识也充分体现在精神产品的生产上，像抓物质生产一样长计划、短安排，抓实当年、筹划明年、构想后年。在三年连获四个全国“五个一工程”入选作品的基础上，1998年又有电视剧《三峡的孩子》、《移民县长》和两部长篇小说列入全国、全省“五个一工程”重点项目。对这些重点项目的生产创作，从酝酿选题到构思创作，市委书记、市长都亲自参与，从人力、物力、财力上予以全力支持。

“五个一”精品占领了文化市场，提高了城市的文明程度，也极大地带动了群众文化健康、蓬勃发展。方兴未艾的企业文化、校园文化、社区文化使全市的文化活动高潮迭起。最近几年先后举办了三届“三峡艺术节”，推出了《三峡潮》、《三峡风情》、《巴楚东宫》等大型广场文化活动；组织了四届“三峡之春”大学生艺术节，三届“红领巾”文艺汇演……在滨江公园奇石艺术馆，各种奇石瑰丽多姿，鬼斧神工变幻莫测，给人以无尽遐想。宜昌是著名的三峡石产地，采石、集石、赏石在这里几乎普及。在市财政局的办公大楼里，有“汪国新画室”，几大间画室几乎占去半层办公楼。问及为什么办画室？答曰一是为支持画家创作，二是为丰富机关文化生活，增加文化气氛。在这间画室里，这位国家一级画家孕育出百米绢本长卷《万里长江风情图》、十集套连环画《长江三部曲》等一批艺术精品。

宜昌人就是在这种浓郁的文化气氛中，耳濡目染，润物无声，陶冶情操，不断提高自身的素质。

**一方净土**

深入持久的文明创建活动，使文明的春风长驻宜昌大地，在改造城市面貌的同时，也改变着人们的生活方式和精神面貌，涌现出一批又一批先进典型人物，有人民的好公仆徐耀德、人民卫士王传厚、活雷锋刘厚明、全国十大杰出青年宋芳蓉、一把扫帚写春秋的环卫工人许先林……

宜昌卫校附属医院被市民称为“平民医院”。有一位病人进手术室之前，亲属把一个“红包”塞进了外科贺大夫的口袋。手术成功后，贺医生把“红包”连同一封信退还。信中写道：“……医有医德，何苦要给病人雪上加霜？因为当时推辞不掉，又怕你们对手术不放心，故暂且收下，现在手术已经成功，如数退还。”病人亲属写来了热情洋溢的感谢信。一位经常到这里看病的老红军看信后大声疾呼：“你们应该把这些信寄到中央，让中央知道宜昌还有一方净土！”

在这家被称为“净土”的医院，记者采访了一位来自贫困山区的患者魏小玉。42岁的魏小玉几年前不幸得了乳腺癌，带着东挪西借的1500元钱慕名来到这家医院。没想到这点钱根本不够手术费和住院开销。医院没有让她绝望，不仅为她做了手术，医护人员还自发捐款1000多元。做完手术说好三个月后来化疗，可是魏小玉没有来。好心的医生又坐车100多公里去接……说到这里，魏小玉止不住又掉下了热泪。

这家医院不仅不收“红包”，连医疗费、住院费也比其他医院低得多。医院以高尚的医德赢得了病人的信赖，在一些大医院为门诊量下降发愁的时候，这家医院的经济效益每年以20%的幅度上升，医院人均创收在全省名列前茅。医院党委书记汪昌清深有感触地说：“精神文明也出经济效益！”

从1996年5月开始，宜昌市开展“规范服务在岗位，真情满意在的士”的优质服务竞赛活动，出租车行业的整体素质明显提高，不仅杜绝了不打表、宰客等现象，而且助人为乐、拾金不昧、免费抢救危重病人的好司机越来越多。1997年4月12日，来宜昌出差的湖南人李华兵将5万元现金遗失在出租汽车上，司机张辉在无法找到失主的情况下自己出钱登报找失主。此后不久，张辉又将一个乘客遗忘的手机及时送还失主。这年底，他被省建设厅评为“文明服务标兵”。到1998年4月底，全市出租汽车行业仅归还或上交主管部门的失物，就达100余万元，其中现金50余万元，手提电话50多部。

一滴水可以折射出太阳的光辉，这一串串、一件件动人的故事，构成了宜昌人文明、开明的形象，展现出宜昌文明城市创建的丰硕成果。

（1999年2月1—2日《人民日报》）

### 创建文明为人民

使宜昌这座古老山城声名远扬的，不只是因其位居著名的长江西陵峡口，也不只是因其身旁长江截流成功，更重要的是宜昌抓住了发展自己建设自己的机遇，在两个文明建设中成效显著，正在向第一流的文明城市迈进。

宜昌创建文明城市的基本做法基本经验是，“为群众着想，替群众办事，让群众参与，请群众监督，使群众满意”。宜昌的经验值得各地借鉴。

宜昌在创建活动中，始终围绕人民利益开展工作，着眼长远，又重视眼前；敢抓大事，又从小事做起；舍得为硬件建设花本钱，又注意虚实结合，注重软件建设。着意为人民群众创造一个安心、舒心、开心的生活环境，着意加强市民素质教育，培养市民社会公德和良好生活习惯，为人民群众的根本利益和未来发展着想。在两个文明建设中，宜昌市实事求是，因地制宜，反对形式主义，反对摆花架子，反对沽名钓誉，取得了让人信服的好成绩。

宜昌的特点是，把为人民群众服务与广泛调动人民群众积极性，充分发挥人民群众的历史首创精神密切结合在一起。宜昌的经验再次证明，只要真正把着眼点放到为人民谋利益上，就能迅速将人民群众的愿望、力量、智慧凝聚起来，将千千万万的市民发动起来，使两个文明建设不断取得新进展，新突破。

（1999年2月1日人民日报评论员）

## 辽 宁 省 沈 阳 市

# 服务市民的桥梁　联系群众的纽带

## ——市长专线电话为人民

沈阳市人民政府市民投诉中心暨“2211”市长专线电话，以方便、快捷、热情、有效的服务赢得了沈阳市民的欢迎。“2211”投诉中心自1998年1月25日启动以来，截止到1999年2月底，仅市投诉中心就受理各类投诉电话18.9万多件，办复率始终保持在95%左右。现在市投诉中心每天受话量达到七八百件次。“2211”已经变成为市民排忧解难、使市政府及时了解社情民意、接受监督、改进工作的一个通畅的渠道。

沈阳市市民投诉中心暨“2211”市长专线电话是在原有市长公开电话的基础上，适应形势发展的需求而设置的专门机构。这个机构和以往的市长电话不同的是，它可以迅速而有效地协调各方面的关系，达到为市民提供各种服务的目的。

沈阳市委、市政府认为，沈阳是我国的老工业基地，随着经济体制改革的进一步深化和城市建设及社会各项事业的发展，社会热点、难点问题增多，原来的市长公开电话，无论是机构、职能还是人员、办公手段都不能适应需要。市政府和市民之间应该有一条更加便捷、畅通的渠道，而“2211”正是这样一个载体。市委、市政府要求把建立市民投诉中心、开通“2211”市长专线电话列为市长工程来抓，作为全市1998年精神文明建设的第一件实事来抓，把“千好万好不如老百姓说好，金奖银奖不如老百姓夸奖”作为衡量工作的标准。

沈阳市市民投诉中心暨“2211”市长专线电话的主要任务是：1.围绕市委、市政府工作中心，确立受诉重点，积极为全市工作大局服务。在开展创建卫生城市活动期间，中心共受理“创卫”类投诉2300多件次，到现场协调、处理567件次，为实现“创卫”的各项任务发挥了重要作用。1998年10月以来，投诉中心又将供暖工作确定为受诉重点，共受理供暖方面的投诉2.5万多件次，使一些急难问题得到及时解决。2. 全力化解群众生活工作中的难点热点问题。对诸如子女上学、房屋维修、工资拖欠等需要解决的各种难题，中心积极受理，并进行协调、督办。一年多来，市投诉中心下现场调查近200次，下发承办单近600次，解决了许多跨地区、跨部门的难点、热点问题。3. 强化信息反馈，发挥参谋助手作用。市民投诉中心通过“2211”这个窗口，透视社会动态，掌握社情民意，为领导决策提供信息服务。一年来，已编写100多期《投诉动态》，还创办了《市长专报》，各种有价值的信息可以直达市政府主要领导。

沈阳市市民投诉中心的工作效率高，作用大，是和得到市委、市政府的大力支持，并有一套比较完善的工作机制分不开的。市委、市政府明确规定，市民投诉中心是市委、市政府直接领导下的一个办事机构，由市委、市政府两个办公厅具体负责，日常工作由市政府办公厅直接管理。为了使投诉中心有权威性，市委、市政府约法三章：1. 市民投诉必须由各部门一把手亲自抓、负总责。市民投诉中心负责人可以列席市政府常务会议、市长重要办公会议等。2. 对接到中心调度三次指令仍无动于衷或不认真办理，引起群众不满的单位，对其领导和负责人给予相应处分直至撤职。3. 对投诉中心严格管理，工作不达标的，对责任单位实行“一票否决”，不能评为先进单位，还要追究有关人员责任。

沈阳的“2211”之所以快捷、有效，还在于他们建立了一个覆盖面较广的网络系统。区县级政府、有关部门和社会公益部门等42个单位作为市投诉中心的分支机构，配备了专职工作人员，并实现和市投诉中心的微机联网。其下属单位又分别建立了二、三级工作网络，一直延伸到基层站、所在居委会、村委会，一、二级网络单位已达847个，三级网络单位已达4100多个，投诉工作网络已遍及沈阳市各个角落，初步实现了受理、办理、反馈现代化。

“2211”有一个封闭循环的机制：受诉调度，综合调研，协调督办，回复归档。对于沈阳市民来说，假如宿舍区停电，他们可以立刻拨通“2211”，告知情况。而“2211”立刻将有关情况通过网络直达有关职能部门，并要求他们处理，一时不能马上解决的也要有一个答复。有的沈阳市民说：“2211”好使，我们再也不必担心求助无门了。

（1999年3月29日《人民日报》）

## 一切为了市民

市长公开电话在很多城市都有，但是像沈阳“2211”市长专线电话那样提供方便、快捷、热情、有效服务的恐怕不多。它不是一种摆设，而是沈阳市委、市政府精心搭起的一座联系群众，服务群众的桥梁。可以说，沈阳“2211”所承载的是市委、市政府“一切为了市民”的庄严承诺。

人们说，“2211”是市委、市政府为老百姓服务的连心桥，市民通过“2211”可以解决衣食住行的难题。也有人说，“2211”是改进政府工作的一个推进器，下情得到上达，各部门的工作得到监督。还有人说，“2211”是凝聚民心、鼓舞士气的发动机，市民正是通过“2211”看到了各级党组织和领导干部的良好形象，积极参与沈阳的改革和发展。这些都对。沈阳“2211”的成功经验给我们两点重要启示：（1）市委、市政府能够摆正政府和市民的关系，改变以往那种“我给百姓”的思想，树立“我为百姓”的思想，为市民服务成为政府部门的自觉要求。正如市政府主要领导说的那样：“千好万好不如老百姓说好，金奖银奖不如老百姓夸奖。”这个指导思想不仅贯穿在“2211”的工作之中，也贯穿在改革和建设的各个方面。（2）把为市民服务的思想落到实处。“2211”最突出的特点，用老百姓的话说是“好使”。无论求得帮助还是反映情况，无论批评监督还是献计献策，都能落到实处。这和“2211”求真务实的工作态度分不开。为市民服务的承诺在沈阳不是一句空话，而是一系列的措施和行动。这尤其难能可贵。

从严治政，建设廉洁、勤政、务实、高效政府，是朱镕基总理在1999年《政府工作报告》中提出的一个要求。对于各级政府来说，如何贯彻这个精神，转变职能，转变工作方式，转变工作作风，提高工作效率，是个重大的实践课题。在这方面，沈阳“2211”的经验可资各地学习借鉴。

（1999年3月29日人民日报评论员）

## 中建八局921—520工程项目经理部

# 托举“神舟”的人们

921—520工程是经中央政治局研究确定的国家“八五”期间三大重点工程之一的载人航天工程。工程结构复杂、造型新颖独特，具有高、大、新、特、难五大特点。工程规模世界第二、亚洲第一。工程地处我国西部巴丹吉林沙漠腹地，这里自然环境极为恶劣，生活条件极为艰苦。中建八局921—520工程项目部全体参战职工，艰苦奋斗、克服困难、严格管理、精心施工，从1994年10月进场，到1997年6月竣工，苦战两年零八个月，完成了定额工期需要4年的工作量，胜利地完成了施工任务。他们在戈壁荒原上，经受了艰难困苦的磨练，依靠集体的智慧和力量，创造了辉煌的业绩。他们创造的综合施工技术，获国家科技进步一等奖，工程质量获鲁班奖。工程项目经理部荣获中华全国总工会颁发的“五一”劳动奖状。项目经理常俊峰被评为全国劳模，工程指挥部常务副指挥长蒲新荣被评为全国建设系统劳模。中建总公司党组和中建八局党委先后作出了关于学习921—520工程先进集体的决定。他们在大漠荒原上铸就的体现了“中建铁军”内涵的“艰苦创业、敢打硬仗、团结协作、无私奉献、敬业求实、创新争先”的大漠精神，成为激励广大职工在二次创业的征途上快马加鞭、奋斗不息的精神力量。

中建八局前身是基本建设工程兵队伍，1983年9月集体改编为国有大型建筑施工企业。这支建筑队伍既继承了军队一不怕苦、二不怕死、连续作战、敢打硬仗的顽强战斗作风，又继承了工人阶级艰苦创业的优良传统。1994年10月12日接到国防科工委中标通知后，中建八局成立了921—520工程指挥部，下辖由三公司组建的土建项目部和安装公司组建的安装项目部。首批人员于10月14日开进巴丹吉林沙漠，进入施工现场。工地在广袤而又荒凉的戈壁滩上，这里温度最高41.2℃，最低－34℃，夏季地表温度可达72℃，风速平均每秒3.6米，最大风速每秒40米。当地民谚说：“一年一场风，从春刮到冬，天上无飞鸟，地上不长草，风吹石头跑”。就在这样的地方，他们要建设一座集现代建筑与高科技于一身的中国太空港。

初进施工现场，他们住在简易平房里，吃的是没有青菜的水煮挂面，喝的是含沙的浑黄水，由于不服水土，拉肚子、流鼻血、感冒几乎成了人人要过的三关。在恶劣的环境和困难面前，有的职工产生了埋怨情绪。针对这种情况，工程项目部及时在职工中宣传921—520工程的重要意义，组织学习江泽民“艰苦奋斗、无私奉献”的题词，开展为祖国争光，为民族争气，为企业争誉的教育。参战职工一致表示，要发扬一不怕苦、二不怕死、敢打硬仗的顽强战斗作风，身居戈壁，志在报国，以创建精品工程的实际行动，向祖国和人民交上了一份满意的答卷。

在艰苦的环境里，党员率先垂范，干部以身作则，起了良好的带头示范作用。副指挥长兼土建项目部经理常俊峰在大漠工作三年，没有离开过工地，就连春节也是守在工地过的，1995年冬季浇灌砼箱型屋盖，他昼夜坚守在工地，眼睛熬红了，身体消瘦了，腰肌劳损的疼痛加重了，有时痛得直不起腰，就趴在那里指挥。职工瞧着心疼，劝他去医院治疗，他坚决谢绝，说“这个时候，我不能离开第一线”。安装公司项目部经理刘国治，工作中哪里最危险，他就出现在哪里。有一天，他扁桃体发炎脓肿，颈脖肿胀，正在办公室打吊针。突然电话里传来交货方在给工地运送6台卷扬机的路上翻车的消息。他不顾病情，连忙安排车要夜闯戈壁去兰州。在当地，夜行戈壁是一大禁忌。当夜，刘国治驾车，沿着黑水河干涸的河道跑。半夜，车轮陷进沙坑，同车的人当时就有吓哭了的。刘国治折红柳垫住车轮，几个人合力使劲，好不容易将车推出来。刘国治又行程1000多公里赶到兰州，第三天装着6台卷扬机的汽车开回了工地。三公司装饰公司副经理王自诚，在项目部负责工程装饰工作。1996年10月，当他接到妻子患肺癌的病危通知后，才急匆匆从大漠返回南京，在妻子要他照料好儿子的嘱托声中，眼睁睁望着妻子撒手而去。刚料理完妻子丧事，工地打电报催他返回，他在孩子“我要妈妈”的撕心裂肺般的哭声里，硬着心肠踏上去西北大漠的火车。

大漠气候恶劣，工程结构复杂，在这样的条件下，建成一个“精品”工程，其难度可想而知。项目部从一开始，就将921—520工程核心工程火箭垂直总装测试厂房质量目标，锁定在争创鲁班奖上。为实现这个目标，项目部以工程的特殊意义教育职工，要求职工在思想观念上，牢固地树立中建“精品”质量意识；在行为上要学习基地官兵“严肃认真、周到细致、稳妥可靠、万无一失”的精神。同时，制定了质量保证措施，认真落实质量责任制。

在施工现场，项目部成立了科技攻关小组，先后研究开发了《钢筋砼超高箱型屋盖及特殊条件下的砼施工技术》等五项技术构成的《火箭垂直总装测试厂房综合施工技术》创新成果。国家科技奖励办委托专家到施工现场考察，专家认为，他们的综合施工技术“填补了国内空白，达到了国际先进水平，对类似工程有重要的推广应用价值。”在这里值得一提的是，攻克有世界第一盖之称的砼箱型屋盖施工技术难关，这个屋盖体积大，跨度大，离地面距离高。如何解决好屋盖模板支撑是施工的关键。攻关小组在总工程师颊鸿秋带领下，经过反复推敲、计算和模拟，提出用钢筋砼与钢桁架联合支模方案。实践证明，采用这项技术，工程质量稳定，安全系数高，降低了成本，节约钢材3000吨、资金100多万元。

在施工中，项目班子形成了一个共识，既要建精品工程，又要育精英人才。他们以施工现场为课堂，以大中专毕业生为重点。业务上以老带新，传授技艺；工作上放在风口浪尖，接受锻炼；政治上关心帮助，迎接考验。据不完全统计，参战的42名大中专毕业生，有5人在大漠工地火线入党，有23人先后走上了项目正副经理和专业技术负责人岗位。

“神舟”腾飞，圆中华千年之梦。中国载人航天工程是一部中华民族敢上九天揽月的英雄史诗。大漠作证，在这部史诗里，中建人，中建八局921—520工程项目经理部，以智慧、勤劳和无畏撰写了光彩夺目的一页，以实际行动向祖国和人民交了一份满意的答卷。

（建设部文明办）

海关总署统计分析处

# 创新进取　服务全局　发挥海关统计的决策辅助和监测监督作用

海关总署综合统计司统计分析处的基本职责是：对全国进出口贸易运行情况进行统计分析和监测监督，编制我国对外贸易指数；开展海关业务统计分析和贸易统计数据的国际比较分析；为国家宏观调控和海关业务管理提供决策辅助和咨询建议。

几年来，该处撰写的文章，得到中央领导批示的每年都在6篇以上，得到署领导批示的有40多篇，被新闻媒体采用的60多篇。1999年前9个月，得到中央领导批示的文章已有8篇。他们撰写的《我国已跻身世界十大贸易国》一文，被评为1998年全国十大经济新闻。

**一、牢固树立全局观念和服务意识，充分发挥好决策辅助职能**

该处始终把牢固树立全局观念和服务意识，充分发挥好决策辅助职能作为自身工作的出发点和归宿。

1998年全国打私会后，他们分析，既然走私主要是通过香港为跳板，走私货物也就多以香港为起运地，而这就必然会体现在香港对内地的进出口统计数据中。他们从总量和具体商品上多角度地进行对比，对近年来我国存在的走私规模、主要走私商品都作出了定量的分析，发现了许多有价值的线索，为领导决策提供了有力的依据。

中美贸易平衡问题是中美贸易纠纷中的一个重要议题。美方就此问题多次大做文章，以期要求我国在相关的贸易谈判中作出让步。按照中央的要求和署里的安排，他们就此问题从中美贸易结构差异、对美贸易顺差的构成、演变、成因以及中美贸易顺差和日美贸易顺差的不同特点等方面进行了科学的量化分析。他们的分析为领导决策提供了可靠依据，得到了国务院领导好评。

在强化为国家宏观管理和海关业务管理服务的同时，他们还进一步拓展了为地方党政领导的服务工作。组织地方海关的统计分析人员加大对本地区对外贸易发展状况的分析。江西、湖北、广东、吉林等许多省区的领导都对本地海关报送的统计分析报告给予充分的肯定，并作出重要批示。

**二、树立“为国把关”意识，做好海关统计监督工作**

按照海关“依法行政，为国把关”的新方针要求，他们针对对外贸易管理和海关业务管理过程中存在的问题，积极开展统计监督工作。

1999年1季度，全国外贸出口下降了7.9%，某个口岸出口下降幅度大得惊人。该处通过对数据分析发现：多年来该口岸的出口具有极其明显的波动性，而且这种波动又往往与国家的出口退税政策的变化密切相关。出口退税率高时，出口就大幅增长；退税率降低，出口就大幅下降。而且出口变化最大的也都是那些最容易被用来高报骗退税的商品。为此，他们写出了《上半年某口岸出口超常下跌，反映的问题不容忽视》一文。文章报出后，领导非常重视，吴仪同志批示：“很好！分析得很细致，配以图表，给人留下深刻印象。现在我们不少部门反映情况定性多、定量少，这点请外经贸部门学习、借鉴。”

1999年8月，该处上报《××口岸近期部分电子产品出口量大价高，骗退税迹象明显》一文，反映下半年以来，出口退税率提高后，出现了高报电子产品出口骗退税的情况。该文得到了国务院领导的高度重视，朱镕基总理批示，国务院办公厅将该文转发全国有关部门和各省、自治区、直辖市政府。将一篇分析报告以国务院办公厅文件的形式转发，这对海关系统来讲还是首次。

1998年，该处通过对加工贸易的平衡分析，列出了涉嫌利用加工贸易进行走私企业的名单，总署组织了6个调查组，对其中部分大的企业进行重点稽查。稽查结果，仅在××关区就追缴税款近1亿元。

**三、研究和运用科学的方法指导工作**

一是学科学、用科学，向科学技术要手段。面对不断提高的工作要求，他们从加强业务学习入手，从改变工作模式和提高工作手段入手，向科学技术要手段。全处每个人都能做到熟练地调取、加工数据，熟练使用各种常用的计算机软件；并在工作中引入了X11、STAT等较先进的统计分析软件，运用这些软件成功地对亚洲金融危机对我国1998年外贸进出口的影响进行了量化分析和预测。

二是抓管理，搞协作，向组织协调要效益。该处正式编制3人，为克服人手少，任务重，课题大的矛盾，他们探索出一套“针对重点课题，由分析处组织、牵头并指导各地方海关进行有针对性的调查，再根据各关上报的调查情况进行分析、汇总”的统计调查方法。该方法不但提高了工作效率，分析文章的质量也有明显提高。

三是搞开发，在创新当中求发展。为进一步发挥统计分析在海关科学化管理中的作用，使总署能够利用先进的统计分析软件和方法，对地方海关业务执法状况进行量化、客观地评估，1999年7月他们通过司里又提出了建立“海关执法统计评估系统”的构想，并为此做了大量的理论论证和方案设计等基础工作。该项工作已列入海关总署重要工作内容。

**四、勤学苦练，努力建设一支政治素质高、业务能力强、有战斗力的集体**

该处是一个年轻的处室，处内同志大都是在近几年入关的，平均年龄只有31岁。全处同志努力学习相关业务知识，在搞好处内工作的同时，也努力在海关系统内培养和建立一支高素质的统计分析队伍。多年来，通过对地方海关统计分析人员的培训，推广先进的统计分析软件，介绍开展统计分析工作的先进经验，对基础相对薄弱的海关给予重点扶持，将有代表性的统计分析文章编成书或在《统计工作与研究》刊物上加以介绍等多种形式，来提高全国海关统计分析队伍的业务素质。

（海关总署）

## 首都机场海关旅检三科

# 播洒文明新风　严守第一国门

首都机场海关旅检三科现有关员16人，平均年龄不到30岁。建科10多年来，他们立足首都机场旅检岗位，播洒文明新风，严守第一国门。1996年，该科被海关总署评为“全国海关基层建设标兵单位”；1997年，被评为“北京市行风建设先进单位”，被海关总署树为“全国海关文明服务示范单位”；连续三年获得首都国际机场地区“十佳文明岗台”称号。1999年被中央精神文明建设指导委员会授予“创建全国文明服务行业先进单位”称号，并再次被评为“全国海关先进集体”。

首都国际机场是我国最大的航空港，每年进出境的旅客达500多万，这里具有热点敏感问题多，来往旅客多、身份高，涉及政治问题的突发事件多的特点。几年来，旅检三科把建设一支政治坚强、作风过硬的旅检队伍作为工作的着力点常抓不懈。他们利用班前班后的点滴时间，认真学习邓小平理论，夯实思想基础。为了增强关员们的政治敏感性，他们有针对性地剖析旅检现场突发事件，引导关员提高从政治上观察和分析问题的自觉性，牢固树立“外事无小事”的思想意识。通过教育引导，该科全体同志的综合素质有了明显提高，政治意识大大增强，在近年举办的世界地质大会、世界石油大会、万国邮联大会、国庆50周年庆典和查获“法轮功”非法组织等一系列活动中，经受了一次次严峻的考验，以实际行动向党和人民交上了一份合格的答卷。1996年他们成功查获了非法入境采访的“反临时立法大联盟”记者案，受到了总署的通令嘉奖。

每年政治敏感时期，逃亡国外的民运分子不甘失败，千方百计通过各种渠道进行渗透和颠覆活动。1999年6月前夕，有关部门要求该科协查一名企图偷运窃听设备进境的外籍旅客。但是不清楚旅客的外貌特征，也不知道旅客搭乘的航班。要从上万名旅客中查出一名外籍旅客，难度可想而知。为了国家的安全和利益，他们知难而进，精心布控，严密查堵，最终将携带窃听设备、混迹于旅行团中企图闯关的外籍旅客截获。之后，关员又积极配合有关部门及时揭穿了该旅客的假身份、假来华目的、假住址等骗局，弄清了物品的型号、用途，使有关部门能够迅速准确定案，依法传唤该旅客，收缴了窃听设备，维护了国家安全。

从严治科，抓制度落实是关键。他们借鉴军队管理经验，在科内增设了关风关貌检查监督、现场关员相互提醒措施；坚持每天班前讲评、每周小组讲评、每月全科讲评制度；引进民主管理机制，建立了以小组为单位的按月轮流值班制度，同时，实行层级对应的责任追究，如有违反规范的事情，当事人、组长或科长要承担相应的责任。

海关的旅检通道既是依法行政的窗口，也是文明把关的舞台。因此，他们特别注意关员的一言一行、一举一动，从仪表、站姿、语言、举止做起。他们还要求爱护旅客的行李物品，轻拿轻放；查验时目的性要强，避免大翻大倒；在现场添置刀、剪、封条、绳子等物品，为旅客提供便利；主动详细解答旅客办理后续手续的各种问题，避免旅客多次奔波等等。

在旅检现场，也常常会发生意外情况。1997年的一天，大批旅客正在通关，来自美国的老年妇女BECK突然瘫倒在海关监管区，动弹不得，她的丈夫被眼前的情景吓得不知所措。这时，该科现场关员立即到候机楼急救中心叫来医生，经全力抢救，病人终于转危为安。BECK的丈夫在场目睹了全过程，激动地连声说，是中国的海关救了她的命。

在旅检现场时常能碰到不明事理的人。对此，该科推出了当事人回避制度。一旦遇到关员与旅客发生不愉快的事情，不论关员是否有道理都主动回避，由带班组长或科长出面解决，避免矛盾激化。这就意味着关员为了大局，必须承受更多的委屈。

1999年3月的一天，一名中国旅客随身携带450万日元出境，违反了国家对携带外汇出境的管理规定，根据规定，海关暂时扣留这笔日元并对旅客进行行政处罚。在办理扣留手续时，这名旅客悄悄对副科长韩文喜说：“你们在这儿工作也挺辛苦，这点钱算我慰劳你们的，通融通融放我一马吧。”说着塞给他2000元人民币。韩文喜当场拒绝，并指出了其行贿的错误行为，按规定办理了扣留手续。据不完全统计，从1998年以来，该科共有17人次拒贿，金额达2.5万多元。

（海关总署）

## 上海虹桥机场海关

# 着眼空港特点　建设文明窗口

上海虹桥机场海关是在上海虹桥国际机场对进出境空运货物、旅客携带的物品执行监管任务的口岸海关，1993年至1998年，连续3次被上海市人民政府授予上海市文明单位。1995年至1998年3次被评为上海市文明单位。1995年至1998年3次被评为上海海关先进集体。1997年被国家口岸办授予“同创共建文明窗口”。同年，被海关总署命名为全国海关系统惟一一家以成建制海关命名的文明服务示范单位。

创建文明窗口要从实际出发。“旅客身份层次高，货物价值高，处理问题的敏感度高，通关速度要求快”，这“三高一快”是上海航空港的几个显著特点。针对这些特点，他们提出了以下目标：

树立一种观念。即窗口作用第一的观念。响亮地提出“在外国人面前我代表中国海关，在中国人面前我代表上海海关，在上海人面前我代表机场海关”的口号。

争创两个一流。即在上海海关关区内争创一流的通关速度。在全国空港海关系统内争创一流的通关环境。在确保廉政和业务不出现重大问题的基础上，缓解通关手续繁琐、通关时间长的矛盾，使机场海关的通关环境与上海国际大都市的窗口形象相匹配。

培养三种能力。即关员精湛熟练的业务能力，化解矛盾的应变能力，政策运用的把握能力。要求做到通关速度快，服务态度好，政策尺度准。

增强四种意识。即干部管理意识，自我约束意识，互相监督意识，增光添彩意识。为争创“两个一流”提供坚强有力的思想保证。

创建文明窗口要有规矩。他们提出了“四规范一纪律”即语言规范、着装规范、操作规范、办公秩序规范，海关工作纪律。先后制定了上海虹桥机场海关《创建1997、1998年度精神文明单位规划》、《树窗口形象纲要》、《关于贯彻落实文明服务“十必须、十不准”要求的意见》，从组织领导、创建目标、实施细则、方法载体、检查考核等诸方面对创建文明窗口作了规范和统一。

创建文明窗口要同业务改革相结合。在创建活动中，他们结合业务改革搞创建。空运货物报关实现了H883报关自动化，三免快件和普货EDI（无纸报关）工程试点成功并投入运行，对进口货物实行了舱单电子联网。健全和完善了纳税手册管理办法，实行经济与信誉双担保制度。建立预报关、现场报关和事后集中报关相结合的制度，扩大预报关、集中报关范围。结合“一个窗口对外”通关模式，开发了“报关单显示系统”，在旅检现场开发了《旅客通关多媒体电脑咨询系统》，旅客可根据需要任意查询办事指南、通关须知、进出境物品禁限规定、应税物品完税价格等。通过上述工作，极大地优化了上海空港的通关环境和通关效率。

创建文明窗口要坚持服务同监管并重。这些年来，他们先后推出了《预报关货物登记签收制度》、《社会服务承诺制》等有关规章制度，分别同有关海关和航空公司签订了《国际航班国内段客货搭乘业务海关联系配合办法》。在征税和审价环节中，根据企业的资信度和对进口商品进行风险评估，实行全过程风险控制管理。在严格监管的基础上，大力开展文明、优质、高效服务，主动为国有大中型企业提供现场办公，在旅检现场设立全天候24小时对外服务。

创建文明窗口要以人为本。他们坚持把队伍建设的重点放在干部职工综合素质的提高上。近两年来，共举办各类业务培训班48期，组织业务擂台赛6场。全关有60%以上的人员通过了计算机中、初级和办公自动化考试。有227人次参加货、征、统岗位资格考试，及格率达100%，其中，取得3门上岗资格证书的有50人，占货管业务现场人员50%以上，从而为创建文明窗口提供了强有力的智力支持。在廉政建设中，他们从抓思想教育入手，着力提高关员的自觉意识和自我保护意识和建立多层次全方位的廉政制约机制。从机场海关的特点出发，先后制定了《领导干部八条守则》、《海关工作职业纪律》、《海关人员守则》、《海关人员因私到旅检现场接送亲友的规定》和建立起全关上下逐级签订廉政责任书，形成逐级负责、一级抓一级的廉政工作责任制等对干部职工具有广泛约束力的制度和规定，公布于众，向社会广为宣传，以求社会舆论的监督。并与驻机场50余家货运报关企业签订廉政协议书，共同督促廉政工作的落实。

创建文明窗口要有可操作性。他们在创建文明窗口的工作中，按照海关总署颁发的文明服务“十必须、十不准”的要求，把创建目标和“十必须、十不准”分解为各种可量化的、可操作的、便于检查考核的实施办法，先后制定了《贯彻执行海关文明服务“十必须、十不准”要求的规定》等办法，把“双十条”细化为服务用语、仪容着装、岗位操作、办公秩序、工作纪律、廉政建设、工作效率、工作质量和社会满意率等四大项29条，采用记分制的办法，由关业务纠风检查小组负责实施督促检查。业务科室每月进行一次自查自评，关业务纠风检查小组每季组织一次综合考评，并将考评情况向各科室反馈，对有问题的科室发出整改通知书，直接与季度奖金分配挂钩，年终考评主要以每季度考评的得分之和为依据。

虹桥机场海关在文明窗口建设水平不断提高的同时，业务建设也逐年呈现强劲的上升势头。1995年至1998年，共监管进出境飞机7.5万架次，旅客1447万人次。进出口货物总批数430万票，征收关税104亿元人民币。查处走私违规案件637起，案值人民币12427万元。其中，1998年监管进出口货物总批数1360540票，征收关税达38.2亿元，这两项指标都创下了全国空港口岸海关的历史最高纪录。

（海关总署）

## 广州海关驻新风办事处

# 在发展中创新　于深化中升华

广州海关驻新风办事处开展海关业务已有34年，下设11个科室，共140人。负责广州新风港进出口货物、船舶的监管，办理荔湾、越秀、白云三个区的1000多家三资企业的海关业务。

自1991年起，该处连续7年被评为“广东省口岸共建文明先进集体”，“广州市口岸共建文明先进单位”，荣获“广东省直属机关文明单位”、“广州地区创三优、建文明城活动最佳服务单位”等称号。1997年，被国家人事部、海关总署授予“全国海关先进集体”称号，被海关总署评为“全国海关文明服务示范单位”，被广东省委、省政府评为“文明单位”，被广东省精神文明委员会、省委宣传部评为“广东省职业道德建设百优单位”等称号，1999年被中央文明委授予“全国创建文明行业工作先进单位”。

### 一、提高思想认识　强化“四个意识”

一是强化关员的参与意识。该处在科室间开展比学赶帮竞赛；举办“我为深化改革献一计，我对深入创建进一言”；评选十佳关员等活动，旨在增强关员的参与意识，使创建活动有了更好的群众基础和思想基础。

二是强化关员的法治意识。该处重视法律法规学习，使关员对《刑法》、《行政诉讼法》、《行政处罚法》、《国家赔偿法》等法律、法规知识都有了基本的了解。他们还运用案例分析，加深关员对适用法律的理性认识。通过学习，教育关员认识依法行政是海关工作的最高准则，关员只有严格依法办事的义务，没有超越法律、自行其是的权力。

三是强化关员的服务意识。该处组织关员到国有大中型企业参观学习，帮助关员树立群众观点、服务观点和效率观点，使关员牢固树立"以企业为导向"的思想，以企业满意、群众满意、社会满意作为检验文明服务成效的标准。

四是强化关员的公仆意识。该处经常开展正确对待权力、谨防权钱交易的"过三关"教育。在教育的同时，加强社会对关员的监督，约束关员的行政行为。除在现场公布有关规定外，还坚持处长接待日，接受业务咨询，听取对关员态度、作风、效率、廉政的反映。对反映关员以权谋私的事情，认真对待，深入调查，严肃处理。

**二、加强制度建设　规范内部管理**

近几年来，该处制订了《开展"讲文明树新风"活动的实施意见》、《文明服务示范标准》等十项制度，做到有章可循。将海关文明服务公约、十条职业道德守则、二十二条服务用语、二十二条服务忌语、十不准、十必须等编入《新风办事处关员文明服务手册》，要求关员按照手册规范行为，履行对外承诺。

他们加强制度建设的同时，注意狠抓落实。建立了层级管理责任制，层层签订责任书。成立检查小组，不定期检查关风、关容、关貌、文明服务、服务承诺制度的落实情况。每季进行文明示范测评，每季度向企业、报关员发调查问卷，就作风态度、履行承诺、工作效率、廉政等问题，对关员评比打分，并公布测评结果，将考核结果与奖惩挂钩，奖优惩劣。

**三、丰富服务内涵　做好"六个服务"**

1. 常规业务，周到服务。常规业务是指海关日常办理的业务、手续，其特点是量大、琐碎。这些平凡的业务中更能体现海关服务水平。为提供舒适方便的报关环境，他们调整现场布局，保持环境整洁，装备咨询触摸仪、屏幕显示器和报关桌椅等。要求每一位当班关员以热情的态度、高效的服务、廉洁的作风迎接货主。对一些受码头条件限制，难以查验的货物，他们采取了下厂外验的方式。一些企业离海关较远，一个来回少则二三十多公里，多达六七十公里，关员查完货回到家往往已是深夜一两点钟，第二天还要照常上班。超时加班都是无偿的、义务的。1998 年以来该处加班超过 2400 人次，超时工作 6000 小时以上。

2. 特殊事情，特别服务。企业在进出口环节往往会遇到的一些特殊困难或问题。对此，他们在不违反规定的前提下，总是实事求是地为企业排忧解难。

广船国际股份有限公司进料加工合同手册的料件需要从外省口岸和新风口岸两地进口，由于远隔千里，很多时候货到码头，办理手续的合同手册还未到，造成滞报，影响生产。该处领导在走访企业时了解这一情况后，立即研究对策，允许该企业凭保证函和货物清单向海关申报，核对验货后先予放行，待合同手册到后补办登记手续，解决了长期困扰企业的难题。

3. 突发情况，及时服务。人力不可抗拒或突发事故往往造成企业损失。这时，他们能够急企业所急，尽海关职责及时提供服务，使企业减少损失。

广州普笙音箱厂有限公司发生火灾。他们晚上看到有关的新闻报道后，第二天一上班便召开处长办公会议专门研究，决定马上派人到企业了解灾情，及时掌握海关监管的保税货物的受损情况。同时采取措施，帮助企业解决灾后恢复生产的燃眉之急，确保工厂原有的订单能按时交货。企业负责人说，真没想到，火灾现场的烟还未完全熄灭，海关就已赶到。他们对海关能主动上门服务表示非常感谢。

4. 跨区作业，协助服务。在涉及不同关区作业的转关贸易运输中，企业办理手续如有疏忽，就会影响通关。该处注意加强关区间的协调配合，提高工作效率，帮助企业解决实际问题。

广州市牛奶公司是在该处登记备案的企业，每天到深圳口岸办理异地报关手续，出口 2 吨鲜牛奶。由于这家公司不了解海关规定，未及时办理手续，致使鲜牛奶不能按时出口，直接经济损失一次就达2万多元。对此，处领导马上进行了深入细致的调研，4次带队到深圳海关联系协调，沟通情况，达成协议，解决了企业的问题。

5. 宣传政策，指导服务。涉及进出口业务的政策法规很多，向企业宣传法规、提供指导本身就是服务。几年来，该处坚持与企业召开座谈会，沟通情况，帮助企业理解政策，守法经营。向有关部门宣传国家最新政策、海关通关程序等企业关心的问题，深受外商和外资企业的欢迎。

6. 综合问题，合作服务。企业进出口贸易涉及口岸多个单位，如果相互间协调不够，也会影响通关速度和贸易效益。几年前，该处倡议，新风口岸的海关、边检、港监、卫检、动植检、港务公司、商检、处理等8个单位联合向社会作出服务承诺，共同创建文明口岸。1998年，在整个广州港务局中，新风口岸经济效益排第三，实现利税超千万元，是广州片惟一盈利的港口。

**四、贯彻工作方针坚持依法行政**

为了严厉打击走私，他们坚决执行海关总署制定的一系列的措施，加强了查验，重点敏感商品实行100%查验，对集装箱的空箱出口也要100%开箱查验；充分发挥电子地磅作用，加强正面监管。严格审价，重点打击通过模糊申报伪报品名后逃税行为，依法计征税款，保证国家税收足额及时入库。1998年打私会议以来还对码头实行24小时巡查和开展水上打私的“灭蚁行动”。通过加强正面监管和查验，近几年共查获各类走私违规案100多宗，每年的查私案值都在人民币3000万元左右。

（海关总署）

## 深圳海关海上缉私处

# 用青春和热血筑起反走私海上长城

深圳海关调查局海上缉私处前身为海上缉私大队，1991年根据反走私斗争形势的需要，经海关总署批准，改建为海上缉私处。现有干部职工154人，下辖901艇、812艇、831艇（均为科级建制）和两个海上缉私科（拥有10艘缉私快艇）。

**斗智斗勇打击走私**

90年代初，走私分子由利用小渔船转为利用高速快艇（俗称“大飞”）运送走私物品的情况，当时的“大飞”每艘900匹马力以上，航速高达55海里/小时，海关装备最大马力的快艇才470匹，速度远没有走私“大飞”快，所以海上缉私一度陷于困难境地。在这种情况下，海缉处决定扬长避短，采用群体作战的战术，大船和随船快艇配合，预先在走私“大飞”的必经之路隐蔽埋伏，大船用雷达搜索目标，指挥快艇快速查缉，快艇追，大船堵，形成“围、追、堵、截”的阵势，迫得“大飞”无路可逃，束手就擒。1990年10月22日，901艇指挥随船快艇成功缉获第一艘走私“大飞”，紧接着，其他缉私艇也利用这种战术相继缉获多艘走私“大飞”。经请示上级同意，他们将缉获的“大飞”用来武装自己，采用“以快制快”、“中途伏击与捣老窝相结合”等战术，连续截获了几十艘走私“大飞”，有效遏制了当时猖獗一时的“大飞”走私活动。

针对走私分子的盯梢、窥视、跟踪等反侦查策略，他们加强情报调研工作，设立了情报组，深入走私比较严重的地区进行实地调查，掌握第一手材料。在充分发挥情报先导作用的同时，着手构筑快速反应系统，改造和新造了多艘高速快艇，组建了海上缉私指挥中心，引进了CPS卫星监控系统等许多先进的科技设备，全天24小时监控海面，辖区海域内不管在什么地方只要发现走私船只，缉私快艇在半个小时内便可赶到指定地点，有力打击走私分子。同时，海缉处在大鹏湾东西两侧的盐田和蛇口组建了两个机动快艇科，全部配备高速缉私快艇。两个快艇科在东西海面穿梭作战，声东击西，相互配合，神出鬼没，令港澳地区和内地的走私分子闻风丧胆。

1999年5、6月，海缉处组织了一场声势浩大的打击海上小额成品油走私专项联合行动，仅在5月3日至6月3日一个月的时间里，就查获成品油走私案件197宗，计成品油6063多吨，案值人民币1600多万元。在"珠江口及其附近水域开展打击走私专项斗争联合行动"中，于6月28日和30日连续查获涉嫌走私进口盗版VCD光盘222.8万张和177.3万张，是迄今为止全国查到的最大宗盗版光碟走私案。

**无私无畏奉献忠诚**

海上查私的艰辛，为一般人所难以想象。由于走私分子的活动规律变化无常，缉私队员在接到情报后，在预定的海域内伏击守候，经常要漂泊一整天，甚至更长的时间，为了保持与基地通讯联络，艇不能停靠码头或岸边，只能整天在海上摇晃，睡也睡不着，站也站不稳，那种难受劲，真是无法用语言来表达，要是遇到大风大浪，就更难受了。一天内连续数次出海，或刚返回基地又接到任务紧急出海，对缉私队员来说，是家常便饭。特别是1999年以来，狡猾的走私分子为了逃避打击，化整为零，采用了"蚂蚁搬家"式的走私手法，更增加了缉私的难度，处里几乎所有的领导和缉私队员都取消了休息日，一有命令，立刻行动。

海上缉私不仅工作、生活环境艰苦，而且常常有生命危险。走私分子大都非常熟悉海面的情况，他们在逃跑时，往往将"大飞"开往礁石丛生的地方，缉私队员稍有不慎，就有可能撞到礁石上，随时有船毁人亡的危险。

走私分子都是亡命之徒，他们为了逃脱惩罚，牟取暴利，常常铤而走险，甚至攻击缉私人员。在震惊全国的1991年"1·10"事件中，707缉私艇与随船快艇在三门岛附近海面执行缉私任务，从雷达上发现一艘走私"大飞"风驰电掣般驶来，缉私队员汤如荣、刘伟明、古伟红、廖玉添四同志驾驶快艇前往查缉。接近"大飞"时，令其停船接受检查，但是，"大飞"不但不停船，反而加速逃窜，缉私快艇紧追不舍，并且鸣枪警告，走私暴徒见走投无路，便驾驶着船头船尾加装了厚厚的钢板的"大飞"凶残地向海关缉私快艇拦腰撞来，缉私快艇当场被撞沉于大海，缉私队员古伟红、廖玉添光荣牺牲，队员刘伟明、汤如荣身负重伤。

为了与走私分子作斗争，缉私队员们付出了沉重的代价：他们除了远离市区，远离家人，过着枯燥、单调的生活外，还由于常年累月在海上缉私，因经常晕船、呕吐和生活无规律而得上了不同程度的职业病。据体检统计，全处员工中患有胃病的高达50%，肝病的占20%，腰肌劳损、关节炎、腰椎间盘突出的也达50%。艰难困苦挡不住缉私队员，走私分子的凶残吓不倒缉私队员，他们与走私分子斗争的决心反而更坚定了，缉私成绩也连年直线上升。

**不屈不挠锤炼队伍**

多年来，海缉处把培养塑造一支政治觉悟高、责任强、作风硬的队伍，摆在工作的重要位置，使之成为海缉处的一项传统。建立起了严格的理论学习制度，定期学习党的路线、方针、政策，以及国家和海关总署颁布的有关法律、法规。

该处十分重视队伍的廉政建设，建立和健全了各种廉政规章制度，处理经常开展"学雷锋、讲奉献"、"法纪教育"以及"依法行政教育整顿"等活动，时刻教育和警醒全体关员。据不完全统计，仅1999年上半年，他们就有40多名缉私人员拒贿，金额达人民币60多万元。

缉私队员们在缉私斗争中的突出表现，赢得了政府和人民的肯定及赞许，1997年以来，全处共查获各类海上走私案件800多宗，案值达10.3亿元。由于成绩突出，历年来，该处先后被全国打私办、海关总署、广东省和深圳市授予"先进集体"、"基层建设标兵"等18项光荣称号；被全国总工会、广东省委（政府）、深圳市委（政府）、海关总署授予五一劳动奖章、优秀缉私关员、海关卫士、劳动模范、先进工作者、优秀共产党员等光荣称号31人次。

（海关总署）

# 海军工程大学

# 衡阳抢险英雄群体

1999年7月9日，武昌开往湛江的461次旅客列车行至湖南衡阳茶山坳地段突然脱轨，造成12节车厢倾覆，数百人受伤、多人死亡。惨剧发生时，赶赴南海舰队报到的13名海军工程大学应届毕业学员自发组织起来，抢救轻、重伤员近百名，安全转移乘客200多人。其中该校25队学员刘晓松身受重伤，仍先后抢救、转移群众20多人，不幸光荣牺牲。参加“衡阳抢险”的13名学员，不仅在生死考验的关键时刻挺身而出，舍己为民，而且在火热的军营大熔炉里奋勇争先，全面锤炼；在艰苦的求学道路上刻苦学习，奋发成才；在祖国需要与个人前途的抉择关头，胸怀大局，无私奉献。他们堪称当代大学生的楷模，新时期青年军人的榜样。1999年11月，共青团中央授予海军工程大学“衡阳抢险英雄群体”、“全国新长征突击手”荣誉称号。

**一、危难时刻显身手，用鲜血和生命铸就人生理想的丰碑**

7月9日22时48分，以116公里/小时高速行驶的461次列车突然脱轨，巨大的离心力把刘晓松从铺位上掼起来，撞破窗玻璃甩出车外，他的额头、头顶、胸部、四肢多处受伤。浑身是血的刘晓松却格外清醒：列车出事了，赶快救人！他挣扎着爬起来，先将被甩到车外的武汉江岸铁路幼儿园老师官望芝搀扶起来，随后爬进倾覆车厢中，找到并救出了与官老师同行的杨思佳、陈侃、杨威等3名儿童，将马惠芬等20多名受伤乘客都送到车外的安全地带，交待大家相互照应后，又迈着踉跄的步子到另一节车厢去寻救伤员。在搀扶一位老大爷时，刘晓松因体力不支，突然仰面晕倒在路基上，后脑勺磕在一块突出的石头上，与额头的外伤形成致命的脑外对冲伤，经抢救无效，献出了年仅21岁的宝贵生命。

与此同时，同乘这次列车的另外12名海工学员都自发投入抢险救人的行列中。帅雄星和几个同学相互配合，在扭曲的行李架、床板、车顶篷和隔板中艰难地爬行着，将车厢中每个角落的伤员一一安全转移。退休工人谷福娣被夹在车厢中动弹不得，身受重伤，呕吐不止。这时海工学员杨光、李一华、靳文汉赶到，他们运用在学校学到的急救知识迅速对奄奄一息的谷福娣实施抢救，并合力将老太太从夹缝中拖出来。武汉市规范设计院的康利荣被摔成重伤，呼吸困难、生命垂危，周国平等5名学员从车厢里拆下一块床板，把康利荣放到床板上，冒着大雨，光脚在尖利的碎石路上艰难中跋涉了4公里，终于将康利荣送到了救护地点。

危难之际，海军工程大学毕业学员尽管来自不同的学员队，有的甚至互不相识，但他们表现得像一个有严密组织的战斗集体，完全不顾自身的伤痛，有的寻找伤员，有的指挥转移，有的维持秩序，有的协助医疗救护，和其他救援人员一起，奋不顾身抢救遇险群众，谱写了一曲感人肺腑的壮歌。

**二、走全面发展之路，将个人追求溶入共同理想之中**

海军工程大学应届毕业学员“衡阳抢险”的英雄壮举，决不是一事一时的冲动，而是他们追求崇高理想，努力实践“祖国和人民利益至上”宗旨的具体体现。13名学员中有8人是地方应届毕业生考入军校的，有5名来自基层部队，年龄最大的25岁，最小的仅20岁。从一名高中毕业生步入军校，有的是凭着对军人职业的憧憬，有的是为了寻找个人出路，有的则考虑到经济条件，想以军校为跳板另谋发展。经过几年军校的思想政治教育，学员们逐步走出了崇尚“自我设计”、“个人发展”的误区，树立了正确的世界观、人生观，成为全面发展的优秀军校毕业生。参加“衡阳抢险”的13名应届毕业学员中，有12名是在校入党的学员，1人是要求入党的积极分子。学员许永辉报考的是海军工程大学计算机专业，但到校后却被分配到了机电专业。机电专业的毕业分配去向是舰艇部队的轮机部门，工作又苦又累，而且没有发展前途。但是，经过教育，他愉快地服从分配。刘晓松曾经是安徽省金寨县的高考第一名，在校时他是篮球队的主力队员，是全校有名的文艺活动骨干。毕业分配时有人劝他留在条件非常好的院校工作，但刘晓松在全校第一个倡议；到基层去，到艰苦的地方去，到祖国最需要的地方去。南海舰队某驱逐舰支队到学校选调一名计算机专业的毕业生，特别是讲明不坐机关直接上舰工作。这是全校计算机专业公认分配去向最差的一个名额。年仅20岁的刘海涛几次找到队领导，坚决要求到条件最艰苦的岗位上建功立业。

**三、从点点滴滴做起，让理想之花开放在国家和人民最需要的地方**

关键时刻的英雄壮举，来自于学员们平时的点滴积累。学员许永辉连续几年利用寒暑假为家乡小学进行军训。1997年8月19日，一场强台风挟着暴雨登陆，军训学生的宿舍房顶被掀掉，许永辉第一个冲进学生宿舍，和老师一起将全部学生转移到安全地带。1998年夏天，孙爱清的家乡遭受特大洪水，家里的房屋被洪水冲走，孙爱清在一度与家人失去联系的情况下，自觉参加抗洪抢险战斗。海军工程大学把守着武汉最危险的龙王庙险段，由于连续作战，刘晓松几次累倒在大堤上。李一华为帮助一位素不相识的地方病人，到医院无偿献血200多毫升，却始终不肯留下自己的姓名。一位来自辽宁的同学父母先后病逝，家中贫苦，刘海涛拿出自己两年积攒的374元钱捐给了这位同学，他所在学员队自发捐款6000多元。杨光为帮助大家尽快掌握计算机使用知识，和另外一个同学一起自费购买了一台电脑，供全队同学业余时间使用。正是从这一点一滴的小事做起，学员们为共同的理想注入了新的内涵。

（解放军总政治部）

## 北京市东城区

# 实施“四心”工程 努力创建文明城区

北京市东城区是首都中心城区之一。改革开放以来，他们始终把社会主义精神文明建设摆在更加突出的位置抓紧抓好，为驻区单位和居民群众营造了一个“舒心”、“称心”、“欢心”、“放心”的良好社会氛围，有力地推动了全区两个文明建设。1999年被中央文明委评为全国创建文明城市先进城区。

**一、实施“舒心”工作，从根本上改善城市环境状况**

1999年，为迎接新中国成立50周年，他们投资1.7亿元重新装饰天安门广场；投资近4亿元对北京站和站区广场、站前街进行改造和绿化美化；投入180多亿元对具有百年历史、享誉海内外的王府井大街，新增改造面积200多万平方米，使其成为现代化商业建筑林立，传统老字号云集，设施完备、服务文明规范的“北京香榭丽舍”。近年来，东长安街沿线各方面投入260亿元建起的中粮广场、长安大戏院、光华大厦等数十座现代化建筑，为展现首都国际化大都市风貌增添了亮丽英姿；贯通京城东西具有明清时代古色古香的平安大街，已成为东城区又一处独特的风景线。

东城区为改善群众的居住条件，从1990年开始迈出了旧城大规模改造的步伐，使成千上万的老百姓告别了一家三代挤在十几平方米平房的尴尬。

近几年，园林绿化每年以扩大绿地面积5公顷的速度稳步发展。1999年东长安街在原有4万余平方米绿地的基础上，新增绿地5.8万平方米，形成了一条绿色长廊。在建国门桥西北角建成15600平方米大型绿色广场。区政府先后投资近亿元购置现代化环卫清扫机械和垃圾挤压车，率先在全市实现了主要大街的机械化清扫和直接收运垃圾，所有胡同垃圾密闭式清运。全区1017座公厕达到3类以上标准。

**二、实施“称心”工程，居民生活方便舒适**

东城区政府作为全国率先实行“两公开、一监督”制度的试点区，多年来，他们在深化政务、司法公开，实行行风评议、内部权力分解、重点岗位轮岗、重大事项报告等方面，树立了“政治强、境界高、工作硬、形象好、作风实”的良好形象。

作为全国社区服务的示范窗口，东城区投入4800万元，建成了在全市规模最大、设施领先、功能齐全的5000平方米区级社区服务中心，建成了10个街道社区服务中心，新增老年公寓和敬老院7个、床位400多个，社区服务设施总面积达14668平方米。以小型、便民为特点的居委会微型社区服务和“一卡三网六坚持”开通的热线电话，被民政部在全国各大中城市推广。还在全市率先成立了下岗和生活困难职工生活服务中心，为5.8万人发放平价商品优惠卡。改造了万米以上商厦11个，发展和完善商业网点及便民连锁店8246个，受到了群众普遍欢迎。

**三、实施“欢心”工程，教育、科技、文化事业全面发展**

东城区始终坚持科教兴国的发展战略，累计投入24亿多元用于全区的教育、科技、文化、体育、卫生等事业。在坚持三个面向，突出抓好基础薄弱校改造的同时，注重素质教育，不断提高教学质量，高考升学率连续十几年荣获全市第一。还坚持举办各类科普报告会、学术交流会、技术培训以及科普咨询活动、知识竞赛1635场次，参加人数达47万人次。

为发展文化体育产业，东城区累计投入17.6亿元，建成了一批功能完善、水平一流的精神文明硬件设施，为群众性文体活动的蓬勃开展注入了生机和活力。全区组织了17个各具特色的业余文化团队、269个文化室和350多个体育晨、晚练点等，实现了群众文化、全民健身向社区、向家庭的延伸。成功举办了东城区文化夏日广场、消夏纳凉晚会和文化艺术节等大型活动。全区五好文明家庭达15.54万户，占全区总户数74%。全区360所市民文明学校充分利用《可爱的东城》等28种爱国主义教育教材，北大红楼等140个爱国主义教育基地，对居民群众进行“爱国、爱岗、爱家园、奉献社会”的教育。

**四、实施“放心”工程，社会秩序井然、良好**

在打击违法犯罪中，东城公安分局坚持“打防结合、预防为主”的方针，近8年刑事发案率连续下降，有效的维护了全区的社会稳定。为做好青少年的普法教育，司法机关与中小学校共建，区公安分局、检察院、法院等机关，选聘科、处级干部到112所中小学任法制校长，通过形象、生动的案例和法制教育，使广大青少年养成守法意识和学会自我保护的本领。以普法教育和法律进机关和企事业单位、进社区、进家庭的有效形式，组织多种活动，广泛开展了法律知识宣传教育。

大力开展创建文明安全居（家）委会活动，全区5600个治保组织、5.8万多治保积极分子与公安机关配合，构筑了全区群防群治的体系。实施了“管理、服务、打击”三结合的策略。全区400多个居（家）委会中80%以上达到了创安标准。其中和平里街道安德里居委会15年来没有发生刑事案件，建国门街道大羊宜宾居委会被评为全国民调工作先进单位。

为了确保“四心”工程的全面落实，他们始终坚持把精神文明建设摆到更加突出的位置狠抓落实。实行一把手负总责，主管领导具体抓，其他领导抓分管的目标责任制，形成了区，街道、局、处、公司，校、店、所、居（家）委会等三个层次的工作网络。每年拨款1000万元建立精神文明建设基金，在创建工作中，全区上下齐心合力，为精神文明建设工作的开展提供了保证。

（首都文明办）

## 北京市西城区

# 扎实工作 全面提高 努力创建全国文明城区

北京市西城区是首都中心城区之一，是中央党政军首脑机关所在地。多年来，他们以经济建设为中心，以“四个服务”为宗旨，以全国可持续发展实验区建设为龙头，以全国社区建设实验区为依托，以群众性创建活动为载体，以创建全国文明城区为目标，做了大量工作，有力地推动了全区两个文明建设。被授予国家级荣誉称号23个，市级荣誉称号28个。

**领导有力，制度健全，坚持不懈地推进西城文明城区建设。**他们始终坚持“两手抓，两手都要硬”的方针，不断加大文明城区建设的领导力度和工作力度。1999年，为了加强对创建全国文明城区工作的领导，又根据驻区中央单位多、隶属关系复杂的特点，建立了指导小组、领导小组、工作小组三级创建工作领导机构，区街均有常设机构，使创建全国城区工作的水平不断提高。同时，将创建全国文明城区工作纳入区委、区政府重要议事日程和城市发展总体规划，明确提出了“努力把西城区建设成为科技教育文化发达、思想道德水平较高、社会风气较好、民族团结、社会稳定、城市环境优美的第一流的文明城区，建成社会主义中国的首善之区”的总体目标，把创建全国文明城区的任务提上了全区工作的议事日程。区委区政府不断加大对精神文明建设的投入，由1993年的1.12亿元增长到1998年的4.12亿元。区里还设立了精神文明活动专项活动经费，每年200万元以上。

**经济发展，生活改善，财政收入保持全市较高水平。**西城区重视适合首都中心城区特点的发展战略的研究和发展规划的制订，80年代提出“服务中央、发展西城”的战略思想，1992年制订实施了“繁荣西单、发展西城”的战略规划；1998年初，提出“大力发展五业、重点建设五街”的思路。区级财政收入居于北京四个城区的首位。居民年人均可支配收入1998年达到9000元，提前达到“小康”水平。5年间全社会固定资产投资85亿元，开复工面积448万平方米，竣工面积248万平方米，其中住宅竣工112万平方米，拆迁安置2.4万户，为7万多居民改善了居住条件，城市面貌有了较大的变化。

**服务优质，风气良好，文明示范窗口建设成效显著。**西城区通过抓素质，实施“十大工程”，使干部、群众的思想道德水平不断提高；通过抓突破口，宏扬“柳荫精神”，实施“双拥共建优势工程”，连续3次蝉联“全国双拥模范区”；通过抓领导，开展“文明机关”和“好公仆”评选活动，有力促进了勤政、廉政建设；通过抓窗口，抓一条大街，一个行业和55个文明示范窗口单位，推进了文明行业创建工作；通过抓基础，创建文明社区建设取得了明显成效，被确定为“全国社区建设实验区”。

西城区委区政府坚持10年为群众办实事办好事。1990年，实施了“909工程”，使城区面貌大为改观。1991—1995年实施了“同心工程”规模化，全区上下共同参与，效果明显，从而形成制度、形成规模。1996—1998年“连心工程”规范化。区民政局与10个街道联网建立经常性的社区服务热线，方便群众、接受监督，使便民服务形成系列化、规范化。“1999民心工程”征万家言，建文明城，效果良好。

**环境优美，设施完备，“两街三区”展新姿。**驻区中央党政军领导机关多，是西城区创建文明城区的最大优势。多年来，从中央首长到机关干部都十分关心、大力支持、积极参与地区的精神文明建设。1999年初以来，该区进一步加大了宣传发动的力度，在全区范围内广泛开展了“80万双手共建美好家园”系列活动，中直工委、中央国家机关工委和总参、总政等中央党政军机关牵头单位又发出通知或召开会议，要求驻区中央单位支持参与西城区创建活动。80万西城人共同行动起来，积极投入到创建全国文明城区活动中。

以迎接新中国成立50周年为契机，全区建设了50项形象工程，尤其是西长安街、平安大道和西单商业区、北京金融街区、什刹海历史文化旅游风景区这“两街三区”及10条精品街巷、10个精品小区的建设，使西城形象大为改观。西城近年来加大了环保工作力度，烟尘控制区覆盖率为100%，建成区绿化覆盖率为26.28%，花园式单位比率为56.6%，做到了“黄土不露天”。深得民心、深受欢迎。

**秩序优良，社会稳定，人民安居乐业。**作为党和国家首脑机关所在地，西城区担负着维护首都稳定的重要责任。多年来，进行了大量卓有成效的工作，为确保首都政治稳定和社会安定做出了突出贡献。西城区1997、1998年连续两年被评为北京市社会治安综合治理先进区。扫黄打非工作成效显著。西城区积极探索大都市外来人口管理思路，已连续3年在外来务工人员中广泛开展了“荣誉市民”评选活动，被评为北京市外来人口管理工作先进区。

**科技进步，文化繁荣，国家级可持续发展实验区建设成效显著。**1995年，西城区被批准为国家级可持续发展实验区以来，逐步健全了实验区工作体制，制订了《西城区21世纪议程》等工作规划，广泛开展了可持续发展思想的教育，在经济、社区、城市建设、医疗卫生、文化教育等方面确定实施了100多项示范项目和研究课题，其中近一半项目和课题已经完成并取得成果，部分成果在全市得到推广。

（首都文明办）

## 北京市怀柔县

# 深入开展创建文明村镇活动　推动两个文明建设

近年来，北京市怀柔县紧紧围绕农业和农村跨世纪发展的目标和方针，以提高农民素质，奔小康和建设社会主义新农村为目标，深入开展了创建文明村镇活动，并取得了明显的成效。国内生产总值、工农业总产值、财政收入、农民人均纯收入逐年增长，农民平均生活水平基本实现了国家小康标准。1999年被中央文明委评为全国创建文明村镇工作先进县。

**抓机制，创造齐抓共管的局面。**1997年初，县委通过了《怀柔县1997—2000年精神文明建设规划》，提出：在文明村镇建设中，全县每年至少抓30个县级文明村，并有20%的村进入首都文明村的行列。1997年上半年全县推出10个示范村和50个重点村，并把乡镇机关所在地列入重点村。通过抓“重点村”带动全县乡镇创建活动的开展。在“达标村”规划建设中，县里每年都对创建文明村镇工作作出安排，制定详细的工作计划，明确工作重点和实施步骤。县、乡精神文明建设委员会具体负责创建文明村镇工作的组织领导。县、乡（镇）党政主要领导亲自挂帅，主管领导具体抓落实；各村党支部书记、村主任负总责，副职抓创建的日常工作。县、乡（镇）都把创建文明村镇工作作为精神文明建设百分考核的一项重要内容。同时，对有关的15个部门，依据职责范围进行了责任分工。还采取县领导联乡包村的办法给予具体指导，乡（镇）领导包片、一般干部包村的工作责任制，年底考核与奖金挂钩。

**抓活动，造就全民创建的气势**。几年来，全县深入开展了“讲文明树新风”、“四要四不要”宣传教育活动；强化了《首都市民文明公约》、《首都市民文明守则》和“树怀柔精神、做文明怀柔人”的宣传教育；深化了社会公德、职业道德、家庭美德教育。通过系列评选活动，全县涌现出了一大批见义勇为、助人为乐、扶贫济困的先进典型；涌现出了一大批爱岗敬业、服务人民、奉献社会的职业道德先进个人；涌现出了一大批尊老爱幼、夫妻和睦、勤俭持家、邻里团结的“五好文明家庭”。世界妇女大会以来，尤其是近几年，怀柔县进一步加大了环境整治力度，强化“门前三包”，把庭院、门前屋后环境卫生列入“五好文明家庭”评比的一项内容；创建党员、团员、“三八”妇女文明街；开展青少年文明先锋街（路、公园、环岛）活动；组织“怀柔是我家，清洁靠大家”的环境保洁活动。通过开展环境综合整治，吸引广大群众参与，怀柔县已成为全国绿化美化先进县、全国造林绿化百佳县，还被北京市政府列为“可持续发展综合实验县”。全县开展多种形式的文化体育活动，不断丰富群众的业余文化生活。继1996年全县成功举办第一届全民运动会之后，1998年又举办了第二届全民运动会，全县共有110多个单位近7万多人参与，5600多人参加了全运会比赛。在全县掀起了全民健身运动的高潮。此外，一年一度的农民艺术节，已举办了八届。全县秧歌队已发展到了200多个，各种文化体育活动的开展，改善了村风、民风，净化了社会风气。现在赌博、打架斗殴的少了；关心集体，助人为乐的多了。全县深入开展了创建安全村、居（家）委会活动，通过办培训班、办专题广播、入户宣讲等多种形式进行法制教育；同时不断完善农村《村民自治章程》、村规民约，加强治保、民调工作。全县287个行政村、11个居（家）委会，“创安”达标率达到了67.5%，刑事案件发案连年下降。被评为首都社会治安综合治理先进县、外来人口管理先进县。1992年以来，全县通过实用技术培训，开展“科技下乡”、“科技赶集”等活动，推广农业科技。结合开展强乡富民工程，引导农民向一村一品、一户一品方面发展，使山区95%以上的农户脱贫。全县1.1万余户农民参与了“科技示范户”评比活动，涌现出1300余个“科技示范户”。

**抓评比，培育过硬的文明标杆**。北京市下发《关于在郊区深入开展创建“文明户”、“文明村”和“文明乡镇”活动的意见》后，怀柔县随即重新修订文明村、文明乡镇标准，对班子建设、经济发展、群众性精神文明建设、民主法制建设、环境建设、群众性文化活动提出了明确的要求，重申了“一票否决”的几项硬性标准。县文明办等有关部门经常深入基层进行检查指导，全年大的综合检查不少于两次，年底由县四套班子领导带队，各乡镇主管领导参加进行拉练检查观摩；在评比活动中，严格遵循年初申报、半年初评、年终总评的工作程序，成立了有15个部门参加的审核小组，严格按照标准逐个审核，确保评选工作规范性、科学性、准确性。

**抓共建，构筑共创文明的大氛围**。为提高区域整体文明水平，怀柔县军警民深入开展了联建、共创文明活动，各单位根据各自特点，资源共享，优势互补，互帮互学，共同进步。经县有关部门协调，县直属单位已有64个单位与乡（镇）、村相互联姻分别结成科技对子、文化对子、普法对子等，使这些村加快了致富进程，为创建文明村镇活动注入了新的活力。全县59个共建对子紧紧围绕“三大创建”开展共建活动，为怀柔县的繁荣稳定和发展做出了突出贡献。

（首都文明办）

# 天津市和平区社区服务求助中心

# 不断开拓社区服务新格局

天津市和平区社区服务求助中心成立于1998年，是和平区按照市委“一切为了人民、一切依靠人民”的基本工作思路，投资1600万元建立覆盖全区的社区服务求助系统的主体工程。它采用先进的计算机管理手段，把传统的社区服务与现代信息技术有机结合，初步形成了符合系统工程要求，向产业化、信息化发展的社区服务模式。他们通过不断拓展社区服务功能，探索社区服务产业化渠道，以实现“助民所求，为民服务”。1999年10月10日江泽民总书记亲临该中心视察，对他们的工作给予了充分肯定，嘱托他们“求助中心为老百姓办了不少事，我希望你们越干越好”。

## 一、精心设计结构框架，满足群众多种需求

和平区社区服务求助中心根据“为国分忧、为民解困、方便群众、服务社会”的成立宗旨和“全员、全程、全面、无偿、低偿、有偿”的工作原则，面向社区百姓，精心设计内部结构框架，共设有20个服务部门，包括：社区服务部、家政服务部、为民服务网络办、婚姻家庭服务部、特殊群体服务部、旅游服务部、网络服务部、职业介绍服务部、法律咨询服务部、优生优育服务部、医疗卫生服务部、烈军属服务部、教育培训服务部、志愿者服务部、社会保障慈善募捐服务部、人才交流服务部、紧急求助服务部、社会治安服务部、保护消费者权益服务部、政务公开监督服务部等。从而方便了群众来中心解决各类生活问题，实现了“帮民所困，助民所求，扶民所贫”的目标。

在此基础上，和平区社区服务求助中心还开发了六大功能，即：查询信息功能、信息中介功能、协调督办功能、管理服务功能、网络控制功能和落实相关项目功能，最大限度地实现了信息资源和服务资源的共享，促进了政务公开和群众监督体系的不断完善，进一步推动了社区服务向科学化、规范化、信息化和产业化发展。

## 二、开办特色服务项目，构筑社区服务桥梁

为了进一步深化社区服务，拓展社区服务领域，增强社区服务功能，提高社区服务水平，为群众提供全方位、多层次、便捷高效的社区服务，和平区社区服务求助中心积极架设居民群众与政府部门、企事业单位、社区服务志愿者之间的桥梁，先后开办了三个特色服务项目：

一是开通以2339.9999求助热线和2723.2828政府热线为主的电话求助系统。他们实行24小时值班，随时受理居民群众对政务服务和生活服务的各类求助电话，并负责进行督办和向求助者反馈处理结果，及时解决居民日常生活中遇到的各种难题。他们从不向求助者说“不”，使广大居民群众感到非常方便快捷。

二是建立和平社区服务网（http：//hp．on-line．tj．cn)。该网站是利用现代信息手段、通讯及计算机网络技术，以社区服务为主题，内容涉及居民生活的方方面面，涵盖政务服务和生活服务两大部分的现代化社区服务系统。该网站已和全区的6个街道、101个居委会全部实现了计算机联网，形成了覆盖全区，由求助中心、街道办事处、居委会组成的三级社区服务网络。他们还相继开通了网上求助室和网上求职招聘系统等服务项目，并充分利用现有的条件和资源，建立了网络查询室及室外大屏幕，为广大居民随时提供网上社区服务。

三是研制开发“社区服务综合呼叫系统”。这套系统是在家庭安装呼叫盒，通过电话线与求助

中心计算机联网，当用户遇到困难进行求助时，求助中心可以随时提供紧急治安服务、医疗服务和家政服务，并能在服务器上显示用户的基本情况，按照预先约定通知用户家属，提供病历档案等。这套系统的投入使用，形成了“一台电脑一条线，千家万户连成片”的社区服务中介新格局，将社区服务引向了全方位、多层次，延伸到每个家庭。

**三、积极发挥载体功能，社区服务取得实效**

和平区社区服务求助中心急群众之所急，想群众之所想，真心实意地解决居民的实际困难，为广大群众办了一大批好事实事。仅1999年，他们就接待来访求助者3万余人次，其中家政服务部来访5800多人次，安置下岗职工社区再就业300多人；婚姻家庭服务部日来访人数高达百余人；中心机房受理群众各类电话求助3000多件，全部办结，求助者满意率100%；老年电脑俱乐部现已发展会员100多名；综合呼叫系统安装家庭已达300多户；改版后的和平社区服务网的访问量突破10万人次；接待全国各地区的学习、访问、参观团体达300多个，约1万余人次。

江泽民总书记在百忙之中亲临中心进行视察，使全体工作人员倍受鼓舞。他们决心以更加规范的管理，更加热情的服务，建起党和政府与人民群众沟通的桥梁，积极推动社区志愿者活动的深入开展，进一步促进社区服务向信息化、产业化迈进，充分发挥先进典型展示文明、传播文明、带动文明的示范引导作用。

（天津市文明办）

## 天津市河西区马场街

# 以创新精神建设社会主义新型社区

近年来，天津市河西区马场街坚持两个文明一起抓，集体经济和各项事业年年迈上新台阶。先后荣获全国先进基层党组织、全国最佳街道、中国街道之星、全国青年文明社区和市级文明社区示范点等荣誉称号。1999年12月被市委、市政府命名为天津市先进集体重大典型。

**一、抓住机遇，深化改革，街道经济实现大发展**

马场街坚持以经济建设为中心，加快发展街道集体经济，总资产达13亿元。1999年完成产值8.5亿元，实现利润9000万元，完成税收3000万元，连续9年位居天津市街道集体经济之冠。该街按照行业特点、经营方式、产权关系对企业进行分类归口管理，把200多个企业调整为107个，使分散的个体优势组合成整体优势，实施规模经营，逐步形成了以房地产开发业、文化娱乐业、高新技术产业和供热业为主的10个产业群体。1998年还成立了“中国（天津）天马华飞加蓬国际贸易有限公司”，将发展的触角延伸到非洲。

该街现有专业技术人员275名，其中有中高级职称的168名，每年开发10个以上高新技术、高附加值产品。

近两年，他们抓住国有企业实施战略改组的有利时机，积极推行资本扩张，先后接收兼并了15家国有、集体大中型企业。通过优良资产剥离重组、内部资产兼并、资产转让、注资扩容等十项改革措施，使企业重新焕发了生机和活力。1998年，接收企业总体减亏781万元。

**二、坚持两手抓，社区精神文明建设取得显著成绩**

马场街始终坚持“两手抓，两手都要硬”的方针，把创建“双文明”第一街作为奋斗目标。他们大力开展“老百姓讲自己的故事，争当精神文明十个系列百颗星”活动，通过多种形式，广泛宣传在居民区中涌现出来的好市民、好家庭、好楼长、好婆媳等十个系列的先进典型，引导广大居民升华思想，弘扬正气，树立新风，科学生活。近年来，他们在加强居民思想道德教育的同时，还先后筹资200万元，用于创建文明小区的基础性建设，实现了街道办事处与居委会微机联网，整治翻修道路4条，新建居民区花园3处、3500平方米，修建车棚、报栏、宣传橱窗等硬件设施57处，给全街居民楼栋安装公用灯6000余盏，新粉刷楼栋400余个。建立了以街道为主，依托居委会，延伸居民楼院的社区服务模式，形成了包括社会救济、卫生保健、信息咨询等内容的“三个层次，十个系列”的社区服务网络和服务体系，全街拥有36个志愿者协会和1.5万多人的志愿者队伍，对277名优抚对象、41户军烈属、340名残疾人实行包保服务。在居民区广泛开展“有困难找居委会”的承诺服务，1998年以来，接待群众求助、为群众办实事4000余件（次）。在每个居委会都建立了社区卫生医疗站（点）。通过多种渠道，安置下岗职工5331人。筹资220万元，兴建了400平方米的街文化中心和300平方米的德才里文化站，完善了各居委会的文化设施。成立了天马乐团、中老年合唱团、时装表演队等19个群众性文体活动社团，有1000余人经常参加排练，表演项目达20余类。1998年以来，先后举办“天马风采”艺术节、“天马杯”家庭文艺大赛等文化活动30余场次，观众达5万余人次。各文化社团参加国家、市、区级文艺会演和表演赛，获奖50余次。

**三、加强党的建设，努力提高干部队伍素质**

按照“围绕中心抓党建，抓好党建促中心”的指导思想，该街大力加强基层党组织建设，努力发挥党组织的政治核心作用和党员的先锋模范作用，为创建“双文明”第一街提供强有力的思想和组织保证。他们认真坚持党委中心组理论学习等学习制度，深入学习邓小平理论和党的十五大精神，坚持理论学习与改造世界观、理清工作思路相结合，较好地做到了理论学习、调查研究、科学决策相统一，促进了班子的思想政治建设和各项工作的开展。认真贯彻党的民主集中制，建立健全了街党委《议事规则》、《议事范围》。认真执行廉政建设各项规定，经常开展党性党风党纪教育，严格实行党风廉政建设责任制，保证了廉政措施的落实。

他们通过从机关选派干部、从辖区招聘下岗人员、从企业选调骨干、从社会招聘大学生等四条渠道，先后选拔16名同志到13个居民区党支部任职，使党支部书记平均年龄下降到45.6岁，文化程度全部达到高中以上，实现了年轻化、知识化、职业化。建立了社区党员联席会，把社区在职党员组织起来，根据他们的特长，成立了社区党员帮困队、党员巡逻队等6支队伍。全街由176名社区党员组成的13支巡逻队，主动维护治安；党员帮困队和391个生活困难户结成对子，开展了各种形式的救助，较好地发挥了党员的先锋模范作用。

两年来，全街还举办理论学习、市场经济、法律知识和科技知识等培训班27期，培训干部1200多人次，选派21名干部到区委党校进修。围绕理想、信念、宗旨、纪律、创新等主题，开展形式多样的党课教育。深入开展了“三讲、四比、一争做”和“三优一满意”等活动，实行了政务公开和干部挂牌上岗。每年年底对全街干部进行德、能、勤、绩全面考核，并对科级以下干部实行“双向选择”聘任制度，使干部队伍思想政治素质和业务工作能力逐年提高。1994年以来，全街112名干部中有56人次获区级嘉奖，11人次荣记三等功，240多人次荣获区、市和全国先进个人称号。

（天津市文明办）

## 河北省石家庄市公安局桥东分局刑警大队

# 一个“特别能战斗”的刑警队

河北省石家庄市公安局桥东分局刑警大队现有民警113名，平均年龄33岁，其中党员73名，下设4个责任区中队，4个直属中队。多年以来，桥东分局刑警大队始终坚持政治建警，以改革求发展，强化班子建设，严格队伍管理，内练硬功，外树形象，努力提高队伍的整体作战能力，充分发挥了打击犯罪主力军作用，为维护社会治安秩序稳定作出了突出贡献，受到了上级领导以及各界群众的广泛赞誉。自1990年以来，该大队连续9年荣立集体三等功，先后被共青团河北省委授予“青年文明号”，被市委、市政府授予市“十大青年杰出群体”、“十大青年文明号标杆单位”荣誉称号，被省精神文明建设委员会评为三星级窗口单位，1998年荣立集体二等功，1999年5月荣立集体一等功，1999年8月3日，朱镕基总理签署命令，授予这个刑警大队“特别能战斗刑警队”荣誉称号。

**一、以政治建警、素质强警为根本，努力造就政治坚定、业务精通的高素质刑警队伍**

桥东分局刑警大队针对刑警战斗在公安工作最前沿，接触阴暗面多，面临各种诱惑多，受到多种负面因素冲击的特点，始终把队伍建设放在工作首位。

他们把加强领导班子建设作为刑警队伍建设的龙头，要求每个领导干部，树立全局观念和责任意识，讲政治，讲团结，讲风格，讲奉献。工作中，各级领导自觉为民警做表率，“平时看我的，关键时刻我先上”成为刑警大队各级领导掷地有声的承诺。在思想政治工作中，他们制定了民警政治学习计划和检查考核制度，坚持每月对民警思想状况定期分析，注意及时发现、培养先进典型，把思想教育渗透到刑侦工作的各个方面，用身边看得见、摸得着、实实在在的人和事来教育引导刑警，突出抓了民警的政治理论教育、宗旨教育、党性党风教育、职业道德教育和法纪教育，使全大队形成了学先进、比奉献的良好风气。在提高刑警业务素质方面，他们实行侦察员与技术员互相交流学习制度，坚持对典型案件及时组织总结、讨论，在全省最早开办刑警业余学校，建立培训基地，积极鼓励刑警参加学历教育，提高广大刑警的业务文化素质。截止到1998年，具备大专以上文化程度的已达到69.9%，并在公安部组织的民警基本素质考试考核中取得了全部优秀的好成绩。

率先垂范的领导班子，行之有效的管理措施，锤炼出了过硬的队伍。1990年以来，刑警大队没有发生过严重违法违纪案件，先后有5名民警被授予省级以上荣誉称号，112人次立功受奖，有46名民警走上领导岗位。桥东分局在职的8名分局领导中有5人是从刑警队的岗位上提拔的。人们称刑警队是“功模的摇篮”、“干部的摇篮”。

**二、敢为人先，以刑侦改革为动力，积极探索实践市场经济形势下刑侦工作新模式**

面对日趋严峻复杂的社会治安形势，桥东分局刑警大队在不断加大打击刑事犯罪力度的同时，始终致力于探索刑侦工作的新途径。1990年，他们在全市公安系统率先实行了破案奖惩制和破案责任制；1992年，又组建了刑警分队，分驻各派出所；1994年，引入了激励竞争机制。1996年，桥东分局被公安部确定为全国刑侦体制改革的试点，他们在广泛深入调研的基础上，对原有的刑侦体制和工作机制进行了全面改革。1997年6月，公安部在石家庄市召开全国刑事侦查工作会议，向全国推广了桥东分局刑侦体制改革的经验作法。

**三、以规范化管理为手段，树立清正廉洁、严格执法的良好形象**

桥东分局刑警大队领导一班人把严格执法、为警清廉作为刑侦工作的生命线。他们紧紧围绕刑警容易发生违法违纪的“钱、权、酒、色、车、枪、赌、商”八个方面，制定一系列严密执法程序，规范执法行为，保证执法公正的规章制度，采取有力措施，实行规范化管理，并把狠抓监督机制作为队伍管理的重要环节，有效地避免了执法办案中问题的发生，确保了严肃公正执法。自1990年以来，桥东分局刑警大队所办案件批捕率一直在98%以上，准诉率，合法率一直为100%，没有出现一起冤、假、错案。拒吃请、拒礼拒贿、秉公执法、为警清廉成为民警的自觉行动。在行风评议中，分局连续4年被评为第一名，1998年夺得全市文明执法杯第一名。

**四、以人民群众满意为最高标准、充分发挥职能作用，确保一方平安**

长期以来，桥东分局刑警大队坚持把当好卫士，让群众满意作为工作最高标准，建立了一套受理、处置突发性暴力犯罪的快速反应机制，实现了闻警而动，快速反应；精心谋划、加大投入、注重培养，建立了一支技术精、作风硬的刑侦技术专业队伍；将想民、爱民、赤诚为民融于工作之中，体现在办案的每个环节上，做到了“办理一起案、感动一片人”，认真履行了打击犯罪、保护人民、为经济建设保驾护航的职责。自1990年以来，共破获各类刑事案件29407起，抓获刑事犯罪嫌疑人7078名，打掉各类犯罪团伙475个，依法逮捕、直诉、劳教、少管犯罪嫌疑人4873名，没有遗留下危害大为群众关注的重大恶性案件，为国家、集体、个人挽回经济损失达9000余万元，为许多企业、单位追回了被盗被骗的巨款，保证了经济建设的顺利进行。1990年以来，桥东刑警大队共为群众办好事、排忧解难58000余件，收到群众送来的锦旗1560面、镜匾834块、表扬信1270封。在分局组织的群众无记名投票测评活动中，群众的满意率一直在93%以上。

（河北省文明办）

## 河北省唐山市

# 广泛开展创建文明城市活动　全面提高城市文明建设水平

河北省唐山市创建文明城市始于1988年。1990年获得联合国颁发的“人居荣誉奖”，成为中国首次在国际上获此殊荣的城市；1994年被国家授予“全国园林绿化先进城市”称号；1999年荣膺“省级园林城市”称号；1993年、1995年连续两届获得“全国城市环境综合整治优秀城市”称号；1994年以来连续3次被授予全国双拥模范城称号；1995年以来，一直保持全国卫生城称号；1997年被河北省委、省政府命名为全省创建文明城市优胜市。1998年在全省第二届创建文明城市竞赛活动初评中，在全省11个市中获总分第一名。1999年被中央文明委命名为“全国创建文明城市先进城市”，同时被省委、省政府授予“全省创建文明城市先进城市”称号。唐山市创建文明城市工作的主要做法是：(1) 坚持“两手抓，两手都要硬”的方针，确保创建工作的落实。(2) 大力加强思想道德建设，全面提高社会文明程度。(3) 不断完善城市功能，努力创造优美环境。(4) 实施平安工程，建立优良社会秩序。(5) 加强科教文卫体建设，促进社会事业繁荣发展。唐山市创建文明城市的主要经验是：（1）建立一个权威高效的指挥督导机构，实施对创建活动的协调统揽。（2）坚持对创建活动实施目标管理，督促各项任务圆满完成。（3）建立多元化的投入机制，为创建文明城市提供资金保证。（4）坚持创“三优”（优质服务、优美环境、优良秩序）紧密结合，全面提高城市文明水平。（5）以组织大型活动为载体，全面推动创建文明城市活动上台阶。

（河北省文明办）

## 河北省石家庄市液化气总公司育才街供应站

# 文明小站播春风

河北省石家庄市液化气总公司育才街供应站担负着周围近3万用户的液化气供应和服务任务，年供气量12万多瓶，年平均维修灶具近2000台。10多年来，这个站在全国“五一劳动奖章”获得者、省劳动模范、站长许秀果的带领下，把供应站作为传播社会主义精神文明的“窗口”，以“用户的需求就是服务范围”为宗旨，学雷锋、树新风，立足岗位，为社会做贡献，以真诚的微笑、热情的话语、周到的服务和满腔的热情，服务广大用户，受到用户的一致赞扬和上级的大力表彰。1996年被中宣部和建设部授予全国建设系统首批50家“文明服务示范窗口”单位之一。1998年被石家庄市委、市政府授予“十佳服务窗口”称号，被河北省委、省政府授予“省级文明单位”称号。1999年被中央文明委授予“全国创建文明行业工作先进单位”称号和“全省创建文明行业工作先进窗口单位”称号。多年来坚持做到高标准、严要求、规范化服务，以使用文明语言、从点滴小事做起，不断提高自身素质，增强服务意识和提高服务质量，以自己对用户的一片爱心，把小站建成用户信赖的“家”，把对用户的爱体现在一言一行中，在文明服务、优质服务方面做出新成绩，取得新进步。

（河北省文明办）

## 河 北 省 邱 县

# 大力推进农村精神文明建设

河北省邱县是一个典型的平原农业县。县委、县政府立足实际，把加强精神文明建设作为解放思想、转化观念、凝聚人心、加快发展的切入点来抓，在全县开展了一系列群众性精神文明创建活动，初步形成了以县城为龙头，行业为窗口，村镇为枢纽，农户为基础的创建格局。1998年全省农村“十星级文明户”创建活动现场会和全省卫生县城现场会在邱县召开。自1993年起，邱县县城连续6年被评为市级文明卫生县城，1995—1998年连续4年被评为省级文明卫生县城。从1994年起，连续5年被省委、省政府评为工作实绩突出县，并相继荣获全国创建文明村镇活动示范县、科技工作先进县等九项国家级荣誉桂冠。1999年被省委命名为基层党建先进县委。同年，被中央文明委授予“全国创建文明村镇工作先进县”称号。

县领导班子建设强化提高理论修养，抓实党风廉政建设，抓决策，谋思路，建立民主管理乡村干部新体制，考核中接受群众和代表评议，调配村两委班子实行“直选”，对农村党支书实行专职化、工薪化管理，发展党员实行“公示制”。这一做法，受到省委的肯定。在加快农村经济发展的同时，围绕提高全县人民思想道德素质和文化素质，坚持以各项群众性精神文明创建活动为载体，以经常性培养教育为手段，利用各种宣教阵地，大力推进农村精神文明建设，在全县大力开展爱县教育、党性教育、法制教育、思想道德教育和邓小平理论教育活动，成立了思想道德教育中心和文明县民学校，组织“千人进村政策宣讲”、争当文明县民、共产党员佩带党徽活动。在农村开展以评创“十星级文明户”、“十星级文明村镇”为主要内容的一系列群众性精神文明创建活动。全县评出“十星级文明户”占全县总户数的25%。每年定期组织“十佳”好公婆、好儿媳、好妯娌和“百佳”十星级文明户评选表彰活动，树立了正气，凝聚了力量，在全县形成了说文明话，干文明事，做文明人的良好社会风尚。全县大力推进形象建设，积极实施县城改造、绿化美化、文明城镇建设等三大工程，夯实了精神文明建设基础。1998年邱县“普九”教育工作通过了省检查验收，建成了广播电视中心、乡野度假村、文化中心和高标准的图书馆，为群众学习娱乐、开展活动提供了良好的场所。

（河北省文明办）

## 河北省大厂回族自治县评剧团

# 扎根农村 服务农民

大厂评剧团自1974年建团以来，始终坚持党的“二为”方向和“双百”方针，坚持扎根农村，服务农民的宗旨，以改革求生存，以艺术求发展，走出了一条“三为主”的办团道路，活跃了农村文化生活，促进了社会主义精神文明建设，被誉为是出人、出戏、出效益的出色剧团，成为全国文化战线上的一面旗帜。1999年4月，剧团被省政府命名为河北省先进企事业单位；同年7月1日，剧团党支部被省委组织部命名为先进基层党组织；9月16日，剧团被省委、省政府命名为全省创建文明单位工作先进单位；9月19日，被中央文明委命名为全国精神文明创建工作先进单位；12月，被省委、省政府命名为全省三下乡先进集体。1999年2月，剧团创演的大型现代戏《水墙》，获省第四届精神产品精品特别奖；9月，赵德平同志创作改编的《男妇女主任》获中宣部精神文明建设“五个一工程”奖，10月获中国大众电影百花奖；赵德平同志于1999年4月被全国总工会授予“全国五一劳动奖章”，5月荣获中国电影华表奖“优秀编剧”奖。

大厂评剧团始终以建一流的班子，带一流的队伍为目标，紧密结合社会发展和剧团实际，不断加强剧团的思想政治工作。以党支部为核心，建立了严格的学习、工作制度，定期组织学习党的基本路线和文艺方针政策，真正发挥了模范带头作用。从培养演职员队伍树立艰苦奋斗、奉献敬业精神入手，教育引导他们做一名合格的文艺工作者，人人守纪律、钻业务，被称为是“一块没受污染的净土”。剧团不断深化改革，健全管理体制：在队伍建设上突出“精小”，变原来的“一角多人”为“一人多角”，既减轻了剧团的负担，又培养了演员的多种技能；在剧目上突出“现代”，变过去演古装戏、他人戏为自编、自导、自演现代戏，使剧团贴近实际，贴近群众，贴近生活；在工资分配上突出“贡献”，实行工资全浮动，工资不保底，不封顶，根据个人贡献大小、业务水平、基本考试、思想作风等方面进行综合考核确定个人收入，从而激发了全体演职员的主观能动性和工作积极性，促进了剧团各项工作的开展。

在狠抓艺术生产，为社会奉献精品，极大促进了社会主义文化事业繁荣和发展的同时，剧团坚持送戏下乡，服务农民。剧团一年有7、8个月在农村演出，做到以苦为乐，以苦为荣，确保演出的高质量。剧团在京、津、冀广大农村和城镇演出，每年达400场以上，观众上千万人次。剧团弘扬主旋律，积极抢占农村思想阵地，加快农村精神文明建设步伐，及时编排了各种教育性节目，讽刺消极现象，起到教育人、鼓舞人、扬新风、树正气的作用。发挥文艺宣传优势，剧团编排了反映各条战线生活和成绩以及宣传介绍当地投资优良环境的综合文艺节目，为配合全国各地广泛开展招商引资和经贸洽谈活动，为经济建设搭好台、唱好戏，为经济建设创造一个良好的文化氛围。

（河北省文明办）

## 山西省太原市煤炭气化（集团）公司

# 架起真情桥　服务千万家

山西省太原市煤炭气化（集团）有限责任公司在狠抓煤炭深度加工利用，不断提高经济效益的同时，结合行业特点，服务人民，奉献社会，深入开展创建文明行业活动，以优质的服务赢得了社会各界的广泛好评。

**一、理清创建思路，明确目标**

市民的生活用气问题，直接关系到群众的切身利益，关系到党和政府的形象，关系到省城安定团结的大局。因此，他们提出创建文明行业的工作思路是：从岗位做起，让市场检验，使用户满意，激励职工艰苦创业，开拓创新，求实创效，服务创优。其总体目标是：营造团结和谐的人际环境、紧张有序的工作环境、丰富多彩的文化环境、优美舒适的生活环境，共建企业文明。清晰的工作思路和工作目标，为深入开展创建文明行业活动指明了方向。

**二、强化服务意识，打好基础**

一是进行形势教育，增强全心全意为用户服务的责任感。公司把“为用户服务，树气化新风”作为形势教育的主要内容，广泛开展了“爱社会、献终身；爱家乡、献力量；爱集体、献才能；爱岗位、献本领；爱他人、献忠诚”的“五爱五献”活动和“人生价值大讨论”，切实纠正和克服那种认为搞市场经济就不能讲为人民服务的错误思想。

二是进行专题教育，增强搞好服务的紧迫感。大力开展了换位教育、实地教育、对比教育等一系列专题教育活动，使干部职工能从用户的眼光和满意度来评价自己的服务。同时，开展了“假如我是一个用户”、“辛苦我一个，幸福千万家”等大讨论，让职工现身说法，用身边的事教育身边的人，增强了教育的吸引力和说服力，使职工在参与中受到教育，在教育中增强服务意识。

三是进行典型教育，使广大职工学有榜样，赶有目标，不断提高创建文明行业的自觉性。特别是树立了煤气公司灶具维修工叶晋庆这一典型，他十几年如一日，行万里路，修万家灶，暖万人心，被广大市民誉为“太原的徐虎”，荣获“山西省职工道德建设十佳标兵”、“全国五一劳动奖章”称号。公司开展了“向叶晋庆学习、争当服务明星”活动，成立了“叶晋庆文明服务队”，举办了“叶晋庆事迹展览”，在省城产生了强烈反响。

**三、实施规范服务，提供保障**

一是制定服务规范。印发了《规范服务手册》，制定了《岗位职业道德规范》、《日常工作用语》、《便民利民措施》等一系列规范化标准。在营业上，实行柜员制，推出“预约服务”，方便用户办理煤气入户手续；在维修上，推出名片服务，用户可以随时通知抢修人员上门及时处理故障；在抄表收费上，推出IC卡制，有效地制止了乱收费现象。同时，为职工统一制作了工作服和服务标志、服务牌，时刻提醒着每一名职工“我是文明气化人”。

二是严明服务纪律。印发了《廉洁服务手册》，制定了统一的工作纪律，对职工的服务行为、任务和质量等方面提出了具体的要求，引导职工为用户提供优质服务，形成了一违犯就发现，一发现就查处的小环境。

三是公开办事程序。他们先后开展了“让用户满意”和“擦亮服务窗口”活动，编写了《用户服务指南》，发放到用户手中，将服务程序、服务标准、服务公约、服务项目、服务纪律、服务牌号以及设计、工程、集资等费用全部向社会公开，提高了服务工作的透明度。

四是实施有效监督。重点抓了自我监督、舆论监督和用户监督。自我监督是指实行“三必访”制度，即用户来信来访必回访，听到不正之风必回访，新送气单位必回访。舆论监督是指通过新闻媒体和监督员对乱收费、刁难用户、以权谋私、吃拿卡要等违纪现象进行曝光。同时，对文明服务先进典型进行大力宣传。用户监督是指设置举报信箱和公布举报电话，每年向1%的用户发放意见咨询卡，广泛听取意见和建议。同时开展了有奖举报活动，凡举报公司职工在为用户服务中有违纪行为的，经查证属实，给举报人200元的奖励。这种花钱买意见、买监督的做法受到广大用户的一致称赞。

五是严格考核机制。采取自我检查考核、集中评议考核、对口双向考核、书面通报考核、重点抽查考核的办法，坚持一月一考核、一月一通报，一月一兑现。将考核结果与文明奖金直接挂钩，有效地保证了文明建设各项任务的落实。同时，每年拿出1000余万元，隆重召开文明行业建设表彰大会，奖励做出突出贡献的先进单位和模范个人，充分调动了广大职工争当文明职工、创建文明行业的积极性。

**四、深化服务主题，塑造形象**

作为“窗口”行业，用户满意程度是衡量服务质量的最终尺度。他们结合企业实际，根据用户需求，不断深化服务内容，扩大服务领域，延伸服务渠道，提高服务质量。一是营造服务好环境。二是经常开展便民利民活动。实现液化气送瓶上门，煤气开户和热水器安装统一办理，重点用户义务服务，开办电话热线服务，简化办事程序。三是拜访用户到家门。由公司党政领导带队，多次登门拜访用户，了解产品情况和用户意见，及时整改，赢得了群众的信赖。四是实行承诺制。成立了服务承诺领导小组，制定承诺服务制度，从承诺的内容以及违诺的责任与赔偿都作了详细规定。五是推广“三情五心”服务法。对每个用户要动真情，用深情，有亲情；在安全供气上要让用户放心，在优质服务上要让用户称心，保证廉洁从业要讲诚心，讲究文明言行要有恒心，奉献用户要有爱心。组织开展“结对子、献爱心”活动，把用户中确有困难的孤寡老人、残疾人、老红军、老干部等作为长期重点服务对象，定期上门为他们提供帮助。全公司共建立“心连心”服务对子500多对、“青年志愿者”服务队108个。

扎实有效的创建文明行业活动，使公司的经济效益和社会效益有了很大提高，服务质量不断改善，为企业的未来发展打下了坚实的基础。先后荣获全国职工职业道德十佳单位、全国精神文明建设先进单位、思想政治工作优秀企业等称号，跻身全国500家大型工业企业和500家最具竞争实力的企业行列。

（山西省文明办）

## 山西省太原第二热电厂

# 加强精神文明建设　促进安全发电生产

太原第二热电厂是1958年投产发电的山西省第一座高温高压热电厂，现总装机容量70万千瓦，属国家大型一类企业。该厂紧紧围绕安全经济发电生产，深化精神文明系列创建活动，有力地促进了企业的改革、发展和稳定。

**一、强化“两手抓”的工作机制，构建“大政工”格局**

党的十四届六中全会后，二电厂成立了以党委书记为组长、厂长为第一副组长，党委副书记主管、党政工团负责人为成员的精神文明创建活动领导组，下设办公室，负责日常工作，强化了对精神文明创建活动的领导。每年初，党委书记、厂长都要与各单位党政“一把手”签订《双文明建设全保责任书》，使生产经营与精神文明创建活动真正做到“五个同步”，即：同部署、同实施、同检查、同考核、同奖惩。该厂每年用于精神文明建设的费用达到300万元；他们还设立了100万元精神文明专项奖，把领导干部不廉洁、职工违法犯罪、玩忽职守酿成事故、违反厂规厂纪造成恶劣影响和违反计划生育政策列为精神文明“事故”，实行“五个一票否决”，规定凡发生精神文明“事故”的单位，扣除当季全部精神文明专项奖，并撤销年终各类评优资格。对构不成精神文明“事故”又达不到标准的视为精神文明“问题”，每发生一例扣考核单位10%的精神文明专项奖。

构建了党委统一领导，以专职政工干部为骨干，全体行政干部为主体，家庭、社会（居委会）和离退休职工广泛参与，党政工团齐抓共管思想政治工作的“大政工”格局。全厂从厂级领导到普通职工，分层次进行思想政治教育工作，一是抓好党委、党支部两级中心组学习，提高科学决策水平，发挥党组织的政治核心作用；二是进行党员、预备党员、入党积极分子的三层次教育，确立建设有中国特色社会主义事业的共同理想和精神支柱；三是组织专职政工干部开展巡回理论辅导，教育职工树立正确的世界观、人生观、价值观。由于“大政工”齐抓共管的合力和分层次的针对性教育，使全厂的思想政治工作发挥了强有力的作用，提高了职工的思想道德素质，促进了全厂的精神文明建设。

**二、关心职工生活，培育爱岗敬业精神**

1997年以来，该厂先后投资60万元新建了子弟学校6100平方米的大操场，投资50万元安装改造了有线电视系统，投资百万元装修了单身楼，实施公寓化管理，投资50万元建成660平方米的生产食堂。同时，他们不断加大绿化美化力度，在厂区内种植草坪4.3万平方米，绿篱2900平方米，垂直绿化1280平方米，建成小花园2个（5400平方米），花坛18个，厂区绿化覆盖率达93%。推行封闭式小区管理，保洁绿化公司还专门成立了厂区厂容厂貌监察队，制止和处罚损坏公共设施、乱摆乱建、随意丢弃杂物、攀折花草树木等不文明行为；农牧公司在职工生活区设立水产、蔬菜门市部，方便职工购物，进一步丰富了职工菜篮子。设立治安警亭和举报电话，规定机动车辆不准在厂区任意停放，严禁小商、小贩沿街摆放和游动叫卖，自行车、摩托车存放车棚。经过两年的综合治理，全厂5个职工居住小区已有3个被评为市级“一级文明小区”。

**三、突出企业文化建设，丰富职工精神生活**

在精神文明创建活动中，二电厂十分注重企业文化建设，先后投资3000余万元，在全省电力系统率先建成了高标准的集游泳、歌舞、健身、棋牌等活动为一体的电力职工活动中心，做到周有小活动，月有大活动，每年都举办“消夏艺术节”和“金秋艺术节”，吸引了大批职工参加活动，活跃了职工的精神文化生活，陶冶了职工的高尚情操，锻炼了职工的体魄。全厂已经建立了职工合唱团、集邮协会、钓鱼协会、摄影协会、自行车协会等15个群众性文化活动协会，会员人数达300多人，文化活动积极分子占职工总数的10%以上，使职工精神文化活动具有了较深厚的群众基础。

**四、围绕企业生产经营，引深“五位一体”系列创建活动**

二电厂在创建一流企业，建立现代企业制度过程中，把企业管理的重点、难点作为精神文明创建活动的出发点和着力点，大力开展“五位一体”的系列创建活动，取得了明显成效。近年来，他们深入开展以提高车间、部门文明程度为目标的文明单位创建活动，文明单位率达到94.5%；深入开展以促进企业上星级、创一流为目标的文明班组创建活动，文明班组率达95.3%；深入开展以提高职工整体素质为目标的争做文明职工活动，文明职工率达97.28%；深入开展以发挥青年生力军作用为目标的青年文明号（手）活动，全厂有59个青年文明号、457名青年岗位能手受到上级组织的表彰、奖励；开展以倡导邻里团结互助、营造和谐幸福的生活环境为目标的文明家庭创建活动，文明家庭率达83.6%。他们还在全厂选树了“十佳干部”、“十佳科技工作者”、“十佳班组长”、“百名精神文明建设积极分子”，并把他们的先进事迹编印成画册，在全厂职工中广为宣传，弘扬了先进，在全厂形成了浓厚的争先创优氛围。

太原二电厂深入持久的精神文明创建活动，有效地提高了企业职工的思想道德素质，促进了企业的改革和经济效益的提高，企业连年受到山西省、太原市和国家电力部门的表彰，1999年9月，又被中央文明委授予了“全国精神文明建设先进单位”称号，成为山西工业战线精神文明建设的一面旗帜。

（山西省文明办）

## 山西省石圪节煤矿

# 弘扬石圪节精神　建设现代文明企业

山西省石圪节煤矿是全国煤炭战线的一个老先进单位，由几代石圪节人创造的“艰苦奋斗，勤俭办矿”的事迹和精神曾闻名全国。1990年江泽民总书记为该矿题词，激励他们在新的形势下继续弘扬优良传统，不断升华石圪节精神的时代内涵，以创新高效的姿态建设现代文明企业，使老矿山面貌发生了翻天覆地的变化。经济效益逐年提高，全员工效率曾连续19年一直名列全国统配煤矿之首。连续安全生产1227天，创建矿以来安全生产先进水平和安全生产历史较长周期。先后荣获“全国经济效益最佳企业”、“山西省文明单位”等100多项省部级以上荣誉，1999年又获“全国精神文明建设先进单位”和“全国煤炭系统文明煤矿”的称号。

**一、提高认识，坚持党政联手抓两手，始终做到三坚持**

近年来，该矿始终努力将“两手抓，两手都要硬”的方针落实到实践中，坚持党政联手抓两手。1996年初，他们率先在全矿务局成立了精神文明建设指导委员会，由党委书记和矿长任委员会正副主任，同时下设了精神文明办公室，由宣传部长任办公室主任。在此基础上逐渐建立和完善了精神文明建设运行机制和责任制度，成立了5个专业组。并始终做到三个坚持。一是坚持精神文明建设同物质文明建设三同步（同步规划、同步实施、同步发展）。二是坚持精神文明建设齐抓共管。明确规定把精神文明建设列入书记、矿长任期目标责任制；把加强职工队伍建设，矿区综合治理、发展企业文化等精神文明建设列入考核书记、矿长工作的内容之一；把加强企业民主管理实行矿务公开，维护职工的合法权利，尊重职工的主人翁地位，丰富职工的文化娱乐生活列为考核工会领导的重要内容；把青年思想教育以及“青年文明号”活动列入考核团委工作的主要内容，使精神文明建设形成了全方位多层次、齐抓共管的格局。三是坚持精神文明建设制度化、规范化。制定了《石圪节人文明公约》等21项精神文明建设规范、标准，并汇编成册发放到人手一份。制定了精神文明全天候检查、动静态检查、文明例会等办法，每月组织开展精神文明建设工作流动红旗竞赛。由于矿领导高度重视、方法得力、措施到位、机制完善，使两个文明建设得到协调发展并呈现出勃勃生机。

**二、选准载体，坚持狠抓三项建设，塑造三个新形象**

近年来，他们把狠抓班子建设、队伍建设、矿风建设作为创建文明煤矿和加强精神文明建设的重要载体，深抓细建，塑造了领导干部、职工队伍和企业精神面貌新形象。

多年来他们在班子建设中，始终坚持了“学、检、评”三字法。学：就是注重理论学习，用科学的理论武装人。坚持每月组织2次党委中心组理论学习，每年都派出一大批骨干到外地进行学习。检：就是坚持严格的民主生活会制度，一季一次党风检查，半年一次民主评议生活会。评：就是矿领导过双重生活会，定期向职代会汇报工作，自觉接受职工的民主评议。

近年来，他们围绕“创、建、做”，狠抓了职工队伍的建设。创：就是广泛开展“创六好科队（支部）”活动（即班子素质好、队伍作风好、思想政治工作好、安全生产好、民主管理好、经济效益好），制订了“创六好科队（支部）千分竞赛考核办法”，年终凡被评为六好科队（支部）的单位都要在“双文明表彰会”上受到嘉奖。对屡次不达标者要黄牌警告、电视亮相，进行教育培训并扣罚精神文明工资，直到达标为止。建：就是开展了建“五好班组”活动。他们成立了班组科，专门负责班组的全面管理，经常开展各种班组培训竞赛活动，提高班组长的技术素质，并把每年9月9日定为“班组长节”。做：就是做有理想、有道德、有文化、有纪律的四有职工，在全矿职工中开展了以树立正确的世界观、人生观、价值观和争做“四有”职工为目标的3个教育活动。一是开展了爱国主义、集体主义、社会主义和艰苦创业精神，改革开放意识的教育；二是开展了以“四爱四德”为主要内容的教育；三是大张旗鼓地开展评比选树“典型”教育，每年都选出一大批先进典型并采取敲锣打鼓欢送劳模外出疗养观光、文明家庭免费发放“液化气”、先进典型上光荣榜等形式，使全矿形成了人人追求进步，个个争做四有职工的良好风尚。

在改革开放的新时期，他们把继承和发扬石圪节精神并赋予其新的内涵作为企业两个文明建设的灵魂。在全矿职工中继续弘扬艰苦创业精神的同时，大力提倡职工学习新的科学技术，用科技来提高企业效益。在职工中提倡和培育现代意识和环保意识，让职工更加重视爱护人类生存的环境和节约生存资源。十分注重引导全矿职工建立健康的现代文明生活方式。在全矿开展了“革除封建陋俗倡导文明新风”活动，成立了“红白理事会”，杜绝了职工中红丧事大操大办的歪风。在职工中坚持开展具有矿山特色的群众文化，培育了职工高尚的生活情操，使“黄、赌、毒”和“法轮功”在该矿失去了市场。

**三、开拓进取，坚持求实创新，不断探索新路子**

他们实施了“三五工作制”。要求职工每天8小时的工作5小时做完，挤出3小时进行政治、业务学习。并建立了下岗培训再就业中心，对那些“文明违章”的人员进行下岗培训，让他们接受文明的教育。同时在机关推行了班前集体做早操的制度，培养一种遵纪守法的团队精神；在井下职工中推行党员干部戴红帽，自觉接受群众监督等。全矿“四有”职工、“五好”班组、“六好”科队达标85%以上，十好文明户达标率为95%以上。

营造安居乐业、文明舒适的生产生活环境，是该厂建设文明煤矿又一个实践创新。在煤炭经营十分困难的形势下，1998年至1999年仍然投资120万元对矿区条件最差的西北家属区进行了彻底的改造，建成了标准化的“西苑安全文明小区”。矿文明委还在文明小区开展了“文明楼院”、“文明单元”、“文明家庭”评比竞赛活动，大力倡导尊老爱幼、邻里团结，讲究卫生，保护环境等文明新风。

该矿还加大对矿山生产环境的整治，加大投入力度，加快技术改造，重点对洗煤废水和锅炉黑烟进行了综合治理，改变了矿山黑、脏、乱的现象。加大矿山绿化力度，全矿形成了各具特色的10大绿化区。同时，近年还陆续改造了矿区道路，修建了矿山公园，为职工初步提供了一个文明舒适的生产生活环境。

（山西省文明办）

## 山西省翼城县北关村

# 建文明新村 育四有新人

山西省翼城县北关村，是一个傍临城市，回汉民族杂居的大村，过去这里曾以“村大、人杂、心不齐”而闻名全县。而今，北关已建成一个富裕、文明的社会主义新农村，以两个文明建设的累累硕果闻名于世。1999年9月，被中央文明委命名为“全国文明村镇建设先进单位”。

**一、大力发展村级经济，为精神文明建设奠定了坚实的物质基础**

北关村由于位于城郊，人均占有耕地少，在过去单一经济的年代，全村经济落后，人均收入很低，群众生活困难。80年代以来，随着改革开放和社会主义市场经济的发展，村党总支多方筹集资金，先后建起了7个铁厂、10座高炉；投资1000万元，建成可以容纳270多个商业摊位的商贸中心；投资300万元，兴建了占地7200平米，摊位有197个的全封闭大型农贸市场。现在，全村已有集体企业33个，产值在百万元以上的就有19个，私营企业50家，工商个体户800多户。短短10年，北关跨入了山西“十强村”行列，1999年全村工农业总产值突破了3.3亿元，上缴税金884万元，村民人均收入达到6200元。雄厚的村级经济实力，为全村的精神文明建设奠定了坚实的基础。

**二、加大精神文明建设的物质投入，改善群众的精神文化生活条件**

北关村党总支带领群众发展致富，经济实力大增。他们首先从改善村民居住条件入手，统一规划，分步实施，对全村的老居民区进行大规模改造，已建起了两个新型居民小区，全村80%的村民住进了新住宅。

北关人钟爱体育，关心教育。近年来，他们投入数百万元，率先在全省建起了第一座全封闭、橡胶地板、电脑记分的高标准农村体育馆和旱冰场、门球场、乒乓球活动室、棋类活动室、农民舞厅，使北关村以活跃的农村群众体育活动基础和一流的体育硬件设施，被国家体委选中，于1996年5月承办了全国第三届农民运动会篮球预选赛，开创了山西村级举办全国体育赛事之先河。北关人更把发展教育看做北关村未来发展的希望，近年来先后投资200余万元，建起了5所学校和幼儿园。为了改建北关小学，村委会把原计划建村委办公大楼的地皮优先划给了学校，建起了全省一流的教学大楼。为了提高学校教师的素质，村委会每年出资组织学校教师到外地参加培训、研讨和观摩教学，还先后邀请教育专家和外校名师到村里学校讲学授课。北关村5所学校380名教师中，有150多人获地区以上表彰、奖励，其中20多名获得省、区教学能手称号。软、硬件条件的同步改善，使北关村的教育水平迈上了一个新的台阶。

**三、开展多种形式的精神文明创建活动，引导群众树立良好的思想道德风尚**

北关村党总支10年来在党员队伍中坚持实行“四个一”制度：即要求每个党员每月参加一次党员学习，每季过一次组织生活会，每人联系10名群众，每人帮一个后进，使党员队伍在全村群众中始终发挥了先进模范作用。党总支书记李纯泰把以个人名义贷款建成并且效益良好的北关铁厂、选矿厂、宾馆、商城等都无偿交给了集体，壮大了集体经济。在近年村里修路、建校等公益建设中，全村党员捐款达到20万元。北关村党总支还十分注重把群众性精神文明创建活动和全村的经济建设相结合，除开展常规性的“文明村”、“十星级文明户”创建活动外，还针对村里80%的群众从事工商企业和个体经营这一实际，在全村重点开展了“重合同，守信用”、“店店无假货，户户讲道德”、“文明经营户”等精神文明创建活动，引导广大群众用社会主义的思想道德指导自己的经营行为，树立良好的职业道德，全村先后有35个企业和200多名个体经营户被省、地、县评为“消费者信得过单位”和“文明经营户”。精神文明创建活动的成果，又使北关村在社会上树立了良好的企业形象，成了北关进一步发展宝贵的无形资产。

**四、加强民族团结，着力维护和创造一个稳定、祥和的社会环境**

北关村是一个回汉民族杂居区，全村4600余人，回民占1/4。多年来，村党总支始终把民族团结作为精神文明建设的一件大事来抓。他们认真落实民族政策，大力扶持民族经济，使回汉两族共同发展，和睦相处。村里出台了“四优先”政策：凡是回族群众经商办企业，优先提供地皮和临街门店；对资金确有困难的，优先减免各种管理费用；经营中出现困难的，优先帮助解决；优先安排回族毕业生、复员军人上岗就业。10余年来，共为回族群众提供门店300余间，地皮130余亩，解决资金300多万元。他们积极发展少数民族公益事业，投资200余万元建起了全省第一所少数民族学校和清真寺，筹资150万元兴建了设施先进的民族大厦，投资50万元对回族聚居区的街道进行了硬化。200户回族群众人均收入达到了6500元，提前迈入“小康”。1998、1999两年，北关村两次被国务院授予“民族团结进步先进集体”，1994年和1999年，李纯泰同志两次被国务院授予“民族团结进步先进个人”称号。

（山西省文明办）

## 山西省陵川县盲人曲艺宣传队

# 奏响自强精神的凯歌

山西省陵川县盲人曲艺宣传队成立于1946年5月，现有职工56名，其中各类残疾职工40名。作为一个残疾人的群体，他们靠自己的双手白手起家，历经4次修建5次搬迁，从无立足之地发展到今天拥有前后两院97间房屋，固定资产达到80多万元；从一弦、一鼓起家，发展到今天拥有了音箱、扩大器、架子鼓和全套民间乐器；从单一的盲人说书发展到目前的集文艺宣传、福利企业、盲人按摩、盲童教育为一体的综合性经营单位。他们多次荣获省、市、县嘉奖，曾被省政府评为“全省自强模范先进集体”，被国务院残工委授予“残疾人之家”的光荣称号，1999年被省精神文明建设指导委会员评定为省级文明单位。

**时时刻刻以党的宣传事业为己任，是他们坚定不移的政治信念**

紧跟形势，服务中心是他们的宣传宗旨。为了及时有效地把党的路线、方针、政策以及省、市、县的中心工作宣传到群众中去，他们面向农村、面向基层、克服了常人难以想象的困难，顶严寒、冒酷暑，身背行李、道具，人搀人、手拉手，走遍了全县1751平方公里的土地，遍及全县1300多个村庄。一年中行程上万里，从没因山路崎岖，山寨偏僻而留下空白与死角。全年演出场次达2200余场，其中义务演出200场，观众达45万人次。

他们把国家的政策、法规、省市县的中心工作编成通俗、形象的曲艺段子进行宣传，如《十五大精神指航向》、《改革开放结硕果》、《三讲教育掀高潮》、《法轮功是邪教》等节目都深受群众喜爱。《歌唱陵川》、《今秋红叶分外香》、《十唱陵川大变样》等一大批歌颂家乡的节目，受到全县干部群众的广泛好评。特别是在庆祝新中国成立50周年、喜迎澳门回归期间，他们编演了《同庆祖国五十年》、《宏伟蓝图今日描》等一些热闹喜庆的节目，走上街头、走进机关进行义务宣传，同广大群众一起欢庆佳节，歌颂祖国的繁荣富强。这些快速及时、寓教于乐的宣传收到了良好的社会效果。

**自尊、自信、自立、自强是他们艰苦创业的强大精神支柱**

自力更生、艰苦创业是曲艺队的优良传统。为了进一步拓展残疾人就业渠道、帮助更多的残疾人就业，他们自筹资金创办了盲人按摩诊所，更新了服务设施，引进了电子牵引床、电子按摩椅等先进的理疗设备。创办了综合福利加工厂，既安排了部分残疾人就业，为国家和社会减轻了负担，又满足了社会的需要。还自筹资金修建了一座二层职工宿舍楼，改善了职工住宿条件，使广大残疾人有了一个优美、舒适的生活环境。

面对曲艺市场出现滑坡的严峻挑战。为了使这个残疾人大家庭能够继续生存，他们锐意进取、大胆改革，对传统曲目、曲种进行加工完善，积极采取派出去、请进来的方式培养人才，提高演员的艺术水平。以重点宣传组为龙头，带动别的小组拓展市场，占领了本县开业、庆典、喜庆等演出阵地。根据新的历史条件，更新宣传内容和形式，更好地服务于社会主义现代化建设，使这个残疾人群体在竞争激烈的社会中站稳了脚跟，并不断发展壮大。

**敬业竞进，积极进取是他们一贯坚持的工作作风**

坚定的政治信念和过硬的艺术水平是曲艺队的两大支柱。他们常年组织职工坚持每天一小时收听收看电台、电视台的相关节目和读书、读报，加强政治学习，在职工中开展“五比五看”活动，提高了广大职工的思想素质。

在艺术上严格把关，绝不让不合格产品走向市场。他们一方面采取派出去请进来，以老带新，以新促老的方式培养人才，一方面订立了严格的制度，鼓励竞进。一月一小结，年终进行大总结，每一个职工的成绩和缺点都要记录在案，作为评比的依据。在纪律、卫生、学习、生活等方面也制定了相应的制度，并采取有效措施严格执行。在这种激励机制的作用下，全队职工你追我赶，出现了一个勤奋竞进的新局面。

**无私奉献，团结战斗是他们先进群体形象的真实写照**

真诚地为每一位残疾同胞服务是他们心中永恒的主题。1998年他们收下了慕名而来的肢残人宁秀龙、盲人王建国、张永强、侏儒症患者王芳等几名残疾人，针对各自的特点，或进行技能传授，或进行艺术培训，为他们安排了力所能及的工作，使他们走上了自食其力的生活道路。

为解决贫困山区盲童上学难的问题，他们自筹资金创办了盲童班，对孩子们进行义务教育。为了满足盲童们对艺术的渴求和对知识的向往，他们在没有任何专门教育经费的情况下，从微薄的收入中挤出资金，加大对盲童班的投资，从上海等地购置教学器材，配备了二胡、唢呐、电子琴，安排老师进行专门辅导，使孩子们受到了良好的教育，得以健康成长。

在这个充满爱的大家庭，残疾职工自强自立，健全职工无私奉献，形成一个团结奋进的战斗集体。在这个小小群体中，近年来就先后有11人获省级以上嘉奖，22人获市级以上嘉奖。

（山西省文明办）

## 内蒙古自治区包头市

# 草原钢城铺锦绣

**窗口：创造文明也在播撒文明**

窗口行业既是精神文明的建设者，又是精神文明的传播者。包头市把“四个形象工程”中的“公仆形象工程、执法服务形象工程”建设作为推进窗口文明的重大举措，并把这两大工程作为创建文明城市的核心工程来抓。

1996年以来，以“公仆形象六规范”为准则，以争当优秀公仆、争创文明机关为创建标准的公仆形象工程，以“为人民服务、树行业新风”为主要创建内容的执法服务形象工程，使窗口行业有了一种自上而下的规范，并在全市扎扎实实地开展起来。

推行社会服务承诺制、政务公开制是行业精神文明建设的重要载体。1996年8月，包头市被确定为自治区推行社会服务承诺制试点城市，把服务用一种社会契约的形式公布于众，接受社会广泛监督。囊括全市行政、执法、服务、城市公用系统的40多家单位纷纷推行社会服务承诺制，承诺内容达210多项，惠及人民群众生活的方方面面，形成了全市范围内的承诺服务网络。1998年又在全市全面推行了“政务公开制”，公开接受群众监督。1999年全市8大行业同市文明办联合携手，共同开展创建文明窗口活动，掀起了文明行业创建的第二个高潮，推动了文明行业创建不断向纵深发展。从此，包头市创建文明行业的活动迈上了一个新台阶：群众满意不满意、高兴不高兴，成为标准，为人民服务这个精神文明建设的核心变成了具体的服务内容。

市工商局实行了市场工商所先行赔付承诺，消费者遇到缺斤少两、假冒伪劣的事，可以直接找工商所。

煤气、水、电、供暖、住房维修等群众离不了、绕不开的难事，现在绝大部分打个电话，居民足不出户就能得到解决。

**家园：满城秀色关不住**

1996年包头市发生5.3级地震后，市委、市政府就明确提出了城市建设“五化”标准，即“绿化、美化、硬化、净化、亮化”。此后，按照“一年一变样，三年大变样”的奋斗目标，紧紧抓住重建家园，建国50周年，香港、澳门回归祖国等一系列契机，确立了“改造旧城区、建设新城区、开发中心区、规划农村区、留出绿化区”的建设规划，全面实施环境形象工程建设，夯实创建文明城市的基础。

包头市的广场绿化建设突出了城市园林的“精品”意识，阿尔丁广场、银河广场、希望广场、世纪广场、东河体育广场、迎宾广场，每一个广场的建设，都以丰富多彩的形式，展现出了现代城市绿化广场的文明气息。银河广场建成的大型音乐程控喷泉、水幕电影与激光表演系统，构成了“三位一体”的现代化设施。阿尔丁广场作为全市政治文化中心广场，国旗高高飘扬，广场鸽与人群相伴，电子彩屏展示出城市丰厚的文化底蕴，以阿尔丁广场为中心，东西两侧即将建成的世纪广场、希望广场，形成了一个完整的规模宏伟的地市级中心区。

小区是城市的细胞，结合震后重建家园，包头市按照“新区抓提高、旧区抓配套、老区抓改造”的原则，加大小区管理和创建的力度，以“方便群众、服务居民”为宗旨，文明小区形成了环境、管理、服务“三三制”创建格局，即环境上以“绿化、美化、净化”为重点，为居民营造舒适的生活空间；管理上以“安全、安静、安心”为重点，为居民营造安定的生活环境；服务上以

“便民、利民、为民”为重点，为居民营造便利的生活条件。在抓好新区提高的同时，重点抓了旧区、老区的改造配套工作，把青松小区、迎宾小区作为改造样板，从而带动全市的旧区改造。1999年，全市34个推行物业管理的小区，先后推出30余项便民措施，解决了一大批下岗职工的再就业问题，涌现出国家级优秀物业管理小区惠民小区、乌兰小区等示范典型。

包头市决策者们提出把包头建成“四季有绿，三季有花，天上有鸟，地下跑鹿”的现代化园林城市的目标已经成为现实。3年间，全体市民积极参与创建，包头建成了3条防护林带，在沿城主干道建起了大小景点80多处，累计栽种草坪160多万平方米。8大公园，6大广场，275个街心花园，近百个喷泉，占地2000多亩的森林……，道路开阔舒展，满城花树摇曳，花坛层染，碧水喷泉，鸽群与落霞齐飞，鹿群与人群相戏，将包头装点得流光溢彩。

**理念：创建文明城市是一种产业**

包头市的领导认为，文明城市是一种产业，是城市经济发展的重要依托和载体，城市的文明程度决定着城市经济发展水平的高低。而其中的城建能够拉动经济、刺激消费，带动建筑、建材、冶金、运输、服务等相关产业的发展；城市文明能够改善投资环境，吸引大批投资，为经济发展注入强大动力，抓文明城市创建就是抓城市的经济建设，抓好文明城市创建就是抓经济发展的“纲”，纲举则目张。

正因为如此，包头市为保证文明城市创建活动的健康有序发展，建立健全了“四大保障机制”：组织领导机制、监督约束机制、执法管理机制、资金投入机制。

近年来，包头市先后争取到法国政府贷款1000万美元、世界银行贷款3000万美元及日本政府贷款数十亿日元，还经过有关部门批准，向社会成功发行1亿元人民币水源建设债券，同时鼓励社会各界出资、出力参与城市基础设施建设，顺利解决了文明城市创建资金匮乏的难题。3年来，包头市仅向城市基础设施建设投资就达66.56亿元。

多元筹资加强城市基础设施建设，一方面拉动了经济发展，另一方面增加了就业机会，全市招商引资以年增长50%的速度直线上升；1998年包头国内生产总值比上年增长11.5%，其中约有1—2%得益于城市建设拉动。城市基础建设步入了良性循环的轨道，形成了一个自我发展与吸纳的运行圈。在这里，城市作为物质文明和精神文明的载体及交汇点，其社会价值和经济价值得到了实现和提升。创建文明城市在包头已形成了一个层次丰富、内涵丰富的共同理念。

1999年9月16日，在中央精神文明建设指导委员会召开的电视电话会议上，包头市被评为全国创建精神文明先进城市而受到表彰。

（内蒙古自治区文明办）

## 内蒙古自治区杭锦旗

# “穿沙精神”撼苍穹

在我国排第六、世界排第九的库布其沙漠上，一条全长115公里、纵贯南北的穿沙公路，在共和国50周年大庆的礼炮声中建成了。

此时此刻，穿沙公路的建设者——内蒙古自治区杭锦旗的13万各族儿女，无不为之欢呼雀跃，无不为之心潮澎湃。

是他们，用自己辛勤的双手，创造了“大漠奇迹”，凝聚了“穿沙精神”；是他们，用震撼苍穹的气魄，实现了千年的期盼。

“大漠孤烟直，长河落日圆”。沙漠，曾激发了许多文人墨客的创作灵感。但库布其不是诗也不是画。千百年来，它像是疯狂的妖魔，毁坏了良田和草场；一个个生命在它的淫威下夭折；一片片绿色在它的魔掌中消失。

当年，腹地的一位牧民因难产未送到医院就死在库布其沙漠。因为交通极为不便，生活在沙漠中的农牧民，经常发生车毁人亡事故。库布其确实是个“死亡之海”，它严重阻碍了全旗社会进步和经济发展。

修筑穿沙公路的呼声，从基层到机关，从领导到群众，一直未曾间断，而且越来越强烈。“苦熬不如苦干”，杭锦旗的决策层形成了共识：必须修一条穿沙公路。

杭锦人盘算着：穿沙公路建成后，所经地区拥有丰富的杭锦白山羊绒、甘草资源，地下储存着大量芒硝、陶土、天然气等资源，这里将形成全旗最繁华、最集中的经济带。

同时，杭锦人心里又十分清楚：修路难，难于上青天。撇开修路的艰苦程度不说，单说资金就成为最大难题。杭锦旗是国家重点扶持的贫困地区，干部职工的工资都不能按时发放，一部分群众还生活在贫困线以下，而要修成一条115公里长的穿沙油路，至少需1亿元人民币，就是修一条普通的三级砂石路，也需资金4500万元，这个数字相当于1995年全旗财政收入的两倍多。

旗委书记白玉岭在旗六大班子决策会议上的发言掷地有声：杭锦旗是穷旗，正因为穷，才要思变，只要我们齐心协力，团结带领13万各族人民艰苦奋斗，顽强拼搏，再大的困难也会克服。

敢为人先的胆略，合乎民意的决策，得到了全旗人民的真诚拥护：修不通穿沙公路，保不住穿沙公路，决不罢休！

一场人与沙的战斗打响了。这是一份杭锦人民向贫穷落后决战的宣言书。

漫漫穿沙路，款款见情深。面对资金的巨大缺口，全旗人民慷慨解囊捐款，穿沙公路的修建，也深深牵动了身在他乡“杭锦游子”的心，一笔笔捐款，一封封热情洋溢的信件，感动着每个杭锦人的心。东胜市一位叫奇凌的小学生，将自己积攒的200元压岁钱捐献给穿沙公路，并附贺信一封。

1997年6月16日，修筑穿沙公路的序幕拉开。从这一天起，沉寂千年的库布其就再也没有平静过，1000多名筑路大军分南、中、北三路开进沙漠。沿穿沙线上彩旗猎猎，机声隆隆。

盛夏，库布其没有收敛它肆虐的本性，黄沙漫天，酷热难熬，平均气温在40摄氏度左右，不要说干活，就是站在这里也让人难以忍受。

“清汤挂面碗底沙，夹生米饭沙碜牙，帐篷睡听大风吼，早晨起来脸盖沙”。这首顺口溜记录了当时修路人遭遇的真实情景。

在沙漠中修路难，保路、护路更难。按照规划设计，穿沙公路的两侧必须植树种草，设置密密的沙障，才能防止沙子侵袭，保证道路畅通。

于是，每年的春秋两季，在筑路大军开进沙漠的同时，113个旗直机关单位的2000多名干部，会同9000多名农牧民，上至七旬老人，下至三尺幼童，在路旁连续开展了4次治沙大会战。

酷暑中的沙漠，沙烫人，风烧人，光烤人，气灼人。但治沙大军万众一心，众志成城，风餐露宿，大地为床，为穿沙公路的修成写下了一串串可歌可泣的故事。

住在穿沙公路附近的蒙古族牧民乌日更达来，为保护这条来之不易的穿沙公路，默默治沙种树3载，携妻子把自己承包的近两万亩荒沙全部种上了绿树，付出了常人难以想象的辛劳。他出外种树时，带着的干粮是白面烙饼，不沾油水，为的是容易抖掉上面的沙土再吃。1997年除夕，他到外地拉一批柳条，回来的路上车子陷进冰窟里，他只好在沙漠中忍饥挨冻过了年夜。这位年仅32岁的憨厚牧民，黝黑的脸上刻着道道皱纹，看上去就像快50岁的人。

蒋有则，第一个在库布其沙漠种树并取得成功的播绿者，他无时无刻不在思考着沙漠治理的好方法。1999年，他将雨季造林引入了穿沙公路，不仅大大加快了生态治理步伐，而且在我国北方首创大面积雨季造林的先例。

巴音补拉苏木的一位牧民，不声不响地为保护穿沙公路一次次试验着种树技术。功夫不负有心人，他独创出一种叫做“容器种树”的方法，经鉴定后，立即在穿沙公路上推广开来。国家林业局一位领导得知后，不由地赞叹杭锦旗人民的创造和智慧。

在修路治沙过程中，广大农牧民表现出服从指挥、着眼大局、任劳任怨的劳动人民本色。春秋两季是农牧民最繁忙的季节，但他们都能统筹安排生产，舍小家而顾大家，白天治沙修路，晚上干家务活，有的全家老少一齐上阵，有的把自家的秸秆、柴草无私地奉献给治沙工程。

杭锦人历经两年半的努力终于有了欣慰的结果。这条总耗资1.6亿元、自锡尼镇至乌拉山脚下的穿沙公路，于1999年10月份建成通车。

蓝天、白云、黄沙、黑路、绿树，还有五彩缤纷的花。这是世界上最美的路，是通向幸福之路！

内蒙古自治区党委和政府在为穿沙公路建成通车而发的贺信中，引用毛泽东同志的名言说："人是要有一点精神的。"杭锦旗干部群众兴奋地说，由修建穿沙公路凝聚成的"穿沙精神"，是我们的一笔宝贵财富。

一位外地客商早有在杭锦旗投资的想法，但是听说这里经济落后，顾虑重重。然而当他亲眼目睹了穿沙公路万人大会战的场面时，他的眼睛湿润了。他毅然投资200多万元在杭锦旗建了一个工厂。

一位70多岁的老人深有感触地说："自从穿沙公路开始大搞生态建设，我们明显感觉到杭锦旗的风比以前小了，沙比以前少了。"几次治沙大会战，杭锦人硬是在穿沙公路两旁建起了一条长达100多公里，共20万亩的绿色长廊。而今，杭锦旗人正以每年两万亩的治沙速度将绿色向库布其腹地推进。

受"穿沙精神"的激励，沿巴拉贡镇、吉日嘎拉图镇一线的5万多农牧民也立志要修一条柏油路。

在吉日嘎拉图镇，一条绵延数公里长总共800多辆的四轮车队伍，缓缓驶向库布其沙漠。他们都是装着自家的秸秆来义务治沙修路的。60岁的农民周套山说，我早晨3点钟起床，4点钟出发，30里路赶了5个小时，9点才到这里。他激动地表示："我们要修路，我们要治沙。"

在塔然高勒乡的一个生态治理点，100多名孩子正在挖坑栽树。他们是从十几里外赶来的英英希望小学的学生。记者问："你们为什么要植树？"几个孩子异口同声地说："我们希望这里变成绿色。"

人们有理由相信，"穿沙精神"一定会在杭锦大地上代代相传。

（摘自1999年12月6日《中国青年报》）

## 吉林省长春市公安局东盛路派出所

# 人民满意的派出所

东盛路派出所位于吉林省长春市二道区中心地段，现有民警19人，平均年龄30.1岁，其中党员10人，团员9人，大学本科文化2人，大专文化17人。东盛路派出所是具有光荣爱民传统的先进集体，是经过不同历史时期考验的先进典型。40多年来，他们始终坚持全心全意为人民服务，赢得了人民群众的信赖和拥戴。作为公安战线的老典型，该所多次受到国家、省、市的表彰奖励，先后荣立集体一、二、三等功53次，受区以上领导机关表彰共计179次，其中受到国家级表彰10次，所领导先后5次作为先进集体代表进京参加表彰大会，受到党和国家领导人的亲切接见。在这个所工作过的先后有136名同志，在他们当中，有52人次获得市级以上领导机关授予的荣誉称号，有89人次受到记功表彰，有92人次受到嘉奖。1999年8月3日，朱镕基总理签署命令，授予这个派出所"人民满意的派出所"荣誉称号。

**一、爱民为本，为群众提供满意的服务**

几十年来，不管干部怎样调动，形势怎样变化，东盛路派出所始终把立所为民作为永恒的主题。他们始终坚持爱民教育的一贯性，历届领导班子交接时，首先是交接爱民传统，明确爱民制度，确保爱民旗帜不褪色；新民警来所工作，派出所党支部把爱民教育作为第一课，组织观看以"爱民、奉献、卫士"为主要内容的所史展览，请管内的老治保、老党员、老民警讲派出所的爱民事迹，使新同志一到派出所就先打下爱民的烙印。始终坚持爱民活动的经常性，在爱民活动中，不仅帮助群众解决一时一事的困难，更注重在坚持经常上下功夫。多年来，这个派出所先后为16名孤寡老人送了终。始终坚持爱民行动的自觉性，民警无论领导在与不在、班上与班后、分内与分外，都能尽心竭力地为群众排忧解难。始终坚持爱民措施的有效性，坚持做到"服务来所办事人，温暖管区人民心"。仅1990年以来，这个所就为群众办好事2600多件，登门为群众办理户口800余次，送发居民身份证5000余个，收到群众表扬信255封，锦旗、牌匾180（面）块。

**二、深化改革，创造群众满意的治安环境**

几十年来，东盛路派出所把创造群众满意的治安环境作为最大的爱民，始终贯彻公安工作与群众路线相结合的方针，紧紧依靠人民群众支持，不断强化基层基础工作。一是大胆改革警务工作模式，认真落实责任制，努力实现工作重心转移，把民警从过去"围绕案子跑、跟着指标转"的工作模式中解脱出来，建设预防犯罪的主力军。并将预防、管理和服务方面的工作任务逐一进行分解量化，实行每月考核一次，公布考评结果，有力地保证了责任制的落实，进一步激发了民警的工作积极性和创造性。二是大力开展岗位培训和岗位练兵活动，立足岗位苦练基本功，努力提高民警的业务素质。辛勤的汗水使他们练就了一身过硬的本领，许多民警成了"活地图"、"一口清"、"问不倒"，成为辖区情况的资料库、线索信息的情报站、流动的"派出所"，在为群众服务和实际工作中发挥了重要作用。三是推动安全社区建设。他们争取社会多方面力量的支持，在辖区建立了2个全封闭型的安全社区，在不具备封闭条件的居民区建了12个自然型的安全社区。组成了以责任区民警为龙头，以治安巡逻员和治保干部为骨干，广泛动员各种社会力量参加的近130人的巡逻队伍，形成了大巡逻格局，有效的避免了可预防性案件的发生。四是建立快速反应机制，在派出所设置了一部专门用于接报警的电话，还配备了一台巡逻报警车，大大提高了快速反应能力。并适时开展"严打"和专项斗争，严厉打击违法犯罪活动，扫除"黄、赌、毒"等社会丑恶现象，辖区社会环境良好，治安形势持续稳定，没有发生有影响的重特大案件，基本上达到了发案少、秩序好、群众满意的目标。

**三、秉公执法，造就一支群众满意的队伍**

东盛路派出所早在五六十年代，就以遵章守纪、严格自律为人民群众所称道。在改革开放的新形势下，面对市场经济大潮的冲击，他们始终坚持政治建警，从严治警，依法治警，把反腐倡廉，作为队伍建设的重中之重，坚持真抓、早抓、主动抓，努力造就一支群众满意的队伍。首先是所领导加强自身修养，提高自身素质，并以身作则，率先垂范，始终坚持要求民警做到的，自己首先做到；要求民警不做的，自己首先不做，像一面旗帜，为全所民警指明了方向。其次，派出所制定了"四不准"，即不准接受单位和群众请吃，不准向管内单位和个体户索取好处，不准以权利刁难群众，不准参与经商等一系列规章制度，规范民警的行为，保证严格执法，秉公办事。第三，在户口管理和治安案件处理等群众普遍关心、敏感的问题上，实行公开办事制度，把办事程序和需要的手续张榜公布，使群众一目了然，把公安执法置于群众的监督之下，从而保证了公正执法，赢得了群众的信任和赞誉。几十年来，派出所没有因为治安案件处理不当导致群众不满，没有发生一起行政复议案件，全所民警做到了43年无一人违法违纪，在任何环境下都保持了人民警察的良好形象。

（吉林省文明办）

# 黑龙江省哈尔滨市公安局东莱派出所

## 群众满意的公安派出所

东莱派出所是一个具有光荣传统的战斗集体。早在60年代，就被黑龙江省委、省政府命名为“一个革命化、群众化、战斗化的公安派出所”，成为公安战线的典范。30多年来，他们坚持做到传统不丢，宗旨不变，本色不改，形成了“爱人民、讲奉献、保平安”的东莱精神，以“建一流领导班子、带一流民警队伍，创一流工作业绩、融一流警民关系”的优异成绩，得到党和人民的充分肯定和高度评价，先后受到国家和省、市表彰188次，连续10年被评为省级文明单位标兵。特别是1997年11月26日，被国务院命名为“人民满意的派出所”；1998年6月，被中宣部、公安部和黑龙江省委作为精神文明建设的重大典型推向全国；1999年9月，被中央精神文明建设指导委员会授予“全国创建文明行业先进单位”的荣誉称号。现在时代变了，东莱人几十年如一日的爱民传统却没丢。他们以“为人民服务，树公安新风”活动为切入点，把“人民满意”作为衡量一切工作的标准，多方位、多层次开展群众性的创建活动，推进派出所各项工作的全面提高。

**一是牢牢把握让人民满意这个根本标准，把爱民为民的光荣传统不断发扬光大。**早在五六十年代，东莱派出所就以“进百家门、认百家人、知百家情、办百家事”的“警民鱼水情”闻名于全国公安战线。几十年过去了，新一代东莱人没有停止不前，而是在新的历史形势下将这一传统进一步发扬光大，在搞好为人民服务宗旨教育、增强干警“公仆”意识的同时，抓好群众关心的热点、难点问题，尽心竭力为群众排忧解难，进一步密切了警民关系。办理农转非户口，他们没让群众感到有半个“难”字；下岗职工生活困难，他们积极为他们谋求就业之路；孤寡老人生活起居不便，他们就坚持常年照顾。群众来派出所办理户口证件，他们一次办不成事，二次送上门，不让群众再跑第二趟。东莱爱民为民的实际行为，深深教育和感染了广大群众，他们都把东莱看成是自己的东莱。遇有严打战役，居民主动提供线索；遇有加班加点，群众自发送来夜餐；遇有争先创优活动，东莱辖区的百姓总要为派出所争得一席之地。1997年10月，人大代表评议公安工作时，群众给他们投了100%的满意票。

**二是坚持从严治警，在不断提高队伍整体素质上下功夫。**东莱民警并不生活在真空中，也有七情六欲。受社会上不正之风的影响，尤其是近年来市场经济负面效应的冲击，个别民警的理想和信念也发生过动摇，也出现过这样或那样倾向性和苗头性问题。公安机关每办一起案，处理一个人，几乎都有说情者上门，所谓“案子一进门，两边都托人”的现象屡见不鲜。对此，他们坚持“严”字当头，从严教育，从严管理，所长与民警签订了廉政责任书，把责任落实到人头。制定廉政建设十不准制度，聘请警风监督员，定期召开管区公企单位法人代表和居民委组干部及群众代表对派出所工作和民警进行评议，并在每个管区设“为警清廉”举报箱。时刻教育民警从自身做起，继承发扬东莱“拒腐蚀永不沾”的优良传统，使全所形成了只讲奉献、不求索取，秉公执法，廉洁自律的浓厚氛围，一代影响着一代，形成了东莱之魂，赢得了人民群众的信任和爱戴。近年来，全体干警累计拒礼拒贿百余次，价值10多万元，无一起上访案件，无一起违纪案件。

**三是坚持以改革为动力，努力创造一个让人民群众安居乐业的治安环境。**一对老夫妻，外出串亲戚，20多天回来后发现没锁门，而家里的东西一样没少，这是70年代发生在东莱辖区的一件真人真事。在这件奇事的背后，却是我们东莱民警20多个日日夜夜的辛劳。如今，在公安工作由静态向动态管理转变的新形势下，他们就以“百家熟”等传统做法打牢根基，又以改革为动力，按照市公安局的改革方案，积极推进社区警务改革，创造出“群防群治，综合治理”的先进经验。而今，当人们对社会治安议论纷纷的时候，在东莱辖区却是另外一番情形：危房改造，即使房间面积、楼层稍差一些，动迁居民也愿意搬回东莱辖区住；一所中学校舍迁移重建，校长和师生员工一起找到教委和房产部门，一致要求把新校舍仍然盖在东莱辖区。

**四是牢固树立为经济建设服务的思想，尽心竭力为促进经济发展做贡献。**东莱辖区现有工企单位50多个，有全区最大的农贸轻工业市场，还有一个容纳700多个摊位的地下商城。他们按照市委“千方百计把经济搞上去，一心一意为人民办实事”的工作思路，把促进经济发展作为自己的神圣职责。在农贸市场的摊位上，有很多无业人员和下岗职工是民警帮着跑的手续。春华机电产品公司好不容易筹到2.8万元职工开支款，放在金柜时却不翼而飞。东莱民警经过一昼夜奋战，终于把被盗款追缴回来。轻金属家具厂产品滞销，濒临破产。东莱民警积极出谋划策，救活了企业。一位外区的个体户到工商部门申办执照时说：“我愿到东莱地区经商，因为那里有东莱派出所”。东莱辖区的工企单位，都有一个共同的感受，有东莱派出所做后盾，心里踏实，经商放心。

**五是发挥辐射作用，东莱效应不断扩大。**东莱派出所被评为全国创建文明行业先进单位后，各行各业掀起学东莱活动热潮。全国30多个省（区、市）先后派人300余次到东莱考察，就连韩国、俄罗斯的警察机构也来人参观考察。在这种形势下，东莱怎么办？如何把一个东莱变成多个东莱？他们向全市各行各业发出倡议，牵头组建了由医疗、自来水、煤气、电业、房产、公交、学校等13家单位参加的“社会服务联动网络”，并向群众发放了标有各部门职能，责任分工和联系电话的《东莱派出所社会联动服务示意图》。群众有困难，既可以找东莱，也可以直接找联动服务单位，形成了覆盖群众方方面面生活的服务体系和网络，为群众提供了更直接、更便利、更快捷的服务。东莱地区有许多优抚对象，东莱民警每年都要定期护送他们去医院体检，实行联动服务后，东莱医院医护人员则定期登门义诊，免费治疗，受到优抚对象的欢迎。他们还使外地来哈走失的儿童，通过铁路部门的配合安全回到家中；使贫困失学的孩子，通过联动服务学校及时免费入学；使来哈寻亲的客人，通过出租车公司顺利到达亲属家里。启动社会联动服务网络一年多来，共为群众办好事、办实事500余件，不仅得到省、市有关部门的认可，还受到中国社会科学院、国家行政学院、公安大学、清华大学等科研单位和高等院校专家学者的高度评价。

（黑龙江省文明办）

## 江苏省建湖县公安巡警大队上冈中队

# 人民满意的公路巡警队

江苏省建湖县公安局巡逻民警大队上冈中队始建于1987年，现有民警16人，其中党员10人，大专文化2人，中专文化10人。他们担负辖区内19公里204国道和72公里省道、县道的交通、治安管理任务，负责各乡镇6000余名驾驶员和4500余辆机动车的安全教育管理。长期以来，他们坚持既管交通，又管治安，特别是1996年以来，全面实行一警多能，一警多用，走出了一条“与民同行，保民平安，为民服务，让民满意”的工作路子。上冈中队先后被盐城市委、市政府授予全市“十佳政法单位”称号，被省政府授予“江苏省先进集体”称号；先后荣立集体一等功1次，二、三等功各2次，1人被评为全国优秀人民警察，7人分别荣立个人二、三等功。1999年8月3日，朱镕基总理签署命令，授予这个中队“人民满意的公路巡警队”荣誉称号。

**一、勤奋学习，刻苦练兵，努力提高为民服务的水平和本领**

要实现保人民平安，让人民满意的目标，必须有过硬的素质做保证。为提高素质，他们克服困难，建立了小图书室，想方设法搜集书籍、教材；注意发现每个人的长处，集中大家的智慧，开展互帮互教活动；平时工作忙，就挤时间学，并且定期检查学习效果，每月进行考核，使岗位培训这个软任务变成硬指标；抱着“训练多流汗，上岗少流血”的信念，坚持每周利用两个早晚的时间，练队列，练交通指挥手势，练擒拿格斗。3年来，民警的政治素质、业务素质迅速提高，体能和实战技能大大增强，都熟悉治安、刑事案件的办案程序，能够独立处理交通、治安问题，较好地掌握了擒敌技能。

**二、建章立制，严格管理，用制度规范民警的执勤执法行为**

上冈中队从抓队伍纪律作风入手，结合既管交通，又管治安的工作实际，制定了7个方面350余条规章制度，形成“上冈规范”，作为全队民警的行动准则。为了提高快速反应能力，中队规定，警车执勤归队后，即使在夜间勘查现场回来，都要及时加满油、水，确保车容车况良好，并统一按规定停放，车头45度角朝向中队大门，处于待命状态等等，从而保证辖区不管什么地方发生重大警情，执勤民警接警后都能在10分钟内赶到现场。为保证事故处理的公正性，中队建立了说情登记簿，对打电话、批条子等说情的一律登记在案，对送钱、物的一律登记造册，事后退还当事人。在每年处理的上百起交通事故中，无一引起行政诉讼，在处置交通事故、突发事件中没有发生一起因处警不及时贻误战机的。规范化建设使他们尝到了甜头，各项制度的严格执行，不仅提高了民警的执法水平和工作效率，而且有效地防止了队伍中各种违法违纪行为的发生。多年来，中队没有发生一起违法违纪案件。

**三、分析形势，研究规律，增强道路交通治安管理的针对性和实效性**

减少辖区道路交通事故和治安、刑事案件，为群众排忧解难，是公路巡逻民警队的基本职能，为了把有限的警力用在刀刃上，发挥现有警力的最大效能，他们运用地理住处分析法，制作了辖区道路交通治安管理动态信息地图板，每周召集民警分析研究辖区交通事故、道路治安、刑事案件的特点和规律。根据发案规律，实行了每天三班工作一班休息的“四班三运转”的全天候勤务管理模式，确保路面昼夜不失控。根据经验，逐步摸索出了一套“望神色、看迹象、查证件、听反映、不放过”的快速识别犯罪嫌疑人的工作方法，使违法犯罪分子闻风丧胆。通过对辖区道路交通事故深入分析，他们发现肇事车90%是过境的外地车，而伤亡的90%是本地群众，就在提高沿线群众的交通安全意识上下功夫，编写了村民容易接受的《交通治安安全常识》小册子，免费发放，并制作宣传栏、黑板报、交通安全图片等到各村流动展出；积极开展“维护青少年权益岗”活动，定期到沿线学校上交通安全课，在中小学生中实行交通安全卡联系制度，用上级颁发的奖金购买800顶小黄帽送给沿线中小学生；还对积极抢救事故伤员、及时提供破案信息、热心宣传交通安全知识的群众给予表彰奖励，极大地调动了沿线群众参与交通治安管理的热情。深入细致的源头管理，使辖区群众的交通安全意识明显提高，国道沿线因村民违章而引发的交通事故大幅度下降。

**四、爱岗敬业，无私奉献，不懈追求人民满意的目标**

中队实行准军事化管理，加强思想政治工作和全心全意为人民服务的宗旨教育，使全队民警认识到管理的204国道是全县惟一一条国道，南来北往的群众都在注视着他们，执法和服务水平必须与国道相称，必须代表建湖公安民警的形象。多年来，中队全体民警都自觉地把一切工作定位在创一流，定位在不懈地追求人民满意的目标上，勤勤恳恳，无私奉献。为及时帮助车驾人员解忧排难，巡逻车上时时备有灯泡、雨刮片等常用汽车配件，千斤顶、撬棒、扳手等修理工具，钢丝绳、气筒等应急器材，为过境车辆提供服务。据不完全统计，自1995年以来，中队免费为过往车辆提供灯泡2000余个，义务拖车、推车、修车3500余次，抢救事故伤者3000余人，为群众排忧解难8000余次。

（江苏省文明办）

## 浙江省诸暨市公安局枫桥派出所

# 打防结合 预防为主 建设人民满意的派出所

浙江省诸暨市公安局枫桥派出所成立于1950年3月，现有民警19人，其中党员16人。辖两镇一乡，84个行政村，1个居委会，面积160平方公里，共27659户、76324人。35年前，枫桥干部群众创造了“发动和依靠群众，坚持矛盾不上交，就地解决，实现捕人少、治安好”的“枫桥经验”，毛泽东同志亲笔批示在全国推广。35年来，枫桥派出所以弘扬“枫桥经验”为己任，充分发动和依靠群众，构筑社会治安防控网络，确保了一方平安。特别是近几年来，枫桥派出所积极发挥维护农村稳定的主力军作风，坚持“打防结合，预防为主”的工作方针，以人民满意为目标，锐意改革，不断进取，严格执法，热情服务，赢得了人民群众的信任和赞誉。曾先后荣获“全国公安战线先进集体”、“浙江省政法战线先进集体”称号，荣立集体一等功1次，集体二等功1次，集体三等功2次，多次被评为省市“优秀派出所”，1999年8月3日，朱镕基总理签署命令，授予这个派出所“人民满意的派出所”荣誉称号。

**一、依靠群众，强化防范，确保辖区治安的持续稳定**

依靠群众化解矛盾，维护治安、是“枫桥经验”的精髓，也是枫桥派出所的传统。在新形式下，他们坚持和发扬“枫桥经验”，紧密依靠人民群众，建立健全各种群众性治安保卫组织，形成了覆盖整个辖区的群防群治网络体系，并加强指导和规范，进行业务培训，做工作上的坚强后盾。充分依靠群防群治组织，生活上关心爱护，逢年过节去慰问，每年进行表彰奖励，激发治保干部维护社会治安的积极性，切实发挥其对暂住人口的协管作用，对重点人口的帮教、控管作用，调处民间纠纷的第一道防线作用，提供违法犯罪线索、服务现实斗争的作用，有效强化社会治安防控。基本实现了小事不出村，大事不出乡，矛盾不上交，形成了“维护治安，人人有责，同居一地，共保平安”的新格局。近5年来，辖区没有发生群体性上访闹事事件，没有发生一起凶杀案件。没有一起民事纠纷转化为刑事案件，刑事案件发案数据控制在万分之八左右，年捕人数没有超过万分之二。据对辖区1000名问卷抽样调查，99.5%的群众有安全感。

**二、深化改革，打防并举，营造群众满意的治安环境**

枫桥派出所找准新时期专门工作和群众路线的结合点，积极推行辖区民警责任制，落实管理、防范工作。派出所根据人口分布状况、治安复杂程度和地域范围等情况，在辖区设立了3个警务区，并细分为11个民警责任区，实行一警一区。为确保民警扎根责任区，把工作落到实处，他们采取了三项工作措施：一是制定下发责任区工作制度，把群众工作固定为民警的主要工作内容。规定民警每月下责任区不得少于15天，每月走访群众不少于30户，当年群众熟悉率必须达到30%，3年达到80%。二是建立警务点。设在警务区的中心村，悬挂牌子，责任区民警每周有一天时间固定在警务点办公，主要接受群众报警，提供有关政策法律咨询，调处一般治安纠纷，受理群众申报户口代办有关证件。三是建立健全考核奖惩制度。促使民警把主要精力投向管理与防范。在推行辖区民警责任制，落实严防严管的同时，枫桥派出所严厉打击违法犯罪活动，扫除“黄、赌、毒”社会丑恶现象，净化社会环境，维护治安稳定。

**三、赤诚为民，优质服务，建立一套完整的警务机制**

枫桥派出所不论开展哪项业务活动，首先考虑的是群众满意不满意，始终把爱民、为民、便民融入各项警务活动。工作中，坚持做到“三抓”：一抓工作作风的转变，密切警民关系，对群众反映的问题和需要解决的事情，做到件件有答复。二抓窗口优质服务，开展了以“服务环境净、美、新，服务态度热、和、亲，办事效率便、快、准”为主要内容的创优质服务活动，提高为民服务水平，给群众以满意的服务。三抓拓展服务广度和深度，只要群众需要，只要群众求助，不分大事小事，不分分内分外，派出所民警都会主动去做，让群众满意。

**四、严格管理，增强素质，锤炼一支过硬的公安队伍**

枫桥派出所多年来一直把树正气、强素质、严管理作为队伍建设的关键环节，常抓不懈。

一抓班子建设。制定了《所领导学习日制度》，抓住全国众多单位来枫桥学习考察的有利时机，积极向同行求教，以学习促团结，以学习促协作，以学习找差距，拓视野。同时，坚持民主评议领导制度，积极开展批评和自我批评，使班子成为政治坚强，团结务实，开拓进取，清正廉洁的榜样。

二抓弘扬正气。坚持周一晚上2小时的政治学习制度，组织民警学习理论，特别是把学习邓小平理论摆到重要位置，认真安排，讲求实效。与以“讲学习、讲政治、讲正气”为主要内容的党性党风教育和以全心全意为人民服务为核心的职业道德教育相结合，不断提高民警的政治思想觉悟，教育民警树立正确的群众观、责任观和服务观。

三抓执法素质的提高。派出所每两周安排一定时间组织业务知识学习和讲座，请市局机关业务科室来所举办专题讲座，开展优质案件评比活动等多种形式的岗位练兵，提高民警业务素质。

四抓监督机制。在内部，制定了以内部管理为主要内容的13项制度，把为人民服务的要求渗透到民警警务活动之中，所领导还与每位民警签订了《无违纪目标责任书》，形成千斤重担大家挑，集体荣誉人人创的氛围。在外部，每季召开一次群众座谈会，广泛征求意见和建议，并聘请了有乡镇干部、村干部、厂长（经理）、普通群众等参加的20名警风警纪监督员，每年召开两次评议会，听取对派出所业务工作和队伍建设的意见和建议。枫桥派出所自建所以来没有发生民警违法违纪现象。

（浙江省文明办）

## 中国工商银行浙江省分行

# 真诚服务为客户

**一、立足改革求发展**

当不少商业银行摆开架势大打“网点战”时，中国工商银行浙江省分行却从1994年开始，不动声色地施展着“撤离术”、“缩身法”。4年里，全省共撤并营业机构322个，减幅达23.4%，长期被视为“金饭碗”的用人制度被彻底打破，上至分行行长，下至普通员工，人人捧起了“玻璃饭碗”。仅1996—1997年的两年里，全省就分流人员646人，清退临时工1849人。浙江省分行在大幅度精简低效益机构的同时，集中力量着手资源的优化配置，让优势银行优势更优。经过3年努力，5个经济发达地区重点分行存款增量占全省的80%，利润占100%以上。欠发达地区的富余人员经过内部调剂，有863人充实到业务发展快的发达地区和优势银行，大大减轻了减员的震荡。

像抓工业产品的成本核算一样，抓好金融产品的成本管理，是浙江分行在业务管理改革上的一个创举。开展了对分支机构保本点、筹资和信贷部门的收效、新的金融业务的效益等的成本监控，实施成本否决制度。同时还对传统会计制度进行改革，加快了资金周转，方便了客户，也强化了银行的内控能力。

**二、真诚服务为客户**

坚持以客户为中心，在工行浙江省分行员工的思想行动中是实实在在的。“客户可以没有工商银行，但工商银行一天也离不开客户。”文明用语、礼貌待客等固然是工行员工的“必修课”，但浙江分行领导认为，在激烈的市场竞争面前，仅有文明礼貌是远远不够的，必须不断提高员工素质，拓展服务空间，真正形成处处让客户称心满意的服务氛围。

三尺柜台前的“空间革命”是浙江分行改善一线服务的见证。在不少银行营业网点上，人们曾经对这种情形记忆犹新：炎炎烈日，营业员工作的柜台里面空调凉风习习，可顾客走动的大堂里连个风扇也没有；柜台内宽敞宜人，而大堂里却拥挤不堪。“我们天天说要把顾客放在首位，为什么不从网点空间上做起?”就这样，一场“空间革命”在浙江分行展开了。所有新设立和改造的营业场所，柜台内外的空间布局被换了个个儿：大堂宽敞了，服务设施齐全了，顾客一进工行网点的大门，亲切舒适感油然而生。

努力开拓花色品种，最大程度地适应各类客户需要，使浙江分行在创新服务上练就了真功夫。个人金融理财服务、中间业务代理、个人消费贷款等多种适应客户需要的新的服务种类应运而生。这家分行还设立贷款“绿色通道”，建立优势企业“红名单”制度和客户经理制，有效地解决了如何在防范风险的前提下，提高贷款审批效率的难题。

着眼机制建设，强化日常监督，使浙江分行优质文明服务常抓不懈，不良风气难以生存。1998年，浙江分行涌现出57个地市级以上的文明单位。

**三、千金难买是精神**

根据员工思想实际，有的放矢地开展生动活泼的教育，让思想政治工作既入耳更入脑，是浙江分行近年来在队伍建设中的一个重点。1998年，浙江分行员工人均培训达到两次以上。杭州庆春路支行组织员工到宾馆、部队当服务员、战士，体验生活，又安排员工参观监狱和戒毒所，增强青年人对工作和社会的责任感。在最近的5年里，这家支行90%的网点因为旧城改造而搬家两次以上，最多的搬了5次，营业房也全部是租赁的，但由于有了一支高素质的员工队伍作依托，1998年各项存款比1995年增加了近3倍，增幅位居全省第二。

加强队伍建设的核心是领导班子的建设。国有商业银行改革和发展的出路在哪里？浙江分行几任领导班子都通过加强理论学习来寻找答案。在深刻学习领会邓小平同志关于“改革是动力”、“发展是硬道理”、“把银行办成真正的银行”等一系列论述后，浙江分行理清了改革思路，提出了以改革为动力、以经营为目标、以效益为中心，加速经营集约化的办行方针，加快了向现代商业银行转变的步伐。

多年来，浙江分行领导班子始终把支持浙江经济发展作为工作的立足点，注意发挥资金融通主渠道的作用，积极支持重点企业、重点工程和在浙江经济中占有重要地位的第三产业及非国有经济的发展，贷款余额在浙江四大国有商业银行中所占有比重一直保持在40%左右。

自觉依法合规经营，坚决根除违规行为，是浙江分行常抓不懈的工作。省分行对查出的违纪领导干部，一律予以停职、免职或撤职处理，不准继续担任领导职务。最近几年里，全省共有13名支行行长和副行长被撤职或免职。

1999年，工行浙江省分行被总行党委授予“中国工商银行先进分行”称号，被中央金融工委授予“全国金融系统文明建设先进单位”称号，被中华全国总工会授予“全国职业道德先进单位”称号。

（浙江省文明办）

## 福建省漳州市公安局巡警支队直属大队

# 当文明卫士 让人民满意

“漳州110”是人民群众对漳州市公安局巡逻警察支队直属大队的爱称。1999年该大队共接、出、处警17283起，查获各类案件4524起，现场抓获各类违法犯罪嫌疑人3532人次；为民办好事、实事5666件。人民群众由衷地称赞“‘漳州110’更快更灵了”，“不愧是‘人民的110’、‘人民的保护神’”。1999年6月18日，中共中央政治局常委、书记处书记、国家副主席胡锦涛视察时称赞“‘漳州110’以过硬的作风和突出的成绩成为全国公安战线的学习榜样”。1999年11月13日，中共中央政治局委员、书记处书记、国务委员、中央政法委书记罗干视察时指出：“‘漳州110’为公安机关改善了形象，树立了榜样，密切了党群关系。”1999年，“漳州110”又先后获得“全国创建文明行业工作先进单位”、“全国职工道德建设十佳单位”、省“先进基层党组织”、“全省中小学校园治安综合治理工作先进单位”、全国“青年文明号”等荣誉；全队有1人被授予全国公安战线二级英模，1人被评为全国、全省优秀人民警察，1人被评为全省“十大杰出青年卫士”，8人次荣立二、三等功，1992人次获得各级的表彰奖励；大队再次被中央文明办、公安部确定为“全国精神文明创建活动示范点”。

**一、以赤诚为民、热情服务为创建核心，在党和群众心中架起连心桥，当好精神文明建设的排头兵。**“漳州110”在荣誉面前不停步，努力实践“四有四必”承诺，不断创新进取，拓展了服务范围，提高了服务质量。年初，漳州农校八旬老教师黄芳远在胜利东路不幸摔成股骨骨折，大队民警及时赶到现场将伤者送往医院救治。黄老师定居在美国西雅图的女儿得知此事后，从大洋彼岸发来明传电报表示感谢，称“‘漳州110’无愧是‘救急先锋，爱民楷模’……”

他们不断延伸巡警职能，拓宽服务领域，把创建安全文明小区与精神文明建设结合起来，吸取新加坡、香港等地警察创建邻里警岗的经验作法，结合辖区实际，自我加压，在国家安居工程的群裕小区设立了小区警岗，为小区居民提供便民利民服务，同时还协助派出所为小区居民办理户口登记、变更等服务，深得群众赞赏。

**二、以探索改革、创新发展为创建重点，充分发挥巡警打击犯罪，维护治安的尖刀突击作用和社会服务联动的龙头、骨干、主力军作用。**“漳州110”为最大限度地利用警力和提高在巡逻与快速反应能力，立足于可持续性发展和管理的科学化、规范化，对勤务运作方式再次作适当调整。实行巡逻、接出处警与整训、备勤相结合的新模式，全队投入3/4的警力用于日常巡逻、接、出、处警，挤出1/4的警力，实行4个中队4个月一轮换的集中教育、训练，并在市区的重点部位新设立6个巡逻执勤点，既利于民警巡逻停靠、反馈情况，又利于群众报警求助和对巡警工作的监督。

为了人民的利益，他们付出了巨大的代价。1999年2月5日，被保送到公安大学英模班学习的原副大队长张志民主动请缨，受命护送一名江西籍重病民工返乡时因公牺牲，被省委、省政府追认为优秀共产党员、“革命烈士”，被公安部追授为“公安保卫战线二级英模”。

**三、以让党委放心、人民满意为创建目标，努力构建一支作风正、业务精、人民满意的公安巡警队伍。**他们以让党委、政府放心，让人民满意为精神文明创建的目标，进一步完善规章制度，健全领导机构，强化教育管理，深化承诺服务，并定期、不定期地请“警风廉政监督员”和社会各界人士、新闻媒介来“把脉问诊，揭短亮丑”，推动和促进基层警队精神文明创建工作和队伍建设。结合勤务运作机制的改革完善，对《岗位责任制考评实施细则》进行修改完善，并推出了《警务区责任制》等工作制度，以制度规范和管理队伍，形成以制度管人，一级抓一级，层层抓落实的良好局面。他们制定了《“争创”活动十二个满意标准》，强化管理，完善服务，受到了上级领导、机关和广大人民群众的一致好评。

**四、以团结协作、率先重范为搞好创建的前提条件，努力构筑坚强战斗堡垒，充分发挥党员干部的模范带头作用，确保创建活动沿着健康、有序的道路发展。**“漳州110”坚持以党建促团建，以党建带动精神文明创建和队伍建设，落实“五个一”制度，注重抓好领导班子的思想、作风和组织建设，注重加强培养和发展优秀青年民警入党，不断为党组织补充“新鲜血液”。通过开展“争当一对好主官”活动，充分发挥大队业务、政工主官的表率、带头作用，努力建设一个党性强、作风正、业务精、工作实、特别能战斗的坚强领导班子。全队36名党员自觉组成一支“党员先锋突击队”，时刻牢记宗旨，冲锋在前、吃苦在前、奉献在先，在民警和人民群众的心目中树起一座座标杆。

（福建省文明办）

## 福建省晋江市公安局刑警大队

# 一个“特别能战斗”的刑警队

福建省晋江市公安局刑警大队是在改革开放的形势下成长起来的一个先进集体。现有警力147人，民警平均年龄29岁，大中专以上文化程度的占79.9%，党员占70%。1992年建队以来，不断强化队伍建设，探索刑侦工作的新路子，培养出一支党和人民群众满意，具有坚强战斗力的刑警队伍。该大队先后荣立集体一等功1次，集体二等功1次，有4个专案组荣立集体二等功，21个专案组荣立集体三等功，有1名民警荣获全国优秀人民警察称号，40人次荣立个人二、三等功，全队共收到锦旗420面，感谢信254件，1999年8月3日，朱镕基总理签署命令，授予这个刑警队“特别能战斗刑警队”荣誉称号。

**一、英勇善战，创造一流的业绩**

伴随着经济的快速发展，外来人口的大量涌入，各种诱发犯罪因素的增多，给刑侦工作带来了压力和挑战。晋江市公安局刑警大队全体民警发扬艰苦奋斗的优良传统和连续奋战、不怕牺牲的精神，倡导和实践全国闻名的“背包”精神（大队有40张床板、40床军用被、40个军用包，每当发生严重恶性、暴力性案件，专案组从局领导到民警，全都打起背包，进驻发案地，在附近的简陋民房里打地铺，不破案子不收兵），以人民满意为最高标准，舍家忘我，顽强拼搏，充分发挥职能作用，严厉打击刑事犯罪，创造出辉煌的业绩，连续3年保持人均破案数全省第一。同时，全体民警始终坚持严格执法，廉洁自律，文明办案，1992年以来，全队民警拒收礼物、慰问财物及赞助费等现金、财物折合人民币190多万元，没有发生刑讯逼供等违法违纪问题。

**二、从严治警，带出一流的队伍**

晋江市公安局刑警大队多年来从严治警、依法治警，严格队伍管理和教育，不断增强队伍的凝聚力和战斗力。

坚持从严治警，建设坚强有力的领导班子。在这个优秀的群体中，市公安局、刑警大队领导班子认真贯彻民主集中制原则，大力倡导肝胆相照、团结协作的良好风气，班子正气不断上升，凝聚力不断增强，成为带领广大刑警争一流、创佳绩的坚强集体。

坚定不移走群众路线。一是热情接待群众，认真受理报案，迅速破案；二是充分相信群众，依靠群众帮助查证，协助追捕堵截，辨认可疑物品，并印发协查通报、召开群众大会通报案情，动员群众提供线索和证据；三是视群众如父母，以群众利益为重。案件侦破后，大队首先想到的是群众利益，及时追缴返还赃物，并主动进行破案回访，密切警民关系。

改进和加强新形势下公安思想政治工作，提高工作艺术和水平，从严教育管理队伍。他们始终坚持政治建队，积极引导民警树立正确的世界观、人生观、价值观，过好权利关、金钱关、人情关。从刑警的工作性质和特点出发，注重团队精神的培养和团队行为的养成。在用人上坚持德才兼备，从政治上增强刑警队伍的凝聚力；在考核奖惩机制上，推行量化考评，开展破案竞赛，形成“千斤重担众人挑”的喜人局面；在教育培训上，实行全封闭基本功军事化管理，增强集体意识；在协调民警关系上，实行探组自由组合，探长竞聘上岗；对队伍中出现的不良思想倾向，大队坚持抓早，抓苗头，及时化解。大队还制定和完善了包括岗位职责、机构人事、内务管理、考核奖惩等内容，涵盖刑侦工作方方面面的11项规章制度，把民警的管理和日常工作纳入规范化、制度化的轨道，并逐项坚决抓好落实，保证有令必行，有禁必止，作风严谨，纪律严明。

**三、改革创新，探索刑侦工作新路子**

这个刑警大队之所以具有坚强的战斗力，除了有一个好的班子、一支好的队伍外，还由于他们有一种坚持改革、敢为人先的精神，不断解放思想，更新观念，积极探索适应市场经济形势的刑侦工作新路子。1992年就推行了刑警分片包案责任制，1994年又在原有基础上推行破案探长负责制，特别是1996年公安部召开刑侦工作座谈会提出刑侦工作改革思路后，他们不等不靠，起步早，力度大。以完善破案责任制为核心，建立覆盖社会面的刑警队；加强教育培训和优化队伍结构相结合，提高刑警整体素质；加大刑侦科技投入，促进刑侦工作现代化建设。将改革刑侦工作机制、提高刑警素质、加强刑侦科技作为刑侦改革的重点，三位一体，一步到位，使刑警人数从改革前的60人增加到148人，刑事技术人员从9人增加到23人，平均年龄从35.5岁下降到29岁，大中专文化程度从52.1%上升到79.9%。先后投入巨资建设法医化验室、实验室、痕检室、情报资料室，购买多波段光源、指纹自动识别系统，建立犯罪信息综合系统，建设设施一流的警犬训练基地，还为各责任区刑警队配备专职痕检、照相人员。初步形成一个体制顺畅、结构合理、指挥有力、素质过硬、保障良好的刑侦体系。

（福建省文明办）

## 江西省气象系统

# 树立行业新风　为经济建设提供优质服务

江西省气象系统承担江西省境内大气探测任务，并为全省、全国乃至全世界提供本省气象信息与情报交换任务；为全省各级政府防灾减灾、指挥生产提供决策咨询服务；为各行各业提供专业气象服务；为人民生产、生活提供天气预报公益服务。

党的十四届六中全会特别是党的十五大以来，江西省气象系统坚持“两手抓，两手都要硬”的方针，从推进气象事业全面发展的高度，大力加强精神文明建设，深入开展创建文明行业活动，取得了显著成绩。

**一、领导高度重视，工作机制健全，创建文明行业工作摆上重要议事日程**

在领导体制上，全省各级气象部门都建立了精神文明建设的领导机构和办事机构，主要领导亲自抓，把创建文明行业工作纳入两个文明建设的考核范围，做到与业务工作一起部署、一起检查、一起落实，考核结果与领导班子和领导干部的政绩挂钩。在物质投入上，全省气象系统在经费十分紧张的情况下，千方百计加大对创建文明行业的投入，明确规定用于教育培训、环境改善、政工设备等硬件建设经费要列入专项，予以保证；用于政治教育、政工宣传、专题调研、文体活动等政工活动的经费，不得少于本单位总使用经费的2%，并逐年增加；同时，投入几十万元，对基层台站的精神文明建设进行了较大的投入，进一步改善了基层两个文明建设的条件。

**二、坚持思想教育，坚定理想信念，大力提高全省气象行业干部职工素质**

气象部门工作性质决定了气象台站高度分散，技术标准高度统一，技术要求较高，而地处自然条件艰苦，工作条件辛苦，生活条件清苦的“三高”、“三苦”部门。全省气象系统始终坚持用马列主义、毛泽东思想、特别是邓小平理论武装全体干部职工的头脑，引导干部职工树立正确的世界观、人生观、价值观。在思想政治教育中，把理想信念教育作为重中之重，使干部职工增强对马克思主义的信仰，增强对社会主义的信念，坚定对改革开放和现代化建设的信心，坚定对党和政府的信任。

在教育过程中，围绕内强素质，外树形象，大力弘扬“艰苦奋斗的创业精神，勤奋爱岗的敬业精神，严谨求实的科学精神，团结共事的协作精神，大公无私的奉献精神”为主要内容的气象精神；大力培育“准确及时、优质服务、严谨求实、科学高产”的气象职业道德教育。一是加强上岗前的职业道德教育，新进入气象部门工作的同志，都必须上职业道德规范必修课；二是深入开展“三优一好”和“三服务”活动，不断增强干部职工为经济建设服务、为基层服务的意识；三是确定每年4月份为职业道德竞赛和优质服务月，不断提高业务工作水平和综合素质；四是开展学习先进模范人物的活动，以先进典型为榜样，努力提高自身的水平。通过坚持不懈的努力，教育活动收到了良好效果，井冈山市气象局被中宣部、中国气象局确定为全国创建文明行业示范单位，省气象台被确定为全省“为人民服务，树行业新风”示范窗口单位。全系统还推出了20个规范化服务单位和电视天气预报、气象信息电话两项规范化服务项目，受到广大群众的一致好评。

**三、紧贴中心工作，树立行业新风，为全省经济建设提供优良的服务**

江西省气象系统创建文明行业工作，始终围绕经济建设这个中心来开展。把为各级领导防灾减灾、指挥生产提供决策服务放在首位，坚持将气象为农业服务摆在重要位置，坚持为各行各业提供专业气象服务，努力做到“决策服务让领导满意，公众服务让群众满意，专业服务让用户满意”。全省气象防灾减灾服务取得的经济效益每年达40亿元左右。1998年，江西省遭遇百年未遇的洪涝灾害，全省有10多个台站被淹，但全省气象干部职工发扬伟大的抗洪精神和艰苦奋斗的工作作风，没有中断过一次业务，没有影响过一次服务，全体干部职工日夜坚守在工作岗位，超常规的预报，超常规的服务，取得了超常规的效益，为夺取全省抗洪救灾的全面胜利做出了重要贡献，受到省委、省政府和中国气象局的高度评价。有40个气象单位被当地授予“抗洪抢险先进集体”，有7个单位、8位个人受到国家有关部委和江西省委、省政府表彰。

创建文明行业工作有力地促进了江西省气象事业的发展，现代化水平不断提高，气象卫星网络通讯工程建设名次在全国夺取两个第一、一个第二，进入全国气象部门的先进行列。1996年，被人事部、中国气象局联合授予“全国气象系统先进集体”。1997年，被中国气象局授予“重大服务先进集体”称号；1999年初，中国气象局、江西省精神文明建设指导委员会联合召开命名大会，授予江西省气象系统“创建文明行业工作先进系统”称号，这是江西省第一个获此殊荣的行业。

（江西省文明办）

## 江西省井冈山市

# 展示新时代的精神风采

革命摇篮井冈山，作为共和国的奠基石载入了中国革命的史册。这块昔日“人口不满两千，产谷不足万担”的红土地，如今“旧貌变新颜”，在经济建设取得重大成就的同时，精神文明建设也收获了累累硕果。

**一、突出传统教育，培育井冈新人**

巍巍500里井冈山，迄今保存完整的革命旧址遗迹100余处（其中国家级文物保护单位10处），是一座天然的革命大历史博物馆，处处是传统教育的阵地，处处有爱国主义教育的课堂，是提高市民素质的一本最好的教科书。井冈山市发挥全国爱国主义教育基地的优势，在全市广泛深入开展“毛泽东足迹寻觅”、“走红军之路”、“继承传统、振兴井冈”、“井冈之星”等系列教育活动。规定每年的清明节为爱国主义教育日、每年的10月为爱国主义教育月，市里及各单位都积极组织广大干部职工、中小学生祭扫先烈、瞻仰革命旧居旧址群、参观革命博物馆、烈士陵园等。全市投资1260多万元，兴建了集纪念堂、碑林、雕塑园、纪念碑为一体的井冈山革命烈士陵园，对毛泽东旧居、红军医院、黄洋界峭口等旧址进行全面维修，改造了井冈山革命博物馆，运用电影、录像、幻灯等现代化手段进行革命传统教育，净化人们的心灵，鼓舞市民投身改革开放和经济建设。在加强道德建设过程中，井冈山市注重从娃娃抓起，针对不同年龄层次，采取不同内容和形式，寓革命传统教育于学校德育教育之中，如举办传统教育会、革命故事会、读书会等，并成功地实施了“一（国情教育）二（学近代史、现代史）三（学雷锋、学赖宁、学十佯）四（做到教育整体化、制度化、系统化、阵地化）五（学生德、智、体、美、劳全面发展）”的教育工程，着力用井冈山精神和共产主义信念培育人、激励人、凝聚人。多层次、多渠道、全方位的革命传统教育，使爱国主义精神深深扎根于广大市民心中，成为人们奋发向上、艰苦创业的精神动力，塑造了新一代井冈人美好而高尚的心灵。涌现出一批可学、可亲、可敬的先进人物，如全国关心下一代先进工作者、离休老干部毛秉华同志，已70高龄，但几十年如一日，义务为来山游客作井冈山革命传统报告会2500多场，听众达60万人次。

**二、优化美化环境，争创老区新城**

井冈山市坚持把优化和美化城市环境作为突破口，立足未来，大力实施“天蓝、水碧、树绿”工程，着力实现城市的绿化、美化、净化、硬化、亮化。为精心营造城市环境的文化氛围，提高文化品位，对违章建筑坚决拆除，让出土地搞绿化、美化；公园建筑讲究美学，1999年，投资120万元改造挹翠湖公园，新铺草皮2万多平方米，植树2万余株；对沿街大楼的平顶，一律铺上绿色“地毯”；街道两旁种上常青树或花卉，一年四季，鲜花盛开。城区园林绿化面积达232.81万平方米，绿化覆盖率达89%，人均占有公共绿地54平方米，获得“全省园林城市”称号，被中外游客称为公园式山城。为切实加大环境治理力度，井冈山市在巩固创全国卫生城成果的基础上，又兴建了垃圾中转站，实行袋装垃圾，推行“地埋式无动力生活污水处理装置”，污水处理率达90.8%，烟尘控制区覆盖率100%，市区大气质量优于国家一级标准，荣获“全国城市环境综合整治先进城市”。

**三、倡导文明新风，展现时代风采**

井冈山是一个集革命人文景观与秀丽自然风光于一体的新兴旅游胜地，每年接待国内外游客上百万人次。在创建文明城市活动中，井冈山市一直把“窗口”行业摆在重要位置，通过全面推行行业社会服务承诺制，积极开展“岗位学雷锋，行业树新风”、“青年文明号”、“十佳职业标兵和集体”、“微笑使者”、“百日创优”等活动，大力倡导文明新风，进一步激发了广大干部群众奋发向上、无私奉献、创新进取的精神，提高了“窗口”行业的服务质量和服务水平，增强了市民的文明意识和形象意识，树立了井冈山良好的形象。如被国家公安部、武警总部命名为“武警模范中队”的武警井冈山中队，被命名为全国气象系统精神文明示范“窗口”单位的井冈山市气象局，被命名为全省旅游行业示范“窗口”单位的井冈山大厦等都是新近涌现出来的两个文明一起抓的突出典型。

具有光荣革命传统的井冈山人民，通过三年多的卓有成效的创建文明城市活动，树立了新的形象，优化了投资环境，城市面貌得到很大改观，两个文明建设取得明显成效。

——市民文明意识显著增强。过去街头常见的乱丢垃圾、交通秩序混乱以及欺行霸市等现象得到根本扭转，“井冈山是我家，文明靠大家”、“做文明人、创文明城”成为人们的共识，“严禁摘花”的警示牌已换成“鲜花向你微笑”的公益广告，讲卫生、讲秩序、讲公德、讲奉献、讲文明成为市民的自觉行动，家庭和睦、邻里相亲、尊老爱幼、互帮互助、勤俭节约、扶贫济困正蔚然成风，70%以上的家庭已成为“五好”文明家庭，并涌现出13颗地级“井冈之星”。

——城市管理水平逐步提高。争创文明城市活动中，广大市民积极配合，广泛参与，充分体现了市民对创建活动的自觉性和主动性。“人民城市人民建、人民城市人民管”，做到了坐商归店、行商归市、摊点入群，街道单位门点全都安装了霓虹灯，创造了一个安全、舒适的环境。全市现有军警民共建点60多个，文明单位102个，青年文明号50个，文明小区5个，数量比前几年有较大增长。

——群众生活质量明显好转。城市文明活动的蓬勃开展，有力地促进经济快速增长。1999年，全市国内生产总值37500万元，城市居民可支配收入达到518.8元，比上一年分别增长8.2%和13.4%。综合经济实力的增强，使群众的生活一天更比一天好。现在，全市实现了乡乡通有线电视；村村通公路、通电话、通调频广播；社会养老保险、合作医疗免除了群众的后顾之忧；股票、VCD、奥运会、足球赛、电脑甚至“因特网”成为市民津津乐道的话题。

——树立了良好城市形象。近几年，井冈山市“一年一个样，三年大变样”，先后获得“全国卫生城市”、“中国旅游胜地四十佳”、“中国优秀旅游城市”、“全国爱国主义教育基地”、“全国社会治安综合治理先进集体”、“全国城市环境综合整治先进市”、“全国两基教育达标县（市）”、“全国电气化达标县（市）”、“全国体育先进市”等20余项国家级荣誉称号。1999年9月，井冈山又荣获“全国创建文明城市工作先进城市”，受到中央文明委表彰。

（江西省文明办）

## 山东省济南市公安局交通警察支队

# 争当社会主义精神文明建设排头兵

济南市公安局交警支队下设10个区、县（市）大队，11个处、室、所、队，共有交通民警1484人，承担着全市617条、5152公里道路和53.6万辆机动车、54.1万名驾驶员的交通管理任务。

近年来，他们坚持内强素质，外树形象，塑造了济南交警文明的行业新风，赢得了党和人民的一致赞誉。1995年10月15日，江泽民总书记为支队题词"严格执法，热情服务"。1999年6月23日，江总书记在山东视察工作时又亲切看望慰问济南交警，勉励他们继续努力，坚持不懈地做到严格执法，热情服务。1999年底支队被中央文明委授予"全国创建文明行业先进单位"。

**一、内强素质，外树形象，展现新时期公安交警文明风采**

他们以"群众满意"为最高标准，从抓民警执勤形象入手，组织民警大练基本功，实行规范化执勤。从支队领导到民警，每天早上6点到7点一律参加规范化指挥训练。为了掌握过硬的指挥技能，许多民警头顶砖头、腿夹木板、衣领别上钢针、胳膊绑上沙袋……鞋磨破了，胳膊练肿了，眼睛充血了，仍坚持苦练。经过严格训练，执勤交警以准确、潇洒、刚劲的指挥手势，文明公正的执法形象出现在全市83个岗台上，被过往群众誉为"泉城一大景观"。他们结合岗勤特点，努力把3尺岗台建设成传播精神文明的窗口，制定了《济南交警文明执法行为规范》，在全市所有的岗亭竖起了"有困难找交警"的告示牌，设立了便民箱和服务栏，配置了修车工具、急救药品、打气筒、针线包、交通时刻表等。同时，开展"为人民服务，树交警新风"和实施"畅通工程"、创建"平安大道"活动，在城郊结合部和国道、省道，设立了10余处报警服务点，使"有困难找济南交警"的承诺进一步落到实处。为提高队伍素质，实施了育才工程，与高等院校联合开办了交通管理大专班，派出50名优秀民警到中国人民公安大学进修。到1999年底，45岁以下民警全部达到大专文化。

**二、大胆探索，勇于改革，使交警所有"窗口"都达到人民满意**

面对全国学济南交警的新形势，他们坚持以改革促发展，以发展促巩固，推动各项工作全面上水平。在队伍建设上，改革用人制度，实行"热点"岗位轮换，将98名模范人物和一线优秀民警轮换到车管所和事故处理部门；经过竞争上岗，有200余名年富力强的同志走上了处、科级领导岗位，给队伍和工作带来了生机和活力。在事故处理工作中，他们发扬"快、准、严、细"的作风，建立了两级接警、三方通话的"122"交通事故报警服务台，规定时限，快速处警。对事故处理实行了现场勘察、责任认定与调解处理三权分离制度，提高了办案效率和质量；交通事故巡回法庭的设立，使150余起久拖难结的事故案件很快得到处理；还主动与医院、保险部门联系，共同开辟了"绿色通道"，先后使200多名受伤人员通过"绿色通道"得到及时救治，有29名人从死亡线上救了回来。为方便群众，他们还实行了"三方便、三公开、一简易"服务举措，印制了便民服务联系卡、设置了便民服务政务公开栏和咨询服务电话；对于重大交通事故，实行责任认定、调解处理和损害赔偿"三公开"，聘请专职监督员参与监督，增加了办案透明度；对于损失千元以下轻微事故，由勤务民警适用简易程序当场认定责任，进行调解。每起事故结案后，除向当事人发放贴好邮票的"群众监督信"外，重点案件还"二次回访"，确保每起案件的公正性。在车管工作中，取消午休和公休日，实行全天候办公，使老百姓什么时候到车管所都能办成事。还大力简化办事手续，凡符合规定的一次办完，决不让群众跑两趟。对驾驶员考试实行无纸化微机阅卷，学员考试合格后当场就领到驾驶证。向社会推出了"5431"服务新举措，即：一张笑脸相迎、一把椅子让座、一杯开水暖心、一片直诚办事、一句好话送行；随时、定时、限时、延时服务；让群众少跑一趟路、少排一次队、少等一分钟；达到群众满意。开通了"168车管信息服务专线"，推行车管预约登门服务，规定凡是单位一次购5辆车以上的，车管民警必须登门挂牌。他们还大力倡导"阳光作业"，推行警务公开，对涉及群众利益的办牌办证、年检年审、事故和违章处理等，做到了"五公开，两明确"，即：公开办事权限、依据、程序、标准、结果，明确办事时限和投诉方式，并开通了24小时专人接听的"你打电话，我付费"的监督电话，将一个高度透明、高度公开的公安交通管理工作展现在群众面前。

**三、着眼未来，立足创新，向交通管理现代化要文明**

适应交通管理现代化的要求，他们把创新作为自身发展的灵魂，全方位实施创新工程。

探索勤务创新，由站点向巡线转变。"站—走—巡"、"点—线—面"，这6个字是对济南交警勤务管理工作发展最准确的概括。全市除保留市区3个“形象岗”外，其他岗台交警全部走下岗台，实行高峰站点、平峰巡线。为此，他们推出了“1+4”新的勤务管理模式，即路口安排1名执勤交警指挥，同时以路口为中心，由4名交警骑摩托车巡查，向四周路段辐射管理，及时发现和查处路段交通违章，使管理由点向线延伸。为确保对道路交通实行全方位的动态管理，他们实行了“勤务责任区管理制度”，又把“线”扩展到“面”，建立了大队、中队、民警三级勤务管理责任区。责任区民警除担负交通秩序管理任务，还负责处理轻微交通事故和辖区交通安全宣传。现在，走下岗台后的济南交警执勤形象不变，管理力度不减。按照眼勤、手勤、嘴勤、脑勤的“四勤”要求，实行了“日字型”管理。

加强科技创新，由体能型向智能型转变。济南交警支队把科技强警作为头等大事，投资1亿多元，分步完成了以交通控制指挥中心为主体，包括交通信号自适应控制、电视监控闯红灯自动拍照、综合信息处理、“122”报警指挥、交通诱导和GPS卫星定位系统的济南市道路交通现代化智能化管理工程。全市8条主干线已实行了交通“绿波带”，同时根据流量变化，对全市65个路口的交通信号合理配置放行时间，机动车在一个绿灯信号段内可以连续通过4—5个路口，减少了车辆行程时间和停车次数，交通高峰、平峰每小时通行能力分别提高了26%和35%。在济南市的主要路口，都设立了固定的执法站和流动的“交通安全宣传大篷车”，专门对那些驾车不按道行驶和非机动车、行人违章，实行罚教结合、管教并举。克服了过去民警一手撕票、一手罚款的不良形象，取而代之的是民警对违章人动之以情、晓之以理的宣传教育。济南交警大胆革除计划经济下不适应市场经济形势需要的管理方式，不断创新，将经验型的短期行为逐步转化为科学型的长效管理机制。

实施环境创新，由管理型向服务型转变。针对群众反映交通事故“报案难”，他们实行了“122”事故报警双人双车昼夜24小时值班。接警后，民警做到在市区5分钟，郊区15分钟、远郊40分钟内赶到现场，并在市区5家医院建立了“绿色通道”，因身份不明或无钱支付医疗费用的交通事故伤员可以得到及时救治。他们还与市物价部门联合成立了“道路交通车辆物品价值认定中心”，交通事故车辆损害赔偿统一由认定中心进行结算，改变了过去事故处理部门凭印象进行价值认定，凭表面现象下结论的弊病。为解决“挂牌难”、“学车难”、“拿证难”的问题，他们从车管规范化入手，向社会推出了便民十二项新举措。凡符合规定的一次办完。为方便群众，他们除在业务大厅设置饮水机、座椅及便民服务箱外，还设立了触摸式电脑咨询台，开通了“168”声讯台车管服务语音信箱，群众只要在家打个电话，就可以知道车管业务程序和规定。针对近几年农村机动车急剧增多，农民办牌极不方便的问题，他们联合银行、保险、税务等单位组成流动服务组，利用“流动检验服务车”，深入边远农村为群众挂牌办证、检验车辆，被群众亲切地称为“为民服务的大篷车”。

（山东省文明办）

## 河南省司法厅

# 脚踏实地　开创未来

河南省司法厅认真贯彻落实十五大精神，外树形象，内练素质，1999年被中央文明委命名为全国精神文明建设先进单位。

**一、党抓创建，从我做起。**司法厅党委从一班人做起，强调各级党组织对精神文明创建工作实行“三统一”。即：统一领导、统一部署、统一协调。形成了分工明确，责任到人，各负其责，齐抓共管的创建格局。在获得全国精神文明建设先进单位荣誉后，厅党委决定在机关中开展“荣誉面前不停步，成绩面前找差距”的大讨论，召开党委会、厅务会、全体干警大会等进行再动员、再部署。坚持做到持之以恒，始终如一，名副其实。

**二、队伍建设，以人为本。**在创建过程中，他们始终把塑造人、造就人，提高干部队伍的整体素质放在重要位置，提出了“精心育警、从严治警、科技强警、从优待警”的队伍建设总体指导思想。精心育警包括：思想道德教育、宗旨意识教育、科学文化教育、技术技能培训；从严治警包括：有法必依、执法必严、违法必究、廉洁从政、遵章守纪；科技强警包括：学科学、用科学、以科学的理论武装人、用科技成果服务人；从优待警包括：逐步改善广大司法行政干警的生活环境、学习环境、工作环境。通过坚持不懈的努力，干警队伍的整体素质有了明显提高。涌现出了一大批先进模范人物和先进集体。有司法部授予一级英模的基层司法助理员韩超同志，他拖着半瘫痪的身躯，甚至让人用架子车拉到农户家调解纠纷；有献身于中国的监狱管理事业第一线的监狱长韩焕卿同志。到1999年底，有14个单位荣立集体一等功，56个单位荣立集体二等功，508个单位荣立集体三等功，5人被授予全国、全省英模称号，25人荣立个人一等功，116人荣立二等功，1663人荣立三等功。

**三、完善机制，制度管人。**一是把精神文明创建工作纳入各级领导干部的任期目标责任制。二是推行“一把手”负总责，谁主管谁负责的精神文明建设责任制。三是对照《廉政准则》，完善制约机制；实施正面教育、倡导以教兴廉；利用反面警示，做到警钟长鸣。四是不断充实、修订、实施《河南省司法厅关于在全省司法行政系统开展精神文明创建活动，争创文明单位的意见》。五是修订了精神文明建设多项规章制度汇编，人手一册，对照执行。六是坚持精神文明创建活动与业务工作同部署、同检查、同考核、同奖惩。七是坚持监督检查验收制度。

**四、牢记宗旨，奉献社会。**司法厅狠抓了宗旨意识教育，提高律师、公证、基层司法、法律援助等社会法律服务的质量，为发展经济、稳定社会、方便人民作出了贡献。1999年全省律师共办理各类诉讼案11万多件，非诉讼案280多万件，集体或个人法律顾问18万家，挽回经济损失28亿多元；公证152万多件，建立法律援助机构139个，办理援助案件4063件，提供法律咨询2.08万人次。中央电视台做了专题报道，司法部向全国推广经验。基层法律服务“148”受话咨询8.4万人次，解决纠纷9478件。全省1758个乡镇建立了司法调解中心，调成案件8万多起。依法治省工作顺利开展，公民法律意识日渐增强。

**五、扎实推进全系统精神文明建设工作。**司法厅积极引导市县区司法局广泛开展各类文明创建活动，把创建现代文明监狱、文明劳教所、文明乡镇司法所、文明律师所、文明公证处等纳入创建文明单位的轨道，全面推进司法系统精神文明建设工作稳步前进。河南司法系统已建成11个省级文明单位，36个市级文明单位。司法厅为对口扶贫点捐建希望小学一所，为灾区捐赠现金70多万元，衣物3万多件，为残疾人捐助10多万元。

（河南省文明办）

## 河南省许昌市城管监察队

# 努力塑造文明执法的好形象

近年来，许昌市城管监察队严格管理、文明执法，努力塑造一支“政治强、业务精、纪律严、作风硬”的城管执法队伍，为许昌市容市貌的改善作出了积极贡献。

近两年来，该市城管监察支队先后两次被国家建设部授予全国城建监察先进集体。市城管监察支队女子大队被授予全国城镇妇女巾帼文明示范岗。市环卫处被评为全国建设系统精神文明建设先进单位。涌现出了以九届全国人大代表、全国十佳职工、省劳动模范冀丙祥为代表的一批先进典型。

**一、健全机构，充分发挥城市管理的职能作用**

他们按照责权利相一致，管理与服务相统一的原则，不断加强城管系统的建设，逐步形成了二级政府、三级管理、四级负责的管理体制。该市所属的长葛市、鄢陵县、襄城县相继成立了城管局。市、区（县）、办事处、居委会明确分工，各负其责，互相配合。全市城管监察系统实行了“五统一”，即“统一管理体制，统一名称，统一标志和装备，统一执法行为和执法文书，统一执法业务培训和考核”。市城管监察支队下属8个监察大队、1个环卫监察大队及各县（市、区）设置的监察大队，在业务上均受市城管支队的指导，形成管理工作上的一盘棋。

**二、完善制度，提高依法管理水平**

近几年，市政府先后制定了《许昌市城市管理暂行办法》、《许昌市城市管理行政处罚程序规定》、《行政执法监督规定》等一系列规范性文件，用以约束、规范执法人员的行为。

在执法中，他们努力做到：牢固树立服务意识。开展“你扔我拾作表率，我为许昌添光彩”活动，提出“群众有难，请找城管”的口号。开展“岗位学雷锋、行业树新风”活动。认真推广城管队员文明用语，树立“人人是形象、个个是窗口”的观念。抓典型，以点带面。号召全队人员学习冀丙祥同志的奉献精神。推行社会服务承诺制。在市区建起的17个城管执勤岗亭上，设立举报箱，公布投诉电话，把工作标准、办理时限、收费罚款依据全部对外公布。

**三、从严治队，提高队伍整体素质**

在各级城管干部中，坚持“四个一”。一是坚持一个好学风。把理论学习当作头等大事，保证领导层决策的正确性。二是养成一个好作风。三是培养一个好党风。不断加强党性锻炼，注重品德休养，廉洁自律，形成讲正气、讲奉献的好风气。四是营造一个好氛围。各级领导深入一线，甘当马路局长、马路队长；关心队员的疾苦，为他们排忧解难；在荣誉面前，互相谦让，不争功，不诿过。在全系统形成“人人爱城管，城管是我家”的良好氛围。

在队员管理上，一是坚持军事化训练。支队成立伊始，即聘请部队教官，对全体队员进行了6个月的集中训练。3年来，坚持每天早上7点半进行军事训练，周一集体会操，其他时间各大队组织训练。不管是盛夏酷暑，还是三九寒冬，从未间断，成为许昌市街头一道亮丽的风景线。二是坚持专业化培训。每年都组织1—2次专业培训，并多次组织执法经验交流会、研讨会。三是坚持制度化约束。树立了一批先进典型，涌现出了一批优秀城管监察队员。同时，先后处理违纪人员8人。

**四、上下联动，齐抓共管，共创文明城市**

许昌市委、市政府对城管工作十分重视，以

创建优美的城市环境为目标，启动了三大工程。一是“一把手”工程。成立了以市委书记为政委，市长为指挥长，市党政军其他领导为副指挥长的创建园林城市、卫生城市、文明城市指挥部，把创建工作的各项目标分解到各有关部门，签订目标责任书。市四大班子每年定期听取城市管理工作的汇报，从人力、财力、物力上给予大力支持。市委专门下文，要求在全市实行市领导联系道路制度。二是“育人”工程。本着“以人为本”、“人民城市人民管，管好城市为人民”的思路，通过多种途径，广泛宣传城市管理有关法律法规，提高广大市民的城市意识、卫生意识。将每周五定为“许昌市周末卫生日”，号召大家上街参加大扫除义务劳动。三是“互助工程”。城管支队与巡警支队联合执法，城管局副局长兼任巡警支队政委，加强解决城市管理工作中一些突发性问题；从巡警支队抽调人员到城管支队长期联合执法；各城管大队与所在辖区巡警大队结成文明共建单位。市直有关部门及魏都区、许昌县政府积极支持、配合城管工作，开展综合治理活动，避免扯皮现象发生。

（河南省文明办）

## 河南省新乡县刘庄

# 两个文明建设协调发展

河南省新乡县七里营镇刘庄，是闻名全国的先进单位和文明村镇。他们坚定不移跟党走有中国特色社会主义道路，实现贸工农产业化，农林牧齐发展。1999年，各业产值3.4亿元，固定资产4.8亿元，人均净收入6000元，职工村民生活富足，安居乐业。江泽民、李鹏、胡锦涛等党和国家领导人曾亲临视察并题词；130多个国家和地区的外宾和友好人士前来参观访问；国内各地参观的干部群众络绎不绝。

党的十一届三中全会以来，刘庄坚持以经济建设为中心，发展生产、壮大集体经济。1985年，刘庄建起一座全国最大的生产肌苷的药厂——华星药厂。15年来，由建厂时生产一种药品发展到现在的拥有8个分厂、能生产十几种药品的外向型企业，对全村经济发展起到十分重要的作用。华星药厂不仅是我国肌苷生产的最大厂家之一，而且是河南省首家，国内第三大生产青霉素的厂家。

现在，刘庄已拥有医药、造纸、机械、食品等6个产业。农业实现了机械化、水利化和科学种田。98%的劳动力转移到第二、第三产业上来。刘庄步入了以农业为基础、以高技术医药工业为龙头带动各业发展的轨道。初步实现了农村工业化、农业现代化、农民知识化、生活城市化。

在抓好物质文明建设的同时，刘庄高度重视精神文明建设，不断提高农民素质，以扎实的工作展现出文明富裕的社会主义新农村形象。一是坚持用毛泽东思想、邓小平理论和江泽民重要讲话教育人，组织职工村民学习党的路线、方针、政策，教育大家树立正确的人生观、价值观，不断提高爱党、爱国、爱社会主义、爱集体的觉悟。二是进行形势教育，国情、村情、民主和法制教育，教育职工村民胸怀远大目标，干好本职工作，遵守职业道德，投身现代化建设。三是民主制定《村规民约》、《厂规厂纪》，引导大家遵纪守法，照章办事，勤劳致富，抵制歪风邪气，树立文明新风。四是模范执行计划生育基本国策。20多年来，村里没有 户超生的。五是开展丰富多彩的创建文明企业、文明户、文明个人活动。村里每年都评选优秀党员、团员、干部和文明职工、文明村民、文明家庭。村里成立了篮球队、武术队、电影队，开展体育比赛、演出文艺节目；还组织职工到外地参观学习，游览名胜古迹。进行绿化、美化、净化和道路硬化，做到厂区、家庭、街道、卫生清洁，环境优美，使职工群众有一个良好的工作生活环境。六是努力提高职工村民的科学文化素质。村党委不仅扎扎实实抓好基础教育，普及高中义务教育，而且重视成人教育。村里采取请进来送出去的办法，聘请专家担任顾问、请专家教授讲课，与大专院校联办大、中专班，建立电视差转台、地面卫星接收站、图书室、阅览室、青年民兵之家。组织青年上电大、刊大、函大，为农民学习科学文化知识创造良好条件。全村已有130多人大中专毕业，165人获得高、中级和一、二级技术员职称。

刘庄两个文明建设取得了可喜成果，多次受到上级的表彰。1999年被中央文明委授予“全国创建文明村镇工作先进单位”称号，并先后被国家建设部评为“文明村”，被中宣部、农业部授予“全国乡镇企业思想政治工作先进单位”，被国家乡镇企业局授予“全国文明乡镇企业”称号；被河南省委、省政府命名为先进党组织和先进集体。

（河南省文明办）

## 湖北省襄樊市

# 创建文明城市　再造发展优势

襄樊是一座具有2800多年悠久历史的文明古城，地处鄂豫陕结合部，历来是四省（市）毗邻地区经济文化中心。近年来，襄樊市委、市政府大力开展以塑造城市形象、单位形象、产品形象和市民形象为主要内容的文明城市建设活动，使城市基础设施进一步完善，市容市貌进一步改观，社会事业全面进步，经济建设稳定发展。1999年被省委、省政府命名为省级文明城市，被中央文明委命名为全国创建文明城市工作先进城市。

**建立完善领导体系和运行机制，形成一级做给一级看，一级带着一级干的局面。**一是建立“一把手”高度重视的领导体系。市里成立了文明委，市委书记任主任，市委、市政府分管领导为副主任，市直各部办委和有关局主要负责人为成员，强化了宏观指导、协调和决策职能。形象工程实行各级各单位“一把手”负责制和市级领导包居委会制，保证了工作落实。二是建立高效运转的工作机构。市里从市文明办、市容委、爱卫办和新闻单位抽调人员成立了形象工程办公室，负责文明城市建设指挥、协调、检查和督办，市委、市政府赋予形象办以新闻曝光权、黄牌警告权和红牌处置建议权，增强了工作权威。三是建立行之有效的监督和管理制度。市区两级形象办先后下达《督办通知书》1750份，出示黄牌警告38次，市直5家新闻媒体设立了“曝光台”，先后对80多个单位进行曝光，市委、市政府颁发了《关于在公共场所禁烟的规定》、《襄樊市市区容貌管理经济处罚暂行规定》等9个规范性文件，使城市管理逐步进入规范有序的轨道。

**从人民群众最关心的问题入手，组织声势浩大的战役行动，把文明城市建设引向深入。**他们先后组织了四大战役，狠抓了“五个延伸”和“六个深化”。四大战役，即狠抓“门前三包”落实，集中治脏；消灭泥巴路，改造出口路，强化城市基础设施；清理占道经营，整顿交通秩序解决交通拥堵问题；塑造单位形象，搞好“细胞”建设。五个延伸，即向背街小巷延伸，全面消灭卫生死角；向单位内部延伸，实现“门前三包、院内达标”；向集贸市场延伸，做到垃圾袋装，净菜上市；向城乡结合部延伸，加强出口路的整治，消灭“垃圾围城现象”；向立体空间延伸，对临街建筑进行整容。六个深化，即在完善卫生基础设施上抓深化；在整治城乡结合部、背街小巷、窗口单位的环境卫生上抓深化；在餐饮行业的卫生管理上抓深化；在农贸市场的管理上抓深化；在除“四害”上抓深化；在市郊农村改水改厕上抓深化。通过这些举措，使文明城市建设由表及里，层层深入，塑造了良好的襄樊形象。

**坚持以人为本、采取多种形式，大力提高市民的文明素质。**他们立足本地实际，抓了“五个一”：一是一本文明常识书——发挥行为规范作用。1997年以来，针对市民在人际交往、说话、吃饭、喝酒、跳舞、吐痰、行路、衣着打扮、处理垃圾、贴贴画画等10个方面存在的问题，组织力量编写了《文明行为常识》、《市民文明行为自测365问》、《社会公德、职业道德、家庭美德100题》等书，教育引导广大市民讲社会公德，在社会当个好市民；讲职业道德，在单位当个好职工；讲家庭美德，在家里当个好成员，做跨世纪的好公民。二是一所市民学校——发挥阵地教育作用，市区各居委会兴办市民学校多所，对市民进行教育，全面提高市民的思想道德素质和科学文化素质。组织“襄樊文明使者”、“十佳文明市民”轮流到各市民学校讲课。三是一个文明常识教育月——发挥舆论引导作用。市委市政府把每年3月确定为“市民文明行为常识教育月”。在教育月活动中，各单位采取多种形势，摆不文明的表现，议不文明的危害，说文明的好处，谈养成文明习惯的打算。通过声势浩大的文明常识教育月活动，广大市民性情得到陶冶，言语得到净化，行为得到规范，文明习惯逐步养成。四是一个城市卫生日——发挥干部表率作用。市里将每月的最后一个周六定为城市卫生日。每到这一天，机关干部都自觉走上街头打扫卫生，开展多项咨询服务，深受广大市民的欢迎和好评。五是一批文明市民典型——发挥典型示范作用。市委、市政府先后四次表彰了襄樊文明使者，两次评选“十佳文明市民”，并推出一批行业先进典型，收到了“点燃一盏灯，照亮一大片”的良好效果。

**开展系列创建，优化城市细胞，大力提高城市的文明程度。**根据精神文明建设群众性强、渗透面广的特点，他们组织了四个层面的创建活动：一是在社区层开展创建文明小区活动。先后评选命名了19个文明小区，建成24条文明街巷，83个文明楼院，使社区面貌大为改观。二是在基础层开展塑造单位形象活动。在各单位广泛开展了形象设计和楼道革命，解决了长期以来难以解决的宿舍楼道、阳台和办公桌面、文件柜顶乱堆乱放、影响形象的老大难问题，全市涌现出省级文明单位106个，市级文明单位767个，县级文明单位3500个，市级文明系统9个。三是在细胞层开展创文明家庭和特色家庭活动。以家庭美德建设为重点，广泛开展文明家庭、文明单元、文明楼栋创建活动。市区已有5.6万户被命名为文明家庭，有430户被命名为文明家庭标兵。并涌现出一批文艺之家、体育之家、书法绘画之家、收藏之家、摄影之家、根雕盆景之家、花鸟虫鱼之家，从而推动了家庭文化建设的深化。四是在市区几条出口路上开展了创建文明走廊活动，在市郊村庄开展了创建文明新村活动，实现了城乡两个文明建设一体化发展。

**大力发展科教文卫事业，切实保持社会稳定，推动社会全面进步。**近年来，襄樊市委、市政府对科教文卫事业发展十分重视，通过一系列的措施，推动了各项社会事业的蓬勃发展。全市各县（市）区已全部通过省政府“普九”验收，教学质量处于全省领先地位；全市有25个项目获省科技进步奖和星火奖；兴建了图书馆、彩电中心等一批标志性工程，推出3优秀作品192个；全市文化工作总体水平位居全省前列。广泛开展群众性体育活动，近3年来有3个县跨入全国、全省体育先进县行列，有14个单位和12名个人获国家级表彰；体育竞技水平位居全省前列，获省级金牌121枚，国家金牌5枚，世界金牌3枚，破世界纪录3项。卫生、民政、计生、普法工作也都取得较好成绩，为文明城市建设奠定了坚实基础。

（湖北省文明办）

## 湖北省谷城县石花镇

# 以小城镇建设为龙头 带动两个文明协调发展

石花镇是鄂西北一个历史悠久的古镇，总面积180平方公里，62000人。该镇先后获得国家级星火技术密集区、全国乡镇企业东西部合作示范区、全国创建文明村镇活动示范点、全国发展乡镇企业先进镇、湖北省最佳文明单位等称号。

**一、抓规划，绘好一张布局科学的蓝图**

小城镇建设是一项复杂的系统工程。只有科学规划，通盘考虑，才能多快好省地进行建设和综合开发。为此，他们明确提出，小城镇建设规划要有利于提高小城镇商贸流通的市场功能，工业经济的带动功能，科教文化的辐射功能，基础设施的服务功能。他们重新编制了“九图一书”石花镇小城镇发展总体规划，合理布局了工业、社会事业、生活住宅和商业服务的地域，进一步明确小城镇的发展方向。在总体规划指导下，按功能分区和地势森林资源情况，又绘制出了“中心农贸市场”等4处生活居住小区、7条街景详细规划和北山公园、南山公园、中心广场详细规划。同时，为了促进镇村两级同步建设，协调发展，对镇域31个行政村的村民居住点进行了详细规划，形成了以集镇规划为主体，各村组规划相配套的板块式规划体系。

**二、抓建设，形成一套功能完善的骨架**

1992年以来，该镇共投入近10亿元，依据规划改造老城区，建设新城区，使城镇功能日趋完善，镇容镇貌发生了翻天覆地的变化。

从一条街抓起，强化小城镇的市场功能。东门街是该镇传统的商业街。1993年，按总体规划和街景图的要求，统一设计、统一施工，仅用半年时间就把东门街改建成明清仿古商品街，吸纳数百家个体经营户，并组织经营者开展“十星级文明个体工商户”活动；此后，又建起了另外三条步行商业街及科技信息一条街，农产品交易中心、小百货批发市场、竹木交易市场、牲畜交易市场，为农民提供了广阔的市场空间。

从一个新区抓起，强化小城镇的示范功能。新区建设是该镇小城镇建设的重头戏，占地面积1.5平方公里，占整个镇区的30%，是总体规划中最具潜力的新的经济增长点。他们确立了高标准、高科技、高效益、无污染的建区标准，吸纳32家镇办企业，年创产值18亿元，占全镇工农业总产值的65%，成为全镇经济的“顶梁柱”。先后有50多家大专院校和科研单位与新区结成合作伙伴，引进科技项目100多项，引进各类技术人才200多名，成为国家级星火技术密集区，全国乡镇企业东西部合作示范区。

从一套设施抓起，强化小城镇的服务功能。近年来，他们每年投入上千万元，以总体规划为依据，以城市化建设为标准，完善基础设施建设，提高综合服务功能，为经济发展提供良好的外部环境。治理了“三废”（废气、废水、废料），整治了“三面”（墙面、路面、地面），实现了“四化”（硬化、绿化、美化、净化），新建了文化馆、图书馆、影剧院和自来水厂，开通了万门程控电话，移动电话和数字寻呼，开通了湖北第一家乡镇加密卫星电视频道，全镇一半村组开通了有线电视，有7个村看上加密卫星电视节目。镇区居民电话入户率达80%，农民电话入户率达20%，教育卫生事业也得到同步发展。

**三、抓管理，强化一系列行之有效的措施**

着重从以下四个方面强化管理：

加强领导。镇里成立了由党政主要领导为首的小城镇建设领导小组，每年都用1号文件把文明建设的各项内容按总体规划明确下来，与镇直各单位、农村各总支、支部签订两个文明建设责任状。在评比先进时，实行精神文明“一票否决制”。同时，还建立了领导示范工程，各级领导干部统一实行“双包一挂”责任。即：包一个单位、包任务落实，落实情况与奖惩挂钩。

加强调控。对阶段性的重大主题，重大活动由镇委、镇政府统一安排，统一组织，统一检查考核，形成责任明确、齐抓共管的良好态势。在建设上，坚持规划一张图，建设一盘棋，审批一支笔，保证规划的严肃性；坚持依法治镇，加大执法力度，对涉及面多、工作难度大的问题，由镇委、镇政府出面协调解决。

加强引导。通过制订优惠政策、树立先进典型、营造舆论声势、加大奖惩力度等形式，引导全镇人民都来关注、参与城镇建设与管理，每年拿出10多万元评选表彰各类典型。开展十星级文明农户、十星级文明个体工商户、文明单位、文明村庄等创建活动，引导小城镇建设向文明村镇建设的方向发展。

加强监管。一方面，大力宣传《城市规划法》、《村庄和集镇规划建设管理条例》等建设法规，提高居民的城镇意识，并根据这些法规，结合本镇实际，制定出《石花镇镇容镇貌环境卫生管理条例》、《门前三包实施细则》等20多项规章制度，使监管工作有法可依；另一方面，先后成立了环卫队、市容监察队、园林绿化管理、规划管理等专职队伍150人，采取送出去培训、请专家讲课等方式，努力提高监管人员的业务素质和执法水平。同时，努力改善环境设施，先后投资120多万元，添置更新6台垃圾清运车、40辆中转人力车和2台洒水车，增设垃圾桶800个，兴建水冲式公厕4座，为提高监管水平、提高工作效率奠定了物质基础。

**四、抓带动，走出一条城乡协调发展的新路**

用小城镇建设促进城镇经济工业化。1997年，该镇乡镇企业总产值达24.5亿元，利税2.86亿元，23种产品获省优、部优称号和填补了国家空白。乡镇企业产值占全镇工农业总产值的80%。

用小城镇建设促进农村经济产业化。小城镇是农民进入市场的起点站，农民在这里学习市场经济，增强了驾驭市场经济的能力。他们依托镇区，大力调整产业结构，共建大棚蔬菜1500多亩，水产养殖3800多亩，开发瓜果等基地1350亩，走高效农业之路；建起了饲料加工厂、万头养猪场、肉联厂、粮油加工厂、食品厂，走加工增值之路，使规模经营、集约化生产得到迅猛发展。1997年，多种经营产值达1.5亿元，占全镇农业总产值的70%。

用小城镇建设促进农村建设集镇化。在抓镇区建设的同时，他们狠抓村庄建设，按照三村一市、五村一集的思路，打破村界限，积极向中心村靠拢，使农村建设向集镇化方向发展。各行政村依据本村实际，科学合理规划工业、农业、家庭住宅、服务四个功能分区，对道路、绿化、水电、通讯等配套设施都进行了详细规划，提出明确要求，农户建房必须按照统一规划、统一设计进行建设，初步形成了中心城镇——一般集镇——中心村——基层村相互依托、相互补充的四级村镇网络。

用小城镇建设促进城乡发展一体化。在规划和建设小城镇的过程中，他们始终坚持城乡一体、共同发展，交通通讯、电力、供水、电视、教育、卫生等基础设施覆盖到农村，触角延伸到农村，坚持把文化阵地建在农民身边，文化活动开展在农民身边，使农民在自己家里过上“城里人”的生活，改变了他们的生产生活方式和思想观念，提高了生活质量，缩小了城乡差距，推动了农村城市化进程，促进了镇村经济的共同发展和社会全面进步。

（湖北省文明办）

# 湖南省永州市公安局芝山分局徐家井派出所

# “民心工程”得民心

徐家井派出所建所于1979年，位于湖南省永州市芝山区繁华商业区。辖区面积8.2平方公里，常住人口4万多人。辖9个居委会，102个内部单位，126家特种行业，81处公共场所。全所现有民警22名，其中大专以上文化14名，党员15名。在改革开放和发展市场经济的新形势下，徐家井派出所紧扣改革、发展、稳定这一时代主旋律，实施“为民想，察民情，解民忧，帮民富，保民安”为主要内容的“民心工程”。积极开展“创建人民满意派出所”活动。涌现了全国三八红旗手，中国警界女十杰、全国特级优秀人民警察、二级英模王恩琴，全国五一劳动奖章获得者、省十佳民警龚秋光等许多英雄模范人物。多年来，派出所先后荣获全国、省级各类荣誉称号48项；1999年9月被中央文明委授予“全国创建文明行业工作先进单位”。

**细心体察民情知民心**。徐家井派出所结合不同的岗位全面落实岗位责任制，规定所长对全所辖区的社情民意掌握情况负总责，副所长对分管辖区负责，户籍内勤对上门办事群众的反映每周综合汇报一次，责任区民警每周下管区不少于30小时，对辖区情况做到“四知五熟”，即知家庭住址、户主姓名、社会关系、交往人员；熟人员、地形、道路、治安状况、经济状况；要求每位民警对辖区社情民意心里都有“一本账”；同时派出所每周召开一次工作会议，对群众的要求、疾苦和最关注的问题及时研究，属职权范围能解决的限期解决，不能解决或不属职权范围的及时报告党委、政府。

针对该所辖区有21家特困企业，下岗职工2632人的实际情况，为防止因生活困难而引发各类矛盾，酿成群体性事件，该所责任区民警每天要到特困企业走访，每两天至少有一名所领导深入企业了解情况，协助其做好稳定工作的基础上，大力加强情报信息和防范工作，有力地维护了辖区的稳定。

**热心为民服务赢民心**。从1996年开始，该所以推行规范化服务为突破口，向社会公开承诺了9项便民利民措施，实行24小时为群众服务；向群众发放警民联系卡和服务指南小册子，随时听从“群众召唤”；增设夜间便民窗口，为群众昼夜提供救助和服务；在派出所设立所长接待室，并选出9名素质高的民警担任责任区民警，把民警的办公桌搬到居委会，时刻接受群众求助，方便群众，要求全所民警对待来所办事群众做到一张笑脸相迎，一句问候暖心，一张凳子请座，一杯茶水请喝，一番高效服务，一声再见相送和分内事情立即办、分外事情联系办、一切事情依法办。自开展“民心工程”以来，派出所共接警3200余次，为群众排忧解难876人次。

**真心帮民解忧暖民心**。扶贫帮困、助人为乐是徐家井派出所的优良传统。年已54岁的王恩琴帮助孤寡老人和失足青少年20年如一日，她把孤寡老人当成自己的母亲，把失足青少年当成自己的儿女，和其他民警一道先后帮救了65名失足青少年和照顾了17名孤寡老人。孤寡老人叫她“干女”，失足青少年认她作“干妈”。为帮助别人，王恩琴已整整10年未给家里拿一分钱，与孤寡老人一起过了14个年，使她们切身体验到了党和政府的关怀之情。同时为解决下岗职工的实际困难，民警们除每月掏钱资助外，还千方百计为他们就业和找出路。近年来，派出所为68名下岗职工联系安排了工作，但没有一名是民警家属。

**忠心保民平安稳民心**。为适应市场经济条件下社会治安动态管理的需要，派出所紧紧围绕“发案少、秩序好、群众满意”这一目标，积极探索公安派出所改革的新路子，实现由管理型向服务型、以“打”为主向以“防”为主、由封闭型管理向开放型管理、由静态管理向动态管理四大职能转变。派出所本着有利防范、便于管理的原则，把辖区划为9个责任区，3个责任区合为一个警务区，每个警务区由一名警长负责，责任区民警实行属地管理，对责任区内的社会治安一包到底。辖区内建立四户一岗、四岗一联的联户联岗制，共建立12个治保会组织。同时，组织群防群治，构建了警民共同参与的点、线、面立体防范体系；对重点人口建立档卡，做到“重点人口管牢、暂住人口管好、流动人口管活”，使“重口”控制率达100%；建立专职巡逻队，实行重点人口重点监视，重点部位重点把守，重点时刻重点巡查的24小时巡逻勤务工作制；责任区民警对暂住人口较多的部位强化日常监控措施，白天巡逻，晚上检查，对暂住人口集中的旅店、酒家，按照“一户一牌、一户一档、一居（居委会）一图”的要求，实现规范化管理等。这些措施，使派出所的动态管理和控制能力大大增强。派出所还在辖区建起一块法制教育牌，定期组织民警分赴辖区单位和学校上法制教育课，开展“安全家庭”评比和警民共建活动，积极帮教和安置失足青少年、刑释解教人员，帮助他们校正人生坐标，重新做人。建所以来，该所共帮教重点人口和失足青少年318人。失足青少年帮教率达100%，改好率达85%。

为维护辖区治安，严厉打击各种违法犯罪活动。派出所持续不断地开展严打整治行动，仅1997、1998两年就组织开展了12次行动，共破刑事案件118起，其中大案31起，查处治安案件250起，调解纠纷120起，挽回经济损失80余万元，狠狠打击了违法犯罪分子的嚣张气焰，确保了一方平安。

（湖南省文明办）

## 湖南省长沙铁路总公司长沙客运段长京车队

# 抓优质服务 促文明建设

长沙铁路总公司长沙客运段长沙至北京西K1/2次（原1/2次）列车，是湖南省省会长沙与首都北京之间相互联系的重要纽带，是湖南省精神文明建设的一个重要窗口。列车采用国产新型空调车底，编组18辆，全程1538公里，1998年10月1日提速后，运行时间为15小时57分。车队现下设4个包乘组，共有职工206人，其中党员42名、团员84名，具有大中专文化程度的91人，职工平均年龄24岁。

K1/2次列车开行以来，始终坚持“人民铁路为人民”的宗旨，两个文明建设同步发展，在铁路同行业享有很高的声誉。先后被评为湖南省“推行文明用语、杜绝服务忌语”先进单位，共青团中央“青年文明号”。16次被铁道部评为“红旗列车”，并被授予铁道部最高荣誉——火车头杯、铁道部“全路文明服务示范列车”、“全国企业职工职业道德百佳”称号、“全国创建文明行业工作先进单位”。

25年来车队始终坚持优质服务，文明建设，将“人民铁路为人民”的宗旨落到实处，突出抓了两件大事。一是立标。就是围绕铁道部的标准——红旗列车，为K1/2次列车定位，对原有各项工作标准加以改进和完善。二是塑形。1994年，江泽民总书记提出“每一个铁路职工都要用人民铁路为人民的宗旨塑造自己的形象”号召，车队以此为动力，进一步深化了K1/2次列车的文明建设，开展了塑长京形象展长客风采的活动。车队进一步充实完善了“一队、两车、两岗、三点、五餐、八项活动”为内容的岗位和工作新形象。“一队”就是每趟坚持学雷锋小分队下车厢为旅客服务；“两车”就是评比红旗车厢、标杆车厢，使旅客感受到K1/2次列车的风采；“两岗”就是党员标准岗、团员标准岗，使旅客感受K1/2次列车的特色；“三点”就是服务点、医药点、旅客咨询点，使旅客感K1/2次列车的方便；“五餐”就是团体餐、新婚餐、生日餐、病号餐、特殊餐，使旅客感K1/2次列车的实惠；八项活动就是元旦和春节与旅客联欢活动、“三五”学雷锋活动、“五四”青年奉献活动、“六一”献爱心活动、“七一”党员奉献活动、“八一”军民共庆活动、“十一”爱国主义教育活动、“12·26”毛泽东诞辰纪念活动。从而使K1/2次列车服务工作更加具体深入，热情周到。

在实际工作中，车队根据列车的服务设施、服务对象、服务环境在全路率先提出了“三全服务模式”即全程标准化服务，全员情感化服务，全面优质化服务。为使三全服务落到实处，车队在铁道部颁布的标准基础上，又进行了细化和量化，如规定服务项目5做到：即一做到硬卧车每组铺位、软卧每个房间一个保温瓶，旅客上车前灌满开水。列车开车后和运行中送水到座，对老弱病残孕妇旅客重点送水。二做到列车到站后收取卧具。硬卧一个单程换一次卧具，软卧一人一换。三做到车厢内温度，冬天不低于16度。四做到保证列车原有设备、设施的使用。坚持杜绝占用厕所。五做到广播员用英语播报停靠站的到、开时间，安排转播中央台联播节目，广播时间早7时开机，中午12时停机，下午14时20分开机，晚21时30分停机，以保证旅客的休息时间。同时要求服务用语文雅规范并制定《文明服务用语及行为规范手册》，按照工种、职名对职工的仪容仪表、服务用语、行为举止、礼节礼貌、服务态度等5个方面分25条作出详细的规定，等等。这些标准和规定既有一定的科学性，又有很强的操作性。它将K1/2次的人容、车貌、工作要求全部纳入到规范之中，列车员坐姿、站姿、服务用语、作业程序无不给人一种干净利落优雅的感觉。

K1/2次列车虽小，但服务是全方位的；旅客在车上时间虽短，但服务从车上延伸到车下。考虑到长途旅客的休息，新的K1/2次在软卧车厢为每个房间配备了家庭式软靠垫，卧铺车厢不再盖沉重的毛毯，全部改用柔软的真空棉被，给旅客以家庭的温馨感。受条件限制，饮食供应方面难尽人意。车队工作人员就开动脑筋，千方百计改善用餐环境。一是餐车实行宾馆酒楼化，使旅客在车上能享受到如同地面用餐一样舒适的环境。二是在全路首推列车商务套餐，饭菜价格适中，适宜旅客就餐，满足不同层次不同需要的旅客用餐。三是根据来自不同地区，不同口味的旅客提供10个品种，用品种多样化，满足不同旅客不同口味。同时车队的服务也从车上延伸到车下，如向旅客介绍沿途旅游景点，代为旅客发信、拍发电报等。旅客携带的行李多，列车员帮助他们送出车站；旅客到站要转车，在时间允许之内，列车员将其送上别的列车等等。车队设身处地想旅客之所想，急旅客之所急，给老年旅客以儿女情，给青年旅客以兄妹情，给儿童旅客以师长情，给病残旅客以亲人情。做到上车一杯迎宾水，途中一杯安心水，下车一杯送行水。

25年风雨路，一路辛苦，一路情，长京K1/2次列车以优质的服务，将文明建设之花融入飞驰的列车。

（湖南省文明办）

## 广东省中山市

# 领导重视 全民参与 大力创建文明城市

中山市总面积1800平方公里，常住人口130万人，外来人口40多万人，下设22个镇、5个城区办事处和1个火炬高技术产业开发区。改革开放20年来，该市在发展经济的同时，不断加大精神文明建设和城市建设的力度，先后获得了“国家卫生城市”、“全国园林城市”、全国“双基”教育先进城市以及联合国“人居奖”、国际爱婴市、全国环保模范城等光荣称号。特别是近几年，从两个文明建设有机结合、相互促进、协调发展的高度，从保障社会经济可持续发展和为群众办实事、办好事着手，大力推进创建文明城市工作，取得了一定的成绩。

**一、明确创建文明城市工作的总体思路**

统一思想，提高认识，正确处理好两个关系。一是处理好以经济建设为中心与社会全面发展的关系。市委、市政府把精神文明建设作为一项重大的、经常性的根本任务纳入社会经济发展规划，纳入各级领导的岗位责任制。克服了把以经济建设为中心与抓好创建工作对立起来的错误思想，促进了经济增长与精神文明建设协调发展。二是处理好“硬件”建设和“软件”建设的关系。市委、市政府狠抓“软件”建设不放松，把提高群众的思想道德、文化素质摆在突出位置，并以量化考核等形式检查督促各级领导干部抓紧抓好创建工作，增强他们的紧迫感和责任感，充分调动全市上下创建文明城市的积极性。

坚持把为人民群众办好事、实事，作为创建工作的根本出发点。一是大力推进城市建设和环境保护，为市民营造优美的生活环境和良好的生产、工作条件，提高市民的生活质量；二是建设多层次的文化体系，提倡高雅文化，满足市民日益增长的文化需要；三是大力抓好社会治安综合治理，维护社会稳定；四是做好社会福利工作，加快公益事业发展。

领导重视，全民参与，营造全社会共创文明的良好氛围。市一级成立了以市长为组长的创建文明城市领导组及其办公室，成员由公安、建委、规划等40个部门和6个城区的主要负责人组成，全市各镇区和市直单位也成立了相应的机构。各镇区、各部门遵循党政一把手对精神文明建设负总责的制度，把创建工作的总目标和总任务逐级分解，层层落实，保证了各项创建活动有效开展。市委、市政府积极帮助群众解决实际问题，调动群众参与创建的积极性，广泛开展群众性创建活动，营造浓厚的创建氛围。全市上下形成了步调一致、齐抓共建的合力，推动创建工作蓬勃发展。

以人为本，着力提高群众的文明素质。市委、市政府始终把尊重人、教育人、培养人贯穿于创建文明城市的全过程，围绕培养“四有”公民，提高市民文明素质这个目标，认真抓好党员干部职工的思想道德建设。以领导干部、机关干部和青年学生为重点，在抓好邓小平理论和党的基本路线教育的基础上，重点抓好“三观”和“三德”教育。按照“规范内容，广造舆论，典型引路，注重实效”的思路，从基本的行为规范抓起，从群众最关心的实事抓起，从群众喜闻乐见的形式抓起，注重把教育感化、规范管理、法律约束和创建实践有机地结合起来，引导和促使市民在自律与他律的结合中，逐渐养成良好的道德观念和文明行为。

**二、认真抓好规划、建设、管理三个环节，提高城市现代文明程度**

1. 抓住龙头，高起点规划。

一是高起点地编制城市总体规划和专项规划。

“八五”计划初期该市投资2000万元，聘请中国城市规划设计研究院，同济大学和法国有关机构的专家编制了中山市1992—2010年城市总体规划和20多项专项规划，明确了城市的性质、规模和发展方向，确定了跨世纪的城市发展目标。

二是坚持可持续发展的原则。在执行规划的过程中，严格把好“三关”：选址定点关；方案设计关；竣工验收关。逐步实现“四个一”，即：规划报建项目实行对外一个窗口办事，对内审批实行一条龙操作服务，用地选址、审批、规划设计实行一张电脑图管理，城市规划实行主管市长一支笔审批。在执行规划过程中，市委、市政府明确提出“绝不允许以牺牲环境效益来换取经济的一时发展”，为此，先后放弃了10多个年产值超亿元的污染项目，从而使全市城乡保持了良好的自然生态和人文景观，使城市有序、健康、可持续发展。

三是坚持超前规划和量力而行相结合的原则。在规划上力求把规划的起点定得高一些，使其适应社会和经济发展的需要；在具体建设项目上，充分考虑地方财政的承受能力，统筹安排好建设项目。使城市建设始终保持了适度的发展，基本保持与经济发展同步。

2. 突出特色，高标准建设。

中山市的城市建设始终坚持“统一规划，突出特色，综合开发，配套建设”的原则，采取“保护旧城区，建好新区改旧区”的办法，努力把每一小区、每幢建筑都作为一个城市雕塑，精心策划。

一是着眼于改善市民居住条件。人均住房面积城区居民从1987年的7.3平方米增加到25.21平方米，农村居民从14.9平方米增加到34.3平方米。

二是着眼于美化市民的生活空间。城区已建成了30多个生态公园及街心小公园，总面积100多公顷，绿化覆盖率为35.9%，人均公共绿地达9.59平方米。还建成了科学馆、图书馆、体育场（馆）、中山学院、垃圾填埋场和污水处理厂等一大批文化、交通、卫生基础设施。免费向群众开放道路两旁的公园，庭院绿地不设围墙或只设通透式围栏，让市民平等地享有城市空间，感受到自己是城市建设的最大受益者。

三是着眼于完善城市基础设施。全市先后投入100多亿元，把中心城区面积由5.6平方公里扩大至30平方公里；公路达到983.5公里；城市自发电总装机容量53万千瓦；程控电话总装机容量达40多万门；日供水能力达110万吨。这些基础设施改善了全市的投资环境，全面提高了城市的环境质量和综合实力，有力地推动了经济的发展。

四是着眼于体现名人城市特色。中山是孙中山先生的故乡，在创建活动中，加强了对孙中山先生事迹的发掘和展现，加强对孙中山故居的宣传和修缮，使之成为爱国主义教育基地和海内外游人来中山必到的重要景点；建设了一批以孙中山先生名字命名的公园、学校、医院、道路等市政设施，促使名人城市的氛围更加浓厚。

五是着眼于提高城市品位。中山既是一个新兴城市，又是一个有着800多年历史的文化古城。在展开大规模城市建设的“八五”期间，一开始就注意处理好开发新区和改造旧区的关系。如在把具有百年历史的孙文西路改建成文化旅游步行街的工作中，注重保留、强化其原有南洋建筑风格；在全市公开征集孙文西路的百年老照片，并把照片制成瓷画镶在老街的骑楼柱上；新建了小广场、绿地，设置了雕塑小品。该步行街以其浓郁的历史文化韵味吸引着八方来客，成为中山新的旅游热点。

3. 塑造形象，高效能管理。

一是建立健全城市管理机构。成立了城市管理委员会，负责城市管理的宏观决策和指挥协调，下设办公室，处理日常事务。各区办事处相应设立城管办，负责辖区内的具体管理工作，市、区两级城管办在实施管理过程中坚持“以块（区）为主，条块结合，条条（职能部门）保证”的原则，充分发挥综合、协调、监察、执法作用，使城市规划、建设、管理进入良性循环的轨道。

二是建立并完善各项城市管理规章。1990—1996年间，全市以市政府的名义出台的有关规章达60多个，把城市规划建设管理较好地纳入了依法治理的轨道。先后组建了城市监察、规划、园林、环卫、供水、国土、房管、建工等共10多支监察执法队伍，加大执法力度，保证了法规的实施。

三是选准突破口，抓好重点整治。在创建活

动中，把群众意见大、影响城市秩序和形象的“脏乱差”作为整治的突破口。实行“门前三包”责任制；实行垃圾收集、清运、处理一条龙；坚持退商还路、入室经营；对“脏乱差”现象开展专项整治等，广泛发动群众积极参与，取得了较好的效果。

（广东省文明办）

## 广东风华高新科技集团有限公司

# 以人为本　培养“四有”员工队伍

广东风华高新科技集团有限公司是肇庆市一家以新型电子元器件、电子材料、光机电一体化电子专用设备、信息技术装备、软件与系统集成等为龙头产品的高科技外向型企业集团。他们秉承“科技领先，以人为本”的企业宗旨，在创造显著经济效益的同时，企业精神文明建设也一年一个台阶地稳步发展。近年来，公司连年被肇庆市委、市政府评为文明单位，1997 年获省委、省政府授予“广东省文明单位”称号。

**一、坚持深入细致的宣传教育，引导员工提高思想道德素质**

集团公司 4000 多名员工中的 80%以上是走上工作岗位不久的大中专毕业生。他们涉世未深，阅历肤浅，思想较单纯，人生观、价值观未完全定型，有较大的可塑性，愿意接受健康的新鲜事物，也容易受不良思想的侵蚀。公司根据这些特点，采取有效措施，有针对性地开展宣传教育，促使员工整体文明素质的逐步提高。

一是自上而下建立和健全网络。公司成立了以总裁兼党委书记任组长，党委副书记为副组长，各子公司一名副经理为成员的精神文明建设领导小组。每月集中研究部署以员工思想道德教育为重要内容的精神文明建设工作，形成了一把手负总责、各部门协调联动、齐抓共管的工作机制。公司党委办紧密结合时事形势和各个时期企业的生产经营任务，突出爱国主义、集体主义和社会公德、职业道德、家庭美德的教育内容，通过多种形式，不间断地进行广泛的宣传教育。

二是深入开展企业精神教育。风华集团公司前身是肇庆风华电子厂，创办于 1984 年，员工不过百人，起初靠装配收录机维持生存，年销售收入不足百万元。经过 10 多年的艰苦创业，已发展成为我国新型电子元器件科研、生产、出口的重要基地，成为亚洲第二大电子元器件厂家。公司认真总结自身发展壮大的历程，将本企业的精神概括为：热爱风华，艰苦创业，团结拼搏。公司对新来的员工都组织上岗培训。除了讲授业务知识、操作技能以外，还详细介绍公司的建设历程和今后的发展前景，重点进行企业精神的灌输，使新来的员工在认识、了解风华的同时，培养热爱风华的责任感。定期组织公司的骨干给青年员工现身说法，谈成长经验，谈爱岗敬业的体会，有助于青年员工自觉地将个人的前途理想与企业的前途紧密结合起来，调动了他们为企业奉献的积极性和创造性。

三是掌握思想动态，做好经常性的教育引导工作。集团对所有的员工，尽力做到生活上体贴，思想上帮助。随着生产规模的不断扩大，公司每年都招进一二百名新员工。对新来的员工，公司党政主要领导无论工作多忙，都抽空见一次面，逐个谈一次话，了解他们的脾气、性格、素质和想法，有针对性地对他们进行培养。每个员工都有一个思想联系人，可以无拘无束地吐露心声。各级领导不仅深入车间指挥现场生产，而且深入员工当中做思想政治工作，广交朋友，与员工打成一片。多年来，公司员工队伍中没有出现打架、闹事、偷窃等现象，也从来没有人涉足“黄赌毒”等丑恶事物。广大员工珍惜和爱护企业形象，讲文明成为大家的自觉行动。宽阔的厂区，物品堆放、产品摆置、车辆停放有条不紊；厂区内四季鲜花盛开，绿草如茵，没有人摘花折叶或践踏绿地；路不见扬尘，也难看到纸屑、果皮、烟头、痰迹。

**二、积极创造条件，让员工尽快成才**

公司秉承“以人为本”的发展战略，积极给青年员工创造种种条件，提高知识水平，培养工作技能。对新分配的大学生，制定了严格规范的管理办法，分步骤实施集训、强化培训、定岗实习、正式上岗等几个阶段，促其尽快熟悉工作环境，熟练掌握本职工作必备的技能。在岗员工的培训每年至少进行一次，不断更新专业知识，拓展与此相关的知识领域。公司每年从紧张的资金中拿出100多万元，选派30—50名有潜质的年轻员工到国外同行业最先进的企业学习培训。近年来，已有300多人次的科研人员从美国、日本和欧洲一些发达国家学成归来，形成了一支可以与世界先进水平处于同一起跑线的专业技术队伍。1995年，美国有一位电子陶瓷专家到风华讲学，面对台下200多个能用英语静静听讲和做笔记的工程技术人员，他极为感慨风华培养人才的成效。

除公司组织各种类型的学习培训（近两年来，公司组织岗位培训、岗位练兵、技术比赛、知识竞赛等活动共620多场次）以外，员工们充分利用业余时间，学政治、学经济、学外语、学技术，公司阅览室全天开放，门类齐全的各种书籍供借阅，读书自学活动在风华如火如荼地开展起来。广大员工在工作中学习，将学到的新知识新技术运用到工作实践中，促进了企业内部管理，带动了技术改造。全公司进行技术革新、技术改造项目有500多项，开展创新、创先200多项，职工提合理化建议5000多条。

与此同时，风华集团公司还尽力为每个员工聪明才智的发挥和人生价值的实现创造广阔宽松的空间。近年来，一大批德才兼备的青年员工被委以重任，有的担任了集团公司副总，有的在重要部门独当一面，为风华崛起作出了重大贡献。

**三、组织开展文体活动，丰富员工业余文化生活**

公司十分重视开展文体活动，每年投入资金达20万元，组建了业余篮球队、足球队、舞蹈队和合唱队，积极参加社会上的演出和比赛活动，想方设法让员工在高尚的文体活动中陶冶情操。公司下属服务公司指定专人负责，全天开放多功能活动中心，员工们每天都可以在业余时间根据自己的爱好，打球、下棋或看电视、跳舞等。公司每月举办员工生日晚会，公司领导与员工尽情欢乐，亲自为生日员工切蛋糕，共唱生日歌，增进了解和沟通。每年金秋时节，公司都要组织规模盛大的运动会，运动员、裁判员都是公司员工，公司领导与员工一起参与。除已形成制度的文体活动外，公司还经常组织员工对外进行文体交流，宣传树立企业形象，取得了良好的效果。

（广东省文明办）

## 广东省清远市人民医院

# 创建一流的文明医院

清远市人民医院位于广东省粤北贫困山区，1988年随着清远建立地级市而诞生。经过10年拼搏，从一所设备简陋、人才匮乏、技术落后的贫困医院发展成为科技进步、富有生机活力、享有良好社会信誉的三级甲等医院，多次获得全国和广东省授予的荣誉称号。

**一、团结奋斗共创业，达标上等求发展**

建院初期，业务用房仅有6900平方米，在编职工334人，开设简易病床260张；固定资产总值345万元，其中设备价值不足45万元；年业务收入357万元，收不抵支，负债60万元；地方财政每年补助经费14万元，职工个人月均收入150元。人才流失，病人抱怨，造成了一般常见病都要转送广州诊治的尴尬局面。新组建的医院领导班子，破除“等、靠、要”的传统思想，率领全院职工开展了创业热潮。

医院领导成员不断学习、探索管理新模式。1992年8月，医院确定了创建国家三级甲等医院的目标。全体职工为改善服务，提高医疗质量，开拓新科技，开展新技术，完成1200项升级标准，作了极大的努力。1995年4月，医院以优异的成绩通过评审，成为三级甲等医院。

**二、坚持面向社会，实行优质、价廉、便捷的医疗保健服务**

首先，让病人看得起病。1989年以来，他们从未实行优质优价、优先优价、点名专家、点名手术等附加经济条件的医疗保健服务，而是向病人敞开专家、专科门诊，不另收费，让更多的病人可以看到专家及方便专科诊治。开设专家门诊41个，节假日照常开诊。专家专科门诊工作量，仅1998年比1997年就增加38.75%。狠抓降低药品收入比重，使药品收入占业务收入的比重逐年下降，从57.7%下降至1998年为38.3%。通过疏通服务“瓶颈”，完善医疗行为规范，缩短病人住院时间，1998年出院病人平均住院天数为10.1天，低于全国平均的16天。这些措施，有效地减轻病人医疗费用的负担。据广东省卫生厅统计，清远医院每门诊人次和每出院人次的费用分别为省内其他三级医院的67.2%和60%。

其次，为病人提供便捷医疗服务。建立医技保临床、后勤保全院、全院为病人的服务体系，在切实保证工作环节质量的基础上，提高医疗质量。组建由医院职能机关干部组成的8支医疗服务工作督导分队，每天到门诊、急诊和病房督察服务情况，及时排除服务环节的障碍。为消除“三长一短”的诊疗现象及病人等待时的焦虑，挑选5名能讲多种方言、服务热情、经过服务培训的护士担任门诊导诊工作，实行义务导诊导医，协助老年体弱或乡下来的病人挂号、就诊、陪检、计价交费、取药、治疗、办理入院手续等。还为病人提供免费防病治病资料、卫生宣教、电视和广播等文娱项目。保证病人得到方便、高效和满意的服务。

职工在医疗服务活动过程中，严格遵守医德医风规范，处处为病人着想，急病人之所急，想病人之所想，被群众称为不收红包的医院。1996年，清远市十佳文明窗口单位评选，在收回的6万余张选票中，清远医院获得95%的赞成票，当选十佳榜首。1998年发出卫生部创建“百佳医院”满意度调查表3000份，收回2750份，群众对清远医院的综合满意度为99.3%。门诊病人次及出院病人次逐年增加，与1988年相比，分别增长58.1%和63.6%。由于充分利用物化资源，减少浪费，降低成本，提高效率，医院拓宽了自我补偿的渠道，技术劳务收入逐年增加。1998年该院专项结余资金比1987年增长35.9倍。

**三、勇于改革，治院经验推广全国**

近几年，为创建一流的文明医院，他们大胆改革，勇于探索，有效地抵制了市场经济的消极因素的影响，解决了当前医院面临的一些热点难题，实现了社会效益与经济效益的高度统一。

一是有正确的目标方向和高效率的行政管理系统。实行院长任期目标负责制和科室主任责任制，将优质高效低耗的原则和措施贯彻于工作环节的全过程。医院行政管理工作仅设岗36人，占全院职工的6%，实行“三三制”，即处理科务工作、开展医教研工作、下科室检查协调指导分别占用1/3工作时间，为职工作出表率，推动全院各部门各科室的高效服务。

二是重视人力资源的利用，激发人的工作潜能和效率。实施全员劳动聘任合同制，落实与责、权、利结合的岗位责任制，优胜劣汰。1993年以来，有91名中青年骨干被选拔到院科两级领导岗位。有23名中层领导终止续聘，26名职工待聘，48名职工被辞退。同时建立与劳动聘任合同制挂钩的劳务分配制度，奖优罚劣，从“大平衡，小差距”逐步过渡到“小平衡，大差距”。

三是上下一致，行为规范，制度管人，廉洁行政，文明行医。汇编403万字的规章制度，作为团队规则。使每个部门、每位职工都清楚自己该做什么，不该做什么，怎样做有奖励，做了什么会受罚。每年不断改善制度和职责考核，自上而下落实层级管理责任，一级对一级负责，依章办事。

四是科教兴院，快速有效完成专业技术配套。以“高起点、勤办事、少投入、高效益”为方针，保证项目及时同步配套。如签购第一台 CT 合同到安装投产仅用 3 个月时间，每年诊查 7800 多人次。该院的设备、专业技术配套已趋于完善，拥有核磁共振、螺旋 CT 等高尖精医疗设备 232 台，一般专用医疗设备 1609 件，获省部及市厅级科技进步奖 30 项，正在研究的国家和省市课题 28 项，发表有价值的学术论文 300 多篇，妇产科被选定为广东省“五个一科教兴医工程”的重点学科。

五是把社会、医院和个人的利益摆在同步协调的位置。医院领导班子处处事事都保持“心中有病人，心中有医院，心中有员工”和严谨的领导风格，通过优质服务吸引病人，促进医院发展，体现职工自我价值与办院宗旨和发展目标相统一，进一步调动起爱院如家的积极性，从而自觉地把领导对提高医院综合效益的期望值，放大为全员共同追求的目标。

“诊疗时牢记优质，工作时想到高效，用物时不忘低耗”成为每一个职工的共同信念，这是促进清远医院发展的核心动力。医院把扩大医疗服务范围，增设服务项目，提高服务质量和效率，加强经济核算，降低成本，减少浪费，堵塞漏洞作为取得补偿的主源泉。广东省卫生厅分别于 1991、1994、1996 年，运用秩和比法（RSR）对全省三级医院作综合效益评价，清远医院均排列第一，主要表现在治愈率、病床使用率、平均每名医生每天担负的诊疗人次、住院人次、年业务收入等指标较高，而病人的住院天数、医疗费用、每天医疗费用则较低。以 1996 年为例，药品收入占业务收入比重 37.95%，消耗成本占业务收入 46.8%，分别比 1987 年下降 19.84% 和 19.65%；每门诊人次平均费用 52 元，住院病人平均每床日费用 334 元（广东省同类医院的平均指标分别是 92 元和 415 元）。从自身精打细算而不从患者身上打主意，是该模式的突出之处，也是清远医院取得成功的关键。

清远医院的优质高效低耗管理模式研究，1998 年 6 月被评定为国家卫生部医药卫生科技进步二等奖，这是迄今为止国内医药卫生科技进步奖中对软科学成果颁发的最高等次的奖励。清远医院的管理经验，不但使自身得到长足的发展，还在全国推广应用，全国及广东省多次在清远医院召开医院改革管理经验交流会，举办研修班，全国各地已有 2000 多个医疗机构到清远医院参观学习。

（广东省文明办）

## 广西壮族自治区柳州市五星商厦

# 永远追求顾客满意　树立良好文明形象

位于桂中商埠的广西柳州市五星商业大厦，以物质文明建设“四个一流”（即一流的环境、一流的服务、一流的商品、一流的管理）和精神文明建设“一年一台阶、三年三大步”（即一年内建成城区级、市级文明单位，两年内建成自治区级文明单位，3 年创建全国文明单位）为奋斗目标，经过 3 年的辛勤努力，实现了夺标梦想。1999 年，五星商业大厦成为全国创建文明行业先进单位，成为广西壮族自治区流通行业惟一获此殊荣者。在取得荣誉之时，五星商厦决策层果断提出“扬鞭策马，做强企业，再攀新高”，以新起点、新姿态、新形象，迎接新世纪的新挑战。

## 一、面临危机找差距，确立全新发展战略

五星商厦决策层手捧国家级文明牌匾，不是沾沾自喜，而是将它作为激励员工斗志，再造五星辉煌的一个有利契机。公司开展“找差距、创新高”活动，一是在领导干部中开展“一岗两责找差距”，自我加压；二是在管理人员中开展“现场管理找差距”；三是在营业员中开展“规范服务找差距”；四在全体员工中开展“文明礼貌找差距”，检查自己是否做到“四讲四不讲”（即讲普通话，不讲民俗土语；讲热情话，不讲冷言冷语；讲客气话，不讲粗言俗话；讲文明话，不讲污言秽语）。同时，把目光瞄准国内外先进的同行，自找差距，比出了危机。与区内同行比，五星的经济效益相距甚远；与国内同行比，五星的管理手段落后；与国外的同行比，五星应主动去迎接中国加入“WTO”的挑战。为追赶国内外先进同行，五星把建立“计算机网络技术与现代商业管理”模式，实行购销分离，一级核算，三级管理作为工作重点，把“品牌拓展，走出五星，再造五星”作为五星发展战略，把五星做强、做大，实现五星新的飞跃。

## 二、强化素质学知识，确立全新素质内涵

为塑造“学知识、懂知识、用知识”的新型员工，柳州五星商厦，将1999年确立为“商品知识学习年”，开展系列商品知识学习培训和大赛活动，培养“知识型、技能型、服务型”营业员队伍。各商场共组织了10大类计139个课时的学习、培训面达100%。为检验学习成效，商厦还于11月开展了首届“商品知识百问不倒大赛”活动。使五星的知识服务品牌由个体向群体延伸。

为实现“以知识启动服务，以服务带动消费”。五星创办了“消费者学校”、定期或不定期地开办各类专业知识讲座，先后开展了“微波炉煮食新乐趣”、“洗衣机省电、省水、省时之奥秘”、“3·15明明白白消费，轻轻松松购物”有奖问答等活动10多项次。开设家电、美容、服饰、化妆等9个分校，开班20多期，顾客参加达800多人次。员工们在当小教员的同时，也巧妙地将所学知识运用经营之中，为企业创效创利。

## 三、强化服务抓规范，确立全新服务理念

面对激烈的商业竞争，五星商厦以服务整顿为突破口，在员工干部中开展“岗职规范教育”，同时启动OS（顾客四满意）工程，向员工提出“培育稳定顾客群”、“顾客满意是我们永恒的追求”的全新服务理念。

五星商厦于1999年重新修订了《值班长现场管理条例》和《营业员服务工作规范》。举办了相应的学习培训班20多期，有800名员工通过了考试并获得较好成绩；还通过抓典型事例进行自我教育，抓住家电商场一员工由于不熟悉商品加上不耐烦接待顾客而放走了一笔大生意的事例，在员工中展开了“烤熟的鸭子为什么会飞”的专题大讨论，大大地激发了员工为顾客服务的主动性和自觉性。通过服务整顿和启动OS工程，各商场纷纷加大了服务规范的管理力度，特别是围绕OS工程（顾客满意、商品满意、服务满意、形象满意）的标准，完善服务质量保证体系。五星在售中环节中建立了《现场管理考核办法》，在售后环节上设立10万元“理赔货基金”、家电商场还专设了4个服务追踪站，每天实施追踪服务，还在国际互联网上向社会公开了顾客投诉网址，收到了明显效果。由于商厦永远追求顾客满意、狠抓服务质量，在顾客中树立了良好的文明形象。

（广西壮族自治区文明办）

## 广西壮族自治区桂林市漓江航线管委会

# 加强质量管理　创建文明行业

桂林市漓江航线管委会（与桂林市交通局一套人马两块牌子）管辖的桂林叠彩山至阳朔风景游览线是第一批全国文明风景旅游区示范点，这条游览线有135艘长途客运船。其中有市、自治区、交通部、团中央命名的“文明客船”和“青年文明号”客船97艘，有全国“明星船长”、“青年岗位能手”、自治区“五一奖章”获得者等先进个人25人。1999年，全游览线营运总收入利润总额连续创历史最高水平，达到我国内河客运经济效益领先水平。继1998年航线先后荣获“广西水上运输文明航线示范点”、“广西壮族自治区文明航线”等荣誉称号之后，1999年9月，漓江航线管委会获中央文明委授予“创全国文明行业先进单位”殊荣。

视航线为生命线，加强领导，抓好绿化美化工作。1999年桂林市委、市政府成立了“桂林市漓江全国文明风景游览示范点工作领导小组”，下设办公室。从组织机构上加强和保证了漓江风景示范点在原来的基础上的进一步发展。同时，狠抓硬件建设。桂林市交通局在交通部、自治区交通厅的支持下筹集资金2000多万元，新建了桂林磨盘山客运港和水运中心售票处，并对磨盘山码头的3个公厕进行改造，使磨盘山港口实现园林化，风景优美、环境一流、功能完善、文明卫生，设有残疾无障碍通道，方便残疾游客；售票中心网络化，港站业务营运现代化，实现场地绿化、美化、硬化。

强化环保意识，保护漓江水资源。桂林市委、市政府十分重视对漓江资源的保护工作，特别强调加强漓江航线上船舶排污管理和治理。严格做到航线所有船舶粪便、污水和垃圾实现封闭收集、签字移交、集中抽排、无害化处理。所有船舶均设有垃圾桶和“不得向江中扔弃物品”的警示牌，导游人员在每航次开航前均向客人致漓江环保宣传辞。工作人员随时制止客人乱扔垃圾的不文明行为。在游船上全面推行了净菜上船制度。桂林市还不定期组织各有关部门、解放军及武警官兵，义务为漓江“洗脸”，对漓江两岸生活垃圾及江面漂浮物进行及时清理，保持漓江风光名胜区卫生清洁，使漓江水资源得到有效保护。

抓好活动载体。一是优质服务竞赛。在漓江游船中开展“讲文明、创优质，让心灵与山水同美”优质服务活动，使广大船员牢固地树立了“三个意识”（“我代表桂林、我代表广西、我代表中国”的荣誉意识；“我就是文明使者”的责任意识；“乘客至上，真诚待客”的服务意识）和“五个文明”观念（文明礼貌、行为文明、船容文明、经营文明、行船文明）。二是开展漓江游船服务技能大赛活动。根据漓江游船服务情况，在制定内外事游船服务程序和规范细则，统一规范服务标准的基础上，先后开展了3次服务技能大赛。还把服务技能大赛与评选“明星船长”结合起来；把个人竞技赛与船长、服务员、导游员的集体赛结合起来。有效地推动游船服务规范化、程序化和标准化，服务质量不断上新台阶。三是开展评比“漓江优秀导游员”活动，共评出最佳导游员21人，优秀导游员52人。四是开展创建“青年文明号”活动，有37艘船先后荣获国家、自治区、桂林市“青年文明号”称号。五是在全市范围内开展争创文明旅游风景区活动。这一系列创建活动，有效地促进了漓江航线文明行业建设。

以文明管理促进文明航线创建。在加强航线管理方面，桂林市完善了有关规章制度，健全了党风廉政建设制度、奖惩制度、督查制度等17种内部管理制度。还对外聘请了21名义务监督员，完善社会监督机制。实行行政执法“四公开”（执法依据公开、执法程序公开、权利义务公开、处理结果公开）。此外，他们还编写了《桂林市漓江旅游客船服务规范》，努力推行服务规范化、标准化。同时，加大对漓江航线的监管力度，采取明查暗访相结合，日常检查与重点检查相结合，行业检查与社会监督相结合的方法，派出检查人员及聘请旅客检查员3000多人次，明查暗访客船400多艘次，为维护漓江水路运输秩序，把工作重点从审批管理型向市秩序管理型转变，有力地维护了广大游客的利益。在春节、“五一”、“国庆”、“元旦”等重大节日，有关部门组织安全检查组到各县、乡镇进行安全检查，宣传安全航行的重要性，确保船舶和游客安全。为漓江航线实现连续11年无重大安全责任事故，创造了良好的外部条件。

（广西壮族自治区文明办）

## 广西壮族自治区桂林市芦笛岩公园

# 让精神文明之花开得更鲜更艳

作为旅游服务行业，广西桂林市芦笛岩公园以“全国青年文明号”为载体，通过“行业树新风，岗位献青春”和“创文明城市，树立新形象”活动，深化“笑迎天下客，满意在芦笛”、“让心灵与山水同美”、“树立公园形象，创旅游品牌”等优质服务，进一步加强精神文明建设，公园1999年共接待游客115.7万人次，营业收入近4000万元，创历史最好成绩。1999年，该公园女子导游班荣获了“全国创建精神文明行业工作先进单位”、“全国青年文明号”荣誉称号。

**一、齐抓共管，建立健全精神文明建设工作机制**

公园党支部把精神文明各项工作提高到首要位置，建立健全了精神文明建设工作体制，形成党、政、工、团齐抓共管、分工协作、责任明确的工作体制。同时，抓好制度落实，完善激励机制，不断完善《芦笛岩导游班综合考核细则》、《优质服务十条措施》、《芦笛岩导游员职业规范》等规章制度，签订岗位责任制，明确优质服务、职业道德等内容的管理要求，使公园的每个岗位都有一套严密的管理制度来约束。公布社会承诺和监督电话，通过质量跟踪卡的形式，对导游员的导游过程进行监督，严格导游员考核制度，开展评定年度优秀导游员活动，充分调动导游员的积极性，做好优质服务。

**二、以人为本，努力提高职工的思想和业务素质**

公园党支部充分利用文明学校、军民共建，扎实开展爱国主义、集体主义教育，加强职业道德、社会公德和家庭美德教育，把政治思想教育、社会主义民主法制教育、纪律教育与职业技能培训有机结合起来。紧紧围绕“服务与效益”这一主题，在“文化建园”上做文章，以“弘扬一流园林文化内涵，保护一流自然景观环境，实行一流管理，体现一流服务，具备一流人才，创出一流效益”为工作目标，把职工的积极性和创造性融入“知园、爱园、建园”系列教育活动中，努力满足游客在芦笛岩的求知、求解、求乐的需求中。同时，有针对性地做好思想政治工作，使职工牢固树立全心全意为游客服务的思想。利用学习李向群、弘扬李向群精神的有利时机，用典型的示范作用、榜样的鞭策力量，营造一种争先进、学先进、赶先进的氛围，激励员工树立正确的人生观、世界观、价值观，在本职岗位上不断做出新成绩、创造新业绩。为了使导游员能尽快达到全国文明窗口的服务要求，该公园加大培训工作力度，注意系统地加强对员工的职业道德、讲解艺术、形体、普通话、英语导游、外事纪律、规章制度等方面的业务知识和理论的培训，全面提高职工队伍素质。

**三、树立形象，深入持久地开展精神文明创建活动**

作为桂林旅游行业的窗口，服务是一个永恒的主题，做好优质服务这篇文章，树立良好的对外形象，是芦笛岩在激烈竞争中立于不败之地的法宝。为此，公园管理处在导游班开展“笑迎天下客，满意在芦笛”、“让心灵与山水同美”等优质服务基础上，又开展了“五心”服务，即：对普通游客全心服务，对重点游客精心服务，对挑剔游客耐心服务，对反常游客热心服务，对特殊游客贴心服务，取得了很好的效果。

1999年的“国庆”、“春节”等节日，游客特别多，创下了日接待游客1.3万人次的最高记录，芦笛岩公园导游员也创下日进岩批数的最高记录，许多导游员因为讲解过多，引起咽喉发炎、化脓，但他们克服困难保质保量，坚持度过了高峰期。在此期间，芦笛岩没有受到一起投诉，得到了广大游客的好评。

此外，公园还积极参与桂林市精神文明建设，为社会作贡献。公园组建了青年志愿者服务队、学雷锋小组，组织职工踊跃参加宣传桂林、美化桂林、美化母亲河、为漓江洗脸、“旅游系统青年义务献血”、“学雷锋服务一条街”、“为城建、献青春”等活动；积极开展扶贫救困、扶助失学儿童活动，导游班先后与临桂兰塘小学的两名贫困学生结成对子，自愿捐款资助他们完成学业，经常到小学看望他们并帮助解决一些生活问题。

（广西壮族自治区文明办）

## 海南省文昌市公安局

# 模 范 公 安 局

文昌市地处海南省东北部，三面临海，是著名的华侨之乡。位于市中心的文昌市公安局下设65个股、所、队、室，现有民警424人，其中党员343人，中专以上文化程度的占95%。他们以“团结、拼搏、奉献、争先”作为市局精神，坚持政治建警、依法治警、科教强警，不断提高执法水平和服务质量，强化社会治安管理，严厉打击违法犯罪活动，各项工作连创佳绩。1991年以来，先后有54个（次）单位荣立集体一、二、三等功和各种荣誉称号，有77人（次）荣获全国先进工作者、全国五一劳动奖章、省劳动模范和荣立个人一、二、三等功。市公安局先后被省委、省政府授予“文明单位”和“全省职业道德建设十佳单位”称号；1991年至1998年，连续8年被公安部授予“全国优秀公安局”称号，是全国县、市公安局、城市公安分局中惟一获此殊荣的单位。1999年8月3日朱镕基总理签署命令，授予海南省文昌市公安局“模范公安局”荣誉称号。

**一、领导班子团结务实、锐意进取、勤政廉政、以身作则，形成了坚强有力的领导核心**

文昌市公安局一贯把建设钢铁班子作为推动全局各项工作的关键，注意发挥班子的整体效能和核心作用。他们坚持民主集中制和民主生活会制度，实行民主评议、民主决策，先后制定了《党委廉政办事制度》、《局领导办理公务十不准》等9个勤政廉政制度，响亮地提出“从领导班子抓起，从领导干部做起”的口号，时时处处率先垂范，在广大民警中树立了极高威信。局党委连续3年被评为全市先进党委。1998年市委组织部对公安局领导班子组织民意测评，民警满意率达

100%。

**二、精兵严治，锤炼出一支居荣不骄、本色不改的民警队伍**

一是狠抓党建工作，始终把思想政治工作摆在首位，大力加强党支部建设，充分发挥党支部的战斗堡垒作用和党员先锋模范作用，坚持“讲学习、讲政治、讲正气”，注重政治理论教育，引导民警学习邓小平理论和党的路线、方针、政策，不断增强党性观念，确保队伍在政治上过硬。

二是坚持从严治警，制定了工作、学习、管理、服务方面的20余种规章制度，以制度规范民警的行为。同时，完善监督机制，经常对民警的执法活动和行为进行检查，向社会公布投诉电话，设置举报箱，聘请监督员，把内部监督与党政监督、群众监督和新闻舆论监督结合起来，有效遏制了民警违法违纪案件的发生。

三是坚持科教强警。每年选派民警参加正规培训，鼓励民警参加函授等非脱产教育，自己也开展多种形式的业务培训，全局95%以上民警获得中专以上学历，在参加公安部统一组织的素质考试考核中，民警合格率达100%。在提高民警的政治、业务素质基础上，他们多年坚持市局不盖新办公楼，不购置豪华车，多方筹资加大科技投入，仅1997年就先后投入资金250余万元，改善“110”设施。已基本完成接处警系统、通讯系统、人口信息微机化管理系统和指挥决策系统建设，大大提高了工作效率。

四是坚持从优待警。局党委始终把为民警办实事，解决实际困难作为思想政治工作中重要环节来抓，在政治上积极争取党委、政府关心、支持，提高民警职级待遇，在生活上想方设法解决民警实际困难，增强队伍的凝聚力。

**三、深化改革，强化打击犯罪和驾驭社会治安管理的能力**

文昌市公安局领导具有强烈的改革意识和不断创新的精神。1991年实行局机关干部轮流下基层锻炼的做法；1992年率先在公安勤务工作中推行目标管理，引入激励竞争机制；1994年组织优化刑警队伍，提高侦查破案水平；1995年推出目标岗位责任制，激发民警工作积极性；1997年5月，进行派出所工作体制改革；1997年9月，对刑侦工作进行了大刀阔斧的改革，实行侦审合一，建立符合实际、覆盖社会面的刑侦中队，使刑警人数达到总警力的19%。为确保改革措施落到实处，他们大力推行人事制度改革，实行“绩效评估、竞争上岗、双向选择”，建立健全了激励竞争机制，确保了公安工作的顺利完成。形成了以“110”为龙头，以派出所、巡警、刑警、交警为基础的快速反应机制和社会治安防控机制，强化了驾驭社会治安管理的能力。

**四、打防管建相结合，实现社会治安持续稳定**

文昌市公安局大力加强情报信息工作，积极开展创建安全乡村和安全文明示范户活动，建立健全内部单位保卫组织，加强特种行业、公共场所及枪支弹药、民用危爆物品的管理，规范常住人口管理，加大对暂住流动人口、重点人口的管理力度，严密落实各项安全防范措施，建立全方位的防范网络。并保持高压态势，适时开展“严打”和专项整治活动，严厉打击违法犯罪活动，扫除“黄、赌、毒”社会丑恶现象。1996年以来发案率逐年下降，破案率逐年上升，没有发生重大政治事件和突发性事件，社会政治持续稳定，社会治安状况良好。1998年海南省公安厅考察组对文昌社会治安状况进行民意测评时，随机发放测评表150份并全部收回，满意率达100%。

**五、围绕经济建设大局，以民为本，不断提高服务质量和执法水平**

文昌市公安局紧紧围绕市委工作大局，做好为促进经济发展服务这篇文章。1997年在人口、治安、出入境、消防、交通管理等7个方面制订了24条措施，为外来投资者、旅游者提供安全保证和多方服务，为经济建设创造良好和谐的治安环境。工作中他们牢固树立“以民为本”的思想，不间断地开展宗旨教育，把为群众服务贯彻到各项工作之中，先后推行了服务承诺制、上门服务、预约服务、延时服务、送温暖活动等多种服务项目，缩短群众办事时间，提高工作效率，全心全意为人民服务。据统计，仅1998年全局就为群众做好事3912件，捐资救灾63000余元。同时，不断提高了执法水平，加强对案件的审核把关，加强内部执法监督力度，全市公安系统连续9年没有发生行政复议案件和行政诉讼案件。

（海南省文明办）

## 海南省海口市振东区

# 创建全国文明城市先进城区

振东区位于海口市东郊，属县级市辖区。全区设7个街道和1乡1镇，有56个居委会、4个村委会，面积53平方公里，人口26万。1999年2月，国家民政部确定振东区为“全国社区建设实验区”。同年9月，振东区被中央文明委评为“全国创建文明城市工作先进城区”。

**营造美丽的社区**

走进振东城区，但见条条道路整洁宽敞，绿树掩映。

在邦墩里居民区，笔直的街道，漂亮的房屋，馥郁的花卉，规范有序的户外设置物，形成了美丽的环境。在这里，抬头看没有乱搭建，左右看没有乱摊位，令人赏心悦目。像这样以居委会为单位的社区，振东区有56个。

海甸岛是该区居住小区密集区，九龙花园、银谷苑、梦幻园……这些小区建筑中西合璧，周围青树翠蔓，绿草如茵，有游泳池、网球场，像这样“四旁林果、空地草坪、小区花园”的社区，振东区有46个。

近几年来，振东区把创建全国文明城市先进城区工作作为“一把手工程”，党政一把手负总责，制定明确的目标措施，使创建工作年年新招迭出。1997年，为改造社区环境，全区组织实施整治8条街道、6个居（村）委会、3个农贸市场、2个文化广场、1段河堤。1998年，全区组织建成1个花园广场、1个安全小区、1个文明村庄、1个样板市场和1条样板路。1999年，全区组织创建了5个国家级和省级小区、5个园林式居委会、5处绿化景点、5条文明道路。这些扎扎实实的创建活动有力地推进了文明城区建设。

**寓教育于管理服务中**

社区是城市的细胞。保证社区“细胞”健康，城市“肌体”才能充满活力。而“小社区、大服务”，则是振东人向人们揭示的关于社区的一个全新概念。

振东区已建立健全一套管理的服务体制和运行体制。全区共有社区服务中心10个，服务站57个，服务网点273个，卫生服务站58个，志愿者服务队伍106支，常年参加服务人数5000多人。此外，还有社区文化娱乐中心、文化室、幼儿园260所。通过这些网点开展便民、利民、为民的社区服务活动，全区形成了门类齐全、队伍稳定的社区服务体系。居民在生活里遇到的问题，都能得到社区服务的关照。社区服务做到：小病不出社区，送医送药上门；一个电话到站，服务进家入户。

“社区服务是工作的宗旨，税源经济是工作的中心。”振东区委、区政府提出这样的工作思路。外来人口相当一部分是投资者，也是纳税人。因此保住税源就是要为投资者做好服务。港商黄思颖在海甸岛办游艇俱乐部，区里各级领导从项目申报到初具规模，一路跟踪服务，多次出面帮助协调关系，解决矛盾，做了一系列让黄先生感动的事，现在黄先生的投资已超过1500万元，游艇有10艘。为了表达对振东区的感谢，黄先生专门把一艘游艇命名为“振东精神号”。

社区服务，重要的是要确保一方平安。近几年，振东区在社区治安管理中出了许多好点子、好经验，其中有东湖里居委会的出租屋摸底立档管理，也有白坡里居委会的联户联防，也有白让村的军民联防。这些经验，有的得到了中央综治委的肯定并在全国推广。东城居委会挂在墙上的五颜六色的出租屋与外来人口示意图，方位清楚，数据准确。谁家出租，谁承租，一目了然。不仅如此，每个外来户还建立了详细完整的档案材料。管住人口示意图就掌握了治安主动权。

**可贵的社区精神**

“幼有所托、老有所养、孤有所靠、残有所助、贫有所济、难有所帮”这一种新型的社区人际关系，可贵的社区精神在这里已蔚成风气。邻里亲切，人际和谐的景象，到处可见。

在过港居民区，有一个因吸毒被劳教过的人员。从劳教所出来后，他的家里已没有任何亲人了，他对生活也失去了信心。居委会主任林亚捷得知后，一次次地去找他，可他总是躲着林主任。终于有一天，林主任找到了他，和他谈心；居委会帮他找到了铺面，并借给500元，让他办起了小餐馆。后来他的生意做得不错，还找到了对象，结婚时专门请林主任做证婚人。

新埠镇有位双目失明的孤寡老人刘文莫，年老体衰，生活凄苦。海联中学学生谢蓉丽5年如一日，主动承担起照顾老人的工作，像对待自家的亲人一样帮老人挑水洗衣。后来，这个镇的社区青年志愿者也纷纷加入了照顾老人的行列。老人感动得逢人就说：“我没儿没女，可全村都是我的亲人。”

在振东城区，移风易俗，崇尚科学，反对迷信的观念也已深入人心。流水坡在改革开放中富起来后，曾有些村民提议修建公庙，但大多数村民态度鲜明地坚决反对，他们说，我们流水坡有今天，靠的是党的富民政策，而不是什么神仙。流水坡今后要有更大的发展，还是要靠教育，要把我们村的后代培养好。于是，决定建学校不建公庙，此举在全市传为美谈。

（海南省文明办）

## 重庆市渝中区

# 抓机遇 求发展 建设文明新城区

渝中区是重庆市的中心城区，是重庆市的行政中心、商贸中心、金融中心、信息中心和水陆客运交通枢纽。渝中区的经济社会发展多年来位居重庆市最前列，被称为重庆市的“第一区”、两个文明的“窗口”。1999年，被中央文明委授予“创建文明城市工作先进城市、城区”称号。

**一、各级领导高度重视，创建工作措施有力**

1994年，该区就开展了“三优一学，创建文明城市”活动。党的十四届六中全会以后，渝中区把精神文明建设放在了更加突出的位置，成立了由区委书记任组长的创建工作领导小组。各职能部门也把创建工作作为“一把手工程”，主要负责同志对本单位的创建工作负总责。提出了“以经济为中心，以‘窗口’为先导，以小区为基础，以创建为载体，以育人为根本，以为民为宗旨”的工作思路。区委、区政府将全国文明城区的工作纳入全年对各单位的考核之中，使创建工作形成了“全区一盘棋、上下齐努力”的工作格局。

**二、坚持“以人为本”方针，着力提高市民素质**

在创建活动中，该区坚持“以人为本”的工作方针，以丰富多彩的创建活动为载体，着力提高市民素质。充分利用“红岩村”、“曾家岩周恩来同志纪念馆”、“三·三一殉难烈士纪念馆”等爱国主义教育基地，加强对市民的爱国主义、革命传统和红岩精神的教育。经常组织市民，特别是青少年学生参观《红岩魂》、《为了共和国的诞生——革命英烈事迹展》等大型展览，通过多种形式加强对群众的爱国主义、集体主义、社会主义教育。全区13个街道还兴办了40余所文明市民学校，定期组织市民学习文化、科技、法制、健康知识，进行时事政策和“三德”教育。与此同时，在广大市民中广泛深入开展“遵守‘七不’规范、争做文明市民”活动，从最基本的行为规范抓起，收到了明显成效。从1996年开始，区里将每月末的星期六定为“千人执法、万人治脏”活动日。组织干部、职工、官兵、学生和居民上街参加执法和治脏活动，使城区面貌大为改观，有力地促进了文明城区的创建工作。

在细胞建设上，他们紧紧围绕“两条线”开展创建活动。第一条线是通过文明家庭、文明楼院、文明小区（地段）、文明街道的创建，加强细胞建设，进一步夯实创建活动的基础，从市民的社会公德、职业道德、家庭美德和文明行为抓起，从家庭、楼院和社区的基础工作做起，培养市民的主人翁责任感，增强参与创建的主动性和自觉性。通过多种活动，进一步提高了市民的文明素质。经过创建，全区涌现文明家庭1.5万户、文明楼院389个。第二条线是抓文明职工、文明班组（科室）、文明单位的创建，首先从机关抓起。1997年和1999年先后评选了两届“十佳机关干部”。通过评选，各单位干部职工学习“十佳”、争当先进蔚然成风。其次，抓窗口行业，树窗口形象。从1991年就开展了水、电、气、房、电信、广电等窗口行业优质服务竞赛活动，数年如一日，几家单位除各自抓好行业服务外，还携手一道，开展了各种优质服务活动，足迹踏遍全区大街小巷，接受咨询服务、维修服务、上门服务的群众达10余万人次。目前，区域内已涌现市级文明单位50个，区级文明单位122个。

**三、“精神文明重在建设”，创建活动丰富多彩**

1997年，渝中区投资2800万元对解放碑大什字进行了彻底改造，新建成了2.44万平方米的解放碑中心购物广场。一个“比商品质量、赛优质服务”的热潮很快在广场内掀起，涌现了一大批“优质服务竞赛优胜单位”和“质量信得过商店”。1999年2月、3月，解放碑中心购物广场分别被中央文明委和中宣部等四部局命名为，“全国精神文明创建活动示范点”和“全国百城万店无假货示范街”。使解放碑中心购物广场成为设施一流、管理一流、商品一流和服务一流的两个文明示范点。为构建西南地区最繁荣的商业中心奠定了基础。

为了使居民有一个良好的生活居住环境，该区还开展了大规模的创建安全小区活动，加强小区的社会治安综合治理，为创建文明小区创造了条件。1999年，针对部分农贸市场环境卫生差，背街小巷道路条件差和先进典型宣传不力的状况，提出了抓好“三个一”的工作要求，即摊前“一个桶”——在农贸市场每个摊位前一个集污桶；社区“一条路”——每个街道改造、美化一条便民路；小区“一个点”——各街道抓好一个先进小区典型，示范引路。这项工作已取得明显成效。

**四、社会事业蓬勃发展，具有都市特色的人民文化生活繁荣活跃**

渝中区共有各级各类学校102所，在校学生73906人。全区坚持“科教兴区”的发展战略，全面推进素质教育，初、高中教育质量在全市保持了领先地位，初中学生升入各类高中的比例达85%，1998年高中学生升入大专院校比例达60%，幼儿教育、特殊教育保持了全国先进。区委、区政府重视对教育的投入，1996—1998年，全区教育总支出达44717万元。

近几年来，该区的文化事业蓬勃发展。以广场文化为载体，专业文化、群众文化、社区文化、校园文化、企业文化取得长足进步，创作出了一大批优秀文艺作品。多次组团参加全国的各类展演和比赛，许多作品在全国和省、市获奖。在此基础上，加快了文化基础设施的建设步伐，加强了文化市场的培育和管理，文化事业经费投入逐年增加，1998年被文化部命名为“全国文化先进区”。

全民健身活动已在渝中区蔚然成风。1996年以来，全区共举办体育比赛74次。有近6万人常年坚持晨练和晚练，在竞技体育方面，三年来全区共获得全国冠军30个，市级比赛冠军342个。1996年至1998年连续三年取得重庆市体育工作综合测评第一名，1997年被国家体委评为“全国成年人体质检测工作先进单位”，1998年荣获“全国全民健身宣传周”优秀组织奖。

在医疗卫生事业方面，1997年，该区作为重庆市的社区卫生服务试点城区，已在13个街道建立了12个社区卫生服务站和2个社区卫生服务中心，完成了13.5万多名居民的健康状况调查，建立家庭居民健康档案9400多份，为居民提供卫生保健服务1.5万多人次。1995年，该区被世界卫生组织和国家卫生部选定为中国健康城市规划试点城区。计生工作始终处于全市前列。1992年荣获全国城市计划生育工作先进集体，“七五”、“八五”期间获四川省计划生育工作先进集体。

**五、城市建设日新月异，渝中面貌焕然一新**

经过近十年的建设，渝中区累计新建各类房屋783万平方米，已接近原有的房屋面积。一大批旧城改造和新区开发项目相继完成或正在进行，老重庆的破旧平房群已被一幢幢新楼所取代，城市面貌大为改观。从1995年至今，已完成6期共300余个灯饰景点建设。入夜，渝中区成为一座流光溢彩的不夜城。同时，该区加强了绿化建设，仅1998年就整治扩建绿地10多万平方米，新增公共绿地95.8万平方米。为了配合创建全国文明城区和创卫工作，仅1999年上半年，就投入了600万元用于城市管理。良好的城市环境，为创建全国文明城区奠定了坚实的基础，也为该区的改革开放和经济建设提供了强大的动力和有利的社会环境。

（重庆市文明办）

## 重庆商社新世纪百货公司

# 诚实经营　真情服务　展示国企文明形象

重庆商社新世纪百货公司是国有大型零售企业，有经营面积13540平方米，员工1300余人。公司以争创全国文明单位为目标，外显真情服务，内育良好氛围，获得两个文明建设的丰硕成果。5年来，公司销售、利润和税金分别年均增长45.15%、54.23%和79.81%，增幅列重庆同行首位。1999年，公司实现销售7.27亿元、利税5.872万元。同时，公司荣获中华全国总工会授予的“五一劳动奖状”，中央精神文明建设指导委员会授予的“全国文明行业创建工作先进单位”，重庆市委和市府授予的“文明单位”和“重庆市思想政治工作优秀企业”等多项荣誉称号。

**一、温馨服务，诚信经营**

创温馨服务特色。坚持迎送宾礼仪。营业员定时定位，以真情的微笑、规范的站姿迎送顾客，造就了重庆窗口行业的文明风景线。不懈推广普通话服务用语，被国家语委评为“全国语言文字工作先进集体”。推行以“15日不满意退换货制”为核心的“服务承诺”，维护顾客合法权益。公司设有送货上门、寄存物品等免费服务项目，满足顾客需要，被市“消协”和市技术监督局命名为“顾客满意商店”。5年来，公司收到顾客书面表扬6360次，“新世纪”的温馨服务得到消费者的认可。

创诚信经营特色。不经营假、冒、伪、劣商品。公司严把进货关和质量监督关，确保商品质量；不出租柜台，维护公司信誉。5年来，公司组织质量抽查690次，凡品质、计量、标识和保质期不符合要求的停售，被中央宣传部、中央文明办授予“全国‘百城万店无假货’活动示范店”。公司严格控制进销差率，确保商品价格水平不高于周边商场；开展价格抽查123次，及时调低售价，让顾客买得实惠，多次被市物价局、市“消协”评为“信得过单位”。坚持“总经理接待日制度”，及时处理顾客投诉。

**二、深化改革，严格管理**

深化人事制度改革。建立“竞争上岗，优胜劣汰”新机制。5年来有4名中层干部和30名柜组长被撤换；有66名员工被提拔任用。公司将本人收入与企业效益和本人岗位挂钩，最大限度调动员工积极性。

严格管理，奖惩过硬。制定7个大类89个制度，建立较完备的制度体系。组建质管队伍，请顾客当“质量监督员”，形成内外结合的质量管理体制。坚持“注重实效，奖惩过硬”的原则，确保公司目标的实现。5年来，公司奖励员工1万多人次，处罚员工8000多人次，获得市劳动竞赛委员会颁发的“管理效益杯”一等奖。

**三、弘扬正气，树立新风**

思想教育收效明显。抓好员工的思想政治教育，强化“全心全意为人民服务”的观念。加强法制教育，要求员工在企业争当优秀员工；在社会争做守法公民。5年来，没有发生员工违法案件，获得当地上级部门颁发的“综合治理先进单位”和“计划生育目标管理一等奖”。开展“一个党员一面旗”的党团员佩徽上岗活动，用党团员先锋模范作用带动员工。开展向李素丽学习活动，教育员工爱岗敬业、勤学苦练、岗位成才。开展征文、普通话演讲活动，弘扬企业精神。公司内部风气良好，有77名员工光荣加入了中国共产党。

员工培训成效显著。开展普通话、礼仪、商品、法规等知识培训，帮助员工掌握基本知识和基本技能。组织员工到工厂参观、学习，不断丰富他们的商品知识。开展岗位练兵，让员工在实践中增长知识和才干。在培训中，员工学业务、钻技能的热情高涨，有555人获得了中、高级营业员技术等级证书，有299人获得了普通话等级证书，涌现了“重庆市十大杰出青年岗位技术能手”刘兴德、谢丽等一批业务骨干。

创建活动丰富多彩。公司开展了“创建文明行业”、“创建巾帼文明岗”和“创建青年文明号”等活动。活动中，员工中勤勉工作，真情服务，拾金不昧，见义勇为事迹层出不穷。公司积极参加“献爱心”、“送温暖”活动，近两年员工捐款4.98万元，捐衣物9601件，展示了“新世纪”助人为乐的新风貌。

（重庆市文明办）

## 重庆市铜梁县土桥镇新田村

# 实施“四大工程”　建设文明新农村

新田村距重庆市西100余公里，是邱少云故乡——铜梁县土桥镇巴岳山上的一个小村子，面积2.5平方公里，辖4个社、218户、735口人。1997年该村村民委员会被国家民政部授予“全国模范村民委员会”称号，获1998年度重庆市“先进基层党组织”。

新田村山高坡陡，土地荒芜贫瘠，祖祖辈辈蜗居茅屋，啃红苕，喝玉米粥，解放后也是吃粮靠返销，花钱靠贷款。直到党中央召开了十一届三中全会，穷山村才开始一步步迈上了幸福路。20年来，村党支部一班人换了一茬又一茬，但实施“村民自治”、“素质提高”、“富民”、“服务”四大工程的决心却从来没有动摇过，始终坚持“两手抓”，终于将全村经济、社会的发展推上了快车道：1998年，工农业总产值达到2120万元，创税利466万元，家庭人均纯收入超过6000元。更值得一提的是该村14年来，无一例计划外生育，没有发生过一起刑事案件。1999年成为全国创建文明村镇工作先进村。

**一、实施“村民自治工程”**

新田村把“村民自治工程”作为治村之本，通过实行民主选举、建立村民代表议事制度、制定“村民自治章程”、“村规民约”，推行“两公开一监督”制度，充分尊重每一个村民的民主权力，率先做到了“给群众一个明白，还干部一个清白”，为融洽干群关系，增强基层政权的凝聚力，推动全村社会经济的全面发展奠定了基础，1997年被国家民政部推荐为全国村民委员会的典范。

二、实施“素质提高工程”

为了培养适应现代社会需要的新型农民，村里长期坚持了村民、干部学习制度，组织村民按季度、干部每月进行一次集中学习。除进行必要的思想道德、法制教育外，重点是帮助村民学习文化和普及农业科技知识。如今全村不但扫除了文盲，还培养出了12名种地“土专家（农技员）”。此外，狠抓了文明阵地和“文明细胞”的建设，陆续建起了“老年活动室”、“青少年活动中心”、“农民文化沙龙”；订阅了各种报刊300余份。利用这些阵地，说革命书，讲革命故事，进行诗歌朗诵、美术、书法、摄影、卡拉OK、体育比赛及各种知识竞赛，每周举办一次周末舞会。通过丰富多彩的文化活动，扬社会公德，树家庭美德，自觉抵制封建迷信和黄赌毒的危害。同时，他们还鼓励青少年成才上进，凡村民子女考入大中专院校的一律发给1000—3000元补助，并享受村民同等待遇。

三、实施“富民工程”

新田村地下富藏稀有矿种——天青石。改革开放的春风刮进山村，穷怕了的新田人在村党支部带领下踏上了“以工补农闯富路”的征途。他们修通了连接山外的公路；组织起了年采矿能力4万吨、产值达800万元的村民采矿队；办起了年产碳酸锶2000吨，产品远销日本，销售收入在800万元以上的精细化工厂。同时，还发展了6家私营企业、28个个体工商户和28个个体运输户。对无力从事工商运输的村民，鼓励他们利用荒山、林地、耕地发展多种经济作物，走“以地生财”的路子。截止1998年底，固定资产320万元，集体积累250万元，人均存款达到5位数，成了该县名副其实的“小康示范村”。

四、实施“服务工程”

集体有了钱，村干部们首先想到的是造福于民，他们先后修建了300米水泥路、2500米泥结路，实现了社社通公路；新修了二级提灌站，在让村民喝上干净卫生自来水的同时，保证了全村470亩耕地的灌溉用水；帮助村民规划、设计，使全村95%以上的家庭住上了宽敞、明亮、舒适的楼房。他们还开展了“谁家环境美”评选活动，每年发给人均5元绿化费帮助村民在房前屋后育花植草种树；补助村民家家建起了“三结合”沼气池。此外，村里还为70%的农户安装了电话，90%的村民装上了闭路电视，为115对独生子女父母交纳了养老保险金。

“四大工程”给新田村带来了惊人的巨变，但他们没有歇脚，又朝着新的目标——“全国文明村”迈开了大步。

（重庆市文明办）

## 重庆市黔江秀山土家族苗族自治县清溪场镇东林村

# 武陵山区的一颗文明新星

东林村位于秀山县城西12公里处的清溪场，326国道线从这里经过，是区、镇政府所在地。近几年来，由于在两个文明建设上所取得的丰硕成果，一跃而成为武陵山区的一颗耀眼新星。1999年被评为全国创建文明村镇工作先进村。

东林村辖7个组，374户、1449人，耕地面积人均不足5分地，以前一直是远近闻名的贫困村。改革开放以来，东林村一年一大步，年年上台阶。

1997年就彻底甩掉贫穷落后的帽子，跨入了小康村的先进行列。实现了家家有余粮，户户有余款，全村存款总额达476万元。村民住房条件也有很大改观。自来水、农用电、闭路电视入户率达百分之百，程控电话、手机、彩电、冰箱、洗衣机、摩托车、组合音响等现代化设备已进入大部分农户家庭。

东林村党支部一班人，在加强学习，提高思想的基础上，不断增强责任感和紧迫感，充分发挥党支部的战斗堡垒作用和党员的先锋模范作用，抓大事，办实事。

首先是紧紧依托清溪集镇的市场优势，不断壮大集体经济，大力发展私营企业。通过几年来的艰苦努力，村级年创收均10万元以上，村组两级固定资产已达80多万元。私营企业也有很大发展，基本上达到了家家有项目，户户有门路。

二是把实事办好，把好事办实，塑好党支部的形象。(1) 集资1.6万元建立卫生专业队；出资30000元安装街道路灯；投资1.2万元修桥铺路，解决了群众反映强烈的街道脏、乱、差和行路难的问题。(2) 村里出资1.5万元，给全村村组干部和两户“五保户”参加人寿保险，以解决他们的后顾之忧。(3) 党员干部不仅自己带头致富，还分别落实帮困扶贫对象，使15户困难户脱贫。(4) 支部成员以身作则，党员干部争做好人好事，仅1998年就达45件。(5) 出台奖励政策，支持希望工程，鼓励多出人才，凡东林村初、高中毕业生，考取中师、中专和大专院校的，村里分别奖励1000元、1500元和2000元。(6) 大力开展人寿保险业务，全村327户、1279人参加了五项险种的人寿保险，共收保险金32.1万元，从根本上解决了群众“投保难，交费难，赔付更难”的问题。

三是开展“五学三赛”活动，抓好“三户三村”评选。在开展“三学三赛”活动中，全村232名劳动妇女，选出贤内助11名，好婆媳19名，好妯娌14名，好姑媳50名。1998年，全村319户评上“三户”，其中“遵纪守法户”194户，“五好家庭户”111户，“双文明户”14户。

开展健康有益的群众文化活动，是促进两个文明建设的重要组成部分。支部除分工一名支委具体负责抓此项工作以外，还采取了以下几项具体措施：

一是落实活动经费，搞好阵地建设：(1) 投资25万元，修建了建筑面积为600平方米的活动中心大楼，集办公、会议、文化活动、商贸经营为一体。(2) 租赁私人房屋和合作商店，办起文化茶园和幼儿班。(3) 订阅《重庆日报》和《黔江日报》，发动捐赠和出资购买各类图书杂志5000余册。(4) 购置各种服装道具，音响设备，体育器材，累计投资4万元。

二是组织文艺队伍，培养文艺骨干：(1) 在原汉剧团的基础上，调整领导，充实新学员。(2) 新建49人的花灯队，配合汉剧团，开展经常性的排练和演出活动。(3) 通过老协组织，成立了老年健身益寿队，近80名中老年人踊跃参加。(4) 组建了东林篮球运动队，甲、乙两队各10名队员。(5) 成立了美术书法协会，会员30余人。(6) 办起了电影放映队，下乡巡回放映。

三是精心组织，开展有声有色的群众文化活动：东林村本着“自筹经费、自娱自乐、丰富多彩、健康有益”的原则，精心策划、精心组织，一年一个新套套，群众文化活动十分活跃：(1) 常年性的文化活动有汉剧清唱座唱、红白喜事服务、花灯演出、健身益寿队锻炼、球类棋类比赛、美术书法展览、宣传专栏、图书借阅、电影放映等。(2) 大型的群众文化活动有“春节灯会”、“人寿保险农民运动会”等。尤其以1997年的春节灯会规模最大。这次灯会有明确的宗旨，即欢庆春节、迎接“十五大”召开，迎接香港回归。灯会从组织筹备到活动结束，前后历时3个月，总投资3万余元，投工投劳1万余个，全村600多群众自觉踊跃参与，20多部私人车辆无偿服务，盛大的开光典礼仪式之后，七地演出队，数百盏彩灯，50多部大小车辆，近千人的队伍，锣鼓喧天，爆竹声声，浩浩荡荡，轰动了整个县城和乡村。(3) 抓住一切演出机会，积极参与，不断提高文艺队伍素质。1997年应县有关部门邀请，花灯队于“三八”和“五一”两次赴县城演出，均受到好评和奖励。花灯队和汉剧团还多次配合地、县有关部门，接受了中央电视台、重庆电视台和地、县电视台的采访和摄像演出，受到了各级领导的赞赏。

东林村由于认真抓两个文明建设，工作也取

得显著成绩，群众的道德观念，法制观念有了很大改变，社会风气也有了根本好转，文明礼貌蔚然成风；粮食入库、计划生育、综合治理、社会保险、税收工作等都名列全镇第一。

（重庆市文明办）

# 四川石油管理局川东开发公司

# 创建文明单位 思想生产双丰收

四川石油管理局川东开发公司现有职工 7284 人，日产天然气 1300 万—1400 万立方米，勘探开发面积 5.5 万平方公里，是目前全国最大的天然气生产基地。长期以来，公司坚持“两手抓，两手都要硬”的方针，取得了两个文明建设的丰硕成果。1998 年生产天然气 44.03 亿立方米，实现销售收入 25 亿多元，上缴利税 8 亿多元。1999 年公司经济效益进一步提高。公司先后荣获全国“五一劳动奖状”、全国“模范职工之家”、“全国部门造林绿化 400 佳单位”、“全国先进采油厂”等光荣称号，并从 1992 年至今连续 7 年被评为省级“重合同、守信用企业”。公司 36 个下属单位（占 60%）已获得地、县级及最佳地、县级文明单位称号，有 18 个集体获全国“五一劳动奖状”等国家荣誉称号，有 12 名同志先后荣获全国劳动模范等国家级荣誉称号，有 30 多名同志先后荣获省、部劳模等荣誉称号，1999 年获全国创建文明单位工作先进单位。

**一、思想建设卓有成效**

一是狠抓理论教育。公司年年都要举办多种形式的理论培训班或专题辅导班，向基层配发了大量专家理论讲座录音带和理论学习书籍，形成了理论学习的浓厚氛围。二是狠抓爱国主义教育。公司筹资 10 多万元，建立两个爱国主义教育点，举办了爱国主义教育研讨会，组织职工重走长征路，参观巴中川陕革命根据地纪念馆，参观红岩村、白公馆、渣滓洞等爱国主义教育基地，对职工进行爱国主义教育。1999 年 5 月 8 日至 15 日针对北约轰炸我驻南使馆的暴行组织职工开展了声势浩大的声讨活动，极大地激发了职工报效祖国、爱岗敬业的自觉性。三是狠抓形势任务教育。公司党委每年都要开展形势任务教育活动，组织宣讲小组，深入各大气田，宣讲形势，鼓舞士气。四是狠抓理想前途教育。经常开展征文、演讲、讨论，请老石油工作者作报告等多种活动，帮助职工树立正确的世界观、人生观、价值观。1999 年 7 月 22 日，中共中央关于共产党员不准修炼“法轮大法”的通知下发后，公司深入开展了对李洪志及其歪理邪说的揭批活动，使广大职工提高了认识，看清了“法轮功”的危害，思想和行动自觉与党中央保持一致。公司职工中没有一人修炼“法轮功”。

**二、生产经营连创佳绩**

一是天然气产量稳步增长，公司自 1983 年成立以来，天然气产量以年均 6% 的速度递增；二是挖潜增产效果显著，仅 1998 年就实现增产天然气 6.1 亿立方米；三是勘探开发屡获重大突破，储采比达到 30∶1；四是科研工作硕果累累，近年完成科研项目 232 项，申请国家专利技术 17 项，新增天然气储量 4.8 亿立方米；五是多种经营初具规模，建立经济实体 18 个，安置全民职工和待业青年 1234 人，年完成经营总产值 9800 万元，实现利润 507 万元。

**三、企业改革稳步推进**

一是全面实行弹性工作制，解决了一线职工生产生活中的困难；二是加大了制度改革力度，设立了人才市场；三是根据专业化分工的原则，建立新的运行机制，对主业生产单位以承包经营为主，对分离单位实行目标经营管理；四是全面推行了职工医疗保险、养老保险和住房制度改革；五是进行改革与重组工作，以实现资源的最佳配置。

**四、企业文化蓬勃发展**

第一，加强阵地建设，新建立了计算机培训学校、职工培训学校、图书室、阅览室，建立了有线电视站，为一线井站配齐了彩电，安装了卫星电视接收设备，创办了内部资料《气田消息》和政研会会刊《政工研究》；第二，注重人才培养，每年对美术、摄影、书法、音乐、文学等方面有一定特长的职工进行集中培训，对成绩显著的职工送外培训。1998 年公司就举办了各种文艺活动 30 场次，体育活动 55 场次，职工创作的 40 多件文学作品被各级刊物采用，1995 年以来公司职工在《人民日报》、《经济日报》等全国 45 家报刊发表作品近千件；第三，编辑出版了诗集《山上有棵采油树》、通讯报告文学集《不灭的足迹》、《优秀政研论文集》等书籍。

**五、创建活动不断深入**

公司深入开展了文明小区、文明科股室、文明班组、文明楼院、文明家庭、文明职工争创活动，推动了精神文明建设向纵深发展。公司机关所在的重庆大石坝基地文明小区建设受到了重庆市委、四川省委、中国石油天然气总公司领导的高度评价，已有 70 多家全国各地单位前来参观学习，中央电视台等 10 多家单位进行了较详细的宣传报道，日本北海道电视台记者曾慕名到小区采访，称赞小区环境优美，人际关系和谐，职工精神面貌好，思想素质高。

（四川省文明办）

## 西藏自治区财经学校

# 加强两个文明建设　谱写财经教育新曲

西藏财经学校创办于 1972 年，是西藏成立最早的一所财经中专学校。多年来，学校始终坚持社会主义办学方向，认真贯彻党的教育方针，围绕提高教育教学质量这一中心任务，把文明创建纳入学校工作的重要议事日程，贯穿于学校教育管理的全过程。在文明创建工作中，学校坚持“两手抓，两手都要硬”的指导方针，立足实际，内抓管理，外树形象，高举民族团结旗帜，在校园文明创建的路子上迈出了坚实的步伐并取得了可喜的成果。

**一、坚持社会主义办学方向，突出思想道德教育**

西藏财校始终把坚定正确的政治方向摆在学校工作首位，坚持正面教育，将政治理论学习列入到整体工作计划当中，形成制度，具体落实，常抓不懈，做到有计划、有组织，经常检查进度和学习效果，坚持以“两课”课堂渗透、强化学生爱国、守法和公德意识的培养，学校校史展厅、德育室的开放，使学生对建校史和西藏历史发展进程及艰苦奋斗、无私奉献的“老西藏”精神有更具体的了解。学校图书馆购置了百部爱国主义录像片，组织学生观看。学校还免费为学生放映爱国主义影片，使同学们在受到艺术熏陶的同时，深受爱国主义教育，坚定维护祖国统一、民族团结的信念，增强了民族自信心，为祖国的繁荣昌盛、为中华民族经济的发展和振兴，树立远大理想和抱负奠定了思想基础。

为使思想政治工作有的放矢，学校高度重视反分裂、反渗透工作，切实加强历史教育、形势教育、法制教育和对比教育。让党团员、干部职工及学生认清达赖集团的反动本质，在全体学员中认真进行思想清理，坚决摒弃宗教唯心论对学校教育的影响，彻底清除达赖在教育领域的渗透。在全校范围内深入持久地开展爱国主义和民族团结的教育，坚持“汉族离不开少数民族，少数民族离不开汉族”的思想原则，使广大师生员工牢固树立马克思主义民族观、宗教观、人生观。

**二、学校领导率先垂范，大力倡导文明新风，营造和谐的学习和工作环境**

如今，学校上下已形成了以大局为重，放宽胸襟、协作共事的风气，平等、友爱、团结、互助的文明氛围逾加浓厚。全体师生员工在政治上、思想上、行动上能与党中央保持一致，在大是大非问题上，立场坚定，旗帜鲜明。师生员工奋发向上、积极进取。在处理集体和个人关系时，多讲奉献，在处理个人和他人关系时，多讲团结。在宽松融洽的人际环境中，干部职工心情舒畅，全力以赴投入到工作中，互助关心、敬老爱幼、扶贫帮困、维护公益、遵守社会公德和计划生育政策等文明风尚日渐形成，好人好事不断涌现，藏汉民族平等团结，如职工久多同志的家属身患重病，领导、职工自觉捐款帮助他解决困难。学生在评定特困生补贴时，你推我让，真正体现了“一人困难大家帮”的社会主义良好道德风尚。通过校村结对和援助希望工程以及多次向灾区捐款等活动的开展，全校干部职工积极踊跃向社会奉献爱心。

**三、加强制度建设使创建活动步入规范化轨道**

学校先后制定、完善了70多个规章制度。经常进行宣传和学习，使全体师生员工树立制度意识，在行动上自觉遵守制度，执行制度。学校始终坚持民主集中制，定期召开职工代表大会，征求职工代表的意见，把学校的管理和创建活动纳入正规化、民主化的管理轨道。

学校建立了由校、科、班主任三级管理的网络和班主任目标管理责任制的体系。规范了对班主任工作和学生的学籍管理，使硬约束和软引导相结合，加强对学生养成教育，把精神文明建设具体化，学校还积极开展第二课堂活动，以喜闻乐见、寓教于乐的各项文化活动充实学生的精神生活。通过社会义务劳动和多项公益活动（如参加成人宣誓活动、到敬老院慰问孤寡老人、开展军民共建实践活动、扶贫帮困等）使学生从中受到再教育，奠定了学生爱校、爱民、爱藏、爱国的思想基础，在潜移默化中提高了学生的品德修养和道德情操。

**四、美化校园，提高后勤服务质量，优化育人环境**

加强对校园环境的整治。全体师生自己动手，植树种草。近几年，全校师生和党团员主动义务劳动11690人次。通过全员的参与，学校环境大为改善，节约了经费。如今，校园布局合理，楼房林立、窗明几净。夏日里绿树成荫，绿草铺地，为教学、生活、工作提供了舒适的环境，受到师生员工的高度赞扬。同时，学校还加强职业道德教育，增强职工服务育人意识，并对每个岗位制定目标责任制。定期不定期地组织炊事员岗位练兵，经常组织刀功、卫生、食堂管理的竞赛活动，使大家赶有先进、学有目标，从而保证了师生员工健康。大力发展校办产业，以教兴产，以产助教，走产教结合的道路。切实提高了员工生活待遇，稳定了情绪，调动了积极性和主动性，推进学校整体工作向良性方向发展。

通过全员的团结协作和共同努力，学校先后被评为全国财政教育先进单位、自治区优秀中专学校及全国民族团结模范先进单位。

（西藏自治区文明办）

## 陕西省西安市

# 实施“八大工程” 创建文明城市

近年来，西安市认真贯彻中央“两手抓、两手都要硬”的方针，提出并实施了以思想道德文化建设为主要内容的精神文明八大工程，即：支柱、形象、容貌、繁荣、假日、温暖、平安、楷模工程，使创建文明城市工作逐步走上了科学化、系统化、规范化的轨道。坚持重在建设，重在为群众办实事、办好事的原则，按照“巩固、提高、深化、拓展”和“主题不变、镜头不换、充实内容、持续发展”的思路，把党和政府关注、人民群众关心、经过努力短期内能收到明显成效，并对全局工作有重大影响的难点热点问题，作为工作重点，通过制定年度八大工程《实施方案》，把任务细化分解，明确实施要求、完成时限、归口检查部门和责任人，使创建文明城市工作扎实推进。

**坚持不懈地抓好市民思想道德教育，构筑有中国特色社会主义的共同理想和精神支柱**

西安市把提高市民素质，作为创建文明城市的基础工作，坚持教育和养成相结合，使市民在创建文明城市的生动实践中得到锻炼和提高。广泛开展了邓小平理论和党的十五大精神的学习活动，进行党的基本理论、基本路线和基本纲领教育；以县以上领导干部为重点，以树立正确的世界观、人生观、价值观为基本要求，深入开展“讲学习、讲政治、讲正气”的党性党风教育。围绕纪念改革开放20周年、庆祝西安解放50周年和建国50周年等活动，普遍开展了形势政策教育、抗洪精神教育和爱党、爱国、爱社会主义教育。在广大干部群众中大力提倡爱岗敬业、无私奉献精神，坚持不懈地开展了文明市民、都市意识和社会公德、职业道德、家庭美德教育，形成了“讲三德，树新风，做文明市民”的舆论氛围。深入扎实地开展创建文明小区、文明单位、文明校园、十星级文明户、五好家庭和评选文明市民等活动，注重以先进的事迹、高尚的精神塑造人。

**扭住行业形象建设这个重点，用行风的好转带动社会风气的好转**

西安市把行业形象建设作为重点，抓基层、抓队伍、抓规范、抓管理，以“服务人民，奉献社会”为主题，以“三优一满意”为基本要求，不断加大工作力度，使行业形象建设年年有新提高。从交警抓起，深入开展“内强素质，外塑形象”活动，文明执勤、规范指挥、热情服务，在学济南交警活动中，西安交警名列全国8强之首。扩展“交警效应”，组织开展“与交警同行”活动，把行业形象建设拓展到公安、工商、市容、旅游、商贸、公用、市政、卫生、电信、交通等10个与群众关系密切的窗口行业。各行业坚持从基层单位抓起，从基础工作做起，采取挂牌上岗，承诺服务等措施，标本兼治、纠建并举。建立了行风社会监督员队伍，推行了领导干部接待日、现场办公、上门服务等新举措，及时听取市民群众意见和建议，使行业形象建设不断改善。从1998年起行业形象建设拓展到全市27个与群众关系密切的窗口行业，以抓好示范窗口建设为重点，把创建文明行业活动提高到新水平。西安市“加强职业道德建设，塑造良好行业形象”、“深化‘四项主题活动’，营造城市文明新风”和“保护生态环境，倡导文明新风”活动的经验，先后在全国有关会议上作了介绍。市级各部门深入开展以创建文明机关、文明处室，当好人民公仆为主要内容的“公仆杯”竞赛活动，党政机关形象建设也不断取得新进展。

**高标准、高质量地推进城市容貌建设，努力塑造外向型城市新西安的良好形象**

西安市把加强城市建设与管理作为重要突破口来抓，坚持每年集中办一批与市民群众切身利益密切相关的好事、实事，着力改善西安投资与发展的外部环境。一是加快城市基础设施建设。先后拓宽改造10多条市区主要道路。新铺人行道，启动旧城改造项目，改造城市电网，实施城市天然气气化工程。二是高质量大面积植树种草、绿化城市。陆续建起12个绿色广场，创建了200多个绿化覆盖率超过50%的园林化单位。城区绿化总面积超过6000万平方米，人均占有公共绿地面积达到4.67平方米。三是下大力整治环城河，改善明城墙园林环境。相继连接城墙豁口，对四大城门进行了改造，用3万米长的霓虹彩灯勾勒夜间的城墙轮廓。沿城墙建起了环城绿色游园。实施护城河清淤、河床衬砌和截污暗涵改排综合治理工程，黑河清流已引入护城河，整个环城园林景区成为古城西安一道靓丽的风景。四是集中整治市容环境，提高市容管理水平。取缔占道市场，清理露天饮食摊点，加强了对保留市场及夜市的管理；对路牌、灯箱广告等重新改造，整治了主要大街两边的沿街建筑物立面容貌。在集中整治的基础上，制定了一系列管理制度和措施，促使市容环境步入长效化管理轨道。集中治理白色污染、燃煤烟尘、机动车尾气和城市地面饮用水源，促进了生态环境的好转。

**繁荣社会主义文艺，不断满足人民群众日益增长的精神文化需求**

坚持实施精品战略，创作出了一批具有浓郁地方特色、体现时代风貌、为人民群众喜闻乐见的文艺作品。下大气力抓了优秀作品展示工作，连续10年组织西北5省区秦腔名家新秀交流演出和西安市秦腔优秀传统剧目大展演活动。举办了7届古文化艺术节，组织了25届以群众性演唱为主要内容的红五月音乐会，六届青年演员戏曲“石榴花”大赛，连续两年组织全市百镇乡街农村文化大舞台迎春联赛，群众文化活动四季不断。积极发展科技、教育事业。举办了6届“科技之春”宣传月活动，开展了各种形式的科学宣传、科技下乡、科技咨询、科技报告、科技展览和技术培训，建立农村科普示范基地100多个。认真落实教育优先发展战略，在全省率先实现了“两基”目标，全市小学学龄人口入学率达到99.82%，初中入学率达到97.03%，青壮年非文盲率达到99.8%。坚持打防并举的方针，积极实施温暖、平安工程，治安秩序良好。坚决取缔“法轮功”非法组织，效果明显，保持了社会稳定。

（陕西省文明办）

## 陕西省工商行政管理局

# 紧贴工商职能　加大创建力度
# 全面推进精神文明建设

陕西省工商行政管理局在精神文明建设中，坚持以邓小平理论为指导，围绕改革、发展和稳定的大局，紧贴工商职能，在全系统深入开展“创佳评差”竞赛活动，在1999年被评为最佳厅局，位列第一，受到省委、省政府的表彰。

**一、加强领导、落实责任，切实把精神文明建设作为工商行政管理工作的重中之重**

工商局在全系统推行精神文明建设“一把手工程”：一是健全工作机构。省局成立了由局党组书记、局长任组长的精神文明建设领导小组并设有办公室。二是紧密结合行业特点，先后制定了《关于进一步深化工商形象工程开展双共建活动的安排意见》等方案和意见，确保精神文明建设工作有计划、有步骤、扎扎实实地进行。三是落实目标责任。各级工商行政管理部门坚持“五同”方针，把精神文明建设与行政执法工作紧密结合，年初逐级签订精神文明建设责任书，把工作任务层层分解落实，形成齐抓共管、上下联动的工作局面，不断推动全系统精神文明建设向纵深发展。

**二、强化教育，树立形象，着力提高干部队伍整体素质**

全省各级工商行政管理部门在精神文明建设中，始终坚持以人为本，以思想政治建设为主线，把思想政治建设和创建活动有机结合起来，有针对性地搞好两大建设，强化三项教育，收到很好的效果。搞好两个建设，一是搞好领导班子建设，二是搞好思想政治建设。强化三项教育：一是强化政治理论教育，始终把思想道德教育放在第一位。二是强化业务培训，按照分级分类培训的原则，加大培训力度，全方位、多形式地开展法律法规、业务知识培训。1999年，省局举办各类培训班14期，共培训干部675人。三是强化科学文化教育，采取岗位自学、学历教育等多种形式，不断提高干部队伍的文化水平。全系统参加大专以上学习的有457人，其中参加本科以上学习的有270人。

**三、健全制度，规范行为，全面落实基层日常监管机制改革**

狠抓制度建设，用制度来约束和规范工作人员行为。一是不断完善监督制度。基层工商所实行登记管理、监督管理和收费管理的“三权分离”，建立起互相制约和互相监督的机制。二是坚持文明办公制度。全系统县以上工商局全部建立起企业注册大厅，基层工商所绝大多数设立了初审登记室，实现了咨询、受理、审核、收费、发照的“一条龙”服务。三是实行公示承诺制，增强了行政执法透明度，提高了办事效率，企业和个体工商户办照时限为10个、3个工作日或特事特办，比法定时限提高2倍多。

强化监督机制，全面落实党风廉政建设责任制。在全系统普遍建立了“违法违纪举报”、“错案追究”、“不作为追究”等多项监督机制，层层聘请廉政监督员，开展明查暗访，随时纠正和查处工商干部违纪行为。

以改革基层日常监督机制为重点，切实加强基层的精神文明建设。各级工商部门把规范基层执法监管行为，提高依法行政水平作为基层精神文明建设的重中之重。全系统989个基层工商所全面推行了基层日常监管机制改革，建立了以工商所执法责任制为基础，实行“三权分离、建档立卡、区域巡查”三位一体的动态监督机制，从而落实了执法责任，建立了制约制衡机制，增加了监管、收费的透明度，精神文明建设得到进一步加强。

**四、围绕中心，强化服务，办好实事**

积极支持国有企业改革与发展。各级工商部门制定了关于支持国有企业改革和发展的28条意见，为国有企业改革、改制、改组，及时注册和变更登记搞好服务，受到企业的欢迎和好评。

扶持个体私营经济发展。各级工商部门在支持非公有制经济上规模、上档次、上水平上狠下功夫。截止1999年底，全省个体工商户累计达到92.8万户，私营企业累计达到4.7万户，私营企业集团发展到78户，分别比上年同期增长21%、35%和80%。

大力开拓市场，促进对外开放。各级工商部门认真搞好咨询服务，提高工作效率，支持企业发展。截止1999年底，全省累计登记外商投资企业2600户，投资总额79.48亿美元。其中1999年新登记148户，投资总额7.3亿美元。

坚持为企业、为群众办好事、办实事。全省工商系统先后通过组织协调开办下岗职工专营市场，组织下岗职工开展就业技能培训，动员私营企业吸纳下岗职工等多种渠道，帮助下岗职工解决再就业困难。到1999年底，工商系统帮助企业利用闲置场地开办市场304个，在各类市场设立下岗职工专营区827个，安置下岗职工26万人。

**五、紧贴职能，广设载体，不断深化精神文明创建活动**

省工商局结合行业特点，在全系统开展了各种创建活动。如：创建文明“窗口”活动，创建文明工商所活动，创建文明市场活动，创建青年文明号活动，“双共建”活动等把精神文明建设的各项内容融会到各项活动中，不断增强干部职工的精神文明意识，全系统形成创一流、塑形象、比贡献的良好局面。

（陕西省文明办）

## 陕西省旬阳县

# 创建全国文明村镇活动示范点

旬阳县地处秦巴山区汉水上游，面积3554平方公里，人口45万，辖30个乡镇、478个行政村、3417个村民小组。多年来，该县历届领导班子始终坚持把精神文明建设放在十分重要的战略地位，坚持“两手抓、两手都要硬”的方针，扭住重点抓落实，突出特色上水平，持之以恒干实事，为全县经济社会快速、健康、协调发展，提供了可靠的思想保证、精神动力和智力支持。1995年该县被省委、省政府命名为精神文明建设先进县；1997年提前一年实现“普及九年义务教育”和“扫除青壮年文盲”目标，顺利通过省政府“计划生育三为主”验收，被中宣部确定为创建“全国文明村镇活动示范县”；1998年初省委、省政府命名为“全省社会治安综合治理模范县”；1999年被中央文明委授予“全国文明村镇创建工作先进县”，被文化部、人事劳动部授予“全国文化工作先进县”称号。

**突出特色，深化评星**。从1992年开始，该县狠抓农村“十星级文明户”评选活动，覆盖全县10万农户，极大地调动了广大农民的积极性，促进了农村经济发展和社会进步。近几年来，他们每年选择两个乡镇、30个示范村进行深化评选试点，实施了“千百十”评选活动（即1000个文明户标兵、100个管理工作先进村、10个组织工作先进乡），不断研究新情况，解决新问题，总结新经验。并将评选与农业产业化建设、更新思想观念、脱贫致富奔小康和提高生活质量紧密结合，在全县精心实施了“两建”（建家园、建新村）、“三通”（通路、通电、通广播电视）、“四化”（住宅白墙化、庭院绿荫化、厕所标准化、厨房清洁化）、“五改”（改水、改圈、改灶、改善农家环境、改变村容村貌），赋予了十星级文明户新的内涵，加快了农民脱贫致富奔小康步伐，展现出社会主义新农村的新风貌。

**虚事实做，加快建设**。他们坚持把集镇建设作为改善生存环境，提高生活质量的重大战略来抓。按照村庄集镇化、集镇城镇化、县城城市化、城乡一体化的思路，大力推进文明集镇建设，使一批交通方便、设施配套、环境优美、生活小康的新型集镇脱颖而出，成为传播辐射现代文明的基地。全县有13个建制镇基本达到县级文明集镇标准，5个集镇被命名为地级文明集镇，2个集镇获省级文明集镇殊荣。在县城建设上，不断完善经济功能，提高设施水平，全面进行市容、卫生、环境、交通、市场、治安秩序整顿，推出绿化、美化、亮化、净化的“四化工程”，使今日的葫芦岛像一颗璀璨的明珠镶嵌在汉水流域。

**加强领导，建立机制**。旬阳县委、县政府始终紧紧抓住各级各部门“一把手”这个关键，坚持党委统一领导，把两个文明建设同领导干部的政绩考核和升降奖惩紧密结合在一起，近年来提拔了百余名在两个文明建设中做出显著成绩的科级干部。对两手不硬的干部谈话诫勉60多人次，其中撤职、免职和降职20人。把精神文明建设真正纳入社会经济发展规划，纳入领导任期责任制、纳入干部考核的内容，逐步做到指标量化、目标硬化、工作细化、领导责任化和奖罚规范化，形成了一级抓一级，层层抓落实的工作机制。

**强化阵地，增加投入**。他们不断加大对精神文明建设的投入。在改善基础设施方面，投资1亿元，使“三通”建设取得了历史性突破；在小城镇建设上，投资3000多万元，使全县30个乡镇所在地的小城镇面貌焕然一新；投资6000余万元大办教育，维修扩建了全县部分校舍，对文化馆、图书馆、博物馆、影剧院进行维修改造。建立了160所乡村农技校，组建了48个专业技术协会。建起了30所乡镇业余党校，80%的村建立了规范化党员活动室等。这些投入极大地改善了生存环境，提高了精神文明建设的整体水平。

（陕西省文明办）

## 甘肃省电力公司

# “两手”一齐抓　树立文明行业形象

近几年来，甘肃省电力公司党组在国家电力公司和甘肃省委、省政府的领导下，立足行业，务本求实，采取措施，以群众性的文明单位创建为龙头，广泛深入地开展了创建文明行业活动。1998年9月首批通过全省文明行业验收，1998年12月25日被省委、省政府正式命名为文明行业。

**一、抓创建思路、明确目标任务**

从“九五”开始，公司党组一班人就清醒地认识到，文明行业必须有强有力的领导班子，高素质的职工队伍，科学有效的企业管理，优质规范的社会服务，优良的行业作风和形象，显著的经济效益。创建文明行业的基本思路是：以深入扎实地开展创建文明单位为基础，以“奉献社会，服务人民”为主题，以树立行业良好的社会形象为重点，以提高优质服务水平为突破口，以窗口企业和先进典型为示范，提高全行业两个文明建设的整体水平和文明素质，全方位展现行业文明。同时提出“争创一流公司，登上四个台阶”的总体奋斗目标，即到本世纪末实现一流电力公司，装机容量登上600万千瓦台阶，售电量登上300亿千瓦时台阶，多经总产值登上25亿元的台阶，精神文明建设登上“168优质工程”的台阶。并且制定了精神文明建设5年规划，将“168优质工程”进行细化：“1”就是为实现一流电力公司培养一流的职工队伍；“6”就是各级党组织和领导班子的战斗力，党员和职工队伍的政治、思想、技术、业务素质，职工的职业道德和行业作风，企业治安和综合治理的成果，企业形象和文明程度，精神文明建设载体和职工业余文化生活的设施等6个方面上水平；“8”是指为实现“6”个上水平而具体抓好的8项重点工作。从而为全公司率先进入全省文明行业，理清了思路，树立了工作目标。

**二、抓机制建设，加强组织领导**

加强党的建设，不断建立健全配套机制，是创建活动得以广泛开展和不断深入的重要保证。为此，他们制定了基层党组织工作8种制度，建立党委议事规则，从根本上确立了党在企业中的政治核心地位，加强了党对企业精神文明建设的组织领导。同时，根据公司的实际情况，建立健全了7种机制：一是层层建立起一把手抓两手、两手一起抓的领导机制；二是建立起“一岗双责”的“大政工”工作机制，要求各级干部都要实行一岗双责，对两个文明建设负同责；三是建立起目标明确、制度完善、职责清楚、协调配合的管理机制；四是建立按照两手抓的政治素质、服务能力、工作业绩进行同步考核，党政干部定期交流的用人机制；五是建立起标准明确、量性结合、办法具体、从严要求的考核机制和创建标准，加大创建的考核力度；六是建立起重奖重罚、奖惩分明、典型引路、精神和物质相结合的激励机制；七是建立起机构健全、人员齐备、经费落实、投入到位的保证机制，自下而上各单位都成立精神文明建设领导小组，设立专门办公室，负责日常创建的具体工作。

**三、抓职工队伍，提高创建意识**

为了把创建文明行业活动变成每一位职工的

自觉行动，他们采取多种形式，狠抓了教育发动工作，不断提高群众创建意识。在全公司大力宣传“送走一度电，带去一片情”的口号，以充分体现电力企业的社会职责，展现电力职工服务人民、奉献社会的精神风貌，使职工群众思想上牢固地树立了“人民电业为人民”的服务宗旨。先后开展了“党员挂牌服务”、“献爱心助学工程”等十几项树新风活动，在全公司职工中倡导热爱电业、爱岗敬业、关心集体、见义勇为、服务人民、奉献社会的行业新风。

**四、抓典型示范，以点带动全面**

通过先进典型示范作用，来展现行业的创建水平，通过先进典型的辐射作用，来推动全行业的工作发展。一是加强了兰州供电局中央广场营业站示范窗口建设工作。在原电力部命名中央广场营业站为“为人民服务、树行业新风”全国供电营业示范窗口后，及时推广其经验，组织有关领导和单位近1000人次进行观摩学习。二是以中央广场营业站示范窗口为契机，带动面上工作开展，又推出了全省6个城区和农电示范窗口。三是大力评选表彰先进典型。仅1998年，全公司共表彰50名优质服务先进个人，5个优质服务先进集体。兰州供电局被国家电力公司评为全国纠风工作先进集体，有3名同志被评为全国纠风工作先进个人。各地市供电单位坚持优质服务，广泛征求意见，多次受到当地政府和社会各界的好评。

**五、抓文明单位创建，优化“细胞”工程**

为搞好创建文明单位活动，保证创建质量，不断提高创建水平，制定了一整套体现高定位、高标准的创建文明单位措施，通过严格考核，保证了创建质量、验收质量和巩固质量。全公司广泛开展了群众性的创建活动，规范了文明职工、文明班组、文明车间、文明科室、文明宿舍、文明家庭、文明小区、文明岗位、文明院楼、文明窗口等10种形式的创建活动。制定创文明单位动态考核办法和创一流企业标准要求，不断巩固提高创建质量。

**六、抓内外监督，狠刹以电谋私行为**

一是开展专项治理，狠抓以电谋私和不正之风，对照部颁20条规定，认真开展自查自纠和行风检查。全公司系统组织各类行风检查和自查共420次，参加人员1200余人，处理违纪问题51件，涉及人员70人。二是强化内外监督制约机制，虚心听取用户的意见和建议。1997年全公司各供电企业召开社会监督员座谈会，与会者7800人次，走访用电部门58次，各级领导站柜台接待用电客户780人次，聘请社会监督员520人，设监督电话165部，用户举报信箱260个，为接受社会监督起到了良好的作用。

（甘肃省文明办）

## 甘肃省临泽县

# 强化措施　求实创新　不断提高农村精神文明建设水平

临泽县位于河西走廊中段，辖6乡3镇，103个行政村，14.2万人，其中农业人口占92%，面积2777平方公里。党的十四届六中全会以后，该县以思想道德建设为重点，以培养、塑造“四有”新人为根本任务，以营造有利于改革、发展、稳定和社会进步、人民幸福的舆论力量、价值观念、道德规范及文化条件为目标，以中宣部确定该县为创建全国文明村镇示范县为契机，紧紧围绕农村经济建设这个中心，结合临泽实际，广泛深入地开展了以文明村镇为主要内容的农村群众性精神文明建设活动，有效地促进了全县两个文明建设的协调发展和社会全面进步。先后获得全国体育、尊师重教、妇幼儿童工作、扫除文盲、科技、文化、计划免疫、社会治安综合治理先进县、全省卫生县城等荣誉称号20多项。

**一、加强领导，健全机制，全面落实精神文明建设各项任务**

几年来，县委、县政府坚持把文明村镇建设放到十分突出的地位，作为农村的全局工作去安排落实，把创建文明村镇与建设小康村镇结合起来，纳入全年工作目标，建立健全了与之相适应的运行机制，使农村精神文明建设各项工作落到了实处。

一是建立健全了“一把手”负总责，各方面齐抓共管的领导体制。由于坚持届届抓、层层抓、“一把手亲自抓”，使精神文明建设始终做到了认识、工作、措施、资金、人员“五到位”，保证了各项目标任务的落实。

二是建立了较为科学的目标管理机制，全县形成了纵横结合，上下贯通的双向目标责任制。每年县委在同各乡（镇）签订目标管理责任书的同时，与文化、教育、科技、广播、卫生等部门和工会、共青团、妇联等群团组织签订目标管理责任书，把精神文明建设的目标任务既分解到乡村，也分解到部门，形成了部门齐抓，领导齐管，上下努力，共创精神文明建设新局面的格局。

三是建立了较为严格的评价监督机制。对精神文明建设的各项任务，除坚持半年检查、年终考评制度外，对一些重点工作的完成情况，还采取随机抽样的办法，随时进行考核、总结、通报，并将考核得分计入年终总评，对发现的典型经验及时进行总结推广，既强化了各级干部抓落实的责任心，也使工作成绩的评估更加科学、符合实际。

四是建立了有效的激励机制。1996年以来，每年拿出5万多元，用于精神文明建设目标责任书和先进典型的奖励，几年来，已累计奖励经费25万多元。同时对责任书完成不好的进行通报批评，确保了精神文明建设各项目标任务的全面落实。

**二、抓根本，强化教育，不断提高人民群众的思想道德素质**

一是坚持不懈地开展了邓小平理论教育，增强了广大干部群众学习和应用理论的主动性，调动和激发了广大群众参与精神文明建设的积极性。二是坚持不懈地开展爱国主义教育，激发了人们热爱祖国、建设家乡、关心集体的热情。三是坚持不懈地开展艰苦创业精神的教育。四是坚持不懈地开展社会公德、职业道德和家庭美德教育，促进了社会文明程度和广大群众道德素质的提高。五是坚持不懈地开展科技知识、法律知识的宣传普及。

坚持经常性地开展群众性文体活动，是思想道德教育的一种有效形式。几年来，他们始终坚持把繁荣群众文化生活同创建文明村镇、建设农村精神文明、发展农村经济有机统一起来，按照“新、特、活”的文化活动思路，围绕落实小康文化和丝绸之路文化长廊建设任务，充分发挥农村文化阵地的作用，狠抓了群众性文化活动。

**三、优化载体，精心组织，切实搞好群众性精神文明创建活动**

为了探索农村精神文明建设的新路子，把精神文明建设的具体内容落实到千家万户，他们从优化家庭这一社会细胞入手，在全县农村广泛开展了以十星级文明农户为主要内容的“美在家庭”创建活动。在具体工作中，一是结合实际，制定标准。标准的内容围绕争创活动的“十颗星”，涉及家庭文化、家庭语言、家庭行为、家庭环境、家庭经济建设等；二是抓点带面，整体推进。按照以点带线、以线带面、稳步推进、逐步推开的原则，不断充实“美在家庭”活动的内容；三是突出重点，把握环节。搞好年终星级评定工作是创建活动的重要环节，他们坚持农户自评自报，群众民主评议，领导小组审核命名挂牌的程序，达到评成绩振奋人心，找差距明确目标，赶先进学有榜样，整体推动两个文明建设的目的；四是登记建档，动态管理。对各类星级农户，以村为单位建立农户星级评定登记卡，归档存放，对所授星级，不搞终身制，使创评活动在动态中保持旺盛活力。以十星级文明农户为主要内容的“美在家庭”争创评比活动的开展，有效地激发了群众奋发向上的荣誉感

**四、加大投入，改善条件，努力营造有利于**

经济发展的优美环境

1992年以来，全县用于教科文卫基础设施建设的投入达8000多万元，使教育、医疗卫生、文化设施的条件有了显著改善。

在抓好教科文卫事业发展的同时，他们大力加强乡村绿化、美化、硬化、农户住宅改造和乡村环境建设，使乡村环境质量不断提高。通过硬件设施的改造和每季度一次的环境卫生集中整治，农村卫生面貌有了大的改观，对提高农村文明程度，提高人的素质，改变人们的精神面貌产生了潜移默化的影响。

**五、联系实际，服务群众，坚持为群众办实事、办好事**

近年来，县领导把群众满意不满意，赞成不赞成作为工作的出发点和归宿点，把人民群众思想上的难点、工作中的难题、生活上的难处，作为精神文明建设经常关注、研究和解决的问题，每年都要办几件同群众生产、生活密切相关的实事、好事，进一步增强了广大人民群众参与精神文明建设的积极性。1995年以来，先后办实事50余件，其中完成的90余幢安居工程，50余幢办公教学楼，9条路面的拓宽改造，29座垃圾池，4个水冲式公厕，2条大沙河过水路面的修复，110变电工程的修建，自来水工程的扩建，有线电视的开通和程控电话、无线寻呼、移动电话的开通，吊唁厅的修建等实事、好事，改善了群众的生产、工作和生活条件，优化了投资环境，受到了广大群众的好评。

（甘肃省文明办）

## 甘肃省酒泉市总寨镇

# 加强文明村镇建设　提高精神文明建设水平

总寨镇有12个行政村，102个村民小组，1个街道办事处，4个居民委员会，4854户，2万人口，耕地面积61100亩。近年来，该镇认真贯彻十五大及十五届三中全会精神，坚持“以人为本，重点建设”的指导方针，紧紧围绕发展经济、增加收入、富裕农民这个主线，以提高全镇广大干部和群众的思想道德素质和科学文化水平为目的，以提高镇区文明程度为突破口，狠抓落实，为经济建设提供了智力支持和精神动力，从而使全镇经济和社会各项事业得到了全面的发展，先后被国家、省、地授予“全国小城镇建设先进单位”、“全省农村先进党委”、省级“文明镇”、地级“文明单位”、“全区党风廉政建设先进党委”等多项荣誉称号。

**一、健全组织，明确责任**

为了切实保证文明村镇创建活动的各项任务落到实处，他们成立了以党政一把手任正副组长的文明村镇创建活动领导小组，并把文明村镇创建活动纳入党政议事日程，把创建活动成效作为干部奖罚、选拔的一条标准，同各级领导班子成员政绩挂钩，对社会治安、计划生育等难点、热点问题实行一票否决制，镇村组三级层层签订目标管理责任书，细化、量化了内容，明确了创建标准，加强了监督、检查的力度，逐步探索了“目标责任化、管理规范化”的管理机制，实行定期巡回检查制度，坚持季度检查一次，半年总结一次，年底综合考核。使创建活动形成了共同参与、共同努力争创一流安全文明小区的新局面，保证了各项目标和任务的如期落实。

**二、强化教育，突出重点**

他们充分利用各种宣传阵地和工具，深入开展讲文明树新风的宣传活动，在各部门、各行业中开展文明服务承诺制，利用村务公开栏向群众公布，自觉接受群众监督，同时把提高群众的思想道德和科学文化素质，培养社会主义“四有”新人作为文明村镇创建活动的立足点和突破口，分层次有针对性地开展了思想道德建设。

——在领导干部中开展了向孔繁森、焦裕禄、吴金印、田建国、苗福生、王延江、侯殿录等模范人物的学习活动和勤政廉洁教育活动。

——在党员中开展了“我为党旗添光彩”，党员“双学”和“一区双带一联”、“创业工程”活动，使广大党员积极发挥先锋模范作用，带头致富和带领群众走共同富裕的道路。

——在团员青年中开展“学雷锋、送温暖和科技星火”活动、“服务万村活动”，激发团员青年的创新意识，倡导文明之风。

——在妇女中开展了“双学双比”、“巾帼建功”、“女能手扶贫帮困结对子”等活动，发挥妇女的优点和特长。

——在村组，全面开展了“十星级”农户评选活动，镇党委、政府制定了“十星级”标准，各村组组成了由村、组干部、群众代表组成的创建评议小组，进行评选。1999 年初，全镇共评出十星级农户 634 户，占全镇总农户的 15%。

——在全社会开展以“五心”教育为主干，进行社会公德、职业道德、家庭美德、青少年思想品德教育和革命传统教育，全镇上下敬业尽职、助人为乐、尊老爱幼、见义勇为的社会主义文明新风蔚然成风。

**三、立足实际，“科教兴镇”**

近几年来，该镇把开展科技培训作为实施“科教兴镇”战略、推进农业产业化进程、增加农民收入，增强集体经济实力、增加财政收入的关键环节常抓不懈。

一是深入开展了科普活动。每年全镇都组织农技、畜牧、林业科技等人员，逐村逐组举办地膜小麦、双膜带田栽培、日光温室、温棚养畜、疏花疏果、家禽防疫等科技培训班，劳动力受训率达到 95%以上，发放科技资料 2 万余份。同时还深入开展了“绿色证书”培训活动。1998 年，全镇共举办专题培训班 3 期，培训 1300 人次，参加农业科技大专函授班获得绿色证书的干部人数已达到 85 人。

二是成立农民科技协会。通过定期活动，发布信息、研究解决农业生产活动中的难题，提高了农民的科技水平。

**四、抓基础设施建设**

一是投资 100 多万元，建成了总面积 7500 平方米的国家级农村儿童文化园，同时开设书法、美术、舞蹈、电子琴等 4 个文化艺术培训班和 3 个课业辅导班，并全部实行了电化教学；二是投资 50 万元开通闭路电视，现已覆盖 11 个村，65 个村民小组 2000 户，传输 16 套节目；三是建成了镇有文化中心、村有文化站、组有文化室的三级文化网络，建起了娱乐、科普、宣传、艺术教育 4 块阵地，建立宣传网点 117 个，电影放映点 36 个。在元旦、春节、“五一”、“五四”、“七一”、国庆等节庆日，精心组织大型文艺活动，活跃干部群众的文化生活，同时积极扶持民俗文化的发展，连续多年举办了绣荷包、书法、绘画、群众体育等大规模的展览和比赛。每年一度的“总寨之春”文化艺术节大大丰富了群众的业余文化生活。

**五、抓环境治理**

开展了以环境净化、绿化、美化、硬化为重点的整治工作，改善镇村外部环境以及村委会、居民点和农户的环境卫生。具体管理上，由镇街道办事处对镇区的绿化、美化、净化实行了“三包责任制”，做到月检查、季度评比、年终总结考核。

（甘肃省文明办）

# 甘肃省张掖市新乐小区

# 开创文明示范小区新局面 探索城市功能定位新思路

张掖市新乐花园住宅小区，始建于1994年5月，是市委、市政府为改善城市投资环境，实施安居工程而建的住宅小区。规划占地面积8公顷，总建筑面积14.2万平方米，总投资9000万元，小区建有六年制小学一所，幼儿园一所，文化活动中心一处，居民住宅楼41栋，住户1925户，近万人。

自1997年被中宣部确定为全国创建文明城市活动示范点以来，新乐小区以邓小平理论为指导，始终坚持“两手抓，两手都要硬”和“一切为了人民，一切依靠人民”的指导思想，全面开展“示范”活动的实践，努力提高社区精神文明建设的整体水平，取得了显著成效。先后获得全国城市物业管理优秀住宅小区、全国青年文明社区、省级文明小区等荣誉称号。

**建设文明小区 造福千家万户**

重投入，完善硬件夯基础。小区管委会把居民的衣食住行，子女入托、上学等与生活密切相关的配套设施建设列入工作之首，在具体操作上采取“四轮齐转、驱动硬件”的筹资措施。一是争取财政投入360万元，建起了高标准的小学和幼儿园；二是盘活资源，吸纳资金32万元，建起了自行车棚、停车场、电话亭、开水房、浴池等一系列服务设施；三是居民投入、人人参与，提取配套费用36万元用于公益事业建设，建成了三季有花、四季常青、布局合理、舒适优美的居住环境；四是自筹资金12万元，购置了8台微机，建起了计算机中心，实现了财务管理电算化，收费、人口、物业管理微机化，职工学习电教化，使小区管理迈上了现代化、科学化管理轨道。

重教育，突出“三德”强素质。在创建文明城市示范活动中，坚持“以人为本”。一是把家庭美德教育作为提高居民素质、创建文明小区的头等大事来抓。通过小区文明市民学校分期分批集中教育居民，组织居民学习有关知识，培养有理想、有道德、有文化、有纪律的社会主义公民；二是大张旗鼓地开展“五好家庭”、“文明楼院”的竞赛、评选活动。利用黑板报、宣传专栏、有线广播等舆论工具，深入宣传家庭美德教育的意义及如何教育子女、如何教育邻里关系的方法和内容，强化居民的道德自律意识；三是及时表彰好人好事，宣传小区树立的先进典型；四是小区管委会的干部职工以身作则，为居民作表率。通过一系列活动，居民的家庭美德、社会公德、职业道德水平有了明显好转，居民素质有了明显提高。

重领导，虚功实做树形象。小区建设伊始，由行署一名副专员，市政府一名副市长长期挂帅分管小区建设管理工作，定期、不定期地在小区召开现场会议，及时检查、指导、落实创建物业管理优秀小区、文明小区活动的方案和各项管理制度。

**营造园林小区 塑造文化氛围**

美化绿化环境，人与自然共存。小区以创建“园林小区”为目标，把小区绿化、美化、净化作为创建文明城市示范活动的重要内容来抓，建成了点、线、面、立体、交叉相结合的优美环境，花坛错落分布，再辅以形态各异的建筑小品，构成了推窗见绿，出门有荫，三季有花，四季常青的自然景观。

塑造文化氛围，弘扬传统美德。小区成立了文化活动中心，中老年健身协会，以及秧歌队、腰鼓队和秦腔自乐班，平时晨练晚习，逢年过节集中活动，既活跃了社区居民的文化生活，又沟通了人与人之间的感情，建立起了新型的人际关系。

净化整体卫生，陶冶心灵情操。绿化、美化、净化小区环境是创建文明小区的基础工程。管委会根据小区实际，先后制定并完善了小区环境卫生、绿化、商业网点等管理规定，编印成册下发到各家各户。通过完善的制度，深入的宣传，耐心的教育，灵活多样的管理措施，充分启发了居民自居、自管、自珍、自爱的文明意识。

**依法治理小区　维护社会稳定**

小区成立了由管委会领导、派出所所长、居委会主任、小区管理工作人员组成的8人社会治安综合治理领导小组，形成了“同居一地，共保平安”的格局，构筑了以公安派出所为龙头，以治安巡逻员为骨干，以居委会主任为纽带，以商业网点为重点的群防群治体系。小区制定了《门卫制度》、《自行车管理制度》等多种制度，以规范的制度约束人。从而使小区治安管理工作走上了制度化、标准化、网络化管理的格局。

小区成立了公安派出所，选调富有公安工作丰富经验的“老公安”任所长，配备专职工作人员。安装了“110”报警电话。强化门卫保安建设，实行全天候值班。通过有效的管理，严格的执法，小区几年来未发生重大刑事案件和非正常人员伤亡。

**树立城市文明榜样　创物业管理典范**

小区在物业管理工作中始终把“以人为本、服务于民、寓管理于服务之中”作为行动指南。紧紧围绕早介入、重投入、严管理三个环节，强化物业管理，造福千家万户，逐步营造出一个优美、舒适、方便、安全、整洁、文明的新型住宅小区，为宣传张掖，树立张掖的“窗口”形象，做出了积极的贡献。

**研究社区服务　示范热门课题**

随着经济体制改革的不断深化，居民购物、看病不出小区，生活服务依靠小区，文化娱乐连着小区，子女入托、上学全在小区。居民对小区管理的期望值在一天天提高，生活需求在一步步扩大。作为全国创建文明城市示范小区，他们把深入研究社区服务，探索文明小区城市功能再定位，寻找新的经济增长点作为研究课题进行了积极的探索。

调整投资，完善社区服务设施。小区始终注意把与居民生活密切相关的配套设施建设列入工作议事日程。解放思想，转变观念，改变过去市政配套、公用服务设施单纯依靠政府、单位投资来实现配套的单一投资方式，实行统一规划、宏观调控，谁投资、谁收益，着力营造依靠市场机制实现资源配置的投资环境，广泛吸纳社会资金32万元建起了停车场、自行车棚、电话亭等一批小而全的生活服务设施。

筑巢引凤，安置下岗职工再就业。在社区经济建设工作中，新乐小区以“面向新世纪，拓宽新思路，力促新发展”为宗旨，本着“招商引资，完善功能，筑巢引凤，搞活经济”为原则，积极为下岗职工牵线搭桥，吸引、安排下岗职工进入小区从事第三产业。目前，小区建起各种服务网点、摊位110家。据1999年底抽样调查，“三产”营业额已达3000多万元，年上缴利税20万元，从业人员达1600人，其中下岗职工156人。

（甘肃省文明办）

## 新疆维吾尔自治区沙湾县

# 给小康插上文明的翅膀

1999年，沙湾县大力弘扬“热爱沙湾、建设沙湾、献身沙湾，艰苦创业、开拓进取，想第一、干第一、争第一”的沙湾精神，把创建文明村镇工作作为农牧区精神文明建设的基础性工程和重要载体，以全面提高农民素质、奔小康和建设社会主义新农村为目标，结合沙湾农村实际，积极探索，大胆实践，走出了一条市场经济条件下农村精神文明建设的新路子。先后获得了国家级文化先进县、自治区级文明县、自治区卫生县城、自治区“双拥模范县”、自治区“科技兴县”先进县等10多个荣誉称号。

抓认识、促落实、整体推进。建立健全了县、乡、村三级精神文明建设网络，切实做到了“三个纳入”、“四个结合”、“四个统一”。三个纳入：即将创建文明村镇建设纳入全县精神文明建设总体计划，纳入各级党政议事日程，纳入农村工作目标管理责任制；四个结合：即创建文明村镇与农村小康示范村建设相结合，与农村乡镇党委、村党支部组织整顿和建设相结合，与实施农村“四个一工程”（每个村队要有一块集体田、一片经济林，一个村办企业，一个牛羊育肥场）相结合，与科技扶贫攻坚相结合；四个统一：即统一构想经济建设和精神文明建设中长期发展蓝图，统一制定年度计划，统一确定工作指标，统一检查评比兑现奖罚。1999年，还实行了文明委成员分片建立联系点制度，39位成员分5个小组，对全县31个党委的精神文明建设工作实行分组负责制。

抓教育，促根本，努力提高农牧民整体素质。(1) 道德教育重“变”字。在“变”字上做文章，在“实”字上下功夫，在“评”字上创新路。一是组织“农民能人讲习团”，巡回演讲。二是开展面对面的“三德、三义、三观”教育。三是利用冬闲时间集中开办培训班。(2) 科技教育重“培训”。建立健全了县、乡、村三级科技网络，配齐了科技副职，同时还聘请了115名科技人员深入村队、农户指导和推广农业技术。去冬今春，全县共举办各类农业技术培训班403期，培训农牧民69430人次，农牧民劳动力培训率达95%，党员劳动力培训率达100%，有111名农牧民领取了“绿色证书”。(3) 民族团结教育重“实”字。将民族团结教育工作的重点放在为农牧民办实事、办好事，帮助他们脱贫致富奔小康上。县属30个部门、单位与山区3个乡、镇（场）的15个少数民族聚居的贫困村结成了对子，1998年底有12个村队人均收入达800元以上，其中3个村队超过了1000元。

抓硬件，促发展，改善村镇文明生活环境。(1) 基础设施建设。(2) 文化教育设施建设。农牧区有乡、镇（场）文化站14个，占农村乡、镇（场）总数的100%，农村电影放映队12个，村（队）文化室241个，占村队总数的92%。村级农牧民文化基础技术教学点已发展到238个，占全县行政村的90%以上，15个乡、镇（场）中有9个乡镇场有教学楼。(3) 宣传设施建设。有15个乡、镇（场）建了广播电视站，288个村有广播室，形成了以县电台、电视台为中心，连接各乡、镇（场）以及各村各户的调频广播、无线电视交叉覆盖网络。有线电视覆盖面积达60%。据不完全统计，1999年各乡、镇（场）用于修建道路、改善村容镇貌，开展精神文明建设活动以及改善文体设施等方面的投资达4000万元左右。

抓载体，促创建，增强精神文明建设的吸引力。突出抓了“五项活动”：一是开展了“新风杯”竞赛活动；二是在农户中开展评选“十星级文明户”活动；三是在乡直单位、企业、学校开展创建“文明单位”、“花园式单位”活动；四是在群众中广泛开展文化体育竞赛活动；五是开展“讲文明树新风”活动。

（新疆维吾尔自治区文明办）

## 新疆维吾尔自治区和田地区气象局

# 民族团结花盛开

和田地区位于祖国西北边陲、新疆维吾尔自治区南部，偏远闭塞，交通不便，干旱缺水，荒漠沙漠化十分严重。和田气象局党组与和田气象系统干部职工艰苦奋斗，营造了气象系统“人人都有民族团结的思想，人人都懂得民族政策，人人都争做民族团结模范”的良好氛围，为祖国西部边陲树立起一面民族团结的旗帜。

和田气象局认真贯彻执行自治区党委“稳定压倒一切”的方针。组织广大干部职工深入学习党的民族政策和宗教政策，学习中央有关文件和上级有关指示并加强爱国主义教育。同时组织全体职工参观和收看民族分裂主义和非法宗教活动罪行图片、录像等，使广大干部职工增强了维护稳定，加强民族团结的意识和自觉性，在反对民族分裂，维护稳定这个大是大非问题上始终做到旗帜鲜明，立场坚定。通过狠抓稳定落实工作，和田气象局被和田市综合治理办公室评为文明小区。

**一、大力培养一支高素质的少数民族气象干部队伍**

和田地区少数民族科学文化素质较低，民族分裂主义分子和非法宗教往往利用这一点挑起事端，煽动群众，聚众闹事，企图破坏祖国统一和民族大团结。针对这一情况，近几年来，和田气象局从以下几个方面着力培养：

(1) 开展双语学习扫清语言障碍。各级领导带头互学语言文字，组织气象职工采用专门培训、自学、互学、互教等多种方法开展“双语”学习活动。

(2) 加大培训民族气象业务骨干力度。少数民族同志文化素质较低，大部分业务人员都没有经过专业学习和培训，汉族职工手拉手，手把手地教，硬是带出了一批民族气象业务骨干充实基层台站。

(3) 大力培养一批少数民族管理干部。有计划地选拔一些政治强、业务精、作风正的少数民族同志充实到领导岗位上来。现有9名少数民族干部走上科级领导岗位。

(4) 树立少数民族先进典型，做好引导和带动工作。近年来，涌现了一批艰苦奋斗、爱岗敬业、民族团结等先进个人和先进集体，多次受到各类各级表彰。

**二、围绕加强民族团结抓创建**

开展形式多样的思想政治教育活动。几年来，和田气象局利用各种宣传阵地，大造民族团结的舆论和声势，召开了各种动员大会、报告会、声讨会、座谈会、演讲会、知识竞赛、光荣榜、宣传栏、上党课、“军民团结联欢会”、“民族团结歌咏比赛”大唱革命歌曲、歌颂共产党、歌颂民族团结，通过这些活动大大提高了各族职工对民族团结重要性的认识，增进了各民族之间的思想情感交流，增强了凝聚力。同时，还注重坚持抓好每年5月的“民族团结教育月”活动，努力做到年年有重点、年年有内容、年年有新发展、年年抓5月，5月促全年，使民族团结教育活动有声有色，富有成效。

健全有效的管理机制。和田气象局精神文明创建工作和民族团结工作由“一把手”负总责，“一把手”亲自抓，分管领导具体抓，工、青、妇组织协助抓，形成了党政工青妇齐抓共管的局面。每年同科室（台）签订目标任务，设立了“警示制”和“一票否决制”。制定了《和田气象局综合治理规章》、《文明服务公约》、《民族团结公约》等，做到有章可循，使民族团结工作真正落到实处。

努力改善气象各族职工的工作、生活硬环境。在自治区气象局的关怀下，先后建成了办公楼和职工住宅楼。在经费十分紧缺的条件下，和田气象局积极争取当地政府部门的大力支持，建成了卫星通讯综合应用业务系统、地区人工影响天气指挥系统和“风云—2号”卫星中规模地面接收站三大工程项目，业务现代化建设步入气象部门地州级先进行列；积极推进庭院的绿化和美化，开展爱国卫生运动。

狠抓业务质量，提供优质气象服务。近年来，和田气象局引入奖惩激励机制，加强业务管理，基础测报工作稳步发展，多项指标达优秀，杜绝了各类责任性事故。1991—1998年共创“百班无错情”112个，“250班无错情”4个，有8人次受到区局的重奖。开展了多项气象科技服务，做到了决策服务让领导满意，公众服务让社会满意，专业服务让用户满意。

在和田气象局全体气象职工的努力下，和田局及所辖7县市局均被评为“双文明”单位，精神文明创建实现了一片红。

**三、以气象科技服务促民族团结　努力提高气象服务社会经济效益**

和田气象局把加强民族团结的思想政治工作渗透到各项气象业务工作中去，以服务为切入点，始终坚持把气象科技为和田地区的社会经济服务放到突出地位，努力提高气象服务的社会经济效益。和田地区干旱少雨，缺水是制约该地区经济发展的主要因素，和田气象局建立了人工影响天气作业项目，在全地区不失时机地开展了人工影响局部天气工作，对缓解干旱起到了积极的作用，收效显著。近年来和田地区自然灾害发生频繁，给农业生产特别是棉花生产造成了严重危害。地区气象局除派出科技人员到各地参与指导抗灾外，各县气象局（站）也迅速行动，加强领导、组织实施，严密监视天气，做好灾前灾后服务，每年抽出大量的人力深入到田间地头参加当地农业生产、防病治虫工作。

多年来，和田气象局以抓民族团结促进其他各项工作，为和田地区的精神文明建设、经济建设，特别是大农业的发展和农牧业的大丰收做出了贡献，同时，为和田地区的政治安定、社会稳定、民族团结做出了成绩。1997、1998年连续被地委、行署评为气象工作先进单位，被国家民委授予“全国民族团结模范单位”称号，1999年荣获“全国民族团结进步模范单位”殊荣，受到国务院的表彰。

（新疆维吾尔自治区文明办）

# 经验交流

# EXPERIENCES

中共中央办公厅

# 创文明单位 做文明职工 建文明家庭

党的十四届六中全会以后，中央办公厅机关按照中央关于加强社会主义精神文明建设的总体部署和中直工委关于开展“创建文明机关，当好人民公仆”活动的要求，从自身实际出发，以“创文明单位、做文明职工、建文明家庭”的群众性精神文明创建活动为主要载体，大力加强机关思想道德建设、科学文化建设和环境秩序建设，努力营造良好的机关文化氛围，使机关精神文明建设不断取得新的成绩，有力地促进了“三服务”工作的顺利开展。全厅在精神文明建设方面涌现出一批先进集体和个人，毛主席纪念堂管理局被授予“全国创建文明单位工作先进单位”；警卫局中南海新华门哨位被评为全国“青年文明号”；部分单位被评为“首都文明单位标兵”和“首都文明单位”；有的同志荣获“首都精神文明建设奖章”，有的被评为“全国五好文明家庭”、“中直机关五好文明家庭”。在1999年北京市开展的“创建全国文明城区、迎接新中国成立50周年”活动中，中办机关被西城区授予“争创‘全国创建文明城市工作先进城区’荣誉奖”。

**一、从中办工作的实际需要出发，把精神文明创建活动摆上应有位置**

“创文明单位、做文明职工、建文明家庭”活动，是中办机关精神文明建设不断深化的结果。党的十四大以来，中办机关先后开展了“讲文明树新风”活动，创“三优”（优质服务、优良秩序、优美环境）活动和“三观”（世界观、人生观、价值观）教育活动；机关工会开展了创建“五好家庭”、“文明宿舍”、“职工之家”活动；机关团委开展了评选“十佳青年”以及“手拉手”互助活动等等。1996年底，中办机关召开精神文明建设工作会议，研究形成了《关于加强中办机关社会主义精神文明建设的意见》，明确提出要在中办机关广泛开展以“创文明单位、做文明职工、建文明家庭”为主要内容的群众性精神文明创建活动。1997年5月，中办机关制定下发了《关于开展创文明单位、做文明职工、建文明家庭活动的实施意见》，这一创建活动在全厅范围正式展开。

“创文明单位、做文明职工、建文明家庭”，既是不同层次的要求，又是一个有机联系的整体。“创文明单位”，就是按照“优质服务、优良秩序、优美环境”的要求，在中办机关各单位内部明确岗位职责，严格规章制度，规范工作秩序，提高工作效率，抓好综合治理，整治和杜绝脏、乱、差现象，优化、美化机关环境。“做文明职工”，就是引导广大干部职工，在“三服务”实践中加强自身的理论学习和思想修养，不断提高综合素质，争做“四有”文明职工。“建文明家庭”，就是在干部职工家庭中大力倡导科学、文明、健康的生活方式，做到家庭和睦，邻里团结，遵纪守法。这一创建活动，既体现了中央的精神和中直文明委的有关要求，又切合中办机关实际，能够有效地把单位、个人和家庭三个不同层次的目标紧密联系在一起，把精神文明建设的系统工程与党政工青妇组织齐抓共管紧密结合起来，互为条件，相互促进，有利于从整体上推进中办机关的精神文明建设。

对于创建活动，各级领导高度重视，真正把这项工作作为机关内部建设的重要内容摆上议事日程。中办机关主要领导同志非常重视精神文明建设工作。曾庆红同志强调，要把精神文明建设作为机关内部“三项建设”的重要内容，切实抓紧抓好。他要求“机关精神文明建设要抓载体，有抓手”，为创建活动明确了指导思想。王刚同志也经常过问机关精神文明创建活动的开展情况，并提出具体要求。各单位都把精神文明建设摆到重要议事日程，结合本单位实际，提出总体目标和阶段性任务，制定具体实施意见和工作方案，与业务工作一起规划、一起部署、一起落实。同时，厅机关进一步建立健全精神文明建设的领导、组织、协调机构，各单位都成立了精神文明建设领导小组和文明办，做到了人员、经费两到位，为创建活动的顺利开展创造了有利条件。

**二、以全面提高干部职工队伍素质为根本，在创建活动内容上突出重点**

首先，抓好理论学习，提高干部职工的政治理论素质。中办机关在制定文明单位和文明职工标准时，把政治方向坚定，刻苦学习马列主义、毛泽东思想特别是邓小平理论放在首位，把学习制度健全作为一项重要的标准。几年来，厅、局两级通过理论中心组学习，党校培训，局长、党委书记读书班和研讨班，处以上领导干部学习班以及支部学习会、座谈会等多种形式，大力加强干部职工的理论学习。到1999年上半年，全厅已有3位厅领导、28名局级干部、457名处级干部参加了中央党校、中直分校和中办机关党校的培训，近300名干部参加了中央党校函授班学习。全厅共举办各类理论培训班、研讨班169期，培训骨干4200多人次。目前，全厅已初步形成了以厅、局理论学习中心组为龙头，以各类短期理论学习轮训班和党团活动日为主体，以定期选派干部参加党校脱产培训为辅助的理论学习教育体系。

其次，加强思想政治工作，提高干部职工的思想道德素质。一是长期坚持开展中办机关传统作风教育。多次举办传统作风报告会，请曾在毛主席、周总理等老一辈无产阶级革命家身边工作过的同志以及长期在中办工作的老领导、老同志，讲述亲身经历，进行言传身教。在全厅开展唱《中办作风歌》活动，并摄制录像片，制作宣传画，举办有关展览，深入开展多角度、全方位、生动活泼、经常不断的教育活动，使中办机关的传统作风成为中办人引以自豪、倍加珍惜的精神财富。二是利用重大节日和纪念日开展爱国主义、集体主义和社会主义教育。结合纪念香港回归、十一届三中全会召开20周年、新中国成立50周年、澳门回归等重大纪念活动和节日，举办征文、演讲、文艺汇演、书画展览等，大力宣传我国改革开放和社会主义现代化建设的伟大成就，激发干部职工爱党、爱祖国、爱社会主义，在本职岗位建功立业的热情。三是广泛开展以社会公德、职业道德和家庭美德为内容的社会主义道德教育。各单位通过“入门”教育、任职教育、岗位培训、专业培训等形式，对干部职工进行职业道德教育，同时，把职业道德教育同家庭美德、社会公德教育结合起来，加强8小时以外的公民道德教育，进一步促进干部职工文明素质的提高和全厅文明风尚的形成。

第三，强化业务训练，提高干部职工的科学文化素质。各单位普遍重视各种业务知识和现代科学文化知识的学习。调研室、机要局、档案馆（局）等单位，经常开展与各自业务相关的现代科学知识的学习交流和各种业务技术竞赛活动。全厅各单位普遍进行了计算机知识的学习培训，加强了警卫、服务人员的礼仪培训。鼓励和支持干部职工参加在职学习，从而进一步优化了机关队伍的知识结构，提高了“三服务”工作的质量和效率。

**三、适应机关工作运行特点，在创建活动方式上不断创新**

一是统一要求与自主活动相结合。在创建活动的总体安排上，坚持统一部署、统一要求，但对于活动方式不强求整齐划一，活动步骤不要求完全一致，鼓励各单位创造性地开展工作。比如，围绕提高服务质量，毛主席纪念堂管理局制定了《纪念堂工作人员文明公约》，通过深入开展岗位学雷锋、十佳服务标兵评比等活动，调动干部职工“服务创一流”的工作热情。中南海电信局提出了“六个百分百”的奋斗目标。老干部局文津俱乐部针对为首长和老同志服务的中心任务，完善了工作制度，规范了服务程序，得到有关方面的一致好评，树立了窗口单位的良好形象。

二是组织号召与典型引导相结合。中办各单位通过举办展览，召开创建活动经验交流会、“文明家庭”经验交流会，举办先进事迹报告会，编印先进事迹宣传册等多种形式，大力宣传先进人物和先进事迹，在干部职工中产生了积极反响。1999年下半年，召开了中办机关“创文明单位、做文明职工、建文明家庭”总结表彰大会，对近几年在创建活动中表现突出的单位、个人和家庭予以表彰，进一步树立典型，在全厅形成学先进、赶先进、争当先进的良好风气，推动机关精神文明创建活动的深入开展。

三是把深入的思想教育与解决群众关心的实际问题相结合。通过不断加强理论学习，夯实干部职工思想道德素质的基础；通过长期开展中办传统作风教育，引导干部职工树立正确的世界观、人生观和价值观；通过深入开展社会公德、职业道德、家庭美德教育，在全厅营造良好风尚。特别是1999年通过“三讲”教育和马克思主义唯物论、无神论教育，广大干部职工的思想素质有了新的提高。同时，各单位不仅仅把工作停留在学习和教育上，而是注意从广大干部职工关心的热点、难点问题入手，抓紧解决群众迫切希望解决的共性问题，想方设法为群众排忧解难，使大家从创建活动中感受到，自己既是机关精神文明建设的参与者，又是精神文明建设的受益者，从而进一步提高了参与的积极性。

**四、把握精神文明建设的内在规律，在推进创建活动过程中注重实效**

首先，按照精神文明建设必须围绕党的中心工作进行的规律，坚持精神文明建设为机关中心工作服务。在制定“文明单位、文明职工、文明家庭”考核评比标准时，突出地体现了“三服务”工作的内容。比如，对“文明单位”，要求必须做到秩序优良、务实高效，干部职工爱岗敬业，全心全意做好“三服务”工作；对“文明职工”，要求必须具备较高的政治思想和业务素质，工作勤奋扎实，忠于职守，爱岗敬业，能出色地完成各项工作任务，在本职岗位上取得突出成绩；对“文明家庭”，要求家庭成员必须在各自的工作、学习岗位上荣获先进称号或受到嘉奖。这样就使创建活动紧紧围绕业务工作来进行，把促进业务工作作为重要落脚点。

其次，按照精神文明重在建设的规律，建立健全有关制度，为搞好创建活动提供保证。中办机关立足长远，加强制度建设，把规范内部管理，作为创建文明单位的一条重要标准。机关精神文明建设领导小组在广泛征求意见和充分酝酿的基础上，制定了《中办机关工作人员文明守则》，规范干部职工的言行。各单位从办会、办文、办事的规矩到文明礼貌用语的使用等方面，都建立起一整套严格的工作程序和规章制度，做到有章可循，杜绝“衙门作风”，树立密切联系群众、勤政务实、廉洁奉公的良好形象。在环境整治、安全保卫和保密方面，许多单位制定了严格的制度，详细规定了检查评比标准、实施办法及处罚措施。一些单位还实行综合治理责任制，由局领导与分管处室的负责同志签订责任书，作为年终考核标准。

第三，按照精神文明建设必须“从具体事情抓起”的规律，切实加强检查考评。机关精神文明建设领导小组专门下发文件，明确规定，对“文明单位”、“文明职工”、“文明家庭”以达标的形式定期进行考评。对于考评合格的单位和个人，授予荣誉证书，并召开表彰大会，给予一定奖励。机关文明办定期对“文明单位”进行跟踪抽查和复查，凡不符合标准的一律取消“文明单位”称号。在日常工作中，切实加强督促检查，通过建立责任制、细化考评标准、保证物质投入等措施，使精神文明建设真正成为硬目标、硬任务，做到有计划、有组织、有检查、有落实。

近几年来，中办机关以“创文明单位、做文明职工、建文明家庭”活动为有效载体，机关精神文明建设不断深入，取得了丰硕成果。机关各单位在形势快速发展、任务不断加重、工作节奏明显加快的情况下，努力适应中央的要求，出色地完成了各项“三服务”工作任务。特别是在香港回归、党的十五大、抗洪救灾等重大事件以及1999年几件大事的服务中表现突出，得到了中央领导同志的肯定和赞扬。

（中央直属机关文明办）

# 中 央 组 织 部

## 求实创新 勇于进取 不断开拓 精神文明建设新局面

### 一、根据机关特点，确立指导思想和工作思路

江泽民同志指出："要把组织部门建设成为党性最强，作风最正，工作出色的一个部门。"胡锦涛同志提出：组织部门的干部必须做到党性要强，作风要正，工作要实，业务要精。根据中央领导同志的指示精神，中组部机关文明委成立后，就着手研究精神文明建设如何根据组织工作的特点，在广大干部职工中开展精神文明创建活动。部文明委把加强理论学习，提高干部职工的思想政治素质，做好党的组织工作，保证党的政治路线的贯彻执行，作为部精神文明建设的指导思想。按照中央文明委开展"讲文明树新风"活动和中直文明委开展"创建文明机关，当好人民公仆"活动的要求，确立了部机关加强精神文明建设"五个一"的工作思路。即一个主题：贯彻落实十五大精神，兴起学习邓小平理论的高潮；一个制度：抓好落实"一把手"带头抓党建、抓精神文明建设工作责任制；一个载体：深入持久地开展"讲文明树新风，创文明单位"活动；一支队伍：建设一支高素质的精神文明建设专兼职干部队伍；一个目标：开展一系列精神文明创建活动，营造健康和谐的工作氛围，提高干部职工的思想政治素质。

"五个一"的工作思路，增强了部机关精神文明建设的工作基础与活力，也增强了两种意识：首先，各单位主要领导从过去认为精神文明建设就是搞搞娱乐活动，查查环境卫生，提高到要把工作的重点放在对干部职工的思想教育上，增强了落实"一把手"带头抓党建、抓精神文明建设工作责任制的意识。其次，机关干部职工能够积极主动地了解精神文明建设创建活动的主要工作内容，改变了创建初期漠不关心的状况，增强了创文明单位的参与意识，从而使得这项工作得以健康深入地发展。主要表现在：一是机关创建活动从开始时注重改善环境秩序和使用文明用语逐步向提高业务工作水平发展；二是建立健全了各项规章制度，创建活动向规范化、制度化发展；三是从被动接受检查向积极主动开展创建活动发展。按照"五个一"的工作思路，各局级单位相继成立了精神文明建设领导小组，主要领导同志任组长，基本上形成了主要领导负总责，党政工团齐抓共管的工作格局。

### 二、把提高干部职工的思想政治素质作为精神文明建设的最终目标

1995年5月，中组部确定了"政治坚定、公道正派、廉洁勤奋、求实创新"的十六字部风。曾庆红同志说，在实践中总结确定的十六字部风，体现了中组部的性质和特点，要坚持按这个部风来要求全体工作人员。同时，要根据形势、任务的变化，不断赋予这十六字部风以新的内容。如果有一天，党员、群众给中组部送一副对联，上联是"政治坚定、公道正派"，下联是"廉洁勤奋、求实创新"，横批是"党员之家、干部之家"，那么，我们的目标就实现了。

几年来，部机关以部风为准则，努力加强机关思想作风建设，部文明委与机关各级党组织一起，突出做了三个方面的工作：

一是加强理论学习。围绕学习邓小平理论，抓好主观世界的改造，引导干部职工树立正确的

世界观、人生观、价值观，牢记党的宗旨，坚定共产主义理想和社会主义信念。学习内容以通读邓小平文选三卷与重点学习邓小平论党的建设、经济建设、廉政建设相结合，学习江泽民同志关于党的建设和思想作风建设的一系列论述。学习方式以集中办班、重点培训、自学和分组讨论等多种形式进行。

二是加强爱岗敬业教育。围绕机关思想作风整顿，重点抓好工作作风转变，增强干部职工的责任感和敬业精神。通过讲党课和召开新老同志座谈会等形式，介绍中央组织部的优良传统，强调在当前的新形势下，干部职工要过好名位关、权力关、金钱关、色情关、人情关，要经得起形形色色的考验，严以律己，不受腐蚀。几年来，部机关保持了干部队伍思想的稳定，同志们讲党性，顾大局，守纪律，努力克服工作和生活中的种种困难，兢兢业业，勤奋工作，形成了爱岗敬业，积极奉献，努力进取，不讲条件的良好风尚。1999年，许多同志参加了“三讲”巡视组的工作，一连几个月不能回家。而留在机关工作的同志，则克服了人手少、任务重的困难，坚守岗位，圆满地完成了各项工作任务。

三是加强廉政建设。按照江总书记提出的“三严”、“四自”要求，从严治部。针对社会上在干部人事问题上存在的不正之风和部内出现的个别人纪律松懈、追求名利、跑风漏气等问题，组织全体党员干部，运用正反两方面典型进行遵守纪律和反腐倡廉教育。各单位认真查找存在的问题，在总结经验教训的基础上，定措施建制度，严格办事程序，明确工作纪律，制定了工作规范；坚持礼品登记和处以上干部收入申报制度，建立了礼品登记册；提出“从严治局”，规定了“四个管住”，即：管住眼、管住嘴、管住手、管住腿。结合学习《党纪政纪条规选编》召开民主生活会，抓好领导干部廉洁自律，强化机关廉政建设。

**三、增强干部职工的服务意识，提高工作效率和工作质量**

部机关精神文明建设紧密结合中心工作，不断增强干部职工的服务意识，积极开展“讲文明、树新风，创文明单位”活动，有效地促进了工作效率和工作质量的提高。

在具体工作中，围绕业务抓创建，抓好创建促业务，使机关精神文明建设工作有了好的“抓手”，按照部领导提出的“精神文明建设既要结合业务工作，又要突出重点。机关内部各单位的职能、工作业务不尽相同，精神文明建设要抓住特点，根据不同情况，采取分类指导，把工作抓实”的要求，部文明委针对各单位不同的工作职能，在增强服务意识、促进业务工作上，提出了不同的要求。

例如对业务单位的干部，要求牢固树立为党的政治路线服务、为党的中心工作服务的思想。提出要高标准、高效率地完成工作任务。各业务单位结合自身的工作特点，分别开展了增强“五种意识”，发扬“一个精神”，做到“三会”的活动，即：增强服务意识、窗口意识、质量意识、效率意识、全局意识和发扬老黄牛精神，做到会办会、会办文、会办事。为此，大力开展练好基本功的业务培训活动，明确提出：(1) 熟悉常用的干部政策内容和文号，了解党的组织工作的大政方针、目标任务。(2) 讨论干部问题时，汇报考察情况和任职意见要力争脱稿，提高语言、文字表达能力。(3) 熟练掌握各自分工联系的部委和省市区的总体情况以及领导班子、班子成员的基本情况，做到及时、准确地提供所需材料。深入开展了就“如何解决干部考察材料‘千人一面’”和“怎样落实江总书记提出的考察干部要像X光机”一样准确及时的要求的研讨活动。结合工作实践，分析典型事例，提炼出系统而有规律的东西，指导业务工作，逐步形成了主动思考和研究问题的良好风气。为了加强部内基础建设，开展了“流动红旗”评比活动，对文书文件材料提出了合理摆放、整齐方便的要求。规范了文件和计算机软盘管理，使办文办件能够及时、准确，提高了工作效率和质量。1999年第三季度，在全部范围内进一步抓了规范化制度建设，对公文办理、会议和活动管理提出了更加明确的要求。

再如对后勤部门的干部职工，要求正确看待工作岗位，增强服务意识。工作上以改善服务为宗旨，促进工作质量的不断提高。通过召开学雷锋研讨会，正确认识“平凡与伟大、个人与国家、有限的生命与无限的为人民服务”之间的关系。开展了文明新风大家赞、文明典型大家学、文明好事大家做、文明单位大家创、不良行为大家评、带倾向性问题大家议、不文明职工大家帮的系列活动，使广大职工对后勤工作有了正确认识，促进了各项工作任务的落实，为机关工作提供了有力的后勤保障。

**四、开展多种形式的教育活动，创造健康和谐的工作氛围**

如何创造一个良好的工作环境，使同志们能够精神振奋，努力做好所承担的工作，是部领导一向很重视的问题。曾庆红同志一到中组部，首先走访了机关事务管理局，强调指出要把对干部的严格要求与关心爱护结合起来，努力改善大家的工作和生活条件，解决干部的实际困难。要用“事业留人，感情留人，适当的待遇留人”，加强部内建设，调动全体同志的积极性，团结大家共同做好工作。营造健康和谐的工作氛围，将机关真正建成温馨的“干部职工之家”，是中组部文明委多年来常抓不懈的一项主要工作。

结合重大节日和重要事件，开展热爱党、热爱祖国、热爱社会主义的教育活动。几年来，以“纪念红军长征六十周年”、“抗日战争胜利五十周年”、香港回归、老一辈无产阶级革命家为雷锋同志题词35周年、纪念十一届三中全会召开20周年、纪念新中国成立50周年等为契机，组织了干部职工千余人次的多项参观活动，开展了两次大合唱比赛、两次卡拉OK比赛，参加了三次中直机关和西城区趣味运动会、举办了三次书画摄影展和两次演讲比赛等，在中直机关首届文化艺术节上，有11名同志的14幅书画和摄影作品参加了在军事博物馆举办的《纪念十一届三中全会召开20周年书法、绘画、摄影、艺术作品展》，大合唱——“故乡是北京”参加了中央电视台纪念改革开放20周年文艺晚会——中直机关首届文化艺术节闭幕式的演出。组织干部职工参加了首都文明市民知识大赛活动，并获得大赛组织奖。

积极支持和协助机关工会、妇女、青年等群众组织开展内容丰富多彩的活动。几年来，机关文明办与机关工会一起广泛开展送温暖活动，对长期生病和生活困难的干部职工，根据不同情况给予补助；连续5年组织义务献血的同志休假；多次开展了乒乓球赛、游泳、棋类比赛等活动，活跃了干部职工的业余生活；协助部女工委举办了《家庭美德教育》专题讲座和《如何培养独生子女健康人格》的录像讲座，评选机关“五好文明家庭”；帮助机关团委开展纪念五四运动80周年等活动，与团委、工会一起为单身干部职工举办中秋赏月联欢活动；在八一建军节与“双拥”办共同组织“军营一日”活动，赠送图书和部分生活用品慰问驻部武警官兵和北京军区某部官兵。1998年，我部“双拥”工作获北京西长安街地区“拥军优属好单位”称号，最近又获得西城区授予的“争创‘全国创建文明城市工作先进区’荣誉奖”。上述活动在推动机关的精神文明建设，树立良好的社会风尚方面取得了成效。近几年来，全部有13名同志被中直工委授予优秀共产党员、优秀党务工作者称号；有3个党支部被授予先进党支部称号；党建读物出版社和万寿路招待所连续5年被评为“首都文明单位”。

努力搞好社区服务，为干部职工及家属提供方便。创建文明小区是精神文明创建活动的重要组成部分。机关精神文明建设办公室与管理局一起研究万寿路8号宿舍院文明小区建设问题，尽力办好辅导站、医疗站、老年活动站和干部职工子女小饭桌。1998年，万寿路8号院管委会在中直文明办召开的创建文明小区现场观摩会上作了经验介绍，受到与会者的好评。几年来，为了解决干部职工出差或寒暑假期间孩子无人照顾的问题，拿出两套房子做校外辅导站，配备了教学和娱乐设施，并抽调两名职工做专职辅导员。校外辅导站不仅解决了干部职工的后顾之忧，同时，通过引导、教育与培养，对干部职工子女的成长也起到了积极的帮助作用，有26名学生在全国、北京市以及西城区组织的各类比赛中获奖，有6名学生作为特长生被北京市重点中学录取，校外教育工作取得了丰硕的成果。

**五、建立健全有效的考核检查机制，为精神文明建设提供可靠保证**

部文明委在开展“讲文明、树新风、创文明单位”活动中逐步建立了一套达标考核检查的制度。

目标管理制度。针对机关各项创建活动的要求，制定了定性与定量相结合、重在量化的目标管理标准，增强了考核创建活动的可操作性。在设计时，首先考虑机关创建活动具体应考核哪些内容并确定所要达到的目标要求。然后对这些目标要求进行分解细化，用分值确定目标和标准。确定了14项考核内容，涉及机关党委、纪委、工会、团委、人事处、保密委、计生委、献血办和综合治理办等单位所分管的工作。

监督检查制度。部文明委成立了由一位部务委员任组长，机关文明办、机关党委、办公厅、管理局及一个业务局和一个事业单位组成的考核小组。采取听、问、看的办法进行考核。听：主要是听取各单位汇报创建活动中的经验和存在的问题；问：主要是围绕创建活动的任务、要求以及组工干部应掌握的基本问题进行提问；看：主要是查看环境秩序、精神面貌及有关资料、记录等。按照部领导提出的机关创建活动要经常地、不定期地进行抽查和检查，工作要抓到实处的要求，机关文明办和考核小组的同志经常进行抽查，发现问题，及时在机关思想作风通气会上通报，提出改进意见。

竞赛激励制度。机关“讲文明、树新风，创文明单位”活动考核小组在听、问、看的基础上综合各部门的考核打分、领导评议情况，确立达标单位的标准。在评先进活动中，既挂奖牌，又亮“黄牌”，实行评比表彰活动的动态管理。1998年度，包括15个局级单位和9个单独考核单位的24个被考核单位，有4个没有通过达标考核，被亮了“黄牌”。

（中央直属机关文明办）

## 毛主席纪念堂管理局

# 坚持服务宗旨 创建文明单位

毛主席纪念堂管理局连续多年被北京市评为“首都文明单位标兵”。全局干部职工坚持从实际出发，着眼新实践，自我解剖，勤找差距，瞄准切入点，重划起跑线，明确新目标，在继承的基础上，努力提高精神文明建设水平。

**一、抓教育，在全局兴起学习邓小平理论的新高潮**

纪念堂管理局注重加强思想教育，用邓小平理论武装干部职工的头脑，正确把握精神文明建设的方向。首先坚持局理论学习中心组制度，以局、处领导干部为重点，发扬理论联系实际的学风，力争在理论素养上有新的提高。同时，还在全局范围内组织了三次大的教育活动：一是开展“开好门、服好务、管好家”为主题的专题教育，重点学习十五大报告、曾庆红同志率厅领导视察维修改造后的纪念堂及看望干部职工时的讲话，开展了“设备更新，环境改善后，我们怎么办?”的讨论，进一步明确工作思路，增强做好工作的决心和信心。二是开展以“讲政治、顾大局、保安全、求发展”为主题的专题教育，针对下岗、购房等热点问题，针对敏感时期重点地区的安全稳定问题，针对局内人员、机构调整过程中出现的思想反映，通过组织干部职工学习文件、座谈讨论、专题辅导、召开家庭成员下岗职工座谈会，走访慰问老干部和困难职工等形式，使大家认清形势，坚信党中央决策的正确，决心立足本职，做好“三服务”工作。三是开展深入学习邓小平理论的系列活动。局里制定了《关于全局兴起学习邓小平理论新高潮的实施意见》，就学习的指导思想、内容重点、方法步骤、目的要求做了明确规定和具体安排。在暑期瞻仰接待任务十分繁重的情况下，全局集中5个半天，举办了有局领导、党委委员、各处处长、支部书记参加的邓小平理论学习班。通过分专题、分阶段、分层次的学习和教育，干部职工特别是党员领导干部的政治方向、政治立场、政治敏感性和政治鉴别力更加清醒和坚定；思想道德水平和理论素养普遍显著提高。

**二、抓班子，带动和改进全局人员的思想工作作风**

局精神文明建设领导小组专门召开会议，制定了1999年全年精神文明建设工作要点，提出了三个协调：即努力做到全局职工良好的精神状态与维修一新的外在环境相协调，为完成局中心任务提供有效的思想政治保证；努力做到全局职工的文化业务素质与全新的设备技术相协调，为完成局中心任务提供有效的业务技术保障；党政工青妇齐抓共管，形成合力，与精神文明建设上水平的新要求相协调，为完成局中心任务提供有效的组织保证。制定了《毛主席纪念堂管理局加强领导班子自身建设的措施》，从学风、作风、党风、局风、团结5个方面制定了16条具体措施，进一步加强局、处领导班子的建设。

抓领导班子自身建设，在狠抓理论学习的同时，努力转变思想作风和工作作风。局领导班子坚持实事求是，求真务实；开短会，说短话；既报喜，又报忧；深入群众，深入实际；以“只争朝夕”的精神做好工作，努力提高工作质量和效率。局、处领导经常深入现场了解情况，主动征求意见和建议。局领导每周轮流现场值班，根据情况召开现场办公会，及时解决安全保卫和瞻仰接待中遇到的问题。

纪念堂管理局在搞好内部教育和管理的同时，注意接受来自社会的监督和指导。根据有关部门的意见，更换了纪念堂各出入口的标牌，做到醒目、美观、规范、中英文对照；修改印发了《现场接待人员文明用语和忌语》和《现场接待实用英语会话》，并组织干部职工认真学习；安排专人负责收集瞻仰群众丢弃的水瓶，与天安门管委会有关部门协商，加强对瞻仰队伍周围环卫的管理。

**三、抓服务，努力塑造全心全意为人民服务的形象**

全局强调“内强素质，外树形象”，充分发挥“窗口”和“基地”的作用，狠抓了服务质量的提高。通过建章立制，岗位学雷锋做奉献活动的开展，调动了干部职工“服务创一流”的工作热情，好人好事层出不穷，服务质量显著提高。

坚持思想教育和建章立制两手抓，做到有章可循。局里制定了《纪念堂工作人员文明公约》；各处（室）根据工作实际，建立、修订各项规章制度176项，有效地规范了各项管理工作和干部职工的言行；全局召开了行政管理工作会议，讨论通过了《考勤管理暂行规定》、《公文处理办法》、《固定资产管理办法》和《办公用品配发办法》4份文件，使行政管理工作进一步制度化、规范化，有力地配合、支持了一线的服务工作。

积极开展岗位学雷锋和“青年文明号”活动。机电二处为瞻仰接待处焊制了运输小推车；瞻仰接待处的现场“学雷锋小组”主动为残疾人推轮椅车；服务处设立残疾人饮水处，免费提供开水；医务室在暑期高温时抢救中暑群众91人；行政处为防止一线人员中暑，每天把绿豆汤送到现场。纪念堂周围的草坪往年总有人随意践踏，纪念堂加大了管理力度，干部职工保护草地、绿化环境的意识增强，再没发生过类似现象。

**四、抓培训，努力提高干部职工的科学文化素质**

多年来，纪念堂管理局一直把提高干部职工的科学文化水平作为精神文明建设的一项长期任务。一是先后选送21名职工到外地厂家进行培训；选派技术骨干到清华大学接受培训；聘请清华大学教授举行系列讲座等。通过培训，专业技术人员业务素质明显提高，很快熟悉、掌握了新设备的操作和管理。专门进行了两次应知应会考试，已全部达标，保证了设备的安全运行。二是正确处理工作和学习的矛盾，在做好本职工作的前提下，提倡在职干部提高学历。三是积极开展青年业余读书活动。坚持“天天一小时”读书计划，使青年不断在知识的海洋中汲取营养，做到明势、明事、明理。局里还举办了“青年电脑月”活动，吸收驻堂部队战士参加，效果很好。

**五、抓载体，积极开展健康向上的文体活动**

近年来全局认真落实中办领导关于精神文明建设要“认真学习，形成合力，活泼活跃”的指示精神，结合实际，积极开展全民健身和形式多样的小型娱乐活动。一是因陋就简增设了三个文娱活动场所，充分利用现有条件，活跃职工业余文化生活，举办乒乓球、卡拉OK比赛，为职工定期放映电影等；二是成立青年业余足球队，利用工余间隙，积极开展训练、比赛，加强横向交流，培养健康体魄和集体主义精神；三是积极参与并协助承办“中办机关纪念党的十一届三中全会召开20周年演讲比赛”，局选手在这次比赛中获得了第一名，并且在中直举办的文化艺术节演讲比赛中再夺冠军。四是组织离退休老干部游览北京市容。

（中央直属机关文明办）

新 华 社

# 以加强新闻职业道德建设为重点 努力提高机关精神文明建设水平

近年来，按照党中央的部署和中直工委的要求，新华社高度重视社会主义精神文明建设，以加强新闻职业道德建设为重点，积极探索通讯社特色的精神文明建设的新思路新办法，不断提高机关精神文明建设的水平，为宣传报道和各项事业的发展提供了强有力的政治保证、精神动力和智力支持。

**一、以新华社的性质、任务出发，抓住重点，形成特色**

邓小平同志指出：“思想战线的战士，都应当是人类灵魂的工程师。”1995年初，中央政治局常委在听取新华社党组工作汇报时强调：“要切实加强队伍建设，努力培养一支堪称全国新闻界楷模的优秀新闻队伍。”新华社是我国的国家通讯社，又是世界性通讯性，担负着正确引导国内舆论，有效影响世界舆论的光荣任务。新华社的性质、任务、职能，决定了加强机关精神文明建设的极端重要性。新华社机关精神文明水平如何，不仅关系到能否顺利完成党中央交给的报道任务，而且直接影响到整个社会主义精神文明建设的舆论环境。因此，新华社党组把精神文明作为世界性通讯社建设的重要目标和重要保证，高度重视，常抓不懈。在抓日常精神文明建设工作中，注意以加强新闻职业道德建设为重点，形成自己的特色。

加强职业道德建设，禁止有偿新闻，是新闻战线加强社会主义精神文明建设的重要举措，是建设一支政治坚定、业务熟练、作风过硬、纪律严明的新闻队伍的迫切需要，也是把新华社建设成强大的世界性通讯社的重要课题，因此社党组一直以高度的政治责任感对待这项工作。郭超人同志反复强调：要从讲政治和坚持正确舆论导向的高度来对待加强新闻职业道德建设。对禁止有偿新闻工作，主要领导要亲自抓；深入细致地抓；舍得花相当精力抓；不厌其烦地抓。近年来，新华社按照中纪委、中宣部以及新闻出版署的有关文件精神，结合本社实际，进一步加大了新闻职业道德建设的力度，取得了一定成绩。目前，有偿新闻已经得到遏制，并涌现出不少拒收礼金，主动上交高档礼品的好人好事。据对总社12个部门和20个国内分社的不完全统计，近几年，全社干部职工上交礼金超过17万元，上交礼品价值约20万元，得到了全社会的好评。新华社被中宣部命名为“全国新闻界精神文明建设示范单位”。

**二、用身边爱岗敬业、遵守职业道德的先进典型教育、激励职工**

新华社在建设强大的世界性通讯社的进程中，涌现出了许许多多爱岗敬业、遵守职业道德的先进典型，邵云环烈士就是其中的突出代表。像邵云环那样的先进典型在新华社还很多。如因长期带病超负荷工作、积劳成疾英年早逝的上海分社对外采访室主任夏儒阁，“全国绿化先进个人”、孤身落户京郊山区十几年、带病植树 64 万株的十三陵造林站站长李克柱等。先进典型的事迹和品质，既激励全社同志更加爱岗敬业，勤奋工作，又是加强全社精神文明建设的生动教材。对于他们的事迹，社党组及时作出了决定，要求在全社范围广泛开展向身边先进学习的活动，利用社机关《前进报》、闭路电视、《党委工作简报》全文刊登和播放了他们的事迹，并开辟专栏，刊登各部门的学习情况和有关同志的纪念文章。与此同时，各部门利用橱窗、墙报、板报等宣传阵地，大力宣传他们的先进事迹。为使学习活动进一步深入，各部门还通过召开座谈会、事迹报告会，举行主题征文活动、拍摄专题片等多种形式，大力宣传各条战线上的先进集体和先进个人，在全社范围形成了学先进、讲奉献的良好氛围，极大地推动了全社精神文明建设。

**三、建立健全规章制度，从严治社，严格执纪**

近年来，本着从严治社的精神，新华社从建章立制入手，就党风廉政建设、领导班子思想作风建设、新闻职业道德建设等制定了一系列规定，如《新华社关于党风廉政建设责任制的若干规定》、《新华社采编人员遵守新闻职业道德的若干规定》、《新华社关于加强职业道德建设纠正新闻行业不正之风的实施意见》、《新华社关于加强经营管理队伍职业道德和作风建设的若干规定》等等，这些规定，对采编、经营等各类人员的职业道德提出了明确的具体的要求，使大家有章可循，有规可依。

在进一步完善制度的基础上，把严格执行制度作为突出问题来抓，主要抓了四项工作：一是组织自查。社文明委每年都要求各部门认真检查执行制度的情况，特别是查找新闻行业不正之风在本单位的主要表现，分析产生的原因，检查是否存在有章不循、管理不严，在"执纪"、"执规"方面失之于宽、失之于软的问题，并写出自查报告。二是进行专题调研。围绕在社会主义市场经济条件下如何加强新闻职业道德建设这个专题，组织调研小分队先后走访了上海、浙江、广东、河北、湖南等分社，还到国内部、体育部、《经济参考报》社、《瞭望》周刊社、《半月谈》杂志社召开座谈会。在调研的基础上，向社党组提交了调查报告，对进一步做好这项工作提出了具有针对性和建设性的意见和建议。三是开展问卷调查。向中央和国家机关各部门、各大军区各军兵种政治机关、各省市区党委宣传部门及 100 个国有大中型企业发出征求意见调查提纲，了解对本社采编人员遵守职业道德情况的反映。问卷调查的结果显示，社会各界对社采编人员职业道德状况的总体评价是好的，对新华社主动接受社会监督的做法予以肯定。四是对有偿新闻举报件清理排队和综合分析。对个别记者违反职业道德问题，进行了严肃处理。

**四、运用多种载体，虚功实做**

以加强新闻职业道德为重点的精神文明建设如何虚功实做，这是新华社一直探索的问题。近年来着重运用了 3 种载体。

一是以基地为载体加强精神文明建设。新华社有 3 个基地：江西瑞金革命传统教育基地、贵州息烽扶贫基地和国情调研基地、江西横峰服务万村基地。近年来，新华社分别组织青年、妇女干部、党务干部、优秀党员、离退休老同志分期分批到这 3 个基地参观学习，深入基层，调查研究。革命老区人民无私奉献、艰苦奋斗的精神使大家深受教育，回来后很多同志精神面貌和工作作风发生了很大的变化。大家反映，通过这种深入基层、接触实际、自我教育、自我提高的方法进行传统教育、国情教育和职业道德教育，实实在在，真正能入耳入脑入心。

二是以重大节庆日、纪念日为载体加强精神文明建设。近年来，新华社抓住香港回归祖国、党的十五大召开、纪念五四运动 80 周年和新华社建社纪念日等契机，通过组织爱国主义教育电影周、图片展、社史展、演讲会、知识竞赛、主题读书活动和参观纪念场所、种植纪念林等多种形式开展职业道德教育，极大地增强了精神文明建设的有效性。

三是以争创文明单位活动为载体加强精神文明建设。近年来，新华社各部门广泛开展"文明单位"创建活动，在窗口行业开展了"文明窗口"创建活动，在居民小区和宿舍区开展了"文明小区""文明楼院"创建活动，社工会开展了"文明职工"的评比，社团委开展了"青年文明号"的争创活动，社妇委会开展了"文明家庭"的评选，这些以职业道德建设为重点的丰富多彩、形式多样的群众性精神文明创建活动，互相影响，互相促进，有力地推动了精神文明建设。

**五、加强领导，健全组织，部门齐抓共管，群众广泛参与**

社党组始终把加强精神文明建设作为一项重要工作，列入议程，坚持做到“两手抓，两手都要硬”。每年年初召开的工作会议，都把精神文明建设与宣传报道业务一起研究、一起规划、一起部署、一起检查、一起总结。并且始终坚持党组书记、社长亲自抓，一级抓一级，层层抓落实，党组的同志不仅思想上重视，而且以身作则，率先垂范，带头执行社里制定的一系列廉洁自律和精神文明建设的规定；不仅积极支持各部门开展精神文明建设活动，而且带头参加。

建立健全精神文明建设的工作机构，理顺工作体制是加强精神文明建设必要的组织保证。党的十四届六中全会后，新华社对原有的精神文明建设协调委员会进行了调整，成立了新华社精神文明建设指导委员会，在社党组直接领导下统一组织协调全社的精神文明建设工作。由一位党组副书记、副社长任主任，机关党委常务副书记任常务副主任，由办公厅、服务局、基建局、社工会、新闻学院等部门的主要领导任副主任。计划生育、爱国卫生、绿化和人防四个委员会隶属于精神文明建设委员会，并在上级对口机关领导下开展工作。精神文明建设委员会下设办公室，办公室设在办公厅，配有6名专职干部，进一步充实了工作力量。

组织和协调各方面的力量齐抓共管，形成合力。近年来，新华社各部门和工青妇等群众组织密切配合，发挥各自优势，积极主动地开展工作，形成了专门机关抓与各部门、各方面抓相结合，专职人员抓与兼职人员抓相结合，领导抓与群众广泛参与相结合，共同建设社会主义精神文明的良好局面，并且涌现出了一批精神文明建设的先进单位和积极分子。

（中央直属机关文明办）

小浪底水利枢纽建设管理局

# 抓好主题教育 提高队伍素质

小浪底建管局精神文明建设的指导思想是：紧紧围绕小浪底工程建设中心工作，高度重视职工思想政治工作，广泛开展爱国主义、集体主义主题教育。高度重视职工队伍建设，广泛开展群众性精神文明创建活动。统一思想，凝聚队伍，为完成局党委提出的“建设一流工程、总结一流经验、培养一流人才”的目标而努力奋斗。

**一、紧紧围绕工程，抓好主题教育**

为实现紧紧围绕工程建设做好思想保证的目标，局领导班子找准切入点，根据不同阶段的工程建设目标，广泛开展了以爱国主义、集体主义为主要内容的主题教育活动：

前期工程中，针对当时行无路、住无房，缺水断电条件差，点多线长任务重的艰苦环境，在职工中广泛开展了“艰苦创业，树立小浪底意识”的主题教育活动，激发广大职工的工作热情。

主体工程开工后，小浪底工程曾一度因种种原因造成工期延误，工程建设引起全国上下的关注。职工队伍心态不稳，外界评价众说纷纭。面对工程建设的巨大困难和来自外界的压力，在全局职工中开展了“在外国人面前我们是中国人，在中国人面前我们是小浪底人”的主题教育，号召全局职工树立信心，努力工作，以优异的成绩完成党和人民的重托。

截流赶工阶段，针对当时艰巨的施工任务，在全工区开展了“既做主人，又当小工”的主题教育活动，号召工区各施工单位形成合力，广大建设者树立主人翁观念，担当重任的OTFF联营体广大职工用22个月的时间完成了33个月的施工任务，保证了截流按期实现，同时也弘扬了中国工人阶级的爱国敬业精神。

在截流后保度汛、保发电阶段，针对小浪底社会影响愈来愈大的情况，适时地在职工中开展了“声誉高了，名誉多了，小浪底人怎么办”的主题教育活动，号召广大职工自我总结，自我加压，把截流赶工中形成的“团结高效，艰苦奋斗”的小浪底精神弘扬光大。

**二、选好活动载体，提高创建效果**

精神文明建设要实现推动物质文明建设不断发展的目标，具体落实中首先是选好二者的结合点——载体，并深入促进两个文明共同进步。为实现这一目标，建管局党委主要选取以下载体，作为加强精神文明建设，推动工程建设的窗口。

开展“党员双文明责任区”活动。以“两帮三包五带头”（两帮：帮助技术业务提高，帮助解决生活实际问题；三包：包入党积极分子的培养教育，包联系对象的思想信息反馈，包落后人员的思想转化；五带头：带头学习宣传党的基本理论和方针政策，带头遵纪守法，带头维护职工队伍团结，带头尊重人、理解人、关心人，带头完成各项任务）为主要内容，以“四好”（党员模范作用好，团结协作完成任务好，遵章守纪职业道德好，生活互助文明礼貌好）为考察标准，将全局党员以党小组为最小单位建立党员对群众联系制度，开展红旗责任区竞赛，每季度组织一次考核。党员实行挂牌上岗，党员办公桌上都摆有“共产党员”四个大字的红色牌子，激励和鞭策党员自觉接受群众监督。

开展“青年文明号”创建活动。青年文明号活动由建管局团委组织，施工单位青年突击队参加，围绕急、难、险、重工程项目开展以“优质、高效、低耗、安全”为目标的创建活动。小浪底工程青年文明号先后参加了洞室开挖、边坡支护等工程，有6支青年突击队获得共青团中央、水利部等部委命名的“全国青年文明号”称号。青年突击队在参与工程建设的同时，还组织了“青年志愿者”活动，在节假日为常年在工地工作的建设者写春联、理发、修理电器、缝补衣服等。

开展爱国主义教育活动。按照江泽民总书记要把小浪底建成爱国主义教育基地的指示精神，小浪底工地建成了由小浪底工程、爱国主义教育展室、英模事迹报告等组成的爱国主义教育体系，对小浪底工程建设者及外来参观人员进行爱国主义教育。始终将“形成一个共识——中国建设者都是小浪底工程的主人；确立一个志向——为国争光，为中国人争气；培育一种精神——拼搏进取，无私奉献”作为爱国主义教育的宣传重点，以身边的事迹感染人，以国家的发展教育人，引导广大建设者增强主人翁意识，热爱小浪底工程，把小浪底建设得更加美好。

建立年轻处级干部培养联系制度。年轻干部是企业发展的希望，为尽快提高他们的综合领导能力，局党委安排老同志与年轻处级干部形成培养联系制度，要求联系对象定期向联系人汇报思想工作，接受老同志的指导。

开展丰富多彩的职工业余文化活动。小浪底工程远离城市，业余文化生活单调。为丰富职工业余文化生活，增强职工的团队意识，经常开展丰富多彩的文娱体育活动。如歌咏晚会、卡拉OK比赛、灯谜晚会、野炊联谊、拔河、越野赛、棋牌赛、篮球赛等。

**三、坚持以人为本，强化队伍素质**

小浪底工程采用“FIDIC”条款进行工程管理，而我国尚处于与国际接轨的过渡阶段，因此，建设小浪底工程的一项主要任务就是，培养一支适应国际工程管理的建设管理队伍。

重视职工政治理论素质的提高。局党委在安排邓小平理论学习的基础上，结合国内国际形势，经常邀请中央党校、河海大学、郑州大学等高等学府的专家学者来小浪底工地作理论辅导报告、时事政治报告等，增强广大职工的政治意识、责任意识和大局意识。

重视职工思想道德水平的提高。局党委先后开展了爱国主义知识竞赛、希望工程捐款活动、抗洪赈灾捐款捐物活动、水利英模事迹报告会、告别不文明行为系列活动等，加强“三观”、“三义”教育，提高职工思想道德水平。

高度重视国际工程管理知识的学习和交流。局党委多次在小浪底工地举办合同管理培训和施工技术交流讲座，邀请加拿大咨询专家、国内水电施工专家对青年职工进行业务辅导。另一方面，选派专业基础好的青年干部参加国外培训。全局已有2000多人次参加过国内外的各种专业学习、培训和考察。天津大学在小浪底举办的MBA进修班将于2000年结业。

（水利部文明办）

## 全国妇联机关

# 创建文明机关 做妇女群众满意的“娘家人”

全国妇联机关在精神文明建设中，结合妇联组织的性质和工作实际，在机关干部职工中开展了“创建文明机关，做妇女群众满意的‘娘家人’”活动。

**一、坚持理论学习，增强群众观点，强化“娘家人”意识**

妇联机关组织干部党员学习邓小平、江泽民同志关于密切联系群众的重要论述，使妇联干部认识到：全国妇联是党和政府联系广大妇女群众的桥梁和纽带，密切联系广大妇女群众是妇联的根本职责。为人民服务的宗旨体现在妇联干部身上，就是全心全意为广大妇女儿童服务，当好妇女群众的“娘家人”。在“三讲”教育中，重点抓了群众观点和群众路线的教育，并联系妇联干部思想工作实际，真正解决思想认识上的问题。党组书记顾秀莲，副书记沈淑济分别以“理想宗旨”、“群众路线”为主题，给全体干部党员讲党课。许多同志联系思想实际，剖析了自己在群众观点、群众路线方面的差距。

妇联机关还请老领导、老同志“忆传统、讲奉献”，把密切联系妇女群众的好传统作为妇联宝贵的精神财富继承下来，发扬光大。机关制定了调查研究的专门规定，每年有计划地组织干部进行综合和专题调查，回来组织汇报会、报告会。精神文明委还组织优秀调查报告评选活动，提高工作质量和思想水平。

**二、提高素质，转变作风，树立“娘家人”的良好形象**

一是重视对干部的培养教育，提高干部队伍素质。几年来，妇联机关有计划地组织干部职工学习邓小平理论，同时送一批干部到中央党校、中直分校学习。妇联机关与北京大学研究生院联合举办应用社会学研究生班，到1999年底，机关和直属单位有48名同志完成研究生课程。支持干部职工在职进修博士、硕士研究生，促进学历升级。妇联机关还通过选派年轻干部到艰苦地区挂职锻炼，促进机关干部转变工作作风。1999年，选派了9名年轻干部到西藏、甘肃、山西等艰苦地区挂职锻炼，她们虚心向群众学习，增长才干，同时，努力为基层办实事好事，解决实际困难，树立了妇联干部的良好形象。几年来，通过组织扶贫捐助活动，促进机关干部转变工作作风。以妇联的帮扶点国家级贫困县甘肃省漳县为基地，选派干部轮流去蹲点扶贫，并发出“举全会之力，助漳县脱贫”的号召。据统计，为漳县捐赠和引进妇女扶贫项目资金达160多万元。

二是加强会风建设，弘扬妇联精神。全国妇联制定了“团结勤奋、廉洁务实、爱岗敬业、开拓进取”的会风，把“自尊、自信、自立、自强”作为妇联精神。针对机关干部的整体素质和精神风貌实际，妇联机关组织开展了会风和妇联精神的宣传教育活动，开展了争创“文明处（室）”、“文明服务窗口”和争当“文明职工”活动。在日常工作中，机关把整顿纪律、强化廉洁自律观念作为重点，组织各支部认真检查各种规章制度的落实情况。

三是开展主题教育活动，进行“爱党、爱国、爱妇联”的爱岗敬业教育。坚持从实际出发，一年一个主题，教育内容突出重点。1997年开展了“赞我集体爱我岗”活动。1998年结合贯彻党的“十五大”精神和筹备召开中国妇女第八次全国代表大会，开展了“为党旗增辉、为会徽添彩”主题活动。1999年结合庆祝新中国成立50周年、建会50周年，开展了“心中有祖国，志架巾帼桥”主题活动，全面进行爱党、爱国、爱妇联教育。

四是加强机关文化建设，陶冶情操。充分发挥妇委会、团委、老干局的作用，组织青年韵律操培训班、老干部书画培训班，建立机关小合唱队，组织体操汇演等。组织了文化艺术节，高唱祖国颂、社会主义颂、改革开放颂以及反映妇女地位变化和妇联工作成就的巾帼颂。

**三、全心全意为妇女儿童服务，发挥“娘家人”的桥梁纽带作用**

代表和维护妇女儿童权益，促进男女平等，推动社会文明进步和妇女事业的发展是妇联组织的基本职能。全国妇联紧紧围绕党的中心工作，发动组织妇女开展“双学双比”、“巾帼建功”和“五好文明家庭”活动，成效显著，受到了妇女群众的欢迎。全国有1.2亿农村妇女参加了妇联倡导的“双学双比”活动，近亿名农村妇女参加了实用技术培训，掌握了1—2门实用技术，近千万妇女脱盲。为此全国妇联荣获联合国教科文组织颁发的扫盲奖。1999年6月5日，联合国环境开发署授予全国妇联“全球500佳”荣誉奖，以表彰全国妇联在开展以植树造林、改善生态环境为主要内容的“三八绿色工程”和“妇女·家园·环境”宣传教育中所做的贡献。全国妇联配合国家“八七”扶贫计划，认真总结推广“拉手扶贫”、“连环扶贫”、“项目扶贫”经验，帮助95万农村妇女脱贫，1998和1999两年又帮助58万农村妇女解决了温饱。在城市通过开展“巾帼创业”行动，采取专业培训、职业介绍等办法，帮助48万下岗女职工实现再就业。与民政部等单位联合在城市开展“巾帼社区服务工程”，一方面为职工服务，一方面扩大就业。

在开展“创建文明机关”活动中，妇联机关调动干部职工的积极性，按照“一手抓发展，一手抓维权”的工作思路，努力维护妇女儿童的合法权益。广泛深入地宣传男女平等的基本国策，向社会宣传妇女，向妇女宣传社会，摒弃男尊女卑的传统偏见。全国妇联权益部信访处，多年被评为全国妇联、中直机关精神文明先进单位，还被评为中办、国办信访工作优秀集体。她们热情耐心地接待每一位上访妇女群众，认真处理每一封信，每一个电话，通过行政、法律、社会等渠道，为党和国家分忧，妥善处理了一些紧急突发事件，协助查处了一些有影响的大要案。

**四、领导重视，是搞好机关精神文明建设的重要保证**

加强机关精神文明建设，开展群众性的创建活动，是建设高素质妇联干部队伍，推动各项妇女工作不断发展的重要内容。全国妇联党组和书记处书记努力做到：思想上高度重视，工作上大力支持，行动上以身作则，当好“娘家人”的排头兵。

首先是思想上重视，真正做到精神文明建设和物质文明建设、抓业务与带队伍两手抓，两手都要硬。机关成立了精神文明建设委员会，由党组书记顾秀莲任主任，分管书记任副主任，委员由机关几个主要职能部门负责人参加，下设精神文明办，挂靠在机关党委，增加两名专职干部，每年有专项经费。21个局级单位全部成立了精神文明建设领导小组，由一把手任组长，确定联系人，形成了全会的精神文明建设组织网络，保证各项任务的落实。

二是工作上大力支持。党组每年两次听取精神文明委工作汇报，指导精神文明委结合妇联实际提出每年工作重点，力争每年有创新、有特色，并针对各部门的不同情况，抓好典型。

（全国妇联宣传部）

# 北　京　市

## 把北京建成精神文明的“首善之区”

北京是伟大祖国的首都。古人云：建首善，自京师始。江泽民总书记几次考察北京工作时都要求，北京要努力在精神文明建设等方面走在全国的前列。按照党中央对北京工作的要求，高标准、建首善、创一流，把北京建成精神文明的“首善之区”，这是北京市委市政府和全市人民一直坚持不懈的努力方向。多年来，北京市在深入开展文明城市创建、探索精神文明建设的新思路、新方法，走出一条具有首都特色的精神文明建设新路子方面，进行了一些探索与实践。

**一、从面向新世纪的战略高度，充分认识加强首都精神文明建设的重大意义，形成一把手抓两手的领导格局，是首都精神文明建设持续健康发展的重要保障**

北京是全国的政治中心，又是一座世界历史文化名城和迈向现代化的国际大都市。首都北京以什么样的面貌和形象跨入21世纪，在很大程度上代表和反映着改革开放的社会主义中国的形象，举国关注，举世瞩目。市委、市政府高度重视首都的精神文明建设工作，从面向新世纪，把首都建设成为精神文明的首善之区的战略高度；从全面实现党在社会主义初级阶段的基本纲领和基本路线的政治高度；从抓住机遇，促进首都改革发展稳定大局的高度，充分认识加强首都精神文明建设的重要意义，充分认识精神文明建设在首都各项工作中的地位，增强了各级领导搞好首都精神文明建设的责任感和使命感。全市各级领导切实把精神文明建设摆到重要位置，加强了组织领导，使之真正成为“一把手工程”。市委、市政府领导经常研究精神文明建设工作，市委常委会多次专门讨论精神文明建设先进评选工作。在1999年的环境整治工作中，全市成立了创建文明卫生城市、迎接新中国成立50周年领导小组，市领导多次就首都城市环境整治的重要意义和做好国庆环境保障工作提出要求，并身先士卒，亲临一线。各区县、各部门也都加强领导，党政主要领导亲自抓，建立和加强有关组织机构，把精神文明建设纳入地区、部门、单位的工作总体计划。这些都为精神文明建设取得显著成效提供了强有力的保障。

**二、围绕中心，服务大局，为首都经济发展和改革开放提供强大的精神动力和智力支持，是首都精神文明建设的重要原则**

经济建设是我们一切工作的中心，改革、开放、稳定是全党工作的大局。坚持服务和服从于这个中心和大局，是衡量精神文明建设工作的根本标准。各项精神文明建设活动都要有利于把干部群众的聪明才智和积极性凝聚到首都经济建设这个中心上来，凝聚到维护改革发展稳定这个全市工作大局上来，而决不能脱离或无视中心和大局。只有这样，才能找准工作的位置，使精神文明建设得到各级党委和政府的支持和认可。多年来，首都精神文明建设各项工作紧密结合首都经济发展和各项业务工作进行，保证了首都精神文明建设沿着正确方向深入发展。在首都创建文明行业规范化服务达标活动中，各行业围绕行业发展总目标，针对各自的薄弱环节，规范行业行为、提高服务水平、树立行业新风，塑造了良好的行业形象，也提高了经济效益和社会效益。

**三、抓住历史机遇，以重大的政治和社会活动为载体，是推进首都精神文明建设蓬勃发展的重要方法**

北京承担着大量的政治和社会活动任务，这是首都精神文明建设的良好机遇。多年来，全市创造机遇、把握机遇，以亚运会、世妇会，欢庆香港、澳门回归，新中国成立50周年等重大的政治和社会活动为载体，全面带动和促进各项工作，改善了环境，凝聚了人心，振奋了精神，确保了各项庆典活动取得圆满成功，促进了首都精神文明建设蓬勃发展。特别是围绕着新中国成立50周年盛大庆典，首都担负着重大的政治历史责任，全市把为各项庆祝活动营造一个团结奋进、昂扬向上的良好氛围，以一个经济繁荣、社会安定、环境美好的崭新景象迎接新中国成立50周年盛典，作为首都精神文明建设的重要任务，紧紧围绕主题开展各项工作，使广大群众焕发出无比的积极性、责任感和良好的精神风貌，推动了各项任务的落实，使各方面工作都上了一个新台阶。

**四、突出以人为本，把群众关注的重点、难点问题作为工作的重点，是深化首都精神文明建设的重要基础**

精神文明创建工作要让群众见到实效，得到利益。在文明城市建设过程中，始终突出“以人为本”的理念，从广大群众的根本利益出发，努力为市民群众创造一个舒适、安全、文明、和谐的工作和生活环境。市委、市政府始终坚持精神文明办实事的工作思路，为群众解决了许多热点，难点问题。根据社会主义初级阶段城市建设和管理的规律，确定以环境整治为突破口，大力推进建设文明城市进程。几年来，每年都根据群众反映强烈的问题制定环境整治工作方案，围绕拆除违章建筑、撤销和整顿占路市场、治理城乡结合部环境等工作重点，解决一些群众反映强烈的问题，如1999年全市就撤销了214个占路市场，拆除了455.5万平方米的违章建筑，使广大群众身边的环境得到明显改善。创建文明行业活动、文明社区建设、文明居民区建设等，都是与广大群众的切身利益密切相关的，取得了实实在在的、广大群众认可的效果，赢得了广大市民群众的支持，也吸引了广大群众的积极参与，为首都精神文明建设奠定了坚实的群众基础。

**五、注重机制建设，实施科学的评价与管理，是将精神文明建设纳入规范化、制度化、法制化轨道的重要途径**

精神文明重在建设，尤其要重视体制、机制、法制的建设，重视加强管理。在环境整治和精神文明建设的各项工作中仅仅依靠突击不能维持长久，必须依靠强化管理，把整治、建设和管理紧密结合起来，把硬件建设与软件建设紧密结合起来，创造管理精品，通过完善法律法规，加强管理巩固各项成果，形成高效的常态运行机制，才能从根本上解决问题。多年以来，完善城市管理法规，坚持依法治市，针对城市管理中的几大难点问题，将城市管理工作纳入到法制化的轨道。如，清理无照经营、“三无”人员以及拆除违章建筑，发布了多项法规。见义勇为立法工作已取得重大进展。同时，全市在精神文明建设的组织领导机制、考核激励机制、共建参与机制等方面都进行了一定的探索，各项精神文明创建活动也在不断规范，文明单位、文明居民区、文明社区、文明行业、文明村镇等各项创建活动的管理办法也已经或正在制定和完善，从而使精神文明建设进入科学、规范的轨道。

**六、坚持从市情出发，把先进性和广泛性结合起来，分类指导，分层推进，是推动首都精神文明建设不断延伸、拓展的重要环节**

北京是首都，具有特殊的城市性质和功能，但它又是处于社会主义初级阶段的发展中城市。首都精神文明建设必须立足于这个基本市情，结合北京的经济、社会发展状况以及精神文明建设的具体现状，才能找准位置，发挥作用，取得实效。近年来，北京市先后就文明单位、文明居民区、文明社区、文明市民学校等进行了深入调研，在此基础上，提出了坚持达标与创优相结合的原则，坚持分类指导、分层推进的方法，按照巩固、提高、延伸、辐射的思路，使首都精神文明建设不断拓展深化。如首都各地区、各部门的工作发展不平衡，根据这一具体实际，把先进性要求和广泛性要求结合起来，制定了实事求是、切合各个阶段和层次的目标和管理办法，从而增强了针对性和层次性，扩大了精神文明建设活动的覆盖面。创建文明居民区已延伸到文明社区、文明城区；创建文明村已拓展到包括文明户、文明乡镇和乡镇企业的系列创建格局；创建文明单位也在由服务窗口、行业规范化服务达标辐射到各个行业。从而使首都的群众性精神文明创建活动进一步增强了吸引力、凝聚力。

**七、树立典型示范，充分发挥先进典型的先**

锋带动作用，是促进首都精神文明建设不断深入的一条重要经验

大力培养和树立各种先进典型，加强对各种典型的宣传力度，充分发挥其示范带动作用，有利于形成精神文明发展的舆论氛围。多年来，在首都精神文明建设中涌现出了一大批先进集体和先进个人，各种典型层出不穷，产生了巨大的社会影响。全市每年都召开大会，大张旗鼓的表彰和宣传各地区、各部门的先进典型。各新闻舆论部门积极配合，主动工作，大力宣传精神文明建设的成果和经验，展示了首都良好的社会形象。

**八、充分调动各方面的积极性，发动多方参与，齐抓共建，形成合力，是使首都精神文明建设充满生机和活力的重要源泉**

精神文明建设是一项整体性、协调性很强的系统工程，也是全社会的共同责任，需要方方面面的共同参与和配合，需要充分发动各方面力量共同参与，齐抓共建，不断满足广大群众提高生活质量的要求和精神文化需求，使群众在参与中受到教育，在实践中得到提高，在创建中获得利益，从而促进广大群众积极参与精神文明建设活动，保持旺盛的生机与活力。北京是中央党政军首脑机关的所在地。长期以来，驻京中央单位、部队和高等学校、科研院所，积极支持、热情参与首都的文明城市建设，作出了突出的贡献；广大市民积极参与“城市清洁日”、社区义务劳动和志愿者服务等群众性创建活动，形成了“千万市民齐参与，共创美好新家园”的良好局面。

**九、从建设精神文明“首善之区”的目标着眼，从首都精神文明建设的全局和长远规划着眼，形成重点突破、整体推进、多层次、全方位协调发展的格局，是走出首都特色的精神文明建设之路的重要战略**

精神文明建设是一项复杂的系统工程和一个长期的过程，需要具备战略的眼光和长远的规划。近年来，首都精神文明建设坚持高标准，着眼于“建首善、创一流”，建设精神文明的“首善之区”，逐渐明确了发展战略。全市制定了《1996—2000年首都文明城市建设规划》，各区县也相应制定了中长期规划，把思想道德教育、各项群众性精神文明创建活动以及环境整治等多方面的工作紧密结合，纳入精神文明建设的总体布局，统一领导、统一规划、统一部署、统一检查、统一考核。同时注意突出重点，找准突破口、切入点，使各项工作协调发展，整体推进，全面提高首都精神文明建设水平。目前，全市已初步形成了以思想道德教育为基础、以环境整治为突破口，创建文明户、文明村、文明乡镇；文明居民区、文明社区、文明城区；文明单位、文明行业等紧密结合、相互促进的多层次、全方位蓬勃发展的精神文明建设格局。

（首都文明办）

## 北 京 市

# 努力做到“两抓”“四结合”把文明市民教育引向深入

北京市文明市民教育工作贯彻落实首都文明委关于首都文明城市建设工作的部署，以加强市民思想道德教育为主线，以全面提高市民文明素质为目标，围绕“建文明城市，做文明市民，迎50年国庆”主题，开展了丰富多彩的宣传教育活动。特别是作为市民教育的重要载体——首都文

明市民学校，围绕“讲文明树新风”、“四要四不要”，“保护生态环境、倡导文明新风”，揭批“法轮功”，以及迎“国庆”迎“回归”盛大庆典等内容强化教育，形成了广泛的社会影响；与此同时，文明市民学校建设在各级领导的大力支持下，取得了较大的发展：与市教委联合制定实施《关于首都市民素质提高培训工作的意见》，成立了市民教育讲师团，学校总数达到3200所，固定学员突破70万人，教学条件也得到了进一步的改善，形成了良好的发展势头。抓好文明市民教育工作，要努力做到“两抓”、“四结合”。

**一、“两抓”是做好文明市民教育工作的有力保障**

“两抓”就是一要抓好对市民教育工作的领导，二要抓好社会舆论宣传，形成市民教育各项活动的声势和影响。抓领导就是“抓协调，抓指导，抓检查，抓落实”，这是搞好市民教育工作的根本保证。具体来说，就是紧密围绕市委、市政府提出的精神文明建设任务，精心策划，积极组织协调社会各界、各社区、各团体的力量，在全市开展“建文明城市，做文明市民，迎50年国庆”主题教育活动。各级领导积极主动参与，形成推动市民教育工作持续开展的有利态势。市委常委、宣传部长龙新民、副市长汪光焘等市领导亲自参加“绿色志愿者行动”等市民教育活动；市文明办领导认真研究市民教育工作，组织制定方案，不断提出新的更高要求。一些区县的领导主动参与市民教育工作，起到了表率、示范作用。

抓好社会舆论宣传，形成市民教育各项活动的声势和影响。第一，围绕市民环保意识教育，组织社会宣传营造舆论环境。如相继开展了“绿色志愿者行动”宣传日、控制“白色污染”推广使用布制购物袋宣传日等活动，构成了强大的社会宣传声势。

第二，围绕见义勇为好市民评选以及见义勇为立法工作，组织市民讨论，形成崇尚见义勇为精神的浓厚氛围。制定《北京市奖励和保护见义勇为人员条例》，组织市民参加《条例》的修订讨论，全市十多家新闻媒体予以宣传报道，形成了强烈的社会舆论氛围。

第三，加大新闻宣传力度，使首都精神文明成果的宣传形象鲜明。如组织“逛京城”活动，先后两次组织市民群众参加“全国见义勇为先进事迹报告团”报告会；介绍全市文明城市建设开展环境整治的成果，组织区县先进市民学校成果交流活动，促进市民教育工作向纵深拓展。

**二、找准和把握市民学校工作的四个结合点，是全面推动市民教育工作的关键**

第一，把市民教育与文明城市建设相结合。重点抓好以下工作：一是围绕治理城市环境脏乱，着力提高市民环境意识，加大教育力度。首先从提高认识入手，开展了以增强环保意识为主题的教育活动。如编印发放了10万份《热爱首都，维护环境，人人参与，共创文明》的宣传资料；改编出版《公民环保行为规范》（北京版）一书；举办了“威氏克杯”环保知识竞赛；组织以提高环保意识教育为专题的培训班；与市妇联、市环保局、市文化局、市环保基金会等单位联合开展“做文明市民，建绿色家园”科技周宣传日等活动。其次，组织市民积极参加社会道德实践活动，在实践中实现教育自我，影响他人。如4月4日在全市开展了“绿色志愿者行动”统一活动日；4月17日在全市开展了“控制白色污染，推广使用购物布袋”宣传日活动；5月份组织4城区的“绿色志愿者”，与铁道部等11个单位在丰台区黄土坡铁路沿线共同开展清除“白色污染”的千人大行动。二是结合社区建设和管理，加强市民教育工作。

第二，市民教育与多种形式的创建活动相结合。多年来，群众性的精神文明创建活动已经形成文明行业、文明单位、文明村镇、文明居民区、五好文明家庭、十星级文明户等不同层次的创建格局，各地区在开展市民教育工作中，把教育内容与创建活动有机结合，形成推动精神文明建设的合力。如大兴县，没有市民学校的单位不能评为文明单位、文明村镇；昌平县规定，每个乡镇要建一所市民学校中心校，凡要创建文明村的必须要有一所文明市民学校；怀柔县开展市民教育从深化“五好文明家庭”创建活动入手等。

第三，市民教育与全市性重大活动相结合。在全市13个“窗口”行业开展了“创文明行业，迎50年大庆”电视演讲艺术大赛；组织全市10万“首都文明监督员”在街头宣传首都文明城市建设成果，劝阻不文明行为等。有的市民学校还组织“夏日文化广场”、“学雷锋志愿者奉献日”、“家庭妇女新闻角”等活动，占领群众思想文化阵地。

第四，把市民教育与为经济中心服务相结合。一些地区的市民学校在进行时事政治、法律法规、科普知识、健康保健等内容教育的同时，还以市民学校为依托，积极开展劳动技能培训，深受市民群众的欢迎，为市民教育工作拓展了一条新的思路，被广大市民誉为“办好事、办实事工程”。例如西城区实施“市民素质提高工程”，相继开展了电脑、电工、美容美发、外语等方面的培训；通州区胡各庄乡市民学校与北京农学院的5名专家签订了授课合同，定期为全乡菜农上技术指导课；怀柔县在市民学校中广泛开展农业科技知识的培训，年内培训6万人次；密云县十里堡镇十里堡村市民学校，举办免耕法培训班，传播科学种田知识，受到了村民的欢迎。

（首都文明办）

## 天津市西青区张家窝镇

# 高标准 高起步 把文明城镇建设落到实处

天津市西青区张家窝镇被评为天津市首批明星小康乡镇，被国家民政部命名为“乡镇之星”。1999年9月，被中央文明委授予全国创建文明村镇活动先进单位称号。近年来，张家窝镇结合自身实际，以“撤乡建镇”为契机，深入开展创建文明城镇活动，取得了显著成效。

**一、抓好硬件工程，集中搞好小城镇建设，夯实创建文明城镇活动的基础**

张家窝镇把小城镇建设作为创建文明城镇的基础性工作来抓，提出要逐步实现人口向镇区集中、土地向种田能手集中、工业向小区集中的“三集中”发展目标。按照“高标准、高起步、早规划、稳推进”的原则，委托天津市规划设计院编制了张家窝镇镇域总体规划、镇区总体规划和起步区详细规划。中心镇区由四部分构成：一是生活区，占地2.6平方公里；二是无污染工业小区，占地1平方公里；三是预留发展用地，占地0.75平方公里；四是水面、绿地分布在整个中心镇区内，占地0.35平方公里。从1995年至今已经投资3.6亿元，建成住宅楼32万平方米，迁入居民3200户，计1.1万人。建成两所高标准中心小学和一所中学共1.5万平方米，建成一所老年公寓3800平方米，建成银行、电讯、政法、商贸和企业办公大楼等建筑，全镇公共建筑面积达6万平方米。修建道路5万平方米，铺设上下水管道1.6万延米，种植绿地7.3万平方米，有线电视和电话全部入户，实现了集中供暖、陕气进镇。几年来，该镇先后被确定为国家建设部小城镇建设试点和国家体改委等11部委小城镇改革试点。

**二、抓好软件工程，丰富创建内容**

张家窝镇把创建文明城镇活动的落脚点放在提高干部群众思想道德素质和科学文化素质上，通过抓好具体、有形的活动，吸引群众广泛参与，提高了创建效果。

抓教育。针对农村群众居住环境和生活条件改变了，旧的生活习惯和行为观念还没有转变这一特点，一是加强对群众进行《天津市民行为道德规范》、《西青区村民自治示范章程》和《西青区村民文明守则》的宣传教育，修改制定了镇规民约和村规民约。二是深入开展“讲文明树新风”活动，对居民小区内私搭乱建、乱堆乱放、乱贴乱画、乱摆乱卖和损坏公共绿地、公共设施等不文明行为进行治理。三是把教育同群众性精神文明创建活动结合起来，在全镇开展创建“文明单位”、“文明小区”，争当“文明户”、“遵纪守法户”和“文明市民”等系列活动。

抓活动。为了丰富和活跃群众的业余文化生活，先后投资210万元安装了有线电视网络，建成群众文体活动阵地48个，组建活动队伍49支。经常举办文艺联欢会，秧歌、花会表演，棋类、球类比赛和书法、绘画展览等活动。村民在活动中得到陶冶，受到教育。

抓“细胞工程”。加强社会治安综合治理，保持社会稳定，是精神文明建设的重要内容。一是采取一级抓一级，层层抓落实的方法，与各村、厂和各户签订综合治理目标责任书；二是充分发挥215名信息员和治安片长的作用，加强信息反馈，及时发现和化解各种矛盾纠纷，做好群众的思想转化工作；三是建起110人的治安专职队伍和261人的治安巡逻队伍，建立了全镇治安联防网络，有效地保障了治安秩序和社会的稳定。

抓人才工程。坚持把提高全镇干部群众的科学文化素质作为一项系统工程认真抓好。几年来，全镇有113名镇村干部参加大专学习，113人参加中专学习，先后培训厂长、经理257名，各类专业技术和管理人员7250名，有3000多人获得各类专业技术证书，并在企业实行岗位培训，培训职工2万人次。还从本市及全国各地引进各类高、中级专业技术和管理人才800多名，为可持续发展奠定了坚实的基础。

**三、抓好机制建设，为创建文明城镇活动提供组织保证**

创建文明城镇活动已由单纯的一项群众性精神文明创建活动，发展成为搞好全镇工作的一个重要载体。成立了由镇党委书记、镇长为正、副组长，由组织、宣传、文化、卫生、城建、政法、教育等部门领导为成员的精神文明建设领导小组，并成立了镇精神文明建设办公室。把创建文明城镇纳入了小城镇建设总体规划和张家窝镇《1997—2010年精神文明建设的总体规划》。在全镇每年的经济和政治工作会议上，把创建文明城镇的各项任务分解落实到党委、政府的各个部门，层层签订目标责任书，结合年终精神文明建设百分考核，对创建活动进行考核，并以此作为部门和个人评优、奖励的依据。

（天津市文明办）

## 天津市南开区长宁里居委会

# 占领社区阵地　共建文明家园

天津市南开区长宁里居民区是一个居住条件相对落后的普通小区，现有居民747户，2580人。十几年来，长宁里居委会坚持从建阵地、抓队伍、搞活动入手，扎扎实实地开展精神文明创建工作，初步建成了安全文明、整洁优美、生活方便、团结和睦、温馨美好的家园。先后被国家民政部授予“全国模范居委会”称号，被评为天津市文明小区和南开区示范文明小区，主要做法是：

**一、发挥阵地作用，创造育人环境**

培育“四有”新人，是社会主义精神文明建设的根本任务，也是社区精神文明创建活动的出发点和落脚点。多年来，长宁里从实际出发，以“一报、一校、三栏”为阵地，在做足“小文章”上下功夫，理直气壮地讲大道理，努力提高居民素质。

一是认真办好《精神文明月刊》。这份小报创办于1983年6月，是一张手刻油印的八开纸，每期印数不足百份。以宣传党的路线方针政策、倡导精神文明、表扬好人好事、批评不良现象为主，讲述老百姓自己的故事，使居民感到格外亲切。

16年来，无论环境如何变化，始终坚持按时出报，共出刊165期，30多万字。每逢重大事件和重大活动，都编发各种主题的专辑；对邻里互助、孝敬父母、义务奉献、维护治安等好人好事，及时予以表扬；对乱扔乱倒、乱堆乱放、封建迷信等不良倾向和行为，旗帜鲜明地进行批评。收到了良好的宣传教育效果。

二是努力办好市民学校。聘请居民中思想水平比较高、又有一定授课能力的干部和有关人员，定期向居民宣讲邓小平理论、党的方针政策、改革开放取得的辉煌成就、天津发生的巨大变化等，引导居民正确认识社会热点问题。同时，宣讲《天津市民行为道德规范》、法律法规知识，倡导科学文明，反对封建迷信。市民学校还根据居民需要，组织开展科普、健身、健康知识和烹饪技术等讲座，将知识性、思想性、趣味性融为一体。几年来，共讲课39次，听课群众达5000多人次，深受居民欢迎。

三是积极办好文化橱窗。在居民小区内建立“三栏”，即阅报栏、居务公开栏、党员奉献栏。阅报栏向居民提供当天的市、区报纸，成为群众特别是离退休人员每天了解国家大事、增长知识的一块天地。居务公开栏将社区开展的各项工作，尤其是与群众日常生活和切身利益密切相关的事情，及时向居民“交家底”，增加居委会工作的透明度。党员奉献栏经常介绍小区党员的模范事迹，激励党员发挥作用，树立良好的形象，让居民不仅知道谁是党员，而且还了解每个党员做的怎样，便于群众监督。“三栏”在学习先进、弘扬正气方面发挥了导向和示范作用。

**二、从具体事情抓起，提高居民生活质量**

一是开展“清物育人”活动。长宁里小区的硬件比较落后，居民住房没有暖气，面积小，有的没有阳台。前些年，楼内乱堆乱放，楼外私搭乱盖，甚至有的居民为了抢占地盘堆放杂物造成邻里关系紧张。为此，居委会在小区内开展了一场“清物育人”活动，响亮地提出“让自家门前净起来，让小区整洁起来，让奉献之歌唱起来”的口号，让居民在改善环境卫生中，逐渐养成科学文明的生活方式，形成团结友爱的新型人际关系。充分发动群众人人动手清脏治乱，使社区面貌发生了根本变化。

二是开展邻里互助活动。广泛开展见危相救、遇难相帮、关心孤残、扶助贫困的活动。定期组织“为残疾人献爱心、志愿服务一条街”活动，提供理发、修车、修家电、裁剪、看病等服务项目。几年来，为100多位下岗职工找到了就业门路。

三是开展社区文化活动。从1996年开始，小区开展了“爱书、藏书、读书”活动，倡导以家庭为单位，阅读好书，以书养德。居委会用居民们自发捐来的500册书籍办起了图书角。先后举办20多次演讲、座谈、辅导、交流读书心得等活动，近200名居民登台演讲，汇报读书体会。在读书活动的熏陶下，许多居民已养成“爱书、读书、藏书”的好习惯。在学生寒暑假期间，组织小区内在校学生开展多种形式的文体活动，配合学校、家庭先后培养了一批小歌手、小画家、小演讲家、小心算家等。对活跃在小区内的老年健身队伍进行引导和扶持，创造条件，吸引越来越多的居民积极参与。

**三、以骨干带群众，共创美好家园**

面对小区内不同年龄、不同文化、不同职业、人数众多的居民群体，居委会坚持以党支部为核心，发挥党员、楼栋长、志愿者和青少年四支队伍的作用，发动群众积极参与精神文明创建活动，引导居民人人热爱、共同建设自己的家园。

一是充分发挥党支部的领导核心作用。党支部定期研究小区建设，研究创建中遇到的困难和问题，并做出了《关于发挥党员在社区建设中作用的意见》。1999年“法轮功”在北京闹事后，党支部主动地组织党员学习《人民日报》社论，召开“崇尚科学，破除迷信”座谈会，理直气壮地宣传马克思主义唯物论和无神论。7月22日，按照中央关于取缔“法轮功”的精神，立即分头到19个“法轮功”练习者家中进行宣传和解劝，使其很快全部转化，上交了“法轮功”书籍。

二是充分发挥党员的模范带头作用。党支部不仅注意发挥组织关系在支部的50多名老党员的作用，还注意发挥240多名在职党员和下岗职工中党员的作用，建立了党员责任区。在开展环境整治、“楼道革命”、扶贫帮困、义务奉献等活动中，小区内党员始终走在群众的前列。

三是充分发挥楼栋长的组织协调作用。长宁

里小区有46名楼栋长，经常挨家挨户地走访，像一根红线，把747个家庭串在一起。1998年，一名被劳动教养的青年解教归来，楼栋长和同楼居住的老党员组成了帮教小组，主动和他谈心，关心他的生活，使这位青年深受感动，决心痛改前非。一次，楼里一户居民家中发生火灾，他奋不顾身地从大火中救出一名4岁儿童。他的转变在居民群众中传为美谈。

四是充分发挥志愿者队伍的作用。在小区内长年活跃着一支100多人的志愿者服务队伍，他们凭着一颗爱心，不图索取，为居民提供着各种各样的服务。他们还把孩子们组织起来，定期开展照顾孤老户、慰问军属等公益活动。一些小学生主动承担起书写楼前黑板报的任务，为社区精神文明建设增添了活力，也使孩子们得到锻炼和提高。

（天津市文明办）

# 河　北　省

## 以党的十五届三中全会精神为指导 扎扎实实推动农村精神文明建设

**一、农村精神文明建设是农村工作的重要组成部分**

建设农村精神文明，是我们党领导人民群众建设有中国特色社会主义新农村的重要工作。我国是农业大国，80%的人口在农村。农村的精神文明建设搞得如何，在很大程度上决定着整个社会精神文明建设的水平，关系到建设有中国特色社会主义事业的成败。党的十五届三中全会，在总结农村改革20年基本经验的基础上，进一步强调了搞好农村精神文明建设的重要性，并把农村精神文明建设工作提到了一个十分突出的位置。全会通过的《决定》在阐明建设有中国特色社会主义新农村的目标上，明确提出："要坚持全面推进农村社会主义精神文明建设，培养有理想、有道德、有文化、有纪律的新型农民"；在确定我国农业和农村工作的方针上，提出："要坚持物质文明建设和精神文明建设两手抓。两个文明都搞好，农村经济、社会协调发展，才是有中国特色社会主义的新农村"；在部署各项任务中，对农村精神文明建设，包括思想、道德、文化、科技、教育等项内容都做出了具体安排。由此可见，在抓农村建设中，必须把精神文明建设纳入农村工作的全局，忽视了农村的精神文明建设，就丢掉了党在农村工作的重要方针，就不可能把农村建设成为有中国特色社会主义的新农村。

农村经济、政治和社会发展的各项工作中都渗透着大量的精神文明建设内容。

一是要充分认识和抓好农村改革和经济发展中的精神文明建设。首先，在一定意义上讲，推动农村改革的过程，就是引导农村广大干部群众解放思想、更新观念的过程，抓农村改革，首先必须抓好农村的思想建设。其次，从发展农村生产力方面来讲，当前我们面临的主要任务是要进一步提高农业科技、装备水平和综合生产能力。要做到这一点，不抓科技和教育是不行的。再次，从提高农民群众的生活质量方面来讲，随着农民收入的不断增加，摆在我们面前的一个突出的任务是如何引导他们建立科学合理的消费结构，形成适应社会主义新农村要求的健康文明的生活方式。

二是要充分认识和抓好农村基层民主政治建设中的精神文明建设。党的十五届三中全会把推进基层民主政治建设提到了农村工作的重要日程，提出要在党的领导、政权建设和村民自治等方面来加强这项工作。这其中的每一项工作中都包含着精神文明建设的内容。比如，要坚持和改善党的领导，就必须进一步加强党组织的思想建设，提高农村广大党员、干部的素质。党组织的思想建设搞不好，党员、干部的素质低下，就谈不上加强和改善党的领导。因此，可以说，精神文明建设贯穿于农村基层民主政治建设的始终，在推进农村基层民主政治建设的过程中，必须自始至终抓好其中的思想道德建设。

三是要充分认识和抓好农村社会发展中的精神文明建设。精神文明建设就其本身的内容来讲，包括思想、道德、教育、科学、文化五个方面。而社会发展则是指一个地方的思想道德水平的提高、教育科学文化事业的发展、人口素质的提高、社会公益事业建设的进步等。可见，社会发展的内容，很多就是精神文明建设的内容，精神文明建设在社会发展中占有很大的比重。因此，要推动农村社会的全面发展，就必须十分关注和搞好农村的精神文明建设，精神文明建设上不去，农村的社会发展水平就不可能提高。

**二、农村精神文明建设的根本任务是全面提高农民的思想道德素质和科学文化素质**

农村精神文明建设的内容十分丰富，工作千头万绪，但根本的是要抓农民思想道德素质和科学文化素质的提高，培育有理想、有道德、有文化、有纪律的社会主义新型农民。这是因为，农民是农村社会的主体，他们的素质如何，最终决定着农村经济和社会发展的水平。我们在组织农村精神文明建设中，必须牢牢地抓住提高农民素质这个根本，围绕这一根本任务来组织开展工作。

要教育农民进一步解放思想、更新观念，引导他们进入社会主义市场经济。要使广大农民尽快地适应农村经济的逐步市场化，自觉地走进市场经济，除了创造客观条件外，关键的问题是农民的思想观念能不能跟上去。教育农民解放思想、更新观念，是深化农村经济体制改革所面临的重大课题。首先要培育农民的市场主体意识。要教育农民懂得市场经济是进入小康、走向富裕、迈向现代化的必由之路，只有摆脱自给自足经济，主动地参与到市场经济中来，才能尽快地富起来。其次要培养农民的市场竞争意识。增强优胜劣汰的观念，学会在市场经济中求生存、谋发展，根据市场需求组织生产，按照价值规律促进产品增值，快节奏、争效益、重质量、守信誉，进入市场、拥有市场、长期占领市场。第三，培养农民的风险意识。要正确地对待市场风险，解决一些农民想参与市场经济但又怕吃亏的思想障碍。第四，帮助农民掌握市场经济知识。要知道怎样运用市场规则来发展自己，怎样用法律手段来保护自己，学会在市场竞争中少吃亏、不吃亏、多盈利。要有组织地搞好这方面的教育，使更多的农民开阔眼界，增强心理承受能力，掌握必要的知识和技能，引导广大农民顺利地走进社会主义市场经济中来。

要加强对农民的科学文化教育，提高农民迈向宽裕型小康、实现现代化的能力。要完成这个历史跨越，就要在继续深化经济体制改革的同时，大幅度地改进生产手段、提高技术水平，这就需要有一支具有一定科学文化素质的农民队伍。但就目前的情况看，还不能适应这一要求。现在，全省农业人口中，还有40.6%的人只有小学文化程度，文盲占到18%左右。要改变这种状况，一是要抓好基础教育。尤其是要抓好农村中小学校的建设，切实普及农村的九年制义务教育，为农村发展培养和储备更多的人才打下基础。二是要抓好成人教育。要办好各类农村职业学校，进一步实施和完善“绿色证书”制度，办好多种形式的技术培训班，尽可能多地培养出一批农民技术人才。三是要加大科普工作力度。建立健全农业技术推广和服务体系，积极扶持农民发展各类专业技术协会、研究会、技术合作社等群众性科技组织，使更多的农民学会运用科学技术来发展生产，进一步提高劳动生产率，提高经济效益。

要大力发展农村文化建设事业，提高农民的生活质量。目前在农村，农民的文化生活单调，生活质量不高。一是要引导农民把手中的资金多用于购书、订报等文化投入上来，通过读书、看报，从中获得信息，增长知识。二是组织农民开展形式多样、丰富多彩的文化体育活动，引导人们自娱自乐，用健康向上的文化活动占领农村文化阵地，遏制陈规陋习的蔓延。三是加强各类文化设施的建设，在村、乡镇、小城镇有计划地建设一批图书室、文化站、影剧院，为活跃农民文化生活提供场所、创造条件。通过这些工作，丰富农民文化生活，进而使他们的生活质量不断得到提高。

**三、农村精神文明建设的主要形式是组织农民群众广泛参与创建活动**

实践证明，在农村开展创建活动，是组织农民群众参与精神文明建设的有效载体，是推动农村两个文明建设有机结合、落实到基层的基本途径。我们在组织农村精神文明建设中，要学会运用创建活动这一载体，把广大农民、基层干部、有关部门组织起来，推动精神文明建设在农村社会的各个层面中展开。

以农户为切入点，组织开展创建“十星级”文明农户活动。要全面推动这一活动开展，并保证其活动效果，必须抓好四个工作环节：一是抓好发动。二是完善民主程序。三是实行动态管理。四是激励各有关部门把工作做到基层，做到农户。

以行政村为基础，组织开展创建文明村活动。这是一项以行政村为单位，依托村党支部和村委会，组织农民参与思想、道德、科技教育，参与村级文化阵地建设和村容村貌改造的群众性创建活动。创建文明村活动的重点，应集中到村级文化阵地建设和村容村貌的改造上来。

以小城镇为龙头，组织开展创建文明小城镇活动。改革开放以来，随着农村社会主义市场经济的发展和生产力的进一步解放，小城镇在农村各地蓬勃兴起，正成为一个个农村一定区域的经济、政治、文化中心。组织开展创建文明小城镇活动，一是要抓居民素质的提高，增强人们的城市意识。一方面要抓职业道德建设，制定和完善职业道德规范；另一方面要抓社会公德建设，制定《居民行为规范》，规范人们的公共行为。二是要加强文化设施建设。三是要搞好环境形象建设。四是要充分发挥好小城镇的辐射带动作用。以小城镇为依托，把所辖区域各村的社会治安、移风易俗、文体活动、公益设施、环境建设带动起来，成区、成片地推动农村精神文明建设。

组织社会力量，实施对农村精神文明建设的帮建活动。一是组织开展军民、工农等形式的共建文明村镇活动，二是组织开展文化“十下乡、十进村”活动，三是组织开展读书兴农活动。这些活动对农村精神文明建设起了有效的推动作用。

（河北省文明办）

## 河北省衡水市桃城区

# 坚持部门包星与包村相结合　扎实推进创建“十星级”文明农户活动

从1997年开始，河北省衡水市桃城区委、区政府在组织创建“十星级”文明农户活动中，坚持实行部门包星与包村相结合的方法，有力地推动了创建“十星级”文明农户活动的深入开展。1999年4月份，中央政治局委员、中央书记处书记、国务院副总理温家宝到衡水视察工作时，对该区开展创建“十星级”文明农户活动给予了肯定。

**一、从实际出发，确定创建活动工作思路**

衡水市桃城区是从1997年7月正式铺开创建“十星级”文明农户活动的。经过科学谋划，精心组织，创建活动一开始就形成强大声势。随着创建活动的逐步深入，全区也出现了一些新情况和新问题。一是创建活动激活了绝大多数农户争星创星的内在动力，但面对市场经济既缺少资金技术又难以及时准确捕捉到市场信息，发家致富的愿望难以实现，创建活动后劲明显不足。二是有相当一部分群众主动参与的积极性不高。经过调查研究，认为开展创建“十星级”文明农户活动，是广大农民群众进行自我教育、自我管理、自我提高的生动实践，其内涵涉及到农村以小康建设为中心的各个方面的工作，是一项系统工程。搞创建，不仅要靠农户自己，更要靠党委政府去帮助、引导，也是部门转变职能，改进机关工作作风，密切党群干群关系的需要。基于这种认识，确立了以实现宽裕型小康为目标，以不断提高农民的思想道德和科学文化素质为主线，实行部门包星和包村相结合的办法，建立科学严格的部门工作目标管理考核机制，调动部门参与的积极性，真正形成全党动手，分工负责，上下贯通的社会化工作体系，以此推动整个农村两个文明建设协调发展的工作思路。

**二、坚持部门包星与包村相结合，严格考核，兑现奖惩**

根据《创建“十星级”文明农户活动部门包星责任制百分考核实施办法》，着重抓了三个环节。

一是明确部门包星包村的目标任务。(1) 致富星。由农业局、林业局、水利局、畜牧局、农开办、供销社、工商局、地税局、乡镇企业局、工商局包。主要任务是：积极协调有关部门共同组织、引导广大农民群众进入市场，开辟家庭致富路子，增加经济收入，家庭人均纯收入达到或超过全区当年小康标准。(2) 守法星。由政法委、公安局、检察院、法院、司法局包。主要任务是：组织开展好“三五”普法和送法律下乡活动，教育和引导农民群众学法、懂法、用法，自觉遵纪守法，不断提高法律意识。(3) 计生星。由计生局包。主要任务是：宣传贯彻《婚姻法》和《河北省计划生育条例》，教育和引导农民转变生育观念，实行计划生育，做到优生优育，无计划外生育，无抢生超生，无早婚早育、私婚等违反计划生育行为。(4) 科技星。由科技局、科协包。主要任务是：大力开展送科技下乡活动，举办各类形式技术培训，组织农民学科技、用科技，帮助每个家庭掌握 2—3 门实用技术，在种、养、加、劳、服务业发挥带动作用。(5) 养教星。由教育局包。主要任务是：大力宣传尊老爱幼传统美德，自觉赡养老人，关心孝敬老人，使老有所养，老有所为，老有所乐。认真贯彻执行《义务教育法》，普及九年义务教育，无辍学现象，教育青少年爱学习，爱劳动，讲文明，懂礼貌。(6) 和睦星。由妇联包。主要任务是：发挥妇女维护家庭团结，促进家庭和睦的重要作用，开展家庭美德教育，使每个家庭做到婆媳和睦，夫妻恩爱，兄弟妯娌之间和睦相处，邻里之间团结互助，无家庭不和、邻里纠纷和侵害他人权益行为。(7) 文化星。由文体局包。主要任务是：开展送文化下乡活动，组织引导民间文艺团体开展群众性文化活动，发展家庭文化，注重智力投资，逐步购置家庭文体娱乐器具和图书报刊，丰富农民群众的业余文化生活。(8) 义务星。由农工部包。主要任务是：教育和引导农民正确处理国家、集体、个人三者关系，主动履行公民的各项义务，依法纳税，按期完成粮油定购任务，及时交纳统筹提留款，积极参加各项社会公益活动。(9) 卫生星。由卫生局包。主要任务是：积极开展爱国卫生运动，建立健全乡村卫生组织，教育农民自觉搞好环境卫生和个人卫生，做到庭院整洁清新，房前屋后绿化美化，无粪土乱堆、柴草乱垛、畜禽乱跑、污水乱流、垃圾乱倒等“五乱”现象。(10) 新风星。由民政局、团委包。主要任务是：教育和引导农民自觉移风易俗，树立家庭新风，自觉遵守村规民约，倡导科学、文明、健康的生活方式，红白事不大操大办，响应殡葬改革，不参与迷信、非法宗教和赌博等活动。

二是制定科学严密的考核指标。包星部门的考核指标主要以增星率和包村工作检查评比 20 条为参照依据。对只包村不包星部门的考核，参照包村目标进行考核。

三是严格考核，兑现奖惩。对部门包星包村工作业绩的考核采取数量分析、实地考查、综合评价三种方式进行。

桃城区委、区政府规定，由区星级文明家庭创建活动协调办公室负责对部门包星包村工作业绩进行考核，办公室由文明办、妇联、综治办、督查办、考核办组成。考核安排在每年第四季度进行。考核结果由区委、区政府发内部通报，并在报纸上公布。成绩突出的，给予表彰奖励，对差的批评教育，并取消文明单位称号，同时在部门年终综合考核中降一个档次。

**三、实行部门包星包村责任制，推动了农村两个文明建设的协调发展**

桃城区在创建农村“十星级”文明农户的过程中，坚持部门包星和部门包村相结合，对部门包建工作进行目标管理，实行双百分考核，并将其纳入全区两个文明建设的整体工作考核体系，充分调动了部门参与创建的积极性、主动性，收到了明显效果。一是促进了农村经济的发展和农民富裕程度的提高。二是提高了农民科技文化素质。三是强化了农民的遵纪守法意识，优化了社会环境，保持了社会稳定。四是有效地促进了部门职能的转变，进一步密切了党群、干群关系。

（中央文明办：《精神文明建设工作》）

## 内蒙古自治区赤峰市

# 创文明村镇　建美好家园

赤峰市位于内蒙古自治区东南部，全市辖三区七旗二县，总面积9万多平方公里，总人口450万，是一个以蒙古族为主体、以汉族为多数的民族自治地区，也是一个典型的边疆欠发达的农牧业大市。

近年来，赤峰市通过开展创建文明村镇活动，进一步提高了农牧民素质，促进了农村牧区社会风气好转，改善了农牧民生产生活条件，加快了农村牧区社会全面进步。1999年9月，赤峰市被中央文明委评为“全国创建文明村镇工作先进市”。

**一、创建文明村镇，促进农牧民素质的提高**

农村牧区精神文明建设工作千头万绪，但最根本的任务是提高广大农牧民的素质。近年来，赤峰在创建文明村镇活动中，始终牢牢抓住提高农牧民素质这个根本，坚持运用理论的指导力量和思想政治工作的说服力量，引导农牧民解放思想、更新观念，消除影响经济发展的思想障碍。同时，在农村牧区组织开展了社会主义市场经济理论大学习大讨论活动，促进了农牧民思想解放和观念更新。为了把市场经济知识宣传到千家万户，1999年全市组织了20个为民服务宣讲团，深入到273个苏木乡镇巡回宣讲，共举办知识讲座1000场，接受群众咨询46万人次，产生了良好的效果。

坚持运用舆论的引导力量和典型的激励力量，塑造和弘扬艰苦奋斗的创业精神。全市组织开展了多种形式的艰苦奋斗创业精神系列教育，树立了一批艰苦奋斗、无私奉献的先进典型，市委、市政府给予了重奖，为其树碑立传，昭示后人。新闻媒体宣传讴歌了这些先进典型，营造了催人奋进的舆论氛围。在创业精神的鼓舞下，广大农牧民几十年如一日地开展以治沙造林为重点的生态环境建设，同恶劣自然条件进行了坚持不懈、艰苦卓绝的斗争。现在，全市森林面积已由建国初期的682万亩增加到3000万亩，森林覆盖率由5%提高到22%。赤峰市先后被评为“全国造林绿化先进单位”、“全国防沙治沙先进单位”、“全国林业生态建设先进市”。

坚持运用教育的推进力量和科技的启蒙力量，提高广大农牧民的科学文化素质。全市大力加强农村牧区基础教育，普及九年义务教育，开办了各类农村牧区职业技术学校，完善了成人教育。近年来，有50万农牧民获得了“绿色证书”。文化、科技、卫生部门坚持开展文化科技卫生“三下乡”活动，为广大农牧民提供及时有效的服务。为了满足农牧民的精神文化需求，全市不断加强乡镇宣传文化工程建设，仅1999年就新建标准乡镇文化站6处。科技部门大力加强农牧民专业技术协会建设和科普示范基地建设，加强对农牧民进行科技培训和科普宣传，积极引进和推广农作物新品种和新技术，在大灾的1999年，全市农牧业获得了特大丰收。

**二、创建文明村镇，促进农村牧区社会风气的好转**

赤峰市针对农村牧区不良社会风气有所抬头的现象，通过创文明村镇，弘扬了社会正气，倡导了文明新风。

一是崇尚科学，破除迷信，树立文明新风。破除封建迷信是创建文明村镇的重要内容之一，在创建活动中，赤峰市一些旗县针对当地乱建土小庙，封建迷信有所抬头的现象开展了讲科学、破迷信、拆小庙专项活动。采取破立结合的方式，把拆土小庙和崇尚科学教育结合起来，教育农牧民破除封建迷信，树立科学文明之风，移风易俗，改革丧葬陋习。近年来，赤峰市逐步扩大农村牧区火葬区域，对丧葬用品行业进行全面清理，限制“白色消费”，经过宣传教育，在群众自愿的前提下，1998年全市旧坟深埋5.7万多座，还田、还林、还牧10万多亩，农村牧区社会风气发生了很大变化。过去，升学、结婚、做寿，喝喜酒、送礼、随份子；现在，送花、赠书、演电影、唱大戏，农村牧区一些陈规陋习正被健康文明的风尚所取代。

二是扶贫帮贫，助人为乐，弘扬社会正气。赤峰市在农村牧区广大青少年中开展了独具特色的“讲文明、送温暖、献爱心”的“五帮”活动：一帮失辍学儿童复学，二帮农村牧区青少年学科学，三帮青少年“讲文明树新风”，四帮青少年学法、守法，五帮青少年建立文化活动场所。一些农村牧区在开展“十星级文明小康户”评比竞赛活动的基础上，创造性地开展了“双文明帮带”活动，即富裕村帮贫困村，多星户帮少星户，致富户帮贫困户，专业户帮普通户。

三是群防群治，文明创安，构筑稳定的社会环境。在创建文明村镇活动中，赤峰市结合落实群防群治，通过抓“安全”来促“文明”。一是狠抓群防群治队伍建设，积极推进联户互保社会细胞工程。全市90%以上的村嘎查都建立了联户互保组织，农牧民逐步向自我管理、自我约束、自我防范的方向发展。二是在农村牧区认真搞好民间纠纷排查，把矛盾纠纷解决在基层，减少了上访事件的发生。

**三、创建文明村镇，促进农牧民生产生活条件的改善**

长期以来，脏乱差现象一直成为农村牧区环境建设的老大难问题。在创建文明村镇活动中，赤峰市开展了“告别脏乱差，建设美好家园”的专项活动。

治理“五乱”，强化管理，改变农村牧区生活环境。针对“五乱”（乱倒垃圾、乱放柴草、乱堆粪土、乱撒禽畜、乱建房屋）现象，全市农村牧区开展了治理“五乱”专项大会战。拆除违章建筑，移走线杆，运走柴草、垃圾和石块，真正达到了庭院净、门前清、街道通。部分旗县在解决“五乱”问题上，实行猪圈、粪坑、柴草、禽畜“四进院”，垃圾定点倾倒，还街道一个清洁。有的地方针对畜禽管理难题，组建了家畜家禽管理巡逻保洁队，保证了街道的卫生。

改水改厕，建卫生室，提高群众生存质量。全市各级政府和卫生部门加大农村牧区改水改厕和卫生室建设力度。1999年投资962万元，新建防氟改水工程77处，受益人口3.4万多人。由于全面推行乡村联办一体化管理，多数村级卫生组织建设与管理达到了规范化的要求，全市现有村嘎查卫生室2407个，基本做到了小病不出村。部分旗县还重点抓了农牧户的改厕工作，建成了封闭式厕所，达到了防渗漏、防雨要求，防止了粪便污染。

科学规划，加大投入，提高村镇建设水平。1999年初，市委下发了《关于加快小城镇建设推进乡村城镇化的意见》，市政府制定下发了《赤峰市村镇规划建设管理暂行办法》，全市村镇建设坚持高起点、高标准、超前性和可持续发展的原则，结合各自实际，重新制定了村镇建设规划，采取多种投资体制，加大投入力度，加快村镇建设步伐。同时，广大农村牧区因地制宜，因陋就简，利用大会战的形式把街道拓宽取直，铺垫沙石，修砌排水沟，种植树木花草，村容镇貌焕然一新。

**四、创建文明村镇，不断丰富创建活动的新思路**

在创建文明村镇活动中，赤峰市精心设计载

体，拓展范围，丰富内容，务求实效。

全面铺开，扎实推进，认真开展“十星级文明小康户”评比活动。把开展“十星级文明小康户”评比竞赛活动，作为创建文明村镇的主要措施和有效途径，并把这项活动纳入对旗县和乡镇党政班子的年终目标考核中，建立和完善了各项管理制度和激励机制。“十星级文明小康户”评比活动成为创建文明村镇的有力抓手。

加强建设，夯实基础，积极推进“文明一条街”基础工程。创建“文明一条街”活动是赤峰市广大农牧民的创造性活动。市文明委在调查研究的基础上，从村镇规划建设科学合理，绿化美化净化达标，庭院经济发展，社会风气良好等方面分层次制定了乡镇苏木和村嘎查“文明一条街”标准。截至1999年末，全市共创建“文明一条街”1200多条。

拓展思路，敢于超前，不断提升文明村镇的建设质量。为了引导农牧民树立现代文明生活新观念，提高文明村镇的建设质量，赤峰市在创建文明村镇过程中，在经济条件较好的村镇开展了创建农民文明小区活动，拓宽了创建领域，特别是运用了城市文明小区的先进管理经验，取得了一定成效。元宝山区等旗县区建起了10多处农民文明小区。这些农民文明小区都建有物业管理组织和社区服务设施，环境美化、绿化、净化，讲求文化品位，在全市农村牧区起到了榜样作用。目前，全市文明村镇的参创率已达到90%以上，已建成旗县级文明村镇115个，市级文明村镇96个，自治区级文明村镇25个，全国文明村1个，全国创建文明村镇活动示范点1个。

（内蒙古自治区文明办）

## 内蒙古自治区锡林郭勒盟

# 努力开创牧区精神文明建设新局面

锡林郭勒盟是一个以草原畜牧业为主体经济，以蒙古族为主体民族，地广人稀、居住分散的边疆少数民族地区。20多万平方公里的总面积中，可利用草牧场18万平方公里；全盟12个旗县市中，有9个以牧业为主。畜牧业和牧区工作在全局中占有突出的战略地位。改革开放以来，特别是随着社会主义市场经济体制的逐步建立和完善，锡盟按照中央和自治区党委的一系列重大决策部署，始终坚持“两手抓、两手都要硬”的方针，紧紧围绕经济建设这个中心，不断开拓牧区精神文明建设新局面，促进了牧区两个文明建设的协调发展。

**一、突出特点，努力探索牧区精神文明建设的新途径**

一是以解放思想、转变观念为突破口，突出抓好基层干部和广大牧民的素质教育。锡林郭勒盟的牧区偏僻落后，长期受自然经济的影响，相当一部分基层干部和牧民的观念仍然封闭保守，存在着安于现状、小富即安的思想；传统畜牧业的粗放经营反映在基层干部和牧民观念中的得过且过、不求进取的心理比较普遍。盟委、行署在实践中深切地认识到，这些陈旧的思想和落后的观念，是与发达地区最大的差距。基于这种认识，决定以解放思想、转变观念为突破口，在重点抓好以科学的理论武装各级领导的同时，突出抓了基层干部和广大牧民的素质教育。首先，深入开展了社会主义市场经济理论大学习、大讨论，各级中心组带着问题学，联系实际议，率先转变旧观念，树立新思想，开拓新思路。采取理论下乡、巡回宣讲、典型示范、督察指导、算账对比等方法，引导基层干部和广大牧民解放思想、转变观念，闯市场、奔小康。其次，采取异地培训的办法，分批组织旗县、苏木领导干部到江苏、山东、辽宁等发达地区集中办班、挂职锻炼，打开发展新思路。第三，组织牧民自费到澳大利亚等国学习考察，让牧民走出草原看世界，学习和掌握国外先进的畜牧业生产经营方式，回来后现身说法，带动牧民更新观念，改变传统的生产经营方式。

二是以改变牧民生产和生活方式为重点，大力开展“十星级文明小康户”评比活动。结合“致富星”、“科技星”的评比，引导和帮助牧民改变生产方式，增加科技含量，提高经济效益。对围建草库伦、建设棚圈、兴修水利、种草种树等成绩突出的“十星户”，在基础建设立项、贷款等方面给予优惠，大大调动了牧民建设养畜的积极性，涌现出一大批家庭牧场和牧业大户。提出“推广技术、培训到人”的要求，开展科技培训，提高牧民素质；在牧区大面积推广实用技术，提高畜牧业生产中的科技含量；引导牧民学科技、用科技，依靠科技致富。每年有 8 万牧民接受技术培训，累计有 10.7 万牧民获得了“绿色证书”，有 2100 多名青年牧民成为牧区“科技星火带头人”，有 4.5 万牧民成为家庭技术员。结合“文教星”、“卫生星”、“新风星”的评比，引导和帮助牧民改变生活方式，改善居住环境，提高生活质量。广大牧民的价值观念发生了深刻变化，重教习文形成风气，读书看报听广播已成为牧民生活中的重要内容。

三是以三级文化网络为依托，以家庭（蒙古包）文化为切入点，努力满足牧民精神文化需求。近年来，锡盟坚持多渠道筹集资金，发动群众，大规模地建设牧区文化阵地，形成了旗有文化馆、苏木有文化站、嘎查有文化室的三级文化网络阵地，并坚持规范化建设，实行设施、人员、经费、活动四落实，时间、地点、内容、形式四固定，实现了活动制度化和经常化。全盟 145 个苏木乡文化站中，一类站达 80% 以上，889 个嘎查村大部分建起了文化室，这些文化室一般都设有活动室、图书室和医务室。文化阵地成为牧民群众的精神乐园。盟、旗乌兰牧骑发扬光荣传统，在送戏下乡中还为苏木嘎查培养了 80 多支不走的业余乌兰牧骑。他们以文化阵地为依托，广泛开展群众性文艺活动，活跃了牧民文化生活。建设家庭文化，是牧区精神文明建设的一个切入点。锡盟坚持精神文明“五入户”，即图书报刊入户、广播电视入户、文体娱乐入户、卫生整洁入户、文明新风入户，引导牧民开辟家庭文化角，建立图书报刊架，开展读书歌咏活动，充实、丰富业余生活。很多牧民家庭添置乐器，自娱自乐；举办家庭那达慕、博克比赛及祭敖包等活动，融时代特点于传统文化之中，集文体娱乐、观光旅游、物资和信息交流为一体，使家庭文化活动丰富多彩。在牧区实施“小点多布”发展战略，帮助牧民安装电视卫星地面接收站 2250 座，通过广播电视使牧民了解世界，了解市场，通向文明和富裕。

四是从加强民族团结、维护边疆稳定、促进牧区经济发展的大局出发，广泛开展精神文明共建活动。多年来，盟委、行署把边疆牧区军警民共建工作摆到加强民族团结、稳定边疆和发展牧区经济的战略位置来抓。边境四旗一市的 17 个苏木和 67 个嘎查，与驻地军警部队广泛开展了以“共建共用文化设施、共同开展文化活动、共同培养军地人才”为内容的军警民共建千里边境文化长廊活动。在千里边境线上，共建点已达 80 多个，并向全盟牧区辐射、延伸。共建内容由共建文化站延伸到军警民共建文明街路、文明单位和学用科技、发展经济等方面。

工牧共建、城乡共建也带动了牧区两个文明建设。华北石油管理局二连浩特公司与锡林浩特市阿尔善宝力格苏木 10 多年的共建活动，不仅创造了牧区新的共建形式，而且增强了民族团结，促进了牧区经济社会的发展。全盟城镇近千个旗县级以上文明单位分别与农牧区的苏木乡、嘎查村结成了共建对子，城镇的 114 所中小学与农牧区的 417 所学校确定了“手拉手”共建关系，并经常开展联谊活动。近年来，全盟涌现出民族团结进步事业先进集体 324 个，先进个人 2020 名；全盟 258 个军警民共建点有 80% 进入旗县级以上文明单位行列。

**二、形成优势，认真总结牧区精神文明建设新经验**

牧区精神文明建设与城市、农村相比，既有共性，也有其特殊性。多年来，锡盟在牧区开展精神文明建设的过程中，不断总结切合牧区实际的精神文明建设新经验，并通过多种形式在全盟推广，逐步把实践经验转化为精神文明建设工作的优势。

一是立足服务，在服务中心、服务大局、服务牧民上下功夫。锡盟把精神文明建设的目标、任务同广大牧民的切身利益结合起来，办牧民最盼望办的事，解决牧民迫切要求解决的问题，提供牧民最需要的服务，使牧区精神文明建设始终围绕牧区经济发展、社会稳定、牧民脱贫致富奔小康来进行。在坚持服务中心的过程中，牧区经济得到了长足发展，生产经营方式发生了历史性的转变，生产力得到了极大的提高；在坚持服务大局的过程中，全盟民族团结，军民团结，社会稳定，边防巩固，进入了历史上最好的时期；在坚持服务牧民的过程中，牧民得到了实惠，物质需求和精神文化需求的满足程度，都有了较大提高。

二是突出特点，在民族特点、地区特点、经济特点上下功夫。锡盟在开展牧区精神文明建设中，把优秀民族文化遗产中的精华，融入体现时代精神的精神文明建设之中；把马克思主义民族理论和党的民族政策教育、民族团结教育，贯穿于精神文明建设的始终；把军地共建，军民团结，共同保卫边疆、建设边疆，维护祖国统一、边疆稳定的教育，贯穿于精神文明建设的始终；把树立社会主义市场经济观念，改变生产、生活方式的教育，贯穿于精神文明建设的始终，形成了自己的特色和优势。

三是典型示范，在总结、推广、学习上下功夫。抓典型是社会主义精神文明建设工作的重点，它既有丰富的内容，也是重要的方法。抓典型，就要注意抓好及时总结、认真推广、深入学习三个环节。近几年，锡盟总结、推广了东乌旗以文化阵地为依托，以文化教育活动为载体，建设千里边境文化长廊，推动牧区精神文明建设的典型经验，并通过广泛深入学习，使文化活动成为全盟精神文明建设的优势；先后两次总结、推广了苏尼特左旗依托集体经济促进精神文明建设，借助精神文明推动牧区经济发展的典型经验，并通过广泛深入学习，使全盟牧区集体经济和精神文明建设形成了相互促进、协调发展的新局面。盟里先后推出了伊达木、额日很巴图等一批先进人物，起到了很好的示范带动作用。

四是广泛参与，在自我教育、自我提高、自我发展上下功夫。盟委、行署在实践中深刻认识到，吸引群众广泛参与，在参与中实现自我教育、自我提高、自我发展，是党的群众路线在精神文明建设中的集中体现。坚持效益原则，紧贴群众利益，从牧民群众迫切需要解决的问题入手，为牧民办实事、办好事，给牧民带来实实在在的利益，极大地调动了牧民群众参与创建活动的积极性。创建文明村镇、文明一条街，改善了牧民生活环境，创建文明小康户，加快了牧民达小康的进程。

**三、注重实效，不断呈现牧区精神文明建设新面貌**

多年来，锡盟坚持不懈地在牧区开展精神文明建设，使牧区的各项事业得到较快发展，牧民的生活和精神风貌发生了巨大的变化。

一是思想树立了新观念。“发展是硬道理”、“能快就不要慢”的思想深入人心，封闭、保守的旧观念正向开放的、市场经济的新观念转变。牧民改变了重生产、轻流通的观念，树立闯市场、创效益的意识；改变了靠天养畜、粗放经营的观念，树立了建设养畜、科学养畜、集约经营、“双增双提”的意识；改变了掠夺式经营方式，树立了保护生态、持续发展的意识；改变了封建迷信的观念，树立了崇尚科学的意识。

二是发展拓宽了新思路。在深化对盟情认识的基础上，结合大牧区特点，提出了以“实现‘两个提高’统揽全局，以市场为导向，以效益为中心，发挥资源优势，发展特色经济，依靠科技教育，实现富民强盟”的总体思路。提出了“抓住一个根本，服务‘两个提高’，从科技致富切入，从村镇牧户入手，完善网络阵地，发挥文化优势，建设富裕、民主、文明的社会主义新牧区”的精神文明建设工作新思路。

三是生活发生了新变化。全盟连续10年牲畜超千万，1999年达到1811万头（只）。牧民人均纯收入1998年达3188元。广大牧民群众的科技文化素质明显提高，汽车、拖拉机、打搂草机等牧业机具广泛使用，农牧业实用技术普遍推广，提高了生产的集约化水平。牧区的交通、通信、教育、医疗等条件大为改善，家用电器、摩托车、小汽车、电话等大量进入牧户，生活质量有了很大提高，文化生活丰富多彩，科学、文明、健康的生活方式逐步被牧民所接受。

四是文明结出了新成果。自1996年东乌珠穆沁旗、锡林浩特市在全区率先实现教育“两基”达标后，又有6个旗市实现“两基”达标；有2个旗县、20个苏本乡镇进入了自治区科普先进地区行列。有2个旗和1个苏木被评为国家级文化先进单位；3个旗、7个苏木乡被评为自治区级文化先进单位，10个文化站被评为全区优秀文化站。镶黄旗乌兰牧骑荣获全国“十佳乌兰牧骑”称号，还有3支乌兰牧骑获全区“十佳乌兰牧骑”称号。近十几年中，锡盟在国家级、省级大型体育竞技比赛中夺得奖牌400多枚，其中金牌200多枚，涌现出国家健将级运动员38名。创建旗县级以上文明苏木70个，文明嘎查290个；五星以上农牧户达5.2万户，其中十星农牧户达1.5万户；全盟评出文明五好家庭42213户，锡盟还被自治区文明委评为军警民共建先进地区。

（内蒙古自治区文明办）

## 内蒙古自治区锡林浩特市

# 促进牧区精神文明建设健康快速发展

锡林浩特市是一个以畜牧业为基础产业的边疆少数民族县级市。全市的精神文明建设优势在城市，重点在牧区。1997年，自治区党委提出在全区实施“三带”工程，即领导带群众、机关带社会、城市带农村牧区，使他们找到了城乡两个文明相互促进、共同发展的具体途径。他们按照“三带”工程的要求，以促进牧区两个文明建设健康快速发展为目标，针对牧区存在的突出问题和薄弱环节，发挥城市在精神文明建设中人才、文化、技术等方面的优势，带动牧区精神文明建设，以最终实现城乡的共同发展、共同繁荣和共同进步。

**一、加强基层组织建设，是以城带乡的组织保障**

牧区基层党组织承担着两个文明建设的重要任务，牧区基层组织的状况，决定着牧区精神文明建设的水平。

锡林浩特市按照基层组织“五个好”、“六个好”的标准，确立了牧区基层组织建设整改后进党支部和培养后备干部等工作重点。一是市六大班子包苏木，科局包嘎查，责任到人，长期坚持；二是实行干部实绩目标考核责任制，制定目标，量化标准，严格考核，职务升降和精神文明建设工作实绩奖惩挂钩；三是加强基层干部队伍建设，挑选优秀机关干部到苏木、嘎查挂职；四是建立干部激励机制，对不称职的干部进行调整，三年来调整苏木干部9人，嘎查党支部书记全部进行了换届调整。基层组织建立健全了嘎查委员会的民主选举制度、民主议事制度，建立了以财务公开、村务公开为主要内容的民主监督制度，全市7个苏木党委、26个嘎查党支部全部达到了一类党组织标准。

**二、实施“百万扶贫”工程，是以城带乡的攻坚任务**

到1993年，锡林浩特市共有382户1884人生活在贫困线以下，贫困问题成为制约牧区两个文明协调发展的一大障碍。面对这种状况，市里动员和组织党政机关、社会团体、企事业单位和全社会的力量，发扬扶危济困精神，实施“百万扶贫”工程，即在利用好原有6290只扶贫流动畜（价值约248万元）的同时，再筹集100多万元的扶贫资金、物资，加大投入，使全市牧区逐步消除贫困。一是采取城乡共建的方式，双方签订共建协议，明确职责，量化目标，严格考核，使扶贫工作具体化；二是积极动员市内各机关单位、干部群众踊跃捐款献爱心，广泛参与，仅1998年一年社会集资就达61.4万元，帮助贫困户建围栏草场1万亩，解决打草机等牧业机械10多台；三是实行“输血”与“造血”相结合，物质扶贫与精神扶贫相结合，市直各单位先后为贫困户送去各种图书资料3000余册，组织贫困户牧民参加各类适用技术培训360余人次，安排50名贫困户子女到城市上学。

“百万扶贫”工程实施以来，取得了显著成效。1998年脱贫总数达到了354户1667人，其余的基本上解决了温饱问题，有不少脱贫后的贫困户开始向小康户迈进。“百万扶贫”工程成为物质文明建设与精神文明建设结合的有效载体，大大加快了牧区脱贫致富奔小康的进程。

**三、推进“讲文明树新风”活动的延伸辐射，是以城带乡的得力抓手**

大力推进“讲文明树新风”活动向牧区的延伸辐射，帮助牧区集中解决好普遍存在、与牧民群众利益密切相关、牧民群众迫切要求解决的具体问题，是以城带乡的得力抓手。

牧区由于地广人稀，居住分散，长期以来苏木、嘎查的环境建设缺乏规划，建设水平低，普遍存在着脏、乱、差的现象。在“讲文明树新风”活动中，锡林浩特市发挥城市在规划、建设、管理方面的优势，帮助牧区解决存在的突出问题。一是从村镇规划入手，努力改善牧民群众的生活环境。城建规划部门充分发挥职能作用，按照城市建设“统一规划、合理布局、综合开发、配套建设”的标准，坚持突出特色的原则，对7个苏木的村镇建设进行了规划设计。二是抓了牧民小康住宅建设。城建部门按照“三分离”，即人畜饮水分离，人居与牧畜棚圈分离，人居与牲畜粪便的堆放分离的科学卫生要求，合理规划设计，协助牧户进行庭院规划设计，为牧区提供小康住宅房样板。三是把城市的管理机制辐射到牧区，在苏木所在地实行了“门前四包、门内达标”责任制，设立保洁员，建立卫生收费制度，使牧区小城镇管理走向规范化。

**四、开展“三下乡”活动，是以城带乡的有效载体**

针对牧区人口居住分散，牧民接受科技文化、享受医疗卫生条件相对较差的实际情况，锡林浩特市首先组织了“文化下乡活动月”、“科技之冬”、“科普宣传周”、“健康活动月”等多种形式的集中活动。一是把每年的1月份作为“文化下乡活动月”，组织乌兰牧骑、流动电影队深入全市7个苏木、26个嘎查甚至牧户家中进行演出、放映。二是从1997年开始，每年选调优秀医务人员，在春季和秋冬季集中2次深入嘎查开展卫生下乡活动，送医送药，上门服务。三是在畜牧业生产的关键季节和环节，针对牧民需要的生产服务项目，如接羔保育、疫病防治、牛羊育肥等，集中时间，集中优秀科技人员，分段包片，开展送科技下乡活动，并且基本做到了增加收入、指导到户、推广技术、培训到人。其次，为了充分发挥“三下乡”这一有效载体的作用，变“三下乡”为“常下乡”，规定卫生技术人员必须下基层工作一年以上才能晋升中级职称，大中专毕业生必须下基层工作一年以上才能到市直卫生部门工作，卫生局机关领导和院站长每人每年下乡不得少于30天，文化馆工作人员每年下乡不得少于3个月。第三，在“三下乡”活动中，把“送”和“建”有机结合起来，成立了各个专业下乡工作队，每个工作队不仅有效地开展了日常的下乡服务活动，而且还通过搞试点、组织培训、支援物资等形式，积极培养了基层有生力量。文化部门不仅组织乌兰牧骑开展文化下乡，而且开展了文艺培训，使70%的嘎查有了业余乌兰牧骑；同时还支援器材、优惠供片，协助恢复了2个嘎查的电影放映队，真正建起了一支不走的“三下乡”队伍。

**五、开展军警工牧共建活动，是以城带乡的重要途径**

加强军警工牧团结互助，搞好军警工牧共建是维护边疆稳定、发展地方经济的需要，也是促进牧区两个文明建设、以城带乡的重要途径。

在军警牧共建活动中，学习福建省三明市军警民共建的经验，形成军民共建“六个一”制度，即副处级以上领导要亲自联系一个部队，为部队办一件实事，过一天军事生活或听一堂军事课，为战士上一堂生动的形势课，为优抚对象办一件实事，各部门、各科局承包一名优抚对象。1998年以来，锡林浩特市把城市军地共建的经验，向牧区延伸辐射，组织驻锡10个部队（分队）相继同苏木（场）建立了军牧共建关系，开展了形式多样的军牧共建活动。共建活动中，牧民无私支援共建部队，积极配合部队培养锻炼军地两用人才；各苏木（场）无偿为部队提供训练场地和非经营性草场共190平方公里；每年“八一”建军节，苏木嘎查乌兰牧骑、电影放映队深入到部队驻地巡回演出。驻军部队和武警官兵也积极参与牧区精神文明建设，帮助苏木、嘎查平整道路、植树绿化、清运垃圾，主动承担急难险重任务；为牧区送科技图书、文化娱乐用品，送医送药、派出医疗车为牧民体检、义诊。

在工牧共建活动中，牧民群众积极支持二连油田开发，主动让出草场；每逢过节，牧民主动到油田看望石油工人，主动送上自编自演的民族歌舞，鼓舞了油田职工的士气。十几年来，二连油田也积极筹资帮助阿尔善宝力格苏木搞建设，先后为苏木通了电和自来水，兴建了千亩饲草饲料基地，修建了锡阿公路到白音高勒文化室的柏油路。这些工牧共建项目的实施，有力地推动了苏木两个文明建设的发展，过去比较贫困的阿尔善宝力格苏木实现了财政收入超百万元，两个文明建设走在了全市的前列。

（内蒙古自治区文明办）

## 内蒙古自治区伊克昭盟

# 以“鄂尔多斯形象工程”统揽精神文明建设全局

伊克昭盟在地域上称为鄂尔多斯。近年来，伊盟以持续、健康、快速为特征的经济发展步入“快车道”，以“鄂尔多斯形象工程”为载体的社会主义精神文明建设迈上新台阶，两个文明建设呈现出协调发展的大好局面。

**一、适应经济社会发展形势，努力寻找开创精神文明建设新局面的有效载体**

1994年以来，伊盟有效地实施了资源转换战略，经济持续快速发展，GDP平均增长20%以上，财政收入年递增35%以上，经济发展步入了“快车道”，被称为“鄂尔多斯经济现象”。经济的快速发展需要精神文明建设提供强有力的理论支持和思想保证，同时又给精神文明建设提出了新的更高的要求。1995年底，伊盟盟委、行署提出以“鄂尔多斯形象工程”统揽精神文明建设全局，成为全盟经济社会发展的又一新举措。

“鄂尔多斯形象工程”具有广泛的群众基础和地区特色。“鄂尔多斯形象工程”是以鄂尔多斯各族人民共同的地域观念、民族心理、文化心态和传统习惯为基础，借鉴“鄂尔多斯”这一“名牌效应”，从大文化的视角来凝聚人心，统一意志，从而达到增强鄂尔多斯凝聚力的目的。因此，以“鄂尔多斯形象工程”统揽精神文明建设全局既是对传统文化的继承，也是独具伊盟特色的一种尝试与创新。

“鄂尔多斯形象工程”涵盖伊盟精神文明建设的方方面面。“鄂尔多斯形象工程”是以提高人的素质为内涵，以树立良好的形象为外延，以广泛的群众性为基础，以大力弘扬鄂尔多斯优秀民族文化为特色，以载体建设为表现形式的全方位、综合性的精神文明建设活动。它的基本要求是内强素质、外树形象，是贯彻党的十四届六中全会《决议》精神在伊盟的具体实践。

“鄂尔多斯形象工程”建设的主要任务是：以党的十四届六中全会《决议》和党的十五大精神为指针，努力培育一种精神，即“团结奋进，走进前列”的鄂尔多斯精神，建设七项工程，即“铸魂工程”、“基础工程”、“窗口工程”、“容貌工程”、“繁荣工程”、“平安工程”、“楷模工程”，开展六杯竞赛，即“公仆杯”、“优质服务杯”、“长安杯”、“文明企业流动杯”、“精品杯”、“优美环境杯”，将文明城市、文明行业、文明村镇创建活动与多种形式的共建活动有机纳入其中，使“鄂尔多斯形象工程”更加丰富、全面，为伊盟经济的持续发展提供强大精神动力、智力支持和思想保证，创造良好的社会环境。

**二、适应两个文明建设工作格局的需要，积极探索加强精神文明建设的新路子**

伊盟始终坚持精神文明重在建设的方针，标本兼治，破立结合，既全面推进又重点突破，不断探索适合伊盟特点的精神文明建设新路子，主要做法是：

以“鄂尔多斯形象工程”为载体，把两个文明建设的内容融入其中，努力形成“两手抓”的工作机制和社会齐抓共管的新格局。从盟、旗市到基层，在实施“鄂尔多斯形象工程”中始终把两个文明建设作为统一的奋斗目标，一起规划、一起部署、一起落实、一起检查考核，真正形成了“两手抓”的工作机制。盟、旗市都成立了“鄂尔多斯形象工程”建设领导小组，党政主要领导亲自抓、负总责，各级宣传部和文明办全力负责组织实施和协调指导。各行业、各部门也按照全盟的总体要求，从各自的实际出发，层层分解任务，并相应实行目标管理，自上而下形成了横向到边、纵向到底、各司其职、各负其责、密切配合、齐抓共管的工作网络。

广泛宣传动员，着力培育塑造鄂尔多斯精神和鄂尔多斯形象，使“鄂尔多斯形象工程”的实施变成全盟上下的自觉行动。在新闻媒体开辟了专题专栏，在各公共场所、单位、部门张贴悬挂宣传标语和公益广告，在各行各业中开展了形式多样的座谈、讨论、演讲、学习等活动，让“鄂尔多斯形象工程”深入人心，使“团结奋进、走进前列”的鄂尔多斯精神和塑造“祥和、富裕、文明”的鄂尔多斯形象成为各族干部群众热爱伊盟、建设伊盟的精神动力和行为准则。

以城镇建设为龙头，辐射带动农村牧区，大力推进城乡一体化进程。几年来，从盟到旗市、从旗市到乡村都把加快城镇基础设施建设作为建设“鄂尔多斯形象工程”、发展地区经济的新增长点予以高度重视，确立了“以城带乡、城乡一体化”的发展思路。一是广泛动员，多方筹资，加大城镇建设力度。二是建管并重，狠抓市容市貌管理。各地先后制定并完善了城市建设与管理的一系列法规条例，把集中整治与经常性的严格监督管理有机结合起来，全盟各地城镇环境卫生、治安交通的管理逐步走上法治化轨道。三是加快农牧区集镇建设步伐。围绕“小城镇、大战略”，全面开展文明集镇创建活动，全盟70%的苏木乡镇形象发生明显变化，其中达拉特旗解放滩镇进入全国创建文明村镇先进行列。四是深入开展多种形式的城乡共建和“文明进万家”活动。开展城乡结对扶贫，文明单位与村嘎查、学校手拉手结对共建等活动，开展了学校与所在地居委会、村社手拉手共建活动，城镇文明单位与村嘎查手拉手结对共建活动。为了深化“三下乡”活动，从1999年开始，在全盟广大农村牧区组织开展了以理论政策、思想道德、科技、文化、卫生、法律“六入户”为主要内容的“文明进万家”活动，协调宣传、文化、科技、司法、教育、妇联、团委等9部门形成合力，齐抓共管，开创了农村牧区精神文明建设的新局面。

以树机关良好形象为核心，以窗口行业为突破口，努力提高文明机关和行业的创建水平。在实施“鄂尔多斯形象工程”活动中，伊盟始终遵循党政机关带头，窗口行业突破，全面提高文明机关和行业创建质量的思路，重点抓了三个方面的工作。一是在党政机关认真开展“机关良好形象工程”建设活动。二是在执法执纪部门全面推行政务公开和在“窗口”服务行业广泛开展社会服务承诺活动。三是加强对文明单位的创建与管理。从1999年起，采取社会公示制的形式，进行复查、考核、命名文明单位，广泛征求社会各界对文明单位的意见和建议，增强了文明单位创建与管理的透明度，确保了文明单位的先进性和示范性。

坚持以人为本，重在提高素质，着重培育“四有”新人。内强素质的目标是培育“四有”新人。伊盟紧紧抓住思想道德建设这一重点，致力于提高鄂尔多斯人的整体素质。一是努力用邓小平理论和十五大精神武装干部群众。全盟党员领导干部带头认真组织中心组学习活动。召开了全盟农村牧区基层思想政治建设现场会，在全盟广大农村牧区推广了伊旗纳林陶亥乡让“科学理论进万家”的典型。二是充分利用各种教育阵地，精心组织丰富多彩的主题教育活动。全盟各地充分利用新闻宣传媒体、大中小学校、文明市民（村民）学校、基层党校等阵地，对广大党员干部、工人、学生进行系统的社会公德、职业道德、家庭美德和“三五”普法教育。经常组织开展“签名承诺”、“送温暖献爱心”、“向英模学习”等多种形式的教育活动，组织群众广泛参与，增强了思想道德教育的针对性和实效性。三是建章立制，规范人们的文明行为。通过健全制度和严格管理营造“做文明人光荣，有不文明言行可耻”的社会舆论氛围，人们的言行由不文明逐渐走向了文明。

**三、适应经济发展步入“快车道”的实际，促进精神文明建设迈上新台阶**

“鄂尔多斯形象工程”的实施有力地促进了地区形象、行业形象、岗位形象，鄂尔多斯人新的精神风貌正在展现，为伊盟经济的快速发展提供了有力的政治保证和良好的环境氛围。

“鄂尔多斯形象工程”的实施，使人们的思想更加解放，观念进一步更新，增强了驾驭市场经济的能力。

培育、塑造鄂尔多斯精神和鄂尔多斯形象，充分激励和调动了各族干部群众热爱伊盟、建设伊盟、献身伊盟的积极性和创造性，全盟干部群众讲硬道理，干实事情，抓机遇，求发展，树立了“能快就不要慢”的赶超意识，涌现出“穿沙精神”、“恩格贝精神”及一大批先进典型。

“讲文明树新风”活动更加深入人心，精神文明建设向深度和广度进一步拓展，促进了社会风气的进一步好转。

鄂尔多斯优秀民族文化得到进一步弘扬，文化事业空前繁荣，鄂尔多斯文化特色得到充分展示，一批优秀文艺作品在全国获奖，鄂尔多斯歌舞剧团多次应邀出国演出，成功地举办了鄂尔多斯文化节，在区内外影响深远。

随着城乡一体化进程的加快和群众思想道德素质、科学文化素质的明显提高，展示了良好的对外形象，有力地促进了伊盟的改革开放和经济建设。

（内蒙古自治区文明办）

## 辽宁省大连市

# 加大力度　提高水平　努力创建文明城市

近年来，大连市委、市政府坚持以邓小平理论为指导，坚持“两手抓、两手都要硬”的战略方针，努力加大创建文明城市工作力度，不断把创建活动引向深入，使市民素质、城市文明程度和群众生活质量有了新的提高。

**一、以人为本，注重养成，努力提高市民素质**

大连市在创建文明城市过程中，注意把提高市民文明素质摆到重要位置。始终把认真学习邓小平理论作为头等大事来抓，落实用邓小平理论武装全党、教育人民的任务。各级党委坚持中心组学习制度，坚持对干部进行轮训，把领导干部自学和集中学习结合起来，使理论学习逐步规范化、制度化。在全市领导干部中开展了“半年读一本书，亲手写一篇调查报告”活动，形成了良好的学习风气，促进了广大干部群众解放思想、转变观念，增强了政治意识、大局意识、责任意识。广泛开展“爱祖国、爱大连”系列教育活动，举办城市建设和社会发展成就展，发动市民进行“大连精神”大讨论，树立一批先进典型，组织谭彦、姜云胜等先进事迹报告会，激发了全市人民热爱祖国、热爱家乡、建设大连的主人翁责任感和积极性，增强了城市的凝聚力。

实施道德教育工程，不断深化道德建设。在市民中进行职业道德、家庭美德、社会公德教育，努力提高市民的文明素质。坚持道德实践活动，引导市民积极参与。一是开展“敬老认亲”活动。倡导人人献出一点爱，帮助生活有困难的人，凝聚了人心，弘扬了社会主义道德风尚。二是开展“星期六义务奉献日”活动。党政机关坚持每个月利用一个休息日，开展义务奉献活动，为民办好事、办实事。逐步把奉献日活动规范化，做到“四有”，即有基地、有内容、有项目、有形象。市区600个公用电话亭、20个过街天桥、2万平方米的中山音乐广场地面、2万多平方米的青泥商城地面的环境卫生，全部由党政机关干部承包，坚持定期到基地开展活动。这一活动逐步向社会、学校、单位内部延伸。三是开展“讲文明树新风”活动。组织广大市民以“三管好六个不”（即管好自己的嘴，不说粗话、脏话，不随地吐痰；管好自己的手，不乱扔杂物，不损坏公物；管好自己的腿，不斜穿马路，不践踏草坪）为内容进行道德自律承诺。四是开展文明用语和文明乘车活动，要求市民“讲文明话，做文明好客的大连人”。在乘车过程中做到“四要”（要排队上下车，要为老弱病残孕让座，要爱护车厢公物，要讲究乘车卫生）。五是开展“爱护美丽环境，不乱吐口香糖”活动。组织干部群众和中小学生对10大广场、50条路街的口香糖污迹进行清理。加强对公共场所的日常管理，安放口香糖投掷箱，引导市民规范自己的行为。六是开展移风易俗活动。教育群众在送葬中不撒纸钱，在祭祀亲人中不烧纸钱，引导市民把逝者的骨灰撒向大海，埋在树下，树立起现代文明意识。

**二、加大力度，提高标准，努力营造优美的城市环境**

一是树立优美的城市环境就是资源，就是优势，就是吸引外资的有效手段的观念，把城市环境建设纳入良性发展的轨道。二是把群众满意不满意、高兴不高兴作为环境建设的出发点和落脚点。先后实施了绿化工程、安居工程、光明工程、道桥工程等环境建设项目，增强了城市的凝聚力和向心力。三是把环境建设作为文明城市建设的突破口，不断提出新的目标，从“拆围墙”、“扒小房”到“清楼道”，工作环环相扣，不断推动环境建设向纵深发展。

在环境建设的过程中，注重环境建设的现代意识和文化含量，突出在“净、绿、美”上作文章。以“净”为基础，对环境污染进行了治理改造，搬迁、改造、停产有污染的企业，使城市废气、粉尘、噪声得到有效防治，被评为国家环保模范城。坚持开展爱国卫生“十佳街道”评比活动，严格执行“门前五包”制度、领导干部卫生巡查制度等，加强卫生清扫保洁和管理工作，改革垃圾除运方式，撤掉主次干道及三、四级马路垃圾箱，实现40万户居民垃圾袋装化，成为全国城市卫生检查免检城市。以“绿”为特色，不断扩大城市绿化面积，城市绿地覆盖率达到39.2%，人均绿地达到7.5平方米。以“美”为标准，公园建设讲究美学，建筑作品讲究艺术，路街整治讲究风格。下大气力改造了中山路、人民路、解放路、天津街等63条主要路街，使优美的街景成为现代城市的一道美丽的风景线。

**三、抓住重点，注重实效，深化文明小区创建活动**

在认真总结开展创建文明家庭、文明楼院活动成功经验的基础上，适时开展创建文明小区活动，修订了文明小区标准及考核条件，使之不断深化。一是注重发挥社区服务的功能，开展社区志愿者活动，架起居民之间互助友爱的桥梁。全市建立起志愿者服务队伍2300余支，有20多万人参加社区义务服务活动，有40%的楼栋设置了便民服务箱、志愿者服务联系卡、志愿者温暖工程基金会和居民急救基金会，为居民排忧解难提供了方便。二是注重开发小区的文化功能，满足居民的精神文化需求。积极开展楼道文化建设，让文明向楼道延伸，宣传时事政治、居民道德规范、文化知识、治家格言以及健康常识等。同时，展示居民的小制作、剪纸、书法、绘画等作品，吸引群众参与，寓教于乐，陶冶情操，提高素质。三是注重建立良好的小区秩序，让市民安居乐业。组织开展了创建治安模范小区活动，建立起适应新形势需要的“三个网络”（即小区治安防范网络、小区法律服务网络和帮教工作网络），切实把社会治安综合治理的措施落实到基层。全市1.3

万个楼院常年坚持开展创建"三三三式"（三化：净化、绿化、美化；三自：自我教育、自我服务、自我管理；三无：无刑事案件、无治安案件、无重大灾害事故）文明楼院活动，有85%的楼院做到"三无"，增强了市民的安全感，保证了居民出门放心，工作安心，进门舒心。全市涌现出80多个省市文明小区，占小区总数的49%。

**四、建立规范，强化机制，擦亮城市的文明窗口**

大连市创建文明城市活动中，注重改善行业风气，提高服务质量，努力使窗口行业精神文明建设走在全社会的前列。一是建立服务规范。在进行职业道德培训、开展职业道德杯竞赛的基础上，全市1342个单位、3678种岗位，逐步建立健全了包括服务标准、服务程序、服务手段和服务用语等内容的服务规范，形成了具有科学性、系统性、可操作性的服务规范体系，把行业精神文明建设纳入制度化的管理轨道。大连港务局、大连第一公共汽车公司、大连天百大楼和大连港客运站服务员司胜战分别获得"全国职业道德十佳单位"、"全国职业道德十佳个人"。二是强化监督机制。市委、市政府把行风建设纳入重要议事日程，同窗口部门签订行风建设责任状。对群众反映强烈的热点问题，如利用公车结婚、接送子女上下学等问题，市纪检监察、公安交警等部门进行严肃查处，对违规公车，在新闻媒体上公开曝光，对单位领导及司机给予必要的处罚，赢得了群众的赞誉。全市采取行政监督、群众监督、社会监督、舆论监督等多种监督形式，对行风建设进行有效的监督。为了更好地促进行风建设，先后开展了"市民评行风"活动，组织"职业道德十佳标兵"和"职业道德十佳单位"评比活动，通过公布评选电话、发放征求意见信等形式，发动群众积极参与对行风的评价，有力地促进了行业文明形象的塑造。三是大力推行"三制"（在社会服务行业推行社会承诺制，在行政执法部门推行公示制，在生产经营单位推行信誉制）。全市25个行业，确定了136个推行"三制"的示范点，公布了推行"三制"的内容和监督电话。同时，组织新闻单位每月推出一个落实"三制"工作比较好的先进典型，进行集中宣传报道，在全社会大力倡导讲究职业道德、全心全意为人民服务的行业新风。全市有13个行业的19个单位被国家有关部门确定为三大创建活动示范点，有46个单位被辽宁省确定为三大创建活动示范点。

**五、建章立制，强化管理，使创建活动有了强有力的保证**

一是根据城市建设发展的实际情况，把社会生活中的一些基本规范通过规章和法规固定下来，使创建活动向建设、教育、管理相结合的方向发展。在全市已经出台了30多项法规的基础上，新出台了《重点地区公共秩序管理办法》、《禁止在路街撒纸钱和烧纸的通告》、《小区绿化养护制度》、《小区公共设施维护管理制度》、《社会卫生投诉制度》、《卫生清扫员承包制度》、《关于加强中山路、人民路行人和非机动车秩序管理的通告》等十几项地方性法规、条例和管理办法，建立了《领导干部卫生巡查制度》，重点对市民言行、移风易俗、交通秩序、公共场所、文化市场等进行规范化管理。同时组建了联合执法办公室，提高了综合管理能力和执法的权威性。二是充分发挥群众管理队伍的作用。通过组织群众性的护绿队伍、卫生保洁队伍、社会志愿者服务队伍等，开展"爱我家园、建设我家园、管我家园"等活动，使广大群众能够自觉做到自我管理、自我教育、自我服务、自我监督。发动离退休党员、群众和中小学生成立了"四大员"队伍（文明行为宣传员、环境卫生巡查员、服务质量监督员、交通秩序协管员）参与社会管理。全市建立和完善了维护乘车秩序、见义勇为、城市建设与管理等10万人组成的5支青年志愿者队伍，由离退休职工、下岗职工和在职职工200多人组成的交通协管员队伍，有10万多群众、中小学生组成的义务护绿队伍，由2000多人组成的专兼职"门前五包"保洁队伍，活跃在城区各个地方。三是发挥物业管理在创建活动中的作用。按照属地化管理的原则，由街道及居委会对住宅小区实行统一的行政管理。同时，根据广大市民的生活需求，在住宅小区全面推行物业管理，由物业管理公司对房屋建筑、公用设施、环境卫生、绿化养护、治安防范等方面实行企业化管理。全市已有134个住宅小区实行了物业管理，有50%的住宅小区管理水平达到国家示范小区或优秀物业管理标准，有39个住宅小区被评为国家物业管理示范小区。

**六、加强领导，落实责任，不断把创建工作引向深入**

大连市把创建工作纳入统一的工作目标，在全市上下形成了一把手抓两手，一班人两手抓，党政各部门相互配合、齐抓共建的工作格局。一是领导重视。市委、市政府召开了大连市创建文明城市动员大会，市委书记于学祥、市长薄熙来分别作了动员讲话，明确提出精神文明建设要以创建文明城市为主线。二是建立领导责任制。市委、市政府分别同各部门各单位签订责任书，做到任务、责任、措施三落实。市委、市政府主要领导多次听取工作汇报，亲自带队到基层调查研究，分析形势，提出要求，指导创建工作。定期组织人大代表、政协委员视察创建活动，各民主党派和工商联领导同志专题听取创建文明城市工作情况通报，提出了许多好的意见和建议。市工、青、妇等群团组织，根据自身特点努力开展工作，发挥了积极作用。三是加大宣传力度。新闻单位精心组织对创建活动的宣传报道，开设专题、专栏，形成了创建文明城市的良好舆论氛围。

（中央文明办：《精神文明建设工作》）

## 辽宁省沈阳市

# 振奋精神　鼓舞斗志　大力推进文明城市建设

近年来，沈阳市委、市政府按照中央和省委的要求，在集中精力抓好经济建设的同时，把精神文明建设提到更加突出的地位，着重在振奋精神、鼓舞斗志上下功夫，大力推进文明城市建设。

**一、以振兴沈阳经济为中心，坚持形势任务教育，鼓舞人心**

沈阳是国家在“一五”期间建立起来的重工业基地。在振兴老工业基地的过程中，始终把形势教育作为思想建设的一项重要任务来抓。1997年开展了以“形势怎么看，我们怎么办”为主题的形势教育，重点“讲实情，讲目标，讲责任”。1998年围绕“了解沈阳的昨天，认识沈阳的今天，坚信沈阳的明天”，开展了以“迎接新世纪，建设新沈阳”为主题的形势教育。1999年开展了以“国企攻坚，'99关键”为主题的形势教育，重点是讲清国情、市情和厂情。在形势教育中，主要抓好三个“结合”：

一是“内外”结合。在讲清本企业、本单位实情的基础上，重点讲清市情，亮“家底”，使广大干部群众认识到，虽然沈阳现在还很艰难，但同时有着“规模和存量、科技和人才、地理和区位”三大优势，只要发挥老优势，塑造新优势，沈阳就大有希望，鼓起了广大干部群众求振兴、求发展的勇气和信心。

二是“干群”结合。在向群众进行深入细致教育的同时，重点是让各级领导特别是企业经营者先受教育，一以贯之地倡导树立市场观念、发展观念、创新观念，努力解决观念不新、办法不多的问题，涌现出一大批兴企富民的优秀经营者，激发了广大职工群众建设新沈阳的士气和热情。

三是“说看”结合。在说理教育的基础上，重点让广大干部群众看沈阳的变化，评政府的工作。从1998年开始，先后组织开展四个“百万”活动（“百万市民看沈阳”、“百万市民看展览”、“百万市民评议政府”、“百万市民闹元宵”）。“看沈阳”，主要是看近两年沈阳城市环境的变化；“看展览”，主要是看“纪念沈阳解放50周年暨改革开放20年成就展览”；“评政府”，主要是对近两年政府16项重点工作进行评议；“闹元宵”，主要是指春节期间居民楼台庭院挂红灯和主要街路彩灯展示活动。这四项大型活动，群众参与之广、反响之好都是始料未及的，极大地鼓舞了市民热爱沈阳，建设沈阳的斗志。扎实有效的形势教育，使得广大干部群众精神振奋，干劲倍增。

**二、以扶贫帮困为主题，组织“百村扶贫、千委助困”行动，温暖人心**

沈阳是一个产业工人相对集中的特大城市，同全国其他城市相比，实行下岗分流、减员增效、再就业工作的压力非常大。几年来，按照市委、市政府提出的“不能让一个下岗职工掉队，不能让一个困难家庭生活难心”的要求，采取劳动力市场调剂、组织转业转岗职工培训、创办第三产业和劳务输出等多种方式和途径，每年安置下岗职工15万人次。同时，结合沈阳的实际，把“讲文明树新风”活动向“扶贫帮困”延伸、深化，调动社会各方面力量，开展了以“奉献爱心、扶贫帮困”为主题的“百村扶贫、千委助困”行动，向贫困农村、下岗职工和特困家庭伸出了友爱之手，送去温暖，献上爱心。

“百村扶贫”行动以科技扶贫为主，把温暖送到贫困农村，两年内帮扶100个贫困村脱贫。市直16个有关部门通过现场指导、科普培训、提供资料、建立培训基地、推广新技术等多种形式，进行包干扶贫。各区县（市）组成30多个包扶工作队，进村入户，进行面对面扶贫，已有50个村脱贫。1999年又组织了“支农赠三机，扶贫献爱心”活动，3种近3万台机器送到356个贫困村，进一步深化了“百村扶贫”行动。

“千委助困”行动把温暖送到困难户的家中，送到下岗职工的心上。组织个体工商户与下岗职工结对子的“爱心牵手”活动，帮助下岗职工筹集启动资金、提供供货渠道、传授经营经验等，做到手拉手献爱心，一帮一共同富。组织商业、文化、卫生、公交、城建等窗口单位联合开展“爱心承诺”活动，在医疗、乘车、购书等方面，为贫困家庭儿童提供优惠服务，减轻贫困家庭的负担。组织各类志愿者开展“爱心服务”活动，切实解决贫困家庭和孤老、残疾家庭的实际困难，安排好他们的生活。组织驻街单位与居委会开展结对子的“爱心奉献”活动，发挥驻街单位人力、物力等优势，帮助居委会建立再就业培训基地，大力发展社区服务事业，共建无长期失业人员居委会。到目前为止，全市结成“爱心牵手”对子000多个，“爱心服务”对子5000多个，“爱心奉献”对子388个。

**三、以服务群众为宗旨，着力解决群众关心的切身利益问题，凝聚人心**

以解决市民群众身边日常生活小事为突破口，重点做了三件事：

一是开展文明小区建设，重点解决居住环境质量问题。一方面加快棚户区的改造。从1996年起，市、区两级克服住房稠密、配套空白、资金匮乏等困难，改造了全市面积最大、人口最多、条件最差的艳粉、路官棚户区，总面积达41万平方米，已有6000多户入住。1999年，市委、市政府再次向全市人民承诺：不把棚户区带入21世纪。另一方面启动了住宅小区综合整治工程。两年共建成“绿静美安”小区346个，占总数的80%。在改善小区环境的同时，开展美化城市活动，重点整治了小街巷、小市场、小餐饮等，解决了一些过去难以解决的问题。全市城乡广泛开展了“讲文明，树新风，清洁卫生，美化城市”为主题的“清洁月”活动，治理了城乡结合部、集贸市场、街巷路、铁路和公路沿线的环境卫生，使城市卫生环境进一步改善。

二是开展“楼道革命”，重点解决社区人际关系问题。召开全市动员大会，全面实施楼道净化亮化工程。按照无杂物堆放、无垃圾尘土、无设施损坏、无招贴广告的“四无”标准进行净化整治，统一安装声光自控节能灯。在改变楼道“脏、堵、黑”的状况时，全面开展了以“相认相知相助”为主题的“三相”活动，初步形成了团结互助、平等友爱、共同前进的社会主义新型人际关系，出现了“居住安定放心，生活方便称心，团结互助热心，同创共建齐心”的新局面。

三是开展城市道路交通综合整治，重点解决交通秩序问题。从1997年开始，启动了为期三年的道路交通规范化综合整治。通过宣传教育，让“16字令”（按灯停走、按线通行、按位停放、按章处罚）走进千家万户；通过整治占道经营，科学管理，调整车流，规范了动态交通秩序和静态交通环境。实行《沈阳市道路交通管理处罚条例》，从严处罚，交通堵塞现象大为减少。为市民提供了更加方便快捷的出行环境。

**四、以硬件建设为突破口，着力塑造城市形象，振奋人心**

良好的城市形象，可以在特定城域内形成一股合力、向心力，增强市民对城市的归属感。沈阳市把城市硬件建设作为“民心工程”、“凝聚力工程”来抓，投巨资对城市环境进行改造。1997年实施“三四三”工程，对3条街路、4个广场和3座公园进行改造。1998年实施“六二一”工程，对6条街路进行综合改造，对大二环和环城水系进行绿化，对一个中心区域进行软硬覆盖。大规模的城市硬件建设，使沈阳城市市容面貌发生了历史性的变化。

良好的城市硬件环境，对于创建文明城市来说，只是一个新的起点，必须善于把物质变精神，使优美的环境真正起到陶冶人们情操、提高人们素质的作用。针对广场地灯屡遭破坏，环境卫生脏乱的情况，加大了管理的力度，先后出台了《关于深化重点区域市容环境秩序管理通知》、《沈阳市环城运河管理规定》等一系列地方法规，大力宣传自觉维护公共设施的文明行为。组织开展“市民与文明”的大讨论，掀起了从我做起、爱护环境的热潮。

**五、以推行“三制”和政务公开为重点，端正政风行风，赢得人心**

政风行风状况如何，直接影响民风和社会风气的形成，事关改革发展稳定的大局。主要做了三个方面的工作：

一是推行“三制”，强化规范服务。1995年以“文明服务、便民服务、限时服务、依法服务、廉洁服务”为内容，在全市开展了六大执法系统（公安、检察院、法院、工商、国税、地税）“形象杯”竞赛。1996年初，借鉴烟台市社会服务承诺制的经验，创造并推行了行政执法公示制，并在生产经营单位实行了生产经营信誉制。几年来，重点抓了110报警服务、车管所、电话装移机、邮政营业、城市供水设施维修、房地产物业管理和办税服务厅7个与群众生活关系密切的服务行业和执法部门的规范化服务。通过制定服务规范、创优达标竞赛、强化内部监督和兑现承诺，使这些行业和部门的规范化服务水平得到了明显提高。

二是推行政务公开，强化机关建设。市政府直属的113个职能部门已经全部实行了政务公开。市人大常委会设立了市民旁听席，市财政局向纳税人公开财政预决算。各机关普遍加大了改革的力度，实行了调干招聘制、职位竞聘制和末位淘汰制，一个比学习、比能力、比干劲、比政绩的氛围正在形成。

三是创建“2211”市民投诉中心，强化监督力度。在强化政务公开，端正政风行风的过程中，始终抓住监督这个环节不放松。在总结以往内部监督、行政监督、舆论监督和社会监督的经验基础上，创办了市民投诉中心，把群众自发监督与有组织的专门监督有机结合起来，把基层监督与上级领导的监督有机结合起来，使广大群众更好地行使民主监督权利，有力地促进了机关作风的转变。现在，全市正以中央新闻单位宣传“2211”为契机，进一步加大工作力度，力争把全市各级党政机关都建成“2211”，以良好的政风行风，促进两个文明建设稳步发展。

（中央文明办：《精神文明建设工作》）

## 辽宁省开原市

# 走出一条“城乡共建精神文明”的新路子

开原是辽宁省铁岭市所辖的一个县级市。近年来，开原市在精神文明创建活动中将文明城市创建与文明村镇创建有机地结合起来，创造性地走出了一条以城带乡、以乡促城、“城乡共建精神文明”的新路子。

**一、立足实际，精心策划，开拓创新**

开原市有农村人口44万，城镇人口12万。辖351个村，其中有各级文明村35个，城内各类文明单位121个。农村人口比例大，文明村数量少，工作基础差。农村精神文明建设工作明显滞后于城市。而城市虽然经济条件、人员素质、工作基础较好，对农村具有很强的带动力，但在服务意识、服务质量、职业道德等方面还有很多不尽人意的地方。针对城乡精神文明建设的现状，开原市委理清了工作思路，首创了“城乡共建精神文明”的活动载体，即把城乡文明单位结成对子共建精神文明，精心制定活动方案，明确共建原则、目标、要求，规定共建7个方面的具体内容和标准。其中，以城带乡主要解决4个方面问题：改善村容村貌；加强宣传教育文化阵地建设；发展集体经济；培育村屯文化。以乡促城主要解决3个方面问题：树立良好职业道德观；树立为人民服务意识；树立动真情办实事的工作思想。强调共建要在互补上下功夫、在转变工作作风上下功夫，突出经济建设这个中心，突出农村致富奔小康这个主题，突出提高行业职业道德水平这个重点。

**二、措施得力，组织精心，狠抓落实**

结好对子。共建工作能否落实，主要取决于双方领导班子及工作力度。因而，在选择共建对子时坚持了三条标准：一是共建双方一把手必须有较强的进取心和责任感；二是共建双方在精神文明建设工作及经济条件方面必须具备较好基础；三是共建双方要有切实可行的精神文明建设发展规划。在共建动员大会上，由市五大班子领导牵线搭桥，共建双方在友好的气氛中以结亲的方式实现对接。

建好制度。为保证共建活动有序发展，在实施一把手工程的前提下，制定了如下制度：领导承包制度，市领导承包共建对子；双向协议制度，共建双方签订共建内容协议书，领导签字盖章，上报市委存档备查；工作月报制度，双方每月填报一次活动报表，市里随时掌握活动动态；活动联络制度，由宣传部和文明办的中层干部做兼职联络员，联络员要在共建双方对接、投入、活动、检查时“四到场”；百分考核制度，量化工作标准，评出示范村和示范单位，召开专门会议进行表彰；一票否决制度，被列为共建对子，如不开展共建工作或共建工作开展较差的，取消其文明单位和文明村评选资格；工作档案制度，把每个共建对子的报表、活动、检查等所有资料装入档案。这些制度使活动在时间、内容、形式、质量上得到了保证。

落好责任。城乡共建是一个新课题，共建过程又是一个动态过程，由于形式新、时间长、内容具体，共建不同阶段的侧重点有所不同，在实施过程中会遇到很多具体问题，为使问题及时得到解决，必须抓好指导和责任落实工作。首先实施了一把手工程。市委、市政府主要领导一线指挥，各乡镇、行业一把手具体指导，共建双方一把手负责落实，形成了一级抓一级、一级对一级负责的共建活动领导责任网。其次抓好签订协议这一关键环节。对共建效果不明显、行动缓慢的对子重点指导。共建联络员采取“盯人战术”，跟踪指导，督促落实。

立好标杆。开原市从不同角度、不同层次树立了一批典型，通过召开现场会、制作电视纪录片、编发《精神文明建设简报》等形式推广先进典型的做法和经验，有力地推动了共建活动不断向纵深开展。

**三、围绕中心，突出重点，办好实事**

开原市始终把发展集体经济作为共建的中心，把提高农民素质、整治村屯环境、加强文化阵地建设作为共建的重点，办实事，求实效，不摆花架子，不走过场。

发展集体经济。注意发挥共建单位在人才、信息等方面的优势，帮助村屯确定发展思路，开发各种资源，发展农业产业化，兴办乡村企业，为农村经济发展注入新的活力。市财政局帮助共建对子红旗营子村研究确定了以农业为基础，数业并举，突出交通运输业的发展思路，并从技术服务和市场信息等方面积极帮助实施这一计划。这个村已拥有各类机动运输车辆207台，收入较好。开原镇后石东村在共建对子的帮助下，11个村办企业效益显著。金沟子镇三道沟村通过改变农村环境引进资金，建起了狐狸饲养场。许多共建村开发的致富项目具有很强的经济发展后劲。

提高农民素质，增强致富本领。共建活动始

终围绕提高人的素质这一根本，最大限度地占领农村文化阵地，充分发挥共建单位的思想、科技、信息优势，寓教育于活动之中。通过共过组织生活、共上党课、共庆祖国重大节日，来共同唱响祖国颂，激发爱国热情；通过送书送戏下乡、共同联欢、组织村民跳交际舞、唱卡拉OK、球类比赛，共同提高文化档次；通过办法律、科技培训班、请专家学者办讲座、组织收看科普专题片、举办科普大集等送文化、送科技、送卫生、送法律、送信息下乡活动，提高农民的综合素质，增强农民致富奔小康的本领。现在，求知求富求美求乐已经成为共建村的一种时尚，靠科技致富、按法律办事、讲社会公德、求生活质量正在成为广大农民的自觉行动。

加强村屯环境建设和文化阵地建设。把加强村屯环境建设和文化阵地建设作为重点，在村屯环境建设和文化阵地建设上下功夫，动真情、办实事。如下肥地乡新立屯村，地处东部偏远山区，经济条件较差。村党支部克服重重困难，将宽不足6米，坑洼不平七扭八歪的老路加宽到9.5米，沿途各户退出1.3米的宅基地，建成了一条高标准的进村路，被村民称为“新风路”；庆云堡镇4个共建村带动了全镇11个村的整治工作，新修高标准村路7000延长米，全镇所有的村部、学校都得到修缮。据不完全统计，全市56对共建对子共开展活动220多次，投入钱物316万元，修高标准村路48公里，新修新建文化室56个，新增图书3万册，新添桌椅950套，购置彩电、VCD47台套，资助困难学生176人。

**四、咬住不放，常抓不懈，久久为功**

十年树木，百年树人，精神文明建设工作只有树立咬住不放，常抓不懈，久久为功的思想，才能抓出成效。这是开原市委一班人的共同认识。他们把这项工作作为本届班子任期内精神文明建设工作的一个重点工程，制定了共建三年规划。1998年5月，抓了第一批25对共建对子的试点，1999年又抓了31对共建对子，计划在本届班子任期内建成100个高标准文明村和文明单位。

（中央文明办：《精神文明建设工作》）

## 吉林省长春市

# 依靠管理创建文明社区

几年来，长春市委、市政府始终坚持以邓小平理论为指导，以经济建设为中心，以提高市民素质、区域文明程度、居民生活质量为目标，以设施完善、环境优美、秩序优良、服务优质、关系和睦、活动丰富为主要内容，以管理为切入点，使创建文明小区、文明社区活动在巩固中提高，在深化中拓展，在扎实中创新，取得了明显成效。

**一、规范管理者行为，在建立创建工作有效运行机制上下功夫**

一是抓组织保证。为强化对管理者的管理，规范管理者的行为，从创建文明小区、文明社区工作的实际需要出发，成立了精神文明建设指导委员会和综合管理工作指导委员会，两块牌子，一套人马，主任由省委常委、市委书记来米君担任。“两委会”下设办公室（简称“两委办”），由市委、市政府直接领导。其职能是规划、协调、指导、监督，是市委、市政府抓创建文明城市和综合管理工作的统揽机构。“两委办”对创建文明小区、文明社区工作的考核，可以“一票否决”。即各县（市）区创建文明小区、文明社区工作开展不力的，不能评为先进；工作连续两年落后的，调整其主管领导。市财政每年拨给“两委办”资金200万元，作为文明城市创建的活动经费。各县（市）区、开发区也相应地成立了“两委办”，各乡（镇）、街道办事处也都设立了专门机构或配备了专职人员，初步形成了创建文明小区、文明社区工作的组织领导体系，解决了创建工作中有人办事、有钱办事、有条件办事的问题。

二是抓依法行政。在规范管理者行为中，重点是强化管理者的法制观念，增强依法管理的意识，提高依法管理的水平。通过多种形式，对管理者进行各项法律、法规、政策教育，强化他们依法行政、依法管理的意识。定期组织人大代表、政协委员进行专题视察，加强行政执法检查，充分发挥人大、政协的监督作用。对不按法律、法规、规章要求正确履行职责的，都坚决予以纠正。两年来，共拆除违法建筑30多万平方米。对楼间插建、少批多建甚至少数不批就建等违法行为进行了坚决查处，对300多个单位130多万平方米的违法建筑进行了处罚。通过抓依法行政，提高了管理者的执法水平，受到了广大市民的拥护。

三是抓责任落实。针对过去小区、社区建设中管理部门存在的职责不清、推诿扯皮等现象，进一步明确了各部门、各单位的职责，把创建文明小区、文明社区工作的各项任务和目标，层层进行分解，能量化的尽可能量化，具体落实到每个部门、单位、岗位和人头上。同时，签订了责任状，明确目标任务、工作标准、完成时限、责任人，从而调动了广大管理者的积极性，初步建立了一个既各尽其职、各负其责，又相互配合、相互支持的管理体系，基本做到了管理工作事事有人管、件件有人抓，促进了创建文明小区、文明社区工作水平的不断提高。

四是抓监督机制。加强制度建设，形成有效的监督制约机制，是搞好文明小区、文明社区建设的有力保证。两年来，相继制定了《加强纪律的暂行规定》、《转变作风提高效率的暂行规定》、《机关干部职工文明办公优质服务的暂行规定》、《长春市直机关工作人员行为规范》等各种规章制度1845项，规范管理者廉政行为、职业道德、社会公德、语言、仪表、举止。同时，建立了一整套内部监督、社会监督和舆论监督机制。内部监督，主要是实行处室对个人月考评。市岗位责任考评委员会在年中、年末进行考核验收的制度，依据考核结果分档划类，与奖惩挂钩。特别是对全市28个重点部门、41个要害部位建立了跟踪督查考核制度，先后对57名不按行为规范办事的干部进行了必要的组织处理，反响很大。社会监督，主要是采取行风评议、发放评议卡、征求意见单，给管理部门和管理者打分等形式，让社会各界进行评议。舆论监督，主要是在报纸、电视台、电台等媒体开辟专栏，组织记者跟踪报道，对工作做得好的进行表扬，对管理不善、工作不力的现象随时进行“曝光”。

**二、规范市民行为，为创建文明小区、文明社区奠定良好的群众基础**

一是抓环境改造影响人。优美的环境能够陶冶情操、净化心灵，对人们的思想行为产生潜移默化的影响。先后投资兴建了占地20多公顷、以大面积绿地为主的文化广场，改建了文博精品广场，拆除了12公里长人民大街沿街单位的封闭式围墙，建成通透式绿化长廊，在主要街路新建了高标准的不锈钢灯箱式候车亭，开展了“百个花园式小区”建设，兴建了图书馆、新闻中心、万人体育馆、交通指挥中心等一批现代化的标志性文化设施。越来越多的市民从小区、社区面貌的巨大变化中感受到了生活环境质量的改善，促进养成与美好环境相适应的文明言行。

二是抓领导示范带动人。首先从领导者的一言一行抓起，充分发挥党员干部的表率作用。在开展清理楼道杂物、还空间于居民活动时，许多党员领导干部带头亲自动手清理、打扫和粉刷自家的楼道。在他们的影响带动下，广大干部职工积极参与这项便民、利民、为民活动，进而扩展到全市6800多栋居民楼，使楼道整治率达到90%以上。利用双休日和节假日，开展了“党员干部奉献日”活动，组织各级领导干部参加文明小区、文明社区建设。在领导干部的示范带动下，广大居民纷纷行动起来，积极参与，有效地推动了创建活动的深入开展。

三是抓依法管理约束人。规范市民的行为要靠坚持不懈的思想教育，也要靠法制。1996年重新修订了《长春市市民守则》，并谱写成歌曲组织市民学唱，制定了违反《守则》的处罚条例。在主要街路、广场、飞机场、大商场、影剧院等重点部位和场所，对违反《市民守则》的行为进行严管严罚，并逐步扩展到全市范围。相继出台了《关于加强居民楼道管理的规定》、《文明示范社区管理办法》、《关于违反〈长春市环境卫生管理条例〉的行政处罚办法》、《城市绿化管理条例》、《限制养犬的规定》等一系列地方性规章和规定，使市民行为有章可循。通过抓依法管理，社会上的不文明行为受到了约束，广大市民的文明素质也有所提高。

四是抓活动开展塑造人。组织开展形式多样的活动，是规范市民行为的有效手段。在“讲文明树新风”活动中，为了加强对市民文明知识的普及教育和文明习惯的养成教育，精心组织开展了一些形式多样、为广大人民群众所喜闻乐见和易于参与的活动。一是开展了“百万市民告别不文明行为签名”活动、万名机关干部清理“白色污染”活动、万名中小学生清洗交通设施活动、万名官兵营造军民共建林活动。二是通过新闻媒体，组织市民开展“两个形象”大讨论，即长春城市形象和长春人形象的大讨论。三是开展了评选“五好文明家庭”、“文明市民”活动。四是组织实施了“邻里相识互助工程”。五是抓住长春电影节、国际雕塑展、大型书市等有利时机，对小区、社区环境进行集中整治。通过开展这些群众看得见、摸得着和受益大的活动，使广大市民在参与中受到了教育。许多市民纷纷写信或打电话，支持群众性精神文明创建活动，并主动为政府出主意、想办法，举报违反管理规定的场所和不文明的行为。

**三、抓好四个结合，不断提高社区文明建设水平**

一是管理与规划相结合。城市建设规划是城市管理的前提，规划制定水平的高低，直接影响城市的发展和未来形象。在搞好城市整体发展规划的同时，把小区、社区规划当作大事来抓，进行专题研究，借鉴先进经验，组织专家进行论证，使规划建立在较高的起点上，为创建文明小区、文明社区创造了必要条件。全市新建小区初步达到硬件设施配套，花坛、树木品类多样，实现了黄土不露天，花草连成片，涌现出一批文明小区的典型。

二是管理与教育相结合。提高市民的文明素质，必须把思想教育贯穿于管理的全过程。在文明小区、文明社区建设中，十分注重开辟教育阵地，开展教育活动，先后成立了近百所市民学校，发放《市民读本》几十万册，对市民进行爱国主义、集体主义、社会主义教育。先后组织各类讲师团、巡回报告团，对市民进行形势政策、法规知识和家庭美德、社会公德、职业道德教育，提高市民的思想道德素质。积极建设各具特色的长廊文化、楼院文化、社区文化、广场文化，通过组织丰富多彩的文化活动，使市民在参与中受到教育，在实践中得到提高。

三是管理与服务相结合。服务群众、贴近群众、依靠群众，才能使文明小区、文明社区建设具有长久不衰的生命力。把搞好小区、社区服务，满足群众的需求，作为培育新的经济增长点，安排下岗职工再就业的大事来抓，并列入市政府每年为群众办的实事之一，要求各行业管理部门和窗口服务部门，把服务范围延伸到小区、社区，采取有效措施，为居民提供全方位服务。在服务网络上，先后建立了家教联系中心、爱心服务站、志愿者协会、上岗指导委员会、法律咨询站、物业管理公司等组织，形成了比较完善的社区服务网络和服务体系。在服务内容上，先后开展了面向老年人、幼少儿、残疾人、困难户、普通居民等10大服务系列。在服务方式上，分别采取有偿、低偿、无偿等形式为社区居民提供及时方便的优质服务。

四是管理与基层组织建设相结合。根据创建实际需要，切实加强街道党委、街道办事处的组织建设，确立了其对创建文明小区、文明社区工作的组织、协调、指导地位。按照《城市居民委员会组织法》的要求，注重发挥居委会自我管理、自我教育、自我服务的作用，选择一批有工作经验、文化素质较高的下岗职工、待岗教师充实到居委会，改变了过去那种年龄老化、活力不足、结构单一的状况。

长春市通过创建文明小区、文明社区工作，使市民的文明素质和城市的文明程度明显提高。全市规划建设的223个小区，已有1/3建成了县、区级以上文明小区，其中市级以上文明小区28个，省级文明小区示范点10个，国家级文明城市示范点1个。目前，向管理要规范、向管理要效益、向管理要发展、向管理要文明，已经成为长春市创建文明城市工作的一大特色，成为广大干部群众的内在要求。

（中央文明办：《精神文明建设工作》）

## 黑龙江省

# 开展文明单位创建活动 抵御“法轮功”消极影响

黑龙江省文明办分组深入13个市地，对各级文明单位同“法轮功”斗争情况做了深入调查。调查结果是，省级以上文明单位在职职工中基本没有修炼“法轮功”的。事实证明，切实加强群众性的精神文明建设，是自觉抵制“法轮功”歪理邪说侵害的有效途径。

文明单位创建活动始终突出思想道德建设，增强了干部群众抵制“法轮功”的政治鉴别力。各级文明单位把爱国主义、集体主义、社会主义教育和社会公德、职业道德、家庭美德教育作为创建活动的重要内容，引导干部群众树立正确的世界观、人生观、价值观。牡丹江水电总厂、伊春市金山屯人造板厂等省级文明单位常年坚持群众性的马克思主义哲学学习，让群众掌握辩证唯物主义和历史唯物主义的基本观点，学会用马列主义世界观和方法论分析客观事物，对错综复杂的形势，纷繁多变的事物保持清醒头脑，以敏锐的政治鉴别力识破了李洪志及其“法轮大法”的反动本质，职工中没有人上当受骗。各级文明单位把邓小平理论的学习贯穿于创建的全过程，进一步坚定了干部群众社会主义信念和跟共产党走的决心，增强了对改革的承受能力，形成了积极向上进取的行业精神和单位精神，产生了较强的向心力和凝聚力。尽管在市场经济大潮中也遇到了种种困难和矛盾，但职工精神非常振奋，走社会主义道路的信念不动摇，对建设有中国特色社会主义伟大事业充满信心。对李洪志宣扬的歪理邪说，人人嗤之以鼻，同“法轮功”邪教组织进行了旗帜鲜明的斗争。

文明单位创建活动提高了广大干部群众的科学文化素质，有效地揭穿了“法轮功”的虚伪性和荒谬性。企业、事业基层文明单位在创建活动中，把提高职工群众的科学文化素质作为两个文明有机结合的切入点和落脚点，把培养“四有”职工队伍作为单位的治本工程，努力提高职工的文化水平和职业技能，营造了崇尚科学、尊重知识、尊重人才的良好氛围。具有一定科学文化素养的职工都能用科学的眼光分析事物，解疑释惑。在农村，深入开展“讲精神文明、比科技致富、建文明新村”活动、“农民家庭素质争优赛”活动和破陈规陋习，树文明新风等移风易俗活动，激发了农民学科学用科学的热情，农民的科学意识普遍增强。全国文明村镇建设先进单位哈尔滨市太平区团结乡每年投资10多万元，通过举办短期培训、定向培养、联合办学等方式，多层次、多渠道对农民进行培训，仅1998年一年培训人员就多达4800余人次。经常性的教育既提高了农民科学文化水平，也增强了农民识别唯心主义和封建迷信及伪科学的能力。尽管这个乡地处城乡结合部，农民与城市居民混居，受“法轮功”冲击很大，但全乡村民没有一人信“法轮功”。全国文明村镇示范点延寿县加信镇农民治穷先“治愚”，依靠科学致富，奔小康。在农民中成立各类专业技术研究会、科普协会，开展科技咨询、技术指导、技术服务，把生产技能的培训与提高农民群众科学文化知识水平结合起来，扫除青壮年中的文盲、半文盲，把推广实用生产技术同传播与人们日常生活相关的科学知识结合起来，铲除封建迷信愚昧观念滋生的土壤。李洪志宣扬的神秘主义和“宿命论”在这里没有市场，村民都说：“‘法轮功’讲的那些歪理一听就玄，纯粹是瞎编，科学能增产、能增收，能让农民过好日子，我们就信科学，什么功都不信。”全镇4万多口人，没有信“法轮功”的。全国文明村镇建设先进单位宁安市的拐弯子村、东沟村多次把来散布“法轮功”的信徒赶出村。

创建文明单位活动，倡导文明、健康、科学的生活方式，使“法轮功”的歪理邪说没有活动市场。随着物质生活水平的提高，人们对精神生活也有了新的更高的要求。各级文明单位、文明村适应人们的需求，丰富8小时以外职工和家属的业余文化生活，提高了生活质量。绝大多数省级文明单位都有职工业余文艺演出队、秧歌队，有美术协会、摄影协会、书法协会，经常举办摄影展、美术展，组织台球、门球、乒乓球、田径等体育比赛，调动了群众参与的积极性，占领了群众业余空间，使“法轮功”枯燥乏味的“修炼”、“弘法”没有市场。肇东市多年来坚持开展全市文明单位交谊舞大赛、卡拉OK赛、文明知识大赛、文艺汇演、向不文明言行告别“万人签名”活动。这些活动既引导职工自娱自乐，又倡导了社会新风。尽管肇东市是受“法轮功”影响的重灾区，但全市543家各级各类文明单位，没有人参加修炼“法轮功”。

文明单位创建活动把两个文明建设任务落实到基层，引导群众自我约束，自我规范，使“法轮功”无机可乘。各级文明单位坚持重在建设的方针，按照《黑龙江省文明单位建设条例》要求，把两个文明建设的任务细化、量化，实行双文明一体化管理，做到二者同步规划、同步实施、同步考核，结合用人制度和分配制度的改革，严格兑现奖惩。特别是农村开展的创建十星级文明户和一些单位开展的创建“十星级文明科室”、“十星级文明班组”、“星级文明职工”活动，把日常表现同个人的荣辱和物质利益挂起钩来。这些活动覆盖面广，便于吸引群众广泛参与，较好地发挥了激励先进鞭策后进，扶正祛邪的作用。

（中央文明办：《精神文明建设工作》）

# 上 海 市

## 以安居乐业为目标 整体推进社区精神文明建设

上海围绕提高市民素质和城市文明程度，结合城市管理和环境建设，以安居乐业为目标，以创建文明小区、文明社区为载体，社区精神文明建设呈现了领导重视，齐抓共建，整体推进，全面覆盖的良好态势。

**一、加强对社区精神文明建设的领导，明确目标，夯实基础**

市委、市政府一贯高度重视社区建设。90年代以来，市委根据完善“两级政府、三级管理”新体制的要求，不仅将加强社区建设作为加快城市建设和提高城市管理水平的重要措施，而且作为加强精神文明建设、基层政权建设、维护社会稳定和提高人民群众生活质量的重大举措。1995年，在全市精神文明建设大会上，市委书记黄菊明确提出，要围绕“提高市民素质，提高城市文明程度”的目标，以社区建设为载体加强上海精神文明建设。市委采取有力措施，扩大社区管理责权，加强社区工作力量，努力形成社区建设和管理的长效机制，到2000年，要初步形成安定安全的社区治安秩序、便民利民的社区服务网络、团结和谐的社区人际关系、健康向上的社区文化氛围，并为建成配套设施齐全、环境舒适优雅、管理规范有序、保障功能完善的现代化社区奠定基础，所有这些，都为加强社区精神文明建设创造了极为有利的条件。

“安居乐业”是群众的利益和愿望所在。市委明确在文明小区、文明社区创建中，要以“安居乐业”为基本目标，为社区居民创造一个整洁、舒心、活跃、和谐、温馨的生活环境，提高生活质量。市文明办为此制订了创建文明小区五大类标准，24个具体项目；文明社区八大类标准，42个具体项目。目标确定后，从市委、市政府到区（县）委办各级党政组织主要领导高度重视，亲自抓创建、抓落实，形成了全市范围内党政一把手亲自抓精神文明建设的良好态势。许多区（县）委书记、区（县）长亲自担任创建的第一责任人，层层签订责任书，明确责任人，确保创建目标真正落到实处。

**二、以“二级政府、三级管理、四级网络”为构架，条块结合，齐抓共管，为社区精神文明建设提供体制保障**

加强社区精神文明建设，基础在基层，社区是载体。市委及时提出了不断探索和完善“二级政府、三级管理、四级网络”新体制，探索加强社区建设和管理新机制的工作思路。首先，市委、市政府下发了《关于加强街道、居委会建设和社区管理的政策意见》，市政府下发了《关于进一步完善市与区“两级政府、两级管理”体制的政策意见》两个文件，为加强社区建设和管理，促进社区精神文明建设提供了政策上的保证。其次，积极理顺条块管理体制，制订下发了街道办事处工作条例。各区城市建设和管理部门在理顺管理职能的基础上，派出机构与街道办事处对应设置，街道办事处实行政企、政事、政社职能分开。按照“精简、统一、效能”的原则，构建城市第三级管理新框架，初步形成了以街道党工委为领导核心，办事处为管理主体，社区管理委员会为协调机构的三位一体城市第三级管理体系。全市各街道相继建立了社会治安综合治理、市政管理、社会保障、社会发展、财政经济等委员会，为加强社区建设和管理，促进社区精神文明建设提供了有力的组织保证。第三，全市所有街道组建了城建监察队，实行“委托执法”、“综合执法”，大大提高了执法效率，降低了执法成本，在创建文明小区、文明社区、文明城区的工作中发挥了积极的作用。第四，积极消灭“空白点”。凡是创建文明小区的，要有居委会或相同类型的管理组织，居委会建到哪里，创建搞到哪里，思想政治工作就抓到哪里，精神文明活动就搞到哪里，有力保证了党的基层组织在小区的影响力、渗透力和控制力。第五，积极发挥社区的整体优势，通过共建联建等形式，实现资源共享。以资源共享为纽带，建立共建组织，在地区和单位之间开展双向服务，提高社区资源利用率，社区单位内部场馆等资源向地区开放，初步形成了以街道为核心，居委会为依托，社区单位齐抓共建，广大居民积极参与的创建工作机制。第六，根据各个街道、居委会的实际需求，有计划地在全市企事业单位招聘居委会干部，这既是加强街道、居委会基础建设的需要，也是实施再就业工程的重要组成部分。通过考试、培训、考察等形式，至1999年底，共吸收了5075名企事业干部职工，充实到居委会的工作岗位上，这些同志大都在30—40岁左右，文化程度大都在大专以上，有丰富的基层工作经验，有强烈的事业心、责任感，珍惜这一得之不易的机遇，爱岗敬业，扎实工作，联系群众，深受群众欢迎和好评。

**三、围绕安居乐业的目标，从为人民做好事、办实事入手，全面推进社区精神文明建设**

市委、市政府几年来先后将文明小区、文明社区创建、东方书报亭、社区文化体育健身设施等列入市府实事工程。明确责任部门、工作标准、考核要求，并加大社区基础建设的投入，加快社区基础管理的步伐。如长宁区全面开展“凝聚力工程”，推广“串百家门，知百家情，解百家难，暖百家心”的“华阳经验”。贴近群众生活，为民排忧解难，把深化“凝聚力工程”建设与再就业工程相结合，与社区服务和管理相结合，先后有3万多人得到帮助，仅1998年社区就安置了下待岗职工8620人次，组建了一批公益性劳动组织和非正规就业组织。

**四、充分发挥人民群众在社区精神文明建设中的主体作用，建设一支群众性的积极分子队伍**

这些年来，在开展志愿者活动，建设一支群

众性的积极分子队伍等方面，做了一些有益的探索。

社区志愿者是上海社区精神文明建设的一支生力军队伍，“服务他人，奉献社会”是志愿者活动的宗旨。据不完全统计，目前各类志愿者人数达101万人，活跃在全区、各社区的志愿者达49万人。

从各个社区的实际出发，建立了爱国主义教育讲师团，请老红军、先进模范人物开展爱国主义教育，加强对青少年的思想政治工作；建立了老年人读书报小组，实行自我教育、自我管理、自我服务；加强对社区群众文化体育生活的指导，在文明小区创建中，每个小区都建立了科学、文化、教育、体育、卫生等各类指导员队伍，大部分以党员骨干为核心，开展辅导活动，如普陀区曹杨街道18个小区都设立了指导员辅导组，在他们的指导下，社区老妈妈艺术团、老伯伯京剧组、淮剧组、越剧组、沪剧组、合唱队的活动能经常开展。所有这些都有力地促进了社区精神文明建设。

**五、以丰富多彩的社区文体活动为载体，加强思想政治工作，促进社区精神文明建设**

从社区实际出发，开展丰富多彩、形式多样的社区文化体育活动，在居民群众中倡导科学、文明、健康的生活方式，是推进社区精神文明建设的一项基本要求。首先是加大投入，建立阵地。市委、市政府确定了上海社区文化设施建设的总体目标，即：初步建成与上海国际一流大都市相匹配的、与上海经济社会发展相协调的、与上海市民文化需求相适应的、结构合理、布局优化、设施先进、多层次的社区文化设施网络。市文明办共投入1137万元、市体委投入2222万元、各区县和街道投入16813万元，至1999年，全市各区县共建成各类社区文化设施面积14.36万平方米。同时，加快了社区体育设施的建设，共建成24个社区全民健身苑，建成900多个小区健身点，每个居委会都有老年活动室、图书室。其次是各级党政组织加强领导，加强对各文体社团组织的管理和指导，组织群众，开展丰富多彩的活动，使“法轮功”等邪教组织和封建迷信活动没有市场。三是抓好载体，强化市民教育，着力于提高居民素质和社区文明程度。在社区精神文明建设中，各级党组织重视居民群众的思想政治教育，及时了解思想动态，有针对性地开展工作。许多文明社区根据不同年龄、不同层次居民的需求，充分利用各种载体，在不同的居民群体中分层次开展各种活动。如对老年人通过市民学校的载体，广泛吸纳他们参加，扩大教育面；对在职党员，通过志愿者活动的载体，鼓励他们参加各类社会公益活动；对中小学生通过“准楼组长”活动，帮助他们参与社会实践。四是持之以恒，坚持不懈，开展丰富多彩的社区文化体育活动，倡导科学、文明、健康的生活方式。只要加强社区思想政治工作和精神文明建设，开展健康有益，丰富多彩的群众文化体育活动，对破除迷信，反对愚昧，提高市民素质，提高社区文明程度，具有重要意义。

从1989年开始创建到现在，全市共建成市级文明小区887个，区级文明小区1173个，已有1/2的居民生活在文明小区中，提前一年实现了市委提出的1/3的市区居民生活在文明小区的目标。从1997年开始创建到现在，全市共建成文明社区57个，占全市99个社区的57.6%，文明小区、文明社区的创建正在向创建文明城区的方向发展，从1996年开始，经过几年的艰苦创建，黄浦区、卢湾区、静安区建成上海市第一批文明城区。

（上海市文明办）

## 上海市黄浦区

# 依靠群众 强化管理 创建文明城区

黄浦区是上海市的中心地区，也是上海的金融、商贸、行政文化中心，共有4个社区、65个小区，常住人口24.9万。近年来，黄浦区获得全国性荣誉称号94项。全区有3个社区被评为文明社区，51%的小区被评为市、区文明小区。1998年7月，黄浦区被列为上海市创建文明城区试点区。

**一、广泛深入发动群众，共塑中心城区窗口形象**

该区以开展创建“文明家庭——文明楼幢——文明小区——文明社区”、“文明职工——文明岗——文明班组——文明企业——文明行业”、“文明科室——文明机关”3条“文明链”活动为抓手，全民投入，共塑文明城区新形象。近年来共发放宣传资料近10万份，组织各类座谈、研讨上千场次，直接参与者逾5万人次。同时，在区有线电视台开辟《创建文明城区人家谈》栏目，在街道马路旁设置公益广告牌，营造浓厚的创建氛围。

外滩、南京路、人民广场是上海的窗口。从1993年11月起，在外滩开始举办广场音乐会，现已演出300余场。1994年又对人民广场实施综合改造，调整了绿化布局，实施灯光泛照工程，使人民广场成为旅游、休闲的又一道风景线。1993年开始，该区组织南京路沿线商业企业开展消费者购物放心、称心、舒心活动。1998年2月，南京东路被中宣部等单位命名为上海的“百城万店无假货活动示范街”。此后，又逐个推出优质示范楼，推进服务行业规范达标工作，巩固了南京路“百城万店无假货示范街”的创建成果。目前，南京东路正按照强化购物、旅游、商务、展示、文化功能的要求，调整布局，新辟广场绿地2000多平方米，力争建成具有国际先进水准的步行街。

**二、集中力量攻克难点，提高城区管理水平**

黄浦区是个老城区，部分基础设施陈旧，居住条件较差。该区把城区管理作为创建文明城区的重点，进行突破。他们利用苏州河沿线综合整治、南京东路步行街建设、土地批租等契机，采用“阳台吊绿、围墙渗绿、弄堂爬绿、小区见绿”等形式，不断探索市中心增绿的途径。将建绿和管理并重，一方面落实绿化门前责任制，要求各部门和各单位种好、养好、管好、护好门前的绿化带；另一方面，组建了绿化养护队伍，实行种绿、保绿、护绿一体化，加强绿化树木种植后的养护和管理。目前，全区绿化总面积42.25万平方米，绿化覆盖率9.3%。公共绿地面积25.16万平方米，人均占有公共绿地面积为上海市4个中心城区之首。

黄浦区中小道路约占道路总数的90%，保洁任务较重。1995年，黄浦区把环卫行政管理职能划归市政管理委员会，逐步分设具有独立法人资格的保洁作业单位。同时开放环卫作业市场，引进竞争机制，实行公开分段招标；划小核算单位，实行环卫清运和机械化清扫单车承包；加强考核，根据考核结果，将招标费的8%作为考核奖励经费拨给街道，用于奖励辖区内的环卫作业单位。

该区明确将拆除违章建筑任务列为区政府工作的目标考核内容。按照“先地面后屋顶”、“先政府部门后单位个人”、“先主要道路后次要路段”的原则，大力拆除违章建筑，抓好集市管理。全区已整治各类违法违章建筑近3万平方米，并制作统一的营业柜台等设施，将露天农贸市场引进室内，规范了日常管理，促进了市容环境的改观。

**三、建立社区长效管理机制，探索文明城区

**发展模式**

黄浦区近年来逐步完善“两级政府、三级管理、四级网络”的管理体制，加强街道和居委会的管理职能，建立了一套注重长效管理机制。在街道成立社区管理委员会，下设市政管理、社会发展、社会治安综合治理、财政经济4个工作委员会，形成以街道为主体，“所、院、场”为骨干，社区单位和居民共同参与的社区服务、社区文化、小区管理等管理网络。居委会主要负责宣教、计生、民事调解等工作；物业管理部门对房屋建筑、施工、设备、绿化、治安、保洁、环境进行全面的专业化管理，完善定期例会、安全检查、保洁巡视、便民服务等制度，切实提高小区管理水平和居民生活质量。

1998年，黄浦区制订了《创建文明城区指标体系》，规定了创建文明城区的指导原则、体系结构、项目设置和标准值，按经济、科教文化、环境服务保障、文明风尚等客观指标和政府形象、市民素质、市容环境、社会风气等主观指标，分别设定了140项考核指标，同时确定了评估方法，为创建工作提供了比较科学的检验标准。

黄浦区大力开发社区的各项服务功能，做到群众需要什么，社区就提供什么。成立了社区职业介绍中心，近两年共安置下岗人员2000多人；推出了“为老系列服务”，为近1300名行动不便、就医困难老人设家庭病床、安装紧急求救电铃，解决老人实际生活困难。

黄浦区认为，创建文明城区要注意处理好10个方面的关系：即虚与实的关系，把学习邓小平理论与为民办实事结合起来；硬与软的关系，把硬件建设与软件建设结合起来；点与面的关系，把标志性工程与基础性工程结合起来；条与块的关系，把部门与街道的力量汇集起来，形成全区合力；市与区的关系，使市属单位与区属部门通力合作，发挥各自优势；远与近的关系，着眼于远期目标，着手于近期工作；大与小的关系，既重视大的工程建设，也不忽视小的行为规范实施；堵与疏的关系，既加强管理，又积极引导；教与法的关系，加强思想教育的同时，严格依法行政、依法办事；新与旧的关系，既坚持发扬优良传统，又注入时代特征的新内涵。

（中央文明办：《精神文明建设工作》）

## 上海市建设系统

# 抓行业规范服务达标　提高精神文明创建水平

上海市建设系统围绕把上海建成现代化国际经济中心城市的战略目标，在努力抓好城市基础设施建设、进一步加大城市管理和环境建设力度的同时，始终坚持以主题活动为主线，以窗口行业和窗口单位为重点，以规范服务达标活动为突破口，努力使以“服务人民、奉献社会”为宗旨的职业道德建设覆盖全行业，从而在整体上提高了行业管理水平和职工道德素质，树立了行业的崭新形象，赢得了社会各界和人民群众的肯定。

1999年，经过坚持不懈地努力，燃气、自来水、地铁、出租汽车、园林绿化、环境卫生、市政道路7个行业已实现全行业规范服务达标，全系统实现规范服务达标的行业已占全市的1/3，达标工作走在了全市的前列。

**一、围绕经济建设这一中心，推动行业改革和企业发展，是规范服务达标的宗旨**

多年来，上海建设系统坚持不懈地加强了3个方面的教育。一是强化政治观念、群众观念和全局观念的教育。使干部职工增强“达标工作是政府形象工程，更是民心工程”的意识，坚持“为民、便民、利民”的宗旨，多为百姓办好事、办实事；二是强化达标工作是加强城市建设和管理重要环节的教育。使干部职工树立“抓达标，是塑造企业（行业）形象的重要标志，更是实现上海城市现代化建设与管理战略目标重要载体”的观念；三是强化对各级领导班子的教育。使各级领导干部增强“两手抓、两手都要硬”及“一把手、抓两手”的意识，树立搞好达标工作的使命感和责任感。

着力加强宣传声势，形成良好的舆论氛围。上海建设系统以公用局为重点，连续10年开展了以“服务人民、奉献社会”为宗旨的职业道德教育和培训，开展了对徐虎、李素丽、范玉恕等先进典型的宣传和学习。先后推出了“徐虎网络”、“水房共建”、各类热线、服务承诺等便民利民措施和特色服务，规范了办事程序，改进了服务方式，有效地解决了服务行业中存在的吃、拿、卡、要等不正之风，克服了生、冷、硬、拖等不规范、不文明现象。

**二、精心设计载体，吸引广泛参与，是规范服务达标充满活力的源泉**

规范服务达标工作的丰富内容有赖于切合实际的载体来承担。窗口达标活动中，市建设系统针对不同时期市民群众关注的热点、难点问题，采取有效措施加以整改，根据不同阶段的中心任务精心设计载体，不断推出行业的服务特色和服务品牌。

首先是探索条块结合，共建精神文明的新格局。煤气行业主动将安全使用煤气放到文明小区创建内容中去。公交行业与地区联合开展文明公交集散点活动，形成了条块联手，互相促进的特色。其次是创造市民参与行业精神文明建设的新形式。公用、环卫、市政等行业建立监督员活动制度，充分发挥投诉热线与市民沟通的桥梁作用，市民除了可以投诉服务及作业问题外，还可以对行风建设、政务公开和文明执法中存在的问题进行举报。第三，建立把达标工作纳入行业日常管理新机制，层层分解目标、落实责任，形成精神文明建设和行业管理相互渗透的良好局面。

**三、常抓不懈，循序渐进，是全行业规范服务达标工作必须遵循的基本原则**

在开展达标工作中，市建设系统根据各单位的实际情况，按照先易后难、由点到面、分层分类的方法确定试点单位，对试点单位取得的经验举一反三，及时总结推广。在达标以后，教育不放松，管理不放松，改革不停步，注重长期抓、抓长期，反复抓、抓反复。

首先从调查研究入手，摸清全系统主要服务窗口的分布、数量及服务状况，及时组织研讨，提出目标和方案。其次，以主题活动作为开展达标工作的主线，按照渐进性、连续性和整体性的要求，每年设计推出一个主题口号，以不断形成阶段性高潮。如1996年提出“加强城市管理，创建达标窗口”主题活动，1997年推出“深化窗口达标，创建文明行业”主题活动，1998年开展“强化管理塑形象，深化达标创文明”主题活动，1999年以“强化管理、优化环境”主题活动为突破，全面推进达标工作。第三，坚持从市民最关心、反映最强烈的问题抓起，不断推出新的便民、利民措施，解决服务行业中突出的难点和“顽症”。煤气、自来水行业先后推出新装用户实行“一条龙”服务、居民报修不过夜、“小郭热线”和“徐虎热线”联网等一系列便民措施；地铁、公交、出租车等行业采取推行承诺制、改进服务方式、加大硬件投入、强化行政监督和舆论监督等措施，有效治理“顽症”；物业管理行业全力以赴解决“险、漏、堵、水、电”等问题，在全市各区县都建立了受理、维修、投诉“三个中心”，及时解决群众“急、难、愁”问题，受到了普遍好评。

**四、建立机制，是规范服务达标工作充满活力稳定持久的保证**

达标工作中，市建设系统在依法加强行业管理的同时，注重制度的建立和机制的培育，尤其是达标以后更加注重将运作机制纳入日常管理规范中。有的基层单位虽然领导更换或岗位易人，施工单位虽然项目、工地经常变化，但都能做到服务质量、工作标准、现场环境一个样。这表明，精神文明建设要求有长效，机制是保证，必须重视机制的建设和完善。

几年来，上海市建设系统顺应社会主义市场经济条件下产业结构调整、投资主体多元化的发展趋势，在实践中摸索总结规律，注意将达标工作与企业内部改革、改制紧密结合起来，初步形成一套发挥两个文明建设优势、具有凝聚力、体现规律性和操作规范化的达标工作机制。其中包括达标工作领导制度，思想政治工作责任制度，监督员队伍管理制度，精神文明建设评比、激励、奖励制度，与新闻界、人大、政协沟通制度，热线（投诉）电话管理制度等等。

（建设部文明办）

## 江　苏　省

# 深入开展文明城市创建工作
# 促进两个文明协调发展

党的十四届六中全会以来，江苏省委、省政府认真贯彻两手抓、两手都要硬的战略方针，坚持以文明城市建设为龙头，带动文明小区、文明行业、文明村镇创建全面发展，取得了明显成效。

**一、从两个文明建设协调发展的要求出发，规定创建内涵，科学设计标准**

自1997年开始，在全省范围内就文明城市创建工作进行了深入的专题调研，通过对苏南、苏中、苏北不同类型城市创建工作的调查、分析，逐步明确了文明城市创建的内涵，在此基础上，制定颁发了《关于全省文明城市创建工作的实施意见》和《江苏省文明城市指标体系与考核细则》，使全省的文明城市创建工作逐步走上了标准化、规范化的轨道。

文明城市是在实现小康后，走向基本现代化的历史进程中，以社会主义物质文明和精神文明建设协调发展为基础，文明程度在同类城市中处于先进水平的城市。创建文明城市，是从两个文明协调发展的全局出发，在更高层次上解决城市发展和建设的问题。它不仅包含了经济发展目标，而且包含了科教文卫事业等社会发展目标；不仅包含了市民物质生活水平的提高，而且包含了市民精神文化生活的丰富；不仅包含了市民思想道德、科学文化素质的提高，而且包含了市民生存环境、社会保障等生活质量的提高。因此，考察文明城市创建工作，应以物质文明建设和精神文明建设协调发展为基础，同时侧重考察其精神文明建设情况。

文明城市在国内生产总值、财政收入、城镇职工人均工资、城镇居民人均居住面积、城镇居民基本生活保障制度等5项主要指标方面，应超过全省平均水平。与此同时，在两个文明建设方面还应达到8个方面37项171款要求。根据这一标准，采用千分制加以考核。其中“市民言行文明”110分，“环境整洁优美”138分，“社会秩序良好”122分，“各类服务优质”122分，“科教文卫发达”150分，“设施基本完备”108分，“组织领导有力”110分，“创建工作扎实”140分。实践证明，这一创建指标体系和考核办法，符合江苏经济和社会发展的实际，有利于最大程度地调动各方面力量参与城市精神文明建设。

**二、从群众生活和城市发展的现实需要出发，抓住重点带动整体**

一是抓基础。全省各地从城市环境建设和管理入手，切实解决脏、乱、差的问题。在环境整治工作中，既从大处往小处做，把环境整治由城市中心区域向城郊结合部拓展，由主要街道向背街小巷延伸，努力做到全面覆盖、不留死角；又从小处往大处做，抓住群众关心的一个个具体问题，认真研究、及时解决，通过阶段性、局部性成果的积累达到总体目标的要求。同时，从爱国主义、集体主义、社会主义和艰苦奋斗精神的基础教育抓起，从普及精神文明建设基本知识、规范市民言行、倡导文明交往抓起，从讲究文明礼貌、遵守公共秩序、尊老爱幼等最基本的要求抓起，着力提高市民文明素质。

二是抓部位。全省各地集中力量对城市主要窗口地带进行建设和整治，积极营造创建氛围，提高行业服务质量。深入广泛地开展创建文明小区活动，表彰了一批文明小区。在此基础上，以改善环境、完善配套设施、发展社区服务为突破口，以方便群众、服务群众、让群众满意为目标，积极推动文明小区创建向文明社区创建拓展，加强分类指导，做到老区抓改造、旧区抓配套、新区抓提高。

三是抓热点。注意把群众关心的热点、难点问题作为文明城市创建工作的着力点，从小事、实事抓起，一件事一件事地办，一个方面一个方面地抓，抓一件成一件。同时，在办实事的过程中，动员、组织、吸引群众广泛参与，使群众在参与中受到教育、得到提高。

四是抓机制。建立健全整体规划、分步实施的工作机制。全省各地制定并完善了创建文明城市的整体规划，把长远目标和阶段性任务结合起来，逐项分解，分步实施。许多地方实行创建工作年度目标管理责任制。建立健全统一部署、分类实施的组织机制。各行业、各部门、各人民团体、各基层组织围绕文明城市创建的总体要求和主要任务，根据各自的职责，发挥各自的优势，各司其职，相互配合，逐步形成条块结合、上下联动的工作格局。建立健全运转正常、良性循环的管理机制，加大执法和管理力度，完善评比激励、检查考核、监督奖惩等各项工作制度，使创建工作逐步走向经常化、规范化、制度化。

**三、从实事求是的思想路线出发，正确处理好创建中的几个关系**

一是正确处理创建与评选的关系。评比是衡量创建工作的一种手段，是对前一阶段创建工作的总结，也是对下一步工作的促进。通过评选，总结经验，有利于发现和树立典型，推动面上的工作。但是，评选只是手段，而不是目的，如果本末倒置，把工作的着力点放在应付评选上，甚至是为了评选而去创建，就有悖于开展创建工作的初衷。必须始终把注意力放在日常的创建工作上，放在不断提高创建工作的水平和质量上，以评选复核工作为抓手，强化创建，淡化评比，努力把各方面的积极性引导到深化创建的工作中来。

二是正确处理深入发动与决不扰民的关系。深化创建工作，必须力戒形式主义。放松平时的创建而搞突击，甚至为了应付评比而强迫基层、强迫群众做假，搞应景文章，不仅会引起基层和群众的反感，也会严重影响精神文明建设工作的健康发展。因此，形式主义的东西一定不能搞，假、大、空的东西一定不能搞，群众不赞成、不满意、不拥护的东西一定不能搞。

三是正确处理申报评选和多办实事的关系。创建文明城市是一个渐进积累、逐步提高的过程，不可能奢求在短时间内一蹴而就，毕其功于一役。必须树立长期作战的思想，不懈创建，持之以恒，才能收到实效。要着眼长远、重在过程，把目光放在提高生活质量、建设美好家园、改善投资环境、促进经济发展的大目标上，把心思和力量集中到为实现这些目标而进行的努力工作中。决不能因为追求一时一事的所谓"成果"而引发创建中"运动式、突击式"的问题和"标语式、口号式"的偏差，滋生"应付式、赶考式"的短期行为。要把创建的过程作为想群众所想，急群众所需，为群众办实事、办好事的过程，作为推进城市文明程度和公民文明素质不断提高的过程，作为积极探索、开拓创新，不断建立健全行之有效的创建运行机制的过程，努力使创建收到实实在在的成效。

四是正确处理统一组织与分工负责的关系。精神文明建设是全党全社会的事，各行各业、各部门、各单位都要在党委的统一领导下，充分发挥各自的职能作用，主动地、积极地、创造性地开展工作，相互配合，形成合力。

（中央文明办：《精神文明建设工作》）

## 江苏省南京市

# 发展社区服务 建设城市文明

南京市把增强城市服务功能、提升城市品位和形象作为城市发展的一项核心战略，针对省会城市和特大型城市的特点，全面推开以社区服务和建设为重点的创建文明社区工作，形成了“小社区、大创建”的工作格局，创造了全国闻名的“玄武之路”、“鼓楼模式”、“湖南路现象”，涌现出鼓楼区、玄武区、秦淮区等3个全国社区建设和社区服务的示范典型。

**一、深化认识，强化领导，逐步建立合理、高效的创建工作机制**

市委、市政府始终从“把南京建设成为经济发达、环境优美、融古都特色和现代文明于一体的现代化江滨城市”的跨世纪发展目标出发，高度重视文明社区创建工作，成立了以市委书记、市长和市委、市政府分管领导为正、副组长的领导小组，由16个部门参加的市创建文明社区联席会，并且结合省会城市的实际，提出了文明社区创建工作“五个以”的总体思路，即：以城区街道为依托，立足街道和居委会逐步完善和改革社区组织机构；以社区服务为基础，积极发展壮大社区服务产业；以文化、教育、体育、科普活动为载体，不断丰富市民的精神文化生活；以社区党建为龙头，全面提高市民的思想道德素质和科学文明素养；以城市环境建设和保护为重点，着力营造整洁、优美、文明的生活环境。逐步建立、健全了一整套有关社区创建的规章制度，并多次召开理论研讨会、经验交流会，对创建中的一些重大理论和实践问题进行探讨，同时，还充分利用新闻媒体及多种形式，动员组织各政府职能部门、驻区企业、大专院校及广大居民群众关心社区、支持创建，形成了全民参与创建的良好氛围。

**二、拓展领域，提升层次，不断提高社区服务的整体水平**

全市逐步建立起以区、街道社区服务中心为骨干、以各居委会社区服务站为基础的社区服务网络。全市共建成区、街两级社区服务中心54个、各类便民服务网点6000多个、老年公寓70所、文化活动室63个，参与服务工作的各类人员超过10万，服务项目达到5大类100多项，并且逐步向文化、医疗、卫生、教育、科技、法律等领域渗透。全市还加强了对社区服务人员的培训和管理，制定了有关规范社区服务的收费、监督、投诉等制度，突出了社区服务方便快捷、优质低价、文明规范的特点，弘扬了“社区为我、我为社区”、“借万家力、帮万家忙、解万家难”的社区意识和服务精神，营造了社会化、大服务的氛围。此外，还引入市场竞争机制，鼓励多种经济成分的组织和个人投身社区服务行业，实行有偿服务、低偿服务和无偿服务相结合，实现了社区服务的良性循环。

**三、深入群众，寓教于乐，积极开展丰富多彩的社区文化活动**

全市各街道均建立了文化中心（馆）和图书室，设立了风格各异的休闲走廊、阅报栏、黑板报和艺术画廊，利用近年来建设的各类文化广场、休闲广场、市民广场开展群众喜闻乐见的广场文娱活动，并组织居民举办音乐欣赏会、家庭作文展览和手工艺品制作比赛等活动，形成了社区长廊文化、广场文化和楼院文化三大系列。全市各街道90%以上的居委会成立了体育工作指导站，聘请一些活动积极分子，在早晨带领居民群众开展健身操、武术、太极拳、交谊舞等各种体育锻炼活动和比赛。社区教育逐步形成网络，全市以450多所基层政校、48所市民学校及社区大学为阵地，对青少年进行思想道德和素质教育，对老年人进行文化、艺术、保健方面的教育，对下岗职工进行再就业技能教育，对流动人口进行法律法规、市民守则、计划生育等方面的教育，对两劳释放人员则实行“结对帮教”，在思想、生活、就业上予以教育和帮助。社区科普活动丰富多彩，每年围绕市民的日常生活组织的各种科普宣传教育活动在2000场次以上，弘扬了科学精神，倡导了健康文明的生活方式。

**四、精心规划，全面治理，营造整洁文明的社区生活空间**

从1995年开始，南京市实施了城市建设和管理第一个“三年规划”，共投资200多亿元，完成了道路交通、水电气、住房、市容环境、污染治理等7大类100多个工程项目；第二个“三年规划”的各项工作已于1998年底全面展开，计划总投资在240亿元以上。市、区和产权单位三方还共同出资对全市老旧小区进行出新改造，以环境的整洁优美带动了市民精神面貌的焕然一新。以创建安全文明小区为重点，进一步强化社会治安综合治理，普遍建立了群防群治网络，许多小区实行封闭式管理，社会治安状况持续良好。广泛开展“保护生态环境，倡导文明新风”活动，全民环境意识增强。全市近三年新增绿地1100公顷，城市绿化覆盖率达40.2%，建成了鼓楼市民广场等近40个各具特色、大小不同的绿地广场，总面积超过35万平方米，利用小区道路建设的边角隙地建成80多处小游园，大大改善了社区环境面貌。

**五、以人为本，多管齐下，不断创新社区思想政治工作**

南京市积极推动党建工作向社区拓展，成立了区、街两级社区党建联席会，并把党建工作延伸到社区各种新经济组织和社会团体中去，加强对社区离岗党员和进城务工党员的教育。在创建工作中，全市以社区党建工作为龙头，把社区思想政治工作与文明社区创建各项任务紧密结合起来，想群众所想，急群众所急，解群众所难，着力为群众办好事、办实事，寓思想教育于服务之中，寓思想教育于活动之中，寓思想教育于环境建设和管理之中。各街道、居委会认真做好社会弱势人群的思想政治工作，普遍设立了下岗职工服务中心和下岗职工再就业联络站，为下岗人员登记、建档，根据用工需要推荐就业。有的社区还成立了社区工会，维护无主管部门人员和外来务工人员的合法权益。针对老年人群特点，开展了各种丰富多彩的活动，有的街道还成立了老年心理咨询疏导站，为老年人提供免费服务，使老人们老有所养，老有所学，老有所为。

（江苏省文明办）

## 江苏省苏州市

# 发挥区域优势　努力创建文明城市

近年来，江苏省苏州市坚持以“做文明市民、创文明单位、建文明城市”为目标，紧紧围绕经济建设这个中心，深入扎实地开展以提高市民素质、加强基层单位两个文明建设和塑造城市文明形象为主要内容的全方位、多层次、系列化的群众性精神文明建设活动，促进了经济发展和社会全面进步。特别是党的十四届六中全会召开后，创建文明城市工作城乡联动，整体推进，在广度和深度上有新的发展。

**一、发展区域经济，为创建文明城市奠定物质基础**

苏州市坚持以经济建设为中心不动摇，坚持两个文明一起抓，经济发展保持了持续、快速、健康的增长势头。苏州工业园区和苏州新区每年经济增长超过30%，1998年国内生产总值分别达到50亿元和90亿元。县市经济以乡镇企业集团、外向型企业和特色农业为主要特点，也保持了较高的增长幅度。6个县市的综合经济实力继续位居全国经济实力百强县的前列，有5个县市人均GDP超过了2万元，其中张家港市接近3万元。全面实施经济发展外向型带动战略，有力地推动了全市经济发展，提高了人民生活水平，给城市精神文明建设创造了必要的物质条件。

**二、加大城市一体化建设力度，提高社会文明水准**

伴随着经济的发展，交通、通讯、电力、燃气、住宅等基础设施建设以前所未有的速度推进，大大改善了投资环境，城乡面貌发生了很大变化。全市电话交换机总量突破200万门，城乡每百人拥有电话40部；有线电视县市联网达到100%，乡镇联网98%，镇村联网34%；苏州市区和6县市城区的绿化面积平均达33%。按照“布局合理、梯度辐射、功能完善、发展协调、各具特色”的总体要求，大力发展小城镇建设，群众居住条件得到改善。城市居民人均住房使用面积超过14平方米，农民人均超过50平方米，农村楼房得到普及。城乡联动，整体推进物质文明建设与精神文明建设协调发展，已成为苏州市创建文明城市工作的一大特色。

**三、大力发展文化事业，营造浓厚的创建氛围**

苏州丰厚的文化底蕴，在改革开放的条件下继续发扬光大，崇尚科学、教育、文化成为市民的追求。一是全面实施科教兴市战略。苏州市高新技术企业已发展到231家，每年获国家、省、市的科技成果奖项近200个，市区及5个县市都成为“全国科技工作先进市”，发展教育已成人们的共识，尊师重教蔚然成风。全市小学入学率、巩固率均为100%，毕业率达99.9%，残疾儿童的入学率达95%，3—6周岁儿童入园率达94%，以职业技术教育为主的高中段教育普及率达到88%。地方高等教育和成人教育也有长足发展。市区和6个县级市全部成为“全国九年制义务教育先进市”。二是文化、卫生等各项事业蓬勃发展。文艺创作队伍不断壮大，有投入、有成果、有产出，逐步形成良性循环机制。群众积极参与广场文化、企业文化、社区文化活动，特色文化家庭不断涌现。苏州市跨入了首批“中国优秀旅游城市”行列，被评为“全国文化模范地区”，获得“全国环境保护十佳城市”称号。6个县级市均成为“全国体育工作先进县（市)”。全市创建卫生城镇工作取得了丰硕成果，苏州市及张家港市、昆山市、吴江市被命名为“国家卫生城市”，太仓市、吴县市获得了“省级卫生城市”称号。全市共有71个镇成为省级卫生镇，241个村成为省级卫生村，其中张家港市的塘桥镇成为全国第一个卫生镇。

**四、广泛开展创建活动，塑造文明形象**

分别召开了创建文明小区经验交流会、创建文明行业工作会议、创建文明村镇工作会议和创建文明城市动员大会，全面部署以实现优美环境、优良秩序、优质服务为重点的群众性精神文明建设活动，不断提高社会文明程度。围绕把苏州建成文明城市的总体目标，形成了四个创建系列。城区：文明家庭——文明小区——文明社区（街道)；农村：文明户——文明村——文明镇；行业：文明职工——文明窗口（文明单位）——文明行业；机关：文明公仆（人民满意公务员）——文明处室——文明机关。由于领导重视，组织严密，标准科学，工作扎实，全市的“三创”活动取得了明显效果。张家港市和苏州市区三元四村成为全国创建文明城市示范点，常熟市成为全国创建文明村镇示范点，8个窗口单位成为全国创建文明行业的示范点。1998年8月，苏州虎丘风景区被命名为全国首批10大文明风景旅游区示范点。

**五、宣传先进典型，弘扬社会正气**

按照时代精神与传统美德融为一体的要求，树立了一大批先进典型，充分发挥其示范和辐射作用。在地区典型方面，大力宣传张家港市两个文明协调发展的经验，弘扬“团结拼搏，负重前进，自加压力，敢于争先”的“张家港精神”。大力宣传昆山市“自力更生，大胆开拓，建设开发区”的好做法。在集体典型方面，公布了精神文明建设示范点和省市级文明单位，使各个领域学有榜样，赶有目标。1998年，集中宣传了政法系统精神文明建设的先进典型——沧浪区人民法院的先进事迹。在个人典型方面，大力宣传了原张家港市委书记秦振华、常熟市蒋营村党委书记常德盛等一批先进人物的事迹。1990年以来，全市开展了七届“社会主义精神文明建设十佳新人新事”评选活动，对弘扬正气，形成良好的社会风尚起到了积极的推动作用。

（中央文明办：《精神文明建设工作》）

## 江苏省张家港市

# 促进两个文明协调发展

张家港市在前几年创建国家卫生城市和全国文明城市的基础上，以江泽民总书记视察张家港市和全国精神文明建设经验交流会在张家港市召开为强大动力，以经济为中心、以卫生为基础、以文化为内涵、以育人为根本、以服务人民为宗旨，城乡联动，整体推进，进一步把文明城市创建工作往深里做、往实里做，使全市两个文明建设呈现出协调发展的良好态势。1999年9月被中央文明委命名为全国创建文明城市工作先进城市。

**一、以经济为中心，努力为张家港的建设和发展提供强大的精神动力和良好的发展空间**

近几年来，张家港市始终坚持“两手抓、两手都要硬”的方针，把经济建设与建城育人有机地结合起来，将各项创建活动自觉地融入到经济建设的各个环节中去，从而使经济建设获得了强大的精神动力和良好的发展空间。

首先，对江泽民总书记充分肯定、亲笔题写的张家港精神赋予新的时代内涵，通过表彰先进、事迹报告、心得交流、结对竞赛等途径，不断深化张家港精神的再教育，从而在全市形成了讲奉献、比贡献、创一流的热潮，许多干部群众不畏困难、团结拼搏，使经济建设渡过了一个又一个难关，出现了稳定发展的良好势头。其次，从建设现代企业入手，培育企业精神，提高职工素质，塑造企业形象，不断增强企业的凝聚力，提高企业的竞争力。第三，着力优化投资环境，大力营造快速、便捷的交通环境，设施配套、功能完善的生活环境，热情周到、优质高效的服务环境，社会稳定、秩序优良的治安环境，为经济建设创造了良好的发展空间。第四，坚持开发建设与节约资源并举的方针，狠抓环境保护和污染治理，让有限的资源发挥最大的效能。

**二、以卫生为基础，积极营造整洁、优美、舒适的生活环境**

多年来，张家港市始终坚持把构筑城乡一体的洁美环境作为创建文明城市的切入点，通过创建国家卫生城市、全国环境保护模范城市等活动，从最初的净化城市到优化城市的生态环境，从加强市民的素质教育到形成良好的文明卫生习惯，把创建工作不断向纵深推进。一是将环境卫生整治向农村辐射，全面开展卫生村、卫生镇创建活动，着力提高城乡环境卫生水平。张家港市在巩固提高城区管理和卫生保洁水平的同时，每季开展一次农村大环境集中整治，彻底清除家前屋后及河边、路边、桥边的暴露垃圾，整治污水河塘，设置垃圾箱或垃圾收集房，有效地克服了脏乱差“回潮”现象；建立健全村镇卫生保洁和管理队伍，狠抓农村卫生长效管理措施的落实，从而使农民逐步改变了原来一些不文明、不卫生的陈规陋习。到1999年底，全市共建成国家卫生镇3个，省级卫生村119个，省级卫生镇实现了满堂红。二是扎实推进文明小区、文明村镇建设，着力改善和优化生活环境，不断提高人民群众的生活质量。从农村环境和小城镇基础设施建设抓起，硬化道路、绿化庭园、净化家庭、改水改厕，引导广大市民和农民用自己的双手建设美好家园，全市共建成455个文明小区。三是加大硬件投入力度，完善基础设施建设，优化城市形象。全市多渠道筹措资金20多亿元，加快城市的基础设施建设和环境改造，大力实施城市绿化、美化、亮化工程，使整个港城呈现出浓厚的现代文明气息。

**三、以文化为内涵，不断满足人民群众日益增长的文化需求**

卫生是城市文明的外在形象，文化则是城市文明的内在质量。创建过程中，张家港市大力完善城乡的文化基础设施，积极开展丰富多彩的群众性文化娱乐活动，不断提高城市的内涵质量，建成并完善了市镇两级文化馆、图书馆，改造、装修了大戏院、影剧院、新华书店等原有的文化基础设施，实现了有线电视光缆市镇大联网。依靠社会的力量，大力发展社区文化、村镇文化、企业文化、校园文化和家庭文化，1999年，全市举办各类文体活动2000多场次，观众达70余万人次，有3万多户家庭建成了“五有家庭”，涌现出了围棋之乡塘桥镇、举重之乡南沙镇、足球之乡西张镇、文艺之乡兆丰镇、乒乓之乡合兴镇。与此同时，结合城市的规划建设，在城市布局、城市雕塑、公益广告、文化标志性工程等方面精心规划、精心设计、精心施工，着力塑造城市文明形象，在城区开辟了步行街、暨阳路、海关路等多处文化娱乐休闲广场，在市区各主要道口增设系列雕塑，精心制作了户外公益广告，完成了少年宫、博物馆等文化标志性工程建设，城市的文化品位显著提高。

**四、以育人为根本，着力提高广大市民的文明素质**

围绕“建文明城、育文明人”的目标，从大处着眼、小处着手，通过教育引导、环境熏陶、制度约束、严格管理等多种措施和途径，循循善诱，久久为功。一是培训教育常抓不懈。把“五爱、三德、三礼”和“六要十不”市民守则、“五讲七不”市民公约编印成市民读本发到各家各户，利用城乡500多所文明市（农）民学校组织轮训和考试，使文明市民行为规范教育深入到每一个单位，灌输到每一个家庭。二是教育活动形成系列。结合“讲文明树新风”活动，以“倡导文明言行、弘扬文明新风”为主题，组织开展有声势、有影响的摄影比赛、演讲大赛、征文比赛、知识竞赛活动，让市民在活动中受到教育、得到提高。同时，开展创建文明小区等活动，改善人们的生活环境，通过环境的反作用来规范人们的言行。三是制度约束养成习惯。根据省、市关于城市管理的有关规定，结合当地实际，制定出台了城区管理、社会治安等20多个规范性文件和管理规定，建立了12支执法管理队伍，依法管理，严格管理，使人们逐步养成说文明话、做文明事、当文明人的良好习惯。

**五、以服务人民为宗旨，努力在为民造福上下功夫、做文章**

张家港市注意从群众关心的热点、难点问题入手，从一个个具体问题抓起，从一件件实事做起，努力为群众办实事、办好事。首先，把实现优质高效的机关服务、文明规范的行业服务，作为文明城市创建的一项重要内容，选择全市17个与人民群众生活密切相关的行业，开展创建文明行业活动，对全社会实行公开承诺服务、规范服务，不仅使机关改变了以前“门难进、脸难看、话难听、事难办”的“四难”现象，而且使各窗口单位进一步提高了行业服务水平。市工商、公安、税务、交通等行业都设立了办证大厅、服务大厅，使原来复杂的流程服务变成便捷的“一站式”服务，得到了广大群众的欢迎和称赞。其次，想群众之所想，急群众之所急，主动为民排忧解难。出台了再就业的一系列政策措施，建立再就业培训中心和服务指导中心，使下岗工人再就业率超过了60%；建立慈善基金会，实行城乡居民最低生活保障制度，使下岗工人、贫困家庭的生活得到了基本保障。第三，抓大不放小，从细微处入手，把创建工作往深里做、实里做。一是组织开展“知万家情、解万家难”民间纠纷大排查，对排查出的问题按照先易后难的原则，边排查边调解，逐个给予解决。二是开展“社会妈妈”、“红星助学”扶贫济困、扶贫助学等献爱心、送温暖活动，对全市8.3万余名65岁以上老人逐一走访送温暖，为千名孤贫儿童找上了“社会妈妈”。三是在城区广泛开展楼道“三化”工程建设活动，组织房产开发公司、房屋产权单位、街道居委会、供电服务部门为城区所有居民公寓住宅统一安装触摸式限时开关，各楼道统一建立卫生值日制度，定期考核检查，在居民家庭开展“五有文化家庭”创建活动。

（江苏省文明办）

## 江苏省国家税务局

# 创建文明行业 促进国税工作上新台阶

近年来，江苏省国税局以提高国税干部文明素质和办税文明程度为目标，以创建文明行业为总揽，围绕服务人民群众、规范行业行为，突出“服务人民、奉献社会”的创建宗旨，内强管理，外树形象，切实加大创建工作力度，有力地推进了全省国税系统两个文明建设的协调发展。税收收入连年高基数、高幅度增长。全省国税系统率先被命名表彰为“江苏省创建文明行业工作先进省行业”，淮阴市国税局直属分局、张家港市国税局直属分局被中央文明委分别授予“全国精神文明建设先进单位”和“全国创建文明行业工作先进单位”的荣誉称号。

**一、抓认识，牢固确立总揽意识**

创建文明行业是党中央在改革开放新形势下对各行各业、特别是社会公益行业和行政执法部门提出的新要求，是对两个文明建设赋予了更深刻的内涵和提出了更高的标准。以创建文明行业来总揽和统揽各项工作，是把两个文明建设有机结合起来、实现“两手抓、两手硬”、推进两个文明建设协调发展的有效载体。基于这样的认识，全省国税系统提出以创建文明行业为总揽的指导思想，切实把创建工作与税收工作有机结合起来，做到两个文明建设统一规划部署，统一标准要求，统一检查考核，统一组织实施，形成了上下联动、整体推进、人人参与的创建格局。

**二、抓服务，努力实践创建宗旨**

以人民满意为标准，丰富服务内容，拓展服务形式，突出服务重点，不断提升服务层次。一是推行承诺服务。针对少数单位办事拖拉、推诿扯皮、效率不高等问题，推行限时服务，对办税各环节作出了明确的时限规定；针对少数单位“门难进、脸难看、话难说、事难办”的问题，积极推行“便民服务承诺制”和“首问负责制”，并通过发放服务承诺卡、设立承诺服务公示栏等形式，将承诺内容和违约处罚公诸于众，自觉接受纳税人的监督，使群众反映的热点问题得到了及时有效的解决。二是推行规范服务。在承诺服务的基础上，省局制订了办税人员工作规范、仪表举止规范、文明用语规范、纪律行为规范和征收服务厅服务设施规范，并采取明察暗访、投诉查实下岗等措施，督促各项规范落实到位，为纳税人提供了文明礼貌、热情周到的办税服务。三是推行优质服务。想纳税人所想，急纳税人所急，帮纳税人所需，从单一服务向全方位服务、一般服务向特色服务、被动服务向主动服务、硬件服务向软件服务转变，主动上门为残疾人办理纳税，为企业和纳税人提供信息、当好参谋等，受到了社会各界的一致好评。

**三、抓规范，建立科学运行机制**

从内强管理入手，以规范化建设为重点，逐步建立了一套规范管理机制。一是规范执法行为。省局制定下发了征管、稽查人员行为规范，进一步规范了税收执法纪律、执法权限、执法责任和执法行为，促进了国税干部依法办税、规范执法，为纳税人创造了公平、公正的税收环境。二是规范办税流程。按照“科学、简捷、高效”的原则，进一步修改和完善了征管工作流程、办税人员岗位职责和质量要求，使办税环环相扣，规范有序，为纳税人提供了简捷高效的办税服务。三是规范管理制度。省局制定了基层分局规范化管理意见和基层分局创建文明行业标准及考核办法，使各项管理逐步走上了规范化、制度化的轨道，有效地提高了管理水平和文明程度。

**四、抓典型，充分发挥示范作用**

按照“以先进典型激励人”的要求，积极培训典型，宣传典型，充分发挥典型的示范和辐射作用，推进创建工作不断上新台阶。一是积极培育典型。全系统广泛深入开展了“文明单位”、“优秀税务工作者”、“优秀公务员”等争先创优活动，激发了国税干部争先创优的热情，培育了一大批先进典型单位和个人。全系统有2个单位受到中央文明委的表彰，有7个“全国青年文明号”，1个“全国税务系统最佳办税厅”，50个省级“文明服务示范窗口”，2个“全国先进工作者”等一大批先进集体和个人典型，形成了不同层次、不同类型的先进典型群体。二是大力宣传典型。采取召开现场会、观摩会、典型事迹报告会以及举办专题演讲、文艺演出、新闻媒介开设“国税专栏”等方式，及时推广宣传先进典型的事迹和经验，较好地发挥了先进典型的示范和辐射作用。三是开展学先进活动。把学习先进、争先创优作为一项经常性工作来抓，每年都制定“争创一流”的工作目标，并纳入目标管理考核。建立和完善了评选表彰制度和奖励办法，使大家学有榜样，赶有目标，创有动力，激励先进更先进，鞭策后进赶先进，形成了“学先进、比贡献、创一流”的良好氛围。

**五、抓根本，着力提高队伍素质**

把着力建设一支政治素质好、业务水平高、作风过硬、能征善管会查、符合“四有”要求的国税干部队伍作为创建文明行业的根本来抓。一是强化思想教育，提高政治素质。在全系统广泛深入开展了以学习邓小平理论和江泽民同志有关重要讲话为主要内容的思想政治教育，提高了国税干部的理论水平和政治素质。有针对性地开展了“四心”（正人心、暖人心、稳人心、聚人心）、“五珍惜”（珍惜工作岗位、珍惜执法权力、珍惜个人前程、珍惜家庭幸福、珍惜集体荣誉）教育活动，激发了国税干部爱岗敬业、忠于职守、秉公执法、积极进取的热情，强化了国税干部的思想道德修养。二是强化教育培训，提高业务素质。与大专院校联合举办大专、本科函授和专业证书班、计算机大专班和税收专业研究生课程班，使全系统干部的学历层次、知识结构得到了较大提高和改善。广泛开展业务培训、岗位练兵、技术比武、能手竞赛等活动，在全系统实行全员考试考核上岗，殿后淘汰下岗分流，激发了广大国税干部学业务、钻本行、练技能的热情，有效地提高了国税干部的整体素质。三是强化服务意识，提高文明素质。把创建文明行业纳入全省群众性精神文明创建的总体格局之中，广泛开展“讲文明树新风”活动，积极参与社会公益服务，帮助贫困地区和贫困户脱贫致富奔小康。深入开展“岗位学雷锋、行业树新风”活动，组织便民、为民服务，慰问下岗职工，帮助孤寡老人，资助失学儿童，帮助建设希望小学，省局连年被评为省扶贫先进单位。

广大干部在为社会服务的实践中，陶冶了情操，文明素质进一步升华。在地方组织的测评中，国税系统的社会综合满意率达95%以上，树立了国税干部服务人民、奉献社会的良好社会形象。

（税务总局人事司）

## 浙江省杭州市

# 努力创建“四优四感”的文明城市

杭州市从1993年以来，围绕把杭州建成现代化国际风景旅游城市这一中心，以实现“四优四感”（优良秩序、优美环境、优质服务、优化管理和安全感、舒适感、亲切感、文明感）为目标，以“塑造天堂新形象”活动为总载体，动员和组织全市人民深入持久开展创建文明城市活动，有力地促进了市民素质和城市文明程度不断提高，先后获得“国家卫生城市”等8项全国性荣誉称号。1999年，杭州市以贯彻中央领导同志对杭州创建工作的重要指示为动力，加大创建工作的力度，文明城市的建设迈上了新的台阶。

**一、把创建文明城市作为现代化建设的突出任务，实现领导工作的“五个转变”，切实加强对创建工作的领导**

在推进杭州现代化建设的进程中，市委、市政府认识到，良好的社会环境和人文环境是现代化的重要标志和重要条件，杭州作为风景旅游城市和历史文化名城，大力提高城市的文明程度和文化品位，具有特殊重要的意义。在对创建工作的领导方面，实现5个方面的转变：

(1) 在工作摆位上，从过去的一条战线，一个方面的工作，转变为全局性的重要工作，列入市委、市政府的重要工作部署，融入城市建设和管理的各个方面，与经济建设一起部署，一起检查，一起考核。

(2) 在领导力量上，从过去主要由宣传思想工作部门抓，转变为在党委领导下市级四套班子合力抓、各部门齐心协力抓、建立强有力的工作班子具体抓，形成了创建工作“大合唱”的氛围。

(3) 在创建部署上，从过去零打碎敲，转变为既有长期、全面的规划，又有阶段性工作计划。先后制定了5个中长期精神文明建设的规划，根据长期的目标，每年重点抓几件大事，使创建工作具有前瞻性、系统性、连续性。

(4) 在工作机制上，从过去一般化的号召和要求，转变为以责任制为核心，建立健全各项制度，细化、量化各项创建任务，虚功实做，求真务实，使“软任务”变为“硬任务”。

(5) 在物质保障上，从过去偏重宣传教育、忽视投入，转变为随着经济的发展，不断加大投入的力度。从1993年以来，用于创建文明城市的投入以平均每年40%以上的幅度递增。

**二、把提高人的素质作为创建城市文明的根本，加强思想道德建设，大力弘扬时代精神和良好的社会风尚**

坚持把塑造“天堂”新形象的立足点放在广大干部群众精神风貌的塑造上，运用教育、管理、法制等多种手段，着力提高广大市民的思想道德素质。

广泛深入地学习宣传邓小平理论。紧密联系杭州现代化建设的实际，坚持不懈地开展以领导干部为重点的多层次的理论学习和宣传工作，用邓小平理论统一思想、凝聚力量。为深化改革，加快发展提供了有力的思想保证。

加强党风廉政建设，用良好的党风政风带动社会风气的进步。市委坚持每年确定一个主题，在全市党员干部中开展党性、党风专题教育；严格要求，严格教育，严格管理，规范党员干部的言行，明确做新时期人民公仆的“六项要求”；大力倡导“向党负责，为人民奉献”的精神，党员干部廉洁勤政之风不断发扬。

坚持不懈地进行爱国主义、集体主义、社会主义教育和艰苦创业精神的教育，着力培养广大市民良好的精神风貌。全市建立了100个爱国主义教育基地、552所基层党校、政校，常年开展教育；组织开展“我看杭城新变化”、“改革开放20年”等一系列面向全社会的主题教育活动；青少年读书活动、评先创优活动、基层思想政治教育活动等持之以恒，不断加强，有力地促进了爱国爱乡、敬业奉献精神的弘扬。

坚持德治法治相结合，大力倡导良好的道德风尚。颁布实施“六不”行为规范和市民守则，规范市民基本行为；编发36万余册道德教育系列丛书，创办100多所市民学校和外来人员学校，开展经常性的教育；组织群众性的评选“十佳”市民、“学雷锋标兵”和“青年志愿者”、“我为西湖添秀色”等系列活动，进行典型引导和实践培养，市民的公德意识、社会责任意识不断增强。以党政机关、执法管理部门、窗口服务行业为重点，加强职业道德建设，广泛开展“向党负责，为人民奉献”、“创优良业绩、树公仆形象”等活动，推行“政务公开”、社会服务承诺制，加强纠正行业不正之风的工作，促进了职业道德水准的提高。以开展“五好文明家庭”活动为载体，大力倡导家庭美德，90%的家庭参与活动，涌现出五好文明家庭60多万户。在加强教育引导的同时，制定实施了35个有关精神文明建设的法规规章，坚持依法管理，用法制的力量推进社会风气的进步。

**三、广泛深入地开展群众性精神文明建设活动，夯实创建基础**

坚持把基层群众性的创建活动作为建设文明城市的着力点，常抓不懈，不断深化。运用军民共建、联片共建、机关与社区结对共建、与物业管理相结合进行创建等活动形式，深入持久开展文明社区创建活动。全市481个社区创建面达100%，达标率达50%，涌现出了一批在全省具有领先水平的优秀小区。以“创一流业绩，树良好形象”为主题，开展创建文明行业活动。注重解决突出问题，组织行业“十杯”竞赛，大力培育文明行业示范点，带动了全行业创建水平的不断提高。以申报达标制、提档升格制推进创建文明单位活动，使创建面逐年扩大，质量不断提高。文明单位的创建覆盖面达80%，有147个单位获省级文明单位的称号，1922个单位创建成为市、区两级文明单位。以转变社会风气、改善村镇容貌为主要内容，采取以城带镇、以镇带村，教育引导，依法治理和加强村镇建设等多种措施，创建文明村镇活动不断深化。“双拥”活动和军民共建在巩固提高的基础上，不断拓展新的领域，军地军民关系进一步密切，连续两次被命名为“全国双拥模范城”。

**四、突出服务群众的创建宗旨，积极为群众排忧解难办实事**

把群众的呼声作为创建工作的“第一信号”，努力使各项创建工作贴近群众、服务群众。坚持每年开展社会调查，征求广大市民和外地游客的意见，把大多数群众不满意的问题作为创建整治的重点，一个问题一个问题地进行整改；坚持群众看得见、摸得着、能参与的原则，从群众身边的具体事抓起，开展各项创建活动。1999年，开展了万人问卷调查，确定了8个方面180个重点问题，组织开展群众性的创建整治，得到了广大群众的积极支持和参与。

加强与群众的直接联系，及时为群众排忧解难。市里建立了领导信访接待日制度、群众联系点制度和市长公开电话，直接倾听群众意见，为群众排忧解难。创建部门和管理服务部门都建立了直接与群众沟通的渠道和及时处理问题的机制，进一步加强和改进了市长公开电话的受理和处理工作，建立“12345，有事找政府”的市长公开电话受理中心和处理网络，24小时值班，及时处理群众反映的问题，深受群众欢迎。

积极实施“为民办实事”工程，着力化解涉及广大群众切身利益的热点和难点问题。市区两级每年都集中力量，为群众办实事。

**五、抓住建设、整治、管理三个环节，不断改善城市环境面貌**

在不断完善和细化城市发展规划的基础上，加快城市建设步伐。1993年以来，杭州市基础设施建设的总投入达276亿元。在加快基础设施建设的同时，环境建设的力度不断加大。市区绿化面积达到5600多公顷，绿化覆盖率达33.18%，人均公共绿地5.8平方米；开展市区主要道路和入城口的环境综合整治，美化街景；在西湖及周边实施“亮灯”工程；对市区河道进行全面整治；加强环境保护和对污染的治理，先后4次在全国环境综合整治定量考核中，名列前10位。还以“一堤、一隧、一站、两场、四桥、八路”为重点，进一步加强基础设施建设，开展大规模的街景整治；投入18亿元，进行“蓝天、碧水、绿色、清静”工程建设，进一步提高城市品位，改善城市环境。

城市管理不断加大力度。特别是1995年以来，以创建国家卫生城市为抓手，不断强化各项管理工作。实行专门队伍与发动群众相结合，对影响城市观瞻，有碍城市形象的突出问题开展专项整治，有效地解决了城市环境“脏乱差”问题。建立了“两级政府，三级管理”的城市管理体制，实现管理重心下移；组建了1700多人的城管监察队伍，实行委托综合执法；建立健全以责任制为核心的管理机制和工作机制，不断强化依法管理，使管理水平和管理效能不断提高，促进了市容环境的改善。

**六、大力推进依法治市，加强社会治安综合治理，维护社会稳定**

从1996年开始，制定并实施依法治市5年规划。几年来，有420万名市民接受了法制教育，行政执法机关和司法机关全面实行执法责任制，为建设文明城市提供了有力的法制保障。

全面落实以领导责任制和创建安全小区（村）为重点的社会治安综合治理措施。创建达标的安全小区已占小区总数的50%。坚持不懈地开展“严打”斗争，加强社会治安的集中整治，持续开展“打黄、扫丑、禁毒”斗争，使社会治安状况和社会风气好转，群众安全感明显增强。

**七、着眼于提高城市的文化品位，大力发展科教文化事业**

积极实施“科教兴市”战略。1996年以来，政府对教育和科技的投入分别以平均每年21.8%和34.8%的幅度递增。实施“钱江科技潮”综合工程，全市有272个项目获国家、省级科技进步奖，科普教育持续扎实开展，科技进步工作进入全国科教兴市先进城市行列。各类教育事业发展迅速，全面实现“九年制义务教育”，小学入学率达99.93%，小学毕业升初中比例达99.52%，市区高中入学率达94%；成人教育、中等教育、职业技术教育、高等教育不断发展，基本扫除青壮年文盲。

文化事业日益繁荣。精神产品生产有20多件作品获全国和省“五个一工程奖”及多项全国大奖；文艺舞台活跃，群众文化活动丰富多彩，有43个乡镇获省、市“东海明珠”称号。坚持不懈地开展“扫黄打非”斗争，健康有序的文化市场初步形成。新闻出版事业不断发展，市属报纸的发行量在全国城市报纸中居领先地位，全市电视覆盖率达97.1%。

（浙江省文明办）

## 浙江省宁波市海曙区

# 以“三提高”为目标　全面推进文明城区建设

**一、强化组织领导，致力于建立健全创建工作运行机制**

多年来，海曙区委、区政府一直把创建文明城区工作作为提高人民生活质量，全心全意为人民办实事的一项重要工作来抓。特别是1995年底以来，区委、区政府按照宁波市港城文明建设的总体要求，结合中心城区的实际情况，提出了建设经济强区、文化大区和“内强实力、外树形象”的基本思路。围绕“人的素质、城市文明程度、城市管理水平”三个提高，全面实施八大工程，切实做好“巩固、深化、拓展、提高”4篇文章，对城管体制进行了大刀阔斧的改革，建立了科学、高效、务实的城市管理新体系，形成了港口城市中心城区鲜明的创建特色，取得了显著成效。

组织领导机制。一是成立了由区长、区委副书记任组长，各创建重点责任部门主要领导任副组长的创建文明城区领导小组，全面负责全区创建工作。二是成立了城市管理委员会和区城市管理办公室，进一步强化了政府对城市管理组织领导和综合协调功能。三是区委、区人大、区政府、区政协加强了对全区创建工作的监督、指导。四套班子成员分别与街道、小区结对挂钩，定期听取汇报，深入调研，帮助解决问题。全区形成了组织有序、职责明确、监督有力的创建组织领导机制。

目标考核机制。根据《浙江省创建文明城市竞赛检查评比标准》和《宁波市创建港城文明实施意见》，将年度创建工作各项任务细化、量化，分解落实到具体责任单位，区长与各责任单位主要领导在创建文明城区动员大会上签订年度目标责任书，纳入年终目标考核。

监督检查机制。一方面，以区人大、区政协监督为主要方式，组织区人大、政协委员对全区港城文明创建工作进行专题考察强化监督。另一方面，区各有关职能部门采取集中检查，随机抽查等方式，加强对各责任单位创建工作的考核、督促检查。同时强化社会和舆论监督。

依法管理机制。根据创建工作实际，把依法管理作为治本措施，认真组织实施有关法律、法规，并根据区情颁发了一些规范性文件，1999年区城管、工商等部门推出行政执法错案追究责任制，使创建工作有法可依、有章可循，走上了法制化、规范化的轨道。

投入保障机制。几年来，始终坚持把加大精神文明建设的投入，纳入经济和社会发展的总体规划，认真落实文化经济政策，并多渠道筹集资金，确保精神文明建设的资金投入。

**二、提高人的素质，致力于营造奋发向上的环境**

区委、区政府把全区人民的思想道德建设作为创建的核心，努力以海曙精神凝聚人心，使之成为各行各业干部群众做好本职工作，提高服务水平的精神动力。

坚持抓好用邓小平理论武装党员，教育群众工作。大力宣传贯彻党的十五大精神，指导广大干部群众解放思想、转变观念，为两个文明建设提供有力的思想保证。几年来，全区相继开展了“解放思想”、“职业道德建设”大讨论，艰苦创业精神教育和以“三讲”为主要内容的党性党风教育，提高了党员干部的思想政治素质和道德修养水平。在机关中开展“做人民公仆，为人民服务”活动，树立“勤政为民、开拓创新、务实高效、清正廉洁”的良好的政府形象。并在全区群众中深入开展以“创造新业绩、迈向新世纪”为主题的系列活动，讴歌身边的先进人物，弘扬海曙精神，营造积极向上的社会氛围，使广大干部群众进一步树立了开拓进取、敢于创新、敢为人先、敢创新业的创业精神。

广泛开展爱国主义教育，激发爱国爱区热情。1998年制定下发了《爱国主义教育实施意见》，把爱国主义与社会主义、集体主义教育结合起来，加强爱国主义教育基地建设。现有爱国主义教育基地9个，组织青少年学生参观基地达10余万人次。

积极开展“三德”为主要内容的群众性道德建设活动。以群众性社会公德教育为突破口，因地制宜编印《告居民书》、社会公德测试题等宣传资料10万余册，进家入户，大力倡导文明礼貌、互相尊重、尊老爱幼、诚实守信、助人为乐、见义勇为的社会公德。在窗口行业开展了“行业树新风”活动，充分发挥省、市级文明服务示范点作用，以点促面，带动全区各行各业开展文明服务活动。全区每年在城区开展“十佳五好文明示范家庭”和“十佳五好文明示范楼群”评比活动；在乡镇开展“文明村”及“星级文明户”评比活动，倡导文化进家庭，形成良好的家庭美德。结合“讲文明树新风”活动，全区大力开展了“十大佳事”评选活动及各区属系统的十佳教师、十佳医务人员、十佳职工、十佳青年等单项评比活动，形成了学习身边典型，赶超先进人物的良好氛围。

深入开展军警民共建活动。全区已有军警民共建对子37个，以共建一条路、一条街、一个厂、一个学校、一个居民区的“五个一”活动为起点，逐步向共建街区、共建社区发展，军地双方相互帮助，有力地促进了文明城区创建活动的深入开展。

**三、围绕“三优”目标，致力于创建舒适整洁安定的环境**

深入开展文明行业创建活动。重点抓好窗口服务行业建设，广泛开展“创文明行业、让人民满意”主题活动及“十业百佳优质服务竞赛”、“百城万店无假货”活动；大力推行社会服务承诺制和政务公开制度，大大增强了干部职工的职业道德和服务意识。同时，组织实施了以“110”报警服务台为龙头的系列便民服务工程，规范了全区出租车行业服务和形象工程，并通过评选“十佳文明示范窗口”和“十佳文明服务示范点”，带动和辐射全区各行各业的文明优质服务活动、推动文明行业创建活动向纵深发展。

抓建设，重管理，加快推进城市现代化的进程。一是加大市政设施建设的投入。近3年，约投入资金4000万元，完成了一大批区属市政、园林、环卫设施的新建、扩建工程。二是积极配合市城区道路、旧城改造、铁路复线建设及街景设计、灯光装饰和绿化配套建设工作。经过几年的努力，已拥有了与现代城市发展相适应的城区交通网络。人均公共绿地面积达5.2平方米。三是城市管理工作得到强化。按照“城市管理看海曙”的争先目标和“建管分设、管做分离、事企分开”

的改革思路，在全市率先进行了城市管理体制和运作机制的改革，进一步明确了区、街道两级的城市管理职能，相应下放管理权限，初步形成了“重心下移，加强基层，重在基础”的城市管理新格局。切实加强市容环境的综合整治，重点开展了对无证设摊、跨门占道营业、街路摊档、乱张贴、乱涂写、卫生死角和无证无牌三轮车的集中整治，进一步改善了城区的投资环境和居民群众的生活环境。

全面落实社会治安综合治理各项措施，确保政治稳定和社会安定。一是成立了区维护稳定领导小组，定期召开会议，建立了每月不安定因素排查制度，每两个月召开一次会议听取各单位汇报。为防止发生突发事件，区里还专门成立了突发事件处置小组，完善了维稳预警控制机制，有力地维护了全区的政治稳定。二是严厉打击各类刑事犯罪活动，全力维护治安秩序。全区多次组织专项行动和专项治理。坚持不懈地查禁和取缔社会丑恶现象，进一步净化了社会风气。三是坚持打防结合、预防为主，强化了基层和社区的治安防范工作。全区建立了群防群治组织200多个，联防队员、保安队员、护楼员、暂住人口协管员等7563人，建立1200名党团员参加的社区防范巡逻队伍。居民住宅小区的刑事案件逐年下降，群众的安全感得到了增强。四是深入开展普法教育和依法治区工作。认真组织开展了普法宣传教育，有效地提高了公民的法律意识。

**四、加快“文化大区”建设，致力于构建繁荣健康的现代都市文化**

全区围绕建设“文化大区”总目标，不断加强城区文化建设，初步形成了布局合理、结构优化、设施齐全、管理有序、富有特色的城区文化新格局，使城区的综合文化品位进一步提高，逐步树立起了与现代化中心城区相适应的文化形象。一是高度重视科技工作，科技发展取得新成就。海曙区1996、1997年先后跨入全国科技进步先进区和省科技进步先进区行列。二是深化教育改革，教育事业跃上新台阶。近年来，海曙区以创建省教育强区为目标，以“改革带动、素质提高、特色培植”为抓手，在全市率先进行了学校办学体制、办学模式、内部管理体制和教育评估检查方式改革，全面推进了素质教育。先后通过了省“双基”、“双高”评估验收，并被国家教委、民政部评为全国特殊教育先进县（区），全区两个乡镇均成为市教育强镇。三是文化工作蓬勃发展。以“五个一工程”为龙头，精心组织优秀精神产品的生产，报告文学《涅槃》和歌曲《老爸》分别被评为省、市“五个一工程”入选作品奖和优秀作品奖。扎实开展以社区文化、企业文化、校园文化、家庭文化为特色的群众性文化活动，仅1998年就举办各类群众文化活动100次，至今已举办了4届海曙文化艺术节和3届“文明之光”文艺汇演，区文化馆被评为浙江省特级文化馆、省级文明单位。四是卫生、计划生育工作取得良好成绩。基本形成了以专科特色医院为主的医疗保健网络，社区卫生服务工作走在全省前列。全区人口自然增长率为0.94‰，计划生育率达到99.94%，计划生育工作保持全市领先水平。五是群众性体育活动广泛开展，群众健康水平不断提高。

**五、积极创建文明小区，致力于构建坚实的基础工程**

创建文明小区作为创建文明城市的“基础工程”，从1990年开始试点，1995年按照全市的统一部署，确立了“全面覆盖，三档五星，滚动推进”的创建工作思路，制定“两步走”的10年规划，第一步，从1996年起，每年以15%的速度递增，经过3年努力，使50%的小区建成市级文明小区；第二步从1999年起，每年以8%左右的速度递增，经过7年努力，到2005年把全区100个小区全部建成市级文明小区。到1998年底，全区已有52个小区成为市级文明小区，占小区总数的52%，使半数以上的居民生活在环境整洁优美、风气良好、文化活动丰富、日常生活方便、治安秩序井然的文明小区里。

（浙江省文明办）

# 浙江省嘉善县

# 开展文明村镇创建活动　建设社会主义新农村

嘉善县委、县政府在加快改革开放和经济建设的同时，切实加强农村精神文明建设，以创建文明村镇为抓手，推进农村两个文明建设协调发展，努力把全县的村镇建设成为农业发达、经济繁荣、社会文明、环境优美、农民富裕的社会主义新农村。1999年9月嘉善县被中央文明委命名为“全国创建文明村镇工作先进县”。

**一、明确思路，扎实推进**

创建文明村镇，加强农村精神文明建设是一项综合性、长期性的任务。只有把创建工作具体落实到全县经济、社会发展的大局之中，一手抓改革开放和现代化建设，一手抓精神文明创建活动，才能使农村两个文明建设协调发展。

嘉善县连续3年坚持“兴农、强工、抓创建”工作思路，把文明村镇的创建工作与经济工作一起部署、落实、检查。在《嘉善县社会主义精神文明建设规划（1997—2010年）》中全面规划了全县创建文明村镇的工作步骤，到1998年县级以上文明镇建成率达到70%，县级以上文明村建成率达到30%。

在具体创建工作中，重点把握三个环节：第一，强化组织领导。县委、县政府把精神文明创建工作列为“一把手工程”，不断充实创建工作的组织领导力量，在组织上保证创建文明村镇活动的顺利开展。县委书记每年年初主持召开县文明委会议部署全县文明村镇创建工作，经常下镇下村指导、督察创建工作。全县各镇都建立了创建工作领导小组，由党委书记亲自抓。县委明确把创建工作列入各镇党委班子任期目标责任制，作为考核、评价、使用干部的重要标准。第二，健全工作制度。连续5年把创建文明村镇的工作列为各镇精神文明“新风杯”的主要考核内容。按照坚持标准、控制总量、动态管理、能上能下、逐步升格、持续发展的原则，建立、健全创建文明村镇的考核办法和复查制度。第三，加强创建指导。按照各村镇的基础、地域、经济等实际，因地制宜，有所侧重地指导创建工作，主要采取提前介入式、目标定位式、重点突破式等方式，取得了明显效果。

**二、选准突破口，广泛开展创建活动**

改善农村环境卫生面貌是提高农村文明程度、促进农村精神文明建设的基本任务。近年来，嘉善县在农村以改厕、改水为突破口，以创建卫生镇、卫生村为前提，广泛开展文明村镇创建活动。针对农民群众饮水条件差和家用露天粪坑多的状况，从整治农村卫生环境出发，投入大量人力、物力，组织广大农户实施了较大规模的改厕、改水工程。现全县农村卫生厕所普及率57.1%，全县11个镇全部建成自来水镇，实现村村通自来水，成为全国“八五”农村普及自来水先进县。

在创建文明镇实际工作中，第一步按照“合理布局、设施配套、功能齐全、环境优美”的要求，从集镇街道、绿化景点、环卫设施、工业小区、居住小区等方面入手，加快文明镇基础设施建设。第二步，按照文明镇的标准，具体分组织领导、经济发展、道德风尚、优美环境、优良秩序、优质服务、科教文体、系列创建等8个方面进行文明镇的创建，保证文明镇创建活动有效、深入地开展下去。在创建文明村工作中，从解决“脏、乱”问题入手，全面清理暴露垃圾，不断提高卫生厕所普及率，修建硬化村庄道路，努力美化农村环境面貌，全县已建成嘉兴市文明镇6个，嘉善县文明镇3个，占全县11个建制镇的81.8%，已建成省级文明村1个，市级文明村7

个，县级文明村 74 个，占全县行政村的 32.9%。全县 11 个建制镇全部达到各级卫生镇标准，其中国家级卫生镇 1 个，省级卫生镇 8 个，市级卫生镇 2 个，建成各级卫生村 65 个。“以镇带村、以村促镇、城乡联动”已成为嘉善县群众性精神文明创建活动的特色。

**三、注重精品建设，努力提高创建水平**

文明镇精品工程建设的目的在于提高文明镇的品位。在文明镇精品工程建设中，主要抓了四项工作：第一，抓组织的健全。要求各镇建立由党委副书记任组长的创建精品工程领导小组，协调宣传、政法、城管、工商、卫生等相关部门共同参与，形成“党政部门联手抓，相关部门齐动手”的工作格局，统一协调，各司其职，确保精品工程顺利实施。第二，抓项目的选择。各镇根据县文明委提出的精品工程创建内容，深入调研，确定既能体现本镇特色，又能推动本地精神文明建设的具体实施项目。第三，抓项目的实施。项目确定以后，各镇都制订了详细的实施计划，提出工作步骤和具体措施，明确达标的期限。第四，抓作用的发挥。精品工程的创建过程，本身就是文明镇创建工作的升华。在实践中，注重精品工程的建设和作用的发挥。重点抓了 10 个文明示范村的创建，制定了文明示范村建设的标准：村级经济不断壮大，住宅建设整齐有序，村庄道路平整硬化，环境卫生整洁优美，文化设施基本具备，村风民风普遍良好，真正起到典型示范作用。

**四、深入开展文明户创评活动，夯实创建基础**

认真开展文明户创评活动是加强农村思想政治工作、提高农民群众整体素质的基础工程。通过开展文明户创评活动，不断改变农民的生活方式和生活观念，着力提高农民的思想道德和科学文化素质。

在文明户创评活动中，探索实施了“统一评选、分级管理、成果共享”的创评模式。把多年来多头创评的“新家庭计划”、“五好文明家庭”、“科技示范户”统称为“星级文明户”。以星级文明户、文明家庭、文明示范家庭 3 种类型分别由村、镇、县三级命名表彰。重点做好星级文明户的基础评选工作，把文明户评选标准统一到爱国爱乡好、执行政策好等 9 个方面，开展星级文明户创评活动，以村为单位，建立家庭创评档案。通过创评，帮助广大农户在家庭文化、家庭环境、家庭美德、家庭经济等方面逐步达到文明户要求，最终实现共同文明。在文明户创评过程中，主要围绕“解放人的思想、提高人的素质、实现人的现代化”目标，在全县农村普遍开展了“三进村、三入户”教育。“三进村”即文化宣传进村，环境宣传进村，科技卫生、法律咨询进村。“三入户”即入户进行农业和农村现代化基本内容宣传，入户了解农户经营情况、共同商讨致富办法，入户开展创评文明户活动。1999 年紧紧围绕“提高全民科技素质，迎接新世纪挑战”这一主题，普遍宣传了全县经济建设、社会发展以及与人民生活息息相关的各项科学知识。共发放科普宣传资料 100 余种 3880 份（册），直接受到教育的群众达 13250 多人次。科普宣传教育活动的广泛开展，对于提高农民群众的科普意识，营造讲文明、学科学的氛围起到了积极的推动作用。

（浙江省文明办）

## 安 徽 省

# 以文明集镇为重点　以文明户为基础
# 广泛开展创建文明村镇活动

安徽省广泛开展以创建文明县城为中心，以创建文明集镇为重点，以争创文明户为基础的农村精神文明建设活动，全省农村的精神文明建设重点突出，整体推进。

**一、以提高城镇居民素质和县城文明程度为目标，广泛开展创建文明县城活动**

全省农村精神文明创建活动首先从文明县城抓起，从治理脏、乱、差入手，努力解决文明言行、环境卫生、服务质量和交通秩序四个方面存在的问题，使全省的县城面貌和城镇居民的精神面貌都发生了较大变化。

省委、省政府把创建文明县城列入了“九五”规划，提出了要在2010年以前，建成一批具有示范作用的文明县城。各个县（市）也都像抓经济工作一样抓创建工作。把抓“三个起来”作为突破口，掀起创建文明县城的热潮。针对县城普遍存在的脏、乱、差较为严重的现象，从“三个起来”（把垃圾装起来，把马路让出来，把门前包起来）入手，大打“净化”、“绿化”、“美化”战役，即以解决“垃圾围城”为重点的净化战役，以解决“黄土不见天”为重点的绿化战役，以适度刷新建筑物为重点的美化战役，使许多县城的面貌大为改观。在中心城区取得明显成效后，及时把创建工作向四个方面延伸，即，向企事业单位内部延伸，向小街小巷延伸，向居民生活小区延伸，向集贸市场延伸。一是加强基层基础工作，对小街小巷进行改造和修整，配备清扫保洁人员和卫生容器，加强区、街、居委会力量，加快居民生活垃圾袋装化步伐；二是加强职能部门的作用，工商部门加强了对沿街门面和小商小贩占道经营的整治，取缔了一批骑路市场，禁止店外店和“伸舌头”现象，做到坐商归店，行商归市，规范经营，不脏不乱。公安与交通部门加强对道路交通和车辆管理，禁止三轮车、机动车乱停乱放、乱调头，做到人车分流，各行其道，定点停靠。

以规范城镇居民言行为基础，强化宣传教育，治城育人，提高素质。省文明委组织在全省范围内开展声势浩大的宣传活动，大张旗鼓地向群众宣传、讲解城市市容、环境卫生管理办法和公民文明言行“三管好”。在集中进行宣传教育的同时，组织城建、公安、工商、交通、卫生、环保、规划等部门进行集中执法和管理，进一步增强了广大群众的文明意识和维护环境的自觉性。创建文明县城活动带动了乡镇，各地结合小城镇建设，开展了创建文明村镇活动，制定了规范化要求，抓点带面，重点抓了一批示范集镇。

**二、以提高农民素质、奔小康和建设社会主义新农村为目标，广泛开展创建文明村镇、文明户活动**

开展创建文明村镇、文明户活动，以创文明、奔小康为主题，以创建文明村镇和文明户为主要形式，在全省初步形成了一批层次较高、布局合理、特色鲜明的文明村镇群体，提高了农村创建活动水平。全省已评出市地级双文明村302个，县级双文明村1716个。

创建文明户活动，适应了家庭联产承包责任制这一农村新体制的要求，把党的方针政策宣传到农户，把科学技术普及到农户，把文化活动开展到农户，把移风易俗活动落实到户，调动了农民参与精神文明建设的积极性。宿州市率先在农村开展了“十星级文明户”评选活动，并在全国学习湖北竹山现场经验交流会上作了典型介绍，六安市评“三户”（双文明户、五好家庭户、遵纪守法户）很有成效，全市评出的“三户”占全市农户总数的94%，在全市形成了“千村评三户，新风进万家”的喜人局面。宣城地区把创建文明村镇及评“三户”活动与农村奔小康工作结合起来，把农村精神文明建设的有关内容纳入全区奔小康达标规划及验收标准。

**三、以倡导科学文明的生活方式为重点，积极开展“3331”活动**

1996年以来安徽省广泛开展了“三下乡”、“三改”、“三反对”和“一提倡”活动。简称“3331”工程。即：文化、科技、卫生“三下乡”；改水、改厕、改善居住环境；反对封建迷信、反对赌博、反对婚丧事大操大办；提倡文明健康的生活方式。“3331”活动在全省开展以来，丰富了农村群众的文化生活，初步解决了农民缺医少药的困难，改善了群众的生活环境，更新了农民的观念，对引导农民科学致富奔小康，密切党和群众的联系，起到了积极作用，受到农民群众的普遍欢迎。

大力开展“三下乡”活动，组织全省广大科技工作者通过科技赶集、科普咨询、培训基层骨干等形式，推广农业科技成果和实用技术。卫生部门组织了下乡医疗队，深入农村巡回医疗，开展健康教育，培训乡村卫生技术人员，推动了农村初级卫生保健和合作医疗事业的发展。

为了建立巩固的农村文化阵地，初步摸索出一条行之有效的途径，这就是争取社会各界特别是企业界的支持。1997年，三株公司安徽分公司在全省重点扶植了200个“万村书库”图书馆；省电影公司得到部分企业资助，免费为农村放映2000多场电影。

积极开展“三反对，一提倡”活动。反对封建迷信、反对赌博、反对婚丧事大操大办，提倡文明健康的生活方式。1996年以来，全省各地通过加强对农民的思想道德教育，以内容健康、形式活泼的群众文化活动吸引农民广泛参与，充分发挥村委会以及共青团、妇联、民兵等团体和组织的作用，发挥党团员、复员退伍军人、乡村教师的作用，发挥红白喜事理事会、妇女禁赌协会、道德评议会和计划生育协会等群众组织的作用，破除迷信、劝戒赌博、提倡节俭办婚丧事方面取得了一定成效，越来越多的农民认识到陈规陋习的危害，生活方式逐步趋向文明。

（安徽省文明办）

## 安　徽　省

# 创建文明行业　做到五个坚持

**一、要坚持围绕中心，服务大局**

创建文明行业活动，必须紧紧围绕经济建设这个中心，同经济发展和社会进步紧密结合，使创建文明行业活动出生产力，出凝聚力。各部门、各行业要适应改革发展稳定的大局需要，围绕中心，服务中心，注意突出工作重点，充实活动内容。特别是在我国改革处于攻坚阶段，发展处在关键时期，面临着经济结构正在调整、国有企业困难较大、下岗分流人员增多的新情况下，各行业部门要主动为群众排忧，为政府解难，为国有企业下岗职工生活保障和再就业工作提供热情服务。各级工会充分发挥工会组织的特点和优势，全力协助党和政府推进国企下岗职工基本生活保障和再就业工作，并把这项工作作为开展创建文明行业活动、为群众办实事的一项重要举措。工商行政管理系统把支持下岗职工再就业与发展个体经济相结合，与培育市场相结合，与支持深化企业改革、建立现代企业制度相结合、与创建文明城市工作相结合。科技部门更好地为农村经济发展服务，为农民致富奔小康服务，开展送科技项目、实用技术、科技人才、科技培训下乡活动。

**二、要坚持突出重点，擦亮窗口**

创建文明行业，面广量大，只有突出重点，才能找到创建工作的切入点、突破点、着力点。创建文明行业的重点在窗口行业，部门重点在机关，工作重点在基层。一是抓窗口行业。窗口行业是面向社会、服务群众，与人民群众的生产、工作、生活息息相关，其工作质量和文明水平直接影响着社会风气，集中反映了人与人之间的关系。有些窗口是执法部门和“垄断性”行业，代表党和政府行使权力，是反映党风政风的窗口，是社会风气的“晴雨表”。抓窗口行业的职业道德建设就是抓住了行业创建工作的“牛鼻子”。二是抓“拨亮一盏灯、照亮一大片”的各级党政机关，加强党政机关的自身建设，推动各级文明行业创建活动的开展，提高为基层、为群众服务的质量。三是按照以点带面的方法，重点在基层抓一批示范单位，以充分发挥典型引路作用。通过具体指导、现场交流强化示范点的创建工作，使创建文明行业落到基层、落到实处，具体到职工，触及到群众。

**三、要坚持以人为本，标本兼治**

行业道德的水平，取决于职工队伍的素质，一个行业的良好风气，靠的是职工良好素质的支持。创建文明行业活动要注重抓好从业人员的思想文化素质和业务技能的提高，使其牢固树立全心全意为人民服务的思想，增强热情服务的自觉性和为顾客提供优质服务的本领。一是抓教育。各行业在对职工进行邓小平理论教育的同时，根据文明行业创建的要求，针对不同层次职工的情况，采取全员脱产轮训和业余教育相结合的办法，对广大职工进行以“职业理想、职业纪律、职业技能”为主要内容的职业道德教育，做到计划、时间、内容、人员“四落实”，有部署、有检查、有考核。二是抓养成。各部门从务求实效出发，选准工作切入点，做好“一言一行”文章。各行业制定、完善具有鲜明行业特色的行业公约、行业行为规范，推广使用文明用语，禁用服务忌语，提倡微笑服务、站立服务，实行统一着装，佩戴胸卡，亮牌服务。三是抓载体。精心设计活动载体，吸引广大职工，使广大职工在活动中受到熏陶，在参与中受到教育，在实践中得到提高。四是抓整治。创建文明行业必须坚持纠建并举，在倡导文明新风的同时，旗帜鲜明地纠正行业不正之风。特别是把人民群众普遍关心的热点作为整治的重点。

**四、要坚持内外结合，强化监督**

创建文明行业工作好坏、服务优劣，最终只能由广大消费者来评判、认可。以群众满意不满意、高兴不高兴作为工作的最高标准，把群众反映的热点和难点问题作为工作的着力点。为此，各行业必须进一步强化内外监督，主动接受监督，随时听取群众的呼声和要求。新闻媒体充分发挥舆论监督作用，表扬先进，鞭策落后。各行业要转变行业作风、提高服务质量，普遍采取设置公开监督电话和信箱，聘任专兼职社会监督员，建立领导接待日处理来访，挂牌服务，公开办事程序和结果。

**五、要坚持抓好机关，带好系统**

创建文明行业，各行业各主管部门把抓好机关、强化自身作为创建文明行业的龙头，充分发挥组织者和领导者的模范带头作用，要求下面做到的，自己首先做到；禁止下面做的，自己坚决不做。一方面要完善自身，另一方面要提高为基层、为群众服务的质量。改变以前那种“门难进、脸难看、事难办”的状况。各行业主管部门不仅要抓好本单位的创建工作，而且要以良好的风气影响和带动下属单位和整个行业，力争使本系统、本行业成为文明系统、文明行业。

（安徽省文明办）

## 安徽省气象系统

# 围绕中心 以人为本 把精神文明建设不断推向深入

1999年12月30日，中国气象局和省文明委联合授予安徽省气象部门“文明系统”的光荣称号。安徽文明委下发了向气象系统学习的决定。

**一、坚持以经济建设为中心，做好全方位的气象服务**

全省气象部门以搞好服务为立业之本，努力把创建文明系统与提高气象服务的社会、经济效益结合起来，把创建活动的出发点、落脚点放在为全省的经济建设和防灾减灾服务上。各级气象部门一方面坚持不懈地狠抓职业道德建设，增强服务观念。一方面克服经费困难，加强业务、服务建设，建成了以多普勒天气雷达为代表的一批现代化建设项目，使气象服务更加科学、及时、准确、优质。

1998年长江发生特大洪水，全省各级气象部门以严谨的科学态度、超常的服务措施和连续作战的精神，为各级领导指挥防汛抗洪抢险提供了优质服务，做到了领导到哪里，气象部门就把服务终端接到哪里。在紧急防汛期，省局多次派出气象服务小分队深入抗洪抢险第一线，指导和帮助当地气象部门做好气象服务工作。各地气象部门也不甘示弱，如池州地区气象局开展了“零点服务”，每天晚上12点，向决策领导汇报天气情况。

在全力做好汛期服务的同时，不断拓宽为经济建设服务的领域。在省政府的领导下，与省农经办共同组建了“安徽农村综合经济信息网”，为农业发展和农民增收及时提供信息服务；在发生旱情地区，适时地进行人工增雨作业；对贫困地区坚持开展气象科技扶贫工作；为芜湖长江大桥等重点建设提供各种气象信息服务；开展了为工交、电力建设等部门提高经济效益的专业服务；制作了电视天气预报、开通了“121”气象服务电话，为群众生活提供公众服务。为实现服务的优质规范化，于1999年5月制定了天气预报和“121”规范化服务的标准以及实施细则。在全国气象部门目标管理考核中，1998年、1999年安徽省局均进入前5名，受到表彰和奖励。

**二、坚持以人为本，提高职工和单位文明程度**

坚持加强“三德”教育，开展职业道德演讲比赛，文明职工、“五好”家庭评选等，提高职工的思想道德素质。实施人才工程，有计划地培训职工。通过岗位练兵、评选科技带头人和中青年业务骨干等活动，促进职工钻研业务，攻克难关，提高业务素质。通过普法学习，举办文明学校，开展各类知识答卷、测试等活动，增强职工的科学文化素质、法制观念和文明意识。

为创建优美环境，各级气象部门摒弃“等靠要”思想，省吃俭用办实事。省局采取“国家贷一点、事业费中拨一点、单位出一点、个人掏一点”的办法，筹集创建基金，硬化了路面，修建了草坪、花园、篮球场、垃圾房等，使环境常变常新。各地气象部门也都坚持少花钱多办事和自己动手的原则，改造环境。萧县局职工每年义务劳动30多天。1998年6月，全局职工和家属冒着酷暑，清除污水沟，男女老少苦战3天，共清除污泥约700多立方米，将一个污水沟变成了莲花池。

在各级文明委的领导下，经过全体职工的共同努力，被当地评为文明单位的气象台站逐年增多，1996年仅有25%的气象台站建成文明单位，到1997年增长到64%，1998年达到92.7%，到1999年底，全省气象台站全部建成文明单位。

**三、坚持加强思想政治工作，营造积极向上的良好氛围**

全省气象部门把创建文明系统活动作为加强和改进思想政治工作的主要载体，狠抓落实。坚持用马列主义、毛泽东思想、邓小平理论武装干部职工的思想，加强“三基”教育，开展“三讲”教育和“回头看”活动，加强各级领导班子和队伍建设。坚持用“黄山松精神”塑造安徽气象人形象，并结合气象部门的实际，提出“创业、敬业、兴业、爱业”的“四业”精神，以此激励干部职工知难而进，勇创一流。坚持开展文明创建百日竞赛、文明系统创建年、诗歌演唱会、职工运动会、书画展等职工喜闻乐见的寓教于乐的活动，营造积极健康、奋发向上的文化氛围和生活方式，占领基层思想文化阵地。坚持发挥基层党组织的战斗堡垒作用和党员的先锋模范作用。开展“最佳优质服务单位”和“精神文明十佳人物”评选等活动，树立了单位和个人的榜样，坚持了典型引路。

**四、坚持各级领导责任制，把文明创建落在实处**

在创建中，全省气象部门树立上下一盘棋的大局观、全局观，从省局到市地、县局全部实施“一把手工程”，成立了领导小组，建立了一把手负总责、分管领导具体抓、党政群团共同抓的领导机制和工作机制，并建立了省、市两级管理网络，省、市、县三级工作网络。同时，把创建工作纳入各级领导政绩考核范围，签订目标责任书，形成了“一级抓一级，层层抓落实”真抓实干的局面。省局领导每到市地县局检查指导工作，不忘指导文明创建，不忘邀请地方政府和文明委（办）领导一起商讨气象部门的创建工作，帮助解决基层创建中的实际问题。同时通过创办精神文明刊物、制作创建录像带、加强宣传引导，营造创建氛围，广泛发动工青妇等群团组织，以及离退休职工和职工家属，形成全员参与、上下联动的创建态势，使部门的创建从无序到有序，由应急到常规，逐步走向良性循环。

（中国气象局）

## 江西省丰城市

# “四进家门”教育工程收到实效

近几年来，江西省丰城市委、市政府坚持“两手抓，两手都要硬”的方针，大力推进以思想教育进家门、政策法律进家门、科技文化进家门、文明新风进家门为主要内容的“四进家门”教育工程，把农村思想政治工作落实到千家万户。全市农村社会风气和社会治安实现了根本性好转，出现了前所未有的“五无”喜人景象，即：无一起重特大刑事积案、无一起集体越级上访事件、无一起车匪路霸拦路抢劫案件、无一起宗族械斗事件、无一起抗粮抗税事件。在全市农村百万人口中，没有一个修炼“法轮功”的。农村思想政治工作的加强，有力地促进了农村社会稳定，促进了农村经济的迅速发展。

**一、坚持“三个结合”，增强“四进家门”教育的针对性和实效性**

坚持大规模集中教育与日常教育相结合。近几年来，市委每年在冬春之际集中人员、集中时间，坚持组织大规模的教育活动。由市委统一部署，为期1至2个月，从市、乡、村三级抽调懂农业、熟农村、爱农民的干部组成教育工作团集中开展活动。

在实施“四进家门”工程中，丰城市还深入开展创评“十星级文明户”活动，建立星级农户档案管理制度、少星户帮教制度，实行动态管理。乡、村随时可查阅了解到每个农户的基本情况。村、组干部实行常进家门跟踪考评，及时掌握农户的新情况，对表现差的“多星户”及时摘除不达标星，对表现好的“少星户”及时增挂达标星。

坚持普遍性教育与抓重点、难点问题相结合。丰城市根据不同时期、不同阶段的实际，有针对性地开展集中教育，收到了良好效果。开展了以宣传移风易俗、遵纪守法和爱国主义为主要内容的教育活动，重点解决农村聚众赌博、封建迷信盛行、地方宗族势力抬头、地痞流氓敲诈勒索和集体观念淡薄、拖欠国家税费等问题。

坚持解决思想问题与解决实际问题相结合。广大工作队员以解决农村实际问题为切入点，积极为民办实事，大力兴办公益事业，修路架桥、开荒种果、挖塘修渠、调解纠纷、整治村容等，使长期困扰当地干部群众的老大难问题得以解决。

**二、采取有效形式，使“四进家门”教育工程更加贴近群众**

一是采取生动活泼、群众喜闻乐见的形式。市委宣传部组织人员编写了《五字歌》作为农民教育的主要教材，共印刷721万多册，分发到全市所有农户手中。《五字歌》共分农村政策歌、市场经济歌、农民守法歌、农业科技歌4个部分，5字一句，通俗易懂，句句押韵，朗朗上口，农民群众易懂易记。几年来，市里组织文艺人员8200人次下乡演出360场次，组织医务人员和科技人员600多人次下乡为农民服务，发放农技资料20多万份，送图书15000多册。同时着力抓好文化阵地和基础设施建设，仅1998年，各乡村新建宣传栏（长廊）112个，读报栏103个，戏台16个。

二是充分运用创评“十星级文明户”载体，用身边的典型来教育身边的人。市委利用创评“十星级文明户”，树立并宣传了农民身边的勤劳发家典型、科技致富典型、遵纪守法典型、移风易俗典型200多个。创评活动主要对农户的政治思想、勤劳致富、遵纪守法、完成任务、计划生育、尊老爱幼、团结互助、文教科技、环境卫生、移风易俗等10个方面进行评议，按照农户自评、群众互评、组织审评3个步骤进行，既具体实在，又容易操作。创评“十星级文明户”，调动了群众的参与热情，强化了农民自我教育、自我管理、自我约束、自我提高的意识。

**三、健全运行机制，使“四进家门”教育工程常抓常新**

一是领导分工负责制。市委成立了农村“四进家门”教育工程领导小组，市委书记任组长，分管农业和党群的副书记、市委组织部长、宣传部长和其他班子的有关领导任副组长，市级有关部门负责人为成员。各乡镇也建立了相应的机构。各级党组织“一把手”对“四进家门”教育工程负总责，领导班子成员明确分工，落实责任。“一把手”抓到底，部门配合管到底，一把尺子量到底。

二是部门分工负责制。宣传思想部门负责把握方向造好声势，抓好活动的具体安排，编好宣讲材料，出好简报，及时反馈信息，交流经验做法；组织部门负责工作队员的抽调，组织农村党员实用技术培训；司法部门负责法律宣讲，有针对性举办法律知识培训班，开展法律咨询；科技部门搞好农业科技知识的推广普及，编印农业实用技术手册发到各家各户，对农民进行科技培训；其他涉农部门按照各自职责为农民的生产经营搞好服务。其他有关部门和乡镇还开辟了农事咨询电话专线。形成各部门互相配合，齐抓共管的良好局面。

三是严格考核制。市委、市政府同各乡镇党政“一把手”签订“四进家门”任务目标责任书，建立活动实绩考核卡，把活动成果作为检验工作、考核班子、考核干部的重要依据，成立督察组对各乡镇开展活动情况进行督察，年终进行统一评比验收。

四是表彰奖励制。为确保“四进家门”教育工程顺利实施，丰城市每年从财政拨专款40多万元用于表彰奖励在“四进家门”中涌现出来的先进单位和先进个人。各乡镇还自筹资金，建立了100多万元的农村思想政治工作奖励基金。此外，对在“四进家门”中一年受到两次表彰的工作队员，年终评为先进工作者，并对表现突出、成绩显著的提拔重用。这一举措，极大地调动了机关干部参与“四进家门”教育工程的积极性。对工作不力的，取消“一把手”的评选资格，并追究领导责任。

（江西省文明办）

# 山 东 省

## 创文明行业 树文明新风

积极开展创建文明行业活动，全省的行业新风逐步树立，1999 年山东省受中央文明委表彰的文明行业共 26 个。

**一、把创建文明行业作为工作的重中之重**

多年来，山东省坚持开展“窗口文明行业”创建活动，涌现出济南工商银行、济南交警、烟台社会服务承诺制等一批在全省乃至全国有重大影响的先进典型。行业精神文明建设在整个精神文明建设工作中处于非常重要的位置，各个行业特别是一些与群众生活密切相关的行业，其服务质量如何、行业风气如何，不只是各个行业的问题，而且极大地影响着党和政府在人们心目中的形象，直接影响着人们的生活和社会的安定。

中央文明委部署在全国开展创建文明城市、文明村镇、文明行业活动之后，山东省把创建文明行业与创建文明城市摆在同样重要的位置上，作为迎接新中国成立 50 周年的重大活动，作为精神文明创建活动的重中之重，层层动员，集中力量抓好。1999 年初，省文明委就召开全委会，确定卫生、电力、交通、城建、税务、公安等 21 个行业作为重点，提出了《关于开展创建文明行业活动的意见》，明确了创建文明行业活动的指导思想、创建内容、参加范围、方法步骤和组织领导等问题。省和市地县文明办把创建文明行业作为大事，认真进行组织、指导、协调工作。各个行业主动性强，热情高，干劲大，制定方案，采取措施，把各类创建活动开展得有声有色。

**二、坚持“服务人民、奉献社会”的宗旨**

创建文明行业的目的，是给群众创造优美的环境，提供高质量的服务，让群众过得更舒心、更幸福。在创建文明行业中，各行各业始终抓住“服务人民、奉献社会”的宗旨，做到内容丰富，形式多样。

创建文明行业要从人民群众最关心、最需要的事情抓起。对人民群众最关心的事，哪怕细小琐碎，也要从大处着眼去做好，“不以善小而不为”；凡是向社会公开承诺的，一定要一诺千金，言必信，行必果，取信于民，使创建文明行业活动由虚变实，由一般号召变为群众的实际行动。济南工商银行从规范服务用语和服务态度入手，逐步完善各种措施和制度，从而取得了良好的社会效益和经济效益。济南市交警支队则从交通民警的规范化指挥抓起，文明执勤、热情服务，大大改善了公安干警的形象。青岛卫生系统从病人挂号、计价、取药、护理、喝水等事情抓起，推出 1300 多个便民服务项目，并对收红包、拿回扣、大处方、乱收费等群众意见大的问题坚决查处，抓出了成效。烟台市把社会服务承诺制的基点放在地下管道堵塞维修难、装电话难、到机关办事难等群众关心的“热点”问题上，让群众得到实惠。全省的创建活动按着“把好事办实，把实事办好”的思路，步步深入，从先行一步的行业发展到各个行业，从窗口单位延伸到整个系统。公安系统 110 报警服务联动系统向农村延伸，司法行政系统把在全省范围内开通 148 法律服务专线作为工作重点，卫生系统在推出“急救绿色生命通道”、“扶贫病房”、“医患双向承诺”3 项措施的基础上，又实施优化医院“十大窗口”服务，送医下乡、送医上门，把扶贫病房延伸到群众家中。

创建文明行业活动，提高队伍素质是基础。队伍素质提高了，每个人就会主动地去为群众做实事，并且做好。各个行业在创建活动中，都把提高职工热爱岗位、忠于职守、热情服务的自觉性，提高职工为顾客优质高效服务的本领，作为根本、关键来抓，取得了明显成效。

创建文明行业活动，既要反对扰民害民的形式主义，又要抓好载体，采取各种具有针对性、富有吸引力的形式。使创建活动丰富多彩，充满生机。全省21个行业开展了“行风万人评”活动，采取无记名投票的方式，每个市地分别组织1万余人进行评议。省及各市地共发放调查问卷25.5万份，回收22万份，重点行业的社会满意率为90%以上。各地、各行业也开展了各种形式的活动。例如，青岛市开展了“三优一做”和“满意在岛城”的竞赛活动，烟台、威海等市开展了“社会服务承诺”活动，莱芜市开展了“正行风、评质量、树形象”活动等。这些活动力度大，范围广，效果很好。

在创建文明行业过程中，山东省十分注重引导各行业制定服务规范和行为准则，使创建活动逐步标准化、规范化。省文明委制定了《山东省精神文明建设示范点管理暂行办法》，公布了监督电话，向有关主要部门发放文明示范点工作督察单。省交通系统制定了《山东省交通系统创建文明行业标准》和示范“窗口”93项优质服务标准、43项保证措施，并通过新闻媒体向社会予以公布。烟台市推行社会服务承诺制，向社会公开服务内容、服务标准、服务程度及办事时限，明确经济赔偿标准，要求未履行承诺的责任单位和责任人必须按规定给当事人以赔偿。省公安系统制定了禁酒令，卫生系统、电信系统、税务系统建立了社会监督员制度。创建文明行业活动由内在约束向外在约束延伸，将内在自觉和外部约束结合起来，保证了创建文明行业活动的健康发展。

**三、发挥典型的示范、带动作用**

抓好典型，是加强精神文明建设的一个成功经验，也是创建文明行业的一个行之有效的办法。对于老典型，主要是“巩固、提高”，充分发挥他们的作用。同时，又根据新的情况，不断发现、培养、宣传新典型，营造更浓厚的创建氛围。近几年，山东省总结推广了济南交警、济南工商银行、烟台实行社会服务承诺制、青岛卫生系统开通绿色通道、济南民政系统社区服务、司法行政系统“148”法律服务专线等经验。这些经验在全省各行业推广后，深受群众欢迎，得到中央有关部门的充分肯定，在创建文明行业中发挥了很大作用。1999年，在全省推广了青岛市公用事业“111”热线服务工程的经验。青岛市公用事业管理局注重研究社会主义市场经济条件下的新情况、新问题，不断探索为民提供优质服务的新形式、新途径，在所属自来水、液化气、管道煤气、热电、公交5个行业全面实施了“111”热线服务工程，建立了既符合城市生产特点、居民生活实际和科学管理要求，又能体现行业精神文明建设内涵的为民服务的新机制，塑造了公用事业的新形象。这一典型在全省推广后，带动全省各行业涌现出一大批为民服务的“热线”，把全省的行业精神文明建设向前大大推进了一步。

（山东省文明办）

# 山东省青岛市公用事业局

# “111”热线服务工程

青岛市公用事业局担负着全市供水、供气、供热和公共交通的服务任务。在深入推行社会服务承诺的基础上，在所属5个行业全面实施了“111”热线服务工程，进一步完善了为市民提供优质快捷服务的新机制。

**一、“111”热线服务工程的基本做法**

青岛市公用事业“111”热线服务工程，是将所属的自来水、液化气、管道煤气、热电、公交5个行业的对外服务电话统一规范为5个号码，一个行业一部电话，尾数都是“111”。目的是让群众能够“记得住、打得通”，而且只需打一个电话，就“一通百通，服务到家”。

“111”热线是一个服务中心。24小时运转，“全天候”为民服务。对外是一个窗口，面向广大市民和用户；对内则是一个中枢系统，负责信息的收集、整理、分析、反馈和日常服务工作的调度、协调、指挥、督察以及工作情况的记录、整理、存档等工作。其工作流程是：（1）将用户要求作为指令迅速下达，一线队伍按要求抓好落实。用户打来电话后，热线直接作出判断，将用户的要求以传真形式（发、收都有记录），迅速转达各有关部门，通知到有关处、所、站、队。各服务队伍按照《社会责任赔偿（承诺）制度》规定的标准和用户的要求开展服务。对抢险抢修工作，一般情况由热线直接调度，重要的则在热线通知有关所、站、队先期排查的同时，通知有关领导和调度中心组织力量开展工作。（2）回访用户，将服务结果梳理存档。服务完毕，热线中心回访用户，满意的直接进入微机存档；不满意的或涉及赔偿的，则转企管处受理，处理结果也要报热线中心进入微机存档。（3）定期小结考评。各条热线每周小结评议一次，以群众是否满意作为考评的惟一尺度、奖罚的最终依据。促使各一线服务站、点始终做到自觉服从热线指挥调度，严格按规范运作。（4）研究分析信息，不断改进工作。在定期考评的基础上，各条热线中心每周一次向领导层报送综合信息，使领导层充分掌握内部工作动态、外部用户反映，为正确决策提供准确依据，从而使整个工作流程处于良性循环之中。

**二、“111”热线服务工程的主要经验**

转变观念，把为民服务的工作做到“家”。随着各项改革的深化，尤其是房屋产权制度的改革，公用事业面向“单位”开展服务的方式已经不能很好地满足人民群众的需求。因此，青岛公用事业在实施“111”热线服务工程的同时，开始倡导一种新的服务理念：“111，电话一打，服务到家”。用户只需拨打一个电话，就登门服务，直至用户满意。

减少环节，力求服务工作的便捷、高效、优质。“111”热线开通后，公用事业各单位以“三个一流”为目标，在《社会服务责任赔偿制度》规定的时限内努力提高工作效率，取信于民。

体察民情，帮助群众解决生活中的实际问题。如公交总公司根据热线提供的信息，延长了36路、308路的末班车时间，延伸了102路、321路的里程，调整了104路的走向，新开辟了320路、361路公交路线，解决了乘客关心的热点、难点问题。江苏路办事处辖区内的8个楼院内管道锈蚀，用户吃水困难，长期没有得到解决。自来水“111”热线接报后，立即组织人员施工，仅用5天就为楼院居民解决了用水困难。

不分内外，从大局出发处理本职范围以外的

问题。在众多的“热线”问题中，有许多不属于公用局的职责范围。对这些问题，“111”热线从维护大局出发，作出“不准说这事不归我们管”的规定。只要有群众的求助电话，不管分内分外，都积极予以解决。

**三、“111”的价值和意义**

“111”热线服务工程实施以来，以其方便、快捷、优质的服务饮誉岛城，它的出现和发展，具有重要的价值和意义。

“111”适应了人民群众现代生活的需要，是社会主义市场经济条件下公用事业服务人民的新形式。单纯从形式上看，“111”就是一个电话对外，一个窗口受理用户服务，但应该看到，在方便简单的背后，实质上是对计划经济条件下公用事业管理服务模式的变革，是适应人民群众现代生活需要，寻找方便、快捷、优质服务形式的努力。变十几部电话为一部电话，变分散管理为集中管理，集服务、咨询、投诉、抢险于一体，减少了对外服务环节，为市民居家过日子提供全方位一条龙服务，这一全新的服务形式，面向每一位市民，服务每一位市民，较好地解决了市民长期以来在遇到供水、供气、供热等生活困难时，求助难、投诉难的问题。

“111”改善了公用事业单位的经营管理，是适应社会主义市场经济体制要求，促进公用事业改革与发展的新探索。在讲求社会效益的同时，讲求管理效益，使“111”成为优化企业经营管理的有力杠杆。一是加快了公司的工作节奏，提高了工作效率。由于热线中心具有调度、协调、指挥职能，减少了工作环节，铲除了部门之间推诿扯皮的“温床”，形成了办事快捷、高效的内部管理机制，从而提高了运行效率，保证了工作质量。二是改变了内部的监督检查机制，使领导层更准确地了解和掌握公司内部各岗位工作的真实情况，保证了内部管理的针对性和有效性。热线开通后，各道工序的工作情况以及用户的反映直接到了热线，并记录在案，使决策层直接掌握第一手资料，对正确的管理和解决与用户的矛盾，正确掌握对下级的管理和奖罚尺度，提供了可靠的依据，大大提高了管理效能。三是及时、全面地掌握公司的运营和服务动态，使公司领导层直接了解服务对象的需求和反映，提高了领导层决策的准确性。同时，热线信息还使领导能够及时、合理地调配人力、物力，使抢修、服务都能做到及时到位，有效地避免了因忙闲不均和设备闲置而造成的浪费。四是“111”热线中心配备了现代化接转和通讯设备，信息的接收、检索、分发、传递、储存和任务的下达、处理结果及用户反馈意见的记录存档等，全部实现了自动化，实际上形成了各公司的管理中心和调度中心，有效地提高了对内管理能力和对外服务能力，直接推进了企业的科学管理。

“111”提高了公用事业单位的知名度、信誉度，走出了企业拓展市场，参与竞争，提高经济效益的新路子。公用事业除自来水行业，大都已经结束了独家经营的局面，开始参与市场竞争。在青岛，市液化气公司面临200多家同行的竞争，公交公司有出租车的竞争，与热电公司同时供热的单位也有几十家。现实表明，企业参与竞争的程度越高，“111”热线带来的经济效益就越直接越明显。“111”热线的良好形象和优质服务所产生的“品牌效应”，对企业扩大市场份额显示了至关重要的作用。实践证明，知名度、信誉度、品牌效应是企业拓展市场、提高经济效益的有力武器。

“111”进一步密切了群众与党和政府的关系，树立了政府在人民群众中的新形象。公用事业代表政府行使服务职能，是政府联系群众的纽带和桥梁。人民群众对“111”的满意、赞誉里面，包含着对党和政府的信赖和感激，极大地提高了党和政府在人民群众中的威信。

总之，青岛“111”之所以具有宣传、推广价值，概括起来有以下四点：一是它的目标定位为“三个一流”。即一流的产品质量、一流的工作效率、一流的服务水平，符合时代的要求和人民群众的意愿。二是它的热线枢纽具有“三个中心”的效能。即信息研析中心、决策指挥中心、督导监控中心，是企业实现现代化科学管理的必由之路。三是它的价值取向是“四效统一”。即社会效益、经济效益、管理效益和育人效益的统一。“四效统一”既回答了“111”能够在很短的时间内迅速发展并产生轰动效应的原因，也给人们以深刻的启迪：在市场经济条件下，要想使公用事业等服务行业的社会服务承诺制真正得到深化和发展，保持旺盛而持久的生机和活力，就必须坚持“四效统一”。四是其目的功能是为人民提供快捷、优质的服务，而不仅仅是接受“投诉”。其最大价值在于能够直接为人民提供及时、优质的服务。

（山东省文明办）

## 山东省交通厅

# 坚持宗旨　注重实效　努力创建文明交通行业

近几年来，山东交通系统广大干部职工坚持“服务人民、奉献社会”的根本宗旨，把创建文明交通行业作为两个文明建设的总抓手，以人为本，以德兴业，加强领导、提高认识、明确思路、完善机制，严格管理、规范服务，以示范“窗口”建设为切入点，以创建县文明交通行业和文明子行业为基础，不断加大创建工作力度，使全系统创建文明行业工作初步形成了“领导重视、机制健全、重点突破、条块结合、规范运作、整体推进”的创建工作格局，逐步走上规范化、制度化和健康发展的轨道，取得了内强素质、外树形象的明显成效。

**一、坚持以邓小平理论为指导，提高认识、理清思路，把创建文明交通行业作为两个文明建设的总抓手**

明确创建工作的指导思想和工作思路。把创建文明行业作为两个文明建设的总抓手，以创建文明行业统领各项工作，是山东交通部门各级领导近几年形成的共识。全系统自上而下始终坚持把“服务人民、奉献社会”摆在首位，以提高职工队伍的综合素质、建设“四有”职工队伍为根本任务，以“三学一创”活动为载体，以“文明生产、文明行政、文明执法、文明服务”为标准，全面提高交通行业管理和基础设施建设总体水平、提高职工队伍素质和行业文明程度。在工作思路上，着力在创建规划、标准规范、运行机制和保证措施上下功夫。在工作方法上，通过抓点带面的方法，首先从各级机关、示范窗口和文明行业示范点抓起，抓机关带基层，抓典型带行业，逐步深入，向创建公路、运管、航管、交通稽查文明子行业和创建县、市地文明交通行业延伸，由点到线，由线到面，层层深入，整体推进。

加强组织领导。为加强创建工作的领导，山东省交通厅成立了由党组书记任主任的精神文明建设委员会，下设精神文明建设办公室，具体负责行业文明建设的组织、协调、检查、指导、监督、考核等工作。各市、地及县（市、区）交通局（委）普遍成立了创建文明行业领导小组和创建办公室，为创建文明行业提供了强有力的组织保证。

广泛发动群众。各市地、各单位对创建工作进行层层动员部署，充分利用各种宣传工具和形式，组织干部职工认真学习党的十四届六中全会《决议》和省、部会议文件精神，使职工群众真正明确创建文明行业的意义、作用、目标、任务和要求。

不断深化创建活动。山东省交通厅根据省文明委印发的《关于开展创建文明行业的意见（试行)》的总体要求，结合全系统创建工作的实践，1999年上半年，及时召开创建文明行业座谈会，研究确定了创建工作的总体要求：坚持宗旨，面向社会，在各行业的比较和竞争中创建人民群众满意的文明交通行业。围绕总体要求，重点抓了3个转变。一是创建工作由行业自己组织的创建活动向各级文明委组织的全社会参与的群众性创建活动转变；二是创建工作由创建县文明交通行业向创建县与市地文明交通行业同步进行的转变；三是创建工作由打基础建章立制为重点向以解决热点、难点为重点转变。

**二、坚持以标准和制度规范创建行为，健全机制、落实措施，把创建文明行业的各项任务落到实处**

要实现创建文明行业的各项工作任务和奋斗目标，必须要有长远的工作规划、明确的工作标准、严谨的制度和完善的机制作保证。

一是创建工作长期有规划，年度有计划。党的十四届六中全会后，厅党组就结合山东交通实际，研究制定了《山东省交通系统创建文明行业规划》，提出了用5—10年时间，把全系统建成文明行业的奋斗目标。同时坚持每年底召开一次创建文明行业工作会议，安排部署下年度的创建计划，全系统各级各单位都根据厅里要求和本单位实际，制定长远规划并安排好年度工作，达到了上下步调一致。

二是创建工作有标准，申报评审表彰有规范。几年来，先后制定了《山东省交通系统创建文明行业标准》、《检查考核评比办法》、《创建文明行业考评实施意见》及示范“窗口”93项优质服务标准和43项保证措施，通过新闻媒体，向社会公布。在创建工作中，坚持以“文明行政、文明执法、文明服务、文明生产”为基本要求，任务层层分解，深化细化量化创建内容，实行千分制考核达标验收，明确了基本申报条件。制定了《山东省交通系统创建文明行业考核评审命名表彰实施方案》，坚持创建工作年初申报、半年自查、年底考核验收。

三是健全机制，各项措施落实有保证。第一，健全了考核机制。坚持做到季度有检查，半年有总结，年底有考核。第二，健全了内外监督制约机制。系统内无论是申报单位，还是已受表彰单位，实行亮黄牌制度，发现问题，及时整改。省、市、县交通各级都聘请了行风监督员，定期召开座谈会，征求意见。第三，健全了投入机制。完善服务设施，改善服务条件，是创建文明行业的必然要求。活动开展以来，各市地交通局委都制定了切实可行的投入办法，加拨硬件建设资金。

**三、坚持以人为本，结合行业特点，狠抓队伍教育，努力提高干部职工队伍的思想道德素质和科学文化素质**

创建文明行业的目的是提高全行业文明程度，关键是提高职工队伍素质。省厅始终坚持以人为本，以德兴业，把提高队伍的政治和业务素质作为基础工程，紧抓不放。

第一，深入进行邓小平理论教育，努力提高思想政治素质。近几年来，全系统每年举办的学习班、培训班都在2000期左右，年培训6万人次以上。许多基层生产单位，采用送教材和辅导到车间、到现场，举办政治夜校、召开读书心得交流会等多种形式，系统地学习邓小平理论、十五大文件和江泽民总书记的重要讲话，使广大干部职工进一步坚定了建设有中国特色社会主义的理想信念。同时，各单位紧紧围绕“爱国主义、集体主义、社会主义教育”主题，组织干部职工广泛开展大讨论，利用各种形式进行教育，引导干部职工树立正确的世界观、人生观和价值观。

第二，强化职业道德教育，努力提高道德素质。先后以《职工社会主义思想道德读本》和《交通职业道德》为教材，广泛开展职业道德教育和群众性读书活动。举办了大型的职业道德培训班400多期，组织职业道德演讲22场次。在山东省开展的争创“职业道德先进集体和标兵”活动中，全系统涌现出先进集体40个，先进个人104名，青岛长途汽车站，被《人民日报》誉为“李素丽群体”，先后荣获“山东省职业道德双十佳”荣誉称号，被交通部授予文明示范“窗口”和全国交通系统“三学”的样板。

第三，加强法制教育，努力提高执法水平。按照“三五”普法要求，全系统广泛开展了法律知识普及教育，重点进行了《行政处罚法》、《公路法》和《山东省道路运输管理条例》等法律法规的学习与培训。组织了《公路法》宣传月活动，在省电视台举办了《山东省道路运输管理条例》、《山东省交通规费征收管理条例》和《公路法》电视专场知识竞赛。同时以《公路法》颁布实施和交通管理人员换发执法证件为契机，对全系统25000多名执法人员进行脱产轮训，提高了执法队伍的政策理论水平和依法办事的能力。

第四，广泛开展业务技能培训和竞赛活动，努力提高科学文化技术素质。交通系统各单位根据省厅的安排部署，结合单位实际，每年都广泛开展形式多样的劳动竞赛和技术比武活动，培养和造就了一大批工人技师和技术能手。

**四、坚持“服务人民、奉献社会”的创建宗旨，狠抓热点，解决难点，注重实效，让人民群众真切感受交通创建工作带来的新气象、新变化**

山东省交通厅始终把解决群众普遍关心的热点、难点问题作为工作的重点，实施重点突破，先后推出一系列便民利民措施。

一是整顿公路收费“窗口”，率先变坐姿服务为站立服务。路桥收费站实行站立服务，拉近了收费员与驾乘人员的感情距离，引起收费人员服务观念的重大转变，在人民群众中树立了公路收费部门文明服务的良好形象。

二是整顿交通规费征收“窗口”，变分散多点征收为集中统一征收。把对业户服务的各种项目集中起来，设立统一的收费、办证大厅，使业户进一个门就可办完所有的手续。同时，普遍实行微机收费，缩短了业户缴费时间。

三是整顿交通稽查“窗口”，变多处布点为区域巡查。经省政府批准，对全省交通稽查体制进行了改革，除保留26处交通稽查站固定检查车辆外，其他稽查人员严格在规定的区域内执行稽查任务，有效地防止了公路“三乱”问题的发生。

四是整顿车站服务“窗口”，变封闭式管理为开放式管理。全省县以上国有汽车站全部对社会开放，为社会车辆提供全方位服务，强化了客运市场管理，较好地发挥了车站的服务功能。

（交通部体改法规司）

## 山东电力集团公司

# 努力使精神文明建设落到实处

山东电力集团公司在创建文明行业的实践中，坚持两手抓、两手都要硬的方针，采取有力措施，使精神文明建设这一手真正硬起来。

硬在领导班子“一把手”身上。注意抓好四个环节。一是解决“一把手”的认识问题。只有“一把手”重视两手抓，才能带动整个班子和职工队伍两手抓。二是把“一岗两责”落实到位。“一把手”在任何时候，抓任何工作，都不能忘记自己肩负的两个文明建设的双重责任。三是在组织措施上，确保“一把手”具备两手抓的素质。在各单位“一把手”的配备上，首先要看他是否具备较强的思想政治素质和两手抓的领导水平，并在工作中通过锻炼、培养，提高“一把手”两手抓的素质。四是重视和发挥“一把手”的示范效应。“一把手”在精神文明建设中发挥作用，不仅体现在重视程度上，更要体现在人格的力量和示范作用上。

硬在健全的运行机制上。一是建立健全党务工作机构，加强队伍建设。坚持部门健全，人员充实，有职有权。省局政工部拥有局属单位双文明承包中数百万元的考核权，局属各单位政工部门拥有数万、数十万元的奖励表彰权及15%—20%的奖金考核权。在全国电力系统率先设立了总政工师岗位，与总工程师、总经济师、总会计师合称“四总师”，地位、待遇相同，协助“一把手”抓精神文明建设和思想政治工作。二是建立“双文明建设承包责任制”和精神文明一票否决制。精神文明建设指标主要是：当年必须争创或保持相应级别的文明单位和优秀政工企业称号；保证不发生影响安定团结和电业声誉的事件；不发生职工违法犯罪案件。实行领导包片，部门包点，单位对车间、车间对班组、班组对个人，层层分解落实，签订责任书，形成党政工纪团和部门联保责任体系，确保纵到底、横到边。如果基层单位某项指标没有完成，省局机关主管部（室）也要负相应的责任。做到人人有事管，事事有人管。两个文明建设“同部署、同检查、同考核、同奖惩”。三是建立健全一系列制度。颁布了《思想政治工作条例》、《精神文明建设规划》、《党员理论教育规划》等规章，实行政工协调会、思想动态分析等制度，做到“凡事有人负责，凡事有章可循，凡事有据可查，凡事有人监督”。

硬在党组织的政治核心作用上。一是健全党的组织，为发挥政治核心作用提供组织保证。针对电力企业较为分散，多种产业发展较快的特点，明确提出哪里有职工队伍，哪里有生产经营单位，哪里就要建立党组织。先后在北京、海南、深圳等地成立公司或办事处，同时建立党支部，坚持正常的组织生活。二是把思想建设摆在首位，坚持抓好理论武装。多年来一直不忘打牢理论根底，把理论武装作为两个文明建设的支撑点抓紧抓好。加强党校培训，与中央党校进行联合办学，举办研究生班和青年干部强化班等。三是抓好党内制度建设，用制度保证党组织在企业中发挥作用。先后制订颁发了《基层党委工作条例》、《基层党支部工作条例》和《加强民主集中制的若干规定》，明确了需要党委集体决定的有关重大事项及其程序，厂（局）长每季向党委汇报一次工作，建立党政主要负责人定期磋商、党委成员参加厂（局）长办公会和定点联系车间、班组制度。四是认真落实党管干部的原则。按照党的干部政策，负责对各级干部进行教育、培养、考察和监督。对中层党政干部的任免，由党委集体讨论决定。在讨论中多数成员认为不具备任职条件，厂长服从党委的意见。

硬在物质投入上。一是完善党政干部、管理干部、职工技能3个培训中心和仿真培训中心的设施建设。建立图书馆、阅览室、离退休职工活动室、党员活动室，建立先进的闭路电视系统，为政工部门配备了微机。二是设立专项奖，实施《思想政治工作先进单位和个人奖励办法》。三是各单位按每人每年70元提取（不含报刊费）宣传教育经费，团员每人每年另增30元。重要事项的开支，实行经费特批。

硬在坚持不懈，久久为功上。坚持把精神文明建设作为企业发展、职工成长、坚持社会主义大方向的内在需求，靠实抓产生实效，用长抓产生长效。十多年来，认真贯彻重在建设的方针，坚持开展创建文明车间、文明班组、文明岗位、文明职工和文明家庭等活动，坚持不懈地抓职工职业道德建设，纯净行风，优化形象。特别是近几年来，按照中央文明委和省文明委的要求，建设文明窗口，加强标准化建设，改善行业作风。成立行风监督理事会，实行行风建设风险抵押金制度，借助各类媒体征求批评和建议，使精神文明建设取得了明显的效果。

（中央文明办：《精神文明建设工作》）

## 河 南 省 濮 阳 市

# 从“四抓”入手 提高公民素质

几年来，濮阳市委、市政府以“建文明城、育文明人”为目标，以实施“濮阳形象工程”为载体，采取“宣传教育、实践活动、严格管理、典型示范”四位一体的办法，狠抓人们思想道德素质的提高和文明行为的养成，有效地提高了整体文明程度。先后荣获国家卫生城市、全国绿化先进市、河南省园林城市、河南省“三优杯”竞赛活动“六连冠”，全国创建文明城市工作先进市。

**一、抓思想教育，提高公民文明意识**

由于濮阳是在农村建市，60%的市民是由农民转变而来的，他们的城市意识、环境意识、文明意识较差。把这些市民培养成为具有文明礼貌、讲究社会公德的现代市民，是进行文明城市建设的一项重要任务。为此，市委、市政府明确提出“以人为本、狠抓教育、突出重点、普及提高”的指导思想和“市民抓培训，职工抓规范，干部抓示范”的教育思路，制定了《市民文明素质教育纲要》和3年培训规划，组织力量编写出了《濮阳市市民应知应会手册》、《市民文明指南》、《市民文明公约歌》、《市民交通知识手册》、《市民健康行为规范》等书籍。以此为教材，按照横到边、纵到底，分类施教的原则，分期分批有重点地对广大市民进行培训。第一步，重点抓了党政机关干部和企、事业单位职工的教育，举办培训班224期，培训干部职工3万余人。第二步是对农民、个体工商户、出租车司机的教育，以城区村民文明学校、工商业主文明学校、文化娱乐业主文明学校、餐饮业主文明学校、驾驶员文明学校为依托，按行业、分层次对行政村村民、个体工商户、城区驾驶员等进行文明行为规范的教育，做到有教材、有教员、有教室、有制度、有测试，共举办各类学习班260多期，培训人员7.5万多人，使他们的文明意识、城市意识有了很大提高，大大强化了市民的文明意识。

**二、抓实践活动，建立文明行为规范**

文明素质的提高仅凭教育是不够的，还需要开展多种多样的活动。围绕巩固卫生城，创建园林城，迈向文明城的目标，着眼于培养市民文明行动，濮阳市组织开展了“月末奉献日”活动。每月突出一个主题，每个主题集中解决一个影响城市形象的突出问题。1997年，先后开展了“全民造绿”、“文明护绿”、“我是文明使者”和“治理城市牛皮癣”活动。1998年分别组织了“联合保洁行动”、“告别不文明行为行动”、“六乱治理统一行动”、“创建交通文明活动”和以“讲文明树新风，人人动手、清洁城市”为主题的春季卫生集中治理活动。1999年继续在全市开展“三管六不”活动（即管好自己的手，不乱扔乱倒垃圾，不损坏花草树木；管好自己的口，不吸烟、不随地吐痰、不说粗话、脏话；管好自己的脚，不闯红灯、逆行和践踏草坪），并树立“六不”示范单位和“六不”样板街道。

**三、抓规范管理，创造良好育人环境**

在文明素质教育中，注重抓规范管理，创造良好育人环境，用优美环境、优质服务塑造人、影响人。一是大力整治软环境。市委、市政府成立了软环境治理工作领导小组，设立“一办三组”。组织力量重点对“乱收费、乱摊派、乱罚款”，及市霸、村霸等影响经济发展和城市形象的突出问题进行深挖严打快治。二是重点治理“窗口”服务行业，努力塑造一批文明“窗口”。1998年，相继在邮电、供电、商贸、交通、公用事业、医疗卫生等18个与群众生活密切相关的“窗口”单位推行了社会服务承诺制。1999年又对社会服务承诺制进一步深化完善，强力推进社会服务承诺公示制。18个实行承诺制的单位都制作公示牌、建立公示墙，各服务“窗口”聘请社会监督员，定期对服务情况进行检查，有效地促进了从业人员服务水平的提高。三是努力创建一批高标准的文明单位。以“拓宽领域、丰富内涵、规范管理”为基本要求，按照“抓单位、带个人”的思路，大力加强文明单位创建。建立了“年初申报、年底验收、三年届满、动态管理”制度。实行千分考评、量化管理，从班子建设、制度建设、内部管理、环境建设、工作秩序等5个方面进行规范，采取民意测评、职工评议、社会考评等办法，对单位的文明创建进行评议，做到了“文明不文明，全靠大家评，合格不合格，得由群众说”，极大提高了文明单位的质量。

**四、抓示范引导，发挥典型带动作用**

典型的示范作用能够直接影响和带动群众整体素质的提高。1998年重点在政法、城建、卫生、教育等10个系统开展“百名十佳”文明标兵评比活动，共收到群众选票5.6万余张，全市共推出93名文明标兵。1999年加大对这些典型的宣传和报道，在电视上开辟“十佳”风采栏目，在报纸上设立“创十佳、讲文明”专栏，使“十佳”精神发扬光大，成为各行各业学习的榜样。接着又在2000多个服务“窗口”开展了“最佳”、“最差”服务单位评比活动，共评出30个最佳服务单位，7个最差服务单位，推出30个文明服务示范点，从正反两个方面树立了典型。全市共涌现出见义勇为先进个人、精神文明建设积极分子200余人。一个学先进、创文明的新风尚正在逐步形成。

（河南省文明办）

## 河南省漯河市

# 开办文明市民学校 提高市民素质

近年来，漯河市委在深化创建活动、完善创建机制的同时，积极开办文明市民学校。明确提出了以城乡中小学校为基地，以“娃娃计划”为纽带，实施小手拉大手，家庭带社会，把文明市民学校办实、办好、办出特色，取得明显成效，使市民素质得到显著提高。

**一、以中小学为依托建立文明市民学校**

一是建立教育场所。依托市区和三县城区的中小学建立了52所文明市民学校，利用双休日，组织开展市民教育。现拥有教学班914个，每期可吸纳6万名市民入校学习。二是建立健全组织领导机构。各文明市民学校设正副校长和教导主任，由各学校现任领导班子中的相应领导担任。三是组建教师队伍。各班设班主任兼教师1—2人。选配德才兼备、业务精湛、组织能力强的1114名业务骨干担任教员，上岗前进行统一培训，要求教师做到有教材、有教案、有板书、有作业、有检查、有指导，严格按教学计划施教。

**二、以学生带家长为主，采取“小手拉大手”等多种形式组织市民入校学习**

文明市民学校的教育对象是市区和县城（含郊区）的广大居民，包括暂住人口。文明市民学校每半年一期，与教学同步进行。在培训方法上，主要采取两种形式进行。一是“集中普及型培训”，利用2—3年时间，把全体市民集中培训一遍。第一步，先培训在校中小学生的父母，分两期培训完毕；第二步，培训没有在校学生子女的市民；第三步，培训城市暂住人口。二是“经常化提高型培训”，主要采取3项措施组织市民入校。一是广泛宣传发动，吸引市民自觉地参加学习；二是把各单位学员参加学习情况作为考核该单位精神文明建设的一项内容和评选文明单位的条件之一，文明办督促单位，单位组织市民进校学习；三是小手拉大手。每次集中面授，由学校通知学生，学生通知家长入校学习，学员入校率都能保持在95%以上。

**三、统一教材，面授为主，对广大市民进行系统培训**

文明市民学校的教材统一使用市委宣传部、市文明办编写的《文明市民知识教程》。全市制定统一的教学计划，要求每个学校都要上完全部课程，由市文明市民学校领导机构统一命题和考试，合格者发给合格证书，不合格者下期重新学习。各个学校因校制宜，结合实际，以面授为主，采取灵活多样的教学方式。一是分班上课；二是集中上大课；三是电化教学；四是老师讲课和学员讨论相结合。配合教学工作的开展，各学校都组织了小手拉大手，参与“你扔我捡”、“义务治脏”、“纠章治乱”、“我与爸妈比成绩、比文明”等社会实践活动，丰富了教学内容，增强了教学效果。

**四、加强领导，推动市民教育工作健康发展**

市县区分别成立文明市民学校领导机构，实行领导机构成员联系点制度。有关领导亲临教学第一线，了解教学情况，指导教学工作；有关工作人员经常深入各个学校，检查教学计划落实情况，听老师讲课，查看各项规章制度的建立和执行情况；印发“文明市民学校工作简报”，对各县区、各学校创办工作进展情况、先进经验及时通报。每期办班结束后，都要评选先进学校、先进工作者、优秀教师、优秀党员和优质教案，并进行宣传表彰。两年来全市已有15万多市民接受了比较系统的文明知识教育，有力地促进了文明城市建设。

（河南省文明办）

## 湖北省十堰市

# 突出“六字方针” 创建文明城市

十堰市在创建文明城市活动中，始终坚持从市情出发，立足于为民办实事、办好事；坚持以人为本，注重引导和调动广大人民群众参与创建活动的积极性和主动性；坚持依法治市，不断强化管理，标本兼治。突出六字方针，创建文明城市，既为创建文明城市活动创造了良好的社会条件，又为巩固和发展创建成果奠定了坚实的社会基础。

**一、坚持以人为本，突出一个“融”字，把治城与育人，塑形与铸魂有机结合起来，这是搞好文明城市创建的核心**

人是创建活动的主体；人是创建活动的关键。因此，在创建活动中，十堰市始终坚持以人为本，把培养市民的思想道德素质和良好的文明素质作为创建活动的出发点和落脚点，做到治城必先育人，塑形更应铸魂，不断增强人们的文明意识、卫生意识、创建意识。一是通过多种形式的宣传教育，调动全市人民参与创建文明城市的积极性、自觉性和主动性。通过新闻媒体，大张旗鼓地宣传在创建文明城市活动中涌现出来的先进典型，通过在报纸、电台、电视台设立文明城市创建专栏、专题，在公共场所设立宣传牌和组织优质服务事迹报告会，开展万人签名“告别不文明行为”承诺等，对市民进行全方位、全覆盖的宣传教育，不断规范人们的思想道德和行为。二是编印下发《文明市民教育读本》，制订《市民公约》，举办文明市民知识竞赛等，利用各级开办的市民学校阵地，大力加强对市民的社会公德、职业道德、家庭美德、个人品行教育，引导人们树立正确的人生观和价值观，提高全市人民的思想道德素质。三是积极引导人们崇尚科学，反对封建迷信，提倡健康向上的文明生活方式。通过多种形式大力开展丰富多彩、健康向上的文体活动，丰富市民的业余文化活动，通过举办科普知识培训班，少儿科技知识竞赛等活动，引导市民树立唯物主义世界观，坚定社会主义和共产主义信念。定期或不定期地开展文化市场和音像市场整顿，扫除“黄赌毒”等不良行为，用优秀的作品教育人、鼓舞人，陶冶人们良好的道德情操。四是不断加大对精神文明建设的投入，创造优美的城市环境，用优美的环境塑造人、规范人。

**二、坚持服务宗旨，突出一个“实”字，从实情出发办实事，从实处着手重实效，这是搞好文明城市创建的关键**

人民群众对创建活动的认可与否，参与与否，关键是看创建活动是否贴近群众生活，是否与群众的生产、生活息息相关，紧密相联。在创建活动中，十堰市把加强精神文明建设，创建文明城市的过程作为为群众办好事、办实事的过程，从具体事情抓起，真心实意地为人民群众排忧解难。一是大力加强城市基础设施建设力度，尽快完善城市服务功能，方便群众生产生活。二是着力解决群众关注的事情，从群众关心的问题做起，逐步解决了上厕难、出门难、就医难等问题。三是从具体事情抓起，特别是对群众多次反映，看得见、摸得着，经过努力又有能力办得到的事，下决心去办。突击治理了城市乱摆摊设点、管理无序、环境脏乱差等问题。由于在创建中坚持了为民办实事的原则，想群众所想，急群众所急，把群众的根本利益放在创建工作的首位，因而不仅较好地体现了党的群众路线，而且也使群众亲身感受到创建的成果，从而更好地调动了群众参与创建的积极性。

**三、坚持全民参与，突出一个“广”字，广**

泛动员和组织群众，调动各方面积极因素，这是搞好文明城市创建的基础

精心设计活动载体，广泛吸引群众参与，着力调动和发挥广大人民群众在创建文明城市中的积极性和创造性，这是推动和促进创建活动得以健康发展的群众基础和社会动力。在创建活动中，一是坚持群众参与设计。对创建活动中的重大问题，市委、市政府在创建之初就问计于民，把创建活动的目标、任务和形式同群众的切身利益结合起来，积极创造条件，让广大市民参与创建活动的总体设计。在制定方案之前，通过多种渠道，广泛征求和吸取市民的意见和建议，把许多合理化的意见和建议写进总体方案或工作报告中，使创建方案更加符合市情，更加贴近群众。二是坚持群众参与投资。按照“人民城市人民建”的原则，在城市基础设施建设的资金投入上，进一步解放思想，更新观念，采取国家投一点、单位筹一点、个人集一点的办法，从而实现了城市建设由政府独家投资为社会共同投资的转变。投资主体的多元化，使创建活动由市委、市政府唱独角戏变为全市人民的大合唱。三是坚持群众参与建设。在城市风景园林建设中，全面开展义务植树活动，使全市城区绿化覆盖率、人均公共绿地率在全省乃至全国中等城市中名列前茅；在城市卫生环境治理中，市直机关干部和广大市民积极参加义务劳动。在创建活动中，从大到河道、公路的改造，小到公共厕所建设和环境卫生的清扫，广大干部职工和全体市民发扬主人翁精神，积极参与创建，关心、支持创建。四是坚持群众参与管理。注重群众性管理队伍的网络建设，积极创造条件，让广大市民直接参与城市管理，调动了广大市民参与创建活动的积极性，有力地推动了文明城市创建工作整体水平的提高。

**四、坚持优势互补，突出一个“共”字，注重市厂共建，抓好社会共建，这是搞好文明城市创建的有效途径**

开展各类共建活动，是组织广大市民参与文明城市创建的最好形式和有效途径。在创建活动中，一是注重发挥东风公司的优势，从创建文明城市这个大局出发，本着“市厂共建，全民参与，共建共荣，共创共享”的创建思路，团结一致，通力合作，齐抓共建。二是深化军警民共建活动。三是积极开展群体共建。开展片区共建，大力推进市厂共建、工农共建、行业共建、企事业单位帮助贫困村开展扶贫共建等活动，提高了全社会共建水平。

**五、坚持依法治市，突出一个“严”字，强化管理，标本兼治，这是搞好文明城市创建的重要保证**

创建文明城市的最终目标是：社会稳定、秩序良好、经济繁荣、生活方便、设施完善、环境优美、文化发达、素质提高。这是一项长期的综合性配套工程。在创建活动中，改变城市的落后面貌，提高城市的综合文明程度，改变市民的落后生活方式，提高市民的文明素质，是一项极其艰巨而复杂的历史任务，不可能一蹴而就，更不能“毕其功于一役”。因而在创建活动中，十堰市在把城市基础设施建设提高到一个新水平的同时，也把城市管理工作提高到一个新的水平，注意克服重建轻管的倾向，注意克服用搞运动、搞突击的方式来搞城市管理，着力于建立严密、科学、高效的管理体系。注重实行集中监检与分级管理相结合；注重把发挥专业执法队伍的作用与动员社会力量、依靠人民群众管理相结合；注重坚持行政管理、经济管理、法制管理与宣传教育相结合。把管理与建设融为一体，把创建文明城市活动同提高城市管理水平融为一体，把精神文明建设与物质文明建设融为一体，整体推进，从而较好地解决了建管脱节的问题，较好地解决了物质文明建设与精神文明建设“两张皮”的问题，促进了城市管理向着更加规范、科学和经常化的轨道迈进。

**六、坚持重在建设，突出一个“高”字，高起点规划，高品位建设，高水平管理，这是搞好文明城市创建的内在要求**

精神文明重在建设，贵在坚持和发展。在创建文明城市活动中，十堰市始终坚持以立为本，努力遵循精神文明建设的发展规律和要求，坚持高起点规划，高品位建设。一是坚持超前规划。在高标准修订好总体规划的基础上，坚持“规划一张图，审批一支笔，建设一盘棋”，严格微观规划管理，做到一条街一个景，新兴建筑错落有致，疏密有序。二是在硬件建设上坚持“超一流”标准。本着“有计划、抓重点、保质量、见实效”

的原则，在3年多的时间里共完成重大建设工程10多项。三是在注重提高城市建设品位的同时，更注重高水平的城市管理，使城市建设和管理融为一体，通过管理进一步优化城市环境，树立城市良好形象，促进城市综合实力的提高和社会事业的全面发展。

（湖北省文明办）

# 湖北省宜昌市

## 坚持以人为本　创建文明城市

宜昌精神文明建设的发展，取得了明显成效，促进了宜昌经济建设和改革开放，为三峡工程建设创造了良好的环境。近年来，宜昌先后被评为全国卫生城市，全国双拥模范城市，全国科教兴市先进城市，全国普法先进集体，全国城市环境综合整治先进集体，湖北省文明城市，1999年又被中央文明委命名为全国精神文明建设工作先进城市。

他们的主要经验是：

1. 为群众着想，突出一个“情”字，把为人民服务这个党的根本宗旨作为精神文明建设的出发点和落脚点。建设社会主义精神文明是为群众造福的事业，是符合群众利益的事业，是提高人的素质以更好地适应现代社会需要的事业。加强精神文明建设的出发点和落脚点，都突出真情为群众，从群众的愿望和希望出发，确定精神文明建设的内容，让群众参与精神文明建设工程的决策。群众高兴的，就提倡，就推广；群众不满意的，就抵制，就消除。在这个过程中，培养广大市民的文明习惯，形成文明的社会风气，不断提高市民的文明素质。

2. 让群众参与，抓住一个“广”字，使广大群众真正成为精神文明建设的主体。在精神文明建设中，大力开展各种形式的群众性创建活动，精心设计和组织各种活动载体，创造条件让群众广泛参与进来，使群众成为精神文明的主动参与者，而不是被动接受者。近年来，宜昌组织了抓四创，建四城活动，开展了文明新风进社会、向不文明行为告别活动，在机关、农村、企业、街道、学校开展系列精神文明创建活动等。

3. 帮群众办事，讲究一个“实”字，坚持从人民群众关心的具体事情抓起。把工作着力点放在与群众利益密切相连，群众迫切需要解决的事情上，坚持从具体事情入手，选准群众最关心、反映最强烈、与群众生活工作联系最紧密的一件件、一桩桩小事和实事抓起，使群众从日常生活中切实感受到加强精神文明建设给自己生活和工作带来的好处，使精神文明建设工作和群众的要求形成“共振”。如，规范交通秩序，从交通设施建设和交通道路管理抓起，缓解城区交通压力；改造小街小巷，从消灭泥巴路，解决污水横溢抓起；美化城市空间，从清除空中“蜘蛛网”、“万国旗”抓起；绿化重点地段，从为广大群众提供休闲娱乐的场所抓起，建设4个绿地广场，绿化5个重点地段，建设6条绿化示范街道。投资1500万元建成了全省最大、档次最高的绿地广场——夷陵广场，完成了滨江公园绿化改造，改善了市民的生活环境。组织城区四大医院、五大商场、六大行业（水、电、气、市政、房管、邮电）深入社区，建立联系点，每季度开展一次便民服务活动。

4. 请群众监督，强调一个“真”字，依靠人民群众的力量巩固精神文明建设的成果。请群众监督，真正做到动真格，敢碰硬，而不是做表面文章。组织了有退休老工人、退休老党员为主体的交通值勤员、市场管理员、卫生保洁员和治安巡逻员4支队伍参与城市管理。借鉴农村开展

“十星级文明农户”创建活动的经验和作法，在城区主要街道临街单位开展“十星级文明卫生单位(户)”的创建活动，群众自我评议、自我约束、自我管理。在全市党政机关开展“三为三比”（为基层、为经济、为群众，比团结、比贡献、比实干）活动和争创文明机关、争做优秀公仆的“双争”活动，教育干部勤政为民。组织万人评佳促差活动，既评十佳，也评十差，表彰先进，激励后进。开展百名市民检查承诺活动，组织100名市民对城区实行社会服务承诺的20个部门、58个单位的承诺情况进行检查，公布结果，对差的单位限期整改。组织群众性的“文明与不文明——宜昌一日”摄影图片展，由群众拍摄文明与不文明的镜头，在街头展出，供群众评点，效果很好。

5. 使群众满意，解决一个“乐”字，把群众高兴不高兴、满意不满意作为评判精神文明建设成效的标准。把精神文明建设工作当作为群众造福的事业，并在这个过程中不断提高市民素质和城市文明程度。把群众高兴不高兴、满意不满意作为检验精神文明建设成效的标准，通过加强精神文明建设，开展各种形式的群众性创建活动，创造良好的人际关系和社会风气，建设舒心愉快的生活环境，使广大市民感受到精神文明建设的成果，强化了市民的荣誉感和凝聚力，激发了广大群众积极向上的精神风貌。

（湖北省文明办）

## 湖北省黄石市汽车客运站

# 用心交心　用心感人　用心服务

黄石市汽车客运中心站既是交通部首批向全社会公布的30家“示范窗口”单位之一，又是湖北省创建文明行业活动100个示范点之一。在高标准建设示范窗口活动中，黄石市汽车客运中心站紧扣部颁2条优质服务标准和全国部级文明客运汽车站条件，加强软硬件建设，坚持以创立服务品牌为目标，大力推行用心服务，走出了一条具有交通特色的窗口建设新路子。

**一、以人为本重“三心”**

“用心服务”的内涵是主动热情，真诚周到。用心揣摩旅客动态，用心分析旅客心理，用心体验旅客需要，旅客没想到的我们想到了，旅客想到的我们做到了，超前意识和行为是其本质特征。

“用心服务”作为企业文化建设的核心和服务品牌，其特色在于使受众者（旅客）从服务者（站务员）的文明服务中得到美的享受、情的感化，从而对受众者产生潜移默化的影响。服务者怎样才能达到为受众者提供主动、热情服务的境界？提高服务者素质是达到这种境界的前提。因此，在实践中黄石市汽车客运中心站注重以人为本，着力提高员工素质。经常开展以职业形象、职业纪律、职业责任和社会公德、家庭美德、职业道德为主要内容的“三职三德”教育，提高职工职业道德和社会公德水准。根据“用心服务”的内在要求，组织全站人员学习《心理学》，分析旅客心理。加强站务员观察能力和分析能力训练，使他们练就了一套过硬的察言观色的本领，主动为旅客提供文明周到的服务。

站务员素质的提高，这只是搞好“用心服务”工作的重要一环。要真正做好用心服务，还必须把“用心”二字融合到具体的服务工作之中，勤观察、多思考，做个“有心人”。在服务工作中，注重做到6个字——真心、诚心、温心。

1. 用我的真心换您的舒心。客运中心站结合行业特点，及时总结出20句文明用语，60句服务忌语。开展“形体语言美、禁绝形体忌语”活动，推出了“三仪规范操”，坚持每天举行交接仪式向旅客问好，祝旅客旅途平安。为了解决旅客喝水难的问题，车站购买了3台大容量自动热水器，免费为旅客供应开水。增设了便民服务车，替旅客搬运行李。为了更好地服务老弱病残孕旅客，车站设立了特殊旅客候车室，添置了沙发、彩电、学步车、婴儿床、常用药品，使特殊旅客备感温馨。

2. 用我的诚心换您的放心。车站设立了导乘服务、迎宾服务，变被动服务为主动服务，为旅客提供从购票到上车全方位的跟踪服务。旅客进站检票上车后还播放文明乘车用语，提醒旅客注意安全及乘坐快巴的注意事项。对参营车辆一律实行汽车保洁，使车容车貌有了很大的改观，赢得了参营者一致好评。

为救济帮助出门在外有困难旅客而建立的“困难旅客救助基金”，共收到社会各界人士、各级领导和全站干部职工捐款3160元，客运站已救助了8名困难旅客，充分体现了社会主义制度的优越性和中华民族的传统美德。

3. 用我的温心换您的顺心。为保障旅客的身心健康，对在大厅内吸烟的旅客，站务员采取文明劝阻的办法让乘客自动熄灭烟头。发现旅客吃瓜果食物时，站务员会很礼貌地送去用废报纸叠成的果皮袋，让乘客在站务员的文明服务中接受文明的洗礼。为杜绝站务员在服务工作中与乘客发生争吵，车站制订了“打不还手，骂不还口”的严格管理制度。

如何才能把“用心服务”开展得有声有色，富有情趣。车站先后开展了“我为中心站添光彩”活动，每季度评选服务标兵，培植先进典型。“青年文明号”展示形象启动式，一展客运中心站“用心服务”风采，得到市委宣传部、团市委领导的一致好评。以“争创省级最佳文明单位”为主题的创建活动，推进了客运中心站精神文明建设向纵深层次拓展。

通过用心服务的开展，车站职工的素质不断提高，文明服务已成为全站员工的自觉行为，这种文明的行动不断辐射，播及四方，引起了巨大的社会反响。以“告别陋习，拥抱文明”为主题的告别随手乱抛脏物、随口乱讲脏话签名活动，得到了众多乘客由衷的响应。

**二、优质服务融“三感”**

用心服务除了“三心”的内在要求外，其外在形态突出表现在“三感”上，即给旅客以亲切感、舒适感、方便感。

1. 注重仪容仪表，给旅客以亲切感。为了体现对乘客的尊重，构建服务者与受众者之间新型的人际关系，客运中心站对站务员上岗前着装、化妆的浓淡、指甲的修饰、发型都作出明确规定。新组建的迎宾服务班，变固定服务为流动服务，主动把行动不便或携带大宗货物的省内外旅客送到目的地，这一举措无疑使用心服务得到了深化，拓展了延伸服务的时空和深度。

2. 营造优美环境，给旅客以舒适感。为了给旅客提供一个清洁卫生的候车环境，对花园式广场进行定期整理，绿化美化。客运中心站兴建了花圃，常年用鲜花装饰环境，使车站锦上添花。在大厅内摆放的大型常绿盆景，为旅客营造出一种清新、典雅、祥和、优美的候乘环境。率先在全市交通行业推出的站容站貌卫生承诺制涉及到绿化、美化、空气质量、卫生保洁等13个方面的内容，没有因违诺而被投诉的事件发生。

3. 强化“细微”服务，给旅客以方便感。针对车辆增多，车次增加的实际情况，专设了快巴售票窗口，增设了售票厅座椅和服务台，在售票厅添置了LED电子显示屏与计算机售票同步，显示车次、票价、发车时间等，方便了旅客购票，服务台还开辟了对旅客出租雨具及针线包、晕车药等服务，并备有留言条，在出站口增加了黄石市区公汽营运线路图，由专人负责咨询。站稽查人员常年奔波在客运线上查处违章拉客带客，为维护客运市场秩序作出了贡献，营造了一种公平竞争的良好氛围。

**三、强化管理立“三制”**

1. 完善管理机制，以制度规范人。一是根据四星级站的标准和部颁标准将车站原有零散的各种规章制度、岗位职责修改补充完善汇编，人手一册，便于学习应用。二是由站考评人员对职工实行上下班打卡，使劳动纪律得到根本改观。三是实行站领导带班和中层干部轮流值班制度。从“三仪规范、卫生保洁、劳动纪律、工作质量”等4个方面进行检查并对发现的问题要求相关部门及时整改，提高了工作质量。四是实行工作目标量化管理。签订目标责任书，从政治工作、工作内容（质量）、劳动纪律3个大的方面进行百分制考核，细化、量化、奖优罚劣，建立了用心服务与个人收入工效挂钩的运行机制。

2. 建立激励机制，以样板鼓舞人。客运中心站在站务各班培养示范岗，站务员轮流上岗，设置服务标兵橱窗，按季评选服务标兵，给予精神和物质奖励。并在此基础上搞好班组升级达标活动，从“原始记录、组织建设、服务质量”等8个方面促进基层班组的规范化、制度化、科学化建设。

3. 增强监督机制，以承诺取信人。推行承诺服务是客运中心站被列为“示范窗口”之后自我加压，提高服务质量的又一项举措。将售票服务、迎宾服务、候车服务、出站服务等环节从文明用语、优质服务、服务规范、服务程序、清洁卫生等5大方面进行考核，定期进行开门评站，把承诺同旅客反映的难点、热点问题结合起来，促进了干部职工业务素质、服务意识、服务态度的提高。

几年来，客运中心站先后荣获交通部文明站、省级文明单位和全国交通系统文明示范窗口单位等多项荣誉。1999年完成客运量85万人次，实现票房收入1300万元，财务收入130万元，两个文明建设获得大丰收。

（湖北省文明办）

## 湖南省长沙市

# 以人为本　建管并举　创建文明城市

长沙市始终贯彻党中央“两手抓、两手都要硬”的方针，按照十四届六中全会提出创建文明城市的要求，不断加大工作力度，抓基础、抓教育、抓管理、抓机制，使城市精神文明建设水平有了新提高，先后荣获全国卫生城市、全国体育先进城市、全国首批优秀旅游城市、全国科教兴市先进城市、全国双拥模范城市、全国民族团结进步模范单位等称号。

**一、搞好基础设施建设，奠定文明城市建设的基石**

长沙市把抓好城市基础设施建设作为创建文明城市活动的基石和支撑点。一是制定城市建设规划，突出青山、碧水、绿洲交相辉映、环境优美的城市特色。1996年城市规划完成大调整，规划区域由155平方公里扩大到501平方公里，现已初步形成了“一江两岸、西文东市、六桥三环”的城市格局和道路网络雏形。二是用强烈的文化意识指导城市建设和开发。制定出历史文化名城保护和建设规划，重点突出人文景观和历史遗产的保护，硬件建设体现出名人故里特色和湘楚风情特色。三是改善基础设施。全市围绕电力、道路交通、供水排水、通信环保等建设重点，加大投入，在项目安排、资金投向和立项报批等方面实行倾斜。与此同时，筹资改善了部分环卫设施，对16条道路进行了改造，完成了16项绿化工程，改卫生厕所6.49万个，有效地改变了城市面貌。

**二、以人为本，努力提高市民文明素质**

长沙市着眼于公民“三义”、“三德”、“三观”的培养教育，用先进的思想观念、良好的道德情操、正确的价值取向教育引导市民，并把市民文明素质教育与城市文明形象塑造作为创建文明城市的重要内容。在教育中，注意把思想道德教育与语言行为规范相结合，把提高人的内在文明素质与提高外部环境的文明程度相结合。一是坚持用邓小平理论武装党员、教育干部和群众，把理论学习作为一项系统工程抓好抓实。全市开展了

“邓小平理论在长沙的成功实践”的学习、研究和宣传活动，出版发行了《邓小平理论在长沙》一书。同时，结合开展“学修养、讲党性”、“忆三位伟人、述公仆情怀”教育活动，增强廉政、勤政意识，增强“讲学习、讲政治、讲正气”的自觉性，把邓小平理论学习不断引向深入。二是各行各业学雷锋活动常抓不懈。连续10年在全市组织评选表彰学雷锋“双十佳”（十佳集体、十佳个人），开展学雷锋活动周活动，使雷锋精神不断光大，雷锋式的英雄不断涌现。窗口行业广泛开展了“百城万店无假货，优质服务在长沙”、“长沙交警学济南，窗口行业学交警”活动，扎实进行职业道德教育、服务规范教育，提高了行业服务水平。百万青少年礼仪教育由学校向家庭社会延伸，对净化社会风气起到了推动作用。三是以开办市民学校为载体，不断探索市民教育的有效形式，逐步完善市民教育网络。市文明委专门成立了市民教育领导小组，要求各地、各部门把开展市民文明教育作为一项重要工作来抓，并落实到社区、村镇、企事业单位，引导市民树立文明意识，养成文明行为，提高文明素养。市文明委制定了《长沙市文明市民公约》，编写了《长沙市文明市民手册》，谱写了《长沙市文明公约歌》，作为市民教育的基本教材，鼓励全市开办各种形式的市民学校，组织广大市民学习政治理论、道德知识、法律知识、保健知识等，不断提高自身的综合素质。

**三、建管并举，提高城市的文明程度**

一是理顺管理体制。把城市管理纳入全市精神文明建设的总体规划，使城市管理与基础建设相结合、与社区服务相结合、与窗口行业的优质服务相结合，成为两个文明建设的结合点。按照“两级政府、三级管理、四级网络”的要求，进一步明确市、区、街三个管理层次和市、区两级政府职能部门的管理目标、权限和责任，加强检查、监督和考核，使各项管理责任落到实处。二是加强城市美化与日常管理。在原城管办、创建办、爱卫办合并的基础上，成立城市管理委员会，并将环卫、道路绿化、市政工程等部门成建制地划归城管委。不断加大投入，推动净化、绿化、美化建设。组织开展市容卫生“五佳五差”街道办事处和卫生“十佳十差”单位的挂牌检查活动，对重点路段实行夜间保洁，对城区主干道和广场实行日巡查制度，已拆除30000多处违章搭建，拆迁改造了马路市场，建成60多个室内市场。三是强化制度和责任。市里确定一名副市长主管爱卫、城管、公安、司法工作，各区明确一名副区长对此对口。各级城管部门实行责任制，清除沿线垃圾、违章棚子和流动摊位，做到重点线段事事有人问有人管。市政府及城管部门先颁布了加强城市建设和管理的10多个《通告》和《通知》，并实行市月检、区半月检、街道周检、居委会天天检的检查制度。

**四、加强制度建设，建立创建文明城市的运行机制**

一是规范各类创建工作制度。把精神文明建设纳入年终检查评比、领导班子和干部年度考核，作为干部升降奖惩的重要依据。先后制定完善了《关于深入持久地开展创建“五好文明家庭”活动的意见》、《在全市开展创建文明小区、文明单位、文明乡镇（街道）活动的实施意见》和《长沙市文明建设先进县市区、文明单位、文明小区、文明村镇管理办法》。结合全市情况，制定了精神文明建设的考核指标体系，主要包括公民素质、文化生活质量、城乡文明程度、领导体制等4个方面内容。二是形成投入保障机制。以市政府名义下发了《关于进一步加强社会主义精神文明建设，落实有关文化经济政策的通知》，开征文化事业建设费。1998年共征收630万元，占全省总量的52%。三是建立创建评比奖励机制。文明建设先进县市区、文明单位、文明小区、文明村镇是党委、政府授予的一项综合性荣誉称号，是领导班子政绩突出、干部群众综合素质明显提高的重要标志。对这些荣誉称号不搞终身制，不搞满堂红，在“创”字上看发展，在“实”字上看成绩，在“比”字上看水平。1990年以来，已有3000多个单位获得各种文明称号，200户家庭获市级“五好文明家庭”荣誉。市委明确规定，获市级文明建设先进县市区称号的，一次性发给奖金5万元，获市级文明小区、文明村镇称号的，发给奖金2万元，市级文明单位可以对本单位的“文明职工”给予物质和精神奖励。

（中央文明办：《精神文明建设工作》）

## 湖南省常德市

# 把文明当做立市之本 奋力创建文明城市

湖南省常德市建市10年来，坚持把文明当做立市之本，上下齐心，竭力唱好文明城市创建重头戏。1999年9月，湖南省在常德市召开了创建文明城市工作现场会。同时，常德市也被湖南省委、省政府授予“文明城市”称号。

**一、顺应城市发展的大趋势，高起点定位文明城市创建目标**

常德市委、市政府顺应城市经济社会发展的要求，确定了以文明城为龙头，卫生城、园林城、旅游城“四个城市”一起创的创建目标。在城市规划中，常德以提高城市文化品味为重点，突出抓“精”、“雅”、“严”三个环节。即在规划质量上，突出一个“精”字。制定城市总体规划，有国内著名专家参与，规划编制达到了国内一流水平。该市小康住宅居住区紫菱花园被建设部评为一等奖，由国家建设部、国家科技部定为示范小区。在规划风格上，突出一个“雅”字。即在实用性的建筑、设施及其组合上，努力赋予人文主题，体现文化品味，积淀文明底蕴。例如，在防洪大堤上镌刻万首古今名人题咏常德的诗词和壁画，把高标准的城市防洪圈点化成了闻名海内外的“文化奇观”。在规划管理上，突出一个“严”字。严格执行《城市规划法》，实行规划监察责任制，使违法违章建设被控制在萌芽阶段，城市规划管理的“一书两证”发证率已达100%。

在城市建设管理上，常德市坚持学习外地先进经验，向一流城市看齐。拿出了以深圳为样板的“亮化”、以福州为样板的“硬化”工作实施方案；同时，集中财力，学习威海设置了“电子警察”，运用高科技强化了交通秩序的管理。在创建文明城市的过程中，常德还注重实施“先导工程”，用邓小平理论武装干部群众；广泛开展“三义”“三德”教育和文明竞赛活动，大力提高市民素质，着力培植创建文明城市的内在动力。深入的教育和坚持不懈的精神文明实践活动，使常德市的社会风气明显好转，文明新风逐步形成。

**二、运用市场经济法则经营城市，加快城市文明的发展进程**

以开发促建设。1993年，市政府与香港振升公司签约，政府减免950亩土地出让金（每亩8万元），作为回报，振升公司修建2公里Ⅱ级城市主干道、一个排水站、一个垃圾中转站、两个公厕，到1998年底，已完成投资1.35亿元，使一片荒郊开发成了繁华的街区。1999年，振升公司再次与政府签约，在火车站前202亩土地上投资2.4个多亿兴建“新世纪商贸城”。

以资产的有偿使用促建设。近年来，常德市通过实施城市公用设施和公用事业经营权（如公交营运线路经营权、出租车经营权）的有偿使用，每年筹集建设资金2000多万元。

以谁受益谁投资原则获取社会投资。在城市基础设施建设中，常德市按照政府与受益者按比例出资的原则，把小街小巷硬化、人行道板和门前绿化、亮化等建设与受益主体有机结合起来，既获得了每年均逾千万的社会资金，又增强了公众的爱护、管理意识。

以谁开发谁配套的原则，拓展城市建设资金渠道。建市10年，常德市先后进行武陵大道、滨湖路等道路扩建，同时完成多处旧城改造，带动了紫桥、西苑等居民小区建设。其中小区配套基础设施均由开发商承担。据统计，开发商已投入水、电、路、小区开发及绿化等配套工程资金7.6亿元。

把竞争机制引人城市管理，努力提高城市管

理效率。在城管大队，推行了“双向选择、自由组合、自主用人、片段承包、竞争上岗”的改革，各城管中队以街道办事处为单位实行包片责任制，大大提高了城管大队管理城市的积极性和自觉性，全天候保洁难、市容秩序管理难等问题迎刃而解，管理效率大大提高。

**三、用集中战役方式进行城市整治，不断营造文明的城市环境**

一是围绕净化城市环境，先后组织了城区禁放烟花爆竹、禁止人力三轮车营运、禁止机动三轮车营运、拆除乱搭乱建、取缔露天夜市、机动车禁鸣、拆除小型锅炉、拆迁郊区砖瓦窑和食品卫生整治、环境卫生整治等“十大战役”。同时，从年初开始，市委、市政府成立了'99环保世纪行组委会，把汽车尾气治理、城区禁鸣喇叭、关停砖瓦厂、推广洁净型煤作为工作重点，力求从生态上净化城市环境。仅污水处理和管道燃气两大工程就投入3亿元。

二是着眼城市生态环境质量，展开了绿化、硬化、亮化的三大“整体战”。在绿化战役中，根据常德地处洞庭湖滨，城市外围有太阳山、河伏山、德山三大片绿地，城中有沅江、穿紫河、柳叶湖三大水系的特点，着力营造水乡园林城市。1998年年底以来，常德市集全市之力，突击组织了以七大绿化项目、五大重点绿化工程为内容的全民绿化战役，使城区85%的市直单位绿化水平达到了省、市园林式单位标准。人均公共绿地面积增至7平方米。在“硬化”战役中，以洞庭大道、武陵大道、滨湖路等7条道路为重点，发动临街单位全面参与，投入资金600多万元；完成了近10条道路12万多平米人行道板维修、改造。在“亮化”战役中，抓住迎全省创建文明城市工作会议、亚划赛、新中国成立50周年的机遇，按照“一街一式，新颖别致”的要求改造、安装了城市干道的路灯，重要建筑物普遍安装了泛光灯、防弹高压钠灯、轮廓灯装饰，对洞庭大道、武陵大道进行了行道树亮化，形成了富丽辉煌的城市夜景。通过一个又一个的战役，实现了城市的净化、绿化、亮化和美化，有效地提高了城市整体文明形象。

（湖南省文明办）

## 湖南省双峰县

# 以创建文明村镇为龙头 大力推进农村精神文明建设

双峰县地处湘中，辖16个乡镇865个行政村，总人口89万，其中农业人口80万，是一个典型的农业县。近年来，县委、县政府坚持“两手抓、两手都要硬”的方针，以创建文明村镇为龙头，切实加强农村精神文明建设，已连续四届被评为“湖南省文明建设先进县（市、区）”。

**一、加强领导，强化责任，构建了一整套文明村镇创建活动的工作机制**

一是过硬的领导机制。双峰县成立了以县委副书记为组长，县委办、政府办、宣传部、组织部等14个单位的负责人共同参与的文明村镇建设领导小组，各乡镇也成立了以党委书记为组长的文明村镇建设领导小组，为文明村镇建设提供了强有力的组织保证。同时，县委把文明村镇创建活动纳入了全县双文明目标管理，不仅与县直单位签订工作责任状，还根据各乡镇的实际情况采取目标量化分解的方式与各乡镇党政一把手签订《双峰县乡镇两个文明建设责任书》。年终考评时，精神文明建设计分在80分以下的乡镇，其党政主要领导不能调动和晋级。

二是有效的监督机制。双峰县在开展创建文明村镇系列活动中，建立了比较完善的社会监督机制。在县、乡（镇）村都设有文明单位、文明村、文明户创建竞赛活动举报箱，鼓励群众对在竞赛活动中有弄虚作假行为的进行大胆检举揭发。经常组织有关部门分组对各单位、各乡镇的环境卫生、工作作风、理论学习、服务态度等进行抽查，将投票抽查结果在报纸、电视上公开曝光。

三是稳定的投入机制。近年来，双峰县初步建立了以政府投入为主体，鼓励社会、集体、个人多渠道投入的机制，把精神文明建设的投入纳入财政预算并随着经济的发展逐年增加。近两年在精神文明建设上投入3000万元。各乡镇的文化站、广播站、图书室、农科教中心、电影队“五个一”阵地进一步完善，全县所有行政村也正在努力实现有1个学习室、1个图书室、1个广播室、1个文艺活动室、1个篮球场的目标。

**二、结合实际，精心组织，开展了一系列以文明村镇建设为龙头的群众性精神文明创建活动**

一是紧贴农村实际，开展了“双星文明户”创评竞赛活动。

“双星文明户”活动的评选分4个层次，由低到高依次为遵纪守法户、五好家庭户、小康户、双星文明户。统一制定了每一层次的评选标准。活动之初将创建内容、标准向农民公布，进行评选时，以村为单位，每户派代表参加，按家庭自评申报、村民互评、村民小组初评、村委会审查、复评，乡镇党委审核的程度进行，评选结果张榜公布，记入档案。授牌后发现问题，及时摘牌。

二是根据农民实际需求，深入开展“五下乡”活动。

县委利用农民赶场等机会，组织县直机关各部门开展送理论、政策、法律、文化、科技、卫生下乡活动。近年来，全县已组织大规模的“五下乡”活动8场次，免费赠送理论、科技等书籍资料近10万份，送戏下乡200余场次，送电影下乡500余场次。

三是突出地方特色，深入开展“一镇一品”的群众文化活动。

双峰县蕴藏着丰富的民间文化艺术资源，如走马街镇的书画、荷叶镇的民乐、洪山殿镇的木偶戏、青树坪镇的铜管乐、花门镇的祁剧、锁石镇的花鼓戏，源远流长，闻名遐迩。利用传统文化优势，因势利导，推陈出新，去粗取精，做到一镇重点扶持一项精品，现已形成了“一镇一品”的群众文化格局。不仅丰富了群众的文化生活，而且提高了农民群众的文艺素质和文化品味。积极扶植民间工艺美术的发展，1999年组织举办了民间工艺美术展览，竹雕、根雕、书画、陶瓷、剪纸、木刻等艺术精品群英荟萃，有力地推进了全县民间工艺美术的产业化开发。

双峰县通过抓文明村镇建设，有力地促进了全县两个文明建设的协调发展。

1. 农民素质明显提高。一是思想观念逐步转变，小农意识、小富即安、“等靠要”等陈旧的观念逐步被市场观念、竞争观念、开放意识和不懈追求富裕、追求美好生活的意识所取代，计划生育、少生快富已成为广大农民自觉行为，全县涌现出少生快富村405个，少生快富示范户9000余户。二是政策法律水平提高了。经抽样调查发现，95%的农民能够及时掌握、理解国家在农村的有关政策；92.5%的农民表示要通过法律手段而不是打架骂人来解决邻里纠纷，维护自身权益。15周岁人口初等教育完成率达99.1%，青壮年人口非文盲率为99.66%，全县90%以上的农户至少有1人掌握了1—2项实用致富技术。

2. 农村生活环境明显好转。全县865个村做到了村村有卫生室，村民基本上杜绝了吃河水、塘水的现象，饮用清洁水的人数达90%以上，卫生厕所普及率达70%。

3. 社会风气明显好转。广大农民出现了“三多三少”的新气象，即学科学、讲文明、赶先进的人多了，搞黄、赌、毒和封建迷信的少了；学法、守法、坚持正义的人多了，违法乱纪的人少了；勤劳致富的人多了，自甘落后、混日子的人少了。

4. 党群干群关系明显改善。机关干部为群众服务的意识，勤政廉政意识显著增强，干部走出机关深入基层，与农民同吃同住同劳动，为民排忧解难办实事。在全县“一帮一、一扶一”扶贫救灾活动中，40个县团干部分别率领县直有关单位的干部深入灾民家，问寒问暖，捐钱捐物，共捐资29.2万元，还兴建了2个灾民新村。农民群众直接感受到了干部工作作风的变化，对各项工作都能积极支持配合，很多过去遗留下来的矛盾、纠纷能够迎刃而解。

5. 改革和经济建设的步伐明显加快。近年来，农村改革和经济建设取得了长足的发展。农业产业化发展初具规模，基本形成了粮食、生猪、经济果林、水产等几大支柱产业，全县涌现了320个专业村，290个小康示范村。

（湖南省文明办）

## 广东省深圳市龙岗区布吉镇南岭村

# 思想道德教育的“十种方法”

1997年3月，深圳市龙岗区布吉镇南岭村被中宣部确定为全国文明村创建活动示范点。党的十五大以来，南岭村先后实施了“十种方法”，以提高村民的素质为创建活动的核心，取得了显著成效。

1. 立村规民约。南岭村《村规民约》和《南岭村股份合作章程》对全体村民都具有普遍约束力，是全体村民都不能违背的准则。如“全体青年每月到果场劳动两个下午”、“学生被开除学籍，就无权享受一切福利待遇”、“村民必须参加由村里分配的工作”、“违反计划生育政策的，取消一切分配”、“学生初中未毕业，不安排工作，不参加分配”等等，通过法律的、行政的、经济的、道德的手段，具体地规定了村民的作为和不作为。同时，每年都评优奖优，树立遵纪守法的典型，教育和影响广大村民。至今，没有一个村民被处罚过，也没有一个干部敢凌驾于《村规民约》之上。

2. 书治村格言。村支部、村委会一班人，以“穷时有穷志气、富时没富毛病”及“公心、事业心、责任心”为治村格言和干部行为准则，并贯穿在日常工作之中，从1983年成立村委会到1998年，没有一个党员干部染指集体财富，全村也没有发生一起经济问题。在民主表决会上，村班子成员被村民称赞为“最可信赖的人”。

3. 设政治辅导。党的十五大召开后，南岭村党总支针对新时期党的教育工作，经过充分酝酿，成立了村政治辅导小组，党支（村委）设5名总辅导员、各部门下设1—2名辅导员，根据村政治辅导小组的安排，分步骤对党员、干部进行思想、作风、道德教育。

4. 建家庭书柜。随着改革的深入，物质文明的不断丰富和“科学技术是第一生产力”观念逐步深入人心，村委会有意识地引导农民转变思想观念，崇尚科学、移风易俗。村委会提出了“破除迷信，相信科学，拆掉神台，兴建书台”的号召。仅3天时间，全村170多户村民主动拆掉了家里的神台，换上书柜。

5. 辟村史展览。为使广大青少年了解村史和祖辈的艰苦创业史，更加珍惜今天和创造明天，村里办了一个永久性的“致富思源展览”，把过去村民用过的农具、生活用品等展览出来，使村民、尤其是中小学生深切体会到过去的贫穷落后和创业的艰难，激发村民保持和发扬艰苦奋斗的传统。

6. 编乡土教材。南岭村委编辑的《南岭通讯》，是村委联系村民的纽带。而村歌《南岭，我可爱的家乡》，是全村男女老少都能唱的歌。南岭人还将反映南岭昔日先人开拓家园、白手创业的劳动情景、高尚的爱情追求、抓住机遇发展经济的艰苦历程等，组织几十位村民，以歌舞的形式表现出来，在参观者面前展示了南岭风貌，又使村民得到了思想和艺术锻炼，还教育了南岭的新一代。另外，村委会还将中央、省、市各级报刊、电台有关南岭的报道，印了《南岭村新闻》，以教育广大村民，增强村民的集体荣誉感。

7. 办文化夜校。村里规定，凡40周岁以下未达到大专文化程度的男女村民都是夜校的学员。夜校开设的科目有英语、日语、语文、数学、电脑、企业管理等。村里建立了三级图书网络，图书馆藏书5万册，全部免费向村民和外来工开放；工厂、企业有图书室；家家户户有书柜，平均每户有200多册图书。为了不使三级图书网络徒有形式，村团委制定和实施了读书制度。每个青年每天阅报半小时，每月读一本有关专业的书，看一本杂志，写一篇学习心得，并开辟“共青团学习园地”，举办各种读书演讲比赛、书画比赛等，切实提高青年一代的文化素质。

8. 树文化长廊。南岭人爱集体、爱自己的家，而心中更充满爱国之情。1995年4月，南岭村被评为深圳市爱国主义教育基地。为配合爱国主义教育，村投资200多万元，在南岭求水山公园里修建了160米长的中国文化历史长廊，将中国历史上从原始社会至1949年新中国成立时期的社会文化、政治、经济等成就以壁画、文字说明的形式反映其上，以历史的凝重感来唤起人们的爱国之情。

同时，南岭村还修建碑林，将深圳市民道德规范、中外名人名言镌刻在上面，形成一个独特的文化景观。1998年，南岭求水山公园被深圳市确定为市级旅游景点，而日渐增多的旅游者都在这里受到了爱国主义氛围的熏陶。

9. 看革命影片。南岭村委会专门购回100部国产故事电影片，在寒、暑假里组织村民和在校学生观看。村民们说，通过重温过去的电影，了解革命史，对照新生活，对“没有共产党就没有新中国”又有了新认识、新体会，人不能忘记过去，尤其是过去的艰苦岁月，忘记了过去的苦就不能体会今天的甜，就不懂珍惜和创造。村委会还要求在校学生每观看一部电影后，都要写一篇观后感，根据影片内容，联系实际，抒发自己的感想。

10. 兴结对助教。青少年是祖国的未来，是建设事业的接班人。南岭村有意识地对青少年施加压力，“劳其筋骨”，青年帮少年就是一种方法。青年与少年结对助教的目的，是加强对中小学生的学习监督，提高他们的学习成绩，规范和影响他们的行为。这项活动由村团委负责实施，从本村的青年中挑选50名德才兼备者，与本村小学四年级以上至高中（中专）在校生共128名结对帮教。青年根据学生的具体情况，配合学校和家庭对学生进行培养，取得了良好的效果。

另外，南岭村还开展评选“十个好”、唱百首好歌等活动和举办广泛的群众性文化体育活动，创造了良好的社会风气，营造了健康向上的社区氛围。

（广东省文明办）

## 广西壮族自治区南宁市

# 从“三个一”到“五个进” 推进城市文明建设

近年来，南宁市从市情出发，扎扎实实开展精神文明建设，探索出了一条以创“三城”（全国卫生城、全国双拥城、全国文明城）为载体，以“三个一”、“五个进”为切入点，整体推进精神文明建设的新路子，精神文明建设取得了丰硕成果，推动物质文明建设和对外开放迈上了新台阶。

### 一、从“三个一”到“五个进”，南宁市精神文明建设的生动实践

按照培养“四有”新人的目标和提高市民素质、城市文明程度的要求，南宁市在创建文明城

市活动中，围绕群众关心的热点、难点，从群众利益密切相关的眼前事、身边事抓起，针对市容环境的脏、乱、差问题，以突出抓好“三个一”，即“摊前一个桶（垃圾桶）、街头一个岗（交通岗）、路上一辆车（出租车）”为突破口，扎扎实实开展精神文明创建活动，推进城市文明程度和市民素质的不断提高。

抓摊前“一个桶”，整治环境卫生。南宁市把治理脏、乱、差作为突破口，从市场抓起，在每个摊位前配置一个垃圾桶，要求摊主及顾客将废弃物放进垃圾桶内，有效地扭转了垃圾随地乱扔的现象。此后这一成功经验先后在全市推广，为整治市容脏、乱、差工作开创了一个新局面。

抓街头“一个岗”，整治交通秩序。针对城市道路交通秩序较混乱现象，南宁市下大力气抓交通岗亭建设，在全市交警中开展学习济南交警活动，内强素质，外树形象。通过组织交警部门深入基层开展交通法规教育活动，组织市民参加维护交通秩序活动，引进国外先进技术建立现代交通管理体系，改善道路基础设施，加大交通执法力度，使全市交通状况有了根本的好转。

抓路上“一辆车”，提高服务质量。过去，由于体制不顺、管理不善等原因，出租车行业常出现“宰客”、拒载等不良现象，严重影响了首府的形象。南宁市把整治出租车行业作为提高全市窗口行业服务质量的突破口，从建立健全各项管理制度入手，开展“树立南宁形象，奉献的士真情”优质服务竞赛活动，从而提高了广大出租车司机思想道德素质和服务水平，促进了全市服务行业服务质量的提高。

南宁市抓“三个一”的做法得到了中央的肯定。1998年3月，中宣部和中央文明办把南宁市作为精神文明建设的典型向全国推出，在全国引起了强烈反响。

在荣誉面前，南宁市自找差距，自加压力。1999年围绕“树立广西新形象，创建全国文明城”的目标，在巩固“三个一”成效的基础上，由“三个一”拓展到“五个进”，即文明新风进社区、优质服务进网络、群众文化进广场、园林绿化进街道、环保行动进家庭，将精神文明建设拓展延伸至更广的领域和更高的层次。

文明新风进社区。创建文明社区是创建文明城市的基础，把创建文明社区活动作为争创全国精神文明建设先进城市的重头戏，在创建文明小区活动中，一是抓教育，努力提高小区居民的文明素质；二是抓服务，尽心尽力方便居民生活；三是抓治安，创建安定和谐的居住环境；四是抓建设，完善小区服务功能。

优质服务进网络。在抓“路上一辆车”、推动全市窗口服务行业服务质量提高的基础上，进一步推行社会服务网络化。一是建立了以公安局“110”指挥中心为龙头，工商、医疗等12个窗口服务行业参加的社会应急救援服务网络，为广大市民群众提供快捷、优质、有效的社会服务。二是建立交通治安巡逻网络。对全市主要街道进行交通治安重点巡逻防范，一方面震慑了违法犯罪分子，另一方面加强交通秩序的整顿，保证道路畅通。三是建立“3·15”投诉网络，并在各摊点柜台建立了“工商监督管理联系卡”制度。通过“联系卡”就能够及时准确地找到有关工商所及负责人，深受市民群众欢迎。

文化活动进广场。南宁市确定1999年为“'99世纪之声”广场文化主题年，推出了“月月有主题，周周有活动”的广场文化活动。文化广场的活动有不定期举行的各种文艺演出，有市民自娱自乐的演唱等，极大地丰富了市民的文化生活，陶冶了人们的情操。

园林绿化进街道。南宁市以建设具有南方特色、少数民族风格的现代化园林城市为目标，以抓街道的园林式绿化为重点，加快了全市绿化美化建设，一是加大绿化宣传力度，开展全民义务植树运动；二是系统规划，定职定责；三是因地制宜，突出特色。南宁市绿化覆盖率达36.7%，人均公共绿地面积7.9平方米，街道绿化、庭院绿化和居住区绿化成为全市精神文明建设的一道风景线。

环保行动进家庭。南宁市采取多种形式，动员广大市民共同参与环保，从家庭做起，保护城市生态环境。一是通过各种传播媒体开展环保宣传，增强市民的环保意识；二是积极开展以家庭为主体的群众性环保活动。全市开展了“百户环保优美家庭”等一系列群众性环保活动；三是加大环境治理力度，提高城市环境质量。关停严重污染环境的企业、禁止二冲程摩托车入户、市区内机动车禁鸣喇叭等措施的实行，使城市环境得到了明显的改善。

**二、从“三个一”到“五个进”，南宁市精神文明建设的不断深化**

南宁市“三个一”和“五个进”，都是进一步优化南宁市的硬软环境，完善城市功能，优化生态环境，营造良好的社会秩序和优质服务的氛围，促进人的素质的提高，在全社会形成团结互助、平等友爱、共同前进的新型人际关系，创造一个安全、整洁、方便、舒适、文明的生活环境，促进两个文明建设的协调发展。这与十四届六中全会提出的精神文明建设目标是一致的，符合时代发展的要求。

——从“三个一”到“五个进”，创建活动面进一步拓宽。一是从“路上一辆车”拓展到“以一带四”，即以“一辆车”带动一队长途快班车、一个优质服务客运站、一条优质管理文明样板路、一艘名牌旅游船，促使优质服务延伸到全行业每一个角落。二是从“街头一个岗”拓展到“一条线一个面”。交警部门将“一个岗”的做法推广到所有的交警大队和中队。各中队对所管辖路段即“一条线”实行责任到人的全面优质综合责任包干制。“一个面”即交警配合各警种加强巡逻防范工作，严密社会面的控制。三是从“摊前一个桶”拓展到“两个网络一张卡”。工商部门在全市范围内建立了巡查网络、投诉网络，在每个经营摊点设立一张“工商监督管理联系卡”，有力地促进了摊主文明经商，更好地为市民提供各种及时有效的服务并形成网络化。同时，文明小区、文明村镇创建面也进一步拓展。全市文明小区创建面已达100%，创建文明小区（文明单位）工作正沿着规范化、制度化的轨道健康发展。以星级农户评比为载体的文明村镇创建工作正在农村社区广泛开展，并取得显著成效。

——从“三个一”到“五个进”，创建活动内容进一步深化。“三个一”是从环境卫生、交通秩序和窗口行业服务质量等反映市民文明素质、影响城市文明形象的几个方面入手进行整治。“五个进”中，创建文明小区、开展群众文化活动、提倡环保行动进家庭是进一步对市民进行思想教育、提高市民文明素质。开展优质服务进网络、园林绿化进街道则是侧重从硬件和软件方面提高南宁的文明整体水平。因此“五个进”比“三个一”创建的内容更深一步。

——从“三个一”到“五个进”，创建活动形式进一步出新。“三个一”成功之处就在于这种活动形式，紧贴实际，紧贴群众，为群众办实事、办好事，得到了群众的欢迎，推动了整个城市精神文明建设活动的深入开展。“五个进”从群众身边的文明言行、美化绿化、环境保护等活动做起，丰富了创建文明城市活动的形式。

——从“三个一”到“五个进”，创建活动效果进一步求实。开展群众性精神文明创建活动，要真正做到“抓经济工作扎扎实实，抓精神文明实实在在”，不图虚名，不摆花架子。以“三个一”和“五个进”为突破口，通过创建活动，城市基础设施建设、市民的素质、城市的文明程度都得到了显著提高，促进了经济发展和对外开放水平的提高。

**三、从“三个一”到“五个进”，南宁市精神文明建设的几点启示**

精神文明建设要选准切入点，寻找载体。载体是手段，是两个文明建设的结合点，是把中央关于精神文明建设的要求抓细抓实抓好的有效途径。要把精神文明建设活动提高到一个新的水平，必须要结合新形势，分析新情况，努力寻找与之相适应的新载体。选择载体要从本地实际出发，符合群众的意愿，得到群众的认可，这样精神文明建设才能取得实效。“三个一”的实践证明了这一点。南宁市在巩固“三个一”基础上不断丰富活动载体，推出新内容、新做法。通过“五个进”进一步加强城市基础设施建设，抓好创建文明小区这一文明城市的基础工作，推进优质服务网络化、群众文化活动有序化。发动群众从身边的文明言行、美化绿化、环境保护做起，参与创建活动，初步探索出了具有南宁特色的精神文明建设新路子。

精神文明建设要以提高市民的素质和城市文明程度为着力点。社会主义精神文明建设的根本目的，是提高人们的思想道德素质，培养“四有”新人。南宁市在创建文明城市的实践中，无论是“三个一”还是“五个进”，其着眼点都在于提高市民文明素质和城市文明程度。抓“三个一”的直接目的是整治环境卫生，整顿交通秩序，树立窗口形象，表面看来好像只是规范人的外部行为表现，其实不然，经过严谨的外部行为约束和训练，就会促进和培养人们内在的精神气质，逐渐养成良好的道德品格。抓“五个进”，树立环境优美、交通有序、文化繁荣、言行文明、社会安定、经济发展的壮乡首府新形象，则进一步提高了市民文明素质和城市文明程度，推动全市精神文明创建活动的深入开展。

城市精神文明建设要以解决群众关心的热点、难点问题为启动点。只有从人民群众的利益出发，尊重群众的首创精神，把精神文明建设的目标任务同实现人民群众的利益结合起来，创造性地开展活动，精神文明建设才有广泛的群众基础。各项创建工作才能得到人民群众的认可、支持、参与，把实事办好，好事办实，从而改善党群关系，树立党和政府的形象。几年来，南宁市在创建文明城市过程中，坚持不懈地面向群众，依靠群众，服务群众，把着眼点始终放在与群众利益密切相关、为群众所欢迎的事情上，始终坚持把群众是否拥护、赞成、高兴、满意作为衡量创建活动是否成功的标准，把解决群众关心的热点问题和迫切需要解决的实际问题作为创建工作的重点和着力点，使创建文明城市的工作得到广大人民群众的拥护、支持和积极参与。“三个一”和“五个进”都是把创建文明城市的活动作为一项顺民心、得民意、为民造福的实事工程来抓，开展“三个一”、“五个进”的过程就是为民办实事的过程，也是人民群众参与创建的过程。

精神文明建设要以促进经济发展、扩大对外开放和社会进步为立足点。精神文明建设要把各项活动与经济建设有机融合起来，融入经济建设的各个环节中去，要以是否促进经济建设、社会发展作为检验活动效果的标准，只有这样，才能得到人民群众的广泛支持，才能产生凝聚力，才会有强大的生命力。南宁市以“三个一”和“五个进”为切入点，开展精神文明创建活动，提高了市民的思想道德和科学文化水平，全市人民不断解放思想、转变观念、振奋精神，进一步树立了与改革开放和社会主义市场经济相适应的新观念。在创建活动中，自觉把创建文明城区同加强城市规划建设管理、树立城市形象、改善投资环境、提高市民生活质量结合起来；把创建文明村镇同广大农民求发展、奔小康、建设社会主义新农村结合起来；把创建文明行业同提高效益、改进服务结合起来。树立了良好的对外开放新形象，推动了经济的发展和社会的进步。

精神文明建设要以跨世纪可持续发展为结合点。可持续发展是一种新的全面的发展观，可持续发展与精神文明建设是辩证的统一关系，精神文明建设是可持续发展的题中之意，是不可缺少的重要组成部分，它的实施对精神文明建设提出更高的要求。精神文明建设为可持续发展提供正确的方向、智力上的支持。

（广西壮族自治区文明办）

## 海南省儋州市

# 自我加压 开拓延伸 提高创建文明村镇工作水平

儋州市坚持“两手抓，两手都要硬”的方针，在狠抓物质文明建设的同时，加大工作力度，促进精神文明建设跃上新台阶，推动了全市经济社会的协调发展，荣获“全国创建文明村镇工作先进市”称号。

### 一、深化认识，推进思路创新

加强精神文明建设首先要结合实际，从思想上解决好“抓什么”、“怎样抓”的问题。近年来，儋州市把塑造儋州形象作为精神文明建设的重要内容，大抓“五化”建设（即硬化、绿化、净化、亮化、美化），市区面貌焕然一新。1998年11月，全省精神文明建设工作会议召开后，他们审时度势，创新思维，提出了“紧扣创建文明村镇工作先进市目标，把精神文明建设由市区向农村延伸，努力实现新的跨越”的工作思路。起初，一些人有不同看法。有的同志说“农村基础差，工作难度大”；也有的人议论“农村经济发展了，人的素质就会自然提高”；甚至有人认为“抓农村精神文明建设是作表面文章”。针对这种状况，采取措施，下决心纠正这些思想偏差。一是学习理论，提高认识。建立健全学习制度，以自学、培训和“周六集中学习日”的形式，组织干部群众紧密联系儋州实际，反复学习邓小平、江泽民等关于精神文明建设的论述和党的十四届六中全会《决议》，使干部群众对农村精神文明建设的认识有了新的提高。二是组织讨论，统一思想。利用《儋州报》、市电视台和广播电台，发表领导讲话和理论（调研）文章，在全市范围内广泛开展加强农村精神文明建设的专题大讨论，纠正“一手硬，一手软”现象。三是外出考察，转换脑筋。先后10多次组织市四套班子、乡镇领导干部以及部分农村党支部书记到中山、深圳、大连、张家港和华西村考察，对照先进，查找差距，开阔眼界，增强紧迫感。通过一系列有效措施，统一了干部群众思想，全市掀起了创建文明村镇的热潮。

**二、抓住关键，实现重点突破**

创建文明村镇必须从群众切身利益抓起，这是在实践中得出的基本经验。着重在6个方面上求突破：第一，在转变农民思想观念上求突破。针对农民存在保守、愚昧、落后的思想状况，利用会议、广播、专栏、标语等形式，宣传党的方针、政策；组织农民“走出去”，学习先进经验，增长见识，使思想观念逐步从因循守旧向适应市场经济转化，推动全市农村经济的持续发展。第二，在强化农民致富手段上求突破。以市农业实用技术培训学校为依托，加强农业新技术培训。从山东、浙江、广东等地以及中国热带农业大学（研究院）邀请专家，举办海水养殖、瓜菜种植、禽畜饲养等培训班26期，参加培训人数达6100多人（次）；全市科技示范户（点）3478个。第三，在整治农村生活环境上求突破。坚持环境整治和环境建设相结合，把重点放在乡镇驻地和自然村上，全市25个乡镇驻地有23个硬化了主要街道；1282个村庄通路、1117个村庄通电、170个村庄通电话，16个乡镇驻地通有线电视；改厕4.8万个，改水受益人口7.5万；全市村镇呈现出一派文明、有序、卫生的景象。第四，在满足农民精神文化需求上求突破。狠抓乡镇文化站“创优达标”工作，新建一批农村文化（广播）室和篮、排球场；举办儋州“调声”万人赛歌会；组织歌舞下乡42场，电影下乡267场，图书下乡4.7万多册；全市基本消灭了广播、电视信号覆盖“盲点”，较好地解决了农村看戏难、看书难、看电影难、看电视难问题。第五，在推动农村移风易俗上求突破。针对农村封建陋俗有所抬头、蔓延的趋势，从遏制农村结婚索取聘金、大操大办陋俗入手，推行农村婚俗改革；从禁止带有封建迷信色彩的“做斋”活动入手，开展创建“无斋乡镇”活动；从刹住宗族宗派行为入手，化解农村各种矛盾和磨擦，营造农村文明的社会环境。第六，在增强农民法规意识上求突破。抓住农村存在的社会治安问题，广泛开展“五法二例”教育（宪法、刑法、婚姻法、森林法、土地管理法和计划生育条例、治安管理处罚条例）；结合典型实例，组织违法人员现身说法；发动群众订立村规民约，积极创建“安全文明小区”，农民法规意识不断增强。

**三、树立典型，发挥示范作用**

抓先进典型是凝聚人心，鼓舞斗志，推动文明村镇创建工作协调开展的重要工作方法。为了充分发挥示范带动作用，儋州市做到了“三个抓”：第一，抓典型树立。根据各乡镇条件不同的实际，分别确定不同类型的典型，并经市委、市政府确认后，在报纸、广播、电视上公布名单；召集国土、建设、规划、电力等部门下乡现场办公，解决文明村镇创建工作的难题；抽调千名干部进村驻点抓典型，在人力、物力、财力上向典型倾斜；树立了中和镇、长坡镇、响村、清塘村、里仁村等一批创建文明村镇工作新典型。第二，抓典型运用。通过媒体宣传、现场参观、经验交流、印发简报等多种形式，先后推出王五镇、白马井镇、茶山新村等先进典型，发挥典型的示范带动作用。王五镇是个地处“五不靠”（不靠市区、不靠国道、不靠港口、不靠开发区、不靠旅游景点）的乡镇，镇委、镇政府发扬艰苦创业精神，多方集资670万元搞“五化”建设，被评为“全省环境优美小城镇”。及时总结、推广王五镇的经验，使这个典型产生了强烈的社会效应，促进全市文明村镇创建工作的蓬勃发展。第三，抓典型巩固。坚持典型标准，不断强化典型的自我完善和自我提高，防止典型滑坡、流于形式，使老典型进一步充实内涵，不断创造新经验，始终保持着旺盛的生命力。

**四、健全机制，促进工作落实**

在创建文明村镇工作中，儋州市着眼于完善工作机制，成立了“儋州市精神文明建设指导委员会”，印发了《中共儋州市委、儋州市人民政府关于加强文明村镇建设的通知》、《儋州市创建文明村镇活动实施细则》等，建立健全“五级”责任制：一是四套班子责任制。市四套班子每人负责联系一个乡镇，每月利用10天时间深入联系点调查研究，指导工作，为联系点解决创建工作中的实际问题。二是机关单位责任制。市直机关4—6个单位联合包一个乡镇，确定第一、第二责任人，并负连带责任；全年市直机关积极协助乡镇党委、政府抓好文明村镇创建工作，筹资280.5万元，为群众办实事217件。三是职能部门责任制。市文明委以及宣传、组织、建设、规划、工青妇等部门，结合实际，制定创建工作计划，充分发挥职能作用；坚持定期或不定期地深入基层，了解工作进展，区别对待，分类指导，保障创建工作步入制度化轨道。四是乡镇党政责任制。乡镇党政第一把手对本乡镇创建文明村镇工作负总责，乡镇班子领导成员负具体责任；把创建工作当作一件大事来抓，力求抓一件成一件。五是村级组织责任制。以农村党支部为核心的村级组织，立足实际，深入发动，带领群众艰苦奋斗，共建文明家园。实践证明，科学的工作机制，杜绝了摆“花架子”的形式主义，为儋州市文明村镇创建工作注入了生机和活力。

（海南省文明办）

# 四　川　省

## 加强少数民族地区精神文明建设

中国是一个多民族的社会主义国家。少数民族聚居的地区，习惯上称为“民族地区”。加强社会主义精神文明建设，必须把民族地区的精神文明建设搞好。民族地区的精神文明建设，应该从民族地区的实际出发，特别注意贯彻党的民族政策和其他各项政策。

**一、改革开放推进了民族地区的社会主义精神文明建设**

自改革开放以来，特别是党的十二大作出了建设物质文明的同时努力建设社会主义精神文明的战略决策以来，四川民族地区认真贯彻中央的战略决策，实行两个文明一起抓，取得了显著成效。各族群众的思想道德素质和科学文化素质有了提高，民族地区精神文明建设取得了新的成绩。

进行爱国主义和社会主义教育。多年以来，四川省少数民族地区普遍开展了实行民主改革的纪念活动，广泛宣传民主改革是民族地区团结进步的必由之路；只有走社会主义道路，各民族才有繁荣昌盛的光明远大前景。改革开放20年来，民族地区经济发展，政治稳定，人民生活改善，这些生动的事实，进一步激发了各民族群众建设社会主义的积极性。

坚持进行“两个离不开”（即少数民族离不开汉族，汉族离不开少数民族）的教育，平等、团结、互助的社会主义民族关系不断巩固和发展。四川省民族地区在“两个离不开”教育中，从中国是一个统一的多民族的社会主义国家、四川是多民族省份这一基本情况出发，反复宣讲各民族共同缔造了伟大的中华，共同开发了四川，共同抵御了外来的侵略，维护了国家的统一。长期的教育使许多人认识到：党的民族政策好。各民族一律平等，少数民族和汉族是骨肉兄弟，谁也离不开谁。“西藏是中国领土不可分割的一部分”、“维护祖国的统一和民族的团结”成为各族群众的共识。

教育科技文化事业有了新的发展。四川省民族地区农村、牧区学龄儿童入学率和巩固率都有提高，多数藏、彝族聚居乡办起了寄宿制学校(班)，藏、汉和彝、汉双语教学体系初步形成。在培育良种、防治病虫害、建立人工草场、培训技术人员和信息服务等方面都有新的成绩。四川省民委和省科协联合组织的民族地区科普宣传队，在农村牧区宣传科普知识、推动实用技术应用、培养科普人才、促进信息交流等方面起到了积极作用，收到了良好的经济效益和社会效益。农村牧区的文化设施建设有所加强，区有文化站或文化中心，多数乡有文化站和有线广播站，有卫生所或医疗站，农村牧区缺医少药的状况有了改变。各少数民族传统的体育活动和文化娱乐活动在城乡继续开展，活跃了群众文化生活。各民族传统文化在与现代文明溶合中得到继承和发扬。

**二、民族地区精神文明建设的基本思路**

民族地区精神文明建设，在总体指导上要从实际出发，首先要充分考虑到少数民族地区因社会发展阶段滞后，在经济、政治、文化和社会生活各方面所遗留的痕迹。要把党中央关于社会主义精神文明建设的指导方针和根本任务，同当地实际密切结合起来，区别不同民族、不同地区、不同层次，提出不同的具体要求，采取各民族群众乐于接受的形式，把先进的要求和当地群众性的愿望结合起来，并且经过一定的民族形式贯彻实施。精神文明建设要有规划，有措施，同时注意讲求实效，循序渐进。

在思想教育方面：

爱国主义教育。民族地区的爱国主义教育，要突出各民族团结奋斗、共创中华的辉煌过程，以增强爱国主义热情，把爱本民族同爱整个中华民族有机统一起来，把维护本民族的利益同维护国家利益、增强民族团结、巩固祖国统一一致起来。近些年在民族地区进行的“两个离不开的教育”很有成效，要利用各种形式，抓住各种机遇，继续深入开展。

社会主义教育。帮助各族同胞认识只有社会主义才能救中国，才能发展中国，才能发展少数民族和民族地区的道理。讲清楚新中国成立50年来，中国大地上发生的巨大变化，说明坚持社会主义方向是正确的；在中国实现社会主义，必须从国情出发，走自己的路。特别要帮助各族同胞认识，经过20年的改革开放，我们已经找到了一条建设有中国特色的社会主义道路，沿着这条道路坚定不移地走下去，就一定能够把中国建设成为富强、民主、文明的社会主义现代化强国，一定能够使我国56个民族在新的世纪跻身于世界先进民族的行列，屹立在世界东方。

集体主义教育。重点是关于国家、集体、个人三者利益关系的教育。要帮助引导各族同胞认识我国是社会主义国家，从根本上讲，国家利益、集体利益和个人利益是一致的，但在某些时候、某些问题上也会产生矛盾，处理的原则是“三兼顾”，要发扬集体主义精神，维护国家和集体利益。

党的基本路线和政策的教育。为了培育一代又一代“四有”新人，推动民族地区社会经济发展，迎接民族地区市场经济起步，必须坚持不懈地对干部、群众进行建设有中国特色社会主义的基本理论和基本路线的教育。要结合本地区实际，用少数民族群众喜闻乐见的形式继续广泛深入地进行“一个中心，两个基本点”的基本路线教育。要针对民族地区干部、群众的实际情况，从理论和实践的结合上阐明党的十一届三中全会以来党在民族地区的一整套方针政策的科学性、正确性和连续性。

形势教育。新中国成立50年来，特别是党的十一届三中全会以来，民族地区经济文化落后的面貌发生了巨大的变化，这已是不争的事实。中国各民族的大团结和中国的统一是稳固的，这是我国社会进步、经济发展、政治稳定的重要保证。取得成就最基本的经验，就是党和国家始终把马克思主义基本原理同中国多民族国家的具体实际相结合，坚持民族平等、团结、互助的原则，坚持实行民族区域自治制度，大力帮助少数民族地区发展经济文化，大力培养民族干部，尊重少数民族的语言文字、风俗习惯、宗教信仰，走出了一条具有中国特色的解决民族问题的正确道路。要通过形势教育使各族同胞更加珍惜全国各民族亲密团结的大好局面，进一步巩固和发展这一大好局面。

在群众性精神文明建设活动方面：

利用民族传统节日开展群众文化娱乐活动和民族体育活动，寓教于乐，丰富群众文化生活。同时注意把这种文化活动同扩大对外开放、招商引资联系起来，引导少数民族文化溶入现代文明的大潮中。

开展群众性卫生活动，提倡文明健康的生活方式。宣传计划生育政策，树立优生优育的生育观。坚决制止贩毒吸毒、卖淫、赌博等丑恶现象，严厉打击偷盗、抢劫等犯罪活动，维护社会治安，保持社会稳定。

带领发展商品经济，引导农牧民脱贫奔小康，推动科技的普及和推广应用，带领群众实现共同富裕。

**三、继承和发扬自力更生、艰苦奋斗精神，加快民族地区经济文化发展步伐**

民族地区底子薄，基础差，经济发展水平不高。目前民族地区经济基本上是农村经济，工业所占比重不大，而且发展中困难较多。开发建设农村牧区要靠两条：一条是国家的扶持和内地先进地区的帮助；一条是自力更生，艰苦奋斗。在精神文明建设中，要大力倡导继承和发扬自力更生，艰苦奋斗的优良传统，树立热爱劳动，崇尚节俭，艰苦拼搏，自强不息的精神，进一步解放思想，以经济建设为中心，走出贫困，奔向小康，使民族地区社会主义现代化建设出现新气象。

加强民主法制建设是精神文明建设的重要内容。要切实加强民主法制建设，搞好社会治安综合治理。干部、群众都要树立民主法制观念，既要维护自己的民主权利，又要遵纪守法。要动员各方面的力量，齐抓共管，综合治理，整治社会治安秩序，确保民族地区社会稳定。

发展民族地区的教育科学文化事业，必须逐步增加教育、科技和文化事业的投入。思想道德建设应和科学文化建设齐头并进，同步发展，为民族地区培养更多更好的人才，使少数民族的思想道德素质和科学文化素质进一步提高。

（四川省文明办）

## 四川省绵阳市

# 建设经济社会协调发展的文明城市

近年来，绵阳市委、市政府不断加大创建文明城市的工作力度，切实提高创建水平，初步实现了物质文明与精神文明、个人文明与社会文明、人的文明与环境文明的协调和发展，取得了明显成效。

**一、把创建文明城市作为经济社会可持续发展的重要环节来抓，努力实现物质文明与精神文明的协调发展**

创建文明城市既是促进经济社会协调发展的重要结合点，又是城市发展所应追求的重要目标。市委、市政府抓住省委、省政府在绵阳进行加速“两转变”改革试点的机遇，加大改革力度，取得了国有企业机制大转换、结构大调整、资产大重组和全面推行社会保障制度等方面的重大突破，保持了经济持续稳定增长，为创建文明城市打下了坚实的经济基础。同时加快文明城市建设步伐，制定了“天蓝、地绿、水清、人和”的创建目标。投资20多亿元，进一步加大城市基础设施建设力度，开发和完善城市功能，大力开展多种群众性创建活动，使城市两个文明建设水平不断迈上新台阶。

**二、以提高市民素质为根本，努力实现个人文明和社会文明的协调发展**

一是坚持用科学的理论和正确的思想武装市民的头脑。结合绵阳两个文明建设的实际，组织干部群众深入学习邓小平理论和党的十五大精神。在全市开展了第四次解放思想大讨论，引导广大干部群众解放思想，转变观念，正确处理改革、发展与稳定的关系，眼前利益与长远利益的关系，树立创新意识、竞争意识、整体意识和与市场经济相适应的就业观、分配观、义利观。

二是抓文明行为养成。坚持“扬善、自律、引导、法律”四举并用，不遗余力地引导人们学楷模、讲道德、扬正气、树新风。同时，把规范市民文明言行与学法用法结合起来，教育市民自觉遵守城市管理法规和市民守则。开展了“自觉告别不文明言行”活动，大力提倡从我做起，为他人着想，向社会负责，自觉遵守公共道德。依托街道和共建组织，开办文明市民学校及各种精神文明培训班，向广大市民普及文明卫生常识，促进市民的文明习惯养成。

三是抓实践活动。按照中央文明委关于深入开展“讲文明树新风”活动的部署，注意把这一活动向基层延伸辐射，落实到每个人的实际行动中。第一，把“讲文明树新风”活动与开展创建文明城市、文明县城、文明村镇竞赛活动结合起来，以市区带动县城，以县城带动乡镇，以乡镇带动村社。第二，选择不同地区、不同行业确定40个“讲文明树新风”示范点，定期进行检查指导，开展行风评议。现已有供电、邮电、国税3个系统建成市级文明行业。第三，在市级机关开展创建文明科室、文明机关活动。第四，在居民区开展“社区服务”活动。市政府出台了加强社区建设的若干规定，广泛发动各共建单位和居民群众，大力发展社区服务事业，为下岗职工创造新的就业岗位。第五，在青少年学生中开展学英模活动，在企业职工中开展奉献在岗位活动，在全体市民中开展“送温暖、献爱心”活动。这些活动的开展，有力地促进了城市文明程度的提高。

（四川省文明办）

## 四川省巴中地区

# 立足民情　突出重点　搞好文明新村建设

**一、立足区情，深化认识**

文明新村建设是巴中地区经济发展、农民脱贫致富的现实选择。经济落后是巴中地区农村的主要矛盾，尽快脱贫致富是农民的共同愿望。加强农村精神文明建设，必须以经济建设为中心，以引导农民脱贫致富奔小康为主题，以提高农民思想道德和科学文化素质，建设社会主义新农村为目标。因此，以“五改三建”（即：改水、改路、改厨、改厕、改圈，建池、建园、建家）为内容，以“三室两校”（即：图书室、广播电视室、党员活动室，农民学校、党校）为阵地，以“井池园机配套、种养加运结合”为经济发展特色，突出为农民群众办实事，解决好群众迫切要求解决的问题，在全区大力推进文明新村建设。

文明新村建设是巴中地区农村改革与发展的示范工程。近几年，地委、行署始终抓住巩固发展农村家庭联产承包责任制这个核心，把文明新村建设作为农村改革与发展的示范工程，坚持与农业基础建设，扶贫攻坚相结合；坚持把农户的间接效益与直接效益相结合；坚持与调整农村经济结构相结合，带动了全区农村经济和社会的全面发展，促进了农村稳定。

文明新村建设是巴中地区农村两个文明建设一起抓的最佳载体。农村精神文明建设必须紧紧抓住培育“四有”社会主义新型农民这个根本任务，围绕发展社会主义市场经济，实现兴农富民奔小康，这是广大农民群众的根本利益所在，也是农村精神文明建设的出发点和落脚点。文明新村建设，既能引导农民脱贫致富，又能加强农村文化建设，满足农民的精神文化需求，是农村两个文明建设一起抓的重要载体和具体体现。

**二、虚实结合，突出重点**

以池园经济为特色，加快农民脱贫致富步伐。在文明新村建设实践中，地委、行署探索出了“井池园机配套，种养加运结合”为特色的池园经济路子，不仅使扶贫攻坚到村到户落到了实处，而且为农民脱贫致富开辟了新路。池园经济建设即是把千家万户打井、建池、修路、办园、发展农机与发展庭院种植、养殖、加工、运销，改善生产、生活条件结合起来，实现饮用、灌溉、养殖、消防、美化“五位一体”，即解决人畜“保命水”、农作物“保苗水”，带动水禽、水产、林果业、加工业、运销等家庭种养加运大发展，又与建设文明庭院有机结合，形成独具特色的“池园经济”和“池园文化”，千家万户连成一片，形成了潜力巨大的经济增长点和独具特色的大巴山精神文明建设风景线。

以“三室两校”为阵地，切实提高农民素质。首先，建好村图书室，让农民有书看；加快农村有线电视进村入户的步伐，让农民有电视看；建好党员活动室，充分发挥党支部的战斗堡垒作用和党员的先锋模范作用，让农民有榜样看。同时建设农民学校和乡镇党校。其次，充分发挥“三室两校”的作用。坚持通俗、直观、生动、形象的原则，以中宣部等五部委编写的《农民思想教育读本》和《农民实用技术读本》为主要教材，紧密结合地、县、市、乡、村的实际，采用组织农民参观、现场讲解和播放农业知识教学片等多种形式，系统地对农民进行教育。农民的思想观念明显改变，民主法制意识逐渐增强，90%的农户中都有1人掌握了1门以上的实用技术，成为脱贫致富，文明新村建设的“明白人”和带头人。

以评选“三户”为动力，搞好农村精神文明建设的“细胞工程”。在评选活动中，充分发动群众，农民积极参与，采取农民自己对照“三户”标准，填表申报，自我评估，自报公议，公开发牌，同时建好“三户”档案，半年一初评，年底一总评，实行动态管理。全区共评选“三户”68万户。

以扩大基层民主为内容，增强农民主人翁意识。一是实行村务财务公开，建立村级财经强化民主管理；二是改革乡村财税分配办法，落实税收返还政策；三是民主竞选支书、村主任，按照“公开、公平、竞争、择优”的原则，面向社会公开选拔村干部。实行兼职减员，提高村干部报酬。

**三、科学规划，分步实施**

一是因地制宜，分类指导。要求“村村点火”，每个村必须集中力量抓一个社，从而示范、带动全村。在具体实施过程中，把经济条件好，地、县、市命名的108个小康村和部分省、地级文明村作为首批建设示范村；大面积建设中间村，从财力，物力上给予支持，做到既因村、因户制宜，又分类帮扶、指导。

二是齐抓共建，形成合力。地委提出了县级和乡镇工作抓文明新村建设，小集镇建设，日常工作和机关干部分流“四大板块”工作运行方式，各级党委书记亲自挂帅抓文明新村建设，农村的各项工作都在文明新村建设中体现，依次指导和带动全乡农村工作的开展。各级领导都把文明新村建设作为干部任期内目标，一届一届地抓下去，不能因班子换届、主要领导变动，而改变文明新村建设规划。地、县、市级部门以文明新村建设为己任，落实责任，搞好优质服务，从资金上给予重点帮助。

三是抓点示范，带动全面。地、县（市）、区、乡（镇）坚持层层抓点，以点带面，整体推进，地县市领导都 把自己的扶贫联系点作为文明新村建设联系点，用示范去带动和辐射周围农民，让农民在“远与近”、“今与昔”的比较中，看到文明新村建设的优越性，增强建设文明新村的自觉性，从而全面启动文明村社的建设。地区抓好61个村，各县、市抓好266个村作为文明新村建设示范点。这些示范点，为全区文明新村建设树立了样板。

（四川省文明办）

## 西藏自治区林芝县

# 突出重点 用好载体 大力加强精神文明建设

林芝县位于藏东南，总面积1万多平方公里，辖6乡1镇，108个行政村，人口1.6万人。林芝县紧紧围绕小康建设这个中心任务，广泛开展以揭批达赖、反对分裂、维护祖国统一为主要内容的爱国主义、集体主义、社会主义教育，并结合本县实际制定了1999年至2000年精神文明建设规划及城镇建设规划，扎扎实实地把精神文明建设推向前进。具体做法是：

**一、把思想道德教育贯穿于精神文明建设过程中，着力解决农牧民群众的精神支柱和精神动力问题**

县委、县政府成立了以县委书记为组长的精神文明建设领导小组。县领导经常深入各乡村，了解农牧民群众的思想动态和精神文明建设工作，有针对性地开展思想道德教育和精神文明建设。针对基层部分党员和干部群众在市场经济条件下发生的理想信念淡薄、对达赖集团反动本质认识不清、思想不够解放、受宗教的影响和束缚还比较严重等问题，狠抓了四个方面的教育。

一是邓小平理论教育，用这一理论武装党员，教育群众。利用每年的农闲时间，举办培训班，每期15天，将基层党员干部轮训一遍。要求掌握邓小平理论的基本观点，坚定建设有中国特色社会主义的信心。再由基层党员干部对群众进行教育，使邓小平理论走进千家万户。

二是党的基本路线和新时期党在农村基本政策的教育。通过教育，澄清了群众中存在的模糊认识，消除了怕政策变的疑虑，群众更加深刻地认识到，生产生活的巨大变化，不是神灵赐福，也不是运气好，而是党的政策好，进一步坚定了奔小康的信心。

三是反分裂斗争教育。动员群众通过新旧对比等方法，揭露达赖分裂祖国、妄图复辟封建农奴制的反动本质。群众通过和平解放以来西藏在中央的关怀下，在兄弟省市的支援下取得的辉煌成就，认识到西藏只有在中国共产党的领导下，在祖国大家庭里才有幸福的今天和更加美好的明天，从而自觉地与达赖集团划清界限，坚定地维护祖国统一和民族团结。

四是唯物论、无神论教育。从普及科学知识和技术开始，通过科技示范等方法，把群众从宗教的束缚中解脱出来，引导群众崇尚科学，破除迷信。县里派出工作组到各乡镇，一方面进行科普宣传，解决农牧民生产生活中存在的问题，另一方面检查科普工作的落实情况。配合地区在百巴镇开展“崇尚科学文明，消除迷信愚昧”群众性自我教育活动，并将经验在全县推广。通过教育，群众的宗教观念明显淡化，科学意识明显增强，思想进一步解放，许多群众自觉地撤掉了家中的经堂，把神像交到政府，并主动索要科普书籍。

**二、用好载体，扎实开展群众性精神文明创建活动**

充分利用文化馆、站、室开展活动。县政府先后投资近25万元，兴建了县城多功能文化馆、4个文化站，还为各乡文化站、村文化室增加了一批价值5000元的图书，全县106个行政村都有文化室。利用这些设施，组织农牧民开展读书活动，进行文化、科技知识培训，举办歌咏比赛，不仅丰富了群众的文化生活，还增强了群众的文化意识，学习文化，追求文明，已在全县形成了时尚。

县工、青、妇，县综治委经常深入基层，开展“创建五好文明家庭”、“巾帼建功”活动，发挥道德评议会、老年协会、妇女禁赌会、计划生育协会等群众组织作用，依靠大家做好工作。运用舆论和社会的力量，增强道德规范的约束力。1999年7月共青团林芝县委、妇联、县综合治理委员会对57户“五好文明家庭”、3个“巾帼文明示范岗”和1个“青年文明号”进行表彰。

坚持不懈地开展文化、科技、卫生“三下乡”活动。每年拿出专项资金积极组织送图书、电影、戏曲、科技、医疗卫生下乡。根据民间传统，开展响箭、马术比赛等体育活动。

依法加强对文化市场的管理，营造健康向上的文化氛围。县精神文明领导小组、文化局会同公安、工商、税务、纪检、监察、新闻宣传等单位和部门，采取有力措施，齐抓共管，形成合力，在全县范围内开展了以城镇为重点的禁赌行动，取缔了卖淫嫖娼，清理整顿了一批不法业主和赌徒，从而有力地净化了社会环境。

进行综合治理，提供安全、祥和的生活环境。调整充实了县综合治理委员会和县普法工作领导小组，补充完善了《乡规民约》、《村规民约》，与各乡（镇）签订了《目标管理责任书》。根据综治委统一安排，县检察院、法院、公安局多次走上街头开展法律咨询服务，接受群众举报，共出动政法干警200人，宣传车20台次，散发材料30万份。县教育局、法院联合在各学校举办多场法制宣传讲座，这些活动的开展有力地配合了严打斗争，打击了各类刑事犯罪活动，确保了社会局势稳定和综合治安状况的好转。

由于精神文明建设扎实有效，林芝县被评为全国精神文明创建工作先进县，受到中央文明委的表彰。

（西藏自治区文明办）

# 陕　西　省

## 加强领导　健全机制　推动精神文明建设持续深入发展

陕西省在贯彻落实党的十四届六中全会《决议》和十五大精神的过程中，狠抓精神文明建设领导体制和工作机制建设，有效地克服了工作中存在的“一手硬、一手软”的问题，使全省精神文明建设呈现出健康活跃、持续深入发展的良好局面。

**一、建立主要领导挂帅的领导体制，是切实做到“一把手抓两手”的关键**

在全省各级自上而下地推行“一把手工程”，省委书记担任省文明委主任，省长担任省文明委副主任，主管副书记、常委宣传部长和主管副省长担任省文明委副主任。相关厅局和部门主要领导担任文明委委员，组成省精神文明建设指导委员会。各市地、县和各厅局、行业，均按照这一格式组成文明委，形成“一把手”负总责，“一班人”齐抓共管，各方协调配合的领导体制。由于各级“一把手”主持文明委，提高了领导机构的规格，增强了领导的权威性，加大了领导力度。不断加强各级文明办的机构、队伍建设。全省市地文明办绝大部分是正县级建制，内设3—4个科室。其中西安市为正局级，内设3个处室；各县（区）均设置了文明办，为正科级。调配得力干部充实文明办工作队伍。各厅局、行业，由一位副厅局级领导主抓文明办工作，配备正处级干部负责文明办的日常工作。形成了条块结合、纵横交错的强有力的组织领导系统，使精神文明建设的各项工作能够铺得开、推得动、有声势、有力度。

**二、推行目标责任制，是改变“一手软”状况的有效途径**

改变精神文明建设这一手比较软的状况，要有有效的途径和具体措施，否则就会成为嘴巴上“硬”、文件上“硬”而工作中依然“软”，或者出现“一时硬，一时软”的现象。从1991年起，陕西省在全省推行精神文明建设目标责任制，对克服“一手软”收到良好的效果。

每年年初，省文明办将精神文明建设的年度工作目标和任务进行分解，形成市地开展群众性精神文明创建活动《任务书》和行业开展“创佳评差”竞赛活动《任务书》，在全省宣传部长暨精神文明建设工作会议上举行签字仪式，由省委省政府领导分别与市地、厅局领导在任务书上签字，形成目标责任。市地、行业根据任务书，结合各自的实际和特点，再将任务分解，与县区和下属单位签订任务书。这样层层签订任务书，就使精神文明建设的各项工作任务明确，责任落实，伸向基层。

市地和行业按照任务书的要求，统一部署，制定措施，设计载体，开展活动。省文明办深入市地和行业基层，调查研究，掌握情况，协调关系，加强指导，及时把工作情况通报交流。年中，省文明办分别召开市地文明办主任会议和行业“创佳评差”汇报会，总结工作，发现问题，根据新的情况调整工作部署，稳步推动工作。年末，以省委、省政府名义组成精神文明建设工作年度检查、考核团，分赴各市地、行业进行检查。通过听取汇报、查阅资料、召开各界人士座谈会、观看录像、分组实地考察等方法，对市地、行业基层单位的创建工作进行综合考评，并形成考评意见向市地和行业领导反馈。同时，组织行业对“创佳评差”竞赛活动进行联评。评比考核采取量化打分的办法，根据综合成绩排出市地和行业的次序，作为省委、省政府表彰奖励的依据。省文明办在半年和年末均要对目标责任制推行情况进行小结和总结，并向省文明委全委会汇报，向各市地、行业通报。

**三、强化激励机制是推动精神文明建设持续深入发展的强大动力**

要想使精神文明建设的各项工作不断深化，持续发展，就必须建立起激励机制，不断强化其功能和效应，给工作注入活力和动力。陕西省在建立激励机制上主要抓了以下几项工作：一是建立评比奖罚制度。在推行精神文明建设年度目标责任制的基础上，每年评出先进市地、最佳厅局、最佳单位、省级文明单位和各级各类先进集体和个人，同时还要评出相对后进市地、行业和单位。在一年一度的宣传部长和精神文明建设工作会上，宣读评比结果，以省委、省政府的名义隆重表彰、奖励先进，命名先进称号，通报批评后进，并将评比结果在《陕西日报》公布，各新闻媒体予以报道。这种高规格大力度的奖罚，引起了各级领导的高度重视，成为广大干部群众关注的热点。二是强化典型、标兵的示范激励效应。在省、地、县三级文明单位中树立文明单位标兵，评选“十星级文明户”标兵，树立各级各类创建活动的示范点，评选“十佳公仆”，推出英模人物和先进集体。充分利用新闻媒体广泛宣传这些集体和个人的先进事迹，召开现场会、座谈会推广先进经验，使广大干部群众和各地、各行业学有榜样，赶有目标。强化了先进典型的激励示范效应，形成比学赶帮超的良好氛围。三是强化监督。定期召开各界人士座谈会，听取他们对精神文明建设的意见、建议；定期邀请人大代表、政协委员视察工作；“窗口”行业聘请社会监督员，设置服务质量举报电话；定期组织新闻单位采访报道精神文明建设工作。这样就全方位地强化了对精神文明建设工作的监督，使各单位认真对待新闻媒体的曝光和人民群众的举报。四是动态管理。对各级文明单位和示范点，一律实行动态管理。每年对各级各类文明单位和示范点进行复查，凡工作水平下降，工作力度锐减或发生这样那样问题的，根据不同情况或黄牌警告或撤销所命名的称号。省文明办每年都要撤销一些文明单位并发出正式文件和在媒体上公布。这样就使得已挂上文明单位的不敢有丝毫松懈，不断采取措施深化工作，保持荣誉。

（陕西省文明办）

## 陕西省邮电管理局

# 以“五抓”促进优质规范服务

陕西省邮电管理局紧紧围绕行业中心工作，通过“五抓”，全面推行规范化服务，不断提高服务质量，有力地促进和保障了全行业各项任务的完成。在陕西省1999年“窗口”行业“创佳评差”竞赛活动中被评为最佳厅局，受到省委、省政府的表彰。

**一、抓认识，加强领导，是提高服务质量的前提**

陕西省邮电管理局通过狠抓邓小平理论教育和形势政策教育，使干部、职工充分认识电信行业所面临的激烈竞争局面，提高干部、职工对抓好优质规范服务重要性和紧迫性的认识，做到“四克服、四树立、四改变”。即：克服畏难情绪，树立机遇和挑战并存的观念，改变消极等待的作法，振奋精神，勇于搏击；克服重经营轻服务，重建设轻维护的思想，树立服务就是效益、就是生命线的观念，改变“一手硬、一手软”的偏差；克服垄断经营的思想，树立竞争日趋激烈的忧患意识，改变四平八稳的作风；克服“皇帝的女儿不愁嫁”的思想，树立“用户就是上帝”的观念，改变被动服务的状况，主动出击，占领市场。通过一系列的学习教育，干部职工充分认识到，面对国际国内两个市场的激烈竞争，服务质量的好坏关系行业的兴衰成败，生死存亡，只有不断提高服务质量，才能立于不败之地，求得发展。

在统一思想，提高认识的基础上，全行业自上而下组建“创评办公室”、服务质量稽查队、服务质量检查室，明确任务，落实责任，形成改进和提高服务质量工作网络，使服务质量工作有人管、有人抓，为全面推行优化规范服务创造了条件。

**二、抓教育，提高素质，是提高服务质量的根本**

陕西省邮电管理局抓住1999年大事喜事多的机遇，不断加强对干部职工的思想道德教育和业务技术培训。一是抓住新中国成立50周年大庆和澳门回归祖国两件大事，在全行业广泛开展“祖国颂、社会主义颂、改革开放颂”演讲比赛、歌咏比赛、知识竞赛、卡拉OK演唱等活动，使干部职工受到一次生动活泼的思想教育。二是以“迎城运、庆国庆”为契机，深化职业道德教育。第四届全国城市运动会在陕西举办是一件牵动全局的大事，陕西省邮电管理局抓住这一契机，在全行业广泛开展“创三优、塑形象”活动，强化职业道德教育，完善规章制度，加大工作力度，全力以赴地保障了通信畅通，受到陕西省委、省政府和四城会组委会的好评。三是强化业务技术教育培训。相继举办了传输维护、电信营业、因特网、数字数据网等专业培训；举办“Internet及IP电话发展研讨会”和“新技术新业务发展研讨会”；结合“三五”普法教育组织干部职工参加了《工业企业法》、《国家安全法》、《集会示威游行法》等法律的学习和知识竞赛等，不断提高干部职工的业务水平和法律意识。

**三、抓规范，量化考核，是提高服务质量的关键**

服务是电信行业永恒的主题。服务规范则是服务行为的准绳。陕西省邮电管理局以用户满意为标准，修订和完善各项服务规范。加强考核，扎实推进，进一步塑造电信企业的良好形象。主要抓了以下几项工作：一是把服务厅室的星等级服务内容和标准进行量化分解，从服务设施、服务功能、服务水平、服务质量、人员素质与服务纪律和服务监督6个方面详细分解服务任务，制定服务标准。在深入讨论，广泛征求意见的基础上，下发全行业执行，规范了服务行为。二是对每一项具体服务内容和标准，制定了“考核方法及依据”、“考核情况”、“应得分”、“扣分标准”等项目，对服务状况进行量化考核。三是建立健全规范服务管理体系，并逐步向 ISO0004—2 的国际服务标准体系过渡。1999 年至 2000 年在西安进行试点，2001 年在全省推开，争取以最短的时间使电信服务与国际接轨。四是利用已有的市话业务计算机综合管理系统，及时掌握服务质量标准，如装移机历时、障碍历时等，为改善服务质量提供科学依据。五是加强制度建设，先后出台了《电信服务网管理办法》、《计费系统管理办法》等一系列规章制度，使服务工作进一步制度化。

**四、抓活动，优化服务，是提高服务质量的有效途径**

陕西省邮电管理局以信息产业部开展的“树邮电新风，创优质服务”和陕西省在“窗口”行业开展的“创佳评差”竞赛活动为载体，组织开展各种活动，吸引广大群众参与，优化了行业服务。如开展星等级营业厅创建活动；举办全省“电信用户服务质量有奖征询”活动，向社会发放 10 万张征询函，并进行公开抽奖，花钱“买”意见，收到良好效果；开展社会“承诺服务”活动，并将“承诺服务”向行业内部延伸；开展用户“优先、优质、优惠”的三优服务活动，实行客户经理制，由专人上门服务，每月以磁盘或其他方式免费向全省 550 个大用户提供话费清单服务；在每年“3·15”消费日、“5·17”电信日和质量月，组织电信知识宣传和电信新技术、新业务展示和演示活动等。针对用户反映比较强烈的电话障碍修复、话费争议和公话服务等热点问题，团结一致、齐心协力采取过硬措施予以解决，为广大群众办了好事、实事。全行业干部和职工通过参加这些活动直接面对客户，听取客户的意见和要求，不断改进和完善服务方式和手段，提高了服务质量，以实际行动实践为人民服务的思想。实践表明，群众性的精神文明创建活动是提高服务质量，塑造行业良好形象的有效途径。

**五、抓监督，强化奖罚，是提高服务质量的保证和强大动力**

电信业是科技含量较高的行业，健全和完善监督体系对于提高服务质量尤为重要。经过多年的努力，陕西省电信行业已形成了较为完善的监督体系。内部监督：一是健全全省电信服务质量稽查队，组建服务质量检查室，与“双创办”组成三位一体的内部监督系统。二是坚持局领导用户接待日制度，坚持局领导及职能处室与基层单位联系制度和“创评办”与参赛单位挂钩制度，形成内部监督。三是加大检查频次和力度，实行月、季、半年、年终等定期检查，并及时将检查情况通报、曝光。外部监督：一是设立 180 投诉台，坚持 24 小时受理用户投诉，做到件件投诉有记录，有处理过程，有处理结果。定期对投诉情况进行统计分析，并将分析情况提供给领导和有关处室参考。二是聘请社会监督员，设立暗访暗查基金，实行有偿服务，定期反馈服务网点的服务情况。三是定期召开用户座谈会听取意见。四是定期向社会发放意见征询函，广泛接受社会监督。五是邀请人大、政协代表视察工作，监督行风建设。以上各方面形成全方位、多渠道的内外部相结合的监督系统，使服务方面存在的问题能够及时发现、及时处理和解决。

与此同时，加大了奖罚力度。对在创建活动中取得优异成绩的单位予以命名挂牌；在全年综合量化考核中“服务质量”在总分中占 26 分，经考核，每少一分者扣除单位当年新增效益工资的 5‰，且上不封顶；对服务质量方面出现的问题严肃查处。

实践表明，强有力的服务质量监督体系为全面推行优质规范服务提供了保障；而加大奖罚力度则为优质规范服务注入了活力和动力。

（陕西省文明办）

## 陕西省水电工程局

# 勇于创新抓创建　突出实效求发展

陕西省水电工程局是具有对国外承包工程资质和对国外进行经济技术合作经营权的国家水利水电施工一级资质企业。在企业发展过程中，从水利施工行业特点和市场需求出发，不断探索两个文明建设紧密结合，相互促进，协调发展的有效途径，为企业改革和生产经营提供了强有力的思想保证和智力支持。先后获得省级文明单位，省思想政治工作优秀企业，省先进基层党组织，省宣传思想工作先进单位及水利部、建设部先进企业等40余项省部级以上荣誉称号，1999年又荣获全国创建文明行业工作先进单位。

**一、始终坚持一个方针不动摇**

多年来，省水电工程局始终坚持“两手抓，两手都要硬”的方针不动摇，不断完善两个文明一起抓的领导体制和工作机制，并采取“一起抓、双承包、三结合、四同时、五经常”的成功做法，推动两个文明建设协调发展。“一起抓”就是党政工团分工不分家，两个文明建设齐抓共管；“双承包”就是把精神文明建设和生产经营一起纳入企业的发展规划，由各级领导班子实行任期目标双承包、双签字；“三结合”就是把创建文明单位、文明工地同深化企业管理和加强施工现场管理紧密结合，把开展职业道德、职业技能教育同增强质量、信守合同意识紧密结合，把开展企业宣传文化活动同增强企业竞争实力、塑造企业形象紧密结合；“四同时”就是坚持对两个文明建设任务同时部署、同时检查、同时考核、同时奖罚；“五经常”就是深入一线帮助指导要经常，针对性地开展思想教育要经常，宣传典型要经常，开展活动要经常，总结提高要经常。并在实际工作中注意强化以下四项保证措施：一是落实领导责任，明确党政一把手是精神文明建设的第一责任人；二是完善组织机构，健全各级精神文明建设指导委员会（领导小组）；三是细化目标措施，每年把精神文明建设的目标任务细化分解，落实到责任部门，半年检查，年终考核评比；四是不断加大硬件投入力度，逐步完善职工文化福利设施。从而保证了全局两个文明建设协调发展，同步前进。

**二、扭住两个创建塑形象**

在群众性精神文明创建活动中，结合本企业的实际，开展了文明单位、文明工地（车间）、文明小区、文明科室、文明家庭等创建活动。按照“注重实效，各有侧重，突出重点，全面推进”的要求，主要突出了文明单位和文明工地两大创建活动。

从1991年初，工程局就把文明单位创建工作作为重点，把创建活动与塑造企业形象、增强竞争实力联系在一起，与企业的生存发展联系在一起，与职工的切身利益联系在一起，在全局上下逐渐形成了人心所向、人人关注、人人参与的良好氛围。工程局三年迈了三大步，先后获得了区、市和省级文明单位称号，并连续保持至今。

文明工地创建是水利施工企业精神文明建设的前沿阵地，是两个文明建设的结合部和切入点。从1992年就推出了创建文明工地的新举措，并在实践中不断总结提高。先后多次在黄河小浪底、延安供水、黑河水利枢纽等工地召开文明工地创建工作现场会，从组织机构、现场管理、安全生产、质量进度、办公生活设施、文明工地氛围等6个方面提出了量化考核标准，项目经理肩挑“出效益、塑形象”两副重担，使创建工作有章可循，有规可依。在连续几年的创建活动中，全局已有局级文明工地36个，全省行业文明工地5个，全国行业文明工地2个。

为了给文明工地创建活动不断注入新的活力，工程局先后在小浪底、三峡、黑河、东雷抽黄等重点工程工地成立了17支青年突击队，大力开展争创青年文明号活动。继小浪底青年突击队被命名为全省和全国“青年文明号”后，全局先后有11支青年突击队受到上级机关的命名。

**三、突出以人为本，建好三支队伍**

按照“以人为本，内强素质，外塑形象”的管理思想，他们把精神文明建设的着眼点和落脚点放在提高职工队伍整体素质上，突出抓了党员、干部、职工3支队伍的思想道德教育和专业技术培训，不断提高全员整体素质。

为了保证把思想道德教育落实到施工现场，除坚持组织思想政治工作服务队到第一线的传统外，还充分利用工地党校和党员教育联系点及其他教育阵地，有针对地进行“三观”、“三义”、“三德”和形势政策教育。同时充分发挥各类典型的示范带动作用，增强思想道德教育的吸引力和感染力。

在抓好思想道德教育的同时，主要通过“学、带、比”等方式提高职工的业务技术素质。“学”就是以教育中心和夜校为阵地，采用集中短训、专题讲座、岗位自学相结合等办法提高职工业务技术素质。全局已创办夜校17所，按照“学用结合，急用先学，服务施工”的原则开设课程，进行技术专题辅导和技术交底。“带”就是在青年职工中开展“导师带徒”活动。全局已结成“导师带徒”对子200余对，为提高青年职工岗位技能找到了比较好的途径。“比”就是结合实际开展专业技能比武和“劳动竞赛”、“红旗设备”竞赛。全局已先后举行了坝工、钢筋工、电焊工、汽修工、推装挖机械操作等十余个工种的技术比武，还组队参加了全省水利行业八大工种技术比武，取得了好成绩。

由于工程局重视职工政治素质和业务的培养和提高，在干部职工中先后涌现出受全国、省、市和行业系统表彰的各类先进500余人。

（水利部文明办）

## 甘 肃 省

# 实施“百县乡镇宣传文化工程”

根据中央文明办文件精神，甘肃省认真总结经验，强化管理措施，保证了乡镇宣传文化站建设达标，管理有序，活动经常，效益明显。

**一、基本情况**

1998年度中央资助甘肃省建设20个宣传文化站，到1999年5月底，全部建成并投入使用。20个文化站均按中央文明办［1998］5号要求，设置了图书阅览室、多功能教室、文化活动室、展览室和室外宣传橱窗，一些文化站还附带建设了电脑室、广播室、歌舞厅、录像厅、老年活动中心、健身房，修建了剧场、篮球场等文体设施，最多的达到16个室、厅及活动中心。从资金落实情况看，20个宣传文化站共投入资金668万元，平均投入33.4万元，其中中央资助250万元，省上配套100万元，地区配套70万元，县上配套80万元，乡上自筹168万元。

1999度，中央资助甘肃省建设10个乡镇宣传文化站，截至5月底，10家已全部动工。总建筑面积为3010平方米，平均301平方米，使用面积平均260平方米。资金落实312.3万元，其中中央资助125万元，省上配套50万元，地区45万元，县上50万元，乡上自筹42.3万元。

**二、主要做法**

在实施“百县乡镇宣传文化工程”中，遵循

中央文明办文件的原则要求，加强领导，规范管理，有效地保证了工程的顺利实施。

加强领导、精心组织。各级领导把“百县乡镇宣传文化工程”作为“民心工程”、“德政工程”来抓，摆到了重要议事日程。省文明委明确提出了“五坚持、五结合”的工作方针，即坚持“精神文明建设落实到城乡基层”的原则，坚持示范工程与农村经济建设紧密结合的原则，坚持因地制宜、分类指导、分步实施、分层推进的原则，坚持以文补文，多种经营的原则，坚持以示范工程总揽农村文化工作的原则。做到硬件建设与软件建设相结合，整体提高与重点突破相结合，国家投资与社会联办相结合，长远规划与近期目标相结合，社会效益与经济效益相结合。各地、县都成立了由主管领导牵头，各有关部门负责人参加的工程建设领导机构，负责组织实施这一工程。

因地制宜、合理布局。根据甘肃自然条件恶劣，经济落后，财政困难的情况，在宣传文化站的定点、选址过程中，坚持了4条原则：一是相对集中原则，即在地、县财政有能力落实配套资金的前提下，定点相对集中在若干县内，以便形成规模效应。二是典型代表原则，即坚持向贫困县倾斜、向河西5地市倾斜、向民族地区倾斜。三是中心辐射原则，即选择在地域经济、文化、交通中心和旅游景点及城镇周围建宣传文化站，便于发挥带动辐射作用。四是工作保障原则，即布点选择在经济基础和文化基础相对较好，领导重视、群众性精神文明创建活动活跃的乡镇，为乡镇精神文明示范工程建、管、用提供必要的保障。

加强管理、保证质量。为了保证把宣传文化站建成当地一流的示范工程，省文明委下发了《甘肃省乡镇精神文明建设示范工程（宣传文化站）建设管理办法》，共8章30条，对宣传文化站的性质、意义和指导方针、定点范围和布点原则、资金来源和配置原则、申报时间和审批程序、建设标准和工作要求、职责分工和管理原则、检查评选和命名表彰都做了明确的规定，使地、县、乡三级有章可循。在具体工作中，认真把好5关：一是把好责任关。制定了“百县乡镇宣传文化工程建设责任书”，建立健全了责任制。二是把好设计图纸关。将各地上报的图纸严格筛选，并挑出不同类型不同风格的图纸，由各地选择施工。三是把好公开招标关。各地在图纸确定后，按照省文明办提出的要求，严格执行国家建设招标的规定，向市场公开招标，选择技术好、信誉高、报价低、有国家建设部门认定资质合格的工程队施工，避免了人情工程和豆腐渣工程。四是把好工程监理关。保证文化站的土建工程质量。五是把好检查验收关。按照省文明办的要求，地县文明办对建站工程全程参与、全程管理，发现问题及时解决，保证了建站质量。

落实资金，专款专用。甘肃省在省财政十分困难的情况下，一次解决了两年的配套资金。中央和省对农村基层文化设施建设的投入，激发了地方党委、政府参与工程建设的积极性，大多数地、县都是党政一把手亲自签字，落实配套资金。90%的地、县达到了省里提出的5:5:5配套资金的要求。为了管好用好建设资金，防止地、县财政延误、挪用和截留，注意抓了4个环节：一是和省财政厅多次协商，将中央资助款和省里配套资金一次性划拨到省文明办，通过文明办系统直接往下拨。二是要求地、县文明办设立账户，专款专管。三是根据工程进度，分期划拨资金。四是每个站预留5万元，待工程竣工验收后再拨付，用于购置图书和音像设备，保证了资金及时到位和专款专用。

明确职责、完善机制。为了保证管好、用好乡镇宣传文化站，在调查研究、总结经验的基础上，省文明委以文件形式明确了乡镇党委的6项职责：（1）成立乡镇精神文明建设示范工程领导小组，全面负责示范工程的建设、管理、使用工作；（2）制定和完善乡镇文化站的管理办法和活动制度，推动管理服务活动步入规范化、制度化、经常化轨道；（3）负责规划、开展乡镇精神文明创建活动，确保“四室”不得随意占用或挪作它用；（4）负责选配思想品德好、责任心强，热爱宣传文化事业、懂经营管理的人员担任站长或管理人员，乡镇文化站管理人员确定后，应经地、县文明办同意并报省文明办审查备案；（5）及时总结经验教训，通过发现问题、解决问题来改进工作，通过总结经验、宣传典型来推动面上的工作。并明确规定，凡建设不达标、管理不规范，不能经常开展活动，社会效益和经济效益不明显的乡镇，不得申报省级文明乡镇，从而使乡镇宣传文化站逐步建立了较为有效的运行机制。

**三、社会效益**

1998年度的20个乡镇宣传文化站建成以后，及时向社会开放，充分发挥其社会功能，取得了良好的社会效益。主要表现在以下6个方面：

群众满意的“民心工程”。各级党委政府称赞它是“德政工程”，文明办称赞它是“世纪工程”，周围乡镇称赞它是“样板工程”，老百姓称赞它是“民心工程”，都希望中央文明办能够长期坚持下来，把实事办到最基层，把温暖送到老百姓的心坎上。

名副其实的示范工程。这20个乡镇文化站，绝大多数成为附近乡镇标准最高、功能最多、条件最好的宣传文化站，有些文化站被群众称赞为“30年不落后，50年发展有空间”。它不仅吸引了当地的农民群众，也吸引了周围的乡镇，纷纷来参观学习，积极从各方面筹措资金，也准备不建则已，要建就建成高标准、高质量的宣传文化站，它的辐射带动作用已开始显现出来。

农村精神文明建设的主阵地。文化站建成投入使用后，有9个乡镇宣传文化站利用多功能教室的作用，在冬闲期间进行了党员冬季培训教育和村社干部培训，还有的乡镇开展了百部爱国主义影片展播。兰州市永登县中堡镇的文化站建成投入使用后，举办了一次大型普法宣传图片展，参观人数达4000人次；开展破除封建迷信，揭批“法轮功”教育活动，受教育人数达3500人次。

促进经济建设的重要基地。20个乡镇宣传文化站利用多功能教室、录像室、展览室、农民技术学校，先后举办果园管理、集雨节灌、膜侧种植、药材种植、温室建设、大棚养殖、垅间覆草、蔬菜种植等各种农业实用技术培训班132期，培训人员达7600人，仅静宁县八里县宣传文化站举办各类培训班20期，培训人员达1000多人。

文化交流的中心。20个乡镇宣传文化站共有图书6.2万多册，报刊杂志80多种。永靖县盐锅峡镇文化站根据农民群众的要求，购买了500册农村实用技术图书，几天之内被农民全部借走。农村有一批书法艺术爱好者，文化站建成后，为他们提供场所，请老书法家为青少年书法爱好者表演示范，相互交流、共同提高。每逢节日都由文化站出面组织、安排各类庆祝活动，群众参与的积极性非常高。

乡镇一流的娱乐场所。这20个乡镇宣传文化站建设档次高，各种设施配套齐全，能为各种年龄段的农民群众提供服务。文化站建成后，有的举办了小学生文艺会演，有的举办了业余歌手卡拉OK比赛，有的举办了全乡农民运动会，也有的举办了秦腔演唱比赛，还有的举办了台球、门球、篮球、乒乓球、象棋、扑克、健身操比赛等活动，使文化站成为集科、教、文、体为一体的群众文化活动中心。

（甘肃省文明办）

## 甘肃省张掖地区

# 争创文明村镇　争当十星农户

近年来，张掖地区按照中央和省委的安排部署，紧紧围绕发展农村经济这一中心任务，把创建文明富裕新农村这个主题放在突出的位置，在全区广大农村开展以创建文明村镇和十星级文明农户为主的精神文明实践活动，推动了农村两个文明建设协调发展。临泽县被中宣部树为全国创建文明村镇示范县，临泽县、高台县、张掖市分别建成省级精神文明建设先进县和文明市，建成省、地级文明乡镇30个，地级文明村27个。主要做法是：

**一、加强领导，健全完善运行机制**

农村精神文明建设领导是关键，机制是保障。近年来，全区各级党政组织把农村精神文明建设列入重要议事日程。一是加强领导。各级党委、政府把精神文明建设作为一把手工程，做到党政一把手亲自抓，分管领导全力抓，其他领导配合抓，职能部门具体抓，基本形成了“一把手两手抓”、“一班人两手抓”的格局。二是建立健全了精神文明建设目标管理责任制。从1994年起，每年依据精神文明建设规划和年度工作要点，量化分解，地区同6县市和地直38个部门，6县市同93个乡镇、237个县市直部门以及乡与村，层层签订精神文明建设责任书，实行三级目标管理，年终全面考核。三是制定规划。1994年，讨论制定了与经济发展、小康建设相配套的精神文明建设三年（1995—1997年）规划。十四届六中全会之后，根据中央和省委的安排部署，进一步制定了与1994年规划相衔接的《张掖地区1997—2010年社会主义精神文明建设总体规划》。从思想道德建设、党风廉政建设、教育科技、文化新闻出版、卫生体育、计划生育、民主法制建设、城乡环境建设、各项创建活动等方面提出了全区精神文明建设的目标任务。各县市、各乡镇也结合各自实际，分别制定了相应的精神文明建设规划或实施意见。四是完善制度。本着既体现先进性、导向性，又体现群众性、普及性，力求细化、量化、硬化和增强可操作性的原则，先后制定了《关于开展创建文明县城（城市）、文明村镇、文明行业示范活动的实施意见》、《关于开展“十村百户”活动的意见》、《关于在全区乡镇、村和农户中开展争创星级系列活动的意见》、《张掖地区文明村镇建设管理办法》以及“文明单位”、“文明小区”、“十星级文明乡镇”、“十星级文明村”、“十星级文明农户”、“五好文明家庭”、“教育之乡”、“科技先进乡”、“文化之乡”、“卫生之乡”、“体育之乡”等评比办法及标准，使农村精神文明建设走上制度化、规范化的轨道。

**二、强化教育，着力提高农民素质**

近年来，张掖地区始终把精神文明建设的着眼点放在提高农民思想道德素质和科学文化素质上，突出重点，区分层次，广泛开展各种形式的教育活动。一是狠抓政治思想教育。坚持把用邓小平理论和十五大精神武装党员、教育干部群众作为思想道德建设的首要任务，采取举办培训班、宣讲辅导、党员冬训、“三会一课”、评十星户等多种形式，充分利用各种宣传阵地和手段，深入浅出、通俗易懂地对广大农村党员干部进行政治思想教育。二是加强职业道德、社会公德、家庭美德教育。坚持以培育社会主义“四有”新型农民为目标，以《农民思想政治教育读本》和《文明公民读本》为基本教材，紧紧围绕宽裕型小康建设和“再造张掖”战略，通过开展评选“十星级文明农户”、“三户两评”、“美在家庭”、“文明在家庭”、“政策、法律、道德、文化、科技五进家”、“文明治村、民主治家”等系列活动，进一步增强广大农民群众的社会公德、职业道德、家庭美德意识，使农村道德水平有了显著提高。三是努力提高科学文化素质，培育和造就新型农民。坚持把农村精神文明建设与提高农民的科学文化素质紧密结合起来，以《农民实用技术教育读本》和《农家富》为基本教材，通过开展科普之冬、科普之春和送科技下乡等活动，全面落实科教兴区战略，实施“3211”科普计划，积极组织广大农民学科学、用科学，大力推广农业新技术、新品种，着力提高农村劳动者的教育科技文化素质。

**三、培育典型，发挥示范带动作用**

“培育典型、以点带面、点面结合、整体推进”，是在农村精神文明建设实践中采取的一项十分有效的工作方法。把坚持重视典型培育作为落实“以高尚的精神塑造人”的重要途径。在农村各行各业之中捕捉各种典型的信息，注意发现各类具有代表时代进步方向和具有高尚道德情操的先进典型，积极培育。在人民群众自己创造经验的基础上，经过各级组织的大力培养，使典型经验不断完善，成为真正体现代表性和先进性的典型。同时，加大典型的宣传力度，挖掘、丰富典型经验，运用多种载体，采取多种形式，从多角度、多方位广泛宣传典型的经验，真正使典型发挥示范、引导、激励和辐射作用。

**四、优化“细胞”，不断深化创建活动**

家庭是社会的细胞，优化社会细胞，是农村精神文明建设进村入户的基础环节和重要途径。

张掖地区首先从基层抓起，从农户入手，增强了农村精神文明建设的针对性和吸引力。一是以提高农民素质为主，开展评选“十星级文明农户”活动。在认真总结全区“三户两评”经验的基础上，借鉴外地经验，结合本地实际，采取营造追星氛围、细化评星标准、规范评审程序、严格奖惩兑现、强化星级管理等措施，广泛深入地开展评选“十星级文明农户”活动，受到广大农民群众的普遍欢迎。二是以提高农村文明程度为主，开展创建文明村镇活动。按照“从示范点抓起，从基层抓起，从群众最关心的具体事情抓起，以点带面，点面结合，整体推进”的工作思路，狠抓文明村镇示范点建设，在全区确定创建文明村镇示范点 80 个。临泽县被中宣部确定为全国创建文明村镇示范点。各示范点采取制定创建标准，确定示范内容，营造示范氛围，强化示范点管理等措施，使文明村镇示范活动取得显著成效，发挥了很好的示范辐射效应。三是以实施科教兴区战略为主，开展争创教育、科技、文化、卫生、体育“五乡”活动。全区建成教育之乡 32 个，科技先进乡 19 个，文化之乡 33 个，卫生之乡 36 个，体育之乡 35 个，有力地促进农村社会各项事业的发展，推动了农村社会的全面进步。四是以美化环境为主，开展环境综合整治。把“讲文明树新风”活动向农村延伸，坚持由点到线、由线到面、点线面结合的方法，以治理脏乱差为突破口，集中治理乡村所在地、公路沿线、农村居民点的环境卫生，净化农村环境。大力整修乡村道路和居民点街道，搞好绿化美化，使农村环境面貌有了大的改善。

**五、活跃文化，多方满足农民精神文化需求**

在活跃农村文化生活，满足农民群众的精神文化需求方面，着重抓了 3 个方面的工作：一是加强农村文化阵地和基础设施建设。组织实施小康文化建设和丝路文化建设，加快乡、村文化站（室）建设，使农村文体活动设施不断增加，做到县市有文化馆、图书馆、博物馆，乡镇有文化活动中心，村有文化活动室。以发展农村有线电视为重点，建立农村广播电视站 70 个，使农村广播电视事业有了长足发展。重视发展农村职业教育、成人教育和扫盲教育，地区和 6 县市建成 7 所职教中心，乡镇建成 80 多所农科教培训中心，建成村一级农民业余文化技术学校 814 所，利用这些阵地，组织开展教育，开展科技培训，组织农民读书活动。二是广泛开展农村群众性文化活动。近年来，利用元旦、春节等节日和迎庆香港回归、举办马蹄寺旅游观光节等重大活动时机，组织开展农民文艺汇演、社火调演、书画展览、歌咏比赛、体育比赛等群众性文化体育活动，丰富了农民群众的文化生活。三是以图书报刊、广播电视、电影戏剧、科技资料、卫生服务为重点，组织开展文化、科技、卫生“三下乡”活动，受到了广大农民群众的欢迎。同时，加强了文化市场管理，净化农村文化市场，用健康的文化活动占领农村阵地，从多层面满足农民群众的精神文化需求。

（甘肃省文明办）

## 宁夏回族自治区

# 服务中心 广泛参与 推进精神文明建设

社会主义精神文明建设是党领导人民进行的伟大实践，是在不断的探索创造中发展的。经过 50 年特别是近 20 年的伟大实践，已经找到了两个文明协调发展的正确道路，也积累了一定的经验。

**一、精神文明建设必须要有正确理论作指导**

伟大的事业要有伟大的理论来指导，邓小平

理论是一个博大精深的理论体系，它包含着极其丰富的关于精神文明建设的内容。它对于正确把握精神文明建设的方向，客观分析精神文明建设的规律，做好精神文明建设工作具有十分重要的指导作用。宁夏始终把用邓小平理论武装人放在精神文明建设的首要位置，在全区干部群众的思想上和实际工作中牢固树立邓小平理论的指导地位，进一步增强高举伟大旗帜、推进伟大事业的自觉性和坚定性，在全区广大干部群众中形成建设有中国特色社会主义的共同理想。实践的发展证明，只有牢牢把握邓小平理论这个指针，才能进一步解放思想，转变观念，以改革的思路，创新的精神，推进精神文明建设，提高精神文明建设的整体水平。

**二、精神文明建设必须服从服务于经济建设这个中心**

社会主义的根本任务是解放和发展生产力。邓小平反复强调："社会主义精神文明建设和其他一切任务都要服从这个中心，围绕这个中心，决不能干扰它，冲击它。"社会生产力发展了，就能给精神文明建设提供充实的物质基础。近年来，自治区开展的"宁夏精神"宣传活动，以学知识、学科学、学技术为内容的"三学"活动，城市中开展的以加强城市建设、改变城市面貌、改善投资环境为内容的创建园林化城市、创建文明城市活动，在行业中开展的加强内部管理、提高服务质量、增加经济效益的创建文明行业活动，农村开展的以引导农民进市场、脱贫致富奔小康为目标的"双文明户"、"科技示范户"、"十星级文明户"等活动都是围绕经济建设这个中心，着眼于提高人民群众的思想道德素质和科学文化水平，调动全区广大干部群众的积极性，为宁夏的经济建设和社会发展服务。实践证明，围绕经济建设这个中心，以促进经济发展为目标，以提高人的思想道德水平为要求，精神文明建设在社会主义市场经济条件下，才能得到健康发展。

**三、精神文明建设必须要有群众的广泛参与**

精神文明建设作为一项群众性事业，必须广泛组织和发动群众积极参与，热情投入，这是做好精神文明建设的基础。怎样吸引群众，让群众自觉加入到精神文明建设的行列中来，就必须找准精神文明建设活动的突破口与切入点。近年来，宁夏精神文明建设开展的各项活动，始终以与群众工作生活密切相关、群众迫切需要解决的问题作为突破口，面向群众，依靠群众，服务群众，满足群众意愿，为群众排忧解难，让群众切实感受到搞好精神文明建设给自己的工作生活带来的利益和变化，自觉自愿加入到精神文明建设中来。"讲文明树新风"活动、百城万店无假货活动、青年文明号活动、社会承诺服务等各项活动，之所以得民心，就在于始终把群众的利益放在首位。精神文明建设成效的大小取决于群众参与精神文明创建活动的程度，离开群众的广泛参与，就难以取得实效。

**四、精神文明建设必须要有健全的制度作保证**

社会主义道德风尚的形成、巩固和发展，既要靠细致入微的教育，也要靠行之有效的制度作保证。根据新时期精神文明建设的新情况，宁夏逐步形成一套有效的工作机制，收到了良好的效果。建立了有效的管理制度，建立和完善各种规章制度，不断强化对社会各个层面的管理监督力度，向管理要精神文明，要奋发向上的精神状态，要良好的社会秩序。各地把精神文明建设的各项软指标硬化，硬指标量化，并层层签订《目标管理责任书》，年终进行考核评比，把考核结果作为奖罚、评价、使用干部的重要依据。建立了评先树优、典型带动机制，在各行业、各层次上发现、总结、宣传先进典型，做到每一项工作都有典型引路。建立了奖优罚劣的激励机制，对精神文明建设中成绩突出的先进单位和个人，除在政治上、精神上的激励外，还重视物质上的奖励。

**五、精神文明建设必须要有一定的投入做保障**

精神文明建设与物质文明建设一样，也存在着投入与产出问题。精神文明硬件设施，不仅是精神文明建设的物质载体，也是精神文明建设水平的重要标志。近年来，宁夏在重视抓好思想道德教育的同时，不断加大对精神文明建设的资金投入，花大力办好事、办实事，加强精神文明的硬件建设，使硬件建设与软件建设互相配合，产生了良好的综合效应。银川市在讨论制定全年工作目标任务时，把硬件建设列入重要议事日程，作为为人民办实事的重要内容来抓，每年确定一批精神文明建设的重点项目，明确部门责任，做好统一规划，精心组织实施。几年来，投入大量资金，建成一大批城市绿地、幼儿园、文化体育设施，为提高精神文明建设总体水平奠定了物质基础。各县市还针对农村文化生活贫乏的情况，加大对农村文化阵地建设的投入，现在各县有文化馆、图书馆，乡镇有文化站，村有文化室，基本形成了比较健全的多级文化网络。

（宁夏回族自治区文明办）

## 新疆维吾尔自治区

# 抓好示范点　带动千千万

**一、深入学习，强化教育**

加强精神文明建设，要从解决思想道德建设的实际问题入手，认真贯彻中央的统一部署，组织广大党员干部认真学习马列主义、毛泽东思想、邓小平理论，学习江泽民总书记的重要讲话和中央有关文件精神，用科学的理论武装头脑，不断增强自觉抵御各种唯心主义错误观念和错误思潮的能力。要在广大人民群众中，普遍开展马克思主义唯物论和无神论教育，增强明辨是非的能力，坚定共产主义理想，坚定走有中国特色社会主义道路的信念。要大力弘扬社会正气，倡导科学思想、破除封建迷信，创造良好的社会文化环境，努力形成健康向上，崇尚科学的社会新风。

**二、理顺关系，形成合力**

精神文明建设是一项综合性、系统性很强的工作，就内部来讲，既要在领导分工上解决责任、义务和工作目标不分家的问题，又要使宣传、文化、公安、司法、教育、体育、卫生等党政有关部门，以及工会、共青团、妇联、科协等群众团体，在各级党委、政府领导下，通力合作，发挥各自功能优势，共同推进。就外部来讲，一要理顺条条关系。行业主管部门要把下属所有单位都纳入创建范围，接受地方职能部门监督，地方职能部门创建工作要定期征求行业主管部门意见。二要理顺条块关系。要组织各有关行业加强学习交流，定期开展各种竞赛活动，深化创建文明行业工作。三要理顺块块关系。要继续发扬精神文明建设中军民共建、警民共建、村企共建、兵地共建、油地共建、路地共建、城乡共建的优势，大力开展“联片共建”、“十联十建”、“融合发展”等共建活动，进一步密切地方与兵团、军（警）民、工农、干群关系，推动各地精神文明建设加快发展。

**三、制定政策，加快立法**

干部群众的思想道德素质有待于进一步提高，仅靠教育是很难奏效的。还必须辅之以强制性的法律手段，把道德的要求上升为法律约束，促进良好行为习惯的形成。一是对社会丑恶现象和封建迷信活动要建立健全相关的法律法规和制度，该打击的要坚决打击，该取缔的要坚决取缔。二是对破坏环保、环境卫生、社会秩序及乱摆乱放、乱堆乱倒、乱贴乱画、乱停乱占等现象加快依法治理，履教不改的，要依法严惩。三是对城市建设和社会生活的各个方面依法管理，要制定政策，综合运用教育、法律、行政、舆论等多种手段，规范养成良好行为习惯，约束制止不文明行为，努力提高整个社会的道德水平。

**四、完善机制，严格管理**

精神文明建设要长抓不懈，持之以恒，必须建立一套行之有效的工作运行机制。要制定出进一步加强精神文明建设的规划和切实可行的分段实施计划。不断完善领导机制、管理机制、保障机制、激励机制、约束机制，巩固业已形成的一级抓一级的精神文明建设网络。使城乡精神文明建设的各项工作都有章可循，步入制度化、规范化轨道。

**五、统筹规划，加大投入**

各级党委和政府要始终坚持从社会主义现代化建设的全局出发，把精神文明建设纳入各地、各部门、各单位经济和社会发展的总盘子，通盘决策、统筹规划。制定发展目标时，要把精神文明建设提到更加突出的地位；部署任务时，要加重精神文明建设的分量；提出措施时，要加大精神文明建设力度；抓队伍建设时，要加强精神文明建设工作力量；安排经费时，要增加精神文明建设投入。要把精神文明建设融入经济建设和各项业务工作中，使两个文明建设统一规划、统一部署、统一实施、统一考核、统一奖惩。建设社会主义精神文明一定要有物质保障，没有必要的物质保障，许多任务就难以落实。精神文明建设也要走高投入、高产出的路子。第一，对于过去已有的一些优惠政策，有的因金融体制改革而不再适用，有的因部门职能转变而自动取消，现在要加快调整，要进一步贯彻落实好国务院有关的文化经济优惠政策，尽快建立有效的精神文明建设投入机制，保证投入的连续性。第二，要进一步加大精神文明建设总量资金的投入力度。投入要逐年增强。第三，要区别非盈利性公益单位和盈利性单位，区别主流性精神产品生产与非主流商业性文化活动，针对不同的投入主体，采取不同的投入政策，改变过去投入结构不合理，"乱撒胡椒面"的现象。第四，要提高投入效益，实施配套投入，对于在精神文明建设中发挥重要作用的爱国主义教育基地、公益文化单位、文艺社团要大力扶持，对于农牧区思想文化阵地、文化队伍、文化设施要加快建设。要运用基金、税收、贷款、价格等经济手段大力支持宣传文化事业发展。

**六、发动群众，用好载体**

江泽民总书记指出，运用日益发展的大众传播和各种文化设施，开展健康有益、积极向上、生动活泼、为群众喜闻乐见的活动，吸引群众广泛参与，在参与中受教育，这是群众性精神文明创建活动的基本思路，也是开展群众性精神文明创建活动的一条重要原则。加强精神文明建设，要牢固树立群众观点，深入了解群众的愿望和要求，分析把握群众心理，把活动的目标、任务、形式同群众的切身利益结合起来。安排工作，要力求使任务明确、项目具体、看得见、抓得住；开展活动，要易于操作、易见成效，贴近群众生活，为群众所接受。要采取各种有效方式，调动和发挥广大人民群众参与精神文明建设实践的积极性和创造性。要特别强调精心设计、精心组织、用好载体。创建文明城市要认真抓好文明小区、文明社区建设，不断完善城市综合服务功能，提高整体文明水平，推动创建工作上档次。创建文明村镇要重点抓好集镇建设和创建文明乡镇企业，评选"十星级文明户"活动，充分发挥以县带镇，以镇带村的作用。创建文明行业要重点抓好窗口行业和执法部门，进一步完善社会服务承诺制和文明执法公示制。要进一步拓展业已形成的教育系列、评树系列、竞赛系列、创建系列活动，巩固全方位、多层次的创建格局。要进一步加大创建文明单位工作力度，努力使创建活动主题化，主题化的活动经常化，经常化的活动系列化，形成吸引力大、参与面广，确有实效的局面。

**七、注重环保，优化环境**

大力开展"保护生态环境，倡导文明新风"活动。对于动员各族干部群众积极参与保护环境、优化环境、防治污染、绿化美化家园，对于增强人们的环境意识、生态意识、可持续发展意识，对于推动"讲文明树新风"活动向纵深发展，具有十分重要的意义，要进一步加大力度，采取更有效的措施，把活动引向深入。一要因地制宜，有针对性地组织活动。要围绕搞好植树绿化、清理白色垃圾、改善空气质量、治理水源污染 4 项任务，组织力量加快治理，切实解决几个实际问题，让人民群众得到实惠。二要把保护环境同改造环境紧密结合起来，不断提高环境质量。三要充分发挥政府职能部门的作用。特别是环保、建设、林业、水利等政府部门要抓住开展"保护生态环境、倡导文明新风"活动的有利时机，依靠社会力量扩大治理成果，努力把城乡环境建设提高到一个新水平。

**八、树立楷模，搞好服务**

开展"讲文明树新风"活动，要从领导机关抓起，从领导干部做起，摆正机关与基层，干部与群众的位置，强化政治意识、大局意识、公仆意识、服务意识、效率意识，千方百计为群众办实事、办好事，使这个活动成为楷模工程。1999年的楷模工程，主要内容就是配合"三讲"教育，认真学习、扎实整风、注重整改、突出服务、建立机制、搞好创建。以“三讲”教育带动楷模工程，以楷模工程巩固“三讲”成果。一要通过组织内容丰富、形式多样、扎实有效、感染力强的活动，全力以赴为“三讲”教育服务，提高精神文明建设水平。二要以楷模工程带动全社会各行各业开展优质规范服务，大力倡导文明行业新风。

**九、把握难点，组织攻坚**

精神文明建设，要取得好的收效，首先要有一条思路清晰、符合实际的发展路子。都要在总的指导思想下，像抓经济工作那样，以改革的精神，把握难点，组织攻坚。一要善于把工作任务具体化，从具体事情抓起。对于地区部门已制定的精神文明建设规划目标，要善于细化、量化。要从基本要求、基础工作、基层单位抓起，用心发现和解决实际问题，办一件成一件、巩固一件，积小成大，积少成多，逐步提高整体水平。二要善于在提高中巩固，在巩固中提高。精神文明建设成果易反复，搞上去难，滑下来快，要反复不断地抓，一以贯之地抓。对于认准的事扭住不放，一抓到底。

**十、抓好典型，扩大宣传**

加强精神文明建设，就要根据时代的要求，不断培育和树立代表不同层次、不同方面、不同地区、各具特色的典型群体，用典型启发、引导广大干部群众奋发向上。要大力培育、学习、宣传先进典型，每年推出一批先进典型作重点宣传。特别是精神文明创建工作的先进典型要坚持每年培养一批、宣传一批、推广一批。各地、各部门、各单位也要大力树立典型。要积极实施“抓好示范点带动千千万”战略，培养、宣传好新的示范点。要充分利用广播、电视、板报、专栏，开展大规模、有声势的树典型、学先进活动。

（新疆维吾尔自治区文明办）

## 新疆维吾尔自治区克拉玛依市

# 创建文明社区 营造温馨家园

克拉玛依市下辖4个区，现有居民30万人。自1996年开始开展创建文明社区活动，涌现出一批环境清洁优美、社会秩序井然、小区服务全面、文化生活丰富、邻里关系和睦的文明社区。文明社区创建活动有力地推动了两个文明建设。全市拥有全国文明小区1个、全国物业管理优秀小区1个、中国石油天然气集团公司“百佳小区”8个、自治区级文明小区9个，克拉玛依市也先后荣获“全国双拥模范城市”、“全国卫生城市”、“自治区级文明城市”等多项荣誉称号。1999年底，克拉玛依市所属克拉玛依区被国家民政部批准为西北五省区惟一的“全国社区建设实验区”。

**一、统一思想，提高认识，把创建文明社区工作纳入经济和社会发展的整体规划**

1996年，党的十四届六中全会召开后，市局党委加强对创建文明社区重要意义的认识，明确了文明社区创建工作必须以各族市民高兴、满意、赞成、拥护为出发点和落脚点；必须与各族市民的需求相吻合，把市民关心的热点、难点作为创建的重点；必须引导和组织市民积极参与，把文明社区创建的目标、任务变成各族市民的自觉行动，使文明社区创建的效果看得见、摸得着。本着这一精神，把创建文明社区作为一项“民心工程”，纳入了市局经济和社会发展的整体规划之中，并从组织领导、经费保障等方面做出了明确规定，将其作为创建全国文明城市的一项重点工作加以部署、落实，做到了规划在先，设计在前，全面推开了以社区服务为龙头，社区文化、社区环境、社区卫生、社区治安为内容的文明社区建设。

**二、高起点、高标准地开展多层次、系统化的社区服务**

一是加强领导，完善网络。督促各区成立了由辖区各单位参加的社区服务协调委员会，区政府成立了社区服务办公室，各街道办事处、居委会成立了相应的社区服务协调委员会和社区服务办公室，形成了区、街道、居委会三级社区服务管理网络，为社区服务的全面开展提供了组织保证。

二是力求争先，明确要求。从一开始，就按照全国社区服务示范城区的标准，制定了《社区服务三年发展规划》，明确提出要在坚持以上门服务为主，以无偿、低偿服务为主，以先培训后服务为主的基础上，以社区服务中心和居委会为依托，以志愿者服务为基础，以创办社区服务实体为发展动力，为老人、残疾人、优抚对象提供社会福利服务，为社区居民提供便民利民服务，为社会企事业单位开展双向服务。同时，从市情出发，提出了先易后难，分步实施，分类创建，逐步提高的工作方针，力求建成一个，培养一个，带动一片，发挥滚动效应，为文明社区创建工作的全面铺开起到良好的示范带动作用。

三是落实硬件，夯实基础。始终坚持高起点规划，高质量建设，努力缩小和内地先进城区的差距。在克拉玛依区，投资3000多万元，建成了一所6000多平方米，集指导、示范、辐射、培养等多功能为一体的社区服务中心，在该区4个街道办事处则分别建立了一所面积在1500平方米以上的多功能社区服务分中心，在每个居委会设立了一个场所固定、面积在200平方米以上的社区服务站。社区服务中心全部实现了计算机联网和服务设施配套化。市里还建立了专门的社区服务发展基金，用于社区服务站的配套设施建设。

四是发动社会参与，推动服务社会化。通过动员各行政机关、企事业单位，特别是与市民生活密切相关的服务行业，参加志愿者服务，建立了一支社区服务专、兼职队伍。各区每半年至少组织一次辖区共建单位和社区服务志愿者参加的大型社区服务活动，各街道办事处每季度、居委会每月组织一次社区服务日活动，常年参加社区服务的专、兼职人员千余人。“串百家门、知百家情、管百家事、解百家难、暖百家心”，从居民的需要出发，从群众的愿望入手，实实在在为居民谋福利、办实事。

**三、寓教于乐，繁荣社区文化事业，满足市民的精神需求**

一是公共文化体育设施数量多。文化大厦、群艺馆、影剧院、图书馆、青少年活动中心、体育馆、游泳馆、室内外网球场、离退休职工活动中心、少数民族活动室等设施设备先进、功能齐全。其中，相当一部分在新疆乃至西北地区处于一流水平。

二是团队文化活动多。油苗艺术团、青少年军乐队、青年业余艺术团、职工军乐队、舞蹈队、合唱团、时装表演队、戏剧队等业余文化团队常年活动不断；文联所属的美术家、音乐家、摄影家、作家、书法家、集邮、舞蹈家、电视艺术家、电影艺术家、戏剧家协会等10个文化协会，会员达4000余人；95%的企事业单位成立了业余体协组织，职工参与文化体育活动率达85%以上。

三是群众业余文化活动多。定期开展形式多样、丰富多彩的社区文化活动，做到“年年有安排，季季有比赛，月月有活动，天天有歌声”，用健康向上的文体活动吸引小区居民广泛参与，引导居民自觉抵制“法轮功”等邪教活动。

**四、加大创建力度，营造优美环境**

社区环境的好坏是制约文明社区建设的关键要素，直接关系着市民的切身利益，反映着城市的建设管理水平。近年来，克拉玛依市结合创建国家卫生城市的需要，突出抓了五方面工作。一是高起点建设住宅小区。1996年以来，依照《克拉玛依市城市发展总体规划》，进行住宅小区建设，聘请专家进行全方位的规划设计，除满足市民基本生活需要外，还着眼于创造具有良好社会机制的空间环境，使小区内不仅包含文教、医疗、电讯、体育、商业等功能设施，还充分考虑了供排水、供热、绿化、道路交通、卫生的协调统一，建成了一批设施完备，功能齐全，融居住、娱乐、健身、教育于一体的高质量生活空间，受到市民的普遍赞誉和好评。二是加强了城市环卫基础设施建设。在全市各新村修建了一批封闭式袋装垃圾房，增设了不锈钢果皮箱，普及了水厕，解决了几十年垃圾靠人工收集、露天堆放、二次污染问题，保证了垃圾日产日清。三是大搞城市绿化，营造绿色家园。在市民中开展植树、养花、种草活动，绿化覆盖率达到了15%，文明小区和新建小区的绿化覆盖率均达到了30%以上。四是不定期开展社区环境整治活动。1999年，以创建“国家级卫生城市”和城市建设“天山杯”竞赛活动为契机，全面实施管住四个“一”：一口痰、一张纸、一个桶、一辆车，治理三个新村：八一、城南、西林村，使城区环境进一步净化、美化、亮化，市容市貌大为改观。

（新疆维吾尔自治区文明办）

## 新疆生产建设兵团农五师

# 仿效小康村　建设小康连

1996年10月农五师党委向全师发出了“远学张家港，近学州市县，仿效小康村，建设小康连”的号召。师文明委组织全师50多名政工干部到地方单位实地参观学习，并就如何开展小康连队建设下发了文件，明确开展小康连队建设总体要求、指导思想和创建标准。还制定出“起动——突破——攻坚——决胜”四步走的工作规划，出台了《农五师小康连队考核标准》。

开展小康连队建设的主要经验是：

第一，抓好基层组织建设。3年的实践证明，哪个连队党支部战斗堡垒作用发挥得好，领导班子坚强有力，党员干部先锋模范作用强，就能够带领职工群众克服困难、齐心协力奔小康，小康连队建设就会有声有色、成效突出。87团是国家扶贫团场，他们的实践表明，经济实力是搞好小康连队建设的一个重要条件，但绝不是惟一的条件，关键是要看基层党组织对小康连队建设怎样抓，党支部领导是否坚强有力。

第二，选好突破口。农五师小康连队建设的突破口选在环境建设上。一是见效快，职工看得见、摸得着，直接受益，而且花钱少，不会给职工增加过重的经济负担；二是通过改造环境，可以改变人的精神面貌，提高多方面的素质；三是以大环境的改变，带动和促进家庭小环境的改变。

第三，坚持先易后难，量力而行，不搞一刀切的原则。由于各基层单位经济发展水平不同，师党委在开始部署这一工作时，提出了不搞一刀切的原则。在具体实施中，标准就灵活一点。例如，在连队营区的道路建设方面，既有水泥路、柏油路，也有砂石路；院墙有12厘米、18厘米、24厘米厚度不等的红砖墙，又有土块墙。这样既按要求开展了小康连队建设，又没有超出职工承受能力，深受职工欢迎。

第四，制定一套严格的奖罚、管理制度。把竞争激励机制引入小康连队建设中，提出：搞不好小康连队建设的领导是不称职的领导，要就地免职；有的将此工作纳入目标管理，做到“四挂钩”，即与文明单位评比、干部评先进、收入、职称职务晋升挂钩。

第五，发扬自力更生、艰苦奋斗的精神。凭着顽强的精神和苦干的毅力，在很短时间使连队旧貌换新颜。

第六，充分发挥典型示范作用。在小康连队建设的起步阶段，先以州、县、市小康村典型来示范引导，随后，各单位都树立起各自的典型，这些先进典型对推进全师小康连队建设起到了很大的促进作用。

第七，加强组织领导。3年来，农五师在连队建设上，已基本形成了兵、师、团、连的垂直领导体系，一级抓一级，使这项工作有计划、有目标、有检查、有评比、有总结。

（新疆生产建设兵团文明办）

# 理论成果



# THEORY WORKS

# 理论文章摘要

## 陈光林：马克思恩格斯关于精神生产论述的启示

学习马克思恩格斯关于精神生产的重要论述，对于我们充分认识社会主义精神文明建设的地位、作用及其规律，明确物质文明建设与精神文明建设的内在统一关系，自觉地坚持“两手抓”的战略方针，积极推进社会主义社会的全面发展和全面进步，有重要的理论和实践的指导意义。

**一、从马克思恩格斯关于唯物史观的论述，认识精神文明在整个社会文明中的重要地位**

从马克思恩格斯创立的唯物史观，我们至少可以得出如下的明确结论：其一，一定社会的精神文明是这个社会整体文明的重要有机组成部分，是全部社会结构的必然的部分和层次。其二，物质生活的生产方式是一定社会整体文明的基础，制约和决定着这个社会的社会政治文明和精神文明。但是精神文明并不是消极的，它对于社会的经济基础产生着重要反作用。其三，物质文明与精神文明之间的作用与反作用，要通过整个社会生活不同层面的相互渗透来展开，是在经济的、政治的、文化的各种因素整体构成中实现的，由此共同推动着社会发展的文明进步。

这给我们以深刻启示：社会主义社会必然是一个需要全面发展和全面进步的社会，构建社会主义物质文明、政治文明和精神文明，这是依据和符合马克思主义的唯物史观而确定的社会主义的目标。邓小平建设有中国特色社会主义理论，科学揭示了社会主义本质，比较系统地初步回答了在中国这样一个经济文化落后的国家如何建设社会主义、如何巩固和发展社会主义等一系列基本问题，提出了我国社会主义社会全面发展的重大问题。党的十五大科学阐述了建设有中国特色社会主义的经济、政治、文化的基本目标和基本政策，构成了党在社会主义初级阶段的基本纲领。党所确定的建设“富强、民主、文明”的社会主义现代化国家的目标，是完全符合马克思主义唯物史观所揭示的社会结构的原理的。我们在发展社会主义市场经济、推进社会主义物质文明建设的同时，必须建设社会主义的民主政治和社会主义精神文明。

**二、从马克思恩格斯关于两种生产的论述，认识坚持“两手抓”的必要性**

与马克思恩格斯创立的唯物史观相一致，他们从人类活动除人的自身生产外在根本上和总体上划分为物质和精神两大现象出发，创立了社会物质生产和精神生产的两种生产观。

马克思恩格斯关于两种生产观和共产主义革命必须实行两个“彻底决裂”的论述表明，从事“两种生产”，加强“两个文明”建设是一个统一的过程，是社会主义革命的共同的任务和统一的目标。把贯穿于“两种生产”中的“两个文明”建设切实抓好，在进行社会主义物质文明生产的同时，自觉地推动社会主义精神文明生产，这才是坚持马克思主义。我们党提出的“两手抓，两手都要硬”的战略方针，是对马克思关于两种生产思想的创造性应用。

**三、从马克思恩格斯关于精神生产性质的论述，认识精神生产的规律性**

恩格斯曾一再指出，构成《共产党宣言》核心的基本原理是：每一历史时代主要的经济生产方式与交换方式以及必然由此产生的社会结构，是该时代政治的和精神的历史所赖以确立的基础，并且只有从这一基础出发，这一历史才能得到说明。马克思恩格斯所阐述的这一基本原理，为我们提供了认识精神生产的性质和规律的重要思想依据。

1. 一定的精神生产由物质生产的一定形式决定。按照这一观点，我国现阶段社会主义社会的精神生产、精神文明，只能是建立在我国现阶段社会主义社会的物质生产和物质文明基础之上；即立足于我国所处的社会主义初级阶段，立足于以公有制为主体、多种所有制经济共同发展为基础的社会主义市场经济；总之，是建立在这样一种“一定的”、“特殊的历史的形式”之上。精神生产的性质，必须适应和促进这个基础不断成熟、完善、发展的要求。

2. 两种生产的交互作用。物质生产和精神生产的互相作用，首先是物质生产的决定作用、基础作用。但是，必须同时看到精神生产对物质生产的影响和作用，否则会陷入形而上学。必须辩证地认识两种生产、两个文明建设之间的关系。

3. 统治阶级的思想都是占统治地位的思想。马克思恩格斯指出，“任何一个时代的统治思想始终都不过是统治阶级的思想”。“一个阶级是社会上占统治地位的物质力量，同时也是社会上占统治地位的精神力量。支配着物质生产资料的阶级，同时也支配着精神生产资料”。这说明一个阶级要想取得和维护自己的政治统治，必须取得和保持本阶级思想在政治上、社会上的领导地位。指导思想上的多元化是不存在的。因此，马克思主义作为工人阶级的世界观和思想体系，理所当然地要成为党和国家的指导思想。精神文明建设，理所当然要以马克思主义为指导，这是社会主义精神文明建设的灵魂。

4. 关于精神产品的世界性。马克思恩格斯从物质生产决定精神生产的唯物史观的基础上，阐述了随着世界市场的开拓而必然引起的精神生产和精神产品的开放性、世界性特点和规律。我们在改革开放、打开国门、与世界交往的过程中，也必须看到这一精神文化产品交流的必然性，注意吸收世界上一切国家和民族的优秀进步文化成果。社会主义精神文明必然会在世界范围内各种文化思想的互相激荡、斗争中得到发展。我们同时必须清醒认识精神生产的社会性质，在对外开放、与国际资本的交往中，必须保持清醒的头脑，警惕敌对势力的“西化”、“分化”图谋，警惕他们的资产阶级生产方式和所谓文明制度的入侵，对资产阶级的腐朽精神文化垃圾，必须进行坚决的抵制、批判和斗争。

**四、从马克思恩格斯关于人的自由而全面发展的论述，认识提高人的素质的迫切性**

两种生产、两个文明的发展，是人类不断进步的结果。作为社会主体的人，既从事物质生产，创造着物质文明，同时也从事精神生产，创造着精神文明。马克思主义重视人的作用，认为人是生产力中最活跃的因素。正是人类自身的实践和活动，使物质和精神两种生产、两个文明密不可分。人类在进步中既不断推动着两种生产、两个文明的发展，也同时从两种生产、两个文明的实践和推进中丰富和发展着自身。

作　　者：山东省委常委、宣传部部长
原文出处：《发展论坛》1999 年第 4 期

# 王体正：邓小平精神文明建设理论科学体系的主要内容

学习和研究邓小平关于社会主义精神文明建设的论述，我们清楚地看到，这是一个具有丰富内容、深刻蕴含的科学体系。这一科学体系的主要内容可概括为以下九个方面：

1. 重要特征论。党的十二大报告在总结国际国内社会主义建设经验的基础上，首次明确地指出了社会主义精神文明是社会主义社会的重要特征之一。

2. 战略地位论。邓小平从社会主义精神文明是社会主义社会的重要特征，从精神文明和物质文明的关系阐明了社会主义精神文明建设的战略地位，指明了建设社会主义精神文明对建设有中国特色社会主义的重要意义和作用。他反复强调，物质文明和精神文明都搞好，才是有中国特色的社会主义。要坚持两手抓，一手抓物质文明，一手抓精神文明，“两手抓，两手都要硬”，这是我国社会主义现代化建设的一个根本方针。

3. 目标任务论。社会主义精神文明建设的根本任务和目标是为了适应改革开放和社会主义现代化建设的需要，培育有理想、有道德、有文化、有纪律的社会主义新人，提高整个中华民族的思想道德素质和科学文化素质。

4. 基本内容论。为了实现社会主义精神文明建设的根本任务和目标，邓小平提出了社会主义精神文明建设的基本内容：一是思想道德建设，二是教育科学文化建设。这两个方面又是互相渗透和互相作用的。

5. 精神动力论。在全面推进改革开放、加快现代化建设和发展市场经济的新形势下，邓小平运用历史唯物主义，总结历史经验，提出了“中国发展的精神动力”的新概念和阐述了“精神动力”的思想。1984年6月30日，邓小平在会见日本朋友时说：“对马克思主义的信仰，是中国革命胜利的一种精神动力。”在邓小平看来，为人民利益而奋斗的共同理想和坚定的信念是一种精神动力，也是新时期进行精神文明建设的一个极为重要的内容。

6. 共同富裕论。邓小平对社会主义本质作了完整的规范的新概括：“社会主义的本质，是解放生产力，发展生产力，消灭剥削，消除两极分化，最终达到共同富裕。”共同富裕不仅仅理解为物质上的共同富裕，共同富裕的实现，是不能离开和没有社会主义精神文明建设的。

7. 两个手段论。邓小平强调，“搞四个现代化一定要有两手，只有一手是不行的。所谓两手，即一手抓建设，一手抓法制”。

8. 继承创新论。社会主义精神文明建设，要以马克思主义为指导。同时，要十分重视吸取世界和我国历史上一切优秀的文化成果。对中国传统文化和外国文化，要取其精华，去其糟粕，古为今用，洋为中用，推陈出新，继往开来，这是邓小平社会主义精神文明建设理论的一个重要内容。

9. 根本标准论。社会主义精神文明必须着眼于建设，以立为本。那么，检验社会主义精神文明建设的是非、得失、成败的标准是什么呢？邓小平明确指出：判断各方面工作的是非得失的标准，“应该主要看是否有利于发展社会主义社会的生产力，是否有利于增强社会主义国家的综合国力，是否有利于提高人民的生活水平。”三个“有利于”的判断标准，当然也应包括用其检验社会主义精神文明建设。

作　　者：湖北大学党委宣传部部长
原文出处：《学习与实践》1999年第3期

# 苏亮乾：辩证地理解和把握邓小平精神文明建设理论

**物质文明建设与精神文明建设**

邓小平依据马克思主义唯物辩证的观点，深刻地揭示了我国社会主义现代化建设中物质文明建设与精神文明建设的辩证统一关系。邓小平告诫我们要坚持“两手抓，两手都要硬”的方针，使经济、政治、文化协调发展，物质文明与精神文明共同进步。

**思想道德建设与科学文化建设**

社会主义精神文明建设包括思想道德建设和科学文化建设两方面内容。邓小平坚持用全面辩证的观点看精神文明建设的内在结构，既深刻认识科学文化建设与思想道德建设相辅相成的一面，又充分强调了思想道德建设的首要性和导向性。邓小平说：“所谓精神文明，不但是指教育、科学、文化（这是完全必要的），而且是指共产主义的思想、理想、信念、道德、纪律、革命的立场和原则，人与人的同志式关系，等等。”一方面，中国要实现现代化需要教育、科学、文化的发展。经济发展得快一点，必须依靠科学技术和教育，科学技术是第一生产力，四个现代化关键是科学技术现代化。另一方面，社会主义思想道德集中体现了整个精神文明建设的性质和方向，对社会主义政治经济发展有巨大的推动作用。

**共同理想与最高理想**

共产党人的最高理想，是实现共产主义，这是我们的党纲上规定的。但是实现共产主义是一个很长的历史过程，要经过若干个依次发展的阶段。因此，在不同历史阶段，我们又有代表那个阶段最广大人民利益的奋斗纲领。这是我们的共同理想。在社会主义初级阶段，我们党和人民的共同理想就是建设有中国特色的社会主义，把我国建设成为社会主义现代化强国。

如何处理好共同理想与最高理想的关系，保证我们现行的改革开放政策不偏离我们的理想目标呢？邓小平明确指出，现在我们搞经济改革，仍然要坚持社会主义道路，坚持共产主义的远大理想，“一个公有制占主体，一个共同富裕，这是我们所必须坚持的社会主义的根本原则。我们要坚决执行和实现这些社会主义的原则。从长远说，最终是过渡到共产主义。”邓小平的这些辩证论述，为我们既胸怀共产主义远大目标，又脚踏实地搞好现代化建设提供了科学的理论指导。

**指导思想一元化与精神生活多样化**

邓小平多次强调，精神文明建设要以马列主义、毛泽东思想为指导。精神文明建设指导思想一元化并不排斥精神生活的多样化。随着生产力发展和科学技术的进步，社会的精神生活必将越来越丰富。这同样又是由社会主义本质所规定的。社会主义精神文明建设指导思想一元化与精神生活多样化是辩证统一的：多样化是一元化指导下的多样化；一元化又是在多样化的基础上的一元化。只有两者相结合，才能使我们的精神生活健康高尚又丰富多彩。

作者单位：柳州职业技术学院政治经济系

原文出处：《柳州师专学报》1999年第2期

# 范伟：邓小平关于精神文明建设的辩证思想

完整准确地把握邓小平“两手抓，两手都要硬”的辩证思想，深入学习他关于精神文明建设的战略地位与建设方略的论述，不仅对当前的改革和建设具有重要的指导作用，而且对整个社会主义现代化建设事业都具有重大而深远的意义。

**一、两点论：两个文明都要好**

邓小平一贯强调，我国社会主义现代化建设是全方位的，不仅要有物质上的巨大发展，而且要有精神上的全面进步。两个文明并举，既是人类社会进步的必然要求，也是我国社会主义建设的一大特色和优势。这体现了邓小平自觉运用唯物辩证法来指导实际工作，坚持两点论，坚持综合平衡，反对单打一的高明之处。惟其如此，才能使我们的方针政策建立在符合人类社会客观发展规律的基础之上，指导我们的社会主义事业在两个文明相互促进、协调运转的基础上获得持久的发展动力。

**二、重点论：物质文明是基础**

精神文明要搞好，首先要摆正同物质文明的关系，在这个问题上，邓小平从彻底的唯物主义出发，既坚持“两点论”，强调“两个文明都要好”，又坚持“重点论”，强调“物质文明是基础”。用他的话说就是“精神文明说到底是从物质文明来的”，他的这一思想也是一贯的。这一思想既是辩证法的要求，又是历史唯物主义的必然体现。深入理解和掌握这一“重点论”的思想，对于我们摆正精神文明建设的位置，避免用精神文明建设来冲击经济建设这个中心，具有重要的指导意义。

**三、结合论：内在统一是关键**

发展物质生产力，建设高度物质文明与提高人民文化水平、建设高度精神文明这两者是不矛盾的，而且在本质上是内在统一的，它们共同构成了社会进步的两个基本方面。惟有两者相互结合而不是相互对立起来，才能求得共同发展，也才符合历史发展运动的辩证法。邓小平正是敏锐地把握住这一点，把“两点论”与“重点论”结合起来，统一于社会主义现代化建设的历史进程之中，变“两张皮”为“一张皮”，从根本上解决了工作中“一手比较硬，一手比较软”的偏差，实现了社会的全面进步和协调发展。他这方面的思想也是一贯的，明确的。

**四、建设论：重在建设是根本**

如何把精神文明建设提到新的高度，使其再上新台阶，根本的问题是把精神文明的要求落到实处，体现在实实在在的建设上。邓小平有关这方面的论述也是十分丰富的，归纳起来有以下几个方面：

加强马克思主义理论学习，树立坚定正确的政治方向；以“四有”为目标建设社会主义精神文明；加强科技教育和文化建设，为现代化建设提供智力支持；重视思想政治工作，抵御腐朽思想文化侵袭；端正党风，反腐倡廉。

坚持用邓小平关于精神文明的辩证思想来指导我们的实际工作，就一定能找准精神文明建设的立足点和着力点，从而推动有中国特色社会主义事业获得全面而持久的发展动力，以崭新的面貌迈进21世纪。

作　　者：河南省委党校哲学研究生班学员
原文出处：《学习论坛》1999年第2期

# 尹如琴：略论邓小平精神文明建设思想的特点

邓小平精神文明建设思想是邓小平理论的一个极其重要的组成部分，是社会主义精神文明建设的根本指针，其思想内容十分丰富、系统而深刻，概括起来，具有战略性、政治性、系统性和辩证性的特点。

**一、战略性**

从我国社会主义现代化建设总体布局的战略高度，明确提出社会主义精神文明是建设有中国特色社会主义的重要奋斗目标。1979年10月，邓小平在全国第四次文代会上的讲话中明确提出："我们要在建设高度物质文明的同时，提高全民族的科学文化生活，发展高尚的丰富多彩的文化生活，建设高度的社会主义精神文明。"邓小平把物质文明、精神文明、民主法制作为社会主义现代化建设三位一体的总目标加以强调。

从社会主义社会制度区别于其他社会制度的战略高度，把社会主义精神文明看做是社会主义制度优越性的体现，是社会主义社会的重要特征。两个文明都搞好，才是有中国特色的社会主义。离开精神文明，就谈不上社会主义。

从实现我国社会主义现代化建设目标的战略高度，把精神文明建设看做是我国社会主义现代化建设的重要保证。邓小平认为，建设社会主义精神文明，是我们坚持社会主义道路，集中力量进行现代化建设的最重要的保证。"不加强精神文明建设，物质文明的建设也要受到破坏、走弯路，光靠物质条件，我们的革命和建设都不可能胜利。"

**二、政治性**

强调马列主义、毛泽东思想在社会主义精神文明建设中的指导地位。强调精神文明建设首先要抓好思想理论建设，抓好理论武装工作。邓小平强调："各级党委一定要把思想理论工作放在正确轨道和重要地位上。""全党同志一定要善于学习，善于重新学习……根本的是要学习马列主义、毛泽东思想，要努力把马克思主义的普遍原则同我国实现四个现代化的具体实践结合起来。"强调精神文明建设必须坚持党的"一个中心，两个基本点"的基本路线，反对资产阶级自由化。精神文明建设要坚持以经济建设为中心，服从于和服务于经济建设这个中心。强调精神文明建设要解决人民群众关心的实际问题。提出各级领导干部要以身作则，廉洁勤政，有计划、有步骤地解决人民群众关心的热点、难点问题，树立人民公仆的良好形象；提出"抓精神文明建设，抓党风、社会风气好转，必须狠狠地抓，一天不放松地抓，从具体事件抓起。"以收到实效，取信于民。

**三、系统性**

精神文明建设思想及内容的全面性。邓小平认为，社会主义精神文明建设的内容不是单一而是全面的。邓小平说："所谓精神文明，不但是指教育、科学、文化（这是完全必要的），而且是指共产主义的思想、理想、信念、道德、纪律、革命的立场和原则，人与人的同志式关系，等等。"同时，邓小平还全面论述了精神文明建设的战略地位、作用、奋斗目标、重大方针、基本原则、措施途径等等，构成了邓小平精神文明建设思想的丰富内容和思想体系。

精神文明建设目标的整体性。邓小平提出社会主义精神文明建设的根本目标和根本任务是培育有理想、有道德、有文化、有纪律的社会主义"四有"新人。这"四有"是一个相互联系、不可分割的有机统一体，它概括了社会主义新型公民的基本素质要求，也概括了社会主义精神文明建设的基本内容，表明了社会主义精神文明建设目标的整体性。

精神文明建设思想的宏观性。党的十四届六中全会《关于社会主义精神文明建设指导方针的决议》概要地指出了我国社会主义现代化建设的总体布局：是以经济建设为中心，坚定不移地进行经济体制改革，坚定不移地进行政治体制改革，坚定不移地加强精神文明建设，并且使这几方面互相配合，互相促进，体现了邓小平精神文明建设思想的宏观性。

**四、辩证性**

坚持一手抓建设，一手抓法制。坚持一手抓经济发展，一手抓社会稳定。坚持一手抓改革开放，一手抓打击各种犯罪活动。坚持一手抓改革开放，一手抓惩治腐败。坚持一手抓繁荣，一手抓清除各种精神污染。

作　者：广西壮族自治区文明办处长
原文出处：《学术论坛》1999 年第 6 期

# 万斌 郁建兴：社会主义精神文明发展规律探要

**一、社会主义精神文明与物质文明相互影响，相互制约，相互渗透**

认识到这一规律，我们就要把精神文明建设贯穿、结合在物质文明建设之中进行。两个文明相互影响，相互制约，相互渗透，使两个文明的发展具有总体一致性、协调性、平衡性。由于两个文明都具有相对确定的内涵，都有着自己的特点和发展规律，精神文明发展受制约于物质文明发展水平，却不是机械地依附于物质文明所能取得的，与物质文明发展水平相比，精神文明发展既可能超前，也可能滞后。同样地，物质文明的发展也具有自身的复杂性、艰巨性。这就产生了两个文明发展中的一致与不一致、协调与不协调、平衡与不平衡的矛盾。两个文明发展的一致性、协调性、平衡性的实现，又体现为一个动态的过程。精神文明发展与物质文明发展之间存在着的上述内在联系即规律表明，两个文明是必须也是可以协调发展、共同发展的。

**二、社会主义精神文明与物质文明之间的辩证运动以社会制度为中介，文明的发展依赖于制度**

认识到这一规律，我们就要充分利用先进的社会制度，建设高度的精神文明；就要努力完善社会的各项制度，为精神文明建设奠定良好的制度基础；就要促进精神文明建设自身的制度化，把它纳入行政的、经济的和法纪的管理轨道。社会制度的存在，对于两个文明的形成与发展，对于它们之间的辩证运动，有着十分重要的意义。

首先，社会制度的存在，为两个文明的形成与发展提供了一个现实的空间与构架。第二，社会制度是实现两个文明的中介环节。第三，社会制度是构成两个文明之间生动而深刻的辩证关系的中介环节。

认识到社会主义精神文明的发展与社会制度之间的内在联系即规律，我们就要高度重视社会制度建设对于精神文明建设所具有的重要性。一方面，我们要充分利用先进的社会制度来建设高度的精神文明。另一方面，我们要努力完善社会主义社会的各项制度，为精神文明建设奠立良好的制度基础。

**三、社会主义精神文明的发展是一个渐进的连续过程，它的每一个阶段都产生于更早的思想文化基础之上**

认识到这一规律，我们就要了解、尊重、吸收民族文化传统，建设既继承发扬优良传统而又充分体现时代精神的精神文明。精神文明包括思想道德和教育科学文化两大方面，而思想道德、教育科学文化是在人类长期的社会实践中逐步形成的，体现为一个渐进的发展过程，即这些因素的发展都以一定的传统为基础。无论是思想道德还是教育科学文化的发展，也无论是内容还是形式的发展，它们总是与历史、与传统相关联。任何精神文明的发展都是一个积累的过程，一个渐进的过程。如果把扬弃和超越传统称为质的飞跃的话，那么这一飞跃也需要量的积累。因此，社会主义精神文明又必然是以往历史上精神文明优秀成果的继承者。

认识到社会主义精神文明发展的这一规律，我们就要确立起对待文化传统的正确态度。一方面，我们进行的精神文明建设，是在当代中国这一特定时代、特定地域中进行的，传统的东西，不管是精华还是糟粕，都作为既存的现实力量，构成为精神文明建设必须面对的客观环境。另一方面，社会主义精神文明的开放性、涵融性，客观上要求它能自觉地吸收历史上精神文明的优秀成果。这两个方面，向我们提出了一个继承和发扬民族的优秀文化传统和党的优良传统的重大任务。

**四、社会主义精神文明在与世界范围各种思想文化的相互激荡之中发展**

认识到这一规律，我们就要在精神文明建设中同样实行对外开放，建设既立足本国而又面向世界的精神文明。人类的文明、文化从来就是在各民族地区文明、文化的碰撞、冲突、交融之中发展的。任何一个民族国家的物质文明、精神文明的发展都不可能离开世界进行。首先，与社会主义经济建设需要对外开放一样，社会主义精神文明建设也需要对外开放。其次，社会主义精神文明建设的对外开放，不能忘却精神文明的社会性质。再次，社会主义精神文明建设的对外开放，需要树立对待外来文化的正确态度。最后，社会主义精神文明建设的对外开放，必须抵御敌对势力对我“西化”、“分化”的图谋。

**五、社会主义精神文明重要作用的发挥，是一个间接的、全面的和长期的过程**

认识到这一规律，我们就要努力建构起体现这一规律的精神文明建设评价体系。社会主义精神文明在社会主义现代化建设的总体布局中居于重要地位，发挥着重要的作用。首先，它是个间接的、缓慢的过程。精神文明要对社会生活发生作用，就要经过一些中介环节，如社会制度、物质手段、群众实践等。知识、文化形态的精神文明作用的发挥是这样，思想、道德形态的精神文明作用的发挥就更是这样，它所需要的中介环节更多，更复杂。其次，精神文明对社会生活的影响、作用是全面的、系统的。第三，它是个长期的、持久的过程。精神文明的形成和发展需要积累和基础，经历一个长过程。它一经形成，便具有相对的稳定性，持久地发生作用。认识到精神文明作用的发挥是一个间接的、全面的和长期的过程，我们就要努力建构起体现这一内在规律的精神文明建设评价体系。

第一，要逐步摸索出一套可以操作的体系标准，来稳定精神文明建设所达到的水平，所产生的作用。比如说，当代国外有形形色色的关于社会发展的综合指标体系，我们能否借鉴它们，制订出关于精神文明建设的综合指标体系。

第二，要联系社会生活中大量倾向性问题的研究来评价精神文明建设的作用。对精神文明建设的评价同样不能脱离物质文明建设取得的成就，不能脱离社会物质生活中种种实际矛盾的解决。

第三，也是更重要的，要联系人类自身发展的终极关怀来评价精神文明建设的作用。人类自身的发展是精神文明发展的最高尺度。社会主义精神文明更是自觉地以人的全面发展作为自身发展的归宿。从这意义上说，我们评价精神文明建设的作用，就要超越工具理性，进入价值理性。促进人的全面发展，是精神文明建设最重要的也是最高的作用。

作　者：万斌　浙江省社科院常务副院长、教授；郁建兴　浙江大学副教授

原文出处：《浙江学刊》1999年第3期

# 范英：论形成和发展中的精神文明学

近20年来，广东理论界重视总结精神文明建设中的丰富经验，并力求上升到理论的高度，进行了精神文明学这一新兴学科的开创性研究，从《精神文明学论纲》来看，其内容大致可归结为七大方面。

**一、学科原则论**

界定新兴学科的原则之一，就是要看某一现象所具有的“特殊的矛盾性”，要对“某一现象的领域所特有的某一种矛盾”进行研究；原则之二，凡新兴学科，既要分析“单个的运动形态”，又要分析一系列与之“互相关联和互相转变的运动形态”，还要“依据其内部所固有的次序的分类和排列”来进行分类。

从学科界定的原则可知，精神文明学是研究精神文明这一“特殊的矛盾性”的，同时，还要弄清楚与其“互相关联和互相转变”的其他矛盾的关系。一句话，精神文明学就是要研究主体精神本身及其同客体存在的相互关系。

**二、本体层次论**

本体即本身。根据现实需要，我们界定了三个重点层次：首先是人类一般的精神文明学。这是研究人类社会主体精神的形成、发展及其同客体存在交互作用的科学。其次是社会主义精神文明学，主要以社会主义社会为起点，以揭示社会主义精神文明建设的内在规律为主题，体现了社会主义的共性，而不是人类一般的共性。再次是有中国特色的社会主义精神文明学，具有突出的中国特色的个性。

**三、纵向起点论**

首先是原始的起点。根据摩尔根的历史分期法，人类社会大体可以划为蒙昧时代、野蛮时代和文明时代。我们认为，蒙昧时代是人类社会精神文明的原始起点。其次是成型的起点。也就是说，人类社会精神文明成型于奴隶社会。再次是崭新的起点。社会主义精神文明本身，是继承人类社会历史的一切优秀精神资料和全体社会成员共同创造的结果，也是人类社会历史上出现的崭新阶段。

**四、内部结构论**

首先是文化子系统的内部结构，包括教育、科技、卫生、体育和群众文艺等孙系统。其次是思想子系统的内部结构，包括理想、道德、情操、纪律和“三观”等孙系统。再次是审美子系统的内部结构，包括审美对象、审美意识、审美欣赏、审美教育和审美践行等孙系统。

**五、外部联系论**

人类文明总体中的精神文明不仅有其内部的结构，还有与人类文明总体中其他文明发生的外部联系。一是与物质文明的外部联系。二是与政治文明的外部联系。三是与法制文明的外部联系。四是与人种文明的外部联系。五是与生态文明的外部联系。

**六、精神生产论**

一要讲精神生产的生产方式，即精神生产关系和精神生产力，以及精神生产和再生产，即简单的精神生产、复杂的精神生产以及简单的精神再生产和复杂的精神再生产。

二要讲精神生产者及其确定精神产品模式的创造性、选择精神生产资料的科学性，从事精神生产过程的艰巨性和在历史上留下宝贵的精神财富、创造具有时代精神的精神产品，为社会发展提供各种超前方案、为物质产品和财富设计蓝图的重大作用等。

三要讲精神产品的价值及无偿性、低偿性、等偿性和高偿性等转让的形式。

**七、创建活动论**

精神文明学不仅要在学科基本概念、范畴和规律方面进行初步界定，由此形成的雏形体系还要从实践中来，并关注实践，受实践检验，提升和修正出理论以指导实践。

一从实践中的社区角度看，主要是指城市（及企事业单位、街道）和乡村（及区、镇）等。

二从实践中的领域角度看，主要有少数民族、宗教信仰和一国两制等方面的精神文明建设。

三从实践中的家庭个人角度看，强调家庭是社会的细胞，搞好家庭精神文明建设具有根本性作用。

作　　者：广东省社会科学联合会研究员
原文出处：《学术研究》1999 年第 9 期

# 王体正：社会主义精神文明建设理论的形成及其重大意义

## 一、社会主义精神文明建设理论的形成

第一阶段：从党的十一届三中全会到十二大。这个阶段，提出了社会主义精神文明建设的重大课题，并对社会主义精神文明的科学含义，社会主义精神文明对社会主义现代化建设的巨大作用以及基本要求作了初步概括。

第二阶段：从党的十二大到十二届六中全会。这个阶段，进一步确定了社会主义精神文明建设的战略地位、根本任务、指导方针、工作内容和工作目标。

第三阶段：从党的十三大到十四大。这个阶段，提出了要坚持两个文明一起抓，要克服一手硬、一手软的倾向，要坚持重在建设的方针，要坚持用马克思主义占领文化阵地，要加强爱国主义、集体主义和社会主义思想教育。

第四阶段：党的十四大到十四届六中全会。这个阶段，我国社会主义精神文明建设得到加强，而且形成了跨世纪社会主义精神文明建设的纲领性文件，是社会主义精神文明建设理论不断丰富和发展的时期。

## 二、社会主义精神文明建设理论的重大意义

1. 社会主义精神文明建设理论是对马克思科学社会主义学说的重要发展。我们过去在讲社会主义特征的时候，往往强调的是剥削制度的消灭，生产资料的公有，按劳分配的原则，国民经济有计划按比例的发展，而没有强调社会主义必须有高度的精神文明。因而，也就没有把社会主义精神文明作为社会主义的一个基本特征。

党的十一届三中全会以后，我国社会主义现代化建设进入了一个新的时期。邓小平提出，我们要在建设高度物质文明的同时，建设高度的精神文明。社会主义不但要有高度的物质文明，而且要有高度的精神文明。党的十二大对社会主义的基本特征作了较为全面的概括。我们党在建设有中国特色社会主义的实践中得出的新结论，是对马克思主义科学社会主义学说的重大发展。

2. 社会主义精神文明建设理论是建设有中国特色社会主义的指导方针。党的十一届三中全会以后，我们党从社会主义现代化建设的目标出发，在提出“以经济建设为中心”的同时，明确提出了“社会主义精神文明”这一科学命题。邓小平作为第二代中央领导集体的核心，对社会主义精神文明问题进行了全面系统的阐述。邓小平的这些重要思想，是关于社会主义精神文明的基本特征、性质、理论基础以及社会主义精神文明建设的基本内容、主要目的、根本任务、基本方针、基本规划等重要理论问题的充分展开。它丰富了马克思主义理论宝库，既具有很强的时代感和现实针对性，又有重大的理论指导作用和前瞻性。邓小平关于社会主义精神文明建设理论则是有中国特色社会主义文化建设的根本指针。

3. 社会主义精神文明建设理论是实现中华民族全面振兴的强大思想武器。改革开放 20 年来，随着物质文明的大发展，我国社会主义精神文明

建设取得了重大进展。我们要进一步复兴伟大的中华文明，就要在新的历史条件下，坚持用共同理想团结和教育全国各族人民，从社会生活的各个方面清除封建主义和资本主义腐朽思想，吸收人类优秀的思想文化成果，努力提高人们的思想道德素质和科学文化素质，大力弘扬爱国主义、集体主义、社会主义思想，坚持一切着眼于建设，促进生产的发展。而这些正是邓小平社会主义精神文明建设理论的重要内容。

作　　者：湖北大学党委宣传部部长
原文出处：《湖北大学学报》(哲社版)1999年第4期

# 于幼军：论社会主义初级阶段文化的特质

我国社会主义初级阶段的文化，其特质内涵可主要从以下六个方面考察、认识和把握。

**一、应该是民族性与时代性、民族文化与世界文化统一的文化**

文化首先具有民族性的特征。世界上各个国家和民族正是以不同的文化区别开来。我们在现阶段建设有中国特色社会主义文化，当然要继承弘扬中华五千年文化的精华，保留民族文化的根本特征。同时，又要自觉站在世界历史的高度，把握人类文明进步的方向和趋势，进而审视和思考本民族文化的现状和发展走向，把握我国现阶段文化的内涵和任务。要以开阔的视野、健康的心态和“融汇百川”、“兼容万物”的博大胸怀，借鉴吸收世界各国各民族优秀的思想文化成果，特别是现代以来反映了人类文明进步的发展方向和趋势的先进的思想文化，寓时代精神和现代文明于民族文化之中。

**二、应该是充分体现人民的意愿和利益的人民大众的文化**

文艺、文化从其最初起源看，就具有人民性的特点。中华民族文化素有人民性的传统。人民大众既是文化创造、建设的主体，又是文化服务的对象。因此，我国现阶段文化的内涵和要求，文化建设发展的目的、任务都必须充分体现人民的意愿，维护人民的利益，坚持为人民服务的方向，努力满足人民群众多方面、多层次的文化需求，提高人民群众的思想道德水平和科学文化素质。

**三、应该是把弘扬科学精神与倡导人文精神统一起来的科学的文化**

所谓科学精神，就是尊重科学、尊重知识、充分认识和肯定科学技术对社会经济发展和文明进步所起的巨大推动作用，高度重视科技发展及其在社会生活各个领域的广泛应用。我国社会主义初级阶段的主要历史任务是实现工业化、现代化。没有科学精神的弘扬和科学技术的进步，并广泛渗透到社会生活的各个领域，工业化、现代化是难以实现的。我国在整个社会主义初级阶段，无疑要在全社会大力弘扬科学精神，实施科教兴国战略，推动科技进步，使之成为全民的共识和自觉行动。人文精神是一种文化的价值标准。它关注并维护人在现实世界中的价值和意义，表现在人的价值理性、道德情操、理想人格和精神境界等方面。它主张以人为本位，尊重人的价值、维护人的权利、实现人的目的等等，体现了人类主体对人生理想和价值意义的追求，是人类文化精神的核心和灵魂。我国现阶段在全社会努力弘扬科学精神的同时，应大力倡导与人类文明进步方向、趋势和现代化的规律进程相一致，与发展社会主义市场经济的要求相适应的社会主义现代人文精神。

**四、应该是尚未成熟完备的初级形态的社会主义文化**

我国现处在社会主义初级阶段。与此相适应，一方面，我国现阶段的文化就其核心和主体而言，应该而且必须是社会主义性质的文化。它具有社会主义文化的一般特征，体现社会主义的本质和原则，为巩固、发展社会主义的经济基础和政治制度服务。另一方面，我国初级阶段的经济、政治和社会各方面的条件状况决定文化也只能是不发达、不成熟、不完备的初级形态的社会主义文化。这种初级形态的社会主义文化、无疑要以马克思主义的世界观和方法论为指导，以共产主义文化为发展方向和理想目标。在这一阶段的文化建设中，应该大力宣传共产主义的理想信仰，倡导共产主义的价值观、道德观，但却不能把共产主义的思想道德作为现阶段可以普遍实行的原则和要求，向全体社会成员提出，并据以要求和约束人们的行为。

**五、应该是适应并引导促进社会主义市场经济健康发展的文化**

在社会主义初级阶段，文化要适应经济基础，为经济建设服务，当然不能游离于市场经济之外，更不能与市场经济对立起来。而必须主动适应市场经济发展的规律和要求，引导、促进市场经济健康发展。这就需要正确认识把握思想道德文化建设与市场经济的关系，在积极推进社会主义法制建设的同时，努力在全社会倡导、发展与社会主义市场经济相适应的人文精神、经济伦理和社会生活各个方面的道德规范，形成有利于社会主义市场经济健康发展的环境和氛围。

**六、应该是与现代化进程相适应的文化**

社会主义是实现当代人类文明发展的共同主题——现代化的一种制度选择。社会主义初级阶段是实现从传统社会到现代社会历史变迁的重要时期。因此，社会主义初级阶段文化的性质与特征，不仅决定于社会主义制度的性质，也决定于现代化的历史性质以及现代化进程的一般规律。它既是现代化变迁的一个组成部分，又是现代化变迁发生和推进的重要前提；它的发展必须要与这一阶段的现代化发展的趋势和任务相适应。

作　　者：中共广东省委常委、宣传部部长

原文出处：《学术研究》（广州）1999 年第 7 期

# 吴雪绢：精神文明建设系统观

怎样运用系统方法建设精神文明呢？最根本的就是要在精神文明建设实践中坚持系统方法的基本原则，即要在精神文明建设的实践中坚持整体性原则、层次性原则和目的性原则。

**一、坚持整体性原则，树立精神文明建设的全局观念**

精神文明建设系统由思想建设、道德建设、科技建设、教育和文化建设五个基本要素组成，这五个基本要素的相互联系、相互作用，构成精神文明建设这一有机整体。运用系统方法的整体性原则，就是要我们在精神文明建设的实践中，正确地把握精神文明建设在社会主义现代化事业中的战略地位，从而明确精神文明建设的总体目标和任务。同时，正确地处理系统与要素、要素与要素之间的关系。

1. 精神文明建设的战略地位、总体目标和任务。任何社会都是经济、政治、思想、文化的有机统一体，社会主义社会也是社会主义的经济、政治和思想文化的统一体，在这一统一体中，经济、政治和思想文化是互相联系、互为条件、互相制约的。因此，社会主义的思想文化，即社会主义精神文明，是社会主义现代化事业的重要组成部分。

2. 精神文明建设系统与要素的关系。系统和要素是整体与部分的关系。首先，部分是整体存在的载体和物质基础，没有部分，就没有整体。其次，要素离不开系统。精神文明建设的总体发展目标，制约着思想建设、文化建设等的发展目标和发展的意义。

3. 精神文明建设系统中要素与要素间的关系。要素与要素间的既彼此独立，又相互联系、相互制约的关系启示我们，在进行精神文明建设的过程中，一定要既尊重思想建设、文化建设等要素的独立性，又要协调它们之间的关系，避免各自为战。

**二、坚持层次性原则，提高精神文明建设的针对性**

对于精神文明建设系统，它的每一组成部分又可以被看做一个较为低级的系统。而相对于社会发展系统，精神文明建设系统又只是其基本组成要素。因而，从教育子系统、精神文明建设系统到社会主义现代化建设大系统的相互联系和推移转化就显现出系统演化以层次方式逐级递进的特征。系统演化以层次方式逐级递进的结果，必然导致不同层次系统间特定的相互关系。这种关系是一种自下而上和自上而下双向关联的形式。

在精神文明建设的实践中，只有上下结合，才能制定出立足全局又合乎社会发展需要的发展规划，从而正确指导精神文明建设。总之，必须根据各层次系统的特点，制定相应的建设规划和措施。只有各个环节系统的建设水平普遍提高，精神文明建设总体水平的提高才快速有效。

**三、坚持目的性原则，明确精神文明建设的方向**

系统论认为，任何系统的存在和发展都具有其自身的目的性。宇宙自然永恒进化的过程中，系统过程的目的性从自然目的性发展到个体目的性，最后发展到社会目的性。社会目的的真谛在于：人们只有按照自然规律和社会规律能动地进行社会实践，才能把握住自己的历史命运，达到自己所预定的目的。要使预定的目的得以实现，必须具备下面三个条件：第一，系统的目的具有科学性；第二，系统的目的被群众所广泛认识；第三，系统具备实现这种目的的科学手段和方法。按照上述原则，精神文明建设目标的确定，必须符合客观实际的需要，与经济社会发展目标相一致。邓小平同志关于精神文明建设的培育“四有”新人目标的确定，正是从我国现阶段的社会主义现代化建设总体目标出发而做出的。“四有”新人的目标符合我国社会历史发展规律，是具有科学性的奋斗目标，我们必须大力进行宣传教育，使人民群众理解这一目标的内涵及意义，从而提高人们加强精神文明建设的自觉性、主动性和积极性。

作　　者：广州师范学院政管系教师，硕士
原文出处：《系统辩证学学报》1999 年第 1 期

# 朱清：迈向新世纪的精神文明建设工作思考

在世纪之交，福建省精神文明建设如何承前启后、继往开来？

**一、保持工作延续性**

要总结、推广以往的成功经验，在坚持中发展创新。要进一步抓好精神文明建设五年规划的制订与实施。要在全面分析国内外形势、充分调研和广泛征求各方面意见的基础上勾画新世纪前 5 年和前 10 年精神文明建设的发展蓝图，为制订精神文明建设“十五”规划构筑总体框架。

**二、追求发展新突破**

今后一个时期精神文明建设要更好地服从和服务经济建设这个中心，突出抓好优化环境的工作，把营造一个更有利于加速经济发展、更有利于推进改革开放的大环境作为新的突破口。环境建设应在以下四方面取得突破性进展：一是营造一个更好的舆论环境，包括理论建设、思想道德教育和新闻舆论导向等。二是营造一个更好的社会环境，包括建立和谐的党群、干群、军民关系和其他人际关系以及搞好社会公德、职业道德和家庭美德建设，搞好治安等，使社会保持良好的秩序。三是营造一个更好的法治环境，包括完善经济、政治、文化等领域的立法，普及法律基本常识，引导公民自觉守法、依法办事，要求司法人员严格执法、文明执法等。四是营造一个更好的生活环境，包括改善人们居住、工作、交通、娱乐、购物、休闲等条件，满足群众的精神文化需求。

**三、整体推进求特色**

从福建的地域特点来看，应紧紧围绕建设海

峡西岸繁荣带做好精神文明建设特色文章。要使这条繁荣带不仅经济繁荣，而且文化也繁荣；不仅要使闽东南率先繁荣，而且要带动闽东、闽西、闽北和闽西北都繁荣起来。

繁荣海峡西岸文化，应以闽东南为主线，对接闽东、闽西、闽北和闽西北，实现全省精神文明建设整体推进。从1999年到2010年，全省上下应共同围绕这一主题，大力加强精神文明建设，包括加强组织领导、加强分类指导、加强舆论宣传、加强物质投入和完善激励机制，使闽东南地区所有城市和80%以上县城（区），其他地区80%以上城市和60%以上县城（区），实现创建文明城市、文明县城（区）一级达标，地级市要率先实现。1999年要有2至3个城市进入全国精神文明建设先进城市行列，为全省做出榜样。

**四、不断克服薄弱点**

一是要克服一些地方和部门单位的领导班子依然一手硬、一手软，对精神文明建设工作没有足够重视的问题。进一步贯彻实施《福建省各级领导班子精神文明建设工作目标、工作机制及其考评原则》，对工作抓得好的领导给予奖励，抓得不好的给予处罚，保证精神文明建设方向明确、领导有力，持之以恒、常抓常新。二是要克服在精神文明建设投入上明显不足的问题。要督促各地各部门切实把教科文卫体等方面的基础设施建设纳入整个国民经济、社会发展计划之中。制定财政支出预算以及制定社会投资政策导向，都要有利于精神文明建设的发展。开展群众性精神文明创建活动，也要保证其有可靠的经费来源。三是要克服精神文明建设中抓软件弱于抓硬件的问题。大力抓好提高全民素质的工作，深入开展正确的思想理论教育、良好的道德品质教育，以进一步优化党风、政风、民风；运用法律的、现代科技的手段，切实加强和改进行政管理、司法管理、行业管理、人事管理和城乡管理，以规范人们的言行，使之符合文明的要求。四是要克服农村的精神文明水平还比较低的问题。精心指导各地各部门把农村精神文明建设摆在全局工作的突出位置上。在广大农村突出抓好党的基本理论、基本路线和思想道德、行为规范、艰苦创业精神、市场经济知识、现代农业科技知识等方面的宣传教育；每年培植、创建一大批高标准的文明镇、文明村、文明标兵户和文明乡镇企业；结合农村实际，普遍开展“讲文明树新风”活动，把文化科技卫生“三下乡”坚持不懈地抓下去。尽快把农村精神文明建设推上新的台阶。

作　　者：福建省文明办主任

原文出处：《文明建设》1999年第4期

# 郭彦森 孙长青：跨世纪精神文明建设的视角调整

在世纪之交的历史时期，精神文明建设要迎接跨世纪的挑战，视角调整就具有非常重要的理论意义和实践意义。

**一、不能把精神文明建设仅仅视为物质文明建设的手段**

物质文明和精神文明分别属于社会两大相对独立的生产系统——物质生产系统和精神生产系统。首先，两者所涵盖的范围不同。物质生产仅仅以自然界的各种客观事物为改造对象，而精神生产活动不仅以自然界的各种客观事物为认识和改造对象，而且还以人类社会、人本身及其实践活动和精神活动为认识和改造对象。它是一个比物质生产活动更宽泛、更复杂、更高级的系统，它的文明成果包括自然科学、技术科学、哲学社会科学、思想道德、文化艺术、教育等等。其次，两者所主要满足的人类需要也不同。物质生产活动以及物质文明成果主要是为了满足人类的物质生活需要，而精神文明不仅要为物质生产服务，为满足人类的物质生活需要服务，而且还要满足人们的安全需要、社会需要、求知需要、精神娱乐需要、价值实现需要等。它的功能和作用比物质文明要多，在人们的基本物质生活需要满足以后，甚至更重要。因此，在认识精神文明建设的性质和作用时，不能仅仅在物质文明和精神文明的关系中来理解，而应同时看到精神文明和社会主义民主政治建设的关系，精神文明和社会主义文化发展的关系；不能仅仅看到精神文明建设为物质文明建设服务的一面，更重要的是还要看到精神文明建设为社会发展和提高全民族的思想道德素质和科学文化素质服务的一面。

**二、不能仅仅在本体论意义上理解物质文明和精神文明的关系**

物质文明成果作为特殊的物质现象，精神文明成果作为重要的意识现象，两者具有本体论层次物质和意识关系的一般特征，即物质文明第一性，精神文明第二性，物质文明决定精神文明，精神文明反映并反作用于物质文明。物质文明和精神文明本体论层次的这种关系非常重要，坚持这一点是在这一问题上坚持辩证唯物论的基本要求和具体体现。但是，仅仅局限在这一层面上理解物质文明和精神文明的关系是不够的，还必须更进一步地深刻地理解物质文明和精神文明的辩证关系。

物质文明和精神文明的关系即两者之间的相互制约、相互影响和相互作用，以人类社会的实践活动为基础，并内在地统一于人类社会的实践活动过程中，因此，也只有在实践中才能对两者的关系作出完整、准确、深刻的理解。

那么，在具体的社会实践活动过程中，物质文明和精神文明即实践活动的物质要素、物质条件和精神要素、精神条件，谁是实践活动过程中的决定力量、决定因素，对实践活动的发展具有决定作用呢？此时就必须具体问题具体分析。从一般意义上来说，由于实践活动是一个有规律的客观过程，因此，物质要素、物质条件具有一般意义上的基础决定作用。物质要素、物质条件是否具备，从前提、性质、过程和发展前途等方面决定着实践活动的基本方向和基本趋势。但是，由于实践活动的物质条件不会自动具备，因此，创造物质条件的过程也一刻不能离开人的主观能动性的发挥。而在基本的物质要素、物质条件具备以后，如何运用这些条件，实践活动可能出现的结果如何，很大程度上则主要取决于实践活动过程中的人的因素。取决于人的素质高低，取决于人的积极性、主动性和能动性能否有效发挥。

**三、不能把精神文明建设仅仅视为软的、虚的东西**

精神文明建设并非纯粹虚的、软的东西，而有其确定的内容、任务、方法、条件。

第一，虽然精神文明建设是改造人的主观世界的，但是，人的主观精神不是虚的、空洞的、抽象的、不可捉摸的东西，对物质生产活动不起任何作用。人们从事经济和社会活动的目的是什么，正确与否？人们依据一定的条件而制定的经济和社会发展的战略、策略、路线、方针、政策，计划、方案、蓝图等等是什么，正确与否？人们从事经济和社会活动的积极性、主动性、能动创造性等怎么样，是否得以充分发挥？人们的思想道德素质和专业技术素质如何，能否适应经济和社会发展的需要？人们的法律和道德修养如何？等等，这些主观的、精神的东西，体现在具体的社会实践活动中，都是实实在在的东西，都是活灵活现可以直接感知的东西，都有其确切的内容和要求，都有其具体的表现和特征，并每时每刻都在影响着人们的思想和行为，从而影响着经济和社会发展。

第二，精神文明建设虽然不能采取行政强制手段，以力服人，而必须以理服人，以情感人，但精神文明却不能仅仅停留在口头上、书面上和主观范围内，而必须付诸实际行动。精神文明建设要改造主观精神也就是通过实践活动而表现出来的精神。对实践活动中表现出来的，不适合经济与社会发展的思想观念的改造，也不是轻描淡写地做做批评与自我批评就可以了，而必须把它和改造人的行为、规范人的行为有机结合起来。而对于我们所倡导、鼓励和要大力培育和塑造的思想观念，则更要和实践活动结合起来，渗透到日常生活的道德规范中，渗透到经济管理的各项制度和规定中，渗透到经济和社会发展的各项法规、法律、命令中，渗透到各种形式的教育中，通过养成良好的生活习惯，通过严格的管理，通过营造有序的社会环境，通过锻炼人的意志品质，通过改造人的物质生活条件，从而使精神文明建设有声有色，扎扎实实地得以有效开展。

第三，精神文明建设也要有投入，也需要硬件建设。如果把提高人的思想道德素质和科学文化素质称之为精神文明软件建设，那么，加强教育科学文化等有关方面的基础设施建设就是精神文明硬件建设。精神文明建设的软件和硬件是辩证统一的关系，二者缺一不可。如果没有相应的硬件建设作为基础，精神文明建设就不会持之以恒地开展下去。

作　　者：郭彦森　郑州大学思政系副教授；
孙长青　郑州大学研究生处馆员

原文出处：《郑州大学学报》1999 年第 3 期

# 唐亚林：关于社会主义精神文明建设的几个问题

## 一、充分认识社会主义精神文明建设的战略地位

从政治、经济、文化三位一体协调发展角度来把握人类社会发展的历史规律。作为社会主义社会上层建筑的重要内容之一的精神文明，一方面可以为经济发展和社会全面进步提供强大的精神动力和智力支持，另一方面也只有在与物质文明的互动发展中才能得到更大的提高。只有经济、政治、文化协调发展，物质文明和精神文明都搞好，才是有中国特色社会主义。

党的十一届三中全会以后，我国社会主义现代化建设事业进入了一个新的历史时期，这一新的历史时期的特点可以用一句话来加以概括——历史大转折和事业大发展。这一鲜明的时代特点的形成取决于党的“一个中心，两个基本点”的基本路线和社会主义初级阶段的科学论断的正确确立，取决于全民族精神状态发生深刻变化所带来的巨大精神力量的推动。

实现现代化这一人类共同理想召唤着社会主义精神文明建设朝着更高的目标迈进。在我们的改革和开放不断深化且存在着风险的条件下，面对着科学技术迅猛发展和综合国力剧烈竞争的状况，面对着世界范围各种思想文化相互激荡的状况，建设立足中国现实、继承历史文化优秀传统、吸取外国文化有益成果的社会主义精神文明之目标便成为当务之急。

## 二、以正确的信念来武装全党和全国各族人民的头脑

用邓小平理论武装全党和全国各族人民的头脑，在全社会形成共同理想和精神支柱，是有中国特色社会主义文化建设的根本。

树立为人民服务思想，大力推进社会主义思想道德建设。社会主义思想道德建设是社会主义精神文明建设的核心部分。为人民服务是社会主义道德的集中体现。各级领导干部尤其需要身体力行共产主义道德，牢固树立全心全意为人民服务思想。

## 三、推动世纪之交的中国社会主义精神文明建设进程

把解决人民群众普遍关心的实际问题与促进当地经济发展和社会进步有机结合。只有认真倾听人民群众的呼声，想人民群众之所想，急人民群众之所急，开展深入细致的调查研究工作，对症下药，才有可能找到制约当地发展的主要症结，推进社会全面进步。

把推动精神文明创建活动与塑造社会主义“四有”新人有机结合。在开展多种形式的群众性精神文明创建活动中，要把创建文明城市活动、文明村镇活动、文明行业活动与提高市民素质、农民素质、从业人员素质有机结合起来。

把学习先进模范人物的先进事迹与引导广大人民群众的自觉参与有机结合。通过先进模范人物在精神文明创建活动的影响、示范、激励和带动作用，潜移默化地引导广大人民持之以恒，使群众性精神文明创建活动生命力永驻。

作者单位：安徽省委党校
原文出处：《理论建设》1999 年第 2 期

# 祝福恩 姜桂芝：社会主义精神文明建设要理顺十对关系

**一、精神文明建设与经济建设的关系**

第一，物质文明是基础，经济建设这个中心必须牢牢把握，毫不动摇。第二，精神文明搞不好，物质文明也要受破坏，甚至社会也会变质。其一，精神文明为经济建设的发展方向提供思想保证。其二，精神文明为经济建设的发展提供精神动力和智力支持。

**二、主流与支流的关系**

处理好两者的关系，对加强精神文明建设有着积极的意义。其一，认清并承认主流，才能看清楚精神文明建设的战略地位、战略意义、伟大作用及不可忽视的功能；其二，认清并承认主流，看到这项工作的光明前景，增强工作的信心和使命感，从“两个大局”的高度推进精神文明建设；其三，看到支流及问题，既会认识到精神文明建设这手软的危害及非抓好不可的重要性、必要性，又认识到精神文明建设亟待解决的难点问题，增强精神文明建设的自觉性、主动性。

**三、领导文明与群众文明的关系**

在领导文明与群众文明的关系中，领导文明是主要方面。所以说要群众文明，领导者必须先文明。精神文明建设以领导文明为重点，并不是不抓群众文明，也不是群众文明不重要和不用抓，相反，群众文明建设不但重要，而且还要抓好。以群众文明推动整个社会的文明，促进、监督和实现领导文明。领导文明还会带动群众文明，两者就实现了良性的循环和螺旋式的发展。

**四、破与立的关系**

精神文明重在建设，以立为本，是由精神文明建设自身的特点和发展规律决定的。精神文明重在建设，以立为本，并不是不破。有的人把重在建设绝对化，以为不讲破了。实际上对错误和落后的东西必须破，绝不能听之任之，任其泛滥。

**五、先进性要求与广泛性要求的关系**

把先进性要求与广泛性要求结合起来，是社会转型期经济基础对思想道德建设的内在要求，是目前人们多样化的道德取向的客观反映。其一，多种所有制经济并存和利益主体多元化、多层次，导致了人们思想观念、道德选择、道德标准的多样化、差别化。其二，以往单一的道德观念、标准在社会转型时期受到挑战，与社会主义市场经济相适应的新道德尚没有形成，致使社会成员的道德取向纷然杂陈、多样交织。其三，改革开放后，西方道德、文化的进入造成了人们道德面貌的多样化。

**六、虚与实的关系**

社会主义精神文明建设是一项宏大的系统工程，需要一定的财力、物力的支持。精神文明建设有个虚与实的关系，如何处理好这对关系直接影响着精神文明建设的好坏。第一，做好实的工作，不断加大精神文明建设的投入，为精神文明建设提供必要的物质基础。第二，虚活做实，用精神文明虚的功能解决现实中实的问题。第三，以实的物质载体、活动基地和场所进行思想道德建设。第四，虚实结合，软任务硬化、指标化，确保精神文明任务的落实。

**七、社会效益与经济效益的关系**

处理好两者的关系，关键的是要把社会效益

放在首位。社会效益，是指文化产品有利于建设有中国特色社会主义，有利于改革开放和社会主义经济建设，有利于社会主义精神文明。

**八、德治与法制的关系**

在当今，任何一个国家或社会，要建立正常的社会秩序，都要建立客观和主观两个方面的规则，以此来维系社会的正常运转。客观规则是法制，主观规则是道德，只有两者紧密结合，相辅相成，社会才能协调发展。法制与道德作用范围不同，对于人们的约束不同，两者互补、相互促进，共同达到建设精神文明的目的。

**九、精神文明建设长远目标与阶段性任务的关系**

在工作中处理好两者的关系，一要从长远目标出发和着眼，认真完成好阶段性任务。二要各级领导干部在工作中善于把精神文明长远目标与阶段性任务结合起来，鲜明体现地方和部门特色，创造性地开展工作。三要各单位、各部门及各级领导明确任务，狠抓落实。

**十、社会主义精神文明与中国古代文明、西方文明的关系**

精神文明是一个历史范畴，继承性是其重要特征。我国是个有五千年历史的文明古国，创造了许多人类杰出的文明成果。我们在进行社会主义精神文明建设中，对古代文明要继承精华。社会主义精神文明是开放性的文明，在发展过程中借鉴世界各国文明是必要的。

作　　者：祝福恩　黑龙江省委党校教育长、教授；姜桂芝　黑龙江鸡西市委党校理研室

原文出处：《哈尔滨市委党校学报》1999 年第 4 期

# 陈来立：正确处理十个辩证关系 努力提高精神文明建设水平

在近几年的精神文明建设实践中，石家庄市探索出了不少成功的经验和做法，其中重要的一条是，要正确认识和处理十个方面的关系。

**一、正确处理精神文明建设与经济建设的关系，做到两个文明建设同时抓、同事抓、同步发展**

马克思主义哲学告诉我们，两个文明建设相互促进、相互作用，缺一不可。在对这个问题的认识上，要克服一些思想障碍。比如，只要物质文明上去了，精神文明自然就会跟上去的“自发论”；只要把物质文明搞上去，不惜牺牲精神文明的“代价论”；先把物质文明抓上去，再抓精神文明的“割裂论”，等等。

**二、正确处理领导文明与群众文明的关系，以领导文明带动群众文明**

人民群众是精神文明建设的主体，广泛动员和组织群众参与，是搞好精神文明建设的基础。各级领导干部不仅应当是精神文明建设的倡导者、组织者，而且首先应当是精神文明建设的模范实践者，这是搞好精神文明建设的关键。在组织、领导精神文明建设的过程中，领导干部必须有一种高尚的人格力量，严于律己，率先垂范，首先提高自身的思想政治素质、伦理道德素质和科学文化素质，才能带动和影响广大干部群众积极投身精神文明建设。

**三、正确处理大与小的关系，从小事抓起，打牢精神文明建设的基础**

精神文明建设必须从大局着眼，从小处着手。从大局着眼，就是要宏观把握精神文明建设的全局，确定精神文明建设的奋斗目标，建立健全精神文明建设的领导机构和组织网络，制定中长期规划，建立科学的运行机制和物质保障机制等。从小处着手，就是要针对不同发展阶段，提出精神文明建设的具体要求，抓好每项具体工作，解

决好细化操作的问题；要善于把大目标具体化，从基本规范、基础工作、基层单位抓起；要精心选择不断赋予新内容的、不断发展变化的活动载体。

**四、正确处理虚与实的关系，把思想道德建设融入到群众的生产和生活中去**

精神文明建设尤其是思想道德建设，不像抓物质文明建设那样立竿见影，它确有虚的一面；但这种虚并非看不见摸不着，因为人的精神状态总是要通过可以被人们感知的具体言论和行为表现出来的，从这个意义上讲，精神文明建设又是实的，必须坚持虚功实做，务求实效。一是要把精神文明建设的工作做实，二是精神文明建设的结果要求实，三是精神文明建设的投入要务实。

**五、正确处理集中整治与加强日常管理的关系，使创建活动既有声有色，又扎扎实实**

创造优美环境，建立优良秩序，搞好优质服务是一个长期的任务和目标，只有更好没有最好，更不可能一蹴而就。在创建过程中，为迎接重大节日和解决群众反映强烈的热点难点问题，组织专项战役进行集中整治是必要的，要坚持搞好。这只是一个方面，更关键更重要的是加强日常管理。

**六、正确处理硬环境与软环境的关系，在提高人的素质上下功夫**

一个城市的文明程度体现在硬环境和软环境两个方面。硬环境是指城市基础设施、教科文卫体设施、商业服务设施、环境保护、园林绿化和旧城改造、住宅建设等外在的形象，通过有效的投入，集中进行整治，可以收到较好的效果。软环境是指城市公民思想道德水准、科技文化素养、城市管理水平和民主法制建设程度等内在素质，要靠抓教育、抓养成。两个环境建设相辅相成，缺一不可，二者的关系是文明城市建设诸多关系中最主要的关系，只有正确处理，文明城市建设才会收到两个环境建设协调发展，相互促进的良好效果。

**七、正确处理先进性与广泛性的关系，加大对全民的教育力度**

先进人物是一定历史阶段精神文明建设的杰出代表，他们生活在群众中间，对他们加以宣传表彰，能够产生很大的感染力和号召力。精神文明建设的根本目的在于提高全民的整体素质，既要注重典型的培养，更要注重全民的教育。要采用民主的方法，说理的方法，讨论的方法，疏导的方法引导广大群众自我教育，自我提高。处理好精神文明建设中的先进性与广泛性相结合的问题，一方面要大力宣传一批在全社会具有重大示范带动作用的先进典型；另一方面要从小事抓起，从具体事抓起，吸引群众参与，推动良好社会风气的形成。

**八、正确处理城市与农村的关系，以城带乡，全面发展**

按照城市现代化、农村城市化、城乡一体化发展的思路，精神文明建设工作必须打破城市与农村之间的区域界限，实现城乡沟通，共同发展。城市是一个区域的经济、政治、文化中心，城市的精神文明建设具有的集中性、先进性、整体性，对农村具有较强的导向性、辐射性。农村的物质基础相对薄弱，文化条件相对落后，精神文明建设必须借助城市的支持和帮助，依靠城市所拥有的教育、科技、文化、信息等方面的先进设施，依靠城市的人才输出和科学技术的转移，缩小城乡之间的差距。要实现全市经济和社会发展的新突破，必须在发展城乡经济建设一体化的同时，建立城乡精神文明建设相互依存、相互促进的网络体系。

**九、正确处理吸纳兼容与创出特色的关系，走出一条符合本地实际的精神文明建设的新路子**

精神文明建设工作要把中央和省对整个精神文明建设的普遍要求与本地的实际情况结合起来，形成自己的工作特色。今后，我们要在继续抓好创建文明行业的同时，尤其要在提高全体市民的素质上下功夫，力争创出石家庄市思想文化建设的特色。

**十、正确处理领导体制与运行机制的关系，使精神文明建设步入良性循环轨道**

精神文明建设是一个庞大的系统工程，不单是思想文教部门的任务，而且是经济战线的一切部门的长期的共同任务。要切实改变一些抓经济工作的同志不太重视精神文明建设的问题，扭转一些抓精神文明建设的同志就精神文明建设抓精神文明建设、脱离经济建设的倾向。抓精神文明建设的同志，应该到改革开放和经济建设中去寻找精神文明建设的切入点；抓经济工作的同志，应当把精神文明建设作为物质文明建设的精神动力和思想保证。在此基础上，领导班子要形成合力，促进两个文明建设的有机结合，彻底解决“两张皮”的现象。在加强和健全领导体制的基础上，必须建立和完善齐抓共管、实现整体目标的运行机制。

作　　者：河北省委常委、石家庄市委书记
原文出处：1999年12月9日《河北日报》

# 周光召：科学技术与建设精神文明

科学技术不仅是第一生产力，也是强大的精神力量。今天在全社会弘扬科学精神，提倡科学态度和科学方法，具有重要的现实意义。

**科学态度与方法要求什么**

科学态度的基本要求是严肃认真，一丝不苟，客观公正，实事求是。科学态度和一切弄虚作假、假冒伪劣、欺上瞒下的作风是针锋相对的。科学态度是当前中国社会所特别需要的。

科学方法要求唯实、求真。要做到唯实，就必须能够做到去伪存真，这是很不容易的，因为存在有意的作伪，如制造假相、散布虚假信息等。再一个原因是不掌握唯物论的认识论，不掌握科学方法和基本的科学知识，人云亦云，有先入为主的偏见，轻易相信未经严格证明的表演等。

由于人在进行图像识别时受到已存储在头脑中的形象和想象的影响，识别的速度也有限，并不总是能根据所见就作出正确的判断。耳听为虚，眼见也未必为实。许多现象内在的原因需要经过科学的分析和推理才能作出正确的判断。

自然科学工作者通过精确的仪器，在严密控制的条件下进行可重复和可比的实验，同时对比、分析和综合其他相关实验的结果，在此基础上建立模型，形成假说和定律，利用数字方法进行严格的逻辑推理、预测、模拟和误差分析，再通过实验加以验证，以求得正确的认识。

通过科学方法确立并能为其他科学家在相同条件下重复的新发现，一般能较快地被科学界承认为客观的真理。

**科学精神七个要点**

科学精神就是彻底的唯物主义精神，它的要点可以概括如下：

（1）科学认为世界是不依人们主观意志决定的客观存在，要求正确认识客观世界的运动规律，因此客观唯实、追求真理是科学精神的首要要求。

（2）科学认为世界的发展、变化是无穷尽的，因此认识的任务也是无穷尽的。不断求知是科学精神的要求。

（3）科学要追求真理，不盲从潮流，不迷信权威，不把偶然性当作必然性，不把局部看做全体。不轻易相信未在严密科学方法下经过反复实验证明和严格科学推理的所谓的新发现。科学的怀疑精神也是科学精神的组成部分。

（4）科学认为具体的真理都是相对真理，都有适用的条件和范围，因而是可以突破的，新的发现将拓广原有的真理，使之适用于更大的范围和更少的条件限制，创新精神是科学精神的重要组成部分。如相对论和量子论都拓广了牛顿力学，并适用于更大的范围。

（5）科学又认为，相对真理是不断逼近绝对真理的，绝对真理是由相对真理构成的，在每一具体真理适用的范围和条件之内，它是不能违反的。新发现的真理必须包含原有真理的内容。例如，相对论发展了牛顿力学，但当运动速度变小时，相对论就自动趋于牛顿力学。可以说相对论的内容包括了牛顿力学。创新应当在继承的基础上进行，继承一切为科学方法所证明的客观规律和正确理论，是科学创新精神的必要组成部分。

（6）科学已成为社会主要实践活动之一，是社会有组织的群体活动。因此团队精神、民主作风、百家争鸣等都是科学精神的组成部分。

(7) 科学不仅要认识世界客观规律，创造新的技术和新的知识，而且要参与社会的变革，促进社会的进步。要从理性的认识发展到变革的实践，这也是科学精神的要求。

**科学、技术的区别和联系**

由于汉语使用中将词语缩略的习惯，现在人们将“科学技术”往往简化为“科技”一词，而不注意科学与技术这两个概念之间的区别和联系。有必要对科学、技术和工程的概念加以定义，以求得正确的认识。

——科学，是人类在认识世界和改造世界过程中所创造的，是正确反映客观世界现象、物质内部结构和运动规律的系统理论知识。

科学理论内容必须符合客观实际，要逻辑严谨，没有矛盾，能够指导实践。它由已知的观测和实验事实总结而来，又必须具有预测的能力，能够在其适用的范围内预测可能发生的新现象，并通过科学实验验证其预测。预测与验证是确立一个新理论和其适用范围时必须采用的方法。

科学还提供认识和改造世界的态度和方法，提供科学的世界观和处世的科学精神。因此，科学也是一种文化，是强大的精神力量，和道德、美学等同是精神文明建设的主要内容。

——技术，是在科学的指导下，通过总结实践的经验而得到，在生产过程和其他实践过程中广泛应用的，从设计、装备、方法、规范到管理等各方面的系统知识。

在生产实践活动中，人类对技术，也就是“怎么做?”不断积累了经验。几千年前，在农业、医疗、建筑、陶瓷、金属冶炼等方面就已经发展了高度的技能。

技术直接指导生产、服务生产，是现实的生产力，也是一种商品。简言之，一切能够在市场上有竞争力，获得市场承认，推动市场发展的知识都可以称为技术。

科学产生技术，技术推动科学，二者相互促进，密切相关。

——工程，是人类有组织地综合运用多门科学技术进行的大规模改造世界的活动，它除了要考虑技术的先进性和可行性，还要考虑成本和质量，做到经济、实用、美观，要考虑对环境的影响，以避免污染。它的成功有赖于多种科学技术的综合集成和科学的管理。

**普及科学　破除迷信**

迷信活动是长期存在的普遍现象，它始于人们对尚未认识的自然力量的恐惧，以后又为社会的动荡和快速变革而感到不安，于是就以迷信活动来祈求好运，免除灾难。

辛亥革命后，社会上宣扬鬼神的迷信盛极一时，上海有灵学会，出版《灵学丛志》，北京有悟善社，出版《灵学要志》。当时，风水、算命、卜卦、画符、念咒、扶乩、炼丹、运气、迎神、说鬼，无奇不有，横行国中。在李大钊、陈独秀的领导下，《新青年》杂志高举科学和民主的旗帜，对迷信活动进行了有力的批判和反击，迎来了五四新文化运动。

在社会变革的时期，人们不了解社会发展的趋势，不能掌握自身的命运，或发横财，或遭破产，都有神秘和不安定感。在缺少精神支柱时，人们感于今生，期于来世，以宗教信仰或迷信活动来寻求心理安慰。时下迷信的泛滥与辛亥革命后出现的情形何其相似，都有一定的社会根源。

伪科学是有人利用广大群众缺乏科学方法、科学态度的训练和对具体科学知识的无知，打着科学的旗帜来宣扬迷信思想。它常常带有更大的欺骗性和危害性。

在国人中破除迷信，需要加强精神文明建设，对用迷信活动进行诈骗者要给以法律制裁和舆论谴责；要大力普及教育和科学知识，进行多方面工作的配合。这是一项长期的系统工程，普及教育和普及科技知识是根本的措施，要坚持不懈地做下去。

作　　者：中国科协主席、全国人大常委会副委员长

原文出处：《瞭望》1999 年第 44 期

# 解道华：科学技术与社会主义精神文明初探

## 一、科学精神是社会主义精神文明的精粹

科学精神、科学思想以及科学知识是科学技术精神形态的重要方面，是人类宝贵的精神财富，是社会主义精神文明的精粹。科学精神是科学研究者在长期的科学活动中形成的意识、观念、道德品质和精神风貌。科学精神作为科学技术的精神形态，不但是科学研究者整个精神结构的一部分，而且在一定条件下也能影响一般人的精神世界。科学精神一旦被人们所接受，所确立，便会内化为其价值体系的一部分，长期地发挥作用。

科学家在长期的科学活动中铸就了实事求是的科学精神。科学研究过程中贯穿着批判思维和创新思维的交互作用。在继承的基础上不断创新，是自然科学发展的必然途径。科学研究需要科学家的奉献精神。人们发现自然规律的目的就是要把它奉献给全人类，利用它来为人类造福。科学家只有在自己的思想、信念的支配或某种国家民族利益的驱动下，不计较个人得失，才有可能作出成绩。

## 二、科学技术的发展丰富了社会主义精神文明的内容

随着科学研究和技术创造活动不断向深度和广度进军，人类的这一精神活动领域不断得到扩大，内容也越来越丰富，知识老化的速度大大加快。科学技术在经济发展和社会进步中的地位和作用空前提高，科学研究日趋社会化，社会生活也日趋科学化。因此，不断地学习，不断地接受教育，更新知识，提高能力，成为时代的要求。

19世纪电磁理论的建立导致了电力的大规模应用，这不仅为人类提供了强大的动力，也把光明送到了世界的每一个角落。人们的生活变得丰富多彩起来。本世纪初，在光学和声学原理基础上发明的电影、电唱机、电报、电话，使得人们的娱乐形式得到了根本的变革。随着微电子技术的发展，无线电广播、电视的问世，人们足不出户便可以欣赏到世界第一流艺术家的表演，观看精彩的体育赛事，了解天下大事。

利用现代交通工具，人们可以亲身领略世界各地大自然的奇异风光，浏览各国的名胜古迹，于是旅游业应运而生。旅游，成了现代人的一种重要的生活方式。利用数据通信，人们可以在互联网上自由驰骋，与远在他乡的亲人互通信息。新型的信息储存材料正在逐步取代古老的纸张，电子出版物正一步一步地走进人们的生活。

现代艺术把人们的科学技术创造活动本身写进了诗歌小说，搬上了舞台银幕，制作了视听盘带，丰富了艺术表现的内容。科学与艺术的结合，不断地创造出新的审美方式。现代化的照明技术、摄影摄像技术、激光技术、通信技术、电脑技术等，极大地提高了艺术的表现力和感染力，增强了现代艺术的效果。

## 三、科学技术手段是社会主义公德建设的有力保障

社会主义公德建设是社会主义精神文明建设的一个重要层次。公德建设一要靠人们的自觉，二要靠制度的约束。制度约束有“软约束”与“硬约束”之分，在这两种约束过程中，科学技术都可以扮演十分重要的角色。

“软约束”是建立在强烈的道德自律、自我悟性的基础上，去发现、加强自身需要以外的精神品质，如良心、同情心、爱心等，以便与其他社会成员进行更广泛的协调和联系。“软约束”需要适当的社会精神载体来引导、规劝人们按照符合全社会利益的行为准则来约束自己的行为。这种精神载体与科学技术发展水平密切相关。

“硬约束”带有强制性，是一种成文制度，一般要有配套的监督反馈和奖惩预警系统。在我国

当前的形势下，社会公德建设应当以“硬约束”为主。也就是说，社会公德建设，主要是要完善制度，加强监督。有了制度，关键就是监督了，而靠科学技术为我们提供的物质手段来进行监督，则可使这种监督更全面、更准确、更及时。

作者单位：安徽省委党校

原文出处：《理论建设》1999年第3期

# 刘宏明：社会主义市场经济与精神文明建设

**一、市场经济的发展，给精神文明建设注入了新的活力**

社会主义市场经济不但推动着我国经济的高速发展，也使精神文明建设发生了前所未有的深刻变化。

一是促进了思想观念的更新，推动了经济增长方式的转变。如石油企业，开始改变了靠高投入实现规模扩张的粗放型经营方式，树立了以生产的高科技投入，产品的高附加值，先进的管理方式实现经济增长的观念，逐步从单纯追求经济增长的数量转到着力提高经济增长的质量和效益上来。二是增强了竞争意识，促使人们开创性地努力工作。三是加快了信息流通，使精神文明建设体现了时代特色。在石油企业，许多单位都实行目标管理体系化，日常工作制度化，教育活动工程化，宣传手段现代化，使精神文明建设生动活泼，更加注重实效，而且贴近实际，贴近群众，贴近改革。各单位广泛开展的岗位规范、企业精神、企业文化、企业形象以及青年志愿者、创建文明单位、文明岗位、争当最佳员工等群众性活动，融精神文明与物质文明于一体，形成了具有时代特色和企业特点的两个文明建设有机结合机制，有力地推动了社会主义市场经济的发展。

**二、完善市场经济体制，对精神文明建设提出了更高的要求**

建立和完善社会主义市场经济体制，既为搞好精神文明建设提供了机遇，也对精神文明建设提出了新的更高的要求。

首先，要求从理论和实践的结合上答疑释难，明辨是非。在市场经济不断发展的情况下，意识形态领域将长期面临复杂的局面，群众的思想认识问题也会日趋多样化，因此，做好这方面的工作是一项长期的艰巨的任务。其次，领导者的思想认识和工作方法要适应精神文明建设的需要。要切实从组织领导上真正重视精神文明建设，建立党委统一领导，政工部门指导协调，党政工团分工负责、共同实施的管理机制。要针对市场经济条件下出现的新情况、新问题开展各类研讨活动，在继承过去行之有效的优良传统和作风的同时，探索新途径，采用新方法。要根据不同的工作层面、对象，有计划、有标准、有步骤地抓好各种创建活动，真正提高精神文明建设的水平。再次，要在全面提高人的素质上下功夫，增强群众广泛参与市场经济活动和精神文明建设的能力。

**三、在市场经济体制下建设精神文明要抓住关键环节**

一是紧紧抓住精神文明建设的核心。要用马列主义、毛泽东思想，特别是邓小平理论武装全党和全国人民，这是精神文明建设健康发展的根本保证。

二是突出工作的重点。当前要把培养和提高全民的思想道德素质，主要是社会公德、职业道德、家庭美德作为工作的重点。在“三德”中，职业道德又处于十分重要的位置。

三是不断完善约束机制。不仅要建立健全有关法律、法规，依法加强对社会生活各个方面的管理，制裁和打击危害社会的不法行为，而且要在各行各业，社会的各个方面都建立健全管理措施，如职业要求、岗位规范、家庭公约、公民守则等等。

作者单位：新疆吐哈油田开发第一事业部

原文出处：《实事求是》1999年第2期

# 褚添有：论市场经济与精神文明建设的结合

探讨市场经济与精神文明建设怎样才能实现有机结合，对于做好市场经济条件下精神文明建设工作有着重要的意义。

**一、两者结合的内在联系**

市场经济不仅仅是一种经济行为，而且是一种文化现象。市场经济的细胞是商品，而所有的商品都蕴含着一定的文化。

企业是市场经济的主体，它不仅是商品的生产经营者，而且也是社会文化的载体和建设者。企业的市场行为不仅仅是经济行为，也是一种文化行为。

商品是市场经济的细胞，具有使用价值和交换价值。生产者要想实现自己的利益，就必须先满足他人或社会的需要。因此商品生产不是为了满足别人而是为了自己但又确实满足了别人，确实是为了满足自己而又必须通过先满足别人才能满足自己，即商品生产在满足别人的同时满足自己，在满足自己的同时满足别人。这是商品生产中人的利己与利他的统一。因此从这一意义上说，市场经济就是道德经济、法制经济。由此可看出，市场经济中渗透着道德的要求，蕴含着一系列的道德伦理规范。

**二、两者的结合点**

市场经济本质上是一种利益经济。马克思曾精辟地指出："人们奋斗所争取的一切，都同他们的利益有关。"利益驱动并决定人们的行为。人们进行生产和社会交往的动机和目的是对利益的追求。人类社会从自然经济走向商品经济（市场经济），正是人为满足利益需要的不断追求的结果。利益是思想道德的基础，精神文明的存在与发展都根植于人和社会的利益要求。

既然利益是市场经济最根本所在，那么市场经济促使利益主体追求利益的行为，就不仅不应受到贬抑，而应当在社会中匡设这一机制。精神文明建设也不能离开利益，利益贯穿于精神文明建设的全过程。因此，精神文明建设的一个重要任务是引导人们树立正确的利益观，正确认识利益，合理、合法地追求利益。利益关系是社会主义市场经济和精神文明相沟通的交汇点或结合点，通过利益的作用实现社会主义市场经济和精神文明的结合。

**三、结合途径**

在市场经济条件下，市场已成为人们生活中心，因此，满足人的内在需要，主要是通过市场这一中介。

利用市场的各种载体，占领市场阵地。精神文明建设也必须重视市场，利用市场的各种载体（商品、企业、市场的组织机构和制度等），去占领市场阵地。

启发人们的内在需求，引导社会精神产品的消费。人是自然属性和社会属性的统一，决定了人的内在需要的多样性，既有低层次需要，又有高层次需要。因此，必须对人们的精神消费进行正确的启发和引导，引导人们进行高层次精神消费，不断加强个人思想品德修养，提高自身文化和思想素质，放弃那些低级的、庸俗的、不健康的兴趣和追求。

充分利用市场机制。既然精神文明建设必须面向市场，那么，精神产品生产也同样受到经济规律（如价值规律、商品、货币流通规律）的制约。因此，必须充分利用市场机制（供求机制、价格机制、竞争机制）来调节精神产品的生产、交换和消费。

依法治理。市场机制进入精神文明建设领域起着双刃剑的作用，对精神文明建设既起着积极作用，同时又有消极不利的影响，其中最突出的是追求经济效益与追求社会效益之间矛盾尖锐。因此，必须不断完善文化市场的法律法规和管理体制，加强对市场的监管，加大执法力度。与此同时，还要辅之以政策规范、道德规范等来规范行为主体的行为。

作　　者：广西师范大学政治经济系研究生
原文出处：《柳州师专学报》1999年第3期

# 严建强：发展经济要加强精神文明建设

越是集中精力发展经济，加快改革开放，越是需要加强精神文明建设，绝不能以削弱甚至牺牲精神文明为代价，换取经济的一时发展。

加强精神文明建设，首先要解放思想，转变观念，坚持实践是检验真理惟一标准这个马克思主义的基本观点。广东各级党委、政府遵循邓小平教导，积极引导广大干部群众从实际出发，解放思想，更新观念，使人们敢于突破传统计划经济模式的束缚和旧的文化传统观念的禁锢，敢于走前人没有走过的道路，善于选择适合自己的经济发展新路子。广东改革开放和经济发展的许多创举，大到放开物价、搞活流通、发展外向型经济，小到“借鸡生蛋”、“借船出海”、“以路养路”、“以电养电”等，无一不是思想解放的产物。各种与改革开放和发展社会主义市场经济以及现代化大生产相适应的新观念，如竞争观念、时效观念、开放观念、消费观念、市场观念、信息观念、人才观念、文明观念的逐渐确立，使广大干部群众不仅大大增强了对各项改革的心理承受能力，而且提高了在党的基本路线指引下，积极投身改革、大胆探索实践的积极性和主动性。

加强精神文明建设，要提高全民族的思想道德素质和科学文化素质，为改革开放和现代化建设提供强大的精神动力。近年来着力抓了三个方面的工作：一是抓学习；二是抓教育；三是抓典型，为人民群众树立先进的榜样。先后树立了好军嫂韩素云，爱国拥军好母亲姚慈贤，30年如一日学雷锋做好事的陈观玉，勤政爱民、廉洁奉公的好干部李楚生等一批先进典型。

加强精神文明建设，要同群众的切身利益结合起来，不断满足人民群众日益增长的物质和精神生活需要。精神文明建设同物质文明建设一样，和广大人民群众的切身利益紧密相联。要从群众迫切希望解决的问题入手，把精神文明建设同群众的切身利益结合起来，使群众在看得见、摸得着的利益面前，认识到党的号召和政策的正确性，从而提高搞好精神文明建设的积极性。

加强精神文明建设，要坚持重在建设的方针，以立为本，持之以恒，贵在落实，务求实效。近年来，广东在抓社会风气、民风的同时，特别注意突出抓好党风和廉政建设的教育，依靠优良的党风带动社会风气和民风的进一步好转。一方面，努力按党中央部署抓好反腐败的三项重点工作（领导干部廉洁自律、查处大案要案、纠正行业不正之风）；另一方面，引导广大党员、干部，联系反腐败斗争中暴露出来的问题，深刻认识反腐倡廉的极端重要性。广东反腐败斗争的实践表明，只要能有效地制约权力，减少腐败，扫除社会丑恶现象，精神文明建设就能事半功倍。

加强精神文明建设，要充分调动广大干部群众的积极性和自觉性，深入持久地开展群众性精神文明创建活动。经过多年不懈的努力，广东已逐步形成以创建文明城市为龙头，以创建文明村户、文明街道、文明单位为基础，以创建文明社区、文明行业、文明江河、文明路段为纽带，以提高人的现代文明素质，推动改革开放和经济社会协调发展为目标的共建文明、共促繁荣的良好局面。

原文出处：《广东精神文明建设红皮书（1999）》广东人民出版社1999年9月版

# 张锡林：必须坚持物质文明与精神文明共同进步

坚持物质文明和精神文明的共同进步，是建设有中国特色社会主义的本质要求。马克思主义揭示了人类社会不断地从低级走向高级的自然历史过程，社会主义社会是共产主义社会的第一阶段，是人类历史上崭新的社会形态，它区别于其他社会形态的显著标志就是它的全面发展、全面进步。社会主义“必将使全体成员的才能得到全面发展，最终进到全面发展的社会和全面发展的人的理想境界。”我们党在领导全国人民进行社会主义现代化建设和改革开放的实践中始终坚持并进一步发展了马克思主义关于社会主义社会是全面发展进步的理论，一贯强调社会主义社会应该是实现生产力高度发展和社会全面进步两个要求的社会。党的十四届六中全会《决议》指出：社会主义精神文明是社会主义的重要特征，是现代化建设的重要目标和重要保证，建设社会主义精神文明关系到跨世纪宏伟蓝图的全面实现，关系到我国社会主义事业的兴旺发达。党的十五大进一步明确指出：只有经济、政治、文化协调发展，只有两个文明都搞好，才是有中国特色社会主义。

坚持物质文明与精神文明共同进步，是发展生产力，实现经济发展宏伟目标的需要。党的十一届三中全会以来的20年，我们始终坚持以经济建设为中心，集中力量发展社会生产力，取得了举世瞩目的伟大成就。“发展是硬道理”，已成为全党、全国上下的共识。20年的伟大实践又告诉我们，大力发展社会生产力，努力实现经济发展目标，必须正确认识和处理好物质文明建设和精神文明建设的关系。我们是唯物主义者，从来都承认物质第一性，物质文明是精神文明的物质基础；同时我们又承认精神的反作用，承认精神文明对物质文明发展有着巨大的、能动的反作用。能否坚持物质文明和精神文明共同进步，关系到我国改革开放和现代化建设事业的兴衰成败。为什么十一届三中全会以后，我们党能在很短时间内领导人民大力发展经济，创造出令世人瞩目的成就呢？正如十四届六中全会《决议》指出的：“没有党的指导思想这种历史性飞跃，没有全民族精神状态这种深刻变化，没有敢闯敢试的劲头和及时总结经验的智慧，就走不出一条好路，就干不出新的事业。”这充分说明党的基本理论，思想路线，创造精神，顽强作风等精神力量对发展生产力所起到的巨大作用。

坚持物质文明和精神文明的共同进步，是增强综合国力的需要。综合国力既包括经济力量、科技力量，也包括政治力量、思想和文化的力量。就是说，包括物质和精神两方面的力量。经济力量和科技力量的增强可以为综合国力的提高奠定坚实的基础，政治力量、思想和文化力量的增强则为综合国力的提高提供内在动力和坚强保证。党的十一届三中全会以来，我国国民生产总值翻两番的目标提前实现，经济实力得到明显增强。同时，我党大力提倡精神文明建设，大力弘扬爱国主义精神和革命传统，解放思想，振奋精神，顽强拼搏，战胜困难，经受了动乱的考验，金融危机的考验，特别是在1998年严重自然灾害的考验面前，我们的民族和人民表现出万众一心、众志成城、不怕困难、顽强拼搏、坚韧不拔的伟大抗洪精神，体现了中国人民强大的凝聚力，体现了中国人民革命英雄主义气概，也体现了中国人民的坚强意志和必胜信心，从另一个侧面展示了改革开放20年来我国强大的综合国力。正如江泽民同志指出的，有没有高昂的民族精神，是衡量一个国家综合国力的一个重要尺度。

党的十五大报告指出，有中国特色的社会主义文化（就其主要内容来说同改革开放以来我们一贯倡导的社会主义精神文明是一致的），是凝聚和激励全国各族人民的重要力量，是综合国力的重要标志。它渊源于中华民族五千年文明史，又植根于有中国特色社会主义的实践，具有鲜明的时代特点；它反映我国社会主义经济和政治的基本特征，又对经济和政治的发展起着巨大的促进作用。在向多极化发展的国际格局中，各大国之间综合国力的较量是很剧烈的，并将持续很长时间。我国在这种较量中站住脚跟，除了要大力发展生产力，大力增强经济实力和科技实力外，同时，还必须大力加强社会主义精神文明建设，大力增强自己的精神力量，从物质力量和精神力量两个方面形成我们的整体优势。

作　　者：辽宁省委常委、宣传部部长
原文出处：《精神文明建设》1999 年第 1 期

# 鄯爱红：可持续发展与精神文明建设

可持续发展战略不仅是建设社会主义物质文明的重要方针政策，而且，与社会主义精神文明的建设密切相关。

**一、可持续发展——社会主义精神文明的本质体现**

可持续发展的思想，是人类关于发展的新思想。它是人类对单纯追求经济数量增长的片面发展观进行反思的结果。

确立尊重客观规律的意识，正确处理各种利益关系，是精神文明建设的核心要求，可持续发展理论体现了精神文明的这一本质要求。

建设社会主义精神文明就是要在全社会确立科学的、健康的、文明的价值观，以引导人们的生产、生活方式。可持续发展理论是精神文明的这一本质要求的体现。

**二、可持续发展创造着新的精神文明**

可持续发展战略展示了一种崭新的社会文明观。它要求人们超越狭隘的短视的利益优先观念，以崇高的境界把人与自然、社会发展与生态发展融合在一起。它从一个崭新的视角把人的精神境界提升到前所未有的地位，极大地丰富了精神文明建设的内涵。可持续发展不仅包括着对物质文明的推动，而且包括着对精神文明的推动。它不仅改变着现代人的物质生活，也改变着现代人的精神生活，创造着新的精神文明。

可持续发展要求人类树立持续发展的观点，标志着人类对人与自然关系认识上的一次飞跃。可持续发展要求人们确立一种新的生态自然观，要求人们转变自然资源是“取之不竭用之不尽”的传统观念，代之以“资源有限”、“资源有价”的新观念；要求人们用人与自然和睦相处、共存共荣的生态自然观代替人是自然主宰的强权自然观。以确立人与自然的这种新型关系为基础的可持续发展理论具有重要的伦理价值，它极大地延伸了人类的利益关系，对人类的权利、义务作了新的阐释，确立了在人与自然的和谐统一中寻求人生价值和意义的正确定位。这无疑意味着人类精神领域的一次重大变革和深化。

可持续发展要求人们树立整体发展的观点，标志着人类素质以及人类深层能力的一种发展。可持续发展思想认为世界上任何事物都是处于一个相互联系的整体之中。实施可持续发展的战略，就是要求人们必须树立经济、生态、社会效应相统一的整体发展观。不同国家和地区的人们，必须把生态环境视为一个整体，站在全人类的角度积极参与拯救“地球村”的活动。只有这样，人类的发展才是可持续的。

可持续发展要求人类树立平等发展的观点，标志着人类精神价值和道德水平的极大提高。新的发展观必然导致人与自然、人与人、国家与国家关系的变化，形成世界性的人与自然关系、人与人关系、国家与国家关系的新秩序、新格局。

这就客观上要求人们确立一种新的世界观、价值观与之相适应。

可持续发展战略的实施将促使人们的生活方式、行为方式特别是消费方式的变革，要求人们转变毫无节制的消费观念，树立物质享受与精神文明相统一的适可而止的消费新观念。可持续发展战略的实施将在抵制不健康、不文明的消费行为和消费方式，在破除人们超前消费、过度消费和炫耀式的消费等病态消费观念，树立保护环境，可持续消费的道德观念方面发挥重要的作用。

**三、可持续发展需要精神文明建设的有力支持**

实施可持续发展战略中所遇到的冲突和困难都需要加强精神文明建设来获得最终的解决。具体到我国的实际情况，目前精神文明建设应着重做好以下几方面的工作：

一是要加强关于可持续发展的科学管理、综合决策和法制建设。目前，我国已初步建立了以《中华人民共和国宪法》为基础，以《中华人民共和国环境保护法》为主体的环保法律体系。但我国的环境立法与实际需要相比，还明显滞后，还需要进一步加大立法、执法的力度，以保证可持续发展战略的顺利实施。

二是要在全社会进行可持续发展价值观的教育，让人们牢牢地树立起“可持续发展”观念，以改变人们不良的生产方式和生活方式。

三是要进一步反对利己主义、拜金主义和享乐主义，提倡适度消费，建立起既符合实际，又具有可持续性的生活方式。

作　　者：北京市委党校哲学教研室副教授、博士

原文出处：《北京行政学院学报》1999年第4期

# 鲁世山：可持续发展战略与精神文明建设

可持续发展战略本身要求在抓好物质文明建设的同时要重视精神文明建设，而精神文明建设可以推动可持续发展战略的顺利实施。

**一、对可持续发展的内涵剖析**

要研究精神文明建设在社会可持续发展中的作用，首先必须要弄清可持续发展的内涵。目前我国学术界大多数学者都接受和赞同1987年世界环境与发展委员会（WCED）发布的题为《我们共同的未来》的报告给“可持续发展”所下的定义：既满足当代人的需要，又不对后代人满足其需要的能力构成威胁和危害的发展。

**二、精神文明建设在可持续发展中的作用**

第一，精神文明建设可塑造社会可持续发展所需要的社会价值观。实现社会可持续发展所需要的社会价值观，完全可以通过社会主义精神文明建设来塑造。首先，社会主义精神文明建设所强调的集体主义原则，就明确提出要坚持整体利益与个体利益、全局利益与局部利益的有机统一。这就可以塑造可持续发展观在价值主体上所要求的“类”与“群”的关系。其次，社会主义精神文明建设强调要做到“两手抓，两手都要硬”，防止“一手硬，一手软”现象；强调社会物质文明与人的精神状态、道德素质和文明程度要同步发展，经济效益与社会效益并重等等。这就可以塑造社会可持续发展所需要的综合价值目标体系。再次，社会主义精神文明倡导先人后己、无私奉献的社会风尚，不仅可以塑造社会可持续发展所要求的人与人之间要“互利”的价值评价模式，而且这种注重先人（后代人）后己（当代人）的代际平等，也就内在地隐含了人与自然之间也要遵循“互利型”的价值评价标准。

第二，精神文明建设可建构社会可持续发展所需要的伦理道德观。首先，从处理好人与人之间的关系看，可持续发展具有浓厚的伦理道德色彩。可持续发展观主张当代人在满足自身的同时，不能威胁和危害后代满足其发展需要的能力。其

次，从处理好人与自然之间的关系看，当代人、前代人若是无情地占有自然，消费、享受应属后代人的那份自然，那么当代人的这种占有自然的活动就是不道德的。由此可见，人与自然的关系在一定程度上是人与人的关系的折射和反映。从这种意义上说，处理人与自然的关系就具有浓厚道德色彩。

但是，可持续发展所体现的道德完满和健全，它还只是一种要求，只是一种理想客体。这种要求与理想何以变为现实？对此，精神文明建设正可大有作为。因为我们所强调社会主义精神文明建设，其中就包含了注重社会伦理道德建设的要素。通过全社会的道德建设，社会成员“三德”水平的提高，特别是社会公德意识增强，不仅对处理好人与人的关系，而且对于处理好人和自然的关系都有极大的推动作用，从而推动社会可持续发展的实现。

第三，精神文明建设为社会可持续发展提供有力的科学文化支持。首先，当今影响社会可持续发展的很多问题都是由教育和科学有一定的发展但发展水平又不是很高所造成的。人类目前还没有认识到的、需要将来的人类去认识的影响社会可持续发展的其他因素，也只有在科技进步的基础上才有可能去发现它。其次，要真正解决影响社会可持续发展的诸多问题，更离不开教育和科学技术的发展。无论是自然资源和能源的节约，还是新资源、新能源特别是能够再生的新资源、新能源的寻找与开发，无论是环境问题的整治，还是人口问题的解决等，所需要的科学论证、技术设备，都必须建立在科学技术发展的基础上。同社会可持续发展所需要的社会价值观、伦理道德观一样，影响社会可持续发展能否实现的教育和科学技术水平，也需要人类自觉地进行建设。社会主义精神文明建设对此正有用武之地。

作者单位：合肥炮兵学院政教室

原文出处：《理论建设》（安徽省委党校学报）1999 年第 1 期

# 李振伦：可持续发展——一种新的文明

可持续发展，不仅仅是一个要求对经济社会的现有发展方式做出某些调整的简单问题，而且是涉及到整个人类文明的全面发展的问题。

## 一、可持续发展——人类理性化的选择

可持续发展理论是在人类生存和发展受到严重威胁，使得人们不得不回过头来认真审视人类过去的行为和关于发展的观念的情况下提出来的。1981 年，美国世界观察研究所所长莱斯特·R·布朗在《建设一个持续发展的社会》中最先提出了“持续发展”的概念。1987 年，联合国环境与发展委员会的报告《我们共同的未来》对“持续发展”做出了一个通俗的界定，认为“持续发展是既满足当代人的需要，又不对后代人满足其需要的能力构成威胁和危害的发展”。1989 年，联合国大会通过了《可持续发展的声明》。1992 年底，联合国成立了“可持续发展委员会”，负责评审环境与发展会议及其后续工作。尽管关于可持续发展概念的准确界定及其战略模式和实施细节等问题，都还有待认真讨论，但是它所表达的基本思想，在这个概念刚刚提出不久就很快被国际社会普遍接受。

可持续发展是人类理性化的选择。它引导人们重新思考人与自然的关系这一古老而常新的问题。越来越多的人开始清醒地认识到，发展不等于单纯经济增长，同时，也不等于单是社会（包括经济、政治、文化）的协调发展，而是更加广泛意义上的协调发展，即人与自然（包括人和社会）的协调发展。

## 二、社会行为理性化——精神文明的重要标志

物质文明的进步表现为技术化水平的提高，它把人类带向更远离自然状态的“人造的”世界；

精神文明的进步表现为行为理性化程度的提高，它把人类引向离开一般动物的行为方式越来越远的更加崇高的境界。技术化和理性化的发展，恰似在历史轨道上转动着的两个轮子，拖动人类历史不断地从必然走向自由。

邓小平把社会主义精神文明建设的基本任务简明地概括为“教育全国人民做到有理想、有道德、有文化、有纪律”。理想、道德、文化和纪律都是规范社会行为，使之达到更高理性化程度的有效手段。社会主义精神文明建设就是要创造一种“把理想建立在科学基础上”的、思想道德和科学文化和谐发展的、高度理性化的社会环境。

**三、可持续发展观——精神文明的新内容**

可持续发展，作为人类理性化的发展状态到达了一种新的文明。这种文明不是被割裂了的纯粹物质文明或者精神文明，而是物质文明和精神文明的统一。可持续的发展过程是一个真正“坚持两个文明一起抓”的过程，而物质文明必须依靠精神文明，即依靠高度理性化的人，才能维持可持续的发展；同时，可持续发展观也不断地把许多新观念和新内容引入思想道德和科学文化领域，推动精神文明发展。第一，可持续发展观把发展的主体从经济社会转移到了人，认为发展不等于单纯经济增长，而是人与自然的协调发展。第二，可持续发展观提出了新的公平观念，认为在贫富悬殊、两极分化的世界中，发展必定是不可持续的。第三，可持续发展观提出了生态伦理概念，主张人类生存发展权利与自然界的生存发展权利相统一的观点。第四，可持续发展观引入了科学伦理学和技术伦理学概念，把伦理学和人道主义观念纳入科学技术领域。

作者单位：河北省社科院哲学所

原文出处：《河北学刊》1999 年第 3 期

# 邓维亮：社会主义精神文明建设与中国现代化

**一、人类精神文明建设的历史新时代**

目前人类精神文明建设已经进入了一个历史的新时代，这要从两个历史的比较中去深入地理解。一个是小跨度的历史比较，一个是大跨度的历史比较。

首先，从小跨度的历史进行比较。目前，人类精神文明建设的发展水平，是近代以来三次科技大革命或四次产业革命的直接产物。这些科技革命以及由科技革命引发的产业革命是以物质生产为直接标志的。但是，它们却标志着人类认识方式的变革，也是精神文明建设的革命。从本世纪 40 年代中期开始的以微电子技术为龙头各个领域都取得巨大进展的第三次科技大革命，或第四次产业革命，焕发出蓬勃的生机和活力。70 年代以来更加重要的发展、发现依然不断涌现，第三次科技革命的巨大威力还远远没有充分显示。

从大跨度的历史比较看，精神文明建设到目前出现过三次大的历史性飞跃。

第一次是文字的发明。这次飞跃的根源首先在于它改变了人类认识世界的方式。这样，认识的能力增强了，认识的效率提高了。精神文明建设的迅速发展形成了物质文明建设的巨大动力，从而构成了人类文明发展的第一次大飞跃。

第二次大飞跃，以近代实证科学的创立为标志。15 世纪下半叶实证科学，亦称经验科学、实验科学创立了。从认识的结果看，人类积累起来的知识不仅可以提示各个领域中各个事物之间的联系，而且揭示了各个领域之间的联系。人们从此可以把逻辑证明同实践检验更加自觉地结合起来。这显然也构成了人类认识能力的一大飞跃。

目前世界正在经历着的第三次科技大革命构成了人类精神文明建设的第三次大飞跃，主要是信息革命的巨大成果所开辟的崭新局面。信息技术所带来的人类认识活动方式的巨大飞跃，是人类精神文明建设史上前所未有的，它对于人类文明建设的推动作用，可以和文字的发明、实验科学的创立相媲美。同前两次一样，它也必然会引发整个人类文明的革命性大发展。

**二、我国社会主义精神文明建设的历史新时期**

同物质文明建设一样，在什么样的理论指导之下，对于精神文明建设的效果至关重要。改革开放以来因为指导思想的理论基础发生了重大变化，我国的精神文明建设进入了一个崭新的历史时期。

资本主义社会形态的模式变化和现代工业化进程超乎预料地飞速发展，时代的特征发生了重大变化。从“战争与革命”到“和平与发展”，是客观的社会历史自身发展的变化。邓小平理论是崭新阶段的马克思主义，在这一理论的指导之下，我们的精神文明建设显然会出现前所未有的崭新局面。中国的社会主义精神文明建设进入了一个崭新的历史时期。

**三、社会主义精神文明建设与中国现代化**

没有社会主义的精神文明就没有社会主义的现代化。关于这一点我们党早已经认识得清清楚楚。党的十二届六中全会《决议》在论述精神文明建设的根本任务时明确指出：“社会主义精神文明建设的根本任务，是适应社会主义现代化建设的需要，培育有理想、有道德、有文化、有纪律的社会主义公民，提高整个中华民族的思想道德素质和科学文化素质。”江泽民总书记在论述精神文明建设的任务时明确指出，要“用科学的理论武装人、用正确的舆论引导人、用高尚的精神塑造人、用优秀的作品鼓舞人”。总之，我们社会主义精神文明建设就是要培育现代化的社会主义新人。这是我们伟大的社会主义现代化事业的一个十分重要的组成部分。

作　　者：桂林市委党校教授
原文出处：《桂海论丛》1999 年第 9 期

# 周永生 罗明义：新时期精神文明建设的历史回顾与基本经验

**一、新时期精神文明建设的巨大成就**

第一，用邓小平理论教育干部和人民，实现了全民思想大解放。党的十一届三中全会以来 20 年的历程，就是不断学习和实践邓小平理论的过程，也是思想不断解放的过程。正是这一次又一次的思想解放，是我国在新时期实现历史大转折和事业发展的根本原因所在。

第二，加强思想道德建设，提高了全民的思想道德素质。首先是在全国人民特别是青少年中进行爱国主义、集体主义、社会主义教育。其次是在全体人民中加强社会公德、职业道德、家庭美德建设。再次是坚持不懈地开展“扫黄打非”斗争，坚决清除精神垃圾和各种社会丑恶现象，提倡文明健康的生活方式，反对腐朽的生活方式，同各种腐败现象作斗争，并不断取得阶段性成果。

第三，开展群众性精神文明创建活动，提高了公民素质和城乡文明程度。从 80 年代初的“五讲四美”活动到今天正在深入开展的“讲文明树新风”活动，人民群众在这方面创造出了许多好形式、好做法。

第四，发展各项文化事业，提高了全民的教育科学文化水平。科技工作面向经济建设主战场，集中力量解决国民经济建设中的一批关键技术问题，科技成果转化成效显著。一些基础研究达到或接近国际先进水平。卫生事业、体育事业、文化艺术、广播电视、新闻出版事业不断发展，呈现一派繁荣景象。

**二、新时期精神文明建设的基本经验**

第一，必须在把物质文明建设搞得更好的同时，把精神文明建设提到更加突出的地位。社会主义精神文明建设在我国现代化建设中的战略地位，我们党在十一届三中全会后，多次作过阐述。党的十二大把建设高度的社会主义精神文明作为建设社会主义的一个战略方针提出来，党的十四届六中全会通过的《决议》要求“在把物质文明建设搞得更好的同时，切实把精神文明建设提到更加突出的地位”。20年来，我们党对社会主义精神文明重要意义的认识不断深化。

第二，必须把“两个文明”作为统一的奋斗目标，坚持“两手抓，两手都要硬”。我国的现代化建设，必须以经济建设为中心，精神文明建设也要服从这个中心，服务大局。但这绝非可以忽视精神文明建设，更不能以牺牲精神文明为代价去换取经济的一时发展。

第三，精神文明建设必须重在建设，务求实效。重在建设，就要把注意力集中到团结人民、充分发挥人民的社会主义积极性和创造精神上来，集中到满足人民的文化和精神需要上来，集中到加强思想道德建设和教育科学文化建设上来。

第四，精神文明建设必须动员群众积极参与，自觉行动。人民群众不但是物质文明建设的主体，也是精神文明建设的主体。加强社会主义精神文明建设，必须动员广大群众参加，充分依靠群众力量。

第五，精神文明建设必须健全制度，完善机制，加强管理。健全制度，即要建立两个文明建设协调发展的领导机制和工作机制。完善工作机制，要建立起促进两个文明建设协调发展的考评机制、奖惩机制、激励机制、投入机制等。加强管理，这是发展宣传文化事业、繁荣文化市场的有力保证。我们既要花大力抓繁荣，促发展，又要对那些错误的、违法的东西加强管理，决不能任其泛滥。

作者单位：湖南省委党校
原文出处：《求是》1999年第1期

# 杜青林：为英雄的家乡添光彩

李向群是我国继雷锋之后又一个具有鲜明特征的先进典型。他是来自海南经济特区的青年，牺牲时年仅20岁，入伍才20个月，在抗洪前线入党刚刚8天。但他以自己年轻的生命，谱写了一曲感人至深的时代凯歌。

**一、充分认识宣传、学习李向群的时代意义，加强社会主义精神文明建设**

“新时期的好战士”李向群这一重大典型，蕴涵着极其丰富的时代意义。

第一，这一典型充分展示了当代青年的本质和主流，表明改革开放时代也是青年茁壮成长的时代。李向群生在海南，长在特区，是伴随着改革开放的步伐锻炼成长的。在改革开放新时期，我们党领导全国人民深化改革、扩大开放的同时，按照邓小平同志提出的培育“四有”新人的要求教育培养新一代，为青年一代的成长进步创造了良好的条件和环境。李向群这一典型，就是中华民族优良传统和美德与改革开放的时代精神相结合的产物，证明了当代青年能够经受住改革开放和艰难困苦的考验，社会主义事业后继有人。

第二，这一典型充分展示了人民军队的崭新风貌，反映了全军全面落实江泽民同志提出的“政治合格、军事过硬、作风优良、纪律严明、保障有力”的总要求的丰硕成果。李向群从海南经济特区走进人民解放军的大学校，在具有光荣革命传统的“塔山守备英雄团”里迅速成长。正是在人民军队的革命熔炉里，他把远大理想融入脚踏实地的工作，把开放的个性融入铁的纪律，把自身价值融入他人幸福，用不懈的追求和无私的奉献填写了一个共产党员和革命军人的人生答卷。

第三，这一典型充分展示了改革开放后富裕起来的人民群众的精神追求，反映了社会主义物质文明和精神文明相互促进的发展规律。李向群及其父母是改革开放后走上富裕之路的。他们深深懂得，是党和国家的改革开放政策，使他们摆脱贫穷，走向小康。因此，他们致富倍加爱党，幸福更图报国。李向群牺牲后，他的父母替他交上第一笔也是最后一笔党费，把两万元慰问金全部捐献给灾区。他的父亲李德清还毅然留下来，与他的战友们一起继续奋战在抗洪前线。这些感人的事迹，生动地体现了新时期走上富裕之路的人民群众的高尚情操和崇高的思想境界。这充分说明，在社会主义中国，物质的富有和精神的追求是完全可以统一起来的。

**二、深刻把握李向群成长的特点，齐心塑造海南形象**

首先，李向群是在海南光荣革命传统的熏陶下成长的。在革命战争年代，海南人民在中国共产党的领导下，高举革命旗帜，开展武装斗争，创建了琼崖革命根据地，坚持长达23年艰苦卓绝的革命斗争，在中国革命史上写下了光辉灿烂的一页。许多革命先烈用青春和热血，谱写了一首首壮丽的人生凯歌。

第二，李向群是在海南改革开放春风的沐浴下成长的。海南经济特区处在改革开放的前沿地带。我们始终坚持以邓小平理论为指导，坚决贯彻执行党的十一届三中全会以来的路线、方针和政策，不断深化改革，扩大对外开放。改革开放既加快了海南经济和社会发展的步伐，也大大拓宽了人们的视野，更新了人们的观念，提高了人们的思想境界，陶冶了人们的道德情操，坚定了人们对社会主义的信念，加深了人们对党和国家的热爱。

第三，李向群是在海南精神文明建设的实践中成长的。海南建省、创办经济特区以来，始终遵循邓小平同志代表党中央提出的坚持“两手抓，两手都要硬”的方针，在建设社会主义物质文明的同时，努力建设社会主义精神文明。全省精神文明创建活动和教育活动丰富多彩，精神文明建设的水平和成效不断提高，涌现出许许多多先进典型。

**三、深入发掘李向群英雄事迹的思想内涵，把我们的事业不断推向前进**

李向群是一位抗洪英雄，也是一位新时期的好战士。李向群这一典型所包含的深刻思想内涵，值得我们深入发掘。

我们要学习他胸怀大志，不恋家庭百万资产，毅然参军，实现报效祖国的人生追求；学习他渴求知识、刻苦磨练的进取意识；学习他爱岗敬业、忠于职守的优秀品质；学习他艰苦奋斗、助人为乐的道德情操；学习他不畏艰险、舍生忘死的奉献精神。

作　　者：海南省委书记
原文出处：《求是》1999年第7期

# 方兆祥：创建文明城市的理性思考

**一、创建文明城市是现代社会发展的必然要求**

人类文明发展史表明，城市是人类社会存在和发展的一种空间凝聚形式，是文明发展的物质标志，是区域文明的核心地区。城市不仅是物化的高度凝聚，也是文化的繁荣结晶。现代城市既要有发达的经济，也要有发达的文明。构筑现代文明城市，是以近代城市文明为基础，使以往城市的所有优势得到继承、发展和创新，并使城市发展中的“反文明”现象逐步得到克服。这个过程，就是人类不断认识城市发展规律，由必然王国走向自由王国的过程。创建文明城市的实质，是城市居民为改善自己的物质生存空间和精神享受空间而进行的实践活动。在这个实践过程中，人们既要解决城市发展中出现的具体问题，又要克服自己主观世界中的守旧意识和城市管理方面存在的僵化体制模式，使城市的发展朝着更有利于人们身心健康的方面前进。因此，顺应城市发展规律，加快创建现代文明城市步伐，是摆在我们面前的一项十分重要的战略任务，所以十四届六中全会才把创建文明城市工作明确载入了我们党的《关于加强社会主义精神文明建设若干重要问题的决议》，要求用 10 至 15 年的时间抓紧去做，做出成效。

**二、创建文明城市要走一条民主科学、改革创新的路子**

关于创建工作可供选择的路子，我们已经有了十几年的实践。党中央总结了群众实践的经验，提出在全国范围内开展“讲文明树新风”活动，遵照中央的意见，为了把创建文明城市的路子走稳，我们应该做到“五个坚持”：

一是坚持从社会主义初级阶段的实际出发，根据城市现有的文明程度和市民素质状况，确定基本的工作目标和要求，找到适合本地情况的方法途径，使创建工作既轰轰烈烈，又扎扎实实。

二是坚持为人民服务的宗旨，为老百姓办实事，把着眼点放在紧贴群众利益和为群众所欢迎的事情上，努力解决广大群众关心的问题，给市民带来实惠。

三是坚持以人为本，把创建工作的出发点和落脚点放在提高人的素质上。要坚持先进性与广泛性的统一，着力解决基本规范、基本要求方面的问题；要健全制度，严格管理，帮助人们养成文明习惯；要设计各种载体，让广大群众在活动中受到教育、得到熏陶。

四是坚持齐抓共建，形成合力，发挥好领导机关的表率作用，人民群众的主体作用，职能部门的骨干作用，新闻舆论的监督作用。

五是坚持围绕经济建设这个中心，为改革开放和现代化建设服务，为改善投资环境和提高经济效益作出贡献。

**三、创建文明城市应该坚持的指导原则**

一是从创建工作的群众性出发，把握群众主体的原则。充分发挥群众的积极性、主动性和创造性，这是创建工作取得成效的基本前提。

二是从创建工作的系统性出发，掌握综合治理的原则。要把创建文明城市作为一项系统工程来抓，坚持在统一规划、总体目标下，发动全社会的力量齐抓共建、综合治理，实现务实与务虚、软件与硬件、教育与管理、德治与法治、生产与生活、主体（人）与客体（环境）的紧密结合，形成创建工作的整体效应。

三是从创建工作的实效性出发，掌握力戒形式主义的原则。创建文明城市要从实际出发，从解决实践问题入手，一项一项地抓落实，取得实实在在的明显效果。

四是从创建工作的创造性出发，掌握开拓创新的原则。面对经济体制转型时期错综复杂的实际情况，文明城市创建必须在继承以往传统的基础上，坚持改革开放，勇于突破常规，善于开拓创新，走出一条适应社会主义市场经济发展的、立足现实又着眼未来的新路子。

五是从创建工作的渐进性出发，掌握常抓不懈的原则。文明城市的创建要在增强紧迫感的同时，树立长期作战、常抓不懈的思想，将长远目标与阶段性任务相结合，循序渐进地把创建活动推向前进。

作　　者：安徽省委副书记
原文出处：《江淮论坛》1999 年第 2 期

# 杨林森：关于文明社区建设的思考

在城市社会主义精神文明建设中，社区精神文明建设起着十分重要的作用。

文明社区是一种高质量的社区。衡量社区质量和文明程度的主要指标是社区组织的整合度，即社区内各种组织的一致性程度。主要有以下几方面标准：一是社区成员都自觉地承认自己是社区的一分子，具有强烈的社区意识，对社区生活（政治、经济、文化生活）有认同感。二是社区成员富于团队精神，团结一致，在感情层面上与整个社区休戚相关，忧患与共。三是健康向上的精神风貌，良好的社会风气和道德风尚，和谐的人际关系，放心的社会治安，井然有序的社会秩序，丰富多彩的文化生活，优雅舒适的生活环境等等。

建设文明社区具有重要意义：第一，文明社区在社会主义精神文明建设中具有重要的战略地位。社区的文明程度直接影响和制约着整个社会精神文明建设的程度。第二，建设文明社区是满足人民群众不断增长的精神文化需要的必然要求。第三，建设文明社区是改革不断深入的必然趋势和内在要求。五天工作制，使人们在社区活动的时间相对增加，对社区的认同感和需求感也相应增强；随着经济体制改革的深化和产业结构的进一步调整，下岗待业人员回到社区后的依托、依赖归属感也大大增强。在这样的背景下，加强文明社区建设，对于保持安定团结，保障各项改革沿着正确方向顺利进行，有着十分重要的意义。第四，建设文明社区是提高社区成员素质，实现人的全面发展的要求。第五，文明社区是“两个文明”建设不可缺少的重要内容。

加快城市文明社区建设的步伐，应当采取如下对策：第一，文明社区建设应坚持以人为本。真正把“人”的文明建设作为根本，最大限度地吸引广大人民群众自觉参加文明社区建设活动。第二，抓“硬件”与抓“软件”并重。一方面，要十分重视为社区成员创造既安全方便，又优雅舒适的环境，把城市管理和服务结合起来，便民利民；另一方面更要重视群众的心理、情感因素，注重培养人民群众的社区意识，塑造合格的现代城市公民，包括培养社区成员树立正确的人生观、强烈的现代意识、高尚的社会公德、牢固的公民法律意识、优秀的职业道德、良好的家庭美德以及较高的科学文化素养等。同时，文明社区建设还应做到制度化、规范化、科学化。要制定出文明社区建设及管理方面的制度或规定。要把文明社区建设列入城区国民经济和社会发展计划之中，纳入城市街道办事处工作规划之中，列入领导任期目标责任制之内，做到把文明社区建设指标同经济工作指标和各项社会工作指标一起制定，一起检查，一起考核，一起评比，一起奖惩。第三，建立文明社区建设管理运行机制。(1) 组织领导机制；(2 ) 工作运行机制，建立以街道办事处为中心，居委会为连轴，单位、楼院、家庭为基础的运行机制；(3) 目标考核和激励检查机制；(4) 社会参与机制，制定切实可行的措施，鼓励社会各界、各驻区单位、广大人民群众踊跃参与文明社区建设。第四，文明社区建设要选准突破口。即要从实实在在的事抓起，选择应用灵活多样、实效性强的各类载体，全方位、多层次发动群众走出一条“自愿参与、自我教育、自我约束、自我提高、自我管理、自我服务”的新路子。

作　　者：昆明市五华区委副书记
原文出处：《创造》1999 年第 1 期

# 上海市思想政治工作研究会：加大文明城区研究力度　推进文明城区创建工作

**一、准确把握文明城区的内涵，科学规划文明城区创建工作**

城区的基本涵义是，在大型或特大型城市中以区一级行政区域范围内的整体社会活动、社会关系和社会发展功能为基础的经济、文化、社会生活共同体。在这个社会共同体中，社会成员关系密切，在情感和心理上具有一定的认同感和归属感，具有相对共识的群众意识和一脉相承的生活习性，表现出区域内群体生活的内在特色和特点。

把城区的概念提升到文明城区的高度加以审视，实质上是反映了新时代发展的客观要求，体现了社会进步的内在规律，是上海建成社会主义现代化国际经济中心城市的必然趋势。

城市文明建设是一个庞大的系统工程，在这个大系统中，文明城市、文明城区、文明社区分别属于不同的层次。文明社区（含小区）是起步点，是基础；文明城市是归宿点，是目标；文明城区则是关节点，是枢纽，它起着承上启下的作用。当前情况下，创建文明城区是城市文明建设的中心环节和深化推进的新抓手，全面开展和推进创建工作，必须从其本质内涵出发，展示其内在规律性。第一，以物质文明、生态文明为基础的精神文明。第二，以城区规划、城区建设为基础的城市管理。第三，以科学素养、文化修养为基础的市民素质。第四，以居住条件、人文环境为基础的生活质量。第五，以社会正义、群体参与为基础的城区意识。第六，以法制规范，依法行政为基础的制度文明。

**二、探索创建文明城区的规律，提高创建活动的整体质量**

作为创建文明小区、文明社区的进一步深化，创建文明城区是上海城市文明建设的一个新起点，是一项开创性的工作，也是一个新生事物。创建文明城区与创建文明社区有着紧密的联系，创建工作必须遵循一系列相同的原则，诸如充分体现“以人为本”的思想，以人的全面发展为中心，把市民群众的需要放在首位；坚持软硬件并重，以硬件建设为体，软件建设为本；充分发挥区域内社会各方面的积极性，走同创共建的路子；从本区的历史和现实等出发，扬长避短、因地制宜、形成创建优势和特色等都能适用于文明城区的创建。然而，如前所述，文明城区毕竟不同于文明社区，而是在更广、更高的层面上求得发展，它有自身的发展规律，因此，创建文明城区还有它特定的原则：要体现可持续发展战略思想，坚持经济、社会、环境协调发展；要以规划为先导，有计划、有步骤地创建文明城区；要充分发挥党委和政府的主导作用，形成强有力的创建合力；要依法治区，提高执政水平。

**三、以群众的满意为创建标准，文明城区的创建标准和指标体系，应该体现更高层次的要求**

文明城区的创建标准应该包容文明小区和文明社区创建标准的主要内容，如环境整洁、秩序安定、组织健全、服务完善、文化丰富、风尚良好等，但从创建性质上分析，文明城区标准的设定更接近于文明城市的要求，因此，文明城区的创建标准应该在质与量上有新的突破和飞跃，应该有更高层次的要求：一是经济持续发展；二是管理科学有序；三是规划科学超前；四是交通便捷畅通；五是教育文化发达。

此外，街道景观的整体设计和建设、标志性工程的设置与管理、区域性绿地的开辟和使用、三废和噪音的治理和处罚等，都将在创建文明城区的标准中占有一席之地。

文明城区的创建标准和指标体系，既要重视强调统一的规定性内容，体现创建工作的规范性和严肃性，又要充分考虑各城区的特色和特点，让城区的个性得到充分展示。应该采取上下结合的方法，在制定指标体系总体框架的基础上，由参加创建活动的城区自我“填充”，报出考核基数，再经专家组的综合考察和评估，确定考核的具体指标。这样的指标体系既有前瞻性，又有现实性，比较适用于实际操作，有利于发挥各城区的创建积极性，形成文明城区创建工作的鲜明特色和特点。

考核的方式方法也要改变传统的定时集中检查的做法，力求经常化、标准化、真实化。对文明城区的考核要更大限度地听取群众的意见和建议，以群众的满意度为主要依据，因此需要采取客观评估和主观评价相结合的方法，力求客观、公正，减少人为因素的影响。

**四、政府主导，社会参与，协调各方力量积极参加文明城区创建**

创建文明城区是面向21世纪，上海建成现代化国际大都市的重要组成部分，是一项规模庞大，需要巨大人力、物力、财力投入的社会系统工程，需要在城区党委和政府的主导下，通过建立“决策共议、责任共负、任务共担、利益共享”的创建机构，有效协调社会各方力量，长期坚持、共同奋斗、努力实现。要更广、更深地调动起居民群众和社会各界创建文明城区的积极性。要在责与利相一致的原则基础上落实创建文明城区的责任制；要形成既有声势又有实效的创建文明城区的活动新载体、新渠道。

*原文出处：《上海精神文明》1999年第6、7期*

# 何卫东 信师福 李开森：把创建文明社区作为建设文明城市的基础工程来抓

**一、要建立统一的目标体系**

要从经济和社会跨世纪发展的需要出发，确立文明社区建设的奋斗目标。即：使每个社区初步形成整洁优美的居住环境，安定安全的治安秩序，周到便利的服务网络，和谐融洽的邻里关系，健康丰富的文化生活，为进一步建成配套设施齐全、环境舒适优雅、管理规范有序、保障功能完善的现代化社区奠定基础。根据这一目标，文明社区建设的主要内容可以细化为以下八个方面：(1) 以培育社区成员对社区认同感和归属感的社区意识为目标，努力形成具有区域和个性特点的社区精神，为文明社区建设提供共同的思想基础和精神纽带；(2) 以吸引社区内的企事业单位和社会团体共同参与为目标，建立条块结合、携手共建文明社区的工作机制和网络；(3) 以提高社区成员的思想道德素质和科技文化素养为目标，充分利用社区资源，实现资源共享，对社区成员施以各种形式的教育；(4) 以陶冶思想情操，提高人文素质为目标，开展多层次、多样化的社区文化活动；(5) 以满足社区成员生活的实际需求为目标，完善服务设施，健全服务网络；(6) 以营造舒适优美的社区环境为目标，搞好社区道路、公共区域、花坛绿地等公共场所的管理、净化和美化；(7) 以创造安定、有序的生活环境为目标，健全防范体系，落实人防、物防、技防措施，增强居民群众的安全感；(8) 以形成积极健康、奋发向上的社区风尚为目标，开展文明市民、文明家庭、文明楼院、文明小区等创建活动，弘扬正气，树立新风。

**二、要把握创建工作的基本原则**

坚持为群众办实事与提高素质的统一。创建

文明社区要始终把人民群众的安居乐业放在第一位，真心诚意地为居民群众排忧解难办实事。办实事和提高素质有密切的内在联系，群众的实际需要得到满足，必然产生创造文明社区的动力和追求，从而使群众在参与中受到教育、得到提高。

坚持“硬件”与“软件”的统一。在创建工作中，既要抓好能够满足居民群众不断增长的物质、文化生活需求的基础设施的“硬件”建设，又要抓好以社区成员的思想素质、道德水平、公共意识、人际关系等为内容的“软件”建设。

坚持统一标准与突出特色的统一。市、区、街道都要以战略眼光，对辖区内的文明建设进行整体设计，提出总体要求，实现统一标准、统一规则，统一部署、整体推进。同时，必须正视社区之间人文环境、自然条件和经济发展状况的差别，因地制宜，发挥优势，形成适应社区发展的创建模式和工作特色。

坚持群众参与和领导带头的统一。

**三、要形成务实明晰的工作思路**

理顺管理体制。创建文明社区的管理体制应实行行政管理与物业管理相结合的管理模式，即由街道办事处对社区实行统一管理，根据社区内住宅小区的规模，设立若干管委会，管委会行使街道办事处委托的行政职能，在搞好物业管理的同时，抓好小区精神文明建设。

制订创建规划。各创建单位都要根据本地区提出的目标要求和统一部署，制订具体创建计划。

完善共建机制。要建立由街道办事处和辖区内各企事业单位、社会团体组成的社区精神文明共建协调委员会，充分发挥社区内各种群众组织和中介机构的作用，吸引全体居民共同参与，以发挥各自优势，实现社区资源共享。

抓好活动载体。要根据居民的实际需要，紧紧围绕文明社区创建工作的重点、热点和难点，精心设计组织诸如社区文化、社区教育、社区互助、社区服务、社区绿化美化等各种活动，激发和调动群众参与创建的积极性，反对形式主义，力求工作实效。

发挥骨干作用。要采取多种形式，培育党员、干部的“社区意识”和“参与意识”，使社区的党员、干部在创建工作中发挥骨干和表率作用。

搞好指导协调。各级党委、政府要把文明社区创建工作列入重要议事日程，定期进行专题讨论和研究。要深入实际，调查研究，探索规律，总结经验，推广典型，指导和推动更多的社区积极有效地开展文明社区创建工作。

作者单位：济南市委政策研究室

原文出处：《中共济南市委党校学报》1999 年第 1 期

# 白志刚：城市文明综合评价指标体系

城市的建设和发展是人类文明进步过程中的一个重要阶段。

**一、关于文明城市的定义**

文明城市是城市规划合理，人口规模适度，生态环境良好，经济比较发达，劳动就业充分，基础设施完备，交通通讯快捷，社会安全有序，医疗保健完善，市容整洁优美，生活舒适便利，政府廉洁高效，社会保障健全，科技教育进步，文化体育繁荣，市民素质优良的城市。

**二、研究制定“城市文明综合评价指标体系”的方法**

城市文明发展水平的评价，是一种多指标的综合评价，要使用“多指标综合评价法”，或者叫做“标准化计分法”。

建立综合评价指标体系。参照国内外各种统计指标体系，根据文明评价的特殊性，建立“城市文明综合评价指标体系”。在建立指标体系时要注意剔除那些单一描述性指标、数据难以采集的指标和不符合市情的指标。选用的指标要重视可比性和突出创新性。

确定权数。采用权重估价法，即通过专家咨询来确定指标权数。也就是说，在该指标体系中，各个部分、各个指标在整个体系中的重要程度不同，因此占有总分的比值也就不同。

数据采集。根据所设指标体系，设计一套相应的数据统计表，请有关单位调查统计原始数据。而对于一些常规统计数据，则可以通过查找统计年鉴或相关资料获得。

数据处理。对收集的数据要根据数理统计的方法作如下处理：（1）对于离差过大的数据，要通过分析和相应的数学手段减少其偏离度；（2）对于某些空缺不全却又十分重要的数据，可采取插值、外推等方法进行填补；（3）必要的时候对指标体系进行重新修订。

比较评价。将指标测评得出的数值转化为无量纲的分数，通过分数的比较来确定城市文明发展水平的高低和差异。

**三、研究制定“城市文明综合评价指标体系”的原则**

系统全面的原则。既然是指标体系就应该是一个比较系统全面的指标统计，能够基本上反映城市的全貌，以此来评判城市文明的方方面面，城市功能的优劣强弱，城市发展的轻重缓急。

简洁实用的原则。指标体系要考虑到指标数据的简明扼要，条目名称要简单易懂，数据要易查易算，各项指标要尽可能达到规范而又实用的标准。指标要精选，严格挑选那些主要的和具有关键性的指标，宁缺毋滥，以较少的指标真实地反映城市发展的基本状况，同时兼顾国内外城市之间的可比性。

客观指标为主，主观指标为辅的原则。客观指标反映事物的本来面貌，真实具体，客观指标在整体体系中占绝大部分；主观指标是通过数值来表现个体的人对事物的评价，是人们对客观感觉的主观态度。主观指标采取抽样调查和向被调查者直接提问的方法获得材料。

以人为中心的原则。人是城市的主体，人的生存和发展、工作和生活是城市发展的根本目的和衡量标准。在选用指标时，要尽可能选取那些与人关系密切的内容。

可持续发展的原则。可持续发展是指既要考虑当前发展的需要，又要考虑未来发展的需要；是指经济发展与控制人口、合理利用资源、保护生态环境必须兼顾；是指经济、环境、社会和文化的各项指标同样重要，没有主次之分。

静态评价与动态评价相结合的原则。静态评价是要对城市文明的现有水平进行评估，它所反映的是在特定时间和空间所存在的现实状况。静态评价是为了把某一城市与其他城市进行比较，以便了解该城市的排名位置。动态评价就是要把某城市与它自己的过去进行比较，然后再把它的进步幅度与其他城市的进步幅度进行比较，以此来判定该城市的文明进步速度。动态评价有利于调动相对落后城市的积极性。

合理性和可行性相结合的原则。所选用的指标应该是城市文明所反映的重要内容，这就是指标的合理性。指标的合理性是非常重要的，因为它的时代性很强，理想化色彩较重，具有前瞻性和导向性，但如果无法统计或者统计难度过大，也是不可行的。指标的可行性是指通过一般的比较简便的统计方法或者查阅统计年鉴就可以采集到确定指标值所需的数据。合理性和可行性都很重要，二者需要兼顾。

作者单位：北京市社会科学院城市所

原文出处：《北京社会科学》1999 年第 3 期

# 文军：论城市社区精神文明建设

## 一、城市社区精神文明建设的目标与原则

首先，以人的全面发展为核心。城市社区精神文明的建设，其最终的出发点和归宿点都应在于人，在于要为人的全面发展提供一切有利的条件、结构、机制和环境。

其次，以满足居民不断增长的需要为基础。城市社区精神文明建设就是要以满足居民不断增长的需要为基础，积极开展社区居民生活共同体的建设，并以此来推动整个城市精神文明建设的发展。

再次，以社区居民的积极参与为内在动力。城市居民不仅是城市社区生活的主体，而且也是社区精神文明建设和社区发展的根本动力所在，因此，社区居民参与的广度与深度对于社区精神文明建设具有极为重要的意义。

最后，以人、城市社区和环境的可持续协调发展为重要尺度。城市社区精神文明建设是整个社会发展的基础和细胞工程，是整个社会主义现代化建设的重要组成部分。因此，城市社区精神文明建设也同样存在着一个可持续协调发展的问题，没有一个个城市社区的建设，就不可能有整个城市和社会的可持续协调发展。

## 二、城市社区精神文明建设的主要内容

社区文化建设。它包括街道文化、家庭文化、校园文化、企业文化和商业文化等方面的建设。

社区教育建设。依靠社会力量，利用社区资源，对社区居民施以各种形式的教育，提高社区居民的文明素质，是城市社区精神文明建设的重要任务。

社区服务建设。社区服务是在政府倡导下，为满足社区居民多种需要而以街道和居委会的社区组织为依托的，具有社会福利性的社会保障方式。

社区道德建设。在城市社区精神文明建设中，既要政府重视，社会共建，更应强调社区内广大居民群众的积极参与，强调广大群众的自我教育和自我管理。

社区文明家庭和文明楼组建设。

## 三、城市社区精神文明建设的基本途径

加强组织建设，形成城市社区精神文明建设的合力。建立一个合适的、有足够权威的社区精神文明建设综合协调的领导机构，以加强对城市社区精神文明建设的指导和管理，已成为城市社区精神文明建设中迫在眉睫的大事。

繁荣社区经济，增强城市社区精神文明建设的后劲。各城市可根据自己的实际情况，以社区服务为手段，走福利服务与经营服务、社会效益与经济效益相结合的发展道路，大力开发那些直接为居民生产、生活、学习服务的第三产业，达到既方便服务群众，又壮大经济实力，增强城市社区精神文明建设后劲的目的。

强化社区文化，创造丰富多样的城市社区精神文明建设形式。使社区居民在高雅、健康、活泼的文化氛围中达到益知、娱乐、健身、竞技的目的。

做好社区服务，把城市社区精神文明建设真正落到实处。

注重社区教育，提高市民素质，推动城市社区精神文明建设的新发展。

作　　者：南京大学社会学系博士生
原文出处：《探索》1999 年第 3 期

# 南宁市委宣传部：按唯物辩证法办事才能创佳绩

## ——对南宁市精神文明建设成功实践的思考

近几年来，南宁市在抓住机遇、大力发展经济的同时，加强精神文明建设，取得了显著成效。南宁市精神文明建设能创这样的佳绩，是努力按唯物辩证法办事的结果。

**一、治标与治本相得益彰**

南宁市抓精神文明建设，从抓“三个一”入手，路子对头，做法得当，特别是注意借鉴我国道德建设的历史经验，使治标与治本有机结合，相得益彰。

南宁市抓精神文明建设，提出从与广大市民切身利益密切相关又能动员群众积极参与的“三个一”入手，即“抓摊前一个桶整治环境卫生，抓街头一个岗整顿交通秩序，抓路上一辆车树立窗口形象”。要求明确，简明好记，切实易行，很快普及于全市，必将产生深远的影响。

抓“三个一”的直接目的是整治环境卫生，整顿交通秩序，树立窗口形象，表面看来好像是治标，即人的外部行为表现，而不是治本，即人的内在精神。其实不然。经过严谨的外部行为约束和训练，就会促进和培养其内在精神气质，逐渐养成良好的道德品格。这种标本兼治、相得益彰的做法，不仅合乎思想道德建设的常规，而且也是广大市民普遍能够接受和实行的。

**二、教育与管理相辅相成**

精神文明建设的根本任务和目标，就是培养“四有”社会主义新人。在这个过程中，南宁市采取了热情教育和严格管理相结合的办法。

南宁市狠抓思想教育的一个显著特点，就是坚定不移地用邓小平理论武装全党、教育干部和人民，紧紧围绕培养社会主义“四有”新人这个根本任务和目标，针对不同的对象，提出不同的教育内容，务求取得实际效果。同时，南宁市十分重视抓规章制度的建设，走出了一条行之有效的管理路子，这集中体现在三个方面：一是制定一个切实可行的规划。为实现“创三城夺奖杯”的目标，南宁市颁布了《关于创建双拥模范城市、卫生城市、文明城市的决定》等一系列文件，制定了进一步抓好文明礼貌工程、文明街道工程、文明交通工程、文明“窗口”工程、文明娱乐工程等五大工程的实施方案。二是建立一个高效运行的“三个一”领导机制。实行一把手抓到底，实行一把尺子量到底，实行一个规划落实到底。三是出台一套行之有效的管理措施。建立一条责任街，建设一支队伍，制定一批法规。

**三、领导与群众相互促进**

在精神文明建设中，南宁市党员、干部特别是领导干部，以身作则做表率，起了十分关键的作用，三个“一帮一”活动就是最有说服力的例证。在全市处级以上领导干部中开展与困难户结对子的“一帮一”扶贫助学活动，使全市1000多名贫困失学儿童得以继续完成学业。在市领导干部“一帮一”助学活动的带动下，全市近万名个体工商户开展了“一帮一”扶助下岗职工再就业活动，使4205名下岗职工重新就业。在农村开展了一个党员帮助一户困难户的“一帮一”活动，至今南宁市所辖武鸣邕宁两县已有两万多贫困户走上了脱贫致富的道路。

**四、务虚与务实相映生辉**

精神文明建设尤其是思想道德建设，不像物质文明建设那样立竿见影，它有虚的一面。但是，这种虚并不是看不见摸不着的，而是可以被人们具体地感知的。南宁市在精神文明建设中，牢牢把握住虚与实的这种内在联系，着力使务虚与务实相互促进，相映生辉。第一，虚功实做，要求具体。第二，表彰先进，弘扬正气。第三，完善法制，以法治乱。第四，加大投入，治城育人。

原文出处：《广西理论学习》1999 年第 4 期

# 潘允康：城市社区精神文明建设指标体系

为使城市精神文明建设科学化、系统化、数量化和更具有可操作性，我们研制了测量城市精神文明建设的指标体系（共包括六大类、85 项指标），并进行了实验性的实地勘查与测量，取得了初步经验和结果。

**社区：城市精神文明建设的重要载体**

进入 80 年代以来，中国经济发展和社会生活发生了很大变化。我们同时也看到一些社会问题出现了。诸如“道德滑坡现象”，传统互助式邻里关系疏远和冷漠，腐败和犯罪现象的增加等。与此同时，物质文明建设和精神文明建设相结合的社区服务在全国蓬勃发展起来。这是一种合乎规律的需求和发展。

从社区角度开展精神文明建设还和我国城市建设发生的变化与社区地位的提高有关。一是原来的“大政府小社会”向现在的“小政府大社会”转变，一些政府管理职能逐步转移给社区。二是随着改革的深化，“企业办社会”、“单位办社会”的情况发生了变化，企事业原来承担的一些社会生活职能逐渐分离给社区。三是随着社会的发展出现了许多新情况、新问题，如人口平均寿命的延长，城市老龄化程度的提高，退休、待业、下岗和社会闲散人员的增多，在职人员闲暇时间增加，流动人口的膨胀等等，加重了社区的负荷，社区的稳定与发展日趋重要。四是随着经济、社会的现代化发展，人民对生活质量的注重，对良好人文环境和优美居住环境的追求，对社区文明建设提出了更高的要求。

总之，从社区入手，是搞好城市精神文明建设的科学途径。而通过建立社区精神文明建设指标体系去指导、推动城市社区精神文明建设，又是使这一活动系统化、科学化的一个重要方面。

**社区精神文明建设指标体系及其功能**

指标体系对于社区精神文明建设有标示功能。通过指标体系，可以比较具体地表示社区精神文明建设的内涵和外延，把抽象的东西具体化，这一功能就是指标的标示功能。指标体系不仅可以标示社区精神文明建设的水平和状况，而且能标示出它的时间、地点和范围。

指标体系对社区精神文明建设有量化功能。精神文明是社会文明的标志，有质和量统一的品格和特征。通过数量基础去把握质的特征，是精神文明建设面临的重要任务与课题。数量和计量方法的优点就在于精确性和易于比较性。当我们要了解某一社区精神文明建设水平和状况时，建立起指标体系，并用综合指数法对其定量评估，通过计量打分，既可找出它和理想模式的差距，也可实行和其他地区的比较。

可操作性功能。设置社区精神文明建设指标体系，除去度量社区精神文明建设状况之外，还具有精神文明建设实践的可操作性。比如，考查社会思想道德水准，可设置“爱国主义、集体主义和社会主义教育”活动开展情况的指标，既可达到测量的目的，亦可引导有关活动的开展，达到通过测量，推动精神文明建设的目的。

**社区精神文明建设指标体系建构的方法论问题**

指标体系中“软指标”和“硬指标”。培养文明人和建设文明环境是社区精神文明建设的两项主要任务。指标体系的构建也应围绕这两项任务。人和人际关系的建设属于软环境建设，需要设置“软指标”测量，而社区基础设施和自然环境建设属于硬环境建设，需要设置“硬指标”测量。政治思想、道德面貌、社会风尚和人们的世界观、思想、情操、觉悟等不仅是精神文明建设十分重要的组成部分，而且是精神文明建设机器运转、功能发挥的驱动器。从指标测量的角度说，软指标的设置和测量成功，是整个指标体系建构的关键。

指标设置中“精确和模糊”。建构社区精神文明建设的指标体系，就是要用量化的方法，把精神领域中“模糊”的东西变成可以测量的、相对精确的东西。精神文明现象又是比较复杂的，要做到度量上的完全精确是不可能的。另外，就今天的数学发展水平而言，也不能实现对社会现象的完全精确度量。因此，在建构社区精神文明指标体系中，应当允许指标的设置与测量中有“精确”中的“模糊”。

“正向指标”和“负向指标”配置。所谓正向指标是指精神文明建设进步和发展的指标，如“社区义务教育普及率”等。所谓负向指标是指那些给精神文明水平的评估减分的指标，如“公职人员违法违纪率”等。在建构精神文明指标体系中，既要正向指标，也要负向指标是毋庸置疑的，是否一定要数量相等却未必，应多设一些既能反映精神文明建设状况，又能推动精神文明建设的正向指标。

作　　者：天津市社会科学院社会所所长
原文出处：香港中文大学香港亚太研究所出版《华人社会的变论：社会指标的分析》

# 方兆祥：创建文明城市要加快城市管理体制改革和机制创新的步伐

深化创建文明城市工作，实现城市面貌的“大变样”，必须加快城市管理体制改革和创建工作机制创新的步伐。

改革开放20年来，由于社会主义市场经济的迅速发展，原来在计划经济基础上所形成的城市管理体制，已经不适应今天的形势。

一是行政管理体制不适应。主要表现在市、区、街道职责交叉、职责分离和职责虚置。市与区、区与街道以及与各专业职能部门之间，职能交叉、政出多门、各施其令、各行其是、多头管理、越权管理，有的还趁机扩大本部门的权力和利益。面对繁重的城市管理任务，“条条”的专业管理权力大、责任少；“块块”综合管理责任大，权力少，这就造成“管得了的看不见，看得见的管不了”的现象。对一些长期存在的老大难问题，有管理权限的部门往往因为战线太长而“鞭长莫及”，而事发当地的区、街政府又限于职权只能“作壁上观”。

二是管理方式和管理手段不适应。从管理方式来看，带有明显的计划经济管理特点。政府、企业、社会三类职能交叉在一起，政企不分、政事不分、政社不分、管办不分，事权分散交叉，政府在城市管理中不得不担任“全能政府”的角色。在这种政府主管型的一元体制下，城市管理往往是社会程度比较低的包办性管理，其特点是命令型、突击型的运作方式。这样的管理成本比较高，效率比较低，反复性比较大。管理手段单一，主要运用行政手段，而法律手段、经济手段运行较少。目前环卫、市政、绿化等部门大多属于事业单位，政企、政事基本不分，还没有完全跳出计划经济管理模式的束缚，仍处于行政命令、计划调度的模式中，各项业务活动基本上由政府包揽，市场化、社会化程度低，缺乏竞争，缺少活力，缺乏自我补偿、自我发展的能力。

三是社区基层组织体制不适应。在计划经济条件下，城市基本上是“单位所有制”，成年人几乎都在单位工作，企事业单位都有很强的行政管理职能，大量的社会矛盾是在单位内部得以消化解决。农民进城少，人口流动性小，街道、居委会管理职能比较简单，居委会人员多由退休人员组成，其性质带有“发挥余热”的特点。随着市场经济的发展，整个社会出现了利益主体多元化，需求多元化，组织功能多元化的变化。单位统揽一切的体制逐步解体，大量的市民回到社区，由“单位人”变成“社会人”，农民也开始大量进城，个体、私营业经济等多种所有制经济全面发展，街道、居委会作为城市的细胞和基础，既是许多社会问题最敏感、最集中的地方，也是解决问题的载体，其管理对象和管理内容发生了很大的变化。在这种情况下，城市基层体制设置依然执行1954年制定的《城市街道办事处组织条例》，居委会人员构成基本不变，城市社区的服务功能残缺不全，社区建设与社区服务也不配套，这种单一的基层组织体制的确难以适应变化了的形势和任务。

四是城市基础设施建设不适应。这些年来，城市基础设施建设有了很大发展。但从总体上看，市政公益设施配套还不够，一些地方城市管理出现“头痛医头、脚痛医脚”的被动局面。不少地方环卫基础设施过于落后，城市污水处理率、城市道路机扫率不到10%。清扫垃圾基本上是搬搬家，从城区搬到离城稍远一点的地方堆放。城市交通设施的增长落后于交通流量的增长，老旧居民生活区环境质量差，一些新建的居民生活区，由于开发单位片面追求个人利润，生活设施该配套的也没有到位。

五是依法管理、依法行政还不够适应。在机构设置上一些城市的执法部门既从事社会服务，又履行执法责任，既当运动员，又当裁判员，很难公正执法。有些执法机关之间协调配合不够，不好管的大家都不管。有的执法部门执法行为与经济利益直接挂钩，以罚养队、边罚边犯、低效无能。在执法方式上，突击式执法比较多，缺乏经常性、规范化管理，造成“突击—放松—回潮—再突击”的低水平循环。有些执法人员素质不高，执法手段原始单一，作风简单粗暴，连轰带压、连推带砸，甚至吃拿卡要，形象不好。

摆在我们面前的任务，就是解决这五个方面的“不适应”，进行管理体制和运行机制方面的创新，为创建文明城市工作真正实现良性循环开辟道路。城市管理体制创新的指导思想是：以邓小平理论和党的基本路线为指导，以加强城市科学管理为重点，以增强服务功能为宗旨，以加强基层建设为基础，坚持城市经济社会事业可持续发展战略，进行城市管理体制综合改革，建立统一领导，分级负责，以块为主，条条保证，社会监督，依法治城，科学管理，运行有序的管理体制。让城区有管事的权力，让街道有办事的财力，让基层有发展的活力，不断提高城市文明程度，大力推进城市管理的现代化。从这个指导思想出发，体制创新可以坚持几条原则：一是超前规划分步实施的原则；二是依法治市的原则；三是教育与管理并举的原则；四是文明与安全并重的原则；五是重心下移、立足基层的原则；六是责权利相统一的原则；七是行政、作业、执法相分离的原则；八是服务社会化的原则；九是市场化的原则。

根据这些指导思想和原则，要着手探索研究体制创新的具体措施。

第一，深化城市行政体制改革。主要目标是探索建立“两级政府、三级管理、四级网络”的管理体制。“两级政府”，指的是市政府领导下，简政放权，在城区形成责权利统一配套的运行机制，使区成为一级完整的政府，使之更有能力履行市政府委托的城市管理职能。“三级管理”，指的是在市、区两级政府的管理之下，使街道成为“三级管理”的基础。要形成以街道负总责、专业管理部门为骨干、社区服务网络和居民广泛参与为支撑的街道管理新体制，从而确立街道在城市管理中的基础地位，发挥街道在创建文明城市和整个城市管理中的基础作用。“四级网络”，指的是在三级管理的条件下，把管理的网底铺到居委会。居委会作为居民群众的自治组织，是四级服务网络的最基础环节。目前这个环节最薄弱，很多城市已经从人财物方面来加强居委会建设，使“两级政府、三级管理”得到了有力的支持。

第二，深化城建系统管理体制改革。主要目标是改革城建专业队伍机构设置和运行机制，把基础设施的维护管理逐步推向市场，适当引入竞争机制，把道路保洁、垃圾清运、公厕管理、绿地养护等等作业任务，向社会公开招标，形成统一管理、分级负责、多家经营、有序竞争的运行机制，提高维护管理的质量和效益。

第三，深化城管执法体制改革。主要目标是改变执法体制，适当集中行使行政处罚权，提高执法效率；实行审批与检查、决定处罚与收缴罚得款相分离的制度，创造公正执法的基础；探索适当集中执法职能的途径，改变执法的基本方式，将突击式执法转变为经常性的行为，增强执法力度。

第四，深化创建工作运行机制改革。主要目标是强化领导保障机制，建立市民教育机制，逐步完善投入机制，适当引入市场机制，强化考核评估机制等等，这些都是创建工作步入良性循环的必要条件。

作　　者：安徽省委副书记

原文出处：1999年7月9日《安徽日报》

# 李屏南 文军：社区文化与社区精神文明建设论略

**一、社区文化的理论界定与实践考察**

从我国社会实践的角度来分析与考察，无论是从理论上还是从实践上来分析和理解社区文化，其一般都应有如下几个特征：

地域性。社区文化是伴随社区同步形成的，有社区必须有其社区文化，而社区是一个地域性的社会，带有强烈的地域概念。因此，社区文化也必须具有地域性。

归属性。在任何一个社区内，人群关系总是相对稳定的，文化基因相同，风俗习惯相近，人们都承认自己是社区的一员而共享它的文明。

开放性。社区的开放性是随着我国改革开放的深入、社会经济的发展、价值取向的变化和思想观念的更新而凸现出来的。

多样性。社区文化是一个“万花筒”，这无论在文化的服务对象、类型、设施，还是在文化的形态、体制和运行方式上都有充分的体现。

**二、社区文化在社区精神文明建设中的重要功能**

整合功能。实践表明，在社区精神文明建设中，社区文化是实现社区整合、增强社区凝聚力的有力杠杆。

导向功能。当前，我国社区精神文明建设的一个重要特点就是具有较强的社会主义先进性，它是具有中国特色的社区发展实践和社会主义精神文明建设有机结合的产物。因而，具有明确的方向性。

传承功能。社区精神文明建设中涌现出来的优秀成果产生于社区，也应该传承于社区，并在传承中不断发展与创新。

规范功能。随着社区文化和社区精神文明建设的开展，非正规的、松散型的、临时性的组织结构和规范，逐渐向较正规的、紧密型的、固定性的组织结构和规范方向发展。

娱乐功能。随着我国改革开放和社会主义现代化建设的不断发展，人们生活水平的普遍提高，人们对精神生活有了更高的需求，而社区文化恰恰在很大程度上满足了人们对精神生活的需求。

教育功能。社区精神文明建设和社区文化的根本目的并不只是为了娱乐而娱乐，而是着眼于教育，重点在于培养居民高尚的道德情操、良好的思想品质、优秀的社会公德、积极的进取精神。

沟通功能。社区文化活动是社区居民之间、各类社会组织之间相互联系、增强感情、加深了解、沟通关系的纽带。

发展功能。社区文化在社区精神文明建设中的作用，归根结底在于它具有发展功能，能够促使社区精神文明的发展与进步。

三、繁荣社区文化，促进社区精神文明建设

依靠社会力量办社区文化，开展多种形式的群众文化活动，提高社区精神文明建设的参与率。当务之急就是要改变单纯由政府办文化的组织方式，依靠社会力量建设社区文化，走“共识、共建、共办、共荣、共享”之路。

在巩固、健全现有的社区文化团体的基础上，进一步扩大群众性文艺队伍，提高文艺队伍的素质。

以群众性社区文化活动为依托，大力发展特色文化，创造丰富多样的社区精神文明建设形式。各社区应在继承自己传统文化特色的基础上，积极开展群众性的文化活动，营造社区文化氛围。

适当拓展一些有偿服务和文化经营项目，实行“以文补文、多业助文”的经营机制，以增强社区精神文明建设的后劲。

加强社区文化设施建设，全面推进全民健身计划的落实。

建设一个覆盖面大、牵动性强的社区文化网络，努力促进社区精神文明建设的新发展。

作者单位：湖南师范大学
原文出处：《湖南师范大学社会科学学报》1999年第4期

# 田宪臣：文明村镇创建活动的机制

精神文明重在建设，其中一个关键的环节就是完善机制。从当前农村情况看，应着重建立和完善以下几个方面的创建机制：

建立规范化、科学化的工作运行机制。一是建立目标责任制。要有政策措施保证，要建立严格的责任制，坚持守土有责。二是建立完善的组织领导机制。形成农村基层领导干部抓创建活动的局面，就可以使创建活动落到实处。三是围绕广大群众参与建立活动机制。要有计划地开展日常性、深受农民群众欢迎的文体活动。社会公共场所也要有计划地对农民群众开放，给农民群众提供更多的活动条件。

建立健全多种形式的激励机制。一是方针政策导向的激励机制。要注意充分宣传党的有关方针政策，充分发挥政策的导向激励功能。二是建立并逐步完善精神激励机制。开展评先争优，树立典型，使人们学有榜样；弘扬中国传统美德，注重情感激励。三是建立并逐步完善物质利益激励机制。

建立创建活动内外互动机制。一是文明村镇创建活动与农村物质文明建设的互动机制。通过把两个文明建设融为一体，为创建活动注入新的生机和活力，最终实现两个文明的相互促进，协调发展。二是文明村镇创建活动与农村民主政治建设的互动机制。文明村镇创建活动要适应广大农民群众的需求，与农村民主政治建设结合起来。三是文明村镇创建活动与农村基层党组织建设的互动机制。基层党组织的廉政建设与农村精神文明建设息息相关，是农村精神文明建设的一个重要方面。四是文明村镇创建活动与村镇建设的互动机制。

建立多层次、多渠道的资金投入机制。一是要把文明村镇创建活动所需资金纳入各市县区财政计划。二是要制定优惠政策，支持文明村镇创建活动。三是强化“造血功能”，增强创建活动的自我发展能力。自创经济收入，是解决农村精神文明建设资金的重要渠道。四是广开渠道，多方筹措资金，逐步形成投入主体的社会化。

强化监督约束机制。一是建立监督机制。监督机制渗透于文明村镇创建机制的整个过程，是文明村镇创建机制向更高过程迈进的重要中介，在文明村镇创建机制体系中具有特殊重要的地位和作用。二是建立约束机制。主要包括法律约束和道德约束。

建立健全评判和反馈机制。一是建立健全评判机制。在检查评价过程中认真分析研究，及时发现问题，及时解决矛盾。二是建立健全反馈机制。可建立渠道畅通的信息传播网络，建立农民群众建议征集机构，及时准确地洞察农民群众对创建活动的态度和要求，掌握和了解创建过程中出现的各种情况、动态和倾向，并反馈给有关部门，从而为制定文明村镇创建活动新的工作目标，丰富充实文明村镇创建内容提供决策依据，推动文明村镇创建活动的顺利开展。

作者单位：河南省委党校

原文出处：《河南社会科学》1999 年第 2 期

# 逄明福：精神文明建设状况是衡量小康社会的重要指标

我们讲的小康，是社会发展战略，包括物质文明与精神文明。也就是说，精神文明是衡量小康社会的重要指标之一。

**一、小康是一个综合性的社会发展指标，是物质文明与精神文明相互辉映的社会发展阶段**

对这个问题的最好回答是国家有关部门对小康标准的界定。1994 年，国家计委与国家统计局联合制定的小康生活标准，包括五类 10 项综合指标，第一类为经济发展水平综合指标；第二类为物质生活水平指标；第三类为人口素质指标；第四类为精神生活指标；第五类为生活环境和医疗卫生水平指标。在这五类标准中，除了物质生活和经济发展指标外，还涉及人口指标、环境和医疗卫生条件等指标。归结起来看，这些指标既是物质生活水平的体现，又反映精神生活水平，是精神文化生活的重要组成部分。国务院从我国国情出发，对小康的内涵做了进一步的界定："我们所说的小康，是适应我国生产力发展水平，体现社会主义基本原则的人民生活的提高，既包括物质生活的改善，也包括精神生活的充实；既包括居民个人消费水平的提高，也包括社会福利和劳动环境的改善。"就是说，在对小康的界定中，都没有局限于物质生活指标，而始终强调物质生活与精神生活协调发展。在国际上，小康型标准有其特定的指标体系，一般按 21 个指标组成，如人口素质、生活质量、大学生占适龄人口比例、人均绿化面积、人均医生拥有量、饮用清洁水的人口比例、城镇人口居住面积、通讯条件、信息利用状况等，这些指标既是经济发展，物质生活条件改善的直接延伸，本身又间接反映着精神文化生活的状况。

小康是一个社会阶段，或直接叫小康社会。而实现小康的发展战略，不单纯是实现人均国民生产值 800 美元，而是经济、政治、文化整体推进。

**二、充分认识精神文明在小康社会中的地位**

党的十五大报告指出："面对科学技术迅猛发展和综合国力剧烈竞争，面对世界范围各种思想文化相互激荡，面对小康社会人民群众日益增长的文化需求，全党必须从社会主义事业兴旺发达和民族振兴的高度，充分认识文化建设的重要性和紧迫性。"我国是社会主义国家，整个社会发展的惟一目的，就是满足人民日益增长的物质文化生活的需要。目前我国经济发展形势较为乐观，能否建立起适应第二步发展战略目标的精神文化生活，将直接制约社会的发展。从目前我国的实际情况看，应该说许多地区基本上具备了小康社会的物质生活条件，特别是某些经济发达的农村，人们的生活设施和生活消费，已经具备了相当的水平。但人们受传统生活方式和生活观念的影响根深蒂固，精神文化生活仍是盲区，娱乐设施大量闲置，俱乐部、图书室空空荡荡，高雅文化少有人问津；人们的精神风貌落后，衣着无档次，缺乏美感；语言中文化含量少，新生活气息差。

这样的地方，决不是小康社会的精神面貌。要实现小康，必须下大力气提高人们的精神文化生活质量。

**三、实现小康社会需要解决的几个问题**

随着新世纪的逐步来临，面对知识经济时代的挑战，在引导人们实现经济腾飞的同时，精神文化生活上台阶，上档次，就成了迫切需要解决的问题。

严格控制人口数量，提高人口科学文化素质。目前尤其要抓好广大农村地区及老、少、边地区的青少年教育，搞好科学文化普及，杜绝产生新的文盲。加大精神文化生活建设的力度。培育科学、健康、文明的生活方式。在改善物质生活的同时，改善居住、卫生、交通和通讯条件，扩大服务性消费，优化生存环境。

作者单位：海军潜艇学院政治教研室

原文出处：《前沿》1999年第8期

# 何文堂 杨正发：推进乡镇精神文明建设的思考

改革带来经济结构关系的调整，农村利益主体分散，思想观念、价值取向、道德标准呈多元化趋势；消费方式、生活方式呈多样化发展，一些新问题和深层次矛盾也显露出来。如何科学地分析把握农村现状，探索当前推进乡镇精神文明建设的新路子，必须注意以下几点：

**一、教育与管理结合，提高农民思想文化素质**

乡镇精神文明建设的根本任务是提高农民思想文化素质。教育、灌输、引导仍是当前提高农民思想文化素质的基本手段之一。乡镇思想教育，要重视教育对象的层次性、针对性。应分为干部、党团员和青年、普通群众、违法人员五个层次，针对不同思想实际，有的放矢，突出重点，分别教育。同时，要坚持依法行政，使农民群众革除一些与时代精神相悖的陈规陋习，逐渐建立适应农村精神文明建设的乡规民约、村规民约等切实可行的规章制度。

**二、整顿与建设同步，提供强有力的组织保障**

加强乡镇精神文明建设，村级组织处于领导地位，发挥着关键作用。应做到“五个强化”：一是强化党支部的核心领导作用。二是强化村委会的行政职能和其他组织的纽带作用。三是强化对乡镇、村、组三级干部的党纪政纪教育，完善监督机制，惩治腐败。四是妥善解决村组干部的经济待遇，与政绩挂钩。五是强化乡镇和村组干部的任用管理，引入竞争机制、激励机制和考核奖惩机制，奖优汰劣，激励先进。

**三、建章与监督并重，推动农村民主制度建设**

一要做好农村民主管理的建章立制和实施工作。二是继续不折不扣地执行党中央、国务院关于减轻农民负担的指示精神，彻底清理废止与农民负担规定相违背的一切文件，真减实减，动真格，安民心。三要下大决心维护农民合法权益，稳定农村。重视解决农民关注的农税、提留、统筹、计划生育、土地征用等热点问题，消除农民疑虑。四是帮助乡镇村组干部提高管理水平。

**四、“立”与“破”并举，倡导文明新风**

坚持“立”字，就是发扬千百年来中国农民长期积淀的勤劳进取、团结协作、节俭朴实、扶贫济困、守法爱国的优良传统，倡导积极向上文明健康的生活方式，大力宣扬与改革开放、发展市场经济新体制相适应的科学思想及道德观、价值观与人生观。

坚持“破”字，就是破损人利己、多子多福、男尊女卑、封建迷信等愚昧落后的思想，移风易俗，共建农村社会文明新风尚。运用政治的、经济的、行政的、法律的手段，迅速扼制赌博、封建迷信、宗派势力、高利贷、“法轮功”等反科学、伪科学现象的蔓延，并逐步铲除。

**五、“软件”与“硬件”齐抓，全面推进乡镇**

精神文明建设

在“硬件”建设上，最重要的是要抓“载体”，建立起一些既能服务农民群众、又能倡导社会新风的有效载体，比如要围绕农业生产和农民致富的实际需要，创建办好科技培训学校、宣传橱窗、图书室、电教室，加大对教育、科技、卫生、文化等社会事业的投入等。通过“软件”、“硬件”齐抓，促使农村经济建设和精神文明建设同步协调发展。

作者单位：华池县委宣传部

原文出处：《时代学刊》1999 年第 12 期

# 晏锋：关于高校精神文明建设的几点思考

**新时期加强高校精神文明建设的重要性和必要性**

首先，新时期加强高校精神文明建设是发展市场经济的迫切要求。市场经济体制的逐步建立和完善，新情况、新问题、新矛盾不断涌现，给高校精神文明建设提出了严峻挑战：在经济体制发生重大变化、以公有制和按劳分配为主体、其他多种经济成分和分配方式并存的条件下，如何坚持社会主义意识形态的主导地位，用马克思列宁主义、毛泽东思想和邓小平理论教育青年学生；在新旧体制转换过程中还存在各种矛盾，社会生活中还有需要克服的消极现象的情况下，如何引导学生逐步树立正确的世界观、人生观和价值观，培养良好的道德品质；在进一步扩大对外开放、学习外国先进科学技术和管理经验的条件下，如何教育青年学生正确认识我国国情，继承和发扬中华民族优秀文化传统和中国共产党领导下的革命传统，树立民族自尊、自信、自强、自立的精神；在人民生活水平有了较大改善和提高的情况下，如何培养学生具有自力更生、艰苦奋斗的精神和坚强的意志；在科学技术迅速发展、社会主义市场经济体制逐步建立的条件下，如何指导学生在观念、知识、能力、心理素质方面尽快适应新的要求。这些都是高校需要解决的新问题。

其次，新时期加强高校精神文明建设是“培养和造就千百万社会主义事业的接班人”的客观要求。

再次，新时期加强高校精神文明建设是建设社会主义精神文明的时代要求。高校的教育教学，不仅传递着人类社会先进的生产经验、技能和科学知识，同时还进行着道德行为规范的传递。高校是人类文明最集中、最先进的地方之一，它所传袭的内容，几乎囊括了人类文明的全部精华。所以，高校是社会主义精神文明建设重要的力量、强大的依托。高校在社会主义精神文明建设中的不可替代性，是社会教育、家庭教育或法律约束所不能替代的。这不仅是由高等学校的根本使命决定的，也是由高等教育的属性所决定的。

**加强高校精神文明建设的措施**

1. 从培养跨世纪人才和素质教育的战略高度出发，重新审视高校精神文明建设的价值意义，做到思想认识到位。

2. 从整体大于各个部分之和的系统原理出发，做到组织协调到位。首先是部门组织及各环节之间教育目标、内容、方法、手段保持贯通一致，发挥教育的合力作用；其次加强学校思想教育与社会影响的一致性，引导学生正确认识社会存在的问题的同时，力求把社会中有利于教育学生的积极因素纳入学校精神文明教育的内容系列，做到社会教育与学校教育的内在统一；再次，做到精神文明建设工作队伍的正规化、稳定性和连续性，避免因领导个人好恶而造成精神文明建设的随意间断。

3. 从提高精神文明建设有效性的角度出发，做到行动到位。教育工作者需深入学生生活中，了解学生的共同心态和思想脉搏，研究学生的思想特征及其发展变化的规律，针对学生的心理特点和思想特征，抓住主要问题，因势利导，循序渐进，有计划、有目标、分阶段系统地进行思想疏导和深入细致地进行建设，克服侥幸心理和短期行为。

4. 从实现高校精神文明建设的效益最优化的角度出发，做到管理到位。高校精神文明建设要落到实处，取得良好的效益，必须结合相应的管理措施，要融会到管理工作中，二者相互补缺，相得益彰，实现深入细致的精神文明建设与科学有效的管理有机整合，在整合过程中使精神文明的科学性与知识性、思想性与趣味性融会贯通，使精神文明建设生动形象、具体深入、细致感人，真正实现精神文明建设效益的最优化。

原文出处：《山东教育学院学报》1999 年第 1 期

# 陈振民：上海群众性精神文明创建活动的发展态势分析

面临世纪之交，上海群众性精神文明建设活动已进入了一个新的发展阶段。在群众性精神文明创建活动横向拓展、纵向深入的同时，如何正确把握精神文明创建活动的现状和发展趋势，认清并正视存在的主要问题和下一步工作的努力方向，不断加深对有中国特色、时代特征、上海特大型城市特点的精神文明建设发展规律的认识，这是全面推进精神文明建设的重要保证。

**一、社区精神文明创建活动蓬勃开展，但发展情况不平衡**

1989 年以来，以安居乐业为目标，以文明社区、文明小区为主要创建载体的社区精神文明建设呈现出整体创建、地区覆盖的良好态势：一是社区综合管理水平有了提高，促进了社会的改革、发展、稳定；二是社区服务网络不断健全，增强了居民群众对社区的归属感和向心力；三是社区功能得到强化，为实行两级政府、三级管理的新体制，把城市管理的各项任务落到社区奠定了良好的基础；四是社区文明程度和市民素质的整体水平逐步提高。

但是，社区精神文明创建活动还不平衡，主要表现在文明小区、文明社区等地区精神文明创建活动在老城区的创建力度还不够大。因此，推进老城区的精神文明创建活动，对上海精神文明建设的平衡发展、整体推进、全面提高非常重要，是一个重要突破口，既是创建的难点，更是创建的新的增长点，是实现社区精神文明建设的全面覆盖的重要环节。

**二、农村精神文明建设呈现良好发展趋势，但创建力度亟待加大**

近年来，上海郊区的精神文明建设出现了一个生动活泼的崭新局面和良好的发展势头。市郊各区县普遍开展了以文明村镇、文明单位、文明小区、新风户、五好家庭、文明家属等为载体的群众性精神文明创建活动，使之形成序列，互相促进，联动发展，充实和丰富了上海农村的精神文明建设。但相比城区社区精神文明建设迅猛发展的势头，农村的精神文明建设还有距离。一是一部分农村地区村镇布局凌乱，乱搭建现象严重，环境脏乱差突出，村前宅后垃圾成堆，河道污染严重。二是农村干部群众有些观念比较陈旧，小农意识束缚仍然存在。三是农民不讲卫生、乱丢垃圾、讲究排场、奢侈浪费等陈旧生活习惯没有彻底改变。四是烧香拜佛、封建迷信在一些地方盛行，业余生活单调，赌博、吸毒、嫖娼等丑恶现象有所抬头。要充分认识加强农村精神文明建设的重要性和紧迫性，加大文明村镇创建等精神文明建设的投入力度。

**三、“七不”活动广泛开展，但力度不够，成效还不明显**

这些年，在推进市民教育覆盖的过程中，上海市民遵守“七不”规范活动成为重要的载体，经过几年的宣传教育，“七不”规范已经家喻户晓，广大市民遵守“七不”规范的自觉性有了一定的提高。但是，乱穿马路，乱丢垃圾等现象仍很普遍，损坏公物、破坏绿化等不文明行为还时有发生。对“七不”活动开展中执法主体不明确，执法力度不够有力等关键问题，已列入上海精神文明创建活动序列，建立创建目标责任制，经过3至5年的努力，实现“七不”创建的全覆盖。

**四、行业精神文明建设成效显著，但要不断保持常态，加强长效管理**

多年来，全行业规范服务达标活动不仅已经成为行业精神文明建设的主要载体，而且已经成为在社会主义市场经济体制下，行业两个文明建设的最佳结合点，成为推动行业经济发展和加强行业管理的重要载体。但是，全行业规范服务的达标成果如何保持常态，保持在一个稳定的水平上，避免发生大的反复和波动，不断提高服务水平和服务质量，在规范服务达标的基础上，创建文明行业，实现从合格向优质的跨越，这是我们面临的新课题。为此，一定要加强这几个方面的工作：一是加强对已达标行业、创达标行业和创文明行业的社会监督力度。二是坚持城乡调查队对这些行业进行每年一次的测评，实行动态管理。三是充分发挥有关委办的职能和行业自身的自觉性，适应市场竞争，使规范服务和文明服务成为行业自身的需要，自觉的行动。

**五、要研究和解决好结合部的问题，推动精神文明建设整体水平的提高**

这些年，各个方面的精神文明建设都有了比较好的发展，但由于现行的管理体制和工作机制不够完善，一些条与条、条与块、块与块、社区与社区、街道与乡镇、乡镇与乡镇的结合部，往往成为被遗忘的角落，成了创建的空白点，出现创建工作相互衔接不够或者衔接不好的问题，影响到整个创建面上的整体水平。这与精神文明创建活动整体推进、系统发展、全面提高的发展趋势是不协调的，应该成为我们工作的一个很重要的着眼点、着力点。

**六、精神文明创建要把加强理想信念和唯物论教育，作为一项重要和长期的任务**

精神文明建设的根本任务是培养“四有”市民，以育人为核心。理想信念教育和唯物论的教育是一个长期的、潜移默化的过程，要寓教于文、寓教于体、寓教于各类群众性活动之中，充分利用精神文明创建的载体、抓手。不仅要研究活动形式的丰富多样，增强吸引力的问题，还要研究如何注入思想教育的内涵，增强针对性的问题，进一步广泛、深入地开展理想信念和唯物论的教育。

作　　者：上海市文明办副主任
原文出处：《上海精神文明》1999 年第 10 期

# 帅良余：志愿者活动是群众性精神文明建设活动的一大创造

志愿者活动是指人们将帮助他人作为自己的志愿，利用业余时间，无私地奉献自己的脑力和体力的一种劳动。通过无偿地服务他人，展示了志愿者高尚的思想情操，传播着社会文明。志愿者组织的运作方式顺应了市场经济的特点，继承学雷锋做好事的优良传统以及中华民族的传统美德，吸纳西方国家志愿者组织的成功经验。因此，志愿者组织及其活动是在社会主义市场经济条件下，将思想道德建设虚事实做的有效方法，有着旺盛的生命力。

**一、市场经济条件下志愿者组织形成的动因**

近几年来，志愿者活动和志愿者组织不断发展的原因，主要有三方面：首先，志愿者组织的宗旨、行为准则、基本任务在本质上与社会主义道德建设的核心内容是完全一致的。它通过志愿者的无偿服务他人的行为，展示社会主义高尚精神的理想、信念、道德、审美、法律等意识。志愿者组织和志愿者活动一直得到党政领导的全力扶植。其二，热心社会公益事业，服务他人有着广泛的群众基础。60年代，学雷锋做好人好事的新风尚整整影响了几代人，不少社区居民在邻里互助、结对帮困中，几年甚至几十年如一日为困难对象无偿服务，从不图名利，默默地实践着志愿者的宗旨，这是志愿者活动中最厚实的根基。其三，志愿者的无偿服务满足了社会的某些需求。成为社会主义社会保障体系中一个重要支撑点。

**二、志愿者活动必须扎根群众，服务群众**

精神文明建设需要群众参与、支持，要使群众自觉和主动参与志愿者组织和活动，志愿者的组织机制、活动内容和方式就必须面向群众，发动群众，扎根群众。

首先，志愿者活动要有长久的生命力，必须确保志愿者组织的规范化、制度化。其次，志愿者活动要吸引广大群众参与，活动内容必须符合群众的愿望。广大志愿者深入社区、小区，结合社区居民的生活需要和志愿者的业务专长，广泛开展结对帮困、邻里互助、敬老爱幼、法律援助、护绿保洁、治安防范、就业指导、科技指导、医疗保健、家庭教育等多项活动，满足了社区居民的生活需要。其三，为吸引群众参加志愿者活动，要精心设计活动载体，要有浓厚的时代气息，还要易于组织和推广。例如，人们在工作、生活中越来越感到需要更多地懂得法律知识，用法律法规来处理自己的有关事宜，许多社区成立了法律志愿者服务队。

**三、志愿者活动是增强市民社会公德意识的有效方法**

在改革开放，建立社会主义市场经济条件下，涌现出来的志愿者队伍，实践着“服务他人，奉献社会”的价值追求，以示范性和教育性等为特点，成为培养市民社会公德意识的有效方法。

示范性：根据上海市杨浦区志愿者情况调查，党员占全区志愿者人数22.37%，已经成为志愿者队伍中的骨干力量。调查还反映出党员参加志愿者队伍有明确的目的性。许多党员都想通过志愿者活动实践为人民服务的宗旨，为改善社会风气，树立新时期党员形象出力。通过广大党员的示范作用带领一批批群众投入到志愿者的行列中。

教育性：志愿者的行为对周围群众是一种十分生动的社会公德教育。这些年，上海百万志愿者无偿地服务人民，这种行为本身就在教育和感染周围的群众和家庭成员，不断开掘人们追求真、善、美的能动性。百万志愿者在服务他人的过程中，自身的思想境界也得到升华，道德水准得到提高。

**四、志愿者活动趋势分析**

首先，志愿者组织和志愿者活动是一项与社会主义市场经济同向并行的事业，服务于社会主义市场经济体制的建立和完善。在迈向现代化的进程中，社会结构不断调整，政府管理重心下移，社区管理、社区服务的作用愈显重要，成为社会全面发展，保持社会稳定的重要方面。但是，社区成员的某些需要，社会有些服务功能，还难以列入政府的管理职责，经济实体和经济组织由于利益驱动，也不愿作为投资项目，这些空间领域就是志愿者活动的基本定位。

其二，志愿者组织是90年代在群众性精神文明建设活动中产生的，是新生事物。有关部门已经注意加强理论研究，掌握志愿者组织发展的自身规律，吸收国外志愿者活动中的成熟方法，使它健康有序地发展。

其三，随着志愿者队伍不断扩大，志愿者组织的制度建设、队伍管理、理顺机制显得愈加重要。目前将要在全市普遍开展志愿者的注册登记工作，统一印制服务手册，记录志愿者服务内容、时间和质量，并作为评估人们履行志愿者义务和责任的基本依据。

原文出处：《上海精神文明》1999年第1期

# 李剑平：论党风廉政建设在精神文明建设中的地位和作用

党的十四届六中全会《决议》强调指出：“加强精神文明建设，首先要从严治党，搞好党风。”这一论述深刻阐明了党风廉政建设在社会主义精神文明建设中的主导地位和重要作用。

**一、党风廉政建设在社会主义精神文明建设中处于主导地位**

党风廉政建设与精神文明建设的基本要求是一致的。党风廉政建设属于社会意识形态工作，是构成社会主义精神文明的重要方面。党风廉政建设要求共产党员必须树立马克思主义世界观、人生观和价值观；必须树立共产主义理想和信念；必须具有全心全意为人民服务的思想；必须随时随地准备为党的事业贡献一切；必须做到勤政廉政。这些，都是社会主义精神文明建设的最高要求。

党风廉政建设是精神文明建设的主要支柱。党风廉政建设的基本任务就是要坚持和发扬党的优良传统和作风，坚定为共产主义而奋斗的理想和信念。这些年来的实践证明了党风廉政建设的好坏，直接决定着整个社会风气的好坏。党风不正，社会风气就好不了；党风正了，社会风气就不难扭转。

**二、党风廉政建设为社会主义精神文明建设提供精神动力**

党风廉政建设与精神文明建设的一个显著的共同点，就是重在加强思想道德建设，两者都是着眼于人的思想政治素质和道德水平的提高。个别党员或者干部之所以腐化变质，往往是从思想蜕变、道德滑坡开始的。因此，在发展社会主义市场经济的新形势下，加强党风廉政建设，坚定共产党员的共产主义理想信念，对于全体人民形成和坚定建设社会主义现代化的共同理想、价值观念和道德规范，防止和遏制腐败思想和丑恶现象的滋长蔓延，有极为重要的作用。

**三、党风廉政建设对社会风气的好转起决定性作用**

良好的党风是主导社会风气的主要因素。良好的党风是党的性质和宗旨的综合反映，是党性的外在表现。良好的党风主导着社会风气，对社会风气、进而对精神文明建设产生直接的作用和影响。尤其在社会转型时期，我们更应该以良好的党风，用共产党员在实践中体现出来的共产主义的人生观和价值观引导人民大众，用大公无私、清正廉洁、服从大局、艰苦奋斗和全心全意为人民服务的工作作风和思想作风去影响社会风气。

良好的党风是营造良好社会风气的关键。社会风气是整个国家和整个中华民族的精神风貌和文明程度的具体表现，由于在特定的时期内党风廉政建设与社会风气的营造总是同属一个发展的过程，两者之间肯定互为影响，互相促进。而党风廉政建设在整个社会风气，以及社会道德风尚结构中，处于更高的层次和更重要的地位，对社会风气的变化起着引导、制约和决定作用。良好的党风可以起到明显的示范作用，党风正，就可以营造出良好的社会风气。

**四、党风廉政建设在精神文明建设中的地位和作用是由执政党的地位所决定的**

执政党的地位决定了我们党是社会主义精神文明建设的领导者，党员特别是党的领导干部必须做精神文明的表率。领导者首先要带头端正党风，做到勤政廉政。精神文明要搞上去，不仅需要有人抓，有人领导，还需要有众多的人起表率作用，党的十四届六中全会《决议》指出：“共产党员要在全社会发挥表率作用，党的领导干部要在全党发挥表率作用。要加强对党员特别是领导干部的严格要求、严格管理、严格监督。领导干部要自重、自省、自警、自励，以身作则，言行一致。要求别人做的自己首先做到，禁止别人做的自己坚决不做，自觉接受党和人民的监督，经受住权力、金钱、美色的考验。”要加强对精神文明建设的领导，首先要抓党风和廉政建设，尤其是要把领导干部党风廉政建设放在突出的位置上，狠抓思想作风建设，提高他们自身的精神文明程度。否则，精神文明建设就会成为一句空话。

原文出处：《思想工作论坛》1999年第2期

# 陈新权：关于金融系统精神文明建设的几个问题

**一、精神文明建设是一项根本性的工作**

金融是一个专业性比较强的行业。金融机构党委的负责同志，同时也是业务工作的负责同志。当前金融业务工作面临许多新的问题和挑战，金融机构的领导同志更多地把注意力集中到业务工作上，是正确的，无可厚非的。但是，也必须同时强调，我们要把管“事”和带“人”很好地结合起来，在抓业务工作的同时，要抓好队伍建设。这里的确有一个怎么认识的问题。要使队伍的素质不断得到提高，就要做人的工作，说到底事是靠人去做的，人是主体，事是人的作为。不注重提高人的素质，不注重调动人的积极性，业务工作就不可能真正做好，即使一时上去了，也不可能持久。在发展社会主义市场经济、竞争日趋激烈的情况下，尤其是这样。

**二、精神文明建设工作的目标、原则和标准**

在金融系统，精神文明建设工作，确定一个什么样的目标呢？这个“目标”就是：促进建设一支高素质的、文明的金融队伍。

精神文明建设工作最基本的原则就是：坚持把普遍的要求同金融系统的具体实际相结合。必须从金融业务工作的实际情况出发，必须针对金融行业的特点，必须针对金融队伍的状况。

精神文明建设工作做得成功与否，用什么样的标准去检验呢？就是要贯彻党的基本路线，以经济建设为中心，坚持四项基本原则，坚持改革开放；要坚持“三个有利于”，即：有利于发展社会主义社会的生产力，有利于增强社会主义国家的综合国力，有利于提高人民生活水平。具体到金融系统，精神文明建设工作要有利于提高金融队伍的素质，有利于促进金融的改革与发展，有利于金融业务更好地支持国家的经济增长和现代化建设。

**三、精神文明建设工作的重点**

精神文明建设工作很多，在当前情况下，应当突出下列几项工作：

一是法纪观念和职业道德教育。金融机构是专门从事货币信用活动的中介组织，在这些机构里工作的人，整天做着与钱有关的事情，或者是直接的，或者是间接的。这种工作性质，就决定了对金融机构的干部、职工在法纪观念和职业道德上要求更高。

二是企业精神或精神的塑造。企业精神和团队精神集中反映一个机构、一个单位的精神境界、价值导向和总的行为规范。人是要有一点精神的，一个集体同样要有一点精神的。一个机构，一个单位，如果没有那么一股气、一股劲，很难把大家的积极性调动起来，很难做到齐心协力、共同奋斗；如果风气不正，那就必然是一盘散沙，必然效率低下，不可能正常发挥其功能，不大可能在业务工作上做出成绩。

三是文明规范服务。金融系统也可以说是一个服务行业，为客户提供文明规范的服务，是提高员工队伍素质、改进金融服务质量、提高金融机构信誉的一项重要工作，必须认真做好。

四是思想政治工作。思想政治工作是大家共同的事情，不只是某某部门某几个人的事情。思想政治工作首先要党委重视，党委的主要领导同志要重视，同时各个部门也都要重视，当然专门抓思想政治工作的同志更要认真去做。

作　　者：中央金融工委宣传部部长

原文出处：1999 年 8 月 26 日《金融时报》

# 郑继业：对非公有制企业精神文明建设的思考

非公有制经济企业要不要搞、如何搞精神文明建设呢？这是摆在当前各级党委精神文明建设指导部门的重大课题。

## 一、非公有制企业要不要抓精神文明建设

非公有制企业究竟是只为一种生产——物质财富的生产而存在，还是必须为了整个社会的利益而要做到物质文明和精神文明两手抓呢？人类迄今为止的文明绝不仅仅是“物”的传承和进步。在物质文明高度发展的今天，精神文明是人类为之奋斗不息的共同追求。在社会主义制度下，加强精神文明建设对于任何社会组织都是必要的。作为社会主义市场经济组成部分的非公有制企业，加强精神文明建设是题中应有之义。

## 二、主体精神、企业精神、奉献精神——非公有制企业精神文明建设的基本内容

第一，非公有制经济是社会主义市场经济的重要组成部分，这一性质决定了非公有制企业也必须遵循社会主义的基本法规，因此要求业主在拥有最高决策权的同时必须尊重企业员工的应有权利。这些权利包括员工的人身自由权利、健康保障权利、创造创新权利等。这些权利集中体现为员工的主体精神。非公有制企业的员工与企业主之间虽是主雇关系，同时更是一种人格平等基础上的人际关系。因此，重视员工主体精神的培养，既是企业尊重职工应有的权利，也是企业自身发展的需要。

第二，非公有制企业作为一个个独立的经济实体参与社会主义市场经济的分工与竞争，而要想在竞争中获得成功，取得好的经营业绩，就必须有良好的企业形象和企业信誉作保证。靠什么支撑起良好的企业形象和信誉呢？靠的是能够团结和凝聚全体员工为企业的兴亡而休戚与共的“企业精神”。在企业精神的指导下，员工按照“企业精神”的要求来制定自己的奋斗目标和工作方向，就能迸发出主观能动性，给企业的创新、发展提供不竭的精神动力。

第三，企业（无论是公有制还是非公有制企业）作为社会的细胞，总要承担社会责任。实践证明，任何国际上成功的企业，其形象都是以“奉献社会”为主题，才为社会所接受。对社会是否愿意承担责任，对社会是否有所贡献，是衡量这个企业成功与否的重要尺度。因此，“奉献精神”同样是社会对非公有制企业精神文明建设的客观要求。

## 三、非公有制企业加强精神文明建设的基本要求

端正认识，摆正位置。必须在领导观念上确定“两种生产一起抓，两个文明成果一齐要”的意识。明确“非公有制经济是社会主义市场经济的重要组成部分”，决定了非公有制企业抓精神文明建设的客观必然性。

组织队伍，狠抓落实。要有一支队伍抓精神文明建设。这一机构相当于“文明办”，由企业副职（有党支部的由支部副书记）任组长，职代会委员、生产小组长等人员组成，他们在完成企业的生产经营任务的基础上，负责精神文明建设各

项工作的实施和落实。

要有相应的经费作保障。要把对精神文明建设的投入纳入企业日常的经营核算之中，做到有专项经费、专项开支，以确保精神文明创建工作的正常开展。

作者单位：连江县委文明办

原文出处：《福建理论学习》1999年第3期

# 梁衡：论精神文明建设与提高出版物的文化含量

出版物作为文化的载体，它的内容，即它的文化含量及其与读者的构成关系，直接决定着广大人民群众的文化素质，影响着社会主义精神文明建设。

**一、出版物既要有精品标准，又要有一定程度的普及标准**

衡量一个时代的精神文明高度，有两个标准：一是精品标准，一是普及标准，或曰市场标准，就是说精品必须有一定的普及程度，有相当的市场占有量，要转化为群众的文化消费。这两个标准不能割裂开来。如果单是内容积极健康，却不能占有相当的市场，其社会作用就十分有限；如果离开质量标准，单看市场占有量，就会走向另一种片面性。我们的市场占有，应当是保证质量前提下的占有；我们的质量，应当是充分占有市场基础上的质量。

分析新中国50年的历史，可以看出，国家的命运，人民群众精神面貌的变化，和出版物的消费曲线是一致的。这个曲线变化包括内容方面和数量方面。建国后到“文革”前这一段，总的说来国家发展，人民群众的精神面貌奋发向上。这个时期，我国出版了一大批文学艺术精品，影响了一代人的思想风貌。“文革”时期是一个精神产品极度匮乏的时期，相应来讲，也是党风、民风遭到破坏，整个社会思想道德、精神文明水平下降的时期。改革开放新时期20年来，出版业已恢复发展到年出版期刊8135种，报纸2000多种，图书11万种。许多重要的中外学术名著、文学艺术名著得以出版或再版，特别是许多当代作家、学者的文集纷纷得到整理出版。社会所拥有的精品量和普及度都是前所未有的。无论是从精品角度还是普及角度来说，目前都是精神生产最繁荣的时期，这也是精神文明建设卓有成效的表现。

**二、社会的主要矛盾与读者对出版物的五种需求**

读者的需求是精神产品赖以生产和存在的基础。有了这种需求才有各种各样出版物的出现。根据文化层次、社会职业、生活环境等的不同，各种读者的需求由低到高大致有五种：一是为了追求刺激，二是为了消遣，三是为了获取信息，特别是知识，四是为了审美，五是为了思考。

这五种需求合起来构成人们的文化需求。我们出版工作者要根据这些需求的不同情况，分别采取不同的办法，有的要尽量满足，有的则不能满足，有的要搞好调节和引导。这种供需矛盾解决得好，社会精神文明就发展。

**三、出版物的文化含量与社会的精神文明水平**

(1) 要重视并具体分析出版物的文化含量。根据读者五个方面的阅读需求，文化产品也有五个方面的内容，但这些东西不是平列的，它有高低档次之分。出版物的内容可以大致分为积极的、中性的和消极的三大块。积极部分是指对人的精神生命健康发展起到积极作用的出版物，也就是能够“以科学的理论武装人，以正确的舆论引导人，以高尚的精神塑造人，以优秀的作品鼓舞人”的出版物。中性部分主要指消遣娱乐内容。消极部分是文化中的腐朽部分。这部分内容实际上已经不是文化，而是负文化或反文化。比如黄色出版物和大量的凶杀、作案内容的描写，它仅仅用来满足某些人低级趣味的刺激欲求。

我们所说的文化含量，主要是指出版物中有益的信息、知识、思想、审美内容。不但要反对出版物的错误、腐朽内容，还要克服出版物的平庸浅薄。虽然也可以有一部分消遣甚至刺激的内容，但不能把这些作为主体。要引导出版物，并通过出版物引导读者穿过刺激层、消遣层而进入信息层、知识层，直到思想层、审美层。

(2) 要通过引导市场、培育市场，宏观把握读者的需求结构与出版物的文化含量结构。读者有五种需求，但具体到每个人，每个层面的读者群，其侧重又有不同。因此，在宏观结构的把握上，第一，我们要满足不同层次读者的不同静态需求，即现有需求。让不同层次的读者都有书报刊可读。第二，努力把整个社会出版物的文化含量提高，使其由低层次向高层次过渡，满足并引导读者的动态需求，就是说通过市场引导，逐步提高读者的阅读欣赏水平，改造读者的文化结构，造就一代新人。第三，要限制部分需求。比如对学生，主要是供给他们知识读物，而要控制消遣类读物。对整个社会来说，我们的任务是：满足人民群众的健康文化需求，即信息、知识、消遣方面的需求，引导读者进到高层的思想、审美需求。这就是具体的精神文明建设。

(3) 要警惕出版物的负作用。我们必须充分认识出版物的两重性：其高尚的文化内容可以教育人，其腐朽的文化内容也可以腐蚀人，所以在实行两个标准，即创造精品，最大限度地普及好作品的同时，还得有一个前提，就是要最大限度地打击、扫荡、取缔那些黄色的、反动的、宣扬迷信愚昧的和传播错误信息、错误知识的出版物。

**四、出版物精品的三个标志和出版工作者的追求**

我们所说的出版物精品有三个方面的标志，或曰三个构成条件：一是它凝聚和浓缩了当代最新的文化成果，有高文化含量；二是它有创新，一出现就代表某一领域、某一方面的一个新高度；三是这个精品能够普及，能逐渐为广大读者所接受，并因此提高本领域的文化水平，乃至全社会的文明水平，最后被载入史册。精品，总是以它独有的概括性、创造性登上历史舞台，并且为最大多数的读者所接受，最后以一个文化坐标在历史上占一席之地。这就是作品的不朽。创作出这样作品的人，编辑出版了这样作品的人也将不朽，因为他们对国家、民族的文明乃至世界文明作出了贡献。这，应当成为每一个中国出版工作者的自觉追求。

作　　者：新闻出版署副署长

原文出处：《求是》1999 年第 3 期

# 陆俊：国际互联网的发展对中国社会主义精神文明建设的影响

因特网（Internet）技术是计算机网络技术的重要成果之一，未来的信息高速公路将以因特网技术作为基础，它给信息的传播方式带来了一场革命性的变化，同时深深地影响了人类生活的各个方面。我们只有充分重视计算机国际互联网络带来的社会变化，抓住机遇，迎接挑战，才能在新的国际政治经济环境和技术文化环境下更好地建设我国社会主义的精神文明。

### 一、信息网络化：社会主义精神文明的新环境

人类正面临第五次信息革命，即数字式电子传播，这场信息革命将极大地改变受众与传播者的相互关系。到1998年底，全球使用因特网的人数有1亿左右，到2002年，这一数字将达3.2亿。互联网络的快速发展只是问题的一个方面，更重要的是它为人类信息交流提供了崭新的手段，使人类的社会交往关系出现了新的特点：第一，信息传递的快捷性和获取的方便性。从理论上讲，一条上网的信息可以在极短的时间内传遍整个网络世界，而成为世界性的信息。因此，今天世界上的各主要新闻媒体都十分重视网络传播信息的重要性，纷纷建立自己的网站，因为网络能把各种“独家新闻”或“突发事件”在第一时间内向外公布，以至于今天人们把网络称为继报纸、广播、电视之后的“第四媒体”。第二，信息内容的丰富性。网络信息传输几乎综合了其他传输手段的所有优点，它不仅可以传输文字和图片，而且可以传输声音和动态画面。各个国家的政府和行政组织、商业和文化教育机构等都在因特网上有自己的网址和主页。除此之外，个人还可以很方便地建立自己的主页，把自己的信息放到网上供世人传阅。在内容方面，网络上可以说无奇不有，从政治新闻到天气预报，从体坛快讯到影星隐私，从交友天地到网上购书……可以说“要什么有什么”，一网打遍天下。第三，交往行为的全球性。网络交往几乎已没有传统的地理和国家地域的限制，因特网发展的一个重要动力就是把全球成千上万台计算机联结成一个可以即时进行数据交换的“网”。因此，任何一台上网的电脑从身份上看必然具有“世界性”。第四，互动关系的虚拟性。由于人们越来越多的社会行为通过网络完成，网络本身成了一种社会互动的场所，在我们“现实”社会之外形成了一种“虚拟社会”和各种“虚拟团体”。在网络上进行信息交流的人们，可以不分民族、种族、国籍、性别、信仰等因素进行联系。网络交往在今天很大程度上是匿名性的，相互交往的人在很多时候并不知道对话者在现实社会的真实身份，而且，这种交往具有很强的“虚拟性”和隐蔽性。各种“虚拟的”或电子的共同体可以在网络上自由地发表自己的观点，对社会其他群体和机构，甚至政府组织的政策产生影响。网络正在迅速改变人们的生产生活方式，并以此形成一种新型文化形态——网络文化，也称作计算机空间文化或赛柏文化（Cyberculture），我国社会主义精神文明的建设将越来越多地受到这种文化环境的影响。

### 二、国际互联网络对社会主义精神文明建设的影响

第一，强势文化的地位增强和意识形态的渗入。意大利马克思主义者葛兰西曾经提出了著名的“文化霸权”（culture hegemony）理论，这是指在某个单一群体影响下形成的一种为当代民众广为接受的主宰性世界观。在网络上，取得最高文化霸权地位的当属“英语文化”。英语成为网络的“公共语种”和“世界语”的地位是由历史和技术原因造成的。在西方强势文化占据主导地位的网络上，我国社会主义精神文明必然受到严重挑战。

第二，不良信息泛滥。在今天的因特网上，不良信息的种类和数量已经到了触目惊心的地步。黄色信息只是网络上不良信息的一种，其他不良信息在网络上也是畅通无阻。包括种族主义宣传、宗教仇恨、法西斯思潮、民族歧视、侮辱性言论，等等。

第三，跨文化冲突。在网络时代，除了历史过程中原有的文化冲突在网络世界里能够继续存在之外，还会形成新的文化冲突。当一个世界性的电子网络建成后，文化之间的扩大交流必然势不可当，除非具有某种特定文化背景的民族拒不加入世界网络。只要一个民族或一个国家加入网络，网络世界中的文化冲突就不可避免。这样，网络世界的文化冲突就显现出冲突范围扩大、冲突多样化和冲突频繁的特点。

### 三、在全球网络化条件下建设社会主义精神文明

从本质上讲，网络毕竟是人类信息技术的一次重大发明，把网络拒之于社会主义精神文明建设之外无疑是一种历史的倒退。正确的态度应该是勇敢面对问题，引导网络朝正确的方向发展，把它变成社会主义精神文明建设的一个重要工具。

第一，充分认识网络建设在社会主义精神文明建设中的重要性。社会主义精神文明建设，无论从内容还是形式上，都应该随着社会存在的发

展而发展，技术变化和进步的过程在今天越来越多地影响着人们的思想文化和价值观念。必须把网络文明建设看成是社会主义精神文明建设的重要内容，这其中既要看到网络技术对社会生活各个层面的巨大影响，又要把网络建设当成文化建设、思想建设和道德建设中的一个重要内容。网络文明建设的状态直接关系到信息时代社会主义精神文明建设的水平和成败。

第二，加强网络法规建设和网络伦理教育。必须逐步建立适合中国国情的网络法律法规体系，把网络文明建设纳入法制的轨道。我国自80年代以来，制订了《中华人民共和国计算机信息系统安全保护条例》、《中华人民共和国计算机信息网络国际联网管理暂行规定实施办法》等规定，这些都对网络行为起到了一定的规范作用。我们必须通过道德手段来制约人们的网络行为。尤其在网络法律法规在许多方面还存在盲点的时候，网络伦理教育的作用就显得格外突出。

第三，发挥政府在网络上进行思想意识教育和舆论宣传的导向作用。无论对网络基础设施的建设还是对网络文明的建设，政府都能发挥其特有的作用。人们今天一般认为，政府上网主要有三个目的：在网上设立网站，向公众提供政府部门的最基本信息，使人们能够在网络上看到政府；政府内部和政府部门之间联网，实现信息共享并加快信息传输速度，提高政府办事效率；政府通过网络向社会提供服务。不仅如此，世界上许多国家的政府都注意到网络在意识形态宣传上的作用。社会主义国家的各级政府，同样可以利用网络对外宣传自己的思想观念，对社会舆论起积极的引导作用，对大众进行思想政治教育。

第四，通过网络大力弘扬优秀的民族传统文化。有学者指出，“中国人应该有自己的INTERNET精神”。既然网络给我们提供了一条通往世界的窗口，我们就应该充分加以利用。网络对民族传统文化既是挑战也是机会，如果我们把更多的民族文化资料放到网上，它就会成为世界网络资源的一部分，会给更多的人提供欣赏它们的机会。

作者单位：北京科技大学文法学院
原文出处：《北京科技大学学报》（社科版）1999年第3期

# 高延武：网络挑战精神文明

Internet的触角正延伸向社会的各个层面和角落，其爆炸性的发展将把人类文明推向一个更高的层次。网络文化随着Internet迅猛发展和广泛普及，已经成为不可忽视的现代文化的一部分。

## 一

网络文化是人类在20世纪所创造的，以计算机和通信技术为物质基础的全球性信息资源的开发和共享，以及由此而引起的人们对生存价值、生存方式、社会约束的种种反思和审视。

今天的Internet不独属于任何国家、任何民族、任何组织，它无国界，无民族界限，是全球性信息资源共享的网络，虚拟空间上的“世界大同”。网络文化是一种超越国家及民族界限的多元性世界广域文化。高度开放和自由是网络强大生命力的基础，但这不意味着网络上的事情都不会受到任何的社会约束，网络是现实社会的延伸和扩展，现实社会的意识形态和道德标准都会渗透到网络空间。网络文化是“虚拟”与现实的统一、个性张扬与社会约束的统一。

## 二

尽管Internet进入我国的时间不长，但其发展很快。网络文化在自觉和不自觉中渗透到每一个网民的思想意识之中，影响着他们的文化素质、人生价值、品德标准、政治倾向。这些影响有进步向上的，对精神文明建设起着积极的促进作用。但是，不容忽视的是，有一些不健康、甚至颓废腐朽的东西，向我们的精神文明建设提出了新的挑战。

Internet作为一种现代化的信息媒体，也引起了新闻界的极大关注，把网络手段应用于新闻传播是新闻事业的又一次飞跃。网络传播被视为继报刊、广播、电视之后的“第四媒体”，必然也应该成为我们进行社会主义精神文明建设的一个重要阵地。网络新闻传播是开放式跨文化的传播，多元文化的传播、碰撞和交融将导致世界范围内的激烈竞争。这种具有多媒体（图、文、声并茂）、互动式（可引入信息接收者更大的主动性）和实时性（快速、及时、同步）等特征的网络媒体将越来越受到人们的重视，而在各种媒体中独树一帜。所以，把网络作为社会主义精神文明建设的一个阵地，有着更加重要和特殊的意义。

三

站在社会主义精神文明建设的高度去面对网络文化，还有很多问题需要我们进一步的思考和研究，比如：我们现在正面临两个临界点：一个是世纪之交。另一个就是在人们尚未做好充分准备的时候，全面计算机化、信息化和网络化的到来。面对这种新的技术、新的文化，我们应该如何尽快地从“刘姥姥进大观园”的状态中走出来？如何面对和适应这种突如其来的变化？

中华民族古老而璀璨的文化，如何在网络文化中生存、生长并发扬光大？我们的政府部门利用网络如何进一步搞好改革开放？如何搞好政务公开、提高政务效率？如何树立网上政府形象？是限制还是支持青少年进入网络社会？如何有针对性地进行思想品德教育，提高他们分辨是非和抵抗腐蚀的能力？

自由是网络的特色，但这种自由也给网络带来很多是是非非，“网上良民”无不疾呼：网上伦理谁来建立？网络规范谁来制定？网上违章谁来纠正？网上犯法谁来惩治？

如此种种，都应该成为社会主义精神文明建设所关注的问题。现代网络文化是一种多元快变的文化，每一个问题都是多维的、变化的，试图直接给出每一个问题的具体答案，恐怕是一种教条。关键是我们要勇于以科学的态度和全新的观念，客观地去面对这些问题，关注这些问题，积极地思考，开拓性地工作。也只有这样，才能使Internet更好地为中国特色社会主义现代化建设服务。

原文出处：1999年8月25日《光明日报》

# 侯远长：建立规范化、科学化的精神文明建设运行机制

加强社会主义精神文明建设，是我国一项重大战略任务。要实现这一战略任务，必须建立和完善规范化、科学化的精神文明建设的机制。

**一、领导工作机制**

领导工作机制是负责从领导决策到贯彻落实精神文明建设整个过程的运作，是高层次的工作机制。要贯彻落实精神文明建设的工作目标和任务，必须将其渗透到领导工作机制的不同层次之中。第一个层次是领导决策工作机制。第二个层次是党委工作机制。第三个层次是充分发挥各职能部门作用的机制。

**二、发展规划工作机制**

社会主义精神文明建设工作机制，重要的是建立完备的精神文明建设规划体系。

建立完善精神文明建设的目标体系。目前，中央和地方已制定了精神文明建设5—15年的发

展规划，提出了总的目标和要求。根据党中央制定的总目标，各地方还要制定出有关科学文化教育和思想道德建设的各方面的具体计划目标体系，使社会主义精神文明建设总体规划目标体系中，既包括总体目标，而且也包括地方和部门的中长期和短期目标；既包括宏观规划目标，也包括中观和微观规划目标，从而形成一个相对完备的目标规划体系。

建立和完善精神文明建设各个系统、各个层次的规划体系。首先，制定全国性的精神文明宏观发展规划；其次，制定省级精神文明建设中观发展规划；在此基础上，制定县级、乡村级精神文明建设的微观发展规划。由中央的宏观规划到地方的中观规划和微观规划，三者互相联系共同构成了我国社会主义各个层次的精神文明建设的发展规划体系。

精神文明建设规划要系统化，规划指标要具体化、量化。作为精神文明建设规划的指标，一定要有具体化、量化和可操作性的特点。只有这样，才能使精神文明建设的软指标变为硬指标。

**三、管理工作机制**

在建立科学化、规范化的精神文明建设工作机制过程中，还应建立管理工作机制。管理工作机制包括对人的行为规范的管理和对社会意识形态的管理两部分。

精神文明建设主体——人的行为规范管理工作机制。主要内容是：目标管理机制。我国社会主义精神文明建设的总目标是培养“四有”公民，实现富强、民主、文明的现代化国家。根据这个总目标，十四届六中全会《决议》又具体化为今后15年的具体目标，即在思想建设上做到“两个牢固树立”，在公民文明素质和社会文明程度上，达到“三个显著提高”，在整体建设上，形成“一个良好局面”。通过具体目标、具体任务进行常规管理，充分调动人的积极性、主动性和创造精神，这是精神文明建设实施规范化管理的重要途径。

社会意识管理工作机制。社会主义精神文明建设是对社会意识进行管理和建设的过程，需要全社会各行业，党政军工学齐抓共管，管理、教育、建设统一协调，共同发挥合力。归纳起来，社会意识管理工作机制大体由如下机制构成。

第一，舆论导向工作机制。负责精神文明建设的宣传舆论工作，其目的是让人们知道该做什么、不该做什么，把人民群众的思想认识统一到党中央的路线方针政策上来。

第二，法制约束工作机制。社会意识的建设、管理要依法行事，新闻、出版、科研、教育要通过立法、执法达到依法治理的目的。要综合运用法律、组织、群众等监督手段，对精神文明中的意识建设实行全面监督，保证精神文明建设健康发展。

**四、协调保障工作机制**

协调工作机制。根据中央的决议精神，各省、市、县都成立了精神文明建设办公室、精神文明建设联席会议制度等，这就是一个协调机制。通过文明办或联席会议制度，明确规范有关职能部门在全省、全市、全县党委的统一领导下，形成对精神文明建设齐抓共管的局面。

资金投入工作机制。这也是精神文明建设的物质保障机制。保障工作机制的作用，就是保证基础设施建设的落实，使基础设施建设与精神文明建设的要求相适应。其关键是保证必要的资金投入，一个项目一个项目地落实。

其他协调保障工作机制。主要内容是两个方面：第一，管理和教育工作机制。管理和教育是协调，又是保障，可视为精神文明建设整体工作机制中的软件建设。第二，完善考评、表彰、奖励等工作机制。这些工作在精神文明建设中发挥着动力的作用，但它也是不可缺少的协调保障机制的重要组成部分。

作　者：河南省委党校教授

原文出处：《理论与改革》1999年第4期

# 崔梅：礼仪文化与现代精神文明建设

礼仪文化在最初是人类最早的精神文明。历史发展到今天，礼仪概念的内涵和外延已发生了显著变化，不再是原始初民信奉巫术的仪式，也不再是封建社会的等级秩序了。今天的“礼仪”代表了礼貌、礼节、礼仪的全部含义。新的礼仪文化具有了新的审美内涵和表现形式，同时也显示着现代人的创造力和时代文明。

**一、礼仪文化的特征**

礼仪文化具有艺术化的表现形式。礼仪作为人类的文化被加以形式化了的行为体系，从其表现形式而言，它具有艺术化的特点。

礼仪文化熔铸着社会和时代的价值观念。礼仪文化是一个历史系统，它是以约定俗成的方式建立起来的行为规范，是否遵守这些规范成为衡量一个社会个体或集体的价值标准。因为礼仪文化的审美内涵体现在礼仪美的审美评价同道德评价的统一中。

礼仪文化的重要审美尺度是文明。文明之所以是礼仪文化重要的审美尺度，是因为礼仪文化总是和善统一在一起的。我国礼仪文化就是提倡以善摄美。可见，礼仪文化的审美内涵是美的感性形式和人的内在文明的和谐统一。

**二、礼仪文化的发展促进现代精神文明建设**

礼仪文化作为传统文化中的一个组成部分，是现代精神文明建设的一个基点。

首先，礼仪活动或行为是群体行为文明的具体表现形式。精神文明建设包括三个方面的内容：一是社会意识文明，二是社会制度文明，三是人们的行为文明。由于社会意识文明、社会制度文明二者都是人们行为文明的产物与结果，所以精神文明建设的一项重要工作是抓人们的“行为文明”。礼仪活动或行为不仅是一种行为文明的表现，更重要的在于，它具有较强的感染力和渗透力，能够促进群体的行为文明。精神文明建设的衡量尺度是“社会风气”。礼仪活动或行为是道德教育与规范制约的结果，这也正是将人们自发行为引入“行为文明”轨道的有效途径。

其次，礼仪活动或行为有利于道德自觉的形成。礼仪活动或行为本身应该是一种自觉的活动。在这种自觉的活动中，渗透着规范性、连贯性、有序性以及道德伦理原则。道德建设中，一个重要的目标是道德的自觉。也就是使人们把精神文明的诸多要求当做一种自尊的需要，由此成为人们生活中必要而自然的社会习俗和行为习俗，文明的进步就在这个过程中实现并凝结成根深蒂固的生活习俗。礼仪活动或行为本身所具有的特征有利于这个目标的实现，有利于人们道德自觉的形成。

再次，礼仪活动或行为直接体现一个民族的精神面貌。礼仪标志着国家、民族、地区道德水平的高低以及个人综合素质的高下。我国的礼仪文化有许多精华，它们体现了我国传统的民族精神，在今天的精神文明建设中，更需要发扬礼仪之邦的传统美德。

作者单位：云南师范大学中文系
原文出处：《创造》1999 年第 4 期

# 王海军：社会公德与精神文明建设

## 一、社会公德的范畴

社会公德是指人们在日常生活中形成的、应当遵守的最起码的行为准则。它指社会事务、公共角色、公众行为中的道德原则和规范。

社会公德规范，就其社会意义而言，马克思所说的“简单的道德和正义的准则”是“人对人的关系的简单原则”，列宁也称之为“在一切处世格言上反复谈到的，起码的公共生活准则”。社会主义条件下的新型公德规范具有最为基础的社会性和最广泛的群众性，不再带有狭隘的阶级性和理论的抽象性。它已是人人可以得而行之的新型的现实道德准则。

## 二、社会公德与精神文明建设的关系

精神文明建设应当从提高人的思想道德境界去讲，要从每个人提高自身境界做起。每个人的思想道德境界达到一定水平，才能实现全社会精神文明水平的提高。过去我们常见的情况是，一般性的全局性的大道理讲得多，国家、社会的道理讲得多，家庭、单位的道德讲得少；阶段性的道德讲得多，公共性的道德讲得少，等等。这不是说这些内容不该讲，而是说，如果只讲大的、抽象的方面，忽略小的、具体的方面，就容易造成一种理论脱离实际的情况。

新时期的精神文明建设，如果没有社会公德意识作为基础，高层次的道德观也就难以形成。社会公德在结构系统中属于基础工程，它决不是“小事一桩”可以等闲视之。

## 三、社会公德建设的几点思考

第一，确定社会最高的道德目标和最低的道德行为限度。一个社会要维持正常的运行，就必须有一套社会全体成员共同认可的最高价值目标和最基本的行为规范，而在这最高和最低之间可以为人们留出相对自由的空间。我们社会追求的最高道德目标应该是社会和个人的全面进步和发展，它既包括物质方面又包括精神方面，它提供满足社会先进成员道德要求的原则，这就有了评价各种行为的依据，但这还不够。目前重点应在建立最低原则上，必须强化人们的规范意识，建立起最低限度的道德规范，使人们在最基本行为上遵循共同的准则，以保证人们在最低限度内不违背最高的价值目标。

第二，社会公共规范是社会公德的明确表现，遵守公共规范就是尊重公德。要使各行各业、各种角色和地位上的人们都尊重与自己所相关的社会公德，每一个从事社会公共事务的人都尊重、珍惜自己的“业德”，是公德建设的第一步，是最重要、最起码的一步，也是目前似乎难度最大的一步。

第三，公德建设应有一定措施。由于公德主要诉诸人们的自觉性，那就必须着重加强思想教育和宣传工作。社会公德终归是人去制订、维护和遵守的，因此，它的实行和巩固必须借助于作为人的内在精神的支持。另一方面是，必须辅以各种形式的社会监督（包括奖惩），促进道德“他律”向“自律”的转化。社会监督作为主要的他律手段，是一种外在的制约方式，但实际上它具有基础性作用。

第四，发挥共产党员特别是党员干部的表率作用。榜样的力量是无穷的，有这样一大批先进分子起模范带头作用，群众就会跟上来，这道理也是不言自明的。

原文出处：《唯实》1999 年第 5 期

# 于峰 盖兰骏：关于精神文明机制建设的思考

“重在建设”是社会主义精神文明建设的一条重要指导方针。贯彻落实好这一方针，最为重要和迫切的是建立一套在社会主义市场经济条件下有效运转、科学规范的精神文明建设机制。

**一、精神文明建设机制的基本特点和要求**

结构要合理。有什么样的结构，就必然产生什么样的联系和机能。精神文明建设结构有优劣之分，其联系和机能就有积极与消极、合理与不合理之别。

制度要完善。为了搞好精神文明建设，我们在各方面都制定了许多制度。应该说其中多数制度发挥了一定的积极作用，但是其中也有相当一部分制度或者是虎头蛇尾，或者是挂到墙上，喊在嘴上，落实不到行动上。

主体要主动。精神文明建设的各项制度都是由精神文明建设的主体——人去执行的。如果主体只是被动地去执行而不是自觉地去执行，任何制度也难于长期坚持，难以落到实处。因此，无论订什么制度，都必须要考虑能够充分调动主体的积极性。

**二、精神文明建设机制是一个有机整体**

为保证精神文明建设的健康、高效、有序地运行，必须建设一整套精神文明的运行机制，如领导机制、激励机制、约束机制、保障机制等等。其中，最重要、最本质的是两个机制：一是动力机制；二是约束机制。

动力机制。精神文明建设的动力可分为内在动力和外在动力。内在动力是指人们逐渐形成一种努力提高自身思想素养、道德水平、科学文化素质的内在要求，并把这种要求作为规范自己行为的动力。外在动力就是我们常说的激励。

约束机制。约束是使精神文明建设机制严格、高效、有序运行的重要保证。约束包括内部约束和外部约束。内部约束是指主体自行做到的合理正确的抉择。外部的约束是来自主体之外的制约和监督。内部约束和外部约束通常是联系在一起，共同起作用的。

精神文明建设的动力机制、约束机制不是孤立存在、互不相干的，而是缺一不可、相互依存、相互促进的。动力机制可以说是推动系统运作的发动机，动力不足，系统动作就不可能进入高效状态。约束机制可以说是系统运作的控制器，控制不力，运作就会造成无序状态。

**三、建立严格、高效、有序的精神文明建设运作机制，必须下大力解决三个难点**

激发精神文明建设主体的内在动力。解决这个问题，一要坚持不懈地进行思想道德和科学文化知识的教育，逐步树立起正确的世界观、人生观、价值观；二要认真贯彻按劳分配的原则，彻底解决“脑体倒挂”问题；三要逐步营造一种“讲学习、讲政治、讲正气”、“人人为我，我为人人”的奋发向上、和谐文明的社会环境。

克服精神文明建设的约束弱化。当前，精神文明建设约束弱化，主要表现在两个方面：一是管理手段的约束弱化。二是评价指标的约束弱化。要改变这种状况，应本着先易后难的原则逐步加以解决。可以先从看得见摸得着的方面入手。

适应社会主义市场经济体制的要求。在社会主义市场经济条件下，建立一套既符合市场经济要求，又适应社会主义精神文明特点的精神文明建设机制，当前应着重做好以下几项工作：采取多种形式，搞好市场经济知识的培训，严格划定市场机制发生作用的范围，防止商品交换原则向思想政治领域渗透，对以贩黄毒牟利的商业行为要坚决打击；建立既符合社会主义市场经济要求，又适应社会主义精神文明特点的宏观管理机制。

原文出处：《探索与求是》1999年第9期

# 黄亮宜：论法制在精神文明建设中的重要作用

我们要把精神文明建设和法制建设有机地结合起来，使法制建设同精神文明建设同步推进，这必将有力地推动精神文明建设的发展。

精神文明重在建设，要靠教育，也要靠法制。现阶段加强精神文明建设，需要综合运用教育、法制、行政、舆论等多种手段，这是人所共知的道理，但我们也必须认识到，随着我国改革开放和现代化建设进程的不断深入发展，法制以其自身独有的一些特点，在保证和推动整个精神文明建设不断向前发展的过程中不仅占据着重要地位，而且发挥着巨大作用。这主要是因为：

第一，法律是程序化、制度化的社会规范，它借助国家的强制力直接作用于人们的行为，因此，依靠法制能够形成一种硬约束作用，从而强化精神文明建设的力度。

第二，法律所确认的是最起码的、最有明确性的道德要求，因此，依靠法制有利于联结和吸引广大人民群众普遍参与精神文明建设。

第三，法律是一种对全局起作用的、稳定的制度性要求，因此，依靠法制能够促使各部门共同参与精神文明建设，形成齐抓共管的良好局面。

为了充分实现法律在精神文明建设中的重要作用，我们应当在改进和完善原有的工作方式，加强思想教育和行政管理的同时，学会和善于运用法律手段，而这就要求我们必须做到：

要从我国改革开放和现代化建设的实际出发，加强有关精神文明建设的立法工作，从而保证有法可依。我们应当通过法律形式，进一步把能够用法律形式固定下来的有关精神文明建设的内容固定下来。或者说，有些道义要求，可明确为法律责任。这更便于人们在具体活动中进一步做到有法可依。

我们不仅要重视有关法律法规的制定，而且应注重法律法规的实施，真正做到有法必依，执法必严，违法必究。发挥法制在精神文明建设中的作用，关键是要在有关法律的贯彻实施上加大力度，狠下决心，坚决避免徇私枉法，以情代法，因人废法等不良行为的发生。

作为社会文明的重要成果，法律的完善和实施，离不开一种良好的社会环境，特别是有赖于人们法制意识的增强。当前仍要进一步开展普法教育，其中包括加强有关精神文明建设法律法规条文的宣传。

另外，发挥法制在精神文明建设中的作用，还需要正确处理运用法律手段和其他手段的关系。法律的硬约束方式固然重要，但这种方式并非万能，它能有效规范人们的行为，却难以直接规范人们的思想。例如，不能运用法律手段强迫人们想念科学理论，不能强迫人们树立正确的世界观、人生观和价值观。法律具有维护社会正义、实现社会公平等伦理价值，却不能替代伦理道德的作用。在精神文明建设中，应当使道德教育这种软约束和法律规范这种硬约束相互配合，互为补充。要使全体公民遵守法律所规定的基本行为规范，并以此为起点，进而引导人们追求更高的思想道德目标，逐步完善自己的人格。

作　者：河南省委党校副校长

原文出处：《求是》1999 年第 15 期

# 马新福：论法治与精神文明

法治与精神文明有着密切联系，从理论和实践上认清两者的关系，正确把握和协调两者的互动，对推进和建设富强、民主、文明的社会主义法治国家至关重要。

**一、精神文明与法治的一般关系**

关于文明和精神文明。按照马克思主义的观点，从文明时代开始至今，已经历了四个文明阶段，这就是奴隶制文明、封建制文明、资本主义文明和社会主义文明。虽然在每个文明阶段上都有其卓越的物质文化成就，显示了人类巨大的历史进步。但是，前三个阶段的文明都是与一定的奴役形式相伴随的，因此恩格斯把前三种文明时代又称之为三大奴役形式。而社会主义精神文明则是文明的新阶段，从总体上说，它继承了人类精神财富的一切优秀成果，把人类精神文明推到了一个崭新的高度。

法治是精神文明的产物。法治是一种治国方略，它包含着丰富的法治思想、理念、法治原则和程序规范体系等。作为一种最进步、最文明的治国方略，法治是政治社会对治国方式的历史性选择，是社会文明、特别是精神文明发展到一定阶段的产物。

**二、精神文明对法治的影响**

精神文明赋予法治以实质合理性。法治之所以是一种文明的治国方略，体现着社会历史发展的一种理性选择，最根本的原因在于法治与精神文明有着内在的联系，精神文明为法治提供了深厚的思想道德基础，使法治得到进步的思想道德的有力支撑，进而使其获得实质合理性。第一，社会主义法治提供了真正的良法和良好的法律制度。社会主义法治所提供的这种价值性与真理性相统一的法律，充分地体现了社会主义法治的实质合理性。第二，社会主义法治认真地看待权利。法律的核心内容是权利和义务。社会主义法律既然是工人阶级领导的广大人民意志的体现，那么它理所当然要维护自己主要的关注之点。这是法治与人治的重大区别之一。第三，社会主义法治树立法律的最高权威。对社会主义法治而言，就是人民的意志高于一切，人民的意志具有最高权威。

精神文明要求法治具有形式合理性。法治的突出特征是形式合理性。因此，法制要求做到如下两个基本方面：第一，依法治国。依法治国主要是指法治这种治国方略的实施问题。它的基本内涵在于，对国家的组织和管理，要完全纳入由法律设定的轨道。换句话说，国家的政治、经济、内政、外交、文化教育、社会福利等等方面，都要依法调控，遵循法定程序运行。第二，依法办事。法律是最佳的社会行为和社会关系的调整器，是不可替代的人们行为的准则。据此，我们可以说，在法治国家，人人都应该、也必须依法办事，这是法治形式合理性的必然要求。

**三、法治对精神文明的保障和促进**

法治保障和促进着思想理论建设。在我国，法治对精神文明的保障和促进，最突出、最具特色的是将党的“四项基本原则”写入宪法序言，以根本大法的形式把它确定下来，使之神圣不可侵犯。

法治保障和促进着道德建设。道德在精神文明中占有重要位置。走改革开放的强国之路，无疑是十分正确的抉择，但是在改革开放过程中，也会有些负面的东西进来，法治可以为社会主义道德的力量清除这些精神垃圾创造良好的环境。必要时，还可以直接凭借法律的手段打击那些严重扰乱社会秩序、危害社会利益的丑恶现象，这同样有效地保障和促进着社会主义道德建设的发展。

法治保障和促进着文化建设。文化建设所取

得的巨大成就，与法治建设的保障、促进作用分不开。

法治教育要求培养合格的法角色和推进人的法社会化进程。法角色是指法治实施的各种具有特定行为模式的主体。法治所包含的思想、理念、原则、规范和制度，需要由人去贯彻和实行。由此可见，通过法治教育塑造法角色极为重要，是精神文明建设的特殊组成部分。此外，法治对精神文明的保障和促进作用，还有一个十分重要的方面，这就是对人的法社会化的推进。人的法社会化是法治教育的根本目标，它是指通过法律（实际上是法治）的宣传和教育，使每个社会成员学得法律知识，具有法律信仰，把法律规范内化为自己的行为准则，成为法治社会的合格公民。

作　　者：吉林大学法学院法学系主任、教授
原文出处：《吉林大学社会科学学报》1999年第1期

# 赵淑英：论精神文明建设法制化的必要性

## 一、思想道德建设需要法制的支撑

只有法制化，才能强化道德规范的约束力。思想道德的建设主要是通过劝说、鼓励、说服以及舆论的力量等等方式影响社会成员的内在世界，规范他们的行为。道德不具有强制力，而法律作为国家意识的象征，是由国家权力机器强制执行，具有较强的约束力和不可抗拒性。一旦触犯，国家便依法制裁，直到予以严惩。因此，当仅仅依靠舆论、劝说、鼓励无法规范社会公众的行为时，只有以法律为保障，才能强化道德规范的约束力。

只有法制化，才能形成文明、健康的社会风气。现阶段，我国党风、社会风气不尽如人意，要扭转这一局面，实现社会风气和党风的根本好转，最有效的途径之一就是加强精神文明建设的法制化，用法制来扶正祛邪，扬善除恶。除此之外，我们还要积极利用法制来调节、改善人们的人际关系，建立一个和谐、有序、互敬、互爱、互助的社会环境。这样，社会道德风气才能够取得突破性进展。

另外，通过立法，可以不断吸纳那些可以法律化的道德规范，使之成为法律规范体系的一部分。这样，就等于使某些重要的道德规范取得法的表现形式，获得法律的强制性。这在建立和推动社会主义道德风尚方面意义重大，它是保障社会主义精神文明的有效手段。

## 二、教育科学文化事业的发展有赖法制的保障

把教育、科学、文化事业纳入法制化轨道，是国际潮流的大趋势决定的。近年来，世界各国掀起了技术、科学立法的潮流。在我国，公民的文化素质还有待于提高，生产力和经济生活中的科技含量也不高。这种现实决定了我国必须加强法制建设，依靠法制为教育科学文化事业的发展开创一个良好局面，引导教育科学文化事业健康发展。再者，精神文明的发展和社会智力成果的不断丰富有着密切联系，而在市场经济条件下的智力成果大多具有商品性质，需要通过市场中介来实现其价值和使用价值。在这方面，也需要大力加强和完善教育科学文化事业的制度。

## 三、有法必依、依法治国、依法办事，是精神文明建设法制化的实践体现

依法治国，是我国社会主义市场经济体制的内在要求。有了较完备的法律法规，还必须使这些法律法规真正付诸实践，在实践中真正得以贯彻实施，不让制定的法律成为高高在上的虚无缥缈的理论，而是在实践中不断丰富、完善和发展。

依法治国的基本内涵在于，对国家的组织和管理，要完全纳入法律设定的轨道。亦即国家的政治、经济、内政、外交、文化、教育等等方面，都要依法调控，遵守法定程序动作。

依法办事是法治的核心内容。法律是最佳的社会行为和社会关系的调节器，是不可替代的人们行为的准则。因此，在法治国家，人人都应该、也必须依法办事，使整个社会处于一种有序状态，这也是法治形式合理性的必然要求。

原文出处：《浙江师大学报》（社科版）1999年第5期

# 陈学璞：文艺发展与精神文明建设

**文艺发展是精神文明建设的重要内容**

人类从愚昧和野蛮的远古时代就有了最低级的原始艺术。人类一步一步走向文明，文艺也一步一步发展。社会文艺生活的逐步拓宽，才使人类逐渐摆脱野性愚昧状态。文艺的优秀成果，都是人类社会精神文明的结晶。从文艺发展的轨迹，可以看到一个民族前进的脚印。

文艺是社会主义精神文明建设的重要方面。文艺以自己独特的形式和魅力，反映改革开放和社会主义现代化建设的现实生活，讴歌人民群众创造历史的奋发精神，塑造社会主义新人形象，表现他们那种有革命理想和科学态度、有高尚面貌，从而激发广大群众的社会主义积极性，推动群众从事物质文明和精神文明建设的历史性创造活动。显然，文艺对提高中华民族的凝聚力，对全民族形成共同理想和精神支柱，对振奋民族精神，陶冶道德情操，提高审美趣味，丰富文化生活，具有不可替代的重要作用。

**繁荣文艺对精神文明建设的紧迫性**

当前繁荣文艺对加强社会主义精神文明建设具有十分的紧迫性。文学思潮和社会现象都是错综复杂的，在社会急剧变革和转型时期尤其如此。任何“跟着感觉走”凭一时的印象或个人的主观愿望甚至感情用事做出的判断都有可能顾此失彼，或只执一端，不及其余，而得出偏颇的结论。平心而论，所谓90年代的“后新时期文学”在解放思想、转变观念、关注人的内心躁动方面确实有新的突破，但存在的问题和不良倾向也是显而易见的。一是唯美主义倾向，“为艺术而艺术”、“文学归位”、“文学就是文学”；二是形式主义倾向，漠视内容，把形式作为目的，一切都在“解构”之中；三是反理性主义倾向，片面强调直觉、非理性、潜意识、性本能；四是“性”表现泛滥，吹捧“性解放”的“新人”，以道德败坏、肆意乱伦为荣；五是消闲文学风行，风花雪月，吃喝玩乐，伪劣“气功”，迷信卜卦，无事调侃。凡此种种，都是与社会主义精神文明建设格格不入的。

**如何发挥文艺在精神文明建设中的作用**

文艺坚持“二为”方向和“三个面向”，培育有理想、有道德、有文化、有纪律的社会主义新人，发展民族的科学的大众的社会主义文艺。全面发挥文艺的多种功能。文艺具有教育功能、认识功能、审美功能、娱乐功能、消闲功能等多种功能。中国历来强调文艺的教化作用。传统的教育功能不能削弱，但要将教育功能与其他功能结合起来，寓教于知、寓教于美、寓教于乐。引导人们通过文艺作用的审美欣赏，自然而然地形成和坚定共产主义理想信念，培养集体主义、爱国主义和社会主义精神，弘扬中华民族传统美德，提倡人与人之间互相关心、互相帮助的仁爱之心。深入持久地开展“扫黄打非”活动。必须依靠法律法规和科学完备的管理机制，使文化出版市场走上规范有序的发展轨道。

作　　者：广西壮族自治区委党校教授
原文出处：《桂海论坛》1999年第6期

# 杨爱民：群众性精神文明创建活动的伟大实践

党的十一届三中全会以来，河北人民以邓小平精神文明建设理论为指导，坚持从实际出发，大胆实践，群众性精神文明创建活动深入持久地开展，形成了具有河北特色的创建形式和载体。

军民共建。军队和地方共同创建精神文明单位，是军民共同建设精神文明的重要组织形式，是军地强大合力的象征。军民共建1981年发祥于保定新城县崔中旺村。作为“十年内乱”重灾区的保定，在党的十一届三中全会以后，急需恢复正常的社会秩序、生产秩序、生活秩序。保定地区的军民共建精神文明正是适应了人民群众的这种迫切要求和愿望。中国人民解放军广大指战员深入农村，与广大人民群众共建精神文明，发挥自身“宣传队”、“播种机”的带头作用。军民共建的内容紧紧围绕党的方针政策，以加强农村思想道德建设、法制文化建设为重点。从开始治理农村的“脏、乱、差”，发展到宣传贯彻党的方针政策，恢复发展生产，普及科学文化，狠抓移风易俗，共同培养军地两用人才等方面，共建文明小区、文明村镇、文明家庭。军民共建活动使农村发生了可喜变化，环境得到治理，社会风气、社会秩序出现良好局面。

基层自建。河北省是最早成立自治组织的地区之一。自80年代初兴起的“红白理事会”、“道德评议会”、“妇女禁赌会”等群众自治组织，是社会主义市场经济条件下农村精神文明建设的新创造。自治性、群众性、民主性构成了其基本特征。自治组织善于根据群众的愿望办事，在协调人际关系、处理家庭矛盾、解决各种利益纠纷和破除陈规陋习过程中，始终把思想道德教育、转变观念摆在首位。村民代表会议作为群众组织的一种有效形式，在全省普遍推开，引起国内外的记者、学者、专家的极大关注和好评，在加强农村民主政治建设、提高农民思想道德素质、密切干群关系等方面发挥了重要作用。

行业领建。城市窗口行业精神文明的好坏，关系到城市的整体形象，也关系到社会公德、职业道德建设的大局。河北省在实施群众性创建精神文明建设过程中，在城市突出抓好“形象工程”，在培育和塑造良好的城市形象中又把窗口行业作为重点来抓。窗口行业与群众的工作生活息息相关，是给人第一印象的地区形象“名片”。石家庄市出租汽车行业开展的“争做文明使者，光大河北形象”活动，亮出一道影响全国的风景线，成为人们普遍关注的窗口行业职业道德建设的典型。

冀京联建。北京是祖国的“心脏”，河北是祖国的“胸膛”。河北省独特的地理位置，给其精神文明建设既提出了新的更高要求，也提供了有利条件。河北省从1994年开始把实施旨在维护河北稳定、确保首都安宁的“护城河工程”，作为河北省群众性精神文明创建活动中的重点工程。这项工作从人民调解这一环节开始，进而实现首都和河北共同调解与防范打击犯罪相结合。河北与北京接边的县、乡、村全部建立了由党政领导挂帅的双边或多边联合调解组织，制订实施了联合调解、联合排查、联合治理、联合打击犯罪的制度，在乡镇建立了疑难调解中心，两省市形成了几十万人的调解队伍，组成了治安联建对子，共同维护社会治安、共同创建精神文明单位。“护城河工程”是地区、跨行业、跨部门的群众性精神文明联建活动，是在市场经济条件下深化人民调解工作的一大创举，是京冀双方密切合作、携手共建两个文明的一项开创性事业。

改革开放以来，河北人民广泛开展的群众性精神文明创建活动，对加强两个文明建设有着重要的启示。

突出特色，在与河北实际结合上做文章。突出特色就是做好贯彻中央精神与本地实际相结合的工作，就是坚持因地制宜、实事求是的原则，把上级精神地方化。

群众创建要从群众最关心的热点问题入手抓起。人民群众是精神文明建设保持旺盛生命力的动力源，坚持把创建活动同解决群众最关心的热点问题结合起来，找准切入点，重点突破，为群众办实事、办好事，最大限度地吸引群众自觉地参与，真正形成群众性创建热潮，使群众在参与中受到教育，在实践中得到提高。

以人为本，把精神文明建设重点放在提高人的素质上。河北省在群众性创建活动中坚持以提高公民的现代化文明素质和社会的文明程度为目标，重点放在提高人的思想道德素质和科学文化素质上，培育“四有”新人。这是开展群众性精神文明创建活动的出发点和落脚点。

健全机制，促进精神文明建设健康有序地运转。精神文明建设的运行机制，是指依据精神文明建设中人的精神生活的内容和规律，形成系统的制度和规则，来引导人们的思想和规范人们的行为，通过制度和规则功能的发挥过程，使整个社会的精神活动方式健康有序地运转，不断沿着社会主义精神文明所要求的方向发展。

作者单位：河北省社科院精神文明建设研究所
原文出处：《河北省纪念党的十一届三中全会20周年理论研讨会论文集》

# 张世珊：法德并举——有中国特色社会主义精神文明建设的最佳选择

一手抓思想教育，一手抓法制建设，是党在领导社会主义精神文明建设中提出并坚持的一项重要原则，这就是法德并重、法德并举的原则。实践证明，这是建设有中国特色的社会主义精神文明的一项最佳选择。

## 一、法德并举是精神文明建设的内在要求

市场经济既是法制经济又是道德经济。市场经济是法制经济，在法律面前人人平等，是塑造现代市场经济法的灵魂。有中国特色的社会主义市场经济，必须是道德经济。市场的等价交换，公平竞争，诚实守信，既是经济交换的原则，也是道德规范。因此，在制止不正当竞争、尔虞我诈、垄断市场、欺行霸市等方面都离不开法德的结合，只有德法并举才能有成效。

市场经济既需要法的保障，又需要德的支撑。市场经济的两重性，需要法德并举。市场经济有二重性，一方面它激发了人的积极性、创造性，给社会带来财富，另一方面市场又是利益经济，它诱发了人们的金钱欲，容易使人走火入魔，产生拜金主义，必须用有强制性的法律进行规范和道德思想、舆论监督来约束人们的行为，以除恶扬善。

社会主义国家性质必然要法德并举。社会主义的国家性质，决定社会主义精神文明的本质特征，而社会主义精神文明又是为巩固、发展社会主义制度服务的。中华人民共和国的一切权力属于人民，社会主义法律代表着人民理想和最高利益，是国家性质的保障；社会主义道德是社会主义理想、信念追求的集中体现。它们两者的出发点和目标是完全一致的。这就是有中国特色社会主义与资本主义的本质区别。

在思想领域实行法德教育并举，是贯彻精神

文明重在建设之必需。当前价值观迷失、行为无序等现象与法制不健全及新道德价值导向不确定有关。在这急速转变的关键时期，如果党风和社会风气不尽如人意，腐败现象滋生，就无法建设高度的物质和精神文明，也不可能建设有中国特色的社会主义。扭转这种局面，仅靠法或德都是不行的。必须法德同步发展，相互配合，才能奏效。

**二、法德并举是精神文明建设的最佳选择**

一方面，社会主义道德建设需要法律的保障。我国还处于社会主义初级阶段，不可能用一元的道德标准去统一所有人的理想和人生追求，况且社会上还总有些置基本道德于不顾的极端个人主义者，利益驱动、各种纷争、贪污贿赂等不可避免。为了捍卫人民长远的、根本的利益必须有法律强制力，这种强制力就是对违反基本道德的威慑。

另一方面，社会主义法律能够得以实施和普遍地遵守，必须依赖于道德义务的支持。法律必须首先在人们的心目中具有力量，才可能在现实中有力量。如果法律违背了社会主义最基本的道德准则，不仅得不到公众的承认，而且会破坏生产力，阻碍社会主义的发展，精神文明建设也会备受摧残。

原文出处：《求索》1999 年第 2 期

# 尹鸿祝 王黎：改造社会造福人民的伟大创造

## ——全国精神文明创建工作述评

在迎接新中国成立 50 周年的喜庆日子里，中央精神文明建设指导委员会隆重表彰了一批在全国精神文明创建工作中作出突出成绩的先进单位。这是对改革开放以来群众性精神文明创建工作的一次集中检阅，是对精神文明建设成果的一次充分展示，也是对精神文明创建活动的一次再动员、再部署。

从“五讲四美三热爱”到“讲文明树新风”，从文化、科技、卫生“三下乡”到“百城万店无假货”，从“心连心”、“手拉手”到创建文明城市、文明村镇、文明行业。十几年来，精神文明创建工作的开展由表及里，逐步深入，健康发展，对提高公民素质、城乡文明程度和群众生活质量，对促进改革发展、维护社会稳定起到了重要作用。

**精神文明创建活动源于群众、造福群众**

党的十一届三中全会以后，在邓小平理论和党的基本路线指引下，全国各地陆续兴起各种形式群众性精神文明创建活动，这是广大人民群众移风易俗、改造社会，把两个文明建设任务有机结合、落实到基层的伟大创造，是人民群众在党的领导下为自己创造美好生活的有效途径。以江泽民同志为核心的党中央对这一伟大创造给予了充分肯定，党的十四届六中全会又对创建活动提出了明确要求，使创建活动在全国广大城乡普遍开展起来，成为新时期精神文明建设的重要组成部分。

1997 年，中共中央成立了中央精神文明建设指导委员会。不久，中央文明委根据江泽民总书记的指示精神，在全国开展了大规模的群众性的“讲文明树新风”活动，重点解决人民群众关心的文明言行、交通秩序、环境卫生、服务质量问题。

经过两年的不懈努力，这项活动取得了实实在在的效果，涌现出一批先进典型和先进经验。南宁市在创建文明城市中提出“三个一”：摊前一个桶、路上一辆车、街头一个岗。合肥市提出“三个起来”：把马路让出来、把垃圾装起来、把门前包起来。许多地方的做法，简便易行，收效却十分显著。

在此基础上，“讲文明树新风”活动范围也不断扩大，内容不断拓展。1998 年以来，中央各部门、各地区陆续开展了以“讲文明、送温暖、献爱心”为主题的各种活动，为灾区群众、下岗职工和其他有特殊困难人群排忧解难。1999年以来，又开展了“保护生态环境，倡导文明新风”活动，动员全社会的力量治理环境污染，绿化美化祖国。

文化科技卫生“三下乡”、“百城万店无假货”、“手拉手”、“心连心”、“婚育新风进万家”等系列活动，给人民群众带来了实惠，送去了知识，得民心，顺民意，取得良好效果。

文明城市、文明村镇、文明行业三大创建活动使群众性的精神文明活动更加深化。创建文明城市活动普遍展开，促进了文明小区、文明社区、文明机关、文明学校、文明单位等各种形式的创建活动深入发展；创建文明村镇活动的健康发展，使广大农村村村争当文明村，户户争当文明户；创建文明行业活动的广泛开展，使创建“文明风景旅游区”、“做人民满意公务员”等活动和在窗口行业和执法部门开展的“行业规范化服务”活动取得了显著成效。在此过程中，又一批各具特色的先进典型与经验涌现出来，从张家港、天津、大连、上海、厦门、西安、绵阳、合肥、南宁、中山、宜昌创建文明城市的经验，到林州、竹山、文登等县（市）创建文明村镇的经验，从天津社区卫生服务、烟台社会服务承诺制到济南交警、国航飞行大队、石家庄出租车行业、漳州“110”报警服务台、司法部“148”法律服务专线电话、沈阳市创办市民投诉中心、哈尔滨市东莱派出所等创建文明行业的经验和作法，都表明精神文明创建活动不断深入、水平不断提高，表明这一活动更加贴近群众、贴近生活。

随着创建活动的深入发展，我国广大城乡的文明程度和人民群众的文明素质发生了深刻变化，这些变化已是有目共睹。

**精神文明创建活动贵在由“虚”变“实”、由“软”变“硬”**

如何把群众性精神文明创建活动做实、做好，是各部门、各地区开展创建活动的着力点。这次受到表彰的全国先进文明城市（城区）、文明县（村镇）、文明行业和先进单位，都有一个共同的特点，就是紧紧围绕创建文明城市、文明村镇、文明行业等重点，精心设计并组织开展系列活动：在农村以“树文明新风”为主题，开展了“评三户”，创“文明镇、文明村、文明户”和“十星级文明村、十星级文明户”等系列创建活动；在基层企事业单位开展了以争做文明职工，争创文明班组、科室、车间为基本形式的创建文明单位系列活动；在学校以“育四有新人”为主题，开展了“做文明教师、当文明学生、建文明学校”和争做“文明小市民”等系列创建活动；在窗口服务单位以“塑良好形象”为主题，开展了以创优质服务单位、优质服务明星为主要内容的“创双优”等系列创建活动；在机关以“创建文明机关”为主题，开展了“做人民满意的公务员”、“当好人民公仆”、“规范化建设与服务”等系列创建活动；在市区以“建文明城市”为主题，开展了“争做文明市民”、争创文明小区、社区等系列创建活动。这些活动涵盖了两个文明建设的方方面面，并实行量化、细化、硬化考核，使“软”任务变成了“硬”指标，使“虚”形式变成了“实”内容，较好地把精神文明建设的各项任务落到了实处、抓出了实效。

各地党委和政府也在开展创建活动中逐渐找到了精神文明建设工作的着眼点：必须紧紧围绕经济建设这个中心，结合经济发展和各行各业的业务工作进行；一定要放在与群众利益密切相关、为群众所欢迎的事情上。只有这样才能动员广大人民群众积极参与，有利于密切党和政府同人民群众的关系，增强人民群众对党和政府的信任与拥护。从人民群众的利益和需要出发，解决群众迫切要求解决的问题，为群众办实事和好事，这既是精神文明建设的根本目的，也是得到群众拥护、始终保持强大生机和活力的惟一源泉。这样，才能使精神文明建设避免简单化的“运动式”、“战役式”的形式主义做法，使精神文明建设成为广大群众的自觉行为。

沈阳市在创建文明城市过程中，创办了“2211”市民投诉中心，处理市民投诉、举报、求助、建议等事项，重点解决与人民群众工作生活学习息息相关的问题，成立一年多共受理群众投诉10多万件次，月平均受理1万多件次，为群众办了大量好事实事。

青岛市在全市开展了征集“金点子”活动，发动广大市民围绕城市规划建设管理、提高市民素质等为创建文明城市工作建言献策。活动开展一周后就收到100多条“金点子”。

吉林市开展了评选万名文明市民活动，努力调动430万市民的积极性，使评选的过程变为市民自我教育、自我提高的过程，取得很好的效果。

精神文明创建活动不仅改变着城乡面貌、人民群众的素质，也对各地的经济发展起了巨大的推动作用。

**精神文明创建活动重在建设，以人为本**

精神文明建设的一切活动，归根到底是以人为本，是建设人的精神，是提高人的素质，树立爱国主义、集体主义、社会主义、共产主义精神以及创业、创造、民族自强等精神。建设这些精神，要从多种渠道，采取多种方式做工作，其中包括要和各地区、各部门、各行业、各单位的具体实践结合起来，形成符合各自特点的城市精神、机关精神、行业精神、企业精神、校园精神等。

精神文明重在建设。党的十四届六中全会《决议》把重在建设确定为精神文明建设的方针，党的十五大又把这一重要方针作为建设有中国特色社会主义文化的一项基本政策。这些年，各地在这方面做了许多有益探索。

张家港市在创建活动中提出，要着力塑造“团结拼搏、负重奋进、自加压力、敢于争先”的张家港精神；黄山市提出，要塑造一种黄山精神，即“顶风傲雪的自强精神，坚韧不拔的拼搏精神，众木成林的团结精神，百折不挠的进取精神，广迎四海的开放精神，全心全意的奉献精神”；在牡丹江市，环卫系统提出并着力塑造“宁愿一人脏，换来万人洁”的环卫人精神，一些有识人士进而发出倡议：如果我们各地、各部门、各行业、各单位，都能结合各自特点，塑造出体现时代特色的高尚精神，那么我们整个社会的精神风貌将会有一个大的变化。

十几年的精神文明创建活动，还启示人们，精神文明建设如逆水行舟，不进则退。高尚精神的塑造，美好道德的形成，优良风尚的树立，需要长期积累，潜移默化，必须一点一滴，扎扎实实地做工作。

党的十四届六中全会《决议》指出：“精神文明建设贯穿在经济和社会生活的各个方面，全党全社会必须高度重视。要在党委统一领导下，党政各部门和工会、共青团、妇联等人民团体齐抓共管，形成合力。”这是党中央对全党全社会提出的要求。随着精神文明建设特别是群众性创建活动广泛深入地开展，迫切需要各级领导和基层组织、行业部门和地方政府、职能部门和人民团体携起手来，团结合作，增强整体效益。

搞好精神文明建设工作关键在领导。1995年，张家港市“一把手抓两手”的经验在全国推广，引起强烈反响。各地从张家港的成功实践中认识到，精神文明建设这一手要硬起来，必须改变一些地方和部门精神文明建设“说起来重要，干起来次要，忙起来不要”的状况。必须把两个文明作为统一的奋斗目标，一起部署，一起落实，一起检查。必须建立起能有效保证各级领导班子、领导干部抓精神文明建设的领导体制和运行机制。

黑龙江省在调研论证后起草了《黑龙江省文明单位建设条例》，成为全国第一部关于群众性精神文明创建活动的地方性法规。福建省印发省文明委全体会议通过的《福建各级领导班子精神文明建设工作目标、工作机制及其考评试行原则》，对于提高全省各级领导班子抓精神文明建设的积极性，起到了重要作用。

十几年的实践告诉我们，群众性精神文明创建活动，还要坚持实事求是，力求实效；要持之以恒，锲而不舍；要大处着眼，小处着手。这些好的经验要发扬下去，并不断开拓出新的思路和方法。只有这样，才能使群众性精神文明创建活动更好地为经济建设这个中心服务，才能更好地为改革、发展、稳定大局服务，才能更好地改造社会，造福人民群众。

作　　者：新华社记者

原文出处：1999年9月23日《光明日报》

# 图书简介

## 邓小平社会主义精神文明建设论

王体正　董立仁主编　　武汉工业大学出版社　　242千字

该书为湖北省高校“九五”社会科学计划省级重点科学研究成果。中共湖北省委副书记王生铁为之作《序》，全书分为十“论”。

导论为全书的总纲，对该书的主要内容和基本结构，作了整体性概括。作者认为，邓小平社会主义精神文明建设理论的形成大体上可以分为四个阶段：从党的十一届三中全会到党的十二大，是其形成的第一阶段；从党的十二大到十二届六中全会，为其形成的第二阶段；从党的十三大到党的十四大，是其形成的第三阶段；从党的十四大到党的十四届六中全会，为其形成的第四个阶段。至此，其科学体系日臻严整完备，内容更加丰富。在不同的阶段，其主要内容亦各有不同侧重，但有一点是共同的，那就是回答什么是社会主义精神文明建设、为什么要建设社会主义精神文明、如何建设社会主义精神文明的问题。作者提出，邓小平社会主义精神文明建设理论是一个完整、系统、严密的科学体系。作者认为，邓小平社会主义精神文明建设理论，蕴含深刻，可以分为三个不同层次：第一层次，由这个理论体系的哲学基础、理论基础和现实依据构成，是该理论的逻辑起点，具有纲领性和根本性意义；第二个层次，是这一理论的中心层；第三个层次，是这一理论的核心层。前者可以称谓“中心支柱论”，后者可以称谓“核心论”。

战略地位论是本书的一个重要内容。作者依据邓小平关于社会主义精神文明建设的重要性论述，将其战略地位归纳为：社会主义精神文明建设关系着社会主义事业的前途，关系着我国改革开放的顺利进行，关系着中华民族的全面振兴。作者指出，这是在十一届三中全会后邓小平多次强调的战略思想。邓小平之所以把社会主义精神文明上升到这样的战略高度来认识，因为社会主义精神文明是科学社会主义社会的思想特征，也是社会主义事业取得成功的重要保证。作者还认为，我国改革开放的顺利进行和中华民族的振兴，离不开社会主义精神文明建设，这也是邓小平多次强调的战略思想。中国社会主义精神文明建设搞好了，不仅对于保证中国实现跨世纪宏伟目标具有重要意义，而且必将会在国际上产生深远影响，从某种意义上讲，将有助于推动国际共产主义运动由低谷走向高潮。

重要特征论是本书的又一重要内容。作者认为，坚持以马列主义、毛泽东思想为指导，是邓小平社会主义精神文明建设理论的根本特征。邓小平继承和吸取了马列主义、毛泽东思想关于精神文明的思想，并在新的历史条件下，发展了这一思想。作者指出，坚持以社会主义初级阶段为基础，是邓小平社会主义精神文明建设理论的时代特征。社会主义初级阶段理论，是邓小平社会主义精神文明建设理论的基础。坚持以党在社会主义初级阶段的基本路线为核心，是邓小平社会主义精神文明建设理论的鲜明特征。进行社会主义精神文明建设，必须坚持党的基本路线不动摇。

基本内容论是本书的中心内容。作者对邓小平社会主义精神文明建设理论的基本内容进行了高度概括，明确指出它包括两个组成部分：一是思想道德建设，二是教育科学文化建设。前者，是社会主义精神文明建设的核心，决定着精神文明建设的性质和方向，对精神文明其他要素的建设，起着支配作用。发展教育科学文化事业，是社会主义精神文明建设的基础，是促进我国社会主义现代化的根本大计。一个国家的科技和教育的发展水平，反映了一个民族的能力，也是一个民族、一个国家兴旺发达的标志。繁荣文化事业，发展丰富多彩的文学艺术和新闻出版事业，也不容忽视。必须正确处理好思想道德建设和发展科技文化教育之间的关系，使两者协调发展。

目标任务论全面阐述了邓小平社会主义精神文明建设的根本目标，即培养有理想、有道德、有文化、有纪律的社会主义公民。作者认为，这一根本目标有其显著特点，一是时代性，科学地反映了“和平与发展”的主题的时代要求。二是全面性，它强调思想道德和教育科学文化素质全面发展，尤其是着眼于中华民族整体素质的提高。三是重点性，邓小平多次强调，在“四有”中，有理想和有纪律，最为重要。四是多层次性，为实现这一根本目标，对不同层次的人的要求，也不尽相同。作者依据邓小平的重要论述，指出社会主义精神文明建设要实现上述目标，必须完成以下任务：要坚持不懈地进行理想教育、艰苦奋斗和艰苦创业的传统教育，要加强爱国主义、集体主义、社会主义和坚持四项基本原则教育，要进一步深化改革开放教育，以激励全党和全国人民发扬艰苦创业精神，抵制和克服腐败现象。作者还提出，社会主义精神文明建设从长远看，必须从严治党，依法治国，通过加强党风和法制建设，实现社会风气的根本好转，为社会主义现代化建设营造良好社会环境。

精神动力论论述了邓小平关于精神动力思想。作者认为，邓小平多次强调精神动力对中国现代化建设有着重要意义。邓小平关于精神动力思想，是对马克思主义关于意识能动论的丰富和发展，内容很丰富。包括对马克思主义的信仰是革命和建设的精神动力；共产主义理想和信仰是中国人民进行现代化建设的精神动力；爱国主义是中华民族全面振兴的精神动力；要懂得中国历史，这是中国发展的一个精神动力；革命的精神和传统，是推动中国社会发展的精神动力等一系列论述。作者强调，在改革开放和社会主义现代化建设深入发展的今天，认真领会邓小平关于精神动力思想，有重要的现实意义。

共同富裕论见解独到，内容新颖。作者认为，以往人们论及邓小平关于共同富裕思想，都只限于对物质生活上达到“共同富裕”的理解，其实这是相当片面的。如果对邓小平有关这方面重要论述进行深入地研究，就会发现邓小平关于“共同富裕”的思想，不仅指要在物质生活方面达到共同富裕，而且还包括精神生活方面的共同富裕。作者指出，从精神文明的总体水平来看，我们不容过分乐观，国民素质亟待提高。作者强调，要在物质生活和精神生活都达到共同富裕，必须深化经济体制和政治体制改革，健全社会主义市场经济体制，完善民主政治体制；要进一步加强社会主义精神文明建设，全面提高整个民族的素质。

两手齐抓论是本书的核心内容。作者认为：“一手抓物质文明，一手抓精神文明”，是邓小平社会主义精神文明建设理论至关重要的组成部分。邓小平在不同的场合，对此有不同的表述，诸如：“一手抓建设，一手抓法制”，“一手抓改革开放，一手抓惩治腐败”，“一手抓改革开放，一手抓严厉打击经济犯罪，包括思想政治工作”，等等。但实质是统一的，那就是两个文明建设要一齐抓。不能顾此失彼，也不能有一手无一手，或一手硬一手软。作者指出，两个文明建设一齐抓，是邓小平的一贯战略思想。党的各级组织，尤其是党的各级组织的主要负责人，应该认真总结经验教训，使邓小平上述思想真正全面落实，不断增强“两手抓，两手都要硬”意识，不断提高“两手齐抓”的领导艺术水平，把两个文明建设不断推向前进。

继承创新论论述了正确处理继承和创新的关系。这是邓小平社会主义精神文明建设理论的重要内容，也是进行社会主义精神文明建设的关键。作者指出，它在某种意义上讲，关系到社会主义精神文明建设的成败。要善于吸取全人类所创造出的优秀成果，既要反对“全面西化”，又要反对“复古主义”；要大胆解放思想，不断总结有关社会主义文明建设的经验教训。必须坚持“洋为中用”、“古为今用”、“推陈出新”原则，在继承和创新的方法上，应当采取“钻研”、“吸收”、“融化”和“创造”相结合，如同邓小平所说的那样，文艺工作者应当认真钻研、吸收、融化和发展古今中外艺术技巧中的好的东西，创造出具有民族风格和时代特色的完美的艺术形式。

根本标准论明确指出，衡量社会主义精神文明建设的根本标准，就是邓小平所提出的“三个有利于”标准。作者认为，社会主义精神文明建设是一个巨大的系统工程，有许多具体工作急需要我们去完成，各项具体工作都应有具体的标准。但是，各种具体标准必须服从于“三个有利于”这一根本标准。作者认为，社会主义精神文明建设的目的和任务，和“三个有利于”标准的要求存在着内在的本质联系。因为“三个有利于”标准是衡量一切工作的标准，社会主义精神文明正好是这一切工作中的一个重要组成部分，如果离开这一根本标准来评价社会主义精神文明建设成效，必然会产生片面性，难以达成共识。

综观全书，各论所持观点新颖，针对性强，析理与实证相结合，历史的方法和逻辑的方法相结合，结构严谨，有一定的理论深度和学术价值。

（董立仁　王体正）

# 邓小平精神文明理论研究

李敬真主编　　中华工商联合出版社　　100千字

本书为赵诗清、王国彬为总主编的《邓小平研究》系列丛书的一个分册，是系统阐述邓小平社会主义精神文明建设理论的专著。全书共八章，从宏观和微观两个层面深入探讨了邓小平关于社会主义精神文明建设的理论。

第一至三章是邓小平精神文明理论的宏观论述。作者将邓小平精神文明理论的内容概括为关于社会主义精神文明建设的历史地位、指导思想和科学内涵三个方面。其中，在关于社会主义精神文明建设科学内涵的论述中，又将社会主义精神文明建设所包括的思想道德建设和科学教育文化建设的基本内容落脚到社会主义精神文明建设的根本任务上，即落脚到培养有理想、有道德、有文化、有纪律的社会主义“四有”新人上，从而为后面在微观上展开论述邓小平精神文明理论作好了铺垫。

第四至八章是邓小平精神文明理论的微观论述。作者将邓小平精神文明理论分解为理想建设论、道德建设论、文化建设论、纪律建设论和爱国主义教育论五个部分。其中在爱国主义教育中还对社会主义爱国主义、无产阶级国际主义的统一性进行了论证。

邓小平指出：“我们要建设的社会主义国家，不但要有高度的物质文明，而且要有高度的精神文明。所谓精神文明，不但是指教育、科学、文化（这是完全必要的），而且是指共产主义的思想、理想、信念、道德、纪律、革命的立场和原则，人与人的同志式关系，等等。”又说：“建设社会主义精神文明，最根本的是要使广大人民有共产主义的理想，有道德，有文化，守纪律。国际主义、爱国主义都属于精神文明的范畴。”本书以此为依据谋篇布局，完全忠实于邓小平思想的原意，不论是在结构顺序的安排上，还是在具体内容的阐述上，都比较完整准确地把握了邓小平关于社会主义精神文明建设的理论体系。

（叶剑锋）

# 邓小平精神文明建设思想与茂名市精神文明建设实践

宋寿金著　　广东人民出版社　　300千字

本书系统阐述了邓小平精神文明建设思想的形成和发展，并运用邓小平精神文明建设思想总结广东省茂名市精神文明建设的实践经验。

作者认为，邓小平精神文明建设思想，扎根于中国历史与现实的深厚土壤，科学地运用马克思列宁主义总结国际共产主义运动的历史经验教训和中国社会主义革命与建设的历史经验教训，特别是改革开放和社会主义现代化建设的实践经验，创造性地继承和发展了毛泽东思想。邓小平精神文明建设思想的形成和发展有一个长期的过程，大体经历萌芽、形成、完善、发展四个阶段。

**一、萌芽阶段，从革命战争年代到党的十一届三中全会前夕**

作者提出邓小平精神文明建设思想的萌芽可以追溯到革命战争年代到新中国成立初期。邓小平在从事党的军队、政府的领导工作中，对政治与经济、军事与文化等问题进行了深入的思考，提出过政治工作、思想教育在部队建设中的意义和作用，以及部队政治工作、思想教育所应遵循的原则和方法。1975年，邓小平在主持中央工作期间，针对“文化大革命”造成的经济濒临崩溃、社会秩序混乱、科技文化事业倒退的严峻局面，力所能及地对经济、政治、文化、科技教育等一系列领域进行全面整顿，虽然还没有明确提出社会主义精神文明建设的概念，但显然已经涉及精神文明建设的问题。从1977年8月邓小平复出，到党的十一届三中全会之前，邓小平对社会主义精神文明建设有关问题进行了积极的思考探索。

**二、形成阶段，从党的十一届三中全会到十二届六中全会**

作者又把这一阶段划分为两个时期：

从1978年党的十一届三中全会到十二大，是邓小平精神文明建设思想初步形成体系的时期。具体表现在：（1）首次提出了“社会主义精神文明”的新概念，并形成了“社会主义精神文明是社会主义的重要特征”的新论断。（2）初步概括了社会主义精神文明建设的基本内容。党的十二大根据邓小平的一系列论述，把社会主义精神文明的内容概括为文化建设和思想建设两个方面，并论述了这两个方面是互为渗透和互相促进的关系。（3）初步阐明了物质文明和精神文明在社会主义建设中紧密关联、不可分割、互为条件的关系。党的十二大对两个文明关系作出新的论述，表明邓小平关于社会主义精神文明建设思想体系已经初步形成。

党的十二届六中全会通过《中共中央关于社会主义精神文明建设指导方针的决议》，是邓小平精神文明建设思想形成的标志。主要表现在如下几个方面：（1）精辟地论证了社会主义精神文明建设的战略地位和作用。（2）科学地、全面地阐述了社会主义精神文明建设的基本内容和主要任务。（3）科学地、辩证地论述了社会主义精神文明建设的基本方针和重要方法。

**三、完善阶段，从党的十二届六中全会到十四届六中全会**

作者对这一阶段又提出两点看法：

从1986年党的十二届六中全会到1996年党的十四届六中全会召开这10年，是邓小平精神文明思想在实践中不断完善的历史时期。这一时期，我国的改革开放和社会主义现代化建设事业，进入到深化改革、扩大开放、加快社会主义现代化进程的历史阶段。社会主义精神文明建设，也相应地经历了更加严峻的考验，并因此有了更为丰富多彩的实践。特别是1992年10月召开的党的十四大，以邓小平南方谈话为基础，科学地总结了十一届三中全会以来党的基本路线的实践，确立了“邓小平同志建设有中国特色社会主义的理论”在全党的指导地位，并对这一理论的科学体系作了新的概括，明确要求在建立社会主义市场经济体制的同时把社会主义精神文明建设提高到新的水平。十四大以后，社会主义精神文明建设实践取得积极进展。

1996年10月，党的十四届六中全会通过《中共中央关于加强社会主义精神文明建设若干重要问题的决议》，是邓小平精神文明建设思想进一步完善的历史性标志。这主要表现为：(1) 决议从战略地位、根本任务、基本方针和内容、途径等方面深刻地阐述了邓小平精神文明建设思想。(2) 决议为邓小平精神文明建设思想增添了新的思想内容。一是明确指出社会主义市场经济体制，不仅同社会主义基本经济制度和政治制度结合在一起，而且同社会主义精神文明结合在一起。二是明确提出要形成把国家和人民利益放在首位而又充分尊重公民个人合法利益的社会主义义利观。三是明确提出了思想道德建设体系的框架，第一次明确提出社会主义道德建设要以集体主义为原则，为人民服务为核心。这些新内容，无疑会使我们的精神文明建设，在社会主义市场经济条件下更趋完善发展。

**四、发展阶段**

作者指出，党的十四届六中全会召开以来，国内国际形势发生了深刻的变化。以江泽民为核心的第三代中央领导集体，高举邓小平理论的伟大旗帜，在大力推进改革开放和物质文明建设的同时，坚定不移地加强社会主义精神文明建设。

1997年9月，党的十五大对邓小平理论及其精神文明建设思想作了深刻的论述和新的发展。这主要表现在：(1) 对邓小平理论的地位和特点作了深刻的论述，并把邓小平理论正式写入党章，确定为全党的指导思想。这就为邓小平精神文明建设思想的新发展带来了新的契机。(2) 进一步论述了社会主义初级阶段理论，归纳出社会主义初级阶段的9大基本特征，制定出党在社会主义初级阶段的基本纲领，使全党对初级阶段理论有了更深刻的认识和理解，这就为邓小平精神文明建设思想的新发展提供了更坚实的理论基础。(3) 提出了“依法治国，建设社会主义法治国家”的治国方略。这既是我国民主法制建设史上的一座新的里程碑，将引导我国走上依法治国之路，又给邓小平精神文明建设思想的发展提供了鲜活的新内容。(4) 深化了经济体制改革指导理论和经济发展战略，对基本经济制度、公有制实现形式、分配方式等理论作出了新的概括，为我国经济体制改革的继续深化和社会主义市场经济的发展提供了新的理论依据，也为邓小平精神文明建设思想的进一步发展提供了新的经济环境和理论基础。

江泽民总书记立足于新的时代背景和新的改革开放实践，在党的十五大报告中提出了一系列关于精神文明建设的观点，进一步发展了邓小平精神文明建设思想。(1) 提出社会主义现代化应有两个繁荣——繁荣的经济和繁荣的文化。(2) 提出在全社会形成共同理想和精神支柱，是有中国特色社会主义文化建设的根本。(3) 提出要把教育放在优先发展的战略地位，要积极发展哲学社会科学和文化事业，引导人们树立科学精神。(4) 提出党员特别是党的领导干部要做精神文明建设的表率，加强社会主义市场经济条件下的民主法制建设和反腐败工作。

关于邓小平精神文明建设思想的作用，作者指出，邓小平精神文明建设思想对我国改革开放和社会主义现代化建设具有重要指导意义。在经济建设中，其指导作用主要包括：精神文明建设要紧紧围绕经济建设这个中心来进行，为经济建设服务；为经济建设的社会主义方向提供保证；为经济建设提供强大的精神动力；为经济建设提供文化条件和智力支持。对改革开放的指导作用主要包括：为改革开放提供正确的精神信念和价值导向；为改革开放提供正确的舆论导向；为改革开放顺利进行提供有力的政治保证。对培育社会主义新人的指导作用，主要体现在培养和提高人的理论素养、思想政治素质和科学文化素质等诸方面。

（姜玉玲）

# 江泽民论社会主义精神文明建设

中共中央政策研究室编　　中央文献出版社　　234千字

江泽民同志担任中共中央总书记以来，对社会主义精神文明建设高度重视，作过许多重要论述。本书根据已公开发表的文献，按专题和时间顺序摘编了江泽民同志从1989年3月15日至1998年9月28日关于社会主义精神文明建设的论述。本书共分10个专题，其主要内容是：

**一、社会主义精神文明建设的战略地位**

建设具有中国特色的社会主义，必须始终坚持“两个文明”一起抓，既促进经济的发展又促进社会的全面进步，这是社会主义的本质要求。社会主义精神文明是建设有中国特色社会主义的重要组成部分和本质特征。经济发展应同社会发展紧密结合，物质文明发展应同精神文明发展紧密结合，做到相互促进。经济越发展，物质生活水平越提高，越要加强思想政治工作和精神文明建设。这是我们在工作中必须始终遵循的一个重要指导思想。

**二、社会主义精神文明建设的目标和方针原则**

培养有理想、有道德、有文化、有纪律的新人，是建设社会主义精神文明的根本目标。要围绕这个目标，在人民群众特别是青少年中加强以爱国主义、集体主义、社会主义为核心内容的思想道德教育，开展艰苦奋斗、勤俭建国的教育，职业道德、社会公德的教育，基本国情的教育和普及法律基本知识教育。精神文明重在建设，重在加强管理。建设包括管理，管理促进建设。要深入持久地开展群众性精神文明创建活动。加强文化基础设施建设，繁荣文化市场。大胆吸收和借鉴人类社会创造的一切文明成果，吸收和借鉴当今世界各国包括资本主义发达国家的先进经营方式和管理方法。

**三、关于学习马列主义、毛泽东思想、邓小平理论**

我们要在全党普遍深入持久地进行马列主义、毛泽东思想的教育。党的干部特别是高中级干部，要努力学习和掌握马列主义、毛泽东思想的基本理论，紧密联系实际，自觉地改造世界观，克服非无产阶级思想，牢固树立共产主义世界观。在当代中国，马克思列宁主义、毛泽东思想、邓小平理论，是一脉相承的统一的科学体系。坚持邓小平理论，就是真正坚持马克思列宁主义、毛泽东思想；高举邓小平理论的旗帜，就是真正高举马克思列宁主义、毛泽东思想的旗帜。学习理论，武装头脑，要努力在掌握理论的科学体系上下功夫，在掌握基本原理及其精神实质上下功夫，在掌握马克思主义的立场、观点、方法并用以指导实践上下功夫。

**四、关于思想道德建设**

搞好精神文明建设，抓好思想政治工作，是我们办好一切事情的保障，绝不能“一手硬”、“一手软”。思想宣传阵地，社会主义思想不去占领，资本主义思想就必然会去占领。各级党委要重视意识形态工作，加强对意识形态工作的领导，牢牢掌握意识形态各部门的领导权。要以充分的说服力、强烈的感染力和坚强的战斗力，长期不懈地进行坚持四项基本原则、反对资产阶级自由化的教育和斗争。加强思想政治教育，用爱国主义、集体主义和社会主义思想占领思想文化阵地。这是加强精神文明建设的一项带根本性的任务。

**五、关于文化建设**

有中国特色社会主义文化建设的基本要求，就是要以马克思主义为指导，以培养有理想、有道德、有文化、有纪律的公民为目标，发展面向现代化、面向世界、面向未来的，民族的科学的大众的社会主义文化。这就要坚持用邓小平理论武装全党，教育人民；努力提高全民族的思想道德素质和教育科学文化水平；坚持为人民服务、为社会主义服务的方向和百花齐放、百家争鸣的方针，重在建设，繁荣学术和文艺。建设立足中国现实、继承历史文化优秀传统，吸取外国文化有益成果的社会主义精神文明。

**六、教育与精神文明**

百年大计，教育为本。教育是社会主义物质文明和精神文明建设极为重要的基础工程。它对提高全体人民的思想道德和科学文化素质，对培养一代又一代社会主义事业的接班人，具有重大的战略意义，我们必须加强教育工作，大力发展教育事业。要切实把教育摆在优先发展的战略地位。财政再困难，也必须舍得投资把义务教育办好，这是提高全民族素质的奠基工程。各级各类学校都要全面贯彻党的教育方针，坚持社会主义办学方向，努力培养德智体全面发展的“四有”新人。

**七、科学技术与精神文明**

科学技术的发展，是生产力发展的重要动力，是综合国力的重要构成因素，也是人类文明和社会进步的重要标志。科技上的竞争，已经成为现代国际间综合国力竞争的关键。党中央、国务院决定在全国实施科教兴国战略，是总结历史经验和根据我国现实情况所作出的重大部署。没有强大的科技实力，就没有社会主义的现代化。科教兴国，是指全面落实科学技术是第一生产力的思想，坚持教育为本，把科技和教育摆在经济、社会发展的重要位置，增强国家的科技实力及向现实生产力转化的能力，提高全民族的科学文化素质，把经济建设转移到依靠科技进步和提高劳动者素质的轨道上来，加速实现国家的繁荣强盛。我们不仅要依靠科学技术提高物质文明的发展水平，而且要依靠科学技术的力量推进社会主义精神文明建设，积极引导人民群众建立科学、文明、健康的生活方式，努力形成学科学、用科学、爱科学的社会风气和民族精神，创造与社会主义现代化进程相适应的社会精神风貌。科学技术是精神文明的重要基石。科技工作者要争做社会主义精神文明建设的排头兵。

**八、知识分子与精神文明**

知识分子作为人类科学文化知识的重要继承者和传播者，作为先进科学技术的重要开拓者，作为美好精神产品的重要创作者，在精神文明建设中是一支骨干力量。在提高全民族的思想道德和科学文化素质，培育一代又一代有理想、有道德、有文化、有纪律的社会主义新人方面，广大知识分子负有重要职责。在继承和发扬中华民族的优秀传统文化，吸收世界各国的优秀文化成果，建设有中国特色社会主义的文化方面，我们的理论、新闻、文艺、出版工作者担负着特殊重要的使命。要在全社会进一步形成尊重知识、尊重人才的良好风尚，重视知识分子的劳动成果，使之在物质文明和精神文明建设中充分发挥作用，并逐步完善有利于人才脱颖而出的政策和制度。

**九、青少年与精神文明**

在全国各族人民特别是青少年中，进一步加强党的基本路线教育，爱国主义、集体主义和社会主义思想教育，近代史、现代史教育和国情教育，增强民族自尊、自信和自强精神，抵御资本主义和封建主义腐朽思想的侵蚀，树立正确的理想、信念和价值观。培养社会主义、共产主义事业接班人，是全党全社会的共同责任。青年人是我们祖国的未来和希望，我们要满腔热忱地帮助、支持并严格要求青年一代，使他们健康成长。

**十、党对社会主义精神文明建设的领导**

党的领导是精神文明建设的根本保证。搞好精神文明建设关键在党，必须全党重视，全党动手，各级党委特别是党政领导必须亲自抓。要及时研究新情况、新问题，努力把握新形势下精神文明建设的特点和规律，增强工作的指导性、主动性，不断提高精神文明建设工作的水平。加强精神文明建设要同反腐败斗争结合起来。加强党风和廉政建设，进行反腐败斗争，是保证党的先进性和纯洁性，保持党同人民群众密切联系，保证改革开放和现代化建设健康发展的一个不可缺少的重要条件。要加强党的宣传思想工作。我们的宣传思想工作，必须以科学的理论武装人，以正确的舆论引导人，以高尚的精神塑造人，以优秀的作品鼓舞人，不断培养和造就一代又一代有理想、有道德、有文化、有纪律的社会主义新人，在建设有中国特色社会主义的伟大事业中发挥有力的思想保证和舆论支持作用。领导干部一定要讲政治，在原则问题上一定要旗帜鲜明。要注意分清一些基本界限。在重大问题上，我们的领导干部不能是非不辨、美丑不分，不能对那些同党的主张背道而驰的言论听之任之，不能让那些同党的宗旨和纪律不相容的歪风邪气滋长起来。

（倪力亚）

# 社会主义市场经济初始阶段的精神文明建设

董承耕主编　　厦门大学出版社　　266千字

本书是福建省社会科学“九五”计划重点课题的研究成果。作为国内第一部从社会主义市场经济初始阶段的新视角研究社会主义精神文明建设的专著，比较全面系统地探讨了我国社会主义现代化建设面对21世纪的机遇和挑战，精神文明建设面临的许多新课题、新问题以及解决的新思路、新办法。

**一、在国内首先提出“社会主义市场经济初始阶段”新概念，并探索了它的界定、基本特征等问题**

社会主义市场经济初始阶段，不是泛指任何社会主义国家进入市场经济都会经历的起始阶段，而是特指我国在社会生产力落后、市场发育还不成熟、市场法制还不健全的条件下，建立社会主义市场经济体制必然要经历的特定阶段。对这个阶段的界定，必须把握这样一个尺度：它既不同于我国改革前的社会主义市场经济基础尚未奠定的状况，又不同于经过一定阶段改革后、已经形成比较完善的社会主义市场经济体制的状况。

作者认为，社会主义市场经济初始阶段的起点，以1978年12月党的十一届三中全会召开、“市场取向”的改革开放起步为标志；其终点以我国国民经济和社会发展2010年远景目标的实现、形成比较完善的社会主义市场经济体制为标志，至少有30多年时间。如果我国国民经济和社会发展2010年远景规划能如期实现，那么，社会主义经济体制形成时期的终点即社会主义市场经济初始阶段的终点，将在2010年左右。这当然只能是一种大致的推测与展望。

我国社会主义市场经济初始阶段的基本特征，概括起来主要有过渡性、探索性和不成熟性等几个方面。在社会主义市场经济初始阶段，市场经济的正、负双重效应尤其明显，因此，切实加强精神文明建设就显得更为重要和迫切，只有这样才能把市场经济的负面影响控制在最低的程度。

社会主义市场经济初始阶段并不等同于社会主义初级阶段。仅就起点和终点而言，二者就不尽相同。当然，它们又是紧密联系的，最主要的就是，社会主义初级阶段经济体制改革的目标是建立社会主义市场经济体制，而社会主义市场经济体制的建立，又是处于社会主义初级阶段这样一个基本国情之中，不能不带有社会主义初级阶段的基本特征。

**二、从总体上提出了社会主义市场经济初始阶段精神文明建设的新思路**

一要从社会主义初级阶段的实际出发，根据社会主义市场经济初始阶段的具体情况，围绕在经济建设为中心、建立社会主义市场经济体制和对外开放条件下实现和维护最广大人民群众的利益，所必须认真解决的历史性课题，抓好“出发点”、“立足点”问题。

二要面对世纪之交的严峻挑战和历史机遇，最大限度地调动人们的积极性、创造性，促进多方面协调发展（包括可持续发展）、社会全面进步，抓好“落脚点”问题。

三要把握世界多极化和经济全球化、知识化的趋势，解决好时代性问题。

四要从最根本的、基本的方面入手（“切入点”），解决好提高国民的综合素质问题。

五要以教育为基础，法制为保障，构建新经

济秩序和新经济伦理，解决好市场文明问题。

六要重视社会关系（社会基础）的调整、改革，同时要围绕物质文明和精神文明两大基本文明的协调发展，推动包括制度文明、生态文明等具体文明在内的整个文明系统的协调发展，解决好精神文明建设的“中介”问题。

七要加强领导，依靠群众，校正目标，解决好群众性创建活动的方向问题。

**三、社会主义市场经济初始阶段怎样坚持“两手抓，两手都要硬”**

只有把精神文明建设放在整个社会主义和世界发展的两个大局中来把握其战略地位，才能自觉地坚持“两手抓，两手都要硬”的方针；只有两个文明都搞好，才是有中国特色的社会主义；只有深刻认识两个文明的辩证关系，社会主义建设才能健康持续快速地发展；只有精神文明建设与市场经济共同进步，同步发展，才能保证社会主义事业健康发展；只有加强精神文明建设，才能使市场经济在排除国内外各种干扰中不断前进。

**四、深入阐述社会主义市场经济初始阶段精神文明建设的指导思想**

社会主义市场经济初始阶段精神文明建设的指导思想是：“必须以马克思列宁主义、毛泽东思想和邓小平理论为指导，坚持党的基本路线和基本方针，加强思想道德建设，发展教育科学文化，以科学的理论武装人，以正确的舆论引导人，以高尚的精神塑造人，以优秀的作品鼓舞人，培育有理想、有道德、有文化、有纪律的社会主义公民，提高全民族的思想道德素质和科学文化素质，团结和动员各族人民把我国建设成为富强、民主、文明的社会主义现代化国家。”它指出了马克思主义是指导精神文明建设的理论基础，突出了邓小平理论对精神文明建设的指导地位，强调了精神文明建设必须贯彻党的基本路线，规定了精神文明建设的主要内容和根本任务。

社会主义市场经济初始阶段我国社会主义精神文明建设的主要奋斗目标概括起来就是要做到“两个牢固树立”、实现“三个显著提高”、形成“一个良好局面”。“两个牢固树立”，即牢固树立建设有中国特色社会主义的共同理想；牢固树立坚持党的基本路线不动摇的坚定信念。“三个显著提高”，即实现思想道德修养、科学教育水平、民主法制观念为主要内容的公民素质的显著提高；实现以积极健康、丰富多彩、服务人民为主要要求的文化生活质量的显著提高；实现以社会风气、公共秩序、生活环境为主要标志的城乡文明程度的显著提高。“一个良好局面”，即形成两个文明协调发展的良好局面。这个局面是建设有中国特色社会主义的迫切要求，需要全党全社会经过艰苦的共同努力才能达到。为此，一要加强领导，形成机制；二要调查研究，精心规划；三要坚持“重在建设”的方针，在狠抓落实上下功夫。

**五、正确认识社会主义市场经济初始阶段道德建设的基本框架和总体要求**

第一，要认识到在社会主义市场经济条件下，道德建设必须坚持以为人民服务为核心，以集体主义为原则。第二，要认识到在发展社会主义市场经济中，尤其是在初始阶段，道德建设必须以“五爱”（爱祖国、爱人民、爱劳动、爱科学、爱社会主义）、“三德”（社会公德、职业道德、家庭美德）为基本要求和主要内容；还要重视引导人们树立科学精神，掌握科学方法，坚决消除愚昧，反对封建迷信；树立正确的世界观、人生观和价值观。第三，要在全社会形成团结互助、平等友爱、共同前进的和谐、稳定、友好的人际关系。

在社会主义市场经济初始阶段，道德建设除了必须坚持集体主义原则之外，还必须坚持民主原则、公正原则、效率原则、义利统一原则、法与道德统一原则、先进性与广泛性统一原则等等。

**六、要把建立有中国特色社会主义文化、科技、教育体系和生活方式作为市场经济条件下精神文明建设的重要任务**

有中国特色社会主义文化体系的基本框架包括：有中国特色社会主义的意识形态文化系统；有中国特色社会主义的经济文化系统；有中国特色社会主义的教育科技文化系统；有中国特色社会主义的文学艺术文化系统；有中国特色社会主义的民俗文化系统；有中国特色社会主义的宗教文化系统；有中国特色社会主义的军事文化系统；有中国特色社会主义的体育文化系统，等等。社会主义市场经济初始阶段生活方式应当是文明、健康、科学的生活方式。

**七、社会主义市场经济初始阶段更要注意环境建设**

包括优美、和谐的自然环境建设和文明、开放、稳定、有序、优质服务的社会环境建设。

**八、必须用系统方法为指导，建立起强有力的完善有效的精神文明建设运行机制**

这个机制是由组织协调机制、教育机制、激励机制、监督机制、反馈机制、投入筹资机制等子机制构成的。在实践中建立和完善这一机制，必须在遵循整体性原则等若干原则基础上，寻求有效途径。

**九、根据依法治国的基本方略的要求，加强精神文明法制化建设**

要加强立法，不断完善精神文明建设的法规体系；要严格执法，充分发挥法律手段在培育公民道德中的作用；要加强普法，努力发挥法对人民群众的教育作用，努力建立有法律保证的社会主义法治型精神文明。

本书荣获福建省第四届社会科学优秀成果奖。

（林　庄）

# 跨世纪的社会主义精神文明建设

周纪良主编　　上海教育出版社　200千字

本书是中共上海市委党校组织编写的《干部教学丛书》中的一本。它以邓小平理论、江泽民在中共第十五次代表大会上的报告、中共十四届六中全会《关于加强社会主义精神文明建设若干重要问题的决议》等为指导思想，全面论述了社会主义精神文明建设的问题。全书包括导论在内共十一章，有建构中国社会主义精神文明的伟大工程和切实把社会主义精神文明建设提到更加突出的地位，认真解决社会主义精神文明建设的历史性课题，完整把握社会主义精神文明建设的指导思想，努力实现社会主义精神文明建设的根本目标，高度重视思想建设，全面加强社会主义道德建设，大力推进社会主义民主、法制和纪律教育，积极发展社会主义教育科学文化事业，深入开展群众性精神文明创建活动，加强和改善党对社会主义精神文明的领导，认识和掌握社会主义精神文明建设的规律等。

着眼于马克思主义理论的运用，着眼于对实际问题的理论思考，着眼于新的实践和新的发展，是本书的一大特点。

本书导论提出：任何一种思想理论都既有创造性又有继承性，社会主义精神文明建设理论是中国共产党在十一届三中全会后提出的马克思主义的新的科学论断，但在马列主义、毛泽东思想的宝库中有它的理论来源。导论在概述了马克思和恩格斯的文明理论、列宁的社会主义思想文化建设理论、毛泽东的新民主主义文化理论后，重点阐述了中国共产党人新的理论创造。这种新的理论创造，主要是从党的十一届三中全会以来，随着改革开放和社会主义现代化建设的深入发展，党不断总结物质文明和精神文明建设的实践经验，系统地阐述了两个文明的内涵及两者相互关系，社会主义精神文明建设在社会主义现代化建设总体布局中的战略地位、指导方针、时代条件、主要目标、发展规律等一系列问题，创立了社会主义精神文明建设理论，形成邓小平理论的重要组成部分，并在实践中与社会主义物质文明建设同时取得了伟大成就。在其他各章的阐述，也均着眼于马克思主义理论特别是当代中国的马克思主义理论——邓小平理论的运用，着眼于对实际问题的理论思考，着眼于新的经验和新的发展。

对社会主义精神文明建设的规律，辟专章作了探索是本书的另一大特点。根据党的十四届六中全会《决议》关于要认识和掌握社会主义精神文明建设的规律的要求，本书首先概括了社会主义精神文明建设规律的体现：社会主义精神文明建设的着眼点和着力点是人民群众，必须坚持以人为本；社会主义精神文明以社会制度为中介，与物质文明共同进步；社会主义精神文明重在建设，要把“建设”作为工作的出发点和落脚点。接着阐述了认识和掌握社会主义精神文明建设的规律，以操作层面来说，要处理好“破”与“立”、“虚”与“实”、“大”与“小”等方面的关系。这里的“破”与“立”主要指精神文明建设指导方针上两种思路的关系；“虚”与“实”主要指精神文明建设的内容中无形建设与有形建设的关系；“大”与“小”主要指精神文明建设中“大处着眼”与“小处着手”的关系。最后，从组织领导机制、工作运行机制、投入保障机制三个方面，遵循精神文明建设自身发展的规律和要求，探索了建立精神文明建设的运行机制。

突出用马列主义、毛泽东思想特别是邓小平理论武装干部，是本书的又一大特点。

中共上海市委副书记、中共上海市委党校校长孟建柱同志在为该书作的《序》中强调：在迈向新世纪的新的历史条件下，加强学习更是摆在各级干部特别是领导干部面前的一项紧迫而又艰巨的任务。在新形势下，领导干部要学习的东西很多，最根本的是要学好邓小平理论。本书第五章阐述了要高举邓小平理论的伟大旗帜，始终不渝地用邓小平理论教育干部和人民；深入学习邓小平理论是一项重大而紧迫的任务；要把邓小平理论的学习提高到新的水平；领导干部要带头学好邓小平理论。各章均以邓小平理论为指导，紧密结合干部思想和工作的实际，阐述了邓小平关于社会主义精神文明建设的一系列的重要观点，从关于精神文明建设的战略地位、深远意义、历史性课题、指导思想、根本目标和党对精神文明建设的领导等方面，作了具体阐述。

总之，本书是在总结和吸取了党校多年的教学经验和科研成果的基础上撰写的，较好地体现了党校干部教学的特点和要求，有助于广大干部更好地学习邓小平理论，更好地学习邓小平关于社会主义精神文明建设的思想，有助于提高党校教学质量。

（金　真）

# 精神文明新论

龚贻洲等著　　中国地质大学出版社　　280 千字

该书是国家社会科学规划基金项目“中国传统文化与社会主义精神文明”成果的总结。

在历史大转折和国际格局大变动中加强社会主义精神文明建设，关系着跨世纪宏伟蓝图的全面实现，关系着社会主义事业的兴旺发达。本书研究的侧重点是社会主义精神文明建设方向，以邓小平理论和党的十四届六中全会以来的精神为指导，把社会主义精神文明建设的理论与实践结合起来，着眼于社会主义精神文明建设的新形势新情况，注重思考和解决社会主义精神文明建设的新问题新课题，努力探求社会主义精神文明建设的新经验新思路。

**一、本书的主要内容和结论**

本书主要从功能、战略、结构、运行、力量、方法六个方面研究精神文明。

1. 功能论。精神文明功能的历史思考。精神文明是人类社会历史发展的产物。精神文明作为推动文明社会进步与发展所具备的功能是客观存在的，社会主义精神文明建立在生产资料公有制基础之上，以当代最先进的马克思主义理论为指导，极大地促进了生产力和人自身的发展，是人类文明发展的新阶段。

精神文明的社会功能。物质文明是精神文明的基础，但精神文明并不是物质文明的派生物或附属物，它一经产生，就有自身相对的独立性，并具有多方面的社会功能。

2. 战略论。社会主义精神文明建设的战略地位。社会主义精神文明是社会主义社会不可缺少的组成部分，是与其他一切旧的社会形态相区别的重要标志，是社会主义社会的重要特征；有中国特色社会主义应该是富强、民主、文明，物质文明与精神文明共同进步、协调发展的社会，社会主义必须在建设高度物质文明的同时建设社会主义精神文明，社会主义精神文明是社会主义现代化建设的重要保证。

社会主义精神文明建设的战略方针。在新形势下，建设社会主义精神文明必须坚持以马列主义、毛泽东思想和邓小平理论为指导，必须适应社会主义现代化建设的要求，以经济建设为中心，为发展生产力服务，必须坚持两手抓、两个文明协调发展，克服和防止错误的思想倾向和做法。

社会主义精神文明建设的战略目标。社会主义精神文明建设，必须从具体事情抓起，从干部和群众普遍关心的热点问题抓起，将干部群众迫切要求解决的问题作为深入开展精神文明建设工作的重点和突破口。近期内，精神文明建设应着力于反腐倡廉，加强职业道德建设，优化社会风气、文化生活和社区环境等。

3. 结构论。精神文明系统的整体结构。从系统论的观点看，精神文明是一个复杂动态的系统，包括思想、道德、教育科学、文化等子系统；每个内容、结构、功能各异的子系统又各由多种相互关联、相互作用的要素构成。因此，精神文明系统具有整体性、层次性、开放性、继承性、发展性等特点。思想系统由共同理想教育、爱国主义教育、艰苦奋斗教育、社会主义教育等子系统组成。道德系统由社会公德、职业道德、家庭美德等子系统组成。教育科学系统由教育、科技等子系统组成。文化系统主要由文学艺术、新闻宣传、哲学社会科学、文化市场等子系统组成。

4. 运行论。运行规律。社会主义精神文明具有其特定的规律、方式、机制和关系。物质文明建设与精神文明建设二者互为条件，科学文化建设与思想道德建设相互促进，多层次发展与分阶段齐头并举是社会主义精神文明的三大运行规律。

运行方式。精神文明借助直接载体或载体的基本设施，运用大众传媒、人际互动、文明标识等媒介，通过文明的冲突与调适、选择与规范等形式进行传播。

运行机制。完整的社会主义精神文明建设机制应包括目标责任、组织管理、物质保障、教育激励、督导约束等五种机制组成。

运行关系。精神文明与市场经济既相互依存又相互制约，二者之间是双向运动关系。改革开放是社会主义精神文明建设的基本动力，社会主义精神文明建设为改革开放提供思想保证和精神支柱。社会主义精神文明是民主法制建设的前提，民主法制是社会主义精神文明建设的重要途径和保障。

5. 力量论。人民群众是精神建设的主体力量。肯定人民群众是精神文明建设的主体力量，不仅因为人民群众是社会物质、精神财富的创造者，而且因为人民群众既是精神文明建设的直接参与者，也是精神文明建设的服务对象，还因为人民群众在社会主义精神文明建设中创造了和创造着许多新鲜的经验。

知识分子是精神文明建设的骨干力量。由于其劳动的特点和在精神文明创造、传播、转换、应用、管理等建设过程中的独特作用，决定了知识分子是精神文明建设的主体力量的一部分。

中国共产党是社会主义精神文明建设的领导力量。中国共产党的核心领导作用和地位是在长期斗争中形成的，是中国人民的正确选择；社会主义精神文明建设关键在党，党不仅是现代化建设事业的领导者，也是全体人民思想觉悟的引导者。

6. 方法论。精神文明建设的指导方针。社会主义精神文明建设必须坚持重在建设，以说服教育为主、法纪处理为辅，继承与创新相结合，独立自主与对外开放相结合，先进性要求与广泛性要求相结合等方针。

精神文明建设的基本方法。社会主义精神文明建设要本着实事求是的原则，一切从实际出发，相信群众、依靠群众、从群众中来、到群众中去，运用唯物辩证法观察分析、处理解决精神文明建设中出现的新情况新问题新课题，使社会主义精神文明建设取得更大成就。

**二、本书提出的主要对策和建议**

在对社会主义精神文明建设基本问题系统化论述的基础上，本书结合实际对精神文明建设如何坚持两手抓两手都要硬的方针、学习邓小平理论和理想信念教育、道德和科学教育文化建设、吸收和借鉴祖国传统文化和世界文化、开展群众创建活动等方面提出了主要对策和建议。

**三、本书的主要特色**

在历史大转折和国际格局大变动的背景下，注意从改革开放和现代化建设的战略高度来提出、思考、分析和处理精神文明建设问题。

本书重点对社会主义精神文明建设理论与实践的重大问题作了系统全面的研究，包括精神文明大系统的思想、道德、教育科学、文化等系统以及各子系统的元素都做了研究。

本书以邓小平精神文明建设思想为指导，综合运用了当代哲学、教育学、伦理学、管理学、经济学等多学科最新理论来研究精神文明建设的理论与实践问题，力求概念准确、原理原则论述深刻；努力围绕“新”字做文章，在理论体系构建上、在理论发掘上都有许多独到之处，如“运行论”，是对精神文明运行规律的揭示。

坚持一切从实际出发，理论联系实践的作风。组织一批长期从事精神文明研究的专家和一线工作者，将研究的着眼点和落脚点放在社会主义精神文明建设的伟大实践上，着力研究精神文明建设的新情况新问题新课题。

（张晓红）

# 论科学技术是精神文明建设的重要基石

唐思鲁　詹灶福　　中国物资出版社　　180千字

本书是在江泽民同志1996年5月《在中国科协第五次全国代表大会上的讲话》中首次提出“科学技术是精神文明建设的重要基石”这一全新论断后，第一部全面系统论述科学技术与社会主义精神文明建设关系的学术性著作。

本书紧紧围绕建设有中国特色社会主义道路的历史实践，在历史与现实、理论与实践相结合的基础上，论述了科学技术与社会主义精神文明建设之间的联系，科学技术在社会主义精神文明建设中的基石地位和作用这一主题。

作者认为，江泽民同志在中国科协第五次代表大会讲话中首次明确提出的“科学技术是精神文明建设的重要基石”的新论断，是对马克思主义关于社会主义精神文明建设理论的新发展，也是对邓小平关于“科学技术是第一生产力”论断的新发展。全书结合我国社会主义现代化建设的实践，从以下六个方面阐述了江泽民同志这一论断：科学技术是第一生产力；科学技术是精神文明建设的基本内容；发展科学技术是精神文明建设的重要目标；以科学技术进步推动精神文明创建活动的整体水平提高；科学技术是精神文明建设的重要的内在动力，也是搞好社会主义精神文明各方面建设的重要条件和保障；科学技术在社会主义现代化建设中的作用。

（唐思鲁）

# 传统文化与精神文明

周安伯等著　　民族出版社　　200 千字

本书立足时代实际与实践需要，从哲学的层面全方位地透视和论述中国传统文化与社会主义精神文明的辩证关系。它深入揭示二者之间双向互动的机制和规律，阐明如何通过社会主义精神文明建设实践促进传统文化实现时代性的根本转换并得到丰富和发展，又以发扬光大的优秀文化传统有力促进两个文明建设，重铸中华文化新的辉煌，并对人类作出更大的贡献。这种理论思路和论述方法，有深沉的历史感和强烈的现实感，而且富于哲理，高屋建瓴而又具有可操作性。

本书以世界历史的理论视野，将中国的社会主义精神文明建设论题纳入到一个科学的逻辑框架中进行逐层深入的研究。全书共十章，大体分为五个层次：第一个层次，即第一章“绪论”，是总论性的。第二个层次，即第二章“发人深省的历史经验”，反思历史，以新的视角总结和阐发一些重要的历史经验。第三个层次，即第三章“新的精神发展战略的重要一环”，从战略层面审视现实，论述新时期中国共产党人继承发扬优良传统而又充分体现时代精神的战略思路及科学方法。第四个层次，为第四章至第九章，依照这样的逻辑顺序：从传统文化之核心入手，论“确立全新的价值观”，接着分析其具体体现“实现传统道德的现代转换”、“增强全民族的民主法制意识”，再论述其本质“弘扬科学的人文精神”，进而阐述其“深层结构”即“传统思维方式的现代化”，最后归结到“塑造体现时代精神的新人”。第五个层次，即第十章“重铸中华文明新的辉煌”，以冷静的态度和高瞻远瞩的眼光展望未来。

在“绪论”中，作者强调，对于传统文化与社会主义精神文明关系这个相当复杂的问题，必须以宏观的世界历史眼光进行高屋建瓴的观照，才能提出洞见历史真相及其当代意义的真知灼见。作者特别指出，要注意防止僵化的、凝固的形而上学思维方式，把对文化已成形态的研究和文化已成形态中活的灵魂的研究辩证地统一起来，真正把握“活着的”精神传统。传统文化中进步因素与落后因素在现实生活中作用的发挥和影响的大小，最根本的取决于社会基本矛盾运动。在社会主义改革开放和现代化建设的条件下，我们完全有理由将弘扬优秀传统与建设社会主义精神文明的结合视为民族精神升华的重要契机，以高度自觉的理性态度加以把握。

第二章首先剖析了在中国近现代史上反复出现和激烈较量的“恢复传统”论和“与传统决裂”论，认为两个极端表现着同样的文化蒙昧，不过表现形式各异罢了。吸取以往的思维教训，作者首先提出我们应当确立正确的思想前提（明确传统文化与现代文化的区别和辩证联系），采取实事求是的科学态度和学风，采用系统的辩证否定和综合创新的方法，以便从理论与实践的结合上架设起联系历史与现实之桥。其次，作者剖析了革命队伍中的各种偏向等。作者提出，只有积极投身改造主客观世界的实践，才能逐渐卸去因袭的重负，弘扬优秀的传统；尊重历史的辩证法的发展，坚持改造传统与改造主体的辩证统一，建立促进文化与人协调发展的良好机制。

在第三章中，作者联系中共中央关于社会主义精神文明建设的指导思想和战略思路，提出处理好传统文化与社会主义精神文明的关系，是我国新的精神发展战略的一个极其重要的环节。这必须坚持三条原则：第一，坚持全面性，反对狭隘性；第二，加强针对性，防止盲目性；第三，坚持相互协调，实现系统综合。

第四章阐述的主要理论观点是：中国的传统价值观以个人与群体（社会、国家、民族）的关系、物质生活与精神生活的关系为最根本的问题，以义利关系、理欲关系、德力关系、法教关系为主要问题。无论是在雅文化或俗文化中，在这些问题上的观点是多种多样的，贯彻到生活实践中差别更大，但在整个社会范围内，“重义轻利”、“存天理，灭人欲”、崇德贱力、“为政以德”的价值观影响更为深广。而肯定物质追求与精神追求、个体与群体统一，同时又重整体轻个体、重精神满足轻物质追求的价值观，成为最根本的、起决定作用的价值观。它具有正面与负面的双重效应。建设有中国特色社会主义的时代，需要克服“道义论”与“功利论”、群体本位价值观与个体本位价值观的对立，坚持个体价值与整体价值、竞争原则与合作精神、效益原则与公平原则、利益原则与道德原则的辩证统一，在多元交融中才能真正实现传统价值观的更新。

第五章主要阐明：数年前中国理论界关于“爬坡”与“滑坡”之争，启示我们看待新的社会转型期的中国道德状况，一定要用系统的、辩证的、发展的观点进行观察和分析，而不能用相反的观点。只有这样才能看到，实际情况是“爬坡”与“滑坡”同时存在，而以“爬坡”为本质和主流。这是由新的社会转型的性质和道德建设的时代特点决定的，也是中国传统道德现代转换的题中应有之义。实现传统道德的现代转换，不能依靠以往的“破——立”二元模式，而应依靠理论的“批判”、实践的“扬弃”与建立促进这种转换的良好社会机制三者的有机结合。

在第六章中作者指出：在中国，封建专制传统不仅源远流长，而且根深蒂固，异常顽固，它的危害决不限于历史，而且在于以“死人抓住活人”的形式，成为具有很强的现实破坏性的力量。这表明，要彻底清除其残余影响，包括建立相应的物质基础、政治体制和运行机制，增强全民族的民主法制意识，培育相应的高素质主体，依然任重而道远。

第七章阐明：中国人文精神是中国传统文化精神的本质，它在世界文明宝库中独树一帜，具有丰富的内涵，主要包括穷本寻源的探索精神、刚健有为的自强精神、心系天下的责任精神和总揽世界的和合精神。在中华人文精神经历了几千年漫长发展过程，积累了许多优秀成果和宝贵经验，又饱尝了扭曲变形带来的苦果以后，在更加富有人文精神的21世纪，处于伟大变革中的中国具有独特的优势，一定能在谱写融合人文精神与科学精神的新篇章中作出独特贡献。

第八章认为，中国传统思维方式具有这样三种特征：直观的系统整体性、朴素混沌的辩证性、思维取向的实用性。它对民族精神产生了深远的影响，一方面促进主体系统领悟能力的提高，增强主体的实践理性精神，另一方面又引起经验主义和迷信思想的流传，扼制开拓创新精神。在世界新的科学技术革命迅猛发展，经济全球化和知识经济初露端倪，人类思维革命的浪潮汹涌澎湃的情势下，当代中国人更有条件在新的实践方式的基础上建构现代化的思维方式。

第九章的主要观点是：文化既是人的一种创造，又最终体现为一种人格。中国传统文化追求“完人”人格，形成了优良的传统，包括发愤立志，追求至善；注重学习，付诸实践；严于律己，加强修养；正己正人，成己成物。它们在塑造中华民族的民族魂，使中华民族自立于世界民族之林方面，发挥了极其重要的作用，但在特定条件下“完人”人格又发生了畸变。在中国传统社会向现代社会的转型期，市场经济对传统人格的反拨成效显著，但也对人格塑造产生了负面影响。应当明确拒绝“市场人格”，尤其要全面地辩证地理解人格提高与经济形态更新的关系，理解人格提升的条件、标准和规律，用系统辩证观作指导，充分发挥传统优势，诉诸系统实践，卓有成效地塑造“四有”新人人格。

在第十章，作者在剖析了国内外各种有关中华文明复兴的观点之后强调，人们创造历史的活动是在现实的基础之上进行的，而不是在主观任意设想或选择的条件下进行的。中华文明的伟大复兴有其现实的基础，这就是中国人民经过长期艰苦探索所开创的建设有中国特色的社会主义。只有我们坚持科学的指导思想和正确的文化价值观，立足现实基础，以包容万物的广博胸怀，采用“聚宝”的科学方法，才能实现中国文化的伟大复兴，重铸中华文明新的辉煌。

（民族出版社）

# 文化工程：新时期精神文明建设

涂可国主编　　山东人民出版社　　190 千字

本书是研究和探讨山东省如何结合本省实际建设有中国特色社会主义文化的著作。全书从山东文化的历史渊源、山东在新中国建立 50 年来的文化建设成就与不足、山东文化发展战略和对策措施等几个方面展开论述。

首先，本书介绍山东文化的历史渊源。作者指出，山东在先秦时代属齐鲁之邦，故山东文化源自齐鲁文化。

百家争鸣，首倡于稷下；六艺流芳，传播自鲁中。齐文化与鲁文化各有特点。齐文化务实际，尚功利，机变灵活；鲁文化重理想，尚仁义，凝重严肃。齐文化因民俗，顺民欲，浅显开放；鲁文化尊周孔，重传统，深沉保守。力兴霸业、一匡天下是齐文化的现实追求，弘扬王道、平治天下是鲁文化的最高理想。齐文化与鲁文化不断相互交融，到齐国稷下学宫建立时，走上了全面融合的道路，形成了多元一体、多样统一、独立完整的文化体系。孔子和孟子的儒学，在汉武帝“罢黜百家，独尊儒术”之后成为官方文化，持续近 2000 年，成为传统文化的核心。作者认为，齐鲁文化的基本精神，如自强不息的刚健精神、崇高气节的爱国精神、经世致用的救世精神、人定胜天的能动精神、民贵君轻的民本精神、厚德仁民的人道精神、大公无私的群体精神、勤谨睿智的创造精神等等，奠定了中华民族精神的基础。

其次，介绍山东在新中国建立 50 年来的文化建设成就与不足。作者认为，山东省 50 年来在文化建设方面取得了辉煌的成就，科技硕果累累，教育事业蓬勃发展，文化艺术欣欣向荣，群众文化生机勃勃，新闻出版繁荣兴旺，广播电视异军突起，精神文明活动广泛深入。但是，在取得巨大成就的同时，还存在不少差距和不足，主要表现在：文化精品数量偏少；文化队伍相对偏少，高层次人才缺乏；技术进步在经济增长中的贡献率与经济发展的要求相比还有较大差距；文化产业整体发展水平不高，等等。作者认为，文化是发展的，发展是由多方面的原因引起的。

第三，本书探讨了文化发展的原因和规律。首先，引起文化变迁和发展的根本原因是社会生活方式的变更。其次，社会政治生活的变革也是文化发展的重要原因。最后，文化自身的矛盾冲突、文化的分化，也是文化发展的重要原因。作者认为，文化的发展是有规律的，抛开各民族各国家文化发展的特殊性，仅就文化的整体发展而言，文化发展具有“自然—人化律”、“继承—创新律”、“分化—整合律”等发展规律。文化建设应按照规律办事。

第四，探讨了山东文化发展战略。作者提出，山东省要进一步加强文化建设，必须在宏观上确立正确的发展思路，即确立文化、经济、社会全面发展，建设文化大省的战略。在世界经济文化全球化步伐的加快和知识经济时代的来临的形势下，确立文化发展战略，应跳出仅就文化谈文化的狭小圈子，将文化建设放到文化与经济相互关联这一宏大背景中来考察，即以经济建设为中心，实施文化带动战略，通过文化建设推动山东省经济发展。

同时作者认为，也不能从狭隘的实用主义出发去抓经济建设方面的文化建设，而应从文化的角度去设计和选择文化发展目标。判断山东文化的发展，不仅要看它在多大程度上促进了经济的增长，产生了多大经济效益，也要看它为整个社会提供智力支持、精神动力、文化条件和社会规范的作用，更要看它在多大程度上满足了全省广大人民群众日益增长的精神文化需求。作者指出，文化建设既是手段，又是目的，仅仅把文化建设当成促进经济指标增长的手段，很容易导致一些党政领导干部认为它无关大局，从而出现一手硬一手软的现象。应立足文化大视野，确立一些主体重点工程，提出相应的战略目标：（1）强化思想基础与精神支柱；（2）促进社会道德进步；（3）创建具有山东地域特色的文化。

最后，本书提出了山东文化建设的一般对策与措施。根据文化是由思想道德和科学文化教育所组成的大系统的特点，作者提出为把山东建设成为社会安定、风气良好、科技兴旺、文化繁荣、环境优美的文明之地，必须制定包含文化各个层面、具有普遍指导意义的大思路大对策：（1）理论先导，教育为本；（2）领导重视，齐抓共管；（3）规范建制，强化约束；（4）评优选先，典型引路；（5）选准载体，注重创建；（6）围绕中心，加大投入；（7）层次有别，不断提高；（8）继承借鉴，综合创新。

（董新兴）

# 走向文明——精神文明建设的理论与实践

李进兴著　　辽宁人民出版社　　350千字

本书收录了作者有关精神文明建设方面的理论成果，全书分为《理论研究篇》、《实践探索篇》、《典型调查篇》三个部分。

精神文明建设在建设有中国特色社会主义伟大事业中具有重要的战略地位。在发展社会主义市场经济、对外开放条件下建设社会主义精神文明，是中国共产党人和中国人民一项艰巨的历史使命。而在社会主义市场经济条件下搞好社会主义精神文明建设，把握其规律、找到正确的思路和有效的工作方法，是一个亟待深入探索和认识的历史性课题。本书正是以如何在市场经济条件下搞好精神文明建设为核心内容，从不同的角度和不同的领域进行了研究和探讨。其中有对邓小平精神文明建设思想和中央有关方针、决议的理解与阐释，有对精神文明建设的地位、原则和手段的思考，有对群众性精神文明创建活动的总结与反思。该书着力研究在以经济建设为中心的前提下，使物质文明建设和精神文明建设相互促进、协调发展，防止和克服一手硬、一手软；如何形成有利于社会主义现代化建设的共同理想、价值观念和道德规范，防止和遏制腐朽思想和丑恶现象的滋生蔓延；如何在扩大对外开放的情况下，吸收外国优秀文明成果，弘扬祖国传统文化精华，防止和消除文化垃圾的传播等一系列问题。

本书作者自己的一段话则更好地道出本书创作的初衷和它的特点："虽然没有专著式的缜密逻辑性，但是由于是伴随我国，特别是我省精神文明建设的实践步伐进行的连续不断地跟踪思考，也能使读者不难看出对在改革开放条件下如何建设社会主义精神文明这一重大历史课题的理性探索轨迹和对这项伟大事业的深深眷恋之情。从这一点上说，这种非学院式的即兴即时之作，对正在从事精神文明建设实际工作或对这一领域中的理论问题有兴趣的同志，可能更多一点参考价值和启发作用。"

（辽宁人民出版社）

# 党政机关干部道德教育读本

中共中央直属机关精神文明建设委员会编　党建读物出版社　238 千字

本书是为贯彻十四届六中全会通过的《中共中央关于加强社会主义精神文明建设若干重要问题的决议》和党的十五大精神，对广大干部特别是党政机关干部进行共产主义、社会主义道德教育而编写的一本通俗读物。在我国，党政机关干部道德建设经过几十年的实践和探索，初步形成了一个既有理论指导，又有丰富实践内容的科学的结构体系。这些都已体现在我们党的三代中央领导核心毛泽东、邓小平、江泽民的著作和讲话中，体现在改革开放以来党的一系列有关文件中。但是，把这些丰富内容加以系统梳理，使党政机关干部道德建设的内容以完整体系在一本著作中呈现出来，应该说本书是一个很好的尝试。

全书共计八章，可分为三部分。第一章为第一部分，总论；第二至六章为第二部分，系统阐述党政机关干部道德教育的内容是什么和为什么的道理；第七、八章为第三部分，讲怎样进行党政机关干部道德建设。

第一章作为总论，题为“党政机关干部道德概述”，分别论述党政机关干部道德的形成与发展、党政机关干部道德的社会价值及基本内涵。其中重点论述党政机关干部道德建设的社会价值和社会意义。因为共产党是执政党，党政机关干部既是群众意志的体现者、执行者，又是群众活动的组织者和教育者，还是群体人际关系的协调者和设计者，所以只有党政机关干部的道德水平提高了，才能掌好权用好权，把建设有中国特色社会主义推向前进；才能影响带动全社会，提高整个中华民族的道德水准，建设一个富强、民主、文明的社会主义现代化国家。作者还指出，党政机关干部作为人民公仆的社会地位和性质，也决定了党政机关干部的道德具有服务性、廉洁性、公正性、务实性和团结性五个基本特点。

本书第二部分以五章详细论述党政机关干部道德建设的内容。作者指出，党政机关干部的社会身份既是社会主义社会的公民又是社会的公仆，这就决定了党政机关干部的道德既应具有一般社会公民的社会公德和家庭伦理道德，也应具有社会先进分子的更高层次的道德和作为社会公仆的特殊道德。这样，党政机关干部道德作为社会一般道德和特殊道德的统一，作者把党政机关干部道德的要求划分为四个层次。

第一层次是共产主义道德。共产主义道德是反映无产阶级意志、愿望和要求的一种新型的道德意识和行为规范，它是在无产阶级和广大劳动人民自发形成的朴素阶级道德的基础上，在马克思主义科学世界观指导下培养起来的。其实质是集体主义原则和全心全意为人民服务，奋斗目标是彻底消灭私有制和私有观念，建立和发展公有制，实现共产主义。在社会主义社会，共产主义道德对全体公民来说是一种提倡的道德理想，而对于社会先进分子特别是对党政机关干部来说，则是现实的道德规范，道德建设目标。集体主义和为人民服务作为党政机关干部道德的基本原则和核心，是对党政机关干部道德的首要要求，贯穿在党政机关干部一切道德规范之中。这就是第二、三章的内容。

第二层次为政治道德，这是党政机关干部道德的本质。作者指出，政治道德是指在一定社会发展阶段制约和调整人们之间政治关系和政治行为的原则和规律的总和。在社会主义现阶段，党政机关干部的政治道德，就是高举邓小平理论的伟大旗帜，坚定不移地贯彻执行党在社会主义初级阶段的基本路线和基本纲领，自觉地在政治上与党中央保持高度一致，在建设有中国特色社会主义事业的各项具体实践中充分发挥表率和模范带头作用。这就是第四章的内容。

第三层次为公务道德，这是党政机关干部的职业道德。作者指出，在当代中国，党政机关干部的公务道德，就是党政机关干部应当遵循的、与其所从事的公务活动紧密相关的、具有党政机关干部职业特征并且客观反映党政机关干部自身特殊要求的道德准则和规范。具体说，党政机关干部的公务道德在全心全意为人民服务的基本原则基础上，包括对党和国家忠诚老实、令行禁止；培养优良职业素质、提高工作效率；廉洁奉公、勤政为民；遵纪守法、保守秘密，共四条要求，是为第五章的内容。

第四层次为社会公德和家庭伦理道德。作者指出，社会公德是公共社会生活准则，家庭伦理道德是保障家庭生活、调节家庭关系、规范家庭成员行为的道德准则。社会公德和家庭伦理道德是我国每个社会公民应当遵守的起码道德，处于道德体系的基础层次，但对党政机关干部来说，在这两个领域也必须率先垂范。这就是第六章的内容。

本书第三部分是论述怎样进行党政机关干部的道德建设。应该说本书在第二部分论述党政机关干部道德的内容是什么和为什么时，已经分别讲述了怎样加强这方面的道德建设问题。为使机关干部道德建设在操作上更具现实的指导意义，本书又以第七、八两章分别从机关干部的自我道德修养和党政组织对机关干部进行道德教育两方面做集中论述。在这两方面，作者都特别强调必须把道德的思想学习和道德的实践结合起来，不可偏废。最后，本书把中共中央直属机关部分部委的部风、机关精神和文明公约作为附录，以供各机关参考。

本书的特点和意义，正如罗国杰教授序言所说："结构体系较为新颖，书中所提出的一些观点有一定的深度和新意，对广大干部尤其是党政机关干部的道德建设和道德修养有一定指导和启发作用，也可作为各级党政干部院校学员学习的参考用书。"

（杨庆文）

# 高校精神文明建设引论

徐凤云主编　　华东理工大学出版社　　190千字

本书是遵循社会主义精神文明重在建设的方针这一精神，立足于高教领域，力求探索高校领域的精神文明建设科学化与规范化的理论专著。

本书以论述社会主义精神文明建设的战略地位，高校精神文明建设的历史定位作为整个论述的切入口，使以后几章内容具有新立意、新高度。

我们在规划与实践精神文明建设时必须从其历史定位出发，即从新时期党的任务、路线、战略目标高度出发，而在具体实践时，要从我做起，从身边群众满意的事做起，以实带虚，虚实结合。如该书讨论了高校精神文明建设的主客体是谁这一"热点"后，指出学生既是主体又是客体这一思想，但主要是客体，是受教育的对象。"外塑形象，内强素质"，是高校精神文明建设的总目标与总要求；文明建设的永恒主题即培养学生的高度现代化的文明素质，教书育人是当代教师的天职。

如果说前面论述是高校精神文明建设的有形的部分，那么校园文化与校风、教风与学风，便是无形的部分。本书深入探讨了这几对校园文化中经常碰到的矛盾与问题，如一方面人们对校园文化的功能与作用不会否认，但另一方面，由校园文化的无形性与潜移默化性，对其功能与作用又难以估价的矛盾；校园文化中高雅文化与流行通俗文化的矛盾等。

精神文明建设，是群众性的自觉行为，必须检查、评估、总结、表彰。本书探讨了高校精神文明建设的评估方法和指标体系等一系列的具体方法。看来似乎仅仅是操作的问题，但如有偏差，往往不但不会起积极推动作用，反而会挫伤群众的积极性。

本书还提出了把依法治校作为高校精神文明建设的基础这样一个新课题。依法治校，照作者理解，其深刻的内涵，不仅是指要求所有师生能遵守法律，自觉服从法律强制约束，同时又是指高校的各级领导必须依法来治理学校，要服从《高教法》、《教师法》等法律、法规及有关规章制度的强制约束力。只有做到了这两点，高校精神文明建设才有了基础性的法律保障。

最后，本书还讨论了一个颇为重要的精神文明建设的实质问题，即投入与物质保障体系的建立问题。这问题在某种意义上是考验领导是真关心精神文明建设，还是口头上假关心精神文明的试金石。因为必要的投入，物质支撑保障体系的建立，是精神文明持续发展的基石。

（周积泉）

# 功在千秋——沿海地区精神文明建设可持续发展

郑又贤著　　福建人民出版社　　250 千字

本书属国家社会科学“九五”规划的重点课题，中心是研究社会主义精神文明建设如何确保持续、健康发展这一难题。

本书从中国的国情出发，对当今世界最广泛接受的关于可持续发展的定义作出评述，阐明了独到的见解。作者认为，1987 年世界环境与发展委员会在《我们共同的未来》中把可持续发展定义为一种既满足当代人的需要又不对后代人满足其需要的能力构成威胁和危害的发展，主要是从优化自然环境和保持生态平衡来考虑的，而且侧重于反映各国的共同性，几乎没有涉及因不同社会制度、不同发展状况、不同地理位置而造成的差异，同时更多的是强调“代际”之间的相互协调，而忽视了实现“当代人”之间平等互利的发展，尤其过分宽容发达国家人为制造生态危机的劣行。作者指出，可持续发展应该是一种注重发展质量，使当代人彼此之间及其同自然界之间真正做到平等、互利、协调共生，并能为后代保持甚至开创更加强劲的发展态势提供必要保障的发展。在中国实施可持续发展战略要使之同中国具体国情相结合，成为具有中国特色的社会主义发展战略，其完整内涵起码应该包括三个层面：第一层面或最高层面是指要实现社会的、全面的可持续发展；第二层面是指要实现社会某一领域的生产或生活的可持续发展，其中涉及经济生产和经济生活、政治生活和政治建设、文化生活和文化生产以及优化人口生产的可持续发展；第三层面是指要实现社会生存的自然条件的可持续发展。

本书进而强调精神文明建设本身要实现可持续发展，这使精神文明建设与可持续发展战略在理论和实践上都涉入了一个全新的领域。作者把精神文明建设直接纳入可持续发展战略，要求精神文明建设本身确立可持续发展的观点，这无疑有利于更全面地实施可持续发展战略，更有效地开展精神文明建设。

本书通过对精神文明建设要实施可持续发展战略作进一步的哲学思考，强烈呼吁尽快创立前瞻认识论。作者认为，可持续发展观点或战略包含着深刻的未来学意义，能否成功地实施在很大程度上依赖于前瞻认识的实现。所谓前瞻认识论，是指人们超越实践和客观事物发展的历史阶段，对实践和客观事物的未来发展趋势或基本发展态势作出某种预见或预测。创立前瞻认识论不仅可以满足可持续发展的需要，而且也是为了使人类实践乃至一切活动都能更自觉、更正确、更富有成效。

本书根据社会主义市场经济深化发展和21世纪中国国情变化可能给精神文明建设造成的机遇和挑战，明确提出建构跨世纪伦理体系的任务，并对其作出具有较大创意的阐述和分析。作者着重探讨了可能发生比较大变化的经济伦理、政治伦理、文化伦理和生态伦理的规范或体系。

本书在研究方法上的重要特点，是把广泛的社会调查和深刻的理论思考有机结合起来。其主要特点，一是不满足于对已有经验作简单的理论概括，而是更注重从中引出某种规律性的结论；二是不满足于阐析理论界已取得共识的东西，而是更注重提出自己独到的见解；三是不满足于对现存情况作总结，而是以此为基础，进一步开展对未来精神文明建设的科学预测，从而提出实现沿海地区精神文明建设可持续发展的思路和建议。

（木　荣）

# 广东精神文明发展战略研究

梁世红　董玉整主编　　广东科技出版社　　170千字

本书以邓小平理论和党的十四届六中全会通过的《决议》为指导，较深入系统地研究了广东精神文明建设取得的成就、存在的问题及发展趋势，立意新颖，针对性强，内容丰富，说理透彻。

该书紧扣“战略”和“发展战略”来研究广东的精神文明建设，强调制定广东精神文明发展战略要对精神文明建设作总体把握；要对社会全面进步作有力推进；要突出对全民族思想道德素质长期培育这一核心；要对精神文明作长远规划；要纳入法制建设的轨道；要注重对社会环境的全面优化；要适应知识经济的新要求。

全书由导言和八章组成。第一章精神文明长期发展战略，主要阐述为什么要制定精神文明长期发展战略以及怎样制定精神文明长期发展战略。第二章思想素质的战略地位与开发，主要阐述思想素质的开发战略在精神文明发展战略中具有举足轻重的作用及思想素质开发的内容和途径。第三章教育的战略地位与开发，主要阐述教育是培养国民素质的基础工程，把教育放在优先的地位，是实现广东现代化的必然选择。第四章科学技术的战略地位与开发，主要阐明“科学技术是第一生产力”已是国际发展的趋势，更是广东由劳动密集型向科技密集型转变的助推器，“科技兴省”是广东未来发展的方向。第五章人的素质的战略地位与开发，主要阐明国际竞争最终归结为人的综合素质竞争，重视人的综合素质开发，既可以提高我国的国际竞争力，也可以增强我国社会经济发展的实力。第六章制度文明建设，主要阐述精神文明各项战略的实施，必须依靠制度文明作保证，制度文明应成为精神文明建设的新视角。第七章精神文明发展战略的趋势，主要阐明精神文明建设是现代文明的重要特征，西方国家也重视道德、科技、文化教育建设，从某一侧面折射出精神文明的世界性趋向。广东精神文明发展战略也应突出自己的特色，选择合适的模式。第八章广东精神文明建设战略的模式，主要阐明广东精神文明发展战略重在建设，要从本地区、本行业的实际出发，把握精神文明建设内容和模式的时代性、未来性与创新性。各章研究，理论联系实际，点面结合，内在关联，深化了对精神文明系统化、层次化、过程化的认识，显示了全书研究的新意境。

该书贯彻解放思想、实事求是的思想路线，对现实存在的问题敢于正视，不回避问题。如第四章设专节论述“广东科技文明发展滞后的缘由”，从思想观念、经济结构、科技体制、企业创新、教育效益等方面给予剖析。

该书提出精神文明属于全人类，非社会主义国家专利。“世界各国为推进本国现代化进程，逐步认同和重视精神文明的建设。不仅把精神文明看做是教育、科技的进步，更重要的是着力培养人的全面知识结构，促使人在意识、情操、意志和审美等方面健康地发展”。特别是西方国家对道德的规范和控制机制的作用，可以使我们得到一些有益的启示。

在总结以上论述的基础上，该书展望了广东精神文明的新趋势。作者指出，精神文明的未来趋势，预示着中华民族富于融汇中西和开拓创新的文化品格，一定有能力将西方发达国家的经济科技发展的经验和我们的社会主义制度文明等有利条件汇聚一起，建成富强、民主、文明的社会主义现代化国家。

（梁世红）

# 广东省精神文明建设红皮书·1999

广东省精神文明建设研究中心组编　　广东人民出版社　　920千字

《广东省精神文明建设红皮书》是广东省精神文明建设理论和实践的总结，自1998年问世以来，受到人们一致的好评与关注，在精神文明建设中发挥了较好的指导作用，是广东省精神文明建设领域里最有权威的刊物之一。《广东省精神文明建设红皮书·1999》（以下简称《红皮书·1999》）以邓小平理论为指导，以创建文明城市为主题，紧密结合广东省当前掀起的提高人民群众生活质量、创建文明城市的现实，具有很强的时代性。《红皮书·1999》的编纂委员会主任委员由中共广东省委副书记黄丽满和中共广东省委常委、省委宣传部前部长于幼军担任。全书由七大部分组成，分别为：“指导篇”、“综论篇”、“理论篇”、“实践篇”、“礼赞篇”、“文献篇”、“风采篇”。

“指导篇”主要是领导讲话。中共中央政治局委员、中共广东省委书记李长春同志在《在全省创建文明城市现场经验交流会上的讲话》中首次提出城乡精神文明建设以创建文明城市为龙头，是因为创建文明城市是城乡两个文明建设的“龙头”工程，对城乡两个文明建设起主导、带动、辐射和示范作用；创建文明城市也是为人民办实事、顺民意的“民心工程”；创建文明城市也是进一步改善投资环境经营环境，为经济建设这个中心服务的好形式。在精神文明建设的领导问题上，李长春同志进一步强调，加强精神文明建设，必须加强党的领导，建立起强有力的领导体制和工作机制；必须坚持以邓小平理论为指导；必须始终坚持经济建设这个中心不动摇；要从创建文明城市入手，加大工作力度，推动广东全省精神文明建设不断发展。

“综论篇”主要是介绍一年来广东省精神文明建设重要课题的研究成果，它由6篇文章组成，主要内容包括以下四个方面：

1. 着重探讨增创文明城市建设新优势的原则与方法问题，认为要使创建文明城市活动落到实处，关键是：一把手抓“两手”，上下齐心协力共建文明城市；着眼实事抓“热点”，实施“民心工程”造福于民；以人为本抓“素质”，丰富城市文明“内涵”；以点带面抓“推进”，共促各方面繁荣新局面；审时度势抓“提高”，再创文明城市建设新辉煌。

2. 探讨精神文明建设评价指标体系的理论与方法问题，指出在构建评价指标体系时应遵循“代表性”、“可行性”、“可比性”、“多样性”、“全面性”五大原则。根据精神产品的生产和消费状况，还提出了两个系列的评价体系，即精神生产评价指标体系和精神生活评价体系。

3. 对广东新阶段的企业文化建设进行回顾与展望，认为这一建设取得了四项重大进展：发展观的重大转向，对人的认识不断深化，对人的精神资源的深层开发，企业文化已经成为中国新文化的新生长点。同时认为，它又面临着知识经济到来的新机遇、新挑战。

4. 总结以信宜市、东莞市长安镇和广州市海珠区人民检察院为代表的精神文明建设的经验。这些研究旨在从整体的高度对广东全省的精神文明建设的一般方法、原则和专门问题的专门对策作出概括，以对下一步精神文明建设的发展发挥更大的指导作用和借鉴作用。

“理论篇”收集了广东专家、学者在全国各大刊物发表的关于精神文明建设方面的研究文章的摘要与相关书籍的简介，共49篇。内容包括全球化进程中的文明整合问题；广东精神文明建设中的主要矛盾及其解决；精神文明与制度文明、法制建设的关系问题；精神文明建设与人的全面发展问题；市场经济、知识经济条件下精神文明建设问题；城市形象建设问题；邓小平精神文明理论研究等等。其中文明整合问题、制度文明问题、人的全面发展问题和城市形象建设问题，成为理论探讨中具有代表性的重要问题。

这些理论文章反映出广东省精神文明建设的理论探讨呈现出如下特点：紧扣时代脉搏，关注市场经济、知识经济等新条件下产生的新问题；具有全球意识，突破地域性的狭隘观点，用一种前瞻性和全景式的视角来引导本国、本土精神文明建设的布局规划；对精神文明建设的探讨从浅层次向深层次发展，从局部性向整体性发展，从短时效向长远性发展。

“实践篇”包括四个部分，首先是1998年广东精神文明建设大事记，其次是广东省部分省直机构单位精神文明建设、地市精神文明建设、部分县（市、区）精神文明建设的实践经验介绍。介绍的实践经验形式多样，体现了社会主义精神文明建设既“弘扬主旋律”又“提倡多样化”的方针，起到了可信的示范作用。同时，在精神文明建设中涌现出不少的新方法、新思路的过程中，也折射出一定的新问题，如整体发展不平衡、执法力度不足、治理强调不够、精神文明这一手还未完全硬起来、理论研究相对滞后等弱点，还存在着制度文明与精神文明、精神文明与生态文明、领导文明与群众文明、知识分子的作用与地位这几大矛盾。这就为进一步的理论探讨提出了更多更高的要求。

“礼赞篇”是关于广东省和地市、单位推荐的文明建设先进典型的简要介绍。

“文献篇”包括《中共中央关于在全党深入学习邓小平理论的通知》、《中共广东省委关于加强各级领导班子思想政治建设的决定》、《中共广东省委、广东省人民政府批转〈关于深入开展群众性精神文明建设创建活动的意见〉的通知》三篇公文。

“风采篇”以彩色图片的形式，生动形象地记录了广东省精神文明建设实践活动的真实风采。

《红皮书·1999》反映出广东省精神文明建设活动进入了由点到面、由单项整治到综合治理全面推进的新阶段。它选择以群众性创建文明城市活动为主题，奏响了以“人”和“环境”为主题的时代交响曲。这与世界潮流相一致，也符合中国现代化发展的内在要求。

（郑　毅）

# 深圳精神文明建设丛书（理论篇）

白 天 李小甘 段亚兵主编 深圳海天出版社 750千字

《深圳精神文明建设丛书》分《文件集》、《群英谱》和《理论篇》三册，近200万字。《理论篇》是深圳市1996至1999年社会主义精神文明理论研究优秀成果的汇集，包括建设总论、道德建设、杂论、调研总结和考察报告五部分内容。前三部分收集了公开发表过的一些优秀论文，展示了深圳精神文明建设的理论成果；调研总结选编了一些高质量的调研成果，从一个侧面反映了深圳市委、市政府重视调查研究的扎实工作作风；考察报告部分收集了对上海、大连、厦门、张家港、新加坡、香港等城市精神文明建设的考察报告。

深圳是邓小平同志倡导成立的经济特区，是中国对外开放的"窗口"和经济体制改革的"试验场"，是两种社会制度的交汇处，两种思想文化的融会区，竞争激烈、环境复杂。搞好两个文明建设，交好两份优秀答卷，是党中央和广东省委的要求，也是深圳建设有中国特色社会主义和率先基本实现现代化示范市的内在动力。

《深圳精神文明建设丛书》理论篇从理论与实践的角度，对深圳精神文明建设的理论成果进行了归纳和总结。精神文明建设总论、道德建设和杂论三部分，共62篇文章，以改革开放作为时代背景，从宏观上对精神文明建设的作用和地位，进行了认真的分析论证。首先，文章从马克思主义唯物论和辩证法的角度入手，抓住物质文明和精神文明建设的一些敏感问题，从理论与实践结合的机制上进行分析，较好地阐述了两个文明建设之间"软与硬的关系"、"改革与发展的关系"、"继承、扬弃与创新的关系"、"吸收、借鉴与抵制、批判的关系"。其次，文章高度重视建立精神文明建设的评价机制，认为精神文明的评价机制是精神文明建设整个运行机制过程中的重要环节，必须以邓小平"三个有利于"为精神文明建设的评价标准，同时坚持以人为中心，才能建立科学的评价机制。再次，从思想道德建设的角度，对精神文明建设的这个关键环节进行了全面的阐述，提出了加强思想道德建设，全面提高市民思想道德素质的方法和途径。这些方法和途径，对加强深圳的精神文明建设，起着举足轻重的作用。调研总结和考察报告两部分，共39篇文章，是深圳市有关领导干部学习考察国内外城市建设的认识和体会，表明深圳市的领导干部，重视学习别人的先进经验，不满足于现状，不满足于取得的成绩。他山之石，可以攻玉。国内外一些地区和城市的先进经验对深圳精神文明建设有着极为重要的借鉴作用。

物质文明与精神文明，如鸟之两翼、车之两轮，互为条件，互相促进；物质文明是基础，精神文明为物质文明的发展提供精神动力、智力支持和思想保证。正因为深圳市委、市政府始终坚持两手抓、两手都要硬的方针，才使得深圳的经济发展环境日益良好，市民综合素质逐步提高，城市面貌不断发生变化。本书从理论成果的角度反映了深圳市精神文明建设所取得的进展。

（李瑞琦 杨作乾）

# 大事记



# CHRONICLE

## 中央文明委召开第四次全体会议

# 讨论并通过《中央精神文明建设指导委员会1998年精神文明建设工作情况和1999年工作安排》

1999年1月8日，中央精神文明建设指导委员会召开第四次全体会议。李铁映同志受丁关根同志委托主持会议并讲话。中宣部常务副部长、中央文明办主任刘云山传达了丁关根同志对做好1999年精神文明建设工作的意见和要求。会议讨论并通过了《中央精神文明建设指导委员会1998年精神文明建设工作情况和1999年工作安排》。

会议认为，1998年精神文明建设工作，紧紧围绕全党全国工作大局，深入开展思想道德教育，扎实推进群众性精神文明创建活动，努力提高先进典型宣传水平，各项工作取得新的进展，保持了积极、健康、向上的态势，是社会主义精神文明建设深入发展的一年。特别是全党兴起学习邓小平理论新高潮，全社会大力弘扬伟大抗洪精神，为贯彻落实党的十五大精神创造了良好的社会环境，为深化改革、促进发展、维护稳定发挥了积极作用。

会议指出，1999年是我们党和国家历史发展中具有特殊意义的一年。我们将迎来新中国成立50周年，迎来澳门回归祖国。改革发展稳定的任务很重，要进一步加强精神文明建设，继续落实党的十四届六中全会确定的各项任务，紧紧围绕党中央总的工作部署，切实加大工作力度，努力促进两个文明建设协调发展，更好地为人民服务，为社会主义服务，为全党全国工作大局服务。

会议确定，1999年的精神文明建设要重点抓好四个方面工作：一是大力加强思想道德建设。紧紧围绕党的十五大确定的主题，深入进行党的基本理论、基本路线和基本纲领教育，深入开展以“讲学习、讲政治、讲正气”为主要内容的党性党风教育。进一步弘扬伟大抗洪精神，广泛开展爱国主义、集体主义、社会主义教育和形势政策教育，唱响祖国颂、社会主义颂、改革开放颂。加强社会公德、职业道德、家庭美德建设，促进良好社会风气的形成。二是深入开展群众性的精神文明创建活动。以三大创建活动为重点，进一步推动“讲文明树新风”活动向广度深度拓展，使群众性精神文明创建活动不断取得新成效；适时表彰一批创建精神文明先进城市、先进村镇、先进行业、先进单位；继续组织好“送温暖、献爱心”、文化科技卫生“三下乡”、“百城万店无假货”、“做人民满意的公务员”及各种行业规范化服务等活动。三是继续抓好先进典型的学习和宣传。及时发现、总结、宣传在改革攻坚和经济发展中涌现出来的先进典型；推出一批两个文明建设协调发展、具有重要借鉴推广价值的先进经验；在全社会努力形成崇尚先进、学习先进的良好风气。四是进一步加强文化事业建设。大力繁荣文学艺术，多出优秀作品。

会议强调，各级党政领导要始终坚持“两手抓，两手都要硬”的方针，紧紧围绕改革发展稳定的大局，坚持不懈地推进精神文明建设。各方面要互相协调，密切配合，齐抓共建，形成合力，取得实效。

# 全国宣传部长会议在京召开
# 江泽民与出席会议同志座谈并作重要讲话

1999年1月20日至23日，全国宣传部长会议在北京召开。1月21日下午中共中央总书记江泽民与出席会议的同志座谈并作重要讲话。朱镕基、胡锦涛、李岚清出席座谈会。中宣部部长丁关根主持座谈会。张万年同志也出席座谈会。

中宣部常务副部长刘云山主持了全国宣传部长会议，并对1999年宣传思想工作作了具体部署。中宣部各位副部长和有关方面负责人通报了工作情况。8个省、区、市党委宣传部长就做好1999年工作在大会发言。丁关根同志在会议结束时讲话。出席这次全国宣传部长会议的有各省、自治区、直辖市党委宣传部长及新疆生产建设兵团党委宣传部长，中央宣传文化系统各单位负责人，中央直属机关、中央国家机关有关部门负责人，解放军总政治部、武警总部政治部负责人，全国总工会、团中央、全国妇联负责人等。

# 全国文明办主任会议召开

1999年1月20日至23日，全国文明办主任会议在北京召开。出席全国文明办主任会议的全体同志也参加了1月21日下午江泽民与全国宣传部长会议同志的座谈会，并聆听了江泽民的重要讲话。

参加会议的同志认真学习讨论了江泽民同志的重要讲话精神，学习讨论了中央文明委主任丁关根关于做好精神文明建设工作的意见和要求。

会议分析了形势，交流了经验，总结了工作，明确了任务，指出1999年是我们党和国家历史上具有特殊意义的一年，加强精神文明建设事关全局。精神文明建设工作一定要认真贯彻中央关于“统一思想、坚定信心，抓住机遇、知难而进，团结一致、艰苦奋斗”的1999年工作方针，奋发努力，把机遇转化成良好的工作局面，把挑战变成前进的动力，积极推进精神文明建设，为改革发展稳定创造良好的社会环境，提供强大的精神动力和思想保证。

会议强调，1999年精神文明建设工作任务很重，一定要突出重点，抓住关键。唱响主旋律，打好主动仗。一是大力加强思想道德教育，在统一思想、振奋精神、凝聚力量上下功夫。二是深入扎实持久地开展“讲文明树新风”活动，为办好大事、喜事创造好良好氛围。三是大力开展以文明城市、文明村镇、文明行业为重点的群众性精神文明创建活动，促进城乡文明程度不断提高。精神文明建设工作要紧紧围绕城乡经济发展和各行各业的业务工作来进行，决不能搞“两层皮”；要坚持从实际出发，从群众的迫切需要出发，积极进取，量力而行，造福于民，决不能扰民，更不能加重群众负担，特别是农民的负担；要从基层抓起，从具体事情抓起，把实事办好，好事办实，把工作做深做好，决不能搞形式主义。

## 中宣部　中央文明办

# 组织宣传宜昌市创建文明城市的经验

1999年2月，中宣部组织中央新闻单位宣传湖北省宜昌市创建文明城市先进经验。2月1日至2日，《人民日报》连续以《为群众谋利益，靠群众抓创建》和《铸造城市文明之魂》为题对湖北省宜昌市创建活动进行了报道，并配发了评论员文章《创建文明为人民》。

宜昌市位于著名的长江西陵峡口。在三峡工程开工之初，中共宜昌市委、市政府遵照江泽民总书记关于要将这座古老的山城，建成与三峡工程相得益彰的一流文明城市的指示，抓住了发展自己、建设自己的机遇，向全市人民提出，一流的工程呼唤着一流的城市文明的号召。在创建文明城市活动中，他们始终围绕人民利益开展工作，依靠群众开展创建活动，两个文明建设成效显著。

以民为本，是宜昌市创建文明城市工作的一大特色。他们坚决贯彻党的群众路线，促使群众在受益中坚定信心，在参与中升华境界，在评判中明确责任。宜昌市委、市政府认为，搞文明城市创建，目的是提高全民素质，更好地适应现代化建设发展的需要，而不是为了管住群众。为此，他们努力把群众的意愿变成精神文明建设的行动；把为民排忧解难变为“窗口”服务行业的承诺；把群众迫切需要解决的难事，变为党和政府马上要办的实事。他们在影响群众生活的市政设施上狠下功夫，以城市环境脏乱差等群众反映最强烈的热点问题为重点，组织开展创文明城市主题活动，实施明净工程、“十星级文明卫生单位”创建活动、“点亮”工程、美化工程、绿化工程等五大工程。全市还开展百名市民查承诺活动，以强有力的群众监督机制，保障文明城市建设各项工作任务的落实。

坚持以人为本，突出表现在培育“四有”新人上下功夫，树立群众主人翁意识。他们通过讨论，确立了团结奋斗、争创一流的宜昌精神，确立了宜昌人文明、开明、廉明、精明的形象标准，开展了爱祖国、爱家乡、爱人民、讲社会公德、职业道德、家庭美德、个人品德的三爱四德教育。全市爱国主义教育被具体为向全市人民推荐看百部影片、读百本书、演百场戏、建百个爱国主义教育基地等。还开展知我宜昌、爱我宜昌、兴我宜昌的知、爱、兴活动，印发了有《十要十不要》内容的《市民守则》，以五好家庭为龙头，围绕“家”字做文章。

宜昌市实行多年的“一二三四五”的领导制度行之有效，即市委、市政府每年召开一次高规格的精神文明建设工作会议；市委常委每年召开两次专题办公会；每年解决三个以上精神文明建设重大问题；做到领导班子、工作班子、创建机构、创建责任四落实；各级党委一把手每年就精神文明建设搞一次调查，写一份报告，发一份专门文件，抓一两个先进典型，办一件实事。这项制度的建立，使精神文明建设由软变硬，由虚变实。

1999年，宜昌市被评为全国创建文明城市工作先进市，受到中央文明委的表彰。

# 中央人口、资源、环境工作座谈会举行

中共中央3月13日下午在人民大会堂举行中央人口、资源、环境工作座谈会。中共中央总书记、国家主席江泽民主持座谈会并发表重要讲话。他指出，促进我国经济和社会的可持续发展，必须在保持经济增长的同时，控制人口增长，保护自然资源，保持良好的生态环境。这是根据我国国情和长远发展的战略目标而确定的基本国策。

党和国家领导人李鹏、朱镕基、李瑞环、胡锦涛、尉健行、李岚清等出席座谈会。

各省、自治区、直辖市党委和政府的主要负责同志，中央、国家机关有关部门和解放军、武警部队的负责同志等出席了会议。

## 中央文明办等联合召开电话会议

# 部署开展“保护生态环境，倡导文明新风”活动

1999年3月17日，中央文明办、教育部、建设部、铁道部、交通部、水利部、国家环保总局、国家林业局、全国绿委办、团中央、全国妇联等11个部门和团体联合召开了电话会议，决定在全国开展“保护生态环境，倡导文明新风”活动。

保护生态环境是可持续发展战略的重要组成部分，是我国的一项基本国策，也是衡量全社会文明程度的一个重要标志。改革开放20年来，我国环境保护事业取得了巨大成就，但形势仍然十分严峻，许多地区环境污染和生态破坏的状况仍然没有得到改变，有的甚至还在加剧。环境污染和生态破坏成为危害人民健康、影响群众生活质量、制约一些地方经济和社会发展的重要因素，也成为社会各界和人民群众非常关心，迫切要求解决的一个热点问题。同时，优美、整洁、有序的环境不仅有益人的身心健康，提高人的生活质量，而且有益于形成健康、科学、文明的生活方式和行为方式。开展“保护生态环境，倡导文明新风”活动，是精神文明建设服务大局，服务中心，服务群众的一项重要举措，是精神文明建设的一项重要内容，是“讲文明树新风”活动在新形势下的发展和深入。也是为迎接新中国成立50周年创造整洁、优美环境的一项重要工作。

开展“保护生态环境，倡导文明新风”活动主要内容有四项：一是搞好植树绿化；二是清理白色垃圾；三是改善空气质量；四是治理水源污染。紧紧围绕这四个方面的任务，开展群众性宣传教育活动，组织集中性战役。活动分两个阶段推进：第一阶段，充分利用春季植树造林的最佳季节，搞好群众性植树绿化活动。着重搞好城市及城市周边地区的绿化和绿地养护；结合开展春季爱国卫生运动，重点清理城市公共场所、旅游景点、内河水域和铁路沿线白色垃圾。第二阶段，着力改善空气质量。重点整治机动车污染、建筑工地尘土污染、工业烟尘排放、街头烧烤等影响城市空气质量的突出问题。沿江、沿河、沿湖地区加大环保执法力度，坚决依法惩处乱放废水、向水中倾倒垃圾等污染水源的违法行为。加强保

护水资源的宣传、组织群众积极参与清理江河湖岸垃圾和水面漂浮物的公益活动。

对这次活动的要求：一是充分依靠群众。要把群众反映强烈、迫切要求解决的难点、热点，作为活动的重点；二是重在提高素质，把改善生态环境的过程，同时作为提高公民文明素质的过程，使全社会的生态意识、环保意识、可持续发展意识有明显增强；三是坚持齐抓共管；四是加强舆论宣传；五是有关活动要相互配合。

此后，《人民日报》发表了评论员文章，与中央文明办共同召开座谈会，进行了广泛深入宣传。北京等大中城市都结合本地实际，进行了保护生态环境的专项治理活动并取得明显效果。

## 中宣部　中央文明办

# 组织宣传沈阳市2211市长专线电话经验

1999年3月，中宣部、中央文明办组织中央新闻单位宣传沈阳市市民投诉中心即“2211”市长专线电话经验。3月29日，《人民日报》一版以《沈阳市长专线电话百姓称道》为题进行了报道，并配发评论员文章《一切为了市民》。

沈阳市在创建文明城市工作中，坚持围绕中心，服务大局，从解决与市民切身利益关系密切、群众反响强烈的问题抓起，以创办市民投诉中心即“2211”市长专线电话为载体，千方百计地为人民群众办好事办实事，取得了明显成效。

市民投诉中心是根据沈阳市政府向沈阳市第十二届人民代表大会一次会议所作的《政府工作报告》中提出的要求，在原市长公开电话的基础上，适应市场经济发展和人民群众管理社会事务的需要，于1998年1月正式成立的，受市委、市政府委托，处理市民投诉、举报、报告和建议等事项的专门机构，并把成立市民投诉中心这件事确定为当年沈阳市精神文明建设10件实事之首。

沈阳市民投诉中心的工作职能主要是服务、监督和协调。它的工作范围主要有8个方面：(1)负责受理市民对党委、政府及其工作部门的批评、意见和建议；(2)负责受理市民对机关工作人员工作质量、工作作风、违纪违法问题的批评、意见和建议；(3)负责受理市民对社会公德、社会秩序、社会风气方面的批评、意见和建议；(4)负责向党委、政府提供重要的社情民意，反映带普遍性、倾向性的问题；(5)负责受理市民对实行行政执法公示制、社会服务承诺制的政府部门和社会公益部门违示违诺的批评、意见和建议；(6)负责受理市民对经济建设、社会发展、城市建设和管理方面的批评、意见和建议；(7)负责协调处理跨地区、跨部门的重大热点、难点问题；(8)负责协调全市各类民意机构的投诉工作。市民投诉中心作为展示社会主义精神文明建设的重要“窗口”，其工作思路是坚持一个宗旨，开辟一个通道，完善一个网络，实现一个目标，即坚持全心全意为人民服务的宗旨，开辟一条党委、政府联系广大人民群众的方便、快捷、畅通无阻的绿色通道，完善市民投诉工作网络建设，实现为改革、发展、稳定提供保证的目标。

市民投诉工作的运行机制是，以市民投诉中心为龙头，以市区县、相关职能部门和社会公用服务部门为骨干，实行行政监督与社会监督相结合，统一指挥调度，纵横贯通，协调配合运作的快速反应联动体系。该机制由决策指令、指挥调度、责任保证和监督管理四个环节构成，即市委、市政府为决策指令机关，市民投诉中心为指挥调度中枢，市区县、相关职能部门和社会公用服务部门及其所设的分支机构为责任保证或执行处置部门，市委、市政府办公厅为监督管理部门。市民投诉组织网络形成之后，系统内各单位都建立了比较规范的工作责任制和严格的奖惩考核标准。一是实行一把手负责制。二是实行事不过三制，对接到市投诉中心3次调度指令无动于衷的，对单位主要领导和责任人给予行政处分。三是实行一票否决制。对因工作失职造成群众不满意的，本年度内责任单位不能被评为先进，同时要追究有关人员的责任。

投诉中心的工作重点是对与人民群众工作生活学习息息相关的公用服务、环境保护、经济活动、市容市貌、突发事件、执法部门、城市管理等方面的投诉进行协调督办。要求电话交办事项3日内办结，书面承办事项7日内办结，微机联网转办按规定时限办结。对市民投诉的问题，一时解决不了的，工作人员都进行真诚耐心的解释，为维护社会稳定做出了积极贡献。

由于沈阳市委、市政府高度重视，有关部门密切配合，投诉中心扎实工作，解决了许多群众迫切需要解决的问题，特别是一些长期推诿扯皮的老大难问题得到妥善处理，深受广大市民的欢迎和拥护。从实际效果看，市民投诉中心的工作拉近了党委、政府与人民群众的距离，进一步密切党群、干群关系，在凝聚人心、排忧解难、理顺情绪、化解矛盾，推动精神文明建设、党风廉政建设和民主法制建设等方面发挥了积极作用。

# 江泽民为抗洪英雄李向群题词

1999年4月1日，中央军委颁布命令，授予李向群新时期英雄战士称号。江泽民主席为李向群题词：“努力培养和造就更多李向群式的英雄战士”。4月12日，中宣部、解放军总政治部、团中央联合在北京举行新时期英雄战士李向群先进事迹报告会。

李向群，海南省琼山人，1978年生，1996年入伍，上等兵军衔。生前是广州军区塔山英雄守备团九连战士。在短短20岁人生和20个月军旅生涯中，他先后5次在危急关头舍身救人，两次被评为训练标兵，两次被评为优秀战士，一次荣立三等功。在1998年抗洪前线，他主动参加抗洪突击队，火线入党，牺牲在荆江大堤。

李向群是新时期人民军队涌现出来的又一个英雄模范人物。他的先进事迹和成长经历在新时期先进青年中极富典型性。他来自特区，在特区长大，家庭富有，资产百万。他曾经经商，并且初见成效。而他致富未敢忘忧国，毅然参军报国。在解放军这座革命熔炉的精心培养和教育下，李向群出色地完成了从特区青年到革命军人的转变。他一直不懈地追求把开放的个性融入铁的纪律、把远大理想融入脚踏实地、把自身价值融入他人幸福的价值观。他努力争做“四有”军人，被评为优秀士兵，荣立三等功。他刻苦学习理论和科学文化知识，写了近10万字的心得笔记，苦练军事技术，20项训练课目获得17个优秀，被评为团里的训练尖子。

李向群严格要求自己，在家庭拥有百万资产的情况下，他给自己规定：每月用于购买生活必需品的支出不超出10元钱。省下的津贴和从家里带来的钱，都捐给了有困难的战友和群众。战友们称赞他不是党员做党员的事，不是干部操干部的心，身为特区人，不当特殊兵。

新华社播发的特约评论员文章《从雷锋到李向群》指出，时代呼唤英雄，也造就英雄。李向群正是继雷锋之后，人民解放军涌现出的许许多多英雄模范中的杰出代表，他的身上所折射出的精神，正是雷锋精神在新的历史条件下的发扬和光大。

# 中国昆明世界园艺博览会隆重开幕

举世瞩目的第二十二次世界园艺博览会开幕式，4月30日晚在昆明拓东体育场隆重举行。中华人民共和国主席江泽民出席开幕式，并宣布中国'99昆明世界园艺博览会开幕。

柬埔寨国王西哈努克和王后，以色列总统魏茨曼和夫人，津巴布韦总统穆加贝，吉布提总理哈马杜，泰国总理川·立派，国务院副总理、世博会中国组委会主任李岚清和夫人章素贞出席开幕式。

开幕式由世博会组委会副主任、云南省省长李嘉廷主持。在庄严的中华人民共和国国歌声中举行了升国旗仪式。接着，伴随中国'99昆明世界园艺博览会会歌，升起了国际展览局局旗和国际园艺生产者协会会旗。

李岚清在开幕式上发表了热情洋溢的致词。他说，在即将迈入21世纪的今天，历史赋予了我们神圣的使命。人类只有一个地球。尊重自然，就是尊重人类自身；保护生态，就是保护我们赖以生存的家园。为了我们自己，以及我们的子孙后代生活得更好，为了把我们共同的家园建设得更美，我们呼唤和平相处，呼唤人与自然携手共进，呼唤在重视发展的同时，重视环境保护，实现新的世纪的可持续发展。这就是本届博览会举办的宗旨，也是中国政府所致力的目标。

他说，这次博览会多姿多彩的园林园艺将向世界展现“人与自然”和谐相处的优美画卷。我相信，博览会的举办将进一步促进世界各国人民的相互了解，增进友谊与合作，谱写人类“尊重自然、保护生态”新的篇章。

随后，国际展览局主席菲利普森和国际园艺生产者协会主席柯什分别致词，他们对本届世博会的组织工作给予了充分肯定和高度评价。菲利普森说，作为国际展览局主席和代表展览局85个成员国的使者，我对你们已完成的工作表示衷心的赞赏。此次世博会的召开，将推进各国人民加深了解，增进友谊。柯什说，此次盛会是花卉园艺界最负盛名、影响深远的一次活动。首次在中国举办的世博会气势宏伟，精华荟萃，规模空前。

这次博览会是在我国改革开放20年取得巨大成就，又适逢国庆50周年之际举行的。这是第一次由发展中国家主办的大型世界园艺博览会。博览会的主题是“人与自然——迈向21世纪”。展览内容包括：各参展国悠久的传统园艺和丰富多彩的园艺品种；传统文化与现代文化相结合的庭园建筑；人类保护自然环境、维护生态平衡的成就；园艺与民族文化发展密不可分的渊源以及园艺在人类社会生活中的重要作用；通过人类科技发展的成就，展示经济环境与自然环境的完善结合等。博览会共有69个国家和26个国际组织参展，其中34个国家和国际组织在世博园内修建了永久性展园。参展国家和国际组织来自亚、欧、非、美、大洋洲，具有广泛的代表性。我国31个省、自治区、直辖市和香港特别行政区、澳门、台湾地区均参加了展览。

开幕式后，进行了大型文艺演出。

# 首都召开五四运动80周年纪念大会

1999年5月4日，是伟大的五四运动80周年。五四运动80周年纪念大会在北京举行。大会向全国青年发出号召：发扬五四运动爱国进步民主科学的光荣传统，肩负起振兴中华民族的伟大使命。

80年前爆发的五四运动，是以一批先进知识分子为先锋、广大人民群众参加的彻底反帝反封建的伟大爱国主义运动，也是一场伟大的思想解放运动和新文化运动。这场运动，成为中国旧民主主义革命走向新民主主义革命的转折点。五四运动也孕育了爱国、进步、民主、科学的伟大精神，核心是伟大的爱国主义。五四运动所体现的爱国主义精神，是中华民族百折不挠、自强不息的民族精神的生动写照。为了在广大青年和学生中进行爱国主义教育，经中共中央批准，中宣部、教育部、团中央从4月开始，相继在全国各地青年和学生中组织开展纪念五四运动80周年的系列活动。

党和国家领导人江泽民等参加了首都五四运动80周年纪念大会，中共中央政治局常委、国家副主席胡锦涛在会上发表了重要讲话。他指出，今天我们继承和发扬五四传统，就要坚持以马列主义、毛泽东思想和邓小平理论为指导，坚持党的基本路线，发扬民主、自尊、自信、自强的精神，汲取一切有益的新思想、新经验，努力建设有中国特色社会主义的经济、政治、文化，把改革开放和现代化建设事业不断推向前进。

胡锦涛同志代表党和人民对青年寄予厚望：把中国建设成为富强民主文明的社会主义国家，要靠党和人民的团结奋斗，要靠全国青年继往开来、奋发进取。广大青年要增强历史使命感，高举邓小平理论伟大旗帜，发扬伟大的五四精神，为实现我国的社会主义现代化不断建功立业。他要求广大青年一定要响应江泽民同志的号召，坚持学习科学文化与加强思想修养的统一，坚持学习书本知识与投身社会实践的统一，坚持实现自身价值与服务祖国人民的统一，坚持树立远大理想与进行艰苦奋斗的统一，努力把自己锻炼成为党和人民所需要的、符合时代要求的社会主义建设者和接班人。

胡锦涛同志同时要求各级党委和政府，要从社会主义事业长远发展的战略高度，热情关怀青年，正确引导青年，严格要求青年，努力把青年一代培养成为有理想、有道德、有文化、有纪律的社会主义新人。共青团组织，要发挥好作为党的助手和后备军的作用，发挥好作为党和政府联系青年群众的桥梁与纽带的作用。社会各方面都要热情关心青年一代的成长和发展。

# 中宣部等举办秦文贵先进事迹报告会

1999年5月4日，中宣部、团中央、中国石油天然气总公司、青海省委在人民大会堂联合举办秦文贵先进事迹报告会。

秦文贵，青海石油管理局钻井处处长、高级工程师。1982年7月，他从华东石油学院毕业后积极申请到条件艰苦的青海油田工作，先后主持了多项科研任务，推广应用了10多项新技术、新工艺。1992年秦文贵赴加拿大留学，学成后毅然谢绝优厚待遇，回到油田工作。他用所学知识，努力报效祖国，取得了优异成绩。秦文贵先后获得中国石油天然气总公司特等劳动模范、石油青年的楷模、青海省优秀共产党员称号及首届中国青年五四奖章。

秦文贵是我国当代青年的杰出代表，被誉为“当代青年的榜样”。秦文贵的先进事迹，反映了当代先进青年的成长规律，代表了新时期青年的本质和主流。他努力把个人的理想追求融入党和人民的事业，自觉走与实践相结合，与人民群众相结合的成长道路，脚踏实地肩负起实现中华民族伟大复兴的历史使命。1999年4月28日至29日，《人民日报》连续发表了介绍秦文贵先进事迹的长篇通讯，并配发了评论员文章。

# 全国人民强烈抗议以美国为首的北约轰炸我驻南使馆

1999年5月7日午夜，以美国为首的北约悍然用导弹袭击我国驻南斯拉夫大使馆，造成邵云环、许杏虎、朱颖等三位我驻南新闻工作者死亡，20多人受伤，使馆建筑严重毁坏。消息传来，举世震惊。5月8日我国政府发表严正声明，中共中央政治局常委、国家副主席胡锦涛发表电视讲话，最强烈抗议以美国为首的北约袭击我驻南使馆、杀害我国同胞的野蛮暴行。全国城乡各界群众，纷纷以举行座谈、集会，发抗议信或抗议电话等形式，坚决拥护我国政府严正声明，强烈谴责以美国为首的北约的野蛮暴行。北京、上海、广州、成都、沈阳等一些城市的学生和群众，在美国驻华外交机构附近举行了示威游行。这一切，充分反映了中国人民对美国为首的北约袭击我驻南使馆暴行的极大愤慨和强烈的爱国热情。这一野蛮暴行同时也激发了全世界范围内的抗议浪潮。据不完全统计，近120个国家和政府发表声明或讲话，表示震惊和愤慨或予以强烈谴责，其中数十个国家元首和政府首脑发表讲话，对中国遇难者表示深切哀悼，对以美国为首的北约的野蛮行径表示义愤，还有许多的外国政党组织以及世界各地的华人华侨也以不同的方式发出他们的正义之声。事实证明，“得道多助，失道寡助”。

邵云环是新华社驻贝尔格莱德分社记者，许杏虎、朱颖是光明日报社驻南记者。5月12日，在此次事件中牺牲的这三位新闻工作者的骨灰由专机运回北京。新华社、光明日报社分别设置灵堂沉痛悼念烈士。江泽民等党和国家领导人敬献花圈，并分别来到新华社和光明日报社，沉痛悼念烈士，亲切看望并慰问烈士亲属。全国各地人民以不同方式深切悼念三位遇难同胞，中宣部、中国记协召开学习三位烈士英雄事迹大会。

5月13日，中共中央、国务院隆重召开大会，热烈欢迎我驻南工作人员，对我驻南斯拉夫使馆工作人员和驻南新闻工作者进行表彰。江泽民总书记发表重要讲话。他指出，人类正处在维护世界和平、促进共同发展的关键时刻。一切捍卫和平，维护正义的国家和人民，应该团结起来为反对霸权主义和强权政治，推动建立公正合理的国际新秩序而共同奋斗。他强调，以美国为首的北约必须对这一事件承担全部责任。必须对中国政府提出的要求作出全面交待。江泽民同志高度评价全国各族人民和海外广大同胞对以美国为首的北约暴行义愤填膺，用各种形式表达了强烈的抗议和严厉谴责的正义活动。他指出，这些正义活动，充分显示了中华民族的伟大爱国主义精神和巨大凝聚力。充分体现了中国人民维护世界和平、反对霸权主义的坚强意志。伟大的中国人民是不可欺的。他号召全国人民要始终不渝地坚持邓小平理论和党的基本路线，按照党的十五大提出的跨世纪发展的战略目标，坚定不移地坚持以经济建设为中心，坚定不移地推进改革开放，坚定不移地保持社会稳定，坚定不移地贯彻执行独立自主的和平外交政策，把建设有中国特色社会主义的伟大事业全面推向21世纪。

江泽民同志的讲话，是向全国人民发出的动员令和号召书，给全国各族人民极大的鼓舞。各地干部群众决心把对北约野蛮行径的巨大义愤和伟大爱国热情化作强大动力，同心同德，艰苦奋斗，不断增强我国的经济实力、国防实力和民族凝聚力，用实际行动回击以美国为首的北约侵略行径。这场抗议以美国为首的北约悍然袭击我驻南使馆野蛮暴行的行动，充分展示了中华民族在强权政治面前强烈的爱国主义精神，展示了中华民族强大的民族凝聚力。

# 江泽民为中共“一大”会址纪念馆扩建工程竣工题词

中共“一大”会址纪念馆扩建工程竣工开放仪式5月26日在上海隆重举行。中共中央总书记江泽民为纪念馆扩建竣工题词：“没有共产党就没有新中国”。中共中央政治局委员、中共上海市委书记黄菊，市长徐匡迪在竣工开放仪式上为江泽民总书记题词揭牌，上海市党政领导和各界人士代表150余人参加了竣工开放仪式。

中共“一大”会址纪念馆1952年建馆以来，累计已接待了全国各地观众800多万人次，1997年被中宣部命名为“全国爱国主义教育示范基地”。纪念馆扩建工程在1998年6月开工，广大党团员和普通市民纷纷自愿捐款，并踊跃参加义务劳动。其中，各项捐款总额达2000多万元。

扩建工程的新建筑位于中共“一大”会址纪念馆的西侧，占地面积715平方米，建筑面积2316平方米，建筑高度12米，与纪念馆的建筑风格相同，保持了20年代上海典型的石库门民居的建筑风貌。扩建后的纪念馆展览厅的面积比原来扩大3倍。

扩展后的“一大”会址纪念馆，主题更加鲜明，内容更加丰富，形式更加新颖，更具有直观性和历史的感染力。在陈列展品中，文物原件有117件，占陈列展品总数的79%，其中国家一级文物24件，有不少过去长期保存在库房中，这次首次与观众见面。新的陈列厅还专门开辟了一个蜡像室，生动地再现了这一开天辟地的历史事件。

中共中央　国务院

# 作出《关于深化教育改革全面推进素质教育的决定》

1999年6月13日，中共中央、国务院作出了《关于深化教育改革全面推进素质教育的决定》（以下简称《决定》），明确提出要大力提高全民族的思想道德和科技文化素质。

《决定》深刻论述了推进素质教育的重大意义。指出，当今世界，科学技术突飞猛进，知识经济已见端倪，国力竞争日趋激烈。教育在综合国力的形成中处于基础地位，国力的强弱越来越取决于劳动者的素质，取决于各类人才的数量和质量，这对于培养和造就我国21世纪的一代新人提出了更加迫切的要求。我国正处在建立社会主义市场经济体制和实现现代化建设战略目标的关键时期。新中国成立50年来特别是改革开放以来，教育事业的改革和发展取得了令人瞩目的巨大成就。但面对新的形势，由于主观和客观等方面的原因，我们的教育观念、教育体制、教育结构、人才培养模式、教育内容和教学方法相对滞后，影响青少年的全面发展，不能适应提高国民素质的需要。因此，深化教育改革，全面推进素质教育，加快培养具有创新精神和创造能力的高素质人才，已成为我们在未来竞争中赢得主动权、抢占制高点的关键，事关社会主义现代化建设的全局。

《决定》明确提出全面推进素质教育，培养适应21世纪现代化建设需要的社会主义新人的宗旨和目标。指出，实施素质教育就是全面贯彻党的教育方针，以提高国民素质为根本宗旨，以培养学生的创新精神和实践能力为重点，造就有理想、有道德、有文化、有纪律的德智体美等全面发展的社会主义事业建设者和接班人，实施素质教育应当贯穿于幼儿教育、中小学教育、职业教育、成人教育、高等教育等各级各类教育，应当贯穿于学校教育、家庭教育和社会教育等各个方面，各级各类学校要以马克思列宁主义、毛泽东思想和邓小平理论为指导，按德育总体目标和学生成长规则确定不同学龄段的德育内容和要求，在培养学生的思想品质、行为规范等方面形成一定的目标递进层次，形成学校、家庭、社会共同参与德育工作的新格局，智育、体育、美育教育协调发展。

《决定》强调要深化教育改革，为实施素质教育创造条件。指出，基本普及九年义务教育和基本扫除青壮年文盲，是全面推进素质教育的基础，要调整现有教育体系结构，扩大高中阶段教育和高等教育的规模，拓宽人才成长的道路，减轻升学压力；要构建与社会主义市场经济体制和教育内在规律相适应、不同类型教育相互衔接的教育体制，为学校毕业生提供继续学习深造的机会。要在入学格局、考试评价制度，课程设置等方面进行改革，为实施素质教育创造条件。

《决定》指出，建设高质量的教师队伍，是全面推进素质教育的基本保证，因此要把提高教师实施素质教育的能力和水平作为师资培养和培训的重点，建立优化教师队伍的有效机制，合理配置教育资源，努力造就能够带领广大教师和教育工作者积极实施素质教育的学校领导及管理干部队伍。

《决定》要求切实加强党和政府对推进素质教育的领导，全党和全社会共同努力开创素质教育的新局面，要在法治、制度保障的前提下，努力采取有效措施，切实加大教育投入，大力推进素质教育。

全面推进素质教育，是我国教育事业的一场深刻变革，是一项事关全局、影响深远和涉及社会各方面的系统工程。《决定》的颁布，对于提高全民族的思想道德和科技文化素质，具有重大指导意义。

## 中央文明办等联合召开电视电话会议

# 部署开展优质规范服务　倡导文明行业新风

1999年6月15日，中央文明办、国务院纠风办联合召开全国电视电话会议，要求各地、各有关部门从服务经济建设中心，服务人民群众，服务改革发展稳定大局的高度，充分认识创建文明行业的重要性，深入开展优质规范服务，大力倡导文明行业新风。这是深入贯彻党的十五大和十四届六中全会精神，推动文明行业建设深入发展的重要举措。

党的十四届六中全会以后，中宣部、中央文明办和国务院纠风办从办好人民群众关心、满意的实事入手，从基层基础工作抓起，不断加大文明行业建设力度，率先在十大行业开展了“为人民服务，树行业新风”主题行动，先后推出了500个文明行业示范窗口，广泛开展了规范行业行为、树立行业新风的各项活动，受到了人民群众的普遍欢迎，产生了良好的社会效果。这次会议总结交流了创建文明行业的经验。国家税务总局、铁道部、上海市文明委、石家庄电业局在会上介绍了开展规范化服务的经验。

会议部署了深化创建文明行业活动的主要任务。强调深入开展优质规范服务，要继续以为人民服务、树行业新风为主题，以解决群众最关心的问题为着力点，通过规范行业行为，把职业要求制度化，把为人民服务具体化，多办好事实事，使群众得到实实在在的好处。要着力抓好与群众日常工作生活紧密相关的社会服务行业和其他行业系统的服务“窗口”，进一步密切党和政府同人民群众的联系。各行各业都要结合自身实践，制定切实可行的服务规范，深入进行职业理想、职业道德、职业纪律、职业技能教育。要建立健全科学规范的管理制度，不断提高管理水平，保证优质规范服务的实现。要把行业系统内部监督与外部监督紧密结合起来，使监督工作经常化、社会化。各地各行业主管部门要加强组织领导，采取有力措施，狠抓工作落实。对违反服务规范和行业纪律，尤其是以权谋私、侵害群众利益，影响恶劣的违法违纪行为要严肃查处。要把深入开展优质规范服务与加强行风建设紧密结合起来，统一融入创建文明行业的总体规划和行动之中，发挥好各种载体的作用。

# 中宣部等举办范玉恕先进事迹报告会

1996年6月19日，中宣部、建设部、天津市委在北京举办范玉恕先进事迹报告会。

范玉恕，天津市建工集团三建有限公司项目经理。1969年，范玉恕从事建筑工作。在此后30年的建筑实践中，他不论是当普通工人，还是作项目经理，都以对国家、对人民高度负责的精神，严字当头，科学管理，始终坚持老老实实做人，结结实实盖楼，努力建百年工程，筑时代丰碑。他先后负责了18项、30万平方米工程施工任务，工程质量优良率达到了100%，并获得两项建筑业最高奖——鲁班奖及其他多项奖励。他当项目经理20多年，“不吃人家一顿饭，不抽人家一支烟，不要人家一分钱”。无私才能无畏，有了这种精神，施工中范玉恕敢于向质量叫板，建起了一座座高质量工程。

改革开放以来，我国的建设事业取得了辉煌的成就。但是，也应该看到建设工程质量总体水平还不高，特别是在一段时间，接连出现了四川綦江县垮桥等一系列造成严重工程质量事故的“豆腐渣”工程，社会影响恶劣，群众反映强烈。对此，党中央国务院十分重视，强调要把工程质量摆到十分重要的位置，并采取了一系列重大措施。范玉恕的先进事迹告诉人们，百年大计、质量第一，关键是人的因素，是建设一支爱岗敬业、技术过硬、纪律严明的高素质职工队伍。

范玉恕的先进事迹，生动地展示了工人阶级的优秀品质和精神风貌，集中体现了全心全意为人民服务的宗旨，反映了市场经济条件下思想道德建设的客观要求，具有鲜明的时代特征。1999年6月14日至15日，《人民日报》连续发表了介绍范玉恕先进事迹的长篇通讯，并配发了评论员文章。为了进一步深入开展学习范玉恕活动，建设部、天津市分别做出了向范玉恕学习的决定。

# 中组部中宣部等举办吴登云先进事迹报告会

1999年6月26日，中组部、中宣部、卫生部和新疆维吾尔自治区党委在人民大会堂联合举办吴登云先进事迹报告会。

吴登云，新疆克孜勒苏柯尔克孜自治州乌恰县人民医院院长。1963年，毕业于江苏扬州医学专科学校的吴登云，响应祖国号召，来到乌恰县人民医院做医生。36年中，为抢救病人生命，他先后无偿献血7000多毫升，超过了一个成年人全身血液的总量，为抢救烧伤的婴儿，他割取自己腿上的13块皮。乌恰县山高路远，地广人稀，缺医少药。吴登云的足迹踏遍了全县的山山水水，村村寨寨，为群众巡诊治病，用他的高超医术为无数群众解除病痛，使许多人摆脱了死亡的阴影，人称“马背医生”。乌恰县是贫困县，对于那些无力承担医药费的病人，吴登云充满了爱心。他当院长后规定，凡确属贫困户的病人，医院只收取药费，其他费用全免。为了降低医疗成本，吴登云总是认真计算每一分钱，他把药品的进价压到最低，医院用的药用棉签，都是他们亲手制作的。他还先后培养了一大批医务人员，使医院由过去连阑尾炎手术都做不好，发展到现在除了开胸、开颅手术不能做，几乎所有的常规手术都能开展，医疗水平在边疆县级医院中遥遥领先。吴登云挚爱这片热土，他几次主动放弃了回家乡的机会，被当地群众誉为“白衣圣人”。

吴登云是新中国特别是改革开放新时期全心全意为人民服务的典范，他不仅是医疗卫生战线，也是全国各民族人民的楷模。他以一名共产党员的高度责任感和模范行动，为民族团结、为解决少数民族地区缺医少药问题，做出了重要贡献，在医德、医风、医术方面树立了光辉榜样。

1999年6月22日，《人民日报》在第一版以《雪山的呼唤》为题，刊登了介绍吴登云先进事迹的长篇通讯，并配发了《到人民最需要的地方去》的评论员文章。

# 《毛泽东文集》第六、七、八卷出版发行

毛泽东的重要著作集《毛泽东文集》第六、七、八卷，已于1999年上半年人民出版社出版，陆续在全国各地发行。至此，经中共中央批准由中央文献研究室编辑的八卷本《毛泽东文集》全部出齐。

《毛泽东文集》是继《毛泽东选集》之后编辑出版的又一部综合性的多卷本毛泽东著作集。文集编入《毛泽东选集》第一至四卷以外的重要著作803篇，230万字，是从毛泽东1921年至1976年的大量文稿和讲话、谈话记录中精选出来的。《毛泽东文集》是《毛泽东选集》的重要补充，是学习和研究毛泽东思想的重要文献集。

《毛泽东文集》第一、二卷，于1993年12月出版；第三、四、五卷，于1996年9月出版。这五卷编入的是毛泽东民主革命时期的著作。

这次出版的《毛泽东文集》第六、七、八卷，编入的是毛泽东建国后的重要著作，近300篇，其中不少是第一次公开发表。这三卷文集，对于了解、学习和研究毛泽东关于社会主义革命和社会主义建设的重要思想，特别是他对中国社会主义建设道路的探索，对于了解和研究新中国前27年的历史，具有重要的理论价值和文献价值。文集中的一些重要思想，对于社会主义现代化建设，具有现实指导意义。

文集第六卷，编入毛泽东1949年10月至1955年12月的著作137篇，33万字。这一卷涵盖的时段，前3年是新中国的经济恢复时期，收入的著作主要内容包括：宣告中华人民共和国成立。部署消灭国民党残余军队，和平解放西藏，继续完成祖国统一大业。提出用3年左右时间争取国家财政经济状况基本好转的总任务和不要四面出击的策略方针。指导继续完成土地改革和开展镇压反革命。作出抗美援朝的重大决策。为反对腐蚀决定在国家工作人员中开展“三反”斗争，为打击不法资本家决定开展“五反”斗争。

后3年是对生产资料私有制的社会主义改造和第一个五年建设计划时期，收入的著作主要内容包括：提出和阐述党在过渡时期的总路线。主持制定第一部中华人民共和国宪法。为实现社会主义工业化和对农业、手工业、资本主义工商业进行社会主义改造规定一系列方针政策。编入本卷的著作中，还反映了毛泽东对新中国的外交工作、财政经济工作、政权建设工作、文化工作、人民军队和国防现代化建设、统一战线和民族工作等方面提出的一些重要的指导性的意见。

文集第七卷，编入毛泽东1956年至1958年的著作72篇，29万字。1956年，我国基本上完成了对生产资料私有制的社会主义改造，并开始全面建设社会主义。收入的著作主要内容包括：提出社会主义革命的目的是解放生产力，要努力改变我国在经济上和科学文化上的落后状况，尽快达到世界先进水平。在对适合中国情况的社会主义建设道路的探索中，围绕调动一切积极因素为社会主义服务的基本方针，阐述社会主义建设的十大关系；强调区分人民内部矛盾和敌我矛盾，把正确处理人民内部矛盾作为国家政治生活的主题；

提出艺术上“百花齐放”、科学上“百家争鸣”的繁荣社会主义文化的方针；提出共产党同各民主党派长期共存、互相监督的方针。强调继承党的优良传统，加强党的建设。倡导破除迷信，解放思想，尊重科学。总结无产阶级专政的历史经验，正确评价斯大林。反对美帝国主义侵略台湾，维护祖国的主权和统一。提出帝国主义是真老虎又是纸老虎的论断。1958年毛泽东轻率发动“大跃进”和人民公社化运动，“共产风”等“左”倾错误泛滥开来。这一卷文集节选了他初步纠正这些错误的一些讲话，强调要利用商品生产和价值法则为社会主义服务，反对弄虚作假虚报成绩等。

文集第八卷，编入毛泽东1959年至1975年的著作90篇，29万字。这一卷涵盖的时段，在前7年党和国家经历了曲折的发展过程，毛泽东一方面继续纠正实际工作中的“左”倾错误，总结经验教训，一方面又发生在庐山会议错误批判彭德怀和在八届十中全会重提阶级斗争等错误。收入的著作主要内容包括：批评把社会主义误认为共产主义、把按劳分配误认为按需分配、把集体所有制误认为全民所有制的错误，强调不能剥夺农民利益，坚决纠正“共产风”。指出价值法则是一个伟大的学校，只有利用它才能建设社会主义和共产主义。指出社会主义的第一阶段是不发达的社会主义，第一次提出四个现代化。重申实事求是的思想原则，大兴调查研究之风。系统阐述民主集中制，要求党内党外都要有充分的民主生活。强调要把马克思列宁主义的普遍真理同中国社会主义建设的具体实际相结合，认识和掌握社会主义建设的客观规律。论述人的正确思想是从生产斗争、阶级斗争和科学实验这三项社会实践中来的。提出大力提倡学习和掌握马克思主义的认识论和辩证法。后10年是“文化大革命”时期，毛泽东发动“文化大革命”是全局性的严重错误。文集只选了他在这一时期关于改革对外宣传工作、三个世界的划分、打开外交工作新局面和调整文艺政策等方面的一些重要论述。

编辑出版《毛泽东文集》，是为了广大干部和群众更好地学习和研究毛泽东思想，继承和发扬毛泽东留下的宝贵精神财富。编入文集第六、七、八卷的著作，着重反映毛泽东在我国社会主义时期提出的正确的或基本正确的思想理论和方针政策，作为历史文献，有些重要著作虽有“左”的痕迹，仍选人了这部文集。

# 中央文明委召开第五次全体会议

1999年6月30日，中央精神文明建设指导委员会召开第五次全体会议。会议讨论并原则同意中央文明委《1999年上半年工作情况和下一步工作安排（讨论稿）》和《关于表彰全国创建文明城市（区）、文明村镇、文明行业工作先进单位的通知（讨论稿）》。丁关根、李铁映同志讲了话。

会议认为，近些年来，在以江泽民同志为核心的党中央领导下，精神文明建设工作不断取得新的成就。特别是在1998年抗洪抢险斗争中，广大军民万众一心、顽强拼搏，取得了伟大的胜利，谱写了一曲壮丽的凯歌。在强烈抗议以美国为首的北约悍然袭击我驻南使馆野蛮暴行的斗争中，全国各族人民爱国主义热情空前高涨，唱响了抵御外侮，维护尊严，强我中华的主旋律，对党和政府的信任感、加快发展的紧迫感、做好工作的责任感大大增强。这是爱国主义、集体主义和社会主义精神的大展示，民族力量的大凝聚，社会主义精神文明的大发扬。精神文明建设工作呈现出积极健康向上的态势，对深化改革，促进发展，维护稳定发挥了重要作用。

会议指出，当前我们面临的国际环境十分复杂，改革发展稳定任务非常繁重。我们一定要增强政治意识、大局意识、责任意识，紧紧围绕中央总的工作部署，切实加大精神文明建设工作力度，唱响主旋律，打好主动仗，把强烈的爱国之心和报国之志进一步凝聚到党的十五大确定的各项任务上来。

会议强调，精神文明建设的各项工作都要坚持以经济建设为中心，都要同完成改革发展任务相结合，同维护社会稳定相结合。要深入开展马克思主义唯物论和无神论教育，引导广大群众特别是党员、干部树立正确的世界观、人生观、价值观。精神文明建设各项工作都要把着力点始终放在与群众密切相关，为群众所欢迎的事情上，把好事办实，实事办好，使群众在参与中受到教育，在创建中受益。

会议要求，对精神文明建设工作，全党全社会要高度重视，加强领导，形成合力，要紧紧围绕党中央确定的主题，广泛开展各种形式的庆祝新中国成立50周年纪念活动，努力为新中国成立50周年大庆创造良好的社会环境。

会议决定，在庆祝新中国成立50周年之际，中央文明委要在全国表彰一批创建文明城市、文明村镇、文明行业工作先进单位。各地各部门要高度重视，精心组织，坚持标准，务求实效，使这次推荐表彰的过程，成为提高创建水平的过程，通过推荐表彰，促进精神文明建设再创新成绩，再上新台阶。在全国表彰创建文明城市、文明村镇、文明行业工作先进单位，是群众性精神文明创建活动开展20年来的第一次，对积极参加创建活动的亿万人民是一个很大的激励。

# 中国文联庆祝50华诞

7月13日，400余位文学艺术家云集人民大会堂，庆祝中国文联成立50周年。全国人大常委会副委员长王光英参加了庆祝大会并表示祝贺。中宣部副部长刘鹏受中共中央政治局委员、书记处书记、中宣部部长丁关根的委托，到会向大家转达他对中国文联的热烈祝贺，对半个世纪以来为文联事业的发展和文艺事业的繁荣作出卓越贡献的几代文艺家致以崇高的敬意，对中国文联全体同志和全国广大文艺工作者诚挚的问候；转达他希望中国文联广泛团结全国文艺工作者，为繁荣社会主义文艺事业、为加强社会主义精神文明建设、为推动社会主义文化建设新高潮、用优秀文艺作品向新中国成立50周年献礼作出更大的贡献。

中国文联副主席、党组书记高占祥在庆祝大会上发表了热情洋溢的讲话。他满怀激情地回顾了中国文联50年的风雨历程，认为中国文联成立以来的50年是探索创新的50年，是风雨兼程的50年，是业绩辉煌的50年。50年来，我们的文艺家始终与党同心同德，与人民同舟共济，与时代同步前进。我们的文艺队伍，是一支党和人民信赖的队伍，是一支忠于祖国的队伍，是一支经得起风浪考验的队伍，是一支为繁荣祖国文艺事业作出了卓越贡献的队伍。我们为有这样一支好的队伍而感到自豪。

曾经出席过第一次文代会的著名老艺术家陈强、中国戏剧家协会主席李默然、中国作家协会副主席张锲、上海市文联党组书记周渝生代表全国的文艺家们发言。他们表示，艺术家们在中国文联这个人民团体里，组成了一个亲密和谐、有生命力、有凝聚力、有创造性的大家庭，他们为自己是这个大家庭中的一员、为能够作为新时期的文艺工作者而颇感自豪。他们为自己是党所直接领导和指挥的文艺大军的成员而深感自豪。每一次代表大会，都受到党中央的直接关怀。党的三代领导集体，都曾经对文学艺术作出过重要指示。而这些，正是广大文艺工作者创作力量的源泉，从胜利走向胜利的有力保证。

# 全国人民坚决拥护党中央处理和解决“法轮功”问题的决定

1999年7月22日，中共中央发出《关于共产党员不准修炼“法轮大法”的通知》。同时，民政部做出取缔“法轮大法研究会”的决定，公安部也发布了有关通告，禁止宣扬“法轮大法”。至此，党和政府领导人民揭批李洪志及其“法轮大法”，坚决处理解决“法轮功”问题的斗争正式展开。

李洪志，1952年7月7日出生于吉林省公主岭市。1992年以后，他在北京非法设立了“法轮大法研究会”，自任会长。“法轮功”非法组织，在全国各地设立了39个辅导总站，总站下又分设1900多个辅导站，2.8万多个练功点，自上而下形成了一个完整的组织系统。李洪志编造“法轮大法”，操纵“法轮功”组织，蛊惑人心，愚弄群众。他们从精神上操纵练功者，鼓吹“地球爆炸”、“末日来临”，只有练“法轮功”才能“消灾避难”，“度人去天国”等歪理邪说，造成逾千人因迷信“法轮功”致死的严重后果。他敛取钱财，据不完全统计，非法获利达4000多万元。他们从组织上控制练功者，竭力发展非法的全国性机构，甚至打入我们的一些党政机关和要害部门，试图发展为同我们党和政府相抗衡的政治势力。谁不赞成他那一套，谁揭露他们造成的危害，他们就对谁进行围攻，曾多次组织不明真相的群众围堵新闻单位，骚扰党政机关，甚至在中南海周围组织大规模的非法聚集活动，向党和政府施加压力。

“法轮功”事件是1989年政治风波以来最严重的一次政治事件，是国内外敌对势力同我们党争夺群众、争夺阵地的一场严重的政治斗争。这场斗争，涉及新时期我国社会主义意识形态领域的深层次问题，关系到我们共产党人的根本信仰，关系到全国人民团结奋斗的根本思想基础，关系到我们党和国家的前途命运。

党和政府关于处理和解决“法轮功”问题的决定，得到了广大党员、人民群众的坚决拥护。全国广大党员群众迅速行动起来，形成了强大的政治攻势和舆论攻势。绝大多数“法轮功”练习者受到教育和震动，纷纷脱离“法轮功”组织，“法轮功”组织土崩瓦解。极少数借练功“弘法”之名，存心作乱，宣扬歪理邪说，蒙骗群众，挑动制造事端，破坏社会稳定，执迷不改的人，依法受到了惩处。

在同“法轮功”非法组织斗争中，按照中共中央《关于共产党员不准修炼“法轮大法”的通知》，广大共产党员集中开展了学习教育活动。以江泽民同志重要讲话和中央关于“法轮功”问题的指示精神为指导，通过揭批李洪志的歪理邪说，普遍受到了一次马克思主义辩证唯物论和无神论的教育，增强了政治敏锐性和政治鉴别力，进一步树立了正确的世界观、人生观、价值观，坚定了共产主义理想信念。

各地还充分利用李洪志及其“法轮大法”这个反面教材，在广大群众中深入宣传马克思主义唯物论和无神论，深刻揭露和批判李洪志及其“法轮功”组织的反动本质和严重危害，倡导科学精神，破除封建迷信，增强了识别封建迷信和抵制唯心主义各种错误思潮及各种伪科学的能力；认清了李洪志歪理邪说的反动本质，提高了维护大局，自觉遵纪守法，坚决维护稳定的自觉性。

在这场斗争中，各级党委和政府始终严格掌握政策界限，严格依法行事。坚定地相信大多数，教育大多数，孤立极少数，把一般“法轮功”练习者同参加“法轮功”组织的少数骨干区别开来；把一般骨干同极少数有政治企图、存心作乱的幕后人物、策划者、组织者区别开来；把在“法轮功”问题上犯有错误，但有明显悔过表现的同执迷不悟、拒不改正的区别开来；把中央做出决定之前犯错误同决定下达之后继续犯错误的区别开来，该解脱的解脱，该处理的处理，该打击的打击。同时，帮助大多数“法轮功”练习者真正从思想上转变。特别是“法轮功”组织被定性为邪教组织后，各级党委和政府根据情况区别对待，通过诚恳耐心、深刻细致、入情入理的教育引导工作，帮助“法轮功”练功者进一步认清李洪志及其“法轮功”组织者的政治本质和严重危害；帮助他们学习马克思主义的基本原理，坚持唯物主义、反对唯心主义；坚持无神论、反对有神论；宣传倡导科学精神、反对封建迷信，使绝大多数的“法轮功”练习者逐步明确了认识、提高了觉悟、分清了是非、转变了态度，极少数执迷不悟的顽固分子依法受到了惩处。

这场严峻的政治斗争，使全党和全国人民深刻认识到：我们一定要讲政治，要进一步提高讲政治的自觉性。“法轮功”问题，从反面给我们上了一堂深刻的政治课，告诉人们必须时刻保持政治上的清醒和坚定，努力增强政治敏锐性和政治鉴别力。

要用马克思主义占领思想阵地。思想领域的斗争是长期的复杂的，有时甚至是尖锐的。思想领域的阵地，无产阶级思想不去占领，非无产阶级思想就必然去占领。我们必须有清醒的思想认识和足够的精神准备，唱响主旋律，打好主动仗，把巩固、发展社会主义意识形态和思想阵地的任务长期不懈地抓下去。

加强和改进新形势下的思想政治工作。在新的历史条件下，思想政治工作只能加强，不能削弱；只能开拓创新，不能因袭不前。要适应国际国内新的形势，努力探索新途径、新方式、新办法，形成全党全社会共同做思想政治工作的大环境。要加强马克思主义唯物论和无神论教育，加强正确的理想信念教育，加强科学的世界观、人生观和价值观教育，进一步巩固共产党人的根本信仰和全国人民团结奋斗的共同思想基础。要弘扬科学精神，普及科学知识，掌握科学方法，树立科学思想，倡导科学文明健康的生活方式，增强人们识别、抵御各种唯心主义思潮和封建迷信及伪科学的能力。

# 《江泽民论社会主义精神文明建设》出版发行

1999年8月，由中共中央政策研究室编辑的《江泽民论社会主义精神文明建设》一书公开出版发行。

这本书从江泽民同志1989年至1998年的报告、讲话、书信、题词中摘录了有关社会主义精神文明建设的论述。这些论述主要包括关于社会主义精神文明建设是建设有中国特色社会主义的本质要求，把物质文明建设和精神文明建设作为统一的奋斗目标，坚持两手抓、两手都要硬的方针的思想；关于社会主义精神文明建设的目标是培养“四有”公民，精神文明要重在建设，重在管理，要吸收借鉴人类文明的成果，抵制腐朽思想的侵蚀，精神产品生产必须把社会效益放在首位，精神文明建设必须有物质保障的思想；关于要用马列主义、毛泽东思想，特别是邓小平理论武装全党和教育人民的思想；关于要大力加强思想道德建设和文化建设的思想；关于要大力发展教育事业，发展科技事业的思想；关于知识分子在加强精神文明建设中的伟大历史使命和从青少年抓起，加强精神文明建设的思想；关于党要切实加强对社会主义精神文明建设的领导的思想。这些论述共分10个专题。这10个专题是：社会主义精神文明建设的战略地位；社会主义精神文明建设的目标和方针原则；关于学习马列主义、毛泽东思想、邓小平理论；关于思想道德建设；关于文化建设；教育事业与精神文明；科学技术与精神文明；知识分子与精神文明；青少年与精神文明；党对社会主义精神文明建设的领导。

《江泽民论社会主义精神文明建设》一书的出版发行，对于推动我国社会主义精神文明建设，在全党和全国人民中进行马克思主义理想信念和思想道德教育，提高全民族的科学文化素质，具有重大现实意义和深远历史意义。

# 中宣部等举办方红霄先进事迹报告会

1999年8月3日，中宣部、解放军总政治部、中共云南省委在人民大会堂举办方红霄先进事迹报告会。

方红霄，武警云南总队二支队五中队中队长，1970年生，1990年3月入伍。入伍9年来，面对穷凶极恶的歹徒，舍死忘生，无所畏惧；面对金钱美女的诱惑，一尘不染，正气凛然；面对暂时遇到困难的群众，慷慨解囊，热心援助。

方红霄的战斗岗位是昆明火车站值勤第一线，在缉私缉毒、打击犯罪的特殊战场上，他令不法分子闻风丧胆。几年来，共查获海洛因等毒品45.3公斤，假钞14万元，各类枪支41支，子弹2172发，管制刀具38540把，捕获犯罪分子1919人。为此他曾多次负伤。方红霄先后被评为优秀士兵，优秀班长，三次荣立三等功，一次二等功，并荣获"中国五四青年奖章"、"中国武警十大忠诚卫士"、"人民卫士"、"护法勇士"等光荣称号。方红霄曾两次受到江泽民总书记接见。1999年8月2日，《人民日报》以《人民的忠诚卫士——方红霄》为题，刊登了方红霄先进事迹，并配发《浩然正气写忠诚》的评论员文章。

方红霄是人民武装警察部队中涌现的优秀代表，他忠实履行神圣职责，做党和人民的忠诚卫士，不仅是部队官兵学习的榜样，也是当代青年学习的榜样。方红霄的先进事迹感人至深，在武警部队中引起了强烈反响。武警部队党委做出了向方红霄学习的决定。

## 中央文明办召开座谈会

# 深入揭露批判"法轮功"

1999年8月6日，中央文明办在北京召开"深入揭露批判'法轮功'，切实加强精神文明建设"座谈会，深入揭露和批判李洪志及其"法轮功"组织的反动政治本质和严重危害，揭露和批判李洪志的歪理邪说对社会主义精神文明建设的严重破坏。会议提出，我们要进一步提高认识，有针对性地加强精神文明建设，用社会主义思想道德和健康有益的文体活动占领思想文化阵地。

会议指出，李洪志所炮制的歪理邪说，是对社会主义精神文明的反动和亵渎，是与社会主义精神文明根本对立的。李洪志宣称"法轮功"组织不参与政治，打着"真、善、忍"的幌子，标榜要通过修炼"把人向高层次带"，做一个道德高尚的高境界中的"好人"。以此蒙骗和迷惑了许多善良的群众，腐蚀人们的思想，毒化社会风气，破坏中华民族的凝聚力。我们一定要站在讲政治的高度，充分认识这场政治斗争的极端重要性，深入揭批李洪志的歪理邪说反社会主义精神文明的本质，为加强精神文明建设扫除障碍。会议认为，“法轮功”的产生和蔓延充分说明，思想政治领域的斗争是长期的、复杂的。思想领域的阵地，马克思主义不去占领，非马克思主义和反马克思主义的思想就必然去占领。对此，我们要有清醒的认识。加强社会主义精神文明建设，最重要的是加大思想道德建设的力度。会议强调，一定要坚持用马列主义、毛泽东思想和邓小平理论武装全党、教育干部群众，进一步加大党的基本理论、基本路线和基本纲领的教育力度，引导广大干部群众坚定共产主义的理想，坚定建设有中国特色社会主义的信念，牢固树立正确的世界观、人生观、价值观。深入开展马克思主义的唯物论和无神论教育，使广大干部群众掌握辩证唯物主义和历史唯物主义的基本原理和基本观点。进一步加大爱国主义教育的力度，在全社会发扬自尊、自信、自强的民族精神，提高全国人民的民族自尊心和自豪感，发扬以贡献全部力量建设和保卫社会主义祖国为最大光荣，以损害国家利益、国家尊严为最大耻辱的良好风尚。进一步加大艰苦创业精神教育的力度，引导人们大力发扬艰苦奋斗、励精图治、知难而进、自强不息的精神。进一步发挥共产党员在全社会精神文明建设中的表率作用，发挥党的领导干部在全党的表率作用。

会议强调指出，一定要把精神文明建设的着力点始终放在面向群众，造福群众上，多做得人心、暖人心、稳人心的工作。要把科学知识、科学精神教育摆上精神文明建设的重要位置，以科学破除迷信，用文明战胜愚昧，在全社会倡导崇尚科学，反对封建迷信的风气。要适应群众的需要，大力开展多种形式的文明健康、积极向上的文体活动。大力开展科学知识和科学精神教育活动，努力提高干部群众的科学文化素质。要加强社区工作，搞好社区服务和社区文化活动，使社区成为社会主义精神文明建设的重要阵地。总之，要通过我们的工作，把思想统一起来，把力量凝聚起来，努力推进两个文明建设的健康发展。

这次会议对于进一步揭批李洪志及其“法轮功”的歪理邪说，切实加强精神文明建设具有重要的意义。同时也说明，大力加强社会主义精神文明建设，用马克思主义、毛泽东思想、邓小平理论占领思想领域阵地，对改革发展稳定具有重要现实意义和深远历史意义。

# 党中央转发《关于改革开放和发展社会主义市场经济条件下军队思想政治建设若干问题的决定》

1999 年 8 月，中共中央发出通知，转发《关于改革开放和发展社会主义市场经济条件下军队思想政治建设若干问题的决定》（以下简称《决定》）。通知指出，其精神不仅对加强军队思想政治建设具有重要的指导作用，也适用于全党的思想政治建设。

重视思想政治建设是我们党和军队的特有优势。在国际战略格局正在发生深刻变化，我国社会正处在重大转折时期，思想政治领域存在复杂的矛盾和斗争的时候，加强军队思想政治建设，对于坚持党的领导，贯彻党的基本理论、基本路线和基本纲领，维护和巩固改革、发展、稳定的大局，保证社会主义现代化建设顺利进行，具有极为重要的意义。中国人民解放军是党领导下的人民军队，是体现党和国家政治优势的重要力量，必须把思想政治建设摆在军队各项建设的首位，充分发挥政治工作生命线的作用。

中央在转发《决定》的通知中指出，打赢未来高技术战争，保持人民军队的性质、本色和作风，是新时期党对人民军队的最高政治要求。军队思想建设必须为打赢未来高技术战争提供强大的精神动力，为保持人民军队的性质、本色和作风提供可靠的政治保证。实现新时期思想政治建设使命，是全军各级党委、政治机关和广大政治干部的首要职责，是开展各项政治工作的出发点和落脚点。

《决定》对改革开放20年特别是党的十四大以来军队思想政治建设的实践和新时期军队思想政治建设的基本经验进行了总体回顾，对新的历史条件和国际国内形势的变化进行了深刻分析。集中回答了改革开放和发展社会主义市场经济条件下军队思想政治建设面临的重大问题，体现了古田会议以来我军政治工作的优良传统。《决定》以邓小平理论为指导，全面贯彻江泽民同志关于思想政治建设的重要论述，必将对军队政治工作和现代化建设产生重大而深远影响，同时其基本精神也完全适用于全党的思想政治建设。

# 《马克思恩格斯列宁斯大林毛泽东邓小平江泽民论唯物论和无神论》出版发行

根据中共中央关于开展马克思主义唯物论和无神论教育的指示精神，为了便于广大党员和干部学习掌握辩证唯物主义和历史唯物主义的基本原理和基本观点，进一步划清唯物论与唯心论、无神论与有神论、科学与迷信的界限，中共中央文献研究室、中共中央编译局合作编辑《马克思恩格斯列宁斯大林毛泽东邓小平江泽民论唯物论和无神论》一书。此书由中央文献出版社于8月份出版发行。

# 《新中国舞台影视艺术精品选》系列光盘出版发行

中华人民共和国成立50周年大庆临近之时，由中宣部、文化部、广播电影电视总局、新闻出版署、中国文联、中国作协联合推出的《新中国舞台影视艺术精品选》系列光盘问世。这套光盘共选入了新中国50年来戏剧、音乐、舞蹈、曲艺、杂技、电影、电视等7个艺术门类计500部精品。它的出版是献给共和国大庆的一份厚礼，是“以优秀作品鼓舞人”的一个重要举措。

# 中国文化周在巴黎隆重开幕

由中国国务院新闻办公室和联合国教科文组织联合举办的“’99巴黎·中国文化周”9月1日下午在巴黎隆重开幕。这是近些年来中国在欧洲举办的规模最大的文化交流活动，将向国际社会集中展示中华民族五千年的文明和新中国成立50年、特别是改革开放以来在教育、科技、文化领域取得的辉煌成果，同时也将展示中国人民满怀豪情迎接21世纪的精神风貌。

联合国教科文组织和中法两国政府对中国文化周活动给予了高度重视和支持。中国国家主席江泽民和法国总统希拉克为这项活动题了词。中共中央政治局委员、中央书记处书记、中国对外文化交流协会名誉会长丁关根代表中国政府出席开幕式。联合国教科文组织大会主席鲍太拉、执行局主席帕塔基、教科文组织总干事马约尔、中国国务院新闻办主任赵启正、法国政府文化和通讯部长特劳特曼夫人、法国经社理事会主席马泰奥利和巴黎市副市长杜蓬等也出席了开幕式。

为期12天的中国文化周以“走向21世纪的中国”为主题，活动内容十分丰富，包括“中国经济与社会发展”和“面向21世纪的中国人”两个主题论坛，反映中国教育、科技、文化成就的大型展览和陶瓷艺术、京剧服饰、编钟及古乐器等专题展览，介绍古代青铜器、古建筑和京剧艺术的专题文化讲座，以及中国民族舞蹈表演、编钟音乐会和中华服饰文化表演等丰富多彩的演出节目。

# 江泽民致信白寿彝 祝贺《中国通史》全部出版

中共中央总书记江泽民写信给北京师范大学教授白寿彝，祝贺他主持编写的《中国通史》全部出版。

江泽民在信中说，您主编的二十二卷本《中国通史》的出版，是我国史学界的一大喜事。您在耄耋之年，仍笔耕不辍，勤于研究，可谓老骥伏枥，壮心未已。对您和您的同事们在史学研究上取得的重要成就，我表示衷心的祝贺。

江泽民指出，以史为鉴，可以知兴替。中华民族历来重视治史。世界几大古代文明，只有中华文明没有中断地延续下来，这同我们这个民族始终注重治史有着直接的关系。几千年来，中华文明得以不断传承和光大，一个重要原因就是我们的先人懂得从总结历史中不断开拓前进。我国的历史，浩淼博大，蕴含着丰富的治国安邦的历史经验，也记载了先人们在追求社会进步中遭遇的种种曲折和苦痛。对这个历史宝库，我们应该运用历史唯物主义的观点不断加以发掘，在前人研究的基础上不断作出新的总结。这对我们推进今天祖国的建设事业，更好地迈向未来，具有重要的意义。

江泽民说，中华民族的历史，是全民族的共

同财富。全党全社会都应该重视对中国历史的学习，特别是要在青少年中普及中国历史的基本知识，以使他们学习掌握中华民族的优秀传统，牢固树立爱国主义精神和正确的人生观、价值观，激励他们为中华民族的伟大复兴而奉献力量。我一直强调，党和国家的各级领导干部要注重学习中国历史，高级干部尤其要带头这样做。领导干部应该读一读中国通史。这对于大家弄清楚我国历史的基本脉络和中华民族的发展历程，增强民族自尊心、自信心和奋发图强的精神，增强唯物史观，丰富治国经验，都是很有好处的。同时，我们也要学习和借鉴外国历史。历史知识丰富了，能够“寂然凝虑，思接千载”，眼界和胸襟就可以大为开阔，精神境界就可以大为提高。我提倡领导干部“讲学习、讲政治、讲正气”，而讲政治、讲正气，也是要以丰富的历史知识作基础的。

江泽民在信中说，我相信，这套《中国通史》，一定会有益于推动全党全社会进一步形成学习历史的浓厚风气。

1999年是白寿彝教授90华诞。历经70年的探索，白寿彝在民族史、民族理论、史学史、中国交通史、历史教育等诸多领域取得了令人瞩目的成就，特别是对中国通史的研究作出了重大贡献。这次由他主持编写的多卷本《中国通史》，全书约1200万字，记述了自远古时代至1949年中华人民共和国成立的中国历史的发展过程。20余位历史学家、考古学家应邀分别担任各分卷主编，来自全国各高等学校、社会科学研究院所及有关部门的500余位专家学者参加了撰稿工作。

# 第四届城运会在西安隆重开幕

在迎接新中国成立50周年的喜庆日子里，本世纪我国最后一次大型综合运动会——第四届全国城市运动会9月11日晚在西安市隆重开幕。

中共中央总书记、国家主席江泽民，全国人大常委会委员长李鹏，全国政协主席李瑞环分别为本届城运会题词。江泽民的题词是：“办好城运盛会、促进全民健身”；李鹏的题词是：“弘扬延安精神 办好城运盛会”；李瑞环的题词是：“办好城市运动盛会 促进城市健康文明”。

中共中央政治局常委、国务院副总理李岚清出席开幕式。

本届城运会共有来自全国57个代表团的3898名运动员参赛，香港特别行政区首次派团参加。

# 第七届精神文明建设“五个一工程”评选揭晓

中宣部9月15日在京召开“五个一工程”工作暨表彰会议，第七届精神文明建设“五个一工程”入选作品正式揭晓，宣传文化领域收获的又一批丰硕成果向新中国成立50周年献礼。中共中央政治局委员、书记处书记、中宣部部长丁关根出席会议。

本届“五个一工程”评选适逢新中国成立50周年，中宣部和各地宣传文化部门抓住机遇，精心组织，唱响主旋律，打好主动仗，把“五个一工程”的实施与向新中国成立50周年献礼的各项工作紧密结合起来，极大地调动了理论界、文艺界、出版界的积极性，极大地推动了精神产品的创作生产，参评单位和参评作品数量都大大多于往届。参评作品的范围为1997年7月至1998年6月间创作生产的理论文章、电视理论专题片、图书、电影、电视剧（片）、戏剧、歌曲、广播剧等8类作品。经终审确定，372部作品荣获第七届“五个一工程”入选作品奖。

这些入选作品反映了半个多世纪，特别是改革开放20年和党的十五大以来，中国共产党领导全国各族人民取得的巨大成就。作品题材广泛，涉及政治、经济、文化、军事、外交、人民生活各个方面，再现重大革命历史进程，反映人民群众日常生活，生动展示了中国人民建设有中国特色社会主义的丰富实践。入选作品的艺术风格也丰富多彩，创作方法、形式、体裁、风格多种多样，高雅厚重与通俗易懂并重，民族文化特色突出，呈现出百花齐放的生动局面，唱响了社会主义文化的主旋律。其中一些入选作品被选入中宣部、文化部、广电总局、新闻出版署、中国文联、中国作协联合推出的向新中国成立50周年献礼重点文艺项目。

本届“五个一工程”评选工作坚持以邓小平理论和党的十五大精神为指导，坚持“二为”方向和“双百”方针，以科学的理论武装人，以正确的舆论引导人，以高尚的精神塑造人，以优秀的作品鼓舞人，弘扬主旋律，提倡多样化，突出团结奋进、欢乐喜庆、昂扬向上的基调，唱响祖国颂、社会主义颂、改革开放颂。坚持思想性、艺术性、观赏性统一，强化精品意识，坚持质量第一的原则，努力把最好的精神食粮奉献给人民，把代表全国精神产品创作成就和人民群众喜闻乐见的作品推荐评选出来，为促进改革发展，维护社会稳定的大局服务，向新中国成立50周年献礼。本届评选增强了评委的代表性和评审的广泛性，评选过程中600多人参加了作品预审，300多名专家和有关部门同志参加作品的审看、初评和论证，同时向中央和国家有关部门征求了意见。

中宣部常务副部长刘云山在会上作了工作报告，对进一步做好“五个一工程”各项工作提出明确要求。中央宣传思想工作领导小组成员出席会议。

## 中央文明委

# 隆重表彰精神文明创建工作先进单位

1999年9月16日，中央精神文明建设指导委员会在中南海召开电视电话会议，隆重表彰在全国精神文明创建工作中取得突出成绩的58个创建文明城市工作先进城市和城区，500个创建文明村镇工作先进县（市）、镇、村，500个创建文明行业工作先进单位，503个精神文明建设先进单位。中共中央政治局委员、书记处书记、中央文明委主任丁关根出席会议并讲话。中共中央政治局委员、中央文明委副主任李铁映主持了会议。这次表彰活动是对多年来群众性精神文明创建活动的一次集中检阅，是精神文明建设成果的一次充分展示，也是向新中国建国50周年奉献的一份厚礼。

党的十一届三中全会以后，我国进入了一个新的历史发展时期。在邓小平理论和党的基本路线指引下，全国各地广泛兴起各种形式的群众性精神文明创建活动。以江泽民同志为核心的党中央对精神文明建设高度重视，对群众性精神文明创建活动充分肯定。党的十四届六中全会专门作出《中共中央关于加强社会主义精神文明建设若干重要问题的决议》，极大地调动了全国人民建设社会主义精神文明的积极性和创造性。几年来，群众性精神文明建设更加深入开展，创建文明城市、文明村镇、文明行业步伐进一步加快，涌现出大批成绩突出的各类精神文明建设先进单位，对促进城乡文明程度和公民文明素质的提高，促进改革发展稳定起到了积极的推动作用。

在电视电话会议上，丁关根同志代表中央文明委向受表彰的先进单位表示热烈祝贺。他指出，创建文明城市、文明村镇、文明行业等群众性精神文明创建活动，是人民群众移风易俗、改造社会的伟大创造，是把两个文明建设任务有机结合落实到基层的重要载体，是人民群众在党的领导下为自己创造美好生活的有效途径，对促进改革发展、维护社会稳定具有重要作用。我们要进一步增强政治意识、大局意识、责任意识，坚持以经济建设为中心，深入开展群众性精神文明创建活动，更好地为人民服务，为社会主义服务，为全党全国工作大局服务。

丁关根同志强调，一定要坚持不懈地加强理想信念教育，在全社会牢固树立建设有中国特色社会主义的共同理想和信念，把全国各族人民的智慧和力量进一步凝聚到实现党的十五大确定的各项任务上来；一定要坚持不懈地开展马克思主义唯物论和无神论教育，把科学知识、科学思想、科学精神、科学方法的宣传和普及，作为精神文明建设的重要内容，积极倡导科学文明健康的生活方式；一定要坚持不懈地进行社会主义道德教育，坚决反对拜金主义、享乐主义和个人主义；一定要坚持不懈地面向群众，依靠群众，服务群众，把着眼点始终放在与群众利益密切相关、为群众所欢迎的事情上，每年办几件作用大、影响大的实事；一定要坚持不懈地抓好基层工作，深入持久地开展文明家庭、文明单位、文明机关和军民共建、警民共建等基层精神文明创建活动，切实加强社区精神文明创建工作，把创建任务落实到基层。要狠狠地抓，一天不放松地抓，从具体事件抓起，务求取得实实在在的成效。

江苏省张家港市、山东省文登市、黑龙江省哈尔滨市东莱派出所、河北省冀东水泥股份有限公司等受表彰单位的代表，在会上分别介绍了开展创建文明城市、文明村镇、文明行业和文明单位的经验。

9月17日，《人民日报》为这次表彰活动发表题为《为共和国增光添彩》的评论员文章，总结了受表彰的先进单位的共同特点：两个文明一起抓，两个文明共同进步；坚持不懈、持之以恒地抓精神文明建设；维护和创造团结、稳定、祥和的环境，是精神文明建设的一个重要内容；学习知识，提高素质，是加强精神文明建设的基础性工作。文章指出，在群众性精神文明创建活动中大批先进单位的涌现，给我们一种鼓舞和力量。他们的成功，意味着社会主义在这些城市、地区和部门取得了新胜利，意味着我们的理想和信念更加强有力地变成现实。我们应该加倍珍惜这些新成果，总结经验，探索规律，指导实践，进一步把我国社会主义精神文明建设推向一个新的高潮。

## 中共中央　国务院　中央军委
# 表彰为研制“两弹一星”作出突出贡献的科技专家

中共中央、国务院、中央军委9月18日下午在人民大会堂隆重举行表彰为研制“两弹一星”作出突出贡献的科技专家大会。中共中央总书记、国家主席、中央军委主席江泽民发表重要讲话。

他说，“两弹一星”事业的发展，不仅使我国的国防实力发生了质的飞跃，而且广泛带动了我国科技事业的发展，促进了我国的社会主义建设，造就了一支能吃苦、能攻关、能创新、能协作的科技队伍，极大地增强了全国人民开拓前进、奋发图强的信心和力量。“两弹一星”的伟业，是新中国建设成就的重要象征，是中华民族的荣耀与骄傲，也是人类文明史上的一个勇攀科技高峰的空前壮举。他指出，我们要实现跨世纪发展的宏伟目标，切实维护国家主权和安全，必须不断地提高我国的经济实力、科技实力和国防实力，不断增强我们的民族凝聚力。中国人民有站在世界科技进步前列的勇气、信心、智慧和力量。我们要始终瞄准国际先进水平，大力实施科教兴国战略，埋头苦干，迎头追赶，努力使我国的科技事业继续实现新的飞跃。

中共中央政治局常委、国务院总理朱镕基宣读了《中共中央、国务院、中央军委关于表彰为研制“两弹一星”作出突出贡献的科技专家并授予“两弹一星功勋奖章”的决定》，为研制“两弹一星”作出突出贡献的23位科技专家予以表彰，并授予于敏、王大珩、王希季、朱光亚、孙家栋、任新民、吴自良、陈芳允、陈能宽、杨嘉墀、周光召、钱学森、屠守锷、黄纬禄、程开甲、彭桓武“两弹一星功勋奖章”，追授王淦昌、邓稼先、赵九章、姚桐斌、钱骥、钱三强、郭永怀“两弹一星功勋奖章”。李鹏、朱镕基、李瑞环、胡锦涛、尉健行、李岚清出席大会。中央党政军群各部门负责同志和各民主党派中央、全国工商联负责人、无党派人士代表，参加过“两弹一星”研制工作的代表和科技界代表，以及首都各界代表等共6000多人参加了大会。

## 党的十五届四中全会

# 提出推进企业精神文明建设

1999年9月19日至22日，中国共产党第十五届中央委员会第四次全体会议在北京举行，全会审议通过了《中共中央关于国有企业改革和发展若干重大问题的决定》(以下简称《决定》)。

全会认为，推进国有企业改革和发展是一项重要而紧迫的任务。国有企业是国民经济的支柱。完成十五大确定的我国跨世纪发展的宏伟任务，建立和完善社会主义市场经济体制，保持国民经济持续快速健康发展，必须大力促进国有企业的体制改革、机制转换和技术进步。全会确定了从现在起到2010年国有企业改革和发展的主要目标和必须坚持的指导方针。

国有企业在国家经济和社会发展中始终处于十分重要的地位。搞好国有企业，既是关系国民经济健康运行和长远发展的重大经济问题，也是关系社会主义制度前途命运的重大政治问题。特别是在当前国际政治经济不稳，不确定因素增加，霸权主义和强权政治有新的发展，现代科技进步日新月异，国际经济竞争激烈的情况下，综合国力的增强，越来越成为决定一个国家前途和命运的主导因素。要增强我国的经济实力、国防实力和民族凝聚力，巩固和完善社会主义制度，就必须不断促进国有经济的发展壮大。能不能搞好国有经济，也关系到我国经济体制改革的成败。国有企业是社会主义市场经济的重要微观基础。把社会主义与市场经济有机结合起来，是人类历史上的伟大创造。作为我国经济支柱的国有企业如果不能适应市场经济的要求，充满活力，市场经济与公有制结合的问题就不能得到有效的解决，社会主义市场经济体制的大厦就不能真正建立起来。

党中央召开全会专门研究国有企业的改革和

发展问题，改革开放以来还是第一次。这次会议通过的《决定》，以邓小平理论为指导，贯穿了党的十五大精神，全面总结了20年来国有企业改革和发展的基本经验，阐明了搞好国有企业改革和发展的重大意义，明确了国有企业改革和发展的指导方针，提出了搞好国有企业改革和发展的一系列重大政策措施。

《决定》提出了今后国有企业改革发展必须坚持的10条指导方针，其中包括推进企业精神文明建设。《决定》指出，要全心全意依靠工人阶级，发挥企业党组织的政治核心作用。加强企业党组织建设和思想政治工作，提高企业经营管理者队伍素质。推进企业精神文明建设。加强思想道德教育和技术业务培训，全面提高职工队伍素质，培育积极向上的企业文化，推动物质文明和精神文明建设协调发展。

以江泽民同志为核心的党中央历来十分重视企业思想政治工作和精神文明建设。在党的十五届四中全会召开前夕，江泽民总书记在论述国有企业改革和发展时多次强调，企业思想政治工作和精神文明建设很重要，要切实加强领导，坚持用邓小平理论和党的基本路线武装广大职工，加强对职工的教育，不断提高职工思想道德素质和科学文化素质，努力建设“四有”职工队伍。

《决定》是加快国有企业改革和发展的纲领性文件。这次会议，不仅会对国有经济的发展壮大产生巨大的推动作用，同时也将极大地推进企业精神文明建设的深入发展。

# 大型文献图书《新中国五十年》出版

为庆祝中华人民共和国成立50周年，国家统计局组织编写的大型文献图书《新中国五十年》，于9月份由中国统计出版社正式出版发行。中共中央总书记、国家主席、中央军委主席江泽民为该书题写书名，国务院总理朱镕基作序，国务院副总理温家宝任指导委员会主任，有关部委负责人参与指导了该书的编写。

该书以文字描述、图片再现、统计图表直观对比的形式，描述新中国50年的巨变，展示共和国的发展历程，让人们感受祖国前进的脉搏。全书约124万字，分为综合篇、行业篇、地区篇、资料篇四个部分。从国民经济发展、工业化进程、城市化进程、城乡人民生活及国际间对比等方面展示我国半个世纪的辉煌成就。从经济体制改革和对外开放政策等方面回顾50年的变迁。从教育、科技、文化和艺术、新闻出版、广播电视、图书档案、文物保护、医疗卫生、体育事业、社会保障、劳动就业等方面展现社会发展与文化建设的轨迹。从人口与计划生育、控制污染与环境保护、国土资源管理与开发、减灾与救灾等方面揭示我国人口、环境与可持续发展的前景。这部书资料翔实，既有现实指导意义又具有历史收藏价值。

## 国家计委　中宣部等

# 举办“光辉的历程——中华人民共和国建国50周年成就展”

1999年9月20日至10月18日，在新中国成立50周年大庆之际，由国家计委、中共中央宣传部、国家经贸委、财政部、国家统计局和北京市主办的“光辉的历程——中华人民共和国建国50周年成就展”（以下简称“50周年成就展”）在北京隆重开幕。这次展览是中宣部等部门主办的中华人民共和国建国50周年系列庆祝活动的重要组成部分，有70多个中央部门、中国人民解放军和31个省（区、市）参展，香港首次以中华人民共和国特别行政区的身份参加了这次成就展。

“50周年成就展”展示内容跨度长达半个世纪，展现了中国人民在以毛泽东、邓小平、江泽民为核心的中国共产党三代领导集体的领导下，在建立和发展社会主义的经济、政治、文化、国防、外交和推进祖国统一大业的各个方面取得的辉煌成就。江泽民总书记等中央领导同志观看了展览。国务院总理朱镕基为展览致开幕词，国家副主席胡锦涛主持了开幕式。

“50周年成就展”规模巨大，内容丰富，充分展示了新中国成立50年来发生的翻天覆地的变化。50年来，中国各族人民在中国共产党的领导下，万众一心，艰苦奋斗，使贫穷落后、百业凋零的旧中国，变成一个蒸蒸日上、大踏步走向繁荣富强的新中国。特别是改革开放20年来，我们在建设有中国特色社会主义的经济、政治、文化等方面取得了举世瞩目的伟大成就。国民经济迅速发展，综合国力大为增强，许多重要工农业产品产量跃居世界前列。科技、教育、文化事业取得巨大成绩，各项社会事业全面进步。社会主义初级阶段的基本经济制度逐步完善，建立社会主义市场经济体制的改革取得决定性进展。全方位、多层次、宽领域的对外开放格局基本形成。社会主义民主法制建设不断加强。国防实力显著壮大。随着社会生产力不断发展，城乡人民生活明显改善，基本上解决了温饱问题，越来越多的居民过上小康生活。独立自主的和平外交政策取得重大成果，我国国际地位日益提高。这些都在展览中得到了较好的体现。

“50周年成就展”，浓缩了半个世纪以来中国人民走过的不平凡道路。新中国50年的沧桑巨变，特别是改革开放20年来取得的伟大成就谱写了几千年中国历史中最为灿烂的篇章。这是中国各族人民在中国共产党的领导下，50年艰苦创业的辉煌成果，是马克思主义、毛泽东思想、邓小平理论的伟大胜利，是中国社会主义制度巨大优越性和旺盛生命力的集中表现，成为向全国人民进行爱国主义教育的生动课堂。展览以翔实的内容、恢宏的气势、高科技的手段，吸引了成千上万的中外观众，从开幕到闭幕，观众达到150万人次。“50周年成就展”是首都庆祝建国50周年庆祝活动中持续时间最长的一项大型活动，极大地激发了全国人民的民族自豪感和爱国主义热情。在庆祝建国50周年和迎接新世纪的时候，这次展览引起了极大的社会反响，成为一次富有成效的热爱祖国、热爱社会主义、拥护改革开放的宣传教育活动。

# 江泽民等党和国家领导人观看“近代国画名家作品展”

党和国家领导人江泽民、李鹏、朱镕基、李瑞环、胡锦涛、尉健行、李岚清9月22日下午在全国政协礼堂三楼大厅兴致勃勃地观看了“近代国画名家作品展”。

“近代国画名家作品展”是在全国政协主席李瑞环的倡导下举办的。这次画展共收集展出了珍藏于北京故宫博物院、中国美术馆、荣宝斋、北京画院和全国政协等单位近百年来72位著名画家的佳作100多幅。这些作品比较全面地展现了一个多世纪以来国画艺术的发展全貌，记录了这一传统艺术不断发展、丰富和完善的历史过程。

# 第六届全国少数民族运动会开幕

9月24日晚，第六届全国少数民族传统体育运动会在北京工人体育场隆重开幕。

党和国家领导人江泽民、李鹏、李瑞环等为本届民运会题词。江泽民的题词是：“发展民族体育　增强民族体质”。李鹏的题词是：“发展民族体育　促进全民健身”。李瑞环的题词是：“开好民族运动会　促进民族大团结”。

晚9时，中共中央政治局常委、国务院总理朱镕基宣布：中华人民共和国第六届全国少数民族传统体育运动会开幕！中共中央政治局常委、全国政协主席李瑞环，中共中央政治局常委、国务院副总理李岚清，中共中央政治局委员、书记处书记、中宣部部长丁关根，中共中央政治局委员、北京市委书记贾庆林等出席了开幕式。

本届运动会是我国各民族“平等、团结、进步、繁荣”的盛会，也是本世纪我国举办的最后一次民族体育盛会。在隆重的入场式上，来自祖国各地34个少数民族体育代表团、56个民族的3000多名运动员，载歌载舞地通过主席台。

本届民运会组委会顾问、国家民委主任李德洙致开幕词。

本届民运会组委会主席、北京市市长刘淇致欢迎词。本届民运会组委会顾问、国家体育总局局长伍绍祖代表主办单位向承办城市赠送纪念杯。开幕式后，7000多名学生和战士演出了大型文艺表演《锦绣中华》。

## 庆祝中华人民共和国成立50周年

# 大型文艺晚会《祖国颂》在京隆重举行

为庆祝中华人民共和国成立50周年，由中宣部、文化部、广电总局、解放军总政治部和北京市政府联合主办的大型文艺晚会《祖国颂》，9月28日晚在人民大会堂隆重举行。党和国家领导人江泽民、李鹏、朱镕基、李瑞环、胡锦涛、尉健行、李岚清与首都各界群众万余人欢聚一堂，共庆佳节。

这台晚会共分“序幕”、“意气风发”、“春潮澎湃”、“世纪风帆”、“尾声”五章。“序幕”以洗练的手法表现了1840年以来中国人民不屈不挠的反帝精神，缅怀了革命先烈，颂扬了毛泽东等老一辈革命家的丰功伟绩。“意气风发”精选了五六十年代广泛流传的一批优秀文艺作品，以新的形式表达中国人民获得解放的欢乐心情，表达他们为建设新中国迸发出的自力更生、艰苦奋斗的豪迈情怀。“春潮澎湃”撷取了党的十一届三中全会以来创作的一批艺术精品。表现以邓小平同志为核心的党的第二代领导集体带领广大群众，打破坚冰，拨乱反正，使中国社会发生了深刻变化，使城镇乡村呈现出崭新面貌。“世纪风帆”综合多种艺术形式，热情赞颂了中国人民在以江泽民同志为核心的党的第三代领导集体的领导下，高举邓小平理论伟大旗帜，团结奋进，锐意进取，冲破艰难险阻，为实现祖国统一和民族复兴，创立了辉煌业绩。“尾声”以磅礴的气势、壮观的场面，表现中国人民对光明前程的展望，以及一往无前奔向新世纪的壮志豪情。

# 中央民族工作会议暨国务院第三次全国民族团结进步表彰大会举行

中央民族工作会议暨国务院第三次全国民族团结进步表彰大会9月29日上午在人民大会堂举行。中共中央总书记、国家主席、中央军委主席江泽民出席大会并讲话。他指出，加强民族团结，维护祖国统一和社会稳定，是全国各族人民的共同愿望和根本利益所在。要努力发扬各族人民同呼吸、共命运、心连心的光荣传统，齐心协力地把建设有中国特色社会主义事业不断推向前进。

党和国家领导人李鹏、朱镕基、李瑞环、胡锦涛、尉健行、李岚清出席大会。

大会由中共中央政治局常委、国务院总理朱镕基主持。

这次民族工作会议的任务是：在邓小平理论和党的基本路线指引下，通过回顾50年来我国民族工作的伟大成就，进一步认识和把握社会主义初级阶段民族问题的规律，深入研究民族工作面临的新形势，全面部署跨世纪的民族工作，以利更好地团结全国各族人民努力实现党的十五大确定的宏伟目标。

国务委员、国务院秘书长王忠禹在会上宣读了国务院关于授予包头钢铁（集团）有限责任公司等集体为全国民族团结进步模范集体、吴登云等同志为全国民族团结进步模范个人称号的决定。这次受表彰的民族团结进步模范共1254个，其中模范集体626个，模范个人628个。

江泽民在热烈的掌声中发表重要讲话。

1992年党中央、国务院在北京召开了第一次中央民族工作会议。1988年，国务院召开了第一次全国民族团结进步表彰大会，表彰了1166个民族团结进步模范，其中先进集体565个，先进个人601名；1994年，国务院召开了第二次全国民族团结进步表彰大会，表彰了1256个民族团结进步模范，其中模范集体643个，模范个人613名。

参加中央民族工作会议的有384名代表，出席国务院第三次全国民族团结进步表彰大会的有423名代表。

## 首都举行盛大阅兵仪式和群众游行活动

# 隆重庆祝中华人民共和国成立50周年

1999年10月1日上午，首都各界庆祝中华人民共和国成立50周年大会在北京天安门广场隆重举行。50万各族军民以盛大的阅兵仪式和群众游行，欢庆伟大祖国的节日。

走过半个世纪光辉历程的新中国，迎来了50周年的庆典，全国各族人民群众都为此欢欣鼓舞。在一段时间里，全国各地都以迎接、庆祝新中国成立50周年作为进行爱国主义教育一项重要工作，纷纷开展了以唱响祖国颂、社会主义颂和改革开放颂为主要内容的各种形式的庆祝、纪念活动，广大群众以高度的热情踊跃参加到活动中来。10月1日在首都召开的庆祝典礼使庆祝活动达到了高潮。这次隆重的庆典成为共和国建设和发展成就的大检阅和全国各族人民的盛大节日。

10月1日上午10时，典礼正式开始。在庄严隆重的升国旗仪式之后，中共中央总书记、国家主席、中央军委主席江泽民检阅了由人民解放军陆海空三军和人民武装警察部队、民兵预备役部队组成的地面方队。这是党的第三代领导核心第一次在天安门广场检阅三军部队。

检阅部队后，江泽民同志发表了重要讲话。他说：我们在宏伟的天安门广场，隆重庆祝中华人民共和国成立50周年。这是全国各族人民的盛大节日，也是检阅我们成就和力量的庄严典礼。他代表党中央、全国人大、国务院、全国政协和中央军委，向一切为祖国的独立、统一、民主、富强建立了功勋的革命先辈和烈士们表示深切的怀念；向全国各族人民和海内外爱国同胞，致以热烈的节日祝贺；向关心和支持中国发展的外国友人和世界人民，表示诚挚的感谢。

江泽民同志说，经过50年特别是改革开放20年来艰苦卓绝的奋斗，昔日积贫积弱的中国发生了翻天覆地的历史巨变。勤劳、勇敢、智慧的中国人民在党的领导下，在古老的华夏大地上创造了举世惊叹的人间奇迹。实践已经充分证明，只有社会主义才能救中国，只有社会主义才能发展中国。实践也充分证明，建设有中国特色社会主义，是实现中国经济繁荣和社会全面进步的康庄大道。

江泽民同志强调，我们将继续坚持党的基本理论、基本路线、基本纲领，依靠全国各族人民的力量，在新的世纪里不断谱写建设有中国特色社会主义的新篇章；继续坚持“和平统一、一国两制”的方针，在实现香港和澳门顺利回归以后，最终完成台湾与祖国大陆的统一；继续坚持独立自主的和平外交政策，在和平共处五项原则的基础上发展同所有国家的友好合作关系。

他说，从本世纪中叶到下世纪中叶，中国人民经过100年的艰苦创业，将基本实现社会主义现代化。中华民族将以更加强劲的英姿屹立于世界民族之林。中国的未来是无限光明的。让我们高举马克思列宁主义、毛泽东思想、邓小平理论的伟大旗帜，朝着辉煌的目标奋勇前进。一个富强民主文明的社会主义现代化中国必将出现在世界的东方。

随后，来自陆军、海军、空军、武装警察部队、民兵预备役的受阅方队通过天安门广场，接受祖国和人民的检阅。其后，大规模的群众游行队伍依次展示了“开国·创业”、“改革·辉煌”、“世纪·腾飞”三个主题。12时5分，国庆50周年庆典活动圆满结束。

中国中央电视台等新闻媒体通过电视、广播等方式向全国、全世界现场转播了庆典盛况。全国人民和无数海外华人共同分享了庆典带来的喜悦与激动。

10月1日晚，首都举行了盛大的国庆联欢晚会，党和国家领导人同10万群众共度了节日之夜。

国庆50周年庆典生动地反映了新中国成立50年特别是改革开放20年来，在毛泽东、邓小平、江泽民为核心的党的三代中央领导集体的领导下发生的翻天覆地的变化，体现了我国政治稳定、经济发展、民族团结、社会进步和国际地位日益提高的大好形势，表现了全国各族人民奋发努力、满怀豪情迈向新世纪的精神风貌。

在国庆50周年庆祝大典和全国各地开展的一系列活动中，普天同庆，举国欢腾。全国各族人民为祖国的强大、民族的复兴和光明的前程充满自豪和喜悦，极大地激发了爱国主义情感，激发了全国人民高举邓小平理论的伟大旗帜，紧密地团结在以江泽民同志为核心的党中央周围，团结一致，同心同德，开拓进取，艰苦奋斗，把建设有中国特色社会主义事业全面推向21世纪，为实现中华民族的伟大复兴而奋勇前进的信心和决心。

# 新版《辞海》面世

我国大型权威工具书《辞海》1999年版，以崭新面貌在国庆50周年之际与广大读者见面。

《辞海》的编撰修订，是我国知识界和出版界的一件大事，几十年来先后得到党和国家三代领导人毛泽东、邓小平、江泽民的直接关心、过问。在刚刚问世的1999年版《辞海》上，江泽民同志亲笔题写的书名引人注目。

按照国际惯例，大型工具书每10年修订一次，《辞海》继出版1979年版、1989年版后，数千名专家学者为1999年版《辞海》精心工作了近5年时间。新修订的《辞海》有彩图本、普及本和缩印本等不同版本。和以往版本相比，新版《辞海》以更准确的词条注释、丰富的全彩插图、新颖的版式设计、精致的印刷技术，实现了形式和内容的全面更新。

彩图本是1999年版《辞海》的主体版本，也是标志性版本，共分5卷，全彩色印刷，图文并茂。其中有图片1.6万幅，比1989年版增加了385%，改变了本世纪以来我国大型综合性辞典“白纸黑字线条图”的陈旧面貌。整部“彩图本”从装帧设计、版面编排到选材用料都充满了时代气息，融使用、观赏、收藏于一体，显示了我国大型工具书出版印刷的最新水平。

新版《辞海》重在求新，新词目、新解释、新规范、新数据、新设计。全书收词12万条，近2000万字。与1989年版相比，增加了6000多个词条、400多万字，其中绝大部分是近年来出现的新词语。对原有条目，新版《辞海》都重新做了审定和修改，修改幅度达70%。如国际条目中，凡10年来发生重大变化的，诸如东欧剧变、苏联解体、欧洲联盟、新独立国家、重大国际事件、新的国际组织、新去世的国际人物等，都一一予以增收或修订。科学技术一日千里，变化极大，新版《辞海》对此也作了大量修订和增补。对行政区划的变动，政治、经济、法律、人口等新变化、新数据等，也都根据最新资料加以更新。

新版《辞海》涉及的109个学科，准确地反映了国际局势的巨大变化、国内改革的深入发展、人类科技的显著进步，可以说是20世纪各个领域最新研究成果的总结。

# 天津市成功举办第34届世界体操锦标赛

20世纪在中国举办的最后一次国际体育盛会——1999年天津世界体操锦标赛，于10月8日至10月16日在天津市隆重举行。

这是首次在中国举办世界体操锦标赛，也是这一赛事创办近百年来首次在发展中国家举办。这次比赛得到了中国政府的高度重视和中国人民的热情支持。这是规模空前的一次体操盛会。来自世界73个国家和地区的1400多名运动员、教练员和体育官员，以及800多名中外记者云集渤海之滨的天津，使本世纪最后一次体操世锦赛成为世界体操运动史上参赛队伍最多、参赛人数最多的一次盛会。江泽民等党和国家领导人出席开幕式。

经过8天的激烈比赛，第三十四届世界体操锦标赛于10月16日下午在天津降下帷幕，并举行隆重闭幕式。中共中央政治局常委、国务院总理朱镕基，全国人大常委会副委员长吴阶平，全国政协副主席钱伟长等出席闭幕式。

在全部14块金牌中，中国获得男子团体冠军、董震获得吊环金牌、李小鹏获得跳马金牌、凌洁获得平衡木金牌。其余金牌分别为：俄罗斯5枚，罗马尼亚3枚，韩国、西班牙各1枚。

# 全国老龄工作委员会成立

经中共中央、国务院批准，全国老龄工作委员会近日成立，并于10月22日举行第一次全体会议。中共中央政治局常委、国务院副总理、全国老龄工作委员会主任李岚清在会议上讲话指出，党中央、国务院非常重视老龄工作，决定成立全国老龄工作委员会，这是加强老龄工作的一项重大举措，对推动我国老龄事业的发展将起到重要作用。21世纪即将到来，我国已进入老龄社会，我们要以强烈的历史责任感和紧迫感，坚定信心，开拓进取，团结协作，扎实工作，努力开创老龄工作和老龄事业发展的新局面，为我国经济和社会发展作出新的贡献。

全国老龄工作委员会是国务院主管的议事协调机构，其主要职责是：研究、制定老龄事业发展战略及重大政策，协调和推动有关部门实施老龄事业发展规划，做好维护老年人权益的保障工作；协调和推动有关部门加强对老龄工作的宏观指导和综合管理，推动开展有利于老年人身心健康的各种活动；指导、督促和检查各省、自治区、直辖市的老龄工作；组织、协调联合国及其他国际组织有关老龄事务在国内的重大活动。其办公室设在民政部，日常工作由中国老龄协会承担。

李岚清在会上强调，必须高度重视、充分认识做好老龄工作的重要意义。我国是世界老年人口大国，也是老年人口增长最快的国家之一。截至1999年10月1日，我国60岁以上老年人口达

1.26亿，已占总人口的10%，这表明我国已提早进入老龄社会。而且，我国的老年人每年还在以3%的速度增加，这在世界人口发展史上是少有的。老龄问题是带有全局性、战略性的重大问题，涉及到社会、政治、经济、文化等各个方面，解决得如何，对国家的稳定与发展至关重要。

李岚清说，老年人是社会财富的创造者，他们为新中国的建立、建设和发展作出了积极贡献，我们今天的物质文明和精神文明成果蕴含着他们的智慧和劳动，凝结着他们的辛勤汗水。尊重老年人，关心他们的生活，帮助他们解决生活中的困难，让广大老年人分享社会发展的成果，是社会主义制度优越性的体现；在全社会形成敬老、养老、助老的社会风尚，同时让老年人了解时事政治，了解现代科学知识，以丰富、健康、文明的生活方式安享晚年，影响、熏陶和教育好下一代，是社会主义精神文明建设的重要任务之一。

李岚清指出，老年人是一个庞大而特殊的社会群体，他们空闲时间较多，这决定了他们既需要物质方面的照顾，更需要精神方面的关怀。我国社会正处在转型时期，各种社会思潮不可避免地反映到老年群体中来，我们同“法轮功”进行的严肃政治斗争就充分说明了这个问题。在老年人中，也要提倡讲学习、讲政治、讲正气，提倡活到老、学到老，不断提高思想政治觉悟，保持良好的精神状态，和时代一起前进。

李岚清强调要从四个方面做好老龄工作：第一，加强对老龄工作的领导，把老龄事业纳入经济和社会发展计划。第二，加强学习，加大老龄工作的宣传力度。第三，扎扎实实做好为老年人服务的各项工作。第四，要加强老龄工作的法制建设，认真贯彻执行《老年人权益保障法》，依法维护老年人的权益。

# 《中华大典》首批成书面世

规模与《四库全书》相当，全书将达7亿字，当代学者编纂的最大类书——《中华大典》，自1992年开始编纂以来，已走过7年的时光，首批成书近日面世。中共中央宣传部和国家新闻出版署10月28日在人民大会堂联合举行座谈会。与会学者对首批出版的《文学典·宋辽金元文学分典》（1200万字）和《医药卫生典·医学分典》的《基础理论总部》、《儿科总部》（共800万字），给予高度评价。

中共中央政治局常委、国务院副总理李岚清，中共中央政治局委员、中央书记处书记丁关根，分别请有关部门负责同志转达他们对《中华大典》开始出版的祝贺，对参加这项工作的有关人员的敬意和感谢。

《中华大典》是钱钟书等300多位全国著名学者倡议、论证，经国务院批准立项后于1990年开始启动的。这项集我国历代类书之大成的文化积累工程，由中宣部和新闻出版署组织，全国千余名专家学者参与编纂。它对我国历代浩如烟海的汉文古籍进行了全面、系统的分类整理，涵盖了全部的古代文化典籍，是一部学术性很强、资料极其丰富的巨型工具书。也是我国历史上继《太平御览》、《永乐大典》、《古今图书集成》之后的又一大类书。全书共22个典，预计今后5年左右将完成其中10个典的编纂出版工作。

这件大事和盛事，从启动开始就受到党和国家领导同志的关怀、重视。江泽民、李鹏、李瑞环等都曾为《大典》的编纂题词或作批示。一批年逾古稀的老专家如程千帆、戴逸、席泽宗、张晋藩、邹逸麟、朱祖延、马继兴、余瀛鳌、李国钧、李明富、葛剑雄、马建石、卞孝萱等，以及许多中青年学者，以高度的责任感和敬业精神，不计报酬，辛勤耕耘，为这套恢宏大典的编纂呕心沥血。

# 中科院建院50周年庆祝大会举行

庆祝中国科学院建院50周年大会11月1日在人民大会堂举行。中共中央政治局常委、国务院总理朱镕基出席会议并讲话。他指出，实施科教兴国战略，提高国民经济整体素质，加快经济结构调整和产业升级，显著增强我国经济、科技的国际竞争力，都迫切要求加速科技创新和进步，全面繁荣科学技术事业。

中共中央总书记、国家主席江泽民，中共中央政治局常委、全国人大常委会委员长李鹏，中共中央政治局常委、全国政协主席李瑞环分别为中国科学院建院50周年题词。

江泽民的题词是：攀登科学技术高峰，为我国经济发展、国防建设和社会进步，作出基础性、战略性、前瞻性的创新贡献。

李鹏的题词是：50年硕果累累，新世纪任重道远。

李瑞环的题词是：攀登科学高峰，服务四化建设。

中共中央政治局常委、国务院副总理李岚清也致函对中国科学院建院50周年表示祝贺。

会上，朱镕基首先代表党中央、国务院向中国科学院的全体职工表示热烈祝贺和亲切慰问，对中国科学院为祖国和世界科学事业作出的卓越贡献表示崇高的敬意。他说，一个月前的今天，全国各族人民隆重庆祝了中华人民共和国成立50周年。新中国的诞生，开辟了中国历史的新纪元。中国科学院于新中国诞生后的一个月正式成立。这说明我们党的第一代领导集体对科学事业的高度重视和关心。这是中国科学院的光荣和骄傲。随着新中国的成立，中国的科技事业进入了一个崭新的时代。中国科学院成立50年来，几代科学家、技术专家和全院职工，坚定地走社会主义道路，积极投身于国家各项建设，勇攀科技高峰，在旧中国积贫积弱的基础上创造了一大批具有世界先进水平甚至世界领先水平的科技成果，培养了一大批德才兼备的科技人才，为我国经济、科技、社会各项事业蓬勃发展作出了重大贡献。对于中国科学院以及全国科技战线50年来取得的成绩和作出的贡献，党和政府一直予以高度评价。

朱镕基指出，一年前，中国科学院根据党的十五大指引的方向，提出“迎接知识经济时代，建设国家创新体系”的建议。党中央、国务院高度重视这个建议，并批准由中国科学院实施知识创新工程试点。知识创新工程试点实施仅仅一年，已经取得明显的效果。这再一次证明了我国科技工作者敢于创新、善于创新。党和政府为我们国家拥有这样一支优秀的科技队伍感到由衷的高兴。

朱镕基强调，未来的50年，我们伟大的祖国，更将大步向前，大展雄风。我们要在今后50年把我国建设成为富强民主文明的社会主义现代化国家。实现这个宏伟目标，要靠全党和全国各族人民持之以恒地艰苦奋斗，特别是要发挥科学技术的关键作用。邓小平同志指出：“科学技术是第一生产力”；江泽民总书记也强调指出：“科技进步是经济发展的决定性因素”。必须充分看到，实施科教兴国战略，提高国民经济整体素质，加快经济结构调整和产业升级，显著增强我国经济、科技的国际竞争力，都迫切要求加速科技创新和进步，全面繁荣科学技术事业。把科学技术搞上去了，我国整个现代化事业就大有希望。未来的50年，我国科学技术工作者肩负着神圣的历史使命和重大责任。

我希望中国科学院的全体科技工作者和全院职工紧密团结在以江泽民同志为核心的党中央周围，进一步发扬中国科学院“唯实、求真、协力、创新”的优良院风，大胆创新，大胆实践，创造更多、更好的科技成果，为新中国第二个50年再铸历史辉煌，为祖国的繁荣富强和世界的文明进步作出新的贡献。

中国科学院成立以来，从建院初期的21个研究所、300多名科技人员发展为具有相当规模和学科齐全的我国科学技术的最高学术机构及高新技术的综合研究与发展中心。50年来，中科院科技专家与全国科技界一起，取得了一大批重要的科研成果。从1956年至1998年底，共有794项重大科研成果获国家级奖励。会上，中国科学院院长路甬祥院士介绍了中国科学院50年来，在党的三代领导集体亲切关怀和巨大支持下的发展历程和辉煌成就。他说，1998年，以江泽民同志为核心的党中央决定在中国科学院实施国家知识创新工程试点工作，中国科学院又承担起新的历史使命，全院广大科技人员以高度的政治责任感和使命感投身于知识创新工程试点工作，正遵照江泽民总书记为中国科学院成立50周年题词的指示精神，将中国科学院建设成为具有国际先进水平的国家知识创新中心，成为全国自然科学与高新技术综合研究基地、培养和造就高级科技人才的基地、促进我国高技术产业发展的基地，成为有国际影响的国家科技知识库、科学思想库和科技人才库。

会前，朱镕基总理亲切会见了应邀来中国科学院参加学术活动的杨振宁、李政道、丁肇中、哈罗德·瓦姆斯、哈特姆特·米歇尔、费里德·穆拉德、施瓦茨·乌力等诺贝尔奖获得者和世界著名专家学者。

# 中共中央
# 发出《关于加强和改进思想政治工作的若干意见》

1999年11月8日，中共中央发出《关于加强和改进思想政治工作的若干意见》(以下简称《意见》)。

我国正处在改革的攻坚阶段和发展的关键时期，社会情况发生了复杂而深刻的变化，经济成分和经济利益多样化、社会生活方式多样化、就业岗位和就业方式多样化日趋明显，给思想政治工作带来大量新情况、新问题。这就要求全党同志必须保持清醒头脑，提高政治警觉，从巩固党的执政地位、完成党的历史任务的高度，抓紧研究解决加强和改进思想政治工作的问题。《意见》正是在这种形势下提出的。它指出，高度重视思想政治工作，是我们党的优良传统和政治优势。在改革开放和发展社会主义市场经济的进程中，紧密结合新的历史条件，充分发挥党的这一政治优势，具有重要的现实意义和长远意义。

《意见》对在新的历史条件下，思想政治工作的方针原则、任务、内容、方式以及切实加强党对思想政治工作的领导等方面提出了指导性意见。

《意见》特别提出，要把群众性精神文明创建活动作为思想政治工作的重要载体。以“讲文明树新风”为主要内容的精神文明创建活动，是对群众进行思想教育、提高全社会文明程度的有效途径，是加强党的群众工作的新方式。各种创建活动要把着眼点放在提高群众的思想道德和科学文化素质上，使群众在参与中受到教育、得到提高。

《意见》的颁布，对于在新形势下加强改进党的思想政治工作，维护社会的安定团结，保障改革开放和社会主义现代化建设的顺利进行，具有重要的现实指导意义。

# 我国载人航天工程试验飞船飞行成功

北京时间11月20日6时30分，我国第一艘载人航天试验飞船“神舟”号，在中国酒泉卫星发射中心新建成的航天发射场发射升空。在完成预定的空间科学试验之后，11月21日凌晨3时41分，飞船在内蒙古自治区中部地区成功着陆。这是我国载人航天工程的第一次飞行试验，标志着我国载人航天技术有了新的重大突破。

中共中央总书记、国家主席、中央军委主席江泽民为飞船题名：“神舟”。中共中央、国务院、中央军委致电热烈祝贺。

这次发射的试验飞船和新型火箭，是我国独立自主研制的。以中国航天科技集团所属的空间技术研究院、上海航天技术研究院和运载火箭技术研究院为主研制。这次飞行试验，飞船上没有载人。在地面准备阶段，发射中心采用了与国际先进水平接轨的“三垂”模式，即在技术厂房完成对飞船、火箭联合体进行垂直总装、测试，然后将其垂直运输至发射场。飞船、火箭的最后测试和发射，都是通过远距离控制的。据介绍，这些技术创新，是我国航天测试发射技术的一个新突破。此间航天界专家评价，这次发射对突破载人航天技术具有重要意义，是我国航天史上的又一个里程碑。

我国在已有的航天测控网的基础上，新建了符合国际标准体制的陆海基航天测控网。这一测控网在这次发射试验中首次投入使用。北京航天指挥控制中心组织了飞船发射试验的跟踪、测量和控制。

测控网传回的数据显示，起飞约10分钟后飞船与火箭分离，进入预定轨道。试验飞船在轨运行期间，地面测控系统和“远望”号测量船对其进行了跟踪与测控，成功地进行了一系列科学实验。

据组织这次发射试验的有关部门负责人说，这次载人航天飞行试验中的火箭与飞船，具有很高的安全性和可靠性。从飞行结果看，试验取得了圆满成功，是我国发展载人航天事业迈出的重要一步，对全面突破和掌握载人航天技术具有重要意义。

# 首届中国上海国际艺术节成功举办

由文化部主办、上海市人民政府承办的首届中国上海国际艺术节于1999年11月2日至12月1日在上海成功举办。

中国上海国际艺术节是中国目前惟一的综合性国家级国际艺术节，今后每年一届定期在上海举行。它以吸收世界优秀文化，推动中外文化交流，扩大中华民族艺术在世界的传播和影响，树立国家良好的文化艺术形象，体现社会主义精神文明建设成果为宗旨，将成为集中展示中国文化艺术的舞台，借鉴世界优秀文化艺术的窗口。艺术节以舞台艺术演出为主体，并举办文化艺术展览，群众文化活动、剧目和各类艺术品交易等活动。参演剧（节）目为国外优秀剧（节）目和有较高艺术质量、有较强民族特色的国内的剧（节）

目，注重国际性、民族性和经典性。在艺术节期间，集中展演了来自全国和世界各地的32台优秀剧（节）目（其中国际及港、澳、台地区15台，国内17台）。本届艺术节为培育和发展文化市场提供了良机，艺术节期间成功举办了国内首次国际性的演出交易会，交易之热烈超出预想。除舞台演出外，还举办了非洲艺术大展，'99上海亚洲音乐节和'99上海艺术博览会，有效地拓展了艺术节的空间，丰富了艺术节的内容，使之成为艺术爱好者广泛关注和参与的节日。

## 中央文明委召开第六次全体会议

# 总结1999年工作 部署2000年任务

中央精神文明建设指导委员会12月下旬召开全体会议，总结1999年工作，部署2000年任务。会议强调，2000年精神文明建设工作要在以江泽民同志为核心的党中央领导下，高举邓小平理论伟大旗帜，坚持党的基本路线、基本方针和基本纲领，全面贯彻党的十五大精神，继续落实十四届六中全会确定的各项任务，紧密围绕中央总的工作部署，认清形势、明确任务，抓住机遇、开拓进取，坚定信心、团结奋斗，努力促进两个文明建设协调发展，更好地为人民服务，为社会主义服务，为全党全国工作大局服务。

中共中央政治局委员、书记处书记、中央文明委主任丁关根主持会议并讲话。中共中央政治局委员、中央文明委副主任李铁映出席会议并讲话。

会议认为，1999年精神文明建设工作围绕中心，服务大局，唱响主旋律，打好主动仗，坚持用邓小平理论武装全党、教育人民，大力加强爱国主义、集体主义、社会主义教育和崇尚科学、反对迷信的教育，深入开展群众性精神文明创建活动，各项工作取得新的进展。各级党委政府抓精神文明建设的力度明显加大，紧密结合中心任务和业务工作加强精神文明建设的力度明显加大，为群众办好事办实事、吸引群众广泛参与的力度明显加大，精神文明创建工作的社会影响、社会效果明显增强。特别是围绕庆祝新中国成立50周年和澳门回归祖国，“讲文明树新风”活动深入开展，三大创建活动扎实推进，群众文化活动蓬勃兴起，营造了欢乐喜庆、昂扬向上、团结奋进的良好氛围，有效地激发了人民群众的爱国热情和创造精神，为促进改革发展、维护社会稳定发挥了重要作用。

会议指出，2000年是世纪之交的一年，也是完成“九五”计划和本世纪末重要奋斗目标的最后一年。进一步加强精神文明建设，对于团结、激励干部群众实现第二步战略目标，胜利进入小康社会，对于促进两个文明建设协调发展，完成十五大确定的跨世纪历史任务，具有重要意义。明年精神文明建设工作要唱响主旋律，打好主动仗，讲文明树新风，弘扬社会正气，培育“四有”新人。要紧紧围绕树立正确的理想信念，着力加强爱国主义、集体主义、社会主义教育，加强全心全意为人民服务的教育，加强艰苦奋斗的教育，加强马克思主义唯物论无神论和崇尚科学、破除迷信的教育。通过开展多种形式的教育活动，坚定马克思主义的信仰，坚定社会主义的信念，增强对改革开放和现代化建设的信心，增强对党和政府的信任，树立正确的世界观、人生观和价值观，不断提高人民群众的思想道德素质。引导干部群众努力学习科学知识，弘扬科学精神，树立科学思想、掌握科学方法，在全社会形成反对迷信愚昧、抵制各种歪理邪说的健康氛围。

丁关根在讲话中强调，做好精神文明建设工作，一要坚持不懈地围绕经济建设中心，服务全党全国工作大局。二要坚持不懈地面向群众依靠群众，广泛吸引群众参与。要把工作着眼点放在与群众利益密切相关、为群众欢迎的事情上，把工作做到群众的心坎上。三要坚持不懈地抓好三大创建活动以及“讲文明树新风”、文化科技卫生“三下乡”、“百城万店无假货”等深受广大群众欢迎的活动。四要坚持不懈地抓好组织协调，齐抓共管，形成合力。注意相互支持，增强整体效应。五要坚持不懈地狠抓落实，务求实效。工作要有针对性，目标要有阶段性，措施要有操作性。要狠狠地抓，一天不放松地抓，从具体事件抓起。抓基层、抓载体、抓阵地，把好事办实、实事办好。坚决反对做表面文章、搞形式主义。

李铁映在讲话中指出，精神文明建设要着眼长远，持之以恒，适应形势发展和群众需要，不断加大工作力度。要深入基层、深入群众，认真总结生动丰富的实践经验，切实加强理论研究，努力探索社会主义市场经济条件下精神文明建设的规律。“讲文明树新风”活动要围绕提高公民素质、提高城乡文明程度，主题不变，一抓到底。要广泛开展科学教育活动，丰富群众文化体育生活，努力满足群众精神文化需求。要认真抓好先进单位的巩固提高工作，使他们真正立得住，经得起考验。同时要把先进典型的经验在面上逐步推开，使整个社会的文明程度和精神风貌有一个大变化。

中宣部常务副部长、中央文明委办公室主任刘云山对年工作情况和2000年工作安排作了汇报。中央文明委委员出席会议并发表了意见。

# 江泽民总书记对宣传思想工作和精神文明建设作重要批示

1999年12月31日，中共中央总书记江泽民在中央宣传思想工作领导小组第20次会议纪要上作了重要批示（全文见《文献·讲话》）。

江总书记的重要批示，从事关建设有中国特色社会主义事业全局的高度，从改革、发展、稳定的高度，精辟阐述了宣传思想工作和精神文明建设的重要地位和作用。充分体现了邓小平同志关于“两手抓，两手都要硬”的思想，对统一全党认识，加强宣传思想工作和精神文明建设将起到极大的推动作用。

江总书记的重要批示，是对宣传思想工作近几年来取得成绩的充分肯定，同时，进一步指明了宣传思想工作和精神文明建设今后的努力方向和工作重点，提出了明确的要求，具有很强的针对性和指导性，具有十分重要的指导意义和深远影响。

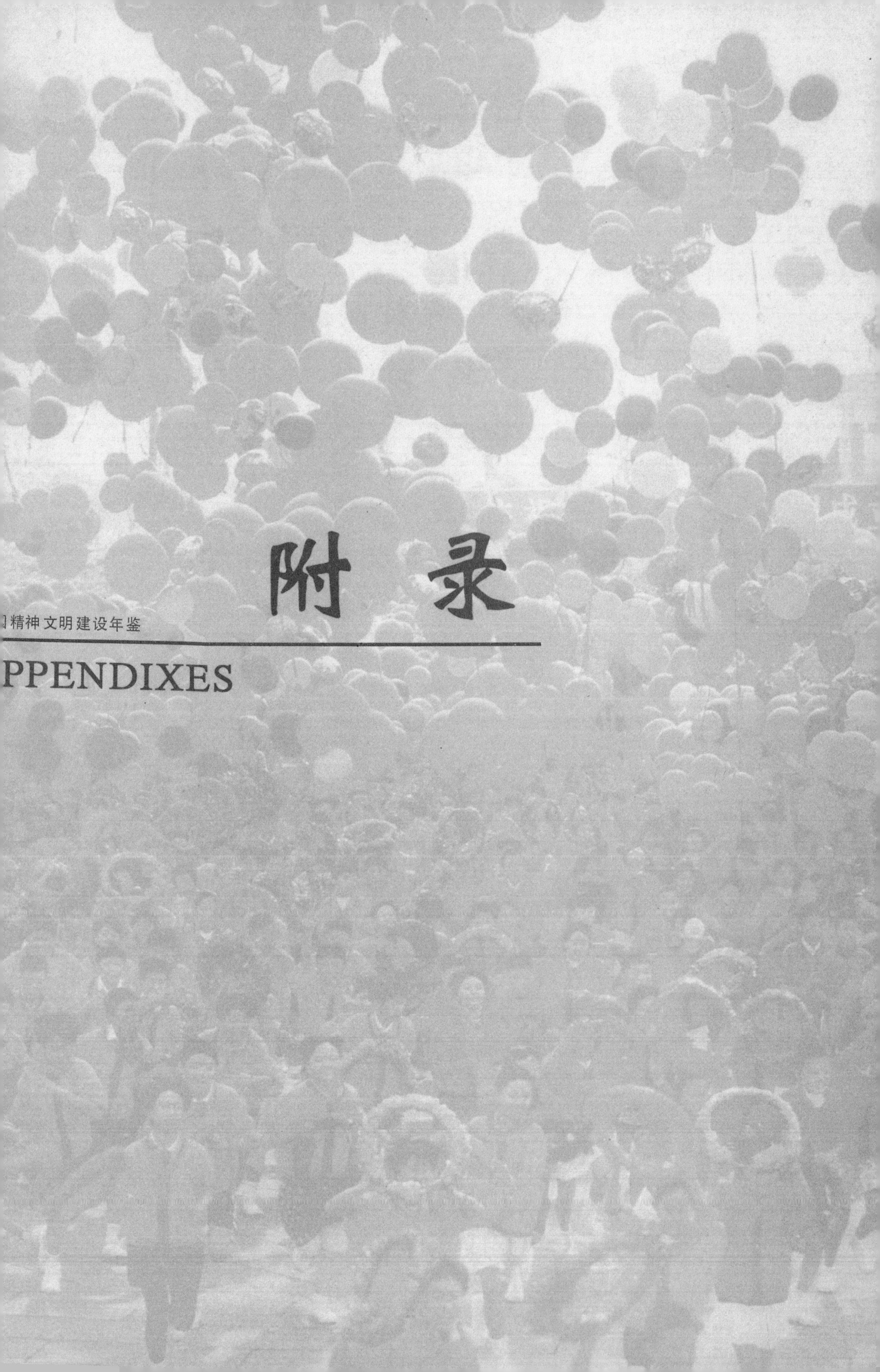

# 附 录

国精神文明建设年鉴

PPENDIXES

# 组织机构

## 中央精神文明建设指导委员会

**主　任：**丁关根　中央政治局委员、书记处书记、中央宣传部部长

**副主任：**李铁映　中央政治局委员、中国社科院党组书记、院长

**成　员：**
曹庆泽　中央纪委副书记
胡光宝　中央办公厅副主任
姜异康　中央办公厅副主任、中央文明办副主任
李铁林　中央组织部副部长
刘云山　中央宣传部常务副部长、中央文明办主任
刘延东　中央统战部副部长
陈冀平　中央政法委副秘书长
刘奇葆　国务院副秘书长、中央文明办副主任
李荣融　国家发展计划委副主任
张天保　教育部副部长
朱丽兰　科学技术部部长
祝春林　公安部政治部主任
项怀诚　财政部部长
俞正声　建设部部长
孙家正　文化部部长
张文康　卫生部部长
张维庆　国家计生委主任
钱冠林　海关总署署长
金人庆　税务总局局长
解振华　环保总局局长
田聪明　广播影视总局局长
伍绍祖　体育总局局长
王众孚　国家工商局局长
于友先　新闻出版署署长
袁守芳　总政治部副主任
张俊九　全国总工会副主席、书记处第一书记
周　强　共青团中央书记处第一书记
顾秀莲　全国妇联副主席、书记处第一书记
胡振民　中央文明办专职副主任

## 中央文明办

**主　　任：**刘云山
**副 主 任：**姜异康　刘奇葆
**专职副主任：**胡振民
**秘书组组长：**孔令一
　　**副组长：**刘　斌
**调研组组长：**李小满
　　**副组长：**荆惠民
**协调组组长：**翟卫华
　　**副组长：**李　伟

地址：北京市西长安街5号
邮编：100806
电话：(010) 63095576

## 中直机关精神文明建设委员会

**主　任：**曾庆红　中央政治局候补委员、书记处书记、中央办公厅主任、中直工委书记

**副主任：**王景茂　中直工委副书记
姜异康　中央办公厅副主任、中直管理局局长

徐光春　中央宣传部副部长
**办公室主任：**赵　凯　中直工委委员、中直工委宣传部部长
**副主任：**刘兆田　中直工委宣传部副部长
张　辉　中直工委宣传部副部长
彭向东　中直工委宣传部副部长
张书坤（兼）中直管理局联合办公室主任
办公室设：宣传处、教育处、活动协调处
地址：北京市西城区丰盛胡同21号
邮编：100032
电话：（010）66172321

## 教育部精神文明建设领导小组

**组　长：**陈至立　部长、党组书记
**副组长：**吕福源　副部长、党组副书记
张天保　副部长、党组成员
陈文博　党组成员
**办公室主任：**靳　诺　社会科学研究与思想政治工作司副司长
地址：北京市西城区大木仓胡同37号
邮编：100816
电话：（010）66097336

## 科技部精神文明建设领导小组

**组　长：**朱丽兰　部长、党组书记
**副组长：**徐冠华　副部长、党组副书记
韩德乾　副部长、党组成员
黄齐陶　党组成员、党建工作领导小组组长
**办公室主任：**于　鹰　直属机关党委常务副书记
**副主任：**鲍　红　办公厅副主任

李朝晨　人事司副司长
朱传柏　政体司副司长
郑国安　条财司副司长
黄玉增　监察局副局长
李振常　服务中心副主任
地址：北京市海淀区复兴路乙15号
邮编：100862
电话：（010）68512075

## 司法部直属机关精神文明建设指导小组

**组　长：**肖建章　副部长、党组成员
**副组长：**胡泽君　政治部副主任、党组成员
孙鸿翔　办公厅主任
陈　连　直属机关党委副书记
**办公室主任：**陈　连（兼）
**副主任：**戴光新　咨询委员会主任
地址：北京市朝阳门南大街10号
邮编：100020
电话：（010）65205530

## 公安部机关精神文明建设办公室

**主　任：**祝春林　部党委委员、政治部主任兼直属机关党委书记
地址：北京市东城区东长安街14号
邮编：100741
电话：（010）65203922

## 建设部精神文明建设指导委员会

**主　任：** 俞正声　部长、党组书记
**副主任：** 叶如棠　常务副部长、党组副书记
　　　　郑坤生　党组成员、纪检组长
**办公室主任：** 王德楼
地址：北京市海淀区三里河路9号
邮编：100835
电话：(010) 68394038　68394303

## 铁道部精神文明建设指导小组

**组　长：** 孙永福　副部长、党组副书记
**副组长：** 盛光祖　党组成员、政治部主任
**办公室主任：** 郭安智　政治部副主任
　　**副主任：** 孙　诚　政治部宣传部部长
地址：北京市海淀区复兴路10号
邮编：100844
电话：(010) 63242069

## 交通部精神文明建设指导委员会

**主　任：** 黄镇东　部长、党组书记
**副主任：** 李居昌　副部长、党组成员
　　　　刘　锷　纪检组组长、党组成员
　　　　洪善祥　副部长、党组成员
　　　　胡希捷　副部长、党组成员
　　　　张春贤　副部长、党组成员
　　　　张士辉　中国海员工会、公路运输工会主席
**办公室主任：** 朱永光　体改法规司司长
　　**副主任：** 薛庆祥　体改法规司副司长
　　　　付国民　体改法规司副司长
地址：北京市建国门内大街11号
邮编：100736
电话：(010) 65292608

## 水利部精神文明建设指导委员会

**主　任：** 汪恕诚　部长、党组书记
**副主任：** 朱登铨　副部长、直属机关党委书记
　　　　李昌凡　纪检组组长、党组成员
**办公室主任：** (缺)
　　**副主任：** 陈秀清 (主持工作)
地址：北京市宣武区白广路二条2号
邮编：100053
电话：(010) 63202815

## 文化部精神文明建设综合治理领导小组

**组　长：** 李源潮　副部长、党组副书记
**副组长：** 李景和　办公厅副主任、机关服务中心主任
　　　　王　华　计划财务司司长
　　　　杨炳延　人事司司长
　　　　王文章　艺术司司长
　　　　刘胜利　文化市场司司长
　　　　蔺永钧　社会文化图书馆司副司长
　　　　张理萌　直属机关党委常务副书记
　　　　王海民　机关服务中心副主任
　　　　马自树　国家文物局副局长
**办公室主任：** 叶子荣　机关服务中心办公室副主任
　　**副主任：** 李　红

地址：北京市朝阳门北大街10号
邮编：100020
电话：（010）65551101

## 卫生部精神文明建设指导委员会

主　任：张文康　部长、党组书记
副主任：王陇德　副部长、党组副书记
　　　　张凤楼　纪检组组长
办公室主任：朱志南　直属机关党委常务副书记
　　副主任：窦熙照　直属机关党委副书记、纪委书记
　　　　　　徐景兰　直属机关党委办公室副主任
地址：北京市西城区西直门外南路1号
邮编：100044
电话：（010）68792146

## 国家税务总局精神文明建设暨党风廉政建设领导小组

组　长：金人庆　局长、党组书记
副组长：贺邦靖　党组成员、纪检组长
办公室主任：刘崇良　人事司副司长
地址：北京市海淀区羊坊店西路5号
邮编：100038
电话：（010）63417211

## 环保总局精神文明建设指导委员会

主　任：解振华　局长、党组书记
副主任：宋瑞祥　副局长、党组副书记
　　　　王玉庆　副局长
　　　　曾晓东　纪检组组长
办公室主任：蔡贤武　直属机关党委常务副书记
地址：北京市西直门内南小街115号
邮编：100035
电话：（010）66155347

## 国家广播影视总局精神文明建设委员会

主　　任：王德新　党组成员、纪检组组长、中直文明委委员
第一副主任：王甘文　党组成员、办公厅主任
副　主　任：黄　勇　专职副书记
　　　　　　雷元亮　司长
　　　　　　曲桂兰　总局工会主席
　　　　　　李兰田　副司长
　　　　　　方　源　司长
　　　　　　陈　光　副局长
　　　　　　赵子忠　总局团委书记
办公室主任：曲桂兰　（兼）
　　副主任：郭湘娥　李承敏
地址：北京市阜外大街2号
邮编：100866
电话：（010）66093280

## 新闻出版署精神文明建设协调领导小组

组　长：于友先　署长、党组书记
副组长：桂晓风　副署长、党组成员、直属机关党委书记
　　　　袁良喜　直属机关党委常务副书记
　　　　李敉力　人事教育司司长、直属机关党委副书记

刘义成　直属机关党委副书记、直属机关纪委副书记
张　伟　办公室副主任

**办公室主任：**刘合欣　直属机关党委办公室主任

地址：北京市东四南大街 85 号

邮编：100703

电话：(010) 65231257

## 中国气象局精神文明建设指导委员会

**主　任：**温克刚　局长、党组书记

**副主任：**刘英金　副局长、党组成员
孙先健　党组成员、纪检组长

**办公室主任：**李士斌　直属机关党委常务副书记

**副主任：**游有源　直属机关党委副书记兼纪委书记

地址：北京市海淀区白石桥路 46 号

邮编：100081

电话：(010) 62173229

## 国家电力公司精神文明建设指导委员会

**主　任：**高　严　公司党组书记、总经理

**副主任：**赵希正　公司党组成员、副总经理
李雪莹　公司党组成员、纪检组组长

**办公室主任：**石成粱　思想政治工作办公室主任

**副主任：**张安乐　思想政治工作办公室副主任
田华香　思想政治工作办公室副主任

办公室设：文明单位建设处

地址：北京市府右街 137 号

邮编：100031

电话：(010) 63415916

## 全国供销合作总社精神文明建设领导小组

**组　长：**王金山　总社党组书记、理事会常务副主任

**副组长：**李春生　总社党组成员、理事会副主任
于培顺　总社党组成员、纪检组长

**办公室主任：**孙志新（兼）

地址：北京市复兴门内大街 45 号

邮编：100801

电话：(010) 66094819　66094828（传真）

## 团中央直属机关精神文明建设委员会

**主　任：**黄丹华　团中央书记处书记兼直属机关党委书记

**副主任：**戴克维　团中央办公厅主任
于振国　团中央服务局局长
黄　鹰　团中央直属机关党委副书记

**办公室主任：**黄　鹰（兼）

地址：北京市前门东大街 10 号

邮编：100051

电话：(010) 85212033

## 首都精神文明建设委员会

**主　　任：**贾庆林　中央政治局委员、市委书记

**第一副主任：**刘　淇　副书记、市长

**副　主　任：**李志坚　副书记（常务副主任）
王景茂　中直机关工委副书记
崔占福　国务院副秘书长

王伯廷　解放军总政治部群工局局长
强　卫　常委、政法委书记兼市公安局局长
龙新民　常委、宣传部部长
杜德印　常委、秘书长
孟学农　常委、常务副市长
陶西平　市人大副主任
刘敬民　副市长（常务副主任）
宋维良　市政协副主席兼秘书长

**办公室主任：**赵东鸣
**副主任：**赵津芳　谈志民　滕　毅
办公室设：秘书处、宣传教育处、创建指导处、共建处、环境整治一处、环境整治二处
地址：北京市东城区台基厂3号
邮编：100743
电话：（010）65193122、65193121

## 天津市精神文明建设委员会

**主　　任：**张立昌　市委书记
**第一副主任：**李盛霖　副书记、市长
**常务副主任：**刘峰岩　副书记
**副　主　任：**罗保铭　常委、宣传部部长
夏宝龙　常委、副市长
王文华　常委、秘书长
邢元敏　常委、教卫工委书记
庄公惠　市人大常委会副主任
王德惠　副市长
俞海潮　副市长
张永根　市政协副主席、统战部部长
纪耀成　天津警备区副政委
陈洪江　市政府秘书长
叶厚荣　市委宣传部常务副部长

**办公室主任：**叶厚荣（兼）
**副　主　任：**沈志建
办公室设：综合处、创建处、调研处
地址：天津市和平区大沽路174号
邮编：300040
电话：（022）23327552

## 河北省精神文明建设委员会

**主　　任：**叶连松　省委书记
**第一副主任：**钮茂生　副书记、省长
**常务副主任：**赵世居　副书记
**副　主　任：**张士儒　常委、宣传部长
刘健生　副省长
陈敬托　省军区副政委

**办公室主任：**于振华　宣传部常务副部长
**专职副主任：**白　石
**副　主　任：**张国钧　省委副秘书长
尹亚力　省政府副秘书长

办公室设：秘书组、协调组、调研组
地址：石家庄市维明街10号
邮编：050051
电话：（0311）8604029

## 山西省精神文明建设指导委员会

**主　　任：**胡富国　省委书记（1999年1—5月）
田成平　省委书记（1999年6—12月）
**第一副主任：**孙文盛　副书记、省长（1999年1—5月）
刘振华　副书记、省长（1999年6—12月）
**副　主　任：**侯伍杰　常委、宣传部长
光　敏　省人大副主任
王　昕（女）　副省长
路正西　省政协副主席
白玉明　省军区副政委

**办公室主任：**韩树勋

地址：太原市迎泽大街369号
邮编：030071
电话：（0351）4045469

## 内蒙古自治区精神文明建设委员会

**主　任：** 乌云其木格　自治区党委副书记
**副主任：** 张国民　常委、宣传部部长
王秀梅　自治区人大常委会副主任
宝音德力格尔　自治区政府副主席
关树人　内蒙古军区副政委
谭博文　自治区政协副主席、统战部部长
**办公室主任：** 张英伟
**副　主　任：** 锡　林
地址：呼和浩特市新城区青城巷1号
邮编：010015
电话：（0471）4812718

## 辽宁省精神文明建设指导委员会

**主　任：** 张行湘　省委副书记
**副主任：** 张锡林　常委、宣传部部长
郭廷标　常委、副省长
王充闾　省人大常委会副主任
张榕明　副省长
李国忠　省政协副主席
孙书贵　省军区副政委
**办公室主任：** 张仁地
**副主任：** 王占山　李裕林
办公室设：秘书处、精神文明建设活动一处、精神文明建设活动二处
地址：沈阳市和平区和平南大街45号
邮编：110006
电话：（024）23128467　23128464

## 吉林省精神文明建设指导委员会

**主　任：** 苏　荣　省委副书记
**副主任：** 石宗源　常委、宣传部部长
李政文　省人大副主任
全哲洙　省政府副省长
常万海　省政协副主席
初　平　省军区副政委
**办公室主任：** 房　俐　宣传部副部长
**副主任：** 马　竞
办公室设：综合处、城市处、农村处
地址：长春市新发路32号
邮编：130055
电话：（0431）8904036

## 黑龙江省精神文明建设指导委员会

**主　任：** 徐有芳　省委书记
**第一副主任：** 田凤山　副书记、省长
**常务副主任：** 杨光洪　副书记
**副　主　任：** 张　毅　常委、省纪检委书记
刘东辉　常委、宣传部部长
朱典明　省人大副主任
马淑洁　副省长
王佐书　副省长
沈根荣　省政协副主席
姚振普　省军区副政委
张明晨　81032部队副政委
**办公室主任：** 刘俊杰
**副主任：** 陈永芳
办公室设：秘书处、文明单位处、军（警）民共建共育处、调查研究处、省直工作处
地址：黑龙江省哈尔滨市花园街294号

邮编：150001
电话：（0451）3649862　3649911

## 上海市精神文明建设委员会

**主　　任：**黄　菊　中央政治局委员、市委书记
**第一副主任：**徐匡迪　副书记、市长
**常务副主任：**龚学平　副书记
**副　主　任：**金炳华　常委、宣传部部长
　　刘云耕　常委、市公安局局长
　　宋仪侨　常委、市委秘书长
　　胡正昌　市人大副主任
　　左焕琛　副市长
　　周慕尧　副市长
　　陈正兴　市政协副主席
　　李仰录　警备区副政委
**秘　书　长：**许德明　市委宣传部副部长
**办公室主任：**许德明（兼）
　　**副主任：**陈振民
办公室设：活动指导处、综合处、调研处
地址：上海市高安路19号
邮编：200031
电话：（021）64338071　64314225（传真）

## 江苏省精神文明建设指导委员会

**主　任：**顾　浩　省委副书记
**副主任：**金忠青　副省长
　　王　湛　省委宣传部部长
**办公室主任：**许洪祥（8月以前）
　　谭　跃（8月以后）
　　**副主任：**张　艾（8月以前）
　　陈上应（8月以后）
办公室设：综合处、活动管理处、宣传教育处
地址：南京市北京西路70号
邮编：210013
电话：（025）3323637

## 浙江省精神文明建设委员会

**主　任：**周国富　省委副书记
**副主任：**李从军　常委、宣传部部长
　　鲁松庭　副省长
　　卢匡衡　省军区副政委
**办公室主任：**张仕英
　　**副主任：**黄健全
地址：浙江省杭州市省府大楼3号楼
邮编：310025
电话：（0571）7057132（传真）

## 安徽省精神文明建设指导委员会

**主　　任：**回良玉　省委书记
**第一副主任：**王太华　副书记、省长
**常务副主任：**方兆祥　副书记
**副　主　任：**王明方　常委、宣传部长
　　陈光琳　常委、省纪委书记
　　陈瑞鼎　常委、政法委书记
　　苏平凡　省人大副主任
　　张　平　副省长
　　蒋作君　副省长
　　岳书仓　省政协副主席
　　杨洪立　省军区副政委
　　郎　涛　宣传部副部长兼文明办第一主任
**顾　　问：**张宏贵　原省军区副政委
**办公室主任：**杨绿章
　　**副主任：**谢　新

地址：安徽省合肥市省委大院内
邮编：230001
电话：(0551) 2607709　2607337

## 福建省精神文明建设指导委员会

主　　任：陈明义　省委书记
常务副主任：何少川　副书记
副 主 任：林　强　省人大常委会副主任
潘心城　省政府副省长
周厚稳　省政协副主席
黄文麟　原省人大副主任
秘 书 长：陈逸清　宣传部副部长
副秘书长：朱　清　宣传部部务会成员、文明办主任
办公室主任：朱　清（兼）
副主任：唐万富
张　萍　《文明建设》杂志社社长
办公室设：综合处、创建活动处
地址：福州市华林路省委大院
邮编：350003
电话：(0591) 7843945　7843946

## 江西省精神文明建设指导委员会

主　　任：舒惠国　省委书记
第一副主任：舒圣佑　副书记、省长
副 主 任：钟起煌　副书记
张克迅　常委、宣传部长
胡振鹏　副省长
罗　明　省政协副主席
周口扬　省军区副政委
凌成兴　省长助理
办公室专职副主任：张　剑
办公室设：秘书处、协调处
地址：江西省南昌市豫章路 10 号
邮编：330006
电话：(0791) 6242547　6242477

## 山东省精神文明建设委员会

主　任：吴爱英　省委副书记
副主任：陈光林　常委、宣传部长
邵桂芳　副省长
李养珍　省军区副政委
办公室主任：李凤梧　宣传部副部长
专职副主任：左中一
副主任：陈明甫　省委副秘书长
刘长允　省政府办公厅副主任
刘保聚
办公室设：综合处、调研处、活动协调处
地址：济南市纬一路 482 号
邮编：250001
电话：(0531) 6917009

## 河南省精神文明建设指导委员会

主　任：范钦臣　省委副书记
副主任：林炎志　常委、宣传部部长
张世英　省人大副主任
陈全国　副省长
杨光喜　省政协副主席
王文甲　省军区副政委
办公室主任：常有功（兼）
副主任：刘　伟（兼）
董　豪（兼）
马正跃（专职）
办公室设：协调处、创建处

地址：郑州市金水路 18 号
邮编：450003
电话：(0371) 5904126　5904107　5904126（传真）

## 湖北省精神文明建设委员会

**主　任**：贾志杰　省委书记
**副主任**：王生铁　副书记
　　缪合林　常委、宣传部长
　　王少阶　副省长
地址：武汉市水果湖省委大院
邮编：430071
电话：(027) 87811742

## 湖南省精神文明建设指导委员会

**主　任**：吴向东　省委副书记（6 月以后）
**副主任**：文选德　常委、宣传部长
　　周伯华　常委、常务副省长
　　李贻衡　常委、政法委书记
　　乔新柱　省军区政委
　　颜永盛　省人大副主任
　　唐之享　副省长
　　石玉珍　省政协副主席、省委统战部部长
**办公室主任**：邓吉雄
　**副主任**：李晓平　唐成红
办公室设：综合调研处、创建指导处
地址：湖南省长沙市韶山路 1 号
邮编：410011
电话：(0731) 2217052　2217445

## 广东省精神文明建设委员会

**主　任**：李长春　中央政治局委员、省委书记
**副主任**：卢瑞华　副书记、省长
　　黄丽满　副书记
　　陈绍基　副书记、政法委书记、省公安厅厅长
　　卢钟鹤　常委、副省长
　　于幼军　常委、宣传部部长
　　李兰芳　副省长
**办公室主任**：于幼军　（兼）
　**副主任**：蓝　红　宣传部副部长、省文明办常务副主任
　　吴泽耀　省政法委副书记
　　劳应勋　省建设厅厅长
　　严建强
地址：广州市东山区合群三马路省委 3 号楼
邮编：510082
电话：(020) 87185239　87185260
　87185210（传真）

## 广西壮族自治区精神文明建设指导委员会

**主　任**：杨基常　自治区党委副书记
**副主任**：潘　琦　常委、宣传部部长
　　李振潜　自治区人大副主任
　　袁凤兰　自治区副主席
　　吴　恒　自治区副主席
　　俞曙霞　自治区政协副主席
　　刘代文　广西军区副政委
**办公室主任**：李　涛　宣传部副部长
　**副主任**：覃九宏
办公室设：综合秘书处、精神文明建设协调处、文化市场管理协调处

地址：南宁市民族大道车段 103 号
邮编：530022
电话：（0771）5898463

## 海南省精神文明建设指导委员会

主　任：杜青林　省委书记、省人大主任
副主任：汪啸风　副书记、省长
　　　　蔡长松　副书记、海口市委书记
　　　　朱明国　常委、副省长
　　　　洪寿祥　常委、宣传部部长
秘书长：国文彰　宣传部副部长、省社科联党委书记
办公室主任：朱寒松
地址：海口市海府路 49 号
邮编：570204
电话：（0898）5371533　5336134（传真）

## 重庆市文明办

主　任：翁杰明　重庆市委宣传部副部长（兼）
文明办设：秘书处、调研处、协调处
地址：重庆市渝中区中山四路 36 号
邮编：400015
电话：（023）63870715

## 四川省精神文明建设委员会

主　　任：席义方　省委副书记
副　主　任：柳斌杰　常委、宣传部长
　　　　　徐世群　副省长
　　　　　李　进　副省长
办公室主任：徐有胜　宣传部副部长
　　副主任：刘朝清（常务）
　　　　　　勾春平
地址：四川成都商业街
邮编：610016
电话：（028）6600161（传真）

## 贵州省精神文明建设指导委员会

主　任：王三运　省委副书记
副主任：张　健　常委、宣传部长
　　　　龙超云　副省长
办公室主任：翟荣凯　宣传部副部长（兼）
　　副主任：李从彬（专职）
　　　　　　向阳生　省委副秘书长（兼）
　　　　　　李克强　省政府副秘书长（兼）
办公室设：秘书处、协调处
地址：贵阳市广顺路 1 号
邮编：550002
电话：（0851）5892523　5892547　5892869

## 云南省精神文明建设委员会

主　　任：令狐安　省委书记、省政协主席
第一副主任：李嘉廷　副书记、省长
副　主　任：王天玺　副书记（常务副主任）
　　　　　　王义明　省人大副主任
　　　　　　梁公卿　副省长
　　　　　　王兆民　省政协副主席
　　　　　　章靖才　省军区副政委
办公室主任：薛泽高　宣传部常务副部长
　　副主任：剧琪瑛　省委副秘书长、办公厅主任
　　　　　　宋玉麟　省政府副秘书长
　　　　　　陶国相　（专职副主任）

办公室设：综合处、创建处、思想道德建设处
地址：昆明市西昌路249号
邮编：650032
电话：（0871）4145445 4092314 4091380
4145445（传真）

## 西藏自治区精神文明建设委员会

主　任：陈奎元　区党委书记
副主任：刘　确　副书记、自治区主席
丹　增　副书记
肖怀远　常委、宣传部长
拉巴平措　自治区副主席
办公室主任：刘盛福
副主任：丁　勇　（主持日常工作）
地址：拉萨市江苏路1号区委宣传部院内
邮编：850000
电话：（0891）6330047

## 陕西省精神文明建设指导委员会

主　任：李建国　省委书记
第一副主任：程安东　副书记、省长
副主任：范肖梅　副书记
张保庆　常委、宣传部长
潘连生　副省长
秘书长：白智民　宣传部副部长
办公室主任：白智民（兼）
副主任：杨继祖　沈卡利
地址：陕西省西安市雁塔路南段10号
邮编：710054
电话：（029）5582608 5582612 5582613

## 甘肃省精神文明建设指导委员会

主　任：仲兆隆　省委副书记
副主任：马西林　常委、宣传部长
杨怀孝　省人大副主任
李重庵　副省长
邓成城　省政协副主席
秘书长：王新中　宣传部副部长
办公室主任：周文武
办公室设：秘书处、调研处、协调处
地址：甘肃省兰州市平凉路687号
邮编：730030
电话：（0931）8885670

## 青海省精神文明建设指导委员会

主　任：桑结加　省委副书记
副主任：王汉民　常委、副省长
田　源　常委、宣传部部长（常务）
白　玛　副省长
徐作旭　省军区副政委
秘书长：李世敬　宣传部常务副部长
办公室主任：李世敬　（兼）
副主任：赵理真　省委办公厅副主任
贾　军　省政府副秘书长
王致义　（专职）
邵立存
地址：青海省西宁市七一路346号
邮编：810000
电话：（0971）8482512 8482074

## 宁夏回族自治区精神文明建设指导委员会

**主　任：**任启兴　自治区党委副书记
**副主任：**王正伟　常委、宣传部部长
刘　仲　自治区政府副主席
**办公室主任：**王正伟（兼）
**副主任：**喻　通　自治区党委办公厅副主任
曾庆民　自治区政府副秘书长
张怡安
邓亚平
办公室设：综合协调、创建活动处
地址：银川市新市区朔方路5号
邮编：750021
电话：（0971）2087011

## 新疆维吾尔自治区精神文明建设指导委员会

**主　任：**王乐泉　自治区党委书记
**第一副主任：**阿不来提·阿不都热西提　副书记、区政府主席
**常委副主任：**克尤木·巴吾东　副书记
**副主任：**胡家燕　常委、纪检委书记
米吉提·纳斯尔　自治区政府副主席
肉孜·吾守尔　新疆军区副政委
王贵振　新疆生产建设兵团副政委
李康宁　自治区党委宣传部部长
董兆何　自治区党委办公厅副秘书长
努尔·拜克力　自治区政府副秘书长
**办公室主任：**李向军
**副主任：**阿米娜·马木提
吾买尔江·托乎提
地址：乌鲁木齐市健康路2号
邮编：830002
电话：（0991）2391253　2391910

## 新疆生产建设兵团精神文明建设指导委员会

**主　任：**王贵振　兵团党委常委、副政委
**副主任：**伯塔依·库平　兵团党委常委、副司令员
陈生初　兵团党委　副秘书长
杨振华　兵团党委宣传部部长
**办公室主任：**王运华　兵团党委宣传部副部长
**副主任：**董　梅
邮编：830002
电话：（0993）2890498　2890591（传真）

# 表彰与获奖者名单

## 中央文明委表彰的创建文明城市工作先进城市、城区（58个）

北京东城区、西城区；天津和平区；河北唐山市、石家庄市；山西太原市迎泽区；内蒙古包头市；辽宁大连市、沈阳市沈河区；吉林长春市、吉林市；黑龙江牡丹江市、大庆市；上海黄浦区、卢湾区；江苏苏州市（含张家港市、昆山市）、无锡市（含江阴市）、南京市；浙江杭州市、宁波市海曙区；安徽合肥市、马鞍山市；福建厦门市、福州市、三明市；江西南昌市东湖区、井冈山市；山东青岛市、威海市、烟台市、济南市历下区；河南濮阳市、漯河市、登封市；湖北宜昌市、襄樊市、武汉市江岸区；湖南长沙市岳麓区、岳阳市；广东深圳市、中山市、肇庆市、广州市天河区；广西南宁市、桂林市；海南海口市振东区；重庆渝中区；四川绵阳市、成都市金牛区；贵州贵阳市云岩区；云南昆明市；西藏拉萨市城关区；陕西西安市；甘肃兰州市城关区；青海西宁市城西区；宁夏银川市城区；新疆库尔勒市、乌鲁木齐市。

## 中央文明委表彰的创建文明村镇工作先进县（市）、镇、村（500个）

**北京市：**怀柔县、通州区宋庄镇、顺义区马坡乡、房山区东营乡韩村河村、丰台区王佐乡南宫村、大兴县长子营乡留民营村、密云县十里堡镇庄禾屯村、昌平县昌平镇邓庄村、门头沟区永定镇冯村、平谷县王辛庄乡贾各庄村；

**天津市：**宝坻县、西青区张家窝镇、汉沽区营城乡五七村、北辰区天穆镇刘家房子村、东丽区新立镇新立村、津南区小站镇东大站村、静海县东双塘乡西双塘村、武清县大黄堡乡后蒲棒村、宁河县大北乡独立村、蓟县官庄镇玉石庄村；

**河北省：**邱县、武安市磁山镇、涉县更乐镇东巷村、清河县戈仙庄镇、临西县下堡寺镇东留善固村、邢台县浆水镇前南峪村、石家庄市郊区西里乡北焦村、藁城市岗上镇岗上村、石家庄市郊区南高营镇柳辛庄村、任丘市辛中驿镇张施村、黄骅市常郭镇李子扎村、泊头市交河镇刘屯村、衡水市桃城区何庄乡、冀州市北漳淮乡北内漳村、武强县武强镇南立车村、高碑店市白沟镇、安国市郑章镇海市村、蠡县郭丹镇武家营村、霸州市胜芳镇、丰润县沙流河镇沙流河村、遵化市建明镇西铺村、唐山市开平区开平镇半壁店村、秦皇岛市海港区中心庄村、平泉县平泉镇、宽城满族自治区峪耳崖镇前庄村、宣化县沙岭子镇、张家口市桥东区老鸦庄镇上小站村；

**山西省：**泽州县、阳泉市郊区荫营镇、山阴县岱岳乡、忻州市东楼乡、阳城县润城镇上伏村、左云县店湾镇上张家坟村、大同市南郊区平旺乡王家园村、孝义市古城镇楼东村、汾阳市贾家庄镇贾家庄村、长治市城区紫坊村、平顺县中五井乡留村、昔阳县大寨乡大寨村、榆次市郭家堡乡南关村、翼城县城关镇北关村、洪洞县赵城镇官庄村、临猗县城关镇翟村、河津市干涧村、太原市尖草坪区新城乡赵庄村、太原市万柏林区小井峪乡后王村、平定县冶西镇冶西村、朔州市平鲁区陶村乡；

**内蒙古自治区：**赤峰市、呼和浩特市郊区巧报乡、包头市青山区青福镇赵家营村、赤峰市元宝山区山前镇山前村、呼伦贝尔盟新巴尔虎左旗嘎拉布尔苏木嘎拉布尔嘎査、兴安盟科右前旗额尔格图苏木、哲里木盟科尔沁区丰田镇建新村、锡林郭勒盟东乌珠穆沁旗额和宝力格苏木、乌兰察布盟丰镇市官屯堡乡口子村、伊克昭盟达拉特旗解放滩镇、巴彦淖尔盟临河市新华镇、阿拉善盟额济纳旗赛汉桃来苏木孟克图嘎査；

**辽宁省：**东港市、沈阳市于洪区北陵乡小韩村、大连市金州区大魏家镇后石村、海城市腾鳌镇、抚顺县石文镇毛公村、本溪满族自治县泉水镇、凤城市凤山区大梨树村、北宁市罗罗堡镇、盖州市二台农场牌坊店村、辽阳市宏伟区曙光乡、辽阳县首山镇、开原市庆云堡镇、喀喇沁左翼蒙古族自治县中三家镇、盘山县高升镇、兴城市四家屯乡四家村；

**吉林省：**德惠市、榆林市大坡镇、长春市绿园区西新乡双丰村、舒兰市平安镇、磐石市呼兰镇孤山村、双辽市红旗镇、东丰县仁合乡横道村、通化县石湖镇老岭村、抚松县万良镇、敦化市江南乡官屯村、扶余县万发乡新农村、白城市洮北区林海镇交通村；

**黑龙江省：**宁安市、绥棱县绥棱镇、哈尔滨市太平庄团结乡、穆棱市兴源镇、尚志市元宝镇元宝村、甘南县音河镇兴十四村、桦川县中伏乡宏伟村、肇州县永乐镇新乐村、逊克县车陆乡宏伟村、绥棱县上集镇诺敏河村、安达市燎原乡黑鱼泡村、黑龙江省农垦总局七星农场第四十六队；

**上海市：**闵行区、嘉定区南翔镇、浦东新区孙桥镇、奉贤县江海镇、青浦县徐泾镇前明村、金山区朱行镇欢兴村、松江区新桥镇春申村、南汇县横沔镇汤巷村、崇明县陈家镇嬴东村、长宁区新泾镇双泾村；

**江苏省：**海门市、吴江市七都镇、张家港市塘桥镇、锡山市洛社镇、无锡市郊区扬名乡、金坛市薛埠镇、扬中市新坝镇、通州市石港镇、江都市丁伙镇、盐都县大冈镇、姜堰市娄庄镇、江宁县麒麟镇锁石村、南京市雨花台区雨花镇丁墙村、常熟市任阳镇蒋巷村、江阴市华士镇华西村、武进市横山桥镇五一村、丹徒县黄墟镇龙山村、启东市汇龙镇城北村、徐州市贾汪区青山泉镇白集村、赣榆县城东乡宋口村、兴化市戴南镇董北村；

**浙江省：**嘉善县、萧山市宁围镇、慈溪市周巷镇、温州市瓯海区永中镇、平阳县鳌江镇、湖州市织里镇、上虞市丰惠镇、绍兴县马鞍镇、金华县汤溪镇、浦江县郑家坞镇、衢县航埠镇、嵊泗县嵊山镇、玉环县楚门镇、温岭市松门镇、松阳县古市镇、杭州市江干区四季青镇三堡村、杭州市滨江区浦沿镇东冠村、奉化市萧王庙镇滕头村、余姚市泗门镇小路下村、乐清市北白象镇前岸村、湖州市旧馆镇北港村、海宁市马桥镇东长村、嵊州市城关镇东圃村、东阳市南马镇花园村、衢州市柯城区汪村乡皂角村、台州市路桥区路南街道方林村、丽水市老竹镇大片村；

**安徽省：**舒城县、宣州市水阳镇、凤台县毛集镇、繁昌县孙村镇、芜湖县湾让镇、固镇县刘集镇、马鞍山市向山区濮塘镇、桐城市范岗镇、淮北市烈山区烈山镇、涡阳县城关镇、泗县大庄镇、和县历阳镇、旌德县旌阳镇、寿县安丰镇、合肥市郊区城东乡隆岗村、颍上县谢桥镇小张庄村、巢湖市环城乡灯塔村、滁州市琅琊区清流办事处八里村、黄山市徽州区潜口乡唐模村、铜陵县西湖镇朝山村、石台县丁香镇新中村；

**福建省：**晋江市、永春县一都镇美岭村、厦门市同安区新坪镇马塘村、平和县坂仔镇西坑村、福州市仓山区仓山镇、龙海市角美镇、惠安县崇武镇、将乐县高塘镇常口村、莆田县西天尾镇、建阳市黄坑镇、龙岩市新罗区西城街道西安村、福鼎市秦屿镇；

**江西省：**玉山县、德兴市泗洲镇、崇仁县巴山镇巴山村、宜丰县潭山镇、高安市相城镇华阳村、吉水县八都镇、修水县渣津镇、九江市庐山区十里乡、景德镇市昌江区竞成镇樊家井村、新余市渝水区城关办事处东风村、石城县小松镇、鹰潭市月湖区四请镇杏树园村、萍乡市湘东区下埠镇潘塘村、南昌市郊区湖坊乡进顺村、进贤县文港镇；

**山东省：**文登市、曲阜市曲阜镇、济南市天桥区北园镇、荣成市龙须岛镇、桓台县唐山镇、广饶县大王镇、青岛市李沧区楼山乡十梅庵村、淄博市博山区域城镇邑山村、龙口市东江镇前宋村、淄博市临淄区永流乡刘家村、莱州市土山镇、安丘市黄旗堡镇、诸城市昌城镇西老庄村、威海市环翠区竹岛办事处陶家夼村、兖州市新兖镇、泰安市郊区山口镇、临沂市罗庄区罗庄镇沈泉庄村、胶州市南关街道办事处东店子村、莱芜市莱城区鹿野乡房干村、沂水县沂水镇、博兴县寨郝镇柳桥村、济南市历城区洪家楼镇、临朐县临朐镇李家庄村、招远市玲珑镇欧家夼村、济南市平阴县孝直镇孝直村、枣庄市市中区中心街道办事处马宅子居委会、泰安市泰山区岱庙办事处、日照市岚山办事处童海路居委会、临清市先锋办事处太平街居委会、河津县张宅乡红庙李村；

**河南省：**林州市、巩义市竹林镇、濮阳县文留镇、镇平县贾宋镇、商丘市睢阳区宋集镇、郑州市上街区聂寨村、郑州市金水区宋砦村、开封县范庄村、嵩县南庄村、偃师市前杜楼村、宝丰县龙泉寺村、安阳市郊区大营村、沁阳市万北村、孟州市桑坡村、武陟县西滑封村、获嘉县楼村、新乡县刘庄村、新乡县京华村、浚县西街村、灵宝市河西村、临颍县南街村、禹州市西街村、邓州市魏集村、罗山县南杨店村、沈丘县留福村、西平县东关村、济源市柿槟村；

**湖北省：**钟祥市、红安县城关镇、谷城县石花镇、随州市殷店镇、老河口市仙人渡镇、当阳市半月镇、襄阳县太平店镇、宜昌县樟村坪镇、洪湖市府场镇、钟祥市旧口镇、鄂州市华容镇、仙桃市西城回族镇、竹山县秦古镇、大冶市陈贵镇、应城市东马坊镇、荆门市漳河镇、武汉市洪山区和平乡、洪湖市茅江办事处洪林村、浠水县十月村、天门市健康村、蕲春县九棵松村；

**湖南省：**嘉禾县、望城县高塘岭镇、汨罗市长乐镇、攸县黄丰桥镇、南县厂窖镇、临澧县新安镇、永州市芝山区珠山镇、冷水江市禾青镇、新邵县陈家坊镇、会同县坪村镇、龙山县茨岩塘镇、衡阳市郊区和平乡、湘潭市雨湖区先锋乡、郴州市北湖区郴江乡、张家界市永定区王家坪乡、长沙县江背镇印山村、浏阳市洞阳乡龙洞村、长沙县黄花镇黄垅新村、株洲县雷打石镇砖桥村、衡南县谭子山镇工联村、韶山市韶山乡韶山村、安化县平口镇新坪村、桃源县热市镇明月村、嘉禾县塘村镇英花村、祁阳县浯溪镇椒山村、洞口县石江镇干木村、靖州苗族侗族自治县太阳坪乡灌堡渡村；

**广东省：**东莞市、中山市小榄镇、花都市新华镇三东村、番禺市市桥镇榄山村、深圳市龙岗区布吉镇坂田村、化州市下郭街道办事处下郭村、吴川市中山镇林屋村、深圳市宝安区沙井镇沙一村、南海市里水镇里水村、深圳市盐田区沙头角镇、顺德市北滘镇、梅县雁洋镇、高要市回龙镇、陆丰市东海镇乌坎村、普宁市流沙镇新坛村；

**广西壮族自治区：**武宣县、玉林市玉州区玉林镇、桂林市阳朔县阳朔镇、北海市铁山港区南康镇、贺州地区昭平县昭平镇、南宁市武鸣县双桥镇杨李村、柳州市郊区羊角山乡鸡喇村、桂林市荔浦县修仁镇横水村、梧州市苍梧县龙须圩都坎村、防城港市上思县思阳乡高加村、钦州市钦北区小董镇逍遥村、南宁地区上林县白坪镇不孤村；

**海南省：**儋州市、三亚市田独镇、琼海市中原镇、琼山市云龙镇、琼海市长坡镇欧村、琼山市演丰镇苏民村；

**重庆市：**江津市、酉阳县小坝乡花园村、沙坪坝区覃家岗镇新桥村、万州区枇杷坪街道桑树村、万州区红光街道红光村、铜梁县土桥镇新田村、万盛区南桐镇南桐村、石柱县万朝乡莲花村、涪陵区珍溪镇、大足县复隆镇横店村、忠县官坝镇丰裕村、南岸区南坪镇四南村、江津市杜市镇、秀山县清溪场镇东林村、开县长沙镇回龙村；

**四川省：**峨眉山市、绵竹市汉旺镇、石棉县新棉镇、巴中市恩阳镇、彭州市大宝镇宝山村、绵阳市涪城区高水村、绵竹市天池乡花石沟村、自贡市大安区凤凰乡济公村、自贡市荣县富北乡天车村、攀枝花市仁和区金江镇混撒拉村、乐山市中区通江镇牛耳桥村、青川县稿溪回族乡光辉村、射洪县洋溪镇蒲家浩村、珙县巡场镇兴太村、泸州市龙马谭区石洞镇肖湾村、营山县回龙镇楠庙村、威远县两河镇凉山村、华蓥市溪口镇回龙桥村、大竹县城东乡竹阳村、荥经县严道镇同心村、巴中市甘泉乡园艺村、彭山县彭溪镇蔡山村、简阳市简城镇龙桥村、康定县炉城镇金刚村、若尔盖县班佑乡多玛村、美姑县俄依计乡依波沃村、崇州市崇阳镇北揪村；

**贵州省：**桐梓县、遵义县新舟镇、龙里县龙山镇、大方县六龙镇、罗甸县云干乡大关村、贵阳市乌当区野鸭乡金关村、遵义市红花岗区南关镇镇隆村、普定县马官镇号云村、安顺市大西桥镇石板房村、金沙县新化乡新良村、铜仁市河西办事处双江村、雷山县西江镇脚尧村、绥阳县洋川镇天台村、盘县淤泥乡双龙村、望谟县复兴镇平洞村；

**云南省：**腾冲县、马龙县纳章乡、西畴县蚌谷乡、大理市凤仪镇、江川县江城镇、开远市小龙潭办事处、曲靖市麒麟区环城乡保渡村、玉溪市红塔区大营街镇大营街办事处、昆明市官渡区六甲乡福保村、丽江县黄山乡白华村、彝良县洛旺苗族乡怀来村、福贡县上帕镇达友办事处；

**西藏自治区：**林芝县、察雅县吉塘镇、乃东县泽当镇、亚东县下司马镇、江孜县紫金乡努堆村、那曲县门堆乡二村；

**陕西省：**旬阳县、长安县引镇、凤翔县柳林镇、咸阳市渭城区底张镇、南郑县中所镇、岐山县察家坡镇、蒲城县党睦镇、西安市未央区三桥镇和平村、户县光明乡东韩村、耀县孙原镇孙原村、礼泉县烟霞镇袁家村、三原县大程镇东周村、城固县博望镇小西关村、安康市建民镇联合村、安康市江北办事处中渡村、吴旗县白豹乡白豹村、延安市宝塔区临镇镇任家塬村、渭南市临渭区五里铺村、澄城县寺前镇蔡袋村、榆林市牛家梁乡郭家伙场村、韩城市龙门镇；

**甘肃省：**临泽县、兰州市西固区陈坪乡、兰州市红古区花庄镇苏家寺村、白银市白银区四龙乡民乐村、定西地区临洮县玉井乡店子村、庆阳地区宁县和盛镇、平凉市四十里铺镇、天水市秦城区吕二乡暖和湾村、天水市北道区二十铺乡花牛村、甘南州迭部县电尕乡、临夏市城关乡、武威市黄羊镇、金昌市永昌县水源乡胜利村、张掖地区高台县南华镇、酒泉市总寨镇；

**青海省：**湟中县、海西州德令哈市怀头他拉乡、海南州共和县恰卜恰镇、西宁市城东区火车站办事处王家庄村、海北州祁连县默勒乡瓦日尕村、果洛州玛沁县东倾沟乡当前村；

**宁夏回族自治区：**银川市郊区大新乡塔桥村、平罗县高庄乡、石嘴山市大武口区大武口乡、青铜峡市峡口镇、中卫县东园乡东园村、西吉县兴隆镇单北村；

**新疆维吾尔自治区：**玛纳斯县、乌鲁木齐县七道湾乡、乌鲁木齐县二宫乡八家户村、博乐市贝林哈日莫墩乡决肯村、鄯善县城关镇、沙湾县安集海镇、乌苏市哈图布呼镇、尉犁县兴平乡达西村、阿克苏市喀拉塔勒镇、叶城县园艺场；

**新疆生产建设兵团：**农五师八十九团、农一师一团七连、农二师二十九团十六连、农八师一二一团十九连。

# 中央文明委表彰的创建文明行业工作先进单位（500个）

**中央金融工委**：中国工商银行北京市分行宣武支行范家胡同储蓄所、中国建设银行北京市海淀支行科南路储蓄所、交通银行北京分行信贷业务部、中国工商银行天津市分行塘沽区营口道分理处、中国银行天津市分行和平支行、中国建设银行天津南开支行王顶堤储蓄所、中国人民银行献县支行、中国建设银行河北省蠡县支行、中国工商银行山西省分行营业部大营盘支行、中国银行山西省分行太原市北城支行、招商银行沈阳分行南湖支行、中国银行黑龙江省分行营业部、中国农业发展银行黑龙江省逊克县支行、中国工商银行上海市分行南京东路第三储蓄所、中国建设银行上海市分行第一支行、交通银行上海分行杨浦支行、中国人寿保险公司上海市宝山支公司、中国民生银行上海分行市西支行、中国人民银行吴江市支行、中国农业银行江苏省常熟市支行、中国人民保险公司南京市下关区支公司、中国工商银行浙江省分行杭州市解放路支行、中国农业银行浙江省温州市中山支行中山储蓄所、中国银行安徽省分行芜湖市分行营业部、中国农业银行福建省新罗支行、中国人民保险公司厦门市湖里区支公司、中国人寿保险公司江西省宜丰县支公司、中国人民银行广饶县支行、中国工商银行山东省分行营业部大观园储蓄所、中国农业银行山东省桓台县支行、中国农业发展银行河南省新密市支行、交通银行郑州分行营业部、中国人民银行老河口市支行、交通银行武汉分行武昌支行、中国人寿保险公司湖北省十堰分公司、深圳证券交易所资金交收部、中国农业银行广东省顺德市支行第二营业部、中国人民保险公司广西南宁市永新支公司、中国农业发展银行四川省简阳市支行、中国建设银行甘肃省分行兰州市铁路支行营业部；

**建设部**：北京市出租汽车公司、天津市和平区规划土地管理处、天津市排水管理处、河北省石家庄市液化气总公司育才街供应站、山西省大同市公共交通总公司、内蒙古自治区包头市煤气公司营业所、辽宁省鞍山市公用事业管理局、吉林省长春市房地产集团有限责任公司、黑龙江省哈尔滨市南岗区市容环境卫生管理局、黑龙江省鸡西市自来水公司、上海市自来水公司、江苏省南京东方汽车发展公司、浙江省杭州市煤气总公司横河供应站、安徽省合肥市煤气总公司、福建省福州市房地产交易管理所、江西省赣州市煤气公司用气管理所、山东省淄博市淄川区自来水公司、河南省洛阳市自来水公司、湖北省襄樊市供水总公司营业处、湖南省长沙市自来水公司、广东省广州市白云小汽车出租公司、广西壮族自治区桂林市公共交通总公司、重庆市房地产交易所、四川省成都市公共交通总公司203车队、贵州省贵阳市公共交通总公司14车队、云南省昆明煤气总公司营业所、陕西省西安市煤气公司液化石油气管理所第一供应站、甘肃省张掖市房屋产权产籍监理所、宁夏回族自治区银川市公交公司2车队、新疆维吾尔自治区乌鲁木齐市燃气总公司用户管理所；

**铁道部**：北京铁路分局北京站、北京列车段K21/22次列车、天津铁路分局天津站、太原铁路分局太原站、沈阳铁路分局沈阳北站、沈阳客运段K53/54次列车、大连客运段K81/82次列车、哈尔滨铁路分局哈尔滨站、齐齐哈尔客运段K47/48次列车、哈尔滨客运段K17/18次列车、上海铁路分局上海站、上海列车段K13/14次列车、南京列车段K65/66次列车、徐州列车段565/566次列车、南昌客运段67/68次列车、济南铁路分局济南站、青岛列车段539/540次列车，郑州客运段179/180次列车、武汉客运段K37/38次列车、襄樊客运段49/50次列车、长沙客运段K1/2次列车、羊城铁路总公司广州站、广州客运段K15/16次列车、南宁客运段K5/6次列车、成都铁路分局成都站、成都客运段7/8次列车、昆明客运段61/62次列车、西安铁路分局西安站、兰州、西宁客运段75/76次列车、乌鲁木齐客运段69/70次列车；

**交通部**：北京市汽车修理公司、中国路桥（集团）第一公路工程总公司北京项目经理部、河北省河间市交通局、山西省太旧高速公路管理局武宿收费站、内蒙古自治区达拉特旗交通运输管理所、辽宁省沈阳市公路管理处、中海客轮有限公司海洋岛轮、大连港客运总公司、吉林省敦化市运输管理所、黑龙江省高等级公路管理局、上海市陆上运输管理处枫泾交通运政检查站、中国上海外轮代理公司、上海港集装箱股份有限公司、江苏省宁沪高速公路股份有限公司、交通部张家港长江港航监局、浙江省舟山港海通客运有限责任公司普陀山客运站、安徽省淮北市运输管理处、福建省福州港务管理局、江西省宜春地区汽运总公司205车队、山东省济青高速公路管理局济南管理处、青岛港务局、湖北省黄石市汽车客运中心站、长江航运（集团）总公司武汉客运有限公司江汉51号轮、长江航务管理局武汉港客运总站、湖南省嘉禾县交通规费征稽所、广东省交通科学研究所、广西桂林市漓江航线管理委员会、四川省泸州市公路运输管理处、甘肃省天水公路总段、新疆塔城公路总段；

**信息产业部**：北京市东四邮电局、天津市解放北路邮政支局、天津市长途电信局营业厅、河北省石家庄市邮政局长安邮电局、国信寻呼太原分公司寻呼台、辽宁省沈阳市电信局114查号台、吉林省吉林市邮政局、上海市邮政局市南区局、上海市电话局、江苏省苏州市电信局城西营业厅、浙江省杭州市邮政局延安路支局、安徽省合肥市电信局芜湖路营业厅、福建省福州市华林邮电支局、福建省移动通信维修中心、福建省泉州市电信局英林电信分局、山东省临朐县电信局、广东省珠海市邮政局柠溪营业厅、广东省广州市电信局特种业务分局、广西南宁市电信局112测量室、海南省通什市邮政局河北营业班、重庆市九龙坡区邮政局营业室、四川省成都市邮政局沙湾分局营业组、四川省成都市电信局人东营业厅、陕西省汉中市电信局、甘肃省兰州市邮政局中央广场分局邮政营业部；

**水利部**：北京市第一水利工程处、河北省石津灌区管理局、山西省吉县抗旱服务队、辽宁省清河水库管理局、吉林省水利水电勘测设计研究院、黑龙江省水利第四工程处、水利部上海勘测设计研究院、江苏省张家港市水政监察大队、江苏省江都水利工程管理处、浙江省水利疏浚工程处、山东省烟台市牟平区水资源管理办公室、山东黄河河务局物资储备中心、黄河水利委员会花园口水文站、小浪底水利枢纽建设管理局、湖南省水文水资源勘测局道县水文站、广东省东江—深圳供水工程管理局、四川省都江堰管理局、陕西省水电工程局、甘肃省景泰川电力提灌管理局、新疆维吾尔自治区水利厅玛纳斯河流域管理处；

**卫生部**：北京天坛医院、北京协和医院、河北省唐山市中医医院、山西省医科大学第二医院、中国医科大学附属一院、吉林省四平市中心医院、辽宁省中医学院附属医院、黑龙江省牡丹江心血管医院、上海医科大学附属中山医院、江苏省卫生防疫站、福建省妇幼保健院、山东省立医院、山东省青岛市市立医院、河南省妇幼保健院、湖北省十堰市太和医院、广东省卫生防疫站、广东省中医院、重庆市铜梁县中医医院、四川省人民医院、青海省人民医院；

**海关总署**：北京海关报关厅、首都机场海关旅检三科、天津海关驻机场办事处旅检科、天津经济技术开发区海关、大连海关报关厅、浦东海关报关厅、虹桥机场海关、苏州海关报关厅、杭州海关驻邮局办事处、杭州海关驻机场办事处旅检科、福州海关驻机场办事处旅检科、青岛海关报关厅、广州海关驻新风办事处、罗湖海关监管一科、白云机场海关旅检科、拱北海关行李物品监管处、太平海关货管科、桂林海关驻两江机场办事处、昆明机场海关旅检科、红其拉甫海关；

**税务总局**：北京市国家税务局对外分局、天津市塘沽区国家税务局办税服务厅、河北省宽城满族自治县地方税务局峪耳崖分局、山西省洪洞县国家税务局赵城分局、内蒙古自治区乌海市海南区国家税务局、辽宁省海城市地方税务局、吉林省吉林市地方税务局直属分局、黑龙江省尚志市地方税务局、江苏省张家港市国家税务局直属分局、浙江省富阳市国家税务局直属征管分局、安徽省铜陵市国家税务局办税服务厅、福建省漳浦县国家税务局旧镇分局、江西省九江市国家税务局直属分局征收所、山东省文登市国家税务局、山东省广饶县地方税务局、河南省巩义市地方税务局征管分局、湖北省襄樊市国家税务局樊城分局征收科、湖南省株洲市地方税务局四分局、广东省广州市国家税务局第二中心分局、广西壮族自治区柳州市地方税务局鱼峰分局、海南省三亚市地方税务局、重庆市江北区国家税务局征收所、四川省成都高新技术产业开发区国家税务局办税服务厅、贵州省遵义市红花岗区国家税务局办税服务厅、云南省丽江县国家税务局大研分局、西藏自治区林芝地区国家税务局直属征收局、陕西省宝鸡市地方税务局直属分局、甘肃省华亭县国家税务局、宁夏回族自治区石嘴山市石炭井区国家税务局白芨沟税务所、新疆维吾尔自治区克拉玛依市地方税务局白碱滩分局；

**民航总局：**中国国际航空公司 CA1501/2 航班、民航河北省局石家庄售票处、中国北方航空公司沈阳售票处、沈阳桃仙国际机场安检站安检队、哈尔滨太平国际机场、上海虹桥国际机场、中国东方航空公司 MU583/4 航班、民航浙江省局杭州售票处、厦门高崎国际机场、厦门航空有限公司 MF85011/2 航班、广州白云国际机场、中国南方航空公司 CZ3101/2 航班、深圳航空公司 4G823/4 航班、海南省航空公司 H4119/20 航班、民航重庆市局公安局江北机场派出所、中国西南航空公司成都售票处、中国民用航空丽江站、中国西北航空公司 WH2123/4 航班、民航甘肃省局兰州售票处、新疆航空公司 XO9101/2 航班；

**国家工商局：**北京市工商局顺义分局、天津市工商局东丽分局、河北省秦皇岛市工商局北戴河分局石塘路工商所、山西省曲沃县工商局、辽宁省沈阳市工商局大东分局、吉林省辽源市工商局集贸大楼分局、黑龙江省哈尔滨市工商局南岗分局、上海市工商局青浦分局、江苏省盐城市人民路工商所、浙江省杭州市工商局余杭分局、福建省漳州市工商局“12315”消费者投诉服务台、江西省南昌市工商局青云谱分局洪都工商所、山东省高密市工商局、河南省辉县市工商局、湖北省襄樊市工商局、湖南省长沙市工商局雨花区分局、广东省深圳市工商局福田分局、广西桂平市工商局、重庆市江津市工商局、贵州省贵阳市工商局南明分局新华工商所、云南楚雄州工商局、陕西省定边县工商局、甘肃省敦煌市工商局、青海省湟中县工商局、新疆维吾尔自治区乌鲁木齐市工商局沙区分局；

**国家旅游局：**四川省峨眉山管理委员会、上海中国国际旅行社股份有限公司、广西桂林市芦笛岩公园女子导游班、广东省深圳锦绣中华有限公司、江苏省无锡湖滨饭店、北京昆仑饭店、河北省廊坊市天都大酒店、山西省五台山管理局、辽宁省大连市博览大酒店、黑龙江省海外旅游总公司、安徽省黄山市中国旅行社、山东省烟台蓬莱阁管理处、河南省开封包公祠管理处、湖南省衡阳市雁城宾馆共青团文明楼、重庆市大足石刻艺术博物馆、贵州省中国国际旅行社、云南省昆明饭店销售部、西藏自治区拉萨饭店牦牛咖啡厅、甘肃省敦煌宾馆、新疆西域国际旅行社；

**中国气象局：**北京市气象台、天津市气象台、河北涿州市气象局、辽宁岫岩县气象局、吉林通化市气象局、黑龙江省气象台、上海中心气象台、江苏省气象台、浙江常山县气象局、厦门市气象局、江西井冈山市气象局、青岛市气象局、河南西平县气象局、湖北武汉气象中心、海南省气象台、四川乐山市气象局、贵州江口县气象局、西藏自治区气象台、宁夏隆德县气象局、新疆维吾尔自治区气象台；

**国家内贸局：**北京市西单商场股份有限公司、天津市环渤海建材中心批发市场、大连商场股份有限公司、大连天百大楼股份有限公司、哈尔滨秋林集团股份有限公司、上海新亚股份有限公司、上海联华超市有限公司（总部）、上海华联超市公司（总部）、上海强农（集团）股份有限公司、南京市新街口百货商店股份公司、江苏燃料总公司、浙江省元通汽车有限公司、福州市聚春园大酒店有限公司、青岛市国货（集团）股份有限公司、武汉市中南商业大楼、湖南省三维物资有限公司、广东汽车市场、深圳市布吉农产品中心批发市场、柳州市五星商业大厦、重庆新世纪百货公司、成都市新通惠酒店、昆明市西南商业大厦股份有限公司、西安市太白商业大厦、兰州市民百股份有限公司、新疆友好股份有限公司；

**国家电力公司：**北京供电局城区供电局、天津城南供电分公司、石家庄电业局、太原供电局建设北路营业站、大连电业局、通化供电公司光明营业厅、哈尔滨电业局道里供电局售电所、上海市东供电局、常州供电局用电服务中心、杭州电力局城北供电局营业室、铜陵供电局供电营业厅、厦门电业局城区营业厅、赣州供电局用电管理所、潍坊电业局、平顶山电业局用电营业处、武汉供电局硚头营业所、岳阳电业局城区供电局、南宁供电局用电管理所、成都电业局青羊供电局、都匀供电局客户服务中心、昆明供电局城区分局营业厅、宝鸡供电局、兰州供电局城区供电分局、银川供电局、乌鲁木齐电业局市南供电局营业所；

**供销合作总社：**天津市宏棉股份有限公司荒草蛇仓库、河北省供销社农业生产资料公司、辽宁省大连市旅顺供销大厦、吉林省白山市合兴实业股份有限公司、黑龙江省供销社农业生产资料公司、江苏省供销社果品食杂总公司、浙江省湖州市浙北大厦、安徽省阜阳商厦股份有限公司、福建省仙游县枫亭供销合作社、江西省萍乡市供销大厦、山东省青岛市东方集团股份有限公司、湖北省仙桃市供销商城大厦、湖南省长沙县路口供销合作社、海南果蔬食品配送有限公司、重庆市忠县代销合作社联合社、四川省供销社棉麻土产公司、贵州省盘县供销合作社联合社、青海省供销社农牧生产资料总公司、新疆维吾尔自治区棉麻公司大河沿棉麻二级站、新疆生产建设兵团供销社棉麻公司；

**北京市：**北京市公安交通管理局东城交通支队帅府园队、北京市电话局西单查修班、北京市第一房屋修缮公司二分公司成坊街管段、北京市商业银行燕京支行；

**天津市：**天津煤气集团有限公司天然气公司、天津市黄河医院；

**河北省：**承德市公安交通警察支队、邯郸市公安交警支队车管所、河北省长途电信传输局张家口传输局、石家庄农行第二营业部；

**山西省：**阳泉市自来水公司、五寨师范学校、山西淮海机械厂、太原五一百货大楼有限公司；

**内蒙古自治区：**赤峰市巴林左旗公安局林东镇派出所、包头市殡仪馆、伊盟鄂托克旗棋盘井镇财政所；

**辽宁省：**鞍山市公安交通警察支队、本溪水洞风景区管理处、凌海供电有限责任公司、阜新市公墓管理所；

**吉林省：**延吉市国家税务局、吉林市创伤医院、中国工商银行通化市新华支行、珲春市电信局；

**黑龙江省：**哈尔滨市公安局道外分局东莱街派出所、鹤岗市公路管理处、鸡西市公安交警支队、双鸭山市民政局殡葬管理所；

**上海市：**上海东方明珠广播电视塔有限公司、上海市公安局交巡警总队机动支队一大队、上海第二医科大学附属瑞金医院、上海市建工（集团）总公司第四建筑工程公司；

**江苏省：**盐城市建湖县公安局公路巡逻民警大队上冈中队、张家港市人民法院、镇江市计量所、无锡市商检局；

**浙江省：**诸暨市公安局枫桥派出所、温州市公安局特巡警支队巡警大队、宁波市汽车客运服务中心汽车南站、杭州市良山路粮油食品商店；

**安徽省：**合肥供电局、淮南市亨得利钟表眼镜公司、蚌埠市公安局“110”报警服务台、滁州市汽车中心站；

**福建省：**漳州市公安局巡警支队直属大队、龙岩市“120”急救中心；

**江西省：**南昌市公安局筷子巷派出所、江西医学院第一附属医院妇产科、南昌电信局114查号台、庐山风景名胜区管理局；

**山东省：**济南市公安局交通警察支队、淄博商厦、青岛市琴岛律师事务所、德州新华书店；

**河南省：**郑州新郑机场、安阳市供水总公司供水服务处、洛阳市公安局白马寺派出所、巩义市公安交警大队；

**湖北省：**黄石市公安局铁山分局铁山派出所、武汉市武昌区审计局、中国工商银行湖北省潜江市支行、随州供电局；

**湖南省：**湖南经济电视台、永州市芝山区公安局徐家井派出所、临澧县新安法律服务所、平江县长寿光荣院；

**广东省：**佛山市公安局110报警服务台、清远市人民医院、珠海市公共汽车公司、汕头市公安局金园派出所；

**广西壮族自治区：** 桂林大宇大饭店、梧州市公安局和平派出所、柳州铁路局柳州客运段379/380次列车、河池供电局；

**海南省：** 海口市电信局、海南第一百货商场；

**重庆市：** 重庆市城区供电局、重庆江北国际机场；

**四川省：** 广元市交警支队车管所、达川养路总段大竹县一段、射洪县人民市场、南充市邮政局邮政营业厅；

**贵州省：** 贵阳市南供电局、贵阳市电信局；

**云南省：** 昆明市公安局110报警服务中心、云南世博园艺博览园管理有限公司；

**西藏自治区：** 自治区公安厅出入境管理处、民航西藏自治区管理局拉萨机场；

**陕西省：** 西安咸阳国际机场、西安民生百货股份有限公司、商洛地区长途电信线务局；

**甘肃省：** 陇南地区电信局、兰州市公安局车辆管理所；

**青海省：** 西宁市西大街百货大楼有限公司、中国人民保险公司青海省分公司营业部；

**宁夏回族自治区：** 银川火车站、银川虹桥邮电营业厅；

**新疆维吾尔自治区：** 乌鲁木齐海关驻机场办事处、新疆航空公司乌鲁木齐售票处。

# 中央文明委表彰的精神文明建设先进单位（503个）

**北京市：** 毛主席纪念堂管理局、中国工艺美术（集团）公司本部、中日友好医院、北京开关厂、北奥利康搬家有限责任公司、仿膳饭庄、西山试验林场、清华大学、第一社会福利院、燕京华侨大学、北京稻香村食品集团、崇文门菜市场、北京市公安局宣武分局牛街派出所、北京蓝岛大厦、海淀区人民法院、联想集团控股公司、中国人民抗日战争纪念馆、北京燕京啤酒集团公司；

**天津市：** 鸿起顺饭庄、红桥区三条石房管站、天津港务局、天津劝业场、天津市公安局出入境管理处、天津市政府办公厅值班联络处、大港区人民检察院、天津海豚炭黑有限公司、天津市科技馆、天津师范大学、天津周恩来邓颖超纪念馆、河东区环卫局；

**河北省：** 邯郸钢铁集团有限责任公司、邯郸市地方税务局机关、邢台市交通局、石家庄市第一中学、河北省高营企业集团公司、沧州电业局机关、衡水发电厂、保定市地方税务局机关、保定电力学校、大厂回族自治县评剧团、廊坊市华美粮油集团公司、唐山冀东水泥股份有限公司、秦皇岛市交通局、唐山百货大楼集团有限责任公司、秦皇岛市山海关区老龙头景区管理处、唐山市国家税务局机关、保定供电公司本部、河北省水利水电第二勘测设计院；

**山西省：** 山西省人民医院、山西省公安消防总队机关、太原煤炭气化（集团）有限责任公司、太原第二热电厂、山西同风肉制品集团股份有限公司、神头第一发电厂、中国建设银行阳泉市分行机关、潞安矿务局石圪节煤矿、山西省晋城公路分局、忻州地区地方税务局机关、晋中地区电业局机关、中国工商银行离石分行机关、隰县财政局、山西南风化工集团有限公司本部、山西四建集团有限公司；

**内蒙古自治区：** 内蒙古新城宾馆、包头第二热电厂、海勃湾电力股份公司海勃湾发电厂、内蒙古宁城老窖酒厂、海拉尔市公共汽车公司、乌兰浩特钢铁有限责任公司、哲里木电业局、中国农业银行锡林郭勒盟分行机关、丰镇发电厂、巴彦淖尔盟房产事业管理局、蒙达发电有限责任公司、吉兰泰盐场、内蒙古大兴安岭林管局莫尔道嘎林业局、呼和浩特铁路局包头客运段563/564次车队、民航内蒙古自治区管理局；

**辽宁省：**东北制药总厂、大连冰山集团有限公司、本溪钢铁（集团）有限责任公司本部、辽宁银珠（集团）有限责任公司、阜新橡胶有限责任公司、铁岭发电厂、辽河化工（集团）公司辽河化肥厂、锦化化工（集团）有限责任公司、凌源钢铁集团有限责任公司、辽河石油勘探局本部、东北大学、沈阳市国家税务局铁西分局、沈阳市和平区南湖街道办事处、大连市电影发行放映公司、大连市中山区桂林街道办事处、大连市西岗区城市建设管理局、鞍山市第一中学、鞍山市中心医院、中国工商银行抚顺市分行机关、辽宁省大伙房水库管理局、抚顺雷锋纪念馆、本溪市公安局、锦州市国家税务局机关、辽阳市第三人民医院、大连市计划生育委员会；

**吉林省：**吉林省电力有限公司本部、吉林省电信传输局、吉林省交通厅、吉林省实验中学、长春市中级人民法院、长春电业局机关、长春市邮政局机关、吉林化纤集团有限责任公司、吉林供电公司本部、四平红嘴集团公司、辽源市客运总站、通化市国家税务局机关、浑江发电厂、吉林省白山糖酒副食品采购供应站、松原市交通局、中国工商银行松原市分行机关、白城供电公司本部、长春欧亚集团股份有限公司；

**黑龙江省：**哈尔滨飞机制造公司、哈尔滨市市政公用建设管理局、哈尔滨市建设委员会、黑龙江齐化化工有限责任公司、牡丹江水力发电总厂、牡丹江市妇产医院、佳木斯电业局机关、佳木斯市第一中学、大庆石油化工总厂炼油厂、大庆电业局机关、伊春市金山屯林业局人造板厂、中国建设银行七台河市分行机关、哈尔滨市药材总公司、黑河地方铁路局机关、绥化卷烟厂、黑龙江省八五七农场、黑龙江省鹤北林业局、黑龙江省清河林业局、哈尔滨铁路局齐齐哈尔站、黑龙江省乳品工业技术开发中心、东北林业大学、大庆石油管理局第一采油厂；

**上海市：**宝钢集团公司本部、上海石油化工股份有限公司、上海三菱电梯有限公司、中国科学院上海冶金研究所、东方国际（集团）上海市丝绸进出口有限公司、金桥（集团）房地产发展有限公司、上海锦江（集团）和平饭店、徐汇区向阳小学、大同中学、上海开开实业股份有限公司、长宁区虹桥路街道虹储居委会、普陀区甘泉路街道办事处、闸北区临汾路街道办事处、虹口区太平洋口腔医院、杨浦区园林局；

**江苏省：**南京长途汽车站、侵华日军南京大屠杀遇难同胞纪念馆、苏州人民商场股份有限公司、无锡小天鹅股份有限公司、常州长江客车集团有限公司、溧阳市昆仑小区物业公司、江苏恒顺集团公司、南通市第一中学、江苏省邵伯船闸管理所、扬州市第一人民医院、淮阴卷烟厂、淮阴市国家税务局直属分局、江苏森达集团公司、江苏省盐城中学、徐州电业局机关、徐州市市政工程养护管理处、新浦汽车总站、江苏省新海发电有限公司、春兰（集团）公司、江苏双沟酒业集团有限公司、南京师范大学、国家电力公司电力自动化研究院、华夏银行南京城中支行、常州市戚墅堰邮政支局投递班、南京人口管理干部学院；

**浙江省：**万向集团公司、杭州市第二中学、雅戈尔集团股份有限公司、宁波市江东区百丈街道划船居委会、瑞安市电信局、湖州市公路运管稽征处、浙江金达丝绸集团公司、绍兴市电力局机关、金华市公共交通总公司、浙江虎山集团有限公司、浙江金鹰股份有限公司、双鸽集团有限公司、紧水滩发电厂、镇海炼油化工股份有限公司、浙江东方通信集团有限公司；

**安徽省：**合肥美菱集团公司、合肥荣事达集团有限责任公司、国投新集能源股份有限公司、芜湖市三益制药有限公司、安庆石化总厂炼油厂、马鞍山市第二中学、安庆纺织厂、淮北矿业集团910化工有限责任公司、阜阳市阜阳日报社、黄山金马集团有限公司、滁州市华能人造板有限责任公司、铜陵市人民医院、萧县公安局交通警察大队、安徽古井集团有限责任公司、中国宣纸集团公司、六安卫生学校、巢湖铸造厂有限责任公司、九华山聚龙大酒店；

**福建省：**福建南纺股份有限公司、福州市公安局东街派出所、厦门市思明区厦港街道办事处、漳州市地方税务局机关、石狮市公安局、三明市梅列区列东街道圳尾居委会、莆田市国家税务局外税分局、南平市公安局交通警察支队、福建漳平电厂、霞浦县工商局松城分局、福建省委组织部、福州大学；

**江西省：** 昌河飞机工业集团公司、丰城发电有限责任公司、凤凰光学集团公司、中国石化九江石油化工总厂、江中制药厂、贵溪火力发电厂、广丰月兔企业集团、乐安县人民武装部、南丰公路段、泰和县人民医院、中国人民银行新余市中心支行、江西江铃齿轮股份有限公司、龙南县国家税务局、萍乡市湘东区国家税务局、南昌市育新学校；

**山东省：** 山东电力集团公司本部、青岛市国家税务局机关、临沂电业局机关、青岛市交通局、枣庄电业局机关、济南市历下区泉城路街道办事处、济南市自来水公司、淄博市审计局、烟台电业局机关、兖矿集团兴隆庄煤矿、东营市国家税务局机关、龙口市国家税务局、日照电业局机关、威海市交通委员会、山东菏泽发电厂、潍坊市自来水总公司、山东晨鸣纸业集团股份有限公司、济宁电业局机关、山东石横发电厂、聊城电业局机关、山东魏桥纺织集团公司、胜利油田管理局胜利采油厂、青岛市卫生局、威海市建设委员会；

**河南省：** 河南省司法厅、中国长城铝业公司运输部、开封市公路运输管理处、开封市供水总公司、中国石化集团洛阳石油化工工程公司、铁道部第十五工程局、平顶山天鹰集团有限责任公司、安阳红旗渠集团、安阳彩色显像管玻壳有限公司、焦作市交通局、新飞电器有限公司、濮阳市实验小学、鹤壁市第一人民医院、仰韶集团、漯河市公安局、许昌市电业局机关、南阳市第一师范学校、神火集团有限公司、羚锐制药股份有限公司、莲花味精集团有限公司、驻马店地区公安交警支队、济源市人民法院；

**湖北省：** 清江水电开发有限责任公司、华中电力集团公司本部、武汉钢铁集团公司本部、中国三峡开发总公司葛洲坝电厂、铁道部第十一工程局、湖北省气象局、湖北省审计厅、中国地质大学（武汉）、中国港湾集团公司第二航务工程局、湖北黄石发电股份有限公司、中国建设银行襄樊市分行机关、宜昌供电局机关、湖北神电汽车电机股份有限公司、十堰市交通局、鄂州供电局机关、荆门市国家税务局直属二分局、黄冈供电局机关、中国建设银行咸宁市分行机关、恩施土家族苗族自治州公路总段、孝感供电局机关、湖北迈亚股份有限公司、天门市天门中学；

**湖南省：** 长沙市地方税务局机关、湘江涂料集团有限公司、长岭炼油化工总厂、株洲市国家税务局机关、衡阳市电信局、湘潭县化工厂、洞庭水泥工业有限公司、常德市公安局交通警察支队、郴州建设工程集团有限公司、中国人民银行宁远支行、湖南大乘资氮有限公司、中国建设银行邵阳市分行机关、广州铁路集团公司怀化铁路总公司本部、慈利县劳动人事局、泸溪县浦市医院、湖南省电力公司本部、湖南省烟草专卖局、中南工业大学；

**广东省：** 广州市海珠区南华西街街道办事处、广州钢铁集团有限公司本部、深圳市下沙实业股份有限公司、深圳康佳集团股份有限公司、珠海市人民政府口岸办公室、汕头港务局、广东省韶关电力工业局机关、茂名石油化工公司、广东省韶关钢铁集团有限公司本部、中山市公共汽车公司、佛山电力工业局机关、广州蓄能水电厂、江门市电信局、广东省阳江师范学校、广东医学院附属医院、广州酒家、TCL集团有限公司、广州市海珠区人民检察院、潮州市广播电视局、龙川县旅游局、广东温氏食品集团有限公司、深圳市福田区皇岗实业股份有限公司、广东省吉荣空调设备公司、广东风华高新科技集团有限公司；

**广西壮族自治区：** 广西微波通信局、南宁平板玻璃厂、柳州钢铁（集团）公司本部、柳州市电信局、桂林三金药业集团公司、梧州木材厂、北海市环境卫生管理处、玉柴机器股份有限公司、防城港市防城国际海员俱乐部、桂平西山风景名胜区管理处、浦北县第一职业中专学校、横县人民医院、百色地区公路管理局、河池地区自来水公司、贺州地区电业公司本部；

**海南省：** 海南省人民医院、海口市二十七小学、中国建设银行海口市龙华支行、三亚供电公司、琼山市电信局、文昌市公安局、万宁市万城镇环境卫生管理处、东方市自来水公司、海南省公路局白沙黎族自治县分局、海南省国营西联农场；

**重庆市：** 大阳沟派出所、沙坪坝区文化馆、恒达钢业股份有限公司、重庆港口管理局客运总站、重庆钢铁设计研究院、重庆市自来水公司、重庆和平药房连锁有限责任公司中心店、重庆歌乐山革命纪念馆、江津增压器厂、川东石油开发公司、西南师范大学、渝北区城乡建设委员会；

**四川省：**成都飞机工业公司、四川化工总厂、成都双流国际机场、信息产业部电子第十研究所、成都人民商场、四川锦江宾馆、永安水利产业股份有限公司、四川长虹机器厂、四川石油管理局川西北矿区、四川剑南春集团有限责任公司、内江发电总厂、泸州市天然气公司、简阳市人民医院、四川宜宾五粮液集团有限公司、中国工商银行成都市金牛区支行、四川省邻水中学、中国人民保险公司内江市分公司机关、攀钢公司；

**贵州省：**贵州茅台酒厂（集团）有限责任公司、贵州黄果树烟草（集团）有限责任公司、六盘水市地方税务局机关、贵航集团永红机械厂、贵州电力公司本部、天生桥水力发电总厂、黔南州邮政局、贵阳铁路分局六盘水工务段、贵州商业高等专科学校、思南师范学校、贵阳市公安局南明区分局河滨派出所、黄平县环境卫生管理站；

**云南省：**滇中电业局机关、云天化集团有限责任公司、云南昆船电子设备有限公司、昆明市殡仪馆、澜沧县民族小学、云南省漫湾发电厂、畹町动植物检疫局、陆良县电力公司、云南省新华书店总店、中国人民银行蒙自县支行、玉溪市玉溪第一中学、玉溪红塔烟草（集团）有限责任公司玉溪卷烟厂；

**西藏自治区：**山南地区财政局、自治区实验幼儿园、自治区财经学校、西藏金珠集团有限公司本部、自治区文化厅民族艺术研究所、拉萨市城关区雪居委会、自治区教材编译中心、西藏科技报社；

**陕西省：**西安飞机工业（集团）有限责任公司、铁道部宝鸡桥梁工厂、西安市碑林区柏树林街道办事处、西安市公安局、西安市工商局机关、陕西师范大学、宝鸡卷烟厂、陕西省高等级公路管理局西渭管理处、陕西省延长石油工业集团公司延长油矿管理局青化砭油矿、安康地区国家税务局机关、彩虹集团彩虹彩色显像管总厂、秦始皇兵马俑博物馆、咸阳茂陵博物馆、渭南中医学校、汉江药业股份有限公司、洛川县后子头乡计划生育办公室；

**甘肃省：**省交通厅、省电力公司本部、中国建设银行甘肃省分行机关、靖远电厂、定西地区广播电视处、长庆石油学校、天水师范高等专科学校、天水长城开关厂、永昌县人民法院、张掖地区化肥厂、兰州铁路局嘉峪关机务段、酒泉中学；

**青海省：**青海省邮政运输局、西宁汽车站、西宁供电局、青海桥头发电厂、中国工商银行青海省分行机关、青海制药厂、互助县工商局、化隆县藏医院、青海石油管理局机关、中国人民银行黄南州中心支行；

**宁夏回族自治区：**宁夏电力局送变电工程公司、自治区气象局、中国石油宁夏化工厂、银川市电信局、石嘴山市第一人民医院、石炭井矿务局白芨沟煤矿、宁夏有色金属冶炼厂、青铜峡水电厂、中宁县中医院、固原地区国家税务局机关；

**新疆维吾尔自治区：**乌鲁木齐市地方税务局机关、乌鲁木齐市沙依巴克区人民检察院、玛纳斯发电厂、屯河集团有限责任公司、阿克苏托峰轻纺集团公司、塔城市自来水公司、乌恰县人民医院、石河子市邮政局、新疆石油管理局采油二厂、阿勒泰地区旅客运输总站、中国工商银行巴音郭楞州分行机关、哈密公路总段；

**新疆生产建设兵团：**农四师新疆伊力特实业股份有限公司、农一师十二团、农七师一二三团。

# 第二批全国文明风景旅游区示范点

云南昆明石林风景名胜区
福建武夷山风景名胜区
辽宁鞍山千山风景名胜区
江苏扬州蜀岗——瘦西湖风景名胜区
河北秦皇岛山海关景区
广东深圳湾华侨城旅游度假区
贵州黄果树风景名胜区
陕西华山风景名胜区
湖北武汉东湖风景名胜区
北京八达岭长城景区

# 精神文明建设“五个一工程”第七届组织工作奖获奖单位名单

北京市委宣传部
上海市委宣传部
江苏省委宣传部
山东省委宣传部
湖北省委宣传部
广东省委宣传部
陕西省委宣传部
四川省委宣传部
天津市委宣传部
辽宁省委宣传部
吉林省委宣传部
黑龙江省委宣传部
江西省委宣传部
湖南省委宣传部
河北省委宣传部
内蒙古自治区党委宣传部
浙江省委宣传部
新疆维吾尔自治区党委宣传部
解放军总政治部
山西省委宣传部
安徽省委宣传部
福建省委宣传部
河南省委宣传部
重庆市委宣传部
云南省委宣传部
广西壮族自治区党委宣传部
甘肃省委宣传部

# 精神文明建设“五个一工程”第七届入选作品名单

## 入选电影26部

大进军—席卷大西南　（总政）
春天的狂想　（广电总局）
大进军——大战宁沪杭　（总政）
国歌　（湖南）
安居　（广东）
快乐老家　（天津）
花季雨季（儿童片）　（广东）
世纪之梦　（湖北）
男妇女主任　（吉林）
宝莲灯（美术片）　（上海）
长征　（广西）
草房子（儿童片）　（江苏）
不见不散　（北京）
一代天骄——成吉思汗　（内蒙古）
非常爱情　（广电总局）
黑眼睛　（天津）
遥望查里拉　（四川）
惹事生非　（陕西）
黄河绝恋　（上海）
良心　（新疆　北京）
那山·那人·那狗　（湖南）
金婚　（山东）
周恩来——伟大的朋友　（浙江）
成长　（广电总局）
钟馗　（河北）

特别奖：
挥师三江（纪录片）　（总政）

## 入选电视剧（片）56部

**电视剧**
中国命运的决战　（广电总局）
开国领袖毛泽东　（广电总局）
人间正道　（江苏）
难忘岁月——红旗渠的故事　（河南）
光荣街十号　（中国文联）
水浒传　（广电总局）
红十字方队　（总政）
党员二愣妈　（内蒙古）
徐海东大将　（湖北）
雍正王朝　（湖南）
红岩　（重庆　北京）
驱逐舰长　（总政）
一年又一年　（北京）
补天裂　（北京）
大学女孩　（吉林）
走过柳源　（吉林）
春天的故事　（江苏）
沙海天平　（新疆）
咱那些日子　（辽宁）
红处方　（天津）
黑脸　（河北）
马寅初　（浙江）
虎踞钟山　（江苏）
哎呦，妈妈　（上海）
追逐墨尔本　（福建）
李克农　（广电总局）
千秋之约　（广东）
昆仑女神　（广电总局　总政）
济南战役　（总政）

蓝色三环　（北京）
情感的守望　（武警）
沈鸿　（江西）
中国女足　（人民日报社）
人子　（北京）
新华方面军　（重庆）
苦泉纪事　（宁夏）
面对诱惑　（公安部）
黄土地·蓝土地　（天津）
郭兰英　（山西）
毕业生　（陕西）
中国机长　（民航总局）
啊，雀儿山　（四川）
月缺月圆　（安徽）
无瑕人生　（总工会）
岁月长长，路长长　（文化部）
雪乡　（黑龙江）
朱德上井冈　（江西）
黄克诚　（湖南）
西出阳关　（司法部）

**电视片**

新中国　（广电总局）
中华之盾　（广电总局　海关总署）
中国地方戏曲　（山东）
关肃霜　（云南）
大风歌　（铁道部）
舟舟的世界　（中国残联）
晋察冀文艺兵　（河北）

## 入选戏剧 42 台

**话　剧**

虎踞钟山　（总政）
洗礼　（总政）
沧海争流　（福建）
炮震　（总政）
古玩　（北京）
工人世家　（山东）
圣旅　（河北）
春夏秋冬　（湖北）
浪淘碧海　（中纪委）
马背菩提　（甘肃）
小巷民警　（江西）
大江奔流　（江苏）
一人头上一方天　（黑龙江）

**戏　曲**

骆驼祥子（京剧）　（江苏）
变脸（川剧）　（四川）
风雨同仁堂（京剧）　（北京）
瘦马御史（滇剧）　（云南）
大脚皇后（京剧）　（山西）
老子·儿子·弦子（豫剧）　（河南）
孔乙己（越剧）　（浙江）
香江泪（京剧）　（总政）
文成公主（藏剧）　（西藏）
迟开的玫瑰（眉户剧）　（陕西）
大棚情缘（眉户剧）　（宁夏）
淀上人家（评剧）　（河北）
风雨丽人行（黄梅戏）　（安徽）
中原突围（楚剧）　（湖北）

**舞剧类**

星海·黄河（舞剧）　（广东）
长白情（舞蹈诗剧）　（吉林）
深圳故事·追求（舞剧）　（广东）
咕哩美（舞蹈诗）　（广西）
大漠女儿（舞剧）　（新疆）
青春祭（舞剧）　（文化部）
扎花女（舞蹈诗）　（湖南）
白鹿额娘（舞剧）　（辽宁）

**歌　剧**

巫山神女　（重庆）
屈原　（武警）
舍楞将军　（内蒙古）

**儿童剧**

尼玛·太阳　（天津）
享受艰难　（上海）
夜郎新传　（贵州）
认识你，真好　（文化部）

## 入选歌曲 51 首

走进新时代　（广东　总政）
凝聚　（上海）
把心交给祖国　（吉林）

好日子 （黑龙江）
你是这样的人 （北京）
我属于你，中国 （北京）
种下 1999 棵团圆树 （贵州）
中华大家园 （总政）
爸爸 （江西）
常回家看看 （山东）
送你一束红月季 （天津）
唐古拉 （天津）
中国永远收获着希望 （山东）
乡村社戏 （广西）
知音歌 （河北）
旗鼓阵 （四川）
从头再来 （北京）
不屈的尊严 （山东）
国旗和太阳一同升起 （武警）
边防警察之歌 （公安部）
有一支歌 （辽宁）
我们来自南泥湾 （建设兵团）
三月三 九月九 （广西）
我从草原来 （内蒙古）
纳西篝火啊哩哩 （中国文联）
咱们西藏 （西藏）
火把节的火把 （云南）
口弦轻轻吹 （甘肃）
好收成 （江苏）
彩云南 （中国文联）
沙湖美 （宁夏）
我们青海 （青海）
世世代代情意长 （新疆）
龙吟颂 （陕西）
滔滔千古情 （全总）
唤一声西子踏青去 （浙江）
黄河壶口 （广电总局）
永远的江南 （江苏）
中国新闻工作者之歌 （广电总局）
为了谁 （江西）
我们手挽手 （广电总局）
桂林是我家 （煤炭工业局）
快乐的夏令营 （河南）
喜鹊窝 （湖南）
三峡的孩子爱三峡 （湖北）
小背篓 （重庆）
居住 （福建）
花季·雨季 （团中央）
走进校园 （安徽）
山娃的歌 （山西）
山路十八弯 （湖北）

## 入选广播剧 45 部

千古流芳 （北京）
共和国赤子 （广电总局）
大河谣 （福建）
山里娃的老师、儿的娘 （山西）
嫁给中国 （浙江）
厉兵石头城 （江苏）
喊海 （天津）
大岭村的故事 （安徽）
正气歌 （江西）
红庙村 （广电总局）
飞越黄河 （福建）
神羊峰 （江西）
凝聚 （上海）
永久的青年——瞿秋白 （江苏）
军伢子 （广东）
乌蒙杜鹃红 （贵州）
犟老汉与叫驴的故事 （河南）
飞来飞去 （辽宁）
我是柱子 （辽宁）
“海选”纪事 （吉林）
老屋的故事 （黑龙江）
热血英魂 （河北）
海边的铜铃 （山东）
请到天涯海角来 （海南）
山外有个世界 （广西）
第二次人生 （上海）
情系大地 （四川）
披肩 （湖北）
垛斯 （新疆）
警察和孩子 （山东）
电话里的妈妈 （北京）
周总理与王铁人 （黑龙江）
桥魂 （浙江）

抬头一片天　（广东）
新河　（甘肃）
永恒的旋律　（内蒙古）
大地长龙　（陕西）
与共和国同龄　（湖南）
山娃看戏　（云南）
欢歌飞出山窝窝　（新疆生产建设兵团）
葫芦妹的故事　（团中央）
永远的琴声　（青海）
飞行万岁　（总政）
移民县长　（重庆）
大海的儿子　（广西）

## 入选图书 63 种

壮丽中华　（云南）
马克思恩格斯经济发展思想导论　（新疆）
中国特色社会主义理论体系研究　（海南）
中华人民共和国法制史（修订本）　（黑龙江）
草房子　（江苏）
中国粮食安全问题
——实证研究与政策选择　（湖北）
中国读本　（辽宁）
中国 863　（山西）
抉择　（公安部）
一个中国孩子的英雄喜剧　（广西）
阔端与萨班凉州会谈　（甘肃）
透视达赖　（西藏）
伟大的军事家周恩来　（总政）
当代社会主义的若干问题　（重庆）
道德建设论　（湖南）
邓小平理论在广东　（广东）
中国哲学与辩证唯物主义　（教育部）
中国农村改革 20 年　（河北）
中国工业国际竞争力
——理论、方法与实证研究　（社科院）
1997 中国区域发展报告　（新闻出版署）
中国共产党新时期历史大事记
（党史研究室）
中国人民解放军 70 年图集　（上海）
中国移民史　（福建）
中国制造　（中国作协）

我是太阳　（新闻出版署）
突出重围　（新闻出版署）
补天裂　（北京）
走出硝烟的女神　（总政）
世纪木鼓　（云南）
起点
——中国农村改革发端纪实　（安徽）
'98 长江大决战　（陕西）
万众一心　（总政）
神奇的雅鲁藏布江大峡谷　（河南）
21 世纪的 100 个科技难题　（吉林）
科学的丰碑
——20 世纪重大科学成就纵览　（山东）
大科学家讲的小故事　（湖南）
男生贾里全传　（上海）
童谣童画　（山东）
我的父亲邓小平　（浙江）
一百个中国孩子的梦　（江西）
不知道的世界　（团中央）
红蚂蚁自然丛书　（北京）
我的中国　（江西）
众志成城
——'98 长江抗洪图　（湖北）
苍山如海　（湖南）
爱心与教育　（四川）
中国舞蹈（《文化艺术丛书》之一）
（文化部）
中国珍稀野生动物摄影作品集
（中国文联）
南京百年风云　（江苏）
鸽子树的传说　（安徽）
漫游新科技世界丛书　（天津）
三千孤儿和草原母亲　（内蒙古）
环渤海地区经济发展战略研究　（河北）
知识经济论　（山西）
历史巨变中的伟大工程　（天津）
红帆船诗丛　（浙江）
构筑现代经济的核心：面向新世纪的中国金融改革　（广西）
中外历史问题八人谈　（中央党校）
自强之歌　（中国残联）
中华商德　（中央统战部）

中国儿童智力方程　（全国妇联）
南极漠野探秘
——一个新闻记者的亲身经历　（人民日报社）
蓝色的宝库
——21 世纪的海洋开发　（科技部）

## 入选理论文献电视专题片 21 部

改革开放二十年　（广电总局）
伟大的旗帜　（广电总局）
光辉历程　（党史研究室）
共产党宣言　（广电总局）
新中国外交　（北京）
风雨钟山路　（江苏）
共和国之魂　（江西）
不可战胜的力量　（湖北）
大荒涅槃　（黑龙江）
澳门岁月　（广电总局）
周恩来　（广电总局）
刘少奇　（广电总局）
共和国元帅叶剑英　（广东）
人间正道　（上海）
春风绿南粤　（广东）
国格赋　（陕西）
法制中国　（山东）
西部彩虹　（四川）
为了亿万职工的权益　（总工会）
邓小平来辽宁　（辽宁）
毛泽东评点二十四史　（江苏）

## 入选文章 68 篇

十五大报告对邓小平经济理论的运用与发展
（福建）陈征　李建平　郭铁民
党报理论宣传工作的哲学思考
（人民日报社）人民日报社理论部
坚持马克思主义国家观　发扬爱国主义光荣传统
（新疆）潘志平
高举邓小平理论伟大旗帜　走出浦东开发创新之路
（上海）邵煜栋　施芝鸿　张　雄　王吉林
金融安全与法制建设
（司法部）曹建明
凝聚在爱国主义的伟大旗帜下
（总政）国防大学邓小平理论研究中心
正确评价五四新文化运动
（北京）龚书铎
不仅要脱贫　而且要脱愚
——谈科学无神论宣传的必要性和意义
（文化部）任继愈
西北地区农业可持续发展战略
（甘肃）聂华林　高新才　张贡生
论领导干部联系贫困户制度
（辽宁）廖　轩　寥阳煊
我国农村民主政治建设的新发展
——关于河北省实行村务公开、推进村民自治的研究报告
（河北）朱贵玉　郭金平　薛维君等
第三代领导集体对邓小平理论的实践
（山西）山西省邓小平理论研究中心
农村基层民主建设的历史性突破
——关于宝坻县实行村务公开的调查与思考
（天津）杜鸿林　冯德华　李景田
周恩来公仆思想的时代意义
（河北）王彦坤　薛维君
谈兴起学习邓小平理论的新高潮
（山西）晋轩文
把握好自己的人生航向
——学习江泽民同志关于人生观问题的论述
（山西）理　文
国企改革要把着眼点切实转变到搞好整个国有经济上来
（吉林）张维达
明珠何以更加夺目
——关于大庆油田二次创业、再创辉煌的调查
（黑龙江）曲　伟　陶　凯　李连磊　丁国怀
社会主义民主最广泛的实践
（山东）陈建坤　王振海
改革是人民群众的伟大创造
——小岗村农业“大包干”的启示
（安徽）汪石满　刘　芊　徐东平等
“苏南模式”与真理标准
（江苏）黄文虎　沈建国

浙江农村股份合作制的实践与认识

（浙江）李荫森　解力平　葛立成

江泽民对邓小平特区理论的新贡献

（福建）林其屏　林两贞

积极探索效益优良的公有制实现形式

（福建）吴宣恭

试论“义利统一”的社会主义价值导向

（河南）黄亮宜

大型水电企业国有制实现形式的成功探索

——湖北清江流域开发模式的调查与思考

（湖北）陈文科　熊维明

乡村稳定的条件和机制

——关于湖南省治安模范村的调查与思考

（湖南）彭福清　付治平

关于旗帜问题的思考

——纪念真理标准讨论20周年

（江西）刘孚威

抓住跨世纪的历史机遇　全面提高对外开放水平

（广东）广东省委宣传部等单位课题组

论李向群精神的时代意义

（广西）广西社科院等单位课题组

赋予农民长期而有保障的土地使用权

（海南）迟福林　王景新　唐　涛

建设生态城市　实施可持续发展

——成都市综合整治府南河的实践与思考

（四川）杨　伟　田旭中　朱太文

精神资源与脱贫攻坚

——贵州省罗甸县大关村调查

（贵州）黄均儒　史昭乐　吴承旺

黄土高原农业的振兴之路

（陕西）刘文义　高　锋　薛保勤　宋和平

中国藏族宗教信仰与人权

（青海）何　峰　余中水

五四文化革命的再评价

（中国作协）陈　涌

邓小平行政理论是我国政府机构改革的指南

（行政学院）刘熙瑞

评改革开放20年

（人民日报社）任仲平

是人道主义，还是霸权主义

（人民日报社）崔　奇　陈特安　李云飞等

解放思想　实事求是　不断开拓马克思主义的新境界

（社科院）徐崇温

论学史

（社科院）田居俭

邓小平与十一届三中全会的伟大转折

（中央党校）郭德宏

党绝对领导下的人民军队是不可战胜的

——我军参加'98抗洪抢险斗争的理论思考

（总政）姜德福　周善才

探索我军质量建设的新模式

（总政）程　坚　卢春祥　孔凡军

必须坚持辩证唯物主义

（教育部）黄楠森

重视人文科学在文化建设中的地位和作用

（教育部）陈先达

跨世纪干部素质教育的一个重大课题

——北京市领导干部科技素养调查与思考

（北京）李晓林　蔡春玲　王振锋　李　罡

邓小平对外开放理论在天津开发区的成功实践

（天津）祝尔鹍　杜鸿林　陈　震等

党的领导是民族振兴和发展的根本

（内蒙古）夏连仲　舍　楞　杨　耀

创建国家文明城市的探索与思考

（辽宁）王会全

不仅仅是适应

——论道德建设与市场经济的关系

（吉林）关连珠

走改革、创新、创业之路

——安徽新集矿区调查

（安徽）安徽省委政研室课题组

依托市场经济走向共同富裕

——山东省临沂市实现整体脱贫的实践及启示

（山东）林兆义　包心鉴　李　锦

论20年来文艺健康发展的历史经验

（江苏）陈　辽

深入研究历史经验　真正高举伟大旗帜

（浙江）雷　云

面向新的实践进行理论创新

（湖北）叶金生

穷乡僻壤的自强之路

——湖南12个偏僻村脱贫致富的启示

（湖南）刘仕清　陆远如　彭新沙

广州发展社会主义市场经济的实践和探索
（广东）周素勤　顾涧清　曾伟玉　梁兴华

二滩经验：我国大型投资项目建设的新路子
（四川）刘　灿　胡小平

建设因特网上的马克思主义阵地
（重庆）周　勇　邓新民

中华民族凝聚力的形成与发展
——学习邓小平关于民族问题论述的体会
（宁夏）朱昌平　尹金洲

弘扬少数民族优秀传统　建设社会主义精神文明
（云南）郑维川

光辉柴达木人的时代精神
（青海）李积华　曲青山　秦书广

学习邓小平关于新疆工作的论述，促进新疆经济发展社会进步
（新疆）罗迎福

略论藏族传统文化的继承与演变
（西藏）陶长松

论新刑法的执法观
（高检）刘生荣

当代科技革命与艺术格局变革
（中国作协）严昭柱

新时期武警部队履行使命的强大思想武器
（武警）张补旺　孙祥瑞　华金良

# 人民满意的公务员称号获得者名单

朱明健　广东省公安厅副厅长
张业遂　外交部礼宾司司长
刘鸿志（女）国家环境保护总局水处副处长
丁雪峰　山西省河曲县县长
王果香（女）内蒙古自治区伊克昭盟达拉特旗副旗长
王应才　海南省昌江黎族自治县副县长
胡道兰（女）安徽省合肥市常责镇副镇长
张志琴（女）北京市延庆县延庆镇副镇长
廖太洪　四川省隆昌县国家税务局局长
乔文国　黑龙江省七台河市环保局局长

# 第四届国家图书奖获奖名单

（1999年9月）

## 国家图书奖荣誉奖（12种）

| 书　名 | 著作责任者 | 责任编辑 | 出版者 |
|---|---|---|---|
| 《当代中国》丛书（150卷） | 本丛书编委会 编 | 于必昌 等 | 中国社会科学出版社<br>当代中国出版社 |
| 蔡元培全集（18卷） | 中国蔡元培研究会 编 | 张晓夫 | 浙江教育出版社 |
| 中华文化通志（101卷） | 本书编委会 编 | 王有为 等 | 上海人民出版社 |

| | | | |
|---|---|---|---|
| 老舍全集（19卷） | 老　舍 著 | 人民文学出版社现代文学编辑室 | 人民文学出版社 |
| 朱自清全集（12卷） | 朱自清 等著 | 吴为公 等 | 江苏教育出版社 |
| 郑振铎全集（20卷） | 郑振铎 等著 | 刘英民 等 | 花山文艺出版社 |
| 中国音乐文物大系（8卷） | 本书总编辑部 编 | 张焕斌 等 | 大象出版社 |
| 李俨钱宝琮科学全集（10卷） | 李俨 钱宝琮 著 | 俞晓群 等 | 辽宁教育出版社 |
| 化工百科全书（20卷） | 本书编委会 编 | 张婉如 等 | 化学工业出版社 |
| 新华字典（1998年修订本） | 中国社会科学院语言研究所词典编辑室 编 | 胡中文 等 | 商务印书馆 |
| 现代汉语方言大词典 | 李 荣 主编 | 戎文敏 等 | 江苏教育出版社 |
| 全宋诗（72册） | 北京大学古文献研究所 编 | 张弘泓 等 | 北京大学出版社 |

## 国家图书奖（40种）

### 社科类图书（8种）

| 书　名 | 著作责任者 | 责任编辑 | 出版者 |
|---|---|---|---|
| 季羡林文集（24卷） | 季羡林 著 | 吴明华 等 | 江西教育出版社 |
| 胡绳全书（6卷） | 胡 绳 著 | 王能雄 等 | 人民出版社 |
| 中国农村改革20年 | 关锐捷 主编 | 盖征西 等 | 河北科学技术出版社 |
| 中国民族工商业发展史 | 王相钦 主编 | 李保平 等 | 河北人民出版社 |
| 亚里士多德全集（10卷） | 苗力田 主编 | 李艳辉 | 中国人民大学出版社 |
| 比较法研究 | 沈宗灵 著 | 李昭时 | 北京大学出版社 |
| 南明史 | 顾 诚 著 | 张国风 | 中国青年出版社 |
| 中国军事史图集（2卷） | 中国军事博物馆 编纂 | 许久文 等 | 湖南人民出版社<br>湖南教育出版社 |

### 科技类图书（8种）

| 书　名 | 著作责任者 | 责任编辑 | 出版者 |
|---|---|---|---|
| 青藏高原研究丛书（5卷） | 汤懋苍 等主编 | 郑丽华 | 广东科技出版社 |
| 电机工程手册（第二版）（8卷） | 本书编委会 编 | 刘思源 等 | 机械工业出版社 |
| 冬小麦种质创新与评价利用 | 李晴祺 主编 | 门丽雅 等 | 山东科学技术出版社 |
| 中国主要人工林树种木材性质 | 鲍甫成 等著 | 徐小英 等 | 中国林业出版社 |
| 肿瘤的诱导分化和凋亡疗法 | 王振义 等主编 | 季英明 | 上海科学技术出版社 |
| 黄帝内经研究大成（3卷） | 王洪图 总主编 | 李清霞 | 北京出版社 |
| 智能自动化丛书（6卷） | 戴汝为 主编 | 褚天福 等 | 浙江科学技术出版社 |
| 科学的丰碑——20世纪重大科技成就纵览 | 陈建礼 主编 | 王为珍 等 | 山东科学技术出版社 |

## 文学类图书（4种）

| 书　名 | 著作责任者 | 责任编辑 | 出版者 |
|---|---|---|---|
| 唐五代文学编年史（4卷） | 傅璇琮 主编 | 于景祥 等 | 辽海出版社 |
| 世纪木鼓 | 黄 尧 著 | 杨仲禄 等 | 云南人民出版社 |
| 中国制造 | 周梅森 著 | 懿 翎 | 作家出版社 |
| 荷马史诗（《伊利亚特》、《奥德赛》）（2卷） | 罗念生 等译 | 徐日珪 等 | 人民文学出版社 |

## 艺术类图书（4种）

| 书　名 | 著作责任者 | 责任编辑 | 出版者 |
|---|---|---|---|
| 王朝闻集（22卷） | 王朝闻 著 | 张子康等 | 河北教育出版社 |
| 名家点评大师佳作——中国画、欧洲油画（2卷） | 王伯敏 主编 | 姜衍波 等 | 山东美术出版社 |
| 扬州画派书画全集（12卷） | 薛永年 等著 | 张万夫 等 | 天津人民美术出版社 |
| 中国青铜器全集（16卷） | 本书编委会 编 | 张囤生 等 | 文物出版社 |

## 少儿类图书（4种）

| 书　名 | 著作责任者 | 责任编辑 | 出版者 |
|---|---|---|---|
| 草房子 | 曹文轩 著 | 祁 智 等 | 江苏少年儿童出版社 |
| 大科学家讲的小故事（4卷） | 苏步青 等著 | 冯小竹 | 湖南少年儿童出版社 |
| 中国新时期幼儿文学大系（6卷） | 张美妮 等主编 | 侣承军 等 | 未来出版社 |
| 不知道的世界（10卷） | 陈海燕 主编 | 毛红强 等 | 中国少年儿童出版社 |

## 少数民族类图书（3种）

| 书　名 | 著作责任者 | 责任编辑 | 出版者 |
|---|---|---|---|
| 现代蒙古语频率词典 | 达·巴特尔 等主编 | 林 色 等 | 内蒙古教育出版社 |
| 藏传历算学大全（5卷） | 本书编写组 编写 | 戴作民 | 四川民族出版社 |
| 彝文经籍文化辞典 | 马学良 主编 | 刘振宇 | 京华出版社 |

## 教育类图书（3种）

| 书　名 | 著作责任者 | 责任编辑 | 出版者 |
|---|---|---|---|
| 教育哲学通论 | 黄 济 著 | 王宇鸿 | 山西教育出版社 |
| 中外教育比较史纲（3卷） | 张瑞璠 等主编 | 蒋 伟 | 山东教育出版社 |
| 蔡元培年谱长编（4卷） | 高平叔 著 | 刘立德 | 人民教育出版社 |

## 辞书类图书（3种）

| 书　名 | 著作责任者 | 责任编辑 | 出版者 |
|---|---|---|---|
| 敦煌学大辞典 | 季羡林 主编 | 严庆龙 等 | 上海辞书出版社 |
| 俄汉详解大词典（4卷） | 黑龙江大学辞书研究所 编纂 | 张晔明 | 黑龙江人民出版社 |

| | | | |
|---|---|---|---|
| 农业大词典 | 本书编委会 编 | 郭何生 等 | 中国农业出版社 |

### 古籍类图书（3种）

| 书　名 | 著作责任者 | 责任编辑 | 出版者 |
|---|---|---|---|
| 郭店楚墓竹简 | 荆门市博物馆 编 | 蔡 敏 | 文物出版社 |
| 尔雅诂林（6卷） | 朱祖延 主编 | 黄 榕 | 湖北教育出版社 |
| 校雠广义（4卷） | 程千帆 等著 | 闫昭典 等 | 齐鲁书社 |

## 国家图书奖提名奖（96种）

### 社科类图书（16种）

| 书　名 | 著作责任者 | 责任编辑 | 出版者 |
|---|---|---|---|
| 刘少奇传（2卷） | 金冲及 主编 | 镡德山 等 | 中央文献出版社 |
| 当代资本主义的新发展 | 李 琮 著 | 李宪魁 | 经济科学出版社 |
| 大转折——中共十一届三中全会实录 | 张树军 著 | 杨淑英 等 | 浙江人民出版社 |
| 中国农村市场开发方略 | 刘翠萍 主编 | 于景明 等 | 泰山出版社 |
| 影响新中国经济建设的10本经济学著作（10卷） | 孙冶方 等著 | 丘克军 等 | 广东经济出版社 |
| 证券知识读本 | 周正庆 主编 | 方瑞枝 等 | 中国金融出版社 |
| 心灵超越与境界 | 蒙培元 著 | 王 粤 | 人民出版社 |
| 联合国宪章诠释 | 许光建 主编 | 王佩琼 等 | 山西教育出版社 |
| 阔端与萨班凉州会谈 | 樊保良 等主编 | 李树军 | 甘肃人民出版社 |
| 走出疑古时代（修订本） | 李学勤 著 | 王逸梅 等 | 辽宁大学出版社 |
| 阿拉伯通史（2卷） | 纳 忠 著 | 任雪芳 | 商务印书馆 |
| 民俗学概论 | 钟敬文 主编 | 涂 石 | 上海文艺出版社 |
| 中国人民解放军第一、第二、第三、第四野战军战史（4卷） | 本书编委会 编写 | 倪齐生 等 | 解放军出版社 |
| 中国军事通史（17卷） | 军事科学院 编 | 熊德骐 等 | 军事科学出版社 |
| 哲学通论 | 孙正聿 著 | 刘 杨 | 辽宁人民出版社 |
| 中华人民共和国法制史（修订本） | 杨一凡 等 | 许文锋 等 | 黑龙江人民出版社 |

### 科技类图书（21种）

| 书　名 | 著作责任者 | 责任编辑 | 出版者 |
|---|---|---|---|
| 原子簇的结构规则和化学键 | 唐敖庆 等著 | 尹兆长 等 | 山东科学技术出版社 |
| 真核基因表达调控 | 沈珝琲 等著 | 吴雪梅 | 高等教育出版社 |
| 超大规模集成电路计算机辅助设计技术 | 洪先龙 等著 | 王晓光 | 国防工业出版社 |
| 兖州矿区煤炭生产技术 | 兖州矿区（集团）有限责任公司 编 | 陈 昌 等 | 煤炭工业出版社 |
| 骨科手术学（第二版） | 朱通伯 等主编 | 陈 懿 | 人民卫生出版社 |

| | | | |
|---|---|---|---|
| 无穷维随机分析引论 | 黄志远 等著 | 毕 颖 | 科学出版社 |
| 北京谱仪正负电子物理 | 郑志鹏 等 主编 | 于 宁 | 广西科学技术出版社 |
| 亚欧地质图 1:5000000 | 李廷栋 主编 | 谭惠静 等 | 地质出版社 |
| 激光测量学 | 金国藩 等主编 | 马长芳 | 科学出版社 |
| 棉铃虫的研究 | 郭予元 主编 | 杨国栋 | 中国农业出版社 |
| 草业科学研究方法 | 任继周 主编 | 李锦明 | 中国农业出版社 |
| 中国北方旱区农业 | 信乃诠 等主编 | 陆宝珠 等 | 江苏科学技术出版社 |
| 亚洲陆海壳体大地构造 | 陈国达 主编 | 李小娜 | 湖南教育出版社 |
| 现代分子生物学 | 朱玉贤 等编著 | 吴雪梅 | 高等教育出版社 |
| 工程结构裂缝控制 | 王铁梦 著 | 王 跃 | 中国建筑工业出版社 |
| 黄志强胆道外科 | 黄志强 著 | 颜承隆 | 山东科学技术出版社 |
| 长江三峡工程技术丛书（13 卷） | 长江水利委员会 编 | 周景云 等 | 湖北科学技术出版社 |
| 本草纲目（新校注本） | 刘衡如 等校注 | 张 伟 等 | 华夏出版社 |
| 中华科技五千年 | 华觉明 主编 | 赵 猛 | 山东教育出版社 |
| 走向海洋丛书（4 册） | 中国海洋学会 编 | 王晓宁 等 | 大象出版社 |
| 神奇的雅鲁藏布江大峡谷 | 杨逸畴 主编 | 余鞠华 等 | 海燕出版社 |

## 文学类图书（11 种）

| 书 名 | 著作责任者 | 责任编辑 | 出版者 |
|---|---|---|---|
| 夏承焘集（8 册） | 夏承焘 著 | 吴战垒 等 | 浙江古籍出版社<br>浙江教育出版社 |
| 20 世纪中国杂文史（2 卷） | 姚春树 等 | 任凤生 等 | 福建教育出版社 |
| 苏轼年谱（3 卷） | 孔凡礼 撰 | 刘尚荣 | 中华书局 |
| 俞平伯全集（10 卷） | 孙玉蓉 等编 | 张国岚 | 花山文艺出版社 |
| 红瓦 | 曹文轩 著 | 隋丽君 | 北京十月文艺出版社 |
| 白门柳（3 卷） | 刘斯奋 著 | 骆 军 | 中国青年出版社 |
| 伊玛堪（2 卷） | 黑龙江省民间文艺家协会 选编 | 马秀娟 | 黑龙江人民出版社 |
| 第二十幕（3 卷） | 周大新 著 | 陶良华 等 | 人民文学出版社 |
| 我的中国 | 李 瑛 著 | 邓光东 等 | 百花洲文艺出版社 |
| 雨果文集（20 卷） | 柳鸣九 主编 | 吴 劳 等 | 河北教育出版社 |
| 狄更斯文集（19 卷） | 张谷若 等著 | 郑大民 等 | 上海译文出版社 |

## 艺术类图书（10 种）

| 书 名 | 著作责任者 | 责任编辑 | 出版者 |
|---|---|---|---|
| 海外藏中国历代名画（8 卷） | 本书编委会 编 | 彭本人 等 | 湖南美术出版社 |
| 北京画院秘藏齐白石精品集 | 陈履生 主编 | 姚震西 | 广西美术出版社<br>广西教育出版社 |
| 莎士比亚画廊 | 葛一虹 编 | 孟保青 | 河北教育出版社 |
| 中国砖铭（3 卷） | 殷 荪 编著 | 卢 浩 | 江苏美术出版社 |
| 中国漆器全集 | 本书编委会 编 | 黄迪杞 主审 | 福建美术出版社 |
| 安岳石窟艺术 | 刘长久 著 | 张问渔 | 四川人民出版社 |

| | | | |
|---|---|---|---|
| 中国建筑史 | 梁思成 著 | 董令生 | 百花文艺出版社 |
| 一代宗师——梅兰芳 | 梅绍武 主编 | 左汉桥 等 | 北京出版社 |
| 人民大会堂 | 人民大会堂管理局 编 | 杨 平 等 | 辽宁美术出版社 |
| 江南古镇 | 阮仪三 主编 | 张锡昌 等 | 上海画报出版社 |

## 少儿类图书（9种）

| 书　名 | 著作责任者 | 责任编辑 | 出版者 |
|---|---|---|---|
| 红帆船诗丛（6卷） | 金 波 主编 | 孙建江 | 浙江少年儿童出版社 |
| 关怀 | 阎景堂 主编 | 黄志凯 等 | 河北少年儿童出版社 |
| 三毛大世界（4册） | 李名慈 主编 | 侯春洋 等 | 少年儿童出版社 |
| 秦文君文集（5册） | 秦文君 著 | 温 湲 | 安徽少年儿童出版社 |
| 一个中国孩子的英雄喜剧（4册） | 白 冰 等著 | 李元君 等 | 接力出版社 |
| 红蚂蚁自然丛书（6册） | 北京少年儿童出版社 等编 | 赵 萌 等 | 北京少年儿童出版社 |
| 少年军事百科全书（12册） | 李维民 主编 | 刘凡文 等 | 明天出版社 |
| 五十六个民族五十六朵花 | 本书编委会 编 | 刘 苹 等 | 云南教育出版社 |
| 花生米样的云 | 王晓明 著 | 姜 华 等 | 海燕出版社 |

## 少数民族类图书（8种）

| 书　名 | 著作责任者 | 责任编辑 | 出版者 |
|---|---|---|---|
| 明慧宝镜 | 格·拉西色楞 著 | 和 平 | 内蒙古大学出版社 |
| 端智嘉全集（6卷） | 端智嘉 著 | 普日科 等 | 民族出版社 |
| 彝语大辞典 | 本书编委会 编 | 李世荣 | 四川民族出版社 |
| 壮族医学史 | 黄汉儒 等编著 | 覃 春 等 | 广西科学技术出版社 |
| 蒙医学新论 | 宝音朝古拉 著 | 普日莱桑布 | 内蒙古科学技术出版社 |
| 刻纸艺术——彝族苗族风情专集 | 宛志贤 主编 | 吕凤梧等 | 贵州民族出版社 |
| 中国延边朝鲜族历史画册 | 延边海外问题研究所 编 | 李末玉 | 延边人民出版社 |
| 蒙古文信息处理 | 那顺乌日图 著 | 巴图巴雅尔 | 内蒙古科学技术出版社 |

## 教育类图书（7种）

| 书　名 | 著作责任者 | 责任编辑 | 出版者 |
|---|---|---|---|
| 中国贫困地区教育发展研究报告（3卷） | 张 力 等主编 | 赵汝明 等 | 广西教育出版社 |
| 教育大辞典（2卷）（增订合编本） | 顾明远 主编 | 君亚军 等 | 上海教育出版社 |
| 国立西南联合大学史料（6卷） | 北京大学 等编 | 王林艺 等 | 云南教育出版社 |
| 中国心理科学 | 王 甦 等主编 | 郑长利 | 吉林教育出版社 |
| 教育基本理论之研究 | 瞿葆奎 主编 | 黄 旭 | 福建教育出版社 |
| 中国教育魂 | 滕 纯 主编 | 刘景琳 | 江西教育出版社 |
| 教育学原理 | 胡德海 著 | 朱富明 | 甘肃教育出版社 |

## 辞书类图书（7种）

| 书　名 | 著作责任者 | 责任编辑 | 出版者 |
|---|---|---|---|
| 中国图书大辞典 | 宋木文 等主编 | 卢净璇 等 | 湖北人民出版社 |
| 法学大辞典 | 曾庆敏 主编 | 商晓燕 等 | 上海辞书出版社 |
| 汉语波斯语词典 | 曾延生 主编 | 王淑敏 等 | 商务印书馆 |
| 中国古陶瓷图典 | 冯先铭 主编 | 姚敏苏 | 文物出版社 |
| 汉语大词典简编 | 罗竹风 主编 | 王士然 等 | 汉语大词典出版社 |
| 现代汉语规范字典 | 李行健 主编 | 程 荣 等 | 语文出版社 |
| 西藏历史文化辞典 | 王 尧 等主编 | 冯 良 等 | 浙江人民出版社<br>西藏人民出版社 |

## 古籍类图书（7种）

| 书　名 | 著作责任者 | 责任编辑 | 出版者 |
|---|---|---|---|
| 新定九宫大成南北词宫谱校译（8册） | 刘崇德 主编 | 张 玮 等 | 天津古籍出版社 |
| 敦煌变文校注 | 黄 征 等校注 | 李亚明 | 中华书局 |
| 海国图志（3卷） | 陈 华 等校注 | 管巧灵 等 | 岳麓书社 |
| 文渊阁四库全书补遗（集部）（3册） | 北京图书馆 编 | 徐 蜀 | 北京图书馆出版社 |
| 敦煌文献分类录校丛刊（10种12册） | 周绍良 主编 | 周 聘等 | 江苏古籍出版社 |
| 张之洞全集（12册） | 苑书义 等主编 | 吕苏生 等 | 河北人民出版社 |
| 北京大学图书馆藏历代金石拓本菁华 | 北京大学图书馆金石组 编 | 李 穆 | 文物出版社 |

# 首届国家期刊奖（社科）名单（48种）

| 刊　名 | 主办单位 |
|---|---|
| 中央单位（22） | |
| 求是 | 中共中央 |
| 党建研究 | 中共中央组织部 |
| 中共党史研究 | 中共中央党史研究室 |
| 经济研究 | 中国社会科学院经济研究所 |
| 北京大学学报（哲学社会科学版） | 北京大学 |
| 文物 | 文物出版社 |
| 中国社会科学 | 中国社会科学院 |
| 文艺研究 | 中国艺术研究院 |
| 半月谈 | 新华社 |
| 世界知识 | 世界知识出版社 |
| 瞭望 | 新华社 |
| 党建 | 中共中央宣传部 |
| 人民文学 | 中国作家协会 |
| 诗刊 | 中国作家协会 |

| | |
|---|---|
| 装饰 | 中央工艺美术学院 |
| 中国青年 | 共青团中央 |
| 中学生 | 中国少年儿童出版社 |
| 人民教育 | 教育部 |
| 民主与法制 | 中国法学会 |
| 新华文摘 | 人民出版社 |
| 青年文摘 | 中国青年出版社 |
| 农民文摘 | 农业部 |
| 山东省（2） | |
| 文史哲 | 山东大学 |
| 山东画报 | 山东画报出版社 |
| 江苏省（2） | |
| 江海学刊 | 江苏省社会科学院 |
| 译林 | 译林出版社 |
| 甘肃省（2） | |
| 敦煌研究 | 敦煌研究院 |
| 读者 | 甘肃人民出版社 |
| 西藏（1） | |
| 西藏研究 | 西藏社会科学院 |
| 辽宁省（2） | |
| 共产党员 | 中共辽宁省委 |
| 辽宁青年 | 共青团辽宁省委 |
| 广东省（2） | |
| 党风 | 广东省纪律检查委员会 |
| 少男少女 | 广东省作家协会 |
| 上海市（4） | |
| 收获 | 上海市作家协会 |
| 故事会 | 上海文艺出版社 |
| 上海服饰 | 上海科学技术出版社 |
| 故事大王 | 少年儿童出版社 |
| 北京市（3） | |
| 十月 | 北京出版社 |
| 父母必读 | 北京出版社 |
| 收藏家 | 北京市文物局 |
| 天津市（2） | |
| 散文 | 百花文艺出版社 |
| 小说月报 | 百花文艺出版社 |
| 湖北省（1） | |
| 知音 | 湖北省妇女联合会 |
| 河南省（1） | |
| 妇女生活 | 河南省妇女联合会 |
| 山西省（1） | |
| 名作欣赏 | 北岳文艺出版社 |
| 吉林省（1） | |
| 演讲与口才 | 吉林师范学院 |
| 解放军（2） | |
| 中国军事科学 | 解放军军事科学院 |
| 解放军生活 | 解放军出版社 |

# 首届国家期刊奖提名奖（社科）名单（23种）

| 刊　名 | 主办单位 |
|---|---|
| 中央单位（11） | |
| 党的文献 | 中共中央文献研究室 |
| 思想政治工作研究 | 全国思想政治工作研究会 |
| 理论前沿 | 中共中央党校 |
| 法学研究 | 中国社科院法学研究所 |
| 时事报告 | 中共中央宣传部 |
| 啄木鸟 | 群众出版社 |
| 新体育 | 国家体育总局 |
| 婚姻与家庭 | 中华全国妇女联合会 |
| 英语世界 | 商务印书馆 |
| 海外文摘 | 中华全国新闻工作者协会 |
| 乡镇论坛 | 民政部 |
| 黑龙江省（1） | |
| 家庭生活指南 | 黑龙江省科学技术协会 |
| 广东省（1） | |
| 广东支部生活 | 中共广东省委 |
| 四川省（1） | |
| 科幻世界 | 四川省科学技术协会 |
| 浙江省（1） | |
| 山海经 | 浙江省民间文学艺术家协会 |

| | |
|---|---|
| 陕西省（1） | |
| 收藏 | 陕西省文物局 |
| 上海市（1） | |
| 现代家庭 | 上海市妇女联合会 |
| 辽宁省（2） | |
| 老同志之友 | 中共辽宁省委宣传部 |
| 新少年 | 共青团辽宁省委 |
| 湖南省（1） | |
| 小溪流 | 湖南省作家协会 |
| 河南省（1） | |
| 公安月刊 | 河南省公安厅 |
| 广西（1） | |
| 海外星云 | 中共广西区委宣传部 |
| 解放军（1） | |
| 基层建设通讯 | 解放军济南军区政治部 |

# 首届国家期刊奖（科技）名单（64种）

| 刊　名 | 主办单位 |
|---|---|
| 中国科学 | 中国科学院 |
| 科学通报 | 中国科学院 |
| 高等学校化学学报 | 吉林大学 |
| 金属学报 | 中科院金属研究所 |
| 中华医学杂志 | 中华医学会 |
| 机械工程学报 | 中国机械工程学会 |
| 地球物理学报 | 中国地球物理学会 |
| | 中科院地球物理所 |
| 植物学报 | 中国植物学会 |
| | 中科院植物所 |
| 分析化学 | 中国化学会 |
| | 中科院长春应用化学所 |
| 地球科学 | 中国地质大学学报 |
| | 中国地质大学（武汉） |
| 电子学报 | 中国电子学会 |
| 物理学报 | 中科院物理所 |
| | 中国物理学会 |
| 清华大学学报（自然科学版） | 清华大学 |
| 化学学报 | 中国化学会 |
| | 中科院上海有机所 |
| 中国药理学报 | 中国药理学会 |
| 北京科技大学学报 | 北京科技大学 |
| 中南工业大学学报 | 中南工业大学 |
| 北京师范大学学报（自然科学版） | 北京师范大学 |
| 药学学报 | 中国药学会 |
| 中国农业科学 | 中国农业科学院 |
| 力学学报 | 中科院力学所 |
| | 中国力学学会 |
| 北京大学学报（自然科学版） | 北京大学 |
| 林业科学 | 中国林学会 |
| 中华外科杂志 | 中华医学会 |
| 中华医学杂志（英文版） | 中华医学会 |
| 煤炭学报 | 中国煤炭学会 |
| 生理学报 | 中科院上海生理所 |
| 华中理工大学学报 | 华中理工大学 |
| 中国化学（英文版） | 中国化学会 |
| 中国物理快报（英文版） | 中科院物理所 |
| | 中国物理学会 |
| 红外与毫米波学报 | 上海技术物理研究所 |
| 理论物理通讯（英文版） | 中科院理论物理所 |
| 军事通信学术 | 总参通信部军事通信学术委员会 |
| 第四军医大学学报 | 第四军医大学 |
| 航天医学与医学工程 | 总装备部航天医学工程研究所 |
| 电力系统自动化 | 电力自动化研究院 |
| 石油地球物理勘探 | 石油地球物理勘探局 |

| | |
|---|---|
| 建筑技术 | 北京建工集团总公司 |
| 中国农村水利水电 | 水利部农村水利司 |
| 工业建筑 | 冶金部建筑研究总院 |
| 上海环境科学 | 上海市环境保护局 |
| 石油炼制与化工 | 石油化工科学研究院 |
| 中国药学杂志 | 中国药学会 |
| 合成橡胶工业 | 兰州化学工业公司<br>中国石化总公司合成橡胶技术开发中心 |
| 中国机械工程 | 中国机械工程学会 |
| 湖北农业科学 | 湖北省农科院<br>湖北省农业厅等 |
| 工程塑料应用 | 中国兵器工业第五三研究所<br>中国工程塑料工业协会等 |
| 材料保护 | 武汉材料保护研究所 |
| 电池 | 全国电池工业信息中心<br>湖南省轻工研究所 |
| 现代化工 | 中国化工信息中心 |
| 中国兽医科技 | 中国农科院兰州兽医所 |
| 新建筑 | 华中理工大学 |
| 机车电传动 | 铁道部株洲电力机车研究所 |
| 特种铸造及有色合金 | 中国机械工程学会 |
| 稀有金属材料与工程 | 国家西北有色金属研究院 |
| 中国新药与临床杂志 | 中国药学会<br>上海市医药管理局科技情报研究所 |
| 中医杂志 | 中国中医药学会<br>中国中医研究院 |
| 家庭医生 | 中山医科大学 |
| 汽车与驾驶维修 | 中国科协普及部 |
| 无线电 | 中国电子学会 |
| 农村百事通 | 江西科技出版社 |
| 大众医学 | 上海科技出版社 |
| 航空知识 | 中国航空学会 |
| 少年科学画报 | 北京出版社 |

# 首届国家期刊奖提名奖（科技）名单（22种）

| 刊　名 | 主办单位 |
|---|---|
| 华西医科大学学报 | 华西医科大学 |
| 地震学报 | 中国地震学会 |
| 大连理工大学学报 | 大连理工大学 |
| 中华肿瘤杂志 | 中华医学会 |
| 生物化学与生物物理学报 | 中科院上海生化所 |
| 湖南师范大学学报（自然科学版） | 湖南师范大学 |
| 生物化学与生物物理进展 | 中科院生物物理所<br>中国生物物理学会 |
| 北京理工大学学报 | 北京理工大学 |
| 自然科学进展 | 国家自然科学基金委 |
| 中国人口、资源与环境 | 中国可持续发展研究会 |
| 环境导报 | 中国环境科学学会<br>江苏省环境保护局 |
| 科学学与科学技术管理 | 中国科学学与科技政策研究会<br>中国管理科学研究院等 |
| 中国科技论坛 | 中国科技促进发展研究中心 |
| 天然气工业 | 四川石油管理局 |
| 油气储运 | 中国石油天然气管道局 |
| 计算机应用 | 中科院成都计算机应用所 |
| 电子技术应用 | 电子部第六研究所 |
| 国际航空 | 中航总 628 所 |
| 中国水利 | 水利部 |
| 中国骨伤 | 中国中西医结合学会<br>中国中医研究院 |
| 武警医学 | 武警部队后勤部 |
| 纺织导报 | 中国纺织科学技术信息研究所 |

# 第二届百种重点社科期刊名单（108种）

| 刊名 | 主办单位 |
|---|---|
| 中央单位（42） | |
| 求是 | 中国共产党中央委员会 |
| 党建研究 | 中共中央组织部 |
| 中共党史研究 | 中共中央党史研究室 |
| 经济研究 | 中国社会科学院经济研究所 |
| 北京大学学报（哲学社会科学版） | 北京大学 |
| 文物 | 文物出版社 |
| 中国社会科学 | 中国社会科学院 |
| 党的文献 | 中共中央文献研究室 |
| 文艺研究 | 中国艺术研究院 |
| 思想政治工作研究 | 全国思想政治工作研究会 |
| 理论前沿 | 中共中央党校 |
| 法学研究 | 中国社会科学院法学研究所 |
| 中国税务 | 国家税务总局 |
| 中国财政 | 财政部 |
| 乡镇论坛 | 民政部 |
| 长安 | 中共中央政法委员会 |
| 民主与法制 | 中国法学会 |
| 半月谈 | 新华社 |
| 时事报告 | 中共中央宣传部 |
| 人民论坛 | 人民日报社 |
| 瞭望 | 新华社 |
| 世界知识 | 世界知识出版社 |
| 党建 | 中共中央宣传部 |
| 人民文学 | 中国作家协会 |
| 当代 | 人民文学出版社 |
| 诗刊 | 中国作家协会 |
| 啄木鸟 | 群众出版社 |
| 新体育 | 国家体育总局 |
| 装饰 | 中央工艺美术学院 |
| 世界博览 | 世界知识出版社 |
| 婚姻与家庭 | 中华全国妇女联合会 |
| 民族画报 | 国家民族事务委员会 |
| 中国青年 | 共青团中央 |
| 人民教育 | 教育部 |
| 课程·教材·教法 | 人民教育出版社 |
| 英语世界 | 商务印书馆 |
| 农民文摘 | 农业部 |
| 青年文摘 | 中国青年出版社 |
| 海外文摘 | 中华全国新闻工作者协会 |
| 新华文摘 | 人民出版社 |
| 中学生 | 中国少年儿童出版社 |
| 婴儿画报 | 中国少年儿童出版社 |
| 北京市（4） | |
| 十月 | 北京出版社 |
| 父母必读 | 北京出版社 |
| 收藏家 | 北京市文物局 |
| 大学生 | 中共北京市委宣传部 |
| 天津市（3） | |
| 天津社会科学 | 天津市社会科学院 |
| 散文 | 百花文艺出版社 |
| 小说月报 | 百花文艺出版社 |
| 上海市（5） | |
| 收获 | 上海市作家协会 |
| 故事会 | 上海文艺出版社 |
| 上海服饰 | 上海科学技术出版社 |
| 现代家庭 | 上海市妇女联合会 |
| 故事大王 | 少年儿童出版社 |
| 山东省（2） | |
| 文史哲 | 山东大学 |
| 山东画报 | 山东画报出版社 |
| 江苏省（4） | |
| 江海学刊 | 江苏省社会科学院 |
| 警方 | 江苏省公安厅 |
| 译林 | 译林出版社 |

| | |
|---|---|
| 钟山 | 江苏省作家协会 |
| 河南省（4） | |
| 公安月刊 | 河南省公安厅 |
| 名人传记 | 河南文艺出版社 |
| 小小说选刊 | 郑州市文学艺术界联合会 |
| 妇女生活 | 河南省妇女联合会 |
| 山西省（3） | |
| 记者观察 | 新华社山西分社 |
| 名作欣赏 | 北岳文艺出版社 |
| 小学语文教学 | 全国小学语文教学研究会 |
| 辽宁省（4） | |
| 共产党员 | 中共辽宁省委 |
| 老同志之友 | 中共辽宁省委宣传部 |
| 新少年 | 共青团辽宁省委 |
| 辽宁青年 | 共青团辽宁省委 |
| 广东省（6） | |
| 广东支部生活 | 中共广东省委 |
| 佛山文艺 | 中共佛山市委宣传部 |
| 家庭 | 广东省妇女联合会 |
| 深圳青年 | 共青团深圳市委 |
| 少男少女 | 广东省作家协会 |
| 党风 | 广东省纪律检查委员会 |
| 云南省（2） | |
| 大家 | 云南人民出版社 |
| 奥秘 | 云南省科学技术协会 |
| 湖北省（2） | |
| 今古传奇 | 湖北省文学艺术界联合会 |
| 知音 | 湖北省妇女联合会 |
| 四川省（1） | |
| 科幻世界 | 四川省科学技术协会 |
| 浙江省（3） | |
| 山海经 | 浙江省民间文学艺术家协会 |
| 幽默大师 | 浙江人民美术出版社 |
| 幼儿智力世界 | 浙江少年儿童出版社 |
| 湖南省（1） | |
| 小溪流 | 湖南省作家协会 |
| 吉林省（1） | |
| 演讲与口才 | 吉林师范学院 |
| 江西省（2） | |
| 足球俱乐部 | 百花洲文艺出版社 |
| 涉世之初 | 共青团江西省委 |
| 陕西省（3） | |
| 收藏 | 陕西省文学艺术界联合会 |
| 女友 | 陕西省妇女联合会 |
| 新居室 | 西安市工业合作联社 |
| 黑龙江（2） | |
| 家庭生活指南 | 黑龙江省科学技术协会 |
| 党的生活 | 中共黑龙江省委 |
| 安徽省（1） | |
| 恋爱婚姻家庭 | 安徽省妇女联合会 |
| 广西（1） | |
| 海外星云 | 中共广西区委宣传部 |
| 福建省（1） | |
| 中篇小说选刊 | 福建省出版总社 |
| 河北省（1） | |
| 民间故事选刊 | 河北省文学艺术界联合会 |
| 甘肃省（2） | |
| 敦煌研究 | 敦煌研究院 |
| 读者 | 甘肃人民出版社 |
| 西藏（2） | |
| 西藏研究（汉文版） | 西藏社会科学院 |
| 西藏旅游 | 西藏旅游局 |
| 解放军（6） | |
| 解放军生活 | 解放军出版社 |
| 中国军事科学 | 解放军军事科学院 |
| 基层建设通讯 | 解放军济南军区政治部 |
| 当代海军 | 解放军海军政治部 |
| 中国空军 | 解放军空军政治部 |
| 解放军画报 | 解放军总政治部 |

# 首届国家音像制品奖名单（19种）

| 名　称 | 载体 | 主创人员 | 责任编辑 | 出版者 |
|---|---|---|---|---|
| **社科类音像制品（5种）** | | | | |
| 中华各民族 | VT | 韦鹏飞 雅嘎热等 | 雅嘎热 | 中国民族音像出版社 |
| 伟大的旗帜 | VCD | 张长江 赵锡顺等 | 马叶英 | 中国国际电视总公司 |
| 新中国大阅兵 | VCD | 褚嘉骅 关 辉等 | 尤 佳 | 解放军音像出版社 |
| 千秋基业——邓小平与中国教育 | VCD | 龙平平 韩 雯等 | 何苏六 | 人民教育出版社 |
| 百年恩来 | VCD | 谈竹伟 邓在军等 | 李海文 | 国际文化交流音像出版社 |
| **文艺类音像制品（7种）** | | | | |
| 20世界中华歌坛名人百集珍藏版 | CD | 李鼎祥 马绪尧等 | 王苑珠 | 中国唱片总公司 |
| 云之南 | CD | 刘伟仁 周建潮等 | 张春一 | 中国唱片上海公司 |
| 中国民歌 | CD | 庞绍堂 刘怀萱等 | 朱其平 | 南京音像出版社 |
| 中国音乐家大系 | CD | 刘亚辉 李文达等 | 陈卫东 | 北京文化艺术音像出版社 |
| 神脑聪仔（1—4） | VCD | 何 云 符 强等 | 王 玲 | 广西电影音像出版社 |
| 20世纪华人音乐经典音乐会（1—16） | CD | 吴言韪 王炬等 | 宋祖芬 | 中国音乐家音像出版社 |
| 记住刘欢 | CD | 赵 青 苗 彭等 | 刘丽娟 | 上海声像出版社 |
| **科技类音像制品（3种）** | | | | |
| 让生命永存——生物多样性保护与可持续发展 | VT | 廖 烨 刘允良等 | 郭宝通 | 北京科影音像出版社 |
| “老等”不能走 | VT | 杜昕汝 张 峻等 | 荆 晶 | 中国农影音像出版社 |
| 追寻永乐大钟 | VCD | 赵致真 王亚飞等 | 雷友交 | 中国唱片总公司 |
| **教育类音像制品（4种）** | | | | |
| 九年义务教育初级中学《化学》（上、下集） | VT | 方 澄 朱 铮等 | 李文鼎 | 人民教育出版社<br>福建教育音像出版社 |
| 世界名著半小时 | AT | 吴元迈 马 驰等 | 梁乃发 | 高等教育出版社 |
| 加菲中国奇遇记（1—4辑） | AT | 蔡 逊 郝建平等 | 李静纯 | 人民教育出版社 |
| 新时期的旗帜——邓小平理论教学片 | VT | 顾海良 张 丽等 | 钱煤军 | 高等教育出版社 |

# 首届国家音像制品奖提名奖名单（34种）

| 名　称 | 载 体 | 主创人员 | 责任编辑 | 出版者 |
|---|---|---|---|---|
| **社科类音像制品（8种）** | | | | |
| 中国乒乓球战例精选40春 | VCD | 袁大任 方凯军等 | 方凯军 | 人民体育出版社 |
| 共和国元帅 | VCD/VT | 傅立群 聂和平等 | 丁晓聪 | 中国录音录像出版总社 |
| 我爱国旗 | VCD | 流水长 谢小晶等 | 汪海黎 | 北京法制教育音像出版社 |
| 金色航程——新中国财政50年 | VCD/VT | 骆祖望 陈 吟等 | 王建华 | 北京财经音像出版社 |
| 周恩来外交风云 | VCD | 傅红星 刘 典等 | 张建华 | 新影音像出版社 |
| 春风绿南粤——邓小平理论与广东实践 | VCD | 姚军毅等 | 容佩成 | 广东海燕电子音像出版社 |
| 钢铁长城之歌 | VCD | 郭崇年 石礼文等 | 李曰生 | 解放军音像出版社 |
| 跨越时空的文明——中华五千年的文化纪录 | VT | 张新毅 康健宁等 | 李一文 | 九洲音像出版公司 |
| **文艺类音像制品（12种）** | | | | |
| 午夜有轨电车 | VT | 杨 阳 马 宁等 | 王树忠 | 大连音像出版社 |
| 中国京剧音配像精萃（1—50） | VT | 严德威等 | 于志坚 | 天津北洋音像出版社 |
| 韦唯精曲珍藏版 | CD | 朴　颖等 | 朴　颖 | 中华文艺音像出版社 |
| 让童年充满爱 | CD | 陈淑琴 岳德顺等 | 杨佩华 | 少年儿童出版社 |
| 阳春曲 | CD | 伍亦忠 许卓明等 | 董培雯 | 广州音像出版社 |
| 吉祥九重天 | CD | 陆晓幸 洛桑三旦等 | 裘蕴清 | 中国唱片上海公司 |
| 苏武牧羊 | CD | 张小安等 | 刘丽娟 | 上海声像出版社 |
| 黄河大合唱 | CD | 王笑然 刘怀萱等 | 刘长春 | 北京东方影音公司 |
| 晚霞不是梦 | VT | 张国庆 杨 晶等 | 卢 丹 | 辽宁音像出版社 |
| 彭丽媛：珠穆朗玛 | CD | 范冬阳 张小安等 | 程蕴兰 | 中国唱片总公司 |
| 粤剧大典 | VCD | 陈西名 杨子静等 | 钟国伟 | 广东音像出版社 |
| 歌声伴随光辉的50年——建国50年优秀歌曲选 | CD | 缪道真 石海兵等 | 缪道真 | 太平洋影音公司 |

## 科技类音像制品（7种）

| 名　称 | 载 体 | 主创人员 | 责任编辑 | 出版者 |
|---|---|---|---|---|
| 介入疗法 | VT | 阎永铎 刘纪钦等 | 李昭栋 | 北京科影音像出版社 |
| 让科学的光辉映照山河 | VT | 赵致真 张建华等 | 张建华 | 中国科学技术协会声像中心 |

| | | | | |
|---|---|---|---|---|
| 迎接新世纪——科学家与青少年的对话 | VT | 王　重　崔　扬等 | 戈叶力 | 北京电影学院音像出版社 |
| 虎 | VT | 杜　岩　刘　勇等 | 李昭栋 | 北京科影音像出版社 |
| 转基因植物 | VT | 杜昕汝　高大钢等 | 王淑娥 | 中国农影音像出版社 |
| 毒品的危害（上部） | VCD | 赵　翔　刘文岚等 | 蔡燕农 | 贵州文化音像出版社 |
| 新牛经 | VT | 陈　青　王　宏等 | 高栋立 | 山东省出版总社 |

### 教育类音像制品（7种）

| 名　称 | 载体 | 主创人员 | 责任编辑 | 出版者 |
|---|---|---|---|---|
| 九年义务教育三、四年制初中《英语》（第二册） | VT | 沈　悦　胡　斌等 | 张明高 | 人民教育出版社 |
| 大学英语听力（修订本）1—6册 | AT | 许静波等 | 周天豪 | 上海外语音像出版社 |
| 大学物理专题——当代物理前沿专题 | VT | 杨振宁　魏　捷等 | 梁小庆 | 中央广播电视大学音像出版社 |
| 中华文化讲座 | VT | 刘家祯　刘　凯等 | 刘家桢 | 北京大学音像出版社 |
| 中国文学的历程 | VT | 冯克正　魏　捷等 | 韩泽林 | 中央广播电视大学音像出版社 |
| 我们拒绝毒品——青少年禁毒教育录像片 | VT | 贺允清　刘灵志等 | 徐　迎 | 高等教育出版社 |
| 英语口语教程（初、中、高级） | AT | 吴贞福　李明义等 | 张　镜 | 北京外语音像出版社 |

# 第六届中国韬奋出版奖获奖者名单

（按得票多少为序，得票相同者，以姓氏笔画为序）

江曾培　上海文艺出版社社长
周　谊　中国建筑工业出版社原社长、总编辑
遇衍滨　中国少年儿童出版社原社长、总编辑
于国华　高等教育出版社社长
郑士德　新华书店总店原副总经理
徐春莲（女）家庭杂志社社长、总编辑
沙地克·木沙（维吾尔）　新疆科技卫生出版社社长
王亚民　河北教育出版社社长、总编辑
单基夫　中国大百科全书出版社社长
李元君（女）　接力出版社社长
何学惠（女）　云南教育出版社社长

# 中国青年五四奖章获得者名单

杨元庆　34岁，硕士研究生，中共党员，联想集团高级副总裁兼联想电脑公司总经理

胡万毅　39岁，大学学历，中共党员，铁道部第十六工程局总工程师

郭　雷　37岁，博士研究生，中国科学院系统科学研究所所长

陈　飞　35岁，硕士研究生，中国葛洲坝水利水电工程集团公司副总经理

郭广昌　32岁，大学学历，民盟盟员，上海复星高科技(集团)有限公司董事长、总经理

刘汝山　38岁，大学学历，中共党员，胜利石油管理局钻井工程技术公司经理、高级工程师

刘　明　35岁，双学士学位，中共党员，中国人民解放军空军某飞行试验训练中心副团长、特级飞行员

公方彬　36岁，大学学历，中共党员，中国人民解放军军事科学院战役战术研究部副团职研究员

方红霄　28岁，高中学历，中共党员，中国人民武装警察部队云南省总队二支队中队长

张绍新　35岁，大专学历，中共党员，广东省公安厅刑侦局科长

王玉荣　女，37岁，大专学历，中共党员，河南省郑州市公安局火车站分局侦察员

王新全　35岁，大专学历，中共党员，中国远洋运输(集团)总公司轮机长

邱汝舜　33岁，高中学历，中共党员，天津百货大楼股份有限公司电讯商场进口音响部主任

秦英林　34岁，大学学历，中共党员，河南省内乡县马山口镇河西村农民

乌　兰　女，蒙古族，35岁，中共党员，内蒙古中蒙医医院副主任医生

孙海涛　22岁，中共党员，南京大学新闻传播系学生

# 第十届中国十大杰出青年称号获得者名单

丁　榕（女）福州铁路公安处福州车站派出所副主任科员

邓　伟　亿阳集团有限公司董事长兼总裁

刘　谊　国投新集能源股份有限公司总经理、党委书记

吕岩松　人民日报驻南斯拉夫记者

孙　雯（女）中国女子足球队队长

吴奇修　湖南省涟源市茂塘镇石门村党支部书记

张庆伟　中国航天科技集团党组成员、副总经理

张　荣（女）河南西峡县丁河镇北峪村农民

李洪涛　总参某直升机团机务大队战士机械员

侯新民　甘肃省漳县金钟乡斜坡希望小学校长

# 中国十大杰出青年志愿者及中国青年志愿服务金奖奖章获得者名单

刘茂刚　山东工业大学电子系通信96.1班学生
阮经宙　广西农业科学院干部
何　可　北京何创兴科贸有限责任公司经理
宋昱恬（女）上海中易心理健康研究所教师
沐华平　科学技术部直属机关团委书记、青联主席
周　宁　广东湛江市中心人民医院急诊科副主任
易红华（女）江西星子县下岗职工
武耀成　陕西青年志愿者医疗扶贫基地主任
雷　钟　天津大港油田集团公司工人
滕明龙　贵州荔波县逸夫民族中学校长助理

# 中国十大杰出青年志愿服务集体名单

河北唐山市青年志愿者服务中心
山西静乐县青年志愿者协会
内蒙古伊克昭盟鄂托克前旗青年志愿者艺术团
辽宁大连市教育扶贫青年志愿者服务队
上海外国语大学青年志愿者服务总队
江苏江阴市社区服务求助中心
浙江衢州市天天青年志愿者服务中心
福建漳州110青年志愿者为民服务网络
重庆市万州移民开发区青年志愿者协会
云南大学青年志愿者协会

# 中国百名优秀青年志愿者及中国青年志愿服务银奖奖章获得者名单

**北京：** 时光寨　陈迎春（女）　罗　丹　阙燕清（女）
**天津：** 李　哲（女）　石　柱
**河北：** 武建中　于　江　赵建广
**山西：** 冯瑞明　薛守明
**内蒙古：** 陈忠利　董振域　杨雪莲（女）
**辽宁：** 冯芝国　王　越（满族）　张有刚　赵　欣
**吉林：** 郭晓平（女）　权　红（女）　于海波（女）
**黑龙江：** 宫玉和　李忠和　王玉林
**上海：** 蔡新军　董俊华　施全红（女）

江苏：戴　凡　刘丽军　孙　晔
浙江：李明侠　孔胜东　陈　耀
安徽：何艳燕（女）　潘海滨
福建：林瑞班　林少辉　石　华　王进伟
江西：江午晖　徐秋平
山东：李江涛　王秀成　于向东
河南：侯　雁（女）　王建朝
张丽萍（女）　张兴兆
湖北：何光建　贾卫东　孙红绪（女）
湖南：高青松　李晓武　赵岳平
广东：黄剑腾　黄雄国　苏莉莉（女）
广西：梁建新　宋国养　赵晓艳（女）
海南：廖翠华（女）　孙衍吾
重庆：董江峡（女）　黄　强　刘崇和
郑科学
四川：黄　凯　江　蓉（女）　邱清泉
张文科（女）
贵州：李　耘　王晓梅（女）
云南：郭斯嘉（女）　田劲松
李小容（女）
西藏：陈　辉　拉娘加（藏族）　李大明
陕西：何　宏（女）　寇晓东
甘肃：达丽红（女）　那有布（藏族）
蒲卫晖
青海：葛军伟　王建生　朱德龙
宁夏：王永明　赵　彤
新疆：陈　亮　张　军　张　文
全国铁道团委：陈　亮　郭金囤　史开志
全国民航：季慧忠
中直机关：姚　红（女）　曾　鑫　张向军
科技分会：胡熳华（女）　朱　迎

# 中国百个优秀志愿服务集体名单

北京海淀卫生局中关村医院青年志愿服务队
北京首钢总公司青年志愿者协会
中国人民大学青年志愿者协会
中国政法大学青年志愿者讲解团
天津世体赛青年志愿者场馆部服务队
天津北辰区青年志愿者协会
天津医科大学大学生志愿者服务总队
河北沧州农机工程学校“华普爱心社”
河北承德承钢青年志愿者服务站
山西长治二中春蕾志愿者服务队
山西阳泉卫校青年志愿者服务队
内蒙古大学物理系青年志愿者服务队
内蒙古民族集团青年志愿者服务小分队
辽宁百团包百户志愿服务活动总队
辽宁抚顺石油二厂“小红帽”志愿者服务站
吉林长春市青年志愿者协会
吉林松原市青年志愿者协会
东北师范大学红烛志愿者协会
黑龙江大庆石油管理局钻井一公司青年志愿者服务站
黑龙江佳木斯市电业局青年志愿者服务中心
黑龙江牡丹江市青年志愿服务总队
华东政法学院大学生华阳街道社区援助志愿者服务队
上海赴滇扶贫青年志愿者接力队
上海新闻出版系统青年志愿服务队
江苏南京市中山陵全国青年志愿服务基地
江苏南通市江海志愿者服务站
江苏苏州吴江市震泽粮管所青年志愿服务队
浙江杭州市青年志愿者协会
浙江西湖电子集团青年志愿者服务队
浙江电力“光明工程”青年志愿者服务队
浙江宁波市志愿者协会
安徽滁州市团委农村青年志愿者一（组）助一（户）
扶贫帮困服务中心
安徽芜湖市青年志愿者协会
安徽金寨县公安局交警大队青年志愿服务队

福建省直团工委青年志愿者服务总队
福建南平市延平区青年志愿者服务队
江西师范大学“蓝心”青年志愿者服务队
江西九江市青年志愿者协会
南昌大学新风服务队
齐鲁石化公司胜利炼油厂青年志愿者协会
山东长清县青年科技志愿服务队
山东平邑县110青年志愿者协会
齐鲁石化公司烯烃厂青年志愿者服务站
山东青岛市青年志愿者协会
山东烟台市青年志愿者协会
中原油田青年志愿者文明督察队
河南安阳市文峰区青年志愿服务队
河南新县青年志愿者协会
湖北鄂州市优抚医院青年志愿服务队
湖北荆州市青年志愿者服务队
共青团湖北黄石市委抗洪救灾青年志愿服务总队
湖南衡阳医学院基础课一部“曹克敏、孙秀英教授护理组”
湖南郴州师专青年志愿者服务总队
湖南衡东县罗帅故乡青年志愿者服务站
广东广州青年志愿者协会
广东佛山义工团
广东深圳市义务工作者（志愿者）联合会
广东珠海市青年志愿者协会
广西横县职校横州分校青年志愿者服务站
广西壮族自治区南溪山医院老年病科
广西南宁市青年志愿者服务总队
海南大学经济学院青年志愿者服务队
海南农垦总局医院青年志愿者服务队
重钢（集团）有限责任公司青年志愿者协会
重庆大学青年志愿者协会
四川成都电子机械高等专科学校青年志愿者服务总队
四川农业大学青年志愿者协会
四川宜宾市青年志愿者协会
贵州南明区教育系统青年志愿者服务站
贵州青年志愿者协会秘书处
贵州盘县中医院青年志愿者行动服务分队
云南昆明市青年志愿者协会
昆明铁路局青年志愿者服务总队
西藏藏医学院藏医系本科200班
西藏大学青年志愿者服务总队
西藏军区56095部队
陕西西安市长安路地区：新雷锋青年志愿服务总队
西北政法学院青年志愿者法律服务中心
陕西咸阳市青年志愿者服务大队
甘肃省体委机关青年志愿者服务队
甘肃兰州市城关区青年志愿者服务中心
甘肃兰州铁路机械学校义务助残小组
青海丁香粮油集团公司青年志愿者服务队
青海师范大学青年志愿者协会
宁夏回族自治区人民医院青年志愿者服务队
宁夏农学院青年志愿者服务队
宁夏吴忠中学志愿者服务队
新疆克拉玛依石油管理局采油一厂青年志愿者服务队
新疆乌鲁木齐市新市区北京路街道青年志愿者服务队
广州铁路集团公司羊城铁路总公司广州车站青年志愿服务队
哈尔滨铁路分局青年志愿者服务总队
上海铁路分局上海站青年志愿者服务队
北京首都国际机场青年志愿者周日服务队
南方航空(集团)海南公司青年志愿者服务站
云南航空公司青年志愿者服务队
《中国青年报》“青春热线”志愿者团体
中央电视台团委青年志愿者服务队
中国青年政治学院青年志愿者协会
故宫博物院团委青年志愿者服务队
中国协和医科大学青年志愿者协会

# 中国青年志愿服务奖奖章获得者名单

北京：储德武 王 琦 吕晓东
天津：杜海锋 郭庆霞（女） 李志刚
刘绍英（女） 宋 涛
河北：葛 勇 赫 剑 黄俊双（女）
蒋玉洪 刘碧松（女）
山西：郭小花（女） 李忠泽 杨 华
内蒙古：范建军 耿祖光（蒙古族）
李文杰 卢雪冰 王东波
张 剑
辽宁：冯艺田 马树成 孙立新（女）
韩 伟 陶 洋
魏忠发（锡伯族） 姚志坚 张志东
吉林：安光海（朝鲜族） 刘俊刚
徐春羽（女） 殷宏伟 岳士才
黑龙江：鄂继权（满族） 石忠义 孙孝章
张为斌 赵 伟
上海：何鸿斌 金 涛（女） 唐忠赟
周 盛
江苏：王丽梅（女） 吴建宏 徐有才
尹 超
浙江：戴玉梅（女） 傅达明 王鲁辉
王晓翔 周 征
安徽：何建刚 何育平 汪 晔（女）
叶 林 周 富
福建：董再发 郑云涛 龚元铭 金 震
张炎安 朱朝阳
江西：胡莉群（女） 屠国青（女）
王 雅（女） 徐进军 杨建辉
山东：崔科军 李继宁 李晓林（女）
蒲 娜（女） 神安保 佚 凡
于 利
河南：李莜珂（女） 孙自学 王理博
湖北：冯圣兵 付小丽（女） 于 健
吴 炯 张 平
湖南：阳 辉 姚鹏飞（女）
袁文彩（女） 张岸惠
广东：陈敬锋 陈利珍（女） 毛之奇
张济波
广西：傅 国 高文军 莫 艳（女）
海南：熊晓燕（女）
重庆：杨志强 邓 玲（女）
叶兴萍（女） 曾良平
四川：姜宏海 刘 凯 舒建军
张 炜（女）
贵州：毕成智 陈久琪 刘新乐（女）
刘文武（土家族）
云南：高云飞 郭 华 郭 薇（女）
李 吉 陆 平 王 霞（女）
西藏：阿 都（回族） 邓兴才
格桑加措（藏族） 孙长有
陕西：高必征 宋新刚 黎开谊 刘战旗
甘肃：郭智强 王海山 谢重新 杨斌宏
青海：傅微那（女） 贾建平（女）
张宝寿
宁夏：巩中和 官 玲（女） 刘 颖
王鑫荣（女） 袁 航（回族）
新疆：艾尔肯·玉赛因（维吾尔族）
冯献平 康冬萍（女）
田永新（蒙古族） 王俊岩
全国铁道：李学谦 闵 攀 汪元明
娜仁高娃（女 蒙古族）
沈 捷 王天一
全国民航：孙俊喜
中直机关：朱 羿

# 中国青年志愿者行动贡献奖名单

丁保华　武警西藏总队政治部组织处副处长
王振滔　中国奥康集团总裁、董事长
吴维明　广西玉林市第一人民医院院长
宋　怡（女）青海医学院附属医院副书记
张　量　辽宁大连华润啤酒有限公司董事、总经理
张国林　山东红日集团有限公司党委副书记、副总经理
杨慈田　山东烟台华源电气有限公司总经理
邹　伟　湖北白云边集团董事长、总经理
邹水清　湖北省扶贫办主任、党组书记
陈金飞　北京通产投资集团有限公司董事长、总裁
孟江田　浙江衢州市物资局局长、党委书记
郑　伟　江西南昌卷烟厂厂长、党委书记
姜鸣钧　《青岛晚报》副总编
秦兆虎　浙江省政府经济技术协作办公室副主任
贾卫东　青海丁香粮油集团公司总经理
黄成模　海南海口市振东区区委书记
傅希平　山东滨州交运集团有限责任公司董事长、党委书记
韩　庆　重庆跨越（集团）股份有限公司总经理
滕安功　山东青岛啤酒集团有限公司党委副书记
戴光强　安徽省卫生厅党组书记、厅长
中国汇凯集团有限公司
北京中益天顺投资有限公司
北京恒泰基业房地产开发有限公司
北京太合龙脉房地产开发有限责任公司
中国南方证券有限公司
广东深圳福田区文化局深圳大学艺术学院《窗外有片红树林》剧组
广西玉柴机器股份有限公司
昆明卷烟厂
中国太平洋保险公司昆明分公司

# 第四届中国杰出青年农民提名奖名单

（按姓氏笔画排序）

王守成　辽宁省海城市西柳镇西古村农民
王国先　黑龙江省海林市新合乡马北村农民
朱　贵　甘肃省张掖市上秦镇安家庄村农民
李云锁　云南省呈贡县洛羊镇小新册办事处农民
张廷贵　贵州省兴义市桔山镇花月村农民
张烈财　陕西省宝鸡县天王镇八庙村农民
况定良　重庆市涪陵区百胜镇百胜村农民
杜胜兴（回）宁夏回族自治区灵武市杜木桥乡杜家摊村农民
庞丙炎　天津市静海县西双塘村农民
范恒进　安徽省太和县城关镇杜国村农民
郑美海　福建省龙海市浮宫镇美山村农民
阙龙飞　广西壮族自治区博白县新田镇大田村农民
戴欣华　江西省宜丰县石市镇夏讲村农民

# 第四届中国杰出青年农民名单

（按姓氏笔画排序）

方正和　河南省固始县三河尖乡黄寨村农民
牛　伟　山西省蒲县西坪垣乡天花岭村农民
王　坤　新疆维吾尔族自治区生产建设兵团农五师八十一团开发农场职工
王大民　内蒙古自治区乌兰浩特市居力很乡红心村农民
田永亮　山东省曹县仵楼乡后张楼村农民
乔书领　河北省隆尧县千户营乡狮子疙瘩村农民
张　浩　湖南省浏阳市洞阳乡生基村农民
欧阳晓玲（女）四川省华蓥市禄市镇红光村农民
祝义才　江苏省南京市雨花台区沙洲乡双和村农民
高　才　吉林省九台市苇子沟镇西沟村农民

# 第二届中国杰出青年卫士名单

（按姓氏笔画排序）

任志清　江苏省金坛市人民法院环城人民法庭庭长
谷　静（女）黑龙江省大庆市国家税务局萨尔图分局铁东税务所所长
张　宇　中国工商银行哈尔滨市分行靖宇支行经济民警
周锦辉　广东省东莞市工商局经济检查分局局长
钟长鸣　四川省泸州市人民检察院反贪污贿赂局政委兼副局长
施华山　江西省贵溪市公安局流口派出所干警
高伟明　财政部驻浙江省财政监察专员办事处一处处长
韩　超　河南省南召县南河店镇司法所所长
赖伟忠　广州海关调查局副局长
蔡忠宝　武警甘肃省总队酒泉地区支队阿克塞县中队指导员

# 第二届中国优秀青年卫士名单

（按姓氏笔画排序）

丁 榕（女）上海铁路局福州铁路公安处福州车站派出所警长
万占奎 山西省大同市公安交警支队一大队副大队长
王 冰 福建省公安边防总队晋江市边防大队教导员
王立科 辽宁省锦州北宁市公安局政委
王孟生 中国工商银行湖南省浏阳市分行保卫科科长
王春雷 吉林省镇赉分局八监狱赵家岗子监区副监区长
王晓炜 陕西省凤翔县常青镇财政所所长
王登龙 山西省临汾市人民检察院反贪污贿赂局副局长
云大存 海口海关调查处副科长
方永岌 大连海关调查局副科长
尹东华（女）天津市和平区人民检察院检察员
尹福香（女）山东省金乡县缗城农村信用社出纳员
孔 军 湖北省汉阳公安分局翠微街派出所副所长
邓万宏 辽宁省沈阳市公安局苏家屯区公安分局刑警大队大队长
艾尼瓦尔 乌鲁木齐海关调查处调查科副科长
石 川 四川省成都市公安局锦江区分局春熙路派出所所长
龙昌泽 四川省中江县永太镇财政所所长
平 措 西藏自治区山南地区国家税务局稽查分局副局长
卢 涛 武警重庆市总队一支队三大队副大队长
申文生 河南省焦作市财政局监督科副科长
吕 玲（女）广东省韶关监狱九监区监区长
朱前程 武警西安指挥学校大专二队学员
任继友 吉林省长春市绿园区人民法院刑事审判庭审判员
危晓东 北京市国家税务局对外分局稽查一所所长
刘 勇 黑龙江省大庆市公安局萨尔图分局局长
刘汉波 山东省潍坊市公安局寒亭分局交警大队交通一中队民警
刘让青 海南省农垦通什师范学校综治办主任
刘其盛 湖南省岳阳市中级人民法院经济审判庭审判员
刘战运 武警新疆总队伊犁州支队伊宁县中队中队长
刘涧波 内蒙古自治区通辽市公安局刑警大队教导员
孙小强 武警江西总队抚州地区支队机关炊事班班长
孙复龙 江苏省镇江市人民检察院技术处副处长
阳 靖 中国建设银行湘潭分行南湖支行干部
麦正华 海南省三亚市地方税务局局长
苏崇信 广西壮族自治区钦州市钦南区人民法院司法警察大队大队长
李 炜 江苏省张家港市地方税务局直属分局局长
李 贵 武警辽宁省总队司令部管理处处长
李少军 武警山东省总队威海市支队文登市中队中队长
李正元 云南省麻栗坡县地方税务局董干税务所干部
李白洋 武警 8684 部队 3 营 8 连班长
李永图 北京市工商局东城分局北京站检查站副站长
李杰民 河北省成安县工商局局长
李和平 湖北省嘉鱼县国家税务局副局长
李法平 江西省九江市工商局第一直属分局三里街工商所所长

李彬林　湖北省汉川市城隍财政所所长
李喜军　河北省隆尧县公安局尹村派出所所长
何　欣　河南省平顶山市郏县人民检察院检察长
何如男（女）福建省厦门市湖里区人民法院经济审判庭副庭长
何振钦　广东省吴川市国家税务局城区中心分局局长
沈燕君（女）中国银行无锡市分行锡山支行会计出纳科副科长
张　斌　武警云南德宏边防支队芒市机动大队副大队长
张　慧　湖南省长沙市雨花区人民检察院检察长
张如洪　山西省太原市工商局河西市场管理处处长
张国政　武警天津市总队二支队二中队一班班长
张绍新　广东省公安厅刑侦局大要案件侦察处暴力案件侦察科科长
张艳平　上海市青浦县工商局练塘工商所干部
张晓丽（女）河北省承德市人民检察院反贪局副局长
陈立新　内蒙古自治区海拉尔市市委常委、政法委书记、综治委副主任
武　刚　黑龙江省香兰监狱管教员
林泗水　武警福建省总队泉州市支队晋江市中队指导员
欧名宇　广东省人民检察院反贪污贿赂局副局长
罗东川　北京市第一中级人民法院知识产权审判庭副庭长
虎玖桐　宁夏回族自治区贺兰县潘昶乡司法所所长
尚成书　山西省临汾车站派出所副指导员
邱百林　江西省赣江监狱工程大队大队长
周　鲲　贵州省水城县公安局缉毒队队长
单　煊　青岛海关调查局调查处副科长
郑义宝　武警广西总队桂林地区支队兴安县中队中队长
胡　亮　安徽省南湖劳教所第十一大队干警
胡志国　天津市蓟县工商局市场检查中队队长
胡丛华　天津海关稽查处稽查科副科长
钟　臣　吉林省长春市公安局绿园区分局西安广场派出所所长
钟　涛　北京市公安局二处刑技处痕迹室高级工程师
恒钦本　青海省大柴旦矿区检察院检察长
姜　坚　上海市公安局虹口分局江湾派出所副所长
贺步强　南京海关所属连云港海关科员
骆　俊　重庆市云阳县故陵镇综治办治安员
顾双彦（女）黑龙江省大庆市让胡路区法院经济审判庭庭长
徐　宁　新疆维吾尔自治区乌鲁木齐市公安局天山区分局刑警大队副大队长
徐　江　甘肃省兰州市公安局红古分局刑侦队队长
徐佳齐　上海市普陀区人民法院刑事审判庭副庭长
高贵洲　河北省唐山市中级人民法院司法警察支队政委
桑　杰（女）西藏自治区劳教所中队指导员
黄万成　安徽省庐江县国家税务局白山分局干部
黄素敏（女）内蒙古自治区赤峰市元宝山区人民检察院副检察长
盛美君　黑龙江省佳木斯市人民检察院起诉科副科长
常　丹　湖南省长沙市公安局芙蓉分局朝阳派出所副所长
康国利　陕西省榆林地区中级人民法院巡回审判法庭审判员
梁彦伟　河南省郑州市管城区十八里河信用社会计
梁振军　宁夏回族自治区银川市公安局缉毒大队大队长
陶　伟　安徽省淮南市工商局经济检查分局副局长
傅松能　广西壮族自治区宁明县公安局副局长
曾　莉（女）中国建设银行重庆沙坪坝支行副主任科员
楼良其　浙江省金华东阳市公安局刑侦大队副大队长
詹发学　青海省互助土族自治县人民法院双树人民法庭副庭长
蔡锦荣　广东省汕头市公安局鮀南派出所所长
缪守宝　安徽省合肥市公安局车站派出所所长
缪闽江　福建省厦门市公安局刑警支队经侦大队大队长

魏建平　四川省国贸律师事务所主任律师

濮山磊　民航云南省局公安局缉毒队队长

# 第二届中国优秀青年卫士提名奖名单

（按姓氏笔画排序）

刁　力　中华人民共和国田蓬海关关长
才仁彭措　青海省玉树州公安局政保科副科长
马少清　宁夏回族自治区同心县人民法院院长
王　龙　甘肃省兰州市国家税务局稽查三科科长
王大旺　湖南省岳阳市国家税务局稽查局执行科科长
王东晟　上海市白茅岭监狱三监区监区长
王胜斌　山东省泰安市国家税务局市直征收分局局长
王洪海　吉林省安图县国家税务局司机
牛克志　安徽省蚌埠市怀远县公安局副局长
石兰新　新疆维吾尔自治区哈铁公安处乘警队乘警
曲春光　辽宁省本溪市国家税务局一洞桥税务所所长
齐连成　天津市地方税务局专管员
刘小生　江西省瑞金市工商局谢坊工商所所长
刘文斌　武警福建省总队宁德地区支队福安中队政治指导员
刘玉芹（女）山东省枣庄市工商局公平交易局副科级检查员
刘国良　湖南省衡阳市公安局税侦大队科员
刘金明　北京市海淀区国家税务稽查一所干部
刘晓舟　河北省冀东监狱九支队副支队长
次　登　西藏自治区高级人民法院研究室副主任
孙远志　宁夏回族自治区平罗县公安局刑警大队大队长
李龙亮　陕西省莲花寺监狱狱政科副科长
李连群　天津市公安局河北分局墙子派出所侦察员
李金伍　湖北省黄梅县濯港镇十里村拆车厂治安员
吴治明　安徽省淮南市公安局九龙岗派出所所长
张　帆　重庆市公安局沙坪坝区分局刑警大队侦察员
张　敏　福建省仓山区国家税务局稽查分局局长
张小帆　广东省梅州市公安局梅江区分局局长
张先成　武警8672部队1营1连战士
张建华　黑龙江省哈尔滨市香坊区六顺派出所民警
张道正　浙江省台州三门县公安局刑侦大队副大队长
杨　勇　武警西藏总队山南地区支队札囊县中队一班班长
杨　联　贵州省贵阳市公安局云岩分局缉毒队队长
杨振河　吉林省吉林市国家税务局案件检查处副主任
杨凌娜（女）浙江省宁波海曙公安分局刑侦大队侦察员
陈伟才　广东省广州市公安局东山分局华乐街派出所民警
陈雯菁（女）河南省郑州市二七区人民检察院科长
陈道尔基　内蒙古自治区兴安盟科右中旗公安交警大队副大队长
陈警刚　湖北省黄石市公安局交警支队二大队天津路中队中队长
屈巴陵　湖南省岳阳市监狱副监狱长
罗建忠　四川省眉山县地方税务局稽查局局长
金　实　四川省成都市国家税务局涉外分局局长
周　丹　广西壮族自治区容县地方税务局局长
赵　辉　安徽省阜阳市国家税务局四分局局长
赵文朝　河南省长垣县农业银行保卫科科长

洪可庆　中国农业银行江西省婺远县支行清华营业所出纳员
祖万云　云南省鲁甸县公安局龙头山派出所民警
敖特根　内蒙古自治区伊克昭盟鄂托克前旗看守所所长
袁小彬　重庆市中豪律师事务所主任
徐　剑　上海市杨浦区人民检察院起诉科侦察员
徐为民　浙江省丽水市公安局丽阳门派出所所长
徐步礼　河南省新乡市公安局巡警支队民警
高　峰　江苏省南京市公安局防暴二大队副大队长
涂　云　江西省南昌海关稽查处干部
黄宜海　黑龙江省鹤岗市工商局兴山分局副局长
盛校江　黑龙江省牡丹江市公安局爱民巡警大队大队长
陶　玮　辽宁省抚顺市公安局禁毒处副大队长
韩佰成　陕西省铜川市公安局刑警支队探长
韩富民　湖北省鄂州市地方税务局稽查局副局长
鄂福宗　青海省民和县国家税务局稽查局局长
雷　军　湖北省松滋市公安局交警大队新江口中队副大队长
雷　鸣　陕西省渭南市大荔县人民检察院反贪局副局长
谭佳华　上海海关调查局情报处副处长
翟秋生　山西省吕梁地区孝义市司法局副局长
黎　文　海南省澄迈县公安局白莲派出所所长
薛国旗　陕西省西安市公安局灞桥分局新筑派出所所长
魏　慧　福建省福清市公安局经侦大队办公室副主任
魏洪前　湖北省沙洋汉江监狱工人

# 第二届全国五好文明家庭标兵户

**上海市：**曾溢滔　黄淑帧一家
**陕西省：**吴　平　马改仙一家
**解放军总政治部：**王　益　张　荣一家
**西藏自治区：**公　却　秋　嗄一家
**湖南省：**刘贤玉　黄永胜一家
**湖北省：**程时达　张黛玉一家
**河北省：**王贺亭　李秀花一家
**黑龙江省：**周儒锵　于静贤一家
**辽宁省：**金竹花　朴春杰一家
**江苏省：**孙光玲　卢文巨一家

# 第二届全国五好文明家庭

**北京市：**
任志权　孙树荣一家　顺义区
姚海天　王　琪一家　西城区

**上海市：**
曾溢滔　黄淑帧一家　普陀区
陶依嘉　陈巨雷一家　南市区

**天津市：**
刘作云　苏　杭一家　和平区
张　昆　杨津文一家　河东区

**内蒙古自治区：**
刘素华　崔向山一家　乌海市
生斯日玛　扎木舍冷一家　通辽市

**山西省：**
王恒杰　杨桂花一家　繁峙县

邢志权　王淑英一家　庆　县

河北省：

王贺亭　李秀花一家　保定市

祝守森　付永兰一家　遵化市

赵菊花　李枝谦一家　张家口市

辽宁省：

陈炳淼　巴玉琴一家　沈阳市

谷玉霞　崔宝荣一家　北宁市

吉林省：

鲁进增　董贺庆一家　白山市

宋顺女　李龙禹一家　延吉市

黑龙江省：

周儒锵　于静贤一家　漠河县

陈玉瑛　田凤志一家　哈尔滨市

江苏省：

孙光玲　卢文巨一家　新沂市

金民选　杨丽娟一家　南京市

许金荣　王凤英一家　丹阳市

安徽省：

孙增英　丁兴山一家　合肥郊区

曹美英　张庄敏一家　泗县

吴圣楷　郑麟儿一家　黟县

山东省：

陈济敏　李宝欣一家　胶南市

潘文海　纪召卿一家　威海市

李西栋　时桂珍一家　陵县

浙江市：

桑史盛　陈秀凤一家　宁波市

舒英钢　朱杭玲一家　菲达机电集团公司

江西省：

池桂莲　凌庄和一家　萍乡市

陈振光　李爱梅一家　丰城县

福建省：

白鸿辉　陈妙玲一家　厦门市

黄秀元　林亚斌一家　莆田市

湖南省：

刘贤玉　黄永胜一家　宜章县

曾令超　蒋　妹一家　新宁县

文跃先　伍孟君一家　东安县

湖北省：

程时达　张黛玉一家　武汉市

刘玉花　王学臣一家　钟祥市

李先珍　宋文敬一家　枝江市

河南省：

常有功　贾秀花一家　郑州市

杜金芬　刘全录一家　社旗县

赵缵修　符彩霞一家　郑州市

王　静　龚长武一家　信阳市

广东省：

黄水强　黄美英一家　惠来县

许慕石　蔡碧兰一家　汕尾市

王天义　叶顺巧一家　韶关市

海南省：

王淑琴　黄循环一家　海口市

陈秀妹　卓大川一家　儋州市

广西壮族自治区：

苏康成　张翠莲一家　防城港市

梁淑燕　黄观静一家　南宁市

贵州省：

程如久　朱开凤一家　贵阳市

龙忠秀　王顺光一家　六盘水市

重庆市：

张治平　曾宪琳一家　重庆市

孙素荣　冉绍金一家　奉节县

四川省：

刘　莹　宋耕华一家　成都市

刘　华　刘　群一家　成都市

鹿占起　鹿秋玉一家　广元市

云南省：

邹宏国　张丽英一家　祥云县

吴江南　李华仙一家　昆明市

陕西省：

吴　平　马改仙一家　宝鸡市

张文婷　杜旭升一家　定边县

甘肃省：

杨桂兰　高德增一家　天水市

汤旭磊　刘晓菊一家　兰州市

宁夏回族自治区：

罗红梅　王玉清一家　灵武市

刘　春　张计锁一家　石嘴山市

青海省：

王双喜　秦仙芝一家　盐湖钾肥股份有限公司

李桂英　赵启俊一家　乐都县

新疆维吾尔自治区：

阿不都热合曼·巴拉提 帕坦木汉一家 墨玉县
王屿涛 蒋少斌一家 克拉玛依市
**西藏自治区：**
公 却 秋 嗄一家 拉萨市
丹巴典登 贡秋巴珍一家 昌都县
**中宣部：**
闫宝田 张桂琴一家 北京西城区
**民政部：**
李忠勤 刘其兴一家 北京朝阳区
**广电总局：**
张宝凤 徐少文一家 北京西城区
**教育部：**
金竹花 朴春杰一家 辽宁抚顺市
**公安部：**
田 浩 周 晓一家 辽宁铁岭市
**司法部：**
武 刚 黄艳娟一家 黑龙江香兰监狱
**文化部：**
王桂兰 刘鸿钧一家 北京东城区
**卫生部：**
邢文庭 朱不远一家 北京西城区
**国家计生委：**
王树彬 柴继忠一家 黑龙江省宾县
**国家体育总局：**
冷桂英 刘伟生一家 北京石景山区
**环保总局：**
沈英娃 李 钢一家 北京东城区
**解放军总政治部：**
王 益 张 荣一家 河南西峡县
曾 蛟 毛国秀一家 河南栾川县
**武警总部政治部：**
蔡正奎 王喜雨一家 广东英德市
**中直机关工委：**
郑 坚 解 闽一家 北京西城区
丁冬红 黄凯声一家 北京海淀区
段素娟 鲁 欣一家 北京海淀区
**中央国家机关工委：**
李 仕 郑学忠一家 北京东城区
崔淑华 唐炎治一家 北京丰台区
王秀芳 刘庆奎一家 北京海淀区
郭 素 李百源一家 北京宣武区
邢 静 陈 焕一家 北京朝阳区
孟 武 崔文富一家 北京西城区
**全总：**
卢 彦 梁书法一家 广西桂林市
田晓萍 梁永祥一家 洛阳石化总厂
**团中央：**
阎学谦 刘跃钦一家 北京西城区
**科协：**
张 珍 杨保太一家 河南方城县
**新疆生产建设兵团：**
苏万华 马金芳一家 新疆乌鲁木齐市

# 第二届全国十佳律师名单

张文成 解放军51034部队法律顾问处
杨伟程 山东省青岛琴岛律师事务所
张国平 江苏省同仁律师事务所
白 玛 西藏自治区雪域律师事务所
张 栋 河南省焦作金研律师事务所
王兴志 吉林省常春律师事务所
王天举 天津市张盈律师事务所
孟繁旭 黑龙江省孟繁旭律师事务所
李 骐 上海市方达律师事务所
罗 杰 浙江省宁波市马司律师事务所

# 第二届全国十佳公证员名单

戴淑芝　辽宁省大连市公证处
张惠芳　江苏省昆山市公证处
翟秋生　山西省孝义市公证处
程雅芳　吉林省延吉市公证处
沈雪娟　安徽省黄山市屯溪区公证处
余信群　湖南省长沙市公证处
张木良　天津市公证处
陈迎春　黑龙江省哈尔滨市太平区公证处
傅增敏　山东省青岛市公证处
丁翠华　广东省韶关市公证处

# 第二届全国十佳基层法律工作者名单

刘家谦　解放军 80512 部队法律咨询站
刘德华　重庆市江津德感法律服务所
任泽湖　山东省莱州市夏邱法律服务所
龚小弟　江苏省昆山市陆家法律服务所
贾德明　北京市海淀区青龙桥法律事务所
黄　河　江西省瑞昌市肇陈镇法律服务所
阎金凤　新疆乌鲁木齐市乌拉泊法律服务所
林宝华　天津河西区小海地街法律服务所
张俊贤　山西省太原市杏花岭区东山法律服务所
姜岳华　上海市奉贤县江海镇法律服务所

# 第五届全国职工职业道德十佳单位名单

深圳航空公司
山东省日照电业局
广东省中山市公共汽车公司
辽宁省沈阳市地方税务局和平分局
安徽省商之都有限责任公司
武汉港客运总站
甘肃省兰州市市政工程管理处七里河管理所下水道疏浚班
福建省漳州市公安局巡逻警察支队直属大队
上海铁路局沪京快速车队
大庆石油管理局客运公司

# 第五届全国职工职业道德十佳标兵名单

戚秀玉（女） 大连市劳动局职业介绍中心职业指导师
王新全　中国远洋运输集团总公司船舶轮机长
潘兰英（女） 湖北省黄石市丝绸厂工会主席
王仁昌　农业银行河北省分行石家庄第二营业部主任
汪　霞（女） 重庆第一公共交通公司售票员
张　玮　河南平煤集团田庄选煤厂焊接工
孙维刚　北京市第22中学教师
赵文光　吉林省吉林石油集团公司建设公司航运队党支部书记
侯建军　山西省大同市永和红旗美食城总经理
王庆祝　黑龙江省哈尔滨市太平环卫局保洁大队修理工

# 第五届全国职工职业道德先进单位名单

天津药业有限公司
河北省唐山百货大楼（集团）责任有限公司
河北省承德市京承旅游公路管理处
山西省西山煤电（集团）有限责任公司
山西省太旧高速公路管理局
山西省潞安矿务局漳村煤矿
内蒙古自治区新城宾馆集团
内蒙古自治区包头百货大楼股份有限公司
内蒙古自治区伊克昭盟医院
辽宁省凌源钢铁（集团）有限责任公司
大连市周水子国际机场
吉林省四平电业局
吉林省长春欧亚股份（集团）有限公司
黑龙江哈尔滨药材总公司免费送药服务中心
黑龙江省电力公司
黑龙江省牡丹江市妇幼保健院
江苏省高邮市市政建设工程处女子掏污队
江苏省镇江市供电局
江苏省无锡商业大厦（集团）有限公司
江苏省无锡供电局
浙江省绍兴电力局
杭州铁路分局杭州列车段甬杭85/86次列车
福建省龙岩120急救中心
厦门航空有限公司乘务队
中国工商银行合肥市宿州路支行
安徽省宣州市公安局雁翅派出所
中国工商银行江西省分行上饶县支行
江西省崇仁县人民医院
山东省济南市自来水公司小白热线服务中心
山东省兖州矿业（集团）有限责任公司
山东省临沂市环境卫生管理处
中国石化集团公司洛阳石化总厂
中国神马（集团）有限责任公司
中国交通银行武汉分行
湖南省黄沙坪铅锌矿
广东省韶关钢铁（集团）有限公司
广东省高州市人民医院
深圳市农产品股份有限公司
深圳市人民政府城市管理办公室环境卫生管理处
广西桂林市公共交通公司
广西玉柴机器股份有限公司
海南省海口市电信局海府电信营业厅

海南省汽车运输公司儋州公司
海南省三叶药业（集团）有限公司
四川省成都电业局青羊供电局
四川省成都市公共交通一公司三路
重庆市自来水公司
重庆新世纪百货公司
重庆市和平药房连锁有限责任公司
贵州省都匀供电局
贵州省贵阳市电信局 68 区域中心
贵州省贵阳济英保洁服务中心
陕西省宝鸡商场（集团）股份有限公司
核工业西北地质局咸阳 215 医院
甘肃省长庆石油勘探局第二采油厂
青海省儿童医院
宁夏回族自治区银川市地方税务局
宁夏回族自治区银川铁路分局客运段北京车队
新疆维吾尔自治区吐哈油田开发第一事业部
新疆维吾尔自治区友好（集团）股份有限公司天山百货大楼
新疆维吾尔自治区第四建筑工程公司
新疆生产建设兵团农 7 师 125 团
新疆生产建设兵团石河子大学医学院第一附属医院
中国工商银行浙江省分行
中国石油天然气总公司石油地球物理勘探局第二地质调查处 2201 地震队

# 第五届全国职工职业道德先进个人名单

刘兆岐　北京市东安集团售货员
范玉昶　天津建工集团三建公司项目经理
崔惠民　山西省临汾地区医药管理局局长
马梦华　内蒙古自治区呼和浩特市煤气化总公司表灶修理师
敖德巴拉（女）内蒙古自治区呼盟鄂温克旗助理员
王忠孝　内蒙古自治区赤峰市宝山区小五家回族学校教师
郭海庭　辽宁省本溪市养老院院长
赵光千　辽宁省葫芦岛市教师进修学院初中部副主任
何天伦　吉林省吉化建设公司电气安装公司电调班班长
刘志强　黑龙江省齐齐哈尔市自来水公司供水管理处管网所管道维修工
姜　涛　黑龙江省鹤岗市公安局工农分局红旗路派出所所长
茅忠瑾　上海市群力草药店门诊部主任
曹苏芬（女）浙江省磐安县墅安希望小学校长
许四男　江苏省苏州市盘门房管所下水道工人
路正斌　江苏省南京市煤气总公司营业所表灶维修班班长
韩　军　江苏省无锡市市委副书记市精神文明建设领导小组组长
蔡贵方　江苏省无锡日报总编辑
张士怀　江苏省无锡市财政局党委书记
饶才富　农业银行福建省龙岩分行红坊营业所主任
吕联煌　福建医科大学附属协和医院教授
陈　煌　厦门市公安局杏林分局副局长
苗素娥（女）安徽省合肥钢铁公司职工医院主治医师
张　明　安徽省淮北市运输管理处处长
汝亚梅（女）安徽省太河县镜湖宾馆副总经理
王玉朝　江西省赣州市第一建筑工程公司经理
陈文军　江西财经大学教授
陈敬艳　山东省菏泽市检察院渎侦局副局长
邢五州　山东省临清棉纺厂工人
刘子祥　山东省齐民思集团董事长
李秀玲（女）河南省长葛市特种养殖研究所所长
秦宜钟　湖北省沙洋劳教所一中队指导员
周雪梅（女）湖南省湘潭市卫生防疫站副站长
官国新　广东省广州市煤气公司抢险队队长

刘玉卿（女）广东省鹤山市民政福利院副院长
吴　池　广东省广州救捞局“南洋号”船长
曾向坚　深圳市工商局福田分局局长
龚国祥　深圳市外国语学校校长
张元东　深圳市鹏运小汽车出租公司司机
陈贤德　深圳市麒麟山疗养院院长
周永天　广西壮族自治区田东县国家税务局局长
卢修学　海南省海口市市政工程维修公司队长
王光英　湖南省海口市邮政局投递员
赵　华　四川省攀西临狱副监区长
帅　平（女）四川省成都人民商场（集团）股份有限公司企管部部长
冉茂强　重庆市石柱县公路养护管理一段工人
陈玲玲（女）重庆市万盛区邮政局值班长
赵春翰　贵州省贵阳铁路分局六盘水医院党委书记
王秀明　贵州省贵航集团天义电工厂行政处环卫班班长
蒋志农　云南省农业科学研究院研究员
张志发　陕西省礼泉县地税局税收专管员
郑南昌　航天工业总公司零六七基地一六五所工人
刘福莲（女）甘肃省西北铁合金厂职工医院妇产科主任
李荣清　甘肃省陇南公路总段碧口段洛塘道班班长
郭尖措　青海省化隆县藏医院院长
高　丽（女）青海省西宁市公交总公司一公司六队驾驶员
王　炜　宁夏回族自治区人民医院外科主任
李淑红（女）宁夏回族自治区建行青铜峡铝厂办事处副主任
吴贵武　新疆维吾尔自治区水文局和田水文大队队长
王泽舟　新疆维吾尔自治区克拉玛依市公安局民警
帕尔哈提·苏来曼　新疆维吾尔自治区哈密市天山二道沟学校教师
蒋如意　新疆生产建设兵团农7师下双河监狱教导员
董宝全　新疆生产建设兵团乌鲁木齐农场管理局锅炉房班长
吕建荣（女）昆明铁路局昆明东站货运值班员
韦志华（女）柳州铁路局柳州站客运值班员
杨振华　长春护法律师事务所律师
董文全　长春自来水公司党委书记

# 全国职工职业道德百佳班组名单

北京市公共交通总公司第二客运公司二路车队2843车组
北京翠微集团翠微大厦照相器材部
北京同仁医院血液内科
北京市西单商场股份有限公司中老年服装组
北京市电机总厂二电分厂电工班
天津市百货大楼股份有限公司家电商场海尔园商品部
天津大明电机股份有限公司资财部成品库
天津第三建筑工程有限公司范玉恕项目经理部
天津公用局公共交通三公司8路车队8路班组
新兴铸管（集团）有限责任公司炼钢分厂二连铸乙班
邯郸矿务局陶二矿一条区郭玉清班
河北保定市儿童医院新生儿科
唐山市供电公司建设路营业站
石家庄市公安交通管理局桥东大队一中队
秦皇岛市长途客运总公司市汽车站站务科
太原市煤气化公司管线所管线班
太原铁路分局太原供电段忻州变电所
山西省公路工程第三处运风项目部
太原五一百货大楼有限公司五交化商场

山西铝厂氧化铝二分厂二车间烧成大班
包头铝业（集团）有限责任公司供电公司运行一车间二班
赤峰市开龙中药制药有限公司
通辽发电总厂电气分厂继电班
巴彦卓尔盟社会福利院
呼和浩特市公共交通总公司第一汽车公司四路14号车组
东北清河发电有限责任公司制粉一班
锦州市第二医院骨三科工会小组
北台钢铁集团公司北营炼钢公司自动化车间连铸电控段电控班
辽宁渤海造船厂钢料分厂打砂小组
阜新矿务局海州露天煤矿
大连市自来水公司西岗营业分公司石道街抄表所
大连港埠集团大连海运总公司大海轮
大连电业局市内供电局兴工服务处
大连市第二公共汽车公司19路车队2940号车组
吉林石油集团有限责任公司新立采油厂采油5队
吉化股份有限公司有机合成厂水汽车间438泵站
中国第一汽车集团公司热电厂电气车间试验班
吉林化纤集团公司长丝二原液制胶丁班
吉林电业局永吉供电局西阳农电所
哈尔滨电业局道里供电局变电亭一班
鹤岗市道路运输管理处兴安运输管理站
黑河地方铁路局车辆段车电班组
哈尔滨卷烟厂动力车间锅炉房
大庆石油管理局钻井一公司长城二队
牡丹江桦林集团有限责任公司三分厂宋起铿小组
上海液压泵厂李斌小组
上海铁路分局“周恩来号”机车组
上海普陀区中心医院中心病房
上海卢湾区公房修理应急中心
上海建工集团三建公司黄德顺泥操班
宁波港务局通信站北仑分站线务班
三明市工商行政管理局直属分局市场管理股
福州大通机电股份有限公司卧式一工段
福州抗生素集团有限公司601车间消毒组
福州市邮电局华林邮电支局
福州电业局马尾供电局
厦门轮船总公司“盛达”轮
厦门土地房产管理局房屋管理处
厦门公交总公司2路巾帼线路
中国农业银行厦门分行莲前分理处
江西医学院第一附属医院妇产科
南昌铁路局南昌客运段537/538次车队
南昌电信局114查号台
上饶市自来水公司管道抢修班
江西铜业公司德兴铜矿精尾综合厂精矿工段
胜利石油管理局渤海钻井总公司4553钻井队工程3班
齐鲁石油化工公司第二化肥厂合成车间工艺5班
山东莱钢集团有限公司汽车运输部汽车一队驾驶2班
济南列车段K35/36次2组
山东送变电工程公司送电二公司施工六队
洛阳邮电电话设备厂程控分厂单板测试组
焦作电业局输电工区输电二班
中国化学工程第十一建设公司第六分公司安装二队钳工班
郑州四棉有限公司准备分厂丁班整经小组
平顶山煤业集团田庄选煤厂维修车间管工班
东风公司总装配厂调整三车间王涛班
武汉铁路分局咸宁车务段官塘驿车站
江汉石油管理局钻井处45117钻井一班
武汉市武昌环卫局垃圾场
武汉市供电局路灯分局汉阳站修灯班
长沙铁路总公司K1/2次车队
湖南省嘉禾县公路管理局龙潭道班
长沙通程控股股份有限公司东塘百货大楼小家电柜
湖南省衡阳县地方税务局第五征收分局
广州市执信中学英语科
广东省惠州市博罗县电力工业局城东供电所
汕头港务局第一作业区装卸28班
中国银行海丰支行中心储蓄所
广东省佛山市兴华集团股份有限公司交电商场音响柜组
揭阳市榕城区仙桥水电所电力组
深圳市电信局深大电话公司160咨询台
广东省工艺流程建设公司虎门大桥有限公司收费站
深圳市工交集团有限公司公汽二公司10路
深圳市大众牧业管理公司松坪村管理处

深圳市人民医院血液科
深圳市赛格三星股份有限公司工会
广西忻城县糖业有限责任公司分蜜组
广西华宏水泥股份有限公司化验分析组
广西梧州松脂厂炼脂车间第三班
广西贵港市公路管理局城区局港江养护站
广西桂林市公共交通总公司桂C00853车组
海南省东方市邮政局友谊路邮电支局
海南省海口市人民医院急救中心120
椰树集团海南椰汁饮料有限公司科技小组
中国工商银行澄迈县支行金江镇储蓄所
海南儋州市军屯实业开发有限公司土方车队
重庆铁路分局客运段京渝车队京渝4组
重庆长轮公司中山舰救助打捞工程公司潜水队
重庆巴南区张家滩国道道班
重庆特殊钢集团公司丝带厂磨床甲班
国营建设工业集团公司九分厂31车间酸洗小组
绵阳市公安局交警支队直属一大队岭南女子岗台
成都市沙湾邮电局营业组
四川石油管理局输气公司德阳老站
攀钢新钢钡公司轨梁厂第一机械车间地面大班
中国五冶三公司一处木工综合班
贵州省水城钢铁（集团）有限责任公司二轧厂精整甲班
贵州铝厂氧化铝厂脱硅车间电工班
贵阳市南供电局抢修中心
国营风华机器厂101车间有色合金铸班
贵阳公路管理局粑粑坳道班
云南省云锡公司老厂锡矿掘进四班
云南桥通包装印刷有限公司烫模车间SP102—BMA2机组
昆明卷烟厂动力部电站
昆明钢铁总公司第三炼钢厂炼钢车间乙大班2号炉小队
昆明铁路局昆明客运段京昆一组
兵器工业部521医院外科
西安高压开关厂16车间数控组
宝鸡市公交公司二车场6路乙班
西北橡胶总厂高压胶管分厂生产编织组
咸阳市华商集团公司交电分公司营业部
兰州炼油化工总厂炼油二厂酮苯车间24单元1班
兰州连城铝厂“刘永汉”班
酒泉公路总段敦煌管理段阿克塞养护管理站
武威市排水管理所用户服务股
金昌市邮政局建设路支局营业组
海南省送变电工程公司送电二处二班
海南省玉树公路总段清水河查龙穷工区道班
中国建设银行海南省电力专业支行营业部储蓄专柜
西宁市电信局报话科112台
青海西宁市公交公司二公司七队0152车组
银川市邮政局城区发投局女子投递班
石嘴山供电局大武口区分局用电服务班
彭阳县公路段高庄公路站
银川市自来水公司城区营管处维修队检修组
宁夏焦化炼铁总厂焦化分厂二炼车间加热班
乌鲁木齐石油化工总厂炼油厂蜡油催化车间运行四班
乌鲁木齐铁路局阿拉山口站客运特勤班组
新疆煤矿化工厂一车间108组
新钢集团公司煤焦化公司炼焦分厂调火组
奎屯军垦宾馆客房部
农5师工程团神冈挖掘机机组
阿克工业化青松建化水泥厂烧成三分厂二排
奎屯医院妇产科
农三师勇达水泥厂包装班
北京铁路局丰台机务段“毛泽东号”机车组
沈阳铁路局孙家养路工区
哈尔滨铁路局加格达奇站运转二班
济南铁路局青岛站装卸车间甲班六组
郑州铁路局郑州—北京179/180次车队
中国国际航空公司地面服务部要客服务室
民航山东省局航管站济南管制室
新疆航空公司运输部机场问讯处
民航沈阳桃仙国际机场安全检查站安检队
中国人民银行枣庄市台儿庄区支行货币金银股
中国农业发展银行昌邑市支行计划信贷部
中国工商银行兴平市支行南门储蓄所
中国农业银行浏阳市支行营业部储蓄专柜
中国银行云南省分行营业部汇兑科出纳专柜
中国建设银行济南市历下区支行朝山街分理处储蓄专柜
交通银行南京分行营业部储蓄专柜
中国农业银行桓台县支行索镇办事处
中国建设银行北京城建支行安华里储蓄所

中国工商银行包头市分行环城路办事处商场储蓄所
云南昆明理工大学冶金系真空冶金材料研究所上海复旦大学国际政治系行政学教研室
江苏无锡师范学校生化组
新疆哈密地区一中双语实验班教研组
北京市海淀区翠微小学书画教研组
黄石供电局黄石港供电所
河南中牟县黄河河务局九堡控导工程守险班
齐齐哈尔电业局建华供电局售电班
宝鸡供电局河口供电站
山西省电力公司运城供电分公司“何立森”班
石家庄钢铁有限责任公司轧钢分厂丙段加热炉班
上海柴油机股份有限公司制造二厂连接组
沈阳变压器有限责任公司焊接车间夹件一组
重钢股份公司运输部装卸机械车间七码头大班
甘肃金昌市金川有色金属公司第二冶炼厂防腐车间衬胶班
国家有色金属工业局北京有色金属研究总院超导中心超导组
天津港集装箱码头有限公司机械一队三组
中国港湾集团第二航务工程局武汉白省洲大桥加工组
黑龙江航运管理局哈尔滨船务公司龙推607轮
山西省太旧高速公路管理局阳泉管理处旧关收费站
宁夏公路管理局固原公路段周庄站
中远集团工业公司南通远洋船务工程公司“远通1号”轮班
新兴铸管（集团）有限公司炼铁分厂三百立工段3号高炉值班室
内蒙古第一机械制造厂冲压厂工具室模修班
上海航天制造总厂火箭总装车间电装组
中国核工业816厂化肥厂合成车间运行一班
大连造船新厂管加工车间丛菊红班
河北省国防工业建筑工程公司沈留柱砼班
上海市东方商厦床上用品部
山东曲阜阙里宾馆宴会厅
石家庄市自强路西粮店
上海吴淞水泥有限公司制成车间维修组
石家庄市公交总公司188号车组
北京市政工程管理处第二管理所姚家园班
天津市排水管理处第二排水管理所天塔站
常州第一建筑工程公司沈留柱砼班
黑龙江省牡丹江市环卫处清洁二公司贺佩全清掏班
河北省石家庄棉三纺织股份有限公司织造车间常一工段
上海纺织职工马山疗养院客房部服务员小组
江苏省徐州市帘子布聚纺二车间丁班
山东省青岛第六棉纺厂郝建秀小组
新疆昌吉西域毛纺厂毛条分厂选毛工段
广东省九江酒厂有限公司白酒二班
四川什邡卷烟厂passim—80乙班旭机台
四川什邡卷烟精化工集团有限公司蒸馏班
太原卷烟厂一车间设备维修组
济南铅笔厂大锯班
黑龙江省微波局齐齐哈尔微波通信局
北京市海淀区北太平庄邮电局营业股
北京电信规划设计院交换设计室
湖北省天门市邮政局岳口支局
福建省厦门市电信局营销科营业部
福州人造板厂机修分厂钳工二班
黑龙江省兴隆林业局管理处车辆段客运班
江苏省黄海制药厂强力车间回收班组
广西北海海洋渔业总公司424船
北京市北郊农场奶牛一公司畜牧四组
西山煤电集团公司西铭矿综采一队甲班
国投新集能源股份有限公司新集一矿新世纪青年综采队
山东新汶矿业集团有限责任公司协庄煤矿机采队
安徽地质矿产勘查开发有限责任公司矿泉水饮用水技术研究所
河北地勘局第五地质大队物探分队
河南省石油勘探局试采公司1号集油站
河南省石油大连石油化工公司二蒸馏车间生产一班
昆明中药厂三车间水丸班
山西南风集团西安办事处
甘肃刘化集团公司电气车间运行A4班
辽河石油勘探局欢喜岭采油厂采油三大队采油306队
铁道部第十四工程局第二工程处第八工程队桥梁工班
石油地球物理勘探局基地管理处维修管理站维修班
河南新郑卷烟厂制丝车间甲班制丝组
上海五钢（集团）有限公司初轧分厂车堆组
上海二钢有限公司高线分厂甲班轧钢组
湖北神龙汽车有限公司总装厂涂装分厂成漆班

# 统计资料

## 1. 全国行政区划（1999年底）

单位：个

| 省级区划名称 | 地级区划数 | # 地级市 | 县级区划数 | # 县级市 | 各级市区划数 | 市辖区数 |
|---|---|---|---|---|---|---|
| **全　国** | **331** | **236** | **2109** | **427** | **663** | **749** |
| 北京市 | | | 5 | | | 13 |
| 天津市 | | | 5 | | | 13 |
| 河北省 | 11 | 11 | 138 | 23 | 34 | 34 |
| 山西省 | 11 | 7 | 100 | 15 | 22 | 19 |
| 内蒙古自治区 | 12 | 5 | 84 | 15 | 20 | 17 |
| 辽宁省 | 14 | 14 | 44 | 17 | 31 | 56 |
| 吉林省 | 9 | 8 | 41 | 20 | 28 | 19 |
| 黑龙江省 | 13 | 12 | 66 | 19 | 31 | 64 |
| 上海市 | | | 3 | | | 17 |
| 江苏省 | 13 | 13 | 64 | 31 | 44 | 44 |
| 浙江省 | 11 | 10 | 64 | 25 | 35 | 24 |
| 安徽省 | 16 | 14 | 64 | 8 | 22 | 42 |
| 福建省 | 9 | 9 | 60 | 14 | 23 | 24 |
| 江西省 | 11 | 7 | 85 | 14 | 21 | 14 |
| 山东省 | 17 | 15 | 94 | 33 | 48 | 45 |
| 河南省 | 17 | 15 | 112 | 23 | 38 | 46 |
| 湖北省 | 12 | 11 | 67 | 25 | 36 | 34 |
| 湖南省 | 14 | 13 | 88 | 16 | 29 | 34 |
| 广东省 | 21 | 21 | 79 | 33 | 54 | 43 |
| 广西壮族自治区 | 14 | 9 | 81 | 10 | 19 | 29 |
| 海南省 | 2 | 2 | 17 | 7 | 9 | 3 |
| 重庆市 | | | 27 | 4 | 4 | 13 |
| 四川省 | 21 | 14 | 144 | 17 | 31 | 36 |
| 贵州省 | 9 | 3 | 79 | 10 | 13 | 7 |
| 云南省 | 16 | 3 | 121 | 12 | 15 | 7 |
| 西藏自治区 | 7 | 1 | 72 | 1 | 2 | 1 |
| 陕西省 | 10 | 8 | 88 | 5 | 13 | 19 |
| 甘肃省 | 14 | 5 | 76 | 9 | 14 | 10 |
| 青海省 | 8 | 1 | 39 | 2 | 3 | 4 |
| 宁夏回族自治区 | 4 | 3 | 17 | 2 | 5 | 7 |
| 新疆维吾尔自治区 | 15 | 2 | 85 | 17 | 19 | 11 |
| 香港特别行政区 | | | | | | |
| 澳门特别行政区 | | | | | | |
| 台湾省 | | | | | | |

## 2. 各部门机构数

| 部　　门 | | 机构数 | | 1999年比上年增长% |
|---|---|---|---|---|
| | | 1998 | 1999 | |
| **农村基层单位** | | | | |
| 基层组织 | （万个） | | | |
| 乡政府 | | 2.64 | 2.56 | -3.0 |
| 镇政府 | | 1.91 | 1.92 | 0.5 |
| 村民委员会 | | 74.00 | 73.74 | -0.4 |
| 乡村户数 | | 23678 | 23811 | 0.6 |
| **国营农场** | | **0.21** | **0.21** | **0.0** |
| 乡镇企业 | （万个） | 2003.9 | 2070.9 | 3.3 |
| **工业企业** | **（万个）** | **797.46** | **792.99** | **-0.6** |
| #国有及国有控股工业 | | 6.47 | 6.13 | -5.3 |
| #集体工业 | | 179.78 | 165.92 | -7.7 |
| 城乡个体工业 | | 603.38 | 612.68 | 1.5 |
| 其他工业 | | 8.57 | 9.18 | 7.1 |
| **建筑业企业** | **（个）** | **90926** | **96648** | **6.3** |
| 国有企业 | | 9458 | 9394 | -0.7 |
| 城镇集体企业 | | 26970 | 25443 | -5.7 |
| 农村建筑队 | | 45292 | 49414 | 9.1 |
| **邮电业** | （个） | | | |
| 邮电局所 | | 102225 | 66649 | |
| **卫生** | （个） | **314097** | **310996** | **-1.0** |
| #医院、卫生院 | | 67081 | 66935 | -0.2 |
| 疗养院 | | 503 | 503 | 0.0 |
| 门诊部、所 | | 229349 | 226588 | -1.2 |
| 专科防治所、站 | | 1889 | 1877 | -0.6 |
| 卫生防疫站 | | 4018 | 4023 | 0.1 |
| 妇幼保健所、站 | | 2724 | 2630 | -3.5 |
| **社会福利** | **（个）** | | | |
| 社会福利事业单位 | | 54029 | 41489 | -23.2 |
| #收养性福利事业单位 | | 42131 | 40430 | -4.0 |
| #优抚收养机构 | | 1390 | 1415 | 1.8 |
| 社会福利企业单位 | （个） | 50514 | 44628 | -11.7 |
| **教育事业** | | | | |
| 普通高等学校 | （所） | 1022 | 1071 | 4.8 |
| 中等学校 | （万所） | 9.21 | 9.53 | 3.5 |
| #普通中学 | | 7.79 | 7.72 | -0.9 |
| 小学 | （万所） | 60.96 | 58.23 | -4.5 |
| 幼儿园 | （万所） | 18.14 | 18.11 | -0.2 |
| **艺术事业** | （个） | **4581** | **5131** | **12.0** |

续表

| 部　　门 | | 机构数 | | 1999年比上年增长% |
|---|---|---|---|---|
| | | 1998 | 1999 | |
| 艺术表演团体 | | 2652 | 2632 | -0.8 |
| 话剧、儿童剧、滑稽剧团 | | 88 | 86 | -2.3 |
| 歌剧、舞剧、歌舞剧团 | | 65 | 74 | 13.8 |
| 文工团、文宣团、乌兰牧骑 | | 424 | 410 | -3.3 |
| 戏曲剧团 | | 1562 | 1541 | -1.3 |
| 曲艺、杂技、木偶、皮影团 | | 210 | 209 | -0.5 |
| 艺术表演场所 | | 1929 | 1911 | -0.9 |
| #剧场、影剧院 | | 1893 | 1875 | -1.0 |
| 艺术创作机构 | | 401 | 414 | 3.2 |
| 艺术研究机构 | | 171 | 184 | 7.6 |
| 艺术展览机构 | | 41 | 47 | 14.6 |
| 文化艺术经纪与代理业 | | 234 | 242 | 3.4 |
| **图书馆** | (个) | **2731** | **2767** | **1.3** |
| **群众文化事业** | (个) | **45834** | **45837** | **0.0** |
| 群众艺术馆 | | 386 | 389 | 0.8 |
| 文化馆 | | 2901 | 2905 | 0.1 |
| 文化站 | | 42547 | 42534 | 0.0 |
| #乡镇文化站 | | 38911 | 39719 | 2.1 |
| **出版、发行事业** | (个) | **14501** | **14407** | **-0.6** |
| 出版社 | | 530 | 530 | 0.0 |
| 书刊印刷厂 | | 346 | 304 | -12.1 |
| 书店 | | 13625 | 13573 | -0.4 |
| **文物事业** | (个) | **3496** | **3553** | **1.6** |
| 博物馆 | | 1339 | 1364 | 1.9 |
| 文物机构 | | 2035 | 2068 | 1.6 |
| 文物商店 | | 122 | 121 | -0.8 |
| **广播电视** | (座) | | | |
| 广播电台 | | 298 | 296 | -0.7 |
| 电视台 | | 347 | 357 | 2.9 |
| 县有线广播站 | | 1403 | 1562 | 11.3 |
| **科学研究（县以上国有单位）** | (个) | **5778** | **5573** | **-3.5** |
| 自然科学和技术领域 | | 5076 | 4853 | -4.4 |
| 社会、人文科学领域 | | 298 | 310 | 4.0 |
| 科学技术情报和文献机构 | | 404 | 410 | 1.5 |
| **金融、保险业** | (个) | **126452** | **120858** | **-4.4** |
| 银行系统合计 | | 117707 | 112141 | -4.7 |
| 保险系统合计 | | 8745 | 8717 | -0.3 |

注：1.“#”表示其中的主要项。 2.1999年邮电局所为邮政局所，与上年不可比。

## 3. 国民经济和社会发展总量与速度指标

| 指　标 | 总量指标 | | | | | 速度指标（%） | | | | | | |
|---|---|---|---|---|---|---|---|---|---|---|---|---|
| | | | | | | 指数（1999比以下各年） | | | | 平均增长速度 | | |
| | 1985 | 1990 | 1995 | 1998 | 1999 | 1985 | 1990 | 1995 | 1998 | 1986-1990 | 1991-1995 | 1991-1999 |
| **人口与就业** | | | | | | | | | | | | |
| **人口**　（万人） | | | | | | | | | | | | |
| 年底总人口 | 105851 | 114333 | 121121 | 124810 | 125909 | 118.9 | 110.1 | 104.0 | 100.9 | 1.6 | 1.2 | 1.1 |
| 市镇人口 | 25094 | 30191 | 35174 | 37942 | 38892 | 155.0 | 128.8 | 110.6 | 102.5 | 3.8 | 3.1 | 2.9 |
| 乡村人口 | 80757 | 84142 | 85947 | 86868 | 87017 | 107.8 | 103.4 | 101.2 | 100.2 | 0.8 | 0.4 | 0.4 |
| 男性人口 | 54725 | 58904 | 61808 | 63629 | 64189 | 117.3 | 109.0 | 103.9 | 100.9 | 1.5 | 1.0 | 1.0 |
| 女性人口 | 51126 | 55429 | 59313 | 61181 | 61720 | 120.7 | 111.3 | 104.1 | 100.9 | 1.6 | 1.4 | 1.2 |
| **就业**　（万人） | | | | | | | | | | | | |
| 从业人员数 | 49873 | 63909 | 67947 | 69957 | 70586 | 141.5 | 110.4 | 103.9 | 100.9 | 5.1 | 1.2 | 1.1 |
| #职工人数 | 12358 | 14059 | 14908 | 12337 | 11773 | 95.3 | 83.7 | 79.0 | 95.4 | 2.6 | 1.2 | -2.0 |
| 城镇登记失业人数 | 239 | 383 | 520 | 571 | 575 | 241.1 | 150.1 | 110.7 | 100.7 | 9.9 | 6.3 | 4.6 |
| **宏观经济** | | | | | | | | | | | | |
| **国民核算**　（亿元） | | | | | | | | | | | | |
| 国民生产总值 | 8989 | 18598 | 57495 | 76967 | 80423 | 347.8 | 237.8 | 137.6 | 107.1 | 7.9 | 11.6 | 10.1 |
| 国内生产总值 | 8964 | 18548 | 58478 | 78345 | 81911 | 354.4 | 242.7 | 137.7 | 107.1 | 7.9 | 12.0 | 10.4 |
| 第一产业 | 2542 | 5017 | 11993 | 14552 | 14457 | 174.0 | 141.8 | 115.7 | 102.8 | 4.2 | 4.2 | 4.0 |
| 第二产业 | 3867 | 7717 | 28538 | 38619 | 40418 | 499.3 | 324.9 | 145.8 | 108.1 | 9.0 | 17.4 | 14.0 |
| 第三产业 | 2556 | 5814 | 17947 | 25174 | 27036 | 344.9 | 220.4 | 137.1 | 107.5 | 9.4 | 10.0 | 9.2 |
| 支出法国内生产总值 | 8792 | 18320 | 58511 | 79003 | 82430 | | | | | | | |
| #最终消费 | 5773 | 11365 | 33635 | 46406 | 49685 | | | | | | | |
| 居民消费 | 4589 | 9113 | 26945 | 36921 | 39399 | | | | | | | |
| 政府消费 | 1184 | 2252 | 6691 | 9485 | 10286 | | | | | | | |
| 资本形成总额 | 3386 | 6444 | 23877 | 29546 | 30496 | | | | | | | |
| 固定资本形成 | 2641 | 4732 | 20301 | 27631 | 29476 | | | | | | | |
| 存货增加 | 745 | 1712 | 3577 | 1915 | 1021 | | | | | | | |
| **固定资产投资**　（亿元） | | | | | | | | | | | | |
| 全社会固定资产投资总额 | 2543.2 | 4517.0 | 20019.3 | 28406.2 | 29854.7 | 1173.9 | 660.9 | 149.1 | 105.1 | 12.2 | 34.7 | 23.3 |
| #国有单位 | 1680.5 | 2986.3 | 10898.2 | 15369.3 | 15947.8 | 949.0 | 534.0 | 146.3 | 103.8 | 12.2 | 29.6 | 20.5 |
| 集体单位 | 327.5 | 529.5 | 3289.4 | 4192.2 | 4338.6 | 1324.8 | 819.4 | 131.9 | 103.5 | 10.1 | 44.1 | 26.3 |
| 个体经济 | 535.2 | 1001.2 | 2560.2 | 3744.4 | 4195.7 | 783.9 | 419.1 | 163.9 | 112.1 | 13.3 | 20.7 | 17.3 |
| **财政**　（亿元） | | | | | | | | | | | | |
| 国家财政收入 | 2004.8 | 2937.1 | 6242.2 | 9876.0 | 11444.1 | 570.8 | 389.6 | 183.3 | 115.9 | 7.9 | 16.3 | 16.3 |
| 中　央 | 769.6 | 992.4 | 3256.6 | 4892.0 | 5849.2 | 760.0 | 589.4 | 179.6 | 119.6 | 5.2 | 26.8 | 21.8 |
| 地　方 | 1235.2 | 1944.7 | 2985.6 | 4984.0 | 5594.9 | 453.0 | 287.7 | 187.4 | 112.3 | 9.5 | 9.0 | 12.5 |
| 国家财政支出 | 2004.3 | 3083.6 | 6823.7 | 10798.2 | 13187.7 | 658.0 | 427.7 | 193.3 | 122.1 | 9.0 | 17.2 | 17.5 |
| 中　央 | 795.3 | 1004.5 | 1995.4 | 3125.6 | 4152.3 | 522.1 | 413.4 | 208.1 | 132.8 | 4.8 | 14.7 | 17.1 |
| 地　方 | 1209 | 2079.1 | 4828.3 | 7672.6 | 9035.3 | 747.3 | 434.6 | 187.1 | 117.8 | 11.5 | 18.4 | 17.7 |

续表

| 指　　标 | 总量指标 | | | | | 速度指标（%） | | | | | | |
|---|---|---|---|---|---|---|---|---|---|---|---|---|
| | | | | | | 指数（1999 比以下各年） | | | | 平均增长速度 | | |
| | 1985 | 1990 | 1995 | 1998 | 1999 | 1985 | 1990 | 1995 | 1998 | 1986-1990 | 1991-1995 | 1991-1999 |
| **物价总指数（上年＝100）** | | | | | | | | | | | | |
| 商品零售价格总指数 | 108.8 | 102.1 | 114.8 | 97.4 | 97.0 | | | | | | | |
| 居民消费价格总指数 | 109.3 | 103.1 | 117.1 | 99.2 | 98.6 | | | | | | | |
| 农产品收购价格总指数 | 108.6 | 97.4 | 119.9 | 92.0 | 87.8 | | | | | | | |
| **利用外资　　（亿美元）** | | | | | | | | | | | | |
| 签订利用外资协议额 | 98.7 | 120.9 | 1032.1 | 632.0 | 520.1 | 527.0 | 430.2 | 50.4 | 82.3 | 4.1 | 53.6 | 17.6 |
| 实际利用外资额 | 46.5 | 102.9 | 481.3 | 585.6 | 526.6 | 1132.5 | 511.8 | 109.4 | 89.9 | 17.2 | 36.1 | 19.9 |
| **能源生产与消费（万吨标准煤）** | | | | | | | | | | | | |
| 能源生产总量 | 85546 | 103922 | 129034 | 124250 | 110000 | 128.6 | 105.8 | 85.2 | 88.5 | 4.0 | 4.4 | 0.6 |
| 能源消费总量 | 76682 | 98703 | 131176 | 132214 | 122000 | 159.1 | 123.6 | 93.0 | 92.3 | 5.2 | 5.9 | 2.4 |
| **产　业** | | | | | | | | | | | | |
| **农业** | | | | | | | | | | | | |
| 耕地面积　　（千公顷） | 96846 | 95673 | 94971 | | | | | | | | | |
| 农林牧渔业劳动力（万人） | 30352 | 33336 | 32335 | 32626 | 32912 | 108.4 | 98.7 | 101.8 | 100.9 | 1.9 | | |
| 农林牧渔业总产值（亿元） | 3619.5 | 7662.1 | 20340.9 | 24541.9 | 24519.1 | 233.8 | 185.3 | 129.5 | 104.7 | 4.8 | 7.4 | 7.1 |
| 主要农产品产量（万吨） | | | | | | | | | | | | |
| 粮　食 | 37911 | 44624 | 46662 | 51230 | 50839 | 134.1 | 113.9 | 109.0 | 99.2 | 3.3 | 0.9 | 1.5 |
| 棉　花 | 414.7 | 450.8 | 476.8 | 450.1 | 382.9 | 92.3 | 84.9 | 80.3 | 85.1 | 1.7 | 1.1 | |
| 油　料 | 1578.4 | 1613.2 | 2250.3 | 2313.9 | 2601.2 | 164.8 | 161.2 | 115.6 | 112.4 | 0.4 | 6.9 | 5.5 |
| 甘　蔗 | 5154.9 | 5762.0 | 6542.0 | 8343.8 | 7470.3 | 144.9 | 129.6 | 114.2 | 89.5 | 2.3 | 2.6 | 2.9 |
| 甜　菜 | 891.9 | 1452.5 | 1398.4 | 1446.6 | 863.9 | 96.9 | 59.5 | 61.8 | 59.7 | 10.2 | | |
| 茶　叶 | 43.2 | 54.0 | 58.9 | 66.5 | 67.6 | 156.5 | 125.2 | 114.8 | 101.7 | 4.6 | 1.8 | 2.5 |
| 水　果 | 1163.9 | 1874.4 | 4214.6 | 5452.9 | 6237.6 | 535.9 | 332.8 | 148.0 | 114.4 | 10.0 | 17.6 | 14.3 |
| 肉　类 | | | | 5723.8 | 5949.0 | | | | 103.9 | | | |
| 水产品 | 705.2 | 1237.0 | 2517.2 | 3906.5 | 4122.4 | 584.6 | 333.3 | 163.8 | 105.5 | 11.9 | 15.3 | 14.3 |
| **工业** | | | | | | | | | | | | |
| 工业总产值　　（亿元） | 9716 | 23924 | 91894 | 119048 | 126111 | 823.8 | 443.6 | 162.9 | 111.6 | 13.2 | 22.2 | 18.0 |
| 主要工业产品产量 | | | | | | | | | | | | |
| 布　　（亿米） | 146.7 | 188.8 | 260.2 | 241.0 | 250.0 | 170.4 | 132.4 | 96.1 | 103.7 | 5.2 | 6.6 | 3.2 |
| 机制纸及纸板（万吨） | 911 | 1372 | 2812 | 2126 | 2159 | 237.0 | 157.4 | 76.8 | 101.6 | 8.5 | 15.4 | 5.2 |
| 糖　　（万吨） | 451 | 582 | 559 | 826 | 861 | 190.9 | 147.9 | 154.0 | 104.2 | 5.2 | | 4.4 |
| 家用电冰箱　（万台） | 145 | 463 | 919 | 1060 | 1210 | 834.5 | 261.3 | 131.7 | 114.2 | 26.1 | 14.7 | 11.3 |
| 彩色电视机　（万台） | 435 | 1033 | 2058 | 3497 | 4262 | 979.8 | 412.6 | 207.1 | 121.9 | 18.9 | 14.8 | 17.1 |
| 家用洗衣机　（万台） | 887 | 663 | 948 | 1207 | 1342 | 151.3 | 202.4 | 141.6 | 111.2 | | 7.4 | 8.2 |
| 房间空气调节器（万台） | | | 683 | 1157 | 1338 | | | 195.9 | 115.6 | | | |
| 照相机　　（万架） | 179 | 213 | 3326 | 5522 | 4832 | 2699.4 | 2268.5 | 145.3 | 87.5 | 3.5 | 73.3 | 41.5 |
| 原　煤　　（亿吨） | 8.7 | 10.8 | 13.6 | 12.5 | 10.5 | 120.7 | 97.2 | 77.2 | 84.0 | 4.4 | 4.7 | |

续表

| 指　　标 | 总量指标 | | | | | 速度指标（%） | | | | | | |
|---|---|---|---|---|---|---|---|---|---|---|---|---|
| | | | | | | 指数（1999 比以下各年） | | | | 平均增长速度 | | |
| | 1985 | 1990 | 1995 | 1998 | 1999 | 1985 | 1990 | 1995 | 1998 | 1986-1990 | 1991-1995 | 1991-1999 |
| 原　油　（万吨） | 12490 | 13831 | 15005 | 16100 | 16000 | 128.1 | 115.7 | 106.6 | 99.4 | 2.1 | 1.6 | 1.6 |
| 发电量（亿千瓦小时） | 4107 | 6212 | 10070 | 11670 | 12393 | 301.8 | 199.5 | 123.1 | 106.2 | 8.6 | 10.1 | 8.0 |
| 钢　（万吨） | 4679 | 6635 | 9536 | 11559 | 12426 | 265.6 | 187.3 | 130.3 | 107.5 | 7.2 | 7.5 | 7.2 |
| 成品钢材　（万吨） | 3693 | 5153 | 8980 | 10738 | 12110 | 327.9 | 235.0 | 134.9 | 112.8 | 6.9 | 11.7 | 10.0 |
| 水　泥　（万吨） | 14595 | 20971 | 47561 | 53600 | 57300 | 392.6 | 273.2 | 120.5 | 106.9 | 7.5 | 17.8 | 11.8 |
| 国有及限额以上非国有工业企业财务指标 | | | | | | | | | | | | |
| 固定资产原价（亿元） | 6926 | 14390 | 44989 | 64832 | 71847 | 1037.4 | 499.3 | 159.7 | 110.8 | 15.7 | 25.6 | 19.6 |
| 固定资产净值年平均余额　（亿元） | 4725 | 10139 | 32287 | 44137 | 47281 | 1000.7 | 466.3 | 146.4 | 107.1 | 16.5 | 26.1 | 18.7 |
| 利润总额　（亿元） | | 560 | 1635 | 1458 | 2288 | | 408.6 | 140.0 | 156.9 | | 23.9 | 16.9 |
| **建筑业** | | | | | | | | | | | | |
| 建筑业企业人数（万人） | 1701 | 1717 | 2512 | 2779 | 2766 | 162.6 | 161.1 | 110.1 | 99.5 | 0.2 | 7.9 | 5.4 |
| 建筑业总产值　（亿元） | 985.1 | 1947.6 | 9505.0 | 13740.7 | 15151.5 | 1538.1 | 778.0 | 159.4 | 110.3 | 14.6 | 37.3 | 25.6 |
| 施工房屋面积（万平方米） | 35492 | 37923 | 89863 | 137594 | 147263 | 414.9 | 388.3 | 163.9 | 107.0 | 1.3 | 18.8 | 16.3 |
| 竣工房屋面积（万平方米） | 17073 | 19553 | 35666 | 65683 | 73925 | 433.0 | 378.1 | 207.3 | 112.5 | 2.7 | 12.8 | 15.9 |
| **交通运输** | | | | | | | | | | | | |
| 货运量　（万吨） | 745763 | 970602 | 1234810 | 1267200 | 1292650 | 173.3 | 133.2 | 104.7 | 102.0 | 5.4 | 4.9 | 3.2 |
| 铁　路 | 130709 | 150681 | 165855 | 164082 | 167196 | 127.9 | 111.0 | 100.8 | 101.9 | 2.9 | 1.9 | 1.2 |
| 公　路 | 538062 | 724040 | 940387 | 976004 | 990444 | 184.1 | 136.8 | 105.3 | 101.5 | 6.1 | 5.4 | 3.5 |
| 水　运 | 63322 | 80094 | 113194 | 109555 | 114608 | 181.0 | 143.1 | 101.2 | 104.6 | 4.8 | 7.2 | 4.1 |
| 管　道 | 13650 | 15750 | 15274 | 17419 | 20231 | 148.2 | 128.5 | 132.5 | 116.1 | 2.9 | | 2.8 |
| 空　运 | 20 | 37 | 101 | 140 | 170 | 850.0 | 459.5 | 168.3 | 121.4 | 13.1 | 22.2 | 18.5 |
| 客运量　（万人） | 620206 | 772682 | 1172596 | 1378717 | 1394413 | 224.8 | 180.5 | 118.9 | 101.1 | 4.5 | 8.7 | 6.8 |
| 铁　路 | 112110 | 95712 | 102745 | 95085 | 100164 | 89.3 | 104.7 | 97.5 | 105.3 | | 1.4 | 0.5 |
| 公　路 | 476486 | 648085 | 1040810 | 1257332 | 1269004 | 266.3 | 195.8 | 121.9 | 100.9 | 6.3 | 9.9 | 7.8 |
| 水　运 | 30863 | 27225 | 23924 | 20545 | 19151 | 62.1 | 70.3 | 80.0 | 93.2 | | | |
| 空　运 | 747 | 1660 | 5117 | 5755 | 6094 | 815.8 | 367.1 | 119.1 | 105.9 | 17.3 | 25.3 | 15.5 |
| 沿海主要港口货物吞吐量　（万吨） | 31154 | 48321 | 80166 | 92237 | 105162 | 337.6 | 217.6 | 131.2 | 114.0 | 9.2 | 10.7 | 9.0 |
| **邮电通信业** | | | | | | | | | | | | |
| 邮电业务总量　（亿元） | 56.39 | 155.54 | 988.85 | 2431.21 | 3330.82 | 5906.8 | 2141.5 | 336.8 | 137.0 | 22.5 | 44.8 | 40.6 |
| 函　件　（亿件） | 46.8 | 54.9 | 79.6 | 65.5 | 60.5 | 129.3 | 110.2 | 76.0 | 92.4 | 3.2 | 7.7 | 1.1 |
| 报刊期发数　（万份） | 30172 | 20078 | 21689 | 22989 | 25035 | 83.0 | 124.7 | 115.4 | 108.9 | | 1.6 | 2.5 |
| 局用交换机容量（万门） | 613 | 1232 | 7204 | 13824 | 15346 | 2503.4 | 1245.6 | 213.0 | 111.0 | 15.0 | 42.4 | 32.3 |
| 中央国有 | 337 | 826 | 5456 | 9951 | 11094 | 3292.0 | 1343.1 | 203.3 | 111.5 | 19.6 | 45.9 | 33.5 |

续表

| 指标 | 总量指标 | | | | | 速度指标（%） | | | | | | |
|---|---|---|---|---|---|---|---|---|---|---|---|---|
| | | | | | | 指数（1999比以下各年） | | | | 平均增长速度 | | |
| | 1985 | 1990 | 1995 | 1998 | 1999 | 1985 | 1990 | 1995 | 1998 | 1986-1990 | 1991-1995 | 1991-1999 |
| 地方国有 | 277 | 406 | 1747 | 3872 | 4252 | 1535.0 | 1047.3 | 243.4 | 109.8 | 7.9 | 33.9 | 29.8 |
| 电话机（万部） | 626 | 1233 | 5762 | 13123 | 17567 | 2806.2 | 1424.7 | 304.9 | 133.9 | 14.5 | 36.1 | 34.3 |
| 中央国有 | 476 | 1026 | 4346 | 7963 | 9505 | 1996.8 | 926.4 | 218.7 | 119.4 | 16.6 | 33.5 | 28.1 |
| 地方国有 | 150 | 205 | 1152 | 2774 | 3732 | 2488.0 | 1820.5 | 324.0 | 134.5 | 6.4 | 41.2 | 38.0 |
| **国内商业** | | | | | | | | | | | | |
| 社会消费品零售总额（亿元） | 3801 | 7250 | 20620 | 29153 | 31135 | 819.1 | 429.4 | 151.0 | 106.8 | 13.8 | 23.3 | 17.6 |
| **对外经济贸易** | | | | | | | | | | | | |
| 进出口总额（亿美元） | 696.0 | 1154.4 | 2808.6 | 3240.5 | 3606.3 | 518.1 | 312.4 | 128.4 | 111.3 | 10.6 | 19.5 | 13.5 |
| 进口额 | 422.5 | 533.5 | 1320.8 | 1402.4 | 1657.0 | 392.2 | 310.6 | 125.5 | 118.2 | 4.8 | 19.9 | 13.4 |
| 出口额 | 273.5 | 620.9 | 1487.8 | 1838.1 | 1949.3 | 712.7 | 313.9 | 131.0 | 106.0 | 17.8 | 19.1 | 13.6 |
| **国际旅游** | | | | | | | | | | | | |
| 来华旅游人数（万人） | 1783 | 2746 | 4639 | 6348 | 7280 | 408.3 | 265.1 | 156.9 | 114.7 | 9.0 | 11.1 | 11.4 |
| 旅游外汇收入（亿美元） | 12.5 | 22.2 | 87.3 | 126.0 | 141.0 | 1128.0 | 635.1 | 161.5 | 111.9 | 12.2 | 31.5 | 22.8 |
| **金融保险** | | | | | | | | | | | | |
| 金融机构各项存款（亿元） | | | | 95698 | 108778.9 | | | | 113.7 | | | |
| 金融机构各项贷款（亿元） | | | | 86524 | 93734.3 | | | | 108.3 | | | |
| 中外资保险公司保险金额（亿元） | | | | | 666427 | | | | | | | |
| 中外资保险公司保费（亿元） | | | | | 1406.17 | | | | | | | |
| 中外资保险公司赔款及给付（亿元） | | | | | 508.02 | | | | | | | |
| **教育、科技、文化** | | | | | | | | | | | | |
| **教育** | | | | | | | | | | | | |
| 专任教师数（万人） | | | | | | | | | | | | |
| 普通高等学校 | 34.4 | 39.5 | 40.1 | 40.7 | 42.6 | 123.8 | 107.8 | 106.2 | 104.7 | 2.8 | 0.3 | 0.8 |
| 中等学校 | 296.7 | 349.2 | 388.3 | 431.2 | 459.6 | 154.9 | 131.6 | 118.4 | 106.6 | 3.3 | 2.1 | 3.1 |
| 小学 | 537.7 | 558.2 | 566.4 | 581.9 | 586.1 | 109.0 | 105.0 | 103.5 | 100.7 | 0.8 | 0.3 | 0.5 |
| 在校学生数（万人） | | | | | | | | | | | | |
| 普通高等学校 | 170.3 | 206.3 | 290.6 | 340.9 | 413.4 | 242.7 | 200.4 | 142.3 | 121.3 | 3.9 | 7.1 | 8.0 |
| 中等学校 | 5092.6 | 5105.4 | 6191.5 | 7340.7 | 8002.7 | 157.1 | 156.7 | 129.3 | 109.0 | 0.1 | 3.9 | 5.1 |
| 小学 | 13370.2 | 12241.4 | 13195.2 | 13953.8 | 13548.0 | 101.3 | 110.7 | 102.7 | 97.1 | | 1.5 | 1.1 |
| 教育经费支出（亿元） | | | 1878 | 2949 | | | | | | | | |
| **科技** | | | | | | | | | | | | |
| 科学家、工程师数（万人） | | | 155.4 | 149.0 | 159.5 | | | 102.6 | 107.0 | | | |

续表

| 指　　标 | 总量指标 | | | | | 速度指标（%） | | | | | | |
|---|---|---|---|---|---|---|---|---|---|---|---|---|
| | | | | | | 指数（1999 比以下各年） | | | | 平均增长速度 | | |
| | 1985 | 1990 | 1995 | 1998 | 1999 | 1985 | 1990 | 1995 | 1998 | 1986-1990 | 1991-1995 | 1991-1999 |
| 研究与发展经费支出（亿元） | | 125.4 | 348.7 | 551.1 | 678.9 | | 541.4 | 194.7 | 123.2 | | 22.7 | 20.6 |
| 技术市场成交额（万元） | | 750969 | 2683447 | 4358228 | 5234123 | | 697.0 | 195.1 | 120.1 | | 29.0 | 24.1 |
| **文化** | | | | | | | | | | | | |
| 出版数量 | | | | | | | | | | | | |
| 图　书（亿册．张） | 66.7 | 56.4 | 63.2 | 72.4 | 73.2 | 109.7 | 129.8 | 115.8 | 101.1 | | 2.3 | 2.9 |
| 杂　志（亿册） | 25.6 | 17.9 | 23.4 | 25.4 | 28.5 | 111.3 | 159.2 | 121.8 | 112.2 | | 5.5 | 5.3 |
| 报　纸（亿份） | 246.8 | 211.3 | 263.3 | 300.4 | 318.4 | 129.0 | 150.7 | 120.9 | 106.0 | | 4.5 | 4.7 |
| 故事影片产量（部） | 127.0 | 134.0 | 146.0 | 82.0 | 82.0 | 64.6 | 61.2 | 56.2 | 100.0 | 1.1 | 1.7 | -5.3 |
| 电视节目制作时间（小时） | 38056 | 91572 | 383513 | 477893 | 526483 | 1383.4 | 574.9 | 137.3 | 110.2 | 19.2 | 33.2 | 21.5 |
| **家庭、生活、环境** | | | | | | | | | | | | |
| **家庭** | | | | | | | | | | | | |
| 家庭总户数（万户） | 23804 | 27738 | 31676 | 33297 | 34153 | 143.5 | 123.1 | 107.8 | 102.6 | 3.1 | 2.7 | 2.3 |
| 城镇居民平均每户家庭人口（人） | 3.9 | 3.5 | 3.2 | 3.2 | 3.1 | 79.5 | 88.6 | 96.9 | 96.9 | | | |
| 农村居民平均每户家庭人口（人） | 5.1 | 4.8 | 4.5 | 4.3 | 4.3 | 84.3 | 89.6 | 95.6 | 100.0 | | | |
| **婚姻** | | | | | | | | | | | | |
| 结婚数（万对） | 829.1 | 948.7 | 929.7 | 886.7 | 879.9 | 106.1 | 92.7 | 94.6 | 99.2 | 2.7 | | |
| 离婚数（万对） | 45.8 | 80.0 | 105.5 | 119.0 | 120.2 | 262.4 | 150.3 | 113.9 | 101.0 | 11.8 | 5.7 | 4.6 |
| **居住** | | | | | | | | | | | | |
| 城市居民人均使用面积（平方米） | | 9.9 | 11.8 | 13.6 | 14.2 | | 143.3 | 120.3 | 104.3 | | 3.6 | 4.1 |
| 城市居民人均居住面积（平方米） | 5.2 | 6.7 | 8.1 | 9.3 | 9.8 | 188.1 | 146.0 | 120.7 | 105.2 | 5.2 | 3.9 | 4.3 |
| 农村居民人均居住面积（平方米） | 14.7 | 17.8 | 21.0 | 23.3 | 24.2 | 164.8 | 136.1 | 115.4 | 104.0 | 3.9 | 3.4 | 3.5 |
| **生活** | | | | | | | | | | | | |
| 城镇居民人均可支配收入（元） | 739 | 1510 | 4283 | 5425 | 5854 | 224.8 | 182.0 | 124.2 | 109.3 | 4.3 | 7.9 | 6.9 |
| 农村居民人均纯收入（元） | 398 | 686 | 1578 | 2162 | 2210 | 176.1 | 152.2 | 123.4 | 103.8 | 3.0 | 4.3 | 4.8 |
| 城乡储蓄存款余额（亿元） | 1622.6 | 7034.2 | 29662.3 | 53407.5 | 59621.8 | 3674.5 | 847.6 | 201.0 | 111.6 | 34.1 | 33.4 | 26.8 |
| **工资和福利** | | | | | | | | | | | | |
| 工资总额（亿元） | 1383 | 2951 | 8100 | 9297 | 9876 | 714.1 | 334.7 | 121.9 | 106.2 | 16.4 | 22.4 | 14.4 |
| 职工平均工资（元） | 1148 | 2140 | 5500 | 7479 | 8346 | 190.2 | 168.7 | 127.1 | 121.1 | 2.4 | 5.8 | 6.0 |

续表

| 指标 | 总量指标 | | | | | 速度指标（%） | | | | | | |
|---|---|---|---|---|---|---|---|---|---|---|---|---|
| | | | | | | 指数（1999比以下各年） | | | | 平均增长速度 | | |
| | 1985 | 1990 | 1995 | 1998 | 1999 | 1985 | 1990 | 1995 | 1998 | 1986-1990 | 1991-1995 | 1991-1999 |
| 职工保险福利费（亿元） | 331.6 | 937.9 | 2361.3 | | 3360.7 | | | | | 23.1 | 20.3 | |
| 离休、退休、退职职工人数（万人） | 1637 | 2301 | 3094 | 3594 | 3727 | 227.7 | 162.0 | 120.5 | 103.7 | 7.0 | 6.1 | 5.5 |
| 离休、退休、退职费（亿元） | 145.6 | 396.2 | 1305.6 | 2073.7 | 2420.9 | 1662.7 | 611.0 | 185.4 | 116.7 | 22.2 | 26.9 | 22.3 |
| **卫生** | | | | | | | | | | | | |
| 医院、卫生院（个） | 59614 | 62454 | 67807 | 67081 | 66935 | 112.3 | 107.2 | 98.7 | 99.8 | 0.9 | 1.7 | 0.8 |
| 医生（万人） | 141.3 | 176.3 | 191.8 | 200.0 | 204.5 | 144.7 | 116.0 | 106.6 | 102.3 | 4.5 | 1.7 | 1.7 |
| 医院、卫生院床位数（万张） | 222.9 | 262.4 | 283.6 | 291.4 | 292.8 | 131.4 | 111.6 | 103.2 | 100.5 | 3.3 | 1.6 | 1.2 |
| **市政建设** | | | | | | | | | | | | |
| 自来水供应量（亿吨） | 128.0 | 382.3 | 496.6 | 470.5 | 467.5 | 365.2 | 122.3 | 94.1 | 99.4 | 24.5 | 5.4 | 2.3 |
| 下水道长度（公里） | 31556 | 57787 | 110293 | 125943 | 134486 | 426.2 | 232.7 | 121.9 | 106.8 | 12.9 | 13.8 | 9.8 |
| 城市煤气和天然气供气量（万立方米） | 411853 | 2389354 | 1940248 | 2363826 | 2121481 | 515.1 | 88.8 | 109.3 | 89.7 | 42.1 | | |
| 公共汽(电)车总数（辆） | 45155 | 62215 | 136821 | 189002 | 209884 | 464.8 | 337.4 | 153.4 | 111.0 | 6.6 | 17.1 | 14.5 |
| 铺装道路长度（公里） | 38282 | 94820 | 130308 | 145163 | 152385 | 398.1 | 160.7 | 116.9 | 105.0 | 19.9 | 6.6 | 5.4 |
| 绿地面积（公顷） | 159291 | 474613 | 678310 | 745654 | 778161 | 488.5 | 164.0 | 114.7 | 104.4 | 24.4 | 7.4 | 5.6 |
| **环境、灾害** | | | | | | | | | | | | |
| 污染治理项目本年完成投资额（亿元） | 22.2 | 45.4 | 98.7 | 122.0 | 152.7 | 687.8 | 336.3 | 154.7 | 125.2 | 15.4 | 16.8 | 14.4 |
| 环境污染与破坏事故次数（起） | 2716 | 3462 | 1966 | 1422 | 1614 | 59.4 | 46.6 | 82.1 | 113.5 | 5.0 | | |
| 环境污染直接经济损失（万元） | | | 9938 | 19844 | 5711 | | | 57.5 | 28.8 | | | |
| 环境污染事故赔罚款金额（万元） | | | 4260 | 2111 | 2116 | | | 49.7 | 100.3 | | | |
| 火灾发生数（起） | 34996 | 57302 | 37136 | 141305 | 179955 | 514.2 | 314.0 | 484.6 | 127.4 | 10.4 | | 13.6 |
| 火灾损失（万元） | 28422 | 51182 | 107777 | 143995 | 143394 | 504.5 | 280.2 | 133.0 | 99.6 | 12.5 | 16.1 | 12.1 |
| 交通事故发生数（起） | 97573 | 250244 | 271843 | 346129 | 412860 | 423.1 | 165.0 | 151.9 | 119.3 | 20.7 | 1.7 | 5.7 |
| 交通事故损失（万元） | 6599 | 35362 | 152267 | 192951 | 212402 | 3218.7 | 600.6 | 139.5 | 110.1 | 39.9 | 33.9 | 22.0 |

注：1. 本表总量指标中的价值量指标除邮电业务总量指标外均按当年价格计算。

2. 本表速度指标中，国民生产总值、国内生产总值及三次产业、物价指数、农林牧渔业总产值、工业总产值、邮电业务总量、城乡居民收入和平均工资指标均按可比价格计算。

3. 邮电业务总量按1990年不变价格计算。

4. 1998年职工人数为在岗人数，1997年及以前为全部职工人数，故不可比。

## 4. 旅游事业发展情况

| 指 标 | | 1995 | 1996 | 1997 | 1998 | 1999 |
|---|---|---|---|---|---|---|
| **旅行社总数** | （个） | **3846** | **4252** | **4986** | **6222** | **7326** |
| 国际旅行社 | | 1025 | 977 | 991 | 1312 | 1256 |
| 国内旅行社 | | 2821 | 3275 | 3995 | 4910 | 6370 |
| **旅行社职工人数** | （人） | **91592** | **87555** | **94829** | **100448** | **108830** |
| 国际旅行社 | | 59935 | 53093 | 48881 | 52290 | 47153 |
| 国内旅行社 | | 31657 | 34462 | 45948 | 48158 | 61677 |
| **涉外饭店总数** | （个） | **3720** | **4418** | **5201** | **5782** | **7035** |
| **入境旅游人数** | （万人） | **4638.65** | **5112.75** | **5758.79** | **6347.84** | **7279.56** |
| 外国人 | | 588.67 | 674.43 | 742.80 | 710.77 | 843.23 |
| 华 侨 | | 11.58 | 15.46 | 9.90 | 12.07 | 10.81 |
| 港澳同胞 | | 3885.17 | 4249.47 | 4794.33 | 5407.54 | 6167.06 |
| 台湾同胞 | | 153.23 | 173.39 | 211.76 | 217.46 | 258.46 |
| **三大旅行社接待入境旅游人数** | （万人） | **162.86** | **171.46** | **189.68** | **167.00** | **205.11** |
| 中国国际旅行社 | | 84.65 | 80.80 | 88.45 | 77.45 | 100.25 |
| 中国旅行社 | | 47.74 | 59.25 | 66.94 | 53.79 | 65.10 |
| 中国青年旅行社 | | 30.47 | 31.41 | 34.29 | 35.76 | 39.76 |
| **国内居民出境总人数** | （万人） | **713.90** | **758.82** | **817.54** | **842.56** | **923.24** |
| #因私出境人数 | | 205.39 | 241.39 | 243.96 | 319.02 | 426.61 |
| **国内旅游人数** | （万人） | **62900** | **63900** | **64400** | **69450** | **71900** |
| **旅游收入** | | | | | | |
| 国际旅游收入 | （亿美元） | 87.33 | 102.00 | 120.74 | 126.02 | 140.99 |
| 国内旅游收入 | （亿元） | 1375.70 | 1638.38 | 2112.70 | 2391.18 | 2831.92 |

## 5. 教育事业基本情况

| 指　　标 | 1985 | 1990 | 1995 | 1998 | 1999 |
|---|---|---|---|---|---|
| **学校数**　（所） | | | | | |
| 普通高等学校 | 1016 | 1075 | 1054 | 1022 | 1071 |
| 普通中等学校 | 104848 | 100777 | 95216 | 92071 | 95255 |
| # 中等专业学校 | 3557 | 3982 | 4049 | 4109 | 3962 |
| 中等技术学校 | 2529 | 2956 | 3135 | 3234 | 3147 |
| 中等师范学校 | 1028 | 1026 | 897 | 875 | 815 |
| 普通中学 | 93221 | 87631 | 81020 | 77888 | 77213 |
| 高中 | 17318 | 15678 | 13991 | 13948 | 14127 |
| 初中 | 75903 | 71953 | 67029 | 63940 | 63086 |
| 职业中学 | | 9164 | 10147 | 10074 | 9636 |
| 小学 | 832309 | 766072 | 668685 | 609626 | 582291 |
| 幼儿园 | 172262 | 172322 | 180438 | 181368 | 181136 |
| 特殊教育 | 375 | 746 | 1379 | 1535 | 1520 |
| **专任教师**　（万人） | | | | | |
| 普通高等学校 | 34.4 | 39.5 | 40.1 | 40.7 | 42.6 |
| 普通中等学校 | 296.7 | 349.2 | 388.3 | 431.2 | 459.6 |
| # 中等专业学校 | 17.4 | 23.4 | 25.7 | 27.9 | 27.4 |
| 中等技术学校 | 12.8 | 17.6 | 19.5 | 21.5 | 21.2 |
| 中等师范学校 | 4.6 | 5.9 | 6.2 | 6.4 | 6.2 |
| 普通中学 | 265.2 | 303.3 | 333.4 | 369.7 | 384.1 |
| 职业中学 | | 22.4 | 29.2 | 33.4 | 33.6 |
| 小学 | 537.7 | 558.2 | 566.4 | 581.9 | 586.1 |
| 幼儿园 | 55.0 | 75.0 | 87.5 | 87.5 | 87.2 |
| 特殊教育 | 0.7 | 1.4 | 2.5 | 3.0 | 3.1 |
| **招生数**　（万人） | | | | | |
| 普通高等学校 | 61.9 | 60.9 | 92.6 | 108.4 | 159.7 |
| 普通中等学校 | 1789.8 | 1815.8 | 2354.1 | 2705.4 | 2963.3 |
| # 中等专业学校 | 66.8 | 73.0 | 138.1 | 166.8 | 163.4 |
| 中等技术学校 | 45.4 | 50.3 | 107.3 | 134.9 | 134.3 |
| 中等师范学校 | 21.5 | 22.7 | 30.8 | 31.9 | 29.1 |
| 普通中学 | 1606.9 | 1619.6 | 2025.9 | 2321.0 | 2546.0 |

续表

| 指　　标 | | 1985 | 1990 | 1995 | 1998 | 1999 |
|---|---|---|---|---|---|---|
| 高中 | | 257.5 | 249.8 | 273.7 | 359.6 | 396.3 |
| 初中 | | 1349.4 | 1369.9 | 1752.3 | 1961.4 | 2149.7 |
| 职业中学 | | | 123.2 | 190.0 | 217.6 | 194. 1 |
| 小学 | | 2298.2 | 2064.0 | 2531.8 | 2201.4 | 2029.5 |
| 幼儿园 | | | | 1972.4 | 1720.0 | 1617.5 |
| 特殊教育 | | 0.9 | 1.6 | 5.6 | 4.9 | 5.0 |
| **在校学生** | **(万人)** | | | | | |
| 普通高等学校 | | 170.3 | 206.3 | 290.6 | 340.9 | 413.4 |
| 普通中等学校 | | 5092.6 | 5105.4 | 6191.5 | 7340.7 | 8002.7 |
| #中等专业学校 | | 157.1 | 224.4 | 372.2 | 498.1 | 515.5 |
| 中等技术学校 | | 101.3 | 156.7 | 287.4 | 406.0 | 425.0 |
| 中等师范学校 | | 55.8 | 67.7 | 84.8 | 92.1 | 90.5 |
| 普通中学 | | 4706.0 | 4586.0 | 5371.0 | 6301.0 | 6771.3 |
| 高中 | | 741.1 | 717.3 | 713.2 | 938.0 | 1049.7 |
| 初中 | | 3964.8 | 3868.7 | 4657.8 | 5363.0 | 5721.6 |
| 职业中学 | | | 295.0 | 448.3 | 541.6 | 533.9 |
| 小学 | | 13370.2 | 12241.4 | 13195.2 | 13953.8 | 13548.0 |
| 幼儿园 | | 1479.7 | 1972.2 | 2711.2 | 2403.0 | 2326.3 |
| 特殊教育 | | 4.2 | 7.2 | 29.6 | 35.8 | 37.2 |
| **毕业生数** | **(万人)** | | | | | |
| 普通高等学校 | | 31.6 | 61.4 | 80.5 | 83.0 | 84.8 |
| 普通中等学校 | | 1279.1 | 1497.5 | 1636.9 | 2124.1 | 2229.2 |
| #中等专业学校 | | 42.9 | 66.1 | 83.9 | 129.3 | 140.1 |
| 中等技术学校 | | 26.2 | 42.8 | 59.4 | 98.7 | 109.3 |
| 中等师范学校 | | 16.7 | 23.4 | 24.5 | 30.6 | 30.9 |
| 普通中学 | | 1194.9 | 1342.1 | 1429.0 | 1832.0 | 1852.7 |
| 高中 | | 196.6 | 233.0 | 201.6 | 251.8 | 262.9 |
| 初中 | | 998.3 | 1109.1 | 1227.4 | 1580.2 | 1589.8 |
| 职业中学 | | | 89.3 | 124.0 | 162.8 | 167.8 |
| 小学 | | 1999.9 | 1863.1 | 1961.5 | 2117.4 | 2313.7 |
| 幼儿园 | | | | | | |
| 特殊教育 | | 0.4 | 0.5 | 1.9 | 3.5 | 3.8 |

注：1. 1999年普通高等学校招生数和在校学生数包括成人高等学校中招收的“新高职”学生数。

2. 普通中学的高中学校数包括高级中学和完全中学。

## 6. 研究生和留学生数

单位：人

| 年　份 | 研究生数 | | | 出　国<br>留学人员 | 学成回国<br>留学人员 |
|---|---|---|---|---|---|
| | 在学人数 | 招 生 数 | 毕业生数 | | |
| 1952 | 2763 | 1785 | 627 | 231 | |
| 1957 | 3178 | 334 | 1723 | 529 | 347 |
| 1962 | 6130 | 1287 | 1019 | 114 | 980 |
| 1965 | 4546 | 1456 | 1665 | 454 | 199 |
| 1975 | | | | 245 | 186 |
| 1978 | 10934 | 10708 | 9 | 860 | 248 |
| 1980 | 21604 | 3616 | 476 | 2124 | 162 |
| 1985 | 87331 | 46871 | 17004 | 4888 | 1424 |
| 1986 | 110371 | 41310 | 16950 | 4676 | 1388 |
| 1987 | 120191 | 39017 | 27603 | 4703 | 1605 |
| 1988 | 112776 | 35645 | 40838 | 3786 | 3000 |
| 1989 | 101339 | 28569 | 37232 | 3329 | 1753 |
| 1990 | 93018 | 29649 | 35440 | 2950 | 1593 |
| 1991 | 88128 | 29679 | 32537 | 2900 | 2069 |
| 1992 | 94164 | 33439 | 25692 | 6540 | 3611 |
| 1993 | 106771 | 42145 | 28214 | 10742 | 5128 |
| 1994 | 127935 | 50864 | 28047 | 19071 | 4230 |
| 1995 | 145443 | 51053 | 31877 | 20381 | 5750 |
| 1996 | 163322 | 59398 | 39652 | 20905 | 6570 |
| 1997 | 176353 | 63749 | 46539 | 22410 | 7130 |
| 1998 | 198885 | 72508 | 47077 | 17622 | 7379 |
| 1999 | 233513 | 92225 | 54670 | 23749 | 7748 |

## 7. 初中毕业生和小学毕业生升学率及小学学龄儿童入学率

| 年　份 | 初中毕业生升学率 | | | 小学毕业生升学率 | | | 小学学龄儿童入学率 | | |
|---|---|---|---|---|---|---|---|---|---|
| | 初中毕业生数（万人） | 高级中等学校招生数（万人） | 升学率（%） | 小学毕业生数（万人） | 初级中等学校招生数（万人） | 升学率（%） | 学龄儿童数（万人） | 已入学学龄儿童数（万人） | 入学率（%） |
| 1952 | 18.5 | 31.2 | 168.6 | 149.0 | 143.0 | 96.0 | 6642.4 | 3268.1 | 49.2 |
| 1957 | 111.2 | 44.2 | 39.7 | 498.0 | 219.9 | 44.2 | 8077.7 | 4986.6 | 61.7 |
| 1962 | 158.4 | 47.5 | 30.0 | 559.0 | 253.3 | 45.3 | 10836.0 | 6082.0 | 56.1 |
| 1965 | 173.8 | 121.6 | 70.0 | 667.6 | 550.7 | 82.5 | 11603.2 | 9829.1 | 84.7 |
| 1970 | 618.9 | 239.0 | 38.6 | 1652.5 | 1176.3 | 71.2 | | | |
| 1975 | 1047.7 | 633.1 | 60.4 | 1999.4 | 1810.5 | 90.6 | 12261.9 | 11868.5 | 96.8 |
| 1978 | 1692.6 | 692.9 | 40.9 | 2287.9 | 2006.0 | 87.7 | 12131.3 | 11585.4 | 95.5 |
| 1980 | 964.7 | 442.8 | 45.9 | 2053.3 | 1557.6 | 75.9 | 12219.6 | 11478.2 | 93.9 |
| 1985 | 998.3 | 416.2 | 41.7 | 1999.9 | 1367.0 | 68.4 | 10362.3 | 9942.8 | 96.0 |
| 1986 | 1057.0 | 429.2 | 40.6 | 2016.1 | 1402.0 | 69.5 | 10067.5 | 9702.1 | 96.4 |
| 1987 | 1117.3 | 437.0 | 39.1 | 2043.0 | 1410.9 | 69.1 | 9750.9 | 9477.2 | 97.2 |
| 1988 | 1157.2 | 439.6 | 38.0 | 1930.3 | 1359.0 | 70.4 | 9623.9 | 9351.4 | 97.2 |
| 1989 | 1134.3 | 434.6 | 38.3 | 1857.1 | 1328.4 | 71.5 | 9699.1 | 9450.7 | 97.4 |
| 1990 | 1109.1 | 450.4 | 40.6 | 1863.1 | 1389.2 | 74.6 | 9740.7 | 9529.7 | 97.8 |
| 1991 | 1085.5 | 462.9 | 42.6 | 1896.7 | 1435.1 | 75.7 | 9806.6 | 9594.8 | 97.8 |
| 1992 | 1102.3 | 478.1 | 43.4 | 1872.4 | 1491.7 | 79.7 | 11156.2 | 10845.5 | 97.2 |
| 1993 | 1134.2 | 500.5 | 44.1 | 1841.5 | 1505.6 | 81.8 | 11432.0 | 11170.9 | 97.7 |
| 1994 | 1166.4 | 541.1 | 46.4 | 1899.6 | 1644.9 | 86.6 | 11949.6 | 11758.2 | 98.4 |
| 1995 | 1244.3 | 601.6 | 48.3 | 1961.5 | 1781.1 | 90.8 | 12375.4 | 12192.5 | 98.5 |
| 1996 | 1297.8 | 633.4 | 48.8 | 1934.1 | 1791.4 | 92.6 | 12876.5 | 12723.3 | 98.8 |
| 1997 | 1463.3 | 721.6 | 44.3 | 1960.1 | 1836.5 | 93.7 | 13346.7 | 13202.5 | 98.9 |
| 1998 | 1603.1 | 812.2 | 50.7 | 2117.4 | 1996.3 | 94.3 | 13369.3 | 13226.8 | 98.9 |
| 1999 | 1613.9 | 807.0 | 50.0 | 2313.7 | 2183.4 | 94.4 | 12991.4 | 12872.8 | 99.1 |

注：1. 1952年的初中升学率高于100%，是因为当年毕业的初中学生数少于当年高级中等学校的招生人数。
2. 1994年以后各年的初中毕业生数包括职业初中毕业生数。

## 8. 各级各类成人学校基本情况（1999年）

单位：所、万人

| 项　目 | 学校数 | 毕业生数 | 招生数 | 在校学生数 | 教职工数 | #专任教师 |
|---|---|---|---|---|---|---|
| **总　计** | **725631** | **10974.27** | **9664.26** | **8346.24** | **119.37** | **49.20** |
| **成人高等学校** | **871** | **88.82** | **115.77** | **305.49** | **20.01** | **9.76** |
| 广播电视大学 | 45 | 17.02 | 19.38 | 48.68 | 5.32 | 2.57 |
| 职工、农民高等学院 | 510 | 10.22 | 12.44 | 32.90 | 8.17 | 4.12 |
| 管理干部学院 | 146 | 6.63 | 7.19 | 17.10 | 3.21 | 1.34 |
| 教育学院 | 166 | 6.86 | 9.61 | 22.73 | 3.22 | 1.68 |
| 独立函授学院 | 4 | 0.44 | 0.40 | 1.22 | 0.09 | 0.05 |
| 普通高等学校办函授部或夜大学、干部专修科 | | 47.65 | 66.74 | 182.84 | | |
| **成人中等学校** | **544657** | **10327.30** | **9028.79** | **7503.93** | **80.39** | **33.70** |
| 中等专业学校 | 5165 | 118.81 | 97.97 | 302.12 | 23.22 | 13.07 |
| 广播电视中等专业学校 | 151 | 21.42 | 18.77 | 62.54 | 1.83 | 0.90 |
| 干部中等专业学校 | 290 | 5.09 | 4.12 | 11.98 | 1.55 | 0.78 |
| 职工中等专业学校 | 2093 | 29.13 | 25.24 | 80.89 | 8.83 | 4.78 |
| 农民中等专业学校 | 440 | 8.28 | 7.34 | 21.93 | 2.09 | 1.35 |
| 函授中等专业学校 | 62 | 6.78 | 4.91 | 13.70 | 1.00 | 0.48 |
| 教师进修学校 | 2129 | 16.56 | 9.37 | 27.18 | 7.92 | 4.78 |
| 成人中学 | 5277 | 51.61 | 54.29 | 65.18 | 3.46 | 2.05 |
| 职工中学 | 1655 | 22.99 | 29.79 | 32.58 | 2.01 | 1.13 |
| 农民中学 | 3622 | 28.62 | 24.50 | 32.60 | 1.45 | 0.92 |
| 成人技术培训学校 | 534215 | 10156.88 | 8876.53 | 7136.63 | 53.71 | 18.58 |
| 职工技术培训学校 | 11326 | 609.23 | 599.11 | 386.40 | 9.00 | 4.71 |
| 农民技术培训学校 | 522889 | 9547.65 | 8277.42 | 6750.23 | 44.71 | 13.87 |
| **成人初等学校** | **180103** | **558.15** | **519.70** | **536.82** | **18.97** | **5.74** |
| 职工初等学校 | 964 | 15.54 | 19.45 | 19. 75 | 0.34 | 0.18 |
| 农民初等学校 | 179139 | 542.61 | 500.25 | 517.07 | 18.63 | 5.56 |
| #扫盲班 | 128668 | 299.27 | 255.78 | 283.19 | 13.64 | 3.74 |

## 9. 文化艺术和文物事业机构、人员情况（1999 年）

| 机构类别 | 机构数（个） | 从业人数（人） |
|---|---|---|
| **文化事业合计** | **329919** | **1645713** |
| 艺术事业 | 5131 | 194652 |
| 艺术表演团体 | 2632 | 144560 |
| 话剧、儿童剧、滑稽剧团 | 86 | 7264 |
| 歌剧、舞剧、歌舞剧团 | 74 | 8722 |
| 歌舞团、轻音乐团 | 295 | 22404 |
| 文工团、文宣队、乌兰牧骑 | 410 | 12042 |
| 戏曲剧团 | 1541 | 82362 |
| #京剧 | 110 | 9933 |
| 曲艺、杂技、木偶、皮影团 | 209 | 10058 |
| 艺术表演场所 | 1911 | 43574 |
| 剧场、影剧院 | 1875 | 42649 |
| 书场、曲艺场 | 21 | 190 |
| 杂技、马戏场 | 2 | 70 |
| 音乐厅 | 13 | 665 |
| 图书馆事业 | 2767 | 48792 |
| 群众文化事业 | 45837 | 128216 |
| 群众艺术馆 | 389 | 11697 |
| 文化馆 | 2905 | 44118 |
| 文化站 | 42534 | 72401 |
| #乡文化站 | 39719 | 61616 |
| 艺术教育事业 | 238 | 20432 |
| 其他文化事业 | 272983 | 1194033 |
| 艺术创作机构 | 414 | 3039 |
| 艺术研究机构 | 184 | 3168 |
| 艺术展览机构 | 47 | 1346 |
| #美术馆 | 26 | 749 |
| 文化艺术经纪与代理业 | 242 | 2395 |
| 其他 | 272096 | 1184085 |
| **文物事业合计** | **3553** | **66619** |
| 文物保护管理机构 | 1944 | 23713 |
| 文物科研机构 | 56 | 2732 |
| 其他文物机构 | 68 | 3671 |
| 博物馆 | 1364 | 33435 |
| 综合性博物馆 | 812 | 17269 |
| 专门性博物馆 | 266 | 10260 |
| 纪念性博物馆 | 286 | 5906 |
| 文物商店 | 121 | 3068 |

## 10. 各地区文化艺术、文物事业单位数（1999 年）

单位：个

| 地　区 | 艺术表演团体 | 艺术表演场所 | 文　化　馆 | 公共图书馆 | 博　物　馆 |
|---|---|---|---|---|---|
| **全　国** | **2632** | **1911** | **2905** | **2767** | **1364** |
| 北　京 | 19 | 24 | 22 | 23 | 26 |
| 天　津 | 15 | 32 | 18 | 31 | 15 |
| 河　北 | 139 | 99 | 168 | 145 | 41 |
| 山　西 | 159 | 51 | 118 | 121 | 72 |
| 内蒙古 | 117 | 31 | 104 | 108 | 22 |
| 辽　宁 | 79 | 70 | 103 | 129 | 30 |
| 吉　林 | 66 | 57 | 95 | 60 | 16 |
| 黑龙江 | 88 | 49 | 118 | 97 | 40 |
| 上　海 | 29 | 44 | 43 | 32 | 11 |
| 江　苏 | 132 | 138 | 107 | 101 | 84 |
| 浙　江 | 80 | 97 | 84 | 83 | 69 |
| 安　徽 | 93 | 105 | 102 | 83 | 35 |
| 福　建 | 93 | 79 | 80 | 82 | 77 |
| 江　西 | 79 | 63 | 101 | 104 | 84 |
| 山　东 | 117 | 107 | 139 | 133 | 57 |
| 河　南 | 206 | 167 | 193 | 133 | 70 |
| 湖　北 | 101 | 77 | 129 | 102 | 94 |
| 湖　南 | 88 | 93 | 124 | 115 | 63 |
| 广　东 | 140 | 76 | 117 | 121 | 127 |
| 广　西 | 119 | 29 | 98 | 194 | 38 |
| 海　南 | 21 | 18 | 18 | 19 | 15 |
| 重　庆 | 39 | 25 | 43 | 42 | 14 |
| 四　川 | 99 | 96 | 171 | 129 | 47 |
| 贵　州 | 28 | 13 | 85 | 89 | 6 |
| 云　南 | 130 | 39 | 127 | 147 | 27 |
| 西　藏 | 25 | 19 | 48 | 1 | 2 |
| 陕　西 | 118 | 112 | 111 | 113 | 67 |
| 甘　肃 | 76 | 45 | 83 | 91 | 63 |
| 青　海 | 14 | 2 | 42 | 38 | 12 |
| 宁　夏 | 15 | 17 | 22 | 21 | 4 |
| 新　疆 | 88 | 24 | 92 | 79 | 23 |

## 11. 艺术表演团体演出情况（1999 年）

| 种　类 | 演出场数（万场） | # 到农村演出 | 观众人数（万人次） |
|---|---|---|---|
| **总　计** | **42.3** | **25.8** | **46903.8** |
| 国有剧团 | 26.6 | 14.3 | 31154 |
| 集体经营剧团 | 15.7 | 11.5 | 15749.8 |
| **按剧种分：** | | | |
| 话剧、儿童剧、滑稽剧团 | 1.2 | | 1136.8 |
| 歌舞剧团 | 0.7 | 0.2 | 1216.4 |
| 歌舞团、轻音乐团 | 3.5 | 1.0 | 4719.1 |
| 文工团、宣传队、乌兰牧骑 | 4.0 | 2.1 | 3647.1 |
| 乐团、合唱团 | 0.1 | | 135.3 |
| 戏曲剧团 | 24.7 | 19.0 | 32450.5 |
| # 京剧 | 0.9 | 0.3 | 1800.1 |
| 曲艺、杂技、木偶、皮影团 | 7.0 | 2.4 | 3598.6 |

注：歌舞剧团包括歌剧、舞剧、歌舞剧团。

## 12. 群众艺术馆、文化馆站业务活动及经费情况（1999 年）

| 项　　目 | | 总　　计 | 群众艺术馆 | 文化馆 | 文化站 |
|---|---|---|---|---|---|
| 单位数 | （个） | 45837 | 389 | 2905 | 42543 |
| 举办展览 | （个） | 94270 | 1978 | 14978 | 77314 |
| 组织文艺活动 | （次） | 280373 | 8563 | 56774 | 215036 |
| 举办训练班 | | | | | |
| 　班　　次 | （次） | 138195 | 6017 | 27415 | 104763 |
| 　结业人次 | （万人次） | 464 | 21 | 82 | 361 |
| 群众艺术馆、文化馆负责指导单位 | | | | | |
| 　农村集镇文化中心 | （个） | 23066 | 1907 | 21159 | |
| 　文化俱乐部、室 | （个） | 112643 | 5262 | 107381 | |
| 　文化户 | （户） | 193551 | 4620 | 188931 | |
| 　群众业余演出团（队） | （个） | 31627 | 1999 | 29628 | |
| 总支出 | （万元） | 177528 | 27770 | 71430 | 78328 |
| # 业务费 | （万元） | 24703 | 4932 | 9195 | 10576 |
| 　修缮费 | （万元） | 12228 | 1900 | 3153 | 7175 |

注：本表各项指标仅指文化部系统内的。

## 13. 公共图书馆业务活动及经费情况（1999 年）

| 项目 | | 总计 | #省级公共图书馆 | #县级公共图书馆 |
|---|---|---|---|---|
| 总藏量 | （万册、件） | 39539 | 12321 | 14087 |
| 书架总长度 | （万米） | 934 | 280 | 335 |
| 发放借书证数 | （万个） | 596 | 87 | 291 |
| 图书流通情况 | | | | |
| 总流通人次 | （万人次） | 18040 | 1813 | 10076 |
| 书刊外借册次 | （万册次） | 16290 | 1338 | 9276 |
| 为读者服务举办各种活动 | | | | |
| 次数 | （次） | 30051 | 3997 | 17437 |
| 参加人数 | （万人次） | 1383 | 195 | 745 |
| 总支出 | （万元） | 135826 | 37169 | 39355 |
| #藏量购置费 | （万元） | 34961 | 12962 | 5145 |
| 本年新购藏量 | （万册） | 896 | 168 | 339 |
| 公用房屋建筑面积 | （万平方米） | 506 | 75 | 264 |
| #书库 | （万平方米） | 137 | 29 | 62 |
| 阅览室坐席 | （万个） | 42 | 3 | 28 |

## 14. 博物馆、文物机构业务活动及经费情况（1999 年）

| 项目 | | 文物保护管理机构 | 文物科研机构 | 其他文物机构 | 博物馆 |
|---|---|---|---|---|---|
| 藏品 | （件） | 1994477 | 668888 | 80075 | 9506191 |
| #一级品 | （件） | 6277 | 1268 | 57 | 42976 |
| 业务活动 | | | | | |
| 陈列展览 | （个） | | | | 6757 |
| 参观人数 | （万人次） | 4642 | | | 9246 |
| 经费支出 | （万元） | 78914 | 12895 | 10810 | 130806 |
| #业务费 | （万元） | | 2392 | 2382 | 28431 |
| #考古发掘费 | （万元） | 1510 | 2234 | 120 | 856 |
| 修缮费 | （万元） | 4284 | | 1206 | 8854 |
| 增加值 | （万元） | 29715 | 16962 | 3266 | 44498 |

## 15. 摄制电影片产量

| 年　份 | 电影故事片厂（个） | 故事片（部） | 美术片（本） | 科学教育片（本） | 纪录片（本） |
|---|---|---|---|---|---|
| 1952 | 4 | 4 | 2 | 41 | 157 |
| 1957 | 11 | 40 | 5 | 84 | 272 |
| 1962 | 16 | 34 | 17 | 94 | 133 |
| 1965 | 16 | 52 | 21 | 240 | 378 |
| 1975 | 15 | 27 | 11 | 214 | 313 |
| 1978 | 12 | 46 | 26 | 289 | 202 |
| 1980 | 17 | 82 | 32 | 337 | 242 |
| 1985 | 20 | 127 | 45 | 357 | 419 |
| 1986 | 20 | 134 | 46 | 383 | 417 |
| 1987 | 22 | 146 | 45 | 353 | 347 |
| 1988 | 22 | 158 | 38 | 344 | 350 |
| 1989 | 22 | 136 | 53 | 334 | 259 |
| 1990 | 22 | 134 | 51 | 326 | 296 |
| 1991 | 22 | 130 | 46 | 351 | 283 |
| 1992 | 22 | 170 | 56 | 354 | 307 |
| 1993 | 22 | 154 | 47 | 252 | 300 |
| 1994 | 22 | 148 | 32 | 182 | 22 |
| 1995 | 30 | 146 | 37 | 40 | 111 |
| 1996 | 30 | 110 | 58 | 33 | 39 |
| 1997 | 31 | 88 | 28 | 34 | 95 |
| 1998 | 31 | 82 | 9 | 30 | 54 |

注：本表电影故事片厂只包括国务院批准的厂。

## 16. 广播、电视事业发展情况

| 项　目 | | 1998 | 1999 | 1999年为1998年% |
|---|---|---|---|---|
| 职工人数 | （人） | 459700 | 453405 | 98.63 |
| 广播电台 | （座） | 298 | 296 | 99.33 |
| 广播发射台及转播台 | （座） | 748 | 767 | 102.54 |
| 广播发射机功率 | （千瓦） | 44335.6 | 45535.9 | 102.71 |
| 县有线广播站 | （座） | 1403 | 1562 | 111.33 |
| 广播人口覆盖率 | （%） | 88.3 | 90.5 | 102.49 |
| 电视台 | （座） | 347 | 357 | 102.88 |
| 电视发射台及转播台 | （座） | 41252 | 42094 | 102.04 |
| 电视发射机功率 | （千瓦） | 7989.5 | 8021.8 | 100.40 |
| 电视人口覆盖率 | （%） | 89 | 92 | 103.03 |

注：广播电台、电视台只包括省、地（市）级，不包括县级。

## 17. 各地区新闻出版事业机构和人员数（1999年）

| 地　区 | 图书出版社 | | 国家定点书刊印刷厂 | | 书　店 | |
|---|---|---|---|---|---|---|
| | 机构数（个） | 从业人员（人） | 机构数（个） | 从业人员（人） | 机构数（个） | 从业人员（人） |
| **全　国** | **530** | **46390** | **304** | **152476** | **13573** | **149759** |
| 中　央 | 204 | 21082 | 38 | 17050 | 142 | 2971 |
| 地　方 | 326 | 25308 | 266 | 135426 | 13431 | 146788 |
| 北　京 | 10 | 786 | 9 | 3891 | 199 | 3762 |
| 天　津 | 12 | 1035 | 7 | 3676 | 118 | 2040 |
| 河　北 | 7 | 631 | 16 | 7405 | 681 | 7767 |
| 山　西 | 7 | 473 | 4 | 2310 | 448 | 3865 |
| 内蒙古 | 7 | 504 | 5 | 2370 | 304 | 3443 |
| 辽　宁 | 17 | 1066 | 13 | 8317 | 246 | 5848 |
| 吉　林 | 14 | 883 | 7 | 3304 | 209 | 4327 |
| 黑龙江 | 12 | 702 | 7 | 5048 | 252 | 4917 |
| 上　海 | 35 | 3646 | 17 | 5866 | 238 | 4163 |
| 江　苏 | 16 | 1039 | 13 | 6153 | 958 | 9114 |
| 浙　江 | 14 | 728 | 9 | 3173 | 510 | 4941 |
| 安　徽 | 9 | 505 | 7 | 3271 | 611 | 4325 |
| 福　建 | 10 | 605 | 6 | 2915 | 335 | 3781 |
| 江　西 | 7 | 489 | 10 | 7282 | 369 | 4767 |
| 山　东 | 16 | 1100 | 19 | 10718 | 1021 | 10380 |
| 河　南 | 11 | 738 | 14 | 9091 | 1206 | 10807 |
| 湖　北 | 14 | 1332 | 17 | 6576 | 637 | 7551 |
| 湖　南 | 12 | 1006 | 13 | 6707 | 595 | 6488 |
| 广　东 | 19 | 1333 | 16 | 5906 | 579 | 9046 |
| 广　西 | 7 | 816 | 8 | 4544 | 331 | 4142 |
| 海　南 | 3 | 245 | 2 | 638 | 64 | 1258 |
| 重　庆 | 3 | 477 | 3 | 2109 | 232 | 3843 |
| 四　川 | 17 | 1257 | 12 | 7013 | 792 | 8538 |
| 贵　州 | 4 | 403 | 3 | 2190 | 490 | 2334 |
| 云　南 | 8 | 482 | 4 | 2315 | 546 | 3768 |
| 西　藏 | 2 | 78 | 2 | 455 | 70 | 213 |
| 陕　西 | 15 | 1281 | 8 | 5447 | 444 | 4364 |
| 甘　肃 | 5 | 367 | 6 | 3451 | 407 | 2634 |
| 青　海 | 1 | 100 | 3 | 804 | 115 | 1280 |
| 宁　夏 | 3 | 141 | 2 | 541 | 90 | 748 |
| 新　疆 | 9 | 1060 | 4 | 1940 | 334 | 2334 |

## 18. 全国图书、杂志和报纸出版情况（1999 年）

| 年份<br>地区 | 图书 | | | | 杂志 | | | | 报纸 | | | |
|---|---|---|---|---|---|---|---|---|---|---|---|---|
| | 种数（种） | #新出版 | 总印数（亿册、张） | 总印张数（亿印张） | 种数（种） | 每期平均印数（万册） | 总印数（亿册） | 总印张数（亿印张） | 种数（种） | 每期平均印数（万份） | 总印数（亿份） | 总印张数（亿印张） |
| **全国** | **141831** | **83095** | **73.2** | **391.4** | **8187** | **21845** | **28.5** | **96.8** | **2038** | **18632** | **318.4** | **636.7** |
| 北 京 | 2254 | 1227 | 0.6 | 3.5 | 127 | 380 | 0.6 | 2.6 | 36 | 508.2 | 8.3 | 24.8 |
| 天 津 | 2688 | 1525 | 0.9 | 4.9 | 220 | 450 | 0.5 | 1.5 | 26 | 374.6 | 5.8 | 11.5 |
| 河 北 | 2494 | 1280 | 4.1 | 17.9 | 212 | 459 | 0.5 | 1.4 | 66 | 527.2 | 9.7 | 16.0 |
| 山 西 | 2098 | 1433 | 1.5 | 8.0 | 152 | 255 | 0.3 | 0.9 | 57 | 817.4 | 6.9 | 8.0 |
| 内蒙古 | 1578 | 912 | 0.8 | 5.1 | 139 | 139 | 0.2 | 0.4 | 50 | 124.7 | 1.8 | 1.5 |
| 辽 宁 | 5239 | 2694 | 2.3 | 10.9 | 277 | 1026 | 1.3 | 3.2 | 85 | 743.6 | 11.0 | 20.6 |
| 吉 林 | 4256 | 2413 | 1.4 | 8.6 | 204 | 486 | 0.6 | 1.6 | 56 | 482.7 | 4.6 | 5.4 |
| 黑龙江 | 2268 | 1357 | 1.2 | 6.1 | 324 | 653 | 0.8 | 2.5 | 76 | 483.3 | 7.9 | 11.3 |
| 上 海 | 11373 | 5878 | 2.7 | 18.6 | 606 | 1493 | 1.8 | 6.9 | 75 | 1311.0 | 18.4 | 46.3 |
| 江 苏 | 5068 | 2869 | 4.7 | 23.0 | 384 | 734 | 1.1 | 2.9 | 88 | 1391.3 | 22.4 | 36.0 |
| 浙 江 | 3884 | 1947 | 2.9 | 12.7 | 196 | 759 | 0.9 | 2.4 | 78 | 877.7 | 16.7 | 27.7 |
| 安 徽 | 2245 | 1103 | 3.5 | 14.1 | 147 | 619 | 0.5 | 1.4 | 62 | 408.0 | 6.3 | 9.1 |
| 福 建 | 2933 | 1666 | 2.2 | 10.2 | 134 | 341 | 0.4 | 1.4 | 49 | 380.0 | 6.4 | 9.9 |
| 江 西 | 1556 | 1033 | 2.1 | 8.9 | 167 | 567 | 0.9 | 1.9 | 40 | 235.4 | 4.0 | 5.4 |
| 山 东 | 3686 | 2002 | 4.2 | 19.7 | 226 | 746 | 1.1 | 3.2 | 92 | 880.6 | 17.6 | 33.3 |
| 河 南 | 2661 | 1393 | 4.1 | 17.8 | 208 | 895 | 1.1 | 3.2 | 81 | 810.3 | 12.2 | 18.6 |
| 湖 北 | 4369 | 2163 | 3.4 | 16.3 | 350 | 1016 | 1.7 | 5.4 | 101 | 578.9 | 12.5 | 26.8 |
| 湖 南 | 3316 | 1857 | 3.1 | 14.0 | 214 | 1041 | 1.2 | 2.4 | 62 | 599.6 | 8.5 | 11.8 |
| 广 东 | 4477 | 2495 | 3.0 | 15.7 | 323 | 1645 | 2.6 | 9.1 | 113 | 1605.2 | 31.8 | 123.6 |
| 广 西 | 2791 | 1460 | 2.7 | 12.0 | 183 | 396 | 0.5 | 1.4 | 66 | 323.7 | 5.5 | 7.2 |
| 海 南 | 780 | 475 | 0.3 | 2.2 | 41 | 51 | 0.1 | 0.2 | 19 | 68.8 | 1.2 | 1.9 |
| 重 庆 | 1501 | 712 | 1.2 | 6.0 | 95 | 267 | 0.3 | 1.2 | 30 | 280.9 | 5.3 | 12.3 |
| 四 川 | 4085 | 2218 | 3.0 | 15.3 | 287 | 421 | 0.5 | 1.5 | 100 | 785.7 | 12.8 | 24.0 |
| 贵 州 | 1064 | 636 | 1.3 | 5.0 | 96 | 86 | 0.1 | 0.3 | 40 | 122.2 | 2.4 | 3.6 |
| 云 南 | 2067 | 1285 | 1.6 | 7.0 | 100 | 174 | 0.2 | 0.6 | 41 | 175.9 | 3.0 | 4.7 |
| 西 藏 | 343 | 59 | 0.0 | 0.2 | 23 | 8 | 0.0 | 0.0 | 14 | 14.4 | 0.3 | 0.3 |
| 陕 西 | 3478 | 1808 | 1.8 | 7.9 | 257 | 423 | 0.6 | 3.0 | 49 | 363.5 | 6.4 | 8.7 |
| 甘 肃 | 1044 | 774 | 0.8 | 3.4 | 120 | 438 | 0.5 | 1.5 | 47 | 132.5 | 2.3 | 3.4 |
| 青 海 | 447 | 162 | 0.1 | 0.7 | 45 | 11 | 0.0 | 0.0 | 17 | 26.9 | 0.4 | 0.5 |
| 宁 夏 | 456 | 266 | 0.2 | 1.0 | 29 | 16 | 0.0 | 0.1 | 13 | 36.3 | 0.5 | 0.7 |
| 新 疆 | 2803 | 1521 | 0.8 | 4.3 | 155 | 114 | 0.1 | 0.4 | 98 | 150.2 | 2.2 | 2.1 |

## 19. 全国图书出版分类构成情况（1999年）

| 类　别 | 种数（种） | 印数（万册） | 印张（千印张） |
|---|---|---|---|
| **总　计** | **141831** | **731629** | **39135314** |
| 使用“中国标准书号”合计 | 139339 | 726805 | 38929416 |
| 马列主义、毛泽东思想 | 146 | 300 | 28731 |
| 哲　学 | 1346 | 935 | 106855 |
| 社会科学总论 | 1509 | 1023 | 129584 |
| 政治、法律 | 5567 | 7946 | 850887 |
| 军　事 | 367 | 346 | 39475 |
| 经　济 | 8274 | 6807 | 954793 |
| 文化、科学、教育、体育 | 61837 | 640207 | 29537878 |
| 语言、文字 | 5190 | 10158 | 1340690 |
| 文　学 | 10699 | 9839 | 1181695 |
| 艺　术 | 7975 | 15056 | 650644 |
| 历史、地理 | 4104 | 4046 | 423464 |
| 自然科学总论 | 741 | 4326 | 173137 |
| 数理科学、化学 | 2010 | 2380 | 293283 |
| 天文学、地球科学 | 674 | 200 | 22762 |
| 生物科学 | 455 | 200 | 29909 |
| 医学、卫生 | 5750 | 4663 | 691727 |
| 农业科学 | 3328 | 2984 | 195785 |
| 工业技术 | 14428 | 10512 | 1725902 |
| 交通运输 | 1308 | 1239 | 141081 |
| 航空、航天 | 84 | 26 | 3568 |
| 环境科学 | 363 | 559 | 33118 |
| 综合性图书 | 3184 | 3053 | 374448 |
| 不使用“中国标准书号”图书 | 2492 | 4824 | 156487 |
| # 年画 | 132 | 86 | 3930 |

## 20. 各地区少年儿童读物类图书和课本出版情况（1999年）

| 地　区 | 种　数（种） | | 总印数（万册） | | 总印数（千印张） | |
|---|---|---|---|---|---|---|
| | 儿童读物 | 课本 | 儿童读物 | 课本 | 儿童读物 | 课本 |
| **全　国** | **6111** | **20755** | **21508** | **380807** | **643858** | **19077459** |
| 中　央 | 996 | 7878 | 3324 | 40860 | 133405 | 2273032 |
| 地　方 | 5115 | 12877 | 18184 | 339947 | 510453 | 16804427 |
| 北　京 | 99 | 306 | 72 | 2792 | 4902 | 148327 |
| 天　津 | 143 | 660 | 228 | 3775 | 8387 | 260056 |
| 河　北 | 214 | 413 | 1073 | 22986 | 23414 | 1017282 |
| 山　西 | 165 | 146 | 363 | 8498 | 8200 | 455809 |
| 内蒙古 | 109 | 498 | 430 | 6204 | 14340 | 322411 |
| 辽　宁 | 200 | 820 | 187 | 11380 | 8666 | 530864 |
| 吉　林 | 130 | 771 | 385 | 6027 | 13830 | 315701 |
| 黑龙江 | 88 | 220 | 203 | 8583 | 3185 | 429897 |
| 上　海 | 709 | 1975 | 1764 | 9096 | 100563 | 600485 |
| 江　苏 | 296 | 860 | 2720 | 18681 | 71007 | 978184 |
| 浙　江 | 458 | 502 | 1378 | 11332 | 67100 | 565774 |
| 安　徽 | 203 | 222 | 968 | 18533 | 17126 | 783970 |
| 福　建 | 195 | 232 | 1104 | 10813 | 17585 | 534823 |
| 江　西 | 173 | 23 | 387 | 11038 | 5228 | 575836 |
| 山　东 | 224 | 369 | 574 | 28450 | 18132 | 1312135 |
| 河　南 | 156 | 202 | 1318 | 25704 | 25665 | 1252780 |
| 湖　北 | 72 | 674 | 136 | 18622 | 3650 | 922986 |
| 湖　南 | 115 | 386 | 242 | 21166 | 4808 | 961649 |
| 广　东 | 223 | 374 | 432 | 16611 | 7888 | 890285 |
| 广　西 | 159 | 221 | 153 | 15631 | 5513 | 694183 |
| 海　南 | 28 | | 29 | 1809 | 1277 | 94870 |
| 重　庆 | 119 | 462 | 843 | 6885 | 12796 | 374116 |
| 四　川 | 251 | 754 | 1217 | 16615 | 22983 | 890475 |
| 贵　州 | 28 | 54 | 515 | 7024 | 7236 | 331316 |
| 云　南 | 168 | 50 | 186 | 9232 | 6049 | 448244 |
| 西　藏 | | 306 | | 473 | | 22165 |
| 陕　西 | 258 | 365 | 1045 | 9485 | 21060 | 462166 |
| 甘　肃 | 32 | 69 | 134 | 5911 | 2139 | 275384 |
| 青　海 | 6 | 169 | 2 | 759 | 120 | 40998 |
| 宁　夏 | 4 | | 24 | 1094 | 60 | 62063 |
| 新　疆 | 90 | 774 | 72 | 4738 | 7544 | 249193 |

## 21. 各地区录像制品出版情况（1999 年）

| 地　区 | 录像带 | | 激光视盘 | | VCD | |
|---|---|---|---|---|---|---|
| | 种数（种） | 数量（盒） | 种数（种） | 数量（张） | 种数（种） | 数量（万张） |
| **全　国** | **2437** | **905150** | **32** | **41946** | **7252** | **6341.90** |
| 中　央 | 2038 | 540381 | | | 2303 | 2217.70 |
| 地　方 | 399 | 364769 | 32 | 41946 | 4949 | 4124.21 |
| 北　京 | 27 | 37602 | | | 308 | 524.97 |
| 天　津 | | | 5 | 2500 | 292 | 65.90 |
| 河　北 | 4 | 24000 | | | 124 | 98.85 |
| 山　西 | 9 | 7200 | | | 39 | 13.70 |
| 内蒙古 | | | | | 12 | 4.73 |
| 辽　宁 | 25 | 15560 | | | 277 | 163.47 |
| 吉　林 | 10 | 7540 | | | 113 | 19.06 |
| 黑龙江 | 3 | 10451 | | | 21 | 16.60 |
| 上　海 | 79 | 36165 | 2 | 1446 | 353 | 184.63 |
| 江　苏 | 1 | 2000 | | | 65 | 46.35 |
| 浙　江 | 22 | 55400 | | | 188 | 122.13 |
| 安　徽 | | | | | 46 | 222.30 |
| 福　建 | 34 | 4600 | 20 | 10000 | 386 | 507.77 |
| 江　西 | | | | | 193 | 88.79 |
| 山　东 | 19 | 46700 | | | 110 | 81.46 |
| 河　南 | 2 | 3050 | | | 77 | 110.24 |
| 湖　北 | | | | | 361 | 250.01 |
| 湖　南 | 102 | 61557 | | | 230 | 166.36 |
| 广　东 | 14 | 37563 | 5 | 28000 | 986 | 870.85 |
| 广　西 | 3 | 2960 | | | 207 | 124.36 |
| 海　南 | | | | | 32 | 52.72 |
| 重　庆 | 8 | 5630 | | | 182 | 160.13 |
| 四　川 | 6 | 410 | | | 26 | 17.37 |
| 贵　州 | 2 | 100 | | | 79 | 73.80 |
| 云　南 | | | | | 54 | 63.20 |
| 西　藏 | | | | | 5 | 2.80 |
| 陕　西 | 23 | 6221 | | | 61 | 26.04 |
| 甘　肃 | 6 | 60 | | | 26 | 7.70 |
| 青　海 | | | | | 1 | 1.56 |
| 宁　夏 | | | | | 27 | 11.37 |
| 新　疆 | | | | | 68 | 25.00 |

## 22. 各地区录音制品出版情况（1999 年）

| 地　区 | 录音带 | | 激光唱片 | |
|---|---|---|---|---|
| | 种数（种） | 数量（万盒） | 种数（种） | 数量（万张） |
| **全　国** | **6456** | **10423.91** | **2490** | **906.90** |
| 中　央 | 2398 | 4236.24 | 697 | 237.56 |
| 地　方 | 4058 | 6187.67 | 1793 | 669.34 |
| 北　京 | 474 | 419.37 | 114 | 94.68 |
| 天　津 | 56 | 272.26 | 21 | 4.20 |
| 河　北 | 72 | 70.70 | 47 | 10.16 |
| 山　西 | 39 | 46.91 | 1 | 0.80 |
| 内蒙古 | 14 | 4.70 | | |
| 辽　宁 | 108 | 149.92 | 78 | 26.74 |
| 吉　林 | 31 | 20.00 | | |
| 黑龙江 | 3 | 0.18 | 5 | 1.61 |
| 上　海 | 1517 | 2794.73 | 312 | 53.83 |
| 江　苏 | 111 | 376.25 | 33 | 7.88 |
| 浙　江 | 117 | 83.40 | 55 | 13.89 |
| 安　徽 | 57 | 79.27 | 1 | 3.00 |
| 福　建 | 33 | 57.74 | 26 | 8.81 |
| 江　西 | 56 | 48. 40 | | |
| 山　东 | 7 | 5.20 | 7 | 1.54 |
| 河　南 | 24 | 25.40 | 5 | 2.12 |
| 湖　北 | 91 | 57.66 | 354 | 120.40 |
| 湖　南 | 172 | 213.96 | 28 | 15.34 |
| 广　东 | 584 | 971.48 | 296 | 156.36 |
| 广　西 | 45 | 193.08 | 212 | 62.72 |
| 海　南 | | | | |
| 重　庆 | 80 | 56.74 | 98 | 32.57 |
| 四　川 | 41 | 29.22 | 1 | 0.20 |
| 贵　州 | 1 | 1.00 | 46 | 24.60 |
| 云　南 | 12 | 6.25 | 0 | |
| 西　藏 | 3 | 1.50 | 2 | 2.50 |
| 陕　西 | 159 | 144.24 | 6 | 1.20 |
| 甘　肃 | 88.2 | 38.10 | 4 | 2.00 |
| 青　海 | 32 | 13.39 | 1 | 0.19 |
| 宁　夏 | 12 | 0.62 | 34 | 17.00 |
| 新　疆 | 19 | 6.00 | 6 | 5.00 |

## 23. 新建体育场地数

单位：个

| 项　　目 | 1980 | 1985 | 1990 | 1997 | 1998 | 1999 |
|---|---|---|---|---|---|---|
| **总　计** | **709** | **700** | **3681** | **751** | **307** | **572** |
| #体育场 | 10 | 47 | 27 | 20 | 11 | 6 |
| 体育馆 | 9 | 29 | 34 | 22 | 16 | 14 |
| 游泳馆 | | 1 | 4 | | | |
| 室内外游泳池 | 44 | 135 | 105 | 50 | 32 | 15 |
| 有固定看台的灯光球场 | 96 | 137 | 60 | 6 | 13 | 14 |

注：从1996年起新建体育场地数为部分省(市)汇总数据。

## 24. 我国运动员分项获得世界冠军情况（1999年）

单位：项，人

| 项　　目 | 项　数 | #女子 | 人数 | #女子 | 个数 | #女子 |
|---|---|---|---|---|---|---|
| **总　计** | **91** | **43** | **129** | **72** | **92** | **44** |
| 跳　　水 | 10 | 5.5 | 13 | 6 | 10 | 5.5 |
| 举　　重 | 12 | 9 | 6 | 3 | 12 | 9 |
| 乒 乓 球 | 5 | 2.5 | 6 | 3 | 5 | 2.5 |
| 技　　巧 | 6 | 1.5 | 13 | 5 | 6 | 1.5 |
| 游　　泳 | 1 | 1 | 1 | 1 | 1 | 1 |
| 射　　击 | 5 | 2 | 7 | 5 | 5 | 2 |
| 体　　操 | 4 | 1 | 8 | 1 | 4 | 1 |
| 跳　　伞 | 1 | | 1 | | 1 | |
| 航海模型 | 11 | | 7 | | 11 | |
| 国际象棋 | 1 | 1 | 1 | 1 | 1 | 1 |
| 短道速滑 | 12 | 7 | 8 | 4 | 12 | 7 |
| 羽 毛 球 | 3 | 1.5 | 13 | 7 | 3 | 1.5 |
| 田　　径 | 1 | 1 | 1 | 1 | 2 | 2 |
| 跆 拳 道 | 1 | 1 | 1 | 1 | 1 | 1 |
| 中国象棋 | 3 | 1 | 3 | 1 | 3 | 1 |
| 龙　　舟 | 3 | 3 | 25 | 25 | 3 | 3 |
| 武　　术 | 11 | 4 | 11 | 4 | 11 | 4 |
| 藤　　球 | 1 | 1 | 4 | 4 | 1 | 1 |

注：男女混合运动项目，女子按半项和半个计算。

## 25. 我国运动员分项创全国纪录情况（1999 年）

单位：项、人、队、次

| 项　　目 | 项　数 | #女子 | 人　数 | #女子 | 队　数 | #女子 | 次　数 | #女子 |
|---|---|---|---|---|---|---|---|---|
| **总　　计** | **52** | **27** | **43** | **24** | **3** | **1** | **68** | **36** |
| 田　　径 | 3 | 3 | 6 | 6 | | | 6 | 6 |
| 室内田径 | 2 | 1 | 3 | 2 | | | 3 | 2 |
| 短池游泳 | 8 | 2 | 6 | 1 | | | 9 | 3 |
| 举　　重 | 10 | 5 | 8 | 4 | | | 15 | 5 |
| 射　　箭 | 1 | 1 | 1 | 1 | | | 1 | 1 |
| 射　　击 | 11 | 7 | 7 | 5 | | | 13 | 9 |
| 自 行 车 | 4 | 2 | 4 | 2 | | | 7 | 3 |
| 蹼　　泳 | 1 | | 1 | | | | 1 | |
| 短道速滑 | 1 | | 1 | | | | 1 | |
| 速度滑冰 | 9 | 5 | 4 | 2 | | | 10 | 6 |
| 游　　泳 | 2 | 1 | 2 | 1 | | | 2 | 1 |

注：人数栏中是个人单项创全国纪录的运动员人数，队数栏中是集体项目创全国纪录的队数，队中人数未计算在人数中。

# 资料索引

## 图书

### 一、精神文明建设

邓小平精神文明建设思想研究/钟哲明主编//济南：山东人民出版社，1999　624页
邓小平社会主义精神文明建设论/王体正、董立仁主编//武汉：武汉工业大学出版社，1999.9　295页
邓小平精神文明理论研究/李敬真主编//北京：中国工商联合出版社，1999　151页
邓小平精神文明建设思想与茂名市精神文明建设实践/宋寿金著//广州：广东人民出版社，1999.6　390页
江泽民论社会主义精神文明建设/中共中央文献研究室编//北京：中央文献出版社，1999　420页
江泽民精神文明建设思想与实践/陈清林著//长沙：湖南出版社，1999.5　340页
中国共产党精神文明大典/张蔚萍主编//北京：红旗出版社，1999.3册（2060页）
精神文明新论/龚贻洲等主编//武汉：中国地质大学出版社，1999.5　369页
实践的记录：宣传思想工作与精神文明建设/蓝红著//广州：暨南大学出版社，1999　307页
走向文明：精神文明建设的理论与实践/李进兴著//沈阳：辽宁人民出版社，1999.7　437页
精神文明三字经/王守信编著//太原：山西教育出版社，1999　30页
社会主义市场经济初始阶段的精神文明/董存耕主编//厦门：厦门大学出版社，1999　330页
论科学技术是精神文明建设的重要基石/唐思鲁、詹灶福著//北京：中国物资出版社，1999　259页
跨世纪的社会主义精神文明建设/周纪良主编//上海：上海教育出版社，1999　271页
传统文化与精神文明/周安伯等著//北京：民族出版社，1999　256页
文化工程：新时期精神文明建设/涂可国主编//济南：山东人民出版社，1999.9　252页
湖南精神文明建设红皮书/沈其新主编//长沙：湖南出版社，1999.8　469页
广东精神文明建设红皮书：1999/蓝红主编：广东省精神文明建设研究中心编//广州：广东人民出版社，1999　678页
广东精神文明发展战略研究/梁世红，董建新主编//广州：广东科技出版社，1999.5　223页
深圳精神文明建设：理论篇/白天等主编//深圳：海天出版社，1999.8　930页
深圳精神文明建设：群英谱/白天等主编//深圳：海天出版社，1999.8　716页
深圳精神文明建设：文件篇/白天等主编//深圳：海天出版社，1999.8　660页
文明的家园/王满船著//南昌：江西人民出版社，1999　160页
文明锦言一百篇/马洪昌编著//北京：中国文联出版公司，1999　384页
文明市民读本/上海市杨埔区成人教育委员会编//上海：同济大学出版社，1999.1　178页
安阳市文明市民读本/张启生主编//北京：中国工人出版社，1999　204页
文明：人与城市的对话：文明城市创建的利益和互动机制研究/彭穗宁等主编//成都：四川人民出版社，1999　340页
城乡文明歌：创建文明城市宣传画册/马明龙、高志罡主编；周子云等作；姚苏等绘//苏州：古吴轩出版社，1999　160页
大城市文明城区建设的理论和实践：关于上海市黄埔区创建文明城区的研究报告/上海市黄埔区精神文明建设委员会，华东师范大学中国城市社区建设研究中心编著//上海：百家出版社，1999　303页
上海市创建文明城区指标体系及实施情况评估/上海市精神文明建设委员会办公室，上海市黄埔区精神文明建设委员会编著//上海：百家出版社，1999　144页
广州越秀/广州越秀区宣传部主编//广州：花城出版社，1999.12　92页
春满中山：中山市创建文明城市纪实/中共中央宣传部宣传教育局编//北京：学习出版社，1999　250页

立足为人民　建设精神文明：文登市精神文明建设材料汇编/山东省精神文明建设委员会编//济南：山东人民出版社，1999.4　351页
三峡明珠：宜昌市创建文明城市纪实/文成国主编，中央文明委协调组编//北京：学习出版社，1999.　313页
创建之路：北京市东城区精神文明建设纪实/中共北京市东城区委宣传部编//北京：人民出版社，1999　504页
沃野新风：全国农村精神文明建设经验汇编/中共中央宣传部宣传教育局编//北京：学习出版社，1999　240页
功在千秋：沿海地区精神文明建设可持续发展/郑又贤著//福州：福建人民出版社，1999.12　364页
一切为了市民：沈阳市民投诉中心电话“2211”纪事/中央文明办协调组编//北京：学习出版社，1999　191页
深入开展优质规范服务　大力倡导文明行业新风/中央文明办协调组编//北京：学习出版社，1999　237页
大庆油田物资装备系统两个文明建设理论与实践/姜征润、何凤敏主编//北京：石油工业出版社，1999　296页
文明之窗：河南邮电精神文明建设巡礼/马多裕主编//北京：民族出版社，1999　355页
先行官的风采：大连电业局创建文明行业纪实/曲之怀主编//北京：新华出版社，1999.9　529页
文明花/中共新疆生产建设兵团党委宣传部，新疆生产建设兵团精神文明建设指导委员会编//乌鲁木齐：新疆科技卫生出版社，1999　122页
烟草行业精神文明建设回顾/曹新茂主编；国家烟草专卖局精神文明建设指导委员会编//西安：陕西人民出版社，1999　413页
烟草行业精神文明建设实践/彭旭东主编；国家烟草专卖局精神文明建设指导委员会编//西安：陕西人民出版社，1999　435页
烟草行业精神文明建设探索/汪奕义主编；国家烟草专卖局精神文明建设指导委员会编//西安：陕西人民出版社，1999　491页
窗口新风/汤行宽主编//武汉：湖北人民出版社，1999.4　277页
家好月圆/王乃坤主编//北京：民主与建设出版社，1999.10　428页
春天的思考/李万郴著//长沙：湖南出版社，1999.12　279页
高校精神文明建设引论/徐凤云主编//上海：华东理工大学出版社，1999　243页
迈向21世纪的校园文明工程/蒋威宜主编//桂林：广西师范大学出版社，1999　363页
弘扬民族传统美德：中华民族传统美德系列讲座/刘玉庭著//北京：西苑出版社，1999.2　271页
基本行为规范读本/于炳贵主编//北京：中共中央党校出版社，1999.5　162页
生态文明论/刘湘溶著//长沙：湖南教育出版社，1999.8　263页

## 二、思想政治工作

高举旗帜　开创未来：邓小平行政管理思想与思想政治工作理论研讨会论文集/张双印、王俊英主编//北京：中国物价出版社，1999.4　278页
马克思主义理论与思想政治教育研究/云南大学马列主义教研部编//昆明：云南大学出版社，1999.3　344页
中国共产党思想政治教育史/许启贤//北京：中国人民大学出版社，1999　534页
加强和改进思想政治工作若干问题讲话/《求是》杂志政治编辑部著//北京：红旗出版社，1999　247页
全员思想政治工作法/江开选主编//成都：四川人民出版社，1999.6　246页
社会主义市场经济条件下思想政治工作领导研究/张耀灿、陈万柏主编//武汉：华中师范大学出版社，1999.8　282页
思想品德教程/王孝敬等主编//北京：中国林业出版社，1999.1　158页
思想品德修养/四川省劳动厅技工学校教研室编//成都：四川科学技术出版社，1999.9　322页
思想政治工作百法百例/俞滨著//北京：中共中央党校出版社，1999.1　541页
思想政治工作心理学/周朝民、张建川编//昆明：云南民族出版社，1999.5　326页
思想政治工作学/孙继文等主编//昆明：云南大学出版社，1999.7　292页
思想政治教育方法论/郑永延主编//北京：高等教育出版社，1999.6　265页
思想政治教育环境论/姜正国著//长沙：湖南师范大学出版社，1999.4　334页
思想政治教育研究/张双喜等著//广州：广东人民出版社，1999.11　320页
思想政治课教学法/陈善卿编著//南京：河海大学出版社，1999.7　380页
筑牢走向新世纪的思想基础/韩喜凯著//济南：山东人民出版社，1999.　451页
知识经济与思想政治工作/孙昂然主编//南京：江苏人民出版社，1999.4　222页
思想政治工作的探讨与实践/静德纯、于明仁主编//北京：石油工业出版社，1999.4　509页
思想政治工作新探/刘作生等主编//北京：中国工人出版社，1999.11　723页
政治观教育通论/王玄武主编//北京：高等教育出版社，

1999.6 291页
中国传统文化与思想政治教育/邓球柏著//北京：首都师范大学出版社，1999 236页
当代世界的思想政治教育/陈立思主编//北京：中国人民大学出版社，1999 385页
厦门思想政治工作理论与实践/杜明聪主编//厦门：厦门大学出版社，1999.5 447页
医院思想政治管理跨世纪思维与实践/夏明珠、罗照春主编//武汉：中国地质大学出版社，1999.9 464页
跨世纪育人之路：思想政治工作论文集/王宏波主编//哈尔滨：黑龙江人民出版社，1999.5 2册（921页）
远洋船舶思想政治工作研究/于清河主编//大连：大连海事大学出版社，1999.1 239页
政治工作实践文论/崔杰著//长春：吉林人民出版社，1999.7 222页
中国政工年鉴1998/全国思想政治工作科学专业委员会《中国思想政治工作年鉴》编撰委员会编//北京：中共中央党校出版社，1999.3 663页
21世纪成才与立业：素质自育百科/刘俊坤主编//长沙：湖南科学技术出版社，1999.3 357页
春华：国企政工论文集/洪善明主编//北京：群众出版社，1999.12 439页
跨越/中国电力职工思想政治工作研究会编//济南：山东人民出版社，1999.7 320页
广东水利政工文萃：续集/彭泽英主编//广州：暨南大学出版社，1999.8 449页
湖南出版业政研论文选/陈澬之主编//长沙：湖南出版社，1999.11 613页

## 三、世界观、人生观、价值观

马克思主义世界观人生观价值观教育读本/中国社会科学院“法轮功”现象综合研究课题组马列所编//北京：人民出版社，1999 147页
中国革命道德：理论卷/罗国杰总主编；罗国杰本卷主编；教育部组织编写//北京：中共中央党校出版社，1999 1部2册（764，690）页
中国革命道德：德行卷/罗国杰总主编；沙健孙、陈占安本卷主编；教育部组织编写//北京：中共中央党校出版社，1999 421页
中国革命道德：规范卷/罗国杰总主编；罗国杰、王际欣本卷主编；教育部组织编写//北京：中共中央党校出版社，1999 691页
中国革命道德：名言卷/罗国杰总主编；龚书铎本卷主编；教育部组织编写//北京：中共中央党校出版社，1999 382页
中国革命道德：教育修养卷/罗国杰总主编；沙健孙、王福霖本卷主编；教育部组织编写//北京：中共中央党校出版社，1999 627页
理想道德论/马春生著//济南：山东人民出版社，1999.8 311页
思想道德概论/余玉花主编//上海：华东师范大学出版社，1999 276页
从政之道 为民之道：领导干部政治道德研究/李光耀主编//济南：济南出版社，1999 316页
当代中国道德教育/王树林，戴木材主编//南昌：江西教育出版社，1999.10 767页
党政机关干部道德教育读本/中共中央直属机关精神文明建设委员会编//北京：党建读物出版社，1999.12 295页
当代青年道德价值观/刘世忠主编//青岛：青岛出版社，1999.8 212页
面向新世纪的品德素质教育：中外学者纵论传统文化与青少年品德培养/罗国杰主编//北京：中国统计出版社，1999.1 426页
国民素质教育论纲/唐之享主编//长沙：湖南教育出版社，1999.11 321页
世纪之交：首都思想道德和文化建设研究/刘梦义主编//北京：中国人民公安大学出版社，1999.6 337页
人生戒律/任柏良主编；李树葳、杨春兰编著//沈阳：辽宁民族出版社，1999 433页
人生成本论：关于人生智能和成本的探索/喜子著//上海：上海三联书店，1999 305页
寻求人生智慧：哲学与人生/张曙光著//北京：北京教育出版社，1999.1 334页
社会转型时期的价值观念/兰久富著//北京：北京师范大学出版社，1999 346页
价值转乾坤：生命核心训练工程/黄经国著//长春：吉林人民出版社，1999 464页
孔繁森精神与干部价值观/邢志第、刘继孟主编//北京：中共中央党校出版社，1999.6 469页
道德楷模/飞龙编著//北京：中国和平出版社，1999 218页
中国革命道德：简编本/罗国杰主编//北京：中共中央党校出版社，1999.9 520页
助人为乐/覃水玲主编//武汉：湖北人民出版社，1999.7 204页

## 四、爱国主义教育

爱国主义丛书/王立志编著//北京：蓝天出版社，1999.5 5册
爱国主义四字经/李方、张炳如著//郑州：河南文艺出版社，1999.8 155页

百个爱国主义教育基地/房俐主编//长春：吉林文史出版社，1999.3　323页
百个爱国主义教育示范基地图集/中宣部宣教局，中国地图出版社编辑//北京：中国地图出版社，1999.1　88页
百个爱国主义教育示范基地图集/中共中央宣传部宣传教局组织编写//北京：学习出版社，1999.6　239页
中国怎样站起来：历史篇/张婉英著//郑州：文心出版社，1999.10　181页
中华爱国事业/高翔，魏不植主编//广州：广东经济出版社，1999.9　364页
中华爱国主义史话/邵和平著//武汉：湖北教育出版社，1999.5　477页
不屈的民族/武广久著//长沙：湖南少年儿童出版社，1999.4　137页
中华英杰三字歌/王克印著//北京：中国文联出版公司，1999.3　120页
红岩魂纪实系列：来自歌乐山的报告/厉华著//重庆：重庆出版社，1999.11　293页
井冈山精神：中国革命精神之源/刘孚成主编//南昌：江西人民出版社，1999.10　488页
让井冈山精神代代相传/韩京承主编//南昌：江西人民出版社，1999.3　199页
无价的财富：湖北革命传统十讲/中共湖北省委党史研究室，中共湖北省直机关工作委员会编//武汉：湖北人民出版社，1999.7　199页
红土魂：云南百家爱国主义教育基地巡礼/赵金主编//昆明：云南教育出版社，1999.12　2册
李大钊纪念馆/王海等编著//石家庄：河北人民出版社，1999.9　77页
唐县白求恩柯棣华纪念馆/河北省爱国主义教育基地资料丛书编委会编//石家庄：河北人民出版社，1999.4　76页
祖国在我心中/毛建华主编//宁波：宁波出版社，1999.4　150页
50年的辉煌：爱祖国教育挂图/庄建编著//北京：中国少年儿童出版社，1999.3　13页
国史与国情：共和国50年青少年读本/共青团中央宣传部编//北京：中共中央党校出版社，1999.9　309页
基本国策教程/潘宗白主编//南京：江苏美术出版社，江苏人民出版社，1999.11　408页
国旗下的讲话：小学版/朱浩熙主编//2版（修订本）徐州：中国矿业大学出版社，1999.9　251页
国旗下的讲话：中学版/朱浩熙主编//2版（修订本）徐州：中国矿业大学出版社，1999.9　253页
全国技工学校国情教育读本/李慎思主编//北京：中国劳动出版社，1999.5　186页
有才华的中国人/庄建编著//北京：中国少年儿童出版社，1999.6　151页
中国读本：小学版/苏叔阳著//北京：中国法制出版社，1999.8　121页
把握人生的方圆/李传瑞著//济南：山东教育出版社，1999.4　195页
共和国不会忘记/百花文艺出版社编//天津：百花文艺出版社，1999.9　275页
共和国精神之光/郭春鹰编著//北京：西苑出版社，1999.6　164页
共和国文明风尚/郭春鹰、王金范编著//北京：西苑出版社，1999.6　178页
人民不会忘记：共和国建设者/中共中央宣传部宣传教育局编//北京：中共党史出版社，1999.9　598页
扬起生命的风帆/商志晓、鲁成波著//济南：山东教育出版社，1999.4　251页
展开智慧的翅膀/王光东、黄明著//济南：山东教育出版社，1999.4　190页
铸造人格的辉煌/李光耀、牟宗艳著//济南：山东教育出版社，1999.4　219页
质量技术监督风采录/国家质量技术监督局人劳司，中国质量报社编//北京：中国计量出版社，1999.10　193页
浩然正气/江忠源主编//武汉：湖北人民出版社，1999.4　236页
'98抗洪抢险英模谱/南京军区政治部组织部编//福建：海风出版社，1999.7　452页
学习英雄事迹　立志振兴中华：我国驻南联盟使馆工作人员和新闻工作者英雄事迹报告集/中共中央宣传部宣传教育局编//北京：学习出版社，1999　48页

## 五、文化建设与文化市场管理

社会主义初级阶段文化论/于幼军著//北京：人民出版社，1999.12　359页
中国特色社会主义思想文化建设研究/凌厚锋，蔡彦士主编//福州：福建人民出版社，1999.4　306页
回顾与反思：中国社会主义文化建设的历史进程/秦刚著//哈尔滨：黑龙江教育出版社，1999.5　249页
文化市场管理法律法规知识问答/蒋永贤编著//杭州：杭州大学出版社，1999　250页
文化市场的培育与管理/杨运泰主编//银川：宁夏人民出版社，1999　242页
市场逻辑与文化发展/陈立旭著//杭州：浙江人民出版社，1999　415页

## 六、崇尚科学　破除迷信

中共中央关于共产党员不准修炼“法轮大法”的通知

（1999年7月19日）//北京：人民出版社，1999 58页
马克思主义唯物论和无神论教育读本/求是杂志社编辑部编//北京：红旗出版社，1999 298页
唯物论无神论教育读本/中国社会科学院“法轮功”现象综合研究课题组哲学分组编//北京：人民出版社，1999 208页
加强唯物论和无神论教育学习读本/中共青岛市委宣传部编//青岛：青岛出版社，1999.7 99页
中外无神论名著名篇选编/中国出版科学研究所编//北京：中国书籍出版社，1999 138页
真相与思考：深入揭批李洪志及其“法轮功”/中共中央宣传部宣传教育局编//北京：学习出版社，1999 422页
“法轮功”就是邪教/中共中央宣传部宣传教育局编//北京：学习出版社，1999 186页
“法轮功”就是邪教（续）/中共中央宣传部宣传教育局编//北京：学习出版社，1999 182页
中国公民要觉醒：李洪志及其“法轮功”真相/刘白华主编//北京：长征出版社，1999 274页
揭开“法轮功”的庐山真面目/中国社会科学院“法轮功”现象综合课题组哲学分组编//北京：人民出版社，1999 20页
“法轮大法”批判/求是杂志社政治编辑部编//北京：红旗出版社，1999 278页
十批“法轮大法”/求是杂志社编辑部编//北京：红旗出版社，1999 258页
崇尚科学 破除迷信：坚决处理和解决“法轮功”问题/人民日报出版社编//北京：人民日报出版社，1999 88页
现代谎言：李洪志歪理邪说评析/本书编写组编著//北京：中国书籍出版社，1999 154页
中国拒绝愚昧/大雨等著//沈阳：辽宁人民出版社，1999.2 153页
我不信邪：何祚庥反伪科学论战集/何祚庥著//江西：江西教育出版社，1999 369页
中国历代反对迷信纵横谈/黄龙保、颜晓峰主编//北京：学习出版社，1999 228页

## 文 章

从系统科学看精神文明活动的结构/陈来成//系统辩证学学报（太原），1999.1
探索新形势下学校精神文明建设的新路子/于德宝、杨玲//学校党建与思想教育（武汉），1999.1
努力开创精神文明单位建设的新局面/王军//奋斗（哈尔滨），1999.1
坚持两手抓，促进农村精神文明建设深入发展（洪湖市农村精神文明建设的调查）/中共洪湖市委宣传部//湖北社会科学（武汉），1999.1
全面提高农民素质是农村精神文明建设的根本问题/王永贵//文明向导（哈尔滨），1999.1
浅论城乡社区凝聚力与精神文明建设/陆士桢//中国青年政治学院学报（京），1999.1
前所未有的历史性进步：改革开放20年精神文明建设的回顾与思考/胡振民//人民日报（京），1999.1.21
新时期精神文明建设的历史回顾与基本经验/周永生、罗昭义//求是（京），1999.1
弘扬伟大的抗洪精神、推动精神文明建设/鄂文波//宣传导报（长春），1999.1
发展市场经济必须加强精神文明建设/姜再辉//宣传导报（长春），1999.1
谈高新技术开发区的精神文明建设/俞雪林、徐卓人//中国人事报（京），1999.1.29
论爱国统一战线在精神文明建设中的独特地位和作用/王希华//团结报（京），1999.1.30
高等教育中的精神文明建设/陈蓉蓉//黑龙江高教研究（哈尔滨），1999.1
浅谈社会主义市场经济条件下的高校精神文明建设/王珍//理论探索（太原），1999.1
提高农民素质是农村精神文明建设的根本任务/倪德刚//奋斗（哈尔滨），1999.1
把农村精神文明建设推向一个新阶段/刘云山//求是（京），1999.1
适应社会主义市场经济，推进农村精神文明建设：双鸭山市农村精神文明建设情况的调查/李建繁//文明向导（哈尔滨），1999.1
社会主义精神文明建设亟须解决的几个基本问题/林庄//福建论坛：经济社会版（福州）1999.2
关于深化精神文明建设的探讨/陈建越//湖湘论坛（长沙），1999.1
试论精神文明建设和文化建设的关系/秦文志//攀登（西宁），1999.1
道德的自觉行为观/苏富忠//齐鲁学刊（曲阜），1999.2
论法治与精神文明/马新福//吉林大学社会科学学报（长春），1999.1
论精神文明建设与提高出版物的文化含量/梁衡//求是（京），1999.3
精神文明建设与图书馆工作/范海才//图书馆学研究（长春），1999.1

山东省跨世纪精神文明建设的对策/邵景均//山东社会科学（济南），1999.1
建设民族文化大省，树立文明进步形象/王天玺//云南日报（昆明），1999.3
农村精神文明建设的调查与思考/李春仁//学理论（哈尔滨），1999.1
农村精神文明建设的亮点·灰点·黑点及对策/梁秀丽//求实（南昌），1999.2
加强研究，科学规划，把创建文明城区的工作落到实处（上海市政研会“创建文明城区课题组”研讨情况综述）/上海市思想政治工作研究会//上海精神文明，1999.1
关于文明社会区建设的思想/杨林森//创造（昆明），1999.1
《论语》礼让思想与精神文明/高烈明//创造（昆明），1999.1
借鉴古代道德教育思想，加强社会主义精神文明建设/李天凤//云南师范大学学报：哲社版（昆明），1999.1
四川省精神文明建设委员会关于进一步加强农村精神文明建设的意见//四川日报（成都），1999.3.2
张立昌在市精神文明建设委员会全体会议上强调：大力推进精神文明建设，全面发展天津大好形势//天津日报，1999.3
全国历史哲学与社会主义精神文明学术讨论会在成都举行/孟彦//中华文化论坛（成都），1999.1
论我国当前社会转型时期的精神文明建设/罗光春//毛泽东思想研究（成都），1999.1
努力交出精神文明建设满意答卷，迈向新世纪/许德明//上海精神文明，1999.2
哲学要为社会主义精神文明建设服务/吴秉元//实事求是（乌鲁木齐），1999.1
社会主义精神文明建设的适应与超越/李富荣//前沿（呼和浩特），1999.12
文明是社会规范的总和/张康之//甘肃理论学刊（兰州），1999.1
社会主义市场经济与精神文明/师仓//理论探索（太原），1998.增刊
搞好精神文明建设，促进海西经济快速发展/张倩//柴达木开发研究（德令哈），1999.6
井冈山精神与社会主义精神文明建设/周利生，侯贵生//江西教育科研（南昌），1998.增刊
白族传统道德和精神文明建设/马曜//云南民族学院学报：哲社版（昆明），1999.1
关于政治体制改革、精神文明建设和加强改善党的领导的几个问题//福建理论学习（福州），1999.1
提高人的素质是精神文明建设的核心任务/高兴贵//时代学刊（兰州），1999.1
志愿者活动是群众性精神文明建设活动的一大创造/帅良余//上海精神文明，1999.1
探讨师范院校精神文明建设的新思路/庄小平//福建体育科技（福州），1998.增刊
论图书评价与精神文明建设/邢惠玲//山东图书馆季刊（济南），1998.4
把军队办成精神文明建设的大学校/徐根初//求是（京），1999.3
我区跨世纪精神文明建设应重视打好四个基础/樟楠//西部先锋（乌鲁木齐），1999.2
大力推进我区社会的文明与进步/杨世君//西藏日报（拉萨），1999.2.22
创建文明城市是现代社会发展的必然要求/方兆祥//安徽日报（合肥），1999.2.25
积极开展创建文明城市活动/吴新雄//江南论坛（无锡），1999.2
把农村精神文明建设推向一个新阶段/本刊特约评论员//湖南宣传（长沙），1999.1
新时期农村精神文明建设的思考/王金元//甘肃理论学刊（兰州），1999.1
加强企业社会主义精神文明建设的几点思考/陈志新//大众企业管理（武汉），1999.1
邓小平关于精神文明建设的辩证思想/范伟//学习论坛（郑州），1999.2
21世纪新型中国文明建设和世界文明发展的展望/高齐云//现代哲学（广州），1999.1
虚功实做，软件硬抓（关于精神文明建设的几点思考）/谭景峰//实践（呼和浩特），1999.2
抗洪精神与中国优秀传统/李保定、王伟//前进（太原），1999.2
发展社会主义市场经济与提倡集体主义/胡东原//学海（南京），1999.2
市场经济与“傻子”精神/春鹰//理论与实践（沈阳），1999.5
儒家思想与现代精神文明建设/秦洪梅、颜林波//北方论丛（哈尔滨），1999.1
艰苦奋斗精神新探/杨新建//攀登（西宁），1999.2
赋予艰苦奋斗精神新的时代内容/方开淇、孙道同//党政论坛（沪），1999.3
也论集体主义和个人主义/粟玉仕//学海（南京），1999.2
爱国主义精神是中华民族之魂/崔正森、王小平//普阳学刊（太原），1999.2
关于社会主义精神文明建设的几个问题（纪念毛泽东为学习雷锋题词）/谷方//中流（京），1999.3
制度建设：社会主义道德建设的重要保障/龙静云//广西

大学学报：哲社版（南宁），1999.2
建设网络文明，倡导信息地球村的行为规范/李关德//上海精神文明，1999.3
社区文明与医院文明建设/陈德芝等//中华医院管理杂志（京），1999.1
繁荣和发展社会科学事业，为推进宁夏两个文明建设努力奋斗/毛如柏//宁夏党校学报（银川），1999.2
对非公有制企业精神文明建设的思考/郑继业//福建理论学习（福州），1999.3
以党的十五届三中全会精神为指导，扎扎实实地推动农村精神文明建设/张士儒//理论学习与研究（石家庄），1999.2
把创建文明社区作为建设文明城市的基础工程来抓/何卫东等//中共济南市委党校学报，1999.1
毛泽东对社会主义精神文明建设的历史贡献/张正兰//西南师范大学学报：哲社版（重庆），1999.1
坚持以邓小平理论指导精神文明建设的实践/陈连发//上海精神文明，1999.1
精神文明建设势在必行/马志士//牡丹江师范学院学报：哲社版，1999.4
精神文明建设更要突出群众观点/王峰//奋斗（哈尔滨），1999.2
要进一步健全精神文明建设的考评机制/郑又贤//文明建设（福州），1999.1
探索精神文明建设的新路/汤庭芬//深圳商报，1999.4.5
浅议市场经济与精神文明建设的关系/张桂英//牡丹江师范学院学报：哲社版，1998.4
论市场经济与精神文明的双向促进作用/李晓阳//学习与实践（武汉），1999.1
现代市场经济与当代民族精神/徐西胜//上海精神文明，1999.3
精神文明建设与经济工作一体化/北京第二制药厂//中外企业文明（京），1999.3
激发民族危机有利于塑造当代国民精神/谯远//理论前沿（京），1999.6
历史教育与公德意识培养三论/陈辉//西南民族学院学报：哲社版（成都），1999.增刊
谈医务人员的医德导向问题/文桂槐//中华医院管理杂志（京），1999.1
也谈档案系统的精神文明建设/柳瑛//浙江档案（杭州），1999.2
老年人也是精神文明的建设者/朱亚夫//上海精神文明，1999.3
乡镇经济的发展与生态文明建设/许东//苏南乡镇企业（苏州），1999.3
试论校报在高校精神文明建设中的作用/丁红//湖南教育学院学报（长沙），1999.1
学校应成为社会主义精神文明建设的坚强阵地/张秀玲//教育理论与实践（太原），1999.1
关于精神文明建设和有中国特色社会主义文化问题//宣传手册（京），1999.3
努力搞好农村精神文明建设/沈家明//云南日报（昆明），1999.4.10
在农村小康建设中切实加强精神文明建设/谷文晓//中国农村小康科技（京），1999.2
农村精神文明建设的新思路/倪德刚//理论学习与研究（石家庄），1999.1
加强农村精神文明建设的几点看法/王昌林//唯实（南京），1999.1
中外联手：共创精神文明建设新成果：上海广电股份公司合资企业创文明工作的实践与探索/宋佩良//上海精神文明，1999.1
论文明的创造与创新问题/蔡祖宪//上海交通大学学报：社科版，1999.1
论社会文明可持续运行新思路（Ⅰ）/周毅//湖南商学院学报（长沙），1999.1
论社会文明可持续运行新思路（Ⅱ）/周毅//湖南商学院学报（长沙），1999.2
构建三个文明协调发展新机制/韩步阳//东疆学刊（延吉），1999.2
知识分子与精神文明建设/张彩凤、夏竞然//齐齐哈尔大学学报：哲社版，1999.3
爱国主义："救国""兴国"的旗帜（纪念五四运动八十周年）/秋阳//道德与文明（津），1999.2
加强国防教育，提升爱国主义/冯玉平、王联斌//道德与文明（津），1999.2
简论加强社会主义制度文明建设/沈其新//求索（长沙），1999.2
社会意识相对独立性与社会主义精神文明建设/张凤荣//四川师范学院学报：哲社版（南充），1999.2
"精神文明重在建设"的实践探索（关于"济南交警现象"的研究报告）/中共济南市委党校、济南交警支队课题组//中共济南市委党校学报，1999.1
关于高校精神文明建设的几点思考/晏锋//山东教育学院学报（济南），1999.1
新时期加强高校精神文明建设的思考/杨作新//探索：哲社版（重庆），1999.2
加强农村牧区精神文明建设初探/张英伟、乔三旺//实践（呼和浩特），1999.4
积极探索农村精神文明建设的新路子/宋建中//群众（南京），1999.4
农村社会结构变迁与精神文明建设（石狮市精神文明建设

的实践与启示）/黎昕//福建论坛：经济社会版（福州），1999.4
邓小平精神文明建设理论科学体系的主要内容/王体正//学习与实践（武汉），1999.3
再论精神文明也是生产力（与张金根同志商榷）/孙来斌//求索（长沙），1999.3
简论精神文明控制/黄乾、丁海涛//许昌师专学报：社科版，1999.2
跨世纪精神文明建设的视角调整/郭彦森、孙长青//郑州大学学报：哲社版，1999.3
个体人格对精神文明建设的作用/税国洪等//重庆大学学报：社科版，1999.1
社会主义市场经济与精神文明建设/刘宏明//实事求是（乌鲁木齐），1999.2
实现两个文明协调发展的重要举措（张家港市创建全国文明城市的实践与思考）/钱学仁//求是（京），1999.10
红岩精神的哲学思索/邹火明、雷莹//荆州师专学报：社科版，1999.1
为英雄的家乡添光彩（向李向群学习）/杜青林//求是（京），1999.7
论建设有中国特色的社会主义精神文明/陈亚萍、梁励//江苏教育学院学报：社科版（南京），1999.2
土家族风俗习惯与精神文明建设/李霞林//贵州民族研究（贵阳），1999.1
礼仪文化与现代精神文明建设/崔梅//创造（昆明），1999.4
对行为规范教育和精神文明建设的几点思考/王杰//前沿（呼和浩特），1999.3
把精神文明建设提高到新水平/张锡林//党政干部学刊（沈阳），1999.4
浅谈美育与校园精神文明建设/刘晋梅//宁德师专学报：哲社版，1999.2
再创高校精神文明建设新佳绩（1997—1998年度上海高校精神文明创建工作综述）/劳晓芸//思想·理论·教育（沪），1999.2
雅文学在精神文明建设中的作用/李江梅//创造（昆明），1999.4
浅谈武德教育与精神文明建设/朱瑞琪//北京体育大学学报，1999.1
创建文明城市的理性思考/方兆祥//江淮论坛（合肥），1999.2
试论近代中国的现代化与精神文明建设/邹雯娟、徐凤云//徐州师范大学学报：哲社版，1999.1
邓小平关于精神文明建设的途径理论/孙运福//山东师大学报：社科版（济南），1999.2
邓小平理论是精神文明建设的基本方针/窦俊儒//承德民族师专学报，1999.1
中直机关召开创建文明机关现场会提出，当好精神文明建设的排头兵//人民日报（京），1999.2
知识经济呼唤人文精神的提升/李保林、周波//创造（昆明），1999.4
社会转型时期精神文明建设：浅谈科学技术进步对精神文明的作用及机制/朱嘉华，夏慧君//北方经贸（哈尔滨），1999.1
切实把精神文明建设提到“突出”地位/郑又贤//文明建设（福州），1999.4
抗洪精神是精神文明建设的宝贵财富/万方//江西社会科学（南昌），1999.2
开展精神文明评比活动应当注意的几个问题/王恩明//发展论坛（济南），1999.3
解决好精神文明创建活动的实效性、针对性和群众性问题/王学文//发展论坛（济南），1999.3
正确认识和处理精神文明建设中的辩证关系/艾立华//文明向导（哈尔滨），1999.3
构筑社会主义精神文明建设的考评机制/徐学庆//理论与改革（成都），1999.2
实现精神生活的共同富裕是社会主义精神文明的重要特征/饶明奇//华北水利水电学院学报：社科版（郑州），1999.1
社会主义初级阶段理论与精神文明建设/卢文峰//实与虚（合肥），1999.3
完善精神文明建设运行机制的构想/万军、李冬梅//理论探讨（哈尔滨），1999.3
论精神文明建设的协调发展/李同明//煤炭高等教育（徐州），1999.1
试论市场经济与精神文明建设/焦玲//齐齐哈尔大学学报：哲社版，1999.3
社会主义市场经济与精神文明建设/周中原//理论学刊（济南），1999.2
实现市场经济与精神文明建设“一体化”发展的前提/杜娟、张宝英//齐齐哈尔社会科学，1999.2
浅论物质文明建设和精神文明建设同步发展/向丽、王净//商业研究（哈尔滨），1999.4
两个文明建设是统一的实践过程/金邦秋//邓小平理论研究（复旦学报）：社科版（沪），1999.8
坚持全面发展目标，推进两个文明建设/田百春//特区理论与实践（深圳），1999.4
两个文明两手抓/刘玉党//人民论坛（京），1999.4
试论可持续发展与精神文明建设/陈际林//文明向导（哈尔滨），1999.4
莎士比亚与社会主义精神文明建设/李伟民//四川戏剧（成都），1999.2

略论思想道德建设/朱慧兰//湖南社会科学（长沙），1999.1
奉献精神三题/成传榜//当代党建（长沙），1999.3
应当继续发扬艰苦创业的精神/于静//理论探索（太原），1999.3
艰苦奋斗是社会主义精神文明的重要标志/陈国权、米振乾//文明向导（哈尔滨），1999.4
爱国主义是振兴中华的精神支柱/王登运、常连兴//山东教育学院学报（济南），1999.1
主旋律：爱国主义教育/陈立思、孙建华//宣传手册（京），1999.6
坚持解放思想实事求是的思想路线，加强社会主义精神文明建设/孟篆花//中共山西省委党校学报（太原），1999.1
对加强社会主义精神文明建设的一些思考/李国梁//理论探讨（哈尔滨），1999.2
精神文明建设与中国特色社会主义/翟海莉//青海师范大学学报：哲社版（西宁），1999.2
宪法与社会主义精神文明建设/胡晓波//齐齐哈尔大学学报：哲社版，1999.2
法德并举—有中国特色社会主义精神文明建设的最佳选择/张世珊//求索（长沙），1999.2
弘扬守法精神，加强社会主义精神文明建设/胡良荣//江苏高教（南京），1998.改革与发展专辑
依法治国与精神文明建设/杨玉海、孟丽萍//理论探索：哲社版（太原），1999.3.23~25
试论精神文明建设法制化的意义/文哲、王丽霞//探索：哲社版（重庆），1999.2.86~87
少数民族爱国传统在精神文明建设中的地位与作用/陈文、唐建荣//黔东南民族师专学报（凯里），1999.1
中国伊斯兰教与社会主义精神文明建设：访中国伊斯兰教协会宛耀宾先生副会长兼秘书长/张生礼、陈志良//经济消息报（京），1999.5.7
提高全民族思想道德素质/王清海、耿礼//承德民族师专学报，1999.1
城市现代化建设中的市民素质教育/包玉娥//江苏社会科学（南京），1999.1
培养国民的民族精神/王美华、陈功振//学习与交流（银川），1999.3
社会主义精神文明建设与人的全面发展/朱珜//江西社会科学（南昌），1999.3
试论精神文明建设与商业银行优质文明服务的关系/张爱泽//新疆金融（乌鲁木齐），1999.3
新闻舆论与社会主义精神文明建设/金双燕、范志武、卢军//奋斗（哈尔滨），1999.3
对外宣传与精神文明建设/陈开国//对外宣传参考（京），1999.3
论机关党组织在精神文明建设中的作用/文杰//中国党政干部论坛（京），1999.3
民主党派为精神文明建设献计出力/陈宗源//文明建设（福州），1999.1
精神文明建设重在选载体、抓突破、办实事：关于广西精神文明创建活动的调查/黄慰民//文明向导（哈尔滨），1999.4
企业经营与精神文明建设：兼论企业改革中非制度制约/余序洲//中南民族学院学报：哲社版（武汉），1999.2
新世纪农村精神文明建设的思考/陈依元//文明建设（福州），1999.2
切实加强农村精神文明建设/黄万林//理论导报（南昌），1999.3
论目前我省农村精神文明建设的着力点/许红婴、彭隆辉//理论导报（南昌），1999.2
深入贯彻十五届三中全会精神，大力推进农村精神文明建设/卓明安//理论学习导刊（成都），1999.4
对加强农村牧区精神文明建设的思考/张英伟、乔三旺//内蒙古日报（呼和浩特），1999.4.7
文明村镇创建活动的机制与措施//光明日报（京），1999.4.30
文明村创建应知应会四题/达明//文明向导（哈尔滨），1999.2
社区服务与精神文明建设的关系/李宝梁//道德与文明（津），1999.2
更好地为改革发展稳定大局服务/刘云山//思想政治工作研究（京），1999.4
精神文明建设的新课题/程伟礼//文汇报（沪），1999.6
精神文明建设必须从具体事情抓起/程伟礼//人民日报（京），1999.6
精神文明是否生产力之探讨（与张金根同志商榷）/贺祥林//中州学刊（郑州），1999.3
论精神文明建设中的战略运用/张连春//文明向导（哈尔滨），1999.6
加强精神文明建设要把握好五个关系/田绿化、宋建华//前进（太原），1999.5
社会公德与精神文明建设/王海军//唯实（南京），1999.5
可持续发展——种新的文明/李振伦//河北学刊（石家庄），1999.3
可持续发展与精神文明建设/鲁世山//理论建设（中共安徽省委党校学报）（合肥），1999.1
在语言文明建设中要强化爱国主义教育/江南、杜文霞//修辞学习（沪），1999.2
社会主义精神文明建设基本规律研究/李洪卫//河北学刊（石家庄），1999.3

社会主义精神文明发展规律探要/万斌、郁建兴//浙江学刊（杭州），1999.3
行业精神文明建设应注意和把握的几个问题/中共晋江市委宣传部文明办//中共福建省委党校学报（福州），1999.5
广东精神文明跨世纪建设的思考/周薇、肖海鹏//广东社会科学（广州），1999.3
略论精神文明的思想渊源/魏文青//晋阳学刊（太原），1999.3
龚学平在本市推进老城区精神文明创建工作现场会上强调，要发挥优势因地制宜加大力度、加快老城区精神文明创建步伐//文汇报（沪），1999.7.3
加强群众性精神文明建设的两个问题/李丹//实事求是（乌鲁木齐），1999.3
浅谈新形势下精神文明建设的新思路/李坚众、陈力克、俞慧军//江南论坛（无锡），1999.5
关于黄河滩区精神贫困的思考/刘娟//河南师范大学学报：哲社版（新乡），1999.3
论井冈山精神与社会主义精神文明建设/万泽民//求实（南昌），1999.4
弘扬英模精神，阔步走向新世纪/文选集//湖南宣传（长沙），1999.10
浅谈时代发展与雷锋精神/李林泽//学习与交流（银川），1999.6
法制建设和精神文明建设必须同步推进/张洪钧、赵振俊//理论学习与研究（石家庄），1999.3
加强精神文明建设，做好统一战线工作：学习邓小平关于社会主义精神文明建设的若干论述/刘秀庭、罗辉权//学习与实践（武汉），1999.5
领导干部要走在精神文明建设的前列/许小兵//上海精神文明，1999.5
社会主义精神文明建设要从娃娃抓起/刘思仓//学习论坛（郑州），1999.5
试论历史教育在精神文明建设中的地位与作用/张国宏、程立云//实与虚（合肥），1999.5
高校精神文明建设应着重解决的两个问题/吴文胜、宋丽华、徐建成//文明向导（哈尔滨），1999.6
努力走在全社会前列：全军和武警部队社会主义精神文明建设综述/卜金宝、刘声东//解放军报（京），1999.7.8
以民为本，本固邦荣：山东文登市农村精神文明建设启示录/张松青、郭修生、李斌//重庆行政，1999.2
关于孙吴县精神文明建设情况的调查/陈际林、郭红梅//学术交流（哈尔滨），1999.3
浅谈人民调解工作在农村精神文明建设中的作用/喻守义、杨典宏//实与虚（合肥），1999.5
继续推动农村牧区精神文明建设/周亚民//柴达木开发研究（德令哈），1999.1
弘扬正气，再接再厉，进一步加强农村精神文明建设/马卫东、虎宝敏//学习与交流（银川），1999.5
精神文明建设：推动企业发展的动力/桑盛淮//走向世界（济南），1999.2
为有源头活水来：记浙江三北集团的精神文明建设/蒋尧康、杨伟毅//中国纺织报（京），1999.6.18
维护社会稳定的一项有力措施：漯河、周口两市创建安全文明小区活动的调查/杨发喜//求是（京），1999.11
辩证地理解和把握邓小平精神文明建设理论/苏亮乾//柳州师专学报，1999.2
论社会主义精神文明建设的可持续发展/朱燕、高宜新//（14）探索：哲社版（重庆），1999.3
辩证地理解和把握邓小平精神文明建设理论/苏亮乾//柳州师专学报，1999.2
正确处理精神文明建设中的几个关系/李鸿//新长征（长春），1999.7
论社会主义精神文明建设的可持续发展/朱燕、高宜新//探索：哲社版（重庆），1999.3
社会科学的功能与社会主义精神文明建设/刘冠军//济南大学学报，1999.1
道德文明建设应坚持文质并重/郭永军//中共济南市委党校学报，1999.2
关于社会主义精神文明建设的几个问题/唐亚林//理论建设（合肥），1999.2
弘扬艰苦奋斗精神的时代意义/葛菊红、梁修琴//河南大学学报：社科版（开封），1999.3
刍议自强不息精神的内涵及现代价值/张铁勇//理论与现代化（津），1999.7
从少数民族特点出发，加强民族地区的精神文明建设/王永杰//社会主义研究（武汉），1999.3
加强以“文明办公”活动为载体的精神文明建设/张士怀//江南论坛（无锡），1999.6
高校道德教育效果不佳的症结何在/马宜章//武陵学刊：社科版（常德），1999.1
文明村镇创建活动的机制/田宪臣//河南社会科学（郑州），1999.2
对当前农村精神文明建设的调查与思考/张雷//实与虚（合肥），1999.6
论城市社区精神文明建设/文军//探索：哲社版（重庆），1999.3
社区文化与社区精神文明建设论略/李屏南、文军//湖南师范大学社会科学学报（长沙），1999.4
现代精神文明的系统特征及其系统发展方法/王思武//系统辩证学学报（太原），1999.3
从近代中国社会变革进程谈精神文明建设特征/李爽//新

疆大学学报：哲社版（乌鲁木齐），1999.2

道家思想在现代精神文明建设中的意义/许士密//松辽学刊：社科版（四平），1999.3

坚持马克思主义在我国精神文明建设中的主导地位/武铁传//洛阳师专学报，1999.3

也谈精神文明建设/梁文胜//中共山西省委党校学报（太原），1999.3

精神文明建设必须常抓不懈/赵玉芬//镇江学刊，1999.3

精神文明诸问题成因分析/刘国华//山东省青年管理干部学院学报（青年工作论坛）（济南），1999.3

浅论精神文明建设与民族地区经济发展/张文平//农村经济（成都），1999.5.25—27

如何进一步加强新时期的社会主义精神文明建设/舒甫玉//创造（昆明），1999.6.28

爱国主义——一个古老而又常新的话题：纪念五四运动八十周年/薛江//理论学习导刊（成都），1999.6

发扬五四精神提高国民素质/王洪洁//山东省青年管理干部学院学报（青年工作论坛）（济南），1999.3

关于民族地区精神文明建设的理论思考/吕余生//理论前沿（京），1999.3

弘扬民族精神，培养"四有"新人/邵德山//青海民族研究（西宁），1999.2

关注普通人的精神世界/本报评论员//中国妇女报（京），1999.8.2

提高城市文明水平的途径/孙守璞//人民日报（京），1999.7.5

社会主义精神文明与家庭美德建设/王秀贞、兰宝明//理论学刊（济南），1999.3

论高校社会主义精神文明建设/王小虎、王良平、李强//合肥工业大学学报：社科版，1999.2

加强高校精神文明建设，促进社会主义市场经济发展/李良斋、郭佳//山东省青年管理干部学院学报（青年工作论坛）（济南），1999.3

以培养"四有"人才为目标，加强高校精神文明建设/王卫平、魏新生//合肥工业大学学报：社科版，1999.2

对创建文明城市"形象工程"的思考/王永红//探求（广州），1999.增刊

浅谈股份制企业的精神文明建设/曾兆山//经贸时报（延吉），1999.7.20

精神文明建设是企业发展的内在动力/李玉忠//新长征（长春），1999.6

重点、优势与创新：关于企业精神文明建设的几点思考/潘明祥//煤炭经济研究（京），1999.6

对大庆采油三厂加强精神文明建设的调查思考/杨培业、李德江//大庆社会科学，1999.2

加强新时期农村精神文明建设的思考/谭熔//探索：哲社版（重庆），1999.3

对当前农村精神文明建设现状的几点思考/李凯//延安大学学报：社科版，1999.2

建立规范化、科学化的精神文明建设运行机制/侯远长//理论与改革（成都），1999.4

城市文明综合评价指标体系/白志刚//北京社会科学，1999.3

信息社会与精神文明建设/刘爱燕、李秀//哈尔滨市委党校学报，1999.4

社会主义精神文明建设与中国现代化/邓维亮//桂海论丛（南宁），1999.4

科学技术与社会主义精神文明初探/解道华//理论建设（中共安徽省委党校学报）（合肥），1999.3

多元文化与社会主义精神文明建设/车美平//山东社会科学（济南），1999.4

"市场文化"与社会主义精神文明建设/王健华//理论与改革（成都），1999.4

关于市场经济条件下农民思想道德教育的几个问题/丁素等//中州学刊（郑州），1999.4

社会主义精神文明建设要理顺十对关系/祝福恩、姜桂芝//哈尔滨市委党校学报，1999.4

论法制在精神文明建设中的重要作用/黄亮宜//求是（京），1999.5

吉林省少数民族传统文化与精神文明建设关系研究/吉林省民族研究所课题组//社会科学战线（长春），1999.4

关于金融系统精神文明建设的几个问题/陈新权//金融时报（京），1999.8

走出信仰的低谷/胡河宁//道德与文明（津），1999.4

深入开展优质规范服务，大力倡导文明行业新风/刘云山//思想政治工作研究（京），1999.8

文明村镇创建机制探析/崔宝珍、郝秀芬/河北师范大学学报：社科版（石家庄），1999.3

网络挑战精神文明/高延武//光明日报（京），1999.8

社会主义精神文明建设理论的形成及其重大意义/王体正//湖北大学学报：哲社版（武汉），1999.4

邓小平爱国主义教育思想述论/刘霁//理论与现代化（津），1999.7

社会主义精神文明建设与讲政治/郝佳芬//发展论坛（济南），1999.5

抓好"两个必须"，促进精神文明建设/马万里//党的生活（西宁），1999.7

一个不能退却的阵地：进一步加强精神文明建设/新风//中国文化报（京），1999.7.31

精神文明建设要抓落实/杨和屏//社科与经济信息（南宁），1999.3

当前精神文明建设中的若干突出问题/刘明//文明建设

（福州），1999.7
构建精神文明工作良性机制/支广辉//河北经济日报（石家庄），1999.9.4
中国科协主席周光召提出，科学技术是第一生产力，又是建设精神文明的强大力量//中国科协报（京），1999.7
改进精神文明建设工作/朱清//福建日报（福州），1999.8.27
加强精神文明建设，促进社会主义市场经济健康发展/狄静//理论学习与探索（京），1999.3
市场经济中的精神文明建设：再论精神生产力的持续增长/石士钧、黄家瑶//宁波大学学报：人文科学版，1999.2
社会主义精神文明建设是发展市场经济的强大动力/张艳华//佳木斯教育学院学报，1999.1
精神文明建设中"硬件建设"与"软件建设"关系的思考/唐善茂、李善辉//社会科学家（桂林），1999.4
精神文明建设与社会可持续发展战略的基础工程/周毅//辽宁税务高等专科学校学报（大连），1999.3
公共关系与社会主义精神文明建设/乔亚群//青海民族学院学报：社科版（西宁），1999.3
知识经济与精神文明/高菊、辛显文//哈尔滨市委党校学报，1999.2
知识经济与社会文明/娄玉芹//平顶山师专学报，1999.3
关于思想道德建设若干重要关系的思考/陈晓榕//福建理论学习（福州），1999.7
社会控制与思想道德建设/禹建柏//求索（长沙），1999.4
继承和发扬革命传统，加强社会主义精神文明建设/任祖平//学海（南京），1999.3
浅谈雷锋与李向群的异同/杨志成//海口晚报，1999.8.4
增强社会主义精神文明建设的实效性/颜华//哈尔滨市委党校学报，1999.3
也谈社会主义精神文明建设的基本任务/杨桂梅、吕云峰//龙江党史（哈尔滨），1999.3
抓住有利时机，加强创建工作：关于加强社会主义精神文明建设断想/毕志伦//湖北社会科学（武汉），1999.6
浅谈精神文明建设与法制建设/谷克华//法治（哈尔滨），1999.7
抓好精神文明建设与干部素质教育/何锡蓉//文汇报（沪），1999.7.19
抓好文明市民教育应处理好四对"矛盾关系"/刘伟//宣传导报（长春），1999.7
努力提高城市文明水平/孙守璞//发展论坛（济南），1999.5
促进城市精神文明建设必须大力提高市民素质/朱文兴、潘广武、林博斌//中共济南市委党校学报，1999.2
社会主义市场经济条件下的职业道德建设/吴清//广西社会科学（南宁），1999.3
试论工会在推进高校精神文明建设中的优势/林静銮、刘增银、张进荣//广州政工，1999.6
浅议体育在社会主义精神文明建设中的作用/王继贤//攀登（西宁），1999.4
上海工会推进群众性精神文明创建活动成效显著/程友谨//上海精神文明，1999.7
以创建文明城市为龙头，以实现"一年一小变"为目标：深入开展群众性精神文明创建活动/潘祖亮//广州政工，1999.6
认真学习邓小平理论，切实加强企业精神文明建设/李维增、王树贵//前沿（呼和浩特），1999.6
企业精神文明建设要处理好四个关系/杨德祥//云南经济日报（昆明），1999.7.23
关于建立企业精神文明建设运作机制的思考/张志敏、郭盛亮//大庆社会科学，1999.3
努力把握农村精神文明建设的新特点/胡敦华//求实（南昌），1999.7
加强农村精神文明建设的思考/许传新//群众（南京），1999.8
试论城市社区发展与社会主义精神文明建设/许鹿//贵州大学学报：社科版（贵阳），1999.4
加大文明城区研究力度，推进文明城区创建工作：关于创建文明城区的调查与思考〈上〉/上海市思想政治工作研究会课题组//上海精神文明，1999.6
加大文明城区研究力度，推进文明城区创建工作：关于创建文明城区的调查与思考〈下〉/上海市思想政治工作研究会课题组//上海精神文明，1999.7
正确处理精神文明建设中的几个辩证关系/佟桂琴//照乌达蒙族师专学报：汉文哲社版（赤峰），1999.1
全面准确理解生产力标准，增强抓好精神文明建设的自觉性/张立法、章骞//大庆社会，1999.增刊
对社会主义市场经济与社会主义精神文明相互关系的分析///马克思主义与现实（京），1999.4
精神文明与市场经济/黎本星//宜春师专学报，1999.3
论市场经济与精神文明建设的结合/褚添有//柳州师专学报.1999.3
端正党风是加强精神文明建设的突破口/李光营//中华女子学院山东分院学报（济南），1999.2
加强思想文化道德建设，着力提高市民综合素质和社会文明程度/中共广州市委宣传部调研组//探求（广州），1999.4
高校精神文明建设环境和途径的再探讨/张红梅、付其伟//黑龙江高教研究（哈尔滨），1999.5
以为人民服务为核心，全面推进城市精神文明建设（关于济南市精神文明建设基本经验的研究报告）/中共济南市委政策研究室//中共济南市委党校学报，1999.3

论社会主义精神文明建设发展的阶段性/李由//理论探索（太原），1999.5
新中国精神文明建设的历史启示/刘云山//光明日报（京），1999.10.1
列宁与苏维埃政权初期的精神文明建设/李靖宇//东欧中亚研究（京），1999.3
在精神文明建设中建立有效的工作运行机制/陶琳、杨勋文//理论学习导刊（成都），1999.9
坚持精神文明重在建设的原则/石淑杰、张丽萍//文明向导（哈尔滨），1999.8.13
走可持续发展的精神文明建设之路/张跃进//理论界（沈阳），1999.4
把精神文明建设任务落到实处/李雅清//理论前沿（京），1999.6
试论精神文明建设与物质文明建设的有机结合/赵桂玲、李忠丽//齐齐哈尔社会科学，1999.4
试论可持续发展与精神文明建设的关系/韦吉锋、段正红//学校党建与思想教育（武汉），1999.9
精神文明建设与可持续发展/丘志乔//理论与改革（成都），1999.5
浅谈知识经济对精神文明的促进作用/梅孝义//南都学坛（南阳师专学报）：哲社版，1999. 增刊
思想道德建设在精神文明建设中的地位和作用/刘振霞、薛树林//齐齐哈尔社会科学，1999.4
浅谈社会主义精神文明建设需要解决的关键问题/王志有//理论探索（太原），1999.5
讲政治对社会主义精神文明建设的作用/邝碧水//湖南宣传（长沙），1999.6
精神文明建设法制化的实现条件/席建松//河南师范大学学报：哲社版（新乡），1999.4
浅谈精神文明建设与法制建设的协调发展/常力红//学习与交流（银川），1999.8
试论精神文明与法制文明的关系/颜林波//理论探讨（哈尔滨），1999.5
对提高市民素质的几点思考/魏星河//科学社会主义（京），1999.2
企业发展与精神文明建设/马新国、晓伟//大庆社会科学，1999. 增刊
弘扬文明新风，努力建设社会主义新农村，上海市农村精神文明建设工作述评/蔡水泉//上海精神文明，1999.8
我省城市文明小区建设研究/省社科院课题组//贵州日报（贵阳），1999.9.30
城市片区精神文明建设工作探讨/郝建军//学习与交流（银川），1999.9
论精神文明建设理论跨世纪的战略意义/葛彬//求实（南昌），1999.8
精神文明建设系统整体论/王桂香//系统辩证学学报（太原），1999.4
对社会主义精神文明重要性的哲学认识/曹俭//江汉论坛（武汉），1999.8
我国现阶段精神文明建设的时代特征/周七兰//湖北财经高等专科学校学报（武汉），1999.1
时代精神的界定与当今中国的时代精神/杨德平、李娜//中国人民大学学报（京），1999.5
精神文明状况是衡量小康社会的重要指标/逄明福//前沿（呼和浩特），1999.8
精神文明建设也要“三面向”/李光华//江汉大学学报（武汉），1999.4
国际互联网的发展对中国社会主义精神文明建设的影响/陆俊//北京科技大学学报：社科版，1999.3
谈市场经济条件下社会结构变迁中的精神文明建设/杨华生//理论学刊（济南），1999.5
市场经济与精神需求发展机制/仲彬//学海（南京），1999.4
试论知识经济与精神文明建设的关系/黄永青//惠州大学学报：社科版，1999.3
精神文明建设三题（对“一手软”问题的哲学思考）/于维民//甘肃社会科学（兰州），1999.5
试谈爱国主义的含义及其层次性/杨生博//人文杂志（西安），1999.4
论党政机关是精神文明建设的生长点/钟贤超//湖北民族学院学报：哲社版（恩施），1999.2
浅谈精神文明建设必须注重加强美育/张琮玖//江汉大学学报（武汉），1999.4
对彭阳县农村精神文明建设的调查与思考/刘建军、贺凯//宁夏社会科学（银川），1999.5
加强社区居民思想建设，提高社区居民思想素质（“新形势下加强社区居民思想建设”理论研讨会综述）/上海市政研会供稿//上海精神文明，1999.9
论形成和发展中的精神文明学/范英//学术研究（广州），1999.9
要重视马克思主义信仰建设/胡河宁//学术界（合肥），1999.5
论邓小平精神文明建设思想/王康美//中共沈阳市委党校学报，1999.3
邓小平社会主义精神文明建设思想体系初步形成的时间/李洪奎//党的文献（京），1999.5
第三代中央领导集体对邓小平精神文明建设理论的贡献/周向军//发展论坛（济南），1999.8
关于开展精神文明建设活动的几点体会/承列//青海金融（西宁），1999.3
试论科学技术对精神文明的作用/李兴鳌//湖北民族学院

学报：哲社版（恩施），1999.2
精神文明建设要以人民满意为最高准则/本刊记者//发展论坛（济南），1999
关于加强精神建设若干问题的思考/王翠英//前沿（呼和浩特），1999.8
精神文明建设在社会可持续发展中的作用/黄立忠//桂海论丛（南宁），1999.5
关于弘扬抗洪精神的探讨/彭秀珍//桂海论丛（南宁），1999.5
现代经济丛林中的精神文明之歌/吴子雍//文明向导（哈尔滨），1999.9
对市场经济与精神文明协调发展的思索/齐慧丽//济宁师专学报，1999.4
论市场经济条件下的农村精神文明建设/滕锡尧//理论学刊（济南），1999.5
开展社会主义双文明建设的伟大工程/李昌//自然辩证法研究（京），1999.9
两个文明都搞好才是有中国特色社会主义/刘云山//人民日报（京），1999.9.30
精神文明建设与可持续发展/周毅//九江师专学报：哲社版，1999.2
市场经济条件下弘扬艰苦奋斗精神的思考/王培振、程子良//学习论坛（郑州），1999.8
历史科学与爱国主义教育/王永昌//理论学刊（济南），1999.4
加强社会主义精神文明建设，树立正确的价值观/李伟，宫沐音//大庆高等专科学校学报，1999.3
依法治国与精神文明建设的辩证关系/胡雪梅//时代主人（南昌），1999.4.18
依法治国与精神文明建设/周晨红//理论学刊（济南），1999.5
科学技术是建设精神文明破除宗教迷信的有力武器/牛润霞//理论导刊（西安），1999.9
机关精神文明建设的主要任务/羊经位//今日海南（海口），1999.5.20
舵正才能方向明：论讲政治与加强精神文明建设/李俊峰//时代学刊（兰州），1999.8.30
创建文明城市要以提高市民素质为前提/辛伯庆//江南论坛（无锡），1999.8
论德育内容的时代特征/刘希明//清华大学教育研究（京），1999.3
弘扬传统文化，加强社会主义精神文明建设/刘存祥、韩光德//临沂师专学报，1999.5
创建国家卫生城市活动在社会主义精神文明建设中的地位和作用/杨华林//上海精神文明，1999.9
上海精神文明建设落到实处的成功经验与推进战略/蒋锦洪//上海党史研究，1999.增刊
上海农村精神文明建设特色/李士明//解放日报（沪），1999.10.22
抓城市综合治理，实现精神文明建设的新突破：南宁、桂林、北海等市精神文明建设学习考察/帅良余//上海精神文明，1999.8
现代文明之路：深圳市创建文明市文明区活动纪实/金涌、张荣刚、李瑞琦//深圳特区报，1999.9.18
努力开创有浦东特点的精神文明建设工作新局面/姚海同//上海精神文明，1999.8
常德市建立精神文明建设投入机制/夏光明//湖南宣传（长沙），1999.7
以人民满意为目标，努力建设高标准文明城市：金昌市城市精神文明建设的几点做法/金昌市委、市政府//甘肃日报（兰州），1999.10.11
浅谈新时期企业的精神文明建设/关丽君、柴凤云//学理论（哈尔滨），1999.9
浅谈农村精神文明建设的当务之急问题/孙黎明、陈昌保//理论导版（南昌），1999.9
当前农村精神文明建设滞后的原因与对策/熊墨堂//时代主人（南昌），1999.4
中国农民城的奇迹：奉贤县洪庙镇创建文明镇工作纪实/蔡水泉//上海精神文明，1999.9
放眼望五津，文明显风流：新津县两个文明建设发展纪实/姜辉//城市改革与发展（成都），1999.4
从“法轮功”的蔓延看加强社区精神文明建设的重要性/毛宏业//学习与交流（银川），1999.10
先秦儒家民本思想及其在当代的价值：先秦儒家文化与精神文明建设课题研究之一/孔庆文//社科纵横（兰州），1999.3
先秦儒家思想与爱国主义精神：先秦儒家文化与精神文明建设课题研究之二/闫向昆//社科纵横（兰州），1999.3
先秦儒家思想与社会主义人才观：先秦儒家文化与精神文明建设课题研究之三/李金秀//社科纵横（兰州），1999.3
社会主义精神文明建设基本经验浅析：两个“最好时期”的启示/李晓燕//攀登（西宁），1999.5
关于精神文明机制建设的调查与思考/于峰、盖兰骏//探索与求是，1999.9
价值观多样化态势与坚持社会主义集体主义价值观导向/吴潜涛//道德与文明，1999.4
论道德教育中存在的问题/陈升//道德与文明，1999.5
简论官员道德/许启贤//中国矿业大学学报，1999.1
广告宣传必须有利于精神文明建设/张德丽//法制与文明，1999.10
从福建看沿海开放区如何加强精神文明建设/包恒新//福

建论坛，1999.4
邓小平社会主义精神文明建设理论/徐刚//实践（呼和浩特），1999.10
谈发展社会主义市场经济与抓好精神文明建设的关系/高云梯//经济师（太原），1999.10
社会主义初级阶段的精神文明与制度文明/苗桂山、刘振江//商丘师专学报，1999.1
德育功能简论/檀传宝//中国教育学刊（京），1999.5
浅谈加强党风建设和精神文明建设/徐少锋//宁德师专学报：哲社版，1999.4
精神文明建设关键在党组织/刘振亚//人民日报（京），1999.11.25
培养高素质的农民，建设高标准的文明村镇/王少波、张亮//奋斗（哈尔滨），1996.11
太原市精神文明建设实践的几点启示/李雁红//理论视野（京），1999.5
论人的特点对精神文明建设的规定/符礼建//理论学习导刊（成都），1999.10
走出否定精神文明价值的认识误区：对精神文明建设规律的再认识/许玲//新疆社科论坛（乌鲁木齐），1999.3
当前农村社会稳定与精神文明建设的主要问题及对策/滕锡尧//理论前沿（京），1999.9
略论邓小平精神文明建设思想的特点/尹如琴//学术论坛，1999.6
法治是现代精神文明的最高体现/肖北庚//浙江社会科学，1999.6
弘扬中华民族优秀传统，大力加强教师的职业道德建设/孙丽//福建理论学习，1999.9
立足企业实际，建设精神文明/宋道堂//理论与实践，1999.2
家庭精神文明建设的理性思考/张素军、侯风玲//社会科学论坛，1999.5
提高城市文明程度，建设现代文明城市/朱凤翔//理论与实践，1999.2
上海群众性精神文明创建活动的发展态势分析/裘实//上海精神文明，1999.10
科学技术与建设精神文明/周光召//瞭望，1999.4.4
论精神力在综合国力中的作用/王金祥//辽宁大学学报，1999.6
统一战线与精神文明建设/范炳良、李涛毅//汉中师范大学学报，1999.4
对贫困地区农村精神文明建设现状的几点思考/解光穆、李洁//学习与交流，1999.11
试论弘扬传统文化与建设社会主义精神文明之间的关系/何砚华、田志勇//广西教育学院学报，1999.4
略论邓小平的文化建设理论/赵冰//广西师院学报：哲社版（南宁），1999.3
关于加强精神文明建设的几点思考/李亚薇//邓小平理论研究（西安），1999.3
试论三讲教育与大学生精神文明建设/王玉清，王燕//黑龙江高教研究（哈尔滨），1999.6
努力探索市场经济条件下精神文明建设的新路子/李清芳//唐都学刊（西安），1999.4
精神文明也是生产力/吴正国//党的生活（贵阳），1999.10
依法治国与精神文明建设/吴晓玲、沈桥林//江西社会科学（南昌），1999.10
试论精神文明建设的法制化/王振义//现代哲学（广州），1999.3
制度文明；先进的社会文明/（韩）金柱演//探索与争鸣（沪），1999.10
谈谈思想道德文化建设的规划与实施/陈大克//广西高教研究（南宁），1999.3
市场经济条件下农村思想政治工作新方法/张学忙//湖北社会科学（武汉），1999.10
社会主义市场经济条件下道德建设的思考/苏海清//实事求是（乌鲁木齐），1999.5
论道德教育在大学素质教育中的重要地位/刘欣//有色金属高教研究（长沙），1999.2
关于21世纪德育的前瞻性思考/兰刚//有色金属高教研究（长沙），1999.2
爱国主义教育必须突出时代特征/陶永慧//前沿（呼和浩特），1999.9
发扬社会主义人道主义精神/郭春鹰、陈景贵//理论界（沈阳），1999.5
法治与精神文明关系浅论/任秀莲//攀登（西宁），1999.6
群众精神文明建设的实践及经验/马恳//理论辅导（昆明），1999.11
基层党校在社会主义精神文明建设中的地位与作用/朱润莲//前沿（呼和浩特），1999.9
论山东先进典型群体的社会功能/涂可国//中共济南市委党校、济南市行政学院、济南市社会主义学院学报，1999.3
文明城市建设三题议/李业杰，刘大鸣//中共济南市委党校、济南市行政学院、济南市社会主义学院学报，1999.3
抓住重点环节、促进精神文明建设/张传林//发展论坛（济南），1999.10
“世纪天空”呼唤民航精神文明建设/张恒俊//企业文明（重庆），1999.11
搞好精神文明建设的几点做法/李相君//档案管理（郑州），1999.5
科学理论是建设社会主义精神文明的根本保证/陈重和//

理论与实践（沈阳），1999.9
精神文明建设要依靠党的积极引导/周声瑶//社科与经济信息（南宁），1999.4
略论社会主义精神文明建设在社会稳定中的作用/郁子良//社会主义研究（武汉），1999.5
社会文明结构与精神文明建设/卢桂平//湘潭师范学院学报，1999.5
浅谈新形势下企业的精神文明建设/王金兴//山西经济日报（太原），1999.11.1
建设精神文明推动中华复兴/赵世权、陈东林//企业文明（重庆），1999.11
精神文明"滑坡现象"成因探微/保立民//宁夏大学学报：哲社版（银川），1999.3
崇尚科学，破除迷信是我区社会主义精神文明建设的一项重要任务/格桑坚村//西藏研究（拉萨），1999.4
营造文明科学的社会环境：《社会主义市场经济初始阶段的精神文明建设》评介/凌耘//福建论坛：经济社会版（福州），1999.10.6
论陕甘宁边区的精神文明建设/吴常兴//长白学刊（长春），1999.6
江泽民对邓小平精神文明建设理论的新贡献/林两贞//福建论坛，1999.6
可持续发展与精神文明建设/鄀爱红//北京行政学院学报，1999.4
中国教育界对道德相对主义与个人中心主义的反思/夏伟东//道德与文明，1999.6
行政道德建设对策研究/李世英//北京行政学院学报，1999.4
论精神文明建设法制化的必要性/赵淑英//浙江师大学报，社科版，1999.5
社会主义精神文明建设的细胞工程——家庭美德建设/邵宝华//浙江师大学报，社科版，1999.5
正确处理十个辩证关系，努力提高精神文明建设水平/陈来立//河北日报，1999.12.9
精神文明建设工作中的用势艺术/朱维宁、陈建安、施学忠//群众，1999.11
社会文明结构与精神文明建设/卢桂平//湘潭师范学院学报，1999.5
精神文明建设与社会思维制导/曾杰//哈尔滨师专学报，1999.5
略论邓小平精神文明建设思想的特点/杨建千//理论探索（太原），1999.6
中央文明委全体会议强调，围绕中央总的工作部署，开创精神文明建设新局面//人民日报（京），1999.12.29
抓好精神文明，促进经济发展/陈亚寇//海口晚报，1999.12.29
江泽民对宣传思想工作和精神文明建设作重要指示，宣传思想工作和精神文明建设事关大局，要在全党特别是领导干部中经常讲反复讲//人民日报（京），2000.1.5
各地认真贯彻落实中央《关于加强和改进思想政治工作的若干意见》，切实抓好思想政治工作和精神文明建设//人民日报（京），2000.1.8
胡锦涛在全国宣传部长会议上发表重要讲话要求宣传思想战线，唱响主旋律，打好主动仗//人民日报（京），2000.1.12
切实抓好宣传思想工作的重中之重//人民日报（京），2000.1.11
把文明带入新世纪/袁建达//人民日报（京），1999.12.23
社会关系文明论/王孝哲//北京日报，1999.12.15
全国精神文明建设呈现喜人景象//人民日报（京），2000.1.7
试论市场经济条件下的精神文明建设/刘惠忠//内蒙古社会科学：汉文版（呼和浩特），1999.6
市场经济呼唤铁人精神/陈龙娟//石油大学学报：社科版（东营），1999.4
建设社会主义精神文明必须加强思想道德建设/吴永和//唯实（南京），1999.11
传统爱国主义精神简论/段建海//理论导刊（西安），1999.11
论孙中山爱国主义教育观/梁励//江苏教育学院学报：社科版（南京），1999.4
市场经济与奉献精神/陈海平//求索（长沙），1999.6
发挥教育特殊优势搞好精神文明建设/刘发信//沿海经贸（青岛），1999.11
社会主义文化建设的一个新的重大课题/朱志、魏国//社科纵横（兰州），1999.5
提高城市文明程度，建设现代文明城市/朱凤翔//理论与实践（沈阳），1999.2
构建现代文明的工程：四川省绵阳市创建文明城市纪实/陈敦禹//领导工作研究（武汉），1999.11
从具体事情抓起，株洲市努力把精神文明建设任务落到实处/邓德芳//学习导报（长沙），1999.11
发挥群众创造性，开创文明现代的新世纪/罗典苏//经济日报（京），2000.1.4
提高精神文明建设水平：南宁市的实践经验/黄汉明//广西日报（南宁），1999.12.13
"团结"花开别样红：哈尔滨市太平区团结乡"双文明"建设纪实/王文、司汉科//黑龙江日报（哈尔滨），2000.1.4
大江跃起一条龙：前郭县前郭镇两个文明建设散记/才文秀、刘向华//吉林日报（长春），2000.1.2
牢记大职，落实人人：毛公村构建思想政治工作网络纪实

/李明//辽宁日报（沈阳），2000.1.10

越富越要讲精神文明：访深圳市布吉镇南岭村/沈树人、李济国、张雅心//人民日报（京），2000.1.5

群众性精神文明创建活动初探/尚邦淮//淮海经济开发（淮阴），1999.10

加大综合投入力度，促进城市文明建设/栾树森//哈尔滨专师学报，1999.5

重要的是转变观念；试析科龙集团的精神文明建设/何志毛、许玲玲//乡镇企业导报（京），1999.11

文明城市建设要处理好几个问题/何熙平//文明导报（广州），1999.12

论社会全面发展与精神文明建设/陈成方、周翔//青海社会科学（西宁），1999.6

论社会全面发展与精神文明建设/姚成国//娄底师专学报，1999.3

关于社会主义精神文明建设问题的思考/董彩根//浙江师大学报：社科版（金华），1999.5

论社会主义精神文明建设中的重要关系/刘笑燕//内蒙古社会科学：汉文版（呼和浩特），1999.6

科学与人文：民族精神重建之维度/高长江//新长征（长春），1999.10

确立精神支柱的思考/才凡//理论学习与探索（京），1999.5

精神价值的特性及其地位和作用/王一多//中国教育报（京），2000.1.12

论社区精神文明建设/何丽敏//中央沈阳市委党校学报，1999.6

塑造跨世纪的文明城区形象/冯俊生//沿海经贸，1999.11.12

论邓小平建设社会主义精神文明的理论价值和现实意义/毛克祥//黑龙江教育学院学报（哈尔滨），1999.3

对邓小平精神文明建设理论的若干认识/郑传芳//思想理论教育导刊（京），1999.12

开发区应成为精神文明建设的示范区：学习《江泽民论社会主义精神文明建设》的体会/关春//学习与实践（武汉），1999.11

民族复兴的战斗号角：读《江泽民论社会主义精神文明建设》/杜丹、乔银珍、魏克东//奋斗（哈尔滨），1999.12

市场经济和精神文明建设/肖万忠//淮海经济开发（淮阴），1999.11

关于市场经济与精神文明建设的辩证关系/托合提汗·斯玛依//实事求是（乌鲁木齐），1999.6

精神文明建设要为发展市场经济服务/陶岳潮//实事求是（乌鲁木齐），1999.6

从市场经济的伦理基础看精神文明建设的必要性/宋文新//理论与现代化（津），1999.12

谈社会主义物质文明和精神文明建设的关系/秦国富//辽宁广播电视大学学报（沈阳），1999.4

也谈依法治国与社会主义精神文明建设/于洋//吉林师范学院学报，1999.6

论科学的理性功能与精神文明建设/刘芳//社会科学（沪），1999.12

全方位占领职工思想文化阵地/杨弟刚//现代企业（西安），1999.11

精神文明建设要抓深抓细：“法轮功”事件后的理性思考/张艳国//理论月刊（武汉），1999.10.11

充分认识“法轮功”的本质和危害，切实加强社会主义精神文明建设/陈国锋//丽水师范专科学校学报，1999.6

论社会主义精神文明建设的核心和灵魂/刘文斌//洛阳工学院学报：社科版，1999.1

思想道德建设在社会主义现代化建设中的作用/陈清平//菏泽师专学报，1999.3

加强气节教育，培养爱国主义精神/曾何//贵阳师专学报：社科版，1999.4

高扬爱国主义精神的伟大旗帜/蒋汉通、谢新文//理论学习导刊（成都），1999.12

加强社会公德教育提高市民的文明素质/林凤文//宣传导报（长春），1999.12.15

创建文明行业必须做到五个坚持/朱训义//实与虚（合肥），1999.11

职业道德建设在两个文明创建中的作用/郝忠志、秦念喜、赵绍斌//理论与实践（沈阳），1999.2

跨世纪大学生思想道德状况、特点及对策思考/李冬坚//思想理论教育导刊（京），1999.12

浅论高校精神文明建设/伍燕//贵州民族学院学报：社科版（贵阳），1999.4

体校军训对校园精神文明建设深层次作用的研究/张玉琴//哈尔滨体育学院学报，1999.4

浅谈学校精神文明建设/刘俊//理论导报（南昌），1999.12

强化素质教育推进高校精神文明建设/曲兆敏//群众（南京），1999.12

文艺发展与精神文明建设/陈学璞//桂海论丛（南宁），1999.6

农村精神文明建设现状及对策研究/谢建芬//湖南大学学报：社科版（长沙），1999.4

农村精神文明建设存在的问题及其对策研究/高梅、李薇、郝宗珍//未来与发展（京），1999.6

农村精神文明建设重在抓落实/王胜科//发展论坛（济南），1999.12

创建文明城市要以提高市民素质为前提/辛伯庆//群众（南京），1999.12

必须重视精神文明建设在可持续发展战略中的地位与作用

/高飞乐//吉林大学学报：社科版，1999.3
浅谈社会主义精神文明建设/陈玉芳//北方经贸（哈尔滨），1999.5
精神文明建设如何正确利用传统资源/吴相洲//马克思主义与现实（京），1999.6
我国精神文明建设面临的五大挑战/宋增伟//河南师范大学学报：哲社版（新乡），1999.6
论现阶段精神文明建设面临的形势与特点/向卫平//成都行政学院学报，1999.6
新时期社会主义精神文明建设的组织理论问题/苟志效//探求（广州），1999.6
论社会主义精神文明建设的重要性/范锦秀//理论与实践（贵阳），1999.6
精神文明建设重在求实效/腾传利//文明向导（哈尔滨），1999.12
必须澄清精神文明建设中的几个模糊认识/丁桂荣//求实（南昌）1999，12
改革开放与加强精神文明建设的关系/林建华//中共福建省委党校学报（福州），1999.12
精神文明建设应坚持倡扬和禁戒的二律结合/陶明报//上海精神文明，1999.12.14
注重现实生活，加强文明建设：社会主义精神文明建设要以人为本/强朝晖//学习与交流（银川），1999.12